Praxisleitlinien Pflege

Planen und Dokumentieren auf Basis
von Pflegediagnosen der Klassifikation ENP

» Pia Wieteck (Hrsg.)

Praxisleitlinien Pflege
Planen und Dokumentieren auf Basis von Pflegediagnosen der Klassifikation ENP
2., vollständig überarbeitete und erweiterte Auflage, 2013
ISBN: 978-3-89752-126-1

Herausgeberin: Pia Wieteck
Lektorat und Produktionsleitung: Dr. Holger Mosebach
Konzeption und Gestaltung: Shida Ardehali, Martin Dillschneider
Umschlagfotografie: Werner Krüper

RECOM GmbH & Co. KG
34125 Kassel

Die Deutsche Bibliothek verzeichnet diese Publikation in der deutschen Nationalbibliografie; detaillierte bibliografische Angaben sind im Internet über http://dnb.d-nb.de abrufbar.

Das vorliegende Praxisbuch richtet sich an alle Bereiche der Pflege. Insbesondere ist es als Einstieg geeignet für Auszubildende und Pflegepraktiker in die Themengebiete Pflegeprozessdokumentation, Pflegeklassifikation und elektronische Pflegedokumentation. Zur konkreten Formulierungsunterstützung im Rahmen der Pflegedokumentation sind in der aktuellen 2. Auflage von "Praxisleitlinien Pflege" alle derzeit entwickelten 547 pflegediagnosenbezogenen Praxisleitlinien der Pflegeklassifikation ENP (European Nursing care Pathways) in der aktuellen Version 2013 veröffentlicht. Mithilfe der Pflegeklassifikation ENP erstellen Sie Ihre Pflegepläne schnell und für alle verständlich. ENP bietet nicht nur das notwendige einheitliche Vokabular (Pflegediagnosen, Kennzeichen, Ursachen, Ressourcen, Pflegeziele, Pflegeinterventionen), sondern repräsentiert zudem das aktuelle Pflegefachwissen.

An der Entwicklung von ENP haben Lehrer für Pflegeberufe, Pflegeexperten, Pflegefachkräfte und Pflegewissenschaftler mitgewirkt, die immer wieder mit Pflegenden in der Praxis den Austausch gesucht haben. Entstanden ist ein Instrument aus der Praxis für die Praxis. ENP ist sektorenübergreifend entwickelt, damit bei einer elektronischen Nutzung der Klassifikation ein Datenaustausch zwischen Krankenhaus, Heimen und ambulanten Pflegediensten möglich wird. Das Ziel der Entwicklung von ENP und des vorliegenden Buches ist es, einen Beitrag zur Verbesserung der Pflegeplanungskompetenzen der Pflegenden und der Formulierungsfähigkeiten in den Einrichtungen des Gesundheitswesens zu leisten.

An dieser Stelle möchte das ENP-Entwicklerteam allen Pflegepersonen und Einrichtungsleitungen danken, die sich aktiv an der Weiterentwicklung für die Version 2.7 beteiligt haben. Wertvolle Unterstützung und Vorschläge zur Weiterentwicklung erhielten wir von Krankenhäusern, Altenpflegeeinrichtungen und ambulanten Diensten auf sehr unterschiedliche Weise. Einige Einrichtungen nahmen an konkreten Verbesserungsprojekten teil. So wurden beispielsweise Standardpflegepläne, die in den Einrichtungen bereits erarbeitet wurden, zur Verfügung gestellt, um einen inhaltlichen Abgleich mit ENP zu ermöglichen. Oder es wurden konkrete Einführungsprojekte mit Pflegepraktikern initiiert. In Konsenssitzungen wurde versucht, bestimmte Phänomene und Interventionskonzepte in ENP abzubilden oder Vorschläge für eine Ergänzung zu entwickeln. Auch die aktive Teilnahme am Arbeitsprozess von ENP-Entwicklern und die anschließende Reflexion der identifizierten Phänomene waren Teil der Weiterentwicklungsmaßnahmen.

Im Rahmen von Übersetzungen ins Italienische und Französische wurden Validierungssitzungen der Übersetzung im jeweiligen Setting mit Pflegenden vor Ort durchgeführt. In diesen Konsenssitzungen wurde überprüft, ob das pflegerische Konzept in der Zielsprache wiedergegeben wurde. Im Zuge des Übersetzungsprozesses konnte ein Verbesserungspotenzial der Klassifikation identifiziert werden, das wiederum die deutsche Originalfassung beeinflusst hat.

Weiteres Potenzial bietet die Analyse der Datenbanken, die von den Pflegenden durch eigene Einträge ergänzt werden können. Diese werden von den ENP-Entwicklern auf mögliche neue Formulierungsvorschläge hin überprüft. Auch konkrete Verbesserungseingaben von Pflegenden, die mit ENP arbeiten und ein Interventionskonzept oder ein Pflegephänomen vermissen, gehen bei uns zahlreich ein und werden nach einem internen Prüfungsverfahren in ENP aufgenommen.

Dieses Buch gliedert sich in die Teile Wissen und Praxis: Im ersten Abschnitt „ENP-Wissen" wird zunächst die Pflegeklassifikation ENP ausführlich dargestellt und Sie erfahren die theoretischen Hintergründe für den zweiten, anschließenden Abschnitt „ENP-Praxis". Ein Verzeichnis der verwendeten Literatur für beide Teile finden Sie am Ende des Buches.

Der zweite Abschnitt „ENP-Praxis" beinhaltet die wichtigsten Pflegediagnosen für alle Bereiche der Pflege. Die Sortierung der Pflegediagnosen ist gemäß der hierarchischen Struktur der ENP-Pflegediagnosen dargestellt. An die Pflegediagnosen fügt sich die jeweilige Praxisleitlinie an, inklusive der dazugehörigen Kennzeichen, Ursachen, Ressourcen, Behandlungsziele und Pflegeinterventionen mit handlungsweisenden Informationen. Die übersichtlich abgebildete Praxisleitlinie bietet so den Pflegenden konkrete, standardisierte Formulierungshilfen an, die für das vereinfachte Erstellen von Pflegeplänen und die Pflegedokumentation eine wertvolle Hilfe sind. Darüber hinaus werden Auszubildende und Pflegende über die aktuellen zielgerichteten Handlungskonzepte in der Pflege informiert.

Am Ende jeder Praxisleitlinie finden Sie Literaturangaben. Die entsprechenden Quellenangaben der zur Untermauerung der ENP-Formulierungen verwendeten Fachliteratur finden Sie im ausführlichen Literaturverzeichnis am Ende des Buches.

An dieser Stelle weisen wir darauf hin, dass zugunsten der Lesbarkeit des Textes im Allgemeinen von Pflegepersonen oder Pflegenden die Rede ist. Gemeint sind damit männliche und weibliche Mitarbeiter dieser Berufsgruppe. Jede Pflegediagnose im Teil „ENP-Praxis" beginnt jeweils mit der Nennung des Leistungsempfängers und ist im vorliegenden Gesamtwerk mit „Der Patient" umgesetzt. Selbstverständlich sind hiermit männliche wie weibliche

Patientengruppen angesprochen. Ein spezieller Titel für die Altenpflege liegt ebenfalls vor. Nutzen Sie die Möglichkeiten des beiliegenden ENP-Trainers auf CD-ROM, um einfach mit wenigen Klicks einen individuellen Pflegeplan für Ihren Patienten zu erstellen. Das Arbeiten mit ENP unterstützt Sie dabei, Ihr Wissen zu vertiefen. Die praktische Anwendbarkeit und damit einhergehend die Wissenssteigerung zeigen Ihnen schnell auf, wie gewinnbringend die komplexe Thematik der Pflegediagnostik für Ihr Arbeiten ist. Viel Erfolg!

Pia Wieteck
und das ENP-Entwicklerteam

Inhaltsverzeichnis

Inhaltsverzeichnis

European Nursing care Pathways (ENP) ist eine standardisierte Pflegefachsprache, die Pflegende bei der Pflegeplanung und Dokumentation unterstützt. Sie umfasst alle Elemente des Pflegeprozesses (Pflegediagnosen, Ziele und Interventionen [= Pflegemaßnahmen]), die für eine nachvollziehbare Pflegeprozessdokumentation erforderlich sind. Durch Auswahl der für den Patienten relevanten Sprachbausteine wird der individuelle pflegerische Behandlungspfad (= care pathway) für den jeweiligen Patienten generiert. Die Pflegefachsprache ist im Sinne einer Pflegeklassifikation systematisiert. Damit wird das Auffinden von Pflegediagnosen, -zielen und -interventionen erleichtert. Im nachfolgenden Text wird der Begriff „Patient" verwendet. ENP ist eine sektorenübergreifende Pflegefachsprache und Klassifikation und kann zur Abbildung des Pflegeprozesses im Heim, im ambulanten Pflegedienst, in der Psychiatrie in der Kinderkrankenpflege usw. angewendet werden. Die jeweilige Bezeichnung des Pflegeempfängers kann wahlweise den Begriff Patient ersetzen. Ebenso ist auch immer die weibliche Form gemeint.

1.1 ENP ist eine Pflegefachsprache

Unter einer Fachsprache versteht man laut Duden (2011) eine »Sprache, die sich vor allem durch Fachausdrücke von der Gemeinsprache unterscheidet«. Die Verwendung einer Pflegefachsprache erscheint für viele Berufsangehörige bislang noch ungewohnt, auch wenn sie fraglos akzeptieren, dass andere Fachgebiete wie beispielsweise die Medizin, Psychologie oder Rechtswissenschaften sich im Rahmen ihrer Arbeit einer eigenen Fachsprache bedienen. Dies mag unter anderem daran liegen, dass die Pflegewissenschaft im Vergleich zu anderen Fachgebieten als ›junge Wissenschaft‹ bezeichnet werden kann, die Entwicklungsschritte durchläuft, die andere Fachgebiete teilweise bereits abgeschlossen haben. So haben sich beispielsweise in den oben angeführten Fachgebieten Fachsprachen fest etabliert, wo hingegen sich in der Pflege bislang weder Einheitlichkeit noch durchgehender Gebrauch einer Fachsprache durchgesetzt haben.
Zudem umfasst das pflegerische Handlungsfeld die Unterstützung des Patienten bei alltäglichen Tätigkeiten, weshalb Begriffe auch teilweise alltagssprachlichen Ausdrücken verwandt oder entlehnt sind. So können Begriffe wie ›Körperwaschung‹, ›Ausscheidung‹ oder ›Unterstützung beim Essen‹ zweifellos auch von berufsfremden Personen verstanden werden. Die Inhalte der Begriffe gehen im Bereich der Pflege jedoch über das Alltagsverständnis hinaus. So differenzieren Pflegende beispielsweise unterschiedliche Formen der Körperwaschung wie ›Stimulierende Körperwaschung‹ oder ›Beruhigende Körperwaschung‹ oder verbinden dies mit bestimmten Konzepten, wie bei der ›Körperwaschung nach Bobath‹. Auch der Kontext der Pflege, der sich aus Hilfsbedürftigkeit und/oder Krankheit des Betroffenen ergibt, erfordert einen für das Berufsfeld der Pflege spezifischen Blick auf die Dinge sowie ein spezielles Hintergrundwissen. Beispielsweise verbinden Berufsangehörige mit dem Begriff ›Ausscheidung‹ neben physiologischen Prozessen auch unterschiedliche Krankheitsbilder (Inkontinenzformen, Obstipation), behandlungsbedingte Veränderungen (Anus Praeter), spezielle Interventionen (Einläufe, Katheterisieren), Hilfsmittel (Katheter, Darmrohr, Urinalkondom) sowie mögliche Risiken (Dermatitis bei der Verwendung von Inkontinenzhosen, Dehydratation bei Durchfällen). Es wird deutlich, dass die inhaltliche Bedeutung von Begriffen im Rahmen der Pflege über die alltagssprachliche Verwendung hinausgeht und sich speziell auf den Fachbereich der Pflege bezieht. Darüber hinaus verwenden Pfle-

gende aber auch Begriffe (wie z. B. ›Herzbettlagerung‹, ›Bolusapplikation‹, ›Snoezelen‹) und Abkürzungen (wie z. B. PEG, DK, SBK, ZVD, AVK), die speziell in der Pflegepraxis verwendet und verstanden werden. Ob alltagssprachlich entlehnt oder als Fachterminus formuliert – Fachbegriffe repräsentieren immer eine Ansammlung von speziellem Fachwissen. Beispielsweise setzt die Verwendung der Begriffe ›Toilettentraining‹ oder ›Blasentraining‹ ein detailliertes Wissen darüber voraus, welches Bündel an Interventionen sich dahinter verbirgt, zu welchem Zweck dies durchgeführt wird und bei welchen Patienten die Durchführung sinnvoll ist.
Als wichtig stellt sich in diesem Zusammenhang zudem die einheitliche Verwendung von Begriffen dar. (Carpenito 1993; Etzel 2000; Huneke 2000, S. 39; van Maanen 2002)[1] Denn nur, wenn alle Pflegenden einheitliche (= standardisierte) Begriffe verwenden und die gleichen Inhalte mit diesen Begriffen verbinden, ist eine eindeutige und unmissverständliche Kommunikation möglich. Dieser Aspekt erhält besondere Bedeutung, wenn man bedenkt, dass die Verwendung von Begriffen sich derzeit nicht nur regional, sondern in bestimmten Fällen sogar von Einrichtung zu Einrichtung unterscheidet. Auch in der Definition von van Maanen (2002, S. 201) wird der Aspekt der Standardisierung der Pflegefachsprache hervorgehoben: Unter einer Pflegefachsprache versteht man »die Definition von disziplinspezifischen Pflegekonzepten in einer eindeutigen, kulturell angemessenen beruflichen Sprache [...], die durch Konsens von PflegeexpertInnen festgelegt, überprüft und innerhalb der Disziplin akzeptiert und praktiziert« wird.
Werden nun die Begriffe der standardisierten Sprache nach einem systematischen Schema sortiert, spricht man von einer Klassifikation. Auf diesen Aspekt soll nachfolgend eingegangen werden.

[1] Eine Fachsprache, die Begriffe zum einheitlichen Sprachgebrauch vorgibt, kann auch als ›standardisierte Fachsprache‹ bezeichnet werden.

1.2 Ordnungsprinzipien von ENP im Überblick

ENP nutzt die Vorteile der Klassifizierung, indem alle Elemente der Fachsprache thematischen Gruppen zugeordnet sind, welche im Kontext ihrer Beziehungen zueinander betrachtet werden können. Auf diese Weise sind Pflegediagnosen, Kennzeichen, Ursachen, Ressourcen, Ziele und Interventionen thematisch und hierarchisch strukturiert. Da alle Elemente jeweils ausschließlich eine Verbindung zu einer Oberklasse aufweisen, spricht man von einer monohierarchischen Klassifikation. Dieser Aspekt ist z. B. im Zusammenhang mit Datenauswertungen von Bedeutung. Zudem sind die Begriffe/Konzepte der ENP-Klassifikation präkombiniert. Das bedeutet, dass z. B. die ENP-Pflegediagnosen bereits eine Verknüpfung von verschiedenen Deskriptoren (= verschiedene Bezeichnungen zur Beschreibung des pflegerischen Phänomens wie Pflegeproblem und Ursache) beinhalten. Die pflegerischen Konzepte/Begriffe (wie Pflegediagnosen, Kennzeichen, Ursachen, Ziele und Interventionen) sind zusätzlich in einer horizontalen Struktur durch Relationen mit Praxisleitlinien verbunden. Durch die horizontale Struktur wird das Pflegefachwissen in Form von Praxisleitlinien zur Verfügung gestellt. Diese Praxisleitlinien oder auch pflegediagnosenbezogene Behandlungspfade werden auch als „modifizierte praxisnahe Theorien" bezeichnet (Wieteck 2003, Wieteck 2007a). Das bedeutet, dass zu einer Pflegediagnose sinnvolle pflegerische Handlungskonzepte als Auswahl dargestellt werden. Somit wird die Entscheidungsfindung der Pflegenden durch aktuelles Pflegefachwissen unterstützt.
Außerdem soll erwähnt werden, dass die ENP-Klassifikation zu den Interfaceterminologien gerechnet werden kann (vgl. die Einteilung von Bakken et al. 2000) und sie im Frontend-Einsatz genutzt wird. Mit diesen Bezeichnungen wird ausgedrückt, dass die Pflegefachsprache/-klassifikation von Pflegenden genutzt wird, die ganz konkret den Pflegeprozess für die Patienten planen und Maßnahmen durchführen und dokumentieren. Eine ausführliche Darstellung der Klassifikation von ENP findet sich in Kapitel 2.

1.3 Zielsetzung von ENP

Die Pflegeklassifikation ENP wurde entwickelt, um im Rahmen einer Pflegedokumentation die Abbildung des Pflegeprozesses in einer einheitlichen, standardisierten Sprache zu ermöglichen. Damit unterstützt ENP als Instrument die zentralen Zielsetzungen einer standardisierten Pflegefachsprache: Verbesserung der Kommunikation zwischen professionell Pflegenden im Gesundheitswesen, die Unterstützung von Prozessabläufen (z. B. die Überleitung von einer Einrichtung in eine andere), sowie die Leistungstransparenz der Pflege und Nutzung der entstandenen Daten. Durch die Struktur von ENP sollen Pflegende bei der Entscheidungsfindung im Rahmen des Pflegeprozesses durch die Präsentation des aktuellen Fachwissens unterstützt werden. Darüber hinaus werden durch den Einsatz standardisierter Formulierungen bei der Pflegeprozessdokumentation Daten generiert, die zur Hypothesenbildung/-prüfung in der Pflegeforschung und für Steuerungsprozesse im Pflegemanagement sowie Risikomanagement genutzt werden können.

Der Einsatz von ENP ist für die elektronische Patientenakte vorgesehen. Zudem kann ENP für Lehrzwecke, in der Kranken- und Altenpflegeausbildung oder zur Schulung von Mitarbeitern im Pflegeprozess eine wertvolle Unterstützung sein, da aufgrund der Verknüpfungen dem Nutzer das aktuelle Pflegefachwissen zur Verfügung gestellt wird. Darüber hinaus bieten Pflegediagnosen, -ziele und -interventionen eine Hilfestellung zur Formulierung bei handschriftlich erstellten Pflegeprozessplanungen. Implementiert in einer Software können Patientendaten schnell und effizient betrachtet und zu Auswertungszwecken genutzt werden.

1.4 Entwicklung von ENP

Die Entwicklung einer pflegediagnosenbezogenen Praxisleitlinie basiert einerseits auf einer induktiven Vorgehensweise (der Analyse und Kategorisierung von Pflegeplanbestandteilen, die in angeleiteten Ausbildungssituationen von Lehrern für Krankenpflege mit dem Auszubildenden und Pflegepersonen in der Praxis entstanden sind) und andererseits auf Literaturarbeit/-analysen, wobei Fachliteratur zu jeder Pflegediagnose die Inhalte der Praxisleitlinie abstützt. Erkenntnisse aus Validierungsarbeiten werden ebenso zur Weiterentwicklung genutzt. In dem Buch „ENP European Nursing care Pathways. Standardisierte Pflegefachsprache zur Abbildung von pflegerischen Behandlungspfaden“, wird die seit 1989 begonnene induktive Entwicklung von ENP ausführlich beschrieben (Wieteck 2004a, S. 27 ff.). Die Entwicklung von ENP wird auch durch die verschiedenen Mappings mit anderen Instrumenten wie NANDA-I, ICNP beeinflusst.
Bis heute wird die Entwicklung von ENP intensiv durch die Anwender mitbeeinflusst. Im Rahmen von Anwenderprojekten werden systematisch fehlende Bestandteile identifiziert, analysiert und bearbeitet. ENP-Anwender melden ebenfalls Verbesserungsvorschläge an das ENP-Entwicklerteam. Kundenanforderungen/Projektergebnisse werden aufgenommen und als Entwicklungseingabe definiert und bearbeitet. Nach positiver Bestätigung der Entwicklungsvorschläge der Pflegenden vor Ort kommt es im nächsten Schritt zu einer vertieften Literaturarbeit und einem systematischen Abgleich mit möglichen konkurrierenden Pflegediagnosen. Vor der Einarbeitung neuer Inhalte ist zudem die Konsentierung im ENP-Entwicklerteam obligatorisch. Die ENP-Praxisleitlinien werden sowohl mit internationaler als auch nationaler Fachliteratur und Studien untermauert. Der Umsetzung von Expertenstandards in der Pflege sowie anerkannter Leitlinien, Richtlinien und Empfehlungen wird besondere Aufmerksamkeit bei der ENP-Entwicklung gewidmet. Nachfolgend wird auf die verschiedenen Weiterentwicklungsstrategien von ENP genauer eingegangen.

1.4.1 Umsetzung von Expertenstandards, Leitlinien, Richtlinien und Empfehlungen

Vor dem Hintergrund von Infektionswellen wie EHEC und SARS sowie der Problematik von MRSA und den damit verbundenen Risiken wurde für die Pflege die Relevanz des Umgangs mit Infektionskrankheiten erneut deutlich. Dies war im Jahr 2011 Anlass, ENP auf der Grundlage aktueller Leitlinien und Richtlinien weiterzuentwickeln und die Praxisleitlinie ›Der Patient hat eine Infektionskrankheit, es besteht das Risiko einer Ansteckung für das Umfeld‹ zu aktualisieren. Zur Bearbeitung wurden unterschiedliche Leitlinien der Arbeitsgemeinschaft der Wissenschaftlichen Medizinischen Fachgesellschaften (AWMF), der Weltgesundheitsorganisation (WHO) sowie Empfehlungen des Robert-Koch-Instituts (RKI), des Bundesministeriums für Gesundheit (BMG) und der Deutschen Gesellschaft für Krankenhaushygiene (DGKH) herangezogen. Auf dieser Grundlage konnten weitere Inhalte in ENP ergänzt werden. So wurden neben anderen Ergänzungen weitere Erkrankungen als Ursache der bestehenden Pflegediagnose hinzugefügt und Hinweistexte zur korrekten Durchführung der Händedesinfektion sowie zu meldepflichtigen Krankheiten usw. aufgenommen. Auch eine konkretere Darstellung von Interventionen, indem diese in Unterpunkten weiter differenziert werden, ist ein Ziel des Weiterentwicklungsprozesses. Auf diesem Weg erhalten Anwender unter den jeweiligen Interventionen konkrete Handlungsvorschläge, die in der Literatur in diesem Zusammenhang als sinnvoll erachtet werden. Die Intervention ›Auf die Einhaltung der Isolierung achten‹ wurde z. B. durch folgende Unterpunkte konkretisiert:

- Beobachtung und Dokumentation der Compliance im Umgang mit Hygienevorschriften
- Isolierungsmaßnahmen kontinuierlich überwachen
- Notwendigkeit der Isolierungsmaßnahme erklären
- Durchführung der Isolierungsmaßnahme erklären
- In das Isolierungszimmer bringen.

Unmittelbar erkennbar ist die Umsetzung von Leitlinien, Richtlinien und Empfehlungen in ENP für den Anwender allerdings möglicherweise nicht immer auf den ersten Blick. Dieser Sachverhalt soll exemplarisch anhand der Umsetzung des Expertenstandards: ›Pflege von Menschen mit chronischen Wunden‹ (DNQP, 2008) verdeutlicht werden. Die Umsetzung in ENP erfolgte durch die Entwicklung bzw. Aktualisierung folgender Praxisleitlinien:

- Der Patient hat einen Dekubitus, es besteht eine erschwerte Wundheilung
- Der Patient hat ein diabetisches Fußsyndrom (DFS), es besteht eine erschwerte Wundheilung
- Der Patient hat einen Ulcus cruris arteriosum, es besteht eine erschwerte Wundheilung
- Der Patient hat einen Ulcus cruris venosum, es besteht eine erschwerte Wundheilung
- Der Patient hat eine (sonstige) chronische Wunde, es besteht eine erschwerte Wundheilung.

Es wird deutlich, dass sich die Umsetzung in ENP nicht allgemein auf ›chronische Wunden‹ bezieht (wie im Titel des Expertenstandards), sondern die Thematik in spezifische Praxisleitlinien zu chronischen Wunden untergliedert wurde. Diese Spezifizierung war aufgrund unterschiedlicher Handlungsempfehlungen im Expertenstandard zu bestimmten Wundarten (Dekubitus, DFS, Ulcus cruris arteriosum, Ulcus cruris venosum) erforderlich. In Ergänzung dazu wurde zur Abbildung zusätzlicher Problemstellungen innerhalb dieses Bereichs eine allgemeine Praxisleitlinie erstellt. Auch ist zu erkennen, dass die jeweiligen Praxisleitlinien durch die Verknüpfung der Wundarten mit dem Pflegeproblem ›beeinträchtigte Wundheilung‹ speziell auf diesen Fokus ausgerichtet sind. Wichtig ist für Menschen mit chronischen Wunden jedoch nicht ausschließlich der Heilungsverlauf ihrer Wunde. Insbesondere vor dem Hintergrund des chronischen Verlaufs spielen psychosoziale Aspekte bei dieser Patientengruppe eine wichtige Rolle. Zur adäquaten Abbildung dieser Inhalte soll die zusätzlich entwickelte Praxisleitlinie dienen: ›Der Patient hat aufgrund einer chronischen Wunde ein beeinträchtigtes Wohlbefinden‹.

Damit werden Inhalte umfasst, die sich auf die Lebensqualität, die Wahrnehmung der eigenen Körperlichkeit, wund- und therapiebedingte Beeinträchtigungen wie Wundgeruch, individuelle Problemlösungswege, auf Alltags- und Lebensgestaltung sowie auf Selbstpflegefähigkeit und Selbstpflegemanagementkompetenz beziehen. Als Resultat der Bearbeitung beziehen sich die Interventionen der Praxisleitlinien inhaltlich jeweils auf das in der Pflegediagnose befindliche Problem. Auf diese Weise kann nun beispielsweise die Intervention ›Ursachen wundbezogener Einschränkungen klären und Problemlösungswege entwickeln‹ im Zusammenhang mit dem Pflegeproblem ›beeinträchtigtes Wohlbefinden‹ ausgewählt werden. Hingegen werden z. B. beim Diabetischen Fußsyndrom ›druckentlastende Hilfsmittel‹ (wie therapeutisches Schuhwerk) eingesetzt, weil bei dieser Patientengruppe das Problem der ›beeinträchtigten Wundheilung‹ besteht. In ihrer Gesamtheit bilden die genannten ENP-Praxisleitlinien die Inhalte des Expertenstandards ›Pflege von Menschen mit chronischen Wunden‹ vollständig ab, womit die Vorgaben des Expertenstandards in ENP umgesetzt sind.

1.4.2 Durchführung von Praxis- und Forschungsprojekten

Als Ergänzung zu bisher genannten Weiterentwicklungsbestrebungen werden Praxisprojekte zur Weiterentwicklung von ENP durchgeführt. So wurden beispielsweise in Arbeitsgruppen Ergänzungsvorschläge für Pflegephänomene und Interventionskonzepte erarbeitet und anschließend gemeinsam reflektiert oder vorhandene Standardpflegepläne von Einrichtungen mit den Inhalten von ENP abgeglichen.

Dazu werden gezielt Kooperationspartner ausgewählt, um ENP in bislang weniger entwickelten Bereichen weiter auszubauen. Beispielsweise findet derzeit ein Projekt mit einer Kinderklinik statt, um die dafür spezifischen Elemente systematisch zu ermitteln und zu stärken. In diesem Zusammenhang fiel auf, dass sich Probleme bei der Betreuung durch die Eltern[2] bislang nicht zufriedenstellend in ENP abbilden ließen. Aus diesem Grund wurden zwei Praxisleitlinien entwickelt, die relevante Aspekte der Angehörigenpflege abbilden und in allen Bereichen der Pflege genutzt werden können. Im Mittelpunkt der Praxisleitlinien steht die Dependenzpflege. Dieser Begriff ist vom Pflegemodell Orems übernommen, da er inzwischen in weiten Bereichen der Praxis Anwendung findet. Verstanden wird darunter das Handeln, das von einer Person zugunsten einer anderen Person durchgeführt wird, die aufgrund ihres Gesundheitszustandes oder des Entwicklungsstandes einige oder alle erforderlichen Selbstpflegehandlungen nicht erfüllen kann (Orem 2001; Dennis 2001; Holoch 2010; Möller 2006; Coyle Rieg 2000). Nicht immer sind Angehörige bzw. Bezugspersonen auch in der Lage, die Dependenzpflege zu leisten. In anderen Fällen bedarf es pflegerischer Unterstützung, damit die Angehörigen oder Bezugspersonen die Dependenzpflege weiterhin oder zukünftig leisten können. Diese Problemfelder sind Inhalt der neuen Praxisleitlinien und können sich beispielsweise durch Anzeichen der Überlastung oder Überforderung, aber auch durch Verunsicherung der Angehörigen zeigen. Die betroffene Person zeigt möglicherweise Anzeichen der Vernachlässigung oder Ungepflegtheit oder es deuten sich Beziehungs- und Interaktionsprobleme unter den beteiligten Personen an. Je nach Ursache und Fähigkeiten der Personen kann sich ein Pflegefachgespräch, gezielte Anleitungssituationen oder auch eine Unterstützung bei der Integration in den Alltag für die Bezugspersonen als

[2] In der Kinderkrankenpflege übernehmen oftmals die Eltern die Durchführung von Pflegeinterventionen bei ihrem Kind. Dazu benötigen sie eine spezielle Anleitung. Auch die Kontaktpflege sowie Beratung und Einbeziehung in den Behandlungsprozess haben in der Kinderkrankenpflege im Vergleich zur Pflege von Erwachsenen einen ganz besonderen Stellenwert.

hilfreich erweisen. Dies könnte beispielsweise durch Umfeldgestaltung oder die Beschaffung von Hilfsmitteln geschehen. Wichtig für den Angehörigen ist zudem der Aufbau und Erhalt eines unterstützenden sozialen Umfeldes, bei dem Pflegepersonen durch Informationsweitergabe oder organisatorische Leistungen, wie der Vermittlung von Kontakten unterstützend wirken können.

Auch die Übersetzung von ENP ins Italienische und Französische führte zu wichtigen Hinweisen für Verbesserungen in ENP. Denn nach den Übersetzungen musste im Rahmen von Validierungssitzungen geprüft werden, ob der übersetzte Begriff tatsächlich denselben pflegefachlichen Bedeutungsumfang beinhaltet, wie der ursprüngliche deutschsprachige Begriff. Auf diesem Weg konnten Hinweise für fachliche Ungenauigkeit aufgedeckt werden.

Zudem werden die Datenbanken von Softwareanwendern regelmäßig zur Weiterentwicklung genutzt. Denn immer, wenn Anwender nicht die Möglichkeit sehen, dass, was sie abbilden möchten, mit ENP zu dokumentieren, können sie über Freitextfelder Inhalte ergänzen. Diese Ergänzungen werden nach Einverständnis der Anwender ausgeleitet und im entsprechenden Zusammenhang betrachtet.

Schließlich trägt auch die Durchführung von Qualifizierungsarbeiten (wie im Rahmen von Bachelor-, Master- und Doktorarbeiten) zur Weiterentwicklung von ENP bei. Beispielhaft kann die Inhaltsvaliditätsprüfung von Hardenacke (2008) angeführt werden, die zu der Entscheidung führte, Definitionen der Konzeptbegriffe im Pflegediagnosentitel aufzunehmen. Die Kriteriumsvaliditätsprüfung von Berger (2008) gab ebenfalls wichtige Impulse zur Weiterentwicklung. Gerne unterstützt das ENP-Entwicklerteam Studenten bei der Erstellung von Qualifikationsarbeiten, indem Kontakte zum Feld hergestellt und vorhandene relevante Literatur angeboten wird. Denn Qualifikationsarbeiten können einen wertvollen Beitrag zur Weiterentwicklung von ENP leisten.

1.4.3 Der Pflegeprozess in 6 Schritten

Eine weitere Form der Weiterentwicklung von ENP besteht darin, zu einem bestimmten Themenbereich eine Literaturanalyse durchzuführen und deren Inhalte anschließend mit den einzelnen Elementen (oder Bausteinen) in ENP zu vergleichen. Auf diese Weise wurde der Bereich Körperwaschung bearbeitet, was zur Verdeutlichung an dieser Stelle näher ausgeführt werden soll.[3]

Nachdem auf der Basis etymologischer Wörterbücher (die Wortherkunft betreffend) eine Begriffsklärung stattgefunden hatte, wurde eine Literaturrecherche mit unterschiedlichen deutschen und englischsprachigen Suchbegriffen durchgeführt. Die Suche erfolgte in unterschiedlichen Datenbanken wie Cochrane Library, Centre of Reviews and Dissemination, The Joanna Briggs Institute for Evidence Based Nursing and Midwifery, Cinahl, PubMed, DIMDI, Agency for Health Care Policy and Research, Department of Health Evidence Bulletins of Wales u. a. In Ergänzung dazu wurden die letzten Jahrgänge der Zeitschriften: Journal of evidence-based Nursing, Pflege und Pflegewissenschaft in Handsuche durchgesehen. Aus über 2.000 Recherchetreffern und 22 Recherchen mit verschiedenen Suchwortkombinationen in den unterschiedlichen Datenbanken wurden nach Durchsicht der Abstracts 163 Artikel als relevant eingestuft. Nach sorgfältiger Prüfung dieser einzelnen Artikel anhand anerkannter Bewertungsverfahren konnten 49 von diesen schließlich in die Analyse einbezogen werden. Auf der Basis dieser Artikel fand dann der Vergleich von ENP im Bereich Körperwaschung mit den Aussagen aus der Literatur statt. Dieser Vergleich bezog sich zum einen auf die Gültigkeit der speziellen Praxisleitlinien und zum anderen auf die Gültigkeit und Vollständigkeit aller enthaltenen Elemente. Bei der Prüfung einer Praxisleitlinie geht es darum zu untersuchen, ob spezifische Interventionskonzepte für das dazugehörige Problem existieren und ob sich diese hinreichend von den anderen Praxisleitlinien des Themenbereichs unterscheiden (z. B. unterscheidet sich die Körperwaschung bei Patienten mit Hemiplegie/-parese aus pflegefachlicher Sicht von der Körperwaschung bei Patienten mit verminderter Herzleistung). Dies gilt es aufgrund der Literaturanalyse für die Differenzierung von in Lehrbüchern aufgeführten Bewegungseinschränkungen nochmalig speziell zu prüfen (Kellnhauser et al. 2004; Schmidt & Zimmer 2000; von Altenbockum et

[3] Eine detaillierte Darstellung der Literaturanalyse wurde in der Zeitschrift ›Pflegewissenschaft‹ veröffentlicht (Helmbold & Berger 2010).

al. 1995).

In einem zweiten Arbeitsschritt wurden alle Elemente der jeweiligen Praxisleitlinien mit Hilfe von Kreuztabellen mit den Aussagen aus der Literatur verglichen. Dabei fanden sich keine fachlich falschen Aussagen oder Widerlegungen, jedoch ließen sich begriffliche Unklarheiten aufdecken und durch Umformulierungen beheben. Zudem konnten mit diesem Verfahren Ergänzungsvorschläge ermittelt werden. So wurde beispielsweise der Interventionsbereich um eine spezielle Form der Körperwaschung ergänzt, die im anglo-amerikanischen Sprachraum u. a. als ›bag-bath‹ oder ›towel-bath‹ bezeichnet wird, von der Alzheimergesellschaft empfohlen und bei Patienten mit Demenz erfolgreich eingesetzt wird (Alzheimers Association 2006; Dunn et al. 2002). Dabei werden Tücher in einer Mischung aus Wasser und nicht abzuwaschender Reinigungslösung getränkt und im warmen Zustand zur Abreibung des Körpers verwendet (Carruth et al. 1995, Sheppard & Benner 2000). Die Methode arbeitet bewusst nicht mit fließendem Wasser, da Geräusche von fließendem oder plätscherndem Wasser sowie das Laufen von Wassertropfen über die Haut, Menschen mit Demenz irritieren können. Studien zeigen, dass Betroffene bei der Durchführung der Körperpflege auf diesem Weg weniger ängstliches Verhalten zeigen als bei der konventionellen Körperpflege im Bett (Sloane et al. 2004; Dawson et al. 2001; Sheppard & Benner, 2000). Interessant ist auch, dass in Studien kein signifikanter Unterschied des Hautzustands nach Verwendung der Methode im Vergleich zur konventionellen Körperwaschung festgestellt wurde, sich in manchen Studien sogar andeutet, dass es zu einer Verringerung der Hauttrockenheit und einem verminderten Auftreten von Hautrissen kam (Dawson et al. 2001; Sheppard & Benner, 2000; Birch & Coggins 2003; Benner 2000).[4]

1.4.4 Rückmeldungen von Anwendern

Die Zusammenarbeit mit der Praxis stellt aufgrund der großen Datenmenge von ENP und der rasant fortschreitenden internationalen Wissensvermehrung in der Pflege ein wichtiges Element des Entwicklungsprozesses und der Qualitätssicherung von ENP dar. Derzeit nutzen allein in Deutschland über 300 Altenpflegeeinrichtungen und 12 Kliniken ENP zur täglichen Pflegeprozessplanung und -dokumentation in einer elektronischen Patientenakte. Hier wird bewusst eine enge Zusammenarbeit zwischen der Pflegepraxis und der Weiterentwicklung von ENP angestrebt. Denn nur, wenn sich die Weiterentwicklung an den Bedürfnissen der Pflegepraxis orientiert, kann ENP auch effektiv dort eingesetzt werden. Rückmeldungen beeinflussen beispielsweise die Prioritäten der Bearbeitung, indem sie Themenbereiche in ENP aufdecken, die vordringlich aktualisiert oder ergänzt werden sollten. Als Folge daraus kann es sich um die Aufnahme eines bestimmten Aspektes wie einer Ursache oder einer Intervention handeln, es kann aber auch sein, dass eine Praxisleitlinie vollständig überarbeitet oder neu entwickelt wird.

Allerdings ist anzumerken, dass nicht jede Rückmeldung zu ENP auch zwangsläufig zu einer Änderung oder Ergänzung in ENP führt. Der Entscheidung, welche Inhalte von ENP aktualisiert und bearbeitet werden müssen, geht eine Prüfung mittels Fachliteratur durch einen ENP-Entwickler voraus. Grundsätzlich werden keine Interventionen aufgenommen, wenn sie aus wissenschaftlicher Sicht als fachlich falsch angesehen werden, auch wenn sie in der Pflegepraxis Anwendung finden. So existiert nach Umsetzung des aktualisierten Expertenstandards zur Dekubitusprophylaxe in der Pflege bei der ENP-Intervention ›Weichlagerung gefährdeter Körperregionen durchführen‹ bewusst nicht die Auswahlmöglichkeit der Weichlagerung durch Felle. Denn im Expertenstandard wird ausdrücklich vom Einsatz der Felle vor dem Hintergrund von Forschungsergebnissen abgeraten.[5] Andererseits müssen zur vollständigen Abbildung der Pflegepraxis aber auch die inhaltlichen Aspekte enthalten bleiben, die sich zwar nicht für alle, aber für eine bestimmte Patientengruppe eignen. Hierbei muss fachlich klar differenziert werden, ob die betreffenden Inhalte grundsätzlich fachlich falsch oder ausschließlich unter bestimmten Umständen kritisch zu sehen sind. Exempla-

[4] Um dem Leser die Möglichkeit der Literatursuche zu der genannten Methode (z. B. zur Durchführung der Methode) zu erleichtern, wurden an dieser Stelle auch Quellen von Artikeln mit niedrigem Qualitätsniveau eingefügt, die in der Literaturanalyse selbst keine Berücksichtigung fanden.

[5] Der aktualisierte Expertenstandard rät grundsätzlich vom Einsatz jeglicher Felle ab, obwohl der Einsatz von Naturfellen wissenschaftlich nicht klar widerlegt ist. Aufgrund der haftungsrechtlichen Relevanz der Empfehlungen der Expertenstandards sind in ENP zudem keine Naturfelle als Auswahlmöglichkeit enthalten.

risch kann dazu die Intervention ›Triggern‹ angeführt werden, auf dessen Risiken auch im Expertenstandard zur Harnkontinenz hingewiesen wird. Unter ›Triggern‹ wird das rhythmische Beklopfen oder Bestreichen der unteren Bauchdecke verstanden, wodurch die Blase zur Entleerung angeregt wird. Die Intervention kann nur eingesetzt werden, wenn es zur Ausbildung von intravesikalen Drücken kommt, die im physiologischen Bereich liegen und zu einer restharnarmen Blasenentleerung führen. Dies ist nur bei einer Minderheit der Patienten mit Reflexblase der Fall (Burgdörfer et al. 2007, S. 12 ff.) Sind die oben genannten Voraussetzungen nicht erfüllt, kann ein „Triggern" der Blase zu schwerwiegenden Komplikationen führen. Aus diesem Grund wurde die Abklärung von Kontraindikationen in ENP bei der entsprechenden Maßnahme als Voraussetzung der Durchführung ergänzt, sowie ein Hinweistext hinzugefügt, der über Risiken in diesem Zusammenhang aufklärt.

Ein anderer Fall sind Ergänzungswünsche von Anwendern, die darauf zurückzuführen sind, dass diese offenbar Inhalte in anderen Zusammenhängen oder unter einem anderen Begriff gesucht haben. So könnte es beispielsweise sein, dass eine Pflegeperson abbilden möchte, dass bei einem Patienten/Bewohner mit Diabetes mellitus Typ II 3 x täglich Blutzuckerkontrollen durchgeführt werden sollen. Geplant werden könnte diese Intervention unter der Pflegediagnose ›Der Bewohner hat das Risiko der Hyper-/Hypoglykämie‹. Diabetes mellitus Typ II wäre dann bei der genannten Pflegediagnose als Ursache des Problems auszuwählen und ggf. können weitere ursächliche Faktoren, wie Stresssituationen, ein akuter Infekt, Veränderungen in der Nahrungszufuhr oder ein Informationsdefizit hinzugruppiert werden. Der Anwender könnte hier jedoch eine inhaltliche Lücke in ENP vermuten, da die Suche im Pflegediagnosentitel nach dem Begriff ›Diabetes‹ für ihn nicht zielführend war.

Schließlich unterliegt auch die Art und Weise der Umsetzung pflegefachlicher Inhalte in ENP unterschiedlichen Zwängen, die aufgrund der verschiedenen Verknüpfungen und zur Aufrechterhaltung der Möglichkeit von Datenauswertung eingehalten werden müssen. Ein zusätzlicher Anspruch besteht in der Einhaltung der festgelegten Struktur und Sprache von ENP.

202 Der Patient **verharrt in bestimmten Bewegungen** und kann die Haltung nur verzögert lösen, es besteht eine **beeinträchtigte Beweglichkeit**

Kennzeichen

- 2600 Rigor
- 7197 Vorliegendes spastisches Haltungsmuster
- 2492 Erhöhter Muskeltonus
- 2609 Erhöhter Widerstand bei passiver Bewegung

Ursachen

- 1619 Morbus Parkinson
- 2603 Störung des extrapyramidalen Systems
- 2211 Schmerzzustände
- 163 Angstzustände

Ressourcen

- 2613 Zeigt Motivation, die Übungen durchzuführen
- 2747 Kann die Maßnahme nach Anleitung selbstständig durchführen
- 2614 Hat den Willen, die Selbstständigkeit zu erhalten
- 7158 Kennt Spastik auslösende Faktoren und vermeidet diese

Pflegeziele

- 5826 Erkennt den Vorteil der Verhaltensmaßnahmen und setzt diese selbstständig ein
- 202 Ist über Verhaltensmaßnahmen informiert und setzt diese um
- 5824 Reflektiert und korrigiert die eigene Körperhaltung

Abb. 1: Beispiel für eine Praxisleitlinie (nicht vollständig) mit den dazugehörigen IDs

1.5 Verfügbarkeit und Verbreitung von ENP

- ENP ist als Datenbank sowie als Buchpublikation auf Deutsch verfügbar und in drei Sprachen (Englisch, Italienisch und Französisch) übersetzt. Die Datenbank wird von unterschiedlichen Softwareherstellern in die jeweiligen Produkte eingebunden und zweimal im Jahr aktualisiert.
- Buchveröffentlichungen finden im Zweijahresrhythmus statt. Um eine eindeutige Identifizierung der Elemente zu gewährleisten, ist jedem Item eine eindeutige Identifizierungsnummer (ID bzw. Notation[6]) zugeordnet. Diese bleibt auch im Verlauf der Weiterentwicklung für die jeweiligen Items (einzelne Pflegediagnosen, Kennzeichen, Ursachen, Ressourcen, Ziele und Interventionen) konstant. Gleichzeitig wird durch technische Verfahren gewährleistet, dass auch alle ursprünglichen Formulierungen in der Datenbank erhalten bleiben, um auch die Darstellung alter Pflegeprozessplanungen in der ursprünglich verfassten Form zu gewährleisten.
- Um die Lesbarkeit der Buchveröffentlichung zu erleichtern, wurde darauf verzichtet, die ID-Nummern mit zu veröffentlichen. In Abbildung XXX sehen Sie ausschnittsweise ein Beispiel für eine Praxisleitlinie mit den dazugehörigen IDs.

Zum derzeitigen Zeitpunkt setzen Institutionen in Deutschland, Österreich, Luxemburg und Italien ENP in einer elektronischen Patientenakte für die Pflegeprozessdokumentation ein. Aussagen zur Verteilung der Anwendung können den folgenden Angaben entnommen werden, die den Stand der Verwendung im Mai 2012 darstellen:

Deutschland
12 Krankenhäuser/über 300 Altenpflegeheime und ambulante Pflegedienste

Österreich
16 Krankenhäuser/5 Organisationen der ambulanten Pflege (mit über 3.000 Mitarbeitern im Bereich der Pflege) 10 Anwendungen im Heimbereich

[6] Im Zusammenhang mit Softwareanwendungen wird der Begriff „ID" verwendet, während im Rahmen von Klassifikationssystemen der Begriff „Notation" gebräuchlich ist.

Luxemburg
2 Krankenhäuser/größter Anbieter im ambulanten Bereich (ca. 90 % der Versorgung) ein Einsatz im Heim-Bereich und weiteren Kliniken ist angedacht.

Italien
1 Projekt im Krankenhausbereich mit Anbindung an die Universität.

Inhaltsverzeichnis

ENP kann in drei Teilbereiche gegliedert dargestellt werden, diese sind:

Teilbereich A
ein Pflegeklassifikationssystem

Teilbereich B
Präkombinationen

Teilbereich C
der Elemente des Pflegeklassifikationssystems und daraus entwickelte Praxisleitlinien

Die drei unterschiedlichen Teilbereiche von ENP werden im Folgenden beschrieben. Das erste Kapitel widmet sich der Klassifikation von ENP.

2.1 Die Pflegeklassifikation ENP – Teil A

An dieser Stelle erfolgt zum besseren Verständnis zunächst ein kurzer Ausflug in die Grundlagen der Ordnungslehre. Prinzip einer Klassifizierung ist die Gruppierung von Elementen, die, einer definierten Logik folgend, als zusammengehörig betrachtet werden. Durch hierarchische oder nebengeordnete Beziehungen unter den Gruppen (oder Klassen) kommt es zu einem strukturierten Gesamtgefüge – dem Klassifikationssystem. Vorteil der Klassifizierung von Begriffen ist die verbesserte Übersicht, die Umfang und Zusammenhänge offenbart.
Auf diese Weise unterstützt ein Klassifikationssystem bei der Identifikation von Dopplungen, unschlüssigen oder fehlenden Elementen und trägt zur erleichterten Anwendung der Inhalte bei. Insbesondere für die Nutzung und Auswertung von Prozessdaten, stellt die strukturierte Systematisierung in Form eines Klassifikationssystems eine Voraussetzung dar.
Eine Klassifikation bezeichnet ein Ordnungssystem, das auf dem Prinzip der Klassenbildung beruht, eine Auflistung von Begriffen darstellt und in der Regel eine hierarchische Struktur aufweist. An der Spitze der hierarchischen Struktur steht der Begriff, der allen anderen Begriffen übergeordnet ist und gleichzeitig alle aufgeführten Begriffe thematisch beinhaltet.
Der sogenannte Allbegriff wird häufig nicht in der Darstellung der hierarchischen Struktur aufgenommen, sondern steht als Titel über dem Ordnungssystem.
Die hierarchische Struktur wird durch die Begriffskette/-leiter sichtbar. Die unter- oder übergeordneten Begriffe einer Klasse werden in der Regel durch Verbindungslinien in einer Grafik dargestellt. Beispiel für eine absteigende Begriffskette ist: Pflege, Körperpflege, Hautpflege. In einer hierarchisch aufgebauten Klassifikation gibt es übergeordnete, untergeordnete und gleichgeordnete Begriffe. Gleichgeordnet sind Begriffe, welche im Hierarchiebaum auf gleicher Höhe stehen, z. B. Hautpflege, Haarpflege, Mundpflege.
Der Allbegriff von ENP lautet: „Pflegekonzepte/Begriffe zur Abbildung des Pflegeprozesses“. Darunter gliedern sich die Gruppen: Pflegeproblem, Ressource, Kennzeichen, Ursachen, Pflegeziele, Pflegeinterventionen und Interventionsspezifika, die jeweils weiter untergliedert sind in: Domänen, Klassen, Kategorien und Subkategorien. Zwischen den genannten Elementen bestehen Relationen in Form von Über-, Unter- und Nebenordnungen, die mit Verbindungslinien dargestellt werden. Die nachfolgende Grafik zeigt die Pflegeklassifikation ENP.

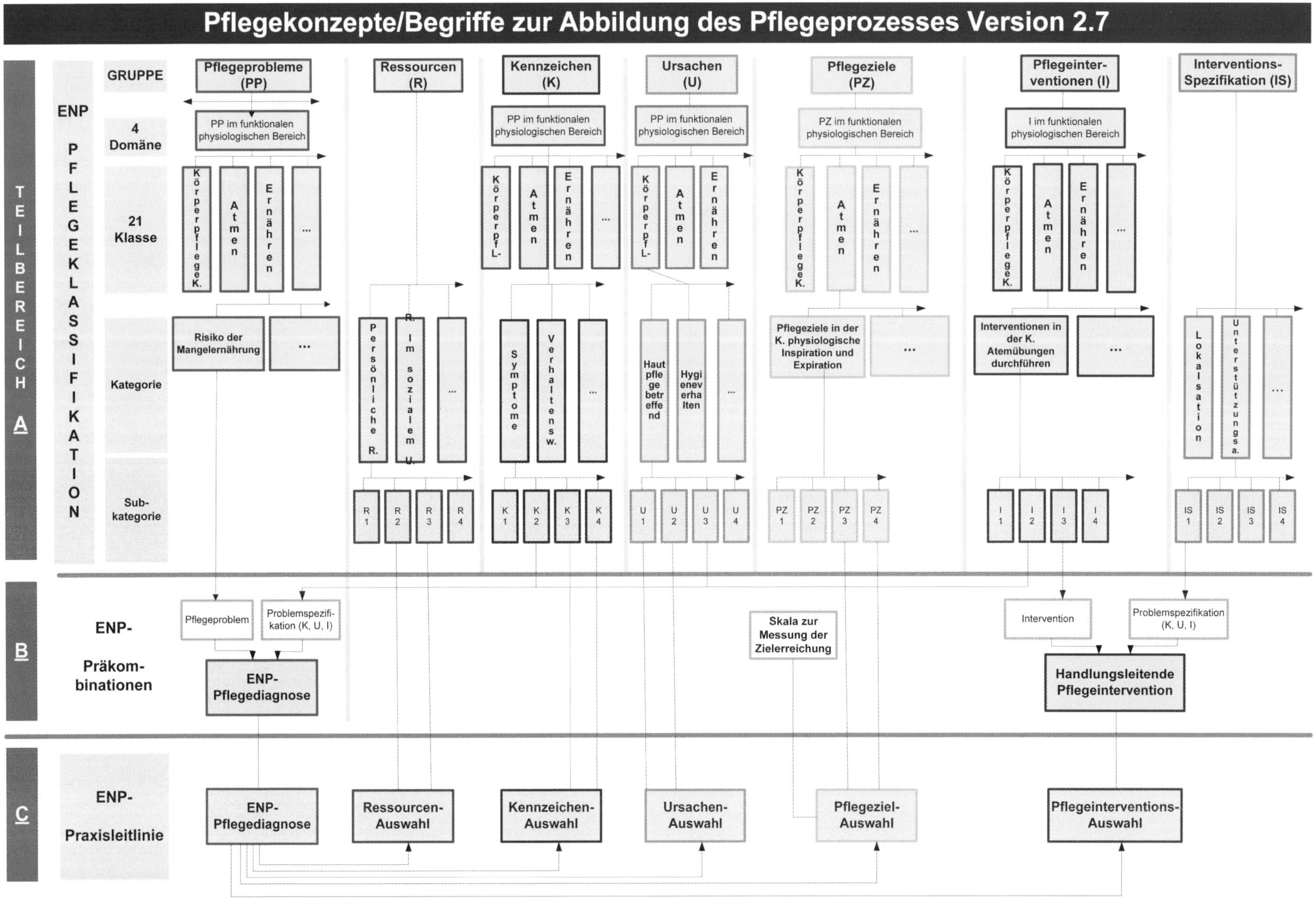

Abb. 2: Struktur der Pflegeklassifikation ENP

Am Beispiel der Pflegeprobleme soll die Hierarchisierung der thematischen Inhalte im Folgenden exemplarisch dargestellt werden.
Die Gruppe der Pflegeprobleme untergliedert sich in vier Domänen: Pflegeprobleme im funktionalen/physiologischen Bereich, Pflegeprobleme im emotionalen/psychosozialen Bereich, Pflegeprobleme mit mehrdimensionalen Risiken und umfeldbezogene Pflegeprobleme. Diese Domänen sind thematisch in 21 Klassen untergliedert und den Klassen sind 136 Kategorien zugeordnet. Die inhaltliche Aufteilung der Domänen und Klassen ist in den drei Gruppen Pflegediagnosen, -ziele und -interventionen identisch. Tabelle 1 stellt für die Gruppe der Pflegeprobleme beispielhaft die Zuordnung der Kategorien in dieser Gruppe dar.

Domäne	Klasse	Kategorie
Funktionaler/ physiologischer Bereich	Körperpflege/Kleiden	Selbstfürsorgedefizit Körperwaschung
		Selbstfürsorgedefizit Mundpflege
		Selbstfürsorgedefizit Nagel-, Ohren-, Augen- und Nasenpflege
		Selbstfürsorgedefizit Kleiden
		Selbstfürsorgedefizit Haarpflege
	Atmen	Beeinträchtigte Selbstreinigung der Atemwege
		Risiko der respiratorischen Insuffizienz
		Risiko der Erstickung
		Risiko der Aspiration
		Risiko der Atelektasenbildung/Pneumonie
	Ernährung	Beeinträchtigte Nahrungsaufnahme
		Beeinträchtigtes Schlucken
		Mangelernährung
		Risiko der Mangelernährung
		Risiko des Flüssigkeitsdefizits
		Risiko des Flüssigkeits-/Elektrolytdefizites

		Risiko des erhöhten Flüssigkeitsvolumens
		Risiko des beeinträchtigten Stillens
		Beeinträchtigtes Stillen
		Risiko der Adipositas
		Risiko von ernährungsbedingten Komplikationen
		Beeinträchtigtes Ernährungsverhalten
	Ausscheiden	Selbstfürsorgedefizit Miktion/Defäkation
		Beeinträchtigte Stuhlausscheidung
		Beeinträchtigte Urinausscheidung
		Harninkontinenz
		Risiko der Infektion der Ausscheidungsorgane
		Risiko des Harnverhalts/Nierenversagens
		Risiko des paralytischen Ileus
		Beeinträchtigte Stomaversorgung
		Selbstfürsorgedefizit Stomapflege
	Kreislauf	Beeinträchtigte Herz-/Kreislauffunktion
		Risiko des beeinträchtigten Herz-/Kreislaufs

		Risiko der Thrombose
		Risiko der Lungenembolie
		Risiko der Blutung
		Risiko der allergischen Reaktion
	Bewegung/Mobilität	Beeinträchtigte Bewegung
		Beeinträchtigte Mobilität
		Beeinträchtigtes Gehen
		Risiko der Kontraktur
		Risiko der Spastik
		Risiko der Lähmung
		Risiko des Sturzes
	Entspannen/Schlafen/ Ruhen	Risiko des plötzlichen Kindstods
		Beeinträchtigte Entspannung
		Beeinträchtigter Schlaf
		Risiko des Schlafdefizits
	Stoffwechsel	Risiko der Hypo-/Hyperglykämie
		Risiko der Stoffwechselentgleisung
	Gewebeintegrität	Hautreaktion
		Risiko der Hautschädigung

		Risiko der Gewebeschädigung
		Risiko von Druckstellen
		Risiko der Schleimhaut-/Hautschädigung
		Veränderte Mundschleimhaut
		Risiko der Hornhautschädigung
		Beeinträchtigte Wundheilung
		Risiko der beeinträchtigten Wundheilung
		Risiko der Dislokation/Luxation
	Fortpflanzung	Risiko der Gesundheitsbeeinträchtigung für Mutter und Kind
		Risiko der ungewollten Schwangerschaft
		Beeinträchtigtes Sexualleben
	Körpertemperatur	Risiko der Hyper-/Hypothermie
emotionaler/ psychosozialer Bereich	Empfindungen	Angst
		Schmerzen
		Beeinträchtigtes Empfinden
		Beeinträchtigtes Wohlbefinden
		Gefühl der Langeweile
		Persönliches Leiden

		Erschöpfung
		Risiko der Erschöpfung
		Schamgefühl
	Wahrnehmungen	Beeinträchtigte Orientierung
		Beeinträchtigtes Körperschema/-bild
		Beeinträchtigtes Selbstkonzept/-bild
		Risiko der Bewusstseinsstörung
		Beeinträchtigtes Bewusstsein
		Beeinträchtigte Wahrnehmung
	Interaktion	Beeinträchtigte Beziehung
		Beeinträchtigte Interaktion
		Risiko der beeinträchtigten Interaktion
		Beeinträchtigte Kommunikation
		Risiko der inadäquaten/ineffektiven Kommunikation
		Risiko unerfüllter Bedürfnisse
	Handlung/Verhalten	Beeinträchtigte Anpassung
		Beeinträchtigtes Verhalten

		Beeinträchtigte Problem-/Bewältigungsstrategie
		Gesundheitsgefährdendes Verhalten
		Risiko der Selbst-/Fremdgefährdung
		Verhalten ist selbst-/fremdgefährdend
		Selbstverletzendes Verhalten
		Risiko der unwirksamen Therapie
		Risiko der Nichterreichung gesundheitsbezogener Ziele
		Risiko des Suizids
		Risiko der Flucht
	Aktivität/ Alltagsgestaltung	Beeinträchtigte Selbstfürsorge
		Risiko des Selbstfürsorgedefizits
		Selbstfürsorgedefizit Hauswirtschaft
		Beeinträchtigte Freizeitgestaltung
		Beeinträchtigte Durchführung von Aktivitäten
		Beeinträchtigte Tages-/Lebensgestaltung
		Dependenzpflegedefizit

	Persönliche Entwicklungen	Beeinträchtigte Entscheidungsfähigkeit
		Beeinträchtigte Entwicklung
		Risiko der beeinträchtigten Entwicklung
		Beeinträchtigte Zukunftsperspektive
		Beeinträchtigte Gewohnheiten
		Beeinträchtigte Lebensqualität
		Beeinträchtigte kognitive Leistungsfähigkeit
		Beeinträchtigte Selbstachtung
		Beeinträchtigte Sterbephase
	Wissen	Fehlende Informationen/Fähigkeiten
		Beeinträchtigte Informationsverarbeitung
	Gesellschaft	Risiko der beruflichen Ausgliederung
		Risiko der sozialen Ausgrenzung
		Risiko der sozialen Isolation
		Risiko des finanziellen/sozialen Ruins
		Beeinträchtigte(r) Religionsausübung/Glaube
		Rollenkonflikt

		Normenkonflikt
		Selbstversorgungsdefizit
Mehrdimensionale Risiken	Gesundheitsrisiken unspezifisch	Risiko von Komplikationen
		Gesundheitsrisiken
Umfeldbezogene Pflegeprobleme	Risiko der Gesundheitsschädigung für das Umfeld	Risiko der Ansteckung
N = 4	N = 21	N = 136

Tabelle 1: Gruppe der Pflegeprobleme aufgegliedert in ihre Domänen, Klassen und Kategorien

Von einem ENP-Klassifikationssystem wird erst seit dem Jahr 2006 (Version 2.3.) gesprochen. Diese begriffliche Ergänzung stand im Zusammenhang mit unterschiedlichen Hierarchisierungsarbeiten. In einem ersten Schritt wurden 2006 die präkombinierten Begriffe der ENP-Pflegediagnosen in ihre Bestandteile Pflegeproblem und Spezifikation getrennt und es wurde eine monohierarchische Struktur durch Clusterbildung aufgebaut. Diese Umstrukturierung ermöglicht Datenauswertungen auf unterschiedlichem Aggregationsniveau.

In den Jahren 2007–2008 folgte die Zerlegung und Clusterbildung der ENP-Pflegeziele und -Interventionen als zweiter Schritt der Hierarchisierung. Auch hier handelt es sich um monohierarchische Strukturen. Die Pflegeziele und -interventionen sind auf der Ebene der Domänen und Klassen sowohl hierarchisch als auch thematisch nach der gleichen Struktur wie die Pflegeprobleme geordnet. Auf der Ebene der Kategorien finden sich abstrakt formulierte Pflegeziele und Pflegeinterventionskonzepte.
Die Struktur der Domänen und Klassen ist in den drei Gruppen Pflegediagnosen, -ziele und -interventionen inhaltlich aufeinander abgestimmt, was in einem Beispiel aus der aktuellen ENP-Version 2.7 verdeutlicht werden soll:

Domäne > Klasse > Kategorie > Pflegediagnose usw.

Pflegediagnosen (gesamt 548)
Domäne: Funktionaler/ physiologischer Bereich
Klasse: Körperpflege/Kleiden
- Kategorie: Selbstfürsorgedefizit Körperwaschung
  » Pflegediagnose: z. B. Der Patient kann sich aufgrund einer Bewegungseinschränkung nicht selbstständig waschen
- Kategorie: Selbstfürsorgedefizit Mundpflege
  » Pflegediagnose: z. B. Der Patient ist in der selbstständigen Mundpflege beeinträchtigt

Pflegeziele (gesamt 1724)
Domäne: Funktionaler/ physiologischer Bereich
Klasse: Körperpflege/Kleiden
- Kategorie: Vorhandene Selbstfürsorgefähigkeit Körperwaschung
  » Pflegeziel: z. B. Erlebt die Körperpflege als angenehm und ist entspannt
- Kategorie: Vorhandene Selbstfürsorgefähigkeit Mundpflege
  » Pflegeziele: z. B. Tägliche Zahnhygiene ist gewährleistet

Pflegeinterventionen (gesamt 2558)
Domäne: Funktionaler/ physiologischer Bereich
Klasse: Körperpflege/Kleiden
- Kategorie: Pflegemaßnahmen zur Körperwaschung
  » Pflegemaßnahmen: z. B. Beim Aufsuchen/Verlassen der Waschgelegenheit unterstützen
- Kategorie: Pflegemaßnahmen zur Mundpflege
  » Pflegemaßnahmen: z. B. Systematische Mund- und Zahnhygiene unterstützen

Wie in dem Beispiel aufgezeigt, gibt es bei den Pflegediagnosen die Kategorie „Selbstfürsorgedefizit Körperwaschung“, diese Begrifflichkeit wird auch für die Kategorie bei den Pflegezielen verwendet und die Kategorie auf Maßnahmenebene lautet „Pflegemaßnahmen zur Körperwaschung“. Diese Harmonisierung der Kategoriebegriffe zwischen Pflegediagnosen, -zielen und -maßnahmen erleichtert die Weiterentwicklung von ENP und ist bei Datenaus-

wertungen hilfreich.
Die Begriffe/Konzepte der Gruppen der Kennzeichen, Ursachen und Ressourcen sind ebenfalls hierarchisch geordnet. Die Klassen und Subklassenbegriffe unterscheiden sich allerdings stärker von denen der Pflegeprobleme, -ziele und -maßnahmen.

Kennzeichen (gesamt 2905)
Domäne: Funktionaler/ physiologischer Bereich
Klasse: Körperpflege/Kleiden
- Kategorie: Körperwaschung
  - » Kennzeichen: z. B. Kann den Körper nicht waschen

Ursachen (gesamt 2426)
Domäne: Funktionaler/ physiologischer Bereich
Klasse: Körperpflege/Kleiden
- Kategorie: Körperwaschung
  - » Ursachen: z. B. inadäquates Hygieneempfinden

Ressourcen (gesamt 473)
Domäne: Funktionaler/ physiologischer Bereich
- Kategorie: Körperliche Fähigkeiten
  - » Ressource: Kann Oberkörper/Gesicht selbstständig waschen

Da die entwickelten Hierarchisierungen ausschließlich für die Weiterentwicklung und für Datenauswertungen von ENP relevant sind, bleiben diese für die Anwender im pflegerischen Feld (am Point of care) sowie in der Buchveröffentlichung unsichtbar.

In der nachfolgenden Tabelle 2 ist die jeweilige Item-Anzahl der ENP-Gruppen für die letzten drei Versionen aufgeführt. Die darauffolgende Tabelle 3 vergleicht die Anzahl der Elemente der Domänen, Klassen, Kategorien und ENP-Pflegediagnosen der letzten Versionsstände. Jedes Item im System ist nur einmal vorhanden, aber mehrfach verknüpft. Das bedeutet, dass zum Beispiel die Ursache „Bewegungseinschränkung" bei mehreren Pflegediagnosen verknüpft ist.

Begriffe/Konzepte der Gruppe	Anzahl 2.5	Anzahl 2.6	Anzahl 2.7
Pflegediagnosen	521	542	547
Kennzeichen	2.230	2.719	3.111
Ursachen	1.799	2.282	2.634
Ressourcen	379	457	529
Pflegeziele	1.435	1.683	1.818
Pflegeinterventionen	2.494	2.511	2.754
Interventionsspezifikationen	3.652	4.285	4.755

Tabelle 2: Anzahl der Items in den ENP-Gruppen

Domäne	Klasse 2.5 / 2.6 / 2.7			Kategorie 2.5 / 2.6 / 2.7			Präkombinierte ENP-Pflegediagnose 2.5 / 2.6 / 2.7		
Pflegeprobleme im funktionalen/ physiologischen Bereich	11	11	11	66	67	67	259	275	279
Pflegeprobleme im emotionalen/ psychosozialen Bereich	8	8	8	55	58	59	202	210	212
Pflegeprobleme mit mehrdimensionalen Risiken	1	1	1	2	8	9	59	54	54
Umweltbezogene Pflegeprobleme	1	1	1	1	1	1	1	1	1
Summe: 4	21	21	21	124	134	136	521	542	547

Tabelle 3: Anzahl der Items der Gruppe ENP-Pflegeprobleme Version 2.5 (April 2009) zur Version 2.6 (Mai 2011) zur Version 2.7 (Mai 2012)

2.2 Präkombinationen von Begriffen der ENP-Pflegeklassifikation – Teil B

In ENP werden die Elemente der Pflegeklassifikation weiter präkombiniert. Das bedeutet z. B. für die Pflegediagnosen, dass ein Pflegeproblem (Begriff aus der Kategorienebene der Gruppe Pflegeprobleme) und eine Spezifikation (= Begriffe aus der Gruppe der Kennzeichen, Ursachen oder Pflegeinterventionen) in eine pflegediagnostische Aussage zusammengeführt werden, und für die Pflegeinterventionen, dass die Maßnahmenformulierung durch weitere Spezifika konkretisiert werden. Anhand der Grafik 2 kann nachvollzogen werden, welche Kategorie- und Subkategoriebegriffe in ENP präkombiniert werden.
In Teil B der Grafik wird veranschaulicht, wie sich die Präkombinationen auf der Ebene der Pflegediagnosen und Pflegeinterventionen zusammensetzen.

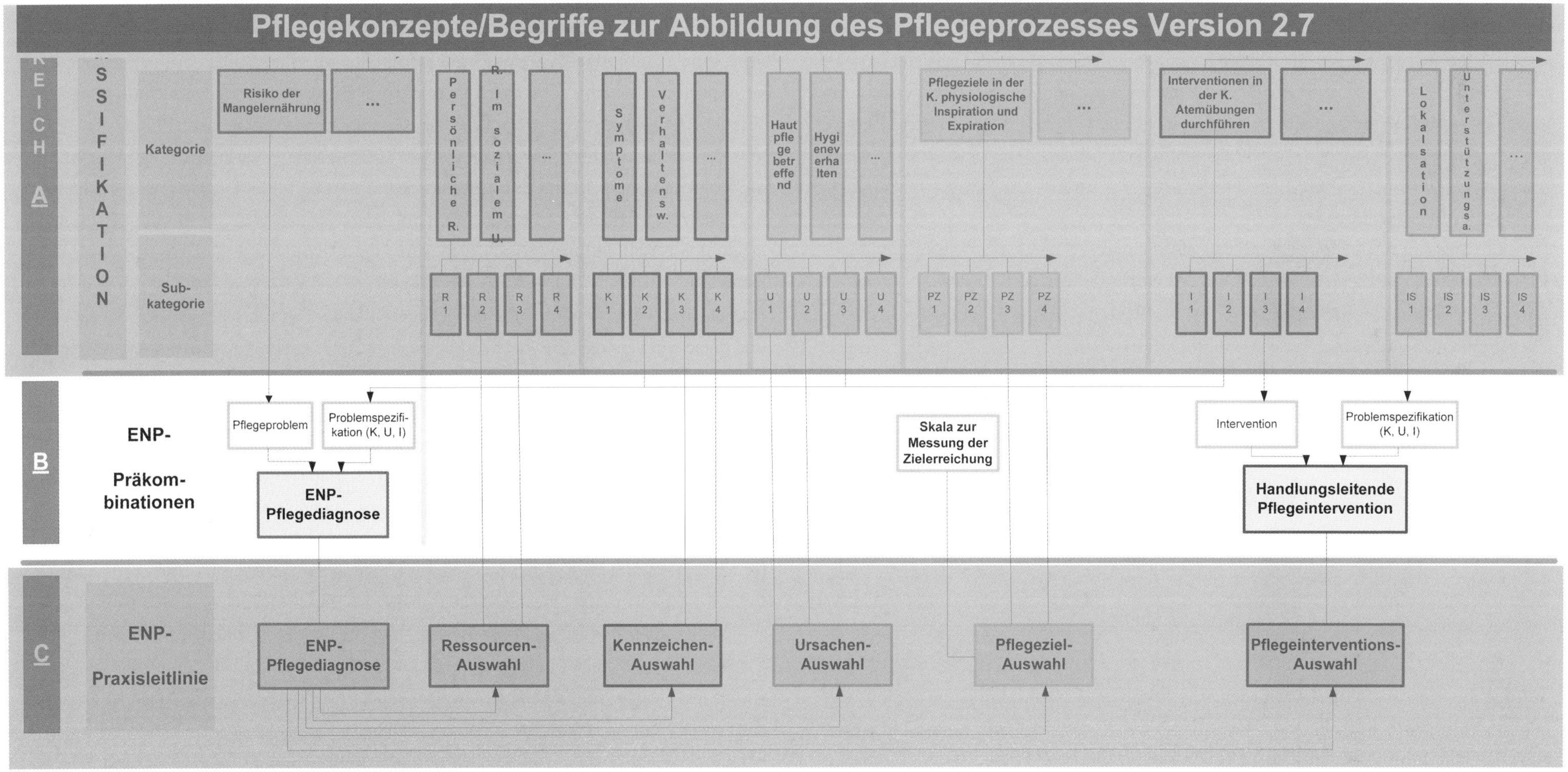

Abb. 3: Struktur der Pflegeklassifikation ENP – Teil B

2.2.1 Präkombinierte ENP-Pflegediagnosen

Pflegediagnosen bestehen in ENP wie oben erwähnt aus der Verknüpfung eines Pflegeproblems mit einer Problemspezifikation und einem Individuum, auf das dieses Problem zutrifft. Die präkombinierte ENP-Pflegediagnose:

„Der Patient kann sich aufgrund einer Apraxie nicht selbstständig kleiden"

setzt sich aus dem Selbstfürsorgedefizit Kleiden, dem Pflegeproblem ausgedrückt in der Formulierung ›kann sich nicht selbstständig kleiden‹ und der Ursache ›Apraxie‹ zusammen. Das Pflegeproblem kommt aus der Gruppe der ›Pflegeprobleme‹ und der Begriff Apraxie aus der Gruppe der ›Ursachen‹. Nachfolgend wird die hierarchische Struktur dargestellt.

Gruppe der Pflegeprobleme
Domäne: Pflegeprobleme im funktionalen/physiologischen Bereich
Klasse: Körperpflege/Kleiden
Kategorie: Selbstfürsorgedefizit Kleiden
Pflegeproblem: Kann sich nicht selbstständig kleiden

Gruppe der Ursachen
Domäne: Emotionale/Verhaltensbezogene Faktoren
Klasse: Wahrnehmung
Kategorie: Veränderte Reizaufnahme/-verarbeitung
Ursache: Apraxie

Betroffenes Individuum
Patient

Werden die Begriffe aus den verschiedenen Gruppen der ENP-Klassifikation zusammengeführt, entsteht die pflegediagnostische Aussage „Der Patient kann sich aufgrund einer Apraxie nicht selbstständig kleiden". Die Zuordnung der ENP-Pflegediagnosen zu den hierarchischen Kategorien und Klassen (Taxonomie) orientiert sich ausschließlich an dem Pflegeproblem. Das erklärt, weshalb die oben aufgeführte Pflegediagnose nicht der Klasse Wahrnehmung zugeordnet ist. Allerdings ist der Begriff Apraxie, wie der Darstellung zu entnehmen ist, in der Ursachenhierarchisierung unter Wahrnehmung zu finden.
Die Problemspezifikation kann eine Ursache, ein Kennzeichen oder eine Intervention sein. Das folgende Beispiel soll diesen typischen Aufbau einer ENP-Pflegediagnose mit einer Kennzeichenspezifikation illustrieren. Die Pflegediagnose: „Der Patient atmet oberflächlich und kann aktive Atemübungen nicht durchführen, es besteht das Risiko einer Atelektase/Pneumonie" setzt sich in diesem Fall aus dem Individuum ‚der Patient', dem Pflegeproblem ‚Risiko einer Atelektase/Pneumonie' und der Problemspezifikationen – in diesem Beispiel als Kennzeichen – ‚atmet oberflächlich' und ‚kann aktive Atemübungen nicht durchführen' zusammen. Die präkombinierte Pflegediagnose stellt auf diese Weise einen in der Pflegepraxis relevanten und häufig vorkommenden Zusammenhang her und schließt gleichzeitig die Problemstellung „Risiko einer Atelektase/Pneumonie" für andere Ursachen, die nicht mit einer oberflächlichen Atmung in Zusammenhang stehen, aus. Warum diese besondere Struktur von ENP hilfreich bei der Umsetzung des Pflegeprozesses/der Pflegeprozessdokumentation ist, soll nachfolgend an einem konkreten Beispiel weiter erläutert werden.
Da sich ein Problem je nach Patientengruppe vollkommen unterschiedlich darstellen kann und daraufhin verschiedene Ziele verfolgt werden sowie andere Interventionen indiziert sind, ist eine weitere Unterteilung von Praxisleitlinien innerhalb der Themenbereiche sinnvoll. Dieser Aspekt soll nachfolgend anhand von drei Patientengruppen aus dem Themenbereich ›Risiko der Mangelernährung‹ illustriert werden.
Bei Patienten/Bewohnern mit kognitiver Einschränkung kann bedingt durch verschiedene Ursachen ein Risiko der Mangelernährung bestehen. Wenn beispielsweise Betroffene, die nicht in der Lage sind, Speisen oder Hilfsmittel zur Nahrungsaufnahme zu erkennen oder Nahrungsbestandteile wie Kräuter als Verunreinigung der Nahrung wahrnehmen, kann dies zu ängstlichem und abwehrendem Verhalten im Zusammenhang mit der Nahrungsaufnahme führen. Hier kann beispielsweise ein gemeinsames Essen oder die Anpassung der Auswahl und Zubereitung der Nahrung Abhilfe schaffen. Zudem können bei fortgeschrittener Demenz fundamentale Bewegungsabläufe der Nahrungsaufnahme nicht mehr erinnert und umgesetzt werden. Dies zeigt sich beispielsweise durch den Eindruck der Überforderung und kann in vielen Fällen durch ein Initiieren der Bewegung kurzfristig wieder in Erinnerung gerufen werden. Für kognitiv eingeschränkte Patienten/Bewohner, die

zu unruhig oder unkonzentriert sind, um am Tisch oder im Bett ihre Nahrung aufnehmen zu können, hat sich die Möglichkeit des Essens beim Gehen, die zeitunabhängige Verfügbarkeit der Nahrung und die mundgerechte Darreichung z. B. in Form von Imbissstationen bewährt. Besonders bei dieser Patienten-/Bewohnergruppe ist der Energieverbrauch überdurchschnittlich hoch. Pflegerische Aktivitäten in diesem Bereich beziehen sich neben Wahrnehmungsförderung und Stimulation der Erinnerung auch auf die Förderung der Konzentrationsfähigkeit auf die Nahrungsaufnahme, wobei die Reduktion der Komplexität der Essenssituation und die Umgebungsgestaltung als wichtige Aspekte anzusehen sind.
Aufgrund der oftmals angstbesetzten und belastenden Essenssituation von Menschen mit kognitiven Einschränkungen sollte als Ziel pflegerischer Interventionen besonders auch eine Verbesserung der Lebensqualität der Betroffenen hervorgehoben werden (Biedermann, 2003; Crawley, 2005; Deutsche Alzheimer Gesellschaft e.V., 2005; Deutsche Expertengruppe Demenzbetreuung e.V., 2005; Deutsche Gesellschaft für Ernährung e.V., 2005; Menebröcker, 2006; Rosenkranz, 2002; Rückert et al., 2007; Schwerdt, 2005; Seitz, 2007; social invest consult SIC – Gesellschaft für Forschung, 2007; Tully & Matrakas, 2008; Wagener et al., 1998; Wojnar, 2007).
Anders stellt sich die Situation dar, wenn ein Patient die Nahrungszufuhr kontinuierlich ablehnt. Die Ablehnung der Nahrung wird in manchen Fällen verbal geäußert, kann sich aber auch durch nonverbale Reaktionen beim Versuch der Nahrungsverabreichung, z. B. durch Wegschieben, Wegschlagen oder Ausspucken der Nahrung, Mundschluss sowie Schluckverweigerung, zeigen. Nicht immer sind die Signale so deutlich erkennbar. So kann auch das Abwenden des Kopfes wie auch die Vermeidung des Blickkontaktes bei der Nahrungsverabreichung ein Anzeichen einer Ablehnung darstellen. Auch ein extrem verlangsamter Verzehr der Nahrung wird in der Literatur als mögliche Strategie zur Reduktion der Nahrungszufuhr beschrieben, wenn Patienten/Bewohner die offene Auseinandersetzung über die Ablehnung von Nahrung mit Angehörigen oder Pflegenden zu vermeiden suchen. Es zeigt sich, dass die Identifizierung einer Verweigerungssituation, insbesondere die Abgrenzung zwischen ›nicht können‹ und ›nicht wollen‹, sich in der Praxis als sehr schwierig gestalten kann. Da das Spektrum der Ursachen vom Verlust an Lebensfreude, einer depressiven Grundstimmung über pathologische Beschwerden, wie Schmerzen bei der Nahrungsaufnahme oder die Angst des Verschluckens bis hin zu irrationalen Ängsten wie ›Vergiftungsangst‹ reicht, stellt die Ursachenermittlung hier den zentralen Ansatzpunkt des pflegerischen Handelns dar.
Während für einen Patienten/Bewohner ein spezielles Schlucktraining hilfreich sein kann, könnten sich bei einem anderen Patienten/Bewohner möglicherweise die Stärkung der Sozialkontakte sowie eine verstärkte psychosoziale Zuwendung positiv auswirken. Zu einer bedürfnisgerechten Nahrungsverabreichung tragen zudem die Anpassung der Art, Zubereitung und Darreichungsform der Nahrung, sowie Flexibilität in Bezug auf den Zeitpunkt der Nahrungsverabreichung bei. Wichtig ist, grundsätzlich nicht gegen den Willen des Bewohners zu agieren (Bäckström et al. 1987; Borker 2002; Gerling et al. 2007; Kolb 2003; Norberg et al. 1988; Kotsch & Hitzler 2011, 74).
Demgegenüber stellt sich das Risiko der Mangelernährung bei Patienten, die im Zusammenhang mit der Nahrungsaufnahme ein ›vernachlässigendes Verhalten‹ zeigen, folgendermaßen dar: Eine Gleichgültigkeit in Bezug auf die Qualität und Regelmäßigkeit der Nahrungsaufnahme kann sich bei dieser Patientengruppe durch Auslassen oder Verschlafen der Mahlzeiten, einen überwiegenden Verzehr von Nahrungsmitteln minderer Qualität, eingeschränkte oder fehlende Lebensmittelvorräte oder eine eingeschränkte Nahrungsmittelzubereitung äußern. Auch hygienische Aspekte bei der Zubereitung, Lagerung und dem Verzehr der Nahrung spielen dabei eine Rolle. In Abgrenzung zu anderen Patienten-/Bewohnergruppen mit ähnlichem Problemfeld wären die hier angesprochenen Betroffenen dem Anschein nach körperlich und geistig dazu in der Lage, für sich zu sorgen. Da die Inanspruchnahme von Hilfe für die Betroffenen oftmals ein Problem darstellt, stellen der Aufbau von Vertrauen sowie die Ursachenermittlung des Verhaltens zentrale pflegerische Aktivitäten dar. Neben dem Ziel der ausreichenden Energie- und Flüssigkeitszufuhr geht es bei Menschen mit verwahrlosendem Verhalten auch darum, gesundheitliche Risiken für den Betroffenen und das Umfeld zu vermeiden, seine Selbstwahrnehmung, Eigenaktivität und Selbstständigkeit zu fördern und die Integration in ein soziales Netz anzustreben (Barocka 2004; Day & Patricia 2008; Dick 2006; Gibbons et al. 2006; Lauder et al., 2005; Lauder et al., 2006; Pavlou & Lachs 2006).
Diese Beispiele sollen verdeutlichen, dass eine weitere Unterscheidung innerhalb eines Problems je nach Patientengruppe und damit entsprechend der genauen Merkmale des Problems sinnvoll ist, wenn diese mit konkreten Zielen und Interventionen in Zusammenhang gebracht werden. In manchen Fällen können sich die Interventionen innerhalb eines Problembereichs bei verschiedenen Patientengruppen sogar widersprechen. Beispielsweise weichen die empfohlenen Interventionen bei einem Selbstfürsorgedefizit im Bereich der

Körperwaschung für Patienten mit Hemiplegie/-parese und für Patienten mit eingeschränkter Herzleistung voneinander ab. Bei Patienten mit Hemiplegie/-parese wird eine frühe und aktive Rehabilitation durch das gezielte Setzen von Reizen zum Erwerb von Fertigkeiten sowie durch das Training von Stärke, Ausdauer und Fitness empfohlen. Diese Interventionen tragen erwiesenermaßen zur Wiedererlangung der funktionalen Fähigkeiten, konkret zur Erhaltung des physiologischen Spannungszustandes der Muskeln, der Kontrolle über Muskeltätigkeiten und der Eliminierung unnötiger bzw. unpassender Muskeltätigkeiten bei (Langhammer, 2000; Seneviratne, 2004). Im Gegensatz dazu würden Maßnahmen der Aktivierung, des Muskel- und Ausdauertrainings die Situation eines Patienten-/Bewohners mit eingeschränkter Herzfunktion verschlechtern. Bei dieser Patientengruppe haben Pflegende hingegen das Ziel, das Herz-Kreislauf-System des Bewohners durch pflegerische Unterstützung zu entlasten (Carr & Shepherd 1995; Hahn Winslow, 1985).

Um das Auffinden der für den Patienten passenden Pflegediagnose zu erleichtern, wird im Titel der jeweiligen Pflegediagnosen neben dem Problem eine Spezifikation (z. B. eine Ursache, ein Kennzeichen oder eine Intervention) mit aufgeführt (präkombiniert) und ist damit als spezielle Pflegediagnose erkennbar. Trifft von dieser speziellen, auf eine bestimmte Patientengruppe zugeschnittenen Pflegediagnose keine auf die Situation des Patienten zu, wird die Problemformulierung ohne Verknüpfung (ohne Kennzeichen, Ursache oder Intervention im Titel der Pflegediagnose) ausgewählt. Auf diese Weise können auch seltener vorkommende Problemfelder dieses Bereichs abgebildet werden.

2.2.2 Auswirkungen der Präkombination auf ENP-Kennzeichen und -Ursachen

Wie in den Beispielen unter 2.2.1 dargelegt, gibt es in ENP eine Vielzahl an Ursachen/ Kennzeichen, die bereits mit einem Pflegeproblem präkombinatorisch in eine pflegediagnostischen Aussage überführt wurden. Die Pflegeprobleme ohne Spezifikation werden erst dann zu einer pflegediagnostischen Aussage, wenn die Ursachen, Kennzeichen aus den angebotenen Listen ausgewählt oder durch die Pflegeperson ergänzt werden. Die Tatsache, dass bereits eine ENP-Pflegediagnose (Pflegeproblem und z. B. eine Ursache) ausgewählt wird, ersetzt jedoch nicht die weitere Auswahl von Kennzeichen und Ursachen, um den Patientenfall weiter zu beschreiben. Zur Veranschaulichung dieser Aussage wird eine ENP-Pflegediagnose vorgestellt.

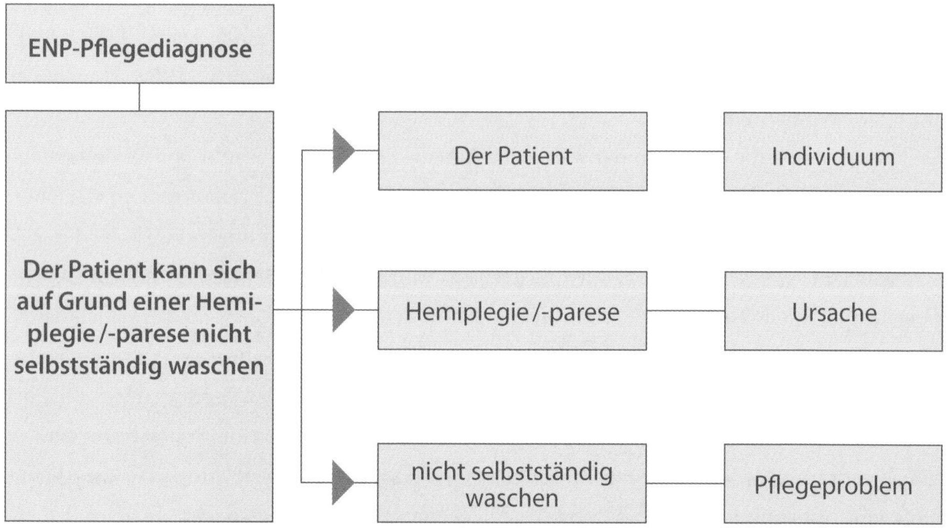

Abb. 4: Präkombination einer ENP-Pflegediagnose

Bei den präkombinierten ENP-Pflegediagnosen beziehen sich die der Diagnose zugeordneten Kennzeichen sowohl auf das Pflegeproblem (kann sich nicht selbstständig waschen) als auch auf die formulierte Spezifikation (Hemiplegie/-parese). Der ENP-Pflegediagnose sind nun folgende Kennzeichen und Ursachen zugeordnet (hier nur exemplarisch einige

	Kennzeichen	Ursachen
Pflegeprobleme	Kann den Körper nicht waschen	
	Kann den Körper nicht abtrocknen	
	usw.	
Spezifikationen	Schlaffe Lähmung auf der betroffenen Seite (Ursache)	Apoplektischer Insult
	Spastische Lähmung auf der betroffenen Seite (Ursache)	Neurologische Erkrankung
	usw.	Hirntumor
		usw.

Tabelle 4: Bezug von Kennzeichen und Ursachen auf Pflegeproblem und Spezifikation

dargestellt). Dabei beziehen sich die oberen Kennzeichen auf das Pflegeproblem (allgemeine Kennzeichen) und die unteren Kennzeichen auf die Spezifikation bzw. die Präkombination (spezifische Kennzeichen). Dieser Aufbau führt zu Überschneidungen der Kennzeichen unterschiedlicher Pflegediagnosen mit demselben Pflegeproblem. Die nachfolgenden beispielhaften ENP-Pflegediagnosen haben alle das gleiche Pflegeproblem und somit sind die Kennzeichen, die sich auf das Selbstfürsorgedefizit Körperwaschung beziehen, bei allen drei Diagnosen gleich. Nur die Kennzeichen, die sich auf die jeweilige Ursache beziehen, sind unterschiedlich. Nachfolgend werden zur Veranschaulichung des Sachverhaltes drei Pflegediagnosen mit demselben Pflegeproblem und einer jeweils anderen Spezifikation aufgeführt.

Kategorie: Selbstfürsorgedefizit Körperwaschung

Der Patient kann sich aufgrund einer Hemiplegie/-parese nicht selbstständig waschen

Der Patient kann sich aufgrund einer Bewegungseinschränkung nicht selbstständig waschen

Der Patient kann sich aufgrund eingeschränkter körperlicher Belastbarkeit nicht selbstständig waschen

Beziehen sich also mehrere Pflegediagnosen auf einen Problembereich und unterscheiden diese sich nur durch die Spezifikation voneinander, sind die allgemeinen Kennzeichen für alle Pflegediagnosen des Problembereichs relevant. Der zweite Aspekt betrifft den Abstraktionsgrad der pflegediagnosenbezogenen Ursachen. Denn bei einer Pflegediagnose, die mit einer Ursache verknüpft ist, handelt es sich zwangsläufig um ein anderes Abstraktionsniveau. Anders beschrieben könnte man sie auch als Ursachen auf zweiter Ebene oder als Ursachen der Ursachen betrachten. Zur Veranschaulichung wird erneut das oben aufgeführte Beispiel herangezogen. Eine Hemiplegie/-parese stellt eine häufige Ursache für ein Selbstfürsorgedefizit im Rahmen der Körperpflege dar. Dabei kann die Hemiplegie/-parese wiederum mit unterschiedlichen medizinischen Ursachen in Zusammenhang stehen, die auf die fachlich sinnvolle Auswahl der Pflegeinterventionen Einfluss nehmen. Während z. B. bei einem Patienten mit Hemiplegie nach Schlaganfall die Umsetzung neurologischer Konzepte wie das Neuro-Developmental Treatment (NDT) oder Bobath zur Förderung der Wahrnehmung und der Anbahnung physiologischer Bewegungsabläufe beitragen würden, wären vergleichbare Interventionen bei einem Patienten mit akuter Hirnblutung kontraindiziert. Hier wird deutlich, dass Pflege die Inhalte der Bezugswissenschaften, wie in diesem Beispiel der Medizin, einbeziehen muss, um fachlich richtig und zum Wohle des Patienten handeln zu können. Gleichzeitig wird an diesem Beispiel erneut die Relevanz der Prozesshaftigkeit der Pflegeprozessplanung sichtbar. Denn medizinische Diagnosen können erst zu dem Zeitpunkt ausgewählt und in die pflegerische Betrachtung einfließen, wenn sie medizinisch gesichert sind. Die Entwicklung von Präkombinationen in ENP wird dann vorgenommen, wenn spezielle Interventionskonzepte zu der jeweiligen Pflegediagnose in der Pflegepraxis als auch in der Literatur belegt werden können.

2.2.3 Präkombinierte ENP-Pflegeinterventionen (= Pflegemaßnahmen)

Den einzelnen Pflegeinterventionen werden ebenfalls Elemente aus der Gruppe der Interventionsspezifika zugeordnet. Diese können Angaben zu einer Pflegeintervention sein, wie z. B.:

- Unterstützungsart
- Anzahl der benötigten Pflegepersonen
- Verwendete Pflegeprodukte
- Ortsangaben, wo die Körperwaschung stattfinden kann
- Intervallangaben
- Zeitangaben
- Lokalisation der Körperregion
- Verwendete Hilfsmittel
- Berufsgruppen, die am Versorgungsprozess beteiligt sind

Mit der Auswahl und Angabe der Interventionsspezifikation lassen sich Pflegeinterventionen sehr konkret für den individuellen Patienten planen.
Am Beispiel der Intervention: „Teilkörperwaschung individuell durchführen" wird dargestellt, wie diese Pflegeintervention im Klassifikationssystem einsortiert ist.

Domäne: Pflegeinterventionen im funktionalen/physiologischen Bereich
Klasse: Körperpflege/Kleiden

- Kategorie: Körperwaschung durchführen
  - » Ganzkörperwaschung individuell durchführen
  - » Teilkörperwaschung individuell durchführen
  - » Beim Duschen individuell unterstützen
  - » Beim Baden individuell unterstützen Basal stimulierende Körperwaschung nach Bobath durchführen
  - » usw.

Der Pflegeintervention „Teilkörperwaschung individuell durchführen" sind folgende Interventionsspezifika zugeordnet:

- Zu waschendes Körperteil:
  - » Gesicht/Hände
  - » Arme
  - » Brust
  - » Rücken
  - » Beine
  - » Intimbereich vorne
  - » Intimbereich Gesäß
- Unterstützungsgrad angeben
  - » Beaufsichtigen
  - » Durch Unterstützung helfen
  - » Teilweise übernehmen
  - » Vollständig übernehmen
  - » Aktivieren/anleiten
- Ort der Teilkörperwaschung
  - » Im Bett
  - » Am Bettrand
  - » Am Waschbecken/Lavabo

- Besonderheiten beachten
  - » Ritualisierung einhalten
- Verwendetes Pflegeprodukt angeben
- Häufigkeit/Zeitangabe

Die Ebene der präkombinierten Pflegediagnosen und Pflegeinterventionen werden (siehe Abbildung) aus dem Pflegeklassifikationssystem ENP gebildet. Diese präkombinierten Pflegediagnosen und Pflegeinterventionsformulierungen sind die Formulierungen, die von den Pflegenden zur Pflegeprozessdokumentation genutzt werden. Die Abgrenzung von den pflegeklassifikatorischen Elementen von ENP zu den präkombinatorischen Elementen wird durch die horizontale graue Linie in der Abbildung XXX dargestellt, während die Relationen über die Verbindungslinien dargestellt werden.

2.3 Praxisleitlinien in ENP – Teil C

In Teil C wird deutlich, wie sich die Praxisleitlinien aus den verschiedenen Elementen der Gruppen zusammensetzen (Abb. 5). Jede Praxisleitlinie enthält Elemente aus den Gruppen Pflegeprobleme (über den Zwischenschritt der Präkombination erweitert zu Pflegediagnosen), Ursachen, Kennzeichen, Ressourcen, Ziele und Interventionen (über den Zwischenschritt der Präkombination erweitert zu handlungsleitenden Interventionen).

Durch die klassenübergreifende Verbindung fachlich zusammengehörender Elemente aus der ENP-Gesamtstruktur entsteht die horizontale Struktur der pflegediagnosenbezogenen Praxisleitlinien. Die Relationen zwischen Pflegediagnosen, Kennzeichen, Ursachen, Ressourcen, Zielen, Interventionen und Interventionsspezifikationen werden in der Grafik (siehe Teil C in Abb. 1) durch die horizontalen Linien in einer anderen Grafik dargestellt. Teil C der Abb. 5 stellt die ENP-Praxisleitlinie dar.

Das Ergebnis aus der fachlichen Kombination der Elemente zu einer Praxisleitlinie ist der Ausschnitt von ENP, der in der Pflegepraxis Anwendung findet, in einer Softwareanwendung sichtbar wird und in der Pflegeplanung zu einem pflegerischen Behandlungspfad für jeden Patienten/Bewohner individualisiert wird, in dem die Pflegeperson gezielt die Kennzeichen, Ursachen, Ressourcen zur Pflegediagnose auswählt welche diese beim Patienten beobachtet/diagnostiziert. Ebenso wird aus den angebotenen Pflegezielen und Pflegemaßnahmen passendes für den aktuellen Betroffenen ausgewählt und es entsteht ein individueller Pflegeplan.

Die Realisierung von ENP in einer Datenbank kann am ehesten mit Begriffen aus den Bereichen der Informatik und Wissensrepräsentation beschrieben werden. In Bezug auf seine Datenbankpräsentation kann ENP als Ontologie bezeichnet werden. Ontologien sind Beschreibungen von Konzeptualisierungen einer Wissensdomäne, im Falle von ENP das Pflegefachwissen zur Repräsentation und Steuerung des Pflegeprozesses. Eine Ontologie ist ein kontrolliertes Vokabular, das Gegenstände und deren Beziehungen zueinander in einer formalen Weise beschreibt und etwas über eine spezielle Domäne aussagt. Häufig wird für Ontologie auch der Begriff Semantisches Netz verwendet. Bei ENP wird aktuelles Pflegefachwissen durch die Relationen präsentiert. Die Basis bilden die Pflegediagnosen, Kennzeichen, Ursachen, Ressourcen, Pflegeziele und Pflegeinterventionskonzepte, die in einer Datenbank gemanagt werden. Diese würden für den Anwender im Sinne der Wissensrepräsentation ohne Verknüpfungen untereinander nur einen geringen Nutzen haben. Diese Elemente sind in der Datenbank strukturiert, durch Verknüpfungen zur Taxonomie zusammengeführt und durch horizontale Verknüpfungen wird der Status von Informationen in Form von pflegerischen Praxisleitlinien erreicht. Durch die Verknüpfungen entsteht ein semantisches Netz, das zur Entscheidungsfindung im Rahmen des Pflegeprozesses hilfreich sein kann. In einer elektronischen Patientenakte werden die ENP-Formulierungen genutzt, um die Pflegeprozessdokumentation umzusetzen. Zusätzlich ist ENP mit zahlreichen anderen Begriffssystemen und Klassifikationen verknüpft.

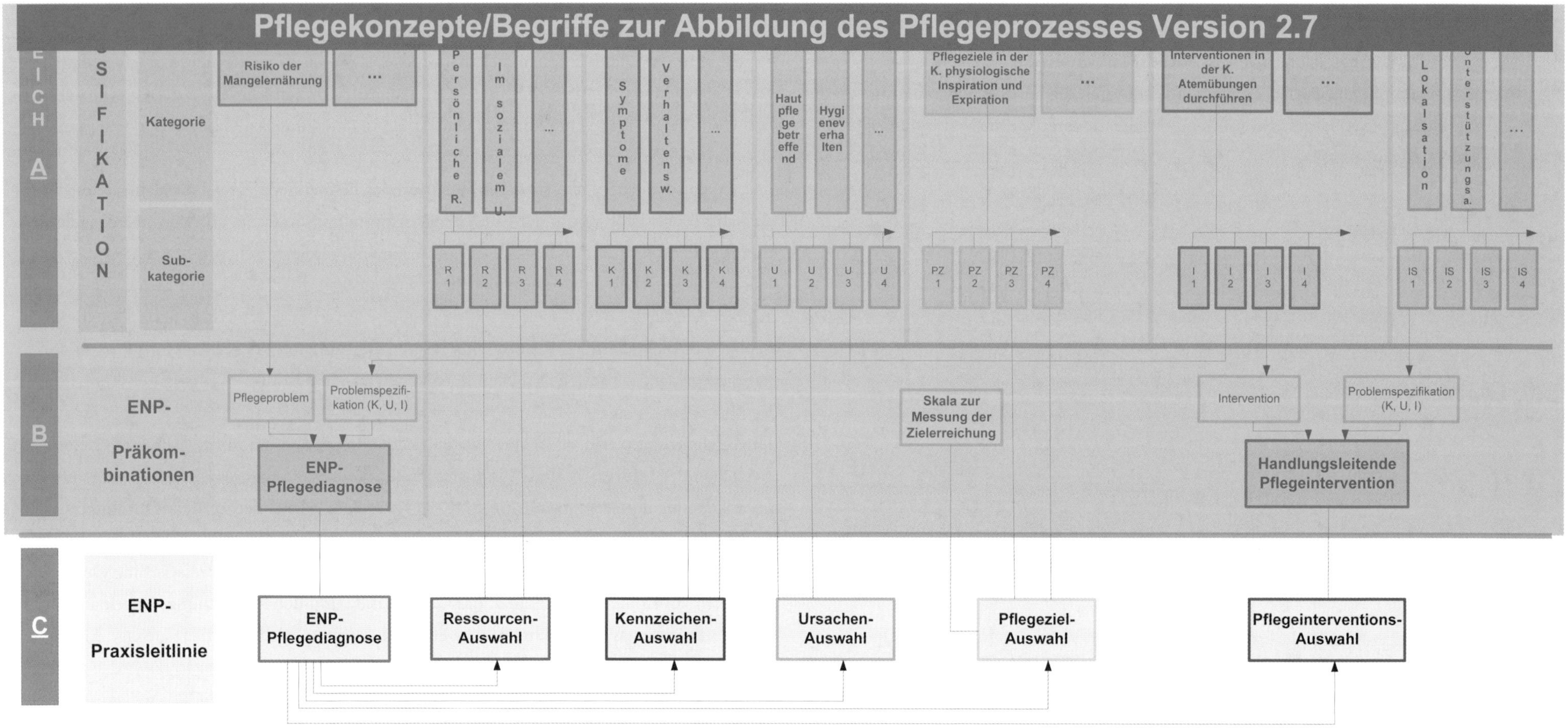

Abb. 5: Struktur der Pflegeklassifikation ENP – Teil C

2.4. Normative Zeitwerte für ENP-Interventionen

Den ENP-Pflegeinterventionen sind normative Zeitwerte zugeordnet, welche in einer Softwareanwendung bei der Leistungsbestätigung einer oder mehrerer Pflegeinterventionen summiert werden können. Die Zeitwerte sind Schätzwerte, die in einem über Jahre währenden empirischen Prozess mit Pflegenden ausgehandelt wurden. Die hinterlegten normativen Zeitwerte sind durch den Kontextbezug zur Pflegediagnose gewichtet. So sind bei einem dementen Patienten bei der Ganzkörperwaschung andere Zeitwerte hinterlegt als bei einer Ganzkörperwaschung, z. B. bei einem Patienten, der aufgrund körperlicher Schwäche die Körperpflege nicht selbstständig durchführen kann. Der Prozess der Zeitwerthinterlegung hat bereits 1996 begonnen und wurde mit der ersten Softwareanwendung im Feld kontinuierlich in Fokusgruppen mit Pflegenden justiert. Durch eigene Zeitwertmessungen im Rahmen von Forschungsarbeiten wurden ebenfalls weitere Justierungen der Zeitwerte vorgenommen. Bei der Verknüpfung mit den LEP-Nursing-3- und ENP-Interventionen im Jahr 2004 fiel auf, dass die hinterlegten Zeitwerte zu einem hohen Anteil korrespondieren. Zahlreiche Pflegeinterventionen sind mit keinem Zeitwert hinterlegt, da es hier nicht möglich ist, normative Angaben zu entwickeln. Diese Pflegeleistungen sollten in einer Softwareanwendung einen individuell durch die Pflegeperson anzugebenden Zeitwert erhalten.

Inhaltsverzeichnis

Zur Unterstützung der Eindeutigkeit der entwickelten Sprache wurden im Laufe der Entwicklung sprachliche Strukturen und Definitionen der einzelnen ENP-Gruppen durch das ENP-Entwicklerteam festgelegt. In diesem Kapitel werden relevante Begriffe definiert sowie Aussagen zu deren strukturellem Aufbau getroffen.

3.1 Definition: ENP-Pflegediagnose

Eine ENP-Pflegediagnose ist wie folgt definiert:

> Eine ENP-Pflegediagnose ist ein sprachlicher Ausdruck, den Pflegende, wenn möglich, gemeinsam mit dem Betroffenen und/oder seinen Angehörigen/Bezugspersonen basierend auf einer systematischen Einschätzung/Beurteilung (Assessment, Pflegeanamnese, körperliche Untersuchung) des Gesundheitszustandes und dessen psychischen, physiologischen und entwicklungsbedingten Auswirkungen oder der Reaktion auf Gesundheitsprobleme nutzen, um auf dieser Grundlage die Entscheidungen über Pflegeziele zu treffen und geeignete Pflegeinterventionen auszuwählen.

Eine ENP-Pflegediagnose beschreibt mögliche pflegediagnostische Ergebnisse in einer standardisierten Form. Die Bestandteile einer ENP-Pflegediagnose sind ein pflegerisches Problem und eine Spezifikation. Ein kleiner Anteil, derzeit 9,2 % (n= 50) der ENP-Pflegediagnosen, beinhaltet keine Spezifikation und dient als Restkategorie, wenn keine der angebotenen präkombinierten Pflegeprobleme mit Spezifikation zutreffen. Im Rahmen des diagnostischen Prozesses ergänzt die Pflegeperson in diesem Fall selbst die Kennzeichen und Ursachen und überführt das pflegerische Problem in eine Pflegediagnose. Eine Präkombination von Spezifikation und Pflegeproblem wurde in ENP immer dann vorgenommen, wenn spezifische Interventionskonzepte für die ENP-Pflegediagnose existieren.

In ENP ist ein Pflegeproblem wie folgt definiert:

> Pflegeprobleme sind aktuelle Beeinträchtigungen des betroffenen Individuums, die in seiner Person oder seiner Umwelt begründet sind. Oder es handelt sich um Risiken, die mit dem Gesundheitszustand oder der Behandlung des Betroffenen im Zusammenhang stehen, die er selbst nicht bewältigen oder beheben kann und die seine Unabhängigkeit und/oder die anderer Menschen einschränkt. Psychische, umweltbedingte und entwicklungsbedingte Zustände oder Veränderungen des physiologischen Gesundheitszustandes sowie altersbedingte Einschränkungen können Ausgangspunkt von Pflegeproblemen sein.

Professionelles Handeln ist erforderlich, um die Pflegeprobleme zu erfassen, diese in eine Pflegediagnose zu überführen und den Gesundheitszustand durch geplante Pflege positiv zu beeinflussen.

Gordon und Bartholomeyczik (2001) schreiben, dass eine Pflegediagnose aus drei essentiellen Elementen besteht, „[…] die auch als PÄS-Schema bezeichnet werden. Diese drei Komponenten sind: Gesundheitliches Problem (P), Ätiologische bzw. damit verbundene Faktoren (Ä) [und] Definierende Merkmale oder Cluster von Zeichen und Symptomen (S)". (Gordon und Bartholomeyczik 2001, S. 38 f.) Die Gruppe der Pflegeprobleme beschreibt auf der Ebene der Kategorie inhaltlich Pflegeprobleme, die die disjunkten Merkmalsträger darstellen, denen die Pflegediagnosenbegriffe zugeordnet sind. Aufgrund der Zusammensetzung einer ENP-Pflegediagnose aus einem Pflegeproblem und einer Spezifikation beinhaltet diese bereits mindestens zwei essentielle Elemente einer Pflegediagnose, wie von Gordon (2001, S. 38) definiert. Im Rahmen des diagnostischen Prozesses wählt die Pflegeperson passende Kennzeichen und Ursachen aus ENP aus. Die Kennzeichen beziehen sich in ENP nicht ausschließlich auf das Pflegeproblem, sondern auf die Kombination des Pflegeproblems und der Spezifikation.

Für jeden Bestandteil von ENP wurde festgelegt, wie die Syntax des entsprechenden Elements zu formulieren ist. Die Festlegung der Syntax der verschiedenen Sprachbausteine in ENP dient der Vereinheitlichung der Struktur der Fachsprache. Es ist daher für die Weiterentwicklung wichtig, neue Inhalte in gleicher Weise grammatikalisch in eine gleiche Satzkonstruktion zu bringen. Dem Leser wird beim Arbeiten mit ENP auffallen, dass die Satz-/Halbsatzkonstruktionen immer einem Muster folgen.

Syntax einer ENP-Pflegediagnose

„Der Patient hat aufgrund eines liegenden Tracheostomas das Risiko einer Hautschädigung".

"Der Patient" = Subjekt (Nominativ)

"hat" = Vollverb / Prädikat

"aufgrund eines liegenden Tracheostomas" = Präpositionalobjekt (Genitiv)

"das Risiko" = direktes Objekt (Akkusativ)

"einer Hautschädigung" = Artergänzung (Genitiv)

"Der Patient kann aufgrund einer Hemiplegie /-parese die Körperwaschung nicht selbstständig durchführen".

"Der Patient" = Subjekt (Nominativ)

"kann" = Modalverb (Teil 1 der Verbklammer)

"aufgrund einer Hemiplegie/-parese" = Präpositionalobjekt (Genitiv)

"die Körperwaschung" = direktes Objekt (Akkusativ)

"nicht selbständig" = negierte Adverbialphrase (der Art & Weise)

"durchführen" = Vollverb (Teil 2 der Verbklammer, hier Infinitiv)

Bei den Pflegediagnosen in ENP, die über keine Spezifikation verfügen, setzt sich die Syntax wie folgt zusammen:

"Der Patient" hat ein Dekubitusrisiko"

"Der Patient" = Subjekt (Nominativ)

"hat" = Vollverb / Prädikat

"ein Dekubitusrisiko" = direktes Objekt (Akkusativ)

Die Satzkonstruktion einer Pflegediagnose ist in der dritten Person Singular formuliert, die genutzten Verben stehen im Präsens. Der Hintergrund, die Satzkonstruktion so zu gestalten, wie sie oben beschrieben wurde, hat pragmatische und sprachstilistische Gründe. Es wäre durchaus möglich, das Präpositionalobjekt an das Satzende zu stellen. Die ENP-Pflegediagnose könnte z. B. auch lauten, der Patient kann die Körperwaschung nicht selbständig durchführen, aufgrund einer Hemiplegie. So würde dem Pflegeproblem als Bestandteil der ENP-Pflegediagnose eine höhere Aufmerksamkeit zukommen, allerdings würde damit die Unterscheidung der 13 Selbstfürsorgedefizite Körperwaschungsdiagnosen an das Satzende gestellt werden. Die Mitarbeiter müssten in einer Softwarelösung deutlich mehr lesen, um zu den Unterscheidungskriterien der ENP-Pflegediagnose innerhalb der Subkategorie zu gelangen.

3.2 Definition: ENP-Kennzeichen

Jede Analyse eines Begriffes führt zwangsläufig zu den bestimmenden Merkmalen des Begriffes. Zur Feststellung eines Begriffsinhaltes und zur Festlegung eines pflegediagnostischen Konzeptes, wie z. B. den ENP-Pflegediagnosen, ist die Benennung der Kennzeichen, welche die Pflegediagnose stützen können, entscheidend. In der Terminologielehre werden den Merkmalen/Kennzeichen verschiedene Bedeutungen zugewiesen. „Die Gesamtheit der zu einem gegebenen Zeitpunkt festgestellten Merkmale eines Begriffes ist die Summe des Wissens über diesen Begriff" (Arntz et al. 2004, S. 53 f). Dieses Wissen über den Begriff unterstützt dabei, den Begriffsinhalt zu benennen und abzugrenzen. Ebenso unterstützen die Merkmale dabei, die Begriffe zu strukturieren und in eine Taxonomie einzuordnen.

Im pflegediagnostischen Prozess werden die Kennzeichen als Indikatoren zur Bestätigung einer Pflegediagnose genutzt (Gordon und Bartholomeyczik 2001, S. 43 ff.). Im Rahmen der Entwicklung der ENP-Pflegediagnosen werden die Merkmale zur Konzeptualisierung dieser eingesetzt. Im Folgenden wird die Definition der ENP-Kennzeichen vorgestellt.

> ENP-Kennzeichen sind Indikatoren, Merkmale und Äußerungen des betroffenen Individuums. Diese tragen dazu bei, die Pflegediagnose/-probleme zu identifizieren, oder die Pflegediagnosen/-probleme untereinander abzugrenzen. Diese Merkmale, Indikatoren können Symptome beschreiben, weitere Merkmale für das Problem, biografische oder historische, physiologische oder psychische Indikatoren, eine beschriebene verbale Äußerung des Betroffenen zum Problem, beschriebene Reaktionen eines Menschen oder Risikofaktoren sein.

Die Kennzeichen von ENP beziehen sich wie bereits unter 2.2.2 dargelegt, sowohl auf das enthaltene Pflegeproblem, als auch auf die Problemspezifikation. Die Pflegediagnosen innerhalb einer Kategorie können allgemeine Kennzeichen beinhalten, die sich auf das Pflegeproblem beziehen.
Auf eine Weiterentwicklung auf Kennzeichenebene soll abschießend hingewiesen werden. Der Hintergrund ist das Bestreben, zu möglichst präzisen pflegediagnostischen Aussagen zu gelangen und auf diesem Weg zudem Outcomemessungen zu ermöglichen. Dazu wurde begonnen, die Pflegediagnosen des Bereichs Selbstpflegedefizit um Skalierungen der Beeinträchtigungs-/Abhängigkeitsstufen zu ergänzen. Auf diese Weise kann künftig der Grad der Beeinträchtigung auf Kennzeichenebene ausgewiesen werden. Für die Pflegediagnose ‚Der Patient/Bewohner ist in der Transferfähigkeit beeinträchtigt' wurden die Beeinträchtigungsgrade beispielsweise folgendermaßen umgesetzt:

Der Bewohner– ist in der Transferfähigkeit beeinträchtigt.
Kennzeichen:
- Beeinträchtigte Transferfähigkeit vom Bett in den (Roll-, Lehn-) Stuhl
- Beeinträchtigte Transferfähigkeit vom (Roll-, Lehn-) Stuhl in das Bett
- Beeinträchtigte Transferfähigkeit vom Rollstuhl zur Toilette

oder
- Beeinträchtigungsgrad des Transfers
  - » Stufe 1: Selbstständiger Transfer mit Hilfsmitteln
  - » Stufe 2: Geringe Beeinträchtigung des Transfers
  - » Stufe 3: Erhebliche Beeinträchtigung des Transfers
  - » Stufe 4: Schwere Beeinträchtigung des Transfers
  - » Stufe 5: Verlust der Transferfähigkeit
- ...

Syntax der ENP-Kennzeichen
Die Kennzeichenformulierungen sind Symptome (z. B. Zyanosezeichen, Erhöhte Atemfrequenz, Giemen, Tachypnoe, Äußert Juckreiz), Äußerungen des Betroffenen (z. B. Äußert Angst vor den Schmerzen beim Abhusten; Beschreibt das Gefühl der Einsamkeit/der Verlassenheit), Verhaltensreaktionen (z. B. Erhöhte Reizbarkeit; Kann Wut/Ärger nicht adäquat äußern und richtet diese gegen Tiere/Gegenstände; Reißt sich Haare aus), physiologisch feststellbare Merkmale (z. B. Atemfrequenz beim Erwachsenen unter 12 Atemzüge/Min.), oder Beschreibungen der Fähigkeitseinschränkungen des Betroffenen (z. B. Kann bestimmte Körperregionen nicht waschen; Kann Worte nicht deutlich aussprechen).
Die Kennzeichen stellen syntaktisch entweder vollständige Sätze dar, die aus einem Subjekt

und einem Prädikatsverband (der Prädikat, Objekt(e) und/oder Ergänzung(en) beinhalten kann) bestehen und zudem in der Regel im Aktiv stehen. Oder sie sind Ellipsen bestehend aus Prädikat, Objekt(en) und/oder Ergänzung(en) oder nur aus Begriffen. Diese unvollständigen Sätze beziehen sich immer auf das Subjekt der Pflegediagnose. Z. B.: Die Fähigkeit, die Körperpartien zu waschen, ist eingeschränkt oder Infektiöse Hauterkrankung.

3.3 Definition: ENP-Ursachen

Ursachen können als Bezeichnung „für ein Ereignis oder eine Menge von Ereignissen, die ein anderes Ereignis, die Wirkung, kausal (Kausalität) hervorbringen" definiert werden. In der „Enzyklopädie Philosophie und Wissenschaftstheorie" wird der Ursachenbegriff auf Grundlage der vier Ursachentypen des Aristoteles, dem neuzeitlichen Wirkursachenverständnis von Hume und weiteren Philosophen definiert (Mittelstraß 1996, S. 442). Ein ähnliches Grundverständnis wurde der Definition der Ursachen bei der ENP-Entwicklung zugrunde gelegt. Zur weiteren Differenzierung der Pflegediagnose werden Ursachen formuliert, die für die Verursachung und Aufrechterhaltung des Gesundheitsproblems/-zustandes mit verantwortlich oder beeinflussend sind (Brobst et al. 1997, S. 17 f., Gordon 2001, S. 41).

In ENP sind die Ursachen wie folgt definiert:

> ENP-Ursachen sind auslösende und/oder beeinflussende Faktoren, die zur Entstehung eines Pflegeproblems/einer Pflegediagnose führen beziehungsweise diese aufrechterhalten. Ursachen/beeinflussende Faktoren können Verhaltensweisen des Betroffenen, bestehende und bekannte Erkrankungen sowie beschreibbare Einschränkungen sowohl im psychosozialen Bereich wie auch im Bereich der körperlichen und kognitiven Fähigkeiten sein. Ebenso können Ursachen/beeinflussende Faktoren im Umfeld, der Sozialisation und den Erfahrungen des betroffenen Individuums zu finden sein.

Im Rahmen des Pflegeprozesses ist es bedeutend, die Ursachen von pflegerischen Problemen zu kennen, da häufig diese im Rahmen der Interventionsangebote mitbeachtet werden müssen, um ein Pflegeproblem zu beheben oder zu lindern. Zum Beispiel besteht ein Unterschied, ob sich ein Individuum nicht selbstständig waschen kann, weil die Ursache in der Bewegungseinschränkung postoperativ oder in einer Apraxie begründet ist. Die sinnvollen Interventionskonzepte sind bei den Beispielen jeweils unterschiedlich.

Das Ursachenverständnis in ENP orientiert sich an der Analyse des Begriffes der Ursachen, die folgende Unterscheidung der Begriffsbildung hervorbringt (Hügli und Lübcke 2001, S. 640 ff):

> Ursachen als Kausalitätsbeziehung zwischen Ursache und Wirkung. Ursachen als Kausalkette bzw. kausaler Zusammenhang, das bedeutet „[...] jenes Netz von Ursachen und Wirkung, in die ein Ereignis eingeflochten ist." (Hügli und Lübcke 2001, S. 642)
> Mitwirkende Ursache, das heißt Ursachen, bei denen ein Zusammenhang mit der Wirkung besteht, die aber die Wirkung nicht alleine hervorrufen.
> Ausschlaggebende Ursache, die Ursache, der ein zentraler Aspekt für die Wirkung nachgewiesen werden kann.
> Wesentliche Ursachen, die eine notwendige Bedingung der Wirkung ist.

Die verschiedenen Sichtweisen und Unterscheidungen des Begriffs ‚Ursachen' werden in den ENP immer in Bezug auf die Pflegediagnoseformulierung formuliert. Von Interesse sind die besonderen Zusammenhänge der festgestellten Gesundheitsprobleme/-zustände eines Individuums, dessen Entstehungsursachen und den Faktoren, die das Problem erhalten. Jeder ENP-Pflegediagnose können mehrere Ursachen zugeordnet werden. Das bedeutet, dass verschiedene Ursachen die Diagnose beeinflussen bzw. hervorrufen können. Diese im diagnostischen Prozess ausgewählten und formulierten Ursachen zu den Pflegediagnosen bilden die Basis für die Auswahl geeigneter Interventionen.

Die Ursachenformulierungen können Krankheiten (z. B. Manie, Rechtsherzinsuffizienz, Essstörung, Multiples Sklerose), Motive für Verhalten (z. B. Bedürfnis nach Selbstbestätigung, Widerwille bei der Nahrungsaufnahme, fehlendes Interesse, Angst, Schamgefühl), Zustände (z. B. Verwirrtheitszustand, anhaltende Appetitlosigkeit, Formveränderung am weichen Gaumen, Trinkschwäche, Belastungsdyspnoe, fehlendes Selbstwertgefühl, Bewegungseinschränkung), Wissens-/Informationsdefizite (z. B. mangelnde Kenntnis über das Stillen, fehlender Zugang zu Informationen), soziokulturelle Einflüsse (z. B. familiendynamische Faktoren, Arbeitslosigkeit, Misshandlung), Gewohnheiten/Verhalten (z. B. ritualisierte Zwangshandlung, Kotschmieren, Aktivitätsmangel, ungenügende Grenzsetzung), beeinträchtigte Interaktion (spricht eine andere Landessprache), oder eingeschränkte/beeinträchtigte Fähigkeiten (z. B. eingeschränkte kognitive Fähigkeiten) sein.

Syntax der ENP-Ursachen

Die Ursachen stellen syntaktisch entweder vollständige Sätze dar, die aus einem Subjekt und einem Prädikatsverband (der Prädikat, Objekt(e) und/oder Ergänzung(en) beinhalten kann) bestehen. Oder sie sind Ellipsen, die entweder nur aus Prädikat, Objekt(en) und/oder Ergänzung(en) bestehen oder nur aus Begriffen. Diese unvollständigen Sätze beziehen sich immer auf das Subjekt der Pflegediagnose. Z. B.: Der Wille, die Körperwaschung durchzuführen, fehlt oder Eingeschränkte körperliche Belastungsfähigkeit.

3.4 Definition: ENP-Ressourcen

In ENP werden zu den Pflegediagnosen die Ressourcen (Fähigkeiten des Betroffenen) formuliert, die für die Auswahl der pflegerischen Zielsetzung und die Interventionsbestimmung von Bedeutung sind.
Eine ENP-Ressource ist wie folgt definiert:

> ENP-Ressourcen sind Beschreibungen von Zuständen, körperliche, geistige und psychosoziale Fähigkeiten, Verhaltensweisen und/oder Faktoren im sozialen Umfeld, die dazu beitragen, Bewältigungsstrategien zu entwickeln und/oder Pflegeinterventionen zu unterstützen.

Die Ressourcenentwicklung ist immer vor dem Hintergrund der möglichst differenzierten Beschreibung und Beurteilung des Gesundheitsproblems/-zustands formuliert, von dem der Pflege-/Unterstützungsbedarf abgeleitet wird. So ist es für die Auswahl von Pflegezielen und Interventionen entscheidend zu wissen, ob ein Patient, der ein Selbstversorgungsdefizit Körperpflege hat, sitzen oder stehen kann und z. B. den Waschlappen selbstständig führen kann. Die formulierten Ressourcenbegriffe haben im Gegensatz zur den restlichen Gruppen in ENP nicht den Anspruch auf Vollständigkeit. Bei den Ressourcenformulierungen sind Pflegende aufgefordert, individuelle Ergänzungen im Rahmen des diagnostischen Prozesses vorzunehmen.
Die standardisierten Ressourcenformulierungen in ENP beinhalten Verhaltensweisen, handlungsfördernde Einstellungen, Unterstützungsleistungen des sozialen Umfelds oder physiologische Zustände, die dazu beitragen, Bewältigungsstrategien und Interventionen zur Behebung von Gesundheitsproblemen zu entwickeln und zu unterstützen.

Syntax der ENP-Ressourcen
Die Ressourcen stellen syntaktisch entweder vollständige Sätze dar, die aus einem Subjekt und einem Prädikatsverband (der Prädikat, Objekt(e) und/oder Ergänzung(en) beinhalten kann) bestehen. Z. B.: Kann Hilfsmittel gezielt einsetzen oder Äußert Einsicht in die Pflegemaßnahme.

3.5 Definition: ENP-Pflegeziele

Durch die zielgerichtete Pflege und die Förderung der Ressourcen soll das Pflegeziel erreicht werden. Pflegeziele sollen realistisch, erreichbar, überprüfbar, positiv formuliert und auf das Pflegeproblem/-diagnose bezogen sein. Einer ENP-Pflegediagnose sind mehrere mögliche Pflegeziele zugeordnet. Die Pflegeperson entscheidet sich je nach Patientenzustand für ein oder mehrere Pflegeziele.
Ein ENP-Ziel ist wie folgt definiert:

> ENP-Pflegeziele legen die Pflegeergebnisse fest, die Pflegende mit dem Betroffenen oder für den Betroffenen planen und die innerhalb eines vereinbarten Zeitraumes erreicht werden sollen. Die erwarteten Ergebnisse sind in Form von künftig zu erreichenden Ist-Zuständen beschrieben. Die Pflegeziele können sich auf körperliche Leistungen und Fähigkeiten, physiologische Parameter, Wissen, Verhaltensweisen und Persönlichkeitsmerkmale, Befunde, emotionales Erleben und subjektives Empfinden sowie auf die Erkennung körperlicher Veränderungen beziehen.

Eine Nutzung der Pflegezielformulierungen zur Outcome-Messung ist möglich. Hierzu ist jedes ENP-Pflegeziel mit einer fünfstufigen Skala zur Einschätzung des Zielerreichungsgrades verknüpft. Es existieren unterschiedliche Arten der fünfstufigen Skalen. Allen gemeinsam ist, dass 5 bedeutet, das Ziel wurde erreicht und 1, das Pflegeziel wurde noch nicht erreicht. Hierzu ein paar Beispiele:

ENP-Pflegediagnose
Der Patient zieht sich vom sozialen Geschehen zurück, soziale Interaktion ist beeinträchtigt

Ursache
Psychische Erkrankung

Kennzeichen
Zieht sich in das Zimmer zurück

Pflegeziel
Nimmt unaufgefordert an Gruppenaktivitäten teil

Die Pflegeperson schätzt die Zielerreichung auf einer fünfstufigen Skala ein. Die verknüpften Beurteilungsmerkmale zur Einschätzung des Zielerreichungsgrades lauten:

- 5 = vollständig erreicht
- 4 = weitgehend erreicht
- 3 = mäßig erreicht
- 2 = wenig erreicht
- 1 = nicht erreicht

Eine Codierung mit 1 würde bedeuten, dass der Patient das Pflegeziel Nimmt unaufgefordert an Gruppenaktivitäten teil bezogen auf die Pflegediagnose nicht erreicht hat (0 % Zielerreichung), die Codierung „wenig" würde bedeuten, dass geringe, schwache Ansätze der Zielerreichung erkennbar sind (bis 25 % Zielerreichung), eine „mäßige" Bewertung zeigt an, dass eine mittlere Zielerreichung vorhanden ist (26–50 %), eine „weitgehende" Zielerreichung wird codiert, wenn das Ziel über 50 % erreicht ist (51–75 % Zielerreichung) und eine „vollständige" Zielerreichung wird codiert, wenn das Ziel zu über 75 % erreicht wurde.

Die andere Art der Skalierung wird in ENP mittels operationalisierten Items des Zieles realisiert. So wurden zum Beispiel drei Pflegeziele zur Körperwaschung wie nachfolgend in der Tabelle beschrieben.

	5-er-Skalierung Körperwaschung				
	Ausprägung 5	Ausprägung 4	Ausprägung 3	Ausprägung 2	Ausprägung 1
Kann sich den Körper selbstständig waschen und abtrocknen	Kann sich den Körper selbstständig waschen und abtrocknen	Kann sich den Körper unter Einsatz von Hilfsmittel und/oder verlängerter Waschzeit (> 15 Min.) selbstständig waschen und abtrocknen	Kann den Körper unter verbaler Anleitung und Anreichung von Materialien selbstständig waschen und abtrocknen	Kann den Körper teilweise selbstständig waschen und abtrocknen, Pflegeperson übernimmt schwer erreichbare Körperstellen	Ist in der Ausführung der Körperwaschung voll abhängig
Kann sich den Oberkörper selbstständig waschen und abtrocknen	Kann sich den Oberkörper selbstständig waschen und abtrocknen	Kann sich den Oberkörper unter Einsatz von Hilfsmittel und/oder verlängerter Waschzeit (> 7 Min.) selbstständig waschen und abtrocknen	Kann den Oberkörper unter verbaler Anleitung und Anreichung von Materialien selbstständig waschen und abtrocknen	Kann den Oberkörper teilweise selbstständig waschen und abtrocknen, Pflegeperson übernimmt schwer erreichbare Körperstellen	Ist in der Ausführung der Oberkörperwaschung voll abhängig
Kann sich Gesicht und Hände selbstständig waschen und abtrocknen	Kann sich Gesicht und Hände selbstständig waschen und abtrocknen	Kann sich Gesicht und Hände bei verlängerter Waschzeit (> 3 Min.) waschen und abtrocknen	Kann Gesicht und Hände unter verbaler Anleitung und Anreichung von Materialien selbstständig waschen und abtrocknen	Kann Gesicht und Hände teilweise selbstständig waschen und abtrocknen, Pflegeperson muss nacharbeiten.	Ist in der Ausführung, Gesicht und Hände zu waschen, voll abhängig

Tabelle 5: 5er-Skalierung der ENP-Ziele zur Körperwaschung

Ein Beispiel aus der Klasse Atmung und der Kategorie „Physiologische Respiration“:

	5-er Skalierung Physiologische Respiration				
	Ausprägung 5	Ausprägung 4	Ausprägung 3	Ausprägung 2	Ausprägung 1
Die subjektiv empfundene Atemnot nach/während der körperlichen Aktivität befindet sich auf der 5-er-Skalierung >3 (1 = maximale Atemnot, 5 = keine Atemnot) Literaturquelle: Gillissen, A et al. 2008	Empfindet während/ unmittelbar nach der körperlichen Aktivität eine normale/ unveränderte Atemaktivität	Empfindet während/ unmittelbar nach der körperlichen Aktivität eine leichte Atemnot (Dyspnoe)	Empfindet während/unmittelbar nach der körperlichen Aktivität eine mittlere Atemnot (Dyspnoe), diese kann durch Aktivierung der Atemhilfsmuskulatur gekennzeichnet sein	Empfindet während/ unmittelbar nach der körperlichen Aktivität eine schwere Atemnot (Dyspnoe), diese kann durch Zyanose, Aktivierung der Atemhilfsmuskulatur gekennzeichnet sein	Empfindet während/ unmittelbar nach der körperlichen Aktivität eine sehr schwere Atemnot (Dyspnoe), diese kann durch Todesangst, Panik, Zyanose, Aktivierung der Atemhilfsmuskulatur und/ oder Nasenflügelatmung gekennzeichnet sein

Tabelle 6: 5er-Skalierung der ENP-Ziele der Kategorie "Physiologische Respiration"

Ein weiteres Beispiel stammt aus der Klasse Empfinden und der Kategorie „Frei von Schmerzen“:

	5-er Skalierung Frei von Schmerzen				
	Ausprägung 5	Ausprägung 4	Ausprägung 3	Ausprägung 2	Ausprägung 1
Ist schmerzfrei	Hat (keine) Schmerzen, die auf der numerischen Rangskala zwischen 1-2 eingeschätzt wurden	Hat Schmerzen, die auf der numerischen Rangskala zwischen 4-3 eingeschätzt wurden	Hat Schmerzen, die auf der numerischen Rangskala zwischen 5-6 eingeschätzt wurden	Hat Schmerzen, die auf der numerischen Rangskala zwischen 7-8 eingeschätzt wurden	Hat Schmerzen, die auf der numerischen Rangskala zwischen 9-10 eingeschätzt wurden

Tabelle 7: 5er-Skalierung der ENP-Ziele der Kategorie "Frei von Schmerzen"

Ein letztes Beispiel stammt aus der Klasse Empfinden und der Kategorie „Den Fähigkeiten angepasste Anforderungen“:

	5-er Skalierung Den Fähigkeiten angepasste Anforderungen				
	Ausprägung 5	Ausprägung 4	Ausprägung 3	Ausprägung 2	Ausprägung 1
Die erwarteten körperlichen Anforderungen durch die Körperpflegeaktivität entsprechen den aktuellen körperlichen Fähigkeiten	Die erwarteten körperlichen Anforderungen durch die Körperpflegeaktivität entsprechen den aktuellen körperlichen Fähigkeiten	Die erwarteten körperlichen Anforderungen durch die Körperpflegeaktivität entsprechen teilweise den körperlichen Fähigkeiten, dieses zeigt sich in Form von völliger Erschöpfung nach der Körperpflegeaktivität	Die erwarteten körperlichen Anforderungen durch die Körperpflegeaktivität entsprechen teilweise den körperlichen Fähigkeiten, dieses zeigt sich in Form von stark veränderten Vitalparametern und/oder Schmerzen nach der Körperpflegeaktivität	Die erwarteten körperlichen Anforderungen durch die Körperpflegeaktivität entsprechen nicht körperlichen Fähigkeiten, dieses zeigt sich in Form von stark veränderten Vitalparametern mit Grenzwertüberschreitungen und/oder Schmerzen, die Körperpflegeaktivität musste (mehrmals) unterbrochen werden	Die erwarteten körperlichen Anforderungen durch die Körperpflegeaktivität übersteigen die körperlichen Fähigkeiten, dieses zeigt sich in Form Kreislaufkollaps, respiratorische Insuffizienz oder anderweitigen Krisen, die Körperpflegeaktivitäten können nicht wie geplant fortgesetzt werden

Tabelle 8: 5er-Skalierung der ENP-Ziele der Kategorie "Den Fähigkeiten angepasste Anforderungen"

Derzeit sind von den ENP-Pflegezielen 50 differenzierte Bewertungsskalen entwickelt. An der weiteren Überführung der ENP-Pflegeziele in operationalisierte Items wird kontinuierlich gearbeitet. Ziel ist es, weitere Ergebnisindikatoren zu entwickeln, die als Selbstbewertungsinstrument für den Patienten/Bewohner als auch als Messinstrument für die Pflegepersonen dienen sollen. Die bisher entwickelten Ergebnisindikatoren sind in der Software oder Datenbank verfügbar. Eine eigene Buchveröffentlichung ist geplant.

Damit eine einheitliche Bewertung der Zielerreichung im Pflegeteam möglich wird, ist die Diskussion der Zielerreichung mit dem Patienten und/oder im Team wichtig. Gerade Zielformulierungen, wie z. B. „Nimmt unaufgefordert an Gruppenaktivitäten teil“, unterliegen einer gewissen Subjektivität.

Syntax der ENP-Pflegeziele

Die Pflegeziele stellen syntaktisch entweder vollständige Sätze dar, die aus einem Subjekt und einem Prädikatsverband (der Prädikat, Objekt(e) und/oder Ergänzung(en) beinhalten kann) bestehen und zudem in der Regel im Aktiv stehen. Oder sie sind Ellipsen bestehend aus Prädikat, Objekt(en) und/oder Ergänzung(en) oder nur aus Begriffen. Diese unvollständigen Sätze beziehen sich immer auf das Subjekt der Pflegediagnose. Z. B.: Selbstständigkeit ist gefördert und Äußert Gefühl der Sicherheit bei den täglichen Aktivitäten.

3.6 Definition: ENP-Pflegeinterventionen

Pflegeinterventionen in ENP sind alle Handlungen im Kontext der Patientenversorgung, die durch Pflegepersonen auf Grundlage des pflegediagnostischen Prozesses durchgeführt werden.
Eine ENP-Pflegeintervention ist wie folgt definiert:

> Eine ENP-Pflegeintervention ist der sprachliche Ausdruck für ein Interventionskonzept. Die Interventionskonzepte sind abstrakte Formulierungen von Pflegehandlungen, die aus zahlreichen Teilschritten bestehen. Die ENP-Pflegeinterventionskonzepte können sich auf direkte, indirekte oder administrative Pflegehandlungen beziehen, die zur Zielerreichung auf der Grundlage klinischer Entscheidungsprozesse und pflegerischen Fachwissens durch Pflegende eingeleitet und durchgeführt werden.

Zur Verdeutlichung ein Beispiel: Die Pflegehandlung „30°-Lagerung nach Seiler durchführen“ besteht aus zahlreichen einzelnen Teilhandlungen. Diese Teilinterventionen beginnen z. B. mit der Händedesinfektion, der Materialvorbereitung usw., der Patientenbegrüßung, Information des Patienten, dem eigentlichen Lagerungsvorgang, der sich wiederum in zahlreichen Einzelschritten beschreiben lässt (z. B. Kopfteil flach stellen, Kopfkissen entfernen usw.) und endet mit der Vergewisserung, dass der Patient nach der Lagerungsdurchführung keinen weiteren Wunsch hat und z. B. die Glocke erreichen kann. Die einzelnen Handlungsschritte der in ENP formulierten Pflegeinterventionen sind nicht beschrieben, sondern sind im Rahmen der Ausbildung konzeptualisiert worden. Für die Pflegeprozessdokumentation ist es auch nicht sinnvoll, die einzelnen Handlungsschritte eines Interventionskonzeptes ausformuliert in die Patientenakte zu übernehmen.

Es gibt Pflegeinterventionen, die direkt am und mit dem Patienten durchgeführt werden (z. B. Ganzkörperwaschung durchführen), und Handlungen, die indirekt für den Patienten durchgeführt werden (z. B. Medikamente stellen).

Syntax der ENP-Pflegeinterventionen

Die Pflegeinterventionen stehen in der Regel im Infinitiv und beschreiben Anweisungen oder Aufforderungen zu Handlungen, die in der Regel im Aktiv stehen. Syntaktisch sind es Ellipsen bestehend aus Prädikat, Objekt(en) und/oder Ergänzung(en), wobei das Prädikat häufig aus Infinitivkonstruktionen besteht. Diese unvollständigen Sätze beziehen sich immer auf das Subjekt der auszuführenden Handlung. Z. B.: Themenzentriertes therapeutisches Pflegefachgespräch führen oder Belastungsreduzierende, schonende Bewegungstechniken einsetzen.

3.7 Interventionsspezifikation

In der Fachliteratur wird gefordert, dass die schriftlich formulierten Pflegeinterventionen Antwort auf die „W-Fragen" geben müssen. Diese sind: „Wer macht wann, was, wie, womit?" Aus diesen Forderungen an die Formulierung der Pflegeintervention kann abgeleitet werden, dass Pflegeinterventionskonzepte handlungsweisenden Charakter haben sollen. Dieser Anforderung an die Formulierungen wird in ENP durch die Interventionsspezifikationen Rechnung getragen.
ENP-Interventionsspezifikationen sind wie folgt definiert:

> ENP-Interventionsspezifikationen sind ergänzende Detailinformationen, die sich auf die Pflegeintervention beziehen. Diese können folgende Dimensionen beinhalten: Detailbeschreibung der Pflegeinterventionen, Unterstützungsgrad der Pflegenden bei der Durchführung der Intervention, Häufigkeit und geplante Uhrzeit der Interventionen, zeitliche Abstände der Pflegemaßnahmen, verwendete Pflegeprodukte und Hilfsmittel, Reihenfolge von vernetzten Maßnahmen, Topologie, Orts- oder Wegangaben sowie Mengenangaben, Anzahl benötigter Pflegepersonen zur adäquaten Durchführung der Pflegeintervention.

4. Verknüpfungen von ENP mit anderen Instrumenten

ENP wird in einer Datenbank zur Einbindung in Softwareprodukten gemanagt. Die Notationen (eindeutige Nummerierung der Items) werden innerhalb einer Gruppe automatisiert im Rahmen des Datenbankmanagements vergeben. Jedes Item im ENP-System hat eine eindeutige Codierung innerhalb seiner Gruppe, die auch bei weiteren Versionsständen stabil bleibt und gepflegt wird. Dieser Aspekt stellt die Voraussetzung für Verknüpfungen von ENP mit anderen Instrumenten dar. Die Entwicklung der unterschiedlichsten Verknüpfungen hat sich durch Kundenanforderungen ergeben. So können die erbrachten pflegerischen Leistungen zur Leistungsbewertung oder Abrechnung genutzt werden. So führen z. B. im ambulanten Dienst verschiedene Pflegeinterventionen zu einer Vergütung, oder bestimmte Pflegehandlungen, welche in einer gewissen Häufigkeit erbracht werden, führen zu einer Einstufung der Pflegebedürftigkeit durch den Medizinischen Dienst der Krankenkassen (MDK). Im Krankenhaus erheben Pflegepersonen bestimmte Patientenzustände, wie z. B. Stuhlinkontinenz, so dass diese Merkmale zu einer höheren Vergütung im Rahmen des DRG-Systems führen. Wenn verhindert werden soll, dass Pflegende neben der täglichen Pflegeprozessdokumentation zu Abrechnungs-/ oder Einstufungszwecken zusätzlich Patientenzustände oder Pflegehandlungen erheben sollen, müssen diese Daten aus der täglichen Pflegeprozessdokumentation generiert werden.
Eine weitere Verknüpfung wurde durchgeführt, um die Entscheidungsfindung im Sinne des Risikomanagements in den Einrichtungen zu unterstützen. So wurden z. B. die Pflegeanamnese-Items oder verschiedene Assessmentinstrumente mit den ENP-Pflegediagnosen verbunden.

Die bisher verknüpften Instrumente sind:

IDEA (Interdisciplinary Databased Electronic Assessment)
ein interdisziplinärer Anamnesekatalog, mit dessen Hilfe der Handlungsbedarf eingeschätzt wird. Für die Pflege lassen sich hieraus über die Verknüpfungen zu ENP relevante Pflegediagnosen ableiten

Verschiedene Assessmentinstrumente
wie z. B. Braden-, Tinetti- oder FIM-Einstufungsskalen schlagen ENP-Pflegediagnosen vor

PKMS (Pflegekomplexmaßnahmen-Score)
sowie weitere Komplexkodes zur automatisierten Unterstützung der Dokumentationsanforderungen sowie Kodegenerierung

MDK-Kriterien zur Pflegebedürftigkeitseinstufung
(Zeitwerte, Abhängigkeitsgrade)

ICD-10- und OPS-Codes
zur optimierten Nebendiagnosenkodierung im Krankenhaus und Unterstützung der DRG-Kodierung

LEP Nursing 3
für die Ermittlung von Zeitwerten

PPR (Pflegepersonal-Regelung)

Abrechnungsrelevante Leistungskataloge
wie z. B. die Leistungskataloge von Luxemburg zur Abrechnung ambulanter Dienstleistungen

Suchbegriffe
Suchsystem zur schnellen Auffindbarkeit von Pflegediagnosen.

In einigen Studien und Praxistests konnten die Verknüpfungen von LEP, PPR und ICD-10 und OPS und MDK-Einstufungskriterien bereits geprüft werden (Baltzer 2006, Gärtner 2006, Gärtner 2008, Schmid 2007, Schütze 2006).

Inhaltsverzeichnis

5. Validität der ENP-Praxisleitlinien

Der nachfolgende Abschnitt befasst sich mit der Validität der ENP-Praxisleitlinien. Die Einschätzung der Gütekriterien der ENP-Praxisleitlinien berücksichtigt klassifikatorische Aspekte, die theoretische und praktische Überprüfung, die Abbildung der Praxis im Sinne der Praxistauglichkeit, die Vollständigkeit zur Abbildung des Pflegeprozesses sowie die Verknüpfungen zu anderen Systemen[1].

Wie in Kap. 2.1 beschrieben handelt es sich bei ENP um ein monohierarchisch aufgebautes Klassifikationssystem, welches funktionale/physiologische, emotionale/psychologische, mehrdimensionale Risiken und umfeldbezogene Aspekte beinhaltet. Die Zielsetzung besteht in der Abbildung des Pflegeprozesses, weshalb die entsprechenden Aspekte die Bereiche Pflegediagnosen (mit den Elementen Pflegeprobleme, Kennzeichen, Ursachen, Ressourcen), Pflegeziele (als Ausdruck des angestrebten Pflegeergebnisses) und Pflegeinterventionen umfassen, die zudem fachlich sinnvoll verknüpft sind. Im Rahmen der Validitätsbewertung ist auch die Frage zu stellen, ob zu einer ENP-Pflegediagnose valide pflegerische Behandlungskonzepte vorgeschlagen werden. Die klassifizierten Elemente münden in einen Abstraktionsgrad, der für die Anwendung in der Pflegepraxis zur Pflegeprozessdokumentation konzipiert ist.

An dieser Stelle ist zu erwähnen, dass mittlerweile ein großer Fundus an Validierungsarbeiten zu Pflegediagnosen, wie z. B. NANDA-I, vorliegt. Zur Validierung von Outcomes und Interventionen sind die Veröffentlichungen bereits deutlich geringer. Ebenso sind bei den Validierungsarbeiten zu Pflegediagnosen kaum Arbeiten vorhanden, welche sich auf die Kriteriums- und Konstruktvalidität beziehen. Außerdem gibt es viele Bereiche, welche im Zusammenhang mit Pflegediagnosen/Praxisleitlinien untersucht werden sollten, wie z. B. Reliabilitätstests. (Berger 2005, Parker und Lunney 1999) Validierungsstudien mit dem Fokus auf der Verbindung von Pflegediagnosen, Outcomes und Interventionen (wie z. B. die ENP-Praxisleitlinien) gibt es derzeit nicht.

Die Entwicklung der ENP-Praxisleitlinien sowie deren Weiterentwicklungsprozess sind ausführlich, transparent und nachvollziehbar beschrieben. An dieser Stelle sollen Kernpunkte der Entwicklung aufgezeigt werden, die ausführlichen Beschreibungen der erwähnten Entwicklungsschritte können den jeweiligen Quellen entnommen werden. Die ursprüngliche Entwicklung von ENP basierte auf der Analyse von 2.138 Pflegeprozessplanungen, welche auf Grundlage einer Praxisanleitung im Rahmen der Ausbildung zum Gesundheits- und Krankenpfleger durchgeführt wurde und deren Inhalte systematisiert und mit Fachliteratur im Anschluss an die beobachtete Praxissituation abgeglichen wurden (Wieteck 2004a, 31 ff). Darauf folgte die systematische Weiterentwicklung auf der Basis von Literaturarbeiten (Helmbold 2006, Helmbold 2010a, Helmbold 2010b, Helmbold und Berger 2008), Begriff-/Konzeptanalysen nach Walker und Avant (Concept analysis) (Opel 2004) und Validierungsstudien.

Die Validierungsstudien, die zu ENP durchgeführt und veröffentlicht wurden, beziehen sich auf die Inhaltsvalidität. Diese wurde z. B. mittels Cross-Mapping-Methode (Wieteck 2007, 2006a, 2006b, 2008) oder durch Expertenbefragung mittels standardisiertem Fragenbogen nach Fehring untersucht (Hardenacke 2007). Die Kriteriumsvalidität der ENP-Praxisleitlinien wurde z. B. in den Studien von Berger und Schmitt untersucht (Berger 2008, Schmitt 2010). Die Inhaltsvaliditätsstudien beziehen sich ausschließlich auf die ENP-Pflegediagnosen, die Kriteriumsvaliditätsstudien sowie die Literaturanalysen beziehen sich auf die ENP-Praxisleitlinie. Damit wurde im Kontext der Validierungsstudien zu Pflegeklassifikationssystemen Neuland betreten.

ENP konnte in zahlreichen Praxisprojekten getestet werden, wobei die Güte der ENP-Praxisleitlinien auf die Probe gestellt wurde. (Helmbold 2012, S. 74 f.; Kossaibati und Berthou 2006, Stender 2005, Stender 2006). Jedes Praxisprojekt führte zu Verbesserungen, was in der entsprechenden Literatur nachvollzogen werden kann. Auch Ergebnisse von Forschungsarbeiten, die ENP-Pflegeprozessdaten unter gezielten Fragestellungen genutzt haben, können Hinweise auf Weiterentwicklungspotentiale geben. So wurde z. B. die Datenauswertung von Horst Konrad (Konrad 2009), die der Fragestellung nachging, wie die Pneumonieprophylaxe bei Krankenhauspatienten geplant und durchgeführt wird, dazu genutzt, die entsprechenden ENP-Praxisleitlinien hinsichtlich ihrer Abgrenzung gegenüber ähnlichen ENP-Diagnosen oder dem Kodierverhalten und damit Rechtfertigung einzelner ENP-Elemente zu bewerten. Neben den genannten Forschungsaktivitäten werden zudem Rückmeldungen von Anwendern (Pflegepersonen, Lehrpersonal von Ausbildungsstätten, fachübergreifende Pflegeexperten in den Kliniken) aufgegriffen und gezielt eingeholt, um Lücken in ENP zu schließen und Verständnisschwierigkeiten im weiteren Entwicklungspro-

[1] Die hier gewählte Darstellung orientiert sich inhaltlich und strukturell an der Entscheidungshilfe Zur Auswahl von Pflegeklassifikationen des ÖGKV (Österreicher Gesundheits- und Krankenpflegeverband), 2010.

zess zu entgegenzuwirken.

Da ENP auch in einer Datenbank zur Einbindung in Softwareapplikationen genutzt wird, können Datenbankauswertungen zur Weiterentwicklung der ENP-Praxisleitlinien genutzt werden. In Kooperation mit den Einrichtungen werden in regelmäßigen Abständen z. B. erstellte Pflegeprozessplanungen mit ENP ausgeleitet und bewertet, aus denen sich ebenso ein Entwicklungsbedarf ableiten lässt. Hierbei handelt es sich beispielsweise um Elemente, die von den Anwendern individuell zu den ENP-Texten ergänzt wurden. Damit wird die Vollständigkeit der zur Verfügung stehenden ENP-Praxisleitlinien bewertet. Die Ergänzungen können auch genutzt werden, um Auswertungen hinsichtlich der Nutzungsintensität in unterschiedlichen Settings durchzuführen. Die bewusste und gezielte Nutzung der Prozessdaten sowie die Einbeziehung der Anwender dient der Validierung von ENP sowie der Erhöhung der Vollständigkeit. ENP-Datenauswertungen verschiedener Anwenderkliniken/Heime/ambulanter Pflegedienste wurden in drei Studien veröffentlicht. Hier wurden ENP-Daten aus den Pflegeprozessdokumentationen bezogen auf unterschiedliche Fragestellungen genutzt (Haag 2009, Konrad 2009, Wieteck 2004b).

Nachfolgend werden einige Ergebnisse der verschiedenen Studien vorgestellt, um die Güte der ENP-Praxisleitlinien einzuschätzen. Grundsätzlich ist zu sagen, dass im Rahmen der Inhaltsvaliditätsdiskussion das Abstützen der diagnostischen Begriffe als ein Zeichen der Inhaltsvalidität verstanden wird (Woodtli 1988). Durch die breite Untermauerung der ENP-Praxisleitlinien durch internationale und nationale Fachliteratur, durch Studien sowie Leitlinien und Expertenstandards kann daher von einer gewissen Inhaltsvalidität ausgegangen werden. In der Kriteriumsvaliditätsprüfung von Berger (2010) wurden 1.931 narrative Pflegeprozessplanungsformulierungen mit ENP im Krankenhaus-Setting abgebildet. Die Formulierungen sind Examensarbeiten entnommen, die mit der Note 1–2 bewertet wurden. Insgesamt konnten 73 % der Formulierungen vollständig, 14 % der Formulierungen teilweise und 13 % der Formulierungen nicht abgebildet werden. Zu ähnlichen Ergebnissen kommt auch die Kriteriumsvaliditätsstudie von Schmitt im Bereich der neonatologischen Intensivpflege (Schmitt 2010). Diese Arbeiten beziehen sich auf die komplette Praxisleitlinie (= Pflegediagnose, Kennzeichen, Ursachen, Pflegemaßnahmen). Helmbold führte eine Validierung auf der Grundlage einer systematischen Literaturarbeit durch. Diese bezieht sich auf alle Elemente der Praxisleitlinien im Bereich Körperwaschung (Helmbold & Berger 2010a). In der Validierungsstudie von Hardenacke (2007) wurden Experten befragt, die Relevanz, Vollständigkeit und Abgrenzbarkeit der Kennzeichen im Bereich Mangelernährung bewerteten. Ergänzend dazu führte Helmbold (2010b) eine Literaturanalyse und eine vergleichende Analyse durch, die sich auf alle Elemente der Praxisleitlinien im Bereich Mangelernährung beziehen. Die daraus resultierenden Änderungen in ENP wurden in einer Veröffentlichung beschrieben (Helmbold 2010b). Diese Veröffentlichung macht zudem die Notwendigkeit deutlich, dass in zukünftigen Validierungsstudien zu ENP dessen spezifische Struktur Berücksichtigung finden sollte. Die in der Studie von Hardenacke kritisierte Abgrenzbarkeit der untersuchten ENP-Pflegediagnosen im Bereich des Risikos einer Mangelernährung ist durch die besondere präkombinatorische Struktur der ENP-Pflegediagnosen zu erklären (vgl. 2.2.2). Künftig sollten ENP-Pflegediagnosen einer Kategorie gebündelt untersucht werden, da sonst die Validitätsaussagen der besonderen Struktur von ENP nicht gerecht werden.

Wie oben beschrieben sind der besonderen Struktur der ENP-Praxisleitlinien im Rahmen der Validierungstätigkeiten ebenfalls Rechnung zu tragen. Damit stellt sich die Validierung von ENP als sehr komplex und umfangreich dar. Eine Vergleichbarkeit zu bestehenden Forschungsarbeiten anderer Pflegeklassifikationssysteme ist nicht möglich. Zur Validierung und der Ermittlung fehlender Inhalte sind auch Cross-Mapping-Verfahren geeignet. Ausgehend von der Hypothese, dass Experten, die sich mit der Konzeptualisierung und Beschreibung des gleichen Themenfeldes beschäftigen, zu gleichen oder ähnlichen Ergebnissen gelangen, kann angenommen werden, dass die verschiedenen Pflegeklassifikationssysteme zu ähnlichen Begriffen und Konzepten bei der Beschreibung der Pflege kommen. Burkhart et al. schreiben, „Mapping, or linking like terms that represent the same concept, is a research method increasingly used for testing the reliability and validity of standardized taxonomies“ (Burkhart et al. 2005). In einer Cross-Mapping-Studie zwischen NANDA-I und ENP sowie ICNP und ENP konnten hohe inhaltliche Übereinstimmungen festgestellt werden. Hierbei bewerteten Experten die Ausdruckskraft und Eindeutigkeit von ENP-Pflegediagnosen zu ca. 84 % gleich gut oder höher im Vergleich zu NANDA-I-Pflegediagnosen. (Wieteck 2006a, 2006b, 2007c, 2008) Auch im ICNP-ENP-Mapping wurde ein hoher Anteil der ICNP-Phänomenbegriffe (ca. 75 %) genutzt, um ENP-Pflegediagnosen abzubilden. Insgesamt konnten die ENP-Pflegediagnosen bis auf 1,97 % mit ICNP gemappt werden (Wieteck 2008).

Neben Validität und Zuverlässigkeit stellt zudem die Praxistauglichkeit eine wichtige Komponente zur Beurteilung von Klassifikationssystemen dar. Dabei geht es auch um die Frage, ob sich die Klassifikation eignet, die Pflegepraxis abzubilden. Damit ist der Aspekt der Vollständigkeit im Sinne der Abbildung des gesamten Pflegeprozesses und bezogen auf die Möglichkeit, alle erforderlichen Inhalte auch in unterschiedlichen Praxisfeldern und Settings abbilden zu können, angesprochen. Zudem sind für den Einsatz in der Pflegepraxis Kriterien wie Verständlichkeit und Eindeutigkeit von Bedeutung. Im Rahmen eines Evaluationsprojektes des Kantons St. Gallen wurden durch Pflegeexperten in 4 Kliniken des Kantons die mit ENP dokumentierten Pflegeplanungen bezüglich der Kriterien „Überprüfbarkeit", „Handlungsleitend", „Pflegefachliche Relevanz", „Eindeutigkeit", „Verständlichkeit" und „Vollständigkeit" bewertet. Das Projekt hatte die Testung der Fachsprache ENP für einen kantonalen Entscheid über deren Einführung zum Ziel. Vor diesem Hintergrund wurde ENP in verschiedenen Einrichtungen und Fachdisziplinen getestet. „In mindestens 80 % der analysierten Pflegeplanungen erfüllten die dokumentierten Inhalte die Analysekriterien", so das Ergebnis. Ein Entwicklungsbedarf bestand zum Zeitpunkt des Projektes allerdings noch in manchen Spezialbereichen, wie beispielsweise im Bereich der onkologischen Pflege, der transkulturellen Pflege und im Suchtbereich (Kossaibati und Berthou 2006, S. 41). In diesen Bereichen fanden inzwischen Weiterentwicklungen in ENP statt. Baltzer (2006) resümierte nach einem breit angelegten Anwendungsprojekt im Krankenhaus

> »Mit ENP können die Prozesse der Pflege vollständig und nachvollziehbar abgebildet werden" und „ENP-Formulierungen sind praxisnah und verständlich.«
> (Baltzer 2006, S. 9)

Für den Anwender ist zudem der Nutzen des Klassifikationssystems ein entscheidendes Auswahlkriterium. Diesem Aspekt widmen sich weitere Studien. In einer Interventionsstudie wurde untersucht, ob sich die Anwendung von ENP in einer Software auf die Qualität der Pflegeprozessdokumentation in einer Altenpflegeeinrichtung auswirkt. Die frequenz- und valenzanalytischen Auswertungen zeigen deutlich positive Auswirkungen auf die Dokumentationsqualität (Wieteck 2001). Eine multizentrisch deskriptive Querschnittstudie hatte zum Ziel zu ermitteln, inwieweit die „tatsächlich durchgeführten Pflegemaßnahmen" (erfasst durch Beobachter) mit den „dokumentierten Pflegeleistungen mittels ENP" übereinstimmten. Insgesamt wurden mittels Paralleltest-Methode 1.068 Pflegemaßnahmenkodierungen bei 34 Patientenfällen bewertet. Die prozentuale Übereinstimmung der Raterergebnisse in den beiden Einrichtungen lag im Mittel bei 76 %. In der Studie bleibt offen, wie hoch der Anteil der 24 % nicht korrekten Kodierungen mit Versäumnissen der Pflegepersonen oder fehlenden Items auf Pflegemaßnahmenseite in ENP zu tun hat (Wieteck 2007b). Auch die Studie „Automatisierte Nebendiagnosengenerierung zur Erlössicherung im Krankenhaus" zeigt, dass sich die Erlössituation in der Studie bei insgesamt 79 untersuchten Fällen um 116 € pro Fall im Durchschnitt erhöhen ließ. Zudem würde der pflegerische Zeitaufwand für die Kodierung der medizinischen Nebendiagnosen, die eine Relevanz für die Pflege haben, wegfallen (Berger und Schütze 2006). Verschiedene Fachaufsätze diskutieren den Nutzen des Einsatzes von ENP, welcher sich durch die verschiedenen Mappings mit anderen Systemen wie LEP, PPR, MDK-Zeitwerten usw. ergeben (vgl. Kapitel 4.) In einem Fachaufsatz zeigt Wieteck (2009) auf, dass ENP in dem vorgestellten Beispiel die Granularität besitzt, um z. B. die Auditfragestellungen des Expertenstandards Dekubitus aus der täglichen Pflegeprozessdokumentation zu beantworten (Wieteck 2009). Ebenfalls wird die Abbildbarkeit der Pflegeleistung im DRG-Kontext diskutiert (Bartholomeyczik et al. 2009). Bei Wieteck (2009) kann nachvollzogen werden, auf welche Weise die Granularität im Sinne der spezifischen Aussagekraft zur Erfüllung der Dokumentationsanforderungen im praktischen Feld beiträgt. In ähnlicher Weise kann die Verwendung von ENP bei der Erfüllung der Anforderungen des MDS, die in der Grundsatzstellungnahme zum Pflegeprozess und zur Dokumentation gestellt werden, unterstützend wirken (MDS Medizinischer Dienst der Spitzenverbände der Krankenkassen e. V. 2009).

Im Zusammenhang mit der Praxistauglichkeit müssen zudem kulturelle Aspekte bedacht werden. Denn der Gebrauch von Sprache ist nicht nur von kulturellen Aspekten geprägt, sondern beinhaltet auch immer ein spezifisches Verständnis darüber, was bestimmte Begriffe bedeuten. Aus diesem Grund erfordert das Übersetzten von Klassifikationen die Beachtung sprachlicher Komponenten sowie die Einbeziehung von Bedeutungsstrukturen. Da ENP in Deutschland entwickelt wurde, müssen kulturelle Anpassungsprozesse bei der Übersetzung für die Verwendung außerhalb von Deutschland beachtet werden. Ein Beispiel aus der Schweiz macht deutlich, dass auch in deutschsprachigen Ländern kulturelle Spezifika beachtet werden müssen. Im Rahmen des Praxistests in St. Gallen wurde empfohlen, ermittelte nicht-schweizerische Termini durch ein schweizerisches Äquivalent zu ersetzten, um die Akzeptanz in der Schweiz zu erhöhen. Weitere Anregungen zur Anpassung von ENP an die Pflege in der Schweiz bezogen sich auf die Abbildung des schweizerischen Pflegekompetenzbereiches und Pflegeverständnisses (Kossaibati & Berthou). Aus den oben angesprochenen Gründen beinhalten Übersetzungsprozesse von ENP auch immer Validierungsarbeiten zur Überprüfung der Übersetzung. ENP ist derzeit auf Italienisch, Englisch und Französisch übersetzt. Validierungsarbeiten finden in Zusammenarbeit mit Kooperationspartnern, beispielsweise mit der Universität Collegio Provinciale IPASVI L'Áquila (http://www.ipasviaq.it), sowie mit Einrichtungen in Luxemburg statt. Die Vergleichbarkeit unterschiedlicher Klassifikationssysteme machen Cross-Mappings erforderlich. Besonders relevant ist in diesem Zusammenhang das von Wieteck & Nielson durchgeführte Cross-Mapping zwischen ENP und ICNP (Wieteck 2008), denn ICNP gilt unter den Klassifikationssystemen der Pflege als Referenzklassifikation. Aber nicht nur die Möglichkeit, die Elemente der Klassifikation auch in anderen Systemen abzubilden, sondern auch die Verbindung zu anderen Systemen beinhaltet praxisrelevante Vorteile. Eine IT-Anbindung an administrative Terminologien, wie sie in ENP beispielsweise durch die Verknüpfungen zum Pflegekomplexmaßnahmen-Score (PKMS), zur Pflegepersonal-Regelung (PPR) und zur Leistungserfassung in der Pflege (LEP) realisiert ist, ermöglicht die automatische Erfassung dieser Leistungen und vermeidet damit Doppeldokumentationen.

ENP-Praxisleitlinien werden derzeit alleine in Deutschland in über 300 Einrichtungen des Gesundheitswesens in einer elektronischen Patientenakte eingesetzt. Dieser Weiterentwicklungsprozess findet nun seit über 15 Jahren statt und ein deutlich festzustellender Rückgang der Anwenderanforderungen an die Weiterentwicklung von ENP kann ebenfalls als eine gewisse Validitätsaussage bezogen auf Vollständigkeit und Abbildbarkeit der Pflegepraxis gewertet werden. Eine wissenschaftlich fundierte und praxistaugliche Anwendung stellt die primäre Zielsetzung der Weiterentwicklung von ENP dar. Dabei kommt der Einbeziehung wissenschaftlicher Erkenntnisse und der Erfahrungen Pflegender im praktischen Feld eine besondere Bedeutung zu.

Inhaltsverzeichnis

6. Versionsänderungen

Nachfolgend werden die Änderungen in den jeweiligen ENP-Versionen beschrieben. Die hier beschriebenen Versionen beziehen sich auf die Datenbankversionen. Wie bereits erwähnt finden Buchveröffentlichungen regelmäßig statt und werden in der Regel im zweijährlichen Rhythmus realisiert. Datenbankversionen von ENP werden im Halbjahresrhythmus aktualisiert. Dieses wird mit einer dritten Versionsziffer angezeigt.

Zentrale Änderungen von ENP wurden durch den Praxistest im Kanton Spital St. Gallen angestoßen. Hier wurde mit der ENP-Datenbankversion 2.3 gearbeitet. Die Arbeiten für Version 2.4 umfassten klassifikatorische sowie inhaltliche Aspekte und werden nachstehend zusammenfassend aufgeführt, da eine detaillierte Darstellung der zahlreichen Änderungen sehr viel Raum einnehmen würde:

- Hierarchisierungsarbeiten auf Ebene der Pflegediagnosen, Entwicklung der ENP-Taxonomie mit dem Ziel der monohierarchischen Struktur für Datenauswertungen.
- Hierarchisierungsarbeiten auf Ebene der Pflegeziele, Entwicklung einer Ziel-Taxonomie
- Hierarchisierungsarbeiten auf Ebene der Pflegeinterventionen
- Prüfung der Pflegediagnosen bezüglich des schwankenden Abstraktionsniveaus und Überlappungen und daraus folgende Zusammenführung von 41 Praxisleitlinien
- Wissenschaftliche Fundierung von ENP durch Literaturanalysen unter verstärkter Einbeziehung internationaler wissenschaftlicher Literatur in Ergänzung zu Fach- und Lehrbüchern
- Bearbeitung der durch den Praxistest in St. Gallen festgestellten Schwächen in ENP bezüglich Vollständigkeit und Detaillierungsgrad.

Die weitere Darstellung bezieht sich auf neu hinzugekommene Pflegediagnosen und solche, bei denen eine tiefergehende inhaltliche Bearbeitung auf der Basis von Literaturanalysen und Expertenbefragungen stattfand. Die Datenbasis der Literaturquellen ermöglicht den Vergleich des Entwicklungsprozesses im Hinblick auf die wissenschaftliche Fundierung der Praxisleitlinien. Zudem werden „stillgelegte Praxisleitlinien" angegeben. Dabei handelt es sich um Praxisleitlinien, die aus der ENP-Klassifikation entfernt wurden, für das Aufrufen alter Pflegeprozessplanungen jedoch weiterhin zur Verfügung stehen. Gründe für ein Stilllegen können beispielsweise Dopplungen oder Veränderungen des Abstraktionsgrades der Praxisleitlinie sein.
Eine Auflistung der Versionsveränderungen mit den jeweiligen neuen, überarbeiteten oder stillgelegten Pflegediagnosen finden Sie am Ende des Buchs ab Seite 858.

Inhaltsverzeichnis

ENP - Praxis » Körperpflege/Kleiden

Der Patient kann sich aufgrund einer **Bewegungseinschränkung** nicht selbstständig waschen

Kennzeichen

- Kann die Waschgelegenheit/das Badezimmer nicht selbstständig aufsuchen
- Kann den Körper nicht abtrocknen
- Kann den Körper nicht waschen
- Kann bestimmte Körperregionen nicht waschen
- Kann bestimmte Körperregionen nicht abtrocknen
- Sitzt unsicher auf dem Stuhl/in der Badewanne

Schweregrad der Bewegungseinschränkung

- Selbstständiges Bewegen unter Anwendung von Kompensations- mechanismen/Hilfsmitteln ist möglich
- Geringe Beeinträchtigung der Bewegungsfähigkeit
- Erhebliche Bewegungseinschränkung
- Schwere Bewegungseinschränkung
- Verlust der Bewegungsfähigkeit

Ursachen

- Fehlende körperliche Kraft zur Eigenbewegung
- Schmerzzustände
- Starke Schmerzzustände
- Extreme Schmerzzustände
- Verminderte Muskelkraft
- Amputation
- Zu-/ableitende Systeme
- Unterschiedliche Zu- und/oder Ableitungsssysteme > 3
- Kabel von Messinstrumenten
- Bewegungseinschränkung
- Spastik
- Ausgeprägte Spastik
- Kontrakturen
- Ausgeprägte Kontraktur
- Eingeschränkte Beweglichkeit der Gelenke
- Extensionsbehandlung
- Gipsverband
- Behandlung mit Körpergipsschale
- Gilchrist-Verband
- Briefträgerverband (30°-Abduktionsstellung des Schultergelenks)
- Rucksack-/Tornisterverband
- Schienung von Extremitäten
- Ruhigstellung von Extremitäten
- Desault-Verband
- Postoperative Bewegungseinschränkung
- Neuromuskuläre Beeinträchtigung
- Multiple Sklerose
- Lähmung (nicht näher bezeichnet)
- Tetraplegie
- Paraplegie
- Extreme Adipositas
- Fixateur externe
- Halo-Fixateur
- Rumpforthese
- Beidseitig
- Rechte Seite
- Linke Seite

Ressourcen

- Ist motiviert, Teile der Körperpflege je nach körperlichem Zustand selbstständig zu übernehmen
- Akzeptiert die Unterstützung
- Akzeptiert die Unterstützung von Angehörigen
- Kann Oberkörper/Gesicht selbstständig waschen
- Kann die Mundspülung/Mundpflege selbstständig durchführen
- Entwickelt kreative Möglichkeiten, die Bewegungseinschränkung zu kompensieren
- Kann selbstständig sitzen
- Kann den Wasserhahn bedienen
- Kann Pflegeutensilien selbstständig benutzen
- Angehörige/Bezugspersonen unterstützen den Pflegeprozess

Pflegeziele

- Eigenaktivität bei der Körperwaschung ist entsprechend den körperlichen Ressourcen im Pflegeplan geplant
- Körperliche Leistungsfähigkeit ist gesteigert
- Kann die Waschgelegenheit selbstständig aufsuchen/verlassen
- Kann den Körper selbstständig waschen und abtrocknen
- Die Durchführung der Körperpflege ist zwischen Pflegeperson und Betroffenem abgestimmt und im Ablauf harmonisch
- Akzeptiert die Ganzkörperwaschung durch eine Pflegeperson/Bezugsperson
- Empfindet nach der (Pflege-)Aktivität ein aktuelles physisches Wohlbefinden
- Kann den Oberkörper selbstständig waschen und abtrocknen
- Kann Gesicht und Hände selbstständig waschen und abtrocknen
- Setzt ausgewählte Hilfsmittel zur Körperpflege ein und erreicht dadurch einen höheren Selbstständigkeitsgrad
- Muskelkraft ist aufgebaut
- Kann unter Anwendung von Kompensationsmechanismen die Körperpflege selbstständig durchführen
- Verändert Bewegungs- und Handlungsabläufe, um einen höheren Grad an Selbstständigkeit bei der Körperpflege zu erreichen
- Fingerfertigkeit und Geschicklichkeit sind gefördert, Pflegeutensilien können adäquat eingesetzt werden
- Kennt kräftesparende Bewegungsabläufe im Rahmen der Körperpflege und kann diese einsetzen
- Kann eigene Belastungsgrenzen einschätzen

Pflegeinterventionen

Ressourcen und Einschränkungen systematisch ermitteln

- Pflegeintervention konkretisieren
  - » Beweglichkeit der Gelenke ermitteln
  - » Arm-/Hand-/Fingerfunktion einschätzen
  - » Koordinationsvermögen ermitteln

- » Kraft und Ausdauer ermitteln
- » Grad der Abhängigkeit ermitteln
- » Sitzhaltungskontrolle und Gleichgewicht einschätzen
- » Standhaltungskontrolle einschätzen
- » Hilfsmittelbedarf ermitteln

Körperliches Bewegungsprogramm entwickeln/durchführen

- Vereinbartes Aktivierungsprogramm angeben
  - » Beim Aufstehen/zu Bett gehen unterstützen
  - » Aktivierungsprogramm in Absprache mit den Beteiligten aufstellen
  - » An den Bettrand setzen
  - » Standtraining und wenige Schritte gehen
  - » Kurze Strecken in Begleitung gehen
  - » Größere Strecken in Begleitung gehen
  - » Treppen steigen
- Unterstützungsleistung bestimmen
  - » Unterstützen
  - » Teilweise übernehmen
  - » Beaufsichtigen
  - » Vollständig übernehmen
  - » Anleiten

Beim Aufsuchen/Verlassen der Waschgelegenheit unterstützen

- Pflegeintervention konkretisieren
  - » Zum Bad und zurück begleiten
  - » Mit dem Rollstuhl zum Bad fahren
  - » Beim Gehen zum Waschbecken unterstützen
  - » Mit dem Rollator zur Waschgelegenheit begleiten
  - » Mit dem Rollstuhl zur Waschgelegenheit fahren

Waschschüssel und Pflegeutensilien zur Körperwaschung bereitstellen

- Körperpflegeutensilien bereitstellen
  - » Eigene Pflegeutensilien verwenden
  - » Waschschüssel mit Waschwasser
  - » Pflegeutensilien
  - » Handtücher
  - » Waschlappen
- Vorbereitungsort bestimmen
  - » Im Bad/am Waschbecken vorbereiten
  - » Am Nachttisch/Tisch vorbereiten
- Pflegeprodukte bereitstellen

Teilkörperwaschung durchführen

- Zu waschendes Körperteil
  - » Gesicht
  - » Hände
  - » Arme
  - » Ein Arm
  - » Brust
  - » Bauch
  - » Rücken
  - » Beine
  - » Ein Bein
  - » Füße
  - » Ein Fuß
  - » Intimbereich vorne
  - » Intimbereich Gesäß
- Unterstützungsgrad angeben
  - » Beaufsichtigen
  - » Durch Unterstützen helfen
  - » Teilweise übernehmen
  - » Vollständig übernehmen
  - » Aktivieren/anleiten
- Ort der Teilkörperwaschung
  - » Im Bett
  - » Am Bettrand
  - » Am Waschbecken/Lavabo
- Besonderheiten beachten
  - » Ritualisierung einhalten
- Verwendetes Pflegeprodukt angeben

Ganzkörperwaschung durchführen

- Ort der Ganzkörperwaschung angeben
  - » Im Bett
  - » Am Bettrand sitzend
  - » Am Waschbecken
  - » In der Dusche
- Unterstützungsgrad angeben
  - » Beaufsichtigen
  - » Durch Unterstützen helfen
  - » Teilweise übernehmen
  - » Vollständig übernehmen
  - » Aktivieren/anleiten
- Besonderheiten beachten
  - » Körperpflege/-waschung nach dem Aktivitas-Pflegekonzept durchführen
  - » Körperwaschung nach pflegetherapeutischem Konzept durchführen
  - » Ritualisierung einhalten
  - » Kompensatorische Fähigkeiten fördern
- Hilfsmittel einsetzen
  - » Trittstufe
  - » Duschliege
- Verwendetes Pflegeprodukt angeben
- Anzahl der Pflegepersonen eintragen

Hilfsmittel zur Körperwaschung einsetzen

- Waschhilfen auswählen
  - » Griffverbreiterer
  - » Handtücher mit Schlaufen
  - » Waschhandschuh
  - » Kamm mit Verlängerungsstiel benutzen
  - » Waschbürste mit langem Stiel
  - » Badebürste

Alltagskompetenzen im Rahmen der Körperpflege fördern/trainieren

- Pflegeintervention konkretisieren
  - » Gezielt zu Kompensationstechniken beim Waschtraining anleiten
  - » Schulung und Einsatz vorhandener Arm- und Handfunktionen
  - » Greiffunktion für Körperpflegegegenstände/-mittel fördern
  - » Geschicklichkeit bei der Durchführung von Alltagsbewegungen trainieren
  - » Zu kräftesparenden Bewegungsabläufen anleiten
  - » Unphysiologische Bewegungsabläufe bei Alltagsbewegungen korrigieren
  - » Körperpflegeaktivitäten gezielt so gestalten, dass Muskelgruppen und eingeschränkte Funktionen im Rahmen von Alltagsbewegungen gefördert werden
  - » Anleiten, eigene Symptome der Überbelastung im Rahmen der Körperpflegeaktivitäten wahrzunehmen
- Zeit angeben

Sonstige Pflegemaßnahmen durchführen

- Maßnahmen konkretisieren
- Zeit angeben

Literaturhinweise: 95, 125, 127, 175, 176, 392, 393, 394, 395, 396, 397, 402, 404, 415, 440, 441, 660

Der Patient kann sich aufgrund einer **Hemiplegie/-parese** nicht selbstständig waschen

Kennzeichen

- Kann den Körper nicht waschen
- Kann den Körper nicht abtrocknen
- Kann bestimmte Körperregionen nicht waschen
- Kann bestimmte Körperregionen nicht abtrocknen
- Kann die Waschgelegenheit/das Badezimmer nicht selbstständig aufsuchen
- Integriert die betroffene Seite nicht in Bewegungsabläufe
- Schwäche auf der betroffenen Seite
- Tonus reicht nicht aus, um aktiv beim Waschen/Kleiden zu unterstützen
- Schlaffe Lähmung auf der betroffenen Seite
- Spastische Lähmung auf der betroffenen Seite
- Gleichgewichtsstörung beim Sitzen
- Sitzt unsicher auf dem Stuhl/in der Badewanne
- Kann während des Waschens und Kleidens nicht symmetrisch sitzen
- Kann stehen, sich aber nicht gleichzeitig waschen/kleiden
- Ignoriert die betroffene Seite
- Ignoriert Objekte auf der betroffenen Seite
- Vernachlässigt bei der Körperpflege die betroffene Seite
- Spürt die Temperatur des Wassers wegen Hyposensibilität nicht
- Ablauf der Körperpflege ist nicht bekannt

Ursachen

- Hirnblutung
- Apoplektischer Insult
- Neurologische Erkrankung
- Hirntumor

Ressourcen

- Akzeptiert die Unterstützung
- Akzeptiert die Unterstützung von Angehörigen
- Kann selbstständig sitzen
- Ist motiviert, Teile der Körperpflege je nach körperlichem Zustand selbstständig zu übernehmen
- Ist motiviert, neue Bewegungsmuster zu lernen
- Kann sitzen
- Kann Aufforderungen folgen und hält sich an Vorgaben
- Entwickelt kreative Möglichkeiten, die Bewegungseinschränkung zu kompensieren
- Angehörige/Bezugspersonen unterstützen den Pflegeprozess

Pflegeziele

- Eigenaktivität bei der Körperwaschung ist entsprechend den körperlichen Ressourcen im Pflegeplan geplant
- Gelähmte Extremität(en) ist (sind) in Handlungsmuster bei der Körperpflege integriert
- Körperwahrnehmung ist aktiviert und stimuliert
- Fühlt die eigene Körpermitte
- Kennt spastikreduzierende Bewegungsmuster und kann diese einsetzen
- Schrittweise Übernahme der Körperpflege in vereinbarten Zeiträumen
- Kann ohne Seiten- oder Rückenunterstützung sitzen und das Gleichgewicht halten
- Muskeltonus ist im Rahmen der Bewegungsabläufe im Alltag reguliert
- Motorische Fertigkeiten und physiologische Bewegungsabläufe sind gefördert
- Verbesserung und Förderung der Wahrnehmungsorganisation
- Kann die Waschgelegenheit selbstständig aufsuchen/verlassen
- Akzeptiert die Ganzkörperwaschung durch eine Pflegeperson/Bezugsperson
- Empfindet nach der (Pflege-)Aktivität ein aktuelles physisches Wohlbefinden
- Kann den Oberkörper selbstständig waschen und abtrocknen
- Kann Gesicht und Hände selbstständig waschen und abtrocknen
- Kann den Körper selbstständig waschen und abtrocknen
- Die Durchführung der Körperpflege ist zwischen Pflegeperson und Betroffenem abgestimmt und im Ablauf harmonisch

Pflegeinterventionen

Ressourcen und Einschränkungen systematisch ermitteln

- Pflegeintervention konkretisieren
  - » Beweglichkeit der Gelenke ermitteln
  - » Arm-/Hand-/Fingerfunktion einschätzen
  - » Koordinationsvermögen ermitteln
  - » Kraft und Ausdauer ermitteln
  - » Grad der Abhängigkeit ermitteln
  - » Sitzhaltungskontrolle und Gleichgewicht einschätzen
  - » Standhaltungskontrolle einschätzen
  - » Hilfsmittelbedarf ermitteln

Betroffene Körperregion bei der Körperpflege gezielt miteinbeziehen

- Pflegeintervention konkretisieren
- Zeit angeben

Basal stimulierende Körperwaschung nach Bobath durchführen

- Pflegeintervention konkretisieren
  - » Basal stimulierende Teilkörperwaschung durchführen
  - » Basal stimulierende Ganzkörperwaschung durchführen
  - » Intimwaschung im Anschluss an die stimulierende Waschung durchführen
- Besonderheiten bei der Durchführung beachten
  - » Raue Waschhandschuhe/Handtücher verwenden
  - » Waschwasser nach Wunsch vorbereiten
  - » Waschrichtung von der nicht betroffenen zur betroffenen Seite wählen

- Aufmerksamkeit auf die Wahrnehmung richten
- Spastik auslösende Berührungen vermeiden
- Haarwuchsrichtung beachten
- Diffuse Berührungen vermeiden
- Verwendetes Pflegeprodukt angeben

Körperwaschung nach NDT-Konzept (Neuro-Developmental Treatment) durchführen

- Lernebene bestimmen
  - 1. Lernebene Waschen und Kleiden im Bett liegend durchführen, Pflegeperson übernimmt die Durchführung
  - 2. Lernebene Waschen und Kleiden im Bett liegend durch Pflegeperson durchführen, betroffenen Arm gezielt stimulieren
  - 3. Lernebene Waschen und Kleiden mit aufgerichtetem Oberkörper durch Pflegeperson durchführen
  - 4. Lernebene Waschen und Kleiden mit aufgerichtetem Oberkörper durchführen, wäscht die Körperregionen im Sitzen selbstständig, Pflegeperson kontrolliert Schulterblatt, inhibiert Bewegungsabläufe
  - 5. Lernebene Waschen und Kleiden im Sitzen mit Anziehtraining durchführen, Oberkörper selbstständig waschen, Pflegeperson beobachtet und faziliert bei Bedarf
  - 6. Lernebene Waschen und Kleiden im Sitzen und teilweise im Stand durchführen, Bewegungsabläufe inhibieren
  - 7. Lernebene Waschen und Kleiden im Stand durchführen, zur selbstständigen Durchführung anleiten, bei Bedarf Bewegungsabläufe inhibieren
- Verwendetes Pflegeprodukt angeben

Alltagskompetenzen im Rahmen der Körperpflege fördern/trainieren (bei Hemiplegie)

- Pflegeintervention konkretisieren
  - Wochenziele über die Aktivierungsfortschritte vereinbaren
  - Gezielt zu Kompensationstechniken beim Waschtraining anleiten
  - Halten des paretischen Armes am Waschbecken
  - Halten des paretischen Armes aufgelegt auf dem Bein
  - Sitzhaltungskontrolle durchführen und Korrektur der Sitzhaltung bei Bedarf
  - Auf Stabilität und physiologische Stellung der Körperabschnitte achten und bei Bedarf korrigieren
  - Physiologische Bewegungsabläufe inhibieren/faszilitieren
  - Greiffunktion für Körperpflegegegenstände/-mittel fördern
- Anzuleitende Person(en) festlegen
  - Betroffene Person
  - Angehöriger/Bezugsperson
- Zeit angeben

Körperwaschung nach rehabilitativem/sonstigem Konzept durchführen

- Pflegeintervention konkretisieren
  - MRP (Motor Relearning Programme)
  - Ganzkörperwaschung nach den Grundsätzen von Inhester und Zimmermann
  - Körperpflege/-waschung nach dem Aktivitas-Pflegekonzept durchführen
  - Sonstige rehabilitative Konzepte anwenden
- Verwendetes Pflegeprodukt angeben

Gespürte Interaktionstherapie im Rahmen der Körperpflege durchführen

- Pflegeintervention konkretisieren
  - "Elementares Führen" während der Handlung
  - Durch "Elementares Führen" die Handlung einleiten
  - "Pflegerisches Führen" bei der Aktivität
  - Durchgeführte Handlung mit dem Betroffenen repetieren
- Geführte Aktivitäten im Rahmen der Körperpflege
  - Geführte Ganzkörperwaschung
  - Geführte Teilkörperwaschung
  - Geführte Rasur
  - Geführte Mundpflege
  - Geführte Haarpflege
  - Geführte Hautpflege
- Zeit angeben

Beim Aufsuchen/Verlassen der Waschgelegenheit unterstützen

- Pflegeintervention konkretisieren
  - Zum Bad und zurück begleiten
  - Mit dem Rollstuhl zum Bad fahren
  - Beim Gehen zum Waschbecken unterstützen
  - Mit dem Rollator zur Waschgelegenheit begleiten
  - Mit dem Rollstuhl zur Waschgelegenheit fahren

Ganzkörperwaschung durchführen

- Ort der Ganzkörperwaschung angeben
  - Im Bett
  - Am Bettrand sitzend
  - Am Waschbecken
  - In der Dusche
- Unterstützungsgrad angeben
  - Beaufsichtigen
  - Durch Unterstützen helfen
  - Teilweise übernehmen
  - Vollständig übernehmen
  - Aktivieren/anleiten
- Besonderheiten beachten
  - Körperpflege/-waschung nach dem Aktivitas-Pflegekonzept durchführen
  - Körperwaschung nach pflegetherapeutischem Konzept durchführen
  - Ritualisierung einhalten
  - Kompensatorische Fähigkeiten fördern
- Hilfsmittel einsetzen
  - Trittstufe
  - Duschliege
- Verwendetes Pflegeprodukt angeben
- Anzahl der Pflegepersonen eintragen

Teilkörperwaschung durchführen

- Zu waschendes Körperteil
  - Gesicht
  - Hände
  - Arme
  - Ein Arm
  - Brust
  - Bauch
  - Rücken
  - Beine
  - Ein Bein
  - Füße
  - Ein Fuß
  - Intimbereich vorne
  - Intimbereich Gesäß
- Unterstützungsgrad angeben
  - Beaufsichtigen
  - Durch Unterstützen helfen
  - Teilweise übernehmen
  - Vollständig übernehmen
  - Aktivieren/anleiten
- Ort der Teilkörperwaschung
  - Im Bett
  - Am Bettrand
  - Am Waschbecken/Lavabo
- Besonderheiten beachten
  - Ritualisierung einhalten
- Verwendetes Pflegeprodukt angeben

Waschschüssel und Pflegeutensilien zur Körperwaschung bereitstellen

- Körperpflegeutensilien bereitstellen
  - Eigene Pflegeutensilien verwenden
  - Waschschüssel mit Waschwasser
  - Pflegeutensilien
  - Handtücher
  - Waschlappen
- Vorbereitungsort bestimmen
  - Im Bad/am Waschbecken vorbereiten
  - Am Nachttisch/Tisch vorbereiten
- Pflegeprodukte bereitstellen

Sonstige Pflegemaßnahmen durchführen

- Maßnahmen konkretisieren
- Zeit angeben

Literaturhinweise: 29, 62, 95, 125, 135, 172, 175, 176, 304, 326, 371, 392, 393, 396, 402, 404, 405, 406, 407, 408, 411, 412, 443, 626, 650

Der Patient kann sich aufgrund **eingeschränkter körperlicher Belastbarkeit** nicht selbstständig waschen

Kennzeichen

- Kann die Waschgelegenheit/das Badezimmer nicht selbstständig aufsuchen
- Sitzt unsicher auf dem Stuhl/in der Badewanne
- Kann den Körper nicht waschen
- Kann den Körper nicht abtrocknen
- Kann bestimmte Körperregionen nicht waschen
- Kann bestimmte Körperregionen nicht abtrocknen
- Äußert, dass die Körperpflege als zu anstrengend erlebt wird
- Auftretende Kreislaufveränderung (Blässe, Kaltschweißigkeit, Tachykardie, Tachypnoe, Schwindel und anderes mehr)

Ursachen

- Reduzierter Allgemeinzustand
- Infolge von Chemotherapie
- Körperliche Schwäche
- Hypotones Kreislaufverhältnis
- Verminderte Muskelkraft
- Eingeschränkte körperliche Belastungsfähigkeit
- Verminderter Atemvorgang
- Belastungsintoleranz
- Belastungs-/Ruhedyspnoe
- Belastungsdyspnoe
- Ruhedyspnoe
- Fehlende körperliche Kraft zur Eigenbewegung
- Zustand nach Herzinfarkt

Ressourcen

- Kann sitzen
- Kann selbstständig sitzen
- Akzeptiert die Unterstützung
- Akzeptiert die Unterstützung von Angehörigen
- Ist motiviert, Teile der Körperpflege je nach körperlichem Zustand selbstständig zu übernehmen
- Kann die körperliche Belastbarkeit einschätzen und fordert rechtzeitig Unterstützung an
- Angehörige/Bezugspersonen unterstützen den Pflegeprozess

Pflegeziele

- Veränderungen werden frühzeitig erkannt und dokumentiert
- Empfindet nach der (Pflege-)Aktivität ein aktuelles physisches Wohlbefinden
- Die erwarteten körperlichen Anforderungen durch die Körperpflegeaktivität entsprechen den aktuellen körperlichen Fähigkeiten
- Eigenaktivität bei der Körperwaschung ist entsprechend den körperlichen Ressourcen im Pflegeplan geplant
- Kann den Körper selbstständig waschen und abtrocknen
- Kann den Oberkörper selbstständig waschen und abtrocknen
- Kann Gesicht und Hände selbstständig waschen und abtrocknen
- Kann die Waschgelegenheit selbstständig aufsuchen/verlassen
- Muskelkraft ist aufgebaut
- Kann unter Anwendung von Kompensationsmechanismen die Körperpflege selbstständig durchführen
- Verändert Bewegungs- und Handlungsabläufe, um einen höheren Grad an Selbstständigkeit bei der Körperpflege zu erreichen
- Fingerfertigkeit und Geschicklichkeit sind gefördert, Pflegeutensilien können adäquat eingesetzt werden
- Kennt kräftesparende Bewegungsabläufe im Rahmen der Körperpflege und kann diese einsetzen
- Kann eigene Belastungsgrenzen einschätzen

Pflegeinterventionen

Vitalzeichenkontrolle durchführen

- Überwachungsmonitor benutzen
  - » Überwachungsmonitor benutzen
  - » Pulsfrequenz/-qualität messen
  - » Blutdruckwert messen
  - » Atemfrequenz/-qualität messen
  - » Körpertemperatur messen
  - » Sauerstoffsättigung mit Oximeter überprüfen
- Vitalzeichenwerte manuell messen
  - » Pulsfrequenz/-qualität messen
  - » Blutdruckwert messen
  - » Atemfrequenz/-qualität messen
  - » Körpertemperatur messen
- Ort der Messung angeben
  - » Am rechten Arm messen
  - » Am linken Arm messen
  - » Am Finger messen
  - » Am Zeh messen
  - » Besonderheiten bei der Messung bestimmen

Regelmäßig nach dem Befinden erkundigen

- Pflegeintervention konkretisieren
- Zeit angeben

Teilkörperwaschung entsprechend der Aktivitätstoleranz durchführen

- Zu waschendes Körperteil
  - » Gesicht
  - » Hände
  - » Arme
  - » Ein Arm
  - » Brust
  - » Bauch
  - » Rücken
  - » Beine
  - » Ein Bein
  - » Füße
  - » Ein Fuß
  - » Intimbereich vorne
  - » Intimbereich Gesäß
- Unterstützungsgrad angeben
  - » Beaufsichtigen
  - » Durch Unterstützen helfen

- » Teilweise übernehmen
- » Vollständig übernehmen
- » Aktivieren/anleiten
- Ort der Teilkörperwaschung
  - » Im Bett
  - » Am Bettrand
  - » Am Waschbecken/Lavabo
- Besonderheiten beachten
  - » Ritualisierung einhalten
- Verwendetes Pflegeprodukt angeben

Ganzkörperwaschung entsprechend der Aktivitätstoleranz durchführen
- Ort der Ganzkörperwaschung angeben
  - » Im Bett
  - » Am Bettrand sitzend
  - » Am Waschbecken
  - » In der Dusche
- Unterstützungsgrad angeben
  - » Beaufsichtigen
  - » Durch Unterstützen helfen
  - » Teilweise übernehmen
  - » Vollständig übernehmen
  - » Aktivieren/anleiten
- Besonderheiten beachten
  - » Körperpflege/-waschung nach dem Aktivitas-Pflegekonzept durchführen
  - » Körperwaschung nach pflegetherapeutischem Konzept durchführen
  - » Ritualisierung einhalten
  - » Kompensatorische Fähigkeiten fördern
- Hilfsmittel einsetzen
  - » Trittstufe
  - » Duschliege
- Verwendetes Pflegeprodukt angeben
- Anzahl der Pflegepersonen eintragen

Beim Aufsuchen/Verlassen der Waschgelegenheit unterstützen
- Pflegeintervention konkretisieren
  - » Zum Bad und zurück begleiten
  - » Mit dem Rollstuhl zum Bad fahren
  - » Beim Gehen zum Waschbecken unterstützen
  - » Mit dem Rollator zur Waschgelegenheit begleiten
  - » Mit dem Rollstuhl zur Waschgelegenheit fahren

Alltagskompetenzen im Rahmen der Körperpflege fördern/trainieren
- Pflegeintervention konkretisieren
  - » Gezielt zu Kompensationstechniken beim Waschtraining anleiten
  - » Schulung und Einsatz vorhandener Arm- und Handfunktionen
  - » Greiffunktion für Körperpflegegegenstände/-mittel fördern
  - » Geschicklichkeit bei der Durchführung von Alltagsbewegungen trainieren
  - » Zu kräftesparenden Bewegungsabläufen anleiten
  - » Unphysiologische Bewegungsabläufe bei Alltagsbewegungen korrigieren
  - » Körperpflegeaktivitäten gezielt so gestalten, dass Muskelgruppen und eingeschränkte Funktionen im Rahmen von Alltagsbewegungen gefördert werden
  - » Anleiten, eigene Symptome der Überbelastung im Rahmen der Körperpflegeaktivitäten wahrzunehmen
- Zeit angeben

Sonstige Pflegemaßnahmen durchführen
- Maßnahmen konkretisieren
- Zeit angeben

Literaturhinweise: 125, 175, 176, 406, 414

Der Patient darf sich bei der Körperwaschung aufgrund einer **verminderten Herzleistung** nicht anstrengen, es besteht ein **Selbstfürsorgedefizit** bei der Körperwaschung

Kennzeichen

- Kann die Waschgelegenheit/das Badezimmer nicht selbstständig aufsuchen
- Sitzt unsicher auf dem Stuhl/in der Badewanne
- Kann den Körper nicht waschen
- Kann den Körper nicht abtrocknen
- Kann bestimmte Körperregionen nicht waschen
- Kann bestimmte Körperregionen nicht abtrocknen
- Ruhedyspnoe
- Dyspnoe
- Bradypnoe
- Tachykardie
- Arrhythmien
- Schwankende Blutdruckwerte
- Kaltschweißigkeit
- Zyanosezeichen
- Jugularvenenstauung
- Fehlende körperliche Kraft zur Eigenbewegung

Ursachen

- Herz-Kreislauf-Instabilität
- Zustand nach Herzinfarkt
- Herzinsuffizienz
- Rechtsherzinsuffizienz
- Linksherzinsuffizienz
- Belastungsintoleranz
- Hypotones Kreislaufverhältnis

Ressourcen

- Akzeptiert die Unterstützung
- Akzeptiert die Unterstützung von Angehörigen
- Kann die körperliche Belastbarkeit einschätzen und fordert rechtzeitig Unterstützung an
- Kennt Kräfte schonende Methoden, die Körperpflege durchzuführen

- Ist motiviert, stufenweise die eigene Kondition zu steigern
- Ist motiviert, Teile der Körperpflege je nach körperlichem Zustand selbstständig zu übernehmen
- Angehörige/Bezugspersonen unterstützen den Pflegeprozess

Pflegeziele

- Die erwarteten körperlichen Anforderungen durch die Körperpflegeaktivität entsprechen den aktuellen körperlichen Fähigkeiten
- Herz-Kreislauf-System ist während der durchgeführten (Pflege-)Aktivität stabil, Vitalparameter verändern sich physiologisch, keine Brustschmerzen
- Herz-Kreislauf-System ist entlastet
- Die subjektiv empfundene Atemnot nach/während der körperlichen Aktivität befindet sich auf der 5er-Skala kleiner 3 (1=keine Atemnot, 5=maximale Atemnot)
- Kann die Waschgelegenheit selbstständig aufsuchen/verlassen
- Eigenaktivität bei der Körperwaschung ist entsprechend den körperlichen Ressourcen im Pflegeplan geplant
- Kann den Körper selbstständig waschen und abtrocknen
- Kann den Oberkörper selbstständig waschen und abtrocknen
- Kann Gesicht und Hände selbstständig waschen und abtrocknen
- Muskelkraft ist aufgebaut
- Kann unter Anwendung von Kompensationsmechanismen die Körperpflege selbstständig durchführen
- Verändert Bewegungs- und Handlungsabläufe, um einen höheren Grad an Selbstständigkeit bei der Körperpflege zu erreichen
- Fingerfertigkeit und Geschicklichkeit sind gefördert, Pflegeutensilien können adäquat eingesetzt werden
- Kennt kräftesparende Bewegungsabläufe im Rahmen der Körperpflege und kann diese einsetzen
- Kann eigene Belastungsgrenzen einschätzen

Pflegeinterventionen

Situationseinschätzung mit kontinuierlicher Belastungskontrolle durchführen

- Überwachungsmonitor benutzen
  - » Überwachungsmonitor benutzen
  - » Pulsfrequenz/-qualität messen
  - » Blutdruckwert messen
  - » Atemfrequenz/-qualität messen
  - » Körpertemperatur messen
  - » Sauerstoffsättigung mit Oximeter überprüfen
- Vitalzeichenwerte manuell messen
  - » Pulsfrequenz/-qualität messen
  - » Blutdruckwert messen
  - » Atemfrequenz/-qualität messen
  - » Körpertemperatur messen
- Ort der Messung angeben
  - » Am rechten Arm messen
  - » Am linken Arm messen
  - » Am Finger messen
  - » Am Zeh messen
  - » Besonderheiten bei der Messung bestimmen

Körperwaschung nach Mobilisationsstufe/Belastungssituation durchführen

- Pflegeintervention konkretisieren
  - » Mobilisationsstufe 1 Ganzwaschung im Bett liegend durchführen
  - » Mobilisationsstufe 2 Teilwaschung im Bett liegend, selbstständiges Waschen von Gesicht und Oberkörper
  - » Mobilisationsstufe 3 Im Bett liegend selbstständig waschen
  - » Mobilisationsstufe 4 Teilwaschung im Bett sitzend durchführen
  - » Mobilisationsstufe 5 Teilwaschung am Bettrand durchführen
  - » Mobilisationsstufe 6 Am Bettrand selbstständig waschen
  - » Mobilisationsstufe 7 Am Waschbecken selbstständig waschen
  - » Mobilisationsstufe 8 Selbstständig duschen/waschen
- Besonderheiten laut ärztlicher Anordnung beachten
- Verwendetes Pflegeprodukt angeben
- Anzahl Pflegepersonen angeben

Bei Veränderungen der Vitalzeichen die Körperpflege abbrechen

- Körperpflege abbrechen bei
  - » Pulsfrequenz über 110/min.
  - » Blutdruck über 160 mmHg

Bei der Körperwaschung nicht auf die linke Seite drehen

- Pflegeintervention konkretisieren
- Zeit angeben

Ruhe ausstrahlen und jeden Stress bei der Körperpflege vermeiden

- Pflegeintervention konkretisieren
- Zeit angeben

Herzbettlagerung durchführen

- Pflegeintervention konkretisieren
- Zeit angeben

Beim Aufsuchen/Verlassen der Waschgelegenheit unterstützen

- Pflegeintervention konkretisieren
  - » Zum Bad und zurück begleiten
  - » Mit dem Rollstuhl zum Bad fahren
  - » Beim Gehen zum Waschbecken unterstützen
  - » Mit dem Rollator zur Waschgelegenheit begleiten
  - » Mit dem Rollstuhl zur Waschgelegenheit fahren

Ganzkörperwaschung entsprechend der Aktivitätstoleranz durchführen

- Ort der Ganzkörperwaschung angeben
  - » Im Bett
  - » Am Bettrand sitzend
  - » Am Waschbecken
  - » In der Dusche
- Unterstützungsgrad angeben
  - » Beaufsichtigen
  - » Durch Unterstützen helfen
  - » Teilweise übernehmen
  - » Vollständig übernehmen
  - » Aktivieren/anleiten
- Besonderheiten beachten
  - » Körperpflege/-waschung nach dem Aktivitas-Pflegekonzept durchführen
  - » Körperwaschung nach pflegetherapeutischem Konzept durchführen
  - » Ritualisierung einhalten
  - » Kompensatorische Fähigkeiten fördern
- Hilfsmittel einsetzen
  - » Trittstufe
  - » Duschliege
- Verwendetes Pflegeprodukt angeben
- Anzahl der Pflegepersonen eintragen

Alltagskompetenzen im Rahmen der Körperpflege fördern/trainieren

- Pflegeintervention konkretisieren
  - » Gezielt zu Kompensationstechniken beim Waschtraining anleiten
  - » Schulung und Einsatz vorhandener Arm- und Handfunktionen
  - » Greiffunktion für Körperpflegegegenstände/-mittel fördern
  - » Geschicklichkeit bei der Durchführung von Alltagsbewegungen trainieren
  - » Zu kräftesparenden Bewegungsabläufen anleiten
  - » Unphysiologische Bewegungsabläufe bei Alltagsbewegungen korrigieren
  - » Körperpflegeaktivitäten gezielt so gestalten, dass Muskelgruppen und eingeschränkte Funktionen im Rahmen von Alltagsbewegungen gefördert werden
  - » Anleiten, eigene Symptome der Überbelastung im Rahmen der Körperpflegeaktivitäten wahrzunehmen
- Zeit angeben

Sonstige Pflegemaßnahmen durchführen

- Maßnahmen konkretisieren
- Zeit angeben

Literaturhinweise: 95, 125, 126, 127, 175, 176, 189, 393, 407, 414

Der Patient kann aufgrund einer **Bewegungseinschränkung** die **Gebrauchsgegenstände zur Körperwaschung nicht halten**, es besteht ein Selbstfürsorgedefizit bei der Körperwaschung

Kennzeichen

- Kann den Körper nicht waschen
- Kann den Körper nicht abtrocknen
- Kann bestimmte Körperregionen nicht waschen
- Kann bestimmte Körperregionen nicht abtrocknen
- Kann Pflegeutensilien nicht einsetzen/halten
- Berichtet, keine Kraft in den Händen zu haben
- Eingeschränkte aktive Beweglichkeit der Gelenke
- Kann die Fließgeschwindigkeit/Wassertemperatur nicht regulieren
- Kann die Armaturen nicht selbstständig benutzen
- Kann Gegenstände nicht greifen
- Beeinträchtigte Fingerfertigkeit, um Pflegeutensilien zu benutzen

Ursachen

- Fingerfertigkeit fehlt
- Degenerative Gelenkveränderung
- Gicht (Arthropathia urica)
- Verletzungen der Hände mit Versteifung
- Rheumatische Arthritis
- Entzündliche Gelenkerkrankung
- Kontrakturen an den Händen
- Verletzungen der Hände mit Versteifung
- Schmerzzustände

Ressourcen

- Akzeptiert die Unterstützung
- Akzeptiert die Unterstützung von Angehörigen
- Entwickelt kreative Möglichkeiten, die Bewegungseinschränkung zu kompensieren
- Kann Hilfsmittel gezielt einsetzen
- Akzeptiert die körperliche Einschränkung
- Angehörige/Bezugspersonen unterstützen den Pflegeprozess

Pflegeziele

- Körperwahrnehmung ist aktiviert und stimuliert
- Eigenaktivität ist gefördert
- Schmerzen sind reduziert
- Setzt ausgewählte Hilfsmittel zur Körperpflege ein und erreicht dadurch einen höheren Selbstständigkeitsgrad
- Kann den Körper selbstständig waschen und abtrocknen
- Kann Körperpflegeutensilien und/oder Armaturen selbstständig nutzen bzw. regulieren
- Erlernt neue Fähigkeiten/Fertigkeiten, um vorhandene körperliche Defizite/Einschränkungen zu kompensieren
- Schmerzen während/kurz nach der Körperpflege betragen nicht mehr als 3 von 10 Punkten der Numerischen Rangskala

Pflegeinterventionen

Assessment zur Hilfsmittelauswahl durchführen und dokumentieren

- Pflegeintervention konkretisieren
- Zeit angeben

Bewegungsunterstützung im Sinne der Kinästhetik durchführen

- Pflegeintervention konkretisieren
- Zeit angeben

Hilfsmittel zur Körperwaschung einsetzen

- Waschhilfen auswählen
  - » Griffverbreiterer
  - » Handtücher mit Schlaufen
  - » Waschhandschuh
  - » Kamm mit Verlängerungsstiel benutzen
  - » Waschbürste mit langem Stiel
  - » Badebürste

Ganzkörperwaschung durchführen

- Ort der Ganzkörperwaschung angeben
  - » Im Bett
  - » Am Bettrand sitzend

- » Am Waschbecken
- » In der Dusche
- Unterstützungsgrad angeben
  - » Beaufsichtigen
  - » Durch Unterstützen helfen
  - » Teilweise übernehmen
  - » Vollständig übernehmen
  - » Aktivieren/anleiten
- Besonderheiten beachten
  - » Körperpflege/-waschung nach dem Aktivitas-Pflegekonzept durchführen
  - » Körperwaschung nach pflegetherapeutischem Konzept durchführen
  - » Ritualisierung einhalten
  - » Kompensatorische Fähigkeiten fördern
- Hilfsmittel einsetzen
  - » Trittstufe
  - » Duschliege
- Verwendetes Pflegeprodukt angeben
- Anzahl der Pflegepersonen eintragen

Teilkörperwaschung durchführen

- Zu waschendes Körperteil
  - » Gesicht
  - » Hände
  - » Arme
  - » Ein Arm
  - » Brust
  - » Bauch
  - » Rücken
  - » Beine
  - » Ein Bein
  - » Füße
  - » Ein Fuß
  - » Intimbereich vorne
  - » Intimbereich Gesäß
- Unterstützungsgrad angeben
  - » Beaufsichtigen
  - » Durch Unterstützen helfen
  - » Teilweise übernehmen
  - » Vollständig übernehmen
  - » Aktivieren/anleiten
- Ort der Teilkörperwaschung
  - » Im Bett
  - » Am Bettrand
  - » Am Waschbecken/Lavabo
- Besonderheiten beachten
  - » Ritualisierung einhalten
- Verwendetes Pflegeprodukt angeben

Angeordnete (Schmerz-)Medikation rechtzeitig vor der Körperpflege verabreichen

- Pflegeintervention konkretisieren
- Zeit angeben

Handtücher mit Schlaufen/Wasch- und Trockenhandschuhe benutzen

- Pflegeintervention konkretisieren
- Zeit angeben

Sonstige Pflegemaßnahmen durchführen

- Maßnahmen konkretisieren
- Zeit angeben

Literaturhinweise: 71, 94, 95, 125, 127, 175, 176, 322, 326, 392, 397, 402, 686

Der Patient kann aufgrund von **Desorientierung** die **Körperwaschung nicht selbstständig gestalten**

Kennzeichen

- Kann die Waschgelegenheit/das Badezimmer nicht selbstständig aufsuchen
- Kann den Körper nicht waschen
- Kann bestimmte Körperregionen nicht waschen
- Kann bestimmte Körperregionen nicht abtrocknen
- Kann die Armaturen nicht adäquat benutzen
- Pflegeutensilien können nicht selbstständig oder adäquat benutzt werden
- Kann die Fließgeschwindigkeit/Wassertemperatur nicht regulieren
- Kennt die Reihenfolge bei der Körperwaschung nicht/nicht mehr
- Unfähigkeit die Körperpflege selbstständig und strukturiert durchzuführen
- Einsicht der Notwendigkeit von Körperpflege fehlt
- Motorische Unruhezustände
- Lehnt die Körperwaschung verbal ab
- Lehnt die Körperwaschung nonverbal ab
- Zeigt ängstliches Verhalten
- Setzt Mobilisierungsmaßnahmen bei der Körperpflege Widerstände entgegen
- Beschimpft das Pflegepersonal
- Schreit bei dem Versuch, die Körperpflege durchzuführen

Ursachen

- Orientierungsstörung
- Chronische Desorientierung
- Akute Desorientierung
- Eingeschränkte kognitive Fähigkeiten
- Demenz
- Morbus Alzheimer
- Psychose
- Intoxikation
- Chorea Huntington
- Apraxie
- Postoperatives Durchgangssyndrom
- Traumatisches Durchgangssyndrom
- Konzentrationsdefizit

- Aufmerksamkeitsdefizit
- Veränderte Orientierung zur Person
- Veränderte Orientierung zum Ort
- Veränderte Orientierung zur Zeit
- Veränderte Wahrnehmung

Ressourcen

- Akzeptiert die Unterstützung
- Akzeptiert die Unterstützung von Angehörigen
- Äußert Einsicht in die Pflegemaßnahme
- Reagiert positiv auf die therapeutische Körperwaschung
- Kann unter Aufsicht und Anleitung die Körperwaschung selbstständig durchführen
- Angehörige/Bezugspersonen unterstützen den Pflegeprozess

Pflegeziele

- Auswahl und Gestaltung der Intervention entsprechen den Gewohnheiten
- Die erwarteten kognitiven Anforderungen, um das Erlernen/Einüben von Körperpflegeritualen durchzuführen, entsprechen den aktuellen kognitiven Fähigkeiten
- Kann die Körperpflege entsprechend dem eingeübten Ablauf der Körperwaschung und -pflege selbstständig durchführen
- Kann den Körper selbstständig waschen und abtrocknen
- Kann den Oberkörper selbstständig waschen und abtrocknen
- Die Durchführung der Körperpflege ist zwischen Pflegeperson und Betroffenem abgestimmt und im Ablauf harmonisch
- Verhaltensweisen, welche auf Wohlbefinden/Akzeptanz der Angebote hinweisen, sind gefördert (z.B. führt Gespräche, verfolgt die Angebote aufmerksam, unterstützt die Aktivitäten, zeigt Eigeninitiative, äußert Wohlbefinden, ist entspannt usw.)
- Akzeptiert die Ganzkörperwaschung durch eine Pflegeperson/Bezugsperson
- Verhaltensweisen, welche beim Betroffenen auf Stress hinweisen, sind abgebaut (z.B. hält sich auf unangemessene Weise fest, schimpft, schreit, kneift, tritt mit dem Fuß, ballt die Faust usw.)
- Widerstand bei der Durchführung der Körperpflege durch Ängste/Unsicherheit ist abgebaut
- Kann die Waschgelegenheit selbstständig aufsuchen/verlassen

Pflegeinterventionen

Gewohnheiten bei der Körperpflege ermitteln

- Vorgehensweise des Waschrituals festlegen
  - » Ermitteltes Waschritual
- Biografische Hintergrundinformationen berücksichtigen
  - » Ermittelte Gewohnheiten
- Zeit angeben

Überforderung/Unterforderung bei der Körperpflege vermeiden

- Pflegeintervention konkretisieren
  - » Entscheidungen so gering wie möglich halten
  - » Einfache Anweisungen/Hinweise geben
  - » Ressourcen ausschöpfen

Ganzkörperwaschung nach dem individuell vereinbarten Waschritual durchführen

- Ort der Ganzkörperwaschung angeben
  - » Im Bett
  - » Am Bettrand sitzend
  - » Am Waschbecken
  - » In der Dusche
- Unterstützungsgrad angeben
  - » Beaufsichtigen
  - » Durch Unterstützen helfen
  - » Teilweise übernehmen
  - » Vollständig übernehmen
  - » Aktivieren/anleiten
- Besonderheiten beachten
  - » Körperpflege/-waschung nach dem Aktivitas-Pflegekonzept durchführen
  - » Körperwaschung nach pflegetherapeutischem Konzept durchführen
  - » Ritualisierung einhalten
  - » Kompensatorische Fähigkeiten fördern
- Hilfsmittel einsetzen
  - » Trittstufe
  - » Duschliege
- Verwendetes Pflegeprodukt angeben
- Anzahl der Pflegepersonen eintragen

Teilkörperwaschung mit einheitlich festgelegter Vorgehensweise durchführen

- Zu waschendes Körperteil
  - » Gesicht
  - » Hände
  - » Arme
  - » Ein Arm
  - » Brust
  - » Bauch
  - » Rücken
  - » Beine
  - » Ein Bein
  - » Füße
  - » Ein Fuß
  - » Intimbereich vorne
  - » Intimbereich Gesäß
- Unterstützungsgrad angeben
  - » Beaufsichtigen
  - » Durch Unterstützen helfen
  - » Teilweise übernehmen
  - » Vollständig übernehmen
  - » Aktivieren/anleiten
- Ort der Teilkörperwaschung
  - » Im Bett
  - » Am Bettrand
  - » Am Waschbecken/Lavabo
- Besonderheiten beachten
  - » Ritualisierung einhalten
- Verwendetes Pflegeprodukt angeben

Körperpflege nach einem personen-orientierten Ansatz druchführen

- Pflegeintervention konkretisieren
  - » Stressverhalten des Betroffenen im Rahmen der Körperpflege beobachten und Maßnahmen einleiten, um diese abzubauen
  - » Persönliche Bedürfnisse im Rahmen der Körperpflege befriedigen
  - » Dem Betroffenen das Gefühl vermitteln, dass die Körperpflegeaktivitäten aktiv von ihm/ihr mit gestaltet werden
  - » Genaue Anleitung/Hinweise bei der Durchführung der gemeinsam geplanten Pflegemaßnahmen geben
- Anzuleitende Person(en) festlegen
  - » Betroffene Person
  - » Angehöriger/Bezugsperson
- Zeit angeben

Körperwaschung mit warmen feuchten Tüchern durchführen (Bag-bath/Towel-bath)

- Pflegeintervention konkretisieren
- Zeit angeben

Basal stimulierend beruhigende Körperwaschung durchführen

- Pflegeintervention konkretisieren
  - » Weiche Waschlappen/Handtücher verwenden
  - » Warmes Wasser verwenden (ca. 40 °C)
  - » Mit der Haarwuchsrichtung waschen
  - » Intimpflege vor der beruhigenden Waschung durchführen
- Besonderheiten beachten
- Beruhigende Waschzusätze verwenden
  - » Lavendel - ätherisches Öl
  - » Sandelholz - ätherisches Öl
  - » Rosenholz - ätherisches Öl

Maßnahmen, um ängstliches, unruhiges, abwehrendes Verhalten zu reduzieren, durchführen

- Pflegeintervention konkretisieren
- Zeit angeben

Beim Aufsuchen/Verlassen der Waschgelegenheit unterstützen

- Pflegeintervention konkretisieren
  - » Zum Bad und zurück begleiten
  - » Mit dem Rollstuhl zum Bad fahren

- » Beim Gehen zum Waschbecken unterstützen
- » Mit dem Rollator zur Waschgelegenheit begleiten
- » Mit dem Rollstuhl zur Waschgelegenheit fahren

Sonstige Pflegemaßnahmen durchführen
- Maßnahmen konkretisieren
- Zeit angeben

Literaturhinweise: 29, 83, 102, 127, 175, 176, 393, 395, 396, 404, 405, 406, 415, 416, 417, 418, 419, 420, 421, 422, 438, 1226

Der Patient soll aufgrund einer **Wirbelsäulenverletzung** Bewegungen zwischen Becken und Rumpf vermeiden, es besteht ein **Selbstfürsorgedefizit** bei der **Körperwaschung**

Kennzeichen

- Kann den Körper nicht waschen
- Kann den Körper nicht abtrocknen
- Kann bestimmte Körperregionen nicht waschen
- Kann bestimmte Körperregionen nicht abtrocknen

Ursachen

- Bandscheibenvorfall
- Bandscheibenoperation
- Ärztliche Verordnung
- Extensionsbehandlung
- Wirbelfraktur
- Stabile Wirbelfraktur
- Wirbelsäuleninstabilität
- Ruhigstellung mit Gipsschale

Ressourcen

- Akzeptiert die Unterstützung
- Akzeptiert die Unterstützung von Angehörigen
- Kann Aufforderungen folgen und hält sich an Vorgaben
- Kann Muskeln anspannen und sich beim Drehen versteifen
- Kann die Maßnahme nach Anleitung selbstständig durchführen
- Angehörige/Bezugspersonen unterstützen den Pflegeprozess

Pflegeziele

- Komplikationen sind vorgebeugt
- Kann den Oberkörper selbstständig waschen und abtrocknen
- Kann Gesicht und Hände selbstständig waschen und abtrocknen
- Empfindet nach der (Pflege-)Aktivität ein aktuelles physisches Wohlbefinden
- Ist über Risiken und mögliche Komplikationen informiert und kann diese Informationen auf die eigene Situation anwenden, hält Therapie- und Behandlungsvereinbarungen ein
- Führt erlaubte Bewegungen sicher durch

Pflegeinterventionen

Instabilität des Bewegungsapparats beachten
- Pflegeintervention konkretisieren
  - » Darf nur en bloc gedreht werden
  - » Betroffenen anheben
- Anzahl der Pflegepersonen eintragen
- Arztanordnung
  - » Nach ärztlicher Anordnung Lifter einsetzen
  - » Kopfteil des Bettes nicht verändern

Ganzkörperwaschung im Bett unter Berücksichtigung der Instabilität des Bewegungsapparats durchführen
  - » Darf nur en bloc gedreht werden
  - » Betroffenen anheben
- Anzahl der Pflegepersonen eintragen
- Arztanordnung
  - » Nach ärztlicher Anordnung Lifter einsetzen
  - » Kopfteil des Bettes nicht verändern
- Verwendetes Pflegeprodukt angeben

Teilkörperwaschung unter Berücksichtigung der Instabilität des Bewegungsapparats durchführen
- Zu waschendes Körperteil
  - » Gesicht
  - » Hände
  - » Arme
  - » Ein Arm
  - » Brust
  - » Bauch
  - » Rücken
  - » Beine
  - » Ein Bein
  - » Füße

  - » Ein Fuß
  - » Intimbereich vorne
  - » Intimbereich Gesäß
- Unterstützungsgrad angeben
  - » Beaufsichtigen
  - » Durch Unterstützen helfen
  - » Teilweise übernehmen
  - » Vollständig übernehmen
  - » Aktivieren/anleiten
- Ort der Teilkörperwaschung
  - » Im Bett
  - » Am Bettrand
  - » Am Waschbecken/Lavabo
- Besonderheiten beachten
  - » Ritualisierung einhalten
- Verwendetes Pflegeprodukt angeben

Gezielte Anleitung/Einweisung, sich zu bewegen entsprechend der Anordnung
- Pflegeintervention konkretisieren
  - » Bewegungsverhalten einüben, um eine Ruhigstellung betroffener Wirbelsäulenabschnitte sicherzustellen
  - » Vermittlung des Aufbaus und der Funktion der Wirbelsäule sowie Risiken bei unerlaubten Bewegungen
  - » Anleitung für das Drehen en bloc
  - » Beim Mobilisieren Wirbelsäule über den ganzen Bewegungsweg in Neutralstellung stabilisieren
- Zeit angeben

Sonstige Pflegemaßnahmen durchführen
- Maßnahmen konkretisieren
- Zeit angeben

Literaturhinweise: 95, 125, 127, 140, 151, 175, 176, 397, 402, 810

Der Patient ist aufgrund einer **quantitativen Bewusstseinseinschränkung** bei der **Körperwaschung voll abhängig**

Kennzeichen

- Kann den Körper nicht waschen
- Kann den Körper nicht abtrocknen
- Verlangsamte Reaktion auf Ansprache (Benommenheit)
- Ist nur durch äußere Reize weckbar (Somnolenz)
- Tiefschlaf, Reaktion nur auf Schmerzreize in Form von Abwehrreaktion (Sopor)
- Keine verbale Reaktion
- Öffnet die Augen nach Aufforderung nicht
- Fehlende Reaktion auf Schmerzreize
- Fehlende motorische Reaktion
- Fehlende Reaktion auf Berührung

Ursachen

- Schädel-Hirn-Trauma
- Apallisches Syndrom
- Stoffwechselbedingte Bewusstseinsveränderung
- Bewusstseinsveränderung durch hirnorganische Prozesse
- Stoffwechselbedingtes Koma
- Medikamentös bedingte Bewusstseinsveränderung
- Vergiftung
- Hirnblutung
- Zustand nach Hirnblutung

Ressourcen

- Akzeptiert die Unterstützung
- Akzeptiert die Unterstützung von Angehörigen
- Reagiert positiv auf die therapeutische Körperwaschung
- Kann sich bei der Körperwaschung entspannen
- Reagiert positiv auf vertraute Reize
- Reagiert positiv auf bestimmte Angebote/Zuwendungen
- Reagiert positiv auf vertraute Personen
- Angehörige/Bezugspersonen unterstützen den Pflegeprozess

Pflegeziele

- Fühlt sich angenommen und hat keine Ängste
- Erkennt die Begrüßung und stellt sich auf die Versorgung ein
- Vitalzeichenwerte bleiben während der Versorgung konstant
- Körperhygiene ist gewährleistet
- Ist über die Pflegetätigkeit informiert
- Erlebt die Körperpflege als angenehm und ist entspannt
- Körperwahrnehmung ist aktiviert und stimuliert
- Ist bei Bewusstsein und nimmt (Umgebungs-)Reize wahr
- Verhaltensweisen, welche beim Betroffenen auf Stress hinweisen, sind abgebaut (z.B. hält sich auf unangemessene Weise fest, schimpft, schreit, kneift, tritt mit dem Fuß, ballt die Faust usw.)
- Erlebt eine gewisse Vertrautheit in der Versorgung
- Bewusstseinslage ist eingeschätzt
- Unterschiedliche Sinne sind durch Reize zur Förderung von Orientierung und Wahrnehmung stimuliert
- Muskeltonus ist reduziert
- Wachheit und Wahrnehmung sind gesteigert

Pflegeinterventionen

Begrüßungsritual im Team vereinbaren und durchführen
- Pflegeintervention konkretisieren
- Zeit angeben

Ganzkörperwaschung durchführen
- Pflegeintervention konkretisieren

  - » GW im Bett vollständig übernehmen
  - » GW in der Dusche mit Duschlifter durchführen, vollständig übernehmen
- Besonderheiten beachten
  - » Körperpflege/-waschung nach dem Aktivitas-Pflegekonzept durchführen
  - » Ritualisierung einhalten
- Verwendetes Pflegeprodukt angeben

Über jede Pflegeintervention/Aktion im Umfeld informieren
- Pflegeintervention konkretisieren
- Zeit angeben

Basal stimulierend belebende Körperwaschung durchführen
- Pflegeintervention konkretisieren
  - » Kühles Waschwasser verwenden (30-37 °C)
  - » Gegen die Haarwuchsrichtung waschen
  - » Raue Waschhandschuhe/Handtücher verwenden
  - » Intimwaschung während der belebenden Körperwaschung durchführen
- Besonderheiten beachten
- Belebenden Waschzusatz wählen/zubereiten
  - » Rosmarinaufguss/-tee
  - » Majoran - ätherisches Öl

Basal stimulierend beruhigende Körperwaschung durchführen
- Pflegeintervention konkretisieren
  - » Weiche Waschlappen/Handtücher verwenden
  - » Warmes Wasser verwenden (ca. 40 °C)
  - » Mit der Haarwuchsrichtung waschen
  - » Intimpflege vor der beruhigenden Waschung durchführen
- Besonderheiten beachten
- Beruhigende Waschzusätze verwenden
  - » Lavendel - ätherisches Öl
  - » Sandelholz - ätherisches Öl
  - » Rosenholz - ätherisches Öl

Anregende Waschwasserzusätze verwenden
- Waschwasserzusätze angeben
  - » Rosmarin-Bademilch verwenden

Vertraute Personen bei der Körperwaschung einbeziehen
- Pflegeintervention konkretisieren
- Zeit angeben

Vertraute Utensilien zur Körperpflege verwenden
- Pflegeintervention konkretisieren
- Zeit angeben

Beobachtung von Reaktionen mit entsprechender Anpassung der Angebote
- Pflegeintervention konkretisieren
- Zeit angeben

Maßnahmen zur basalen Stimulation durchführen
- Auditive Angebote einsetzen
  - » Vertraute Musik abspielen
- Olfaktorische Angebote einsetzen
  - » Aromatherapie einsetzen
  - » Bekanntes Deodorant, Parfüm, Rasierwasser etc. einsetzen
- Visuelle Angebote einsetzen
  - » Farbtücher einsetzen
- Zeit angeben

Sonstige basal stimulierende Körperwaschung durchführen
- Pflegeintervention konkretisieren
  - » Entfaltende Waschung nach Bienstein durchführen
  - » Diametrale Waschung nach Bienstein durchführen
- Sonstiges
  - » Gesichts-/Intimpflege am Ende der therapeutischen Waschung durchführen
- Zeit angeben

Sonstige Pflegemaßnahmen durchführen
- Maßnahmen konkretisieren
- Zeit angeben

Literaturhinweise: 29, 80, 95, 125, 135, 175, 176, 392, 411, 412, 900, 1078

Der Patient führt die **Körperwaschung nicht adäquat** durch, es besteht ein Selbstfürsorgedefizit bei der Körperwaschung

Kennzeichen

- Lehnt die Unterstützung bei der Körperpflege ab
- Vernachlässigt die Körperpflege
- Zeigt keine Eigeninitiative, die Körperwaschung durchzuführen
- Unfähigkeit die Körperpflege selbstständig und strukturiert durchzuführen
- Äußert, dass die Körperpflege als zu anstrengend erlebt wird
- Lehnt es ab, die Körperpflege durchzuführen
- Einsicht der Notwendigkeit von Körperpflege fehlt
- Lehnt die Körperwaschung nonverbal ab
- Lehnt die Körperwaschung verbal ab
- Äußert, die Körperpflege als nicht notwendig zu erachten
- Körpergeruch nach Schweiß
- Sieht ungepflegt aus
- Gebrauchsgegenstände zur Körperpflege können nicht adäquat eingesetzt werden
- Ablauf der Körperpflege ist nicht bekannt

Ursachen

- Aufmerksamkeitsdefizit
- Beeinträchtigte Gedächtnisleistung
- Orientierungsstörung
- Demenz
- Psychotische Störung
- Psychische Verwahrlosung
- Mangelnde Zukunftsperspektive
- Das Bedürfnis nach regelmäßiger Hygiene ist reduziert
- Der Wille, die Körperwaschung durchzuführen, fehlt
- Setzt andere Prioritäten
- Depressive Verstimmung
- Veränderte Wahrnehmung
- Soziokulturelle Einflüsse und damit unterschiedliche Vorstellungen von Körperhygiene
- Apraxie

Ressourcen

- Kennt Kräfte schonende Methoden, die Körperpflege durchzuführen
- Akzeptiert die Unterstützung
- Akzeptiert die Unterstützung von Angehörigen
- Führt unter Anleitung die Körperpflege gründlich durch
- Verhält sich entsprechend der Anleitung und Anweisung
- Angehörige/Bezugspersonen unterstützen den Pflegeprozess

Pflegeziele

- Zeigt eine gesundheitsförderliche Einstellung zur Körperhygiene und verhält sich entsprechend
- Führt die Körperpflege eigenverantwortlich entsprechend den Anforderungen an eine gesundheitsförderliche Körperhygiene durch
- Selbstwertgefühl ist durch Tätigkeiten, die erfolgreich und selbstständig durchgeführt wurden, bestärkt
- Kann den Körper selbstständig waschen und abtrocknen
- Die Durchführung der Körperpflege ist zwischen Pflegeperson und Betroffenem abgestimmt und im Ablauf harmonisch
- Akzeptiert die Ganzkörperwaschung durch eine Pflegeperson/Bezugsperson
- Kann den Oberkörper selbstständig waschen und abtrocknen
- Kann Gesicht und Hände selbstständig waschen und abtrocknen
- Kann sich beim Baden entspannen
- Kann sich selbstständig in der Badewanne waschen
- Kann den Transfer in und aus der Badewanne selbstständig durchführen
- Empfindet nach der (Pflege-)Aktivität ein aktuelles physisches Wohlbefinden
- Kann den Körper selbstständig in der Dusche sitzend waschen
- Kann den Körper selbstständig in der Dusche stehend waschen
- Kann den Körper selbstständig abtrocknen
- Kann die Waschgelegenheit selbstständig aufsuchen/verlassen

Pflegeinterventionen

Ursachen/Verhaltensweisen im therapeutischen Gespräch klären
- Maßnahmen konkretisieren
  - » Gespräch mit der Bezugspflegeperson durchführen
- Zeitdauer des Gesprächs angeben

Vorbildfunktion im Bereich Körperhygiene übernehmen
- Pflegeintervention konkretisieren
- Zeit angeben

Zur Körperpflege aktivieren/motivieren
- Bei depressivem, neurotischem Zustand motivieren
  - » Zwang und Druck vermeiden
  - » Unterstützend eingreifen
  - » Perspektiven aufzeigen
  - » Verhaltenstherapeutisches Training durchführen
- Bei psychotischen Störungen motivieren
  - » Führung ist erforderlich
  - » Verhaltenstherapeutische Vorgehensweise anwenden
  - » Gewünschtes Verhalten positiv verstärken
  - » Körperpflege ritualisieren
  - » Auf Selbstständigkeit achten
- Zeit angeben

Regelmäßig für saubere Wäsche sorgen
- Kleidung zurechtlegen
  - » Tägl. frische Unterwäsche
  - » Tägl. frische Socken
  - » Tägl. Kleiderwechsel
  - » Alle zwei Tage Kleiderwechsel
  - » Kleiderwechsel bei Bedarf

Teilkörperwaschung durchführen
- Zu waschendes Körperteil
  - » Gesicht
  - » Hände
  - » Arme
  - » Ein Arm
  - » Brust
  - » Bauch
  - » Rücken
  - » Beine
  - » Ein Bein
  - » Füße
  - » Ein Fuß
  - » Intimbereich vorne
  - » Intimbereich Gesäß
- Unterstützungsgrad angeben
  - » Beaufsichtigen
  - » Durch Unterstützen helfen
  - » Teilweise übernehmen
  - » Vollständig übernehmen
  - » Aktivieren/anleiten
- Ort der Teilkörperwaschung
  - » Im Bett
  - » Am Bettrand
  - » Am Waschbecken/Lavabo
- Besonderheiten beachten
  - » Ritualisierung einhalten
- Verwendetes Pflegeprodukt angeben

Ganzkörperwaschung durchführen
- Ort der Ganzkörperwaschung angeben
  - » Im Bett
  - » Am Bettrand sitzend
  - » Am Waschbecken
  - » In der Dusche
- Unterstützungsgrad angeben
  - » Beaufsichtigen
  - » Durch Unterstützen helfen
  - » Teilweise übernehmen
  - » Vollständig übernehmen
  - » Aktivieren/anleiten
- Besonderheiten beachten
  - » Körperpflege/-waschung nach dem Aktivitas-Pflegekonzept durchführen
  - » Körperwaschung nach pflegetherapeutischem Konzept durchführen
  - » Ritualisierung einhalten
  - » Kompensatorische Fähigkeiten fördern
- Hilfsmittel einsetzen
  - » Trittstufe
  - » Duschliege
- Verwendetes Pflegeprodukt angeben
- Anzahl der Pflegepersonen eintragen

Beim Baden unterstützen
- Pflegeintervention konkretisieren
  - » Bad und Pflegeutensilien vorbereiten
  - » Beim Wanneneinstieg/-ausstieg helfen
  - » Lifter für den Transfer einsetzen
  - » Vom Stuhl in die Badewanne transferieren
  - » Haarwäsche beim Baden durchführen
- Art des Bades bestimmen
  - » Warmes Vollbad
  - » Heißes Vollbad
  - » Ansteigendes Halbbad
  - » Absteigendes Halbbad
- Bei der Körperwaschung helfen
  - » Beaufsichtigen
  - » Durch Unterstützen helfen
  - » Teilweise übernehmen
  - » Vollständig übernehmen
  - » Aktivieren/anleiten
- Besonderheiten bestimmen
  - » Ritualisierung einhalten
- Hilfsmittel einsetzen
  - » Badewannensitz
  - » Badewannen-Sicherheitsmatten
  - » Badewannenbrett
  - » Duschliege
- Verwendetes Pflegeprodukt angeben
  - » Erschwernisfaktoren
  - » Beatmungsgerät
  - » Zu-/ableitende Systeme
  - » Absaugsystem
  - » Notfalleinheit
- Anzahl Pflegepersonen angeben

Beim Duschen unterstützen
- Pflegeintervention konkretisieren
  - » Beim Transfer in/aus die/der Dusche unterstützen
  - » Teilwaschung Oberkörper durchführen
  - » Teilwaschung Unterkörper durchführen
  - » Ganzwaschung in der Dusche durchführen

  - » Haarwäsche beim Duschen durchführen
- Beim Duschen helfen
  - » Materialien bereitlegen
  - » Beaufsichtigen
  - » Durch Unterstützen helfen
  - » Teilweise übernehmen
  - » Vollständig übernehmen
  - » Aktivieren/anleiten
- Besonderheiten beachten
  - » Ritualisierung einhalten
- Art und Weise des Duschens bestimmen
  - » Im Sitzen/auf dem Duschstuhl duschen
  - » Im Stehen duschen
  - » Im Liegen mithilfe eines Duschwagens duschen
- Verwendetes Pflegeprodukt angeben

Beim Aufsuchen/Verlassen der Waschgelegenheit unterstützen
- Pflegeintervention konkretisieren
  - » Zum Bad und zurück begleiten
  - » Mit dem Rollstuhl zum Bad fahren
  - » Beim Gehen zum Waschbecken unterstützen
  - » Mit dem Rollator zur Waschgelegenheit begleiten
  - » Mit dem Rollstuhl zur Waschgelegenheit fahren

Sonstige Pflegemaßnahmen durchführen
- Maßnahmen konkretisieren
- Zeit angeben

Literaturhinweise: 80, 82, 83, 95, 125, 127, 175, 176, 406, 418, 423

Der Patient kann aufgrund einer **Wunde im Intimbereich** die **Intimpflege nicht in gewohnter Weise durchführen**

Kennzeichen

- Kann die Intimpflege nicht selbstständig durchführen
- Die Fähigkeit, die Körperpartie zu waschen, ist eingeschränkt
- Äußert, ein Informationsdefizit zu haben
- Traut sich nicht, die Intimpflege selbstständig durchzuführen
- Kann bestimmte Körperregionen nicht abtrocknen

Ursachen

- Wissensdefizit
- Entbindung
- Vaginale Uterusexstirpation
- Scheidenplastik
- Analfissuren
- Postoperativ bei Eingriff im Analbereich
- Postoperativ bei Eingriffen im Urogenitalbereich
- Vorhauterweiterungsplastik
- Zirkumzision (Beschneidung)
- Beschneidungen des weiblichen Genitals

Ressourcen

- Erkennt die Notwendigkeit der getroffenen Intervention und kooperiert mit dem therapeutischen Team
- Äußert Einsicht in die Pflegemaßnahme
- Führt die Intimspülung nach Anleitung selbstständig und gewissenhaft durch
- Akzeptiert die Unterstützung
- Angehörige/Bezugspersonen unterstützen den Pflegeprozess

Pflegeziele

- Intimhygiene ist gewährleistet
- Empfindet nach der (Pflege-)Aktivität ein aktuelles physisches Wohlbefinden
- Fühlt sich sicher durch Informationen
- Alle wichtigen Informationen sind weitergeleitet
- Primäre Wundheilung ist gewährleistet

Pflegeinterventionen

Intimspülung durchführen
- Pflegeintervention konkretisieren
  - » Nach jeder Miktion/Defäkation durchführen
  - » Anstelle der Intimwaschung im Rahmen der Körperpflege durchführen
- Spüllösung angeben

Intimpflege durchführen
- Pflegeintervention konkretisieren
  - » Intimwaschung durchführen
  - » Mit Pflegeschaum Haut reinigen
  - » Feuchttücher zur Hautreinigung anwenden
  - » Alte aufgetragene Hautschutzcreme mit Öl und weichem Tuch entfernen
  - » Reinigungsprodukte mit saurem ph-Wert verwenden
  - » Reibung beim Reinigen und Abtrocknen vermeiden

Informationsgespräch durchführen
- Gesprächsinhalt
- Gesprächsteilnehmer
  - » Angehöriger/Bezugsperson
  - » Betroffene Person
- Zeit angeben

Sitzbäder laut ärztlicher Anordnung durchführen
- Badezusatz für das Sitzbad angeben

Zur selbstständigen Intimspülung anleiten und Materialien bereitstellen
- Pflegeintervention konkretisieren
- Zeit angeben

Sonstige Pflegemaßnahmen durchführen
- Maßnahmen konkretisieren
- Zeit angeben

Literaturhinweise: 51, 68, 95, 125, 127, 175, 176, 181

Der Patient ist aufgrund sonstiger Ursachen bei der **Körperwaschung beeinträchtigt**

Kennzeichen

- Kann die Waschgelegenheit/das Badezimmer nicht selbstständig aufsuchen
- Sitzt unsicher auf dem Stuhl/in der Badewanne
- Kann den Körper nicht waschen
- Kann den Körper nicht abtrocknen
- Kann bestimmte Körperregionen nicht abtrocknen
- Kann bestimmte Körperregionen nicht waschen
- Pflegeutensilien können nicht selbstständig oder adäquat benutzt werden
- Zeigt keine Eigeninitiative, die Körperwaschung durchzuführen
- Zeigt Abwehrverhalten bei der Körperwaschung

Selbstständigkeit bei der Körperpflege
- Stufe 1: Selbstständige Körperpflege mit Hilfsmitteln
- Stufe 2: Geringe Beeinträchtigung bei der Körperpflege
- Stufe 3: Erhebliche Beeinträchtigung bei der Körperpflege
- Stufe 4: Schwere Beeinträchtigung bei der Körperpflege
- Stufe 5: Fehlende Fähigkeit, Körperpflegeaktivitäten durchzuführen

Ursachen

- Angstzustände
- Schmerzzustände
- Starke Schmerzzustände
- Extreme Schmerzzustände
- Reifungsfaktoren
- Depressive Verstimmung
- Neuromuskuläre Beeinträchtigung
- Der Wille, die Körperwaschung durchzuführen, fehlt
- Entzugssyndrom
- Entwicklungsbedingte(s) Selbstfürsorgedefizit/-fähigkeit
- Gleichgewichtsstörung
- Schwindelanfälle
- Intoxikation
- Multiple Sklerose
- Morbus Parkinson
- Geistige Behinderung
- Tetraplegie
- Tetraparese
- Ausgeprägte Spastik
- Sehbehinderung
- Blindheit

Ressourcen

- Kann sitzen
- Kann selbstständig sitzen
- Kann Aufforderungen folgen und hält sich an Vorgaben
- Ist motiviert, die Pflegemaßnahme zu unterstützen und zeigt entsprechende Verhaltensweisen
- Kann Oberkörper/Gesicht selbstständig waschen
- Kann unter Aufsicht und Anleitung die Körperwaschung selbstständig durchführen
- Akzeptiert die Unterstützung
- Akzeptiert die Unterstützung von Angehörigen
- Angehörige/Bezugspersonen unterstützen den Pflegeprozess

Pflegeziele

- Eigenaktivität bei der Körperwaschung ist entsprechend den körperlichen Ressourcen im Pflegeplan geplant
- Akzeptiert die Ganzkörperwaschung durch eine Pflegeperson/Bezugsperson
- Empfindet nach der (Pflege-)Aktivität ein aktuelles physisches Wohlbefinden
- Kann den Oberkörper selbstständig waschen und abtrocknen
- Kann Gesicht und Hände selbstständig wa-

schen und abtrocknen
- Kann den Körper selbstständig waschen und abtrocknen
- Die Durchführung der Körperpflege ist zwischen Pflegeperson und Betroffenem abgestimmt und im Ablauf harmonisch
- Fühlt sich durch den bekannten Ablauf der Pflegeintervention sicher
- Kann unter Anwendung von Kompensationsmechanismen die Körperpflege selbstständig durchführen
- Kennt Verhaltensmaßnahmen beim "Freezing" (Kleben) und kann diese anwenden
- Kennt Möglichkeiten, den Tremor zu überwinden
- Kann die Waschgelegenheit selbstständig aufsuchen/verlassen
- Verhaltensweisen, welche beim Betroffenen auf Stress hinweisen, sind abgebaut (z.B. hält sich auf unangemessene Weise fest, schimpft, schreit, kneift, tritt mit dem Fuß, ballt die Faust usw.)
- Unterschiedliche Sinne sind durch Reize zur Förderung von Orientierung und Wahrnehmung stimuliert
- Ist bei Bewusstsein und nimmt (Umgebungs-)Reize wahr
- Körperwahrnehmung ist aktiviert und stimuliert
- Motorische Fertigkeiten und physiologische Bewegungsabläufe sind gefördert

Pflegeinterventionen

Ressourcen und Einschränkungen systematisch ermitteln
- Pflegeintervention konkretisieren
  - » Beweglichkeit der Gelenke ermitteln
  - » Arm-/Hand-/Fingerfunktion einschätzen
  - » Koordinationsvermögen ermitteln
  - » Kraft und Ausdauer ermitteln
  - » Grad der Abhängigkeit ermitteln
  - » Sitzhaltungskontrolle und Gleichgewicht einschätzen
  - » Standhaltungskontrolle einschätzen
  - » Hilfsmittelbedarf ermitteln

Ganzkörperwaschung durchführen
- Ort der Ganzkörperwaschung angeben
  - » Im Bett
  - » Am Bettrand sitzend
  - » Am Waschbecken
  - » In der Dusche
- Unterstützungsgrad angeben
  - » Beaufsichtigen
  - » Durch Unterstützen helfen
  - » Teilweise übernehmen
  - » Vollständig übernehmen
  - » Aktivieren/anleiten
- Besonderheiten beachten
  - » Körperpflege/-waschung nach dem Aktivitas-Pflegekonzept durchführen
  - » Körperwaschung nach pflegetherapeutischem Konzept durchführen
  - » Ritualisierung einhalten
  - » Kompensatorische Fähigkeiten fördern
- Hilfsmittel einsetzen
  - » Trittstufe
  - » Duschliege
- Verwendetes Pflegeprodukt angeben
- Anzahl der Pflegepersonen eintragen

Teilkörperwaschung durchführen
- Zu waschendes Körperteil
  - » Gesicht
  - » Hände
  - » Arme
  - » Ein Arm
  - » Brust
  - » Bauch
  - » Rücken
  - » Beine
  - » Ein Bein
  - » Füße
  - » Ein Fuß
  - » Intimbereich vorne
  - » Intimbereich Gesäß
- Unterstützungsgrad angeben
  - » Beaufsichtigen
  - » Durch Unterstützen helfen
  - » Teilweise übernehmen
  - » Vollständig übernehmen
  - » Aktivieren/anleiten
- Ort der Teilkörperwaschung
  - » Im Bett
  - » Am Bettrand
  - » Am Waschbecken/Lavabo
- Besonderheiten beachten
  - » Ritualisierung einhalten
- Verwendetes Pflegeprodukt angeben

Körperwaschung planvoll durchführen
- Pflegeintervention konkretisieren
- Zeit angeben

Alltagskompetenzen im Rahmen der Körperpflege fördern/trainieren (Waschtraining bei Morbus Parkinson)
- Pflegeintervention konkretisieren
  - » Anleiten, mit Ellenbogenstütze/Ergoarm am Waschbecken sitzend den Tremor bei den Körperpflegeaktivitäten zu regulieren
  - » Anleiten, die verschiedenen Verhaltensmaßnahmen und Tricks zur Überwindung des Freezing einzusetzen
  - » Anleiten, mit Hilfe eines Spiegels die Körperhaltung zu korrigieren und das Ziel vor Augen zu halten
  - » Bewegungsabläufe im Rahmen der Körperpflege bei Bedarf faszilitieren (PNF = propriozeptives neuromuskuläres Faszilitieren)
- Zeit angeben

Beim Aufsuchen/Verlassen der Waschgelegenheit unterstützen
- Pflegeintervention konkretisieren
  - » Zum Bad und zurück begleiten
  - » Mit dem Rollstuhl zum Bad fahren
  - » Beim Gehen zum Waschbecken unterstützen
  - » Mit dem Rollator zur Waschgelegenheit begleiten
  - » Mit dem Rollstuhl zur Waschgelegenheit fahren

Basal stimulierend beruhigende Körperwaschung durchführen
- Pflegeintervention konkretisieren
  - » Weiche Waschlappen/Handtücher verwenden
  - » Warmes Wasser verwenden (ca. 40 °C)
  - » Mit der Haarwuchsrichtung waschen
  - » Intimpflege vor der beruhigenden Waschung durchführen
- Besonderheiten beachten
- Beruhigende Waschzusätze verwenden
  - » Lavendel - ätherisches Öl
  - » Sandelholz - ätherisches Öl
  - » Rosenholz - ätherisches Öl

Basal stimulierend belebende Körperwaschung durchführen
- Pflegeintervention konkretisieren
  - » Kühles Waschwasser verwenden (30-37 °C)
  - » Gegen die Haarwuchsrichtung waschen
  - » Raue Waschhandschuhe/Handtücher verwenden
  - » Intimwaschung während der belebenden Körperwaschung durchführen
- Besonderheiten beachten
- Belebenden Waschzusatz wählen/zubereiten
  - » Rosmarinaufguss/-tee
  - » Majoran - ätherisches Öl

Basalstimulierende Ganzkörperpflege durchführen
- Ort der Ganzkörperwaschung angeben
  - » Im Bett
  - » Am Bettrand sitzend
  - » Am Waschbecken
  - » In der Dusche
- Unterstützungsgrad angeben
  - » Beaufsichtigen
  - » Durch Unterstützen helfen
  - » Teilweise übernehmen
  - » Vollständig übernehmen
  - » Aktivieren/anleiten
- Besonderheiten beachten
  - » Körperpflege/-waschung nach dem Aktivitas-Pflegekonzept durchführen
  - » Körperwaschung nach pflegetherapeutischem Konzept durchführen
  - » Ritualisierung einhalten
  - » Kompensatorische Fähigkeiten fördern
- Hilfsmittel einsetzen

- » Trittstufe
- » Duschliege
- Verwendetes Pflegeprodukt angeben
- Anzahl der Pflegepersonen eintragen

Körperwaschung nach rehabilitativem/ sonstigem Konzept durchführen

- Pflegeintervention konkretisieren
  - » MRP (Motor Relearning Programme)
  - » Ganzkörperwaschung nach den Grundsätzen von Inhester und Zimmermann
  - » Körperpflege/-waschung nach dem Aktivitas-Pflegekonzept durchführen
  - » Sonstige rehabilitative Konzepte anwenden
- Verwendetes Pflegeprodukt angeben

Sonstige Pflegemaßnahmen durchführen

- Maßnahmen konkretisieren
- Zeit angeben

Literaturhinweise: 51, 79, 80, 95, 123, 125, 127, 155, 175, 176, 181, 197, 234, 244, 402, 405, 406, 412, 421, 431, 432, 433, 434, 435, 436, 437, 438, 476

Der Patient kann sich **nicht selbstständig duschen/baden**

Kennzeichen

- Kann die Waschgelegenheit/das Badezimmer nicht selbstständig aufsuchen
- Beeinträchtigte Transferfähigkeit in die Badewanne/aus der Badewanne
- Fähigkeit, sich zu duschen oder zu baden, ist eingeschränkt
- Kann nicht allein in der Dusche stehen
- Sitzt unsicher auf dem Stuhl/in der Badewanne
- Kann den Körper nicht waschen
- Kann den Körper nicht abtrocknen
- Kann bestimmte Körperregionen nicht waschen
- Kann bestimmte Körperregionen nicht abtrocknen
- Kann aus Sicherheitsgründen nicht allein in der Badewanne sitzen
- Erkennt die Notwendigkeit eines Bades nicht

Ursachen

- Reduzierter Allgemeinzustand
- Körperliche Schwäche
- Neuromuskuläre Beeinträchtigung
- Chronische Desorientierung
- Hemiplegie
- Apallisches Syndrom
- Demenz
- Morbus Alzheimer
- Tetraplegie
- Paraplegie
- Depressionen
- Orientierungsstörung
- Entwicklungsbedingte(s) Selbstfürsorgedefizit/-fähigkeit

Ressourcen

- Badet gern
- Duscht gern
- Kann sitzen
- Kann selbstständig sitzen
- Ist motiviert, Teile der Körperpflege je nach körperlichem Zustand selbstständig zu übernehmen
- Akzeptiert die Unterstützung
- Akzeptiert die Unterstützung von Angehörigen
- Kann die Maßnahme nach Anleitung selbstständig durchführen
- Badet/duscht gern und kann sich dabei entspannen
- Angehörige/Bezugspersonen unterstützen den Pflegeprozess

Pflegeziele

- Empfindet nach der (Pflege-)Aktivität ein aktuelles physisches Wohlbefinden
- Kann den Körper selbstständig in der Dusche sitzend waschen
- Kann den Körper selbstständig in der Dusche stehend waschen
- Kann den Körper selbstständig abtrocknen
- Kann sich beim Baden entspannen
- Kann sich selbstständig in der Badewanne waschen
- Kann den Transfer in und aus der Badewanne selbstständig durchführen
- Fühlt sich erfrischt und sauber
- Sicherheit ist gewährleistet
- Herz-Kreislauf-System ist während/nach der durchgeführten (Pflege-)Aktivität stabil, Vitalparameter verändern sich im physiologischen Normbereich
- Kann die Waschgelegenheit selbstständig aufsuchen/verlassen

Pflegeinterventionen

Beim Duschen unterstützen

- Pflegeintervention konkretisieren
  - » Beim Transfer in/aus die/der Dusche unterstützen

  - » Teilwaschung Oberkörper durchführen
  - » Teilwaschung Unterkörper durchführen
  - » Ganzwaschung in der Dusche durchführen
  - » Haarwäsche beim Duschen durchführen
- Beim Duschen helfen
  - » Materialien bereitlegen
  - » Beaufsichtigen
  - » Durch Unterstützen helfen
  - » Teilweise übernehmen
  - » Vollständig übernehmen
  - » Aktivieren/anleiten
- Besonderheiten beachten
  - » Ritualisierung einhalten
- Art und Weise des Duschens bestimmen
  - » Im Sitzen/auf dem Duschstuhl duschen
  - » Im Stehen duschen
  - » Im Liegen mithilfe eines Duschwagens duschen
- Verwendetes Pflegeprodukt angeben

Beim Baden unterstützen
- Pflegeintervention konkretisieren
  - » Bad und Pflegeutensilien vorbereiten
  - » Beim Wanneneinstieg/-ausstieg helfen
  - » Lifter für den Transfer einsetzen
  - » Vom Stuhl in die Badewanne transferieren
  - » Haarwäsche beim Baden durchführen
- Art des Bades bestimmen
  - » Warmes Vollbad
  - » Heißes Vollbad
  - » Ansteigendes Halbbad
  - » Absteigendes Halbbad
- Bei der Körperwaschung helfen
  - » Beaufsichtigen
  - » Durch Unterstützen helfen
  - » Teilweise übernehmen
  - » Vollständig übernehmen
  - » Aktivieren/anleiten
- Besonderheiten bestimmen
  - » Ritualisierung einhalten
- Hilfsmittel einsetzen
  - » Badewannensitz
  - » Badewannen-Sicherheitsmatten
  - » Badewannenbrett
  - » Duschliege
- Verwendetes Pflegeprodukt angeben
  - » Erschwernisfaktoren
  - » Beatmungsgerät
  - » Zu-/ableitende Systeme
  - » Absaugsystem
  - » Notfalleinheit
- Anzahl Pflegepersonen angeben

Nach dem Bad für eine Ruhe- bzw. Erholungsphase sorgen
- Pflegeintervention konkretisieren
- Zeit angeben

Badehilfsmittel einsetzen
- Badehilfsmittel auswählen
  - » Badewannensitz
  - » Badehelfer drehbar
  - » Badelifter
  - » Badewannen-Sicherheitsmatten
  - » Kopf- und Nackenstütze

Rutschgefahr vorbeugen
- Pflegeintervention konkretisieren
  - » Badematten verwenden
  - » Hausschuhe/festes Schuhwerk anziehen
  - » Für trockenen Fußboden sorgen
  - » Füße beim Duschen nur im Sitzen einseifen

Herz-Kreislauf-Situation beobachten, erfassen und dokumentieren
- Überwachungsmonitor benutzen
  - » Überwachungsmonitor benutzen
  - » Pulsfrequenz/-qualität messen
  - » Blutdruckwert messen
  - » Atemfrequenz/-qualität messen
  - » Körpertemperatur messen
  - » Sauerstoffsättigung mit Oximeter überprüfen
- Vitalzeichenwerte manuell messen
  - » Pulsfrequenz/-qualität messen
  - » Blutdruckwert messen
  - » Atemfrequenz/-qualität messen
  - » Körpertemperatur messen
- Ort der Messung angeben
  - » Am rechten Arm messen
  - » Am linken Arm messen
  - » Am Finger messen
  - » Am Zeh messen
  - » Besonderheiten bei der Messung bestimmen

Beim Aufsuchen/Verlassen der Waschgelegenheit unterstützen
- Pflegeintervention konkretisieren
  - » Zum Bad und zurück begleiten
  - » Mit dem Rollstuhl zum Bad fahren
  - » Beim Gehen zum Waschbecken unterstützen
  - » Mit dem Rollator zur Waschgelegenheit begleiten
  - » Mit dem Rollstuhl zur Waschgelegenheit fahren

Sonstige Pflegemaßnahmen durchführen
- Maßnahmen konkretisieren
- Zeit angeben

Literaturhinweise: 29, 95, 125, 127, 175, 176, 304, 393, 402, 406, 408, 415, 421, 431, 432, 433, 434, 437, 438, 439, 440, 441

Der Patient kann **entwicklungsbedingt die Selbstpflege** im Bereich der **Körperhygiene nicht selbstständig erfüllen**

Kennzeichen

- Altersentsprechende Selbstpflegekompetenz
- Verzögerte altersentsprechende Selbstpflegekompetenz
- Beeinträchtigte Selbstpflegekompetenz

Ursachen

- Unreifes Neugeborenes
- Reifes Neugeborenes
- Säugling/Neugeborenes
- Kleinkind
- Angeborene geistige Behinderung
- Angeborene körperliche Behinderung
- Down-Syndrom
- Infolge von Sauerstoffunterversorgung bei der Geburt

Ressourcen

- Angehöriger/Bezugsperson möchte das Kind selbstständig versorgen
- Angehöriger/Bezugsperson kann das Kind unter Aufsicht selbstständig baden
- Angehörige/Bezugspflegeperson verfügt über die notwendige Dependenzpflegekompetenz
- Angehöriger führt die Körperpflege unter Berücksichtigung der kindlichen Ressourcen vollständig durch
- Angehöriger führt die Körperpflege unter Berücksichtigung der kindlichen Ressourcen teilweise durch
- Angehörige/Bezugspersonen unterstützen den Pflegeprozess
- Kann die altersentsprechenden Ressourcen bei der Körperpflege einsetzen
- Akzeptiert die Unterstützung bei der Körperpflege durch das Pflegepersonal
- Die Voraussetzungen zur Durchführung der Körperpflege am Waschbecken sind vorhanden
- Ist motiviert, Teile der Körperpflege je nach körperlichem Zustand selbstständig zu übernehmen
- Kann Oberkörper/Gesicht selbstständig waschen
- Kann Oberkörper/Gesicht mit Unterstützung waschen
- Kann selbstständig sitzen

Pflegeziele

- Körperhygiene ist gewährleistet
- Herz-Kreislauf-Aktivität ist angeregt
- Angehöriger/Bezugsperson führt das Säuglingsbad selbstständig durch
- Sicherheit ist gewährleistet
- Kontaktaufnahme zum Angehörigen/zur Bezugsperson ist sichergestellt
- Körperwahrnehmung ist aktiviert und stimuliert
- Akzeptiert die Ganzkörperwaschung durch eine Pflegeperson/Bezugsperson
- Kann den Oberkörper selbstständig waschen und abtrocknen
- Kann Gesicht und Hände selbstständig waschen und abtrocknen
- Kann den Körper selbstständig waschen und abtrocknen
- Die Durchführung der Körperpflege ist zwischen Pflegeperson und Betroffenem abgestimmt und im Ablauf harmonisch
- Unterschiedliche Sinne sind durch Reize zur Förderung von Orientierung und Wahrnehmung stimuliert
- Ist bei Bewusstsein und nimmt (Umgebungs-)Reize wahr
- Verhaltensweisen, welche beim Betroffenen auf Stress hinweisen, sind abgebaut (z.B. hält sich auf unangemessene Weise fest, schimpft, schreit, kneift, tritt mit dem Fuß, ballt die Faust usw.)
- Kann sich beim Baden entspannen
- Kann sich selbstständig in der Badewanne waschen
- Kann den Transfer in und aus der Badewanne selbstständig durchführen
- Empfindet nach der (Pflege-)Aktivität ein aktuelles physisches Wohlbefinden
- Kann sich die Haare selbstständig waschen
- Kopfhaut ist intakt
- Kann die Waschgelegenheit selbstständig aufsuchen/verlassen

Pflegeinterventionen

Neugeborenes/Säugling baden

- Pflegeintervention konkretisieren
- Zeit angeben

Ganzkörperwaschung bei dem Neugeborenen/Säugling durchführen

- Pflegeintervention konkretisieren
- Zeit angeben

Angehörigen/Bezugsperson beim Säuglingsbad bzw. bei der Ganzkörperwaschung anleiten

- Pflegeintervention konkretisieren
- Zeit angeben

Erstversorgung des Neugeborenen unmittelbar nach der Geburt durchführen

- Pflegeintervention konkretisieren
  - » Fruchtwasser absaugen
  - » APGAR-Schema einschätzen
  - » Nabel versorgen
  - » Reinigungsbad durchführen
  - » Neugeborenes wiegen und messen
  - » Kopfumfang messen
  - » Körpertemperatur messen
  - » Konakiongabe durchführen
  - » Blut aus dem Nabel entnehmen
  - » Blut aus der Ferse entnehmen
  - » Kontaktaufnahme zur Mutter unterstützen
  - » U1-Untersuchung durchführen
- Vitalzeichenkontrolle durchführen
  - » Blutdruck messen
  - » Puls messen
  - » Körpertemperatur messen

Babymassage durchführen

- Pflegeintervention konkretisieren
- Dauer der durchgeführten Intervention:

Ganzkörperwaschung durchführen

- Ort der Ganzkörperwaschung angeben
  - » Im Bett
  - » Am Bettrand sitzend
  - » Am Waschbecken
  - » In der Dusche
- Unterstützungsgrad angeben
  - » Beaufsichtigen
  - » Durch Unterstützen helfen
  - » Teilweise übernehmen
  - » Vollständig übernehmen
  - » Aktivieren/anleiten
- Besonderheiten beachten
  - » Körperpflege/-waschung nach dem Aktivitas-Pflegekonzept durchführen
  - » Körperwaschung nach pflegetherapeutischem Konzept durchführen
  - » Ritualisierung einhalten
  - » Kompensatorische Fähigkeiten fördern
- Hilfsmittel einsetzen
  - » Trittstufe
  - » Duschliege
- Verwendetes Pflegeprodukt angeben
- Anzahl der Pflegepersonen eintragen

Teilkörperwaschung durchführen

- Zu waschendes Körperteil
  - » Gesicht
  - » Hände
  - » Arme
  - » Ein Arm
  - » Brust
  - » Bauch
  - » Rücken
  - » Beine
  - » Ein Bein
  - » Füße
  - » Ein Fuß
  - » Intimbereich vorne
  - » Intimbereich Gesäß
- Unterstützungsgrad angeben
  - » Beaufsichtigen
  - » Durch Unterstützen helfen

  - » Teilweise übernehmen
  - » Vollständig übernehmen
  - » Aktivieren/anleiten
- Ort der Teilkörperwaschung
  - » Im Bett
  - » Am Bettrand
  - » Am Waschbecken/Lavabo
- Besonderheiten beachten
  - » Ritualisierung einhalten
- Verwendetes Pflegeprodukt angeben

Basal stimulierend belebende Körperwaschung durchführen
- Pflegeintervention konkretisieren
  - » Kühles Waschwasser verwenden (30-37 °C)
  - » Gegen die Haarwuchsrichtung waschen
  - » Raue Waschhandschuhe/Handtücher verwenden
  - » Intimwaschung während der belebenden Körperwaschung durchführen
- Besonderheiten beachten
- Belebenden Waschzusatz wählen/zubereiten
  - » Rosmarinaufguss/-tee
  - » Majoran - ätherisches Öl

Basal stimulierend beruhigende Körperwaschung durchführen
- Pflegeintervention konkretisieren
  - » Weiche Waschlappen/Handtücher verwenden
  - » Warmes Wasser verwenden (ca. 40 °C)
  - » Mit der Haarwuchsrichtung waschen
  - » Intimpflege vor der beruhigenden Waschung durchführen
- Besonderheiten beachten
- Beruhigende Waschzusätze verwenden
  - » Lavendel - ätherisches Öl
  - » Sandelholz - ätherisches Öl
  - » Rosenholz - ätherisches Öl

Beim Baden unterstützen
- Pflegeintervention konkretisieren
  - » Bad und Pflegeutensilien vorbereiten
  - » Beim Wanneneinstieg/-ausstieg helfen
  - » Lifter für den Transfer einsetzen
  - » Vom Stuhl in die Badewanne transferieren
  - » Haarwäsche beim Baden durchführen
- Art des Bades bestimmen
  - » Warmes Vollbad
  - » Heißes Vollbad
  - » Ansteigendes Halbbad
  - » Absteigendes Halbbad
- Bei der Körperwaschung helfen
  - » Beaufsichtigen
  - » Durch Unterstützen helfen
  - » Teilweise übernehmen
  - » Vollständig übernehmen
  - » Aktivieren/anleiten
- Besonderheiten bestimmen
  - » Ritualisierung einhalten
- Hilfsmittel einsetzen
  - » Badewannensitz
  - » Badewannen-Sicherheitsmatten
  - » Badewannenbrett
  - » Duschliege
- Verwendetes Pflegeprodukt angeben
  - » Erschwernisfaktoren
  - » Beatmungsgerät
  - » Zu-/ableitende Systeme
  - » Absaugsystem
  - » Notfalleinheit
- Anzahl Pflegepersonen angeben

Haarwäsche durchführen
- Besonderheiten bei der Haarwäsche beachten
- Ort der Haarwäsche angeben
  - » Im Bett
  - » Am Waschbecken
  - » Beim Duschen
  - » Beim Baden
- Art der Unterstützung beim Haarewaschen bestimmen
  - » Beaufsichtigen
  - » Durch Unterstützen helfen
  - » Teilweise übernehmen
  - » Vollständig übernehmen
  - » Aktivieren/anleiten
- Hilfsmittel einsetzen
  - » Mobiles Waschbecken
  - » Bettbecken
  - » Bettdusche

Beim Aufsuchen/Verlassen der Waschgelegenheit unterstützen
- Pflegeintervention konkretisieren
  - » Zum Bad und zurück begleiten
  - » Mit dem Rollstuhl zum Bad fahren
  - » Beim Gehen zum Waschbecken unterstützen
  - » Mit dem Rollator zur Waschgelegenheit begleiten
  - » Mit dem Rollstuhl zur Waschgelegenheit fahren

Sonstige Pflegemaßnahmen durchführen
- Maßnahmen konkretisieren
- Zeit angeben

Literaturhinweise: 68, 149, 161, 175, 176

Der Patient kann sich aufgrund einer **sensorischen Integrationsstörung** nicht selbstständig waschen

Kennzeichen

Beeinträchtigte Fähigkeit, (Alltags-) Handlungen durchzuführen
- Kann Handlungen nicht planen
- Kann Handlungen nicht beginnen
- Kann Handlungen nicht fortführen
- Kann begonnene Handlungen nicht stoppen
- Führt Handlungen zu langsam durch
- Führt Handlungen zu schnell durch
- Unsichere Nutzung der Gegenstände zur Durchführung der Handlung
- Ablauf der Körperpflege ist nicht bekannt
- Alltägliche Handlungsabläufe sind nicht präsent
- Abschätzen von räumlichen Distanzen ist beeinträchtigt
- Abschätzen von Zeit/Zeiteinteilung ist beeinträchtigt

Beeinträchtigte Bewegung
- Muskeltonus bei den Aktivitäten ist zu hoch
- Muskeltonus bei den Aktivitäten ist zu niedrig
- Unzureichende Haltungskontrolle
- Inadäquate Kraftdosierung beim Greifen

Sonstige Kennzeichen
- Beeinträchtigte Auge-Hand-Koordination
- Beeinträchtigtes Gedächtnis
- Ziellosigkeit
- Affektlabilität
- Beeinträchtigte Reizselektion
- Beeinträchtigtes Sprachverständnis
- Störung der aktiven Sprachleistung

Ursachen

Wahrnehmungs-/Integrationsstörung
- Störung der zentralen Organisation der Wahrnehmung
- Störung der propriozeptiven/kinästhetischen Wahrnehmung
- Störung der taktilen Wahrnehmung
- Störung der vestibulären Wahrnehmung
- Störung der visuellen Wahrnehmung
- Störung der auditiven Wahrnehmung
- Störung der olfaktorischen/gustatorischen Wahrnehmung

Umweltbedingte Ursachen
- Mangel an Entwicklungsreizen
- Folgen einer sensorischen Deprivation
- Folgen einer emotionalen Deprivation
- Vernachlässigung durch die Eltern

Hirnschädigung
- Erworbene Hirnschädigung
- Schädel-Hirn-Trauma
- Hirnschaden aufgrund eines Tumors
- Zustand nach Apoplex
- Zustand nach Hirnblutung
- Apallisches Syndrom
- Toxische Schädigung
- Zerebrale Hypoxie
- Angeborene Hirnschädigung
- Frühkindliche Hirnschädigung

Progressiv-degenerative Erkrankungen des zentralen Nervensystems
- Demenz
- Morbus Alzheimer
- Multiple Sklerose

Sonstige Ursachen
- Morbus-Down-Syndrom
- Autismus
- Rett-Syndrom
- Geistige Behinderung, die daran hindert, Erfahrungen zu sammeln
- Körperliche Behinderung, die daran hindert, Erfahrungen zu sammeln
- Psychiatrische Erkrankung

Ressourcen

- Kann selbstständig (Positions-)Veränderungen vornehmen
- Fähigkeit, sich zu bewegen, ist vorhanden
- Der Blick geht zielgerichtet zum Geschehen
- Es können angemessene Tonusveränderungen passend zur Handlung festgestellt werden
- Entwickelt eigene Handlungsziele
- Kann Handlungsziele beibehalten/verfolgen
- Exploriert Gegenstände
- Fähigkeit zur taktil-kinästhetischen Wahrnehmung
- Exploriert Ursachen-Wirkungszusammenhänge
- Fähigkeit, Transferleistungen auf andere Alltagssituationen durchzuführen

Pflegeziele

- Wahrnehmungsprobleme des Betroffenen sind erkannt und verstanden, individuelle pflegetherapeutische Maßnahmen sind sinnvoll auf die Fähigkeiten des Betroffenen abgestimmt
- Körperwahrnehmung ist aktiviert und stimuliert
- Ist bei Bewusstsein und nimmt (Umgebungs-)Reize wahr
- Verbesserung und Förderung der Wahrnehmungsorganisation
- Unterschiedliche Sinne sind durch Reize zur Förderung von Orientierung und Wahrnehmung stimuliert
- Muskeltonus ist reduziert
- Wachheit und Wahrnehmung sind gesteigert
- Kann die Waschgelegenheit selbstständig aufsuchen/verlassen

Pflegeinterventionen

Pflegerische Befunderhebung durchführen
- Maßnahmen konkretisieren
  - » Anamnesegespräch führen
  - » Standardisierte Entwicklungstests/Untersuchungsverfahren nutzen
  - » Beobachtung in alltäglichen Situationen
  - » Auswertung von Videoaufzeichnungen
  - » Beobachtung und Auswertung der Therapiesituation
  - » Standardisierte Befunderhebung mit Evaluationsbogen "Bobath-Konzept" durchführen
- Zeit angeben

Basal stimulierend belebende Körperwaschung durchführen
- Pflegeintervention konkretisieren
  - » Kühles Waschwasser verwenden (30-37 °C)
  - » Gegen die Haarwuchsrichtung waschen
  - » Raue Waschhandschuhe/Handtücher verwenden
  - » Intimwaschung während der belebenden Körperwaschung durchführen
- Besonderheiten beachten
- Belebenden Waschzusatz wählen/zubereiten
  - » Rosmarinaufguss/-tee
  - » Majoran - ätherisches Öl

Gespürte Interaktionstherapie im Rahmen der Körperpflege durchführen
- Pflegeintervention konkretisieren
  - » "Elementares Führen" während der Handlung
  - » Durch "Elementares Führen" die Handlung einleiten
  - » "Pflegerisches Führen" bei der Aktivität
  - » Durchgeführte Handlung mit dem Betroffenen repetieren
- Geführte Aktivitäten im Rahmen der Körperpflege
  - » Geführte Ganzkörperwaschung
  - » Geführte Teilkörperwaschung
  - » Geführte Rasur
  - » Geführte Mundpflege
  - » Geführte Haarpflege
  - » Geführte Hautpflege
- Zeit angeben

Anregende Waschwasserzusätze verwenden
- Waschwasserzusätze angeben
  - » Rosmarin-Bademilch verwenden

Beobachtung von Reaktionen mit entspre-

chender Anpassung der Angebote
- Pflegeintervention konkretisieren
- Zeit angeben

Maßnahmen zur basalen Stimulation durchführen
- Auditive Angebote einsetzen
  - » Vertraute Musik abspielen
- Olfaktorische Angebote einsetzen
  - » Aromatherapie einsetzen
  - » Bekanntes Deodorant, Parfüm, Rasierwasser etc. einsetzen
- Visuelle Angebote einsetzen
  - » Farbtücher einsetzen
- Zeit angeben

Sonstige basal stimulierende Körperwaschung durchführen
- Pflegeintervention konkretisieren
  - » Entfaltende Waschung nach Bienstein durchführen
  - » Diametrale Waschung nach Bienstein durchführen
- Sonstiges
  - » Gesichts-/Intimpflege am Ende der therapeutischen Waschung durchführen
- Zeit angeben

Beim Aufsuchen/Verlassen der Waschgelegenheit unterstützen
- Pflegeintervention konkretisieren
  - » Zum Bad und zurück begleiten
  - » Mit dem Rollstuhl zum Bad fahren
  - » Beim Gehen zum Waschbecken unterstützen
  - » Mit dem Rollator zur Waschgelegenheit begleiten
  - » Mit dem Rollstuhl zur Waschgelegenheit fahren

Sonstige Pflegemaßnahmen durchführen
- Maßnahmen konkretisieren
- Zeit angeben

Literaturhinweise: 29, 135, 411, 900, 1031

Der Patient ist in der selbstständigen **Mundpflege beeinträchtigt**

Kennzeichen

- Kann die Waschgelegenheit/das Badezimmer nicht selbstständig aufsuchen
- Kann die Pflegeutensilien zur Zahn-/Mund-/Prothesenpflege nicht einsetzen
- Kann die Armaturen nicht selbstständig benutzen
- Beeinträchtigte Fingerfertigkeit, um Pflegeutensilien zu benutzen
- Kann den Mund nicht selbstständig ausspülen
- Kann die Zahnbürste nicht benutzen
- Zeigt kein Interesse an der regelmäßigen Zahnhygiene
- Ablauf der Zahnpflege ist nicht bekannt

Ursachen

- Bewusstlosigkeit
- Degenerative Gelenkerkrankung der Hände
- Apallisches Syndrom
- Eingeschränkte körperliche Belastungsfähigkeit
- Schmerzzustände
- Bewegungseinschränkung
- Belastungs-/Ruhedyspnoe
- Angstzustände
- Depressive Verstimmung
- Apraxie
- Hypotone Kreislaufveränderung
- Entzugssyndrom
- Ausgeprägter Tremor
- Entwicklungsbedingte(s) Selbstfürsorgedefizit/-fähigkeit
- Kontrakturen
- Demenzielle Veränderung

Ressourcen

- Kann den Mund mit Mundwasser ausspülen
- Öffnet den Mund und lässt die Mundpflege durchführen
- Kann mit Unterstützung und Anleitung die Mundpflege durchführen
- Akzeptiert die Unterstützung
- Akzeptiert die Unterstützung von Angehörigen
- Angehörige/Bezugspersonen unterstützen den Pflegeprozess

Pflegeziele

- Mundschleimhaut ist intakt
- Kennt die Anforderungen an eine gesundheitsfördernde Mund-/Zahnhygiene und setzt diese adäquat um
- Zahnstatus ist adäquat eingeschätzt
- Kann die Mund-/Zahnpflege selbstständig durchführen
- Kann die Mund-/Zahnpflege unter Anleitung selbstständig durchführen
- Wendet eine empfohlene Putztechnik der Zähne an
- Der Druck auf die Zähne und Zahnfleisch beträgt ca. 150 g
- Äußert, schmerzfrei zu sein
- Defekte der Mundschleimhaut sind rechtzeitig erkannt
- Tägliche Zahnhygiene ist gewährleistet
- Zahnfleisch ist intakt

Pflegeinterventionen

Mundpflege durchführen
- Pflegeintervention konkretisieren
  - » Mundpflege durchführen
  - » Zur selbstständigen Mundpflege anleiten

Assessment bezüglich des Zahnstatus durchführen
- Gesprächsinhalt
- Zeitdauer angeben

Systematische Mund- und Zahnhygiene unterstützen

- Pflegeintervention konkretisieren
  - » Materialien zur Mund- und Zahnhygiene bereitstellen
  - » Zahnpflege mit Zahnbürste und Zahnpasta durchführen
  - » Zahn(teil)prothese reinigen
  - » Zahnprothesenreinigung und Mundspülung durchführen
  - » Spezielle Mundpflege durchführen
- Bei der Mundpflege helfen
  - » Beaufsichtigen
  - » Teilweise übernehmen
  - » Durch Unterstützen helfen
  - » Vollständig übernehmen
  - » Zur Pflegeintervention anleiten/aktivieren
- Produkt zur Mundpflege angeben

Zu einer gründlichen und schonenden Putztechnik der Zähne anleiten
- Empfohlene Putztechnik auswählen
  - » KAI-Technik (Kauflächen-Außenflächen-Innenflächen)
  - » Bass-Technik
  - » Rot-Weiß-Technik
  - » Druck beim Putzen der Zähne
- Putzdauer

Spezielle Mundpflege durchführen
- Pflegeintervention konkretisieren
  - » Mundhöhle mit Peanklemme und getränktem Tupfer reinigen
  - » Mundhöhle mit um den Finger gewickelter, getränkter Kompresse reinigen
  - » Mundhöhle mit Pflaumentupfer auswischen
  - » Mundhöhle mit feuchten Watteträgern auswischen
  - » Zunge mit Zungenreiniger säubern
  - » Zahnfleisch, Zunge und Zähne mit Mundpflege-Fingerling reinigen
  - » Mundspülung durchführen
- Produkt zur Mundpflege angeben

Inspektion der Mundhöhle durchführen
- Hilfsmittel einsetzen
  - » Taschenlampe
  - » Mundspatel

Zahnpflege bei Kindern abhängig vom Lebensalter durchführen
- Pflegeintervention konkretisieren
  - » Erste Zähne mit feuchtem Wattestäbchen/Mullläppchen reinigen
  - » Zähne mit Babyzahnbürste putzen
  - » Beim Zähneputzen unterstützen, ohne die Bewegungsfreiheit einzuschränken

Zur Zahnfleischmassage anleiten
- Hilfsmittel auswählen
  - » Weiche Zahnbürste benutzen
  - » Mundddusche benutzen
  - » Mit Finger durchführen
- Pflegeintervention konkretisieren

Sonstige Pflegemaßnahmen durchführen
- Maßnahmen konkretisieren
- Zeit angeben

Literaturhinweise: 56, 69, 70, 80, 95, 125, 127, 175, 176, 278, 509, 810, 879

Der Patient trägt eine **Zahnprothese** und kann die **Mund-/Zahnprothesenpflege nicht selbstständig durchführen**

Kennzeichen
- Kann die Pflegeutensilien zur Zahn-/Mund-/Prothesenpflege nicht einsetzen
- Kann den Mund nicht selbstständig ausspülen
- Kann die Zahnbürste nicht benutzen
- Zeigt kein Interesse an der regelmäßigen Zahnhygiene
- Kann die Zahnprothese nicht selbstständig aus dem Mund herausnehmen und einsetzen
- Ablauf der Zahnpflege ist nicht bekannt
- Beeinträchtigte Fingerfertigkeit, um Pflegeutensilien zu benutzen

Ursachen
- Schmerzzustände
- Eingeschränkte körperliche Belastungsfähigkeit
- Bewegungseinschränkung
- Belastungs-/Ruhedyspnoe
- Angstzustände
- Depressive Verstimmung
- Apraxie
- Demenzielle Veränderung
- Degenerative Gelenkerkrankung der Hände
- Kontrakturen
- Ausgeprägter Tremor

Ressourcen
- Äußert Einsicht in die Pflegemaßnahme
- Ist motiviert, die Pflegemaßnahme zu unterstützen und zeigt entsprechende Verhaltensweisen
- Toleriert das Herausnehmen und Wiedereinsetzen der Zahnprothese
- Akzeptiert die Unterstützung
- Akzeptiert die Unterstützung von Angehörigen
- Kann die Zahnprothese selbstständig aus

dem Mund nehmen und wieder einsetzen
- Angehörige/Bezugspersonen unterstützen den Pflegeprozess

Pflegeziele

- Zahnstatus ist adäquat eingeschätzt
- Führt die Pflege der Zahnprothese selbstständig durch
- Kennt die Anforderungen an eine gesundheitsfördernde Mund-/Zahnhygiene und setzt diese adäquat um
- Mundschleimhaut ist intakt
- Defekte der Mundschleimhaut sind rechtzeitig erkannt
- Zahnfleisch ist intakt

Pflegeinterventionen

Assessment bezüglich des Zahnstatus durchführen
- Gesprächsinhalt
- Zeitdauer angeben

Bei der Zahnprothesenpflege unterstützen
- Pflegeintervention konkretisieren
  - » Ins Bad bzw. an das Waschbecken führen/begleiten
  - » Materialien zur Mund- und Zahnhygiene bereitstellen
  - » Mundspüllösung vorbereiten
- Haftmittel für die Zahnprothese verwenden
  - » Haftcreme verwenden
  - » Haftpulver verwenden
  - » Haftplatten verwenden
- Bei der Zahnprothesenpflege helfen
  - » Beaufsichtigen
  - » Durch Unterstützen helfen
  - » Teilweise übernehmen
  - » Vollständig übernehmen
  - » Zur Pflegeintervention anleiten/aktivieren

Zahnprothesenpflege durchführen
- Pflegeintervention konkretisieren
  - » Zahnprothesen einsetzen/herausnehmen
  - » Mit Zahnbürste und Spezial- Reinigungscreme mechanisch reinigen
  - » Zahnprothesen in Wasser und Reinigungstablette einlegen
  - » Zahnprothese abspülen und Mundspülung durchführen
  - » Materialien zur Prothesenpflege vor- und nachbereiten
  - » Ins Bad bzw. an das Waschbecken führen/begleiten
  - » Mit separater Zahnbürste durchführen
- Art der Unterstützungsleistung angeben
  - » Beaufsichtigen
  - » Durch Unterstützen helfen
  - » Teilweise übernehmen
  - » Vollständig übernehmen
  - » Zur Pflegeintervention anleiten/aktivieren
- Haftmittel für die Zahnprothese verwenden
  - » Haftcreme verwenden
  - » Haftpulver verwenden
  - » Haftplatten verwenden

Inspektion der Mundhöhle durchführen
- Hilfsmittel einsetzen
  - » Taschenlampe
  - » Mundspatel

Zur Zahnfleischmassage anleiten
- Hilfsmittel auswählen
  - » Weiche Zahnbürste benutzen
  - » Mundusche benutzen
  - » Mit Finger durchführen
- Pflegeintervention konkretisieren

Sonstige Pflegemaßnahmen durchführen
- Maßnahmen konkretisieren
- Zeit angeben

Literaturhinweise: 56, 95, 125, 127, 175, 176, 641, 642

Der Patient trägt eine **Zahnspange** und kann diese **nicht selbstständig pflegen**

Kennzeichen

- Kann die Zahnspange nicht selbstständig einsetzen/herausnehmen
- Kann die Zahnspange nicht adäquat pflegen
- Kann die Mundpflege mit einer nicht herausnehmbaren Zahnspange nicht selbstständig durchführen

Ursachen

- Schwieriger Umgang mit der Zahnspange
- Entwicklungsbedingte(s) Selbstfürsorgedefizit/-fähigkeit

Ressourcen

- Angehöriger/Bezugsperson ist motiviert, die Pflegemaßnahme zu unterstützen, und zeigt entsprechendes Verhalten
- Angehörige/Bezugspersonen unterstützen den Pflegeprozess

Pflegeziele

- Mundhygiene ist gewährleistet
- Zahnstatus ist adäquat eingeschätzt
- Defekte der Mundschleimhaut sind rechtzeitig erkannt
- Mundschleimhaut ist intakt
- Kennt die Anforderungen an eine gesundheitsfördernde Mund-/Zahnhygiene und setzt diese adäquat um
- Kontinuität von Behandlung und Therapie ist sichergestellt

Pflegeinterventionen

Zahnspangenpflege durchführen

- Pflegeintervention konkretisieren
  - » Zahnspange einsetzen/herausnehmen
  - » Zahnspange in Reinigungsmittel einlegen
  - » Zahnspange mit Reinigungspaste säubern

Assessment bezüglich des Zahnstatus durchführen
- Gesprächsinhalt
- Zeitdauer angeben

Inspektion der Mundhöhle durchführen
- Hilfsmittel einsetzen
  - » Taschenlampe
  - » Mundspatel

Mundpflege durchführen
- Pflegeintervention konkretisieren
  - » Mundpflege durchführen
  - » Zur selbstständigen Mundpflege anleiten

Bei dem Einsatz der Zahnspange unterstützen
- Pflegeintervention konkretisieren
- Unterstützungsgrad angeben
  - » Beaufsichtigen
  - » Durch Unterstützen helfen
  - » Teilweise übernehmen
  - » Vollständig übernehmen
  - » Aktivieren/anleiten

Sonstige Pflegemaßnahmen durchführen
- Maßnahmen konkretisieren
- Zeit angeben

Literaturhinweise: 510

Der Patient kann aufgrund einer **Kieferverplattung** den Mund nicht öffnen, **Selbstfürsorgedefizit** Mundpflege

Kennzeichen

- Bestehende Kieferverplattung mit Verdrahtung

Ursachen

- Operativer Eingriff im Kieferbereich
- Operativer Eingriff nach Trauma

Ressourcen

- Akzeptiert die körperliche Einschränkung
- Ist motiviert, die Pflegemaßnahme zu unterstützen und zeigt entsprechende Verhaltensweisen
- Angehörige/Bezugspersonen unterstützen den Pflegeprozess

Pflegeziele

- Mundschleimhaut ist intakt
- Primäre Wundheilung ist gewährleistet

Pflegeinterventionen

Mundspülung mithilfe eines Atomiseurs/einer Munddusche durchführen
- Mundspüllösungen verwenden
- Mundspülungen durchführen
  - » Munddusche benutzen
  - » Atomiseur benutzen
- Art der Unterstützungsleistung angeben
  - » Beaufsichtigen
  - » Durch Unterstützen helfen
  - » Teilweise übernehmen
  - » Vollständig übernehmen
  - » Zur Mundspülung anleiten

Sonstige Pflegemaßnahmen durchführen
- Maßnahmen konkretisieren
- Zeit angeben

Literaturhinweise: 69, 95, 125, 127, 175, 176

Der Patient **öffnet den Mund** zur Durchführung der Mundpflege **nicht, Selbstfürsorgedefizit** Mundpflege

Kennzeichen

- Presst die Lippen zusammen
- Beißt die Zähne zusammen
- Angespannte Kau- bzw. Wangenmuskulatur

Ursachen

- Apallisches Syndrom
- Bewusstlosigkeit
- Demenz
- Widerstand
- Entwicklungsbedingte(s) Selbstfürsorgedefizit/-fähigkeit

Ressourcen

- Toleriert das Öffnen des Munds durch die Pflegeperson
- Angehörige/Bezugspersonen unterstützen den Pflegeprozess

Pflegeziele

- Mundhygiene ist gewährleistet
- Beißspastik ist gelöst, der Mund lässt sich öffnen
- Defekte der Mundschleimhaut sind rechtzeitig erkannt
- Mundschleimhaut ist intakt
- Äußert, schmerzfrei zu sein
- Zahnstatus ist adäquat eingeschätzt

Pflegeinterventionen

Mundregion lockern zum Öffnen für die Mundpflege
- Mundregion lockern
  - » Vom Jochbein zum Kinn ausstreichen
  - » Mundringmuskel ausstreichen
  - » Geruchs- und Geschmacksstoffe verwenden
- Ausstreichen mithilfe von
  - » Zeigefinger
  - » Weicher Zahnbürste
  - » Elektrischer Zahnbürste

Inspektion der Mundhöhle durchführen
- Hilfsmittel einsetzen
  - » Taschenlampe
  - » Mundspatel

Spezielle Mundpflege durchführen
- Pflegeintervention konkretisieren
  - » Mundhöhle mit Peanklemme und getränktem Tupfer reinigen
  - » Mundhöhle mit um den Finger gewickelter, getränkter Kompresse reinigen
  - » Mundhöhle mit Pflaumentupfer auswischen
  - » Mundhöhle mit feuchten Watteträgern auswischen
  - » Zunge mit Zungenreiniger säubern
  - » Zahnfleisch, Zunge und Zähne mit Mundpflege-Fingerling reinigen
  - » Mundspülung durchführen
- Produkt zur Mundpflege angeben

Assessment bezüglich des Zahnstatus durchführen
- Gesprächsinhalt
- Zeitdauer angeben

Sonstige Pflegemaßnahmen durchführen
- Maßnahmen konkretisieren
- Zeit angeben

Literaturhinweise: 95, 125, 127, 175, 176

Der Patient ist in der selbstständigen **Fingernagelpflege beeinträchtigt**

Kennzeichen

- Eingerissene Fingernägel
- Bleibt mit den Nägeln hängen
- Äußerungen über zu lange Fingernägel
- Schmutzränder unter den Fingernägeln
- Kann die Schere/Nagelfeile nicht bedienen
- Fehlende Handgeschicklichkeit
- Fehlende Einsicht

Ursachen

- Bewusstlosigkeit
- Degenerative Gelenkerkrankung der Hände
- Apraxie
- Degenerative Gelenkveränderung
- Bewegungseinschränkung
- Desorientierung
- Psychiatrische Erkrankung
- Inadäquates Hygieneempfinden
- Entwicklungsbedingte(s) Selbstfürsorgedefizit/-fähigkeit

Ressourcen

- Äußert Einsicht in die Pflegemaßnahme
- Ist motiviert, die Pflegemaßnahme zu unterstützen und zeigt entsprechende Verhaltensweisen
- Akzeptiert die Unterstützung
- Akzeptiert die Unterstützung von Angehörigen
- Angehörige/Bezugspersonen unterstützen den Pflegeprozess

Pflegeziele

- Fingernägel sind in einem gepflegten Zustand
- Nägel sind sauber und Keimverschleppung ist verhindert
- Führt die Nagelpflege selbstständig durch

Pflegeinterventionen

Fingernägel schneiden und feilen

- Pflegeintervention konkretisieren
  - » Fingerbad durchführen
  - » Fingernägel schneiden
  - » Fingernägel feilen
  - » Maniküre bestellen

Fingernägel reinigen

- Pflegeintervention konkretisieren
- Zeit angeben

Anleiten, die Nagelpflege selbstständig durchzuführen

- Hilfsmittel einsetzen
  - » Griffadaption für Nagelfeile nutzen
  - » Nagelschere mit Bügelgriff nutzen
  - » Nagelbürste für einhändigen Gebrauch einsetzen
  - » Nagelbürste einsetzen
  - » Nagelpflegegeräte für die Einhandbedienung einsetzen
- Anzuleitende Person(en) festlegen
  - » Angehöriger/Bezugsperson
  - » Betroffene Person
- Zeit angeben

Sonstige Pflegemaßnahmen durchführen

- Maßnahmen konkretisieren
- Zeit angeben

Literaturhinweise: 95, 125, 127, 175, 176

Der Patient ist in der selbstständigen **Fußpflege beeinträchtigt**

Kennzeichen

- Fehlende Einsicht
- Fehlende Handgeschicklichkeit
- Beeinträchtigtes Hygieneverständnis
- Die Fähigkeit, das äußere Erscheinungsbild in einem gepflegten Zustand zu halten, ist reduziert
- Hat unangenehmen Fußgeruch
- Füße sind zwischen den Zehen schmutzig
- Kann sich nicht zu den Füßen bücken
- Verschmutzte Zehennägel
- Bleibt mit den Nägeln hängen
- Hyperkeratose (übermäßige Verhornung)
- Verhornung und Rhagaden
- Nagelpilz

Ursachen

- Degenerative Gelenkerkrankung der Hände
- Degenerative Gelenkveränderung
- Bewegungseinschränkung
- Desorientierung
- Psychiatrische Erkrankung
- Inadäquates Hygieneempfinden
- Apraxie
- Bewusstlosigkeit
- Schmerzzustände
- Entwicklungsbedingte(s) Selbstfürsorgedefizit/-fähigkeit

Ressourcen

- Äußert Einsicht in die Pflegemaßnahme
- Ist an der selbstständigen Versorgung interessiert
- Ist motiviert, die Pflegemaßnahme zu unterstützen und zeigt entsprechende Verhaltensweisen
- Akzeptiert die Unterstützung
- Akzeptiert die Unterstützung von Angehörigen
- Kann Hilfe annehmen

- Legt Wert auf gepflegtes Aussehen
- Angehörige/Bezugspersonen unterstützen den Pflegeprozess

Pflegeziele

- Füße sind sorgfältig gereinigt
- Trägt gut passendes Schuhwerk und ist beim Tragen der Schuhe beschwerde- und schmerzfrei
- Füße und Fußnägel sind in einem gepflegten Zustand
- Führt die Nagelpflege selbstständig durch

Pflegeinterventionen

Fußbad im Bett durchführen
- Pflegeintervention konkretisieren
- Zeit angeben

Fußbad im Sitzen am Waschbecken durchführen
- Pflegeintervention konkretisieren
- Zeit angeben

Fußnägel schneiden und feilen
- Pflegeintervention konkretisieren
  - » Fußbad durchführen
  - » Zehennägel schneiden
  - » Zehennägel feilen
  - » Zehennägel bei pathologischen Veränderungen schneiden/feilen
  - » Fußpflege bestellen

Fußbad im Sitzen durchführen
- Pflegeintervention konkretisieren
- Zeit angeben

Medizinische Fußpflege organisieren
- Pflegeintervention konkretisieren
- Zeit angeben

Fußbad und anschließendes Peeling durchführen
- Pflegeintervention konkretisieren
  - » Peeling mit Zucker und Öl
  - » Fußbad mit Olivenöl
  - » Fußbad mit Sahne
  - » Fußbad mit Ölbad

Sonstige Pflegemaßnahmen durchführen
- Maßnahmen konkretisieren
- Zeit angeben

Literaturhinweise: 510

Der Patient ist in der selbstständigen **Ohrpflege beeinträchtigt**

Kennzeichen

- Eingeschränkte/fehlende Fähigkeit, Wattestäbchen/Waschlappen zu benutzen
- Fehlende Einsicht

Ursachen

- Bewusstlosigkeit
- Bewusstseinsveränderung
- Eingeschränkte körperliche Belastungsfähigkeit
- Schmerzzustände
- Fingerfertigkeit fehlt
- Bewegungseinschränkung
- Apraxie
- Psychiatrische Erkrankung
- Entwicklungsbedingte(s) Selbstfürsorgedefizit/-fähigkeit

Ressourcen

- Äußert Einsicht in die Pflegemaßnahme
- Ist motiviert, die Pflegemaßnahme zu unterstützen und zeigt entsprechende Verhaltensweisen
- Toleriert die therapeutische/pflegerische Intervention
- Akzeptiert die Unterstützung
- Akzeptiert die Unterstützung von Angehörigen
- Angehörige/Bezugspersonen unterstützen den Pflegeprozess

Pflegeziele

- Ohrpflege ist sichergestellt
- Hörfunktion ist nicht beeinträchtigt

Pflegeinterventionen

Ohrpflege unterstützen bzw. durchführen
- Pflegeintervention konkretisieren
  - Ohrmuschel mit Wasser und Seife reinigen
  - Ohrmuschel mit Wasser reinigen
  - Ohrmuschel mit in Öl getränktem Wattebausch reinigen
  - Öffnung des Gehörgangs mit Wattestäbchen reinigen
  - Öffnung des Gehörgangs mit Sicherheitswattestäbchen reinigen

Sonstige Pflegemaßnahmen durchführen
- Maßnahmen konkretisieren
- Zeit angeben

Literaturhinweise: 95, 125, 127, 175, 176

Der Patient ist in der selbstständigen **Augenprothesenpflege** beeinträchtigt

Kennzeichen
- Äußert Unsicherheit bei der Versorgung
- Zeigt Verhaltensweisen/macht Äußerungen, die auf ein Wissensdefizit hinweisen
- Fehlende Handgeschicklichkeit
- Zeigt kein Interesse
- Erkennt die Notwendigkeit der Prothesenpflege nicht
- Kognitive Fähigkeiten zur Versorgung der Augenprothese fehlen

Ursachen
- Wissensdefizit
- Degenerative Gelenkerkrankung der Hände
- Psychiatrische Erkrankung
- Desorientierung
- Apraxie

Ressourcen
- Legt auf das äußere Erscheinungsbild Wert
- Ist motiviert, neu zu lernen
- Akzeptiert die Unterstützung
- Akzeptiert die Unterstützung von Angehörigen
- Angehörige/Bezugspersonen unterstützen den Pflegeprozess

Pflegeziele
- Kann die Augenprothesenpflege selbstständig durchführen
- Führt die Augenprothesenpflege bis zur Entlassung selbstständig durch

Pflegeinterventionen

Augenprothesenpflege durchführen
- Pflegeintervention konkretisieren
  - Beim Einsetzen der Augenprothese unterstützen
  - Beim Herausnehmen der Augenprothese unterstützen
  - Augenprothese vor dem Einsetzen reinigen
  - Augenhöhle bei Sekretbildung, Verkrustungen spülen
- Art der Unterstützung bei der Augenprothesenpflege bestimmen
  - Beaufsichtigen
  - Durch Unterstützen helfen
  - Teilweise übernehmen
  - Vollständig übernehmen
  - Bei der Augenprothesenpflege anleiten
- Verwendetes Pflegeprodukt angeben

Sonstige Pflegemaßnahmen durchführen
- Maßnahmen konkretisieren
- Zeit angeben

Literaturhinweise: 95, 125, 127, 175, 176, 260

Der Patient ist in der selbstständigen **Nasenpflege beeinträchtigt**

Kennzeichen

- Kann die Nase nicht putzen bzw. schnäuzen
- Sichtbare Borken in der Nase
- Sekretabsonderung und Verklebungen

Ursachen

- Bewusstlosigkeit
- Verletzungen der Nase
- Nasensonde
- Sauerstoffsonde
- Quantitative Bewusstseinsveränderung
- Bewegungseinschränkung
- Entwicklungsbedingte(s) Selbstfürsorgedefizit/-fähigkeit

Ressourcen

- Äußert Einsicht in die Pflegemaßnahme
- Toleriert die therapeutische/pflegerische Intervention
- Akzeptiert die Unterstützung
- Akzeptiert die Unterstützung von Angehörigen
- Kann die Maßnahme nach Anleitung selbstständig durchführen
- Angehörige/Bezugspersonen unterstützen den Pflegeprozess

Pflegeziele

- Nasenschleimhaut ist intakt
- Nase ist frei von Sekret
- Nase ist frei von Borken
- Nasenatmung ist unterstützt
- Physiologische Atmung durch die Nase

Pflegeinterventionen

Nasenpflege durchführen
- Pflegeintervention konkretisieren
  - » Nase mit Tupfern reinigen
  - » Nase mit Watteträgern reinigen
  - » Nase mit Watte reinigen
  - » Nasenspülung mit NaCl durchführen
- Materialien zur Nasenpflege wählen

Nasen-/Rachenraum mit dünnem Absaugkatheter vorsichtig absaugen
- Pflegeintervention konkretisieren

Nasentropfen verabreichen
- Pflegeintervention konkretisieren
- Zeit angeben

Sonstige Pflegemaßnahmen durchführen
- Maßnahmen konkretisieren
- Zeit angeben

Literaturhinweise: 95, 113, 125, 127, 175, 176

Der Patient ist in der selbstständigen **Augenpflege beeinträchtigt**

Kennzeichen

- Äußert Unsicherheit bei der Versorgung
- Zeigt Verhaltensweisen/macht Äußerungen, die auf ein Wissensdefizit hinweisen
- Verklebungen und Verkrustungen an Lidern und Wimpern
- Augentrockenheit

Ursachen

- Kontaktlinsen
- Verletzung am Auge
- Operativer Eingriff am Auge
- Erkrankung am Auge

Ressourcen

- Ist motiviert, neu zu lernen
- Erkennt die Notwendigkeit der getroffenen Intervention und kooperiert mit dem therapeutischen Team
- Akzeptiert die Unterstützung
- Akzeptiert die Unterstützung von Angehörigen
- Angehörige/Bezugspersonen unterstützen den Pflegeprozess
- Kennt krankheits- bzw. symptomauslösende Faktoren und kann diese vermeiden
- Kennt die Schutz- und Hygienemaßnahmen und hält sie ein

Pflegeziele

- Bindehaut ist intakt
- Verklebungen ist vorgebeugt
- Kann sich in der Lebensumgebung orientieren und findet sich zurecht

Pflegeinterventionen

Augenpflege durchführen

- Pflegeintervention konkretisieren
  - » Frischen Waschlappen/frisches Waschwasser ohne Seifenzusätze verwenden
  - » Wischrichtung von außen nach innen einhalten
  - » Bei bestehender Augenentzündung am gesunden Auge beginnen

Therapeutische Augenpflege durchführen

- Pflegeintervention konkretisieren
  - » Mit sterilen, nicht fasernden Tupfern durchführen
  - » Mit 0,9%iger Kochsalzlösung durchführen
  - » Mit steriler Spritze durchführen
  - » Mit steriler Schale durchführen

Tränenersatz laut Anordnung in den unteren Bindehautsack geben

- Pflegeintervention konkretisieren
- Zeit angeben

Einlegen/Entfernen von Kontaktlinsen

Sonstige Pflegemaßnahmen durchführen

- Maßnahmen konkretisieren
- Zeit angeben

Literaturhinweise: 510

Der Patient ist in der selbstständigen **Haarpflege beeinträchtigt**

Kennzeichen

- Die Fähigkeit, das äußere Erscheinungsbild in einem gepflegten Zustand zu halten, ist reduziert
- Kann die Haarbürste/den Kamm nicht festhalten/bedienen
- Kann die Arme nicht heben/bewegen
- Ablauf des Haarekämmens ist nicht bekannt
- Fehlende Einsicht
- Hat fettige Haare
- Kratzt sich häufig am Kopf
- Äußert Kopfjucken
- Kann den Kopf nicht über das Waschbecken halten
- Ablauf des Haarewaschens ist nicht bekannt
- Haarfilz ist vorhanden

Ursachen

- Bewusstlosigkeit
- Bewegungseinschränkung
- Desorientierung
- Aktivitätsintoleranz
- Fehlende Einsicht
- Fingerfertigkeit fehlt
- Degenerative Gelenkerkrankung der Hände
- Degenerative Gelenkveränderung
- Bewusstseinsveränderung
- Psychiatrische Störung
- Apraxie
- Entwicklungsbedingte(s) Selbstfürsorgedefizit/-fähigkeit

Ressourcen

- Äußert Einsicht in die Pflegemaßnahme
- Akzeptiert die Unterstützung
- Akzeptiert die Unterstützung von Angehörigen
- Legt Wert auf gepflegtes Aussehen
- Ist motiviert, Hilfsmittel einzusetzen
- Lässt sich gern die Haare kämmen

- Kann sich mit Unterstützung und Anleitung die Haare kämmen
- Lässt sich gern die Haare waschen
- Kann sich mit Unterstützung und Anleitung die Haare waschen
- Kann den Kopf über das Waschbecken halten

Pflegeziele

- Tägliche Haarpflege ist gewährleistet
- Kann sich die Haare selbstständig kämmen
- Kämmt sich die Haare selbstständig
- Haarfilz ist beseitigt
- Empfindet nach der (Pflege-)Aktivität ein aktuelles physisches Wohlbefinden
- Kann sich die Haare selbstständig waschen
- Kopfhaut ist intakt
- Äußert Wohlbefinden

Pflegeinterventionen

Haarpflege durchführen

- Pflegeintervention konkretisieren
  - » Beaufsichtigen und anweisen
  - » Durch Führen des Arms teilweise übernehmen
  - » Beim Festhalten von Bürste/Kamm teilweise übernehmen
  - » Zur Haarpflege anleiten
  - » Voll übernehmen (Haare kämmen und frisieren)
  - » Voll übernehmen (Haare flechten/hochstecken)

Zur selbstständigen Haarpflege auffordern

- Pflegeintervention konkretisieren
- Zeit angeben

Lange Haare von unten beginnend nach oben durchkämmen

- Pflegeintervention konkretisieren
- Zeit angeben

Haarwäsche durchführen

- Besonderheiten bei der Haarwäsche beachten
- Ort der Haarwäsche angeben
  - » Im Bett
  - » Am Waschbecken
  - » Beim Duschen
  - » Beim Baden
- Art der Unterstützung beim Haarewaschen bestimmen
  - » Beaufsichtigen
  - » Durch Unterstützen helfen
  - » Teilweise übernehmen
  - » Vollständig übernehmen
  - » Aktivieren/anleiten
- Hilfsmittel einsetzen
  - » Mobiles Waschbecken
  - » Bettbecken
  - » Bettdusche

Haarwäsche beim Baden/Duschen unterstützen

- Pflegeintervention konkretisieren
- Zeit angeben

Sonstige Pflegemaßnahmen durchführen

- Maßnahmen konkretisieren
- Zeit angeben

Literaturhinweise: 95, 125, 127, 175, 176

Der Patient ist bei der selbstständigen **Rasur/Bartpflege beeinträchtigt**

Kennzeichen

- Die Fähigkeit, das äußere Erscheinungsbild in einem gepflegten Zustand zu halten, ist reduziert
- Kann den Rasierapparat nicht festhalten/bedienen
- Kann die Arme nicht heben/bewegen
- Ablauf des Rasierens ist nicht bekannt
- Fehlende Einsicht

Ursachen

- Desorientierung
- Bewegungseinschränkung
- Degenerative Gelenkveränderung
- Degenerative Gelenkerkrankung der Hände
- Bewusstlosigkeit
- Bewusstseinsveränderung
- Psychiatrische Störung
- Apraxie
- Das Bedürfnis nach regelmäßiger Hygiene ist reduziert
- Geistige Behinderung
- Körperliche Beeinträchtigung

Ressourcen

- Akzeptiert die Unterstützung
- Akzeptiert die Unterstützung von Angehörigen
- Kann die Rasur nach Anleitung selbstständig durchführen
- Kann sich mit Unterstützung und Anleitung rasieren
- Legt Wert auf gepflegtes Aussehen
- Ist motiviert, Hilfsmittel einzusetzen
- Lässt sich gern rasieren

Pflegeziele

- Sieht gepflegt aus
- Kann sich selbstständig rasieren

Pflegeinterventionen

Rasur durchführen
- Pflegeintervention konkretisieren
  - » Nassrasur im Bett
  - » Nassrasur am Waschbecken
  - » Nassrasur durch Angehörige
  - » Rasur mit Elektrorasierer im Bett
  - » Rasur mit Elektrorasierer am Waschbecken
  - » Rasur mit Elektrorasierer durch Angehörige
- Art der Unterstützungsleistung angeben
  - » Beaufsichtigen
  - » Durch Unterstützen helfen
  - » Teilweise übernehmen
  - » Vollständig übernehmen
  - » Zur selbstständigen Rasur anleiten

Sonstige Pflegemaßnahmen durchführen
- Maßnahmen konkretisieren
- Zeit angeben

Literaturhinweise: 95, 125, 127, 175, 176

Der Patient ist aufgrund einer **Hemiplegie** beim **An-/Auskleiden beeinträchtigt**

Kennzeichen

- Hemiplegie links
- Hemiplegie rechts
- Fähigkeit, sich selbstständig an- und auszukleiden, fehlt/ist eingeschränkt
- Die Fähigkeit, Knöpfe, Gürtelschnallen oder Reißverschlüsse zu öffnen und/oder zu schließen, fehlt
- Überforderung führt zu spastischen Haltungsmustern
- Bestimmte Bewegungsabläufe führen zu spastischen Haltungsmustern
- Spastische Muster erschweren das An-/Auskleiden

Ursachen

- Apoplektischer Insult
- Hirntumor
- Hirnblutung
- Schädel-Hirn-Trauma
- Neurologische Erkrankung

Ressourcen

- Kann selbstständig sitzen
- Ist motiviert, das Anziehtraining durchzuführen
- Akzeptiert die Unterstützung
- Akzeptiert die Unterstützung von Angehörigen

Pflegeziele

- Verbesserung und Förderung der Wahrnehmungsorganisation
- Sieht gepflegt aus
- Kann Verschlüsse, wie Knöpfe, Reißverschlüsse, Schleifen, Klettverschlüsse, öffnen/schließen
- Kann sich komplett selbstständig an- und auskleiden
- Kann den Oberkörper selbstständig an-/auskleiden
- Kennt spastikhemmende Bewegungsabläufe und wendet diese beim selbstständigen An-/und Auskleiden an
- Kann Socken/Strümpfe selbstständig an-/ausziehen
- Kann Schuhe selbstständig an-/ausziehen

Pflegeinterventionen

Spastik hemmendes Anziehtraining durchführen
- Anziehtraining durchführen
  - » An- und Auskleiden bei Handlungs- und Planungsstörungen ritualisieren
  - » Feinmotorik und Koordination erhalten
  - » Bewegungsabläufe zuerst durchdenken, anschließend mit Konzentration durchführen
  - » Neue Möglichkeiten beim An- und Auskleiden einüben und erlernen, um Defizite auszugleichen und Selbstständigkeit zu fördern
  - » Geführtes Anziehtraining nach Affolter durchführen
  - » Beim Anziehen immer mit der betroffenen Seite beginnen
  - » Ritualisieren des Anziehens bei Apraxie, Vorgehen dokumentieren
  - » Selbstständiges Anziehen des T-Shirts/Pullovers einüben
  - » Selbstständiges Anziehen der Hose einüben
  - » Selbstständiges Anziehen der Socken und Schuhe einüben
- Zeit angeben

Gespürte Interaktionstherapie im Rahmen des An-/Auskleidens durchführen
- Pflegeintervention konkretisieren
  - » "Elementares Führen" während der Handlung

» Durch "Elementares Führen" die Handlung einleiten
» "Pflegerisches Führen" bei der Aktivität
» Durchgeführte Handlung mit dem Betroffenen repetieren
- Geführte Aktivität im Rahmen des An-/Auskleidens
- Zeit angeben

Beim An- und Auskleiden unterstützen
- An- und Auskleiden übernehmen
  » Gesamtes An- und Auskleiden übernehmen
  » Gesamtes Ankleiden übernehmen
  » Gesamtes Auskleiden übernehmen
  » Ankleiden des Oberkörpers übernehmen
  » Ankleiden des Unterkörpers übernehmen
  » Auskleiden des Oberkörpers übernehmen
  » Auskleiden des Unterkörpers übernehmen
- Beim An- und Auskleiden Hilfestellung leisten
  » Beim gesamten An- und Auskleiden helfen
  » Beim gesamten Ankleiden helfen
  » Beim gesamten Auskleiden helfen
  » Beim Ankleiden des Oberkörpers helfen
  » Beim Ankleiden des Unterkörpers helfen
  » Beim Auskleiden des Oberkörpers helfen
  » Beim Auskleiden des Unterkörpers helfen
  » Beim An-/Auskleiden eines Kleidungsstückes helfen
  » Bei Verschlüssen/Knöpfen unterstützen und/oder die Kleidung zurechtrücken
- Art der Hilfestellung bestimmen
  » Beaufsichtigen
  » Durch Hinweise, Stichworte und Handreichungen anleiten
  » Teilweise übernehmen
- Zeit angeben
- Anzahl der Pflegepersonen eintragen

Bei der Auswahl von spezieller Kleidung sowie Anziehhilfen beraten
- Pflegeintervention konkretisieren
- Zeitdauer angeben

Beim Einsatz von Anziehhilfen anleiten
- Pflegeintervention konkretisieren
  » Knopfhilfe einsetzen
  » Schleifenhilfe einsetzen
  » Strumpfanzieher verwenden
  » Schuhlöffel mit Verlängerungsstiel einsetzen
  » Kleidungsstücke mit Klettverschlüssen auswählen
- Anzuleitende Person(en) festlegen
  » Betroffene Person
  » Angehöriger/Bezugsperson
- Zeit angeben

Sonstige Pflegemaßnahmen durchführen
- Maßnahmen konkretisieren
- Zeit angeben

Literaturhinweise: 95, 125, 127, 175, 176, 1072

Der Patient ist aufgrund einer **Apraxie beim An-/Auskleiden beeinträchtigt**

Kennzeichen
- Kann die Kleidung nicht in der richtigen Reihenfolge anziehen
- Kann mit den angereichten Kleidungsstücken nichts anfangen

Ursachen
- Apoplektischer Insult
- Zerebraler Prozess
- Autistische Störung

Ressourcen
- Ist gern korrekt gekleidet
- Legt Wert auf gepflegtes Aussehen
- Ist motiviert, die Pflegemaßnahme zu unterstützen und zeigt entsprechende Verhaltensweisen
- Akzeptiert die Unterstützung
- Akzeptiert die Unterstützung von Angehörigen
- Körperliche Beweglichkeit, die zum An- und Auskleiden benötigt wird, ist erhalten

Pflegeziele
- Kennt den Abläufe/die Reihenfolge beim An-/Auskleiden
- Kann sich komplett selbstständig an- und auskleiden

Pflegeinterventionen

Beim An- und Auskleiden anleiten und dieses ritualisieren
- Pflegeintervention konkretisieren
  » Beaufsichtigen u. ggf. eingreifen

  - » Anweisen und einfache Handreichungen ohne Berührung ausführen
  - » Einfache Handreichungen und leichte Berührungen ausführen
  - » An- und Auskleiden ritualisieren, Ritual schriftlich festhalten
- Anzuleitende Person(en) festlegen
  - » Betroffene Person
  - » Angehöriger/Bezugsperson
- Zeit angeben

Kleidung in der richtigen Anziehreihenfolge vorbereiten/anbieten
- Pflegeintervention konkretisieren
- Zeit angeben

Sonstige Pflegemaßnahmen durchführen
- Maßnahmen konkretisieren
- Zeit angeben

Literaturhinweise: 510

Der Patient kann die **Kompressionsstrümpfe** nicht selbstständig an-/ausziehen, es besteht ein **Selbstversorgungsdefizit beim Kleiden**

Kennzeichen

- Kann sich nicht zu den Füßen bücken
- Bewegungseinschränkung im Bereich der Aktivitäten des täglichen Lebens
- Fehlende Kraft, die Kompressionsstrümpfe hochzuziehen
- Bringt den Kompressionsstrumpf nicht über das Sprunggelenk
- Beschreibt Gelenkschmerzen
- Fehlende Einsicht

Ursachen

- Degenerative Gelenkerkrankung der Hände
- Fehlende Einsicht
- Fehlende kognitive Fähigkeiten
- Beweglichkeit ist eingeschränkt
- Aktivitätsintoleranz
- Fingerfertigkeit fehlt

Ressourcen

- Kann die Maßnahme nach Anleitung selbstständig durchführen
- Toleriert Antithrombose-/Kompressionsstrümpfe
- Ist motiviert, das Strumpfanziehen mit Hilfsmitteln zu erlernen
- Erkennt die Notwendigkeit der getroffenen Intervention und kooperiert mit dem therapeutischen Team
- Akzeptiert die Unterstützung
- Akzeptiert die Unterstützung von Angehörigen

Pflegeziele

- Kann Socken/Strümpfe selbstständig an-/ausziehen
- Kompressionsstrümpfe sind fachgerecht angelegt

Pflegeinterventionen

Zur Benutzung von Anziehhilfen anleiten
- Pflegeintervention konkretisieren
- Art der Unterstützung
  - » Beaufsichtigen
  - » Durch Unterstützen helfen
  - » Teilweise übernehmen
  - » Vollständig übernehmen
  - » Zur selbstständigen Durchführung anleiten
- Anzuleitende Person(en) festlegen
  - » Betroffene Person
  - » Angehöriger/Bezugsperson
- Zeit angeben

Beim Anziehen der Antithrombosestrümpfe unterstützen
- Pflegeintervention konkretisieren
  - » Kompressionsstrümpfe ausmessen und anpassen
  - » Kompressionsstrumpf Größe/Firma
- Beim Anlegen der Kompressionsstrümpfe/-strumpfhose unterstützen
  - » Beim An- und Ausziehen unterstützen
  - » An- und Ausziehen übernehmen
  - » Beim An- und Ausziehen anleiten
  - » Kompressionsstrümpfe/-strumpfhose wechseln, Häufigkeit angeben
- Spezielle Pflege beim Tragen von Stützstrumpfhosen durchführen
  - » Fußbad durchführen
  - » Hautpflege vor dem Anziehen der Kompressionsstrümpfe durchführen

Sonstige Pflegemaßnahmen durchführen
- Maßnahmen konkretisieren
- Zeit angeben

Literaturhinweise: 95, 125, 127, 175, 176

Der Patient zeigt **kein Interesse an sauberer/ordentlicher Kleidung**, es besteht das **Risiko der Verwahrlosung**

Kennzeichen

- Legt keinen Wert auf angemessene Kleidung
- Trägt Kleidungsstücke, die defekt sind/nicht zusammenpassen
- Kleidungsstücke sind verschmutzt
- Fehlende Einsicht

Ursachen

- Deprivationssyndrom (Hospitalismus)
- Rückzug in sich selbst
- Wahrnehmungsfähigkeit ist beeinträchtigt
- Eingeschränkte kognitive Fähigkeiten
- Regression in eine frühkindliche Entwicklungsstufe
- Desorientierung
- Demenz

Ressourcen

- Toleriert die therapeutische/pflegerische Intervention
- Akzeptiert die Unterstützung
- Akzeptiert die Unterstützung von Angehörigen
- Es steht ausreichend Kleidung zum Wechseln bereit

Pflegeziele

- Ist motiviert, sich angemessen zu kleiden
- Kann selbstständig anlass- und witterungsgerechte Kleidung auswählen
- Kann sich den Anforderungen entsprechend selbstständig kleiden
- Kann Verschlüsse, wie Knöpfe, Reißverschlüsse, Schleifen, Klettverschlüsse, öffnen/schließen

Pflegeinterventionen

Entscheidungsfindung bei der Zusammenstellung der Kleidung unterstützen

- Pflegeintervention konkretisieren
  - » Angemessene Kleidung gemeinsam auswählen und zusammenstellen
  - » Frische Wäsche bereitlegen, Schmutzwäsche entsorgen
  - » Kleidung in der richtigen Reihenfolge sortiert bereitlegen

Beim An- und/oder Auskleiden unterstützen

- An- und Auskleiden übernehmen
  - » Gesamtes An- und Auskleiden übernehmen
  - » Gesamtes Ankleiden übernehmen
  - » Gesamtes Auskleiden übernehmen
  - » Ankleiden des Oberkörpers übernehmen
  - » Ankleiden des Unterkörpers übernehmen
  - » Auskleiden des Oberkörpers übernehmen
  - » Auskleiden des Unterkörpers übernehmen
- Beim An- und Auskleiden Hilfestellung leisten
  - » Beim gesamten An- und Auskleiden helfen
  - » Beim gesamten Ankleiden helfen
  - » Beim gesamten Auskleiden helfen
  - » Beim Ankleiden des Oberkörpers helfen
  - » Beim Ankleiden des Unterkörpers helfen
  - » Beim Auskleiden des Oberkörpers helfen
  - » Beim Auskleiden des Unterkörpers helfen
  - » Beim An-/Auskleiden eines Kleidungsstückes helfen
  - » Bei Verschlüssen/Knöpfen unterstützen und/oder die Kleidung zurechtrücken
- Art der Hilfestellung bestimmen
  - » Beaufsichtigen
  - » Durch Hinweise, Stichworte und Handreichungen anleiten
  - » Teilweise übernehmen
- Zeit angeben
- Anzahl der Pflegepersonen eintragen

Anziehtraining durchführen

- Pflegeintervention konkretisieren
  - » An- und Auskleiden bei Handlungs- und Planungsstörungen ritualisieren
  - » Feinmotorik und Koordination erhalten
  - » Bewegungsabläufe zuerst durchdenken, anschließend mit Konzentration durchführen
  - » Neue Möglichkeiten beim An- und Auskleiden einüben und erlernen, um Defizite auszugleichen und Selbstständigkeit zu fördern
  - » Geführtes Anziehtraining nach Affolter durchführen
- Zeit angeben

Sonstige Pflegemaßnahmen durchführen

- Maßnahmen konkretisieren
- Zeit angeben

Literaturhinweise: 95, 101, 125, 127, 175, 176

Der Patient ist aufgrund sonstiger Ursachen beim selbstständigen **An-/Auskleiden beeinträchtigt**

Kennzeichen

- Die Fähigkeit, sich anzuziehen ist eingeschränkt
- Die Fähigkeit, sich auszuziehen ist eingeschränkt
- Kann mit den angereichten Kleidungsstücken nichts anfangen
- Die Fähigkeit, Knöpfe, Gürtelschnallen oder Reißverschlüsse zu öffnen und/oder zu schließen, fehlt
- Die Fähigkeit, das äußere Erscheinungsbild in einem gepflegten Zustand zu halten, ist reduziert
- Kann die Kleidungsstücke nicht situationsabhängig wählen oder an diese gelangen
- Kann die Kleidung nicht in der richtigen Reihenfolge anziehen

Selbstständigkeit beim An-/Auskleiden

- Stufe 1: Selbstständiges An-/Auskleiden mit Hilfsmitteln
- Stufe 2: Geringe Beeinträchtigung beim An-/Auskleiden
- Stufe 3: Erhebliche Beeinträchtigung beim An-/Auskleiden
- Stufe 4: Schwere Beeinträchtigung beim An-/Auskleiden
- Stufe 5: Fehlende Fähigkeit, sich selbstständig an-/auszukleiden

Ursachen

- Schmerzzustände
- Bewusstlosigkeit
- Desorientierung
- Demenzielle Veränderung
- Wahrnehmungsstörung
- Sensorische Integrationsstörung
- Kognitive Beeinträchtigungen
- Erworbene Hirnschädigung
- Belastungs-/Ruhedyspnoe
- Angstzustände
- Depressive Verstimmung
- Herzinsuffizienz
- Verminderter Atemvorgang
- Reduzierter Gasaustausch
- Bewegungseinschränkung
- Eingeschränkte Beweglichkeit der Gelenke
- Degenerative Gelenkerkrankung der Hände
- Querschnittslähmung
- Gipsverband
- Extensionsbehandlung
- Gilchrist-Verband
- Briefträgerverband (30°-Abduktionsstellung des Schultergelenks)
- Rucksack-/Tornisterverband
- Desault-Verband
- Entwicklungsbedingte(s) Selbstfürsorgedefizit/-fähigkeit
- Angeborene Hirnschädigung
- Kann Hilfsmittel/Orthesen/usw. nicht selbstständig anlegen

Ressourcen

- Ist motiviert, die Pflegemaßnahme zu unterstützen und zeigt entsprechende Verhaltensweisen
- Akzeptiert die Unterstützung
- Akzeptiert die Unterstützung von Angehörigen
- Körperliche Beweglichkeit, die zum An- und Auskleiden benötigt wird, ist erhalten
- Ist gern korrekt gekleidet
- Legt Wert auf gepflegtes Aussehen
- Ist motiviert, Hilfsmittel einzusetzen

Pflegeziele

- Wählt selbstständig angemessene Kleidung aus
- Ist anlass- und witterungsgerecht gekleidet
- Kann den Oberkörper selbstständig an-/auskleiden
- Kann sich den Anforderungen entsprechend selbstständig kleiden
- Kann Verschlüsse, wie Knöpfe, Reißverschlüsse, Schleifen, Klettverschlüsse, öffnen/schließen
- Kann Socken/Strümpfe selbstständig an-/ausziehen
- Kann Schuhe selbstständig an-/ausziehen
- Kann sich komplett selbstständig an- und auskleiden
- Verbesserung und Förderung der Wahrnehmungsorganisation

Pflegeinterventionen

Beim An- und/oder Auskleiden unterstützen

- An- und Auskleiden übernehmen
  - » Gesamtes An- und Auskleiden übernehmen
  - » Gesamtes Ankleiden übernehmen
  - » Gesamtes Auskleiden übernehmen
  - » Ankleiden des Oberkörpers übernehmen
  - » Ankleiden des Unterkörpers übernehmen
  - » Auskleiden des Oberkörpers übernehmen
  - » Auskleiden des Unterkörpers übernehmen
- Beim An- und Auskleiden Hilfestellung leisten
  - » Beim gesamten An- und Auskleiden helfen
  - » Beim gesamten Ankleiden helfen
  - » Beim gesamten Auskleiden helfen
  - » Beim Ankleiden des Oberkörpers helfen
  - » Beim Ankleiden des Unterkörpers helfen
  - » Beim Auskleiden des Oberkörpers helfen
  - » Beim Auskleiden des Unterkörpers helfen
  - » Beim An-/Auskleiden eines Kleidungsstückes helfen
  - » Bei Verschlüssen/Knöpfen unterstützen und/oder die Kleidung zurechtrücken
- Art der Hilfestellung bestimmen
  - » Beaufsichtigen
  - » Durch Hinweise, Stichworte und Handreichungen anleiten
  - » Teilweise übernehmen
- Zeit angeben
- Anzahl der Pflegepersonen eintragen

Beim An- und/oder Auskleiden anleiten

- Pflegeintervention konkretisieren

   - Beaufsichtigen u. ggf. eingreifen
   - Anweisen und einfache Handreichungen ohne Berührung ausführen
   - Einfache Handreichungen und leichte Berührungen ausführen
   - Durch verbale Aufforderungen entsprechend dem vereinbarten Handlungsablauf anleiten
- Anzuleitende Person(en) festlegen
   - Betroffene Person
   - Angehöriger/Bezugsperson

Entsprechende Kleidung auswählen und vorbereiten
- Pflegeintervention konkretisieren
   - Angemessene Kleidung gemeinsam auswählen und zusammenstellen
   - Frische Wäsche bereitlegen, Schmutzwäsche entsorgen
   - Kleidung in der richtigen Reihenfolge sortiert bereitlegen

Anziehtraining durchführen
- Pflegeintervention konkretisieren
   - An- und Auskleiden bei Handlungs- und Planungsstörungen ritualisieren
   - Feinmotorik und Koordination erhalten
   - Bewegungsabläufe zuerst durchdenken, anschließend mit Konzentration durchführen
   - Neue Möglichkeiten beim An- und Auskleiden einüben und erlernen, um Defizite auszugleichen und Selbstständigkeit zu fördern
   - Geführtes Anziehtraining nach Affolter durchführen
- Zeit angeben

Beratungsgespräch über Hilfsmitteleinsatz und deren Anschaffung durchführen
- Gesprächsinhalt
- Zeit angeben
- Beteiligte Personen angeben
   - Betroffene Person
   - Angehöriger/Bezugsperson
   - Betreuer
   - Eltern
   - Sonstige Personen
- Durchführende Person angeben
   - Bezugspflegeperson
   - Pflegeperson
   - Spezialtherapeuten
   - Physiotherapeuten

Beim Einsatz von Anziehhilfen anleiten
- Pflegeintervention konkretisieren
   - Knopfhilfe einsetzen
   - Schleifenhilfe einsetzen
   - Strumpfanzieher verwenden
   - Schuhlöffel mit Verlängerungsstiel einsetzen
   - Kleidungsstücke mit Klettverschlüssen auswählen
- Anzuleitende Person(en) festlegen
   - Betroffene Person
   - Angehöriger/Bezugsperson
- Zeit angeben

Zu Kräfte sparendem An-/Auskleiden anleiten
- Pflegeintervention konkretisieren
   - Kinästhetische Bewegungsabläufe einüben
   - Im Sitzen an- und auskleiden
- Entsprechend der Aktivitätstoleranz übernehmen
   - Bei Aktivitätsintoleranz übernehmen
- Anzuleitende Person(en) festlegen
   - Betroffene Person
   - Angehöriger/Bezugsperson

Gespürte Interaktionstherapie im Rahmen des An-/Auskleidens durchführen
- Pflegeintervention konkretisieren
   - "Elementares Führen" während der Handlung
   - Durch "Elementares Führen" die Handlung einleiten
   - "Pflegerisches Führen" bei der Aktivität
   - Durchgeführte Handlung mit dem Betroffenen repetieren
- Geführte Aktivität im Rahmen des An-/Auskleidens
- Zeit angeben

Sonstige Pflegemaßnahmen durchführen
- Maßnahmen konkretisieren
- Zeit angeben

Literaturhinweise: 95, 125, 127, 175, 176, 304, 504, 1064, 1072

Inhaltsverzeichnis

Der Patient hat aufgrund einer **Mundatmung** das **Risiko der Austrocknung der oberen Atemwege**

Kennzeichen

- Schnarchen
- Geruchsstörung
- Nächtliche Erstickungsanfälle
- Trockene Mundschleimhaut
- Gerötete Mundschleimhaut
- Offener Mund
- Borken und Krusten im Mund
- Spröde Lippen

Ursachen

- Atemmuster
- Angewohnheit, durch den Mund zu atmen
- Allergien, die zur Schwellung der Nasenschleimhaut führen
- Chronische Erkältungskrankheiten
- Verstopfte Nasenwege
- Nasenpolypen
- Nasendysplasie
- Zahn-, Kieferstellung
- Bissanomalie
- Ungleichgewicht der Muskulatur im Gesichtsbereich
- Debilität

Ressourcen

- Toleriert die therapeutische/pflegerische Intervention
- Angehörige/Bezugspersonen unterstützen den Pflegeprozess

Pflegeziele

- Atemsituation ist eingeschätzt
- Atemfrequenz beim Erwachsenen liegt zwischen 12-20 Atemzügen/Min.
- Atemfrequenz beim Kind liegt zwischen 15-30 Atemzügen/Min.
- Atemfrequenz beim Neugeborenen liegt zwischen 30-50 Atemzügen/Min.
- Ursachen für Atemwegsprobleme sind erkannt
- Schädliche Reize sind reduziert/vermieden
- Atemwegsschleimhaut ist intakt
- Hustenreiz ist reduziert
- Mundschleimhaut ist intakt
- Orale Flüssigkeitszufuhr ist ermöglicht
- Mundraum und Zunge sind belagfrei
- Nase ist frei von Sekret
- Nase ist frei von Borken
- Lippen sind geschmeidig
- Physiologische Atmung durch die Nase
- Mundschleimhaut, Zunge und Lippen sind intakt
- Nasenschleimhaut ist intakt

Pflegeinterventionen

Atmung beobachten
- Pflegeintervention konkretisieren
  - » Atemfrequenz und Atemqualität beobachten
  - » Peak-Flow-Messung durchführen
  - » Blutgasanalyse (BGA) durchführen
  - » Auf Zyanosezeichen beobachten
  - » Sauerstoffverabreichung kontrollieren

Ursachen für die Mundatmung sind analysiert
- Pflegeintervention konkretisieren
- Zeit angeben

Auslösende Reize identifizieren und ausschalten/reduzieren
- Pflegeintervention konkretisieren
- Zeit angeben

Regelmäßig zur Nasenatmung auffordern
- Pflegeintervention konkretisieren
- Zeit angeben

Atemluft anfeuchten
- Pflegeintervention konkretisieren
  - » Ultraschallvernebler einsetzen
  - » Mit Wasserdampf inhalieren
- Hinweise zum Aufbau/Wechsel der Systeme
  - » Ultraschallvernebler auf-/abbauen
  - » Schlauchsystem des Ultraschallverneblers wechseln

Mundschleimhaut anfeuchten
- Pflegeintervention konkretisieren
- Zeit angeben

Zum Trinken auffordern
- Pflegeintervention konkretisieren
- Zeit angeben

Mundpflege durchführen
- Pflegeintervention konkretisieren
  - » Materialien zur Mund- und Zahnhygiene bereitstellen
  - » Zahnpflege mit Zahnbürste und Zahnpasta durchführen
  - » Zahn(teil)prothese reinigen
  - » Zahnprothesenreinigung und Mundspülung durchführen
  - » Spezielle Mundpflege durchführen
- Bei der Mundpflege helfen
  - » Beaufsichtigen
  - » Teilweise übernehmen
  - » Durch Unterstützen helfen
  - » Vollständig übernehmen
  - » Zur Pflegeintervention anleiten/aktivieren
- Produkt zur Mundpflege angeben

Nasenpflege durchführen
- Pflegeintervention konkretisieren
  - » Nase mit Tupfern reinigen
  - » Nase mit Watteträgern reinigen
  - » Nase mit Watte reinigen
  - » Nasenspülung mit NaCl durchführen
- Materialien zur Nasenpflege wählen

Lippenpflege durchführen
- Pflegeintervention konkretisieren
- Verwendetes Pflegeprodukt angeben

Wahrnehmungsübungen und Training der Mundmuskulatur durchführen

- Pflegeintervention konkretisieren
- Zeit angeben

Sonstige Pflegemaßnahmen durchführen
- Maßnahmen konkretisieren
- Zeit angeben

Mund- und Nasenschleimhäute beobachten
- Pflegeintervention konkretisieren
- Zeit angeben

Literaturhinweise: 95, 113, 125, 126, 175, 176

Der Patient kann die oberen **Atemwege nicht physiologisch nutzen**, es besteht das **Risiko der Austrocknung** der Atemwege

Kennzeichen

- Sichtbare Borken in der Nase
- Zähes Bronchialsekret
- Trachealkanüle
- Orotrachealer Tubus
- Nasotrachealer Tubus
- Nasenatmung ist behindert
- Viel Nasensekret

Ursachen

- Beatmung
- Anlage eines Tracheostomas
- Intubation
- Mundatmung
- Postoperative Schwellung des Wundgebiets im Nasenrachenraum

Ressourcen

- Die Angehörigen verabreichen die Flüssigkeit nach Trinkfahrplan
- Äußert Verständnis für die Notwendigkeit der Maßnahme
- Hält sich an den Trinkfahrplan
- Angehörige/Bezugspersonen unterstützen den Pflegeprozess
- Angehöriger/Bezugsperson kann das Nasensekret zeitnah entfernen
- Häufige Anwesenheit der Bezugspersonen
- Angehöriger/Bezugsperson ist als Bezugs- und Betreuungsperson in der Einrichtung aufgenommen

Pflegeziele

- Mundschleimhaut, Zunge und Lippen sind intakt
- Nasenschleimhaut ist intakt
- Bedarfsgerechte Flüssigkeitszufuhr ist sichergestellt
- Atemwegsschleimhaut ist intakt
- Bronchialsekret ist physiologisch
- Zilienbeweglichkeit ist aufrechterhalten
- Mundraum und Zunge sind belagfrei
- Nase ist frei von Sekret
- Nase ist frei von Borken
- Lippen sind geschmeidig
- Nasenatmung ist unterstützt
- Nasensekret kann abfließen

Pflegeinterventionen

Mund- und Nasenschleimhäute beobachten
- Pflegeintervention konkretisieren
- Zeit angeben

Flüssigkeitszufuhr festlegen und den Patienten einweisen
- Pflegeintervention konkretisieren
- Zeit angeben

Flüssigkeit nach Trinkfahrplan verabreichen
- Pflegeintervention konkretisieren
  - » Flüssigkeit verabreichen
  - » Flüssigkeit vorbereiten und in Reichweite platzieren
  - » Flüssigkeitszufuhr beobachten
- Sonstige Hinweise
  - » Mithilfe des Trinkfahrplans kontrollieren
  - » Flüssigkeitszufuhr auf einem Bilanzbogen dokumentieren
  - » Zieleinfuhr ermitteln/festlegen (lt. Arztanordnung)
  - » Trinkfahrplan aktualisieren
  - » Trinkmenge zusammenzählen und dokumentieren

Einatmungsluft anfeuchten
- Pflegeintervention konkretisieren
  - » Ultraschallvernebler einsetzen
  - » Wärme-/Feuchtigkeitsaustauscher
  - » Kaskaden
  - » Künstliche Nase einsetzen
  - » Warmluftvernebler

  - » Mit physiologischer Kochsalzlösung und Düsenvernebler inhalieren
  - » Heizbefeuchter des Beatmungsgerätes
- Zeitangaben zum Anfeuchten der Atemluft machen
  - » Kontinuierlich
  - » Intermittierend
- Hinweise zum Aufbau/Wechsel der Systeme
  - » Ultraschallvernebler auf-/abbauen
  - » Schlauchsystem des Ultraschallverneblers wechseln
  - » Schlauchsystem am Heizbefeuchter wechseln

Mundpflege durchführen
- Pflegeintervention konkretisieren
  - » Materialien zur Mund- und Zahnhygiene bereitstellen
  - » Zahnpflege mit Zahnbürste und Zahnpasta durchführen
  - » Zahn(teil)prothese reinigen
  - » Zahnprothesenreinigung und Mundspülung durchführen
  - » Spezielle Mundpflege durchführen
- Bei der Mundpflege helfen
  - » Beaufsichtigen
  - » Teilweise übernehmen
  - » Durch Unterstützen helfen
  - » Vollständig übernehmen
  - » Zur Pflegeintervention anleiten/aktivieren
- Produkt zur Mundpflege angeben

Nasenpflege durchführen
- Pflegeintervention konkretisieren
  - » Nase mit Tupfern reinigen
  - » Nase mit Watteträgern reinigen
  - » Nase mit Watte reinigen
  - » Nasenspülung mit NaCl durchführen
- Materialien zur Nasenpflege wählen

Lippenpflege durchführen
- Pflegeintervention konkretisieren
- Verwendetes Pflegeprodukt angeben

Nasensekret wird regelmäßig und zeitnah entfernt
- Pflegeintervention konkretisieren
- Zeit angeben

Oberkörperhochlagerung durchführen
- Pflegeintervention konkretisieren
- Zeit angeben

Sonstige Pflegemaßnahmen durchführen
- Maßnahmen konkretisieren
- Zeit angeben

Nasentropfen nach Arztanordnung verabreichen
- Pflegeintervention konkretisieren
- Zeit angeben

Literaturhinweise: 79, 93, 95, 100, 113, 125, 126, 127, 148, 167, 175, 176, 328

Der Patient hat einen **unproduktiven Husten**, es besteht eine **beeinträchtigte Selbstreinigungsfunktion der Atemwege**

Kennzeichen

- Akuter Husten
- Chronischer Husten
- Unproduktiver Husten
- Kratzender Husten
- Krampfartiger Husten
- Brodelnde Atemgeräusche
- Rasselnde Atemgeräusche
- Berichtet über festsitzendes Bronchialsekret
- Berichtet über fehlende Kraft abzuhusten

Ursachen

- Asthma bronchiale
- Bronchitis
- Pneumonie
- Keuchhusten
- Tuberkulose
- Bronchialkarzinom
- Reizhusten
- Beeinträchtigte Selbstreinigungsfunktion der Lunge durch Rauchen (aktiv/passiv)
- Funktionsbeeinträchtigung der Bronchialschleimhaut durch Staub/Allergene/Noxen
- Schmerzen beim Abhusten

Ressourcen

- Zeigt Interesse, die Abhusttechnik zu lernen
- Erkennt die Notwendigkeit der getroffenen Intervention und kooperiert mit dem therapeutischen Team
- Angehörige/Bezugspersonen unterstützen den Pflegeprozess

Pflegeziele

- Kennt Möglichkeiten, aktiv den Therapieerfolg zu unterstützen
- Atemwege sind frei

- Pflegeinterventionen sind rechtzeitig eingeleitet
- Atemsituation ist eingeschätzt
- Gesundungsprozess ist unterstützt
- Bronchialsekret ist gelöst
- Atemluft ist angefeuchtet
- Bronchialsekret wird abgehustet
- Therapie ist sichergestellt

Pflegeinterventionen

Zu produktivem Abhusten anleiten

- Pflegeintervention konkretisieren
- Art der Unterstützung
  - » Beaufsichtigen
  - » Durch Unterstützen helfen
  - » Teilweise übernehmen
  - » Vollständig übernehmen
  - » Zur selbstständigen Durchführung anleiten
- Anzuleitende Person(en) festlegen
  - » Betroffene Person
  - » Angehöriger/Bezugsperson
- Zeit angeben

Husten und Atemsituation beobachten und dokumentieren

- Pflegeintervention konkretisieren
- Zeit angeben

Husten stillende Tees verabreichen

- Reizzustände der oberen Atemwege lindern
  - » Spitzwegerichtee anbieten
  - » Fencheltee anbieten
  - » Anistee anbieten
  - » Salbeitee anbieten
- Krampfartige Hustenzustände mildern
  - » Thymiantee anbieten

Brustwickel anwenden, um Bronchialsekret zu lösen

- Pflegeintervention konkretisieren
  - » Feuchtwarmen Kartoffelbrustwickel einsetzen
  - » Feuchtwarmen Zitronenbrustwickel einsetzen
  - » Senfwickel einsetzen
  - » Quarkwickel einsetzen

Ätherische Öle dosiert einsetzen

- Pflegeintervention konkretisieren
  - » Substanzen mit ätherischen Ölen auf dem Rücken auftragen
  - » Ätherische Öle mithilfe von Duftlampe/-stein anbieten

Lutschbonbons anbieten

- Pflegeintervention konkretisieren
- Zeit angeben

Atemwege anfeuchten

- Pflegeintervention konkretisieren
  - » Ultraschallvernebler einsetzen
  - » Mit Wasserdampf inhalieren
- Hinweise zum Aufbau/Wechsel der Systeme
  - » Ultraschallvernebler auf-/abbauen
  - » Schlauchsystem des Ultraschallverneblers wechseln

Inhalation durchführen

- Pflegeintervention konkretisieren
  - » Mit Wasserdampf inhalieren
  - » Mit physiologischer Kochsalzlösung und Düsenvernebler inhalieren
  - » Mit Medikament laut Arztanordnung und Düsenvernebler inhalieren
- Art der Hilfestellung bestimmen
  - » Während der Inhalationsdauer unterstützen
  - » Zur Inhalation anleiten/dabei instruieren

Sonstige Pflegemaßnahmen durchführen

- Maßnahmen konkretisieren
- Zeit angeben

Literaturhinweise: 79, 86, 93, 95, 100, 113, 125, 126, 127, 167, 175, 176, 327, 1222, 1223, 1224, 1225

Der Patient ist beim **Abhusten von Bronchialsekret beeinträchtigt**, es besteht eine **beeinträchtigte Selbstreinigungsfunktion der Atemwege**

Kennzeichen

- Dyspnoe
- Zyanosezeichen
- Äußert ein Wissensdefizit über die Technik des produktiven Abhustens
- Fehlende Kraft zum Abhusten
- Äußert Angst vor den Schmerzen beim Abhusten
- Unphysiologische Atemgeräusche
- Giemen (trockenes, pfeifähnliches Atemgeräusch, z. B. bei Asthma)
- Erhöhte Atemfrequenz
- Äußert Angst vor dem Ersticken
- Luft bleibt beim Sprechen weg
- Fehlender Hustenreflex

Ursachen

- Bewusstlosigkeit
- Beatmung
- Tracheostoma
- Neurologische Störung
- Muskelerkrankung
- Mechanische Obstruktion
- Postoperative Obstruktion
- Postoperative Schmerzen/Ängste

Ressourcen

- Zeigt Interesse, die Abhusttechnik zu lernen
- Zeigt Verhaltensweisen, die die Therapie unterstützen
- Erkennt die Notwendigkeit der getroffenen Intervention und kooperiert mit dem therapeutischen Team
- Toleriert die atemunterstützende Lagerung
- Toleriert die atemunterstützenden Interventionen
- Angehörige/Bezugspersonen unterstützen den Pflegeprozess

Pflegeziele

- Kennt Möglichkeiten, aktiv den Therapieerfolg zu unterstützen
- Abhusten von Sekret ist erleichtert und produktiv
- Kann Auswurf abhusten/ausspucken
- Atemwege sind frei
- Therapie ist sichergestellt
- Bronchialsekret ist gelöst
- Atemluft ist angefeuchtet
- Bronchialsekret wird abgehustet
- Reinigungsfunktion der Atemwege ist unterstützt
- Abhusten und Sekrettransport aus den Bronchien sind unterstützt

Pflegeinterventionen

Zu produktivem Abhusten anleiten
- Pflegeintervention konkretisieren
- Art der Unterstützung
  - » Beaufsichtigen
  - » Durch Unterstützen helfen
  - » Teilweise übernehmen
  - » Vollständig übernehmen
  - » Zur selbstständigen Durchführung anleiten
- Anzuleitende Person(en) festlegen
  - » Betroffene Person
  - » Angehöriger/Bezugsperson
- Zeit angeben

Beim produktiven Abhusten unterstützen
- Pflegeintervention konkretisieren
- Zeit angeben

Zellstoff und Abwurfschale bereitstellen, Expektoration regelmäßig unter Beachtung der Hygienerichtlinien entsorgen
- Pflegeintervention konkretisieren
- Zeit angeben

Mund-/Nasenraum unter Beachtung der Hygienevorschriften absaugen
- Bronchialsekret absaugen
- Anzahl der benötigten Pflegepersonen bestimmen

Endotracheal absaugen
- Pflegeintervention konkretisieren
  - » Absaugvorgang mit Einmalkatheter unter sterilen Kautelen durchführen
  - » Geschlossenes Absaugsystem einsetzen
- Anzahl der benötigten Pflegepersonen bestimmen

Quincke-Hängelage durchführen
- Pflegeintervention konkretisieren
- Zeit angeben

Inhalationsgerät aufbauen
- Pflegeintervention konkretisieren
- Zeit angeben

Kontinuierlichen axialen Lagewechsel in einem motorbetriebenen Spezialbett durchführen
- Pflegeintervention konkretisieren
- Zeit angeben

Inhalation durchführen
- Pflegeintervention konkretisieren
  - » Mit Wasserdampf inhalieren
  - » Mit physiologischer Kochsalzlösung und Düsenvernebler inhalieren
  - » Mit Medikament laut Arztanordnung und Düsenvernebler inhalieren
- Art der Hilfestellung bestimmen
  - » Während der Inhalationsdauer unterstützen
  - » Zur Inhalation anleiten/dabei instruieren

Atemluft anfeuchten
- Pflegeintervention konkretisieren
  - » Ultraschallvernebler einsetzen
  - » Wärme-/Feuchtigkeitsaustauscher
  - » Kaskaden
  - » Künstliche Nase einsetzen
  - » Warmluftvernebler
  - » Mit physiologischer Kochsalzlösung und Düsenvernebler inhalieren
  - » Heizbefeuchter des Beatmungsgerätes
- Zeitangaben zum Anfeuchten der Atemluft machen
  - » Kontinuierlich
  - » Intermittierend
- Hinweise zum Aufbau/Wechsel der Systeme
  - » Ultraschallvernebler auf-/abbauen
  - » Schlauchsystem des Ultraschallverneblers wechseln
  - » Schlauchsystem am Heizbefeuchter wechseln

Hustenunterstützung mit dem Cough Assist durchführen
- Pflegeintervention konkretisieren
- Zeit angeben

Sonstige Pflegemaßnahmen durchführen
- Maßnahmen konkretisieren
- Zeit angeben

Literaturhinweise: 16, 55, 79, 86, 93, 95, 100, 113, 125, 126, 127, 148, 148, 167, 175, 176, 261, 322, 328

Der Patient hat eine beeinträchtigte **Selbstreinigungsfunktion der Lunge**

Kennzeichen

- Brodelnde Atemgeräusche
- Rasselnde Atemgeräusche
- Berichtet über festsitzendes Bronchialsekret

Ursachen

Ressourcen

- Ist motiviert, neu zu lernen
- Erkennt die Notwendigkeit der getroffenen Intervention und kooperiert mit dem therapeutischen Team
- Akzeptiert die Unterstützung
- Akzeptiert die Unterstützung von Angehörigen
- Angehörige/Bezugspersonen unterstützen den Pflegeprozess

Pflegeziele

- Atemsituation ist eingeschätzt
- Atemfrequenz beim Erwachsenen liegt zwischen 12-20 Atemzügen/Min.
- Atemfrequenz beim Kind liegt zwischen 15-30 Atemzügen/Min.
- Atemfrequenz beim Neugeborenen liegt zwischen 30-50 Atemzügen/Min.
- Reinigungsfunktion der Atemwege ist unterstützt
- Orale Flüssigkeitszufuhr ist ermöglicht
- Bedarfsgerechte Flüssigkeitszufuhr ist sichergestellt
- Atemluft ist angefeuchtet
- Bronchialsekret wird abgehustet
- Therapie ist sichergestellt
- Kennt Möglichkeiten, aktiv den Therapieerfolg zu unterstützen
- Bronchialsekret ist gelöst
- Atemwege sind frei
- Gesundungsprozess ist unterstützt

Pflegeinterventionen

Atmung beobachten
- Pflegeintervention konkretisieren
  - » Atemfrequenz und Atemqualität beobachten
  - » Peak-Flow-Messung durchführen
  - » Blutgasanalyse (BGA) durchführen
  - » Auf Zyanosezeichen beobachten
  - » Sauerstoffverabreichung kontrollieren

Atemluft anfeuchten
- Pflegeintervention konkretisieren
  - » Ultraschallvernebler einsetzen
  - » Wärme-/Feuchtigkeitsaustauscher
  - » Kaskaden
  - » Künstliche Nase einsetzen
  - » Warmluftvernebler
  - » Mit physiologischer Kochsalzlösung und Düsenvernebler inhalieren
  - » Heizbefeuchter des Beatmungsgerätes
- Zeitangaben zum Anfeuchten der Atemluft machen
  - » Kontinuierlich
  - » Intermittierend
- Hinweise zum Aufbau/Wechsel der Systeme
  - » Ultraschallvernebler auf-/abbauen
  - » Schlauchsystem des Ultraschallverneblers wechseln
  - » Schlauchsystem am Heizbefeuchter wechseln

Zum Trinken auffordern
- Pflegeintervention konkretisieren
- Zeit angeben

Flüssigkeit nach Trinkfahrplan verabreichen
- Pflegeintervention konkretisieren
  - » Flüssigkeit verabreichen
  - » Flüssigkeit vorbereiten und in Reichweite platzieren
  - » Flüssigkeitszufuhr beobachten
- Sonstige Hinweise
  - » Mithilfe des Trinkfahrplans kontrollieren
  - » Flüssigkeitszufuhr auf einem Bilanzbogen dokumentieren
  - » Zieleinfuhr ermitteln/festlegen (lt. Arztanordnung)
  - » Trinkfahrplan aktualisieren
  - » Trinkmenge zusammenzählen und dokumentieren

Brustwickel anwenden, um Bronchialsekret zu lösen
- Pflegeintervention konkretisieren
  - » Feuchtwarmen Kartoffelbrustwickel einsetzen
  - » Feuchtwarmen Zitronenbrustwickel einsetzen
  - » Senfwickel einsetzen
  - » Quarkwickel einsetzen

Inhalation durchführen
- Pflegeintervention konkretisieren
  - » Mit Wasserdampf inhalieren
  - » Mit physiologischer Kochsalzlösung und Düsenvernebler inhalieren
  - » Mit Medikament laut Arztanordnung und Düsenvernebler inhalieren
- Art der Hilfestellung bestimmen
  - » Während der Inhalationsdauer unterstützen
  - » Zur Inhalation anleiten/dabei instruieren

Zu produktivem Abhusten anleiten
- Pflegeintervention konkretisieren
- Art der Unterstützung
  - » Beaufsichtigen
  - » Durch Unterstützen helfen
  - » Teilweise übernehmen
  - » Vollständig übernehmen
  - » Zur selbstständigen Durchführung anleiten
- Anzuleitende Person(en) festlegen
  - » Betroffene Person
  - » Angehöriger/Bezugsperson
- Zeit angeben

Lagerungsdrainagen zum Sekrettransport einsetzen
- Lagerungsposition festlegen
  - » Re. und li. oberer Lungenlappen (apikales Segment): sitzende Position
  - » Re. Oberlappen (posteriores Segment): 135° li. und OK leicht erhöht lagern, linken Arm nach hinten ausstrecken
  - » Li. Oberlappen (posteriores Segment): 135° re. und OK leicht erhöht lagern, re. Arm nach hinten ausstrecken
  - » Re. und li. Oberlappen (anteriore Segmente): Flache Rückenlage, Knie unterstützen
  - » Li. unteres Ende des Oberlappens (Lingula): 45°-Lagerung auf re. Seite, Fußende ca. 30 cm erhöhen
  - » Re. Mittellappen: 45°-Lagerung auf li. Seite, Fußende ca. 30 cm erhöht
  - » Re. und li. Unterlappen (apikale Segmente): Bauchlage, Füße unterstützen
  - » Re. und li. Unterlappen (anterobasale Segmente): Rückenlage, Knie unterstützt, Fußende ca. 40 cm erhöht
  - » Re. und li. Unterlappen (posterobasale Segmente): Kopf-Tieflage
  - » Re. Unterlappen (laterobasales Segment): Seitenlage li., Fußende ca. 40 cm erhöht
  - » Li. Unterlappen (laterobasales Segment): Seitenlage re., Fußende ca. 40 cm erhöht

Ätherische Öle dosiert einsetzen
- Pflegeintervention konkretisieren
  - » Substanzen mit ätherischen Ölen auf dem Rücken auftragen
  - » Ätherische Öle mithilfe von Duftlampe/-stein anbieten

Sonstige Pflegemaßnahmen durchführen
- Maßnahmen konkretisieren
- Zeit angeben

Literaturhinweise: 55, 93, 95, 100, 113, 126, 127, 167, 175, 176, 195, 261, 328

Der Patient hat aufgrund **akuter Atemnot** ein **Risiko der respiratorischen Insuffizienz**

Kennzeichen

- Äußert Todesangst
- Äußert ein Gefühl der Hilflosigkeit
- Verminderung der arteriellen Sauerstoffsättigung
- Erhöhung von PCO2
- Verminderung von PO2
- Erhöhte Herzfrequenz
- Verminderung des Atemzugvolumens
- Einsatz der Atemhilfsmuskulatur
- Inspiratorischer Stridor
- Exspiratorischer Stridor
- Unruhezustände
- Bewusstseinsveränderung
- Erhöhte Reizbarkeit
- Zyanosezeichen
- Blässe der Haut

Ursachen

- Medikamenteneinwirkung
- Medikamentöse Relaxation
- Zerebrale Hypoxie
- Erhöhter Hirndruck
- Neurogene Störung
- Neurologische Unreife
- Trauma
- Rippenserienfraktur
- Pneumothorax
- Hämatothorax
- Tumor
- Spasmus
- Fremdkörper
- Infektion
- Pneumonie
- Aspiration
- Lungenembolie
- Lungenfibrose
- Lungenödem
- Mukoviszidose
- Metabolischer Faktor
- Erschöpfung
- Herzinsuffizienz
- Zustand nach Herzinfarkt
- Herzerkrankung
- Angststörung
- Allergien

Ressourcen

- Kann die Atemtechnik der Lippenbremse gezielt einsetzen
- Kann über die Ängste sprechen
- Kennt krankheits- bzw. symptomauslösende Faktoren und kann diese vermeiden
- Erkennt die Notwendigkeit der getroffenen Intervention und kooperiert mit dem therapeutischen Team
- Angehörige/Bezugspersonen unterstützen den Pflegeprozess

Pflegeziele

- Hat eine freie und erleichterte Atmung
- Eine Verschlechterung des Krankheitsbilds ist frühzeitig erkannt
- Veränderungen sind frühzeitig erkannt
- Sauerstoffversorgung ist gewährleistet
- Herz-Kreislauf-System ist während/nach der durchgeführten (Pflege-)Aktivität stabil, Vitalparameter verändern sich im physiologischen Normbereich
- Äußert, dass sich die Ängste auf ein erträgliches Maß reduziert haben
- Fühlt sich beruhigt

Pflegeinterventionen

Atemerleichternde Lagerung durchführen
- Pflegeintervention konkretisieren
  - » Sitzposition im Bett mit Unterstützung der Arme durch Lagerungskissen schaffen
  - » Reitersitz ermöglichen
  - » Kutschersitz
  - » V-Lagerung durchführen
  - » A-Lagerung durchführen
  - » T-Lagerung durchführen
  - » I-Lagerung durchführen
  - » Oberkörperhochlagerung durchführen

Atemqualität prüfen und auf Zeichen von Sauerstoffmangel beobachten
- Pflegeintervention konkretisieren
  - » Atemfrequenz und Atemqualität beobachten
  - » Peak-Flow-Messung durchführen
  - » Blutgasanalyse (BGA) durchführen
  - » Auf Zyanosezeichen beobachten
  - » Sauerstoffverabreichung kontrollieren

Herzbettlagerung durchführen
- Pflegeintervention konkretisieren
- Zeit angeben

Blutgasanalyse durchführen
- Pflegeintervention konkretisieren
- Zeit angeben

Vitalzeichenkontrolle durchführen
- Überwachungsmonitor benutzen
  - » Überwachungsmonitor benutzen
  - » Pulsfrequenz/-qualität messen
  - » Blutdruckwert messen
  - » Atemfrequenz/-qualität messen
  - » Körpertemperatur messen
  - » Sauerstoffsättigung mit Oximeter überprüfen
- Vitalzeichenwerte manuell messen
  - » Pulsfrequenz/-qualität messen
  - » Blutdruckwert messen
  - » Atemfrequenz/-qualität messen
  - » Körpertemperatur messen
- Ort der Messung angeben
  - » Am rechten Arm messen
  - » Am linken Arm messen
  - » Am Finger messen
  - » Am Zeh messen
  - » Besonderheiten bei der Messung bestimmen

In der Akutphase Infusionstherapie unterbrechen (bei Lungenödem)

- Pflegeintervention konkretisieren
- Zeit angeben

Sauerstoff nach Anordnung verabreichen
- Pflegeintervention konkretisieren
  - » Sauerstoff in der Akutphase verabreichen und Wirkung kontrollieren
  - » Kontinuierlich Sauerstoff verabreichen
  - » Intermittierend Sauerstoff verabreichen
- Sauerstoff verabreichen mit
  - » Sauerstoffsonde
  - » Sauerstoffbrille
  - » Sauerstoffmaske
- Sauerstoffkonzentration angeben
- Pflege bei Sauerstofftherapie durchführen
  - » Nasen- und Sondenpflege durchführen
  - » Schlauchsystem aseptisch aufbereiten

Angst reduzierende individuelle Pflegeinterventionen durchführen
- Pflegeintervention konkretisieren
- Zeit angeben

Atemtherapie durchführen
- » Reflektorische Atemtherapie durchführen

Sonstige Pflegemaßnahmen durchführen
- Maßnahmen konkretisieren
- Zeit angeben

Literaturhinweise: 93, 95, 113, 125, 126, 127, 175, 176, 328, 651, 960, 961, 962, 1026, 1029, 1030

Der Patient hat aufgrund von **Bradypnoe** das **Risiko einer Apnoe und Hypoxie**

Kennzeichen

- Atemfrequenz beim Erwachsenen unter 12 Atemzügen/Min.
- Atemfrequenz beim Schulkind unter 16 Atemzügen/Min.
- Atemfrequenz beim Kleinkind unter 19 Atemzügen/Min.
- Atemfrequenz beim Säugling bis ein Jahr unter 24 Atemzügen/Min.
- Atemfrequenz beim Neugeborenen unter 30 Atemzügen/Min.
- Atemfrequenz beim Frühgeborenen unter 45 Atemzügen/Min.
- Unruhezustände
- Bewusstseinsveränderung
- Zyanosezeichen
- Blässe der Haut

Ursachen

- Postoperative Phase/Narkoseüberhang
- Nach hohen Wirbelsäulenverletzungen (C7/C8)
- Vergiftung
- Schlafmittelverordnung
- Opiat-Nebenwirkung
- Herz-Kreislauf-Depression
- Schädel-Hirn-Trauma
- Stoffwechselerkrankung

Ressourcen

- Kann der Aufforderung zu Atemübungen folgen
- Akzeptiert und toleriert sichere Lagerungspositionen
- Erkennt die Vorboten und meldet sich zuverlässig
- Angehörige/Bezugspersonen unterstützen den Pflegeprozess

Pflegeziele

- Pflegeinterventionen sind rechtzeitig eingeleitet
- Atemsituation ist eingeschätzt
- Die subjektiv empfundene Atemnot nach/während der körperlichen Aktivität befindet sich auf der 5er-Skala kleiner 3 (1=keine Atemnot, 5=maximale Atemnot)
- Herz-Kreislauf-System ist während/nach der durchgeführten (Pflege-)Aktivität stabil, Vitalparameter verändern sich im physiologischen Normbereich
- Hat eine freie und erleichterte Atmung
- Erstickungsangst ist reduziert
- Sauerstoffversorgung ist gewährleistet

Pflegeinterventionen

Atmung in individuell festgelegten Zeitabständen beobachten und dokumentieren
- Pflegeintervention konkretisieren
  - » Atemfrequenz und Atemqualität beobachten
  - » Peak-Flow-Messung durchführen
  - » Blutgasanalyse (BGA) durchführen
  - » Auf Zyanosezeichen beobachten
  - » Sauerstoffverabreichung kontrollieren

Atemerleichternde Lagerung durchführen
- Pflegeintervention konkretisieren
  - » Sitzposition im Bett mit Unterstützung der Arme durch Lagerungskissen schaffen
  - » Reitersitz ermöglichen
  - » Kutschersitz
  - » V-Lagerung durchführen
  - » A-Lagerung durchführen
  - » T-Lagerung durchführen
  - » I-Lagerung durchführen
  - » Oberkörperhochlagerung durchführen

Sauerstoff nach Arztanordnung verabreichen
- Pflegeintervention konkretisieren
  - » Sauerstoff in der Akutphase verabreichen

und Wirkung kontrollieren
    - Kontinuierlich Sauerstoff verabreichen
    - Intermittierend Sauerstoff verabreichen
- Sauerstoff verabreichen mit
    - Sauerstoffsonde
    - Sauerstoffbrille
    - Sauerstoffmaske
- Sauerstoffkonzentration angeben
- Pflege bei Sauerstofftherapie durchführen
    - Nasen- und Sondenpflege durchführen
    - Schlauchsystem aseptisch aufbereiten

Sonstige Pflegemaßnahmen durchführen
- Maßnahmen konkretisieren
- Zeit angeben

Literaturhinweise: 93, 95, 113, 125, 126, 140, 151, 175, 176

Der Patient hat aufgrund von **Bronchialasthma** zeitweise eine **spastische Atmung**, es besteht das **Risiko der respiratorischen Insuffizienz**

Kennzeichen

- Akute, anfallsweise Atemnot
- Äußert Angst vor weiteren Anfällen
- Giemen (trockenes, pfeifähnliches Atemgeräusch, z. B. bei Asthma)
- Pfeifendes Atemgeräusch
- Exspiratorischer Stridor
- Atemfrequenz >30/Min.
- Herzfrequenz >120/Min.
- Peak-Flow-Messwert <50 % des Best-/Sollwerts
- Setzt die Lippenbremse beim Atmen ein
- Zyanosezeichen

Ursachen

- Anstrengung
- Analgetikaeinnahme
- Einnahme von Acetylsalicylsäure
- Pilzsporen
- Pollen
- Gräser
- Roggen
- Birke
- Haselnuss
- Erle
- Esche
- Buche
- Hausstaubmilben
- Tierepithelien
- Tierhaare
- Mehl
- Enzyme
- Arthropoden/Insekten
- Latex
- Hölzer
- Isozyanate/Lacke
- Formaldehyde

Ressourcen

- Kennt krankheits- bzw. symptomauslösende Faktoren und kann diese vermeiden
- Erkennt die Vorboten und meldet sich zuverlässig
- Ist motiviert, die Lippenbremse regelmäßig im freien Intervall zu üben
- Kann die Atemtechnik der Lippenbremse gezielt einsetzen
- Kann die Peak-Flow-Messung selbstständig durchführen
- Ist zuverlässig in der angeordneten Selbstmedikation
- Angehörige/Bezugspersonen unterstützen den Pflegeprozess

Pflegeziele

- Komplikationen sind vorgebeugt
- Akutsituationen sind rechtzeitig erkannt und entsprechende Gegenmaßnahmen getroffen
- Fühlt sich ernst genommen
- Dyspnoe ist erfasst und eingeschätzt
- Schnelle und effektive Spasmolyse bei einem Asthmaanfall ist gewährleistet
- Atemhilfsmuskulatur ist effektiv eingesetzt
- Atmet im Akutfall mithilfe der Lippenbremse aus
- Führt die Atemübungen selbstständig und zuverlässig durch
- Er-/kennt die Reizstoffe, die zu einer Beeinträchtigung der Atmung führen und meidet diese
- Auslösende Faktoren sind erkannt und reduziert
- Kennt vorbeugende Maßnahmen
- Kann die Atemsituation selbstständig einschätzen und die Asthmatherapie entsprechend unterstützen
- Selbstapplikation von Medikamenten ist effektiv und fachgerecht
- Korrekte Medikamenteneinnahme ist gewährleistet
- Sichere Sauerstofftherapie ist gewährleistet
- Die subjektiv empfundene Atemnot nach/während der körperlichen Aktivität befindet sich auf der 5er-Skala kleiner 3 (1=keine

Atemnot, 5=maximale Atemnot)
- Sauerstoffversorgung ist gewährleistet
- Herz-Kreislauf-System ist während/nach der durchgeführten (Pflege-)Aktivität stabil, Vitalparameter verändern sich im physiologischen Normbereich
- Setzt aktiv Entspannungstechniken ein

Pflegeinterventionen

Atemsituation beobachten und erfassen
- Pflegeintervention konkretisieren
  - » Atemfrequenz und Atemqualität beobachten
  - » Peak-Flow-Messung durchführen
  - » Blutgasanalyse (BGA) durchführen
  - » Auf Zyanosezeichen beobachten
  - » Sauerstoffverabreichung kontrollieren

Intensität der Dyspnoe mithilfe einer Einschätzungsskala ermitteln
- Pflegeintervention konkretisieren
- Zeit angeben

Sorge tragen, dass die angeordneten Medikamente immer in der Nähe des Patienten sind
- Pflegeintervention konkretisieren
- Zeit angeben

Zu einer atemerleichternden Position und zu effektiver Atmung mithilfe der Lippenbremse anleiten/diese einüben
- Zu atemerleichternder Atemtechnik anleiten/ diese einüben
  - » Zur Lippenbremse im Akutfall anleiten
  - » Zur Lippenbremse im freien Intervall anleiten
- Atemhilfsmuskulatur einsetzen
  - » Zum Kutschersitz anleiten
  - » Mit aufgestützten Armen sitzen oder stehen
  - » Atemerleichternde Lagerung durchführen
- Anzuleitende Person(en) festlegen
  - » Betroffene Person
  - » Angehöriger/Bezugsperson

Einflussfaktoren, die einen Asthmaanfall auslösen können, abklären
- Pflegeintervention konkretisieren
- Zeit angeben

Auf Asthmaanfälle auslösende Faktoren beobachten
- Pflegeintervention konkretisieren
- Zeit angeben

Informationsgespräch über den Pflege- und Behandlungsprozess führen
- Informationsgespräch führen über
  - » Sorge für ausreichenden Schlaf
  - » Beruhigende Umgebungsgestaltung
  - » Gesunde Lebensführung
  - » Selbsthilfegruppen
  - » Entspannungstechniken

Zum fachgerechten Einsatz von Dosieraerosol anleiten/diesen einüben
- Pflegeintervention konkretisieren
- Art der Unterstützung
  - » Beaufsichtigen
  - » Durch Unterstützen helfen
  - » Teilweise übernehmen
  - » Vollständig übernehmen
  - » Zur selbstständigen Durchführung anleiten
- Anzuleitende Person(en) festlegen
  - » Betroffene Person
  - » Angehöriger/Bezugsperson
- Zeit angeben

Zur selbstständigen Prüfung der Lungenfunktion mit dem Peak-Flow-Meter sowie zur Verabreichung der Medikamente nach dem aufgestellten Ampelsystem anleiten
- Pflegeintervention konkretisieren
  - » Lungenfunktionsprüfung gemeinsam durchführen
  - » Bei der Lungenfunktionsprüfung unterstützen/dazu anleiten
  - » Selbstständig durchgeführte Funktionsprüfung kontrollieren
  - » Zur selbstständigen Medikamenteneinnahme/-applikation entsprechend dem aufgestellten Ampelsystem anleiten
- Anzuleitende Person(en) festlegen
  - » Betroffene Person
  - » Angehöriger/Bezugsperson

Dosieraerosole laut Arztanordnung verabreichen
- Pflegeintervention konkretisieren
- Zeit angeben

Sauerstoffvorrat in der Flasche berechnen und bei Bedarf Sauerstoffflasche wechseln
- Pflegeintervention konkretisieren
- Zeit angeben

Sauerstoff nach Anordnung verabreichen
- Pflegeintervention konkretisieren
  - » Sauerstoff in der Akutphase verabreichen und Wirkung kontrollieren
  - » Kontinuierlich Sauerstoff verabreichen
  - » Intermittierend Sauerstoff verabreichen
- Sauerstoff verabreichen mit
  - » Sauerstoffsonde
  - » Sauerstoffbrille
  - » Sauerstoffmaske
- Sauerstoffkonzentration angeben
- Pflege bei Sauerstofftherapie durchführen
  - » Nasen- und Sondenpflege durchführen
  - » Schlauchsystem aseptisch aufbereiten

Zu Entspannungstechniken anleiten
- Entspannungstechniken
  - » Anleitung zum autogenen Training
  - » Anleitung zur progressiven Muskelentspannung nach Jacobson
  - » Atemübungen zur Entspannung
- Anzuleitende Person(en) festlegen
  - » Betroffene Person
  - » Angehöriger/Bezugsperson
- Zeitdauer angeben
- Therapieangebot konkretisieren
  - » Einzeltherapie
  - » Gruppentherapie

Sonstige Pflegemaßnahmen durchführen
- Maßnahmen konkretisieren
- Zeit angeben

Literaturhinweise: 79, 80, 93, 95, 100, 113, 125, 126, 127, 176, 263, 328

Der Patient hat das **Risiko einer respiratorischen Insuffizienz**

Kennzeichen

- Bradypnoe
- Hyperventilation
- Hypoventilation
- Dyspnoe
- Orthopnoe
- Nasenflügelatmen
- Erhöhter Blutdruck
- Erhöhte Herzfrequenz
- Zerebrale Symptome
- Bewusstseinsveränderung
- Vegetative Symptome
- Abfall des arteriellen O2-Partialdrucks (Hypoxämie)
- Normaler CO2-Partialdruck
- Verringerter CO2-Partialdruck
- Anstieg des arteriellen CO2-Partialdrucks
- Atemfrequenz beim Säugling liegt über 60 Atemzügen/Min.
- Atemfrequenz beim Kleinkind liegt über 40 Atemzügen/Min.
- Atemfrequenz beim Schulkind liegt über 25 Atemzügen/Min.
- Atemfrequenz beim Erwachsenen liegt über 25 Atemzügen/Min.
- Zyanosezeichen
- Blässe der Haut
- Unruhezustände
- Erhöhte Reizbarkeit

Ursachen

- Inadäquate Belüftung der Lunge
- Medikamenteneinwirkung
- Medikamentöse Relaxation
- Zerebrale Hypoxie
- Erhöhter Hirndruck
- Neurogene Störung
- Neurologische Unreife
- Trauma
- Rippenserienfraktur
- Pneumothorax
- Hämatothorax
- Tumor
- Spasmus
- Fremdkörper
- Infektion
- Pneumonie
- Aspiration
- Lungenembolie
- Lungenfibrose
- Metabolischer Faktor
- Erschöpfung
- Herzinsuffizienz
- Herzerkrankung
- Allergien

Ressourcen

- Meldet sich bei Anzeichen von Komplikationen
- Toleriert die therapeutische/pflegerische Intervention
- Erkennt die Notwendigkeit der getroffenen Intervention und kooperiert mit dem therapeutischen Team
- Angehörige/Bezugspersonen unterstützen den Pflegeprozess

Pflegeziele

- Eine Verschlechterung des Krankheitsbilds ist frühzeitig erkannt
- Sauerstoffversorgung ist gewährleistet
- Veränderungen der Blutgaswerte und des Säure-Basen-Haushalts sind sofort erkannt
- Atemfunktion ist erhalten

Pflegeinterventionen

Atemqualität prüfen und auf Zeichen von Sauerstoffmangel beobachten

- Pflegeintervention konkretisieren
  - » Atemfrequenz und Atemqualität beobachten
  - » Peak-Flow-Messung durchführen
  - » Blutgasanalyse (BGA) durchführen
  - » Auf Zyanosezeichen beobachten
  - » Sauerstoffverabreichung kontrollieren

Sauerstoff nur nach Arztanordnung verabreichen

- Pflegeintervention konkretisieren
  - » Sauerstoff in der Akutphase verabreichen und Wirkung kontrollieren
  - » Kontinuierlich Sauerstoff verabreichen
  - » Intermittierend Sauerstoff verabreichen
- Sauerstoff verabreichen mit
  - » Sauerstoffsonde
  - » Sauerstoffbrille .
  - » Sauerstoffmaske
- Sauerstoffkonzentration angeben
- Pflege bei Sauerstofftherapie durchführen
  - » Nasen- und Sondenpflege durchführen
  - » Schlauchsystem aseptisch aufbereiten

Blutgasanalyse durchführen und Ergebnisse an den Arzt weiterleiten

- Pflegeintervention konkretisieren
- Zeit angeben

Postoperative Lagerung nach Eingriff an der Lunge durchführen

- Pflegeintervention konkretisieren
  - » Pneumektomie: Lagerung zwischen Rückenlage und Lagerung auf der operierten Seite wechseln
  - » Lobektomie/Segmentresektion: Auf der gesunden Seite/in Rückenlage lagern
  - » Nach dem Wachwerden Kopfende halbstündlich etwas hochstellen

Sonstige Pflegemaßnahmen durchführen

- Maßnahmen konkretisieren
- Zeit angeben

Literaturhinweise: 86, 93, 95, 113, 125, 126, 127, 175, 176, 328, 1025, 1027, 1028

Der Patient hat **rasselnde Atemgeräusche und seröses, schaumiges Sputum**, es besteht das **Risiko der Erstickung**

Kennzeichen

- Äußert Todesangst
- Verminderung der arteriellen Sauerstoffsättigung
- Erhöhung von PCO2
- Verminderung von PO2
- Erhöhte Herzfrequenz
- Verminderung des Atemzugvolumens
- Einsatz der Atemhilfsmuskulatur

Ursachen

- Lungenödem

Ressourcen

- Kann die körperliche Belastbarkeit einschätzen und fordert rechtzeitig Unterstützung an
- Zeigt Interesse, die Abhusttechnik zu lernen
- Die Angehörigen verabreichen die Flüssigkeit nach Trinkfahrplan
- Erkennt die Notwendigkeit der getroffenen Intervention und kooperiert mit dem therapeutischen Team
- Hält sich an den Trinkfahrplan
- Angehörige/Bezugspersonen unterstützen den Pflegeprozess

Pflegeziele

- Kann eigene Fähigkeiten und Belastbarkeit einschätzen
- Erstickungsangst ist reduziert
- Sauerstoffversorgung ist gewährleistet
- Atemwege sind frei
- Bedarfsgerechte Flüssigkeitszufuhr ist sichergestellt
- Flüssigkeits- und Elektrolythaushalt sind ausgeglichen
- Flüssigkeitshaushalt ist eingeschätzt
- Kann Auswurf abhusten/ausspucken

Pflegeinterventionen

Fähigkeiten und Aktivitätstoleranz gemeinsam analysieren
- Pflegeintervention konkretisieren
- Zeit angeben

Sauerstoff nach Arztanordnung verabreichen
- Pflegeintervention konkretisieren
  - » Sauerstoff in der Akutphase verabreichen und Wirkung kontrollieren
  - » Kontinuierlich Sauerstoff verabreichen
  - » Intermittierend Sauerstoff verabreichen
- Sauerstoff verabreichen mit
  - » Sauerstoffsonde
  - » Sauerstoffbrille
  - » Sauerstoffmaske
- Sauerstoffkonzentration angeben
- Pflege bei Sauerstofftherapie durchführen
  - » Nasen- und Sondenpflege durchführen
  - » Schlauchsystem aseptisch aufbereiten

Bronchialsekret absaugen
- Pflegeintervention konkretisieren
- Zeit angeben

Trinkmenge festlegen und Flüssigkeitszufuhr nach Trinkfahrplan reduzieren (in Arztabsprache)
- Pflegeintervention konkretisieren
  - » Angeordnete Flüssigkeitsmenge in 24 h
- Flüssigkeitszufuhr managen
  - » Flüssigkeitszufuhr mithilfe eines Trinkfahrplans dokumentieren
  - » Flüssigkeitszufuhr mithilfe eines Einfuhrprotokolls dokumentieren
  - » Trinkfahrplan erstellen/aktualisieren
  - » 24-h-Flüssigkeitszufuhr berechnen/dokumentieren
  - » Zu selbstständiger Dokumentation der Trinkmenge anleiten/anhalten

ZVD-Messung durchführen
- Pflegeintervention konkretisieren
- Zeit angeben

Ein- u. Ausfuhr bilanzieren
- Pflegeintervention konkretisieren
  - » ZVD-Messung durchführen
  - » Flüssigkeitsbilanzierung durchführen
  - » Stundenurinkontrolle durchführen
  - » Ausfuhr berechnen
  - » Einfuhr berechnen
  - » Bilanzprotokoll erstellen
- Flüssigkeitszufuhr lt. Arztanordnung festlegen
  - » Positiv-Bilanz
  - » Negativ-Bilanz
  - » Ausgeglichene Bilanz
- Erfassungszeitraum bestimmen/sonstige Angaben
  - » Blase am Ende des Erfassungszeitraums entleeren lassen
  - » Ergebnisse in die Dokumentation eintragen
  - » Erfassungszeitraum bestimmen

Nierenschale und Zellstoff bereitstellen und regelmäßig entsorgen
- Pflegeintervention konkretisieren
- Zeit angeben

Sonstige Pflegemaßnahmen durchführen
- Maßnahmen konkretisieren
- Zeit angeben

Literaturhinweise: 79, 93, 95, 100, 113, 125, 126, 127, 175, 176, 328

Der Patient hat ein **Erstickungsrisiko**

Kennzeichen

- Erhöhtes Risiko einer Aspiration
- Zu große Bissen beim Essen
- Kissen im Bett eines Säuglings
- Um den Hals hängender Schnuller
- Trinkflasche im Bett
- Kleinkinder, die mit kleinen Gegenständen oder Plastiktüten spielen
- Erstickungsanfälle nach dem Schlucken
- Erstickungsrisiko durch das unbeaufsichtigte Spielen mit Plastiktüten/verschließbaren Kisten usw.
- Unbeaufsichtigtes Saugen des Säuglings aus der Saugflasche im Bett
- Unbeaufsichtigtes Schwimmen/Baden von Kleinkindern
- Brechneigung

Ursachen

- Fehlende Sicherheitsvorsorge
- Fehlende Sicherheitsvorsorge, entwicklungsbedingt
- Fehlende Schluckreflexauslösung
- Fehlender Würgereflex
- Folge einer Narkose
- Bewusstlosigkeit
- Schnupfen bei Neugeborenen
- Verletzung der Atemwege durch kleine Objekte (Spielzeug)

Ressourcen

- Akzeptiert und toleriert sichere Lagerungspositionen
- Vorhandener Husten- und Würgereflex
- Angehörige/Bezugspersonen unterstützen den Pflegeprozess

Pflegeziele

- Ungehinderte, kontinuierliche Ventilation der Lunge ist gewährleistet
- Atemwege sind frei
- Komplikationen sind frühzeitig erkannt und abgewendet
- Dem Verschlucken ist vorgebeugt
- Komplikationen sind vorgebeugt
- Veränderungen sind frühzeitig erkannt
- Einer Aspiration ist vorgebeugt
- Dem Ersticken ist vorgebeugt

Pflegeinterventionen

Atemwege offen halten und Luftzufuhr sicherstellen

- Pflegeintervention konkretisieren
  - » Fähigkeit zur Sicherheitsvorsorge und Beseitigung von Risikofaktoren einschätzen
  - » Kontinuierlich beaufsichtigen
  - » Sichere Lagerungspositionen gewährleisten und Materialien einsetzen
  - » Große Kissen im Bereich des Kopfes vermeiden
  - » Atmung überwachen

Absaugvorrichtung mit Absaugkatheter bereithalten und bei Bedarf absaugen

- Pflegeintervention konkretisieren
  - » Nasen-/Rachenraum absaugen
  - » Endotracheal absaugen

Endotracheal absaugen

- Pflegeintervention konkretisieren
  - » Absaugvorgang mit Einmalkatheter unter sterilen Kautelen durchführen
  - » Geschlossenes Absaugsystem einsetzen
- Anzahl der benötigten Pflegepersonen bestimmen

Schlafumgebung des Säuglings sicher gestalten

- Pflegeintervention konkretisieren
  - » Schlafsack anstatt Decke verwenden
  - » Keine Kissen, Nästchen, Felle, Tücher, großen Kuscheltiere o.Ä. im Kinderbett belassen
  - » Keine Mütze oder Kinderjacke mit Bändchem am Hals verwenden
  - » Keine Bänder, Schnüre oder Ketten in Reichweite des Kindes belassen
  - » Eigenes Kinderbett im Schlafzimmer der Eltern verwenden
  - » Schadstofffreie Matratze verwenden
  - » GS- geprüftes Kinderbett verwenden

Nahrungsaufnahme des Säuglings unter ununterbrochener Beobachtung durchführen

- Pflegeintervention konkretisieren
  - » Beim Stillen anleiten
  - » Flaschennahrung verabreichen
  - » Zur Verabreichung der Flaschennahrung anleiten

Säugling in Trinkpausen und nach dem Trinken aufstoßen lassen

- Pflegeintervention konkretisieren
- Zeit angeben

Abdomen beobachten

- Pflegeintervention konkretisieren
- Zeit angeben

Mundgerechte, kleine Bissen anbieten oder auffordern, nur kleine Bissen abzubeißen

- Pflegeintervention konkretisieren
- Zeit angeben

Kleinkind beim Essen beaufsichtigen

- Pflegeintervention konkretisieren
- Zeit angeben

Keine Plastiktüten oder kleinen Gegenstände in Reichweite von kleinen Kindern liegen lassen

- Pflegeintervention konkretisieren
- Zeit angeben

Sonstige Pflegemaßnahmen durchführen

- Maßnahmen konkretisieren
- Zeit angeben

Literaturhinweise: 51, 79, 86, 95, 125, 175, 687, 688

Der Patient hat aufgrund **fehlender/unzureichender Schutzreflexe** das **Risiko einer Aspiration**

Kennzeichen

- Husten bei/nach dem Schlucken
- Erstickungsanfälle nach dem Schlucken
- Feuchte/gurgelige Stimmqualität nach dem Schlucken
- Auffälliges positives Ergebnis bei der Phonationsprobe nach dem Schlucken
- Auffälliges positives Ergebnis beim 50 ml Wasserschlucktest
- Veränderte Schluckphasen
- Fehlender Schluckreflex
- Brodelnde Atemgeräusche
- Sekret läuft aus dem Mund
- Speichel läuft im Liegen aus dem Mundwinkel
- Willkürliches Husten/Räuspern ist eingeschränkt
- Willkürliches Husten/Räuspern ist nicht möglich
- Fehlender Würgereflex bei Berührung der Hinterzunge/des weichen Gaumens

Ursachen

Pathophysiologische Ursachen

- Läsionen im Bereich des Pharynx
- Bolus gleitet prädeglutitiv (vor dem eigentlichen Schlucken) in den Rachen
- Veränderte oropharyngeale Phase
- Verzögerte Schluckreflexauslösung
- Fehlende Schluckreflexauslösung
- Fehlender Würgereflex
- Eingeschränkter Würgereflex
- Fehlender Hustenreflex
- Unwirksamer Hustenreflex
- Eingeschränkte hyolaryngeale Exkursion (Hebung und Vorwärtsbewegung des Kehlkopfes)
- Eingeschränkter Verschluss des Kehlkopfeingangs
- Eingeschränkter Stimmlippenschluss
- Pharyngeale Sensibilitätsstörungen
- Orofaziale Sensibilitätsstörung
- Orale Sensibilitätsstörung
- Öffnungsstörung des oberen Ösophagussphinkters
- Beeinträchtigter velolingualer/glossopalataler Abschluss
- Beeinträchtigung der neuromuskulären Koordination
- Lähmungserscheinung des Pharynx
- Beeinträchtigter velolingualer/glossopalataler Abschluss

Krankheitsbedingte Ursachen

- Neurogen bedingte Schluckstörung
- Schädel-Hirn-Trauma
- Apallisches Syndrom
- Hohe Querschnittlähmung
- Quantitative Bewusstseinsveränderung
- Recurrensparese
- Zustand nach Apoplex
- Zustand nach Hirnblutung
- Erworbene Hirnschädigung
- Angeborene Hirnschädigung
- Zustand nach Apoplex mit rechtsseitiger Läsion
- Laryngektomie
- Nebenwirkungen von Medikamenten

Ressourcen

- Ist bei Bewusstsein und kann sich bei Übelkeit melden
- Ist motiviert, ein Schluck-/Trinktraining durchzuführen
- Kann sich auf die Nahrungsverabreichung konzentrieren
- Angehörige/Bezugspersonen unterstützen den Pflegeprozess
- Akzeptiert die Unterstützung
- Akzeptiert die Unterstützung von Angehörigen

Pflegeziele

- Aspirationsrisiko ist systematisch eingeschätzt
- Kontinuität von Behandlung und Therapie ist sichergestellt
- Komplikationen sind vorgebeugt
- Einer Aspiration ist vorgebeugt
- Reflexaktivitäten sind stimuliert
- Schluckt, ohne zu aspirieren
- Atemwege sind frei
- Einem Eindringen von Mundwasser in den tracheobronchialen Raum ist vorgebeugt
- Einer Aspiration ist vorgebeugt

Pflegeinterventionen

Systematische Einschätzung des Aspirationsrisikos durchführen
- Pflegeintervention konkretisieren
- Zeit angeben

Interdisziplinäre Besprechung des logopädischen Behandlungskonzepts durchführen
- Pflegeintervention konkretisieren
- Zeit angeben

Auf die Einhaltung der Flüssigkeits- und Nahrungskarenz achten
- Pflegeintervention konkretisieren
- Zeit angeben

Aspirationsprophylaxe durch Seiten-/ Oberkörperhochlagerung durchführen
- Pflegeintervention konkretisieren
- Zeit angeben

Schutzreflexe entsprechend dem Therapiekonzept stimulieren
- Pflegeintervention konkretisieren
  - » Stimulation des Schluckreflexes, vereinbartes Vorgehen
  - » Stimulation des Würgereflexes, vereinbartes Vorgehen
- Maßnahmen nach logotherapeutischem Konzept
- Zeit angeben

Mund-, Nasen- und Rachenraum bei Bedarf absaugen
- Pflegeintervention konkretisieren
- Zeit angeben

Mundpflege in sitzender Körperposition durchführen
- Pflegeintervention konkretisieren
- Zeit angeben

Mundpflege in Seitenlage durchführen
- Pflegeintervention konkretisieren
- Zeit angeben

Mundhöhle mit gut ausgedrückten Tupfern auswischen
- Pflegeintervention konkretisieren
- Zeit angeben

Absaugvorrichtung mit Absaugkatheter bereithalten und bei Bedarf absaugen
- Pflegeintervention konkretisieren
  - » Nasen-/Rachenraum absaugen
  - » Endotracheal absaugen

Zahnbürste mit integrierter Absaugvorrichtung benutzen
- Pflegeintervention konkretisieren
- Zeit angeben

Sofortmaßnahmen bei akutem Aspirationsrisiko einleiten
- Pflegeintervention konkretisieren
  - » Oberkörper hochlagern, um einer Aspiration vorzubeugen (bei Ansprechbarkeit)
  - » Stabile Seitenlagerung bei starker Schläfrigkeit zur Aspirationsprophylaxe sicherstellen
  - » Absaugbereitschaft herstellen
  - » Intubationsmaterialien griffbereit vorhalten
  - » Kontinuierliche Überwachung sicherstellen
  - » Entlastungsmagensonde legen lt. Anordnung

Sonstige Pflegemaßnahmen durchführen
- Maßnahmen konkretisieren
- Zeit angeben

Literaturhinweise: 1156, 1175, 1177, 1183, 1184, 1194, 1196, 1197, 1199, 1200, 1201, 1202

Der Patient hat aufgrund einer **Ösophagusschienung** ein **Risiko der Aspiration**

Kennzeichen

- Pflege-/Behandlungsvereinbarungen werden nicht eingehalten
- Zeigt Verhaltensweisen, die darauf hinweisen, dass die Gefahren nicht ausreichend beachtet werden
- Äußert ein Wissensdefizit über entsprechende Prophylaxemaßnahmen

Ursachen

- Ösophagusschienung bei Stenose/Passagebehinderung
- Ösophagusstent

Ressourcen

- Hält sich an die Verhaltensregeln nach der Nahrungsaufnahme
- Äußert Verständnis für die Notwendigkeit der Maßnahme
- Ist motiviert, die Pflegemaßnahme zu unterstützen und zeigt entsprechende Verhaltensweisen
- Kann die Zusammenhänge zwischen notwendiger Verhaltensänderung und Krankheit/Symptomen erklären
- Angehörige/Bezugspersonen unterstützen den Pflegeprozess

Pflegeziele

- Einer Aspiration ist vorgebeugt
- Reflux von Speisen oder Magensaft ist vorgebeugt

Pflegeinterventionen

Strenge Oberkörperhochlage während und nach der Nahrungsaufnahme durchführen
- Pflegeintervention konkretisieren

Nachtruhe in Oberkörperhochlagerung
- Pflegeintervention konkretisieren
- Zeit angeben

Sonstige Pflegemaßnahmen durchführen
- Maßnahmen konkretisieren
- Zeit angeben

Literaturhinweise: 84, 89, 95, 126, 175, 176

Der Patient hat aufgrund von **Erbrechen/Brechneigung nach** einem **operativen Eingriff** das **Risiko einer Aspiration**

Kennzeichen

- Äußert Übelkeitsgefühl
- Anzeichen eines Narkoseüberhangs

Ursachen

- Nebenwirkungen von Medikamenten
- Reaktion auf Schmerzsituation
- Postoperative Magen-Darm-Atonie
- Postoperative Phase/Narkoseüberhang
- Vollnarkose
- Operativer Eingriff im Bauchraum

Ressourcen

- Ist bei Bewusstsein und kann sich bei Übelkeit melden
- Hält sich an die Nahrungskarenz
- Akzeptiert die Notwendigkeit der Diät (bestimmte Einschränkungen)
- Akzeptiert die Unterstützung
- Akzeptiert die Unterstützung von Angehörigen
- Angehörige/Bezugspersonen unterstützen den Pflegeprozess

Pflegeziele

- Einer Aspiration ist vorgebeugt

Pflegeinterventionen

Auf Übelkeit und Brechreiz beobachten, Aspirationsprophylaxe durchführen
- Pflegeintervention konkretisieren
- Zeit angeben

Postoperative Nahrungskarenz/Kostaufbau

nach Arztanordnung einhalten
- Pflegeintervention konkretisieren

Sonstige Pflegemaßnahmen durchführen
- Maßnahmen konkretisieren
- Zeit angeben

Literaturhinweise: 95, 125, 140, 151, 175, 176

Der Patient hat ein **Aspirationsrisiko**

Kennzeichen

- Husten bei/nach dem Schlucken
- Erstickungsanfälle nach dem Schlucken
- Äußerungen über/Beobachtung von Schluckstörungen
- Würgegeräusche
- Äußert Übelkeitsgefühl
- Sekret läuft aus dem Mund
- Rasselgeräusche beim Atmen
- Beeinträchtigte gastrointestinale Motilität
- Verzögerte Magenentleerung
- Liegende nasoduodenale Sonde
- Liegende nasogastrale Sonde
- Liegende nasojejunale Sonde
- Beeinträchtigte Funktion des Ösophagussphinkters
- Bestehende Kieferverplattung mit Verdrahtung

Ursachen

- Quantitative Bewusstseinsveränderung
- Postoperative Phase/Narkoseüberhang
- Tracheotomie/Tubus entblockt
- Schluckstörung
- Sondennahrung
- Magendruck ist erhöht
- Bewegungseinschränkung der Zunge
- Beeinträchtigte Funktion des Ösophagussphinkters
- Bestehende Kieferverplattung mit Verdrahtung
- Beeinträchtigte gastrointestinale Motilität
- Verzögerte Magenentleerung
- Liegende nasogastrale Sonde
- Liegende nasoduodenale Sonde
- Liegende nasojejunale Sonde

Ressourcen

- Schluckfähigkeit ist voll erhalten
- Vorhandener Husten- und Würgereflex
- Ist bei Bewusstsein und kann sich bei Übelkeit melden
- Ist motiviert, ein Schluck-/Trinktraining durchzuführen
- Kann sich auf die Nahrungsverabreichung konzentrieren
- Angehörige/Bezugspersonen unterstützen den Pflegeprozess

Pflegeziele

- Aspirationsrisiko ist systematisch eingeschätzt
- Komplikationen sind vorgebeugt
- Erstickungsangst ist reduziert
- Eine Aspiration von Speichel oder Erbrochenem ist vermieden
- Atemwege sind frei
- Einer Aspiration ist vorgebeugt

Pflegeinterventionen

Assessment bezüglich des Aspirationsrisikos durchführen
- Gesprächsinhalt
- Zeitdauer angeben

Sofortmaßnahmen bei akutem Aspirationsrisiko einleiten
- Pflegeintervention konkretisieren
  - » Oberkörper hochlagern, um einer Aspiration vorzubeugen (bei Ansprechbarkeit)
  - » Stabile Seitenlagerung bei starker Schläfrigkeit zur Aspirationsprophylaxe sicherstellen
  - » Absaugbereitschaft herstellen
  - » Intubationsmaterialien griffbereit vorhalten
  - » Kontinuierliche Überwachung sicherstellen
  - » Entlastungsmagensonde legen lt. Anordnung

Aspirationsprophylaxe bei Sondenkostverabreichung durchführen
- Pflegeintervention konkretisieren
  - » Während der Nahrungsverabreichung

Kopfteil halbhoch stellen (30-40°)
   - » Magenentleerung überprüfen
   - » Vor der Nahrungsverabreichung richtige Sondenlage kontrollieren

Auf Anzeichen von Regurgitation beobachten
- Pflegeintervention konkretisieren
- Zeit angeben

Aspirationsprophylaxe bei Schluckstörungen im Rahmen der Nahrungsaufnahme durchführen
- Pflegeintervention konkretisieren
   - » Auffordern, gründlich und bewusst zu kauen und zu schlucken
   - » Oberkörper bei der Nahrungsaufnahme hochlagern
   - » Erst ca. 30-60 Min. nach der Nahrungsaufnahme flach lagern

Bei erhöhtem Aspirationsrisiko Null-Diät durchführen
- Pflegeintervention konkretisieren
- Zeit angeben

Seitenlagerung zur Abflussgewährung des Sekrets aus dem Mund- und Rachenraum durchführen
- Pflegeintervention konkretisieren
- Zeit angeben

Mund-, Nasen- und Rachenraum bei Bedarf absaugen
- Pflegeintervention konkretisieren
- Zeit angeben

Bauchlagerung durchführen
- Pflegeintervention konkretisieren
- Zeit angeben

Auskultation der Lunge bezüglich der Atemgeräusche vor und nach der Nahrungsaufnahme
- Pflegeintervention konkretisieren
- Zeit angeben

Sonstige Pflegemaßnahmen durchführen
- Maßnahmen konkretisieren
- Zeit angeben

Literaturhinweise: 51, 79, 95, 195

Der Patient hat ein **Risiko der verminderten Belüftung der Lunge**

Kennzeichen

- Pflege-/Behandlungsvereinbarungen werden nicht eingehalten
- Zeigt Verhaltensweisen, die darauf hinweisen, dass die Gefahren nicht ausreichend beachtet werden
- Äußert ein Wissensdefizit über entsprechende Prophylaxemaßnahmen
- Mit Hilfe eines Einschätzungsinstruments (Assessmentinstrument) festgestelltes hohes Risiko

Ursachen

- Rippenprellung
- Immobilität
- Abnehmende Energiereserven
- Postoperative Bewegungseinschränkung
- Operativer Eingriff im Bauchraum
- Operativer Eingriff im Brust-/Thoraxbereich
- Operativer Eingriff im Hals-/Nackenbereich
- Operativer Eingriff am Herzen
- Alter über 60 Jahre

Ressourcen

- Zeigt Verhaltensweisen, die die Therapie unterstützen
- Kann der Aufforderung zu Atemübungen folgen
- Führt die Atemübungen nach Aufforderung und Anleitung selbstständig durch
- Angehörige/Bezugspersonen unterstützen den Pflegeprozess

Pflegeziele

- Erstickungsangst ist reduziert
- Hat eine freie und erleichterte Atmung
- Pneumonie-/Atelektasengefahr ist erkannt

- Komplikationen sind vorgebeugt
- Atemsituation ist eingeschätzt
- Wissensdefizit über Ursachen und Maßnahmen ist aufgehoben
- Kennt die Behandlungsziele und ist zur Mitarbeit motiviert
- Atemfrequenz beim Erwachsenen liegt zwischen 12-20 Atemzügen/Min.
- Atemfrequenz beim Kind liegt zwischen 15-30 Atemzügen/Min.
- Atemfrequenz beim Neugeborenen liegt zwischen 30-50 Atemzügen/Min.
- Lunge ist durch die Dehnung des knöchernen Brustkorbs entfaltet
- Verwachsungen und Verklebungen der Pleura sind vorgebeugt
- Tiefe Inspiration ist provoziert
- Atemzugvolumen beträgt in Ruhe ca. 7 ml x Körpergewicht
- Lungen werden gleichmäßig und physiologisch belüftet, Atelektasen sind vorgebeugt

Pflegeinterventionen

Atemerleichternde/ventilationsfördernde Lagerung durchführen

- Pflegeintervention konkretisieren
  - » Sitzposition im Bett mit Unterstützung der Arme durch Lagerungskissen schaffen
  - » Reitersitz ermöglichen
  - » Kutschersitz
  - » V-Lagerung durchführen
  - » A-Lagerung durchführen
  - » T-Lagerung durchführen
  - » I-Lagerung durchführen
  - » Oberkörperhochlagerung durchführen

Atemsituation/Pneumonierisiko mithilfe einer Atemskala einschätzen

- Atemsituation einschätzen
  - » Atemtiefe
  - » Atemfrequenz
  - » Strömungsgeräusche zur Einschätzung der Lungenbelüftung auskultieren
- Pneumonierisiko einschätzen mithilfe der Atemskala
  - » Pneumonierisiko mit der Atemskala nach Bienstein einschätzen
  - » Sonstiges Assessment
  - » Atemwerte erneut bestimmen am
- Sonstiges

Informationsgespräch über mögliche Komplikationen bei oberflächlicher Atmung führen

- Pflegeintervention konkretisieren
- Zeit angeben

Zu selbstständigem Atemtraining anleiten

- Art der Atemübungen festlegen
  - » Bewusste Bauch-Brust-Atmung durchführen
  - » Flankenatmung intensivieren
  - » Auf "fff" vertieft ausatmen
- Art und Weise der Anleitung
  - » Informationsbroschüre aushändigen
  - » Übungen gemeinsam durchgehen
  - » Durchführung der Atemübungen kontrollieren
  - » Erfolg bei der Atemübung besprechen und reflektieren
- Anzuleitende Person(en) festlegen
  - » Betroffene Person
  - » Angehöriger/Bezugsperson

Atemübungen durchführen

- Pflegeintervention konkretisieren
  - » Kontaktatmen - Basaltexte durchführen
  - » Flankenatmung intensivieren
  - » Therapeutische Nasenenge durchführen
  - » Auf "fff" vertieft ausatmen
  - » Zwerchfellatmung üben
  - » Atemübungen mit dem Atemtherapeuten durchführen

Dehnlagerung durchführen

- Pflegeintervention konkretisieren
  - » Halbmondlagerung im Wechsel rechts und links durchführen
  - » V-Lagerung oder Schiffchenlagerung durchführen
  - » A-Lagerung durchführen
  - » T-Lagerung durchführen
  - » I-Lagerung durchführen

Atemübungen mit der therapeutischen Nasenenge durchführen

- Pflegeintervention konkretisieren
- Zeit angeben

Zum Atemtraining mit der Blubberflasche anleiten

- Pflegeintervention konkretisieren
- Art der Unterstützung
  - » Beaufsichtigen
  - » Durch Unterstützen helfen
  - » Teilweise übernehmen
  - » Vollständig übernehmen
  - » Zur selbstständigen Durchführung anleiten
- Anzuleitende Person(en) festlegen
  - » Betroffene Person
  - » Angehöriger/Bezugsperson
- Zeit angeben

Atemtraining mit einem Atemtrainer durchführen

- Atemflussorientierte Atemtrainer einsetzen
  - » Mediflow
  - » Triflo II
- Volumenorientierte Atemtrainer einsetzen
  - » Coach
  - » Voldyne
- Totraumvergrößerer einsetzen
  - » Giebel-Rohr
- Art der Hilfestellung bestimmen
  - » Zum richtigen Einsatz des Geräts anleiten
  - » Übungen gemeinsam mit Anweisungen durchführen
  - » Kontrollieren, ob die Maßnahmen durchgeführt werden

Sonstige Pflegemaßnahmen durchführen

- Maßnahmen konkretisieren
- Zeit angeben

Literaturhinweise: 510, 809

Der Patient **atmet oberflächlich** und kann aktive **Atemübungen nicht durchführen**, es besteht das **Risiko einer Atelektase/ Pneumonie**

Kennzeichen

- Reagiert nicht auf Ansprache/Zuruf
- Reagiert nicht auf Aufforderung zu Atemübungen
- Vermeidet es, tief Luft zu holen
- Schonhaltung im Oberkörperbereich
- Oberflächliche Bauchatmung
- Oberflächliche Brustatmung
- Mit Hilfe eines Einschätzungsinstruments (Assessmentinstrument) festgestelltes Risiko
- Mit Hilfe eines Einschätzungsinstruments (Assessmentinstrument) festgestelltes hohes Risiko

Ursachen

- Rippenprellung
- Immobilität
- Störung des Atemzentrums
- Schmerzbedingte Schonatmung
- Bewusstlosigkeit
- Demenz

Ressourcen

- Toleriert die atemunterstützende Lagerung
- Toleriert die therapeutische/pflegerische Intervention
- Atmet bei guter Einstellung mit Schmerzmedikation vertieft
- Angehörige/Bezugspersonen unterstützen den Pflegeprozess

Pflegeziele

- Lungen werden gleichmäßig und physiologisch belüftet, Atelektasen sind vorgebeugt
- Lunge ist durch die Dehnung des knöchernen Brustkorbs entfaltet
- Verwachsungen und Verklebungen der Pleura sind vorgebeugt
- Atemzugvolumen beträgt in Ruhe ca. 7 ml x Körpergewicht
- Wohlbefinden und Entspannung sind unterstützt
- Atmung erreicht minderbelüftete Lungenbereiche
- Atmung ist vertieft
- Lokale Durchblutung ist gefördert

Pflegeinterventionen

Dehnlagerung durchführen

- Pflegeintervention konkretisieren
  - » Halbmondlagerung im Wechsel rechts und links durchführen
  - » V-Lagerung oder Schiffchenlagerung durchführen
  - » A-Lagerung durchführen
  - » T-Lagerung durchführen
  - » I-Lagerung durchführen

ASE - Atemstimulierende Einreibung durchführen

- Pflegeprodukte zur ASE angeben
- Lagerung bei der ASE bestimmen
  - » Sitzend, mit den Armen auf den Tisch oder die Stuhllehne gestützt, durchführen
  - » In 135°-Lage im Bett durchführen

Atemtherapie durchführen

- Pflegeintervention konkretisieren
- Zeit angeben

Kontaktatmungstechniken einsetzen

- Pflegeintervention konkretisieren
  - » Zwerchfellatmung intensivieren
  - » Thoraxatmung intensivieren
  - » Flankenatmung intensivieren
- Dauer angeben

Wickel/Auflage zur Pneumonieprophylaxe durchführen

- Pflegeintervention konkretisieren
  - » Feuchtwarme Wickel einsetzen
  - » Brustauflage einsetzen
  - » Ölkompresse
- Zusatz angeben
  - » Zitrone
  - » Lavendelöl
  - » Citronellaöl
- Dauer angeben

Sonstige Pflegemaßnahmen durchführen

- Maßnahmen konkretisieren
- Zeit angeben

Literaturhinweise: 93, 95, 108, 135, 175, 176, 179, 328, 690, 809

Der Patient hat aufgrund einer **verminderten Belüftung der Lunge** das **Risiko einer Atelektase/Pneumonie**

Kennzeichen

- Vermeidet es, tief Luft zu holen
- Schonhaltung im Oberkörperbereich
- Oberflächliche Bauchatmung
- Oberflächliche Brustatmung
- Mit Hilfe eines Einschätzungsinstruments (Assessmentinstrument) festgestelltes Risiko
- Mit Hilfe eines Einschätzungsinstruments (Assessmentinstrument) festgestelltes hohes Risiko

Ursachen

- Rippenprellung
- Immobilität
- Abnehmende Energiereserven
- Postoperative Bewegungseinschränkung
- Operativer Eingriff im Bauchraum
- Operativer Eingriff im Brust-/Thoraxbereich
- Operativer Eingriff im Hals-/Nackenbereich
- Operativer Eingriff am Herzen
- Alter über 60 Jahre

Ressourcen

- Zeigt Verhaltensweisen, die die Therapie unterstützen
- Kann der Aufforderung zu Atemübungen folgen
- Führt die Atemübungen nach Aufforderung und Anleitung selbstständig durch
- Angehörige/Bezugspersonen unterstützen den Pflegeprozess

Pflegeziele

- Erstickungsangst ist reduziert
- Hat eine freie und erleichterte Atmung
- Pneumonie-/Atelektasengefahr ist erkannt
- Komplikationen sind vorgebeugt
- Atemsituation ist eingeschätzt
- Wissensdefizit über Ursachen und Maßnahmen ist aufgehoben
- Kennt die Behandlungsziele und ist zur Mitarbeit motiviert
- Atemfrequenz beim Erwachsenen liegt zwischen 12-20 Atemzügen/Min.
- Atemfrequenz beim Kind liegt zwischen 15-30 Atemzügen/Min.
- Atemfrequenz beim Neugeborenen liegt zwischen 30-50 Atemzügen/Min.
- Tiefe Inspiration ist provoziert
- Atemzugvolumen beträgt in Ruhe ca. 7 ml x Körpergewicht
- Lunge ist durch die Dehnung des knöchernen Brustkorbs entfaltet
- Verwachsungen und Verklebungen der Pleura sind vorgebeugt
- Lungen werden gleichmäßig und physiologisch belüftet, Atelektasen sind vorgebeugt

Pflegeinterventionen

Atemerleichternde/ventilationsfördernde Lagerung durchführen

- Pflegeintervention konkretisieren
  - » Sitzposition im Bett mit Unterstützung der Arme durch Lagerungskissen schaffen
  - » Reitersitz ermöglichen
  - » Kutschersitz
  - » V-Lagerung durchführen
  - » A-Lagerung durchführen
  - » T-Lagerung durchführen
  - » I-Lagerung durchführen
  - » Oberkörperhochlagerung durchführen

Atemsituation/Pneumonierisiko mithilfe einer Atemskala einschätzen

- Atemsituation einschätzen
  - » Atemtiefe
  - » Atemfrequenz
  - » Strömungsgeräusche zur Einschätzung der Lungenbelüftung auskultieren
- Pneumonierisiko einschätzen mithilfe der Atemskala
  - » Pneumonierisiko mit der Atemskala nach Bienstein einschätzen
  - » Sonstiges Assessment
  - » Atemwerte erneut bestimmen am
- Sonstiges

Informationsgespräch über mögliche Komplikationen bei oberflächlicher Atmung führen

- Pflegeintervention konkretisieren
- Zeit angeben

Zu selbstständigem Atemtraining anleiten

- Art der Atemübungen festlegen
  - » Bewusste Bauch-Brust-Atmung durchführen
  - » Flankenatmung intensivieren
  - » Auf "fff" vertieft ausatmen
- Art und Weise der Anleitung
  - » Informationsbroschüre aushändigen
  - » Übungen gemeinsam durchgehen
  - » Durchführung der Atemübungen kontrollieren
  - » Erfolg bei der Atemübung besprechen und reflektieren
- Anzuleitende Person(en) festlegen
  - » Betroffene Person
  - » Angehöriger/Bezugsperson

Atemübungen durchführen

- Pflegeintervention konkretisieren
  - » Kontaktatmen - Basaltexte durchführen
  - » Flankenatmung intensivieren
  - » Therapeutische Nasenenge durchführen
  - » Auf "fff" vertieft ausatmen
  - » Zwerchfellatmung üben
  - » Atemübungen mit dem Atemtherapeuten durchführen

Atemübungen mit der therapeutischen Nasenenge durchführen

- Pflegeintervention konkretisieren
- Zeit angeben

Zum Atemtraining mit der Blubberflasche anleiten

- Pflegeintervention konkretisieren
- Art der Unterstützung

- » Beaufsichtigen
- » Durch Unterstützen helfen
- » Teilweise übernehmen
- » Vollständig übernehmen
- » Zur selbstständigen Durchführung anleiten
- Anzuleitende Person(en) festlegen
  - » Betroffene Person
  - » Angehöriger/Bezugsperson
- Zeit angeben

Atemtraining mit einem Atemtrainer durchführen
- Atemflussorientierte Atemtrainer einsetzen
  - » Mediflow
  - » Triflo II
- Volumenorientierte Atemtrainer einsetzen
  - » Coach
  - » Voldyne
- Totraumvergrößerer einsetzen
  - » Giebel-Rohr
- Art der Hilfestellung bestimmen
  - » Zum richtigen Einsatz des Geräts anleiten
  - » Übungen gemeinsam mit Anweisungen durchführen
  - » Kontrollieren, ob die Maßnahmen durchgeführt werden

Dehnlagerung durchführen
- Pflegeintervention konkretisieren
  - » Halbmondlagerung im Wechsel rechts und links durchführen
  - » V-Lagerung oder Schiffchenlagerung durchführen
  - » A-Lagerung durchführen
  - » T-Lagerung durchführen
  - » I-Lagerung durchführen

Bauch- und 135°-Seitenlage zur Sekretmobilisierung und Belüftung der rückseitigen Lungenabschnitte durchführen
- Pflegeintervention konkretisieren
- Zeit angeben

Sonstige Pflegemaßnahmen durchführen
- Maßnahmen konkretisieren
- Zeit angeben

Literaturhinweise: 86, 93, 95, 113, 125, 126, 135, 140, 151, 175, 176, 328, 808

Der Patient hat aufgrund von **Schmerzen** eine **oberflächliche Atmung**, es besteht das **Risiko einer Atelektase/Pneumonie**

Kennzeichen
- Atmet oberflächlich
- Überwiegend Brustatmung
- Vermeidet es, tief Luft zu holen
- Schonhaltung im Oberkörperbereich
- Mit Hilfe eines Einschätzungsinstruments (Assessmentinstrument) festgestelltes Risiko
- Mit Hilfe eines Einschätzungsinstruments (Assessmentinstrument) festgestelltes hohes Risiko
- Berichtet über Schmerzen

Ursachen
- Rippenprellung
- Operativer Eingriff im Brust-/Thoraxbereich
- Operativer Eingriff im Bauchraum

Ressourcen
- Atmet bei guter Einstellung mit Schmerzmedikation vertieft
- Kann der Aufforderung zu Atemübungen folgen
- Führt die Atemübungen nach Aufforderung und Anleitung selbstständig durch
- Angehörige/Bezugspersonen unterstützen den Pflegeprozess

Pflegeziele
- Schmerzintensität ist eingeschätzt
- Systematische, zeitnahe Schmerzerfassung, einschließlich beeinflussender Faktoren, ist gewährleistet
- Ist schmerzfrei
- Hat Schmerzen, die nicht mehr als 3 von 10 Punkten der Numerischen Rangskala betragen
- Nimmt die Schmerzmedikamente konse-

quent und zeitnah lt. Arztanordnung ein
- Führt die Atemübungen trotz Schmerzen motiviert durch
- Bewegt sich schmerzfrei
- Schmerzen sind reduziert
- Wohlbefinden und Entspannung sind unterstützt
- Atmung ist vertieft
- Lungen werden gleichmäßig und physiologisch belüftet, Atelektasen sind vorgebeugt

Pflegeinterventionen

Schmerz, beeinflussende Faktoren und Auswirkungen beobachten und mittels Schmerzverlaufsprotokoll einschätzen
- Pflegeintervention konkretisieren
- Zeit angeben

Analgetika, entsprechend der ärztlichen Anordnung, nach dem vorgegebenen Zeitschema verabreichen
- Angeordnete Schmerztherapie
  - » Schmerzmedikation über Spritzenpumpe lt. Arzt verabreichen
  - » Schmerzmedikation lt. Therapieplan über s. c. Injektion verabreichen
  - » Schmerzmedikation lt. Therapieplan über i. m. Injektion verabreichen
  - » Orale Schmerzmedikation lt. Therapieplan verabreichen
  - » Schmerztherapie mit Zäpfchen lt. Therapieplan durchführen
  - » Schmerzpflaster lt. Arztanordnung anbringen
  - » Schmerzmedikation lt. Therapieplan über i. v. Injektion verabreichen
- Bedarfsmedikation lt. Arzt verabreichen
  - » Schmerzen, bei denen die Bedarfsmedikation verabreicht werden darf, beschreiben

Im Informationsgespräch die Verbindung von oberflächlicher Atmung bei Schmerzen und der Entstehung der Pneumonie aufzeigen
- Pflegeintervention konkretisieren
- Zeit angeben

Gegendruck auf die Wunde oder die Schmerz ausstrahlende Region ausüben
- Pflegeintervention konkretisieren
- Zeit angeben

Schmerz erleichternde Lagerung durchführen
- Pflegeintervention konkretisieren
- Zeit angeben

ASE - Atemstimulierende Einreibung durchführen
- Pflegeprodukte zur ASE angeben
- Lagerung bei der ASE bestimmen
  - » Sitzend, mit den Armen auf den Tisch oder die Stuhllehne gestützt, durchführen
  - » In 135°-Lage im Bett durchführen

Zu selbstständigem Atemtraining anleiten
- Art der Atemübungen festlegen
  - » Bewusste Bauch-Brust-Atmung durchführen
  - » Flankenatmung intensivieren
  - » Auf "fff" vertieft ausatmen
- Art und Weise der Anleitung
  - » Informationsbroschüre aushändigen
  - » Übungen gemeinsam durchgehen
  - » Durchführung der Atemübungen kontrollieren
  - » Erfolg bei der Atemübung besprechen und reflektieren
- Anzuleitende Person(en) festlegen
  - » Betroffene Person
  - » Angehöriger/Bezugsperson

Atemübungen durchführen
- Pflegeintervention konkretisieren
  - » Kontaktatmen - Basaltexte durchführen
  - » Flankenatmung intensivieren
  - » Therapeutische Nasenenge durchführen
  - » Auf "fff" vertieft ausatmen
  - » Zwerchfellatmung üben
  - » Atemübungen mit dem Atemtherapeuten durchführen

Atemtraining mit einem Atemtrainer durchführen
- Atemflussorientierte Atemtrainer einsetzen
  - » Mediflow
  - » Triflo II
- Volumenorientierte Atemtrainer einsetzen
  - » Coach
  - » Voldyne
- Totraumvergrößerer einsetzen
  - » Giebel-Rohr
- Art der Hilfestellung bestimmen
  - » Zum richtigen Einsatz des Geräts anleiten
  - » Übungen gemeinsam mit Anweisungen durchführen
  - » Kontrollieren, ob die Maßnahmen durchgeführt werden

Sonstige Pflegemaßnahmen durchführen
- Maßnahmen konkretisieren
- Zeit angeben

Literaturhinweise: 95, 125, 135, 140, 151, 175, 176, 223, 328

Der Patient hat aufgrund von **fest sitzendem Bronchialsekret** das **Risiko einer Atelektase**

Kennzeichen

- Unphysiologische Atemgeräusche
- Rasselgeräusche beim Atmen
- Knistern
- Giemen (trockenes, pfeifähnliches Atemgeräusch, z. B. bei Asthma)
- Pfeifen
- Unproduktiver Husten
- Äußert das Gefühl, Sekret in der Lunge zu haben
- Berichtet über Atembeschwerden
- Produktives Absaugen
- Mit Hilfe eines Einschätzungsinstruments (Assessmentinstrument) festgestelltes hohes Risiko
- Mit Hilfe eines Einschätzungsinstruments (Assessmentinstrument) festgestelltes Risiko

Ursachen

- Glasig-zäher Schleim bei Asthma bronchiale
- Zäher Schleim bei Mukoviszidose
- Unproduktiver Husten
- Erschöpfung
- Beatmung
- Funktionsbeeinträchtigung der Bronchialschleimhaut durch Staub/Allergene/Noxen

Ressourcen

- Beherrscht eine produktive Hustentechnik
- Die Angehörigen verabreichen die Flüssigkeit nach Trinkfahrplan
- Hält sich an den Trinkfahrplan
- Erkennt die Notwendigkeit der getroffenen Intervention und kooperiert mit dem therapeutischen Team
- Angehörige/Bezugspersonen unterstützen den Pflegeprozess

Pflegeziele

- Flüssigkeitsbilanz ist ausgeglichen
- Atemluft ist angefeuchtet
- Bronchialsekret wird abgehustet
- Pflegeinterventionen sind rechtzeitig eingeleitet
- Atemsituation ist eingeschätzt
- Atemwege sind frei
- Kann Auswurf abhusten/ausspucken
- Einer Infektion/Keimverschleppung ist vorgebeugt
- Bronchialsekret ist gelöst
- Reinigungsfunktion der Atemwege ist unterstützt
- Therapie ist sichergestellt

Pflegeinterventionen

Atemsituation beobachten und Ergebnisse dokumentieren

- Pflegeintervention konkretisieren
- Zeit angeben

Flüssigkeitsbedarf ermitteln und bei der Flüssigkeitszufuhr unterstützen

- » Zieleinfuhr mit dem Arzt vereinbaren
- » Flüssigkeitszufuhr kontrollieren und dokumentieren
- » Flüssigkeit vorbereiten und in Reichweite platzieren
- » Trinkfahrplan gemeinsam aufstellen
- » Trinkfahrplan kontinuierlich aktualisieren und den jeweiligen Bedürfnissen anpassen
- Art und Weise der Flüssigkeitsverabreichung
  - » Flüssigkeit mit Teelöffel zuführen
  - » Flüssigkeit mit Esslöffel zuführen
  - » Flüssigkeit mit Trinkhalm zuführen
  - » Flüssigkeit mit Schnabelbecher zuführen
  - » Flüssigkeit mit Tasse/Glas zuführen
- Art der Unterstützungsleistung angeben
  - » Unterstützen
  - » Beaufsichtigen
  - » Teilweise übernehmen
  - » Vollständig übernehmen
  - » Zur selbstständigen Flüssigkeitszufuhr anleiten

Inhalation durchführen

- Pflegeintervention konkretisieren
  - » Mit Wasserdampf inhalieren
  - » Mit physiologischer Kochsalzlösung und Düsenvernebler inhalieren
  - » Mit Medikament laut Arztanordnung und Düsenvernebler inhalieren
- Art der Hilfestellung bestimmen
  - » Während der Inhalationsdauer unterstützen
  - » Zur Inhalation anleiten/dabei instruieren

Mit hyperämisierenden Cremes, Lösungen oder Gels einreiben

- Pflegeintervention konkretisieren
- Zeit angeben

Atemübungen mit dem VRP (Vario-Resistance-Pressure-Gerät) durchführen

- Pflegeintervention konkretisieren
  - » Zum Erlernen der Pflegeintervention anleiten
  - » Bei der Pflegeintervention unterstützen

Manuelle Vibrationsmassage durchführen

- Pflegeprodukt zur Vibrationsmassage angeben
- Pflegeintervention konkretisieren
- Durchführen durch
  - » Pflegepersonal
  - » Physiotherapeuten
- Lagerungsposition bei der Vibrationsmassage bestimmen
  - » Sitzend, Arme auf der Rückenlehne eines Stuhls aufgestützt
  - » Angelehnt, im Bett sitzend
  - » In 135°-Lagerung r. und l. wechselnd
  - » In 90°-Lagerung r. und l. wechselnd
  - » In 30°-Lagerung r. und l. wechselnd
  - » In Quincke-Hängelage

Vibrationsmassage mit dem Vibrationsgerät durchführen

- Pflegeprodukt zur Vibrationsmassage angeben
- Pflegeintervention konkretisieren
- Durchführen durch
  - » Pflegepersonal
  - » Physiotherapeuten
- Lagerungsposition bei der Vibrationsmassage bestimmen
  - » Sitzend, Arme auf der Rückenlehne eines Stuhls aufgestützt
  - » Angelehnt, im Bett sitzend
  - » In 135°-Lagerung r. und l. wechselnd
  - » In 90°-Lagerung r. und l. wechselnd
  - » In 30°-Lagerung r. und l. wechselnd
  - » In Quincke-Hängelage

Brustwickel anwenden, um Bronchialsekret zu lösen

- Pflegeintervention konkretisieren
  - » Feuchtwarmen Kartoffelbrustwickel einsetzen
  - » Feuchtwarmen Zitronenbrustwickel einsetzen
  - » Senfwickel einsetzen
  - » Quarkwickel einsetzen

Thymianbad durchführen

- Pflegeintervention konkretisieren
- Zeit angeben

Lagerungsdrainagen zum Sekrettransport einsetzen

- Lagerungsposition festlegen
  - » Re. und li. oberer Lungenlappen (apikales Segment): sitzende Position
  - » Re. Oberlappen (posteriores Segment): 135° li. und OK leicht erhöht lagern, linken Arm nach hinten ausstrecken
  - » Li. Oberlappen (posteriores Segment): 135° re. und OK leicht erhöht lagern, re. Arm nach hinten ausstrecken
  - » Re. und li. Oberlappen (anteriore Segmente): Flache Rückenlage, Knie unterstützen
  - » Li. unteres Ende des Oberlappens (Lingula): 45°-Lagerung auf re. Seite, Fußende ca. 30 cm erhöhen
  - » Re. Mittellappen: 45°-Lagerung auf li. Seite, Fußende ca. 30 cm erhöht
  - » Re. und li. Unterlappen (apikale Segmente): Bauchlage, Füße unterstützen

- » Re. und li. Unterlappen (anterobasale Segmente): Rückenlage, Knie unterstützt, Fußende ca. 40 cm erhöht
- » Re. und li. Unterlappen (posterobasale Segmente): Kopf-Tieflage
- » Re. Unterlappen (laterobasales Segment): Seitenlage li., Fußende ca. 40 cm erhöht
- » Li. Unterlappen (laterobasales Segment): Seitenlage re., Fußende ca. 40 cm erhöht

Zellstoff und Abwurf bereitstellen und regelmäßig entsorgen
- Pflegeintervention konkretisieren
- Zeit angeben

Mundspülung ermöglichen
- Pflegeintervention konkretisieren
  - » Materialien zur Mund- und Zahnhygiene bereitstellen
  - » Zahnpflege mit Zahnbürste und Zahnpasta durchführen
  - » Zahn(teil)prothese reinigen
  - » Zahnprothesenreinigung und Mundspülung durchführen
  - » Spezielle Mundpflege durchführen
- Bei der Mundpflege helfen
  - » Beaufsichtigen
  - » Teilweise übernehmen
  - » Durch Unterstützen helfen
  - » Vollständig übernehmen
  - » Zur Pflegeintervention anleiten/aktivieren
- Produkt zur Mundpflege angeben

Atemwege anfeuchten
- Pflegeintervention konkretisieren
  - » Ultraschallvernebler einsetzen
  - » Mit Wasserdampf inhalieren
- Hinweise zum Aufbau/Wechsel der Systeme
  - » Ultraschallvernebler auf-/abbauen
  - » Schlauchsystem des Ultraschallverneblers wechseln

Inhalationsgerät aufbauen
- Pflegeintervention konkretisieren
- Zeit angeben

Atemluft anfeuchten
- Pflegeintervention konkretisieren
  - » Ultraschallvernebler einsetzen
  - » Wärme-/Feuchtigkeitsaustauscher
  - » Kaskaden
  - » Künstliche Nase einsetzen
  - » Warmluftvernebler
  - » Mit physiologischer Kochsalzlösung und Düsenvernebler inhalieren
  - » Heizbefeuchter des Beatmungsgerätes
- Zeitangaben zum Anfeuchten der Atemluft machen
  - » Kontinuierlich
  - » Intermittierend
- Hinweise zum Aufbau/Wechsel der Systeme
  - » Ultraschallvernebler auf-/abbauen
  - » Schlauchsystem des Ultraschallverneblers wechseln
  - » Schlauchsystem am Heizbefeuchter wechseln

Spezielle Maßnahmen bei beatmeten Patienten durchführen
- Mögliche Pflegeinterventionen durchführen
  - » Manuelles Blähen mittels Beatmungsbeutel
  - » Anspülen der Trachealkanüle mit NaCl 0,9% und Absaugen

Sonstige Pflegemaßnahmen durchführen
- Maßnahmen konkretisieren
- Zeit angeben

Literaturhinweise: 79, 86, 93, 95, 113, 125, 126, 175, 176, 328

Der Patient kann aufgrund eines **beeinträchtigten Glottisschlusses nicht abhusten**, es besteht das **Risiko einer Atelektase/Pneumonie**

Kennzeichen

- Unphysiologische Atemgeräusche
- Rasselgeräusche beim Atmen
- Knistern
- Giemen (trockenes, pfeifähnliches Atemgeräusch, z. B. bei Asthma)
- Pfeifen
- Unproduktiver Husten
- Mit Hilfe eines Einschätzungsinstruments (Assessmentinstrument) festgestelltes Risiko

Ursachen

- Intubation

Ressourcen

- Toleriert die atemunterstützende Lagerung
- Toleriert die therapeutische/pflegerische Intervention
- Akzeptiert die Unterstützung
- Akzeptiert die Unterstützung von Angehörigen
- Angehörige/Bezugspersonen unterstützen den Pflegeprozess

Pflegeziele

- Atemwege sind frei
- Bronchialsekret ist gelöst

Pflegeinterventionen

Endotracheal absaugen
- Pflegeintervention konkretisieren
  - » Absaugvorgang mit Einmalkatheter unter sterilen Kautelen durchführen
  - » Geschlossenes Absaugsystem einsetzen

- Anzahl der benötigten Pflegepersonen bestimmen

Bronchiallavage mit NaCl-Lösung durchführen
- Pflegeintervention konkretisieren
- Zeit angeben

Abhusten bei liegendem Tubus unterstützen
- Pflegeintervention konkretisieren
- Zeit angeben

Sonstige Pflegemaßnahmen durchführen
- Maßnahmen konkretisieren
- Zeit angeben

Literaturhinweise: 93, 95, 176

Der Patient hat aufgrund einer liegenden Trachealkanüle/eines Tubus das Risiko des Eindringens von Erregern

Kennzeichen

- Pflege-/Behandlungsvereinbarungen werden nicht eingehalten
- Zeigt Verhaltensweisen, die darauf hinweisen, dass die Gefahren nicht ausreichend beachtet werden
- Äußert ein Wissensdefizit über entsprechende Prophylaxemaßnahmen

Ursachen

- Wissensdefizit über Verhaltensregeln
- Inadäquates Hygieneempfinden
- Manipulationen am Tubus/an der Trachealkanüle
- Inadäquater Umgang mit dem Beatmungszubehör
- Trachealkanülenöffnung ohne künstliche Nase

Ressourcen

- Kennt die Schutz- und Hygienemaßnahmen und hält sie ein
- Toleriert die Schutz- und Hygienemaßnahmen
- Hält die Therapievereinbarungen ein
- Kann die Zusammenhänge zwischen notwendiger Verhaltensänderung und Krankheit/Symptomen erklären
- Ist motiviert, die Pflegemaßnahme zu unterstützen und zeigt entsprechende Verhaltensweisen
- Angehörige/Bezugspersonen unterstützen den Pflegeprozess

Pflegeziele

- Eine Verschlechterung des Krankheitsbilds ist frühzeitig erkannt
- Atemluft ist angefeuchtet
- Einer Infektion ist vorgebeugt bzw. sie ist rechtzeitig erkannt
- Dem Eindringen von Wasser oder Fremdkörpern ist vorgebeugt

Pflegeinterventionen

Auf Atemqualität, Zeichen eines Sauerstoffmangels und Infektionszeichen beobachten
- Pflegeintervention konkretisieren
  - » Atemfrequenz und Atemqualität beobachten
  - » Peak-Flow-Messung durchführen
  - » Blutgasanalyse (BGA) durchführen
  - » Auf Zyanosezeichen beobachten
  - » Sauerstoffverabreichung kontrollieren

Künstliche Nase/HME-Filter (Heat and Moisture Exchanger/Wärme- und Feuchtigkeitsaustauscher) benutzen
- Pflegeintervention konkretisieren
- Zeit angeben

Am Tracheostoma unter hygienischen Kautelen hantieren
- Pflegeintervention konkretisieren
- Zeit angeben

Dem Eindringen von Fremdkörpern in das Tracheostoma vorbeugen
- Pflegeintervention konkretisieren
- Zeit angeben

Sonstige Pflegemaßnahmen durchführen
- Maßnahmen konkretisieren
- Zeit angeben

Literaturhinweise: 79, 93, 95, 100, 113, 125, 126, 127, 167, 175, 176

Der Patient hat aufgrund einer **Immunabwehrschwäche** das **Risiko der Pneumonie**

Kennzeichen

- Pflege-/Behandlungsvereinbarungen werden nicht eingehalten
- Zeigt Verhaltensweisen, die darauf hinweisen, dass die Gefahren nicht ausreichend beachtet werden
- Äußert ein Wissensdefizit über entsprechende Prophylaxemaßnahmen

Ursachen

- Physiologische Altersimmunschwäche
- Tumor
- Immunabwehrschwäche
- HIV-Infektion/AIDS
- Immunsuppressive Behandlung
- Leukämie
- Tumorbehandlung
- Knochenmarktransplantation
- Großflächige Verbrennungen
- Bettlägerigkeit

Ressourcen

- Kennt Vorbeugungsmaßnahmen und unterstützt diese aktiv
- Kennt die Schutz- und Hygienemaßnahmen und hält sie ein
- Kennt krankheits- bzw. symptomauslösende Faktoren und kann diese vermeiden
- Angehörige/Bezugspersonen unterstützen den Pflegeprozess

Pflegeziele

- Komplikationen sind vorgebeugt
- Akutsituationen sind rechtzeitig erkannt und entsprechende Gegenmaßnahmen getroffen
- Führt die Atemübungen selbstständig und zuverlässig durch
- Körperliche Leistungsfähigkeit ist gesteigert
- Pneumoniegefährdung ist eingeschätzt
- Wissensdefizit über gesunde, abwehrsteigernde Ernährung ist behoben
- Mundschleimhaut ist intakt
- Einer Keimverschleppung ist vorgebeugt
- Atemfrequenz beim Erwachsenen liegt zwischen 12-20 Atemzügen/Min.
- Atemfrequenz beim Kind liegt zwischen 15-30 Atemzügen/Min.
- Atemfrequenz beim Neugeborenen liegt zwischen 30-50 Atemzügen/Min.
- Lungen werden gleichmäßig und physiologisch belüftet, Atelektasen sind vorgebeugt
- Lunge ist durch die Dehnung des knöchernen Brustkorbs entfaltet
- Verwachsungen und Verklebungen der Pleura sind vorgebeugt
- Atemzugvolumen beträgt in Ruhe ca. 7 ml x Körpergewicht
- Einer Infektion ist vorgebeugt bzw. sie ist rechtzeitig erkannt

Pflegeinterventionen

Atemsituation beobachten und erfassen

- Pflegeintervention konkretisieren
  - » Atemfrequenz und Atemqualität beobachten
  - » Peak-Flow-Messung durchführen
  - » Blutgasanalyse (BGA) durchführen
  - » Auf Zyanosezeichen beobachten
  - » Sauerstoffverabreichung kontrollieren

Körperliches Bewegungsprogramm entwickeln/durchführen

- Vereinbartes Aktivierungsprogramm angeben
  - » Beim Aufstehen/zu Bett gehen unterstützen
  - » Aktivierungsprogramm in Absprache mit den Beteiligten aufstellen
  - » An den Bettrand setzen
  - » Standtraining und wenige Schritte gehen
  - » Kurze Strecken in Begleitung gehen
  - » Größere Strecken in Begleitung gehen
  - » Treppen steigen
- Unterstützungsleistung bestimmen
  - » Unterstützen
  - » Teilweise übernehmen
  - » Beaufsichtigen
  - » Vollständig übernehmen
  - » Anleiten

Pflegefachgespräch über die Ursachen der Abwehrschwäche führen

- Pflegeintervention konkretisieren
- Zeit angeben

Für eine gesunde, ausgeglichene Ernährung sorgen

- Pflegeintervention konkretisieren
  - » Informationsgespräch über eine gesunde, ausgeglichene Ernährung führen
  - » Diätberatung organisieren
  - » Besonders vitaminhaltige Kost bestellen

Für hygienische Mundpflege sorgen

- Pflegeintervention konkretisieren
  - » Materialien zur Mund- und Zahnhygiene bereitstellen
  - » Zahnpflege mit Zahnbürste und Zahnpasta durchführen
  - » Zahn(teil)prothese reinigen
  - » Zahnprothesenreinigung und Mundspülung durchführen
  - » Spezielle Mundpflege durchführen
- Bei der Mundpflege helfen
  - » Beaufsichtigen
  - » Teilweise übernehmen
  - » Durch Unterstützen helfen
  - » Vollständig übernehmen
  - » Zur Pflegeintervention anleiten/aktivieren
- Produkt zur Mundpflege angeben

Atemübungen durchführen

- Pflegeintervention konkretisieren
  - » Kontaktatmen - Basaltexte durchführen
  - » Flankenatmung intensivieren
  - » Therapeutische Nasenenge durchführen
  - » Auf "fff" vertieft ausatmen
  - » Zwerchfellatmung üben
  - » Atemübungen mit dem Atemtherapeuten durchführen

Atemtraining mit einem Atemtrainer durchführen
- Atemflussorientierte Atemtrainer einsetzen
  - » Mediflow
  - » Triflo II
- Volumenorientierte Atemtrainer einsetzen
  - » Coach
  - » Voldyne
- Totraumvergrößerer einsetzen
  - » Giebel-Rohr
- Art der Hilfestellung bestimmen
  - » Zum richtigen Einsatz des Geräts anleiten
  - » Übungen gemeinsam mit Anweisungen durchführen
  - » Kontrollieren, ob die Maßnahmen durchgeführt werden

Dehnlagerung durchführen
- Pflegeintervention konkretisieren
  - » Halbmondlagerung im Wechsel rechts und links durchführen
  - » V-Lagerung oder Schiffchenlagerung durchführen
  - » A-Lagerung durchführen
  - » T-Lagerung durchführen
  - » I-Lagerung durchführen

Maßnahmen zur Infektionsprophylaxe durchführen
- Pflegeintervention konkretisieren
  - » Vor Kontakt Hände desinfizieren
  - » Bei Kontakt Handschuhe tragen
  - » Mund-Nasen-Schutz tragen
  - » Schutzkittel beim Betreten des Zimmers tragen und weitere Hygienemaßnahmen durchführen
  - » In Hygienemaßnahmen einweisen
  - » Besucher und Angehörige in die speziellen Schutzmaßnahmen einweisen

Sonstige Pflegemaßnahmen durchführen
- Maßnahmen konkretisieren
- Zeit angeben

Literaturhinweise: 51, 56, 95, 125, 126, 175, 176

Der Patient hat aufgrund sonstiger Ursachen das **Risiko einer Atelektasenbildung/Pneumonie**

Kennzeichen

Ursachen

- Alter über 60 Jahre
- Stauungsinsuffizienz
- Postoperative Bewegungseinschränkung
- Bewegungseinschränkung
- Abnehmende Energiereserven
- Postoperative Atemeinschränkung
- Postoperativer Wundschmerz
- Aktiver Raucher
- Raucherhistorie

Risiken im Zusammenhang mit postoperativen pulmonalen Komplikationen
- Operativer Eingriff im Bauchraum
- Vollnarkose
- Langer operativer Eingriff
- Operativer Eingriff im Brust-/Thoraxbereich
- Operativer Eingriff im Hals-/Nackenbereich
- Operativer Eingriff am Herzen
- Aneurysmaoperation

Ressourcen

- Zeigt Verhaltensweisen, die die Therapie unterstützen
- Kann der Aufforderung zu Atemübungen folgen
- Führt die Atemübungen nach Aufforderung und Anleitung selbstständig durch
- Angehörige/Bezugspersonen unterstützen den Pflegeprozess

Pflegeziele

- Pneumonie-/Atelektasengefahr ist erkannt
- Komplikationen sind vorgebeugt
- Atemsituation ist eingeschätzt
- Kennt die Behandlungsziele und ist zur Mitarbeit motiviert
- Atemfrequenz beim Erwachsenen liegt zwischen 12-20 Atemzügen/Min.
- Atemfrequenz beim Kind liegt zwischen 15-30 Atemzügen/Min.
- Atemfrequenz beim Neugeborenen liegt zwischen 30-50 Atemzügen/Min.
- Lunge ist durch die Dehnung des knöchernen Brustkorbs entfaltet
- Verwachsungen und Verklebungen der Pleura sind vorgebeugt
- Tiefe Inspiration ist provoziert
- Atemzugvolumen beträgt in Ruhe ca. 7 ml x Körpergewicht
- Lungen werden gleichmäßig und physiologisch belüftet, Atelektasen sind vorgebeugt

Pflegeinterventionen

Atemsituation/Pneumonierisiko mithilfe einer Atemskala einschätzen
- Atemsituation einschätzen
  - » Atemtiefe
  - » Atemfrequenz
  - » Strömungsgeräusche zur Einschätzung der Lungenbelüftung auskultieren
- Pneumonierisiko einschätzen mithilfe der Atemskala
  - » Pneumonierisiko mit der Atemskala nach Bienstein einschätzen
  - » Sonstiges Assessment
  - » Atemwerte erneut bestimmen am
- Sonstiges

Zu selbstständigem Atemtraining anleiten
- Art der Atemübungen festlegen
  - » Bewusste Bauch-Brust-Atmung durchführen
  - » Flankenatmung intensivieren
  - » Auf "fff" vertieft ausatmen
- Art und Weise der Anleitung
  - » Informationsbroschüre aushändigen
  - » Übungen gemeinsam durchgehen
  - » Durchführung der Atemübungen kontrollieren
  - » Erfolg bei der Atemübung besprechen und reflektieren
- Anzuleitende Person(en) festlegen

 » Betroffene Person
 » Angehöriger/Bezugsperson

Atemübungen durchführen
- Pflegeintervention konkretisieren
  - » Kontaktatmen - Basaltexte durchführen
  - » Flankenatmung intensivieren
  - » Therapeutische Nasenenge durchführen
  - » Auf "fff" vertieft ausatmen
  - » Zwerchfellatmung üben
  - » Atemübungen mit dem Atemtherapeuten durchführen

Dehnlagerung durchführen
- Pflegeintervention konkretisieren
  - » Halbmondlagerung im Wechsel rechts und links durchführen
  - » V-Lagerung oder Schiffchenlagerung durchführen
  - » A-Lagerung durchführen
  - » T-Lagerung durchführen
  - » I-Lagerung durchführen

Atemübungen mit der therapeutischen Nasenenge durchführen
- Pflegeintervention konkretisieren
- Zeit angeben

Zum Atemtraining mit der Blubberflasche anleiten
- Pflegeintervention konkretisieren
- Art der Unterstützung
  - » Beaufsichtigen
  - » Durch Unterstützen helfen
  - » Teilweise übernehmen
  - » Vollständig übernehmen
  - » Zur selbstständigen Durchführung anleiten
- Anzuleitende Person(en) festlegen
  - » Betroffene Person
  - » Angehöriger/Bezugsperson
- Zeit angeben

Sonstige Pflegemaßnahmen durchführen
- Maßnahmen konkretisieren
- Zeit angeben

Literaturhinweise: 808, 809

Inhaltsverzeichnis

Der Patient ist in der **Selbstständigkeit** beim **Essen/Trinken beeinträchtigt**

Kennzeichen

- Kann die Nahrung nicht selbstständig zum Mund führen
- Kann ein Glas, eine Tasse nicht selbstständig zum Trinken anheben und zum Mund führen
- Kann Flüssigkeit nicht selbstständig mit Strohhalm/anderen Hilfsmitteln aufnehmen
- Kann keine Nahrungsprodukte schneiden/putzen/kochen
- Kann Nahrungsmittelverpackungen nicht öffnen
- Kann die Nahrungsmittel nicht mundgerecht schneiden
- Kann die Nahrung nicht kauen
- Eingeschränkte Fähigkeit, die Nahrung mit dem Besteck aufzunehmen
- Fehlende oder eingeschränkte Fähigkeit, Nahrung zuzubereiten
- Kann die Nahrung auf dem Teller/Tablett nicht sehen
- Schläft bei der Nahrungsverabreichung immer wieder ein
- Kennt die Abläufe der Nahrungsaufnahme nicht
- Zeitverzögerte Reaktion bei der Aufforderung, den Mund zu öffnen, Nahrung zu kauen oder zu schlucken
- Kann die Gebrauchsgegenstände zur Nahrungsaufnahme nicht nutzen

Sitzposition bei der Nahrungsaufnahme
- Unfähigkeit, eine Sitzposition bei der Nahrungsaufnahme einzunehmen
- Kann die Sitzposition zur Nahrungsaufnahme nicht selbstständig halten
- Instabile Sitzposition

Beeinträchtigungsgrad Nahrungsaufnahme
- Stufe 1: Selbstständige Nahrungsaufnahme bei mundgerechter Vorbereitung
- Stufe 2: Geringe Beeinträchtigung, die durch Hilfsmittel kompensiert werden kann
- Stufe 3: Erhebliche Beeinträchtigung der Nahrungsaufnahme
- Stufe 4: Schwere Beeinträchtigung der Nahrungsaufnahme
- Stufe 5: Verlust der Fähigkeit, Nahrung selbstständig aufzunehmen

Ursachen

- Eingeschränkte körperliche Belastungsfähigkeit
- Fehlende Kraft zur Eigenbewegung
- Schmerzzustände
- Lähmung (nicht näher bezeichnet)
- Hemiplegie
- Paraplegie
- Tetraplegie
- Unsicheres/ungerichtetes Bewegungsmuster
- Belastungs-/Ruhedyspnoe
- Angstzustände
- Antriebslosigkeit
- Depressive Verstimmung
- Apraxie
- Hypotone Kreislaufveränderung
- Desorientierung
- Gesichtsfeldeinschränkung
- Sehschwäche
- Bewegungseinschränkung
- Bewegungseinschränkung durch Zu-/Ableitungssysteme
- Orthese der unteren Extremität/en
- Wirbelsäuleninstabilität
- Wirbelsäuleninstabilität (Stützkorsagenversorgung)
- Ausgeprägte Spastik
- Extensionsbehandlung
- Ausgeprägte Kontraktur
- Gilchrist-Verband
- Briefträgerverband (30°-Abduktionsstellung des Schultergelenks)
- Gipsverband oder Schienenlagerung
- Quantitative Bewusstseinsveränderung
- Behandlung mit Körpergipsschale
- Entwicklungsbedingte(s) Selbstfürsorgedefizit/-fähigkeit
- Behinderungsbedingte(s) Selbstfürsorgedefizit/-fähigkeit
- Wahrnehmungsstörung
- Sensorische Integrationsstörung

Ressourcen

- Akzeptiert die Unterstützung
- Akzeptiert die Unterstützung von Angehörigen
- Kann Wünsche zur Speisenvorbereitung äußern
- Isst gern
- Ist bereit, mit Hilfsmitteln das Essen und Trinken neu zu lernen
- Lässt sich die Nahrung gern verabreichen
- Ist motiviert, ein Ess- und Trinktraining zu absolvieren
- Isst täglich frisches Obst
- Nimmt regelmäßig Nahrungsergänzungsstoffe ein

Pflegeziele

- Bedarfsgerechte Energie- und Nährstoffzufuhr
- Art, Zubereitung und Darreichung der Nahrung entsprechen den Bedürfnissen
- Umgebungssituation der Nahrungsaufnahme entspricht den Bedürfnissen
- Erreicht einen höheren Grad an Selbstständigkeit bei der Nahrungsaufnahme
- Essenszeiten sind dem Bedürfnis individuell angepasst
- Selbstständigkeit bei der Nahrungsaufnahme ist gefördert
- Setzt Hilfsmittel zur Nahrungsaufnahme effektiv ein
- Autonome Entscheidungsfindung über Hilfsmitteleinsatz/Strategien zur Nahrungsaufnahme ist gefördert
- Findet die Speisen/Getränke und kann diese selbstständig einnehmen
- Kann Kompensationsmechanismen zum selbstständigen Essen und Trinken einsetzen
- Ist in die selbstständige Nahrungszufuhr zurückgeführt
- Beurteilung von Ernährungslage und Flüssigkeitszufuhr ist sichergestellt
- Sichere Nahrungsver-abreichung unter Berücksichtigung der Therapie-/Diätabspra-

chen ist sichergestellt
- Bedarfsgerechte orale Energie- und Nährstoffzufuhr
- Biographischer Hintergrund ist berücksichtigt
- Verbesserung und Förderung der Wahrnehmungsorganisation
- Erhält angemessene Spürinformationen in der Interaktion mit der Umwelt
- Tonusregulation und Koordination im Rahmen von Alltagshandlungen wird gefördert

Pflegeinterventionen

Bei der Nahrungsaufnahme (Hauptmahlzeit) unterstützen
- Lagerung/Sitzposition bestimmen
  - » Lagerung zur Nahrungsaufnahme durchführen
  - » Therapeutischen Langsitz durchführen
  - » Beim Transfer in den Lehn-/Rollstuhl/Rehabuggy unterstützen, zum Tisch fahren
  - » Zur Nahrungsaufnahme zum Tisch führen
  - » In den Speisesaal fahren/begleiten
  - » Kind zum Füttern auf den Schoß setzen
  - » Nahrungsaufnahme im Hochstuhl
- Ort der Mahlzeiteneinnahme
  - » Essenstablett ins Zimmer bringen
  - » Essenstablett in den Speisesaal bringen
  - » Essen am Tisch ermöglichen
  - » Essen im Bett ermöglichen
- Art der Unterstützungsleistung angeben
  - » Essen mundgerecht vorbereiten
  - » Nahrungs-/Flüssigkeitszufuhr beaufsichtigen
  - » Verabreichung teilweise übernehmen
  - » Nahrung/Flüssigkeit verabreichen
  - » Zur selbstständigen Nahrungsaufnahme anleiten
- Besonderheiten der Nahrungsvorbereitung
  - » Bei Mahlzeiten und Getränken Verzehrtemperatur herstellen
  - » Kontrastreiche Präsentation der Speisen
  - » Energieanreicherung der Mahlzeiten
  - » Mundgerechte Nahrungsvorbereitung gemeinsam durchführen
  - » Ermutigung/Motivation zur Nahrungsaufnahme

Bei der Nahrungsaufnahme (Zwischenmahlzeit) unterstützen
- Lagerung/Sitzposition bestimmen
  - » Lagerung zur Nahrungsaufnahme durchführen
  - » Therapeutischen Langsitz durchführen
  - » Beim Transfer in den Lehn-/Rollstuhl/Rehabuggy unterstützen, zum Tisch fahren
  - » Zur Nahrungsaufnahme zum Tisch führen
  - » In den Speisesaal fahren/begleiten
  - » Kind zum Füttern auf den Schoß setzen
  - » Nahrungsaufnahme im Hochstuhl
- Ort der Mahlzeiteneinnahme
  - » Essenstablett ins Zimmer bringen
  - » Essenstablett in den Speisesaal bringen
  - » Essen am Tisch ermöglichen
  - » Essen im Bett ermöglichen
- Art der Unterstützungsleistung angeben
  - » Essen mundgerecht vorbereiten
  - » Nahrungs-/Flüssigkeitszufuhr beaufsichtigen
  - » Verabreichung teilweise übernehmen
  - » Nahrung/Flüssigkeit verabreichen
  - » Zur selbstständigen Nahrungsaufnahme anleiten
- Besonderheiten der Nahrungsvorbereitung
  - » Bei Mahlzeiten und Getränken Verzehrtemperatur herstellen
  - » Kontrastreiche Präsentation der Speisen
  - » Energieanreicherung der Mahlzeiten
  - » Mundgerechte Nahrungsvorbereitung gemeinsam durchführen
  - » Ermutigung/Motivation zur Nahrungsaufnahme

Nahrung innerhalb des Gesichtsfelds platzieren
- Pflegeintervention konkretisieren
- Zeit angeben

Zum selbstständigen Essen/Trinken mit Hilfsmitteln anleiten
- Pflegeintervention konkretisieren
- Esshilfen auswählen
  - » Gummimatte/Haftmatte
  - » Frühstücksbrett
  - » Spezialteller
  - » Spezialbesteck
  - » Trinkhilfen
- Anzuleitende Person(en) festlegen
  - » Betroffene Person
  - » Angehöriger/Bezugsperson

Platzierung der Speisen/Getränke auf dem Tisch/Tablett genau beschreiben
- Pflegeintervention konkretisieren
- Zeit angeben

Nahrungseinnahme bei flacher Rückenlage unterstützen
- Lagerung/Vorbereitung bestimmen
  - » Bettebene schief stellen
  - » Kleines Nackenkissen anbieten
  - » Essenstablett richtig positionieren
- Beim Trinken helfen
  - » Löffel verwenden
  - » Trinkhalm verwenden
  - » Schnabelbecher verwenden

Nahrungseinnahme bei ungerichteten/ unsicheren Bewegungsmustern unterstützen
- Pflegeintervention konkretisieren
  - » Zeit lassen und nicht drängen
  - » Brote vorbereiten und maximal einmal zerteilen
- Hilfsmittel beim Essen einsetzen
  - » Teller mit hohen Seitenrändern
  - » Tassen mit zwei Henkeln
  - » Gummimatte unter dem Teller
  - » Spezialbesteck
  - » Spezielles Frühstückstablett
- Beim Trinken helfen
  - » Löffel verwenden
  - » Trinkhalm verwenden
  - » Schnabelbecher verwenden

Fingerfood anbieten
- Pflegeintervention konkretisieren
- Zeit angeben

Nahrungs- und Flüssigkeitszufuhr kontrollieren und dokumentieren
- Pflegeintervention konkretisieren
  - » Eingenommene Nahrung auf einem Ernährungsprotokoll dokumentieren
  - » Auffälligkeiten und Probleme dokumentieren
  - » Nahrungseinnahme beaufsichtigen
  - » Nahrungsaufnahme beobachten
  - » Nahrungsvorlieben und Abneigungen beobachten

Maßnahmen zur Vorbereitung der Nahrungsaufnahme am Tisch durchführen
- Orthesen/Prothesen/Stützkorsagen anlegen
  - » Oberschenkelprothese
  - » Unterschenkelprothese
  - » Hüftexartikulationsprothese
  - » Knie-Orthese
  - » Hüft-Bein-Orthese
  - » Unterschenkelorthese
  - » Vorfußstumpf
  - » Rückfußstumpf
  - » Doppelschalenkorsett
  - » Rumpforthese
  - » Beckenbodenorthese
  - » Rückenorthese
- Art der Unterstützungsleistung angeben
  - » Teilweise übernehmen
  - » Vollständig übernehmen
  - » Zum selbstständigen An-/Ablegen anleiten

Bezugspersonen zur Nahrungsver-abreichung/Flüssigkeitszufuhr anleiten
- Pflegeintervention konkretisieren
- Anzuleitende Person(en) festlegen
  - » Betroffene Person
  - » Angehöriger/Bezugsperson
- Zeit angeben

Biografische Hintergründe erfragen
- Pflegeintervention konkretisieren
  - » Individuelle Vorlieben und Abneigungen beim Essen ermitteln
  - » Bevorzugte Geschmacksrichtung
  - » Einstellung gegenüber den Lebensmitteln und nachhaltiger Ernährung
  - » Praktizierte Esskultur
- Zeit angeben

Führen bei Aktivitäten der Nahrungsaufnahme nach dem Affolter-Konzept

- Auswahl des problemlösenden Alltagsgeschehnisses
  - » Gespürte Interaktionstherapie beim Einnehmen einer Mahlzeit
  - » Gespürte Interaktionstherapie beim Einnehmen einer Zwischenmahlzeit
  - » Gespürte Interaktionstherapie beim Trinken
- Maßnahmen konkretisieren
  - » "Elementares Führen" während der Handlung
  - » Durch "Elementares Führen" die Handlung einleiten
  - » "Pflegerisches Führen" bei der Aktivität
  - » Durchgeführte Handlung mit dem Betroffenen repetieren
- Zeit angeben
- Durchführende Person angeben
  - » Pflegeperson
  - » Ergotherapeut
  - » Sonstige Personen

Sonstige Pflegemaßnahmen durchführen

- Maßnahmen konkretisieren
- Zeit angeben

Literaturhinweise: 36, 51, 95, 125, 175, 176, 195, 354, 1064, 1065, 1072

Der Patient wird **enteral über Sonde ernährt**, es besteht eine **beeinträchtigte Nahrungsaufnahme**

Kennzeichen

Beeinträchtigte Nahrungsaufnahme

- Sichtbare Anzeichen einer bestehenden Schluckbeeinträchtigung
- Äußert erschwertes Schlucken durch die orale/nasale Sonde
- Zeigt fehlenden Willen/Einsicht, Nahrung zu sich zu nehmen
- Führt keine Aktivitäten zur Nahrungsaufnahme aus

Liegende Ernährungssonde

- Liegende PEG
- Liegende PEJ
- Liegende FKJ
- Liegende zweischenklige FKJ
- Liegende nasogastrale Sonde
- Liegende nasoduodenale Sonde
- Liegende nasojejunale Sonde
- Gastraler Button

Ursachen

- Bewusstlosigkeit
- Schluckstörung
- Tumor im Mund- und Rachenbereich
- Ösophagusfisteln
- Ösophagusvarizen
- Prä-/postoperative Therapie
- Mechanische Behinderungen der Nahrungspassage
- Schmerzen im Zusammenhang mit der Nahrungsaufnahme
- Eingeschränkte Fähigkeit, die Aktivitäten der Nahrungsaufnahme durchzuführen
- Anhaltende Nahrungsverweigerung
- Energie- und/oder Nährstoffbedarf lässt sich oral nicht decken
- Onkologische Erkrankung
- Neurologische Erkrankung
- Gastrointestinale Erkrankung
- Respiratorische Insuffizienz
- Psychiatrische Erkrankung
- Katabolie
- Verbrennungen
- Kurzdarm-Syndrom
- Mukoviszidose
- Zerebrale Schädigung
- Geistige Behinderung
- Körperliche Behinderung
- Gedeih- und Wachstumsstörung

Ressourcen

- Hat an dem Entscheidungsprozess zur enteralen Ernährung mitgewirkt
- Erkennt die Notwendigkeit der getroffenen Intervention und kooperiert mit dem therapeutischen Team
- Toleriert die therapeutische/pflegerische Intervention
- Sondennahrung wird gut vertragen
- Es gibt eindeutige Hinweise auf den mutmaßlichen Willen zur enteralen Ernährung

Pflegeziele

- Bedarfsgerechte Flüssigkeitszufuhr ist sichergestellt
- Einer Aspiration ist vorgebeugt
- Ausreichende Ernährung und ausgeglichener Flüssigkeitshaushalt sind gewährleistet
- Einer Unverträglichkeit der Sondenkost ist vorgebeugt
- Bedarfsgerechte Energie- und Nährstoffzufuhr
- Sondennahrung kann ungehindert verabreicht werden
- Intakte Haut im Umfeld der Einstichstelle
- Einer Aspiration ist vorgebeugt
- Ernährungs-/Flüssigkeitsbedarf ist durch orale Nahrungsaufnahme gedeckt
- Korrekte Medikamenteneinnahme ist gewährleistet
- Genaue Bemessungsgrundlage für die Einschätzung des Ernährungszustands ist

sichergestellt
- Geplante Gewichtszunahme im festgelegten Zeitraum ist erreicht
- Körpergewicht ist konstant
- Bedarfsgerechte Tagesmenge an Nährstoffen ist ermittelt
- Orale Nahrungsaufnahme ist ermöglicht
- Fähigkeit der oralen Nahrungsaufnahme ist eingeschätzt
- Einem Einwachsen der inneren Halteplatte ist vorgebeugt
- Durchgängigkeit der Ernährungssonde ist sichergestellt

Pflegeinterventionen

Bedarfsgerechte Kostform/Menge festlegen/anpassen
- Sondennahrung für bilanzierte Diät auswählen
  - » Sondenprodukt zur ergänzenden Ernährung
  - » Sondenprodukte zur vollständigen Ernährung
  - » Niedermolekulare/chemisch definierte Diät (CDD)
  - » Hochmolekulare/nährstoffdefinierte Diät (NDD)
  - » Ballaststofffrei
  - » Ballaststoffreich
  - » Eiweißmodifiziert
  - » Fettmodifiziert
  - » Stoffwechseladaptiert/modifiziert
  - » Immunmodulierend/Intensivdiät
  - » Bei Diabetes mellitus
  - » Bei respiratorischer Insuffizienz
  - » Bei Erkrankungen der Leber
  - » Bei Erkrankungen der Niere
  - » Für Kinder
  - » Hypoallergene Babynahrung
- Selbst hergestellte Sondenkost festlegen
  - » Selbst hergestellte Sondenkost
- Menge der Sondennahrung angeben
- Flüssigkeitszufuhr festlegen
  - » Stilles Mineralwasser
  - » Tee ohne Fruchtsäure
- Menge der Flüssigkeitszufuhr angeben

Nahrungsbolus nach Anordnung/Ernährungsplan verabreichen
- Pflegeintervention konkretisieren
  - » Sondennahrung mit Spritze verabreichen
  - » Schwerkraftapplikation (Beutel/Flasche)
  - » Verabreichungsschema der Sondennahrung bestimmen
- Sondennahrung festlegen

Kontinuierliche Nahrungsapplikation durchführen
- Kontinuierliche Applikation durchführen
  - » Mit Ernährungspumpe
  - » Schwerkraftapplikation (Beutel/Flasche)
- Einstellung der Ernährungspumpe angeben
- Tropfgeschwindigkeit angeben
- Pflegeintervention konkretisieren
  - » System anschließen/entfernen
  - » Überleitungssystem wechseln
  - » Sondennahrung/Flüssigkeit anhängen/nachfüllen
  - » Verabreichung kontrollieren

Sondenlage kontrollieren
- Pflegeintervention konkretisieren
- Orale/nasale Sonde
  - » Aspiration und pH-Wertbestimmung
  - » Auskultation
- Button/Gastrotube
  - » Blockung durchführen

Magenentleerung überprüfen
- Pflegeintervention konkretisieren
  - » Mageninhalt aspirieren und Menge dokumentieren
- Zeit angeben

Auf Probleme/Auffälligkeiten im Rahmen der Sondenernährung beobachten
- Pflegeintervention konkretisieren
- Zeit angeben

Sonde legen/wechseln
- Pflegeintervention konkretisieren
  - » Magensonde legen
  - » Duodenalsonde legen
  - » Gastrotube wechseln
  - » Button wechseln
  - » Blockung durchführen

Sonde durchspülen
- Art der Spülflüssigkeit
  - » Mit stillem Wasser
  - » Mit abgekochtem Wasser
- Zeitpunkt der Spülung
  - » Vor und nach der Nahrungsverabreichung
  - » Vor und nach der Medikamentenverabreichung
  - » Bei kontinuierlicher Sondenverabreichung alle 6 Stunden

Verbandwechsel und Desinfektion/Reinigung der Einstichstelle durchführen
- Pflegeintervention konkretisieren
- Verbandmaterialien angeben

Lagerung im Zusammenhang mit der Sondenernährung durchführen
- Pflegeintervention konkretisieren
  - » Oberkörperhochlagerung (30-45 Grad) zur Nahrungsverabreichung durchführen
  - » Oberkörper 30-60 Minuten nach der Bolusapplikation absenken

Ergänzend zur Sondennahrung orale Nahrung lt. Ernährungs-/Diätplan anbieten
- Lagerung/Sitzposition bestimmen
  - » Lagerung zur Nahrungsaufnahme durchführen
  - » Therapeutischen Langsitz durchführen
  - » Beim Transfer in den Lehn-/Rollstuhl/Rehabuggy unterstützen, zum Tisch fahren
  - » Zur Nahrungsaufnahme zum Tisch führen
  - » In den Speisesaal fahren/begleiten
  - » Kind zum Füttern auf den Schoß setzen
  - » Nahrungsaufnahme im Hochstuhl
- Ort der Mahlzeiteneinnahme
  - » Essenstablett ins Zimmer bringen
  - » Essenstablett in den Speisesaal bringen
  - » Essen am Tisch ermöglichen
  - » Essen im Bett ermöglichen
- Art der Unterstützungsleistung angeben
  - » Essen mundgerecht vorbereiten
  - » Nahrungs-/Flüssigkeitszufuhr beaufsichtigen
  - » Verabreichung teilweise übernehmen
  - » Nahrung/Flüssigkeit verabreichen
  - » Zur selbstständigen Nahrungsaufnahme anleiten
- Besonderheiten der Nahrungsvorbereitung
  - » Bei Mahlzeiten und Getränken Verzehrtemperatur herstellen
  - » Kontrastreiche Präsentation der Speisen
  - » Energieanreicherung der Mahlzeiten
  - » Mundgerechte Nahrungsvorbereitung gemeinsam durchführen
  - » Ermutigung/Motivation zur Nahrungsaufnahme

Verabreichung von Medikamenten über die Sonde
- Pflegeintervention konkretisieren
- Zeit angeben

Ernährungszustand ermitteln
- Pflegeintervention konkretisieren
  - » BMI errechnen
  - » Körpergröße ermitteln
  - » Hautfaltendicke-Messung durchführen
  - » Sonstiges
- Gewicht kontrollieren
  - » Gewicht mit Sitzwaage kontrollieren
  - » Gewicht mit Sitzwaage kontrollieren (pflegerisch erforderlich)
  - » Gewicht mit Stehwaage kontrollieren
  - » Gewicht mit Lifterwaage kontrollieren

Training der oralen Aufnahmefunktion durchführen
- Pflegeintervention konkretisieren
- Durchführende Person angeben
  - » Angeleitetes Pflegepersonal
  - » Angeleiteter Angehörige/Bezugsperson
  - » Logotherapeut
- Zeit angeben

Fähigkeit der oralen Nahrungsaufnahme überprüfen

- Pflegeintervention konkretisieren
- Zeit angeben

Mobilisation der inneren Halteplatte bei perkutaner Sonde durchführen
- Pflegeintervention konkretisieren
- Zeit angeben

Sondenspülung bei Sondenverstopfung
- Pflegeintervention konkretisieren
  - » 10 ml Pepsinwein 20 Minuten einwirken lassen und dann vorsichtig mit Wasser spülen
  - » 10 ml Cola 20 Minuten einwirken lassen und dann vorsichtig mit Wasser spülen
  - » 10 ml Ascorbinsäure (1 Brausetablette auf 50 ml Wasser) 20 Minuten einwirken lassen und dann vorsichtig mit Wasser spülen
  - » Nach Arztanordnung zermörserte Pankreasenzyme in 20 ml Natriumbicarbonat 8,4 % für 5-10 Minuten einwirken lassen und dann vorsichtig mit Wasser spülen

Sonstige Pflegemaßnahmen durchführen
- Maßnahmen konkretisieren
- Zeit angeben

Literaturhinweise: 90, 97, 104, 106, 115, 123, 125, 154, 166, 175, 176, 627, 628, 657, 658, 659

Der Patient ist aufgrund einer **hypotonen Wangen-/ Lippen-/ Mundmuskulatur** bei der **Nahrungsaufnahme beeinträchtigt**

Kennzeichen

- Flüssigkeit läuft vor dem Schlucken aus dem Mundwinkel heraus
- Lippen-/Mundschluss fehlt
- Nahrungsbolus sammelt sich in der Wangentasche
- Unvollständiger Lippen-/Mundschluss
- Lippen liegen nicht dicht am Zahndamm an
- Unbeabsichtigter Speichelfluss aus dem Mund
- Sammeln der Nahrung in der Wangentasche
- Äußert das Gefühl der Scham und vermeidet in der Öffentlichkeit zu Essen/zu Trinken
- Äußert fehlende Sensibilität auf der betroffenen Seite
- Herabhängende(r) Mundwinkel
- Schlaffe Wangenmuskulatur
- Berichtet, sich häufig beim Kauen in die Wange zu beißen

Ursachen

- Verminderte orofaziale Kontrolle
- Orofaziale Sensibilitätsstörung
- Fazialisparese
- Zentrale Fazialisparese
- Periphere Fazialisparese
- Hypotonus der Wangen-/Gesichtsmuskulatur
- Hypotonus der Lippen

Krankheitsbedingte Ursachen
- Hypoglossusparese
- Zustand nach Apoplex
- Frühkindliche Hirnschädigung
- Down-Syndrom

Ressourcen

- Erkennt die Notwendigkeit der getroffenen Intervention und kooperiert mit dem therapeutischen Team
- Ist motiviert, Neues auszuprobieren
- Akzeptiert die körperliche Einschränkung
- Akzeptiert die Unterstützung
- Akzeptiert die Unterstützung von Angehörigen

Pflegeziele

- Veränderungen sind frühzeitig erkannt
- Dem Verschlucken ist vorgebeugt
- Erfolge der therapeutischen Maßnahmen sind bewertet
- Schluckt, ohne zu aspirieren
- Kopfkontrolle beim aufrechten Sitzen
- Trinkt selbstständig, ohne dass die Flüssigkeit aus dem Mund läuft
- Tonussteigerung von Wangen-/ Lippenmuskulatur ist erreicht
- Kontinuität von Behandlung und Therapie ist sichergestellt
- Erfolgreiches Schlucken und Nachschlucken
- Schluckt Speisen, die sich in der Wangentasche sammeln
- Mundschluss beim Schlucken ist unterstützt
- Wahrnehmung beim Schlucken ist durch Druckpunkte am Kiefer gefördert
- Lippenschluss ist stimuliert
- Bedarfsgerechte Energie- und Nährstoffzufuhr
- Essenszeiten sind dem Bedürfnis individuell angepasst
- Kaut und schluckt, ohne dass Speisen aus dem Mund fallen
- Ist über ernährungsrelevante Aspekte informiert
- Akzeptiert die Einschränkung
- Isst und trinkt in Gesellschaft
- Erhält einen Termin
- Interdisziplinärer Therapieplan ist aufgestellt

Pflegeinterventionen

Ess- und Schluckstörung beobachten, analysieren und dokumentieren

- Maßnahmen konkretisieren
  - » Am Schluckvorgang beteiligte Organe inspizieren (Oberflächenbeschaffenheit, Form, Lage und Strukturveränderungen)
  - » Beurteilung der Würgereflexauslösung
  - » Beurteilung der oralen Primitivreaktionen
  - » Beurteilung willkürlich intendierter Bewegungen
  - » Beurteilung der Berührungsempfindung
  - » Aspirationsschnelltest durchführen
  - » 50 ml Wassertest durchführen
  - » Schluckprobe durchführen
  - » Schweregrad der Dysphagie mit Hilfe eines Assessments einschätzen
- Zeit angeben

Aufrechte Körperhaltung bei der Therapie/ Nahrungsaufnahme fördern

- Maßnahmen konkretisieren
  - » Stabile Sitzposition am Tisch herstellen
  - » Stabile Sitzposition im Rollstuhl herstellen und an den Tisch fahren
  - » Beckenaufrichtung fazilitieren
  - » Unterstützungsfläche und stabile Referenzpunkte mit Unterstützung von Packs bieten
  - » Arme auf dem Tisch lagern
  - » Therapeutischen Langsitz durchführen
  - » Sitzposition in Neutralstellung (LiN) durchführen
  - » Haltungshintergrund und Kopfkontrolle erarbeiten
- Zeit angeben

Aktivierung hypotoner Wangen-/Lippenmuskulatur nach therapeutischem Konzept durchführen

- Gesichtsmuskulatur stimulieren
  - » Manuelle Streichung an der fazialen Muskulatur
  - » Gesichtsmassage durchführen
  - » Intermittierendes Tapping durchführen
  - » Hochfrequente Vibrationsmassage durchführen
  - » Mit einem Pinsel wiederholte Streichungen von distal nach proximal durchführen
  - » Kurzzeiteisbehandlung durchführen
  - » Übungen zur Wangenkontraktion durchführen
- Stimulation der Lippenmuskulatur
  - » Mundwinkel abwechselnd hochziehen
  - » Lippen spitzen zum "sch"-Laut
  - » Lippen breit ziehen zum "s"-Laut
  - » Lippen von einer Seite zur anderen schieben (mit geöffneten und geschlossenen Lippen)
  - » Holzspatel/Strohhalm o.ä. mit Lippen festhalten
  - » Wangen aufblasen, Luft stufenweise wieder abgeben
  - » Knopfübung nach Garliner (1989) durchführen
- Einrichtungsspezifische Aktivität wählen
- Zeitpunkt der Maßnahme bestimmen
  - » Vor der Nahrungsaufnahme
  - » Vor der Flüssigkeitsaufnahme
  - » Unabhängig von der Nahrungsaufnahme
- Zeit angeben

Logopädische Übungen nach dem vereinbarten Behandlungskonzept durchführen

- Maßnahmen konkretisieren
  - » Entsprechend dem Behandlungs-konzept zu den Übungen anleiten
  - » Entsprechend dem Behandlungs-konzept bei den Übungen unterstützen
- Therapeutisches Konzept auswählen und Maßnahmen beschreiben
  - » Funktionelle Dysphagietherapie FDT
  - » Neuromotorische Entwicklungstherapie NET (Castillo Morales)
  - » Orofaziale Regulationstherapie ORT (Castillo Morales)
  - » Fazio-orale Trakt-Therapie F.O.T.T
  - » Propriozeptive neuromuskuläre Fazilitation PNF
  - » Elektrostimulation
  - » Transkranielle Magnetstimulation
- Einrichtungsspezifische Aktivität wählen
- Zeit angeben

Kompensatorische Maßnahmen bei der Nahrungsaufnahme (beeinträchtigte Lippen-/Wangen-/Mundtonus) anwenden

- Maßnahmen konkretisieren
  - » Anleiten, die Speisen mit der Zunge aus der Wangentasche zu holen und zu schlucken
  - » Mit den Fingern von außen die Wangentaschen ausstreichen
  - » Flüssigkeiten andicken
  - » Strohhalmtrinken anbieten
  - » Flaschentrinken anbieten
  - » Mundlippenschluss beim Schlucken unterstützen
  - » Auffordern, den Kopf beim Trinken auf die nicht betroffene Seite zu legen
- Einrichtungsspezifische Aktivität wählen

Beim Trinktraining zu kompen- satorischen Maßnahmen anleiten

- Pflegeintervention konkretisieren
  - » Beim Trinken durch Kieferkontrolle unterstützen
  - » Beim Trinken zur Kieferkontrolle anleiten
  - » Auffordern, den Kopf beim Trinken auf die nicht betroffene Seite zu legen
- Einrichtungsspezifische Aktivität wählen
- Anzuleitende Person(en) festlegen
  - » Betroffene Person
  - » Angehöriger/Bezugsperson
- Zeit angeben

Ess/-Trinktraining nach therapeutischem Konzept (hypotone Wangen-/Lippen-/ Mundmuskulatur) durchführen

- Pflegeintervention konkretisieren
  - » Ess-/Trinktraining mit Spiegelkontrolle durchführen
  - » Anleiten, den Schluckvorgang mit ganzer Aufmerksamkeit durchzuführen
  - » Orale/basale Stimulation des Schluckaktes vor/während der Nahrungsverabreichung
  - » Mundlippenschluss beim Schlucken unterstützen
  - » Schluckvorgang ritualisieren
  - » Ess-/Trinktraining im Rahmen der Unterstützung bei der Hauptmahlzeit durchführen
  - » Ess-/Trinktraining im Rahmen der Unterstützung bei der Zwischenmahlzeit durchführen
- Einrichtungsspezifische Aktivität wählen
- Durchführende Person angeben
  - » Angeleitetes Pflegepersonal
  - » Angeleiteter Angehörige/Bezugsperson
  - » Logotherapeut
- Zeit angeben

Kieferkontrollgriff durchführen

- Maßnahmen konkretisieren
  - » Kontrollgriff von der Seite durchführen
  - » Kontrollgriff von hinten durchführen
  - » Kontrollgriff von vorne durchführen
- Zeit angeben

Bei der Nahrungsaufnahme (Hauptmahlzeit) unterstützen

- Lagerung/Sitzposition bestimmen
  - » Lagerung zur Nahrungsaufnahme durchführen
  - » Therapeutischen Langsitz durchführen
  - » Beim Transfer in den Lehn-/Rollstuhl/Rehabuggy unterstützen, zum Tisch fahren
  - » Zur Nahrungsaufnahme zum Tisch führen
  - » In den Speisesaal fahren/begleiten
  - » Kind zum Füttern auf den Schoß setzen
  - » Nahrungsaufnahme im Hochstuhl
- Ort der Mahlzeiteneinnahme
  - » Essenstablett ins Zimmer bringen
  - » Essenstablett in den Speisesaal bringen
  - » Essen am Tisch ermöglichen
  - » Essen im Bett ermöglichen
- Art der Unterstützungsleistung angeben
  - » Essen mundgerecht vorbereiten
  - » Nahrungs-/Flüssigkeitszufuhr beaufsichtigen
  - » Verabreichung teilweise übernehmen
  - » Nahrung/Flüssigkeit verabreichen
  - » Zur selbstständigen Nahrungsaufnahme anleiten
- Besonderheiten der Nahrungsvorbereitung
  - » Bei Mahlzeiten und Getränken Verzehrtemperatur herstellen
  - » Kontrastreiche Präsentation der Speisen
  - » Energieanreicherung der Mahlzeiten
  - » Mundgerechte Nahrungsvorbereitung gemeinsam durchführen
  - » Ermutigung/Motivation zur Nahrungsauf-

nahme

Zum selbstständigen Lippenschluss anleiten
- Pflegeintervention konkretisieren
- Art der Unterstützung
  - » Beaufsichtigen
  - » Durch Unterstützen helfen
  - » Teilweise übernehmen
  - » Vollständig übernehmen
  - » Zur selbstständigen Durchführung anleiten
- Anzuleitende Person(en) festlegen
  - » Betroffene Person
  - » Angehöriger/Bezugsperson
- Zeit angeben

Bei der Nahrungsaufnahme (Zwischenmahlzeit) unterstützen
- Lagerung/Sitzposition bestimmen
  - » Lagerung zur Nahrungsaufnahme durchführen
  - » Therapeutischen Langsitz durchführen
  - » Beim Transfer in den Lehn-/Rollstuhl/Rehabuggy unterstützen, zum Tisch fahren
  - » Zur Nahrungsaufnahme zum Tisch führen
  - » In den Speisesaal fahren/begleiten
  - » Kind zum Füttern auf den Schoß setzen
  - » Nahrungsaufnahme im Hochstuhl
- Ort der Mahlzeiteneinnahme
  - » Essenstablett ins Zimmer bringen
  - » Essenstablett in den Speisesaal bringen
  - » Essen am Tisch ermöglichen
  - » Essen im Bett ermöglichen
- Art der Unterstützungsleistung angeben
  - » Essen mundgerecht vorbereiten
  - » Nahrungs-/Flüssigkeitszufuhr beaufsichtigen
  - » Verabreichung teilweise übernehmen
  - » Nahrung/Flüssigkeit verabreichen
  - » Zur selbstständigen Nahrungsaufnahme anleiten
- Besonderheiten der Nahrungsvorbereitung
  - » Bei Mahlzeiten und Getränken Verzehrtemperatur herstellen
  - » Kontrastreiche Präsentation der Speisen
  - » Energieanreicherung der Mahlzeiten
  - » Mundgerechte Nahrungsvorbereitung gemeinsam durchführen
  - » Ermutigung/Motivation zur Nahrungsaufnahme

Serviette und Bettschutz anbieten
- Pflegeintervention konkretisieren
- Zeit angeben

Themenzentriertes Pflegefachgespräch über Nahrungsaufnahme führen
- Gesprächsinhalt
  - » Pflege-, Betreuungs- und Behandlungsprozess
  - » Instruktion/Anleitung
  - » Motivation/Aktivierung
  - » Strategien zur Krankheitsbewältigung
  - » Überleitung/Entlassung
  - » Geeignete Nahrungsform und Zubereitung
  - » Strategien zur erleichterten Nahrungsaufnahme
- Zeit angeben

Termine mit der Logopädie organisieren
- Pflegeintervention konkretisieren
- Zeit angeben

Sonstige Pflegemaßnahmen durchführen
- Maßnahmen konkretisieren
- Zeit angeben

Literaturhinweise: 36, 51, 89, 95, 100, 125, 135, 149, 175, 176, 195, 1152, 1156, 1172, 1175, 1177, 1202, 1204, 1212, 1213, 1214, 1215, 1216, 1217

Der Patient ist aufgrund von **Kauschwierigkeiten** bei der **Nahrungsaufnahme beeinträchtigt**

Kennzeichen

- Schluckt, ohne zu kauen
- Kann die Nahrung nicht kauen
- Darf die Nahrung nicht kauen
- Äußert Schmerzen beim Kauen
- Fehlende Kieferrotation
- Eingeschränkte Kieferrotation
- Mahlbewegung mit Zähnen und Bewegung der Zunge sind nicht möglich
- Reduzierte seitliche/rotatorische Zungenbewegung
- Kann nicht beißen
- Unvollständiger Kieferschluss

Ursachen

- Schmerzen beim Kauen
- Operativer Eingriff im Kieferbereich
- Verletzungen der Zunge
- Bewegungseinschränkung der Zunge
- Beeinträchtigung der neuromuskulären Koordination
- Beeinträchtigte Kaumuskulatur
- Kiefergelenkluxation
- Veränderte Kiefergelenksfunktion
- Schädigung des Kiefergelenks
- Überbelastung der Kaumuskulatur durch Zähneknirschen
- Craniomandibuläre Dysfunktion
- Oromandibuläre Dystonie
- Kieferschlussdystonie
- Zahnfehlstellung

Ressourcen

- Kann breiige Kost schlucken
- Angebotene Nahrung wird gern gegessen/getrunken
- Kann weiche Nahrung mit dem Gaumen zerkleinern
- Angehörige bringen besondere Nahrungsmittel mit in die Einrichtung

- Hilfsmittel zur Nahrungsaufnahme liegen vor

Pflegeziele

- Ursachen sind erkannt
- Erhält einen Termin
- Interdisziplinärer Therapieplan ist aufgestellt
- Nahrungsaufnahme ist schmerzfrei
- Erleichterte Nahrungsaufnahme
- Fühlt sich sicher durch Informationen
- Alle wichtigen Informationen sind weitergeleitet
- Bedarfsgerechte Energie- und Nährstoffzufuhr
- Erreicht einen höheren Grad an Selbstständigkeit bei der Nahrungsaufnahme

Pflegeinterventionen

Ursachen für die Kauschwierigkeiten analysieren und dokumentieren
- Maßnahmen konkretisieren
  - » Beurteilung der Würgereflexauslösung
  - » Inspektion des Mund-, Zahnstatus durchführen
  - » Kaufähigkeit einschätzen
- Zeit angeben

Termin mit dem Zahnarzt organisieren
- Pflegeintervention konkretisieren
- Zeit angeben

Termine mit der Logopädie organisieren
- Pflegeintervention konkretisieren
- Zeit angeben

Vor der Nahrungsaufnahme Anästhetikum laut ärztlicher Anordnung verabreichen
- Pflegeintervention konkretisieren
- Zeit angeben

Spezielle Kostform anbieten
- Kostform bestimmen
  - » Flüssige Kost anbieten
  - » Breiige Kost anbieten
  - » Weiche Kost anbieten
  - » Pürierte Kost
  - » Passierte Kost
  - » Lauwarme oder kalte Kost
  - » Säurearme und milde Kost

Informationsgespräch durchführen
- Gesprächsinhalt
- Gesprächsteilnehmer
  - » Angehöriger/Bezugsperson
  - » Betroffene Person
- Zeit angeben

Informationsmaterial aushändigen und Gesprächsbereitschaft signalisieren
- Pflegeintervention konkretisieren
- Zeit angeben

Bei der Nahrungsaufnahme (Hauptmahlzeit) unterstützen
- Lagerung/Sitzposition bestimmen
  - » Lagerung zur Nahrungsaufnahme durchführen
  - » Therapeutischen Langsitz durchführen
  - » Beim Transfer in den Lehn-/Rollstuhl/Rehabuggy unterstützen, zum Tisch fahren
  - » Zur Nahrungsaufnahme zum Tisch führen
  - » In den Speisesaal fahren/begleiten
  - » Kind zum Füttern auf den Schoß setzen
  - » Nahrungsaufnahme im Hochstuhl
- Ort der Mahlzeiteneinnahme
  - » Essenstablett ins Zimmer bringen
  - » Essenstablett in den Speisesaal bringen
  - » Essen am Tisch ermöglichen
  - » Essen im Bett ermöglichen
- Art der Unterstützungsleistung angeben
  - » Essen mundgerecht vorbereiten
  - » Nahrungs-/Flüssigkeitszufuhr beaufsichtigen
  - » Verabreichung teilweise übernehmen
  - » Nahrung/Flüssigkeit verabreichen
  - » Zur selbstständigen Nahrungsaufnahme anleiten
- Besonderheiten der Nahrungsvorbereitung
  - » Bei Mahlzeiten und Getränken Verzehrtemperatur herstellen
  - » Kontrastreiche Präsentation der Speisen
  - » Energieanreicherung der Mahlzeiten
  - » Mundgerechte Nahrungsvorbereitung gemeinsam durchführen
  - » Ermutigung/Motivation zur Nahrungsaufnahme

Bei der Nahrungsaufnahme (Zwischenmahlzeit) unterstützen
- Lagerung/Sitzposition bestimmen
  - » Lagerung zur Nahrungsaufnahme durchführen
  - » Therapeutischen Langsitz durchführen
  - » Beim Transfer in den Lehn-/Rollstuhl/Rehabuggy unterstützen, zum Tisch fahren
  - » Zur Nahrungsaufnahme zum Tisch führen
  - » In den Speisesaal fahren/begleiten
  - » Kind zum Füttern auf den Schoß setzen
  - » Nahrungsaufnahme im Hochstuhl
- Ort der Mahlzeiteneinnahme
  - » Essenstablett ins Zimmer bringen
  - » Essenstablett in den Speisesaal bringen
  - » Essen am Tisch ermöglichen
  - » Essen im Bett ermöglichen
- Art der Unterstützungsleistung angeben
  - » Essen mundgerecht vorbereiten
  - » Nahrungs-/Flüssigkeitszufuhr beaufsichtigen
  - » Verabreichung teilweise übernehmen
  - » Nahrung/Flüssigkeit verabreichen
  - » Zur selbstständigen Nahrungsaufnahme anleiten
- Besonderheiten der Nahrungsvorbereitung
  - » Bei Mahlzeiten und Getränken Verzehrtemperatur herstellen
  - » Kontrastreiche Präsentation der Speisen
  - » Energieanreicherung der Mahlzeiten
  - » Mundgerechte Nahrungsvorbereitung gemeinsam durchführen
  - » Ermutigung/Motivation zur Nahrungsaufnahme

Sonstige Pflegemaßnahmen durchführen
- Maßnahmen konkretisieren
- Zeit angeben

Literaturhinweise: 51, 95, 125, 175, 176, 195, 1151, 1156, 1172, 1199, 1202, 1217

Der Patient hat aufgrund einer **schlecht sitzenden Zahnprothese** eine **beeinträchtigte Nahrungsaufnahme**

Kennzeichen

- Schluckt, ohne zu kauen
- Kann die Nahrung nicht kauen
- Zahnprothese löst sich beim Sprechen/Essen
- Berichtet über die fehlende Haftung der Zahnprothese
- Trägt die Zahnprothese unregelmäßig
- Berichtet über Druckstellen durch die Zahnprothese

Ursachen

- Trägt die Zahnprothese über längere Zeiträume nicht
- Entzündungen der Mundschleimhaut
- Formveränderung am weichen Gaumen
- Neue Zahnprothese

Ressourcen

- Toleriert Haftpulver

Pflegeziele

- Ursachen sind erkannt
- Erhält einen Termin
- Formveränderung des Gaumens ist vermieden
- Bedarfsgerechte Energie- und Nährstoffzufuhr
- Äußert Zufriedenheit über die Nahrungsangebote
- Zahnprothese haftet gut am Gaumen
- Kann die Nahrung gut kauen

Pflegeinterventionen

Ursachen für die Kauschwierigkeiten analysieren und dokumentieren
- Maßnahmen konkretisieren
  - » Beurteilung der Würgereflexauslösung
  - » Inspektion des Mund-, Zahnstatus durchführen
  - » Kaufähigkeit einschätzen
- Zeit angeben

Termin mit dem Zahnarzt organisieren
- Pflegeintervention konkretisieren
- Zeit angeben

Zahnprothese einsetzen und so häufig wie möglich tragen
- Zahnprotheseneinsatz bestimmen
  - » Tagsüber tragen
  - » Ständig (24 Stunden/Tag) tragen
  - » Nachts die Zahnprothese entfernen
  - » Zahnprothese nachts mit Reinigungstablette in Zahnprothesenbecher einlegen
- Art der Unterstützungsleistung angeben
  - » Beaufsichtigen
  - » Durch Unterstützen helfen
  - » Teilweise übernehmen
  - » Vollständig übernehmen
  - » Zum selbstständigen Einsetzen der Zahnprothese anleiten und zum Tragen motivieren

Weiche, gut gekochte Kost anbieten
- Pflegeintervention konkretisieren
- Zeit angeben

Haftmittel für die Zahnprothese verwenden
- Haftmittel für die Zahnprothese verwenden
  - » Haftpulver verwenden
  - » Haftplatten verwenden
  - » Haftcreme verwenden
- Art der Unterstützungsleistung angeben
  - » Beaufsichtigen
  - » Durch Unterstützen helfen
  - » Teilweise übernehmen
  - » Vollständig übernehmen
  - » Zum Benutzen der Haftmittel anleiten

Sonstige Pflegemaßnahmen durchführen
- Maßnahmen konkretisieren
- Zeit angeben

Literaturhinweise: 36, 174, 510

Der Patient kann **entwicklungsbedingt** die Selbstfürsorge im Bereich der **Ernährung nicht selbstständig erfüllen**

Kennzeichen

- Fähigkeit der Nahrungsaufnahme ist nicht altersentsprechend
- Fehlende Fähigkeit, Nahrung selbstständig aufzunehmen

Verhaltensweisen, die eine Nahrungsverabreichung erschweren
- Trinkschwäche
- Lässt sich ständig bei der Nahrungsaufnahme ablenken
- Zappelt bei der Nahrungsaufnahme herum
- Spielt mit dem Essen
- Versucht, bei der Nahrungsaufnahme aufzustehen/wegzulaufen

Ursachen

- Frühgeborene Kinder
- Reifes Neugeborenes
- Unreifes Neugeborenes
- Säugling/Neugeborenes
- Angeborene geistige Behinderung
- Angeborene körperliche Behinderung
- Down-Syndrom
- Infolge von Sauerstoffunterversorgung bei der Geburt
- Wahrnehmungsstörung
- Sensorische Integrationsstörung

Ressourcen

- Angebotene Nahrung wird gern gegessen/getrunken
- Trinkt das Fläschchen leer
- Verträgt die verabreichte Nahrung gut

Pflegeziele

- Ernährungszustand ist eingeschätzt
- Bedarfsgerechte Energie- und Nährstoffzufuhr
- Nahrungsaufnahme des Säuglings ist ausgeglichen
- Auswahl des Saugers ist bedarfsgerecht
- Beurteilung von Ernährungslage und Flüssigkeitszufuhr ist sichergestellt
- Sichere Nahrungsver-abreichung unter Berücksichtigung der Therapie-/Diätabsprachen ist sichergestellt
- Verbesserung und Förderung der Wahrnehmungsorganisation
- Erhält angemessene Spürinformationen in der Interaktion mit der Umwelt
- Tonusregulation und Koordination im Rahmen von Alltagshandlungen wird gefördert

Pflegeinterventionen

Ernährungsanamnese (beim Kind) durchführen
- Pflegeintervention konkretisieren
  - » Das Kind wird gestillt
  - » Kind zum Füttern auf den Schoß setzen
  - » Das Kind wird gestillt und Nahrung zugefüttert
  - » Das Kind erhält Flaschennahrung
  - » Das Kind erhält Breikost und wird gefüttert
  - » Das Kind erhält Breikost und isst selbstständig
  - » Das Kind führt Essversuche durch
  - » Mahlzeiten werden mundgerecht vorbereitet
  - » Das Kind isst bereits mit dem Löffel
  - » Das Kind isst mit Messer und Gabel
  - » Es besteht eine Nahrungsmittelunverträglichkeit
  - » Das Kind spuckt nach dem Essen
  - » Nahrung wird nach der Nahrungsaufnahme willentlich erbrochen
- Zeit angeben

Nahrungsaufnahme unterstützen
- Art und Weise der Nahrungsverabreichung angeben
  - » Flaschennahrung verabreichen
  - » Babynahrung zufüttern
  - » Nahrung mundgerecht zubereiten und beim Einnehmen unterstützen
  - » Nahrung verabreichen
  - » Beim Stillprozess unterstützen
- Position bei der Nahrungsaufnahme
  - » Halbsitzende Lage im Arm
  - » Halbsitzend auf dem Schoß
  - » Auf dem Arm in Sitzstellung
  - » Im Hochstuhl
  - » Im Bett
- Hilfsmittel einsetzen

Flaschennahrung zubereiten
- Saugermaterial auswählen
  - » Latex
  - » Silikon
  - » Kunststoff
- Saugerbesonderheiten
  - » Sauger mit flacher kiefergerechter Form
  - » Sauger in Kirschform
  - » Schnellfluss-Sauger
  - » Normalfluss-Sauger
  - » Auslaufsicherer Sauger
  - » Sauger mit Ventil
  - » Sauger mit zusätzlichem Kreuzschlitz
  - » Sauger mit Überlänge
  - » Sauger mit Übergröße (Habermann-Sauger)
  - » Gaumenspalten-Sauger
  - » Sauger mit Lochung in Richtung der Zunge
  - » Sauger mit Lochung auf der Gegenseite der Spalte
- Flasche auswählen
  - » Thermoflasche
  - » Kunststoffflasche
  - » Glasflasche
- Säuglingsnahrung angeben

Nahrungs- und Flüssigkeitszufuhr kontrollieren und dokumentieren
- Pflegeintervention konkretisieren
  - » Eingenommene Nahrung auf einem Ernährungsprotokoll dokumentieren
  - » Auffälligkeiten und Probleme dokumen-

tieren
  » Nahrungseinnahme beaufsichtigen
  » Nahrungsaufnahme beobachten
  » Nahrungsvorlieben und Abneigungen beobachten

Bezugspersonen zur Nahrungsver-abreichung/Flüssigkeitszufuhr anleiten
- Pflegeintervention konkretisieren
- Anzuleitende Person(en) festlegen
  » Betroffene Person
  » Angehöriger/Bezugsperson
- Zeit angeben

Führen bei Aktivitäten der Nahrungsaufnahme nach dem Affolter-Konzept
- Auswahl des problemlösenden Alltagsgeschehnisses
  » Gespürte Interaktionstherapie beim Einnehmen einer Mahlzeit
  » Gespürte Interaktionstherapie beim Einnehmen einer Zwischenmahlzeit
  » Gespürte Interaktionstherapie beim Trinken
- Maßnahmen konkretisieren
  » "Elementares Führen" während der Handlung
  » Durch "Elementares Führen" die Handlung einleiten
  » "Pflegerisches Führen" bei der Aktivität
  » Durchgeführte Handlung mit dem Betroffenen repetieren
- Zeit angeben
- Durchführende Person angeben
  » Pflegeperson
  » Ergotherapeut
  » Sonstige Personen

Sonstige Pflegemaßnahmen durchführen
- Maßnahmen konkretisieren
- Zeit angeben

Literaturhinweise: 80, 105, 352

Der Patient ist aufgrund einer **Beeinträchtigung der Bolusformung/der -kontrolle/des -transports** beim Schlucken beeinträchtigt

Kennzeichen

- Verbleibende Nahrungsreste auf der Zunge (nach dem Schlucken)
- Verbleibende Nahrungsreste am Gaumen (nach dem Schlucken)
- Verbleibende Nahrungsreste in der Mundhöhle
- Verlängerte orale Phase (Schluckkontrollgriff)
- Mangelnde Zungenbewegung, um einen Bolus zu formen
- Bissverletzungen im Mundbereich
- Beobachtbare pathologische Bewegungsmuster von Kiefer, Zunge, Wange und Zungenbein
- Vorzeitiges Entgleiten des Bolus in den Rachenraum (Schluckkontrollgriff)
- Zunge liegt schlaff auf dem Mundboden
- Eine Zungenhälfte ist breiter
- Beim Herausstrecken der Zunge: Abweichungen zur kranken Seite
- Eingeschränkte Bewegungsfähigkeit der Zunge bei der Überprüfung
- Reduzierter Gegendruck bei der Druckausübung mit dem Spatel auf die genannten Zungenanteile
- Trockenheitsgefühl im Mund (Xerostomie)
- Verweigert die Nahrungsaufnahme

Ursachen

Pathophysiologische Ursachen
- Orale Sensibilitätsstörung
- Beeinträchtigte orolinguale Boluskontrolle
- Beeinträchtigte Zungenkontrolle
- Eingeschränkte Zungenhebung
- Zungenmotilitätsstörung
- Beeinträchtigte Zungenbeweglichkeit
- Beeinträchtigte Zungenkraft
- Reduzierte seitliche rotatorische Zungenbewegung
- Fehlende seitliche rotatorische Zungenbewegung
- Fehlende Zungenschüsselbildung
- Reduzierte Zungenschüsselbildung
- Eingeschränkte Retraktionsbewegung der Vorder- und Hinterzunge

Krankheitsbedingte Ursachen
- Neurogen bedingte Schluckstörung
- Zustand nach Apoplex
- Morbus Parkinson
- Demenz
- Multi-Infarkt-Demenz
- Morbus Alzheimer
- Multiple Sklerose
- Tumor im Mund- und Rachenbereich
- Resektion von Tumoren im hinteren Mundhöhlenbereich
- Glossektomie (Resektion der Zunge)
- Glossektomie mit beidseitiger Neck-Dissection

Ressourcen

- Ist motiviert, ein Schluck-/Trinktraining durchzuführen
- Akzeptiert die Unterstützung
- Akzeptiert die Unterstützung von Angehörigen
- Angehörige/Bezugspersonen unterstützen den Pflegeprozess

Pflegeziele

- Veränderungen sind frühzeitig erkannt
- Dem Verschlucken ist vorgebeugt
- Erfolge der therapeutischen Maßnahmen sind bewertet
- Schluckstörung ist rechtzeitig erkannt
- Erfolgreiches Schlucken und Nachschlucken
- Schwerkraft ist zum Bolustransport genutzt
- Schluckt, ohne zu aspirieren
- Erleichterte Nahrungsaufnahme
- Bedarfsgerechte Energie- und Nährstoffzufuhr
- Erreicht einen höheren Grad an Selbstständigkeit bei der Nahrungsaufnahme

- Kontinuität von Behandlung und Therapie ist sichergestellt
- Kann einen Speisebolus formen
- Kann den Speisebolus für den Transport vorbereiten
- Kopfkontrolle beim aufrechten Sitzen
- Zungenmotilität ist gefördert
- Erhält einen Termin
- Interdisziplinärer Therapieplan ist aufgestellt

Pflegeinterventionen

Ess- und Schluckstörung beobachten, analysieren und dokumentieren

- Maßnahmen konkretisieren
  - » Am Schluckvorgang beteiligte Organe inspizieren (Oberflächenbeschaffenheit, Form, Lage und Strukturveränderungen)
  - » Beurteilung der Würgereflexauslösung
  - » Beurteilung der oralen Primitivreaktionen
  - » Beurteilung willkürlich intendierter Bewegungen
  - » Beurteilung der Berührungsempfindung
  - » Aspirationsschnelltest durchführen
  - » 50 ml Wassertest durchführen
  - » Schluckprobe durchführen
  - » Schweregrad der Dysphagie mit Hilfe eines Assessments einschätzen
- Zeit angeben

Phonationsprobe nach dem Schlucken durchführen

- Maßnahmen konkretisieren
  - » Phonationsprobe mit Kopfdrehung durchführen
  - » Phonationsprobe mit Kopfextension durchführen
  - » Phonationsprobe nach Hochräuspern durchführen
- Zeit angeben

Aufrechte Körperhaltung bei der Therapie/ Nahrungsaufnahme fördern

- Maßnahmen konkretisieren
  - » Stabile Sitzposition am Tisch herstellen
  - » Stabile Sitzposition im Rollstuhl herstellen und an den Tisch fahren
  - » Beckenaufrichtung fazilitieren
  - » Unterstützungsfläche und stabile Referenzpunkte mit Unterstützung von Packs bieten
  - » Arme auf dem Tisch lagern
  - » Therapeutischen Langsitz durchführen
  - » Sitzposition in Neutralstellung (LiN) durchführen
  - » Haltungshintergrund und Kopfkontrolle erarbeiten
- Zeit angeben

Haltungsänderungen beim Schlucken (gestörte Boluskontrolle/-transport) durchführen

- Maßnahmen konkretisieren
  - » Kopfneigung (Kinn zum Hals)
  - » Kopfhebung/Streckung zum Schlucken
  - » Kopfneigung und Kopfhebung im Wechsel

Kompensatorische Maßnahmen bei der Nahrungsaufnahme (gestörte Bolusformung/-transport) anwenden

- Maßnahmen konkretisieren
  - » Nahrung auf die Zungenmitte
  - » Nahrung auf die Hinterzunge
  - » Nahrung auf die gesunde Zungenseite
  - » Strohhalmtrinken anbieten
  - » Schiebelöffel verwenden
- Anpassung der Kostform durchführen
  - » Breiige Kost anbieten
  - » Flüssigkeiten andicken
- Unterstützung bei der Nahrungszufuhr angeben
  - » Nahrungs-/Flüssigkeitszufuhr beaufsichtigen
  - » Verabreichung teilweise übernehmen
  - » Nahrung/Flüssigkeit verabreichen
  - » Zum selbstständigen Einsatz der Kompensationsmaßnahmen anleiten
- Zeit angeben

Schluckhilfe durchführen

- Maßnahmen konkretisieren
  - » Schlucken durch den Kieferkontrollgriff fazilitieren
  - » Schlucken durch Anheben des hinteren oralen Zungenanteils fazilitieren
- Zeit angeben

Spezielle Kostform anbieten

- Kostform bestimmen
  - » Flüssige Kost anbieten
  - » Breiige Kost anbieten
  - » Weiche Kost anbieten
  - » Pürierte Kost
  - » Passierte Kost
  - » Lauwarme oder kalte Kost
  - » Säurearme und milde Kost

Bei der Nahrungsaufnahme (Hauptmahlzeit) unterstützen

- Lagerung/Sitzposition bestimmen
  - » Lagerung zur Nahrungsaufnahme durchführen
  - » Therapeutischen Langsitz durchführen
  - » Beim Transfer in den Lehn-/Rollstuhl/Rehabuggy unterstützen, zum Tisch fahren
  - » Zur Nahrungsaufnahme zum Tisch führen
  - » In den Speisesaal fahren/begleiten
  - » Kind zum Füttern auf den Schoß setzen
  - » Nahrungsaufnahme im Hochstuhl
- Ort der Mahlzeiteneinnahme
  - » Essenstablett ins Zimmer bringen
  - » Essenstablett in den Speisesaal bringen
  - » Essen am Tisch ermöglichen
  - » Essen im Bett ermöglichen
- Art der Unterstützungsleistung angeben
  - » Essen mundgerecht vorbereiten
  - » Nahrungs-/Flüssigkeitszufuhr beaufsichtigen
  - » Verabreichung teilweise übernehmen
  - » Nahrung/Flüssigkeit verabreichen
  - » Zur selbstständigen Nahrungsaufnahme anleiten
- Besonderheiten der Nahrungsvorbereitung
  - » Bei Mahlzeiten und Getränken Verzehrtemperatur herstellen
  - » Kontrastreiche Präsentation der Speisen
  - » Energieanreicherung der Mahlzeiten
  - » Mundgerechte Nahrungsvorbereitung gemeinsam durchführen
  - » Ermutigung/Motivation zur Nahrungsaufnahme

Bei der Nahrungsaufnahme (Zwischenmahlzeit) unterstützen

- Lagerung/Sitzposition bestimmen
  - » Lagerung zur Nahrungsaufnahme durchführen
  - » Therapeutischen Langsitz durchführen
  - » Beim Transfer in den Lehn-/Rollstuhl/Rehabuggy unterstützen, zum Tisch fahren
  - » Zur Nahrungsaufnahme zum Tisch führen
  - » In den Speisesaal fahren/begleiten
  - » Kind zum Füttern auf den Schoß setzen
  - » Nahrungsaufnahme im Hochstuhl
- Ort der Mahlzeiteneinnahme
  - » Essenstablett ins Zimmer bringen
  - » Essenstablett in den Speisesaal bringen
  - » Essen am Tisch ermöglichen
  - » Essen im Bett ermöglichen
- Art der Unterstützungsleistung angeben
  - » Essen mundgerecht vorbereiten
  - » Nahrungs-/Flüssigkeitszufuhr beaufsichtigen
  - » Verabreichung teilweise übernehmen
  - » Nahrung/Flüssigkeit verabreichen
  - » Zur selbstständigen Nahrungsaufnahme anleiten
- Besonderheiten der Nahrungsvorbereitung
  - » Bei Mahlzeiten und Getränken Verzehrtemperatur herstellen
  - » Kontrastreiche Präsentation der Speisen
  - » Energieanreicherung der Mahlzeiten
  - » Mundgerechte Nahrungsvorbereitung gemeinsam durchführen
  - » Ermutigung/Motivation zur Nahrungsaufnahme

Logopädische Übungen nach dem vereinbarten Behandlungskonzept durchführen

- Maßnahmen konkretisieren
  - » Entsprechend dem Behandlungs-konzept zu den Übungen anleiten
  - » Entsprechend dem Behandlungs-konzept bei den Übungen unterstützen
- Therapeutisches Konzept auswählen und Maßnahmen beschreiben

   - » Funktionelle Dysphagietherapie FDT
   - » Neuromotorische Entwicklungstherapie NET (Castillo Morales)
   - » Orofaziale Regulationstherapie ORT (Castillo Morales)
   - » Fazio-orale Trakt-Therapie F.O.T.T
   - » Propriozeptive neuromuskuläre Fazilitation PNF
   - » Elektrostimulation
   - » Transkranielle Magnetstimulation
- Einrichtungsspezifische Aktivität wählen
- Zeit angeben

Therapie des Facio-Oralen Traktes durchführen (F.O.T.T.)
- Pflegeintervention konkretisieren
   - » Haltungshintergrund und Kopfkontrolle erarbeiten
   - » Hand-Mund-Bezug fördern
   - » Schutzmechanismen anbahnen
   - » Taktile Mundstimulation (nach Coombes) durchführen
   - » Laterale Zungenbeweglichkeit fördern
   - » Orale Stimulation durchführen
   - » Mimische und orale Bewegungen fazilitieren
- Zeit angeben

Aktivierung der Zunge nach therapeutischem Konzept durchführen
- Maßnahmen konkretisieren
   - » Übungen zur Zungenprotraktion und -retraktion durchführen
   - » Übungen zur Zungenbasisretraktion durchführen
   - » Übungen zur Zungenspitzenhebung durchführen
   - » Übungen zur Zungenblatthebung durchführen
   - » Übungen zur Zungenrückenhebung durchführen
   - » Übungen zur Zungenschüsselbildung durchführen
   - » Seitwärts- und Drehbewegungen der Zunge durchführen
- Zeit angeben

Interdisziplinäre Besprechung des logopädischen Behandlungskonzepts durchführen
- Pflegeintervention konkretisieren
- Zeit angeben

Termine mit der Logopädie organisieren
- Pflegeintervention konkretisieren
- Zeit angeben

Sonstige Pflegemaßnahmen durchführen
- Maßnahmen konkretisieren
- Zeit angeben

Literaturhinweise: 1072, 1152, 1166, 1176, 1177, 1192, 1193, 1201, 1202, 1204, 1207, 1209, 1210, 1211, 1212, 1217

Der Patient **verschluckt sich häufig bei der Nahrungsaufnahme**, Schlucken ist beeinträchtigt

Kennzeichen

- Berichtet über Schluckstörungen bei fester Nahrung
- Auftreten der Schluckstörung überwiegend bei fester Nahrung
- Husten bei/nach dem Schlucken
- Erstickungsanfälle nach dem Schlucken
- Beobachtbare Schwierigkeiten beim Anschlucken
- Äußerungen über/Beobachtung von Schluckstörungen
- Feuchte/gurgelige Stimmqualität nach dem Schlucken
- Auffälliges positives Ergebnis bei der Phonationsprobe nach dem Schlucken
- Veränderte Schluckphasen
- Verlängerte orale Phase (Schluckkontrollgriff)
- Verspäteter Beginn der oralen Phase (Schluckkontrollgriff)
- Fehlendes Berührungsempfinden bei der Beurteilung faziooraler sensibler Funktionen
- Eingeschränktes Berührungsempfinden bei der Beurteilung faziooraler sensibler Funktionen
- Verweigert die Nahrungsaufnahme

Ursachen

- Veränderte oropharyngeale Phase
- Verzögerte Reflexauslösung (Kehlkopfhebung nach anterior)
- Fehlende Schluckreflexauslösung
- Verzögerte Schluckreflexauslösung
- Zungenmotilitätsstörung
- Eingeschränkte Zungenhebung
- Eingeschränkte Retraktionsbewegung der Vorder- und Hinterzunge
- Verlängerte orale Phase (Phase zwischen der Initiierung des oralen Blutrücktransports und der Reflexauslösung)
- Hemipharynx-Parese
- Läsionen im Bereich des Pharynx
- Bolus gleitet prädeglutitiv (vor dem eigentlichen Schlucken) in den Rachen

- Eingeschränkte hyolaryngeale Exkursion (Hebung und Vorwärtsbewegung des Kehlkopfes)
- Eingeschränkter Verschluss des Kehlkopfeingangs
- Eingeschränkter Stimmlippenschluss
- Orofaziale Sensibilitätsstörung
- Pharyngeale Sensibilitätsstörungen
- Öffnungsstörung des oberen Ösophagusspinkters
- Nebenwirkungen von Medikamenten

Krankheitsbedingte Ursachen
- Neurogen bedingte Schluckstörung
- Zustand nach Apoplex
- Schädel-Hirn-Trauma
- Zustand nach Hirnschädigung
- Angeborene Hirnschädigung
- Morbus Parkinson
- Multi-Infarkt-Demenz
- Demenz
- Morbus Alzheimer
- Tumor im Mittelhirnbereich
- Myasthenia gravis (MG)
- Multiple Sklerose
- Glossektomie mit beidseitiger Neck-Dissection
- Resektion pharyngealer Tumoren

Ressourcen

- Ist motiviert, ein Schluck-/Trinktraining durchzuführen
- Kann Aufforderungen folgen und hält sich an Vorgaben
- Trinkt die vorbereitete Flüssigkeit

Pflegeziele

- Veränderungen sind frühzeitig erkannt
- Erfolge der therapeutischen Maßnahmen sind bewertet
- Schluckt, ohne zu aspirieren
- Erhält einen Termin
- Interdisziplinärer Therapieplan ist aufgestellt
- Schluckstörung ist rechtzeitig erkannt
- Der Speisebrei wird in den Magen transportiert, ohne dass Nahrung aspiriert wird
- Kann einen Speisebolus formen
- Kann den Speisebolus für den Transport vorbereiten
- Kopfkontrolle beim aufrechten Sitzen
- Erfolgreiches Schlucken und Nachschlucken
- Dem Verschlucken ist vorgebeugt
- Erleichterte Nahrungsaufnahme
- Bedarfsgerechte Energie- und Nährstoffzufuhr
- Sichere Nahrungsver-abreichung unter Berücksichtigung der Therapie-/Diätabsprachen ist sichergestellt
- Ist über ernährungsrelevante Aspekte informiert
- Akzeptiert die Einschränkung
- Isst und trinkt in Gesellschaft
- Kontinuität von Behandlung und Therapie ist sichergestellt

Pflegeinterventionen

Ess- und Schluckstörung beobachten, analysieren und dokumentieren
- Maßnahmen konkretisieren
  - » Am Schluckvorgang beteiligte Organe inspizieren (Oberflächenbeschaffenheit, Form, Lage und Strukturveränderungen)
  - » Beurteilung der Würgereflexauslösung
  - » Beurteilung der oralen Primitivreaktionen
  - » Beurteilung willkürlich intendierter Bewegungen
  - » Beurteilung der Berührungsempfindung
  - » Aspirationsschnelltest durchführen
  - » 50 ml Wassertest durchführen
  - » Schluckprobe durchführen
  - » Schweregrad der Dysphagie mit Hilfe eines Assessments einschätzen
- Zeit angeben

Aufrechte Körperhaltung bei der Therapie/ Nahrungsaufnahme fördern
- Maßnahmen konkretisieren
  - » Stabile Sitzposition am Tisch herstellen
  - » Stabile Sitzposition im Rollstuhl herstellen und an den Tisch fahren
  - » Beckenaufrichtung fazilitieren
  - » Unterstützungsfläche und stabile Referenzpunkte mit Unterstützung von Packs bieten
  - » Arme auf dem Tisch lagern
  - » Therapeutischen Langsitz durchführen
  - » Sitzposition in Neutralstellung (LiN) durchführen
  - » Haltungshintergrund und Kopfkontrolle erarbeiten
- Zeit angeben

Termine mit der Logopädie organisieren
- Pflegeintervention konkretisieren
- Zeit angeben

Phonationsprobe nach dem Schlucken durchführen
- Maßnahmen konkretisieren
  - » Phonationsprobe mit Kopfdrehung durchführen
  - » Phonationsprobe mit Kopfextension durchführen
  - » Phonationsprobe nach Hochräuspern durchführen
- Zeit angeben

Bei vorhandener Fähigkeit, den Speichel zu schlucken, vorsichtig Nahrung verabreichen
- Pflegeintervention konkretisieren
- Zeit angeben

Ess-/Trinktraining nach therapeutischem Konzept (gestörte pharyngeale Phase) durchführen
- Pflegeintervention konkretisieren
  - » Anleiten, den Schluckvorgang mit ganzer Aufmerksamkeit durchzuführen
  - » Schluckvorgang ritualisieren
  - » Kleine Bolusvolimina anbieten
  - » Zwischen festen Speisen und Flüssigkeiten abwechseln
  - » Flüssigkeiten andicken
  - » Orale/basale Stimulation des Schluckaktes vor/während der Nahrungsverabreichung
- Kompensations-/Schlucktechnik einüben
  - » Kräftiges Schlucken einüben
  - » Supraglottisches Schlucken anwenden
  - » Super-supraglottisches Schlucken anwenden
  - » Supra-glottische Kipptechnik anwenden
  - » Mendelsohn-Manöver beim Schlucken anwenden
  - » Luft-Anhalte-Technik beim Schlucken anwenden
- Maßnahmen nach logotherapeutischem Konzept
- Durchführende Person angeben
  - » Angeleitetes Pflegepersonal
  - » Angeleiteter Angehörige/Bezugsperson
  - » Logotherapeut
- Zeit angeben

Therapie des Facio-Oralen Traktes durchführen (F.O.T.T.)
- Pflegeintervention konkretisieren
  - » Haltungshintergrund und Kopfkontrolle erarbeiten
  - » Hand-Mund-Bezug fördern
  - » Schutzmechanismen anbahnen
  - » Taktile Mundstimulation (nach Coombes) durchführen
  - » Laterale Zungenbeweglichkeit fördern
  - » Orale Stimulation durchführen
  - » Mimische und orale Bewegungen fazilitieren
- Zeit angeben

Schluckhilfe durchführen
- Maßnahmen konkretisieren
  - » Schlucken durch den Kieferkontrollgriff fazilitieren
  - » Schlucken durch Anheben des hinteren oralen Zungenanteils fazilitieren
- Zeit angeben

Haltungsveränderungen beim Schlucken (gestörte pharyngeale Phase) durchführen
- Maßnahmen konkretisieren

  - » Kopfdrehung zur kranken Seite
  - » Kopfneigung und -drehung zur kranken Seite
  - » Nacheinander Kopfneigung zum Kinn, Kopfhebung und Schlucken
  - » Kopfkippung zur gesunden Seite

Spezielle Kostform anbieten

- Kostform bestimmen
  - » Flüssige Kost anbieten
  - » Breiige Kost anbieten
  - » Weiche Kost anbieten
  - » Pürierte Kost
  - » Passierte Kost
  - » Lauwarme oder kalte Kost
  - » Säurearme und milde Kost

Bei der Nahrungsaufnahme (Hauptmahlzeit) unterstützen

- Lagerung/Sitzposition bestimmen
  - » Lagerung zur Nahrungsaufnahme durchführen
  - » Therapeutischen Langsitz durchführen
  - » Beim Transfer in den Lehn-/Rollstuhl/Rehabuggy unterstützen, zum Tisch fahren
  - » Zur Nahrungsaufnahme zum Tisch führen
  - » In den Speisesaal fahren/begleiten
  - » Kind zum Füttern auf den Schoß setzen
  - » Nahrungsaufnahme im Hochstuhl
- Ort der Mahlzeiteneinnahme
  - » Essenstablett ins Zimmer bringen
  - » Essenstablett in den Speisesaal bringen
  - » Essen am Tisch ermöglichen
  - » Essen im Bett ermöglichen
- Art der Unterstützungsleistung angeben
  - » Essen mundgerecht vorbereiten
  - » Nahrungs-/Flüssigkeitszufuhr beaufsichtigen
  - » Verabreichung teilweise übernehmen
  - » Nahrung/Flüssigkeit verabreichen
  - » Zur selbstständigen Nahrungsaufnahme anleiten
- Besonderheiten der Nahrungsvorbereitung
  - » Bei Mahlzeiten und Getränken Verzehrtemperatur herstellen
  - » Kontrastreiche Präsentation der Speisen
  - » Energieanreicherung der Mahlzeiten
  - » Mundgerechte Nahrungsvorbereitung gemeinsam durchführen
  - » Ermutigung/Motivation zur Nahrungsaufnahme

Bei der Nahrungsaufnahme (Zwischenmahlzeit) unterstützen

- Lagerung/Sitzposition bestimmen
  - » Lagerung zur Nahrungsaufnahme durchführen
  - » Therapeutischen Langsitz durchführen
  - » Beim Transfer in den Lehn-/Rollstuhl/Rehabuggy unterstützen, zum Tisch fahren
  - » Zur Nahrungsaufnahme zum Tisch führen
  - » In den Speisesaal fahren/begleiten
  - » Kind zum Füttern auf den Schoß setzen
  - » Nahrungsaufnahme im Hochstuhl
- Ort der Mahlzeiteneinnahme
  - » Essenstablett ins Zimmer bringen
  - » Essenstablett in den Speisesaal bringen
  - » Essen am Tisch ermöglichen
  - » Essen im Bett ermöglichen
- Art der Unterstützungsleistung angeben
  - » Essen mundgerecht vorbereiten
  - » Nahrungs-/Flüssigkeitszufuhr beaufsichtigen
  - » Verabreichung teilweise übernehmen
  - » Nahrung/Flüssigkeit verabreichen
  - » Zur selbstständigen Nahrungsaufnahme anleiten
- Besonderheiten der Nahrungsvorbereitung
  - » Bei Mahlzeiten und Getränken Verzehrtemperatur herstellen
  - » Kontrastreiche Präsentation der Speisen
  - » Energieanreicherung der Mahlzeiten
  - » Mundgerechte Nahrungsvorbereitung gemeinsam durchführen
  - » Ermutigung/Motivation zur Nahrungsaufnahme

Bezugspersonen zur Nahrungsver-abreichung/Flüssigkeitszufuhr anleiten

- Pflegeintervention konkretisieren
- Anzuleitende Person(en) festlegen
  - » Betroffene Person
  - » Angehöriger/Bezugsperson
- Zeit angeben

Interdisziplinäre Besprechung des logopädischen Behandlungskonzepts durchführen

- Pflegeintervention konkretisieren
- Zeit angeben

Themenzentriertes Pflegefachgespräch über Nahrungsaufnahme führen

- Gesprächsinhalt
  - » Pflege-, Betreuungs- und Behandlungsprozess
  - » Instruktion/Anleitung
  - » Motivation/Aktivierung
  - » Strategien zur Krankheitsbewältigung
  - » Überleitung/Entlassung
  - » Geeignete Nahrungsform und Zubereitung
  - » Strategien zur erleichterten Nahrungsaufnahme
- Zeit angeben

Logopädische Übungen nach dem vereinbarten Behandlungskonzept durchführen

- Maßnahmen konkretisieren
  - » Entsprechend dem Behandlungs-konzept zu den Übungen anleiten
  - » Entsprechend dem Behandlungs-konzept bei den Übungen unterstützen
- Therapeutisches Konzept auswählen und Maßnahmen beschreiben
  - » Funktionelle Dysphagietherapie FDT
  - » Neuromotorische Entwicklungstherapie NET (Castillo Morales)
  - » Orofaziale Regulationstherapie ORT (Castillo Morales)
  - » Fazio-orale Trakt-Therapie F.O.T.T
  - » Propriozeptive neuromuskuläre Fazilitation PNF
  - » Elektrostimulation
  - » Transkranielle Magnetstimulation
- Einrichtungsspezifische Aktivität wählen
- Zeit angeben

Sonstige Pflegemaßnahmen durchführen

- Maßnahmen konkretisieren
- Zeit angeben

Literaturhinweise: 36, 51, 89, 95, 100, 125, 135, 175, 176, 195, 265, 332, 510, 1072, 1152, 1156, 1172, 1177, 1178, 1179, 1181, 1182, 1183, 1184, 1185, 1186, 1187, 1188, 1189, 1197, 1201, 1202, 1204, 1207, 1209, 1210, 1212, 1217

Der Patient **verschluckt sich bei Flüssigkeit**, Schlucken ist beeinträchtigt

Kennzeichen

- Äußerungen über/Beobachtung von Schluckstörungen
- Husten bei/nach dem Schlucken von Flüssigkeiten
- Erstickungsanfälle nach dem Schlucken von Flüssigkeit
- Feuchte/gurgelige Stimmqualität nach dem Schlucken
- Hat Angst vor dem Trinken
- Nasopharyngeale Regurgitation
- Auffälliges positives Ergebnis bei der Phonationsprobe nach dem Schlucken
- Verspäteter Beginn der oralen Phase (Schluckkontrollgriff)
- Fehlendes Berührungsempfinden bei der Beurteilung faziooraler sensibler Funktionen
- Eingeschränktes Berührungsempfinden bei der Beurteilung faziooraler sensibler Funktionen
- Verweigert die Nahrungsaufnahme

Ursachen

- Fehlende Schluckreflexauslösung
- Verzögerte Schluckreflexauslösung
- Veränderte oropharyngeale Phase
- Schädigung des Nasen-Rachen-Raums
- Frühgeburt
- Läsionen im Bereich des Pharynx
- Hemipharynx-Parese
- Bolus gleitet prädeglutitiv (vor dem eigentlichen Schlucken) in den Rachen
- Verzögerte Reflexauslösung (Kehlkopfhebung nach anterior)
- Verlängerte orale Phase (Phase zwischen der Initiierung des oralen Blutrücktransports und der Reflexauslösung)
- Eingeschränkter Verschluss des Kehlkopfeingangs
- Eingeschränkte hyolaryngeale Exkursion (Hebung und Vorwärtsbewegung des Kehlkopfes)
- Eingeschränkter Stimmlippenschluss
- Orofaziale Sensibilitätsstörung
- Pharyngeale Sensibilitätsstörungen
- Lähmungserscheinung des Pharynx
- Öffnungsstörung des oberen Ösophagusspinkters
- Nebenwirkungen von Medikamenten

Krankheitsbedingte Ursachen

- Neurogen bedingte Schluckstörung
- Zustand nach Apoplex
- Zustand nach Apoplex mit rechtsseitiger Läsion
- Schädel-Hirn-Trauma
- Zustand nach Hirnschädigung
- Angeborene Hirnschädigung
- Multi-Infarkt-Demenz
- Multiple Sklerose
- Demenz
- Morbus Alzheimer
- Tumor im Mittelhirnbereich
- Myasthenia gravis (MG)
- Glossektomie mit beidseitiger Neck-Dissection
- Multiple Sklerose
- Resektion pharyngealer Tumoren

Ressourcen

- Erkennt die Notwendigkeit der getroffenen Intervention und kooperiert mit dem therapeutischen Team
- Kann breiige Nahrung ohne Verschlucken zu sich nehmen
- Kann Flüssigkeiten mit Verdickungsmittel zu sich nehmen
- Akzeptiert die Unterstützung
- Akzeptiert die Unterstützung von Angehörigen

Pflegeziele

- Veränderungen sind frühzeitig erkannt
- Erfolge der therapeutischen Maßnahmen sind bewertet
- Erfolgreiches Schlucken und Nachschlucken
- Kopfkontrolle beim aufrechten Sitzen
- Erhält einen Termin
- Interdisziplinärer Therapieplan ist aufgestellt
- Orale Flüssigkeitszufuhr ist ermöglicht
- Flüssigkeitsbilanz ist ausgeglichen
- Schluckt, ohne zu aspirieren
- Trinkt selbstständig, ohne zu aspirieren
- Der Speisebrei wird in den Magen transportiert, ohne dass Nahrung aspiriert wird
- Schluckstörung ist rechtzeitig erkannt
- Dem Verschlucken ist vorgebeugt
- Bedarfsgerechte Energie- und Nährstoffzufuhr
- Erreicht einen höheren Grad an Selbstständigkeit bei der Nahrungsaufnahme
- Sichere Nahrungsver-abreichung unter Berücksichtigung der Therapie-/Diätabsprachen ist sichergestellt
- Ist über ernährungsrelevante Aspekte informiert
- Akzeptiert die Einschränkung
- Isst und trinkt in Gesellschaft
- Kontinuität von Behandlung und Therapie ist sichergestellt

Pflegeinterventionen

Ess- und Schluckstörung beobachten, analysieren und dokumentieren

- Maßnahmen konkretisieren
  - » Am Schluckvorgang beteiligte Organe inspizieren (Oberflächenbeschaffenheit, Form, Lage und Strukturveränderungen)
  - » Beurteilung der Würgereflexauslösung
  - » Beurteilung der oralen Primitivreaktionen
  - » Beurteilung willkürlich intendierter Bewegungen
  - » Beurteilung der Berührungsempfindung
  - » Aspirationsschnelltest durchführen
  - » 50 ml Wassertest durchführen
  - » Schluckprobe durchführen
  - » Schweregrad der Dysphagie mit Hilfe eines Assessments einschätzen

- Zeit angeben

Aufrechte Körperhaltung bei der Therapie/Nahrungsaufnahme fördern
- Maßnahmen konkretisieren
  - » Stabile Sitzposition am Tisch herstellen
  - » Stabile Sitzposition im Rollstuhl herstellen und an den Tisch fahren
  - » Beckenaufrichtung fazilitieren
  - » Unterstützungsfläche und stabile Referenzpunkte mit Unterstützung von Packs bieten
  - » Arme auf dem Tisch lagern
  - » Therapeutischen Langsitz durchführen
  - » Sitzposition in Neutralstellung (LiN) durchführen
  - » Haltungshintergrund und Kopfkontrolle erarbeiten
- Zeit angeben

Termine mit der Logopädie organisieren
- Pflegeintervention konkretisieren
- Zeit angeben

Trinktraining durchführen
- Pflegeintervention konkretisieren
  - » Mit dem Teelöffel trinken
  - » Mit dem Esslöffel trinken
  - » Mit dem Trinkhalm trinken
  - » Mit dem Schnabelbecher trinken
  - » Mit der Tasse trinken
- Art der Unterstützungsleistung angeben
  - » Beaufsichtigen
  - » Unterstützen und fördern
  - » Teilweise übernehmen
  - » Vollständig übernehmen
  - » Anleiten
- Flüssigkeitskonsistenz langsam reduzieren
  - » Löffelfeste Flüssigkeit
  - » Cremige Flüssigkeit
  - » Nektarartige Flüssigkeit
  - » Dünne Flüssigkeit
- Besonderheiten beachten
  - » Keine Milchprodukte und fruchtsäurehaltigen Getränke verwenden

Flüssigkeitsmenge beim Verabreichen von Flüssigkeit langsam steigern
- Pflegeintervention konkretisieren
  - » Flüssigkeit mit Teelöffel zuführen
  - » Flüssigkeit mit Esslöffel zuführen
  - » Flüssigkeit mit Trinkhalm zuführen
  - » Flüssigkeit mit Schnabelbecher zuführen
  - » Flüssigkeit mit Tasse/Glas zuführen
- Art der Unterstützungsleistung angeben
  - » Beaufsichtigen
  - » Unterstützen und fördern
  - » Teilweise übernehmen
  - » Vollständig übernehmen
  - » Zur selbstständigen Flüssigkeitszufuhr anleiten

Flüssigkeitskonsistenz langsam reduzieren
- Maßnahmen konkretisieren
  - » Löffelfeste Flüssigkeit
  - » Cremige Flüssigkeit
  - » Nektarartige Flüssigkeit
  - » Dünne Flüssigkeit
- Besonderheiten beachten
  - » Keine Milchprodukte und fruchtsäurehaltigen Getränke verwenden

Flüssigkeiten zum Trinken mit Verdickungsmitteln eindicken
- Pflegeintervention konkretisieren
- Zeit angeben

Ess-/Trinktraining nach therapeutischem Konzept (gestörte pharyngeale Phase) durchführen
- Pflegeintervention konkretisieren
  - » Anleiten, den Schluckvorgang mit ganzer Aufmerksamkeit durchzuführen
  - » Schluckvorgang ritualisieren
  - » Kleine Bolusvolimina anbieten
  - » Zwischen festen Speisen und Flüssigkeiten abwechseln
  - » Flüssigkeiten andicken
  - » Orale/basale Stimulation des Schluckaktes vor/während der Nahrungsverabreichung
- Kompensations-/Schlucktechnik einüben
  - » Kräftiges Schlucken einüben
  - » Supraglottisches Schlucken anwenden
  - » Super-supraglottisches Schlucken anwenden
  - » Supra-glottische Kipptechnik anwenden
  - » Mendelsohn-Manöver beim Schlucken anwenden
  - » Luft-Anhalte-Technik beim Schlucken anwenden
- Maßnahmen nach logotherapeutischem Konzept
- Durchführende Person angeben
  - » Angeleitetes Pflegepersonal
  - » Angeleiteter Angehörige/Bezugsperson
  - » Logotherapeut
- Zeit angeben

Phonationsprobe nach dem Schlucken durchführen
- Maßnahmen konkretisieren
  - » Phonationsprobe mit Kopfdrehung durchführen
  - » Phonationsprobe mit Kopfextension durchführen
  - » Phonationsprobe nach Hochräuspern durchführen
- Zeit angeben

Haltungsveränderungen beim Schlucken (gestörte pharyngeale Phase) durchführen
- Maßnahmen konkretisieren
  - » Kopfdrehung zur kranken Seite
  - » Kopfneigung und -drehung zur kranken Seite
  - » Nacheinander Kopfneigung zum Kinn, Kopfhebung und Schlucken
  - » Kopfkippung zur gesunden Seite

Bei der Nahrungsaufnahme (Hauptmahlzeit) unterstützen
- Lagerung/Sitzposition bestimmen
  - » Lagerung zur Nahrungsaufnahme durchführen
  - » Therapeutischen Langsitz durchführen
  - » Beim Transfer in den Lehn-/Rollstuhl/Rehabuggy unterstützen, zum Tisch fahren
  - » Zur Nahrungsaufnahme zum Tisch führen
  - » In den Speisesaal fahren/begleiten
  - » Kind zum Füttern auf den Schoß setzen
  - » Nahrungsaufnahme im Hochstuhl
- Ort der Mahlzeiteneinnahme
  - » Essenstablett ins Zimmer bringen
  - » Essenstablett in den Speisesaal bringen
  - » Essen am Tisch ermöglichen
  - » Essen im Bett ermöglichen
- Art der Unterstützungsleistung angeben
  - » Essen mundgerecht vorbereiten
  - » Nahrungs-/Flüssigkeitszufuhr beaufsichtigen
  - » Verabreichung teilweise übernehmen
  - » Nahrung/Flüssigkeit verabreichen
  - » Zur selbstständigen Nahrungsaufnahme anleiten
- Besonderheiten der Nahrungsvorbereitung
  - » Bei Mahlzeiten und Getränken Verzehrtemperatur herstellen
  - » Kontrastreiche Präsentation der Speisen
  - » Energieanreicherung der Mahlzeiten
  - » Mundgerechte Nahrungsvorbereitung gemeinsam durchführen
  - » Ermutigung/Motivation zur Nahrungsaufnahme

Bei der Nahrungsaufnahme (Zwischenmahlzeit) unterstützen
- Lagerung/Sitzposition bestimmen
  - » Lagerung zur Nahrungsaufnahme durchführen
  - » Therapeutischen Langsitz durchführen
  - » Beim Transfer in den Lehn-/Rollstuhl/Rehabuggy unterstützen, zum Tisch fahren
  - » Zur Nahrungsaufnahme zum Tisch führen
  - » In den Speisesaal fahren/begleiten
  - » Kind zum Füttern auf den Schoß setzen
  - » Nahrungsaufnahme im Hochstuhl
- Ort der Mahlzeiteneinnahme
  - » Essenstablett ins Zimmer bringen
  - » Essenstablett in den Speisesaal bringen
  - » Essen am Tisch ermöglichen
  - » Essen im Bett ermöglichen
- Art der Unterstützungsleistung angeben
  - » Essen mundgerecht vorbereiten
  - » Nahrungs-/Flüssigkeitszufuhr beaufsichtigen
  - » Verabreichung teilweise übernehmen
  - » Nahrung/Flüssigkeit verabreichen
  - » Zur selbstständigen Nahrungsaufnahme

anleiten
- Besonderheiten der Nahrungsvorbereitung
  - » Bei Mahlzeiten und Getränken Verzehrtemperatur herstellen
  - » Kontrastreiche Präsentation der Speisen
  - » Energieanreicherung der Mahlzeiten
  - » Mundgerechte Nahrungsvorbereitung gemeinsam durchführen
  - » Ermutigung/Motivation zur Nahrungsaufnahme

Bezugspersonen zur Nahrungsver-abreichung/Flüssigkeitszufuhr anleiten
- Pflegeintervention konkretisieren
- Anzuleitende Person(en) festlegen
  - » Betroffene Person
  - » Angehöriger/Bezugsperson
- Zeit angeben

Interdisziplinäre Besprechung des logopädischen Behandlungskonzepts durchführen
- Pflegeintervention konkretisieren
- Zeit angeben

Themenzentriertes Pflegefachgespräch über Nahrungsaufnahme führen
- Gesprächsinhalt
  - » Pflege-, Betreuungs- und Behandlungsprozess
  - » Instruktion/Anleitung
  - » Motivation/Aktivierung
  - » Strategien zur Krankheitsbewältigung
  - » Überleitung/Entlassung
  - » Geeignete Nahrungsform und Zubereitung
  - » Strategien zur erleichterten Nahrungsaufnahme
- Zeit angeben

Logopädische Übungen nach dem vereinbarten Behandlungskonzept durchführen
- Maßnahmen konkretisieren
  - » Entsprechend dem Behandlungs-konzept zu den Übungen anleiten
  - » Entsprechend dem Behandlungs-konzept bei den Übungen unterstützen
- Therapeutisches Konzept auswählen und Maßnahmen beschreiben
  - » Funktionelle Dysphagietherapie FDT
  - » Neuromotorische Entwicklungstherapie NET (Castillo Morales)
  - » Orofaziale Regulationstherapie ORT (Castillo Morales)
  - » Fazio-orale Trakt-Therapie F.O.T.T
  - » Propriozeptive neuromuskuläre Fazilitation PNF
  - » Elektrostimulation
  - » Transkranielle Magnetstimulation
- Einrichtungsspezifische Aktivität wählen
- Zeit angeben

Sonstige Pflegemaßnahmen durchführen
- Maßnahmen konkretisieren
- Zeit angeben

Literaturhinweise: 36, 51, 89, 95, 100, 125, 135, 149, 175, 176, 195, 1151, 1156, 1166, 1172, 1175, 1176, 1177, 1178, 1182, 1183, 1184, 1185, 1186, 1189, 1193, 1194, 1196, 1197, 1202, 1204, 1207, 1209, 1210, 1212, 1217

Der Patient ist aufgrund eines **Zungenstosses/-pressen** beim Schlucken beeinträchtigt

Kennzeichen

- Zunge ist schmal und spitz und liegt interdental
- Zunge stößt nach vorne
- Zunge schiebt sich aus dem Mund heraus
- Vorverlagerung der Zunge gegen die Zähne/Zahnreihe beim Schlucken/Sprechen
- Speisebrei wird aus dem Mund gestoßen (Zungenstoß)
- Speisen sammeln sich zwischen Lippe und Zahnreihe
- Nach vorne verschobene Schneidezähne
- Abnorme Zungenruhelagerung
- Zungenränder drücken sich zwischen die Seitenzähne
- Verformung des Zahnbogens
- Zahnstellungs- und Kieferanomalien
- Verweigert die Nahrungsaufnahme

Ursachen

Pathophysiologische Ursachen
- Falsch erlerntes Schluckmuster
- Spastische Zunge
- Myofunktionelle Störung orofacial

Krankheitsbedingte Ursachen
- Tetraspastik
- Hohe Querschnittlähmung
- Beeinträchtigung des zentralen Nervensystems
- Apallisches Syndrom
- Schädel-Hirn-Trauma
- Frühkindliche Hirnschädigung
- Hypoxischer Hirnschaden
- Erworbene Hirnschädigung
- Angeborene Hirnschädigung
- Hydrozephalus
- Zustand nach Hirnblutung
- Enzephalitiden (Hirnentzündungen)
- Chorea Huntington

Ressourcen

- Ist motiviert, Neues auszuprobieren
- Erkennt die Notwendigkeit der getroffenen Intervention und kooperiert mit dem therapeutischen Team
- Akzeptiert die körperliche Einschränkung

Pflegeziele

- Veränderungen sind frühzeitig erkannt
- Dem Verschlucken ist vorgebeugt
- Erfolge der therapeutischen Maßnahmen sind bewertet
- Erhält einen Termin
- Interdisziplinärer Therapieplan ist aufgestellt
- Nahrungsbolus kann in Richtung Schlund befördert werden
- Erfolgreiches Schlucken und Nachschlucken
- Mundschluss beim Schlucken ist unterstützt
- Wahrnehmung beim Schlucken ist durch Druckpunkte am Kiefer gefördert
- Orale Flüssigkeitszufuhr ist ermöglicht
- Zungenstoß ist abgebaut
- Sichere Nahrungsver-abreichung unter Berücksichtigung der Therapie-/Diätabsprachen ist sichergestellt
- Erleichterte Nahrungsaufnahme
- Bedarfsgerechte Energie- und Nährstoffzufuhr
- Erreicht einen höheren Grad an Selbstständigkeit bei der Nahrungsaufnahme
- Ist über ernährungsrelevante Aspekte informiert
- Akzeptiert die Einschränkung
- Isst und trinkt in Gesellschaft
- Zungenmotilität ist gefördert
- Kontinuität von Behandlung und Therapie ist sichergestellt

Pflegeinterventionen

Ess- und Schluckstörung beobachten, analysieren und dokumentieren
- Maßnahmen konkretisieren
  - » Am Schluckvorgang beteiligte Organe inspizieren (Oberflächenbeschaffenheit, Form, Lage und Strukturveränderungen)
  - » Beurteilung der Würgereflexauslösung
  - » Beurteilung der oralen Primitivreaktionen
  - » Beurteilung willkürlich intendierter Bewegungen
  - » Beurteilung der Berührungsempfindung
  - » Aspirationsschnelltest durchführen
  - » 50 ml Wassertest durchführen
  - » Schluckprobe durchführen
  - » Schweregrad der Dysphagie mit Hilfe eines Assessments einschätzen
- Zeit angeben

Termine mit der Logopädie organisieren
- Pflegeintervention konkretisieren
- Zeit angeben

Ess/-Trinktraining nach therpeutischem Konzept (bei Zungenstoß) durchführen
- Pflegeintervention konkretisieren
  - » Bolus auf der Hinterzunge platzieren
  - » Beim Herausnehmen des Löffels, kurz und kräftig nach unten auf die Vorderzunge drücken
  - » Beim Herausnehmen des Löffels, Vorderzunge kurz und kräftig mit dem Löffel vibrieren
  - » Zum Schlucken auffordern
  - » Anleiten, die Zungenspitze beim Schlucken fest an den Gaumen zu drücken
  - » Orale/basale Stimulation des Schluckaktes vor/während der Nahrungsverabreichung
  - » Ess-/Trinktraining im Rahmen der Unterstützung bei der Hauptmahlzeit durchführen
  - » Ess-/Trinktraining im Rahmen der Unterstützung bei der Zwischenmahlzeit durchführen
- Durchführende Person angeben
  - » Angeleitetes Pflegepersonal
  - » Angeleiteter Angehörige/Bezugsperson
  - » Logotherapeut
- Maßnahmen nach logotherapeutischem Konzept
- Zeit angeben

Kieferkontrollgriff durchführen
- Maßnahmen konkretisieren
  - » Kontrollgriff von der Seite durchführen
  - » Kontrollgriff von hinten durchführen
  - » Kontrollgriff von vorne durchführen
- Zeit angeben

Kompensatorische Maßnahmen der Flüssigkeitszufuhr bei Zungenstoß anwenden
- Maßnahmen konkretisieren
  - » Flüssigkeiten andicken
  - » Flaschentrinken ermöglichen
- Zeit angeben

Bewegungsübungen zum Abbau des Zungenstoßes durchführen
- Maßnahmen konkretisieren
  - » Bewegungsübungen zur Stabilisierung des Lippen-/Kieferschlusses durchführen
  - » Übungen zur Separierung der Zungen- und Kieferbewegungen
  - » Rotationsbewegungen des Unterkiefers (Mandibula)
  - » Elevations-, Retraktions- und Lateralbewegungen der Zunge
- Zeit angeben

Bezugspersonen zur Nahrungsver-abreichung/Flüssigkeitszufuhr anleiten
- Pflegeintervention konkretisieren
- Anzuleitende Person(en) festlegen
  - » Betroffene Person
  - » Angehöriger/Bezugsperson
- Zeit angeben

Bei der Körperpositionierung zur Nahrungsaufnahme unterstützen
- Unterstützungsgrad angeben
  - » Anleiten
  - » Unterstützen
  - » Vollständig übernehmen
  - » Beaufsichtigen
- Pflegeintervention konkretisieren

Bei der Nahrungsaufnahme (Hauptmahlzeit) unterstützen
- Lagerung/Sitzposition bestimmen
  - » Lagerung zur Nahrungsaufnahme durchführen
  - » Therapeutischen Langsitz durchführen
  - » Beim Transfer in den Lehn-/Rollstuhl/Rehabuggy unterstützen, zum Tisch fahren
  - » Zur Nahrungsaufnahme zum Tisch führen
  - » In den Speisesaal fahren/begleiten
  - » Kind zum Füttern auf den Schoß setzen
  - » Nahrungsaufnahme im Hochstuhl
- Ort der Mahlzeiteneinnahme
  - » Essenstablett ins Zimmer bringen
  - » Essenstablett in den Speisesaal bringen
  - » Essen am Tisch ermöglichen
  - » Essen im Bett ermöglichen
- Art der Unterstützungsleistung angeben
  - » Essen mundgerecht vorbereiten
  - » Nahrungs-/Flüssigkeitszufuhr beaufsichtigen
  - » Verabreichung teilweise übernehmen
  - » Nahrung/Flüssigkeit verabreichen
  - » Zur selbstständigen Nahrungsaufnahme anleiten
- Besonderheiten der Nahrungsvorbereitung
  - » Bei Mahlzeiten und Getränken Verzehrtemperatur herstellen
  - » Kontrastreiche Präsentation der Speisen
  - » Energieanreicherung der Mahlzeiten
  - » Mundgerechte Nahrungsvorbereitung gemeinsam durchführen
  - » Ermutigung/Motivation zur Nahrungsaufnahme

Bei der Nahrungsaufnahme (Zwischenmahlzeit) unterstützen
- Lagerung/Sitzposition bestimmen
  - » Lagerung zur Nahrungsaufnahme durchführen
  - » Therapeutischen Langsitz durchführen
  - » Beim Transfer in den Lehn-/Rollstuhl/Rehabuggy unterstützen, zum Tisch fahren
  - » Zur Nahrungsaufnahme zum Tisch führen
  - » In den Speisesaal fahren/begleiten
  - » Kind zum Füttern auf den Schoß setzen
  - » Nahrungsaufnahme im Hochstuhl

- Ort der Mahlzeiteneinnahme
  - » Essenstablett ins Zimmer bringen
  - » Essenstablett in den Speisesaal bringen
  - » Essen am Tisch ermöglichen
  - » Essen im Bett ermöglichen
- Art der Unterstützungsleistung angeben
  - » Essen mundgerecht vorbereiten
  - » Nahrungs-/Flüssigkeitszufuhr beaufsichtigen
  - » Verabreichung teilweise übernehmen
  - » Nahrung/Flüssigkeit verabreichen
  - » Zur selbstständigen Nahrungsaufnahme anleiten
- Besonderheiten der Nahrungsvorbereitung
  - » Bei Mahlzeiten und Getränken Verzehrtemperatur herstellen
  - » Kontrastreiche Präsentation der Speisen
  - » Energieanreicherung der Mahlzeiten
  - » Mundgerechte Nahrungsvorbereitung gemeinsam durchführen
  - » Ermutigung/Motivation zur Nahrungsaufnahme

Interdisziplinäre Besprechung des logopädischen Behandlungskonzepts durchführen
- Pflegeintervention konkretisieren
- Zeit angeben

Themenzentriertes Pflegefachgespräch über Nahrungsaufnahme führen
- Gesprächsinhalt
  - » Pflege-, Betreuungs- und Behandlungsprozess
  - » Instruktion/Anleitung
  - » Motivation/Aktivierung
  - » Strategien zur Krankheitsbewältigung
  - » Überleitung/Entlassung
  - » Geeignete Nahrungsform und Zubereitung
  - » Strategien zur erleichterten Nahrungsaufnahme
- Zeit angeben

Aktivierung der Zunge nach therapeutischem Konzept durchführen
- Maßnahmen konkretisieren
  - » Übungen zur Zungenprotraktion und -retraktion durchführen
  - » Übungen zur Zungenbasisretraktion durchführen
  - » Übungen zur Zungenspitzenhebung durchführen
  - » Übungen zur Zungenblatthebung durchführen
  - » Übungen zur Zungenrückenhebung durchführen
  - » Übungen zur Zungenschüsselbildung durchführen
  - » Seitwärts- und Drehbewegungen der Zunge durchführen
- Zeit angeben

Logopädische Übungen nach dem vereinbarten Behandlungskonzept durchführen
- Maßnahmen konkretisieren
  - » Entsprechend dem Behandlungs-konzept zu den Übungen anleiten
  - » Entsprechend dem Behandlungs-konzept bei den Übungen unterstützen
- Therapeutisches Konzept auswählen und Maßnahmen beschreiben
  - » Funktionelle Dysphagietherapie FDT
  - » Neuromotorische Entwicklungstherapie NET (Castillo Morales)
  - » Orofaziale Regulationstherapie ORT (Castillo Morales)
  - » Fazio-orale Trakt-Therapie F.O.T.T
  - » Propriozeptive neuromuskuläre Fazilitation PNF
  - » Elektrostimulation
  - » Transkranielle Magnetstimulation
- Einrichtungsspezifische Aktivität wählen
- Zeit angeben

Sonstige Pflegemaßnahmen durchführen
- Maßnahmen konkretisieren
- Zeit angeben

Literaturhinweise: 36, 51, 89, 95, 100, 125, 135, 149, 175, 176, 195, 1152, 1154, 1155, 1156, 1157, 1158, 1168, 1169, 1175, 1178, 1179, 1181, 1182, 1184, 1185, 1186, 1202, 1211, 1217

Der Patient ist aufgrund der reduzierten/veränderten **pharyngealen/ösophagalen Peristaltik** beim **Schlucken beeinträchtigt**

Kennzeichen

- Äußert das Gefühl, dass Nahrung im Schlund hängen bleibt
- Aspiration als Folge des Hängenbleibens von Speisen
- Regurgitation von Speisebrei
- Beeinträchtigte pharyngale Phase des Schluckens, nachgewiesen über Breischluck
- Wiederholtes Schlucken
- Häufig leeres Schlucken
- Beschreibt das Fehlen der Beschwerden bei flüssiger/breiiger Kost
- Beschreibt Linderung der Beschwerden durch Nachtrinken
- Beschreibt spastische Schmerzen im Epigastrium während der Nahrungsaufnahme
- Verweigert die Nahrungsaufnahme

Ursachen

Pathophysiologische Ursachen
- Lähmungserscheinung des Pharynx
- Ösophageale Motilitätsstörungen
- Diffuser Ösophagusspasmus (DES)
- Tonuserhöhungen der Muskulatur in der Wand der Speiseröhre
- Fehlende Schluckreflexauslösung
- Verlängerte orale Phase (Phase zwischen der Initiierung des oralen Blutrücktransports und der Reflexauslösung)
- Öffnungsstörung des oberen Ösophagusspinkters

Krankheitsbedingte Ursachen
- Operativer Eingriff
- Operationen an der Halswirbelsäule mit anteriorem Zugang
- Ösophagusschienung bei Stenose/Passagebehinderung
- Nebenwirkungen von Medikamenten
- Langzeitintubation
- Nussknacker-Ösophagus
- Idiopathisches Parkinson-Syndrom

- Sklerodermie (Verhärtung der (Schleim-) Haut)

Ressourcen

- Erkennt die Notwendigkeit der getroffenen Intervention und kooperiert mit dem therapeutischen Team
- Kann sich auf die Nahrungsverabreichung konzentrieren
- Ist motiviert, ein Ess- und Trinktraining zu absolvieren
- Trinkt die vorbereitete Flüssigkeit
- Akzeptiert die Unterstützung
- Akzeptiert die Unterstützung von Angehörigen

Pflegeziele

- Veränderungen sind frühzeitig erkannt
- Erfolge der therapeutischen Maßnahmen sind bewertet
- Schluckt, ohne zu aspirieren
- Erfolgreiches Schlucken und Nachschlucken
- Kopfkontrolle beim aufrechten Sitzen
- Kontinuität von Behandlung und Therapie ist sichergestellt
- Reinigungsfunktion der Rachenwand ist wiederhergestellt
- Dem Verschlucken ist vorgebeugt
- Penetration (Eindringen) und Aspiration von Nahrung ist vorgebeugt
- Orale und pharyngeale Residuen sind vermindert
- Einer Aspiration ist vorgebeugt
- Bewusster Schluckakt ist gefördert
- Sichere Nahrungsver-abreichung unter Berücksichtigung der Therapie-/Diätabsprachen ist sichergestellt
- Bedarfsgerechte Energie- und Nährstoffzufuhr
- Erreicht einen höheren Grad an Selbstständigkeit bei der Nahrungsaufnahme
- Erleichterte Nahrungsaufnahme
- Kaut und schluckt, ohne dass Speisen aus dem Mund fallen
- Erhält einen Termin
- Interdisziplinärer Therapieplan ist aufgestellt

Pflegeinterventionen

Ess- und Schluckstörung beobachten, analysieren und dokumentieren
- Maßnahmen konkretisieren
  - » Am Schluckvorgang beteiligte Organe inspizieren (Oberflächenbeschaffenheit, Form, Lage und Strukturveränderungen)
  - » Beurteilung der Würgereflexauslösung
  - » Beurteilung der oralen Primitivreaktionen
  - » Beurteilung willkürlich intendierter Bewegungen
  - » Beurteilung der Berührungsempfindung
  - » Aspirationsschnelltest durchführen
  - » 50 ml Wassertest durchführen
  - » Schluckprobe durchführen
  - » Schweregrad der Dysphagie mit Hilfe eines Assessments einschätzen
- Zeit angeben

Aufrechte Körperhaltung bei der Therapie/ Nahrungsaufnahme fördern
- Maßnahmen konkretisieren
  - » Stabile Sitzposition am Tisch herstellen
  - » Stabile Sitzposition im Rollstuhl herstellen und an den Tisch fahren
  - » Beckenaufrichtung fazilitieren
  - » Unterstützungsfläche und stabile Referenzpunkte mit Unterstützung von Packs bieten
  - » Arme auf dem Tisch lagern
  - » Therapeutischen Langsitz durchführen
  - » Sitzposition in Neutralstellung (LiN) durchführen
  - » Haltungshintergrund und Kopfkontrolle erarbeiten
- Zeit angeben

Logopädische Übungen nach dem vereinbarten Behandlungskonzept durchführen
- Maßnahmen konkretisieren
  - » Entsprechend dem Behandlungs-konzept zu den Übungen anleiten
  - » Entsprechend dem Behandlungs-konzept bei den Übungen unterstützen
- Therapeutisches Konzept auswählen und Maßnahmen beschreiben
  - » Funktionelle Dysphagietherapie FDT
  - » Neuromotorische Entwicklungstherapie NET (Castillo Morales)
  - » Orofaziale Regulationstherapie ORT (Castillo Morales)
  - » Fazio-orale Trakt-Therapie F.O.T.T
  - » Propriozeptive neuromuskuläre Fazilitation PNF
  - » Elektrostimulation
  - » Transkranielle Magnetstimulation
- Einrichtungsspezifische Aktivität wählen
- Zeit angeben

Übungen zur Aktivierung der pharyngealen Kontraktion nach logopädischem Konzept durchführen
- Maßnahmen konkretisieren
  - » Kräftiges Atemanhalten durchführen
  - » Vorderzungenhalte-Übung (Masako-Manöver) durchführen
  - » Modifiziertes Valsalva-Manöver durchführen
  - » Thermale Stimulation durchführen
  - » Kopfflexion und -extension durchführen
- Zeit angeben

Kompensatorische Maßnahmen bei der Nahrungsaufnahme (reduzierte Pharynxkontraktion) anwenden
- Maßnahmen konkretisieren
  - » Feste und flüssige Nahrung im Wechsel anbieten
  - » Gleitfähige Nahrung anbieten
  - » Leeres Nachschlucken durchführen
  - » Zum kräftigen Schlucken auffordern
  - » Flüssige Kost anbieten
  - » Kopfdrehung zur erkrankten Rachenseite (einseitige Störung) durchführen
  - » Nahrungsaufnahme in Liegeposition mit mehrfachem Nachschlucken (beidseitige Störung)
- Art der Unterstützungsleistung angeben
  - » Nahrung unter Berücksichtigung der Kompensationsstrategien verabreichen
  - » Selbstständige Nahrungsaufnahme und Kompensationsstrategien beobachten/ korrigieren
  - » Zum selbstständigen Einsatz der Kompensationsstrategien anleiten
- Zeit angeben

Auffordern, den Schluckvorgang mit ganzer Aufmerksamkeit durchzuführen
- Pflegeintervention konkretisieren
- Zeit angeben

Bezugspersonen zur Nahrungsver-abreichung/Flüssigkeitszufuhr anleiten
- Pflegeintervention konkretisieren
- Anzuleitende Person(en) festlegen
  - » Betroffene Person
  - » Angehöriger/Bezugsperson
- Zeit angeben

Bei der Nahrungsaufnahme (Hauptmahlzeit) unterstützen
- Lagerung/Sitzposition bestimmen
  - » Lagerung zur Nahrungsaufnahme durchführen
  - » Therapeutischen Langsitz durchführen
  - » Beim Transfer in den Lehn-/Rollstuhl/Rehabuggy unterstützen, zum Tisch fahren
  - » Zur Nahrungsaufnahme zum Tisch führen
  - » In den Speisesaal fahren/begleiten
  - » Kind zum Füttern auf den Schoß setzen
  - » Nahrungsaufnahme im Hochstuhl
- Ort der Mahlzeiteneinnahme
  - » Essenstablett ins Zimmer bringen
  - » Essenstablett in den Speisesaal bringen
  - » Essen am Tisch ermöglichen
  - » Essen im Bett ermöglichen
- Art der Unterstützungsleistung angeben
  - » Essen mundgerecht vorbereiten
  - » Nahrungs-/Flüssigkeitszufuhr beaufsichtigen
  - » Verabreichung teilweise übernehmen

- » Nahrung/Flüssigkeit verabreichen
  - » Zur selbstständigen Nahrungsaufnahme anleiten
- Besonderheiten der Nahrungsvorbereitung
  - » Bei Mahlzeiten und Getränken Verzehrtemperatur herstellen
  - » Kontrastreiche Präsentation der Speisen
  - » Energieanreicherung der Mahlzeiten
  - » Mundgerechte Nahrungsvorbereitung gemeinsam durchführen
  - » Ermutigung/Motivation zur Nahrungsaufnahme

Bei der Nahrungsaufnahme (Zwischenmahlzeit) unterstützen
- Lagerung/Sitzposition bestimmen
  - » Lagerung zur Nahrungsaufnahme durchführen
  - » Therapeutischen Langsitz durchführen
  - » Beim Transfer in den Lehn-/Rollstuhl/Rehabuggy unterstützen, zum Tisch fahren
  - » Zur Nahrungsaufnahme zum Tisch führen
  - » In den Speisesaal fahren/begleiten
  - » Kind zum Füttern auf den Schoß setzen
  - » Nahrungsaufnahme im Hochstuhl
- Ort der Mahlzeiteneinnahme
  - » Essenstablett ins Zimmer bringen
  - » Essenstablett in den Speisesaal bringen
  - » Essen am Tisch ermöglichen
  - » Essen im Bett ermöglichen
- Art der Unterstützungsleistung angeben
  - » Essen mundgerecht vorbereiten
  - » Nahrungs-/Flüssigkeitszufuhr beaufsichtigen
  - » Verabreichung teilweise übernehmen
  - » Nahrung/Flüssigkeit verabreichen
  - » Zur selbstständigen Nahrungsaufnahme anleiten
- Besonderheiten der Nahrungsvorbereitung
  - » Bei Mahlzeiten und Getränken Verzehrtemperatur herstellen
  - » Kontrastreiche Präsentation der Speisen
  - » Energieanreicherung der Mahlzeiten
  - » Mundgerechte Nahrungsvorbereitung gemeinsam durchführen
  - » Ermutigung/Motivation zur Nahrungsaufnahme

Spezielle Kostform anbieten
- Kostform bestimmen
  - » Flüssige Kost anbieten
  - » Breiige Kost anbieten
  - » Weiche Kost anbieten
  - » Pürierte Kost
  - » Passierte Kost
  - » Lauwarme oder kalte Kost
  - » Säurearme und milde Kost

Serviette und Bettschutz anbieten
- Pflegeintervention konkretisieren
- Zeit angeben

Interdisziplinäre Besprechung des logopädischen Behandlungskonzepts durchführen
- Pflegeintervention konkretisieren
- Zeit angeben

Termine mit der Logopädie organisieren
- Pflegeintervention konkretisieren
- Zeit angeben

Sonstige Pflegemaßnahmen durchführen
- Maßnahmen konkretisieren
- Zeit angeben

Literaturhinweise: 36, 51, 89, 95, 100, 125, 135, 149, 175, 176, 195, 1152, 1153, 1156, 1163, 1164, 1165, 1172, 1175, 1183, 1187, 1188, 1197, 1201, 1202, 1203, 1204, 1212, 1217

Der Patient hat sonstige Ursachen für die **Schluckstörung**

Kennzeichen

- Würgen vor dem Schluckvorgang
- Beschreibt brennende Schmerzen im Bereich des Ösophagus
- Brennende Schmerzen im Mundbereich
- Schmerzen beim Schlucken (Odynophagie)
- Schmerzen beim Schlucken und/oder Kauen
- Veränderte Kopfstellungen
- Feuchte/gurgelige Stimmqualität nach dem Schlucken
- Auffälliges positives Ergebnis bei der Phonationsprobe nach dem Schlucken
- Auffälliges positives Ergebnis beim 50 ml Wasserschlucktest
- Schwaches Saugen, mit unwirksamem Umschließen der Brustwarzen
- Trinkschwäche
- Fehlendes Berührungsempfinden bei der Beurteilung faziooraler sensibler Funktionen
- Reduzierte Berührungsempfindlichkeit
- Erhöhte Berührungsempfindlichkeit
- Willkürliches Husten/Räuspern ist eingeschränkt
- Willkürliches Husten/Räuspern ist nicht möglich
- Fehlender Würgereflex bei Berührung der Hinterzunge/des weichen Gaumens
- Verweigert die Nahrungsaufnahme

Ursachen

Pathophysiologische Ursachen
- Myofunktionelle Störung orofacial
- Beeinträchtigung der neuromuskulären Koordination
- Anatomische Probleme im Mund-Rachen-Bereich
- Abnorme orale motorische Funktionalität
- Beeinträchtigte Zungenkontrolle
- Schädigung des Nasen-Rachen-Raums
- Beeinträchtigte Kieferöffnung
- Läsionen im Bereich des Pharynx

Krankheitsbedingte Ursachen
- Entwicklungsstörung des Säuglings
- Gaumenspalte
- Lippen-Kiefer-Gaumenspalte
- Lippen-Kiefer-Gaumensegel-Fehlbildung
- Pierre-Robin-Sequenz (auch -Syndrom)
- Laryngektomie
- Orale Sensibilitätsstörung
- Infektionskrankheiten des zentralen Nervensystems
- Tumorerkrankungen des ZNS
- Hohe Querschnittlähmung
- Erworbene Hirnschädigung
- Enzephalitiden (Hirnentzündungen)
- Poliomyelitis (Kinderlähmung)
- Ösophageale Refluxkrankheit
- Quantitative Bewusstseinsveränderung
- Recurrensparese

Ressourcen

- Ist motiviert, ein Schluck-/Trinktraining durchzuführen
- Kann Aufforderungen folgen und hält sich an Vorgaben
- Akzeptiert die Unterstützung
- Akzeptiert die Unterstützung von Angehörigen
- Angehörige/Bezugspersonen unterstützen den Pflegeprozess
- Erkennt die Notwendigkeit der getroffenen Intervention und kooperiert mit dem therapeutischen Team

Pflegeziele

- Veränderungen sind frühzeitig erkannt
- Erfolge der therapeutischen Maßnahmen sind bewertet
- Schluckt, ohne zu aspirieren
- Erhält einen Termin
- Interdisziplinärer Therapieplan ist aufgestellt
- Schluckstörung ist rechtzeitig erkannt
- Orale Wahrnehmung ist gesteigert
- Dem Verschlucken ist vorgebeugt
- Kann einen Speisebolus formen
- Kann den Speisebolus für den Transport vorbereiten
- Kopfkontrolle beim aufrechten Sitzen
- Erfolgreiches Schlucken und Nachschlucken
- Mundschluss beim Schlucken ist unterstützt
- Wahrnehmung beim Schlucken ist durch Druckpunkte am Kiefer gefördert
- Ist frei von Beschwerden
- Erleichterte Nahrungsaufnahme
- Bedarfsgerechte Energie- und Nährstoffzufuhr
- Erreicht einen höheren Grad an Selbstständigkeit bei der Nahrungsaufnahme
- Sichere Nahrungsver-abreichung unter Berücksichtigung der Therapie-/Diätabsprachen ist sichergestellt
- Ist über ernährungsrelevante Aspekte informiert
- Akzeptiert die Einschränkung
- Isst und trinkt in Gesellschaft
- Effektives Saugen ist sichergestellt
- Nasenatmung ist unterstützt
- Zungenmotilität ist gefördert
- Kontinuität von Behandlung und Therapie ist sichergestellt

Pflegeinterventionen

Ess- und Schluckstörung beobachten, analysieren und dokumentieren
- Maßnahmen konkretisieren
  - » Am Schluckvorgang beteiligte Organe inspizieren (Oberflächenbeschaffenheit, Form, Lage und Strukturveränderungen)
  - » Beurteilung der Würgereflexauslösung
  - » Beurteilung der oralen Primitivreaktionen
  - » Beurteilung willkürlich intendierter Bewegungen
  - » Beurteilung der Berührungsempfindung
  - » Aspirationsschnelltest durchführen
  - » 50 ml Wassertest durchführen
  - » Schluckprobe durchführen
  - » Schweregrad der Dysphagie mit Hilfe eines Assessments einschätzen
- Zeit angeben

Aufrechte Körperhaltung bei der Therapie/Nahrungsaufnahme fördern
- Maßnahmen konkretisieren
  - » Stabile Sitzposition am Tisch herstellen
  - » Stabile Sitzposition im Rollstuhl herstellen und an den Tisch fahren
  - » Beckenaufrichtung fazilitieren
  - » Unterstützungsfläche und stabile Referenzpunkte mit Unterstützung von Packs bieten
  - » Arme auf dem Tisch lagern
  - » Therapeutischen Langsitz durchführen
  - » Sitzposition in Neutralstellung (LiN) durchführen
  - » Haltungshintergrund und Kopfkontrolle erarbeiten
- Zeit angeben

Termine mit der Logopädie organisieren
- Pflegeintervention konkretisieren
- Zeit angeben

Ess-/Trinktraining nach therapeutischem Konzept (gestörte pharyngeale Phase) durchführen
- Pflegeintervention konkretisieren
  - » Anleiten, den Schluckvorgang mit ganzer Aufmerksamkeit durchzuführen
  - » Schluckvorgang ritualisieren
  - » Kleine Bolusvolimina anbieten
  - » Zwischen festen Speisen und Flüssigkeiten abwechseln
  - » Flüssigkeiten andicken
  - » Orale/basale Stimulation des Schluckaktes vor/während der Nahrungsverabreichung
- Kompensations-/Schlucktechnik einüben
  - » Kräftiges Schlucken einüben
  - » Supraglottisches Schlucken anwenden
  - » Super-supraglottisches Schlucken anwenden
  - » Supra-glottische Kipptechnik anwenden
  - » Mendelsohn-Manöver beim Schlucken anwenden
  - » Luft-Anhalte-Technik beim Schlucken anwenden
- Maßnahmen nach logotherapeutischem Konzept
- Durchführende Person angeben
  - » Angeleitetes Pflegepersonal
  - » Angeleiteter Angehörige/Bezugsperson
  - » Logotherapeut
- Zeit angeben

Phonationsprobe nach dem Schlucken durchführen
- Maßnahmen konkretisieren
  - » Phonationsprobe mit Kopfdrehung durchführen
  - » Phonationsprobe mit Kopfextension durchführen
  - » Phonationsprobe nach Hochräuspern durchführen
- Zeit angeben

Orale basale Stimulation durchführen
- Pflegeintervention konkretisieren
  - » Taktile Mundstimulation (nach Coombes) durchführen
  - » Mimische und orale Bewegungen fazilitieren
  - » Kausäckchen einsetzen
- Zeit angeben

Haltungsveränderungen beim Schlucken (gestörte pharyngeale Phase) durchführen
- Maßnahmen konkretisieren
  - » Kopfdrehung zur kranken Seite
  - » Kopfneigung und -drehung zur kranken Seite
  - » Nacheinander Kopfneigung zum Kinn, Kopfhebung und Schlucken
  - » Kopfkippung zur gesunden Seite

Therapie des Facio-Oralen Traktes durchführen (F.O.T.T.)
- Pflegeintervention konkretisieren
  - » Haltungshintergrund und Kopfkontrolle erarbeiten
  - » Hand-Mund-Bezug fördern
  - » Schutzmechanismen anbahnen
  - » Taktile Mundstimulation (nach Coombes)

durchführen
  - » Laterale Zungenbeweglichkeit fördern
  - » Orale Stimulation durchführen
  - » Mimische und orale Bewegungen fazilitieren
- Zeit angeben

Schluckhilfe durchführen
- Maßnahmen konkretisieren
  - » Schlucken durch den Kieferkontrollgriff fazilitieren
  - » Schlucken durch Anheben des hinteren oralen Zungenanteils fazilitieren
- Zeit angeben

Kieferkontrollgriff durchführen
- Maßnahmen konkretisieren
  - » Kontrollgriff von der Seite durchführen
  - » Kontrollgriff von hinten durchführen
  - » Kontrollgriff von vorne durchführen
- Zeit angeben

Maßnahmen zur Linderung der Schmerzen ergreifen
- Maßnahmen konkretisieren
  - » Keine scharf gewürzten Nahrungsmittel anbieten
  - » Weiche/pürierte Kost anbieten
  - » Keine alkoholischen Substanzen/Getränke anbieten
  - » Säurearme Getränke anbieten
  - » Anästhesierende Lutschtabletten nach Arztanordnung verabreichen

Spezielle Kostform anbieten
- Kostform bestimmen
  - » Flüssige Kost anbieten
  - » Breiige Kost anbieten
  - » Weiche Kost anbieten
  - » Pürierte Kost
  - » Passierte Kost
  - » Lauwarme oder kalte Kost
  - » Säurearme und milde Kost

Bei der Nahrungsaufnahme (Hauptmahlzeit) unterstützen
- Lagerung/Sitzposition bestimmen
  - » Lagerung zur Nahrungsaufnahme durchführen
  - » Therapeutischen Langsitz durchführen
  - » Beim Transfer in den Lehn-/Rollstuhl/Rehabuggy unterstützen, zum Tisch fahren
  - » Zur Nahrungsaufnahme zum Tisch führen
  - » In den Speisesaal fahren/begleiten
  - » Kind zum Füttern auf den Schoß setzen
  - » Nahrungsaufnahme im Hochstuhl
- Ort der Mahlzeiteneinnahme
  - » Essenstablett ins Zimmer bringen
  - » Essenstablett in den Speisesaal bringen
  - » Essen am Tisch ermöglichen
  - » Essen im Bett ermöglichen
- Art der Unterstützungsleistung angeben
  - » Essen mundgerecht vorbereiten
  - » Nahrungs-/Flüssigkeitszufuhr beaufsichtigen
  - » Verabreichung teilweise übernehmen
  - » Nahrung/Flüssigkeit verabreichen
  - » Zur selbstständigen Nahrungsaufnahme anleiten
- Besonderheiten der Nahrungsvorbereitung
  - » Bei Mahlzeiten und Getränken Verzehrtemperatur herstellen
  - » Kontrastreiche Präsentation der Speisen
  - » Energieanreicherung der Mahlzeiten
  - » Mundgerechte Nahrungsvorbereitung gemeinsam durchführen
  - » Ermutigung/Motivation zur Nahrungsaufnahme

Bei der Nahrungsaufnahme (Zwischenmahlzeit) unterstützen
- Lagerung/Sitzposition bestimmen
  - » Lagerung zur Nahrungsaufnahme durchführen
  - » Therapeutischen Langsitz durchführen
  - » Beim Transfer in den Lehn-/Rollstuhl/Rehabuggy unterstützen, zum Tisch fahren
  - » Zur Nahrungsaufnahme zum Tisch führen
  - » In den Speisesaal fahren/begleiten
  - » Kind zum Füttern auf den Schoß setzen
  - » Nahrungsaufnahme im Hochstuhl
- Ort der Mahlzeiteneinnahme
  - » Essenstablett ins Zimmer bringen
  - » Essenstablett in den Speisesaal bringen
  - » Essen am Tisch ermöglichen
  - » Essen im Bett ermöglichen
- Art der Unterstützungsleistung angeben
  - » Essen mundgerecht vorbereiten
  - » Nahrungs-/Flüssigkeitszufuhr beaufsichtigen
  - » Verabreichung teilweise übernehmen
  - » Nahrung/Flüssigkeit verabreichen
  - » Zur selbstständigen Nahrungsaufnahme anleiten
- Besonderheiten der Nahrungsvorbereitung
  - » Bei Mahlzeiten und Getränken Verzehrtemperatur herstellen
  - » Kontrastreiche Präsentation der Speisen
  - » Energieanreicherung der Mahlzeiten
  - » Mundgerechte Nahrungsvorbereitung gemeinsam durchführen
  - » Ermutigung/Motivation zur Nahrungsaufnahme

Bezugspersonen zur Nahrungsver-abreichung/Flüssigkeitszufuhr anleiten
- Pflegeintervention konkretisieren
- Anzuleitende Person(en) festlegen
  - » Betroffene Person
  - » Angehöriger/Bezugsperson
- Zeit angeben

Themenzentriertes Pflegefachgespräch über Nahrungsaufnahme führen
- Gesprächsinhalt
  - » Pflege-, Betreuungs- und Behandlungsprozess
  - » Instruktion/Anleitung
  - » Motivation/Aktivierung
  - » Strategien zur Krankheitsbewältigung
  - » Überleitung/Entlassung
  - » Geeignete Nahrungsform und Zubereitung
  - » Strategien zur erleichterten Nahrungsaufnahme
- Zeit angeben

Gaumenplatte einlegen
- Pflegeintervention konkretisieren
- Zeit angeben

Aktivierung der Zunge nach therapeutischem Konzept durchführen
- Maßnahmen konkretisieren
  - » Übungen zur Zungenprotraktion und -retraktion durchführen
  - » Übungen zur Zungenbasisretraktion durchführen
  - » Übungen zur Zungenspitzenhebung durchführen
  - » Übungen zur Zungenblatthebung durchführen
  - » Übungen zur Zungenrückenhebung durchführen
  - » Übungen zur Zungenschüsselbildung durchführen
  - » Seitwärts- und Drehbewegungen der Zunge durchführen
- Zeit angeben

Logopädische Übungen nach dem vereinbarten Behandlungskonzept durchführen
- Maßnahmen konkretisieren
  - » Entsprechend dem Behandlungs-konzept zu den Übungen anleiten
  - » Entsprechend dem Behandlungs-konzept bei den Übungen unterstützen
- Therapeutisches Konzept auswählen und Maßnahmen beschreiben
  - » Funktionelle Dysphagietherapie FDT
  - » Neuromotorische Entwicklungstherapie NET (Castillo Morales)
  - » Orofaziale Regulationstherapie ORT (Castillo Morales)
  - » Fazio-orale Trakt-Therapie F.O.T.T
  - » Propriozeptive neuromuskuläre Fazilitation PNF
  - » Elektrostimulation
  - » Transkranielle Magnetstimulation
- Einrichtungsspezifische Aktivität wählen
- Zeit angeben

Sonstige Pflegemaßnahmen durchführen
- Maßnahmen konkretisieren
- Zeit angeben

Literaturhinweise: 149, 1151, 1152, 1156, 1166,

1167, 1170, 1172, 1175, 1178, 1184, 1185, 1186, 1199, 1200, 1202, 1204, 1207, 1209, 1210, 1211, 1212, 1217

Der Patient hat aufgrund einer **kognitiven Beeinträchtigung** eine **Mangelernährung**

Kennzeichen

Mangelernährung

- Unbeabsichtigter Gewichtsverlust von >5% innerhalb von 3 Monaten
- Unbeabsichtigter Gewichtsverlust von >10% innerhalb von 6 Monaten
- BMI (Body-Mass-Index) < 18,5 kg/m² bei Erwachsenem bis 65 Jahre
- BMI (Body-Mass-Index) < 20 kg/m² bei Erwachsenem über 65 Jahre
- Verlust von Unterhautfettgewebe
- Sarkopenie (Verlust von Muskelmasse)
- Tief liegende Augen
- Blasse Bindehaut/Schleimhäute
- BMI-Perzentile für Kinder < 10
- BMI-Perzentile für Kinder < 5

Kognitive Beeinträchtigung

- Wirkt bei der Nahrungsaufnahme ängstlich
- Wirkt bei der Nahrungsaufnahme überfordert
- Schluckt den Nahrungsbrei nicht selbstständig
- Essenssituation wird fehlinterpretiert
- Kann nicht selbstständig mit der Nahrungsaufnahme beginnen
- Kann sich nicht ohne Hilfe auf die Nahrungsaufnahme konzentrieren
- Kann nicht ohne Hilfe mit dem Besteck umgehen
- Kann die Speise nicht ohne Hilfe erkennen/lokalisieren
- Bewegungsabläufe der Nahrungsaufnahme können nicht umgesetzt werden
- Kann Aufforderungen/Erklärungen im Zusammenhang mit der Nahrungsaufnahme nicht verstehen
- Deutet Nahrungsbestandteile als Würmer/Ungeziefer oder Ähnliches
- Fehlender Impuls zur Nahrungsaufnahme
- Zeitverzögerte Reaktion auf Ansprache, schläft zwischen der Nahrungsverabreichung immer wieder ein

Ursachen

Ursachen für ein Risiko der Mangelernährung

- Erhöhter Energiebedarf
- Eingeschränktes Durst- und Sättigungsempfinden

Kognitive Beeinträchtigung

- Beeinträchtigte Gedächtnisleistung
- Innere Unruhe
- Motorische Unruhe
- Vergiftungsängste
- Veränderter Schlaf-Wach-Rhythmus
- Situative Desorientierung
- Zeitliche Desorientierung
- Antriebslosigkeit
- Wahrnehmungsstörung
- Sensorische Integrationsstörung

Krankheitsbedingte Ursachen

- Morbus Alzheimer
- Multi-Infarkt-Demenz
- Demenzformen als Folgezustände anderer Erkrankungen
- Creutzfeldt-Jakob-Krankheit
- Korsakow-Syndrom
- Vaskuläre Demenz
- Geistige Behinderung
- Sonstige kognitive Beeinträchtigungen

Ressourcen

- Akzeptiert die Unterstützung bei der Nahrungsaufnahme
- Kann mit Besteck umgehen
- Nimmt mundgerechte Speisen (Fingerfood) selbstständig zu sich
- Nimmt Nahrung mit verbaler Unterstützung zu sich
- Nimmt Nahrung mit Hilfestellung zu sich
- Verabreichte Nahrung wird gerne gegessen
- Kann einfache Tätigkeiten bei der Nahrungsvorbereitung/-zubereitung übernehmen

Pflegeziele

- Ursachen/Risiken der kognitiven Beeinträchtigungen im Zusammenhang mit der Nahrungsaufnahme sind analysiert
- Genaue Bemessungsgrundlage für die Einschätzung des Ernährungszustands ist sichergestellt
- Geplante Gewichtszunahme im festgelegten Zeitraum ist erreicht
- Körpergewicht ist konstant
- Bedarfsgerechte Tagesmenge an Nährstoffen ist ermittelt
- Bedarfsgerechte Energie- und Nährstoffzufuhr
- Die Situation der Nahrungsaufnahme entspricht biographischen Erfahrungen
- Die Speisenangebote entsprechen den biographischen Erfahrungen
- Kann sich bei der Nahrungsaufnahme orientieren
- Die Lebensqualität ist durch die bedürfnisgerechte Nahrungsaufnahme gefördert
- Kann sich auf die Nahrungsaufnahme konzentrieren
- Art, Zubereitung und Darreichung der Nahrung entsprechen den Bedürfnissen
- Umgebungssituation der Nahrungsaufnahme entspricht den Bedürfnissen
- Erreicht einen höheren Grad an Selbstständigkeit bei der Nahrungsaufnahme
- Essenszeiten sind dem Bedürfnis individuell angepasst
- Beurteilung von Ernährungslage und Flüssigkeitszufuhr ist sichergestellt
- Angehörige sind über ernährungsrelevante Aspekte informiert
- Bedarfsgerechte orale Energie- und Nährstoffzufuhr
- Biographischer Hintergrund ist berücksichtigt
- Baut soziale Kontakte auf und pflegt diese
- Lebensbedrohliches Flüssigkeits- und Ernährungsdefizit ist ausgeglichen
- Verbesserung und Förderung der Wahrnehmungsorganisation
- Erhält angemessene Spürinformationen in der Interaktion mit der Umwelt
- Tonusregulation und Koordination im Rahmen von Alltagshandlungen wird gefördert

Pflegeinterventionen

Ursachen/Risiken der kognitiven Beeinträchtigungen im Zusammenhang mit der Nahrungsaufnahme analysieren
- Inhalte des Assessments/der Anamnese konkretisieren
  - » Physiologische Ursachen/Risiken
  - » Ernährungsverhalten
  - » Umgebungsfaktoren
  - » Biografische/kulturelle Aspekte
  - » Gewohnheiten und Bedürfnisse
  - » Auswirkungen der Medikation
  - » Psychosoziale Aspekte
  - » Psychologische Aspekte
  - » Sonstige Gründe
- Zeit angeben

Ernährungszustand ermitteln
- Pflegeintervention konkretisieren
  - » BMI errechnen
  - » Körpergröße ermitteln
  - » Hautfaltendicke-Messung durchführen
  - » Sonstiges
- Gewicht kontrollieren
  - » Gewicht mit Sitzwaage kontrollieren
  - » Gewicht mit Sitzwaage kontrollieren (pflegerisch erforderlich)
  - » Gewicht mit Stehwaage kontrollieren
  - » Gewicht mit Lifterwaage kontrollieren

Bedürfnis-/bedarfsgerechte Kostform auswählen/bestellen
- Kostform auswählen
  - » Vollkost
  - » Schonkost
  - » Wunschkost
  - » Hochkallorische Kost
  - » Fingerfood
  - » Pürierte Kost
  - » Weiche Kost
  - » Diabeteskost
  - » Diätetische Kost
- Zwischenmahlzeit festlegen
  - » Obst
  - » Jogurt
  - » Dessertspeise
  - » Brot mit Auflage
  - » Trinknahrung
  - » Zwischenmahlzeit für Diabetiker
  - » Kalorienreiche Snacks und Getränke
- Kalorienbedarf
  - » Vereinbarte tägl. Kalorienzufuhr
  - » Vom Ernährungsberater ermittelte Kalorienzufuhr

Nahrungsaufnahme entsprechend biographischer Erfahrungen stimulieren/fördern
- Pflegeintervention konkretisieren
- Zeit angeben

Zustandsbezogene Anpassungen bei der Nahrungsaufnahme beachten
  - » Nimmt am Wohnküchenkonzept teil
  - » Essen im Gehen ermöglichen
  - » Tageszeitunabhängigen Zugang zu Speisen sicherstellen
  - » Veränderte Tischmanieren akzeptieren
- Nahrungsaufnahme ritualisieren
  - » Feste Essenszeiten im Tagesrhythmus einhalten
  - » Festgelegten Ablauf der Nahrungszufuhr einhalten
  - » Feste Bezugspersonen bei der Nahrungsverabreichung ermöglichen
- Angstreduzierende Maßnahmen
  - » Gemeinsam mit dem Betroffenen essen (Vergiftungsängste)
  - » Bittere Speisen/Speisen mit ungewöhnlicher Farbe vermeiden
  - » Keine Medikamentenbeimischung in Speisen
  - » Hinweise auf kostenlose Essensangebote geben
  - » Essensmarken zum Bezahlen ausgeben
- Stimulation der Nahrungsaufnahme
  - » Taktile Reize setzen
  - » Visuelle Reize setzen
  - » Gustatorische Reize setzen

Komplexität der Situation bei der Nahrungsaufnahme reduzieren
- Pflegeintervention konkretisieren
  - » Hintergrundgeräusche minimieren
  - » Menügänge einzeln servieren
  - » Ungeteilte Aufmerksamkeit der unterstützenden Person sicherstellen
  - » Klare, einfache Kommunikation bei der Nahrungsaufnahme

Bei der Nahrungsaufnahme (Hauptmahlzeit) unterstützen
- Lagerung/Sitzposition bestimmen
  - » Lagerung zur Nahrungsaufnahme durchführen
  - » Therapeutischen Langsitz durchführen
  - » Beim Transfer in den Lehn-/Rollstuhl/Rehabuggy unterstützen, zum Tisch fahren
  - » Zur Nahrungsaufnahme zum Tisch führen
  - » In den Speisesaal fahren/begleiten
  - » Kind zum Füttern auf den Schoß setzen
  - » Nahrungsaufnahme im Hochstuhl
- Ort der Mahlzeiteneinnahme
  - » Essenstablett ins Zimmer bringen
  - » Essenstablett in den Speisesaal bringen
  - » Essen am Tisch ermöglichen
  - » Essen im Bett ermöglichen
- Art der Unterstützungsleistung angeben
  - » Essen mundgerecht vorbereiten
  - » Nahrungs-/Flüssigkeitszufuhr beaufsichtigen
  - » Verabreichung teilweise übernehmen
  - » Nahrung/Flüssigkeit verabreichen
  - » Zur selbstständigen Nahrungsaufnahme anleiten
- Besonderheiten der Nahrungsvorbereitung
  - » Bei Mahlzeiten und Getränken Verzehrtemperatur herstellen
  - » Kontrastreiche Präsentation der Speisen
  - » Energieanreicherung der Mahlzeiten
  - » Mundgerechte Nahrungsvorbereitung gemeinsam durchführen
  - » Ermutigung/Motivation zur Nahrungsaufnahme

Bei der Nahrungsaufnahme (Zwischenmahlzeit) unterstützen

- Lagerung/Sitzposition bestimmen
  - » Lagerung zur Nahrungsaufnahme durchführen
  - » Therapeutischen Langsitz durchführen
  - » Beim Transfer in den Lehn-/Rollstuhl/Rehabuggy unterstützen, zum Tisch fahren
  - » Zur Nahrungsaufnahme zum Tisch führen
  - » In den Speisesaal fahren/begleiten
  - » Kind zum Füttern auf den Schoß setzen
  - » Nahrungsaufnahme im Hochstuhl
- Ort der Mahlzeiteneinnahme
  - » Essenstablett ins Zimmer bringen
  - » Essenstablett in den Speisesaal bringen
  - » Essen am Tisch ermöglichen
  - » Essen im Bett ermöglichen
- Art der Unterstützungsleistung angeben
  - » Essen mundgerecht vorbereiten
  - » Nahrungs-/Flüssigkeitszufuhr beaufsichtigen
  - » Verabreichung teilweise übernehmen
  - » Nahrung/Flüssigkeit verabreichen
  - » Zur selbstständigen Nahrungsaufnahme anleiten
- Besonderheiten der Nahrungsvorbereitung
  - » Bei Mahlzeiten und Getränken Verzehrtemperatur herstellen
  - » Kontrastreiche Präsentation der Speisen
  - » Energieanreicherung der Mahlzeiten
  - » Mundgerechte Nahrungsvorbereitung gemeinsam durchführen
  - » Ermutigung/Motivation zur Nahrungsaufnahme

Nahrungsmittelergänzungen anbieten
- Maßnahmen konkretisieren
  - » Astronautenkost
  - » Hochkallorische Trinknahrung
  - » Vitamine
  - » Mineralien
  - » Eiweißkonzentrate
  - » Sonstiges

Nahrungs- und Flüssigkeitszufuhr beobachten und dokumentieren
- Pflegeintervention konkretisieren
  - » Eingenommene Nahrung auf einem Ernährungsprotokoll dokumentieren
  - » Auffälligkeiten und Probleme dokumentieren
  - » Nahrungseinnahme beaufsichtigen
  - » Nahrungsaufnahme beobachten
  - » Nahrungsvorlieben und Abneigungen beobachten

Informations-/Beratungsgespräche mit Angehörigen durchführen
- Themenschwerpunkt des Gesprächs angeben
  - » Pflege-, Betreuungs- und Behandlungsprozess
  - » Alltagsbewältigung
  - » Instruktion/Anleitung
  - » Motivation/Aktivierung
  - » Strategien zur Krankheitsbewältigung
  - » Förderung der Entscheidungsfindung
  - » Überleitung/Entlassung
  - » Sonstige Gesprächsinhalte
- Gesprächsteilnehmer
  - » Betroffener
  - » Angehöriger/Bezugsperson
- Zeitdauer des Gesprächs angeben

Feste Bezugsperson für die Essensverabreichung einplanen
- Pflegeintervention konkretisieren
- Zeit angeben

Biografische Hintergründe erfragen
- Pflegeintervention konkretisieren
  - » Individuelle Vorlieben und Abneigungen beim Essen ermitteln
  - » Bevorzugte Geschmacksrichtung
  - » Einstellung gegenüber den Lebensmitteln und nachhaltiger Ernährung
  - » Praktizierte Esskultur
- Zeit angeben

Den Aufbau eines stützenden sozialen Umfelds fördern
- Netzwerke bestimmen, die aufgebaut/gefördert werden können
  - » Netzwerk Familie
  - » Netzwerk Freundeskreis
  - » Netzwerk Arbeitsfeld
  - » Netzwerk Glaubensgemeinschaft
  - » Netzwerk Freizeitaktivität/Hobby
  - » Selbsthilfegruppe
  - » Sonstige Netzwerke
- Zeitdauer der Intervention bestimmen
- Gesprächspartner bestimmen
  - » Angehöriger/Bezugsperson
  - » Betreuer
  - » Freunde
  - » Arbeitgeber
  - » Arbeitskollegen
  - » Ämter
  - » Kirchenvertreter
  - » Nachbarn
  - » Sonstige Personen

Infusionstherapie nach Anordnung durchführen
- Infusionen ohne Zusätze vorbereiten und infundieren
  - » 1 Infusion
  - » 3 Infusionen
  - » 5 und mehr Infusionen
- Infusionen mit Zusätzen vorbereiten und infundieren
  - » 1 Infusion mit Zusatz
  - » 4 Infusionen mit Zusatz
  - » 5 und mehr Infusionen mit Zusatz
- Hygienemaßnahmen
  - » Zwei- und Dreiwegehähne auswechseln
  - » Hahnenbank austauschen
  - » Besonderheiten bestimmen
- Applikationsart bestimmen
  - » Über Infusomat verabreichen
  - » Über Perfusor verabreichen
  - » Über Tropfenzähler verabreichen
- Tropfgeschwindigkeit einstellen

Durch eine Ernährungssonde zusätzliche Nahrung zuführen
- Sondennahrung für bilanzierte Diät auswählen
  - » Sondenprodukt zur ergänzenden Ernährung
  - » Sondenprodukte zur vollständigen Ernährung
  - » Niedermolekulare/chemisch definierte Diät (CDD)
  - » Hochmolekulare/nährstoffdefinierte Diät (NDD)
  - » Ballaststofffrei
  - » Ballaststoffreich
  - » Eiweißmodifiziert
  - » Fettmodifiziert
  - » Stoffwechseladaptiert/modifiziert
  - » Immunmodulierend/Intensivdiät
  - » Bei Diabetes mellitus
  - » Bei respiratorischer Insuffizienz
  - » Bei Erkrankungen der Leber
  - » Bei Erkrankungen der Niere
  - » Für Kinder
  - » Hypoallergene Babynahrung
- Selbst hergestellte Sondenkost festlegen
  - » Selbst hergestellte Sondenkost
- Menge der Sondennahrung angeben
- Flüssigkeitszufuhr festlegen
  - » Stilles Mineralwasser
  - » Tee ohne Fruchtsäure
- Menge der Flüssigkeitszufuhr angeben

Führen bei Aktivitäten der Nahrungsaufnahme nach dem Affolter-Konzept
- Auswahl des problemlösenden Alltagsgeschehnisses
  - » Gespürte Interaktionstherapie beim Einnehmen einer Mahlzeit
  - » Gespürte Interaktionstherapie beim Einnehmen einer Zwischenmahlzeit
  - » Gespürte Interaktionstherapie beim Trinken
- Maßnahmen konkretisieren
  - » "Elementares Führen" während der Handlung
  - » Durch "Elementares Führen" die Handlung einleiten
  - » "Pflegerisches Führen" bei der Aktivität
  - » Durchgeführte Handlung mit dem Betroffenen repetieren
- Zeit angeben
- Durchführende Person angeben
  - » Pflegeperson
  - » Ergotherapeut
  - » Sonstige Personen

Sonstige Pflegemaßnahmen durchführen
- Maßnahmen konkretisieren
- Zeit angeben

Literaturhinweise: 511, 513, 514, 518, 519, 522, 525, 527, 530, 531, 532, 540, 541, 545, 546, 548, 554, 559, 562, 564, 570, 573, 574, 576, 577, 588, 589, 593, 594, 598, 599, 601, 602, 606, 609

Der Patient hat aufgrund einer **Essstörung** eine **Mangelernährung**

Kennzeichen

Mangelernährung
- Äußert eine Abneigung gegen Speisen
- Amenorrhö
- BMI (Body-Mass-Index) < 10 kg/m^2 bei Erwachsenen
- BMI (Body-Mass-Index) < 18,5 kg/m^2 bei Erwachsenem bis 65 Jahre
- BMI (Body-Mass-Index) < 20 kg/m^2 bei Erwachsenem über 65 Jahre
- Unzureichende altersentspechende Gewichtszunahme
- Hyperaktivität
- Chronische Müdigkeit
- Sarkopenie (Verlust von Muskelmasse)
- Hervortretende Knochen
- Pathologische körperliche Veränderungen

Essstörung
- Missbrauch von Medikamenten zur Gewichtsreduktion
- Berichtet über depressive Einbrüche bei Gewichtszunahme
- Episoden restriktiver Nahrungszufuhr/Fasten
- Vermeidung von/Verzicht auf hochkallorische(n) Speisen
- Erbricht willentlich
- Essattacken mit anschließendem willentlichem Erbrechen
- Extrem langsames auffälliges Essverhalten
- Rituale beim Essen
- Horten von Lebensmitteln
- Beabsichtigter Gewichtsverlust von >5% innerhalb von 3 Monaten
- Beabsichtigter Gewichtsverlust von >10% innerhalb von 6 Monaten
- Exzessive Gewichtskontrollen
- BMI-Perzentile für Kinder < 10
- BMI-Perzentile für Kinder < 5

Ursachen

- Anorexia nervosa
- Bulimia nervosa
- Essstörung

Ressourcen

- Akzeptiert die Bezugsperson
- Akzeptiert die Unterstützung von Angehörigen
- Kann Gefühle und Sorgen mit der Bezugsperson besprechen
- Angehörige/Bezugspersonen unterstützen den Behandlungsplan
- Erkennt die Notwendigkeit der getroffenen Intervention und kooperiert mit dem therapeutischen Team
- Vereinbarungen werden eingehalten
- Hält sich an den Ernährungsplan
- Nimmt an Therapieangeboten teil

Pflegeziele

- Genaue Bemessungsgrundlage für die Einschätzung des Ernährungszustands ist sichergestellt
- Geplante Gewichtszunahme im festgelegten Zeitraum ist erreicht
- Körpergewicht ist konstant
- Bedarfsgerechte Tagesmenge an Nährstoffen ist ermittelt
- Ernährungsrelevante Aspekte sind ermittelt und dokumentiert
- Biographischer Hintergrund ist berücksichtigt
- Erbrechen nach der Nahrungsaufnahme ist verhindert
- Ist aktiv in die Entscheidungsprozesse einbezogen
- Bedarfsgerechte orale Energie- und Nährstoffzufuhr
- Veränderungen werden frühzeitig erkannt und dokumentiert
- Bedarfsgerechte Energie- und Nährstoffzufuhr
- Akzeptiert den Ernährungsplan

- Ist über ernährungsrelevante Aspekte informiert
- Angehörige/Bezugspersonen entwickeln Verständnis für die Situation des Betroffenen
- Lebensbedrohliches Flüssigkeits- und Ernährungsdefizit ist ausgeglichen
- Vereinbarungen über die Nahrungszufuhr werden getroffen und eingehalten

Pflegeinterventionen

Kalorienbedarf ermitteln und täglich zuzuführende Kalorienmenge vereinbaren
- Pflegeintervention konkretisieren
- Zeit angeben

Ernährungszustand ermitteln
- Pflegeintervention konkretisieren
  - » BMI errechnen
  - » Körpergröße ermitteln
  - » Hautfaltendicke-Messung durchführen
  - » Sonstiges
- Gewicht kontrollieren
  - » Gewicht mit Sitzwaage kontrollieren
  - » Gewicht mit Sitzwaage kontrollieren (pflegerisch erforderlich)
  - » Gewicht mit Stehwaage kontrollieren
  - » Gewicht mit Lifterwaage kontrollieren

Ausprägung und Auswirkungen der Essstörung analysieren
- Pflegeintervention konkretisieren
- Gesprächsinhalt
  - » Essverhalten
  - » Verlauf des Körpergewichts
  - » Auswirkungen der Essstörung
  - » Verhalten bei Gewichtszunahme
  - » Aktuelle Ernährung und Trinkmenge
  - » Körperbild
  - » Gewichtsreduzierende Methoden
  - » Körperliche Aktivität
- Teilnehmende Gesprächspartner
  - » Betroffene(r)
  - » Angehöriger/Bezugsperson
  - » Bezugsperson
- Zeit angeben

Bedürfnis-/bedarfsgerechte Kostform auswählen/bestellen
- Kostform auswählen
  - » Vollkost
  - » Schonkost
  - » Wunschkost
  - » Hochkallorische Kost
  - » Fingerfood
  - » Pürierte Kost
  - » Weiche Kost
  - » Diabeteskost
  - » Diätetische Kost
- Zwischenmahlzeit festlegen
  - » Obst
  - » Jogurt
  - » Dessertspeise
  - » Brot mit Auflage
  - » Trinknahrung
  - » Zwischenmahlzeit für Diabetiker
  - » Kalorienreiche Snacks und Getränke
- Kalorienbedarf
  - » Vereinbarte tägl. Kalorienzufuhr
  - » Vom Ernährungsberater ermittelte Kalorienzufuhr

Biografische Hintergründe erfragen
- Pflegeintervention konkretisieren
  - » Individuelle Vorlieben und Abneigungen beim Essen ermitteln
  - » Bevorzugte Geschmacksrichtung
  - » Einstellung gegenüber den Lebensmitteln und nachhaltiger Ernährung
  - » Praktizierte Esskultur
- Zeit angeben

Nach den Mahlzeiten zur Toilette begleiten und selbst herbeigeführtes Erbrechen verhindern
- Pflegeintervention konkretisieren
- Zeit angeben

Nahrungszufuhr vereinbaren und dokumentieren
- Pflegeintervention konkretisieren
- Zeit angeben

Flüssigkeits- und Nahrungszufuhr beobachten und dokumentieren
- Pflegeintervention konkretisieren
  - » Eingenommene Nahrung auf einem Ernährungsprotokoll dokumentieren
  - » Auffälligkeiten und Probleme dokumentieren
  - » Nahrungseinnahme beaufsichtigen
  - » Nahrungsaufnahme beobachten
  - » Nahrungsvorlieben und Abneigungen beobachten

Individuellen Ernährungsplan aufstellen und Einhaltung unterstützen
- Pflegeintervention konkretisieren
- Zeit angeben

Informations-/Beratungsgespräch durchführen
- Themenschwerpunkt des Gesprächs angeben
  - » Pflege-, Betreuungs- und Behandlungsprozess
  - » Alltagsbewältigung
  - » Instruktion/Anleitung
  - » Motivation/Aktivierung
  - » Strategien zur Krankheitsbewältigung
  - » Förderung der Entscheidungsfindung
  - » Überleitung/Entlassung
  - » Sonstige Gesprächsinhalte
- Gesprächsteilnehmer
  - » Betroffener
  - » Angehöriger/Bezugsperson
- Zeitdauer des Gesprächs angeben

Klientenzentriertes Gespräch führen
- Inhaltliche Ausrichtung des Gesprächs bestimmen
  - » Informationssammlung
  - » Pflege-, Betreuungs- und Behandlungsprozess
  - » Ursachenanalyse
  - » Strategien zur Krankheitsbewältigung
  - » Motivation/Aktivierung
  - » Alltagsbewältigung
  - » Förderung der Entscheidungsfindung
  - » Zukunftsperspektive
  - » Unterstützung der Orientierung
  - » Unterstützung des Realitätsbezugs
  - » Krisenintervention
  - » Aktuelle Bedürfnisse/Wünsche
  - » Instruktion/Anleitung
  - » Feed-back-Gespräch
  - » Sonstige Gesprächsinhalte
- Gesprächsteilnehmer
  - » Angehöriger/Bezugsperson
  - » Betroffene Person
- Zeitdauer des Gesprächs angeben

Infusionstherapie nach Anordnung durchführen
- Infusionen ohne Zusätze vorbereiten und infundieren
  - » 1 Infusion
  - » 3 Infusionen
  - » 5 und mehr Infusionen
- Infusionen mit Zusätzen vorbereiten und infundieren
  - » 1 Infusion mit Zusatz
  - » 4 Infusionen mit Zusatz
  - » 5 und mehr Infusionen mit Zusatz
- Hygienemaßnahmen
  - » Zwei- und Dreiwegehähne auswechseln
  - » Hahnenbank austauschen
  - » Besonderheiten bestimmen
- Applikationsart bestimmen
  - » Über Infusomat verabreichen
  - » Über Perfusor verabreichen
  - » Über Tropfenzähler verabreichen
- Tropfgeschwindigkeit einstellen

Durch eine Ernährungssonde zusätzliche Nahrung zuführen
- Sondennahrung für bilanzierte Diät auswählen
  - » Sondenprodukt zur ergänzenden Ernährung
  - » Sondenprodukte zur vollständigen Ernährung
  - » Niedermolekulare/chemisch definierte Diät (CDD)
  - » Hochmolekulare/nährstoffdefinierte Diät (NDD)
  - » Ballaststofffrei

- » Ballaststoffreich
- » Eiweißmodifiziert
- » Fettmodifiziert
- » Stoffwechseladaptiert/modifiziert
- » Immunmodulierend/Intensivdiät
- » Bei Diabetes mellitus
- » Bei respiratorischer Insuffizienz
- » Bei Erkrankungen der Leber
- » Bei Erkrankungen der Niere
- » Für Kinder
- » Hypoallergene Babynahrung
- Selbst hergestellte Sondenkost festlegen
  - » Selbst hergestellte Sondenkost
- Menge der Sondennahrung angeben
- Flüssigkeitszufuhr festlegen
  - » Stilles Mineralwasser
  - » Tee ohne Fruchtsäure
- Menge der Flüssigkeitszufuhr angeben

Einhaltung individueller Regeln für die Mahlzeiten unterstützen
- Pflegeintervention konkretisieren
  - » Essen unter Aufsicht durchführen
  - » Feste Essenszeiten im Tagesrhythmus einhalten

Sonstige Pflegemaßnahmen durchführen
- Maßnahmen konkretisieren
- Zeit angeben

Literaturhinweise: 513, 548, 570, 573, 593, 599

Der Patient hat **eine Mangelernährung**

Kennzeichen

Mangelernährung
- Unbeabsichtigter Gewichtsverlust von >5% innerhalb von 3 Monaten
- Unbeabsichtigter Gewichtsverlust von >10% innerhalb von 6 Monaten
- BMI (Body-Mass-Index) < 18,5 kg/m² bei Erwachsenem bis 65 Jahre
- BMI (Body-Mass-Index) < 20 kg/m² bei Erwachsenem über 65 Jahre
- Verlust von Unterhautfettgewebe
- Hervortretende Knochen
- Tief liegende Augen
- Blasse Bindehaut/Schleimhäute
- Haarausfall, lichte Haarpartien
- Reduzierter Muskeltonus
- Sarkopenie (Verlust von Muskelmasse)
- Erschöpfungszustände
- Chronische Müdigkeit
- Anzeichen körperlicher Schwäche
- Teilnahmslosigkeit
- Apathie
- Neurologische Auffälligkeiten
- Beeinträchtigter Immunstatus/Infektanfälligkeit
- Veränderte Blutwerte (Anämie, Elektrolytverschiebungen, Albuminwerte unter Norm)
- Pathologische Veränderungen der Haut/Schleimhaut
- Wundheilungsstörung
- Hungerödem
- Amenorrhö
- Beeinträchtigte körperliche Entwicklung beim Kind
- BMI-Perzentile für Kinder < 5
- BMI-Perzentile für Kinder < 10
- Entwicklungsverzögerung des Neugeborenen/Säuglings

Ursachen

Physiologische Ursachen
- Erhöhter Nährstoffbedarf
- Erhöhter Energiebedarf
- Eingeschränkte Fähigkeit, Nahrung zu beschaffen
- Eingeschränkte Fähigkeit, Nahrung zuzubereiten
- Unfähigkeit, selbstständig Essensaktivitäten durchzuführen
- Absorptionsstörung
- Nahrungsmittelunverträglichkeit
- Beeinträchtigte Kaufähigkeit
- Beeinträchtigter Mund-/Zahnstatus
- Schmerzen beim Kauen/Schlucken
- Chronische Schmerzzustände
- Schmerzen bei der Nahrungsaufnahme
- Schluckstörung
- Chronische Müdigkeit
- Beeinträchtigte Hunger- und Sättigungsregulation
- Immobilität
- Anhaltende Appetitlosigkeit
- Diarrhö länger als eine Woche
- Anhaltendes Erbrechen
- Geistige Beeinträchtigung
- Rumination bei Kindern
- Entwicklungsbedingte sensorische Integrationsstörung
- Anhaltend erfolgloses Stillen

Psychosoziale Ursachen
- Lang anhaltende Einschränkung der bedürfnisgerechten Nahrungsaufnahme
- Beeinträchtigtes psychosoziales Wohlbefinden
- Depressive Grundstimmung
- Beeinträchtigte Eltern-Kind-Beziehung
- Eltern sorgen nicht für eine ausreichende Ernährung des Kindes

Sonstige Ursachen
- Anhaltende Nahrungsverweigerung
- Anhaltende Vernachlässigung der Nahrungsaufnahme
- Wissensdefizit über ernährungsrelevante Aspekte
- Willentliche Nahrungsrestriktion über eine längere Zeit
- Sozioökonomische Aspekte

- Nebenwirkungen von Medikamenten

Ressourcen

- Angebotene Nahrung wird gern gegessen/getrunken
- Erkennt die Notwendigkeit der getroffenen Intervention und kooperiert mit dem therapeutischen Team
- Akzeptiert die Unterstützung bei der Nahrungsaufnahme
- Kann Essensaktivitäten selbstständig durchführen
- Kann Essensaktivität mit Unterstützung durchführen

Pflegeziele

- Ursachen für die Mangelernährung sind analysiert
- Genaue Bemessungsgrundlage für die Einschätzung des Ernährungszustands ist sichergestellt
- Geplante Gewichtszunahme im festgelegten Zeitraum ist erreicht
- Körpergewicht ist konstant
- Bedarfsgerechte Tagesmenge an Nährstoffen ist ermittelt
- Bedarfsgerechte Energie- und Nährstoffzufuhr
- Akzeptiert den aufgestellten Diätplan und hält sich daran
- Ernährungsverhalten entspricht empfohlenen Richtlinien
- Art, Zubereitung und Darreichung der Nahrung entsprechen den Bedürfnissen
- Umgebungssituation der Nahrungsaufnahme entspricht den Bedürfnissen
- Erreicht einen höheren Grad an Selbstständigkeit bei der Nahrungsaufnahme
- Essenszeiten sind dem Bedürfnis individuell angepasst
- Setzt Hilfsmittel zur Nahrungsaufnahme effektiv ein
- Autonome Entscheidungsfindung über Hilfsmitteleinsatz/Strategien zur Nahrungsaufnahme ist gefördert
- Isst mit Appetit
- Veränderungen werden frühzeitig erkannt und dokumentiert
- Ist über ernährungsrelevante Aspekte informiert
- Ist aktiv in die Entscheidungsprozesse einbezogen
- Lebensbedrohliches Flüssigkeits- und Ernährungsdefizit ist ausgeglichen
- Bedarfsgerechte orale Energie- und Nährstoffzufuhr
- Biographischer Hintergrund ist berücksichtigt
- Angehörige/Bezugspersonen werden bei der Nahrungsaufnahme einbezogen
- Ernährungszustand ist eingeschätzt
- Versorgungssituation ist gesichert
- Verbesserung und Förderung der Wahrnehmungsorganisation
- Erhält angemessene Spürinformationen in der Interaktion mit der Umwelt
- Tonusregulation und Koordination im Rahmen von Alltagshandlungen wird gefördert

Pflegeinterventionen

Ursachen/Risiken der Mangelernährung ermitteln (Ernährungsassessment)

- Inhalte des Assessments/der Anamnese konkretisieren
  - Physiologische Ursachen/Risiken
  - Ernährungsverhalten
  - Umgebungsfaktoren
  - Biografische/kulturelle Aspekte
  - Gewohnheiten und Bedürfnisse
  - Auswirkungen der Medikation
  - Psychosoziale Aspekte
  - Psychologische Aspekte
  - Sonstige Gründe
- Zeit angeben

Ernährungszustand ermitteln

- Pflegeintervention konkretisieren
  - BMI errechnen
  - Körpergröße ermitteln
  - Hautfaltendicke-Messung durchführen
  - Sonstiges
- Gewicht kontrollieren
  - Gewicht mit Sitzwaage kontrollieren
  - Gewicht mit Sitzwaage kontrollieren (pflegerisch erforderlich)
  - Gewicht mit Stehwaage kontrollieren
  - Gewicht mit Lifterwaage kontrollieren

Bedürfnis-/bedarfsgerechte Kostform auswählen/bestellen

- Kostform auswählen
  - Vollkost
  - Schonkost
  - Wunschkost
  - Hochkallorische Kost
  - Fingerfood
  - Pürierte Kost
  - Weiche Kost
  - Diabeteskost
  - Diätetische Kost
- Zwischenmahlzeit festlegen
  - Obst
  - Jogurt
  - Dessertspeise
  - Brot mit Auflage
  - Trinknahrung
  - Zwischenmahlzeit für Diabetiker
  - Kalorienreiche Snacks und Getränke
- Kalorienbedarf
  - Vereinbarte tägl. Kalorienzufuhr
  - Vom Ernährungsberater ermittelte Kalorienzufuhr

Individuellen Ernährungs-/Diätplan aufstellen und Einhaltung unterstützen

- Pflegeintervention konkretisieren
- Zeit angeben

Bei der Nahrungsaufnahme (Hauptmahlzeit) unterstützen

- Lagerung/Sitzposition bestimmen
  - Lagerung zur Nahrungsaufnahme durchführen
  - Therapeutischen Langsitz durchführen
  - Beim Transfer in den Lehn-/Rollstuhl/Rehabuggy unterstützen, zum Tisch fahren
  - Zur Nahrungsaufnahme zum Tisch führen
  - In den Speisesaal fahren/begleiten
  - Kind zum Füttern auf den Schoß setzen
  - Nahrungsaufnahme im Hochstuhl
- Ort der Mahlzeiteneinnahme
  - Essenstablett ins Zimmer bringen
  - Essenstablett in den Speisesaal bringen
  - Essen am Tisch ermöglichen
  - Essen im Bett ermöglichen
- Art der Unterstützungsleistung angeben
  - Essen mundgerecht vorbereiten
  - Nahrungs-/Flüssigkeitszufuhr beaufsichtigen
  - Verabreichung teilweise übernehmen
  - Nahrung/Flüssigkeit verabreichen
  - Zur selbstständigen Nahrungsaufnahme anleiten
- Besonderheiten der Nahrungsvorbereitung
  - Bei Mahlzeiten und Getränken Verzehrtemperatur herstellen
  - Kontrastreiche Präsentation der Speisen
  - Energieanreicherung der Mahlzeiten
  - Mundgerechte Nahrungsvorbereitung gemeinsam durchführen
  - Ermutigung/Motivation zur Nahrungsaufnahme

Bei der Nahrungsaufnahme (Zwischenmahlzeit) unterstützen

- Lagerung/Sitzposition bestimmen
  - Lagerung zur Nahrungsaufnahme durchführen
  - Therapeutischen Langsitz durchführen
  - Beim Transfer in den Lehn-/Rollstuhl/Rehabuggy unterstützen, zum Tisch fahren
  - Zur Nahrungsaufnahme zum Tisch führen
  - In den Speisesaal fahren/begleiten
  - Kind zum Füttern auf den Schoß setzen
  - Nahrungsaufnahme im Hochstuhl
- Ort der Mahlzeiteneinnahme
  - Essenstablett ins Zimmer bringen
  - Essenstablett in den Speisesaal bringen
  - Essen am Tisch ermöglichen
  - Essen im Bett ermöglichen

- Art der Unterstützungsleistung angeben
  - » Essen mundgerecht vorbereiten
  - » Nahrungs-/Flüssigkeitszufuhr beaufsichtigen
  - » Verabreichung teilweise übernehmen
  - » Nahrung/Flüssigkeit verabreichen
  - » Zur selbstständigen Nahrungsaufnahme anleiten
- Besonderheiten der Nahrungsvorbereitung
  - » Bei Mahlzeiten und Getränken Verzehrtemperatur herstellen
  - » Kontrastreiche Präsentation der Speisen
  - » Energieanreicherung der Mahlzeiten
  - » Mundgerechte Nahrungsvorbereitung gemeinsam durchführen
  - » Ermutigung/Motivation zur Nahrungsaufnahme

Nahrungsmittelergänzungen anbieten
- Maßnahmen konkretisieren
  - » Astronautenkost
  - » Hochkalorische Trinknahrung
  - » Vitamine
  - » Mineralien
  - » Eiweißkonzentrate
  - » Sonstiges

Zum selbstständigen Essen/Trinken mit Hilfsmitteln anleiten
- Pflegeintervention konkretisieren
- Esshilfen auswählen
  - » Gummimatte/Haftmatte
  - » Frühstücksbrett
  - » Spezialteller
  - » Spezialbesteck
  - » Trinkhilfen
- Anzuleitende Person(en) festlegen
  - » Betroffene Person
  - » Angehöriger/Bezugsperson

Maßnahmen zur Steigerung des Appetits durchführen
- Pflegeintervention konkretisieren
- Zeit angeben

Flüssigkeits- und Nahrungszufuhr beobachten und dokumentieren
- Pflegeintervention konkretisieren
  - » Eingenommene Nahrung auf einem Ernährungsprotokoll dokumentieren
  - » Auffälligkeiten und Probleme dokumentieren
  - » Nahrungseinnahme beaufsichtigen
  - » Nahrungsaufnahme beobachten
  - » Nahrungsvorlieben und Abneigungen beobachten

Informations-/Beratungsgespräch durchführen
- Themenschwerpunkt des Gesprächs angeben
  - » Pflege-, Betreuungs- und Behandlungsprozess
  - » Alltagsbewältigung
  - » Instruktion/Anleitung
  - » Motivation/Aktivierung
  - » Strategien zur Krankheitsbewältigung
  - » Förderung der Entscheidungsfindung
  - » Überleitung/Entlassung
  - » Sonstige Gesprächsinhalte
- Gesprächsteilnehmer
  - » Betroffener
  - » Angehöriger/Bezugsperson
- Zeitdauer des Gesprächs angeben

Infusionstherapie nach Anordnung durchführen
- Infusionen ohne Zusätze vorbereiten und infundieren
  - » 1 Infusion
  - » 3 Infusionen
  - » 5 und mehr Infusionen
- Infusionen mit Zusätzen vorbereiten und infundieren
  - » 1 Infusion mit Zusatz
  - » 4 Infusionen mit Zusatz
  - » 5 und mehr Infusionen mit Zusatz
- Hygienemaßnahmen
  - » Zwei- und Dreiwegehähne auswechseln
  - » Hahnenbank austauschen
  - » Besonderheiten bestimmen
- Applikationsart bestimmen
  - » Über Infusomat verabreichen
  - » Über Perfusor verabreichen
  - » Über Tropfenzähler verabreichen
- Tropfgeschwindigkeit einstellen

Durch eine Ernährungssonde zusätzliche Nahrung zuführen
- Sondennahrung für bilanzierte Diät auswählen
  - » Sondenprodukt zur ergänzenden Ernährung
  - » Sondenprodukte zur vollständigen Ernährung
  - » Niedermolekulare/chemisch definierte Diät (CDD)
  - » Hochmolekulare/nährstoffdefinierte Diät (NDD)
  - » Ballaststofffrei
  - » Ballaststoffreich
  - » Eiweißmodifiziert
  - » Fettmodifiziert
  - » Stoffwechseladaptiert/modifiziert
  - » Immunmodulierend/Intensivdiät
  - » Bei Diabetes mellitus
  - » Bei respiratorischer Insuffizienz
  - » Bei Erkrankungen der Leber
  - » Bei Erkrankungen der Niere
  - » Für Kinder
  - » Hypoallergene Babynahrung
- Selbst hergestellte Sondenkost festlegen
  - » Selbst hergestellte Sondenkost
- Menge der Sondennahrung angeben
- Flüssigkeitszufuhr festlegen
  - » Stilles Mineralwasser
  - » Tee ohne Fruchtsäure
- Menge der Flüssigkeitszufuhr angeben

Biografische Hintergründe erfragen
- Pflegeintervention konkretisieren
  - » Individuelle Vorlieben und Abneigungen beim Essen ermitteln
  - » Bevorzugte Geschmacksrichtung
  - » Einstellung gegenüber den Lebensmitteln und nachhaltiger Ernährung
  - » Praktizierte Esskultur
- Zeit angeben

Speisenversorgung durch Angehörige ermöglichen
- Pflegeintervention konkretisieren
- Zeit angeben

Ernährungsanamnese (beim Kind) durchführen
- Pflegeintervention konkretisieren
  - » Das Kind wird gestillt
  - » Kind zum Füttern auf den Schoß setzen
  - » Das Kind wird gestillt und Nahrung zugefüttert
  - » Das Kind erhält Flaschennahrung
  - » Das Kind erhält Breikost und wird gefüttert
  - » Das Kind erhält Breikost und isst selbstständig
  - » Das Kind führt Essversuche durch
  - » Mahlzeiten werden mundgerecht vorbereitet
  - » Das Kind isst bereits mit dem Löffel
  - » Das Kind isst mit Messer und Gabel
  - » Es besteht eine Nahrungsmittelunverträglichkeit
  - » Das Kind spuckt nach dem Essen
  - » Nahrung wird nach der Nahrungsaufnahme willentlich erbrochen
- Zeit angeben

Sozialen Dienst organisieren
- Pflegeintervention konkretisieren
- Zeit angeben

Führen bei Aktivitäten der Nahrungsaufnahme nach dem Affolter-Konzept
- Auswahl des problemlösenden Alltagsgeschehnisses
  - » Gespürte Interaktionstherapie beim Einnehmen einer Mahlzeit
  - » Gespürte Interaktionstherapie beim Einnehmen einer Zwischenmahlzeit
  - » Gespürte Interaktionstherapie beim Trinken
- Maßnahmen konkretisieren
  - » "Elementares Führen" während der Handlung
  - » Durch "Elementares Führen" die Handlung einleiten
  - » "Pflegerisches Führen" bei der Aktivität
  - » Durchgeführte Handlung mit dem Betroffenen repetieren

- Zeit angeben
- Durchführende Person angeben
  » Pflegeperson
  » Ergotherapeut
  » Sonstige Personen

Sonstige Pflegemaßnahmen durchführen
- Maßnahmen konkretisieren
- Zeit angeben

Literaturhinweise: 51, 79, 84, 95, 175, 176, 206, 262, 317, 505, 506, 506, 511, 514, 517, 519, 522, 527, 531, 533, 534, 537, 540, 541, 542, 545, 546, 547, 554, 562, 564, 568, 573, 574, 576, 577, 581, 582, 583, 588, 593, 594, 599, 603, 604, 605, 606, 612

Der Patient **lehnt die Nahrungsaufnahme ab** (Nahrungsverweigerung), es besteht das **Risiko der Mangelernährung**

Kennzeichen

- Zeigt fehlenden Willen/Einsicht, Nahrung zu sich zu nehmen
- Isst und trinkt nichts
- Mundschluss beim Versuch der Nahrungsverabreichung
- Schluckverweigerung
- Ausspucken von Nahrung, Herausholen der Nahrung mit den Fingern
- Aggressive Reaktion auf die versuchte Nahrungsverabreichung
- Lehnt Nahrung verbal ab
- Ablehnende Gesten bei dem Versuch der Nahrungsverabreichung
- Hält die Hände abwehrend vor den Mund
- Schiebt Nahrung weg
- Wendet den Kopf bei der Nahrungsverabreichung zur Seite
- Wegschlagen von angebotener Nahrung
- Reagiert bei der Nahrungsverabreichung nicht auf Aufforderungen/Fragen
- Fehlender Blickkontakt bei der Nahrungsverabreichung
- Extrem langsames Essen, als Strategie der verminderten Nahrungsaufnahme
- Verzehrmenge liegt deutlich unter den empfohlenen Richtwerten

Ursachen

- Widerwille bei der Nahrungsaufnahme
- Irrationale Ängste
- Vergiftungsängste
- Angst vor Beimischung von Medikamenten
- Depressionen
- Depressive Grundstimmung
- Verlust von Lebensfreude
- Essstörung
- Schwere Demenz
- Schmerzen im Zusammenhang mit der Nahrungsaufnahme
- Angst vor dem Verschlucken
- Chronische Übelkeit
- Aus dem Gleichgewicht geratenes Selbstkonzept

Ressourcen

- Akzeptiert die Fixierung der Nasensonde
- Akzeptiert die Bezugsperson
- Akzeptiert die Unterstützung
- Akzeptiert die Unterstützung von Angehörigen
- Äußert konkrete Wünsche und Bedürfnisse
- Nimmt kleine Mengen Nahrung zu sich
- Nimmt bestimmte Speisen/Getränke zu sich

Pflegeziele

- Ursachen der Nahrungsverweigerung sind bekannt
- Genaue Bemessungsgrundlage für die Einschätzung des Ernährungszustands ist sichergestellt
- Geplante Gewichtszunahme im festgelegten Zeitraum ist erreicht
- Körpergewicht ist konstant
- Bedarfsgerechte Tagesmenge an Nährstoffen ist ermittelt
- Bedarfsgerechte orale Energie- und Nährstoffzufuhr
- Biographischer Hintergrund ist berücksichtigt
- Bedarfsgerechte Energie- und Nährstoffzufuhr
- Zuwendung und Vertrauensaufbau sind unterstützt
- Einer Zwangsernährung ist vorgebeugt
- Art, Zubereitung und Darreichung der Nahrung entsprechen den Bedürfnissen
- Umgebungssituation der Nahrungsaufnahme entspricht den Bedürfnissen
- Erreicht einen höheren Grad an Selbstständigkeit bei der Nahrungsaufnahme
- Essenszeiten sind dem Bedürfnis individuell angepasst
- Ist über ernährungsrelevante Aspekte informiert

- Ist aktiv in die Entscheidungsprozesse einbezogen
- Lebensbedrohliches Flüssigkeits- und Ernährungsdefizit ist ausgeglichen
- Beurteilung von Ernährungslage und Flüssigkeitszufuhr ist sichergestellt
- Sichere Nahrungsver-abreichung unter Berücksichtigung der Therapie-/Diätabsprachen ist sichergestellt

Pflegeinterventionen

Ursachen der Nahrungsverweigerung ermitteln
- Inhalte des Assessments/der Anamnese konkretisieren
  - » Physiologische Ursachen/Risiken
  - » Ernährungsverhalten
  - » Umgebungsfaktoren
  - » Biografische/kulturelle Aspekte
  - » Gewohnheiten und Bedürfnisse
  - » Auswirkungen der Medikation
  - » Psychosoziale Aspekte
  - » Psychologische Aspekte
  - » Sonstige Gründe
- Zeit angeben

Ernährungszustand ermitteln
- Pflegeintervention konkretisieren
  - » BMI errechnen
  - » Körpergröße ermitteln
  - » Hautfaltendicke-Messung durchführen
  - » Sonstiges
- Gewicht kontrollieren
  - » Gewicht mit Sitzwaage kontrollieren
  - » Gewicht mit Sitzwaage kontrollieren (pflegerisch erforderlich)
  - » Gewicht mit Stehwaage kontrollieren
  - » Gewicht mit Lifterwaage kontrollieren

Biografische Hintergründe erfragen
- Pflegeintervention konkretisieren
  - » Individuelle Vorlieben und Abneigungen beim Essen ermitteln
  - » Bevorzugte Geschmacksrichtung
  - » Einstellung gegenüber den Lebensmitteln und nachhaltiger Ernährung
  - » Praktizierte Esskultur
- Zeit angeben

Bedürfnis-/bedarfsgerechte Kostform auswählen/bestellen
- Kostform auswählen
  - » Vollkost
  - » Schonkost
  - » Wunschkost
  - » Hochkallorische Kost
  - » Fingerfood
  - » Pürierte Kost
  - » Weiche Kost
  - » Diabeteskost
  - » Diätetische Kost
- Zwischenmahlzeit festlegen
  - » Obst
  - » Jogurt
  - » Dessertspeise
  - » Brot mit Auflage
  - » Trinknahrung
  - » Zwischenmahlzeit für Diabetiker
  - » Kalorienreiche Snacks und Getränke
- Kalorienbedarf
  - » Vereinbarte tägl. Kalorienzufuhr
  - » Vom Ernährungsberater ermittelte Kalorienzufuhr

Vor der Nahrungsverabreichung bewusst Kontakt aufnehmen
- Pflegeintervention konkretisieren
- Zeit angeben

Bei Essensverweigerung, Essensreichung unterbrechen und zu einem späteren Zeitpunkt erneut versuchen
- Pflegeintervention konkretisieren
- Zeit angeben

Bei der Nahrungsaufnahme (Hauptmahlzeit) unterstützen
- Lagerung/Sitzposition bestimmen
  - » Lagerung zur Nahrungsaufnahme durchführen
  - » Therapeutischen Langsitz durchführen
  - » Beim Transfer in den Lehn-/Rollstuhl/Rehabuggy unterstützen, zum Tisch fahren
  - » Zur Nahrungsaufnahme zum Tisch führen
  - » In den Speisesaal fahren/begleiten
  - » Kind zum Füttern auf den Schoß setzen
  - » Nahrungsaufnahme im Hochstuhl
- Ort der Mahlzeiteneinnahme
  - » Essenstablett ins Zimmer bringen
  - » Essenstablett in den Speisesaal bringen
  - » Essen am Tisch ermöglichen
  - » Essen im Bett ermöglichen
- Art der Unterstützungsleistung angeben
  - » Essen mundgerecht vorbereiten
  - » Nahrungs-/Flüssigkeitszufuhr beaufsichtigen
  - » Verabreichung teilweise übernehmen
  - » Nahrung/Flüssigkeit verabreichen
  - » Zur selbstständigen Nahrungsaufnahme anleiten
- Besonderheiten der Nahrungsvorbereitung
  - » Bei Mahlzeiten und Getränken Verzehrtemperatur herstellen
  - » Kontrastreiche Präsentation der Speisen
  - » Energieanreicherung der Mahlzeiten
  - » Mundgerechte Nahrungsvorbereitung gemeinsam durchführen
  - » Ermutigung/Motivation zur Nahrungsaufnahme

Bei der Nahrungsaufnahme (Zwischenmahlzeit) unterstützen
- Lagerung/Sitzposition bestimmen
  - » Lagerung zur Nahrungsaufnahme durchführen
  - » Therapeutischen Langsitz durchführen
  - » Beim Transfer in den Lehn-/Rollstuhl/Rehabuggy unterstützen, zum Tisch fahren
  - » Zur Nahrungsaufnahme zum Tisch führen
  - » In den Speisesaal fahren/begleiten
  - » Kind zum Füttern auf den Schoß setzen
  - » Nahrungsaufnahme im Hochstuhl
- Ort der Mahlzeiteneinnahme
  - » Essenstablett ins Zimmer bringen
  - » Essenstablett in den Speisesaal bringen
  - » Essen am Tisch ermöglichen
  - » Essen im Bett ermöglichen
- Art der Unterstützungsleistung angeben
  - » Essen mundgerecht vorbereiten
  - » Nahrungs-/Flüssigkeitszufuhr beaufsichtigen
  - » Verabreichung teilweise übernehmen
  - » Nahrung/Flüssigkeit verabreichen
  - » Zur selbstständigen Nahrungsaufnahme anleiten
- Besonderheiten der Nahrungsvorbereitung
  - » Bei Mahlzeiten und Getränken Verzehrtemperatur herstellen
  - » Kontrastreiche Präsentation der Speisen
  - » Energieanreicherung der Mahlzeiten
  - » Mundgerechte Nahrungsvorbereitung gemeinsam durchführen
  - » Ermutigung/Motivation zur Nahrungsaufnahme

Informations-/Beratungsgespräch durchführen
- Themenschwerpunkt des Gesprächs angeben
  - » Pflege-, Betreuungs- und Behandlungsprozess
  - » Alltagsbewältigung
  - » Instruktion/Anleitung
  - » Motivation/Aktivierung
  - » Strategien zur Krankheitsbewältigung
  - » Förderung der Entscheidungsfindung
  - » Überleitung/Entlassung
  - » Sonstige Gesprächsinhalte
- Gesprächsteilnehmer
  - » Betroffener
  - » Angehöriger/Bezugsperson
- Zeitdauer des Gesprächs angeben

Zusätzlich Infusionstherapie nach Anordnung durchführen
- Infusionen ohne Zusätze vorbereiten und infundieren
  - » 1 Infusion
  - » 3 Infusionen
  - » 5 und mehr Infusionen
- Infusionen mit Zusätzen vorbereiten und infundieren
  - » 1 Infusion mit Zusatz
  - » 4 Infusionen mit Zusatz
  - » 5 und mehr Infusionen mit Zusatz

- Hygienemaßnahmen
  - » Zwei- und Dreiwegehähne auswechseln
  - » Hahnenbank austauschen
  - » Besonderheiten bestimmen
- Applikationsart bestimmen
  - » Über Infusomat verabreichen
  - » Über Perfusor verabreichen
  - » Über Tropfenzähler verabreichen
- Tropfgeschwindigkeit einstellen

Durch eine Ernährungssonde zusätzlich Nahrung zuführen
- Sondennahrung für bilanzierte Diät auswählen
  - » Sondenprodukt zur ergänzenden Ernährung
  - » Sondenprodukte zur vollständigen Ernährung
  - » Niedermolekulare/chemisch definierte Diät (CDD)
  - » Hochmolekulare/nährstoffdefinierte Diät (NDD)
  - » Ballaststofffrei
  - » Ballaststoffreich
  - » Eiweißmodifiziert
  - » Fettmodifiziert
  - » Stoffwechseladaptiert/modifiziert
  - » Immunmodulierend/Intensivdiät
  - » Bei Diabetes mellitus
  - » Bei respiratorischer Insuffizienz
  - » Bei Erkrankungen der Leber
  - » Bei Erkrankungen der Niere
  - » Für Kinder
  - » Hypoallergene Babynahrung
- Selbst hergestellte Sondenkost festlegen
  - » Selbst hergestellte Sondenkost
- Menge der Sondennahrung angeben
- Flüssigkeitszufuhr festlegen
  - » Stilles Mineralwasser
  - » Tee ohne Fruchtsäure
- Menge der Flüssigkeitszufuhr angeben

Nahrungs- und Flüssigkeitszufuhr kontrollieren und dokumentieren
- Pflegeintervention konkretisieren
  - » Eingenommene Nahrung auf einem Ernährungsprotokoll dokumentieren
  - » Auffälligkeiten und Probleme dokumentieren
  - » Nahrungseinnahme beaufsichtigen
  - » Nahrungsaufnahme beobachten
  - » Nahrungsvorlieben und Abneigungen beobachten

Bezugspersonen zur Nahrungsver-abreichung/Flüssigkeitszufuhr anleiten
- Pflegeintervention konkretisieren
- Anzuleitende Person(en) festlegen
  - » Betroffene Person
  - » Angehöriger/Bezugsperson
- Zeit angeben

Sonstige Pflegemaßnahmen durchführen
- Maßnahmen konkretisieren
- Zeit angeben

Literaturhinweise: 95, 125, 127, 175, 176, 505, 514, 519, 548, 554, 562, 573, 577

Der Patient zeigt eine **Vernachlässigung der Nahrungszufuhr**, es besteht das **Risiko der Mangelernährung**

Kennzeichen

- Findet aufgrund anderer Aktivitäten keine Zeit zur Nahrungsaufnahme
- Legt keinen Wert auf die Qualität der Nahrung
- Mit Hilfe eines Einschätzungsinstruments (Assessmentinstrument) festgestelltes Risiko
- Fehlende Lebensmittelvorräte im Wohnumfeld
- Speisenzusammenstellung deckt den Tagesbedarf an Nährstoffen nicht
- Ernährt sich überwiegend von Fastfood
- Fehlende Integration der Nahrungszubereitung/Essenseinnahme in den Tagesablauf
- Mahlzeiten werden ausgelassen/vergessen
- Verschläft die Mahlzeiten
- Nahrungszufuhr < 60% des Tagesbedarfs an Nahrung, länger als 1 Woche
- Eingeschränkte Nahrungsmittelzubereitung
- Eingeschränkte Hygiene bei der Zubereitung, Lagerung und Verzehr von Nahrungsmitteln
- Äußerungen/Beschwerden von Bezugspersonen im Zusammenhang mit der Nahrungszufuhr

Ursachen

- Verwirrtheitszustand
- Depressionen
- Manie
- Irrationale Ängste
- Ritualisierte Zwangshandlungen
- Übermäßige körperliche Erregung
- Borderline-Persönlichkeitsstörung
- Endogene Psychose
- Schizophrene Psychose
- Manisch-depressive Psychose
- Paranoide Störung
- Korsakow-Syndrom
- Dissoziative Störung
- Aus dem Gleichgewicht geratenes Selbstkonzept
- Isolation
- Unterbrechung von Unterstützungssystemen

- Substanzmissbrauch
- Ablehnen von professioneller Hilfe

Ressourcen

- Trinkt die vorbereitete Flüssigkeit
- Angebotene Nahrung wird gern gegessen/getrunken
- Akzeptiert die Unterstützung
- Akzeptiert die Unterstützung von Angehörigen
- Kann Aufforderungen folgen und hält sich an Vorgaben

Pflegeziele

- Ursachen für die Vernachlässigung der Nahrungsaufnahme sind analysiert
- Genaue Bemessungsgrundlage für die Einschätzung des Ernährungszustands ist sichergestellt
- Geplante Gewichtszunahme im festgelegten Zeitraum ist erreicht
- Körpergewicht ist konstant
- Bedarfsgerechte Tagesmenge an Nährstoffen ist ermittelt
- Art, Zubereitung und Darreichung der Nahrung entsprechen den Bedürfnissen
- Umgebungssituation der Nahrungsaufnahme entspricht den Bedürfnissen
- Erreicht einen höheren Grad an Selbstständigkeit bei der Nahrungsaufnahme
- Essenszeiten sind dem Bedürfnis individuell angepasst
- Beurteilung von Ernährungslage und Flüssigkeitszufuhr ist sichergestellt
- Bedarfsgerechte orale Energie- und Nährstoffzufuhr
- Biographischer Hintergrund ist berücksichtigt
- Zeigt Interesse an der Nahrungszufuhr
- Bedarfsgerechte Energie- und Nährstoffzufuhr
- Vermeidung von Krankheitsfolgen der Vernachlässigung
- Gesundheitsförderliches Ernährungsmanagement ist sichergestellt
- Vermeidung von gesundheitsgefährdenden Rahmenbedingungen
- Nimmt Kontakt zu Freunden/Angehörigen auf
- Baut soziale Kontakte auf und pflegt diese
- Ist über ernährungsrelevante Aspekte informiert
- Ist aktiv in die Entscheidungsprozesse einbezogen

Pflegeinterventionen

Ursachen des vernachlässigenden Verhaltens im Zusammenhang mit Ernährungsmanagement analysieren

- Inhalte des Assessments/der Anamnese konkretisieren
  - » Physiologische Ursachen/Risiken
  - » Ernährungsverhalten
  - » Umgebungsfaktoren
  - » Biografische/kulturelle Aspekte
  - » Gewohnheiten und Bedürfnisse
  - » Auswirkungen der Medikation
  - » Psychosoziale Aspekte
  - » Psychologische Aspekte
  - » Sonstige Gründe
- Zeit angeben

Ernährungszustand ermitteln

- Pflegeintervention konkretisieren
  - » BMI errechnen
  - » Körpergröße ermitteln
  - » Hautfaltendicke-Messung durchführen
  - » Sonstiges
- Gewicht kontrollieren
  - » Gewicht mit Sitzwaage kontrollieren
  - » Gewicht mit Sitzwaage kontrollieren (pflegerisch erforderlich)
  - » Gewicht mit Stehwaage kontrollieren
  - » Gewicht mit Lifterwaage kontrollieren

Bedürfnis-/bedarfsgerechte Kostform auswählen/bestellen

- Kostform auswählen
  - » Vollkost
  - » Schonkost
  - » Wunschkost
  - » Hochkallorische Kost
  - » Fingerfood
  - » Pürierte Kost
  - » Weiche Kost
  - » Diabeteskost
  - » Diätetische Kost
- Zwischenmahlzeit festlegen
  - » Obst
  - » Jogurt
  - » Dessertspeise
  - » Brot mit Auflage
  - » Trinknahrung
  - » Zwischenmahlzeit für Diabetiker
  - » Kalorienreiche Snacks und Getränke
- Kalorienbedarf
  - » Vereinbarte tägl. Kalorienzufuhr
  - » Vom Ernährungsberater ermittelte Kalorienzufuhr

Bei der Nahrungsaufnahme (Hauptmahlzeit) unterstützen

- Lagerung/Sitzposition bestimmen
  - » Lagerung zur Nahrungsaufnahme durchführen
  - » Therapeutischen Langsitz durchführen
  - » Beim Transfer in den Lehn-/Rollstuhl/Rehabuggy unterstützen, zum Tisch fahren
  - » Zur Nahrungsaufnahme zum Tisch führen
  - » In den Speisesaal fahren/begleiten
  - » Kind zum Füttern auf den Schoß setzen
  - » Nahrungsaufnahme im Hochstuhl
- Ort der Mahlzeiteneinnahme
  - » Essenstablett ins Zimmer bringen
  - » Essenstablett in den Speisesaal bringen
  - » Essen am Tisch ermöglichen
  - » Essen im Bett ermöglichen
- Art der Unterstützungsleistung angeben
  - » Essen mundgerecht vorbereiten
  - » Nahrungs-/Flüssigkeitszufuhr beaufsichtigen
  - » Verabreichung teilweise übernehmen
  - » Nahrung/Flüssigkeit verabreichen
  - » Zur selbstständigen Nahrungsaufnahme anleiten
- Besonderheiten der Nahrungsvorbereitung
  - » Bei Mahlzeiten und Getränken Verzehrtemperatur herstellen
  - » Kontrastreiche Präsentation der Speisen
  - » Energieanreicherung der Mahlzeiten
  - » Mundgerechte Nahrungsvorbereitung gemeinsam durchführen
  - » Ermutigung/Motivation zur Nahrungsaufnahme

Bei der Nahrungsaufnahme (Zwischenmahlzeit) unterstützen

- Lagerung/Sitzposition bestimmen
  - » Lagerung zur Nahrungsaufnahme durchführen
  - » Therapeutischen Langsitz durchführen
  - » Beim Transfer in den Lehn-/Rollstuhl/Rehabuggy unterstützen, zum Tisch fahren
  - » Zur Nahrungsaufnahme zum Tisch führen
  - » In den Speisesaal fahren/begleiten
  - » Kind zum Füttern auf den Schoß setzen
  - » Nahrungsaufnahme im Hochstuhl
- Ort der Mahlzeiteneinnahme
  - » Essenstablett ins Zimmer bringen
  - » Essenstablett in den Speisesaal bringen
  - » Essen am Tisch ermöglichen
  - » Essen im Bett ermöglichen
- Art der Unterstützungsleistung angeben
  - » Essen mundgerecht vorbereiten
  - » Nahrungs-/Flüssigkeitszufuhr beaufsichtigen
  - » Verabreichung teilweise übernehmen
  - » Nahrung/Flüssigkeit verabreichen
  - » Zur selbstständigen Nahrungsaufnahme anleiten
- Besonderheiten der Nahrungsvorbereitung
  - » Bei Mahlzeiten und Getränken Verzehrtemperatur herstellen
  - » Kontrastreiche Präsentation der Speisen
  - » Energieanreicherung der Mahlzeiten
  - » Mundgerechte Nahrungsvorbereitung gemeinsam durchführen
  - » Ermutigung/Motivation zur Nahrungsaufnahme

Nahrungs- und Flüssigkeitszufuhr beobachten und dokumentieren
- Pflegeintervention konkretisieren
  - » Eingenommene Nahrung auf einem Ernährungsprotokoll dokumentieren
  - » Auffälligkeiten und Probleme dokumentieren
  - » Nahrungseinnahme beaufsichtigen
  - » Nahrungsaufnahme beobachten
  - » Nahrungsvorlieben und Abneigungen beobachten

Biografische Hintergründe erfragen
- Pflegeintervention konkretisieren
  - » Individuelle Vorlieben und Abneigungen beim Essen ermitteln
  - » Bevorzugte Geschmacksrichtung
  - » Einstellung gegenüber den Lebensmitteln und nachhaltiger Ernährung
  - » Praktizierte Esskultur
- Zeit angeben

Gewünschtes Verhalten bei der Nahrungseinnahme positiv verstärken
- Pflegeintervention konkretisieren
- Zeit angeben

Unterstützungsleistungen im Zusammenhang mit dem Nahrungsmanagement organisieren
- Pflegeintervention konkretisieren
  - » Essen auf Rädern organisieren
  - » Einkaufshilfe organisieren
  - » Unterstützung beim Kochen organisieren
  - » Unterstützung der finanziellen Planung der Einkäufe
  - » Unterstützung bei der Hygiene im Bereich des Ernährungsmanagements organisieren

Kompetenzen im Ernährungsmanagement fördern
- Maßnahmen konkretisieren
  - » Einkaufen gehen
  - » Kochtraining durchführen
  - » Erstellung von Reinigungs-/Ordnungsplänen
  - » Erstellung eines Wochenspeiseplans
  - » Unterstützung bei Reinigungsarbeiten
- Zeit angeben

Begutachtung und Beratung in der häuslichen Situation durchführen
- Pflegeintervention konkretisieren
- Zeit angeben

Den Aufbau eines stützenden sozialen Umfelds fördern
- Netzwerke bestimmen, die aufgebaut/gefördert werden können
  - » Netzwerk Familie
  - » Netzwerk Freundeskreis
  - » Netzwerk Arbeitsfeld
  - » Netzwerk Glaubensgemeinschaft
  - » Netzwerk Freizeitaktivität/Hobby
  - » Selbsthilfegruppe
  - » Sonstige Netzwerke
- Zeitdauer der Intervention bestimmen
- Gesprächspartner bestimmen
  - » Angehöriger/Bezugsperson
  - » Betreuer
  - » Freunde
  - » Arbeitgeber
  - » Arbeitskollegen
  - » Ämter
  - » Kirchenvertreter
  - » Nachbarn
  - » Sonstige Personen

Informations-/Beratungsgespräch durchführen
- Themenschwerpunkt des Gesprächs angeben
  - » Pflege-, Betreuungs- und Behandlungsprozess
  - » Alltagsbewältigung
  - » Instruktion/Anleitung
  - » Motivation/Aktivierung
  - » Strategien zur Krankheitsbewältigung
  - » Förderung der Entscheidungsfindung
  - » Überleitung/Entlassung
  - » Sonstige Gesprächsinhalte
- Gesprächsteilnehmer
  - » Betroffener
  - » Angehöriger/Bezugsperson
- Zeitdauer des Gesprächs angeben

Sonstige Pflegemaßnahmen durchführen
- Maßnahmen konkretisieren
- Zeit angeben

Literaturhinweise: 36, 51, 89, 95, 100, 125, 135, 149, 175, 176, 304, 515, 526, 549, 555, 566, 567, 579

Die Patientin hat eine **beeinträchtigte Produktion von Muttermilch, Risiko der Unterernährung** des Säuglings

Kennzeichen

Kennzeichen der Stillenden
- Anzeichen einer nicht ausreichenden Nahrungszufuhr des Säuglings
- Menge der produzierten Muttermilch entspricht nicht der benötigten Trinkmenge des Säuglings (vgl. Orientierungswerte)
- An der Brustwarze erscheint keine Milch, wenn die Brust ausgestrichen und die Brustwarze leicht gedrückt wird
- Äußerungen über eine unzureichende oder als unzureichend empfundene Milchzufuhr
- Lange Stillzeiten
- Schrumpfende Brüste
- Milchstau

Kennzeichen beim Säugling
- Postpartaler Gewichtsverlust ist größer 5-7 % des Geburtsgewichtes
- Der Säugling weint kurz nach dem Stillen
- Gewichtszunahme des Säuglings entspricht nicht der Norm
- Obstipation
- Säugling schreit häufig und möchte saugen
- Windel des Säuglings ist < 4-mal tägl. nass
- Konzentrierter Urin

Ursachen

- Säugling erhält zusätzlich Flaschennahrung
- Säugling erhält zusätzlich Tee/Wasser
- Unterbrechung beim Stillen
- Säugling wird zu selten angelegt
- Zu lange Stillpausen
- Vorzeitiges Beenden des Stillens
- Falsches Anlegen des Säuglings
- Gebrauch eines Beruhigungssaugers
- Mangelnde Kenntnisse über das Stillen
- Ängste der Mutter
- Genussmittel
- Reduzierte Flüssigkeitszufuhr
- Reduktionsdiät
- Mangelernährung
- Fehlende Unterstützung durch den Partner
- Steht unter starker Anspannung/Stress
- Nebenwirkungen von Medikamenten
- Alkoholkonsum
- Hormonstörungen
- Zu wenig Milchdrüsengewebe
- Operationen
- Verletzungen

Ressourcen

- Kann die Hintergründe für die Intervention erklären
- Ist motiviert, die Pflegemaßnahme zu unterstützen und zeigt entsprechende Verhaltensweisen
- Mutter äußert den Wunsch, das Kind zu stillen
- Zeigt Bereitschaft, neue Versorgungsmöglichkeiten zu erlernen

Pflegeziele

- Der Säugling nimmt zu und gedeiht
- Das Geburtsgewicht ist nach 2-3 Wochen nach der Entbindung wieder erreicht
- Milchproduktion ist angeregt
- Ernährung des Kindes ist gewährleistet
- Postpartaler Gewichtsverlust ist < 5-7 % des Gebutsgewichtes
- Milchfluss ist unterstützt
- Säugling erhält Muttermilch
- Effektives Saugen an der Brust ist sichergestellt
- Starke Mutter-Kind-Bindung
- Wohlbefinden für Mutter und Kind ist gesteigert
- Kontinuität des Stillens ist sichergestellt

Pflegeinterventionen

Systematische Einschätzung der Nahrungszufuhr des Säuglings
- Pflegeintervention konkretisieren
  - » Säugling vor und nach dem Stillen wiegen und Trinkmenge ermitteln
  - » Indikation einer Zufütterung prüfen und bei Bedarf festlegen
  - » Mutter anleiten, die Stillprobe durchzuführen und einzuschätzen

Säugling häufig anlegen
- Pflegeintervention konkretisieren
- Zeit angeben

Milchbildungstee anbieten
- Pflegeintervention konkretisieren
- Zeit angeben

Babynahrung zufüttern
- Pflegeintervention konkretisieren
- Zeit angeben

Homöopathische Therapie lt. Anordnung durchführen
- Homöopathische Therapie bei Milchbildungsstörung durchführen
  - » Empfindet Kälte, schmerzhafte, schrumpfende Brüste, großer Durst: Lac defloratum D3, D6
  - » Verminderter Milchfluss bei gleichzeitig entzündeter Brustwarze: Silicea D3, D4, D6
  - » Milcheinschuss bleibt aus: Secale D3, D4, D6

Hilfsmittel zur Ernährung des Säuglings einsetzen
- Pflegeintervention konkretisieren
  - » Milchpumpe einsetzen

Mutter beim Stillen unterstützen/anleiten
- Pflegeintervention konkretisieren
  - » Zu entspannter und korrekter Stillhaltung anleiten
  - » Bei der Einnahme geeigneter Stillpositionen unterstützen
  - » Beobachtungsfähigkeit bezüglich Stresszeichen beim Saugvorgang schulen
  - » Mit der Mutter den besten Weg zur Stimulierung des effektiven Saugens herausfinden
  - » Milchspendereflex auslösen
  - » Kontinuierlich motivieren und anleiten
- Hilfsmittel einsetzen
- Zeit angeben

Stillberatung organisieren
- Pflegeintervention konkretisieren
- Zeit angeben

Sonstige Pflegemaßnahmen durchführen
- Maßnahmen konkretisieren
- Zeit angeben

Literaturhinweise: 68, 212, 334, 352, 357, 1082, 1083, 1084, 1085

Der Patient ist beim **Schlucken/ Saugen beeinträchtigt**, es besteht das **Risiko der Mangelernährung**

Kennzeichen

- Anzeichen einer nicht ausreichenden Nahrungszufuhr des Säuglings
- Säugling erhält keine Muttermilch
- Verminderte Nährstoffzufuhr
- Verminderte Flüssigkeitszufuhr
- Beim Saugen kann kein ausreichender Sog aufgebaut werden
- Der Säugling kann die Brustwarze nicht ansaugen
- Saugschwäche
- Unfähigkeit, Saugen, Schlucken oder Atmen zu koordinieren
- Fehlender Schluckreflex
- Verschlucken
- Nahrung gelangt in den Nasenraum
- Aufnahme von Luft beim Trinken
- Nasenatmung ist behindert
- Beeinträchtigung beim Stillen
- Beeinträchtigung bei der Ernährung mit der Flasche

Ursachen

- Frühgeburt
- Entwicklungsstörung des Säuglings
- Lange Nahrungskarenz
- Beeinträchtigter Saug-/Schluckreflex
- Krankheitsbedingte Schluckstörung
- Trinkschwäche
- Lippenspalte
- Kieferspalte
- Gaumenspalte
- Lippen-Kieferspalte
- Lippen-Kiefer-Gaumenspalte
- Einseitige Fehlbildung
- Beidseitige Fehlbildung
- Spalte mit geringer Ausdehnung
- Spalte mit mittlerer Ausdehnung
- Vollständige Spalte
- Down-Syndrom
- Turner-Syndrom
- Pierre-Robin-Syndrom
- Van-der-Woude-Syndrom
- Edward-Syndrom
- Trisomie 13
- Verunsicherung der Mutter
- Schluckakt muss neu erlernt werden

Ressourcen

- Angehörige zeigen Bereitschaft, neu zu lernen
- Angehöriger/Bezugsperson möchte das Kind selbstständig versorgen
- Angehöriger/Bezugsperson ist als Bezugs- und Betreuungsperson in der Einrichtung aufgenommen
- Angehöriger/Bezugsperson möchte zur Nahrungsverabreichung angeleitet werden
- Angehöriger/Bezugsperson übernimmt die Nahrungsverabreichung

Pflegeziele

- Effektives Saugen an der Brust ist sichergestellt
- Starke Mutter-Kind-Bindung
- Stärkung der Mundmuskulatur
- Wohlbefinden für Mutter und Kind ist gesteigert
- Effektives Saugen ist sichergestellt
- Nasenatmung ist unterstützt
- Säugling erhält ideale, an seine Bedürfnisse angepasste Ernährung
- Auswahl des Saugers ist bedarfsgerecht
- Saugreflex ist stimuliert
- Lustgewinn und Befriedigung beim Saugen ist erreicht
- Muskelspannung des Säuglings ist gefördert
- Stillen des Kindes ist möglich
- Füttern des Kindes ist möglich
- Bedarfsgerechte orale Energie- und Nährstoffzufuhr
- Nahrungs- und Flüssigkeitszufuhr entsprechen dem individuellen Bedarf
- Kontinuität des Stillens ist sichergestellt
- Angehöriger/Bezugsperson kann Nahrungsverabreichung selbstständig durchführen

Pflegeinterventionen

Mutter beim Stillen unterstützen/anleiten

- Pflegeintervention konkretisieren
  - » Zu entspannter und korrekter Stillhaltung anleiten
  - » Bei der Einnahme geeigneter Stillpositionen unterstützen
  - » Beobachtungsfähigkeit bezüglich Stresszeichen beim Saugvorgang schulen
  - » Mit der Mutter den besten Weg zur Stimulierung des effektiven Saugens herausfinden
  - » Milchspendereflex auslösen
  - » Kontinuierlich motivieren und anleiten
- Hilfsmittel einsetzen
- Zeit angeben

Gaumenplatte einlegen

- Pflegeintervention konkretisieren
- Zeit angeben

Mutter zum Abpumpen ermutigen und dabei unterstützen

- Pflegeintervention konkretisieren
- Zeit angeben

Verabreichen von Milch während des Stillens

- Hilfsmittel einsetzen
  - » Fingerfeeder verwenden
  - » Brusternährungsset verwenden

Flaschennahrung zubereiten

- Saugermaterial auswählen
  - » Latex
  - » Silikon
  - » Kunststoff
- Saugerbesonderheiten
  - » Sauger mit flacher kiefergerechter Form
  - » Sauger in Kirschform
  - » Schnellfluss-Sauger
  - » Normalfluss-Sauger
  - » Auslaufsicherer Sauger

   - Sauger mit Ventil
   - Sauger mit zusätzlichem Kreuzschlitz
   - Sauger mit Überlänge
   - Sauger mit Übergröße (Habermann-Sauger)
   - Gaumenspalten-Sauger
   - Sauger mit Lochung in Richtung der Zunge
   - Sauger mit Lochung auf der Gegenseite der Spalte
- Flasche auswählen
   - Thermoflasche
   - Kunststoffflasche
   - Glasflasche
- Säuglingsnahrung angeben

Saugtraining durchführen
- Saugtraining durchführen
   - Watteträger verwenden
   - Mit Finger durchführen
   - Schnuller verwenden
   - Spritze mit Tee/Milch verwenden
- Besonderheiten beachten

Tonus steigernde orofaziale Stimulation der Mundmuskulatur
- Pflegeintervention konkretisieren
   - Fingerfütterung bei Stillabwehr
   - Mundraum mithilfe eines Nuckels stimulieren

Tonus senkende orofaziale Stimulation des Mundbereichs durchführen
- Pflegeintervention konkretisieren
   - Kau- und Gesichtsmuskulatur enthemmen

Nahrung mit der Flasche verabreichen
- Pflegeintervention konkretisieren
- Zeit angeben

Magensonde legen
- Pflegeintervention konkretisieren
- Zeit angeben

Nahrung über eine Ernährungssonde verabreichen
- Nahrungszufuhr unterstützen
   - Abgepumpte Muttermilch
   - Ersatzmilch
- Verabreichungsform bestimmen
   - Über Ernährungssonde, Bolusapplikation
   - Über Ernährungssonde, kontinuierlich
   - Mit der Saugflasche (Säugling zeigt zügiges Trinkverhalten)
   - Mit der Saugflasche (Säugling zeigt verändertes/verlangsamtes Saugverhalten)
- Sondennahrung verabreichen
   - Während des Stillens zusätzlich sondieren
   - Nach dem Stillversuch Nahrung über Sonde verabreichen

Infusionstherapie nach Anordnung zur parenteralen Ernährung durchführen
- Infusionen ohne Zusätze vorbereiten und infundieren
   - 1 Infusion
   - 2 Infusionen
   - 3 Infusionen
   - 4 Infusionen
   - 5 und mehr Infusionen
- Infusionen mit Zusätzen vorbereiten und infundieren
   - 1 Infusion mit Zusatz
   - 2 Infusionen mit Zusatz
   - 3 Infusionen mit Zusatz
   - 4 Infusionen mit Zusatz
   - 5 und mehr Infusionen mit Zusatz
- Zytostaselösungen herstellen/vorbereiten
   - Zytostase herstellen/vorbereiten
- Hygienemaßnahmen
   - Zwei- und Dreiwegehähne auswechseln
   - Hahnenbank austauschen
   - Filter wechseln
   - Infusionssystem wechseln
   - Besonderheiten bestimmen
- Applikationsart bestimmen
   - Über Infusomat verabreichen
   - Über Perfusor verabreichen
   - Über Tropfenzähler verabreichen
- Tropfgeschwindigkeit einstellen

Stillberatung organisieren
- Pflegeintervention konkretisieren
- Zeit angeben

Sonstige Pflegemaßnahmen durchführen
- Maßnahmen konkretisieren
- Zeit angeben

Angehörige/Bezugspersonen zur Nahrungsverabreichung anleiten
- Pflegeintervention konkretisieren
- Zeit angeben

Literaturhinweise: 74, 95, 125, 147, 175, 176, 1035, 1036, 1037, 1038, 1039, 1040, 1043, 1044, 1045, 1046, 1048, 1049

Der Patient **verträgt die Nahrung nicht**, es besteht ein **Risiko der Unterernährung**

Kennzeichen

- Geblähtes, hartes Abdomen
- Erbrechen
- Begrenzte Aufnahmefähigkeit des Magens
- Obstipation
- Dünner, wässriger Stuhl mit Blut/Schleimbeimengungen
- Dünner, wässriger Stuhl

Ursachen

- Frühgeburt
- Unreifes Kind
- Erkrankung des Kindes
- Nahrungsumstellung
- Allergische Reaktion auf die Nahrungsangebote

Ressourcen

- Mutter äußert den Wunsch, das Kind zu stillen
- Angehöriger/Bezugsperson ist motiviert, die Pflegemaßnahme zu unterstützen, und zeigt entsprechendes Verhalten
- Angehöriger/Bezugsperson kann die Hintergründe für die Intervention erklären

Pflegeziele

- Flüssigkeits- und Elektrolythaushalt sind ausgeglichen
- Nahrungsaufnahme des Säuglings ist ausgeglichen
- Ausreichende Ernährung und ausgeglichener Flüssigkeitshaushalt sind gewährleistet
- Flüssigkeitsbilanz ist ausgeglichen
- Urinausscheidung ist eingeschätzt, Komplikationen werden erkannt
- Körpergewicht nimmt kontinuierlich zu
- Nahrung wird vertragen

Pflegeinterventionen

Tee oder Glucose 10% nach Arztanordnung verabreichen

- Flüssigkeit lt. Anordnung verabreichen
  - » Tee
  - » Glucose 10 %
- Durch Pflegende verabreichen
  - » Mit Saugflasche
  - » Mit Ernährungssonde
  - » Oral mit der Spritze
- Durch Angehörigen/Bezugspersonen verabreichen
  - » Angehörigen/Bezugsperson anleiten, die Flüssigkeit mit der Saugflasche zu verabreichen
  - » Angehörigen/Bezugsperson anleiten, die Flüssigkeit mit der Spritze oral zu verabreichen

Nahrungszufuhr (Muttermilch/ Ersatzmilch) laut angeordnetem Plan steigern

- Nahrungszufuhr unterstützen
  - » Abgepumpte Muttermilch
  - » Ersatzmilch
- Verabreichungsform bestimmen
  - » Über Ernährungssonde, Bolusapplikation
  - » Über Ernährungssonde, kontinuierlich
  - » Mit der Saugflasche (Säugling zeigt zügiges Trinkverhalten)
  - » Mit der Saugflasche (Säugling zeigt verändertes/verlangsamtes Saugverhalten)
- Sondennahrung verabreichen
  - » Während des Stillens zusätzlich sondieren
  - » Nach dem Stillversuch Nahrung über Sonde verabreichen

Infusionstherapie laut Arztanordnung durchführen

- Infusionen ohne Zusätze vorbereiten und infundieren
  - » 1 Infusion
  - » 3 Infusionen
  - » 5 und mehr Infusionen
- Infusionen mit Zusätzen vorbereiten und infundieren
  - » 1 Infusion mit Zusatz
  - » 4 Infusionen mit Zusatz
  - » 5 und mehr Infusionen mit Zusatz
- Hygienemaßnahmen
  - » Zwei- und Dreiwegehähne auswechseln
  - » Hahnenbank austauschen
  - » Besonderheiten bestimmen
- Applikationsart bestimmen
  - » Über Infusomat verabreichen
  - » Über Perfusor verabreichen
  - » Über Tropfenzähler verabreichen
- Tropfgeschwindigkeit einstellen

Ein- und Ausfuhrbilanzierung vornehmen, Flüssigkeitshaushalt des Säuglings einschätzen

- Pflegeintervention konkretisieren
- Zeit angeben

Täglich Gewichtskontrolle des Säuglings durchführen

- Pflegeintervention konkretisieren
- Zeit angeben

Hypoallergene Nahrung verwenden

- Sondennahrung für bilanzierte Diät auswählen
  - » Sondenprodukt zur ergänzenden Ernährung
  - » Sondenprodukte zur vollständigen Ernährung
  - » Niedermolekulare/chemisch definierte Diät (CDD)
  - » Hochmolekulare/nährstoffdefinierte Diät (NDD)
  - » Ballaststofffrei
  - » Ballaststoffreich
  - » Eiweißmodifiziert
  - » Fettmodifiziert
  - » Stoffwechseladaptiert/modifiziert
  - » Immunmodulierend/Intensivdiät
  - » Bei Diabetes mellitus
  - » Bei respiratorischer Insuffizienz
  - » Bei Erkrankungen der Leber

- » Bei Erkrankungen der Niere
- » Für Kinder
- » Hypoallergene Babynahrung
- Selbst hergestellte Sondenkost festlegen
  - » Selbst hergestellte Sondenkost
- Menge der Sondennahrung angeben
- Flüssigkeitszufuhr festlegen
  - » Stilles Mineralwasser
  - » Tee ohne Fruchtsäure
- Menge der Flüssigkeitszufuhr angeben

Bilanzierte Ersatznahrung verabreichen
- Pflegeintervention konkretisieren
- Zeit angeben

Sonstige Pflegemaßnahmen durchführen
- Maßnahmen konkretisieren
- Zeit angeben

Literaturhinweise: 68, 212, 334, 352, 357

Der Patient hat aufgrund von **erschwertem Stillen** das **Risiko einer Mangelernährung**

Kennzeichen

- Entwicklungsverzögerung des Neugeborenen/Säuglings
- Trinkschwäche
- Der Neugeborene/Säugling weigert sich, von der Brust zu trinken
- Brüste werden beim Stillen ungenügend entleert

Ursachen

- Zu-/ableitende Systeme
- Monitoring des Neugeborenen/Säuglings
- Beatmung des Neugeborenen/Säuglings
- Saugverwirrung durch den Wechsel zwischen Flaschennahrung und Brust
- Mehrlingsgeburten
- Herzinsuffizienz
- Reduzierter Allgemeinzustand

Ressourcen

- Mutter äußert den Wunsch, das Kind zu stillen

Pflegeziele

- Stillen verläuft erfolgreich
- Nahrungs- und Flüssigkeitszufuhr entsprechen dem individuellen Bedarf
- Effektives Saugen an der Brust ist sichergestellt
- Starke Mutter-Kind-Bindung
- Stärkung der Mundmuskulatur
- Wohlbefinden für Mutter und Kind ist gesteigert

Pflegeinterventionen

Bei der Optimierung der Stilltechnik/-position unterstützen
- Stillpositionen
  - » Stillen im Wiegegriff
  - » Stillen im Rückengriff
  - » Stillen im Liegen
- Stilltechnik
  - » Mutter beim Anlegen unterstützen
  - » Zungengrund und Kiefer durch Ausstreichen vor dem Stillen nach vorne bringen

Nahrung über eine Ernährungssonde verabreichen
- Nahrungszufuhr unterstützen
  - » Abgepumpte Muttermilch
  - » Ersatzmilch
- Verabreichungsform bestimmen
  - » Über Ernährungssonde, Bolusapplikation
  - » Über Ernährungssonde, kontinuierlich
  - » Mit der Saugflasche (Säugling zeigt zügiges Trinkverhalten)
  - » Mit der Saugflasche (Säugling zeigt verändertes/verlangsamtes Saugverhalten)
- Sondennahrung verabreichen
  - » Während des Stillens zusätzlich sondieren
  - » Nach dem Stillversuch Nahrung über Sonde verabreichen

Magensonde legen
- Pflegeintervention konkretisieren
- Zeit angeben

Mutter beim Stillen unterstützen/anleiten
- Pflegeintervention konkretisieren
  - » Zu entspannter und korrekter Stillhaltung anleiten
  - » Bei der Einnahme geeigneter Stillpositionen unterstützen
  - » Beobachtungsfähigkeit bezüglich Stresszeichen beim Saugvorgang schulen
  - » Mit der Mutter den besten Weg zur Stimulierung des effektiven Saugens herausfinden
  - » Milchspendereflex auslösen
  - » Kontinuierlich motivieren und anleiten
- Hilfsmittel einsetzen
- Zeit angeben

Sonstige Pflegemaßnahmen durchführen
- Maßnahmen konkretisieren
- Zeit angeben

Literaturhinweise: 95, 147, 175, 176, 388

Der Patient hat aufgrund einer **kognitiven Beeinträchtigung** das **Risiko einer Mangelernährung**

Kennzeichen

- Wirkt bei der Nahrungsaufnahme überfordert
- Wirkt bei der Nahrungsaufnahme ängstlich
- Essenssituation wird fehlinterpretiert
- Kann nicht selbstständig mit der Nahrungsaufnahme beginnen
- Kann sich nicht ohne Hilfe auf die Nahrungsaufnahme konzentrieren
- Kann nicht ohne Hilfe mit dem Besteck umgehen
- Kann die Speise nicht ohne Hilfe erkennen/lokalisieren
- Bewegungsabläufe der Nahrungsaufnahme können nicht umgesetzt werden
- Schluckt den Nahrungsbrei nicht selbstständig
- Isst verdorbene Lebensmittel/nicht essbare Dinge
- Abwehrreaktionen bei der Nahrungsverabreichung in Folge von Fehleinschätzungen
- Vergisst die Nahrungsaufnahme
- Fehlender Impuls zur Nahrungsaufnahme
- Lehnt bestimmte Speisen/Lebensmittel/Geschmacksrichtungen ab
- Deutet Nahrungsbestandteile als Würmer/Ungeziefer oder Ähnliches
- Äußert, trotz kostenloser Speisenversorgung, die Mahlzeit nicht bezahlen zu können
- Einseitige, verdorbene oder keine Lebensmittelvorräte
- Fehlende oder eingeschränkte Fähigkeit, Nahrung zuzubereiten
- Kann Aufforderungen/Erklärungen im Zusammenhang mit der Nahrungsaufnahme nicht verstehen
- Kann Probleme und Wünsche im Zusammenhang mit der Nahrungsaufnahme nicht äußern
- Zeitverzögerte Reaktion auf Ansprache, schläft zwischen der Nahrungsverabreichung immer wieder ein
- Kennt die Abläufe der Nahrungsaufnahme nicht

Ursachen

Ursachen für ein Risiko der Mangelernährung
- Erhöhter Energiebedarf
- Eingeschränktes Durst- und Sättigungsempfinden

Kognitive Beeinträchtigung
- Beeinträchtigte Gedächtnisleistung
- Innere Unruhe
- Motorische Unruhe
- Vergiftungsängste
- Veränderter Schlaf-Wach-Rhythmus
- Situative Desorientierung
- Zeitliche Desorientierung
- Antriebslosigkeit
- Wahrnehmungsstörung
- Sensorische Integrationsstörung

Krankheitsbedingte Ursachen
- Morbus Alzheimer
- Multi-Infarkt-Demenz
- Demenzformen als Folgezustände anderer Erkrankungen
- Creutzfeldt-Jakob-Krankheit
- Korsakow-Syndrom
- Vaskuläre Demenz
- Geistige Behinderung
- Sonstige kognitive Beeinträchtigungen

Ressourcen

- Akzeptiert die Unterstützung bei der Nahrungsaufnahme
- Kann mit Besteck umgehen
- Nimmt mundgerechte Speisen (Fingerfood) selbstständig zu sich
- Nimmt Nahrung mit verbaler Unterstützung zu sich
- Nimmt Nahrung mit Hilfestellung zu sich
- Verabreichte Nahrung wird gerne gegessen
- Kann einfache Tätigkeiten bei der Nahrungsvorbereitung/-zubereitung über-

nehmen

Pflegeziele

- Ursachen/Risiken der kognitiven Beeinträchtigungen im Zusammenhang mit der Nahrungsaufnahme sind analysiert
- Genaue Bemessungsgrundlage für die Einschätzung des Ernährungszustands ist sichergestellt
- Geplante Gewichtszunahme im festgelegten Zeitraum ist erreicht
- Körpergewicht ist konstant
- Bedarfsgerechte Tagesmenge an Nährstoffen ist ermittelt
- Bedarfsgerechte orale Energie- und Nährstoffzufuhr
- Biographischer Hintergrund ist berücksichtigt
- Die Situation der Nahrungsaufnahme entspricht biographischen Erfahrungen
- Die Speisenangebote entsprechen den biographischen Erfahrungen
- Kann sich bei der Nahrungsaufnahme orientieren
- Die Lebensqualität ist durch die bedürfnisgerechte Nahrungsaufnahme gefördert
- Kann sich auf die Nahrungsaufnahme konzentrieren
- Art, Zubereitung und Darreichung der Nahrung entsprechen den Bedürfnissen
- Umgebungssituation der Nahrungsaufnahme entspricht den Bedürfnissen
- Erreicht einen höheren Grad an Selbstständigkeit bei der Nahrungsaufnahme
- Essenszeiten sind dem Bedürfnis individuell angepasst
- Beurteilung von Ernährungslage und Flüssigkeitszufuhr ist sichergestellt
- Angehörige sind über ernährungsrelevante Aspekte informiert
- Nimmt Kontakt zu Freunden/Angehörigen auf
- Baut soziale Kontakte auf und pflegt diese
- Bedarfsgerechte Energie- und Nährstoffzufuhr
- Sichere Nahrungsver-abreichung unter Berücksichtigung der Therapie-/Diätabsprachen ist sichergestellt
- Verbesserung und Förderung der Wahrnehmungsorganisation
- Erhält angemessene Spürinformationen in der Interaktion mit der Umwelt
- Tonusregulation und Koordination im Rahmen von Alltagshandlungen wird gefördert

Pflegeinterventionen

Ursachen/Risiken der kognitiven Beeinträchtigungen im Zusammenhang mit der Nahrungsaufnahme analysieren

- Inhalte des Assessments/der Anamnese konkretisieren
  - Physiologische Ursachen/Risiken
  - Ernährungsverhalten
  - Umgebungsfaktoren
  - Biografische/kulturelle Aspekte
  - Gewohnheiten und Bedürfnisse
  - Auswirkungen der Medikation
  - Psychosoziale Aspekte
  - Psychologische Aspekte
  - Sonstige Gründe
- Zeit angeben

Ernährungszustand ermitteln

- Pflegeintervention konkretisieren
  - BMI errechnen
  - Körpergröße ermitteln
  - Hautfaltendicke-Messung durchführen
  - Sonstiges
- Gewicht kontrollieren
  - Gewicht mit Sitzwaage kontrollieren
  - Gewicht mit Sitzwaage kontrollieren (pflegerisch erforderlich)
  - Gewicht mit Stehwaage kontrollieren
  - Gewicht mit Lifterwaage kontrollieren

Bedürfnis-/bedarfsgerechte Kostform auswählen/bestellen

- Kostform auswählen
  - Vollkost
  - Schonkost
  - Wunschkost
  - Hochkallorische Kost
  - Fingerfood
  - Pürierte Kost
  - Weiche Kost
  - Diabeteskost
  - Diätetische Kost
- Zwischenmahlzeit festlegen
  - Obst
  - Jogurt
  - Dessertspeise
  - Brot mit Auflage
  - Trinknahrung
  - Zwischenmahlzeit für Diabetiker
  - Kalorienreiche Snacks und Getränke
- Kalorienbedarf
  - Vereinbarte tägl. Kalorienzufuhr
  - Vom Ernährungsberater ermittelte Kalorienzufuhr

Biografische Hintergründe erfragen

- Pflegeintervention konkretisieren
  - Individuelle Vorlieben und Abneigungen beim Essen ermitteln
  - Bevorzugte Geschmacksrichtung
  - Einstellung gegenüber den Lebensmitteln und nachhaltiger Ernährung
  - Praktizierte Esskultur
- Zeit angeben

Nahrungsaufnahme entsprechend biographischer Erfahrungen stimulieren/fördern

- Pflegeintervention konkretisieren
- Zeit angeben

Zustandsbezogene Anpassungen bei der Nahrungsaufnahme beachten

  - Nimmt am Wohnküchenkonzept teil
  - Essen im Gehen ermöglichen
  - Tageszeitunabhängigen Zugang zu Speisen sicherstellen
  - Veränderte Tischmanieren akzeptieren
- Nahrungsaufnahme ritualisieren
  - Feste Essenszeiten im Tagesrhythmus einhalten
  - Festgelegten Ablauf der Nahrungszufuhr einhalten
  - Feste Bezugspersonen bei der Nahrungsverabreichung ermöglichen
- Angstreduzierende Maßnahmen
  - Gemeinsam mit dem Betroffenen essen (Vergiftungsängste)
  - Bittere Speisen/Speisen mit ungewöhnlicher Farbe vermeiden
  - Keine Medikamentenbeimischung in Speisen
  - Hinweise auf kostenlose Essensangebote geben
  - Essensmarken zum Bezahlen ausgeben
- Stimulation der Nahrungsaufnahme
  - Taktile Reize setzen
  - Visuelle Reize setzen
  - Gustatorische Reize setzen

Komplexität der Situation bei der Nahrungsaufnahme reduzieren

- Pflegeintervention konkretisieren
  - Hintergrundgeräusche minimieren
  - Menügänge einzeln servieren
  - Ungeteilte Aufmerksamkeit der unterstützenden Person sicherstellen
  - Klare, einfache Kommunikation bei der Nahrungsaufnahme

Bei der Nahrungsaufnahme (Hauptmahlzeit) unterstützen

- Lagerung/Sitzposition bestimmen
  - Lagerung zur Nahrungsaufnahme durchführen
  - Therapeutischen Langsitz durchführen
  - Beim Transfer in den Lehn-/Rollstuhl/Rehabuggy unterstützen, zum Tisch fahren
  - Zur Nahrungsaufnahme zum Tisch führen
  - In den Speisesaal fahren/begleiten
  - Kind zum Füttern auf den Schoß setzen
  - Nahrungsaufnahme im Hochstuhl
- Ort der Mahlzeiteneinnahme
  - Essenstablett ins Zimmer bringen
  - Essenstablett in den Speisesaal bringen
  - Essen am Tisch ermöglichen
  - Essen im Bett ermöglichen
- Art der Unterstützungsleistung angeben
  - Essen mundgerecht vorbereiten

   - » Nahrungs-/Flüssigkeitszufuhr beaufsichtigen
   - » Verabreichung teilweise übernehmen
   - » Nahrung/Flüssigkeit verabreichen
   - » Zur selbstständigen Nahrungsaufnahme anleiten
- Besonderheiten der Nahrungsvorbereitung
   - » Bei Mahlzeiten und Getränken Verzehrtemperatur herstellen
   - » Kontrastreiche Präsentation der Speisen
   - » Energieanreicherung der Mahlzeiten
   - » Mundgerechte Nahrungsvorbereitung gemeinsam durchführen
   - » Ermutigung/Motivation zur Nahrungsaufnahme

Bei der Nahrungsaufnahme (Zwischenmahlzeit) unterstützen
- Lagerung/Sitzposition bestimmen
   - » Lagerung zur Nahrungsaufnahme durchführen
   - » Therapeutischen Langsitz durchführen
   - » Beim Transfer in den Lehn-/Rollstuhl/Rehabuggy unterstützen, zum Tisch fahren
   - » Zur Nahrungsaufnahme zum Tisch führen
   - » In den Speisesaal fahren/begleiten
   - » Kind zum Füttern auf den Schoß setzen
   - » Nahrungsaufnahme im Hochstuhl
- Ort der Mahlzeiteneinnahme
   - » Essenstablett ins Zimmer bringen
   - » Essenstablett in den Speisesaal bringen
   - » Essen am Tisch ermöglichen
   - » Essen im Bett ermöglichen
- Art der Unterstützungsleistung angeben
   - » Essen mundgerecht vorbereiten
   - » Nahrungs-/Flüssigkeitszufuhr beaufsichtigen
   - » Verabreichung teilweise übernehmen
   - » Nahrung/Flüssigkeit verabreichen
   - » Zur selbstständigen Nahrungsaufnahme anleiten
- Besonderheiten der Nahrungsvorbereitung
   - » Bei Mahlzeiten und Getränken Verzehrtemperatur herstellen
   - » Kontrastreiche Präsentation der Speisen
   - » Energieanreicherung der Mahlzeiten
   - » Mundgerechte Nahrungsvorbereitung gemeinsam durchführen
   - » Ermutigung/Motivation zur Nahrungsaufnahme

Nahrungs- und Flüssigkeitszufuhr beobachten und dokumentieren
- Pflegeintervention konkretisieren
   - » Eingenommene Nahrung auf einem Ernährungsprotokoll dokumentieren
   - » Auffälligkeiten und Probleme dokumentieren
   - » Nahrungseinnahme beaufsichtigen
   - » Nahrungsaufnahme beobachten
   - » Nahrungsvorlieben und Abneigungen beobachten

Informations-/Beratungsgespräche mit Angehörigen durchführen
- Themenschwerpunkt des Gesprächs angeben
   - » Pflege-, Betreuungs- und Behandlungsprozess
   - » Alltagsbewältigung
   - » Instruktion/Anleitung
   - » Motivation/Aktivierung
   - » Strategien zur Krankheitsbewältigung
   - » Förderung der Entscheidungsfindung
   - » Überleitung/Entlassung
   - » Sonstige Gesprächsinhalte
- Gesprächsteilnehmer
   - » Betroffener
   - » Angehöriger/Bezugsperson
- Zeitdauer des Gesprächs angeben

Den Aufbau eines stützenden sozialen Umfelds fördern
- Netzwerke bestimmen, die aufgebaut/gefördert werden können
   - » Netzwerk Familie
   - » Netzwerk Freundeskreis
   - » Netzwerk Arbeitsfeld
   - » Netzwerk Glaubensgemeinschaft
   - » Netzwerk Freizeitaktivität/Hobby
   - » Selbsthilfegruppe
   - » Sonstige Netzwerke
- Zeitdauer der Intervention bestimmen
- Gesprächspartner bestimmen
   - » Angehöriger/Bezugsperson
   - » Betreuer
   - » Freunde
   - » Arbeitgeber
   - » Arbeitskollegen
   - » Ämter
   - » Kirchenvertreter
   - » Nachbarn
   - » Sonstige Personen

Unterstützungsleistungen im Zusammenhang mit dem Nahrungsmanagement durchführen
- Pflegeintervention konkretisieren
   - » Essen auf Rädern organisieren
   - » Einkaufshilfe organisieren
   - » Unterstützung beim Kochen organisieren
   - » Unterstützung der finanziellen Planung der Einkäufe
   - » Unterstützung bei der Hygiene im Bereich des Ernährungsmanagements organisieren

Bezugspersonen zur Nahrungsver-abreichung/Flüssigkeitszufuhr anleiten
- Pflegeintervention konkretisieren
- Anzuleitende Person(en) festlegen
   - » Betroffene Person
   - » Angehöriger/Bezugsperson
- Zeit angeben

Führen bei Aktivitäten der Nahrungsaufnahme nach dem Affolter-Konzept
- Auswahl des problemlösenden Alltagsgeschehnisses
   - » Gespürte Interaktionstherapie beim Einnehmen einer Mahlzeit
   - » Gespürte Interaktionstherapie beim Einnehmen einer Zwischenmahlzeit
   - » Gespürte Interaktionstherapie beim Trinken
- Maßnahmen konkretisieren
   - » "Elementares Führen" während der Handlung
   - » Durch "Elementares Führen" die Handlung einleiten
   - » "Pflegerisches Führen" bei der Aktivität
   - » Durchgeführte Handlung mit dem Betroffenen repetieren
- Zeit angeben
- Durchführende Person angeben
   - » Pflegeperson
   - » Ergotherapeut
   - » Sonstige Personen

Sonstige Pflegemaßnahmen durchführen
- Maßnahmen konkretisieren
- Zeit angeben

Literaturhinweise: 511, 513, 514, 518, 519, 522, 525, 527, 530, 531, 532, 535, 540, 541, 545, 546, 548, 554, 559, 562, 564, 570, 573, 574, 576, 577, 588, 589, 593, 594, 598, 599, 601, 602, 606, 609

Der Patient hat das **Risiko einer Mangelernährung**

Kennzeichen

- Isst und trinkt nichts
- Mit Hilfe eines Einschätzungsinstruments (Assessmentinstrument) festgestelltes Risiko
- Verzehrmenge liegt deutlich unter den empfohlenen Richtwerten
- Beeinträchtigte selbstständige Nahrungsaufnahme

Ursachen

Physiologische Ursachen
- Erhöhter Nährstoffbedarf
- Erhöhter Energiebedarf
- Eingeschränkte Fähigkeit, Nahrung zu beschaffen
- Eingeschränkte Fähigkeit, Nahrung zuzubereiten
- Unfähigkeit, selbstständig Essensaktivitäten durchzuführen
- Absorptionsstörung
- Nahrungsmittelunverträglichkeit
- Beeinträchtigte Kaufähigkeit
- Beeinträchtigter Mund-/Zahnstatus
- Schmerzen beim Kauen/Schlucken
- Chronische Schmerzzustände
- Schmerzen bei der Nahrungsaufnahme
- Schluckstörung
- Chronische Müdigkeit
- Beeinträchtigte Hunger- und Sättigungsregulation
- Immobilität
- Anhaltende Appetitlosigkeit
- Diarrhö länger als eine Woche
- Anhaltendes Erbrechen
- Geistige Beeinträchtigung
- Rumination bei Kindern
- Entwicklungsbedingte sensorische Integrationsstörung
- Anhaltend erfolgloses Stillen

Psychosoziale Ursachen
- Lang anhaltende Einschränkung der bedürfnisgerechten Nahrungsaufnahme
- Beeinträchtigtes psychosoziales Wohlbefinden
- Depressive Grundstimmung
- Beeinträchtigte Eltern-Kind-Beziehung
- Eltern sorgen nicht für eine ausreichende Ernährung des Kindes

Sonstige Ursachen
- Anhaltende Nahrungsverweigerung
- Anhaltende Vernachlässigung der Nahrungsaufnahme
- Wissensdefizit über ernährungsrelevante Aspekte
- Willentliche Nahrungsrestriktion über eine längere Zeit
- Sozioökonomische Aspekte
- Nebenwirkungen von Medikamenten

Ressourcen

- Angebotene Nahrung wird gern gegessen/getrunken
- Erkennt die Notwendigkeit der getroffenen Intervention und kooperiert mit dem therapeutischen Team
- Akzeptiert die Unterstützung bei der Nahrungsaufnahme
- Akzeptiert die Unterstützung von Angehörigen
- Kann Essensaktivität mit Unterstützung durchführen
- Kann Essensaktivitäten selbstständig durchführen

Pflegeziele

- Risiken für die Entstehung einer Mangelernährung sind analysiert
- Genaue Bemessungsgrundlage für die Einschätzung des Ernährungszustands ist sichergestellt
- Geplante Gewichtszunahme im festgelegten Zeitraum ist erreicht
- Körpergewicht ist konstant
- Bedarfsgerechte Tagesmenge an Nährstoffen ist ermittelt
- Bedarfsgerechte orale Energie- und Nährstoffzufuhr
- Biographischer Hintergrund ist berücksichtigt
- Bedarfsgerechte Energie- und Nährstoffzufuhr
- Art, Zubereitung und Darreichung der Nahrung entsprechen den Bedürfnissen
- Umgebungssituation der Nahrungsaufnahme entspricht den Bedürfnissen
- Erreicht einen höheren Grad an Selbstständigkeit bei der Nahrungsaufnahme
- Essenszeiten sind dem Bedürfnis individuell angepasst
- Setzt Hilfsmittel zur Nahrungsaufnahme effektiv ein
- Autonome Entscheidungsfindung über Hilfsmitteleinsatz/Strategien zur Nahrungsaufnahme ist gefördert
- Veränderungen werden frühzeitig erkannt und dokumentiert
- Isst mit Appetit
- Ist über ernährungsrelevante Aspekte informiert
- Ist aktiv in die Entscheidungsprozesse einbezogen
- Lebensbedrohliches Flüssigkeits- und Ernährungsdefizit ist ausgeglichen
- Verbesserung und Förderung der Wahrnehmungsorganisation
- Erhält angemessene Spürinformationen in der Interaktion mit der Umwelt
- Tonusregulation und Koordination im Rahmen von Alltagshandlungen wird gefördert

Pflegeinterventionen

Risiken für die Entstehung einer Mangelernährung analysieren
- Inhalte des Assessments/der Anamnese konkretisieren
  - » Physiologische Ursachen/Risiken

  - » Ernährungsverhalten
  - » Umgebungsfaktoren
  - » Biografische/kulturelle Aspekte
  - » Gewohnheiten und Bedürfnisse
  - » Auswirkungen der Medikation
  - » Psychosoziale Aspekte
  - » Psychologische Aspekte
  - » Sonstige Gründe
- Zeit angeben

Ernährungszustand ermitteln
- Pflegeintervention konkretisieren
  - » BMI errechnen
  - » Körpergröße ermitteln
  - » Hautfaltendicke-Messung durchführen
  - » Sonstiges
- Gewicht kontrollieren
  - » Gewicht mit Sitzwaage kontrollieren
  - » Gewicht mit Sitzwaage kontrollieren (pflegerisch erforderlich)
  - » Gewicht mit Stehwaage kontrollieren
  - » Gewicht mit Lifterwaage kontrollieren

Biografische Hintergründe erfragen
- Pflegeintervention konkretisieren
  - » Individuelle Vorlieben und Abneigungen beim Essen ermitteln
  - » Bevorzugte Geschmacksrichtung
  - » Einstellung gegenüber den Lebensmitteln und nachhaltiger Ernährung
  - » Praktizierte Esskultur
- Zeit angeben

Bedürfnis-/bedarfsgerechte Kostform auswählen/bestellen
- Kostform auswählen
  - » Vollkost
  - » Schonkost
  - » Wunschkost
  - » Hochkallorische Kost
  - » Fingerfood
  - » Pürierte Kost
  - » Weiche Kost
  - » Diabeteskost
  - » Diätetische Kost
- Zwischenmahlzeit festlegen
  - » Obst
  - » Jogurt
  - » Dessertspeise
  - » Brot mit Auflage
  - » Trinknahrung
  - » Zwischenmahlzeit für Diabetiker
  - » Kalorienreiche Snacks und Getränke
- Kalorienbedarf
  - » Vereinbarte tägl. Kalorienzufuhr
  - » Vom Ernährungsberater ermittelte Kalorienzufuhr

Bei der Nahrungsaufnahme (Hauptmahlzeit) unterstützen
- Lagerung/Sitzposition bestimmen
  - » Lagerung zur Nahrungsaufnahme durchführen
  - » Therapeutischen Langsitz durchführen
  - » Beim Transfer in den Lehn-/Rollstuhl/Rehabuggy unterstützen, zum Tisch fahren
  - » Zur Nahrungsaufnahme zum Tisch führen
  - » In den Speisesaal fahren/begleiten
  - » Kind zum Füttern auf den Schoß setzen
  - » Nahrungsaufnahme im Hochstuhl
- Ort der Mahlzeiteneinnahme
  - » Essenstablett ins Zimmer bringen
  - » Essenstablett in den Speisesaal bringen
  - » Essen am Tisch ermöglichen
  - » Essen im Bett ermöglichen
- Art der Unterstützungsleistung angeben
  - » Essen mundgerecht vorbereiten
  - » Nahrungs-/Flüssigkeitszufuhr beaufsichtigen
  - » Verabreichung teilweise übernehmen
  - » Nahrung/Flüssigkeit verabreichen
  - » Zur selbstständigen Nahrungsaufnahme anleiten
- Besonderheiten der Nahrungsvorbereitung
  - » Bei Mahlzeiten und Getränken Verzehrtemperatur herstellen
  - » Kontrastreiche Präsentation der Speisen
  - » Energieanreicherung der Mahlzeiten
  - » Mundgerechte Nahrungsvorbereitung gemeinsam durchführen
  - » Ermutigung/Motivation zur Nahrungsaufnahme

Bei der Nahrungsaufnahme (Zwischenmahlzeit) unterstützen
- Lagerung/Sitzposition bestimmen
  - » Lagerung zur Nahrungsaufnahme durchführen
  - » Therapeutischen Langsitz durchführen
  - » Beim Transfer in den Lehn-/Rollstuhl/Rehabuggy unterstützen, zum Tisch fahren
  - » Zur Nahrungsaufnahme zum Tisch führen
  - » In den Speisesaal fahren/begleiten
  - » Kind zum Füttern auf den Schoß setzen
  - » Nahrungsaufnahme im Hochstuhl
- Ort der Mahlzeiteneinnahme
  - » Essenstablett ins Zimmer bringen
  - » Essenstablett in den Speisesaal bringen
  - » Essen am Tisch ermöglichen
  - » Essen im Bett ermöglichen
- Art der Unterstützungsleistung angeben
  - » Essen mundgerecht vorbereiten
  - » Nahrungs-/Flüssigkeitszufuhr beaufsichtigen
  - » Verabreichung teilweise übernehmen
  - » Nahrung/Flüssigkeit verabreichen
  - » Zur selbstständigen Nahrungsaufnahme anleiten
- Besonderheiten der Nahrungsvorbereitung
  - » Bei Mahlzeiten und Getränken Verzehrtemperatur herstellen
  - » Kontrastreiche Präsentation der Speisen
  - » Energieanreicherung der Mahlzeiten
  - » Mundgerechte Nahrungsvorbereitung gemeinsam durchführen
  - » Ermutigung/Motivation zur Nahrungsaufnahme

Nahrungsmittelergänzungen anbieten
- Maßnahmen konkretisieren
  - » Astronautenkost
  - » Hochkallorische Trinknahrung
  - » Vitamine
  - » Mineralien
  - » Eiweißkonzentrate
  - » Sonstiges

Zum selbstständigen Essen/Trinken mit Hilfsmitteln anleiten
- Pflegeintervention konkretisieren
- Esshilfen auswählen
  - » Gummimatte/Haftmatte
  - » Frühstücksbrett
  - » Spezialteller
  - » Spezialbesteck
  - » Trinkhilfen
- Anzuleitende Person(en) festlegen
  - » Betroffene Person
  - » Angehöriger/Bezugsperson

Flüssigkeits- und Nahrungszufuhr beobachten und dokumentieren
- Pflegeintervention konkretisieren
  - » Eingenommene Nahrung auf einem Ernährungsprotokoll dokumentieren
  - » Auffälligkeiten und Probleme dokumentieren
  - » Nahrungseinnahme beaufsichtigen
  - » Nahrungsaufnahme beobachten
  - » Nahrungsvorlieben und Abneigungen beobachten

Maßnahmen zur Steigerung des Appetits durchführen
- Pflegeintervention konkretisieren
- Zeit angeben

Informations-/Beratungsgespräch durchführen
- Themenschwerpunkt des Gesprächs angeben
  - » Pflege-, Betreuungs- und Behandlungsprozess
  - » Alltagsbewältigung
  - » Instruktion/Anleitung
  - » Motivation/Aktivierung
  - » Strategien zur Krankheitsbewältigung
  - » Förderung der Entscheidungsfindung
  - » Überleitung/Entlassung
  - » Sonstige Gesprächsinhalte
- Gesprächsteilnehmer
  - » Betroffener
  - » Angehöriger/Bezugsperson
- Zeitdauer des Gesprächs angeben

Infusionstherapie nach Anordnung durchführen
- Infusionen ohne Zusätze vorbereiten und

infundieren
  - » 1 Infusion
  - » 3 Infusionen
  - » 5 und mehr Infusionen
- Infusionen mit Zusätzen vorbereiten und infundieren
  - » 1 Infusion mit Zusatz
  - » 4 Infusionen mit Zusatz
  - » 5 und mehr Infusionen mit Zusatz
- Hygienemaßnahmen
  - » Zwei- und Dreiwegehähne auswechseln
  - » Hahnenbank austauschen
  - » Besonderheiten bestimmen
- Applikationsart bestimmen
  - » Über Infusomat verabreichen
  - » Über Perfusor verabreichen
  - » Über Tropfenzähler verabreichen
- Tropfgeschwindigkeit einstellen

Durch eine Ernährungssonde zusätzliche Nahrung zuführen
- Sondennahrung für bilanzierte Diät auswählen
  - » Sondenprodukt zur ergänzenden Ernährung
  - » Sondenprodukte zur vollständigen Ernährung
  - » Niedermolekulare/chemisch definierte Diät (CDD)
  - » Hochmolekulare/nährstoffdefinierte Diät (NDD)
  - » Ballaststofffrei
  - » Ballaststoffreich
  - » Eiweißmodifiziert
  - » Fettmodifiziert
  - » Stoffwechseladaptiert/modifiziert
  - » Immunmodulierend/Intensivdiät
  - » Bei Diabetes mellitus
  - » Bei respiratorischer Insuffizienz
  - » Bei Erkrankungen der Leber
  - » Bei Erkrankungen der Niere
  - » Für Kinder
  - » Hypoallergene Babynahrung
- Selbst hergestellte Sondenkost festlegen
  - » Selbst hergestellte Sondenkost
- Menge der Sondennahrung angeben
- Flüssigkeitszufuhr festlegen
  - » Stilles Mineralwasser
  - » Tee ohne Fruchtsäure
- Menge der Flüssigkeitszufuhr angeben

Inspektion des Mund-/Zahnstatus durchführen
  - » Termine mit dem Zahnarzt organisieren
  - » Abhängig von den Ergebnissen der Inspektion geeignete Mund-/Zahnpflegemaßnahmen planen

Führen bei Aktivitäten der Nahrungsaufnahme nach dem Affolter-Konzept
- Auswahl des problemlösenden Alltagsgeschehnisses
  - » Gespürte Interaktionstherapie beim Einnehmen einer Mahlzeit
  - » Gespürte Interaktionstherapie beim Einnehmen einer Zwischenmahlzeit
  - » Gespürte Interaktionstherapie beim Trinken
- Maßnahmen konkretisieren
  - » "Elementares Führen" während der Handlung
  - » Durch "Elementares Führen" die Handlung einleiten
  - » "Pflegerisches Führen" bei der Aktivität
  - » Durchgeführte Handlung mit dem Betroffenen repetieren
- Zeit angeben
- Durchführende Person angeben
  - » Pflegeperson
  - » Ergotherapeut
  - » Sonstige Personen

Sonstige Pflegemaßnahmen durchführen
- Maßnahmen konkretisieren
- Zeit angeben

Literaturhinweise: 511, 514, 517, 519, 522, 527, 531, 533, 534, 535, 537, 540, 541, 542, 545, 546, 547, 554, 562, 564, 568, 573, 574, 576, 577, 581, 582, 583, 584, 588, 593, 594, 599, 603, 604, 605, 606

Der Patient hat aufgrund eines **reduzierten Durstgefühls** das **Risiko eines Flüssigkeitsdefizits**

Kennzeichen

- Trinkt sehr wenig
- Trockene, spröde Haut
- Trockene Schleimhäute
- Leidet an Obstipation
- Äußert, keinen Durst zu haben
- Konzentrierter Urin
- Trockenheitsgefühl im Mund (Xerostomie)

Ursachen

- Altersbedingt vermindertes Durstgefühl
- Vergisst zu trinken
- Erkrankung des ZNS, die das Durstgefühl beeinträchtigt
- Demenz

Ressourcen

- Trinkt die vorbereitete Flüssigkeit
- Hält sich an den Trinkfahrplan
- Die Angehörigen verabreichen die Flüssigkeit nach Trinkfahrplan
- Akzeptiert die Unterstützung
- Akzeptiert die Unterstützung von Angehörigen

Pflegeziele

- Flüssigkeitsdefizit ist sofort erkannt
- Einem Flüssigkeitsdefizit ist vorgebeugt
- Trinkt selbstständig, ohne zu aspirieren
- Trinkt, ohne zu aspirieren
- Orale Flüssigkeitszufuhr ist ermöglicht
- Flüssigkeitszufuhr entspricht dem ermittelten/vereinbarten Flüssigkeitsbedarf
- Flüssigkeitsbilanz ist ausgeglichen

Der Patient hat das **Risiko eines Flüssigkeitsdefizits**

Kennzeichen

- Selbstständige orale Flüssigkeitsaufnahme ist nicht möglich
- Trinkmenge < 1500 ml/Tag
- Trinkmenge < 1000 ml/Tag
- Trinkmenge < 500 ml/Tag
- Trinkmenge liegt unter der empfohlenen Menge pro Tag
- Trinkt sehr wenig

Ursachen

- Reduzierte Flüssigkeitszufuhr
- Über längere Zeit reduzierte Flüssigkeitszufuhr
- Einschränkung bezüglich der Flüssigkeitsaufnahme
- Diarrhö
- Starkes Schwitzen (Hyperhidrosis)
- Fieber (Hyperthermie)
- Diuretikagabe
- Wissensdefizit über Flüssigkeitsbedarf
- Desorientierung
- Bewusstlosigkeit
- Bewusstseinsveränderung
- Erbrechen
- Entwicklungsbedingt erhöhtes Risiko
- Unphysiologisches Trinkverhalten
- Trinkt nur stark gesüßte Getränke
- Behinderungsbedingte(s) Selbstfürsorgedefizit/-fähigkeit

Ressourcen

- Erkennt die Notwendigkeit der getroffenen Intervention und kooperiert mit dem therapeutischen Team
- Trinkt die vorbereitete Flüssigkeit
- Hält sich an den Trinkfahrplan
- Die Angehörigen verabreichen die Flüssigkeit nach Trinkfahrplan
- Akzeptiert die Unterstützung

Pflegeinterventionen

Flüssigkeitsbedarf ermitteln/vereinbaren
- Pflegeintervention konkretisieren
  - » Zieleinfuhr laut empfohlener Berechnungsgrundlage des MDS ermitteln
  - » Zieleinfuhr ermitteln (30 ml x kg Körpergewicht)
  - » Flüssigkeitszufuhr laut Arztanordnung
  - » Flüssigkeit nach Flüssigkeitsbilanz des Vortags verabreichen
  - » Zieleinfuhr entsprechend biographischem Hintergrund

Flüssigkeitszufuhr unterstützen
- Pflegeintervention konkretisieren
  - » Getränke bereitstellen
  - » Getränk anreichen
  - » Hand mit dem Trinkgefäß führen/zum selbstständigen Trinken anleiten
  - » Flüssigkeit mit Tasse/Glas zuführen
  - » Flüssigkeit mit Teelöffel zuführen
  - » Flüssigkeit mit Esslöffel zuführen
  - » Flüssigkeit mit Trinkhalm zuführen
  - » Flüssigkeit mit Schnabelbecher zuführen
  - » Flüssigkeit mit der Pipette zuführen
- Art der Unterstützungsleistung angeben
  - » Beaufsichtigen
  - » Unterstützen
  - » Teilweise übernehmen
  - » Vollständig übernehmen
  - » Zur selbstständigen Flüssigkeitszufuhr anleiten

Zur Flüssigkeitsaufnahme vorbereiten
- Pflegeintervention konkretisieren
  - » Oberkörperhochlagerung (ca. 70 Grad) durchführen
  - » An den Bettrand aufsetzen
  - » In den Lehn-/Roll-/Stuhl setzen
- Art der Unterstützung
  - » Beaufsichtigen
  - » Unterstützen
  - » Teilweise übernehmen
  - » Vollständig übernehmen
  - » Zur selbstständigen Flüssigkeitszufuhr anleiten

Zum Trinken auffordern
- Pflegeintervention konkretisieren
- Zeit angeben

Trinkfahrplan festlegen
- Pflegeintervention konkretisieren
- Zeit angeben

Ein- und Ausfuhrkontrolle mithilfe des Bilanzbogens durchführen
- Pflegeintervention konkretisieren
  - » ZVD-Messung durchführen
  - » Flüssigkeitsbilanzierung durchführen
  - » Stundenurinkontrolle durchführen
  - » Ausfuhr berechnen
  - » Einfuhr berechnen
  - » Bilanzprotokoll erstellen
- Flüssigkeitszufuhr lt. Arztanordnung festlegen
  - » Positiv-Bilanz
  - » Negativ-Bilanz
  - » Ausgeglichene Bilanz
- Erfassungszeitraum bestimmen/sonstige Angaben
  - » Blase am Ende des Erfassungszeitraums entleeren lassen
  - » Ergebnisse in die Dokumentation eintragen
  - » Erfassungszeitraum bestimmen

Sonstige Pflegemaßnahmen durchführen
- Maßnahmen konkretisieren
- Zeit angeben

Literaturhinweise: 51, 84, 89, 95, 113, 127, 175, 176

- Akzeptiert die Unterstützung von Angehörigen

Pflegeziele

- Flüssigkeitshaushalt ist eingeschätzt
- Flüssigkeitsbilanz ist ausgeglichen
- Flüssigkeitsdefizit ist sofort erkannt
- Einem Flüssigkeitsdefizit ist vorgebeugt
- Trinkt selbstständig, ohne zu aspirieren
- Trinkt, ohne zu aspirieren
- Kann den Flüssigkeitsbedarf einschätzen und führt entsprechend Flüssigkeit zu
- Selbstständigkeit und Selbstverantwortung bei der Flüssigkeitszufuhr sind gefördert
- Kennt Anzeichen eines Flüssigkeitsdefizits und kann rechtzeitig gegensteuern
- Orale Flüssigkeitszufuhr ist ermöglicht
- Infusionstherapie lt. Arztanordnung ist sichergestellt

Pflegeinterventionen

Gefahr der Dehydratation einschätzen und präventive Maßnahmen planen

- Pflegeintervention konkretisieren
- Zeit angeben

Flüssigkeitshaushalt mithilfe der Ein- und Ausfuhrkontrolle einschätzen

- Pflegeintervention konkretisieren
  - » ZVD-Messung durchführen
  - » Flüssigkeitsbilanzierung durchführen
  - » Stundenurinkontrolle durchführen
  - » Ausfuhr berechnen
  - » Einfuhr berechnen
  - » Bilanzprotokoll erstellen
- Flüssigkeitszufuhr lt. Arztanordnung festlegen
  - » Positiv-Bilanz
  - » Negativ-Bilanz
  - » Ausgeglichene Bilanz
- Erfassungszeitraum bestimmen/sonstige Angaben
  - » Blase am Ende des Erfassungszeitraums entleeren lassen
  - » Ergebnisse in die Dokumentation eintragen
  - » Erfassungszeitraum bestimmen

Flüssigkeitsbedarf ermitteln/vereinbaren

- Pflegeintervention konkretisieren
  - » Zieleinfuhr laut empfohlener Berechnungsgrundlage des MDS ermitteln
  - » Zieleinfuhr ermitteln (30 ml x kg Körpergewicht)
  - » Flüssigkeitszufuhr laut Arztanordnung
  - » Flüssigkeit nach Flüssigkeitsbilanz des Vortags verabreichen
  - » Zieleinfuhr entsprechend biographischem Hintergrund

Flüssigkeitszufuhr unterstützen

- Pflegeintervention konkretisieren
  - » Getränke bereitstellen
  - » Getränk anreichen
  - » Hand mit dem Trinkgefäß führen/zum selbstständigen Trinken anleiten
  - » Flüssigkeit mit Tasse/Glas zuführen
  - » Flüssigkeit mit Teelöffel zuführen
  - » Flüssigkeit mit Esslöffel zuführen
  - » Flüssigkeit mit Trinkhalm zuführen
  - » Flüssigkeit mit Schnabelbecher zuführen
  - » Flüssigkeit mit der Pipette zuführen
- Art der Unterstützungsleistung angeben
  - » Beaufsichtigen
  - » Unterstützen
  - » Teilweise übernehmen
  - » Vollständig übernehmen
  - » Zur selbstständigen Flüssigkeitszufuhr anleiten

Zur Flüssigkeitsaufnahme vorbereiten

- Pflegeintervention konkretisieren
  - » Oberkörperhochlagerung (ca. 70 Grad) durchführen
  - » An den Bettrand aufsetzen
  - » In den Lehn-/Roll-/Stuhl setzen
- Art der Unterstützung
  - » Beaufsichtigen
  - » Unterstützen
  - » Teilweise übernehmen
  - » Vollständig übernehmen
  - » Zur selbstständigen Flüssigkeitszufuhr anleiten

Zur Selbstkontrolle der Flüssigkeitszufuhr anleiten

- Pflegeintervention konkretisieren
- Zeit angeben

Zum Trinken auffordern

- Pflegeintervention konkretisieren
- Zeit angeben

Infusionstherapie laut Arztanordnung vorbereiten und Infusionen anhängen

- Infusionen ohne Zusätze vorbereiten und infundieren
  - » 1 Infusion
  - » 2 Infusionen
  - » 3 Infusionen
  - » 4 Infusionen
  - » 5 und mehr Infusionen
- Infusionen mit Zusätzen vorbereiten und infundieren
  - » 1 Infusion mit Zusatz
  - » 2 Infusionen mit Zusatz
  - » 3 Infusionen mit Zusatz
  - » 4 Infusionen mit Zusatz
  - » 5 und mehr Infusionen mit Zusatz
- Zytostaselösungen herstellen/vorbereiten
  - » Zytostase herstellen/vorbereiten
- Hygienemaßnahmen
  - » Zwei- und Dreiwegehähne auswechseln
  - » Hahnenbank austauschen
  - » Filter wechseln
  - » Infusionssystem wechseln
  - » Besonderheiten bestimmen
- Applikationsart bestimmen
  - » Über Infusomat verabreichen
  - » Über Perfusor verabreichen
  - » Über Tropfenzähler verabreichen
- Tropfgeschwindigkeit einstellen

Sonstige Pflegemaßnahmen durchführen

- Maßnahmen konkretisieren
- Zeit angeben

Literaturhinweise: 51, 84, 89, 95, 113, 127, 175, 176, 538, 710, 711, 712

Der Patient hat aufgrund von **Flüssigkeitsverlust** ein **Risiko des Flüssigkeitsdefizits**

Kennzeichen

- Magensonde
- Dünndarmsonde
- Wunddrainage
- Redondrainage mit Sog
- Redondrainage ohne Sog
- Thoraxdrainage
- T-Drainage
- Robinson-Drainage
- Easy-Flow-Drainage mit Adhäsivbeutel
- Saug-Spül-Drainage
- Verbände

Ursachen

- Postoperativ indiziert
- Wunde
- OP-Wunde
- Ableitendes System
- Flüssigkeitsverlust z. B. durch Sonde/Drainage

Ressourcen

- Kann die Maßnahme nach Anleitung selbstständig durchführen
- Beobachtet Veränderungen am System und meldet sich
- Ist sicher im Umgang mit der Drainage/ Sonde

Pflegeziele

- Flüssigkeitsbilanz ist ausgeglichen
- Flüssigkeitsdefizit ist sofort erkannt
- Einem Flüssigkeitsdefizit ist vorgebeugt
- Trinkt selbstständig, ohne zu aspirieren
- Trinkt, ohne zu aspirieren
- Orale Flüssigkeitszufuhr ist ermöglicht
- Flüssigkeits- und Elektrolythaushalt sind ausgeglichen

Pflegeinterventionen

Flüssigkeitsbedarf ermitteln/vereinbaren
- Pflegeintervention konkretisieren
  - » Zieleinfuhr laut empfohlener Berechnungsgrundlage des MDS ermitteln
  - » Zieleinfuhr ermitteln (30 ml x kg Körpergewicht)
  - » Flüssigkeitszufuhr laut Arztanordnung
  - » Flüssigkeit nach Flüssigkeitsbilanz des Vortags verabreichen
  - » Zieleinfuhr entsprechend biographischem Hintergrund

Flüssigkeitszufuhr unterstützen
- Pflegeintervention konkretisieren
  - » Getränke bereitstellen
  - » Getränk anreichen
  - » Hand mit dem Trinkgefäß führen/zum selbstständigen Trinken anleiten
  - » Flüssigkeit mit Tasse/Glas zuführen
  - » Flüssigkeit mit Teelöffel zuführen
  - » Flüssigkeit mit Esslöffel zuführen
  - » Flüssigkeit mit Trinkhalm zuführen
  - » Flüssigkeit mit Schnabelbecher zuführen
  - » Flüssigkeit mit der Pipette zuführen
- Art der Unterstützungsleistung angeben
  - » Beaufsichtigen
  - » Unterstützen
  - » Teilweise übernehmen
  - » Vollständig übernehmen
  - » Zur selbstständigen Flüssigkeitszufuhr anleiten

Zur Flüssigkeitsaufnahme vorbereiten
- Pflegeintervention konkretisieren
  - » Oberkörperhochlagerung (ca. 70 Grad) durchführen
  - » An den Bettrand aufsetzen
  - » In den Lehn-/Roll-/Stuhl setzen
- Art der Unterstützung
  - » Beaufsichtigen
  - » Unterstützen
  - » Teilweise übernehmen
  - » Vollständig übernehmen
  - » Zur selbstständigen Flüssigkeitszufuhr anleiten

Zum Trinken auffordern
- Pflegeintervention konkretisieren
- Zeit angeben

Sekretbeutel unter hygienischen Aspekten entleeren, Fördermenge dokumentieren
- Pflegeintervention konkretisieren
- Zeit angeben

Ausgeschiedenes Körpersekret bei der Flüssigkeitsbilanz berücksichtigen
- Pflegeintervention konkretisieren
- Zeit angeben

Ausgeschiedenes Körpersekret auf Menge, Farbe, Beschaffenheit und Konsistenz beobachten
- Beobachtungsparameter angeben
  - » Menge
  - » Aussehen
  - » Konsistenz
  - » Farbe
  - » Beimengungen
  - » Geruch

Ableitende Systeme auf Durchgängigkeit überprüfen, freien Abfluss sicherstellen
- Pflegeintervention konkretisieren
  - » Sog-/Vakuumkontrolle durchführen
  - » Auffangbehälter unter Körperniveau anbringen
  - » Drainageschlauch "melken"
  - » Einem Abknicken/Durchhängen des Schlauchsystems vorbeugen
  - » Auf Abflussbehinderung kontrollieren (Sonden/Drainagen ohne Sog)
  - » Sonde/Drainage unter Berücksichtigung der erforderlichen Hygienemaßnahmen spülen
- Auf Nachblutung beobachten
  - » Sekretfördermenge beobachten und Ergebnisse dokumentieren

Sogkontrolle der Drainage/Sonde nach Anordnung durchführen/Ergebnis dokumentieren
- Pflegeintervention konkretisieren

- Zeit angeben

Verbandkontrolle durchführen und Sekretausscheidung einschätzen/dokumentieren
- Pflegeintervention konkretisieren
- Zeit angeben

Sonstige Pflegemaßnahmen durchführen
- Maßnahmen konkretisieren
- Zeit angeben

Literaturhinweise: 95, 140, 151, 175, 176

Der Patient **schwitzt stark**, es besteht das **Risiko eines Flüssigkeits-/Elektrolytdefizits**

Kennzeichen

- Fadenförmiger Puls
- Anzeichen körperlicher Schwäche
- Trockene Schleimhäute
- Äußert Durstgefühl
- Hypotone Kreislaufverhältnisse
- Äußert Verlangen nach salzigen Speisen

Ursachen

- Fieber (Hyperthermie)
- Vegetative Störung
- Körperliche Belastung
- Starkes Schwitzen (Hyperhidrosis)
- Hohe Außentemperatur
- Anlagebedingt
- Adipositas
- Neurologische Erkrankung
- Chronisches Fieber
- Akuter Infekt

Ressourcen

- Trinkt die vorbereitete Flüssigkeit
- Hält sich an den Trinkfahrplan
- Die Angehörigen verabreichen die Flüssigkeit nach Trinkfahrplan
- Akzeptiert die Notwendigkeit der Diät (bestimmte Einschränkungen)
- Ist motiviert, die Pflegemaßnahme zu unterstützen und zeigt entsprechende Verhaltensweisen
- Kann die Zusammenhänge zwischen der notwendigen Diät und Krankheit/Symptomen erklären

Pflegeziele

- Flüssigkeitsbilanz ist ausgeglichen
- Flüssigkeitsdefizit ist sofort erkannt
- Einem Flüssigkeitsdefizit ist vorgebeugt
- Flüssigkeitszufuhr entspricht dem ermittelten/vereinbarten Flüssigkeitsbedarf
- Flüssigkeits- und Elektrolythaushalt sind ausgeglichen
- Ursachen sind erkannt
- Orale Flüssigkeitszufuhr ist ermöglicht
- Trinkt selbstständig, ohne zu aspirieren
- Trinkt, ohne zu aspirieren

Pflegeinterventionen

Erhöhten Flüssigkeitsbedarf in Rücksprache mit dem Arzt ausgleichen
- Pflegeintervention konkretisieren
  - » Zieleinfuhr laut empfohlener Berechnungsgrundlage des MDS ermitteln
  - » Zieleinfuhr ermitteln (30 ml x kg Körpergewicht)
  - » Flüssigkeitszufuhr laut Arztanordnung
  - » Flüssigkeit nach Flüssigkeitsbilanz des Vortags verabreichen
  - » Zieleinfuhr entsprechend biographischem Hintergrund

Flüssigkeitszufuhr unterstützen
- Pflegeintervention konkretisieren
  - » Getränke bereitstellen
  - » Getränk anreichen
  - » Hand mit dem Trinkgefäß führen/zum selbstständigen Trinken anleiten
  - » Flüssigkeit mit Tasse/Glas zuführen
  - » Flüssigkeit mit Teelöffel zuführen
  - » Flüssigkeit mit Esslöffel zuführen
  - » Flüssigkeit mit Trinkhalm zuführen
  - » Flüssigkeit mit Schnabelbecher zuführen
  - » Flüssigkeit mit der Pipette zuführen
- Art der Unterstützungsleistung angeben
  - » Beaufsichtigen
  - » Unterstützen
  - » Teilweise übernehmen
  - » Vollständig übernehmen
  - » Zur selbstständigen Flüssigkeitszufuhr anleiten

Trinkfahrplan festlegen
- Pflegeintervention konkretisieren
- Zeit angeben

Erhöhten Elektrolytbedarf ausgleichen
- Pflegeintervention konkretisieren
  - » Bouillon anbieten/verabreichen
  - » Mineralwasser anbieten
  - » Gemüsesäfte anbieten

Hyperhidrosis beobachten und dokumentieren
- Pflegeintervention konkretisieren
- Zeit angeben

Zum Trinken auffordern
- Pflegeintervention konkretisieren
- Zeit angeben

Zur Flüssigkeitsaufnahme vorbereiten
- Pflegeintervention konkretisieren
  - » Oberkörperhochlagerung (ca. 70 Grad) durchführen
  - » An den Bettrand aufsetzen
  - » In den Lehn-/Roll-/Stuhl setzen
- Art der Unterstützung
  - » Beaufsichtigen
  - » Unterstützen
  - » Teilweise übernehmen
  - » Vollständig übernehmen
  - » Zur selbstständigen Flüssigkeitszufuhr anleiten

Sonstige Pflegemaßnahmen durchführen
- Maßnahmen konkretisieren
- Zeit angeben

Literaturhinweise: 95, 125, 126, 175, 176

Der Patient hat aufgrund einer **Diuretikagabe** das **Risiko des Kaliummangels**

Kennzeichen

- Herzrhythmusstörungen
- Tachykardie
- Obstipation
- Muskelkrämpfe
- Reizbarkeit
- Bewusstseinsstörung
- Äußert, an Appetitlosigkeit zu leiden

Ursachen

- Verstärkte Mineralstoffausscheidung durch die Diuretika

Ressourcen

- Isst gern kaliumreiche Lebensmittel
- Zeigt Verhaltensweisen, die die Therapie unterstützen
- Kann Veränderungen bezüglich des Gesundheitszustands erkennen und einschätzen

Pflegeziele

- Einem Kaliumdefizit ist vorgebeugt

Pflegeinterventionen

Auf Anzeichen eines Kaliummangels beobachten
- Pflegeintervention konkretisieren
- Zeit angeben

Kaliumreiche Kost anbieten bzw. in der Küche bestellen
- Pflegeintervention konkretisieren
- Zeit angeben

Sonstige Pflegemaßnahmen durchführen
- Maßnahmen konkretisieren
- Zeit angeben

Literaturhinweise: 125, 126, 151, 175, 176

Der Patient hat aufgrund von **Fieber** das **Risiko eines Flüssigkeits-/Elektrolytdefizits**

Kennzeichen

- Leichtes Fieber ab 38,1 °C
- Mäßiges Fieber ab 38,6 °C
- Hohes Fieber ab 39,1 °C
- Sehr hohes Fieber ab 40,0 °C
- Trinkt sehr wenig
- Schwitzt stark

Ursachen

- Akuter Infekt
- Fieber aufgrund von vegetativer Störung
- Beeinträchtigte Thermoregulation
- Harnwegsinfektion
- Darminfektion
- Magen-Darm-Infektion
- Krebserkrankung
- Infektionskrankheit

Ressourcen

- Angehörige bringen besondere Nahrungsmittel mit in die Einrichtung
- Akzeptiert die Notwendigkeit der Diät (bestimmte Einschränkungen)
- Ist motiviert, die Pflegemaßnahme zu unterstützen und zeigt entsprechende Verhaltensweisen
- Kann die Zusammenhänge zwischen der notwendigen Diät und Krankheit/Symptomen erklären
- Akzeptiert die Unterstützung
- Akzeptiert die Unterstützung von Angehörigen

Pflegeziele

- Bedarfsgerechte Energie- und Nährstoffzufuhr
- Ernährung ist an die Situation des Patienten angepasst
- Flüssigkeitsbilanz ist ausgeglichen
- Physiologische Ernährung ist sichergestellt
- Elektrolytwerte liegen im Normbereich
- Flüssigkeitsdefizit ist sofort erkannt
- Einem Flüssigkeitsdefizit ist vorgebeugt
- Orale Flüssigkeitszufuhr ist ermöglicht
- Flüssigkeits- und Elektrolythaushalt sind ausgeglichen
- Flüssigkeitszufuhr entspricht dem ermittelten/vereinbarten Flüssigkeitsbedarf
- Trinkt selbstständig, ohne zu aspirieren
- Trinkt, ohne zu aspirieren

Pflegeinterventionen

Diät für akut Fieberkranke bestellen (laut Arzt)

- Pflegeintervention konkretisieren
- Zeit angeben

Flüssigkeitsbedarf ermitteln/vereinbaren

- Pflegeintervention konkretisieren
  - » Zieleinfuhr laut empfohlener Berechnungsgrundlage des MDS ermitteln
  - » Zieleinfuhr ermitteln (30 ml x kg Körpergewicht)
  - » Flüssigkeitszufuhr laut Arztanordnung
  - » Flüssigkeit nach Flüssigkeitsbilanz des Vortags verabreichen
  - » Zieleinfuhr entsprechend biographischem Hintergrund

Erhöhten Flüssigkeitsbedarf ausgleichen

- Pflegeintervention konkretisieren
  - » Erhöhten Flüssigkeitsbedarf ausgleichen: Pro 1 °C Temperaturerhöhung 0,5-1 Liter Flüssigkeit zusätzlich zuführen

Elektrolythaushalt ausgleichen

- Pflegeintervention konkretisieren
  - » Bouillon anbieten/verabreichen
  - » Mineralwasser anbieten
  - » Gemüsesäfte anbieten

Flüssigkeitszufuhr unterstützen

- Pflegeintervention konkretisieren
  - » Getränke bereitstellen
  - » Getränk anreichen
  - » Hand mit dem Trinkgefäß führen/zum selbstständigen Trinken anleiten
  - » Flüssigkeit mit Tasse/Glas zuführen
  - » Flüssigkeit mit Teelöffel zuführen
  - » Flüssigkeit mit Esslöffel zuführen
  - » Flüssigkeit mit Trinkhalm zuführen
  - » Flüssigkeit mit Schnabelbecher zuführen
  - » Flüssigkeit mit der Pipette zuführen
- Art der Unterstützungsleistung angeben
  - » Beaufsichtigen
  - » Unterstützen
  - » Teilweise übernehmen
  - » Vollständig übernehmen
  - » Zur selbstständigen Flüssigkeitszufuhr anleiten

Zum Trinken auffordern

- Pflegeintervention konkretisieren
- Zeit angeben

Trinkfahrplan festlegen

- Pflegeintervention konkretisieren
- Zeit angeben

Zur Flüssigkeitsaufnahme vorbereiten

- Pflegeintervention konkretisieren
  - » Oberkörperhochlagerung (ca. 70 Grad) durchführen
  - » An den Bettrand aufsetzen
  - » In den Lehn-/Roll-/Stuhl setzen
- Art der Unterstützung
  - » Beaufsichtigen
  - » Unterstützen
  - » Teilweise übernehmen
  - » Vollständig übernehmen
  - » Zur selbstständigen Flüssigkeitszufuhr anleiten

Sonstige Pflegemaßnahmen durchführen

- Maßnahmen konkretisieren
- Zeit angeben

Literaturhinweise: 95, 125, 126, 175, 176

Der Patient hat eine **erhöhte Defäkationsfrequenz/Diarrhö**, es besteht das **Risiko eines Flüssigkeits-/Elektrolytdefizites**

Kennzeichen

- Dünnflüssiger, wässriger, ungeformter Stuhlgang
- Mehr als drei ungeformte Stühle pro Tag (Diarrhö)
- Vermehrte Darmgeräusche
- Häufige Darmentleerungen
- Stuhlvolumen ist erhöht
- Häufiger Defäkationsdrang
- Äußerungen über krampfartige Bauchschmerzen
- Farbveränderung des Stuhls
- Anzeichen körperlicher Schwäche
- Äußert Übelkeitsgefühl
- Übelkeit und Erbrechen
- Blähungen
- Berichtet über Bauchschmerzen

Ursachen

- Nahrungsmittelunverträglichkeit
- Unverträglichkeit der Sondennahrung
- Unverträglichkeit der Applikation von Sondennahrung
- Medikamenteneinwirkung
- Darminfektion
- Akute infektiöse Gastroenteritis
- Psychisch bedingte Diarrhö
- Morbus Crohn
- Colitis ulcerosa
- Ileoanaler Pouch
- Laxanzienmissbrauch
- Kontaminierte Speisen mit Bakterien/Parasiten
- Nahrungsumstellung
- Übermäßiger Alkoholkonsum
- Lebensmittelvergiftung
- Pilzvergiftung
- Strahlentherapie
- Nahrungsmittelallergie
- In Folge einer Antibiotikatherapie
- Salmonelleninfektion
- Reizdarm-Syndrom
- Schilddrüsenüberfunktion
- Umstellung von Ernährungsgewohnheiten

Ressourcen

- Hält sich an den Trinkfahrplan
- Die Angehörigen verabreichen die Flüssigkeit nach Trinkfahrplan
- Meldet sich, wenn er zur Toilette muss
- Kann den Toilettenstuhl benutzen
- Kann die Toilette mit Unterstützung benutzen
- Akzeptiert die Unterstützung
- Akzeptiert die Unterstützung von Angehörigen
- Kann den Toilettengang selbstständig durchführen
- Physiologischer Hautzustand
- Kennt krankheits- bzw. symptomauslösende Faktoren und kann diese vermeiden
- Akzeptiert die Notwendigkeit der Diät (bestimmte Einschränkungen)

Pflegeziele

- Ursachen sind erkannt
- Ursachen für die Diarrhö sind erkannt
- Flüssigkeitsbilanz ist ausgeglichen
- Orale Flüssigkeitszufuhr ist ermöglicht
- Physiologische Darmfunktion ist gewährleistet
- Nahrungs- und Flüssigkeitszufuhr entsprechen dem individuellen Bedarf
- Flüssigkeits- und Elektrolythaushalt sind ausgeglichen
- Äußert Gefühl der Sicherheit
- Erreicht rechtzeitig die Toilette/den Toilettenstuhl
- Intimhygiene ist gewährleistet
- Physiologisches Hautmilieu ist hergestellt
- Diarrhö auslösende Ursachen in der Nahrung werden erkannt
- Nahrungsgewohnheiten sind angepasst
- Darmflora ist intakt

Pflegeinterventionen

Ursachen ermitteln und Beobachtungen dokumentieren
- Pflegeintervention konkretisieren
- Zeit angeben

Stuhlausscheidung auf Veränderungen (Diarrhö) beobachten
- Pflegeintervention konkretisieren
- Zeit angeben

Wasser-/Elektrolythaushalt aufrechterhalten
- Pflegeintervention konkretisieren
  - » Bouillon anbieten/verabreichen
  - » Mineralwasser anbieten
  - » Gemüsesäfte anbieten

Flüssigkeitsbedarf ermitteln/vereinbaren
- Pflegeintervention konkretisieren
  - » Zieleinfuhr laut empfohlener Berechnungsgrundlage des MDS ermitteln
  - » Zieleinfuhr ermitteln (30 ml x kg Körpergewicht)
  - » Flüssigkeitszufuhr laut Arztanordnung
  - » Flüssigkeit nach Flüssigkeitsbilanz des Vortags verabreichen
  - » Zieleinfuhr entsprechend biographischem Hintergrund

Zum Trinken auffordern
- Pflegeintervention konkretisieren
- Zeit angeben

Angeordneten Kostaufbau realisieren
- Pflegeintervention konkretisieren

Anpassung der Kostform durchführen
- Pflegeintervention konkretisieren
- Zeit angeben

Infusionstherapie laut Arztanordnung durchführen
- Infusionen ohne Zusätze vorbereiten und infundieren
  - » 1 Infusion

- » 2 Infusionen
- » 3 Infusionen
- » 4 Infusionen
- » 5 und mehr Infusionen
- Infusionen mit Zusätzen vorbereiten und infundieren
  - » 1 Infusion mit Zusatz
  - » 2 Infusionen mit Zusatz
  - » 3 Infusionen mit Zusatz
  - » 4 Infusionen mit Zusatz
  - » 5 und mehr Infusionen mit Zusatz
- Zytostaselösungen herstellen/vorbereiten
  - » Zytostase herstellen/vorbereiten
- Hygienemaßnahmen
  - » Zwei- und Dreiwegehähne auswechseln
  - » Hahnenbank austauschen
  - » Filter wechseln
  - » Infusionssystem wechseln
  - » Besonderheiten bestimmen
- Applikationsart bestimmen
  - » Über Infusomat verabreichen
  - » Über Perfusor verabreichen
  - » Über Tropfenzähler verabreichen
- Tropfgeschwindigkeit einstellen

Nachtstuhl bereitstellen und ausleeren
- Pflegeintervention konkretisieren
- Zeit angeben

Bei der Intimpflege nach der Ausscheidung unterstützen
- Pflegeintervention konkretisieren
- Zeit angeben

Hautschutz durchführen
- Produkt zum Hautschutz angeben
- Pflegeintervention konkretisieren

Diätberatung bei Nahrungsunverträglichkeiten organisieren/durchführen
- Pflegeintervention konkretisieren
  - » Informationsgespräch über Nahrungszufuhr zur Gewichtsreduktion führen
  - » Kochkurs für Reduktionskost organisieren
  - » Beim Erlernen neuer Essgewohnheiten unterstützen
  - » Zur Selbstkontrolle anleiten
  - » Diätberatung organisieren

Beim Wiederherstellen der normalen Darmflora unterstützen
- Pflegeintervention konkretisieren
  - » Über Nahrungsmittel aufklären, die den Aufbau der Darmflora unterstützen
  - » Nahrungsmittel entsprechend in der Küche bestellen
  - » Zum Aufbau der Darmflora Medikamente lt. Arztanordnung verabreichen

Sonstige Pflegemaßnahmen durchführen
- Maßnahmen konkretisieren
- Zeit angeben

Literaturhinweise: 51, 84, 95, 133, 170, 175, 176

Der Patient hat ein **Risiko des Flüssigkeits-/Elektrolytdefizits**

Kennzeichen

Ursachen

Ressourcen

- Trinkt die vorbereitete Flüssigkeit
- Hält sich an den Trinkfahrplan
- Die Angehörigen verabreichen die Flüssigkeit nach Trinkfahrplan
- Ist motiviert, die Pflegemaßnahme zu unterstützen und zeigt entsprechende Verhaltensweisen
- Akzeptiert die Unterstützung
- Akzeptiert die Unterstützung von Angehörigen
- Angehörige/Bezugspersonen unterstützen den Pflegeprozess

Pflegeziele

- Flüssigkeitsbilanz ist ausgeglichen
- Elektrolytwerte liegen im Normbereich
- Flüssigkeitsdefizit ist sofort erkannt
- Einem Flüssigkeitsdefizit ist vorgebeugt
- Orale Flüssigkeitszufuhr ist ermöglicht
- Flüssigkeits- und Elektrolythaushalt sind ausgeglichen
- Flüssigkeitszufuhr entspricht dem ermittelten/vereinbarten Flüssigkeitsbedarf
- Trinkt selbstständig, ohne zu aspirieren
- Trinkt, ohne zu aspirieren

Pflegeinterventionen

Flüssigkeitsbedarf ermitteln/vereinbaren
- Pflegeintervention konkretisieren
  - » Zieleinfuhr laut empfohlener Berech-

nungsgrundlage des MDS ermitteln
  - » Zieleinfuhr ermitteln (30 ml x kg Körpergewicht)
  - » Flüssigkeitszufuhr laut Arztanordnung
  - » Flüssigkeit nach Flüssigkeitsbilanz des Vortags verabreichen
  - » Zieleinfuhr entsprechend biographischem Hintergrund

Elektrolythaushalt ausgleichen
- Pflegeintervention konkretisieren
  - » Bouillon anbieten/verabreichen
  - » Mineralwasser anbieten
  - » Gemüsesäfte anbieten

Flüssigkeitszufuhr unterstützen
- Pflegeintervention konkretisieren
  - » Getränke bereitstellen
  - » Getränk anreichen
  - » Hand mit dem Trinkgefäß führen/zum selbstständigen Trinken anleiten
  - » Flüssigkeit mit Tasse/Glas zuführen
  - » Flüssigkeit mit Teelöffel zuführen
  - » Flüssigkeit mit Esslöffel zuführen
  - » Flüssigkeit mit Trinkhalm zuführen
  - » Flüssigkeit mit Schnabelbecher zuführen
  - » Flüssigkeit mit der Pipette zuführen
- Art der Unterstützungsleistung angeben
  - » Beaufsichtigen
  - » Unterstützen
  - » Teilweise übernehmen
  - » Vollständig übernehmen
  - » Zur selbstständigen Flüssigkeitszufuhr anleiten

Zum Trinken auffordern
- Pflegeintervention konkretisieren
- Zeit angeben

Trinkfahrplan festlegen
- Pflegeintervention konkretisieren
- Zeit angeben

Zur Flüssigkeitsaufnahme vorbereiten
- Pflegeintervention konkretisieren
  - » Oberkörperhochlagerung (ca. 70 Grad) durchführen
  - » An den Bettrand aufsetzen
  - » In den Lehn-/Roll-/Stuhl setzen
- Art der Unterstützung
  - » Beaufsichtigen
  - » Unterstützen
  - » Teilweise übernehmen
  - » Vollständig übernehmen
  - » Zur selbstständigen Flüssigkeitszufuhr anleiten

Sonstige Pflegemaßnahmen durchführen
- Maßnahmen konkretisieren
- Zeit angeben

Literaturhinweise: 51, 84, 95, 175, 176

Der Patient hat das **Risiko eines erhöhten** (extrazellulären/intravasalen) **Flüssigkeitsvolumens**

Kennzeichen

- Wasseransammlung/Gewichtszunahme
- Anasarka
- Brodelnde Atemgeräusche
- Beschreibt ein retrosternales Druckgefühl
- Ödembildung
- Hypertonie

Ursachen

- Herzinsuffizienz
- Veränderter Regulationsmechanismus
- Zu hohe Einfuhr
- Überinfundierung
- Störung der Nierenfunktion
- Übermäßige Aufnahme von Natrium
- Vermindertes Plasmaeiweiß
- Venöse Gefäßerkrankung

Ressourcen

- Meldet sich bei Anzeichen von Komplikationen
- Ist bereit, die Ernährung umzustellen
- Akzeptiert die Einschränkungen bezüglich des Nahrungsangebots
- Akzeptiert die Notwendigkeit der Diät (bestimmte Einschränkungen)
- Ist motiviert, die Pflegemaßnahme zu unterstützen und zeigt entsprechende Verhaltensweisen
- Kann die Zusammenhänge zwischen der notwendigen Diät und Krankheit/Symptomen erklären

Pflegeziele

- Persönliches Normalgewicht wird gehalten
- Plötzliche, starke Gewichtszunahme ist erkannt

- Hautturgor ist altersentsprechend
- Flüssigkeitszufuhr entspricht dem ermittelten/vereinbarten Flüssigkeitsbedarf
- Flüssigkeitszufuhr lt. Arztanordnung ist eingehalten
- Therapie ist sichergestellt
- Natriumgehalt der Nahrung ist reduziert
- Unterstützt die Therapie

Pflegeinterventionen

Flüssigkeitsbilanzierung durchführen und Flüssigkeitshaushalt einschätzen
- Pflegeintervention konkretisieren
  - » ZVD-Messung durchführen
  - » Flüssigkeitsbilanzierung durchführen
  - » Stundenurinkontrolle durchführen
  - » Ausfuhr berechnen
  - » Einfuhr berechnen
  - » Bilanzprotokoll erstellen
- Flüssigkeitszufuhr lt. Arztanordnung festlegen
  - » Positiv-Bilanz
  - » Negativ-Bilanz
  - » Ausgeglichene Bilanz
- Erfassungszeitraum bestimmen/sonstige Angaben
  - » Blase am Ende des Erfassungszeitraums entleeren lassen
  - » Ergebnisse in die Dokumentation eintragen
  - » Erfassungszeitraum bestimmen

Flüssigkeitszufuhr stoppen und Arzt informieren
- Pflegeintervention konkretisieren
- Zeit angeben

Natriumarme Kost (laut Arztanordnung) bestellen
- Pflegeintervention konkretisieren
- Zeit angeben

Flüssigkeitszufuhr an berechnete Flüssigkeitsausscheidung anpassen
- Pflegeintervention konkretisieren
  - » Zieleinfuhr mit dem Arzt vereinbaren
  - » Zieleinfuhr ermitteln (30 ml x kg Körpergewicht)
  - » Trinkfahrplan erstellen und aktualisieren
  - » Flüssigkeit nach Trinkfahrplan zuführen
  - » Flüssigkeit nach Flüssigkeitsbilanz des Vortags verabreichen
- Unterstützung bei der Flüssigkeitszufuhr
  - » Getränke bereitstellen
  - » Flüssigkeit mit Teelöffel zuführen
  - » Flüssigkeit mit Esslöffel zuführen
  - » Flüssigkeit mit Trinkhalm zuführen
  - » Flüssigkeit mit Schnabelbecher zuführen
  - » Flüssigkeit mit Tasse/Glas zuführen
- Art der Unterstützungsleistung angeben
  - » Beaufsichtigen
  - » Unterstützen
  - » Teilweise übernehmen
  - » Vollständig übernehmen
  - » Zur selbstständigen Flüssigkeitszufuhr anleiten

Trinkfahrplan aufstellen
- Pflegeintervention konkretisieren
- Zeit angeben

Ödeme beobachten und Ergebnis dokumentieren
- Assessment: Umfangmessungen
  - » Zur Ermittlung und Verlaufsbeurteilung von Ödemen Umfang messen
  - » Zur Ermittlung und Verlaufsbeurteilung von akuten Schwellungen Umfang messen
- Umfangsmessung durchführen
  - » Rechter Arm
  - » Linker Arm
  - » Handgelenk rechts
  - » Handgelenk links
  - » Rechtes Bein
  - » Linkes Bein
  - » Sprunggelenk links
  - » Sprunggelenk rechts
  - » Bauchumfang messen
- Methode der Umfangsmessung
  - » Konventionelle Umfangmessung
  - » Figure-of-Eight-Methode

Reis-Obst-Tag zum Ausschwemmen ermöglichen
- Reis-Obst-Tag durchführen

Sonstige Pflegemaßnahmen durchführen
- Maßnahmen konkretisieren
- Zeit angeben

Literaturhinweise: 84, 89, 95, 175, 176, 197

Die Patientin hat aufgrund **fehlender Informationen/Fertigkeiten beim Stillen** das **Risiko des beeinträchtigten Stillens**

Kennzeichen

- Kann das Kind richtig anlegen
- Säugling kann erfolgreich saugen
- Säugling ist nach dem Stillen zufrieden
- Ausreichendes Wissen über das Stillen ist vorhanden
- Normaler Brustaufbau
- Normaler Mund-Rachenraum des Neugeborenen
- Äußert, mit dem Stillvorgang nicht zufrieden zu sein
- Äußerungen über eine unzureichende oder als unzureichend empfundene Milchzufuhr
- Wunde Brustwarzen

Ursachen

- Wissensdefizit
- Ängste der Mutter
- Unsicherheit im Umgang mit dem Säugling

Ressourcen

- Angehöriger/Bezugsperson möchte das Kind selbstständig versorgen
- Stellt viele Fragen und möchte mehr Informationen
- Möchte alles "richtig" machen
- Angehöriger/Bezugsperson traut sich die Versorgung des Neugeborenen zu

Pflegeziele

- Stillen verläuft erfolgreich
- Mastitis ist vorgebeugt
- Kann den Vorgang des Stillens erklären
- Beherrscht wirksame Stilltechniken
- Ist zufrieden und hat Freude beim Stillen
- Verspannungen sind vorgebeugt
- Ist über die Möglichkeiten der Vor- und Nachsorge informiert
- Komplikationsloser Verlauf des Wochenbetts ist gewährleistet

Pflegeinterventionen

Über die Brustpflege vor und nach dem Stillen informieren/dazu anleiten
- Pflegeintervention konkretisieren
- Zeit angeben

Beim Stillen unterstützen und anleiten
- Pflegeintervention konkretisieren
- Anzuleitende Person(en) festlegen
  - » Betroffene Person
  - » Angehöriger/Bezugsperson
- Zeit angeben

Beratungsgespräche führen
- Pflegeintervention konkretisieren
- Zeit angeben

Sonstige Pflegemaßnahmen durchführen
- Maßnahmen konkretisieren
- Zeit angeben

Literaturhinweise: 68, 80, 147, 161, 165, 175, 176, 212, 352

Der Patient hat aufgrund einer **Trinkschwäche** des Neugeborenen/Säuglings das **Risiko einer Unterbrechung des Stillens**

Kennzeichen

- Schläft beim Stillen immer wieder ein
- Geringer Muskeltonus
- Wirkt kraftlos
- Trinkmenge pro Mahlzeit ist nicht ausreichend
- Trinkpausen sind sehr kurz
- Kissenbohrerphänomen
- Mund kann nicht geschlossen werden (Überstreckung des Kopfes nach hinten)
- Zunge schiebt sich aus dem Mund heraus

Ursachen

- Hypotonie des Neugeborenen/Säuglings
- Frühgeburt
- Hypertonie des Neugeborenen/Säuglings
- Hirnorganische Vorgänge
- Pathologische Reaktion bei Berührung am Mundbereich
- Hohe Bilirubinwerte
- Herzinsuffizienz
- Beeinträchtigter Saug-/Schluckreflex

Ressourcen

- Angehörige zeigen Bereitschaft, neu zu lernen
- Mutter äußert den Wunsch, das Kind zu stillen

Pflegeziele

- Muskelspannung des Säuglings ist gefördert
- Füttern des Kindes ist möglich
- Stillen des Kindes ist möglich
- Erschöpfung des Kindes ist vorgebeugt
- Ständigem Hunger des Neugeborenen/Säuglings ist vorgebeugt
- Ist über die Möglichkeiten der Vor- und Nachsorge informiert
- Komplikationsloser Verlauf des Wochenbetts ist gewährleistet
- Schmerzen sind reduziert
- Stillen verläuft erfolgreich
- Streckspastik ist reduziert
- Milchproduktion ist angeregt

Pflegeinterventionen

Tonus steigernde orofaziale Stimulation der Mundmuskulatur
- Pflegeintervention konkretisieren
  - » Fingerfütterung bei Stillabwehr
  - » Mundraum mithilfe eines Nuckels stimulieren

Tonus senkende orofaziale Stimulation des Mundbereichs durchführen
- Pflegeintervention konkretisieren
  - » Kau- und Gesichtsmuskulatur enthemmen

Anleitung der Mutter, die Stillposition zu optimieren
- Pflegeintervention konkretisieren
- Zeit angeben

Zusätzlich Muttermilch sondieren
- Pflegeintervention konkretisieren
- Zeit angeben

Beratungsgespräche führen
- Pflegeintervention konkretisieren
- Zeit angeben

Beim Anlegen des Neugeborenen unterstützen
- Pflegeintervention konkretisieren
- Zeit angeben

Tonussenkende Körperposition des Säuglings beim Stillen unterstützen
- Pflegeintervention konkretisieren
  - » Beugestellung im Nackenbereich

Beim regelmäßigen Abpumpen der Muttermilch unterstützen
- Unterstützungsgrad angeben
  - » Anleiten
  - » Unterstützen
  - » Teilweise übernehmen
  - » Vollständig übernehmen
- Pflegeintervention konkretisieren

Sonstige Pflegemaßnahmen durchführen
- Maßnahmen konkretisieren
- Zeit angeben

Literaturhinweise: 510

Die Patientin hat das **Risiko des beeinträchtigten Stillens**

Kennzeichen

Ursachen

Ressourcen

- Mutter äußert den Wunsch, das Kind zu stillen
- Kann die Maßnahme nach Anleitung selbstständig durchführen
- Erkennt die Notwendigkeit der getroffenen Intervention und kooperiert mit dem therapeutischen Team
- Kennt krankheits- bzw. symptomauslösende Faktoren und kann diese vermeiden
- Angehörige/Bezugspersonen unterstützen den Pflegeprozess

Pflegeziele

- Stillen verläuft erfolgreich
- Schmerzen sind reduziert
- Ist über die Möglichkeiten der Vor- und Nachsorge informiert
- Komplikationsloser Verlauf des Wochenbetts ist gewährleistet
- Herz-Kreislauf-Aktivität ist angeregt
- Einer Kontraktur ist vorgebeugt

Pflegeinterventionen

Beim Anlegen des Neugeborenen unterstützen
- Pflegeintervention konkretisieren
- Zeit angeben

Beratungsgespräche führen
- Pflegeintervention konkretisieren
- Zeit angeben

Mit Hilfsmitteln in die vertikale Ebene mobilisieren
- Pflegeintervention konkretisieren
  - » In speziellen Mobilisationslehnstuhl mobilisieren
  - » In Aufrichtstuhl mobilisieren
  - » In Stehbett transferieren
  - » Mit Stehbrett mobilisieren
- Anzahl der Pflegepersonen eintragen

Sonstige Pflegemaßnahmen durchführen
- Maßnahmen konkretisieren
- Zeit angeben

Literaturhinweise: 68, 80, 95, 147, 161, 352

Die Patientin hat aufgrund eines **Milchstaus Stillprobleme**

Kennzeichen

- Harte, schmerzhafte Brüste
- Überwärmte Haut
- Das Kind bekommt zu wenig Muttermilch und äußert dies entsprechend den Möglichkeiten
- Beschreibt Schmerzen in einem begrenzten Bereich der Brust
- Beim Abtasten der Brust sind verhärtete Stellen zu spüren
- Der Säugling weint kurz nach dem Stillen

Ursachen

- Starker Milcheinschuss
- Abfluss durch die kleinen Kanälchen ist noch nicht richtig in Gang gekommen
- Tragen von zu engen Kleidungsstücken, die auf die Brust drücken
- Lange Pausen/Unterbrechungen zwischen den Stillmahlzeiten
- Unregelmäßiges Stillen
- Steht unter starker Anspannung/Stress
- Entzündete Brustwarzen

Ressourcen

- Erkennt die Notwendigkeit der getroffenen Intervention und kooperiert mit dem therapeutischen Team
- Stellt viele Fragen und möchte mehr Informationen
- Möchte alles "richtig" machen
- Kann die Hintergründe für die Intervention erklären
- Mutter äußert den Wunsch, das Kind zu stillen
- Akzeptiert die Unterstützung

Pflegeziele

- Stillen verläuft erfolgreich
- Schmerzen sind reduziert
- Freier Milchfluss liegt vor
- Milchfluss ist unterstützt

Pflegeinterventionen

Kühle Kompressen auf die Brust auflegen
- Pflegeintervention konkretisieren
  - » Quarkkompressen auflegen
  - » Kühlelement auflegen

Synthetisches Oxytozin 5 Min. vor dem Anlegen als Nasenspray laut Arzt verabreichen
- Pflegeintervention konkretisieren
- Zeit angeben

Homöopathisches Mittel lt. Anordnung einsetzen
- Homöopathische Therapie bei Milchbildungsstörung durchführen
  - » Brüste sind hart, empfindlich, gestaut: Phytolacca D3, D4, D6
  - » Milchstau, Konstitution: Pulsatilla D3, D4, D6

Prophylaktisch im Zeitraum von 1-2 Tagen die Flüssigkeitszufuhr zurückhaltend gestalten
- Pflegeintervention konkretisieren
- Zeit angeben

Prolaktinhemmer laut Arztanordnung verabreichen (z.B. Pravidel)
- Pflegeintervention konkretisieren
- Zeit angeben

Brüste vorsichtig abpumpen oder ausmassieren
- Pflegeintervention konkretisieren
- Zeit angeben

Sonstige Pflegemaßnahmen durchführen
- Maßnahmen konkretisieren
- Zeit angeben

Literaturhinweise: 68, 80, 161, 175, 176, 212, 334, 352

Die Patientin ist aufgrund der **Brustwarzenform** beim **Stillen beeinträchtigt**

Kennzeichen

- Der Säugling kann die Brustwarze nicht ansaugen
- Wunde Brustwarzen
- Säugling verliert mehrmals während des Saugens die Brustwarze
- Äußerungen über eine unzureichende oder als unzureichend empfundene Milchzufuhr

Ursachen

- Schlupfwarzen
- Hohlwarzen
- Flachwarzen

Ressourcen

- Stillen mit dem Stillhütchen geht gut
- Möchte gerne stillen und ist bereit abzupumpen
- Kann die Maßnahme nach Anleitung selbstständig durchführen

Pflegeziele

- Stillen verläuft erfolgreich

Pflegeinterventionen

Bei der Benutzung von Stillhütchen anleiten
- Pflegeintervention konkretisieren
- Zeit angeben

Abpumpen und Nahrung mit der Flasche verabreichen
- Pflegeintervention konkretisieren
  - » Mutter anleiten, die Muttermilch abzupumpen
  - » Muttermilch mit Unterstützung der Pflegeperson abpumpen
  - » Mutter anleiten, die abgepumpte Milch mit der Flasche zu verabreichen
  - » Abgepumpte Muttermilch durch die Pflegeperson verabreichen

In der 25.-26. Schwangerschaftswoche Brustwarzenformer verwenden
- Pflegeintervention konkretisieren
- Zeit angeben

Sonstige Pflegemaßnahmen durchführen
- Maßnahmen konkretisieren
- Zeit angeben

Literaturhinweise: 68, 212, 334, 352, 357

Die Patientin ist aufgrund eines **Kaiserschnitts** (Sectio caesarea) beim **Stillen eingeschränkt**

Kennzeichen

- Körperliche Einschränkung aufgrund von Schmerzen
- Fehlende körperliche Kraft, das Neugeborene anzulegen
- Verzögerter Milcheinschuss

Ursachen

- Postoperative Schmerzen/Ängste
- Postoperative Bewegungseinschränkung
- Bewegungseinschränkung durch Zu-/Ableitungssysteme

Ressourcen

- Kann die körperliche Belastbarkeit einschätzen und fordert rechtzeitig Unterstützung an
- Stellt viele Fragen und möchte mehr Informationen
- Möchte alles "richtig" machen
- Kann die Hintergründe für die Intervention erklären
- Ist motiviert, die Pflegemaßnahme zu unterstützen und zeigt entsprechende Verhaltensweisen
- Mutter äußert den Wunsch, das Kind zu stillen
- Akzeptiert die Unterstützung

Pflegeziele

- Stillen verläuft erfolgreich
- Schmerzen sind reduziert
- Mastitis ist vorgebeugt
- Kann den Vorgang des Stillens erklären
- Beherrscht wirksame Stilltechniken

Pflegeinterventionen

Beim Anlegen des Neugeborenen unterstützen
- Pflegeintervention konkretisieren
- Zeit angeben

Über die Brustpflege vor und nach dem Stillen informieren/dazu anleiten
- Pflegeintervention konkretisieren
- Zeit angeben

Sonstige Pflegemaßnahmen durchführen
- Maßnahmen konkretisieren
- Zeit angeben

Literaturhinweise: 68, 175, 176, 212, 334, 352

Die Patientin ist aufgrund von **wunden Brustwarzen** beim **Stillen beeinträchtigt**

Kennzeichen

- Hat Einrisse an der Brustwarze (Rhagaden)
- Äußert Schmerzen beim Anlegen
- Wunde Brustwarzen

Ursachen

- Zu langes Anlegen an einer Brust
- Kind nuckelt an der Brust zur Befriedigung
- Falsches Anlegen des Säuglings
- Ungünstige Stillposition
- Unsachgemäßes Abnehmen des Säuglings von der Brust
- Soor
- Zu kurzes Zungenbändchen des Säuglings

Ressourcen

- Kann die Maßnahme nach Anleitung selbstständig durchführen
- Kennt krankheits- bzw. symptomauslösende Faktoren und kann diese vermeiden
- Kann die Hintergründe für die Intervention erklären
- Ist motiviert, die Pflegemaßnahme zu unterstützen und zeigt entsprechende Verhaltensweisen
- Mutter äußert den Wunsch, das Kind zu stillen

Pflegeziele

- Stillen verläuft erfolgreich
- Rhagaden sind abgeheilt

Pflegeinterventionen

Stilldauer kürzen

- Pflegeintervention konkretisieren
- Zeit angeben

Vormilch und Speichel des Kinds antrocknen lassen
- Pflegeintervention konkretisieren
- Zeit angeben

Spezielle Brustpflege laut Anordnung durchführen
- Pflegeintervention konkretisieren
- Zeit angeben

Stillhütchen benutzen
- Pflegeintervention konkretisieren
- Zeit angeben

Homöopathische Mittel lt. Anordnung verwenden
- Homöopathische Mittel verwenden
  - » Starke Schmerzen, stark entzündet, sehr reizbar, kann nicht stillen: Chamomilla D3, D4, D6
  - » Schrunden, Schorf und Fissuren auf dem Milchgang, evtl. blutig: Lycopodium D3, D4, D6
  - » Schmerzen, Brennen nach dem Stillen, schmutziges Aussehen: Sulfur D3, D4, D6
  - » Calendula-Salbe

Sonstige Pflegemaßnahmen durchführen
- Maßnahmen konkretisieren
- Zeit angeben

Literaturhinweise: 68, 212, 334, 352, 357, 390

Der Patient kann/soll nicht gestillt werden, eine **Unterbrechung des Stillens** ist erforderlich

Kennzeichen

- Das Kind bekommt zu wenig Muttermilch und äußert dies entsprechend den Möglichkeiten
- Säugling erhält keine Muttermilch
- Wissensdefizit über die Möglichkeit des Abpumpens und der Lagerung der Muttermilch
- Trennung von Mutter und Säugling/Kind
- Bestehender Wunsch, das Kind zu stillen
- Schläfrigkeit des Neugeborenen/Säuglings

Ursachen

- Erkrankung des Säuglings
- Erkrankung der Mutter
- Infektionskrankheit
- Kontraindikation, Medikamenteneinnahme der Mutter
- Kontraindikation, Drogenmissbrauch
- Kontraindikation, HIV-positiv
- Notwendigkeit, das Kind abzustillen
- Frühgeburt
- Psychische Ursache
- Hohe Bilirubinwerte

Ressourcen

- Möchte gerne stillen und ist bereit abzupumpen
- Kann die Maßnahme nach Anleitung selbstständig durchführen
- Erkennt die Notwendigkeit der getroffenen Intervention und kooperiert mit dem therapeutischen Team

Pflegeziele

- Säugling erhält ideale, an seine Bedürfnisse angepasste Ernährung
- Abgepumpte Muttermilch ist keimfrei
- Komplikationen sind vorgebeugt
- Abstillen verläuft schmerzfrei
- Komplikationen sind frühzeitig erkannt und abgewendet
- Physiologische Ernährung ist sichergestellt

Pflegeinterventionen

Mutter zum Abpumpen ermutigen und dabei unterstützen
- Pflegeintervention konkretisieren
- Zeit angeben

Bei Versorgung und Lagerung der Muttermilch anleiten
- Pflegeintervention konkretisieren
- Art der Unterstützung
  - » Beaufsichtigen
  - » Durch Unterstützen helfen
  - » Teilweise übernehmen
  - » Vollständig übernehmen
  - » Zur selbstständigen Durchführung anleiten
- Anzuleitende Person(en) festlegen
  - » Betroffene Person
  - » Angehöriger/Bezugsperson
- Zeit angeben

Mutter beim Abstillen unterstützen und anleiten
- Pflegeintervention konkretisieren
- Zeit angeben

Brüste kühlen
- Pflegeintervention konkretisieren
  - » Quarkkompressen auflegen
  - » Kühlelement auflegen

Keine orale Nahrungszufuhr laut Arztanordnung
- Pflegeintervention konkretisieren
- Zeit angeben

Nahrung über eine Ernährungssonde verabreichen

- Pflegeintervention konkretisieren
  - » Abgepumpte Muttermilch
  - » Ersatzmilch
  - » Sondennahrung
- Verabreichungsform bestimmen
  - » Bolusapplikation
  - » Kontinuierliche Applikation

Sonstige Pflegemaßnahmen durchführen
- Maßnahmen konkretisieren
- Zeit angeben

Literaturhinweise: 51, 68, 212, 334, 352

Die Patientin ist **beim Stillen beeinträchtigt**

Kennzeichen

- Das Kind bekommt zu wenig Muttermilch und äußert dies entsprechend den Möglichkeiten
- Mutter äußert Probleme mit dem Stillen

Ursachen

Ressourcen

- Mutter äußert den Wunsch, das Kind zu stillen
- Möchte gerne stillen und ist bereit abzupumpen
- Kann die Maßnahme nach Anleitung selbstständig durchführen
- Erkennt die Notwendigkeit der getroffenen Intervention und kooperiert mit dem therapeutischen Team
- Kennt krankheits- bzw. symptomauslösende Faktoren und kann diese vermeiden
- Angehörige/Bezugspersonen unterstützen den Pflegeprozess

Pflegeziele

- Stillen verläuft erfolgreich
- Schmerzen sind reduziert
- Säugling erhält ideale, an seine Bedürfnisse angepasste Ernährung
- Abgepumpte Muttermilch ist keimfrei
- Komplikationen sind vorgebeugt
- Abstillen verläuft schmerzfrei
- Physiologische Ernährung ist sichergestellt
- Ist über die Möglichkeiten der Vor- und Nachsorge informiert
- Komplikationsloser Verlauf des Wochenbetts ist gewährleistet

Pflegeinterventionen

Beim Anlegen des Neugeborenen unterstützen
- Pflegeintervention konkretisieren
- Zeit angeben

Mutter zum Abpumpen ermutigen und dabei unterstützen
- Pflegeintervention konkretisieren
- Zeit angeben

Bei Versorgung und Lagerung der Muttermilch anleiten
- Pflegeintervention konkretisieren
- Art der Unterstützung
  - » Beaufsichtigen
  - » Durch Unterstützen helfen
  - » Teilweise übernehmen
  - » Vollständig übernehmen
  - » Zur selbstständigen Durchführung anleiten
- Anzuleitende Person(en) festlegen
  - » Betroffene Person
  - » Angehöriger/Bezugsperson
- Zeit angeben

Brüste kühlen
- Pflegeintervention konkretisieren
  - » Quarkkompressen auflegen
  - » Kühlelement auflegen

Nahrung über eine Ernährungssonde verabreichen
- Pflegeintervention konkretisieren
  - » Abgepumpte Muttermilch
  - » Ersatzmilch
  - » Sondennahrung
- Verabreichungsform bestimmen
  - » Bolusapplikation
  - » Kontinuierliche Applikation

Beratungsgespräche führen
- Pflegeintervention konkretisieren
- Zeit angeben

Mutter beim Abstillen unterstützen und anleiten

- Pflegeintervention konkretisieren
- Zeit angeben

Sonstige Pflegemaßnahmen durchführen
- Maßnahmen konkretisieren
- Zeit angeben

Literaturhinweise: 51, 68, 161, 357, 390

Der Patient hat aufgrund des **Ernährungsverhaltens** ein **Risiko der Entwicklung einer Adipositas**

Kennzeichen

- Gewichtszunahme
- Starke Gewichtszunahme
- Äußerungen über gestörtes Essverhalten
- Bewegt sich wenig
- Berichtet, die Hauptmahlzeiten häufig am Abend einzunehmen
- Isst als Reaktion auf bestimmte Reize (z. B. Langeweile, Stresssituationen)
- Berichtet über fehlendes Sättigungsgefühl
- Ungünstiges Essverhalten, beeinflusst durch die sozialen Rahmenbedingungen
- Ernährt sich ausschließlich von Fastfood
- Isst während der Ausübung von Tätigkeiten/Aktivitäten
- Isst, um sich zu belohnen/Wohlbefinden zu steigern

Ursachen

- Ungleichgewicht zwischen zugeführter Energie und dem Energieverbrauch
- Konzentration der Nahrungsaufnahme auf Fette und Kohlenhydrate
- Essen als Reaktion auf psychische Belastung
- Nahrungsaufnahme ist überwiegend abends
- Nahrungsaufnahme während bestimmter Aktivitäten, z. B. beim Fernsehen
- Zwanghaftes Essen (Essstörung)
- Beeinträchtigtes Sättigungsgefühl
- Nebenwirkungen von Medikamenten
- Nebenwirkung vom Abbau des Konsums von Suchtmitteln
- Reduzierter Stoffwechselverbrauch (z. B. durch wenig Bewegung)

Ressourcen

- Akzeptiert die Notwendigkeit der Diät (bestimmte Einschränkungen)
- Erkennt die Notwendigkeit der Gewichtsreduktion
- Äußert den Wunsch abzunehmen
- Ist bereit, die Ernährung umzustellen
- Akzeptiert die Unterstützung
- Akzeptiert die Unterstützung von Angehörigen

Pflegeziele

- Kann die versteckten Kalorien erkennen
- Benennt Umstände, die verändert werden müssen, um abzunehmen
- Erkennt Situationen, in denen Nahrung eine Ersatzbefriedigung darstellt
- Hat neue Möglichkeiten der Bedürfnisbefriedigung gefunden
- Diät-/Essensplan wird eingehalten
- Kann die Nahrungsmittel entsprechend der Kalorienzahl und dem Nährwert einschätzen
- Nimmt das vereinbarte Wochenziel an Körpergewicht ab
- Langfristige Ernährungsumstellung ist sichergestellt
- Täglicher Kalorienverbrauch des Körpers ist durch Sport gesteigert
- Nimmt nicht an Körpergewicht zu
- Kann das Ausmaß des Übergewichts einschätzen
- Genaue Bemessungsgrundlage für die Einschätzung des Ernährungszustands ist sichergestellt

Pflegeinterventionen

Zum Führen des Ernährungstagebuchs anleiten, Reflexionsgespräche über die Einträge in das Tagebuch führen
- Pflegeintervention konkretisieren
- Anzuleitende Person(en) festlegen
  - » Betroffene Person
  - » Angehöriger/Bezugsperson
- Zeit angeben

Klientenzentriertes Gespräch über Essver-

halten führen
- Inhalte des Assessments/der Anamnese konkretisieren
  - » Physiologische Ursachen/Risiken
  - » Ernährungsverhalten
  - » Umgebungsfaktoren
  - » Biografische/kulturelle Aspekte
  - » Gewohnheiten und Bedürfnisse
  - » Auswirkungen der Medikation
  - » Psychosoziale Aspekte
  - » Psychologische Aspekte
  - » Sonstige Gründe
- Zeit angeben

Essensplan, der kalorienreduziert ist und eine ausgewogene Ernährung sicherstellt, aufstellen und vereinbaren
- Pflegeintervention konkretisieren

Diätassistenten einladen/bestellen
- Pflegeintervention konkretisieren
- Zeit angeben

Angestrebte wöchentliche/monatliche Gewichtsreduktion festlegen und Gewichtskontrolle durchführen
- Gewicht kontrollieren
  - » Gewicht mit Sitzwaage kontrollieren (pflegerisch erforderlich)
  - » Gewicht mit Stehwaage kontrollieren
  - » Gewicht mit Sitzwaage kontrollieren

Kochkurse und Diätberatung vermitteln
- Pflegeintervention konkretisieren
- Zielgruppe festlegen
  - » Betroffene Person
  - » Angehöriger/Bezugsperson

Zu körperlichen Aktivitäten auffordern
- Pflegeintervention konkretisieren
- Zeit angeben

Nahrungszufuhr kontrollieren und beschränken
- Pflegeintervention konkretisieren
  - » Eingenommene Nahrung auf einem Ernährungsprotokoll dokumentieren
  - » Auffälligkeiten und Probleme dokumentieren
  - » Nahrungseinnahme beaufsichtigen
  - » Nahrungsaufnahme beobachten
  - » Nahrungsvorlieben und Abneigungen beobachten

Übergewicht ermitteln/Analyse des Körperfettanteils durchführen
- Pflegeintervention konkretisieren
  - » Hautfaltendicke-Messung durchführen
  - » BMI errechnen
  - » Muskelmasse einschätzen
  - » Taillenumfang messen
- Gewicht kontrollieren
  - » Gewicht mit Sitzwaage kontrollieren (pflegerisch erforderlich)
  - » Gewicht mit Stehwaage kontrollieren

Körpergröße ermitteln
- Pflegeintervention konkretisieren
- Zeit angeben

Sonstige Pflegemaßnahmen durchführen
- Maßnahmen konkretisieren
- Zeit angeben

Literaturhinweise: 16, 51, 54, 84, 95, 175, 176, 206, 701

Der Patient wird **parenteral über Infusionstherapie ernährt**, es besteht das **Risiko von ernährungsbedingten und/oder Komplikationen**

Kennzeichen

- Eingeschränkte Fähigkeit, die Aktivitäten zur Nahrungsaufnahme auszuführen
- Pflege-/Behandlungsvereinbarungen werden nicht eingehalten
- Zeigt fehlenden Willen/Einsicht, Nahrung zu sich zu nehmen
- Ärztliche Anordnung aufgrund der medizinischen Diagnose
- Äußerungen über/Beobachtung von Schluckstörungen

Ursachen

- Schmerzen im Zusammenhang mit der Nahrungsaufnahme
- Bewusstseinsveränderung
- Bewusstlosigkeit
- Demenz
- Erkrankung des Magen-Darm-Trakts
- Angeordnete Nahrungskarenz
- Operativer Eingriff am Magen-Darm-Trakt
- Akute Pankreatitis
- Unfähigkeit des Verdauungstrakts, Nährstoffe aufzunehmen
- Ileus
- Chronische Darmentzündung
- Stoffwechselentgleisung
- Ösophagusatresie
- Duodenalatresie
- Manipulation an der Einlaufregulierung

Ressourcen

- Kann die Zusammenhänge zwischen der notwendigen Diät und Krankheit/Symptomen erklären
- Akzeptiert die Notwendigkeit der Diät (bestimmte Einschränkungen)
- Erkennt die Notwendigkeit der getroffenen Intervention und kooperiert mit dem therapeutischen Team

- Hält sich an die Nahrungskarenz
- Ist bezüglich der Infusionstherapie kooperativ

Pflegeziele

- Therapie ist sichergestellt
- Körperliche Leistungsfähigkeit ist gesteigert
- Ausreichende Ernährung und ausgeglichener Flüssigkeitshaushalt sind gewährleistet
- Komplikationen sind vorgebeugt
- Flüssigkeits- und Elektrolythaushalt sind ausgeglichen
- Komplikationen sind frühzeitig erkannt und abgewendet

Pflegeinterventionen

Infusionstherapie vorbereiten und infundieren

- Infusionen ohne Zusätze vorbereiten und infundieren
  - » 1 Infusion
  - » 2 Infusionen
  - » 3 Infusionen
  - » 4 Infusionen
  - » 5 und mehr Infusionen
- Infusionen mit Zusätzen vorbereiten und infundieren
  - » 1 Infusion mit Zusatz
  - » 2 Infusionen mit Zusatz
  - » 3 Infusionen mit Zusatz
  - » 4 Infusionen mit Zusatz
  - » 5 und mehr Infusionen mit Zusatz
- Zytostaselösungen herstellen/vorbereiten
  - » Zytostase herstellen/vorbereiten
- Hygienemaßnahmen
  - » Zwei- und Dreiwegehähne auswechseln
  - » Hahnenbank austauschen
  - » Filter wechseln
  - » Infusionssystem wechseln
  - » Besonderheiten bestimmen
- Applikationsart bestimmen
  - » Über Infusomat verabreichen
  - » Über Perfusor verabreichen
  - » Über Tropfenzähler verabreichen
- Tropfgeschwindigkeit einstellen

Körperliches Bewegungsprogramm entwickeln/durchführen

- Vereinbartes Aktivierungsprogramm angeben
  - » Beim Aufstehen/zu Bett gehen unterstützen
  - » Aktivierungsprogramm in Absprache mit den Beteiligten aufstellen
  - » An den Bettrand setzen
  - » Standtraining und wenige Schritte gehen
  - » Kurze Strecken in Begleitung gehen
  - » Größere Strecken in Begleitung gehen
  - » Treppen steigen
- Unterstützungsleistung bestimmen
  - » Unterstützen
  - » Teilweise übernehmen
  - » Beaufsichtigen
  - » Vollständig übernehmen
  - » Anleiten

Infusionstherapie überwachen und den Patienten beobachten

- Pflegeintervention konkretisieren
- Zeit angeben

Ein- und Ausfuhr bilanzieren

- Pflegeintervention konkretisieren
  - » Einfuhr kontrollieren
  - » Ausfuhr kontrollieren
  - » Flüssigkeitsbilanzierung durchführen
  - » Stundenurinkontrolle durchführen
- Erfassungszeitraum bestimmen/sonstige Angaben
  - » Blase am Ende des Erfassungszeitraums entleeren lassen
  - » Einfuhr berechnen
  - » Ausfuhr berechnen
  - » Ergebnisse in die Dokumentation eintragen
  - » Erfassungszeitraum bestimmen

Auf Anzeichen einer Überinfundierung (Hyperhydration) achten

- Pflegeintervention konkretisieren
- Zeit angeben

Auf Anzeichen einer Unterinfundierung (Dehydratation) achten

- Pflegeintervention konkretisieren
- Zeit angeben

ZVD-Messung (Zentrale-Venendruck-Messung) durchführen

- Pflegeintervention konkretisieren
- Zeit angeben

Keine orale Nahrungszufuhr laut Arztanordnung durchführen

- Pflegeintervention konkretisieren
- Zeit angeben

Medikamente unter speziellen Bedingungen wie z.B. Luftabzug aufziehen/mischen

- Pflegeintervention konkretisieren
- Zeit angeben

Sonstige Pflegemaßnahmen durchführen

- Maßnahmen konkretisieren
- Zeit angeben

Literaturhinweise: 63, 95, 97, 125, 175, 176, 332, 822, 824, 825, 832, 838

Der Patient hat eine **Gichterkrankung**, es besteht ein **Risiko von ernährungsbedingten Komplikationen**

Kennzeichen

- Schmerzen im Gelenk der Großzehe
- Gelenke sind gerötet, schmerzhaft und geschwollen
- Erhöhter Harnsäurespiegel
- Hautschuppung und Jucken über befallenen Gelenken
- Erhöhte Blutkörperchensenkungsgeschwindigkeit
- Gelenkdeformation

Ursachen

- Übergewicht
- Alkoholkonsum
- Harnsäuregicht

Ressourcen

- Ist bereit, die Ernährung umzustellen
- Akzeptiert die Notwendigkeit der Diät (bestimmte Einschränkungen)
- Ist motiviert, die Pflegemaßnahme zu unterstützen und zeigt entsprechende Verhaltensweisen
- Kann die Zusammenhänge zwischen der notwendigen Diät und Krankheit/Symptomen erklären

Pflegeziele

- Diät wird eingehalten
- Harnsäure wird ausgeschieden
- Einem starken, diätbedingten Anstieg des Blutharnsäurespiegels ist vorgebeugt
- Normale Harnsäurekonzentration im Blut und physiologischer pH-Wert sind sichergestellt

Pflegeinterventionen

Purinarme Kost bestellen (laut Arztanordnung)
- Pflegeintervention konkretisieren
- Zeit angeben

Bei der Einhaltung der Diät unterstützen
- Unterstützungsgrad angeben
  - » Informieren
  - » Aufklären
  - » Beaufsichtigen
- Pflegeintervention konkretisieren
- Zeit angeben

Informationsgespräch über den Zusammenhang von Alkohol und Gicht führen
- Pflegeintervention konkretisieren
- Zeit angeben

Flüssigkeitszufuhr festlegen/beobachten
- Pflegeintervention konkretisieren
  - » Flüssigkeit verabreichen
  - » Flüssigkeit vorbereiten und in Reichweite platzieren
  - » Flüssigkeitszufuhr beobachten
- Sonstige Hinweise
  - » Mithilfe des Trinkfahrplans kontrollieren
  - » Flüssigkeitszufuhr auf einem Bilanzbogen dokumentieren
  - » Zieleinfuhr ermitteln/festlegen (lt. Arztanordnung)
  - » Trinkfahrplan aktualisieren
  - » Trinkmenge zusammenzählen und dokumentieren

Reduktionskost bestellen (laut Arzt)
- Pflegeintervention konkretisieren
- Zeit angeben

Langsame Reduktion des Körpergewichts (falls notwendig)
- Pflegeintervention konkretisieren
- Zeit angeben

Diätberatung organisieren
- Pflegeintervention konkretisieren
  - » Über die Termine informieren
  - » Teilnahme an der Schulung dokumentieren
  - » Terminplanung durchführen

Kontaktadressen von Selbsthilfegruppen vermitteln
- Pflegeintervention konkretisieren
- Zeit angeben

Sonstige Pflegemaßnahmen durchführen
- Maßnahmen konkretisieren
- Zeit angeben

Literaturhinweise: 84, 95, 125, 126, 175, 176

Der Patient hat **erhöhte Blutfettwerte**, es besteht ein **Risiko von ernährungsbedingten Komplikationen**

Kennzeichen

- Unverträglichkeitsreaktion auf fetthaltige Nahrung
- Erhöhte Blutfettwerte

Ursachen

- Erbbedingte Fettstoffwechselstörung
- Lebererkrankung
- Gallenerkrankung
- Sekundäre Hyperlipoproteinämie aufgrund von Grunderkrankung

Ressourcen

- Ist bereit, die Ernährung umzustellen
- Akzeptiert die Notwendigkeit der Diät (bestimmte Einschränkungen)
- Ist motiviert, die Pflegemaßnahme zu unterstützen und zeigt entsprechende Verhaltensweisen
- Kann die Zusammenhänge zwischen der notwendigen Diät und Krankheit/Symptomen erklären

Pflegeziele

- Diät wird eingehalten
- Kennt Möglichkeiten, cholesterinarm zu kochen
- Blutfettwerte liegen im Normbereich
- Kennt cholesterinsenkende Verhaltensweisen

Pflegeinterventionen

Cholesterinsenkende Diät bestellen
- Pflegeintervention konkretisieren
- Zeit angeben

Bei der Einhaltung der Diät unterstützen
- Unterstützungsgrad angeben
  - » Informieren
  - » Aufklären
  - » Beaufsichtigen
- Pflegeintervention konkretisieren
- Zeit angeben

Diätberatung organisieren
- Pflegeintervention konkretisieren
  - » Über die Termine informieren
  - » Teilnahme an der Schulung dokumentieren
  - » Terminplanung durchführen

Über weitere Verhaltensweisen, die den Cholesterinspiegel senken, aufklären
- Pflegeintervention konkretisieren
- Zeit angeben

Sonstige Pflegemaßnahmen durchführen
- Maßnahmen konkretisieren
- Zeit angeben

Literaturhinweise: 84, 95, 125, 126, 175, 176

Der Patient hat eine **reduzierte Belastbarkeit** des Körpers/der Verdauungsorgane, es besteht das **Risiko von ernährungsbedingten Komplikationen**

Kennzeichen

- Zeigt Verhaltensweisen/macht Äußerungen, die auf ein Wissensdefizit hinweisen
- Pflege-/Behandlungsvereinbarungen werden nicht eingehalten
- Äußert ein Wissensdefizit über entsprechende Prophylaxemaßnahmen
- Zeigt Verhaltensweisen, die darauf hinweisen, dass die Gefahren nicht ausreichend beachtet werden

Ursachen

- Herzinsuffizienz
- Erkrankung des Magen-Darm-Trakts
- Erkrankung der Pankreas
- Gallenerkrankung

Ressourcen

- Akzeptiert die Notwendigkeit der Diät (bestimmte Einschränkungen)
- Hält sich an die Nahrungskarenz
- Ist motiviert, die Pflegemaßnahme zu unterstützen und zeigt entsprechende Verhaltensweisen
- Kann die Zusammenhänge zwischen der notwendigen Diät und Krankheit/Symptomen erklären

Pflegeziele

- Kennt Zubereitungsmöglichkeiten von reizarmer Kost und wendet diese an
- Diät wird eingehalten
- Magen-Darm-Trakt ist entlastet
- Bedarfsgerechte Energie- und Nährstoffzufuhr
- Art, Zubereitung und Darreichung der Nahrung entsprechen den Bedürfnissen
- Umgebungssituation der Nahrungsaufnahme entspricht den Bedürfnissen
- Erreicht einen höheren Grad an Selbstständigkeit bei der Nahrungsaufnahme
- Essenszeiten sind dem Bedürfnis individuell angepasst
- Kennt Verhaltensregeln, die den Magen-Darm-Trakt entlasten

Pflegeinterventionen

Informationsgespräche über Diät und Essverhalten führen
- Pflegeintervention konkretisieren
- Zeit angeben

Bei der Einhaltung der Diät unterstützen
- Unterstützungsgrad angeben
  - » Informieren
  - » Aufklären
  - » Beaufsichtigen
- Pflegeintervention konkretisieren
- Zeit angeben

Schonkost mit Zwischenmahlzeiten bestellen (laut Arztanordnung)
- Pflegeintervention konkretisieren
- Zeit angeben

Art der Zwischenmahlzeit vereinbaren/anbieten
- Art der Zwischenmahlzeit bestimmen
  - » Jogurt
  - » Dessertspeise
  - » Brot mit Auflage
  - » Obst
  - » Trinknahrung
  - » Zwischenmahlzeit für Diabetiker
  - » Kalorienreiche Snacks und Getränke

Bei der Nahrungsaufnahme (Zwischenmahlzeit) unterstützen
- Lagerung/Sitzposition bestimmen
  - » Lagerung zur Nahrungsaufnahme durchführen
  - » Therapeutischen Langsitz durchführen
  - » Beim Transfer in den Lehn-/Rollstuhl/Rehabuggy unterstützen, zum Tisch fahren
  - » Zur Nahrungsaufnahme zum Tisch führen
  - » In den Speisesaal fahren/begleiten
  - » Kind zum Füttern auf den Schoß setzen
  - » Nahrungsaufnahme im Hochstuhl
- Ort der Mahlzeiteneinnahme
  - » Essenstablett ins Zimmer bringen
  - » Essenstablett in den Speisesaal bringen
  - » Essen am Tisch ermöglichen
  - » Essen im Bett ermöglichen
- Art der Unterstützungsleistung angeben
  - » Essen mundgerecht vorbereiten
  - » Nahrungs-/Flüssigkeitszufuhr beaufsichtigen
  - » Verabreichung teilweise übernehmen
  - » Nahrung/Flüssigkeit verabreichen
  - » Zur selbstständigen Nahrungsaufnahme anleiten
- Besonderheiten der Nahrungsvorbereitung
  - » Bei Mahlzeiten und Getränken Verzehrtemperatur herstellen
  - » Kontrastreiche Präsentation der Speisen
  - » Energieanreicherung der Mahlzeiten
  - » Mundgerechte Nahrungsvorbereitung gemeinsam durchführen
  - » Ermutigung/Motivation zur Nahrungsaufnahme

Ausreichend Zeit zum Essen lassen
- Pflegeintervention konkretisieren
- Zeit angeben

Anhalten, alle Speisen gut zu kauen
- Pflegeintervention konkretisieren
- Zeit angeben

Sonstige Pflegemaßnahmen durchführen
- Maßnahmen konkretisieren
- Zeit angeben

Literaturhinweise: 95, 125, 126, 175, 176

Der Patient hat aufgrund einer **vorübergehenden Nahrungskarenz** beim Kostaufbau das **Risiko einer Nahrungsunverträglichkeit**

Kennzeichen

- Äußert Übelkeitsgefühl
- Erbrechen
- Meteorismus (Blähsucht)

Ursachen

- Nahrungsverweigerung
- Angeordnete Nahrungskarenz
- Null-Diät
- Nahrungsmittelunverträglichkeit

Ressourcen

- Akzeptiert die Notwendigkeit der Diät (bestimmte Einschränkungen)
- Ist motiviert, die Pflegemaßnahme zu unterstützen und zeigt entsprechende Verhaltensweisen
- Kann die Zusammenhänge zwischen der notwendigen Diät und Krankheit/Symptomen erklären

Pflegeziele

- Ist an die Nahrungsaufnahme gewöhnt, kann ohne Probleme essen und trinken
- Diät wird eingehalten

Pflegeinterventionen

Schrittweisen Nahrungsaufbau laut Arztanordnung durchführen
- Kostform bestimmen
  - » Tee
  - » Hafersuppe
  - » Zwieback
  - » Flüssige Kost
  - » Pürierte Kost
  - » Schonkost
  - » Leichte Kost

Schrittweisen Nahrungsaufbau nach Null-Diät (laut Arzt) durchführen
- Nahrungsaufbau lt. Arztanordnung angeben

Bei der Einhaltung der Diät unterstützen
- Unterstützungsgrad angeben
  - » Informieren
  - » Aufklären
  - » Beaufsichtigen
- Pflegeintervention konkretisieren
- Zeit angeben

Sonstige Pflegemaßnahmen durchführen
- Maßnahmen konkretisieren
- Zeit angeben

Literaturhinweise: 95, 97, 125, 126, 304, 332, 368

Der Patient muss sich aufgrund einer **Unverträglichkeit eiweißarm** ernähren, es besteht das **Risiko von ernährungsbedingten Komplikationen**

Kennzeichen

- Reagiert mit Unverträglichkeit auf bestimmte Nahrungsangebote

Ursachen

- Erkrankung der Pankreas
- Niereninsuffizienz
- Eiweißunverträglichkeit
- Gicht (Arthropathia urica)
- Chronische Glomerulonephritis
- Lebererkrankung

Ressourcen

- Ist bereit, die Ernährung umzustellen
- Akzeptiert die Notwendigkeit der Diät (bestimmte Einschränkungen)
- Ist motiviert, die Pflegemaßnahme zu unterstützen und zeigt entsprechende Verhaltensweisen
- Kann die Zusammenhänge zwischen der notwendigen Diät und Krankheit/Symptomen erklären

Pflegeziele

- Ammoniakproduktion ist reduziert, die Blutwerte steigen nicht an
- Diät wird eingehalten
- Belastung der Leber ist reduziert
- Wissensdefizit ist aufgehoben

Pflegeinterventionen

Eiweißarme Diät laut Arztanordnung bestellen
- Pflegeintervention konkretisieren
- Zeit angeben

Bei der Einhaltung der Diät unterstützen
- Unterstützungsgrad angeben
  - » Informieren
  - » Aufklären
  - » Beaufsichtigen
- Pflegeintervention konkretisieren
- Zeit angeben

Absolute Alkoholkarenz einhalten
- Pflegeintervention konkretisieren
- Zeit angeben

Diätberatung durchführen
- Pflegeintervention konkretisieren
- Zeit angeben

Sonstige Pflegemaßnahmen durchführen
- Maßnahmen konkretisieren
- Zeit angeben

Literaturhinweise: 84, 89, 175, 176

Der Patient hat aufgrund einer **Nahrungsmittelunverträglichkeit** ein **Risiko von ernährungsbedingten Komplikationen**

Kennzeichen

- Blähungen
- Durchfall
- Berichtet über Bauchschmerzen
- Äußerungen über krampfartige Bauchschmerzen
- Erbrechen

Ursachen

- Laktoseintoleranz
- Sorbitunverträglichkeit
- Fruktoseunverträglichkeit
- Weizenunverträglichkeit
- Schalentierallergie
- Zöliakie

Ressourcen

- Akzeptiert die Notwendigkeit der Diät (bestimmte Einschränkungen)
- Kann die Zusammenhänge zwischen der notwendigen Diät und Krankheit/Symptomen erklären

Pflegeziele

- Genaue Bemessungsgrundlage für die Einschätzung des Ernährungszustands ist sichergestellt
- Geplante Gewichtszunahme im festgelegten Zeitraum ist erreicht
- Körpergewicht ist konstant
- Bedarfsgerechte Tagesmenge an Nährstoffen ist ermittelt
- Komplikationen sind vorgebeugt
- Veränderungen werden frühzeitig erkannt und dokumentiert
- Äußert Zufriedenheit über die Nahrungsangebote

- Ernährungsbedingten Komplikationen ist vorgebeugt
- Wissensdefizit ist aufgehoben
- Diät wird eingehalten

Pflegeinterventionen

Ernährungszustand ermitteln
- Pflegeintervention konkretisieren
  - » BMI errechnen
  - » Körpergröße ermitteln
  - » Hautfaltendicke-Messung durchführen
  - » Sonstiges
- Gewicht kontrollieren
  - » Gewicht mit Sitzwaage kontrollieren
  - » Gewicht mit Sitzwaage kontrollieren (pflegerisch erforderlich)
  - » Gewicht mit Stehwaage kontrollieren
  - » Gewicht mit Lifterwaage kontrollieren

Darmtätigkeit/Stuhlausscheidung beobachten
- Pflegeintervention konkretisieren
  - » Häufigkeit der Ausscheidung
  - » Darmgeräusche
  - » Beschaffenheit der Defäkation

Diät entsprechend der Nahrungsmittelunverträglichkeit bestellen
- » Laktosefreie Kost
- » Sorbitfreie Kost
- » Weizenmehlfreie Kost
- » Fruktosefreie Kost
- » Schalentierfreie Kost

Diätberatung durchführen
- Pflegeintervention konkretisieren
- Zeit angeben

Bei der Einhaltung der Diät unterstützen
- Unterstützungsgrad angeben
  - » Informieren
  - » Aufklären
  - » Beaufsichtigen
- Pflegeintervention konkretisieren
- Zeit angeben

Sonstige Pflegemaßnahmen durchführen
- Maßnahmen konkretisieren
- Zeit angeben

Literaturhinweise: 510

Der Patient hat aufgrund eines **operativen Eingriffs am Darm** ein **Risiko von ernährungsbedingten Komplikationen**

Kennzeichen

- Pflege-/Behandlungsvereinbarungen werden nicht eingehalten
- Zeigt Verhaltensweisen, die darauf hinweisen, dass die Gefahren nicht ausreichend beachtet werden
- Äußert ein Wissensdefizit über entsprechende Prophylaxemaßnahmen

Ursachen

- Operativer Eingriff am Magen-Darm-Trakt

Ressourcen

- Meldet sich bei Anzeichen von Komplikationen
- Akzeptiert die Notwendigkeit der Diät (bestimmte Einschränkungen)
- Hält sich an die Nahrungskarenz
- Ist motiviert, die Pflegemaßnahme zu unterstützen und zeigt entsprechende Verhaltensweisen
- Kann die Zusammenhänge zwischen der notwendigen Diät und Krankheit/Symptomen erklären

Pflegeziele

- Anastomose heilt komplikationslos
- Darmperistaltik ist physiologisch
- Ist an die Nahrungsaufnahme gewöhnt, kann ohne Probleme essen und trinken
- Diät wird eingehalten

Pflegeinterventionen

Nach abdominalen Eingriffen ohne Anas-

tomosen Nahrungskarenz von 1-3 Tagen einhalten (ärztliche Entscheidung)
- Pflegeintervention konkretisieren
- Zeit angeben

Bei Eingriffen mit Anastomosen ist die Nahrungskarenz abhängig von der Anastomosenheilungsdauer (Erfahrungswerte)
- Kostaufbau lt. Arztanordnung abhängig von der Anastomosenheilungsdauer gestalten
  - » Magen ca. 6 Tage
  - » Dünndarm ca. 5 Tage
  - » Dickdarm ca. 5-7 Tage
  - » Rektum ca. 9 Tage
  - » Ösophagus ca. 9 Tage

Kostaufbau laut Arztanordnung bestellen und durchführen
- Pflegeintervention konkretisieren

Schrittweisen Nahrungsaufbau laut Arztanordnung durchführen
- Kostform bestimmen
  - » Tee
  - » Hafersuppe
  - » Zwieback
  - » Flüssige Kost
  - » Pürierte Kost
  - » Schonkost
  - » Leichte Kost

Bei der Einhaltung der Diät unterstützen
- Unterstützungsgrad angeben
  - » Informieren
  - » Aufklären
  - » Beaufsichtigen
- Pflegeintervention konkretisieren
- Zeit angeben

Sonstige Pflegemaßnahmen durchführen
- Maßnahmen konkretisieren
- Zeit angeben

Literaturhinweise: 121, 125, 140, 151, 175, 176

Der Patient hat ein **Risiko der übermäßigen Kalorienzufuhr** im Vergleich zum Stoffwechselbedarf

Kennzeichen

- Isst als Reaktion auf bestimmte Reize (z. B. Langeweile, Stresssituationen)
- Berichtet über fehlendes Sättigungsgefühl
- Berichtet, die Hauptmahlzeiten häufig am Abend einzunehmen
- Äußerungen über gestörtes Essverhalten
- Überschreitet die Wachstums-/ Gewichtswerte der Altersgruppe
- Übergewicht bei beiden Elternteilen
- Übergewicht bei einem Elternteil
- Ungünstiges Essverhalten, beeinflusst durch die sozialen Rahmenbedingungen

Ursachen

- Erbliche Prädisposition
- Vorliegen eines beschleunigten Wachstums bei Säuglingen/Kindern im Vergleich zum Altersdurchschnitt
- Höheres Basisgewicht zu Beginn der Schwangerschaft
- Essstörungen in der Familie
- Erlebt Essen als Belohnung
- Nebenwirkungen von Medikamenten
- Nebenwirkung vom Abbau des Konsums von Suchtmitteln
- Nahrungsaufnahme während bestimmter Aktivitäten, z. B. beim Fernsehen

Ressourcen

- Akzeptiert die Notwendigkeit der Diät (bestimmte Einschränkungen)
- Erkennt die Notwendigkeit der getroffenen Intervention und kooperiert mit dem therapeutischen Team
- Akzeptiert die Unterstützung
- Akzeptiert die Unterstützung von Angehörigen

Pflegeziele

- Kennt Situationen, in denen Frustessen bzw. Essen eine Ersatzbefriedigung darstellt, und wendet andere Möglichkeiten der Bedürfnisbefriedigung an
- Persönliches Normalgewicht wird gehalten
- Genaue Bemessungsgrundlage für die Einschätzung des Ernährungszustands ist sichergestellt
- Vereinbarte Gewichtsreduktion ist erreicht
- Gewichtsschwankungen sind erkannt
- Kennt Präventivmaßnahmen zur Erhaltung des Normalgewichts
- Kann den persönlichen Energiebedarf einschätzen und führt entsprechend Nahrung zu
- Bereitet Mahlzeiten entsprechend dem Energiebedarf zu
- Kontrolliert den täglichen Energiebedarf selbst
- Diät wird eingehalten
- Täglicher Kalorienverbrauch ist gesteigert

Pflegeinterventionen

Pflegefachgespräch über ernährungsbedingte Risikofaktoren führen
- Pflegeintervention konkretisieren
- Zeit angeben

Körpergröße ermitteln
- Pflegeintervention konkretisieren
- Zeit angeben

Gewichtskontrolle durchführen
- Gewicht kontrollieren
  - » Gewicht mit Sitzwaage kontrollieren (pflegerisch erforderlich)
  - » Gewicht mit Stehwaage kontrollieren
  - » Gewicht mit Sitzwaage kontrollieren

Bei der Planung von präventiven Maßnahmen zur Vorbeugung von Übergewicht unterstützen
- Pflegeintervention konkretisieren

- Zeit angeben

Beim Erlernen neuer Essgewohnheiten unterstützen
- Pflegeintervention konkretisieren
- Zeit angeben

Kochkurse und Diätberatung vermitteln
- Pflegeintervention konkretisieren
  - » Informationsgespräch über Nahrungszufuhr zur Gewichtsreduktion führen
  - » Kochkurs für Reduktionskost organisieren
  - » Beim Erlernen neuer Essgewohnheiten unterstützen
  - » Zur Selbstkontrolle anleiten
  - » Diätberatung organisieren

Zur Selbstkontrolle der Nahrungszufuhr anleiten
- Pflegeintervention konkretisieren
- Zeit angeben

Bei der Einhaltung der Diät unterstützen
- Unterstützungsgrad angeben
  - » Informieren
  - » Aufklären
  - » Beaufsichtigen
- Pflegeintervention konkretisieren
- Zeit angeben

Bei der Steigerung der körperlichen Aktivität unterstützen
- Art der Unterstützung
  - » Zur Aktivität anhalten
  - » Ermutigen
  - » Bei der Durchführung unterstützen
  - » Beaufsichtigen
- Pflegeintervention konkretisieren
- Zeit angeben

Sonstige Pflegemaßnahmen durchführen
- Maßnahmen konkretisieren
- Zeit angeben

Literaturhinweise: 54, 95, 125, 175, 176, 701, 701, 702

Der Patient zeigt ein **ineffektives Ernährungsverhalten**, um **Körpergewicht** zu **reduzieren**

Kennzeichen

Essverhalten
- Äußert Unverständnis über die geforderten Verhaltensmaßnahmen
- Hält sich nicht an die Vereinbarungen bezüglich Therapie und Behandlung
- Körpergewicht reduziert sich nicht
- Äußerungen über gestörtes Essverhalten
- Zeigt ein unangemessenes Problemlösungsverhalten
- Berichtet, die Hauptmahlzeiten häufig am Abend einzunehmen
- Isst als Reaktion auf bestimmte Reize (z. B. Langeweile, Stresssituationen)
- Ungünstiges Essverhalten, beeinflusst durch die sozialen Rahmenbedingungen
- Isst während der Ausübung von Tätigkeiten/Aktivitäten
- Isst, um sich zu belohnen/Wohlbefinden zu steigern

Übergewicht
- Überschreitet die Wachstums-/ Gewichtswerte der Altersgruppe
- Übergewicht zwischen 10-20 % über dem Normalgewicht
- Übergewicht über 20 % vom Normalgewicht
- Body-Mass-Index zwischen 25-29,9
- Body-Mass-Index zwischen 30-34,9
- Body-Mass-Index zwischen 35-39,9
- Body-Mass-Index > 40
- Erhöhte Messwerte des Oberarmumfangs und der Hautfaltendicke

Ursachen

- Fehlende Einsicht
- Ungleichgewicht zwischen zugeführter Energie und dem Energieverbrauch
- Essen als Reaktion auf psychische Belastung
- Wissensdefizit
- Essen als Übersprungshandlung
- Ernährungsgewohnheiten
- Passive Freizeitgestaltung
- Bewegungsmangel
- Zwanghaftes Essen (Essstörung)
- Essstörung

Ressourcen

- Äußert den Wunsch abzunehmen
- Ist bereit, die Ernährung umzustellen
- Erkennt die Notwendigkeit der Gewichtsreduktion
- Akzeptiert die Notwendigkeit der Diät (bestimmte Einschränkungen)

Pflegeziele

- Übergewicht ist festgestellt und Normalgewicht ermittelt
- Nimmt das vereinbarte Wochenziel an Körpergewicht ab
- Vereinbarte Gewichtsreduktion ist erreicht
- Gewichtsschwankungen sind erkannt
- Führt die Diät zu Hause selbstständig durch/weiter
- Körpergewicht ist schnell reduziert
- Genaue Bemessungsgrundlage für die Einschätzung des Ernährungszustands ist sichergestellt

Pflegeinterventionen

Ernährungszustand analysieren
- Pflegeintervention konkretisieren
  - » Hautfaltendicke-Messung durchführen
  - » BMI errechnen
  - » Muskelmasse einschätzen
  - » Taillenumfang messen
- Gewicht kontrollieren
  - » Gewicht mit Sitzwaage kontrollieren (pflegerisch erforderlich)
  - » Gewicht mit Stehwaage kontrollieren

Essverhalten und Essgewohnheiten analysieren und Lösungswege zur Veränderung derselben entwickeln

- Inhalte des Assessments/der Anamnese konkretisieren
  - » Physiologische Ursachen/Risiken
  - » Ernährungsverhalten
  - » Umgebungsfaktoren
  - » Biografische/kulturelle Aspekte
  - » Gewohnheiten und Bedürfnisse
  - » Auswirkungen der Medikation
  - » Psychosoziale Aspekte
  - » Psychologische Aspekte
  - » Sonstige Gründe
- Zeit angeben

Reduktionskost nach Anordnung bestellen

- Pflegeintervention konkretisieren
  - » Reduktionskost bestellen
  - » Informationsgespräch über die Reduktionskost führen
  - » Zum Führen eines Tagebuchs über die Nahrungszufuhr anleiten

Gewichtskontrolle durchführen

- Gewicht kontrollieren
  - » Gewicht mit Sitzwaage kontrollieren (pflegerisch erforderlich)
  - » Gewicht mit Stehwaage kontrollieren
  - » Gewicht mit Sitzwaage kontrollieren

Diätberatung einschalten

- Pflegeintervention konkretisieren
- Zeit angeben

Nulldiät (laut Arztanordnung) sicherstellen

- Pflegeintervention konkretisieren
- Zeit angeben

Körpergröße ermitteln

- Pflegeintervention konkretisieren
- Zeit angeben

Sonstige Pflegemaßnahmen durchführen

- Maßnahmen konkretisieren
- Zeit angeben

Literaturhinweise: 54, 95, 125, 175, 176, 584, 984, 985, 993, 994, 995, 996, 997, 998, 999, 1000, 1013, 1014

Der Patient hat ein **inadäquates Ernährungsverhalten**

Kennzeichen

- Übergewicht zwischen 10-20 % über dem Normalgewicht
- Übergewicht über 20 % vom Normalgewicht
- Verdauungsstörung

Ursachen

- Fehlendes Interesse
- Wissensdefizit über ernährungsrelevante Aspekte
- Ernährungsgewohnheiten
- Nahrungsmittelunverträglichkeit

Ressourcen

- Ist bereit, die Ernährung umzustellen
- Erkennt die Notwendigkeit, die Ernährung umzustellen
- Angehörige/Bezugspersonen unterstützen den Pflegeprozess

Pflegeziele

- Bedarfsgerechte Energie- und Nährstoffzufuhr
- Akzeptiert den Ernährungsplan
- Übergewicht ist festgestellt und Normalgewicht ermittelt
- Selbsternährungsfähigkeiten sind gefördert
- Eltern lernen, das Verhalten des Kindes in der häuslichen Umgebung zu steuern
- Führt die Diät zu Hause selbstständig durch/weiter
- Vereinbarte Gewichtsreduktion ist erreicht
- Gewichtsschwankungen sind erkannt
- Genaue Bemessungsgrundlage für die Einschätzung des Ernährungszustands ist sichergestellt

Pflegeinterventionen

Ernährungszustand analysieren
- Pflegeintervention konkretisieren
  - » Hautfaltendicke-Messung durchführen
  - » BMI errechnen
  - » Muskelmasse einschätzen
  - » Taillenumfang messen
- Gewicht kontrollieren
  - » Gewicht mit Sitzwaage kontrollieren (pflegerisch erforderlich)
  - » Gewicht mit Stehwaage kontrollieren

Individuellen Ernährungsplan aufstellen und Einhaltung unterstützen
- Pflegeintervention konkretisieren
- Zeit angeben

Essverhalten und Essgewohnheiten analysieren und Lösungswege zur Veränderung derselben entwickeln
- Inhalte des Assessments/der Anamnese konkretisieren
  - » Physiologische Ursachen/Risiken
  - » Ernährungsverhalten
  - » Umgebungsfaktoren
  - » Biografische/kulturelle Aspekte
  - » Gewohnheiten und Bedürfnisse
  - » Auswirkungen der Medikation
  - » Psychosoziale Aspekte
  - » Psychologische Aspekte
  - » Sonstige Gründe
- Zeit angeben

Beim Führen des Ernährungstagebuches unterstützen
- Pflegeintervention konkretisieren
- Art der Unterstützung
  - » Beaufsichtigen
  - » Durch Unterstützen helfen
  - » Teilweise übernehmen
  - » Vollständig übernehmen
  - » Zur selbstständigen Durchführung anleiten
- Anzuleitende Person(en) festlegen
  - » Betroffene Person
  - » Angehöriger/Bezugsperson
- Zeit angeben

Eltern/Bezugspersonen bezüglich Ernährungsverhalten beraten
- Pflegeintervention konkretisieren
- Art der Unterstützung
  - » Beaufsichtigen
  - » Durch Unterstützen helfen
  - » Teilweise übernehmen
  - » Vollständig übernehmen
  - » Zur selbstständigen Durchführung anleiten
- Anzuleitende Person(en) festlegen
  - » Betroffene Person
  - » Angehöriger/Bezugsperson
- Zeit angeben

Diätberatung einschalten
- Pflegeintervention konkretisieren
- Zeit angeben

Gewichtskontrolle durchführen
- Gewicht kontrollieren
  - » Gewicht mit Sitzwaage kontrollieren (pflegerisch erforderlich)
  - » Gewicht mit Stehwaage kontrollieren
  - » Gewicht mit Sitzwaage kontrollieren

Körpergröße ermitteln
- Pflegeintervention konkretisieren
- Zeit angeben

Sonstige Pflegemaßnahmen durchführen
- Maßnahmen konkretisieren
- Zeit angeben

Literaturhinweise: 993, 1015, 1016, 1017, 1018, 1019, 1020, 1021, 1022, 1023, 1024

Inhaltsverzeichnis

ENP - Praxis » Ausscheidung

Der Patient ist in der Selbstständigkeit der **Urin-/Stuhlausscheidung** beeinträchtigt

Kennzeichen

- Kann nicht selbstständig zur Toilette gehen
- Kann das Bett nicht selbstständig verlassen
- Kann sich nicht selbstständig vom Rollstuhl auf die Toilette setzen und zurückbewegen
- Kann die Intimpflege nicht selbstständig durchführen
- Fähigkeit, sich selbstständig an- und auszukleiden, fehlt/ist eingeschränkt
- Kann nicht auf der Toilette sitzen
- Hat eine angeordnete Bettruhe
- Kann die Toilettenspülung nicht benutzen
- Fehlende Einsicht, die Toilette zu benutzen
- Widerwille, die Toilette zu benutzen
- Uriniert in das Zimmer, findet die Toilette nicht
- Kennt die normalen Abläufe, die zur Ausscheidung auf der Toilette erforderlich sind, nicht
- Unfähigkeit, den Transfer auf den Toilettenstuhl und zurück durchzuführen
- Unfähigkeit, die Bettschüssel/Urinflasche selbstständig zu benutzen
- Unfähigkeit, das Gesäß zum Unterschieben der/des Bettschüssel/ Steckbeckens anzuheben

Selbstständigkeitseinschränkung Ausscheiden
- Stufe 1: Selbstständige Miktion/ Defäktion auf dem Toilettenstuhl
- Stufe 2: Selbstständige Miktion/ Defäkation mit Bettflasche/Urinflasche
- Stufe 3: Erhebliche Beeinträchtigung bei der Ausscheidung
- Stufe 4: Schwere Beeinträchtigung bei der Ausscheidung
- Stufe 5: Volle Abhängigkeit bei der Ausscheidungsunterstützung

Ursachen

- Eingeschränkte körperliche Belastungsfähigkeit
- Fehlende körperliche Kraft zur Eigenbewegung
- Bewegungseinschränkung
- Beeinträchtigte Gehfähigkeit (Gangveränderung)
- Unterschiedliche Zu- und/oder Ableitungsssysteme > 3
- Hemiplegie
- Paraplegie
- Tetraplegie
- Anordnung des Arztes
- Extensionsbehandlung
- Verletzung von Extremitäten beidseitig
- Behandlung mit Körpergipsschale
- Ausgeprägte Kontraktur
- Ausgeprägte Spastik
- Wirbelsäuleninstabilität
- Wirbelsäuleninstabilität (Stützkorsagenversorgung)
- Auswirkung einer OP
- Transferdefizite
- Schmerzzustände
- Belastungs-/Ruhedyspnoe
- Angstzustände
- Hypotone Kreislaufveränderung
- Depressive Verstimmung
- Apraxie
- Blindheit
- Entwicklungsbedingte(s) Selbstfürsorgedefizit/-fähigkeit
- Kognitive Beeinträchtigungen
- Demenzielle Veränderung
- Extreme Adipositas
- Orientierungsstörung
- Orthese der unteren Extremität/en
- Beatmung

Ressourcen

- Meldet sich, wenn er zur Toilette muss
- Kann die Toilette mit Unterstützung benutzen
- Kann den Toilettenstuhl benutzen
- Akzeptiert die Unterstützung
- Akzeptiert die Unterstützung von Angehörigen
- Akzeptiert die körperliche Einschränkung
- Benutzt Urinflasche/Steckbecken selbstständig
- Läutet, wenn er ausscheiden muss
- Toleriert die therapeutische/pflegerische Intervention
- Kann Kindertopf benutzen

Pflegeziele

- Kann die Ausscheidung auf der Toilette selbstständig durchführen
- Kann die Toilette selbstständig benutzen
- Ausscheidung kann auf der Toilette durchgeführt werden
- Ungehinderte Ausscheidung ist gewährleistet
- Intimhygiene ist gewährleistet
- Benutzt die Bettflasche selbstständig
- Empfindet nach der (Pflege-)Aktivität ein aktuelles physisches Wohlbefinden
- Hygiene ist gewährleistet, einer Keimverschleppung ist vorgebeugt
- Wohlbefinden ist unterstützt
- Intimsphäre ist gewahrt
- Sicherer Transfer ist gewährleistet
- Kontinenztraining ist unterstützt

Pflegeinterventionen

Rufanlage in geeigneter Nähe einrichten
- Pflegeintervention konkretisieren
- Zeit angeben

Ausscheidung auf der Toilette ermöglichen/ unterstützen
- Pflegeintervention konkretisieren
  - » Zum Toilettengang/Wasserlassen auffordern
  - » Zur Toilette führen
  - » Zur Toilette mit dem Roll-/Lehnstuhl fahren
  - » Transfer auf die Toilette und zurück durch-

führen
  - Bei der Miktion (Urinausscheidung) unterstützen
  - Bei der Defäkation (Stuhlausscheidung) unterstützen
  - Beim Aus-/Ankleiden des Unterkörpers zur Ausscheidung unterstützen
- Art der Unterstützungsleistung angeben
  - Beaufsichtigen
  - Durch Unterstützen helfen
  - Teilweise übernehmen
  - Vollständig übernehmen
  - Zur Pflegeintervention anleiten
- Anzahl erforderlicher Pflegepersonen angeben

Bei der Benutzung des Toilettenstuhls anleiten/unterstützen
- Pflegeintervention konkretisieren
- Art der Unterstützungsleistung angeben
  - Beaufsichtigen
  - Durch Unterstützen helfen
  - Teilweise übernehmen
  - Vollständig übernehmen
  - Zur Pflegeintervention anleiten
- Anzuleitende Person(en) festlegen
  - Betroffene Person
  - Angehöriger/Bezugsperson
- Anzahl erforderlicher Pflegepersonen angeben

Bei (sonstigen) Ausscheidungsaktivitäten unterstützen
- Pflegeintervention konkretisieren
  - Kleidung vor und nach der Ausscheidung richten
  - Steckbecken verwenden
  - Urinflasche verwenden
  - Urinbeutel wechseln/entleeren
  - Stomabeutel wechseln/entleeren
  - Händewaschen ermöglichen
- Inkontinenzhilfen einsetzen
  - Inkontinenzhosen wechseln nach Wasserlassen
  - Inkontinenzhosen wechseln nach Stuhlgang
  - Kleine Vorlage mit Netzhose wechseln
  - Große Vorlagen verwenden
- Art der Unterstützungsleistung angeben
  - Beaufsichtigen
  - Durch Unterstützen helfen
  - Teilweise übernehmen
  - Vollständig übernehmen
  - Zum Einsatz von Inkontinenzhilfen anleiten
- Anzahl erforderlicher Pflegepersonen angeben

Intimbereich nach der Ausscheidung reinigen
- Pflegeintervention konkretisieren
- Zeit angeben

Zur Benutzung der Urin-/Bettflasche anleiten
- Urinflasche/Bettpfanne benutzen
  - Zellstoff bereitlegen
  - Urinflasche/Bettpfanne nach jeder Miktion leeren
  - Händewaschen nach der Miktion ermöglichen
- Anzuleitende Person(en) festlegen
  - Betroffene Person
  - Angehöriger/Bezugsperson

Intimpflege durchführen
- Pflegeintervention konkretisieren
  - Intimwaschung durchführen
  - Mit Pflegeschaum Haut reinigen
  - Feuchttücher zur Hautreinigung anwenden
  - Alte aufgetragene Hautschutzcreme mit Öl und weichem Tuch entfernen
  - Reinigungsprodukte mit saurem ph-Wert verwenden
  - Reibung beim Reinigen und Abtrocknen vermeiden

Händewaschen nach jedem Ausscheidungsvorgang ermöglichen
- Pflegeintervention konkretisieren
- Zeit angeben

Windel wechseln
- Pflegeintervention konkretisieren
  - Einmal-Höschenwindel verwenden
  - Stoffwindel verwenden

Beim Transfer vom Rollstuhl auf die Toilette und zurück unterstützen
- Hilfsmittel einsetzen
  - Patientenlifter benutzen
  - Drehscheibe einsetzen
  - Gehgürtel einsetzen
- Transfer ohne Hilfsmittel durchführen
  - Transfer über den Stand durch Schultergriff, Blockieren der Knie und Gewichtsverlagerung der Pflegeperson unterstützen
  - Mit Bewegungsunterstützung durch Pflegeperson aufstehen; Bewegung wird durch Zug und Druck auf Körperteile aktiv unterstützt/gehalten
  - Mit Bewegungsunterstützung durch Pflegeperson umsetzen; Bewegung wird durch Zug und Druck auf Körperteile aktiv unterstützt/gehalten; der Patient wird gedreht und abgesetzt
- Anzahl erforderlicher Pflegepersonen angeben

Maßnahmen zur Vorbereitung des Toilettengangs durchführen
- Orthesen/Prothesen/Stützkorsagen anlegen
  - Oberschenkelprothese
  - Unterschenkelprothese
  - Hüftexartikulationsprothese
  - Knie-Orthese
  - Hüft-Bein-Orthese
  - Unterschenkelorthese
  - Vorfußstumpf
  - Rückfußstumpf
  - Doppelschalenkorsett
  - Rumpforthese
  - Beckenbodenorthese
  - Rückenorthese
- Art der Unterstützungsleistung angeben
  - Teilweise übernehmen
  - Vollständig übernehmen
  - Zum selbstständigen An-/Ablegen anleiten

Sonstige Pflegemaßnahmen durchführen
- Maßnahmen konkretisieren
- Zeit angeben

Literaturhinweise: 51, 68, 95, 125, 133, 151, 171, 175, 176

Der Patient **erreicht** aufgrund einer **Bewegungseinschränkung die Toilette nicht rechtzeitig**, es besteht das **Risiko des Einnässens**

Kennzeichen

- Urin dringt durch Hose/Rock und macht sichtbare Flecken
- Nässt auf dem Weg zur Toilette ein
- Die Dauer von der Wahrnehmung des Harndrangs bis zum Erreichen der Toilette reicht nicht aus

Ursachen

- Weiter, schwer zu bewältigender Weg zur Toilette
- Benötigt viel Zeit, um den Weg zur Toilette zu bewältigen
- Beeinträchtigte Gehfähigkeit (Gangveränderung)
- Bettruhe aufgrund von Aktivitätsintoleranz
- Körperliche Schwäche
- Verordnete Bettruhe
- Kognitive Beeinträchtigungen
- Findet den Weg zur Toilette nicht

Ressourcen

- Kann den Toilettenstuhl benutzen
- Hat einen geregelten Tagesablauf und kann feste Toilettenzeiten einrichten
- Meldet sich, wenn er zur Toilette muss
- Akzeptiert die Unterstützung
- Akzeptiert die Unterstützung von Angehörigen
- Kann die Toilette mit Unterstützung benutzen

Pflegeziele

- Erreicht rechtzeitig die Toilette/den Toilettenstuhl
- Meldet sich rechtzeitig bei Harndrang
- Kann die Toilette selbstständig benutzen
- Kann die Ausscheidung auf der Toilette selbstständig durchführen
- Hygiene ist gewährleistet, einer Keimverschleppung ist vorgebeugt

Pflegeinterventionen

Bett in Toilettennähe platzieren

- Pflegeintervention konkretisieren
- Zeit angeben

Nachtstuhl bereitstellen und regelmäßig entleeren

- Pflegeintervention konkretisieren
- Zeit angeben

Umgebungsfaktoren/Hilfsmittel überprüfen und optimieren

- Pflegeintervention konkretisieren
  - » Lichtverhältnisse verbessern
  - » Klingel und Rufanlagen anpassen
  - » Gefährliche Hindernisse aus dem Weg räumen
  - » Kurze Wegstecken zur Toilette ermöglichen
  - » Gehhilfen anbieten und die Benutzung einüben
  - » Toilettensitzerhöhung nutzen
  - » Toilettenstuhl bereitstellen

Ausscheidung auf der Toilette ermöglichen/unterstützen

- Pflegeintervention konkretisieren
  - » Zum Toilettengang/Wasserlassen auffordern
  - » Zur Toilette führen
  - » Zur Toilette mit dem Roll-/Lehnstuhl fahren
  - » Transfer auf die Toilette und zurück durchführen
  - » Bei der Miktion (Urinausscheidung) unterstützen
  - » Bei der Defäkation (Stuhlausscheidung) unterstützen
  - » Beim Aus-/Ankleiden des Unterkörpers zur Ausscheidung unterstützen
- Art der Unterstützungsleistung angeben
  - » Beaufsichtigen
  - » Durch Unterstützen helfen
  - » Teilweise übernehmen
  - » Vollständig übernehmen
  - » Zur Pflegeintervention anleiten
- Anzahl erforderlicher Pflegepersonen angeben

Händewaschen nach jedem Ausscheidungsvorgang ermöglichen

- Pflegeintervention konkretisieren
- Zeit angeben

Sonstige Pflegemaßnahmen durchführen

- Maßnahmen konkretisieren
- Zeit angeben

Literaturhinweise: 51, 68, 95, 125, 133, 151, 171, 175, 176

Der Patient kann die **gefüllte Harnblase nicht/nicht vollständig entleeren**, die **Ausscheidung ist beeinträchtigt**

Kennzeichen

- Äußert Schmerzen im Unterbauch
- Tastbar gefüllte Blase
- Harnträufeln
- Dysurie
- Restharn
- Berichtet über das Gefühl einer ständig vollen Blase
- Berichtet über häufiges Wasserlassen bei geringer Urinmenge

Ursachen

- Wirbelfraktur
- Bandscheibenvorfall
- Neurogener Harnverhalt
- Neurogener Harnverhalt durch die Narkose
- Schamgefühl und Angst
- Balanitis (Eichelentzündung)
- Nach Blasendauerkatheterentfernung
- Myelomeningozele
- Wirbelfraktur
- Rückenmarkerkrankungen
- Nebenwirkungen von Medikamenten
- Infolge einer Blasenentzündung
- Entzündliche Prozesse im Gehirn

Ressourcen

- Zeigt Interesse, die Stimulation der Miktion zu lernen
- Kann die Blase durch Triggern zur Entleerung stimulieren
- Kann sich einmalkatheterisieren
- Kann die Maßnahme nach Anleitung selbstständig durchführen
- Erkennt die Notwendigkeit der getroffenen Intervention und kooperiert mit dem therapeutischen Team

Pflegeziele

- Komplikationen sind vorgebeugt
- Kontraindikationen sind ausgeschlossen
- Vollständige Blasenentleerung ist erreicht
- Kann spontan Wasser lassen
- Blasenentleerung ist sichergestellt
- Beherrscht die Techniken der Selbstkatheterisierung
- Miktion kann gezielt durch die Anwendung von Techniken stimuliert werden

Pflegeinterventionen

Urinabgang beobachten und analysieren

- Pflegeintervention konkretisieren
  - » Ausscheidung bilanzieren
  - » Vorlagen/Inkontinenzhosen wiegen, um die Urinmenge zu ermitteln
  - » Windel wiegen, um die Ausscheidungsmenge zu ermitteln

Blasenentleerung durch Beklopfen der unteren Bauchregion stimulieren (getriggerte Reflexentleerung)

- Voraussetzung der Durchführung
  - » Kontraindikationen abklären
- Pflegeintervention konkretisieren
  - » Blasenentleerung wird selbstständig durchgeführt
  - » Zum Erlernen der Technik anleiten
  - » Blasenentleerungsstimulation übernehmen
- Besonderheiten bestimmen

Miktion stimulieren

- Pflegeintervention konkretisieren
  - » Feuchtwarme Kompresse auf den Unterbauch legen
  - » Reflexbogen durch Eisanwendung stimulieren, Oberschenkelinnenseite bestreichen
  - » Reflexbogen durch das Gießen von warmem Wasser über den Damm stimulieren
  - » Wasserhahn aufdrehen - akustische Stimulation
  - » Handbad in warmem Wasser

Harnblase intermittierend katheterisieren

- Pflegeintervention konkretisieren
  - » Materialien zur Einmalkatheterisierung bereitstellen
  - » Intermittierende Einmalkatheterisierung übernehmen

Zur intermittierenden Selbstkatheterisierung anleiten

- Pflegeintervention konkretisieren
- Art der Unterstützung
  - » Beaufsichtigen
  - » Durch Unterstützen helfen
  - » Teilweise übernehmen
  - » Vollständig übernehmen
  - » Zur selbstständigen Durchführung anleiten
- Anzuleitende Person(en) festlegen
  - » Betroffene Person
  - » Angehöriger/Bezugsperson
- Zeit angeben

Miktion durch Valsalva-Versuch oder Credé-Handgriff stimulieren

- Pflegeintervention konkretisieren
  - » Zur Anwendung des Credé-Handgriffs anleiten
  - » Zur Anwendung des Valsalva-Manövers (Bauchpresse) anleiten
  - » Sonstige Methoden

Sonstige Pflegemaßnahmen durchführen

- Maßnahmen konkretisieren
- Zeit angeben

Literaturhinweise: 51, 68, 95, 125, 133, 151, 171, 175, 176

Der Patient hat aufgrund einer **akuten Infektion der unteren Harnwege** eine **beeinträchtigte Ausscheidung**

Kennzeichen

- Äußert häufigen Harndrang (alle 10-20 Minuten)
- Brennen beim Wasserlassen
- Dysurie
- Berichtet über Schmerzen bei der Urinausscheidung
- Äußert Schmerzen im Unterbauch
- Blasentenesmen
- Fieber
- Nykturie
- Berichtet, den Urin zurückzuhalten
- Blutbeimengungen im Urin (Hämaturie)

Ursachen

- Inadäquates Hygieneverhalten
- Stuhlinkontinenz
- Stoffwechselerkrankung
- Schwangerschaft
- Prostatavergrößerung
- Blasendauerkatheter
- Nebenwirkungen von Medikamenten
- Abwehrschwäche
- Häufiger Geschlechtsverkehr

Ressourcen

- Trinkt die vorbereitete Flüssigkeit
- Kann den Toilettengang selbstständig durchführen
- Kann den Toilettenstuhl benutzen
- Benutzt Urinflasche/Steckbecken selbstständig
- Erkennt Veränderungen der Körpertemperatur und meldet sich
- Erkennt die Notwendigkeit der getroffenen Intervention und kooperiert mit dem therapeutischen Team

Pflegeziele

- Urinausscheidung ist forciert
- Komplikationen sind vorgebeugt
- Untersuchungsmaterial ist korrekt gewonnen und weitergeleitet

Pflegeinterventionen

Zur erhöhten Flüssigkeitszufuhr auffordern bzw. dabei unterstützen
- Pflegeintervention konkretisieren
- Zeit angeben

Bei der Ausscheidung unterstützen
- Pflegeintervention konkretisieren
  - » Kleidung vor und nach der Ausscheidung richten
  - » Steckbecken verwenden
  - » Urinflasche verwenden
  - » Urinbeutel wechseln/entleeren
  - » Stomabeutel wechseln/entleeren
  - » Händewaschen ermöglichen
- Inkontinenzhilfen einsetzen
  - » Inkontinenzhosen wechseln nach Wasserlassen
  - » Inkontinenzhosen wechseln nach Stuhlgang
  - » Kleine Vorlage mit Netzhose wechseln
  - » Große Vorlagen verwenden
- Art der Unterstützungsleistung angeben
  - » Beaufsichtigen
  - » Durch Unterstützen helfen
  - » Teilweise übernehmen
  - » Vollständig übernehmen
  - » Zum Einsatz von Inkontinenzhilfen anleiten
- Anzahl erforderlicher Pflegepersonen angeben

Temperaturkontrollen durchführen
- Messmethode auswählen
  - » Messort rektal
  - » Messort sublingual
  - » Messort axillar
  - » Messort Ohr
  - » Kontaktlose Stirntemperaturmessung mit Infrarottechnologie
- Dokumentationsort der Messwerte bestimmen
  - » In der Fieberkurve dokumentieren
  - » Messwerte in den Pflegeplan eintragen
  - » Messwerte in das Überwachungsprotokoll eintragen
- Thermometer wieder aufbereiten
  - » Schutzhüllen entsorgen, Schmutz abwischen und in Desinfektionslösung nach Plan einlegen
  - » Trocken gelagertes, im Zimmer verbleibendes Thermometer alle drei Tage desinfizieren

Bei den angeordneten Laboruntersuchungen unterstützen
- Pflegeintervention konkretisieren
  - » Streifenschnelltest durchführen
  - » Spezifisches Gewicht des Urins ermitteln
  - » Urinkultur anlegen
  - » Bei der Mittelstrahl-Uringewinnung zur Laboruntersuchung unterstützen
  - » Bei der Einmalkatheter-Uringewinnung zur Laboruntersuchung unterstützen
  - » 24-Stunden-Sammelurin durchführen
  - » Urinprobe aus der Latexmembran der Urinableitung entnehmen

Sonstige Pflegemaßnahmen durchführen
- Maßnahmen konkretisieren
- Zeit angeben

Literaturhinweise: 51, 68, 95, 125, 133, 151, 171, 175, 176

Der Patient hat aufgrund einer **chronischen Blasenentzündung** eine **erhöhte Miktionsfrequenz** (häufiges Wasserlassen)

Kennzeichen

- Äußert ständigen Drang zum Wasserlassen
- Häufiges Wasserlassen in kleinen Mengen bei normaler 24-Stunden-Urinmenge (Pollakisurie)
- Brennen beim Wasserlassen
- Nykturie
- Beschreibt Krämpfe im Unterleib
- Häufiges Wasserlassen in kleinen Mengen bei normaler 24-Stunden-Urinmenge (Pollakisurie)
- Blutbeimengungen im Urin (Hämaturie)
- Äußert Schmerzen im Unterbauch

Ursachen

- Harnabflussbehinderung
- Blasenentleerungsstörung
- Prostatavergrößerung
- Harnröhrenverletzung/-verengung
- Zu kurze Harnröhre
- Häufiger Geschlechtsverkehr
- Blasendauerkatheter
- Stoffwechselerkrankung
- Stuhlinkontinenz
- Inadäquates Hygieneverhalten

Ressourcen

- Kann den Toilettenstuhl benutzen
- Kann die Toilette mit Unterstützung benutzen
- Kann den Toilettengang selbstständig durchführen
- Meldet sich, wenn er zur Toilette muss
- Zeigt Verhaltensweisen, die die Therapie unterstützen
- Erkennt Veränderungen der Körpertemperatur und meldet sich
- Akzeptiert die Unterstützung
- Akzeptiert die Unterstützung von Angehörigen

Pflegeziele

- Gesundungsprozess ist unterstützt
- Einem Harnwegsinfekt ist vorgebeugt

Pflegeinterventionen

Wärmeanwendung durchführen

- Wärmeanwendung
  - » Zusätzliche Bettdecke benutzen
  - » Wärmflasche auflegen
  - » Thermoelemente verwenden
  - » Rotlicht einsetzen
- Zeitpunkt der Wärmezufuhr bestimmen
  - » Während des Fieberanstiegs Wärme zuführen
  - » Kontinuierlich Wärme zuführen

Feuchtheiße Bauchwickel anwenden

- Pflegeintervention konkretisieren
  - » Wickellösung mit Kamille
  - » Wickellösung mit Salzwasser

Sonstige Pflegemaßnahmen durchführen

- Maßnahmen konkretisieren
- Zeit angeben

Beratungsgespräch zur Prävention von Harnwegsinfektionen durchführen

- Maßnahmen konkretisieren
  - » Über mögliche Zusammenhänge der Sexualhygiene und Harnwegsinfektion aufklären
  - » Zusammenhänge zwischen Sexualverhalten und Harnwegsinfektionen aufzeigen und Präventionsmaßnahmen besprechen
  - » Möglichkeiten der Beeinflussung des Urin-pH-Werts aufzeigen und die Zusammenhänge mit Harnwegsinfektionen
- Zeit angeben

Literaturhinweise: 51, 68, 95, 125, 133, 151, 171, 175, 176

Der Patient hat **postoperativ einen Harnverhalt**, es besteht das **Risiko von Komplikationen**

Kennzeichen

- Äußert Schmerzen im Unterbauch
- Tastbar gefüllte Blase
- Verhärteter Unterbauch
- Unruhezustände
- Tachykardie, Hypertonie

Ursachen

- Neurogener Harnverhalt durch die Narkose

Ressourcen

- Erkennt die Notwendigkeit der getroffenen Intervention und kooperiert mit dem therapeutischen Team
- Meldet sich, wenn er zur Toilette muss

Pflegeziele

- Kann spontan Wasser lassen
- Blasenentleerung ist sichergestellt
- Ungehinderte Ausscheidung ist gewährleistet
- Komplikationen sind vorgebeugt

Pflegeinterventionen

Miktion stimulieren

- Pflegeintervention konkretisieren
  - » Feuchtwarme Kompresse auf den Unterbauch legen
  - » Reflexbogen durch Eisanwendung stimulieren, Oberschenkelinnenseite bestreichen
  - » Reflexbogen durch das Gießen von warmem Wasser über den Damm stimulieren
  - » Wasserhahn aufdrehen - akustische Stimulation
  - » Handbad in warmem Wasser

Einmalkatheterisierung 6 Std. nach OP durchführen

- Pflegeintervention konkretisieren
- Zeit angeben

Urinabgang beobachten und analysieren

- Pflegeintervention konkretisieren
  - » Ausscheidung bilanzieren
  - » Vorlagen/Inkontinenzhosen wiegen, um die Urinmenge zu ermitteln
  - » Windel wiegen, um die Ausscheidungsmenge zu ermitteln

Sonstige Pflegemaßnahmen durchführen

- Maßnahmen konkretisieren
- Zeit angeben

Literaturhinweise: 51, 68, 95, 125, 133, 151, 171, 175, 176

Der Patient ist in der **Urinausscheidung beeinträchtigt**

Kennzeichen

- Dysurie
- Verzögertes Wasserlassen

Ursachen

Ressourcen

- Erkennt die Notwendigkeit der getroffenen Intervention und kooperiert mit dem therapeutischen Team
- Angehörige/Bezugspersonen unterstützen den Pflegeprozess
- Kann die Toilette mit Unterstützung benutzen
- Kann den Toilettengang selbstständig durchführen
- Akzeptiert die Unterstützung
- Kann den Toilettenstuhl benutzen
- Meldet sich, wenn er zur Toilette muss

Pflegeziele

- Komplikationen sind vorgebeugt
- Kann die Ausscheidung auf der Toilette selbstständig durchführen
- Erreicht rechtzeitig die Toilette/den Toilettenstuhl
- Hygiene ist gewährleistet, einer Keimverschleppung ist vorgebeugt
- Meldet sich rechtzeitig bei Harndrang
- Kann die Toilette selbstständig benutzen
- Kann spontan Wasser lassen
- Blasenentleerung ist sichergestellt

Pflegeinterventionen

Urinabgang beobachten und analysieren

- Pflegeintervention konkretisieren
  - » Ausscheidung bilanzieren
  - » Vorlagen/Inkontinenzhosen wiegen, um die Urinmenge zu ermitteln
  - » Windel wiegen, um die Ausscheidungsmenge zu ermitteln

Ausscheidung auf der Toilette ermöglichen/unterstützen

- Pflegeintervention konkretisieren
  - » Zum Toilettengang/Wasserlassen auffordern
  - » Zur Toilette führen
  - » Zur Toilette mit dem Roll-/Lehnstuhl fahren
  - » Transfer auf die Toilette und zurück durchführen
  - » Bei der Miktion (Urinausscheidung) unterstützen
  - » Bei der Defäkation (Stuhlausscheidung) unterstützen
  - » Beim Aus-/Ankleiden des Unterkörpers zur Ausscheidung unterstützen
- Art der Unterstützungsleistung angeben
  - » Beaufsichtigen
  - » Durch Unterstützen helfen
  - » Teilweise übernehmen
  - » Vollständig übernehmen
  - » Zur Pflegeintervention anleiten
- Anzahl erforderlicher Pflegepersonen angeben

Bett in Toilettennähe platzieren

- Pflegeintervention konkretisieren
- Zeit angeben

Nachtstuhl bereitstellen und regelmäßig entleeren

- Pflegeintervention konkretisieren
- Zeit angeben

Händewaschen nach jedem Ausscheidungsvorgang ermöglichen

- Pflegeintervention konkretisieren
- Zeit angeben

Umgebungsfaktoren/Hilfsmittel überprüfen und optimieren

- Pflegeintervention konkretisieren
  - » Lichtverhältnisse verbessern
  - » Klingel und Rufanlagen anpassen
  - » Gefährliche Hindernisse aus dem Weg räumen
  - » Kurze Wegstecken zur Toilette ermöglichen
  - » Gehhilfen anbieten und die Benutzung einüben
  - » Toilettensitzerhöhung nutzen
  - » Toilettenstuhl bereitstellen

Miktion stimulieren

- Pflegeintervention konkretisieren
  - » Feuchtwarme Kompresse auf den Unterbauch legen
  - » Reflexbogen durch Eisanwendung stimulieren, Oberschenkelinnenseite bestreichen
  - » Reflexbogen durch das Gießen von warmem Wasser über den Damm stimulieren
  - » Wasserhahn aufdrehen - akustische Stimulation
  - » Handbad in warmem Wasser

Sonstige Pflegemaßnahmen durchführen

- Maßnahmen konkretisieren
- Zeit angeben

Literaturhinweise: 51, 95, 125, 133, 151, 171, 175, 176

Der Patient hat aufgrund eines **erhöhten abdominalen Drucks** einen **unwillkürlichen Harnabgang** (Belastungsinkontinenz)

Kennzeichen

- Beobachtetes Harnträufeln bei erhöhtem intraabdominalem Druck (Lachen, Schnäuzen, Niesen usw.)
- Beobachteter Urinabgang bei leichter Anstrengung wie Treppensteigen, Gehen
- Beobachteter Urinabgang bei starker körperlicher Anstrengung (Laufen, Hüpfen, schweres Tragen, Heben)
- Harnverlust auch im Liegen
- Urinabgang tagsüber stärker als nachts
- Beschreibt einen Harnverlust ohne Harndranggefühl
- Ausscheidungsfrequenz ist erhöht
- Berichtet von Urinabgang beim Lachen, Husten, Niesen
- Berichtet vom Urinabgang beim Hüpfen
- Berichtet vom Urinabgang beim Treppensteigen

Status entsprechend dem pflegerischen Kontinenzprofil
- Ist mit pflegerischer Unterstützung kontinent
- Kann die Inkontinenz unabhängig von pflegerischer Unterstützung kompensieren
- Kann die Inkontinenz mit pflegerischer Unterstützung kompensieren
- Inkontinenz kann nicht kompensiert werden

Ursachen

- Schwache Beckenmuskulatur
- Schwaches Stützgewebe im Beckenbereich
- Schwangerschaft
- Traumatische Entbindung
- Operativer gynäkologischer Eingriff
- Östrogenmangel/Klimakterium
- Adipositas
- Insuffizienter Verschlussmechanismus der Harnröhre
- Inkompletter Verschlussmechanismus der Harnröhre
- Prostataoperation
- Absenkung (Descensus)
- Traumatische Schädigung des äußeren Blasenschließmuskels
- Änderung der intraabdominalen Druckverhältnisse (z. B. Asthmatiker, Raucherhusten)

Ressourcen

- Kennt für die Situation passende Inkontinenzhilfen und kann sie adäquat einsetzen
- Führt regelmäßig Übungen zur Stärkung der Beckenbodenmuskulatur durch
- Ist motiviert, Neues auszuprobieren
- Akzeptiert die Unterstützung
- Akzeptiert die Unterstützung von Angehörigen
- Toleriert die therapeutische/pflegerische Intervention

Pflegeziele

- Inkontinenzform ist eingeschätzt
- Ist über die Möglichkeiten der Inkontinenzversorgung und des Kontinenztrainings aufgeklärt
- Angestrebtes Kontinenzprofil ist vereinbart
- Die kontinenzfördernden Interventionen können evaluiert werden
- Ist unabhängig von pflegerischer Unterstützung kontinent
- Ist mit pflegerischer Unterstützung kontinent
- Kann die Inkontinenz unabhängig von pflegerischer Unterstützung kompensieren
- Kann die Inkontinenz mit pflegerischer Unterstützung kompensieren
- Individuelles Ausscheidungsmuster ist ermittelt
- Kann den Harn bei erhöhtem abdominalen Druck (z. B. Niesen, Husten, Lachen, Hüpfen) halten
- Hat zwischen den Miktionen keinen unwillkürlichen Urinabgang
- Beckenbodenmuskulatur wird durch spontane Kontraktionswiederholungen trainiert
- Erreicht die Toilette ohne unwillkürlichen Harnabgang
- Das spezifische Uringewicht liegt im Normbereich (1012-1030 g/ml)
- Urinmenge pro Tag zwischen 1,5-2 Liter
- Ermittelte Zieleinfuhr ist täglich erreicht
- Kennt die Zusammenhänge zwischen der Urininkontinenz und dem Einfluss des Flüssigkeitsmanagements
- Intimhygiene ist gewährleistet
- Hygiene ist gewährleistet, einer Keimverschleppung ist vorgebeugt
- Inkontinenzprovozierende Medikamente sind abgesetzt
- Kann die Ausscheidung auf der Toilette selbstständig durchführen
- Kann die Toilette selbstständig benutzen
- Ist über die verschiedenen Möglichkeiten informiert
- Fassungsvermögen der Harnblase ist > 150 ml
- Ausscheidung kann auf der Toilette durchgeführt werden
- Fassungsvermögen der Harnblase ist > 200 ml
- Fassungsvermögen der Harnblase ist > 300 ml
- Das Entleerungsintervall der Harnblase von 3-4 Stunden ist erreicht
- Kann die Miktion um die vereinbarte Zeit aufschieben, um die Kapazität der Blase zu vergrößern

Pflegeinterventionen

Systematisches Assessment mithilfe eines Fragebogens durchführen
- Gesprächsinhalt
- Zeitdauer angeben

Pflegegespräch über Ursachen, pflegetherapeutische Maßnahmen sowie Versorgungsmöglichkeiten führen
- Themenschwerpunkte angeben
  - » Urinverlust bei körperlicher Aktivität
  - » Häufigkeit des Wasserlassens während des Tages
  - » Wasserlassen in der Nacht

- » Blasenentleerungsgefühl nach dem Wasserlassen
- » Umstände des ungewollten Urinabgangs
- » Beschwerden im Zusammenhang mit der Urinausscheidung
- » Hustentest bei voller Blase
- » Harndrang
- » Medikamente und Auswirkungen auf die Kontinenz
- » Inkontinenzversorgung
- » Möglichkeiten des Kontinenztrainings
- Teilnehmende Personen angeben
  - » Angehöriger/Bezugsperson
  - » Betroffene Person
  - » Sonstige Personen
- Zeit angeben

Behandlungserfolge des Kontinenztrainings beobachten, einschätzen, dokumentieren

- Pflegeintervention konkretisieren
  - » Miktionsprotokoll nutzen
  - » Individuelle Aufzeichnungen des Betroffenen nutzen
- Art der Unterstützungsleistung angeben
  - » Miktionsprotokoll für den Betroffenen führen
  - » Eintragungen mit dem Betroffenen auswerten
  - » Miktionsereignisse gemeinsam in das Miktionsprotokoll eintragen
  - » Auswertungsgespräch im therapeutischen Team führen

Toilettentraining entsprechend dem individuellen Ausscheidungsmuster durchführen

- Pflegeintervention konkretisieren
  - » Nach Plan zum Toilettengang/ Wasserlassen auffordern
  - » Nach Plan beim Benutzen der Bettschüssel/Harnflasche unterstützen
  - » Nach Plan/festgelegten Zeiten beim Benutzen des Toiletten-/Nachtstuhls unterstützen
  - » Nach Plan/festgelegten Zeiten zur Toilette führen
- Sonstige Interventionen im Zusammenhang mit der Ausscheidungsunterstützung
  - » Bei der Miktion (Urinausscheidung) unterstützen
  - » Beim Aus-/Ankleiden des Unterkörpers zur Ausscheidung unterstützen
- Art der Unterstützungsleistung angeben
  - » Beaufsichtigen
  - » Durch Unterstützen helfen
  - » Teilweise übernehmen
  - » Vollständig übernehmen
  - » Zum Einsatz von Inkontinenzhilfen anleiten

Toilettentraining in festgelegten Zeitabständen durchführen

- Pflegeintervention konkretisieren
  - » Nach Plan zum Toilettengang/ Wasserlassen auffordern
  - » Nach Plan beim Benutzen der Bettschüssel/Harnflasche unterstützen
  - » Nach Plan/festgelegten Zeiten beim Benutzen des Toiletten-/Nachtstuhls unterstützen
  - » Nach Plan/festgelegten Zeiten zur Toilette führen
- Sonstige Interventionen im Zusammenhang mit der Ausscheidungsunterstützung
  - » Bei der Miktion (Urinausscheidung) unterstützen
  - » Beim Aus-/Ankleiden des Unterkörpers zur Ausscheidung unterstützen
- Art der Unterstützungsleistung angeben
  - » Beaufsichtigen
  - » Durch Unterstützen helfen
  - » Teilweise übernehmen
  - » Vollständig übernehmen
  - » Zum Einsatz von Inkontinenzhilfen anleiten

Individuelles Ausscheidungsmuster ermitteln

- Pflegeintervention konkretisieren
  - » Miktionsprotokoll führen
  - » Miktionsprotokolle gemeinsam mit dem Betroffenen führen/auswerten
  - » Auswertungsgespräch im therapeutischen Team führen
- Parameter des Miktionsprotokolls festlegen
  - » Trinkmenge und Zeitpunkt
  - » Miktionszeitpunkt
  - » Begleitsymptome bei der Miktion
  - » Unwillkürlicher Harnabgang
  - » Ausscheidungsmenge
  - » Mengenangaben über den unwillkürlichen Harnabgang
  - » Vorlagen/Inkontinenzhosen wiegen, um die Urinmenge zu ermitteln

Zum Beckenbodentraining anleiten

- Pflegeintervention konkretisieren
  - » Zum Beckenbodentraining anleiten
  - » Informationsbroschüre mit Übungsanleitungen zum Beckenbodentraining aushändigen und Übungen erläutern
  - » Übungsfortschritte des Beckenbodentrainings besprechen
- Beckenbodentraining mit unterstützender Technik
  - » Beckenbodentraining mit Bio-Feedback
  - » Beckenbodentraining mit Power Plate
  - » Beckenbodentraining mit Vaginalkonen
- Zu den Übungen anleiten und anweisen durch
  - » Pflegeperson
  - » Physiotherapeut
- Anzuleitende Person(en) festlegen
  - » Betroffene Person
  - » Angehöriger/Bezugsperson

Zum bewussten Anspannen der Beckenbodenmuskulatur vor dem Aufstehen/dem Toilettengang anleiten

- Pflegeintervention konkretisieren
- Zeit angeben

Inkontinenzhilfsmittel auswählen/einsetzen

- Pflegeintervention konkretisieren
  - » Slipeinlagen verwenden
  - » Kleine Einlagen/Vorlagen verwenden
  - » Große Vorlagen verwenden
  - » Geschlossene Slips verwenden
  - » Netzhosen/Einmalschlüpfer zur Fixierung der Einlagen/Vorlagen verwenden
  - » Inkontinenzhosen verwenden
  - » Kondom-Urinal für Männer verwenden
  - » Incogyn-System für Frauen verwenden
  - » Fäkalkollektor verwenden
- Art der Unterstützungsleistung angeben
  - » Anwendung der Inkontinenzhilfen beaufsichtigen
  - » Über Inkontinenzhilfen beraten
  - » Zum Einsatz von Inkontinenzhilfen anleiten
  - » Teilweise übernehmen
  - » Vollständig übernehmen

Adäquate tägl. Flüssigkeitszufuhr, in Verbindung mit den Anforderungen an das Kontinenzmanagement, sicherstellen

- Pflegeintervention konkretisieren
  - » Zieleinfuhr ermitteln/festlegen (lt. Arztanordnung)
  - » Zieleinfuhr ermitteln (30 ml x kg Körpergewicht)
  - » Trinkfahrplan erstellen und aktualisieren
  - » Flüssigkeit nach Trinkfahrplan zuführen

Betroffenen über den Zusammenhang der Flüssigkeitszufuhr und des Kontinenzmanagements aufklären

- Gesprächsinhalt
- Zeitdauer angeben

Intimbereich nach der Ausscheidung reinigen

- Pflegeintervention konkretisieren
- Zeit angeben

Händewaschen nach jedem Ausscheidungsvorgang ermöglichen

- Pflegeintervention konkretisieren
- Zeit angeben

Im therapeutischen Team abklären, ob Nebenwirkungen von Medikamenten zur Inkontinenz führen

- Pflegeintervention konkretisieren
- Zeitdauer angeben

Ausscheidung auf der Toilette ermöglichen/unterstützen

- Pflegeintervention konkretisieren
  - » Zum Toilettengang/Wasserlassen auffordern

- » Zur Toilette führen
- » Zur Toilette mit dem Roll-/Lehnstuhl fahren
- » Transfer auf die Toilette und zurück durchführen
- » Bei der Miktion (Urinausscheidung) unterstützen
- » Bei der Defäkation (Stuhlausscheidung) unterstützen
- » Beim Aus-/Ankleiden des Unterkörpers zur Ausscheidung unterstützen
- Art der Unterstützungsleistung angeben
  - » Beaufsichtigen
  - » Durch Unterstützen helfen
  - » Teilweise übernehmen
  - » Vollständig übernehmen
  - » Zur Pflegeintervention anleiten
- Anzahl erforderlicher Pflegepersonen angeben

Bettschutz einbetten und bei Bedarf wechseln
- Pflegeintervention konkretisieren
- Zeit angeben

Zum Blasentraining (Miktionstraining) anleiten
- Pflegeintervention konkretisieren
  - » Individuellen Entleerungsrhythmus der Blase durch Dokumentation im Miktionsprotokoll ermitteln
  - » Festgesetzte Miktionszeiten entsprechend dem individuell ermittelten Entleerungsrhythmus vereinbaren
  - » Auffordern, die Zeiträume zwischen den Miktionen auszuhalten, zu verlängern
  - » Miktionszeiträume schrittweise verlängern
- Art der Unterstützungsleistung angeben
  - » Miktionsprotokolle gemeinsam mit dem Betroffenen führen/auswerten
  - » Zielsetzungen bezüglich des angestrebten Miktionsrhythmus vereinbaren
  - » Für den Betroffenen Miktionsprotokoll führen
  - » Auswertungsgespräch im therapeutischen Team führen
- Anzuleitende Person(en) festlegen
  - » Betroffene Person
  - » Angehöriger/Bezugsperson

Toilettenstuhl bereitstellen und ausleeren
- Pflegeintervention konkretisieren
- Zeit angeben

Sonstige Pflegemaßnahmen durchführen
- Maßnahmen konkretisieren
- Zeit angeben

Literaturhinweise: 51, 68, 95, 125, 133, 151, 171, 175, 176, 217, 258, 453, 457, 458, 460, 461, 462, 463, 464, 465, 466, 467, 815

Der Patient hat einen **imperativen Harndrang** verbunden mit einem **unwillkürlichen Harnabgang** (Dranginkontinenz)

Kennzeichen

- Beschreibt plötzlich auftretenden Harndrang
- Beschreibt heftigen Harndrang
- Kann den Harndrang nicht unterdrücken
- Nässt auf dem Weg zur Toilette ein
- Erhöhte Ausscheidungsfrequenz
- Häufiges Wasserlassen in kleinen Mengen bei normaler 24-Stunden-Urinmenge (Pollakisurie)
- Schwallartiger Verlust großer Urinmengen
- Verlust von kleinen Urinmengen
- Nykturie

Status entsprechend dem pflegerischen Kontinenzprofil
- Ist mit pflegerischer Unterstützung kontinent
- Kann die Inkontinenz unabhängig von pflegerischer Unterstützung kompensieren
- Kann die Inkontinenz mit pflegerischer Unterstützung kompensieren
- Inkontinenz kann nicht kompensiert werden

Ursachen

- Blasenüberdehnung
- Hohe Urinkonzentration
- Hohe Flüssigkeitszufuhr
- Verringertes Blasenfüllungsvermögen
- Reizung der Blasendehnungsrezeptoren
- Überaktivität der Blasenmuskulatur

Krankheitsbedingte Ursachen
- Zustand nach Apoplex
- Morbus Alzheimer
- Morbus Parkinson
- Multiple Sklerose
- Prostatavergrößerung
- Zystoneuropathie infolge von Diabetes
- Erkrankungen des ZNS
- Blasenentzündung
- Blasensteine
- Demenz
- Psychosomatische Hintergründe
- Chronische Harnwegsinfekte

- Östrogenmangel/Klimakterium
- Nach Blasendauerkatheterentfernung

Ressourcen

- Kennt für die Situation passende Inkontinenzhilfen und kann sie adäquat einsetzen
- Ist an einem Kontinenztraining interessiert
- Hat einen geregelten Tagesablauf und kann feste Toilettenzeiten einrichten

Pflegeziele

- Inkontinenzform ist eingeschätzt
- Ist über die Möglichkeiten der Inkontinenzversorgung und des Kontinenztrainings aufgeklärt
- Angestrebtes Kontinenzprofil ist vereinbart
- Individuelles Ausscheidungsmuster ist ermittelt
- Fassungsvermögen der Harnblase ist > 150 ml
- Fassungsvermögen der Harnblase ist > 200 ml
- Fassungsvermögen der Harnblase ist > 300 ml
- Das Entleerungsintervall der Harnblase von 3-4 Stunden ist erreicht
- Ist unabhängig von pflegerischer Unterstützung kontinent
- Ist mit pflegerischer Unterstützung kontinent
- Kann die Inkontinenz unabhängig von pflegerischer Unterstützung kompensieren
- Kann die Inkontinenz mit pflegerischer Unterstützung kompensieren
- Hat zwischen den Miktionen keinen unwillkürlichen Urinabgang
- Kann die Ausscheidung auf der Toilette selbstständig durchführen
- Kann die Toilette selbstständig benutzen
- Das spezifische Uringewicht liegt im Normbereich (1012-1030 g/ml)
- Urinmenge pro Tag zwischen 1,5-2 Liter
- Ermittelte Zieleinfuhr ist täglich erreicht
- Kennt die Zusammenhänge zwischen der Urininkontinenz und dem Einfluss des Flüssigkeitsmanagements
- Hygiene ist gewährleistet, einer Keimverschleppung ist vorgebeugt
- Intimhygiene ist gewährleistet
- Inkontinenzprovozierende Medikamente sind abgesetzt
- Kann die Miktion um die vereinbarte Zeit aufschieben, um die Kapazität der Blase zu vergrößern
- Ausscheidung kann auf der Toilette durchgeführt werden

Pflegeinterventionen

Systematisches Assessment mithilfe eines Fragebogens durchführen
- Gesprächsinhalt
- Zeitdauer angeben

Pflegegespräch über Ursachen, pflegetherapeutische Maßnahmen sowie Versorgungsmöglichkeiten führen
- Themenschwerpunkte angeben
  - » Urinverlust bei körperlicher Aktivität
  - » Häufigkeit des Wasserlassens während des Tages
  - » Wasserlassen in der Nacht
  - » Blasenentleerungsgefühl nach dem Wasserlassen
  - » Umstände des ungewollten Urinabgangs
  - » Beschwerden im Zusammenhang mit der Urinausscheidung
  - » Hustentest bei voller Blase
  - » Harndrang
  - » Medikamente und Auswirkungen auf die Kontinenz
  - » Inkontinenzversorgung
  - » Möglichkeiten des Kontinenztrainings
- Teilnehmende Personen angeben
  - » Angehöriger/Bezugsperson
  - » Betroffene Person
  - » Sonstige Personen
- Zeit angeben

Individuelles Ausscheidungsmuster ermitteln
- Pflegeintervention konkretisieren
  - » Miktionsprotokoll führen
  - » Miktionsprotokolle gemeinsam mit dem Betroffenen führen/auswerten
  - » Auswertungsgespräch im therapeutischen Team führen
- Parameter des Miktionsprotokolls festlegen
  - » Trinkmenge und Zeitpunkt
  - » Miktionszeitpunkt
  - » Begleitsymptome bei der Miktion
  - » Unwillkürlicher Harnabgang
  - » Ausscheidungsmenge
  - » Mengenangaben über den unwillkürlichen Harnabgang
  - » Vorlagen/Inkontinenzhosen wiegen, um die Urinmenge zu ermitteln

Zum Blasentraining (Miktionstraining) anleiten
- Pflegeintervention konkretisieren
  - » Individuellen Entleerungsrhythmus der Blase durch Dokumentation im Miktionsprotokoll ermitteln
  - » Festgesetzte Miktionszeiten entsprechend dem individuell ermittelten Entleerungsrhythmus vereinbaren
  - » Auffordern, die Zeiträume zwischen den Miktionen auszuhalten, zu verlängern
  - » Miktionszeiträume schrittweise verlängern
- Art der Unterstützungsleistung angeben
  - » Miktionsprotokolle gemeinsam mit dem Betroffenen führen/auswerten
  - » Zielsetzungen bezüglich des angestrebten Miktionsrhythmus vereinbaren
  - » Für den Betroffenen Miktionsprotokoll führen
  - » Auswertungsgespräch im therapeutischen Team führen
- Anzuleitende Person(en) festlegen
  - » Betroffene Person
  - » Angehöriger/Bezugsperson

Toilettentraining entsprechend dem individuellen Ausscheidungsmuster durchführen
- Pflegeintervention konkretisieren
  - » Nach Plan zum Toilettengang/ Wasserlassen auffordern
  - » Nach Plan beim Benutzen der Bettschüssel/Harnflasche unterstützen
  - » Nach Plan/festgelegten Zeiten beim Benutzen des Toiletten-/Nachtstuhls unterstützen
  - » Nach Plan/festgelegten Zeiten zur Toilette führen
- Sonstige Interventionen im Zusammenhang mit der Ausscheidungsunterstützung
  - » Bei der Miktion (Urinausscheidung) unterstützen
  - » Beim Aus-/Ankleiden des Unterkörpers zur Ausscheidung unterstützen
- Art der Unterstützungsleistung angeben
  - » Beaufsichtigen
  - » Durch Unterstützen helfen
  - » Teilweise übernehmen
  - » Vollständig übernehmen
  - » Zum Einsatz von Inkontinenzhilfen anleiten

Zum Beckenbodentraining anleiten
- Pflegeintervention konkretisieren
  - » Zum Beckenbodentraining anleiten
  - » Informationsbroschüre mit Übungsanleitungen zum Beckenbodentraining aushändigen und Übungen erläutern
  - » Übungsfortschritte des Beckenbodentrainings besprechen
- Beckenbodentraining mit unterstützender Technik
  - » Beckenbodentraining mit Bio-Feedback
  - » Beckenbodentraining mit Power Plate
  - » Beckenbodentraining mit Vaginalkonen
- Zu den Übungen anleiten und anweisen durch
  - » Pflegeperson
  - » Physiotherapeut
- Anzuleitende Person(en) festlegen
  - » Betroffene Person
  - » Angehöriger/Bezugsperson

Ausscheidung auf der Toilette ermöglichen/ unterstützen

- Pflegeintervention konkretisieren
  - » Zum Toilettengang/Wasserlassen auffordern
  - » Zur Toilette führen
  - » Zur Toilette mit dem Roll-/Lehnstuhl fahren
  - » Transfer auf die Toilette und zurück durchführen
  - » Bei der Miktion (Urinausscheidung) unterstützen
  - » Bei der Defäkation (Stuhlausscheidung) unterstützen
  - » Beim Aus-/Ankleiden des Unterkörpers zur Ausscheidung unterstützen
- Art der Unterstützungsleistung angeben
  - » Beaufsichtigen
  - » Durch Unterstützen helfen
  - » Teilweise übernehmen
  - » Vollständig übernehmen
  - » Zur Pflegeintervention anleiten
- Anzahl erforderlicher Pflegepersonen angeben

Inkontinenzhilfsmittel auswählen/einsetzen
- Pflegeintervention konkretisieren
  - » Slipeinlagen verwenden
  - » Kleine Einlagen/Vorlagen verwenden
  - » Große Vorlagen verwenden
  - » Geschlossene Slips verwenden
  - » Netzhosen/Einmalschlüpfer zur Fixierung der Einlagen/Vorlagen verwenden
  - » Inkontinenzhosen verwenden
  - » Kondom-Urinal für Männer verwenden
  - » Incogyn-System für Frauen verwenden
  - » Fäkalkollektor verwenden
- Art der Unterstützungsleistung angeben
  - » Anwendung der Inkontinenzhilfen beaufsichtigen
  - » Über Inkontinenzhilfen beraten
  - » Zum Einsatz von Inkontinenzhilfen anleiten
  - » Teilweise übernehmen
  - » Vollständig übernehmen

Adäquate tägl. Flüssigkeitszufuhr, in Verbindung mit den Anforderungen an das Kontinenzmanagement, sicherstellen
- Pflegeintervention konkretisieren
  - » Zieleinfuhr ermitteln/festlegen (lt. Arztanordnung)
  - » Zieleinfuhr ermitteln (30 ml x kg Körpergewicht)
  - » Trinkfahrplan erstellen und aktualisieren
  - » Flüssigkeit nach Trinkfahrplan zuführen

Betroffenen über den Zusammenhang der Flüssigkeitszufuhr und des Kontinenzmanagements aufklären
- Gesprächsinhalt
- Zeitdauer angeben

Händewaschen nach jedem Ausscheidungsvorgang ermöglichen
- Pflegeintervention konkretisieren
- Zeit angeben

Intimbereich nach der Ausscheidung reinigen
- Pflegeintervention konkretisieren
- Zeit angeben

Im therapeutischen Team abklären, ob Nebenwirkungen von Medikamenten zur Inkontinenz führen
- Pflegeintervention konkretisieren
- Zeitdauer angeben

Drang- und tonussenkende Maßnahmen durchführen
- Pflegeintervention konkretisieren
- Zeit angeben

Toilettenstuhl bereitstellen und ausleeren
- Pflegeintervention konkretisieren
- Zeit angeben

Sonstige Pflegemaßnahmen durchführen
- Maßnahmen konkretisieren
- Zeit angeben

Literaturhinweise: 51, 68, 95, 125, 133, 151, 171, 175, 176, 258, 454, 455, 460, 461, 462, 463, 464, 465, 466, 467, 820

Der Patient hat infolge der erreichten **Blasenfüllung in regelmäßigen Zeitabständen** einen **unwillkürlichen Harnabgang** (spontane Reflexentleerung)

Kennzeichen

- Fehlendes Gefühl für die Blasenfüllung
- Empfindet keinen Harndrang
- Spontaner Urinabgang in regelmäßigen Zeitabständen
- Spürt die Blasenentleerung nicht
- Fühlt sich bei einer gefüllten Blase unwohl (z. B. Schwitzen, Unruhezustände)
- Kann die Blasenentleerung nicht willentlich steuern
- Nach der Blasenentleerung Restharn in der Harnblase
- Das Blasenentleerungsmuster ist vorhersehbar

Status entsprechend dem pflegerischen Kontinenzprofil
- Ist mit pflegerischer Unterstützung kontinent
- Kann die Inkontinenz unabhängig von pflegerischer Unterstützung kompensieren
- Kann die Inkontinenz mit pflegerischer Unterstützung kompensieren
- Inkontinenz kann nicht kompensiert werden

Ursachen

- Querschnittslähmung
- Rückenmarksverletzung/-erkrankung
- Tumor im Wirbelkanal
- Metastasen im Wirbelkanal
- Apoplektischer Insult
- Multiple Sklerose
- Morbus Alzheimer
- Demenz
- Zerebralsklerose
- Morbus Parkinson
- Spina bifida aperta

Ressourcen

- Zeigt Interesse, die Stimulation der Miktion zu lernen

- Zeigt Verhaltensweisen, die die Therapie unterstützen
- Hat einen geregelten Tagesablauf und kann feste Toilettenzeiten einrichten
- Kennt für die Situation passende Inkontinenzhilfen und kann sie adäquat einsetzen
- Hat ausreichende Handfunktion zum Erlernen des Selbstkatheterismus
- Intermittierender Fremdkatheterismus kann durch Angehörige übernommen werden
- Getriggerte Reflexentleerung ist wegen der Ausbildung eines pyhsiologischen intraversikalen Drucks indiziert

Pflegeziele

- Inkontinenzform ist eingeschätzt
- Ist über die Möglichkeiten der Inkontinenzversorgung und des Kontinenztrainings aufgeklärt
- Angestrebtes Kontinenzprofil ist vereinbart
- Einzelvolumen der Urinmenge ist gleich/größer 400 ml beim Erwachsenen
- Einzelvolumen der Urinmenge entspricht der altersentsprechenden Norm (bei Kindern Alter x 30 ml)
- Führt die intermittierende Selbstkatheterisierung sicher und korrekt durch
- Ist unabhängig von pflegerischer Unterstützung kontinent
- Ist mit pflegerischer Unterstützung kontinent
- Kann die Inkontinenz unabhängig von pflegerischer Unterstützung kompensieren
- Kann die Inkontinenz mit pflegerischer Unterstützung kompensieren
- Einer Blasenüberdehnung, Nierenschädigung ist vorgebeugt
- Angehöriger/Bezugsperson kann die intermittierende Katheterisierung sicher und korrekt durchführen
- Kontraindikationen sind ausgeschlossen
- Kann die Ausscheidung auf der Toilette selbstständig durchführen
- Kann die Toilette selbstständig benutzen
- Hygiene ist gewährleistet, einer Keimverschleppung ist vorgebeugt
- Intimhygiene ist gewährleistet
- Vollständige Blasenentleerung ist erreicht
- Leukozytenanzahl im Urin ist kleiner 10 Zellen/µl
- Kann die Selbstbeobachtung adäquat durchführen und kennt die Notwendigkeit der Maßnahmen
- Das spezifische Uringewicht liegt im Normbereich (1012-1030 g/ml)
- Urinmenge pro Tag zwischen 1,5-2 Liter
- Ermittelte Zieleinfuhr ist täglich erreicht
- Kennt die Zusammenhänge zwischen der Urininkontinenz und dem Einfluss des Flüssigkeitsmanagements
- Restharnmenge ist kleiner 50 ml
- Restharnmenge ist kleiner 100 ml
- Ausscheidung kann auf der Toilette durchgeführt werden

Pflegeinterventionen

Systematisches Assessment mithilfe eines Fragebogens durchführen

- Gesprächsinhalt
- Zeitdauer angeben

Pflegegespräch über Ursachen, pflegetherapeutische Maßnahmen sowie Versorgungsmöglichkeiten führen

- Themenschwerpunkte angeben
  - » Urinverlust bei körperlicher Aktivität
  - » Häufigkeit des Wasserlassens während des Tages
  - » Wasserlassen in der Nacht
  - » Blasenentleerungsgefühl nach dem Wasserlassen
  - » Umstände des ungewollten Urinabgangs
  - » Beschwerden im Zusammenhang mit der Urinausscheidung
  - » Hustentest bei voller Blase
  - » Harndrang
  - » Medikamente und Auswirkungen auf die Kontinenz
  - » Inkontinenzversorgung
  - » Möglichkeiten des Kontinenztrainings
- Teilnehmende Personen angeben
  - » Angehöriger/Bezugsperson
  - » Betroffene Person
  - » Sonstige Personen
- Zeit angeben

Spontane Reflexentleerung/Blasenfüllung und Trinkgewohnheiten analysieren, Zeiten für die intermittierende Katheterisierung ermitteln

- Pflegeintervention konkretisieren
  - » Miktionsprotokoll führen
  - » Miktionsprotokolle gemeinsam mit dem Betroffenen führen/auswerten
  - » Auswertungsgespräch im therapeutischen Team führen
- Parameter des Miktionsprotokolls festlegen
  - » Trinkmenge und Zeitpunkt
  - » Spontane Reflexentleerung der Blase
  - » Zeitpunkt der Selbstkatheterisierung
  - » Zeitpunkt der Fremdkatheterisierung
  - » Einzelvolumen pro Katheterisierung

Zum intermittierenden Selbstkatheterismus der Blase anleiten

- Pflegeintervention konkretisieren
  - » Aseptische Selbstkatheterisierung
  - » Hygienische Selbstkatheterisierung
- Anzuleitende Person(en) festlegen
  - » Betroffene Person
  - » Angehöriger/Bezugsperson

Intermittierende Fremdkatheterisierung durchführen

- Pflegeintervention konkretisieren

Angehörige/Bezugspersonen zur intermittierenden Fremdkatheterisierung anleiten

- Pflegeintervention konkretisieren
  - » Aseptische Katheterisierung
  - » Hygienische Katheterisierung

Blasenentleerung durch Beklopfen der unteren Bauchregion stimulieren (getriggerte Reflexentleerung)

- Voraussetzung der Durchführung
  - » Kontraindikationen abklären
- Pflegeintervention konkretisieren
  - » Blasenentleerung wird selbstständig durchgeführt
  - » Zum Erlernen der Technik anleiten
  - » Blasenentleerungsstimulation übernehmen
- Besonderheiten bestimmen

Ausscheidung auf der Toilette ermöglichen/unterstützen

- Pflegeintervention konkretisieren
  - » Zum Toilettengang/Wasserlassen auffordern
  - » Zur Toilette führen
  - » Zur Toilette mit dem Roll-/Lehnstuhl fahren
  - » Transfer auf die Toilette und zurück durchführen
  - » Bei der Miktion (Urinausscheidung) unterstützen
  - » Bei der Defäkation (Stuhlausscheidung) unterstützen
  - » Beim Aus-/Ankleiden des Unterkörpers zur Ausscheidung unterstützen
- Art der Unterstützungsleistung angeben
  - » Beaufsichtigen
  - » Durch Unterstützen helfen
  - » Teilweise übernehmen
  - » Vollständig übernehmen
  - » Zur Pflegeintervention anleiten
- Anzahl erforderlicher Pflegepersonen angeben

Inkontinenzhilfsmittel auswählen/einsetzen

- Pflegeintervention konkretisieren
  - » Slipeinlagen verwenden
  - » Kleine Einlagen/Vorlagen verwenden
  - » Große Vorlagen verwenden
  - » Geschlossene Slips verwenden
  - » Netzhosen/Einmalschlüpfer zur Fixierung der Einlagen/Vorlagen verwenden
  - » Inkontinenzhosen verwenden
  - » Kondom-Urinal für Männer verwenden
  - » Incogyn-System für Frauen verwenden
  - » Fäkalkollektor verwenden
- Art der Unterstützungsleistung angeben
  - » Anwendung der Inkontinenzhilfen beauf-

sichtigen
- » Über Inkontinenzhilfen beraten
- » Zum Einsatz von Inkontinenzhilfen anleiten
- » Teilweise übernehmen
- » Vollständig übernehmen

Händewaschen nach jedem Ausscheidungsvorgang ermöglichen
- Pflegeintervention konkretisieren
- Zeit angeben

Intimbereich nach der Ausscheidung reinigen
- Pflegeintervention konkretisieren
- Zeit angeben

Einmalkatheterisierung der Blase durchführen
- Pflegeintervention konkretisieren
- Zeit angeben

Blasenentleerung auslösen
- Pflegeintervention konkretisieren
  - » Zur Anwendung des Credé-Handgriffs anleiten
  - » Zur Anwendung des Valsalva-Manövers (Bauchpresse) anleiten
  - » Sonstige Methoden

Infektionsscreening durchführen
- Pflegeintervention konkretisieren
  - » Urinprobe zur Untersuchung gewinnen
  - » Urinscreening mit Urinteststreifen durchführen
  - » Spezifisches Gewicht des Urins ermitteln
  - » Betroffenen zur Selbstbeobachtung und zum Infektionsscreening des Urins anleiten

Adäquate tägl. Flüssigkeitszufuhr, in Verbindung mit den Anforderungen an das Kontinenzmanagement, sicherstellen
- Pflegeintervention konkretisieren
  - » Zieleinfuhr ermitteln/festlegen (lt. Arztanordnung)
  - » Zieleinfuhr ermitteln (30 ml x kg Körpergewicht)
  - » Trinkfahrplan erstellen und aktualisieren
  - » Flüssigkeit nach Trinkfahrplan zuführen

Betroffenen über den Zusammenhang der Flüssigkeitszufuhr und des Kontinenzmanagements aufklären
- Gesprächsinhalt
- Zeitdauer angeben

Restharnbestimmung mit Sonographiegerät durchführen
- Pflegeintervention konkretisieren
- Zeit angeben

Toilettenstuhl bereitstellen und ausleeren
- Pflegeintervention konkretisieren
- Zeit angeben

Sonstige Pflegemaßnahmen durchführen
- Maßnahmen konkretisieren
- Zeit angeben

Literaturhinweise: 51, 68, 95, 125, 133, 151, 171, 175, 176, 258, 445, 446, 447, 448, 449, 451, 452, 453, 458, 460, 461, 462, 463, 464, 465, 466, 467, 806, 807, 820

Der Patient hat aufgrund einer **chronischen Harnretention** Harnträufeln/einen **unwillkürlichen Harnabgang**

Kennzeichen

- Berichtet über häufigen Harndrang
- Berichtet über Harnträufeln
- Urinabgang in kleinen Mengen
- Restharnmenge über 100 ml
- Harnblase ist nach dem Wasserlassen tastbar
- Beschreibt ein Restharngefühl nach der Miktion
- Beschreibt Schwierigkeiten, die Harnblase willkürlich zu entleeren

Status entsprechend dem pflegerischen Kontinenzprofil
- Ist mit pflegerischer Unterstützung kontinent
- Kann die Inkontinenz unabhängig von pflegerischer Unterstützung kompensieren
- Kann die Inkontinenz mit pflegerischer Unterstützung kompensieren
- Inkontinenz kann nicht kompensiert werden
- Blase ist nicht schmerzhaft

Ursachen

- Abflussbehinderung durch Stenosen
- Prostatavergrößerung
- Schädigung des Rückenmarks in Höhe des Miktionszentrums
- Schädigung des Rückenmarks unterhalb des Miktionszentrums
- Verengung der Harnröhre
- Tumor in der Blase nahe der Harnröhre
- Medikamente, die lähmend auf den Blasenmuskel wirken
- Hypo- bis Akontraktilität des Detrusors infolge von Diabetes mellitus
- Detrusorhypokontraktilität
- Detrusor-Sphinkter-Dyssynergie
- "Fowler-Syndrom", Überaktivität des Urethralsphinkters, der durch eine reflektorische Hemmung die Detrusorkontraktion unterdrückt

Ressourcen

- Kann sich einmalkatheterisieren
- Ist an einem Kontinenztraining interessiert
- Toleriert die therapeutische/pflegerische Intervention
- Akzeptiert die Unterstützung
- Akzeptiert die Unterstützung von Angehörigen
- Kennt für die Situation passende Inkontinenzhilfen und kann sie adäquat einsetzen

Pflegeziele

- Inkontinenzform ist eingeschätzt
- Ist über die Möglichkeiten der Inkontinenzversorgung und des Kontinenztrainings aufgeklärt
- Angestrebtes Kontinenzprofil ist vereinbart
- Führt die intermittierende Selbstkatheterisierung sicher und korrekt durch
- Ist unabhängig von pflegerischer Unterstützung kontinent
- Ist mit pflegerischer Unterstützung kontinent
- Kann die Inkontinenz unabhängig von pflegerischer Unterstützung kompensieren
- Kann die Inkontinenz mit pflegerischer Unterstützung kompensieren
- Einer Blasenüberdehnung, Nierenschädigung ist vorgebeugt
- Angehöriger/Bezugsperson kann die intermittierende Katheterisierung sicher und korrekt durchführen
- Kann die Ausscheidung auf der Toilette selbstständig durchführen
- Kann die Toilette selbstständig benutzen
- Vollständige Blasenentleerung ist erreicht
- Ermittelte Zieleinfuhr ist täglich erreicht
- Kennt die Zusammenhänge zwischen der Urininkontinenz und dem Einfluss des Flüssigkeitsmanagements
- Das spezifische Uringewicht liegt im Normbereich (1012-1030 g/ml)
- Urinmenge pro Tag zwischen 1,5-2 Liter
- Hygiene ist gewährleistet, einer Keimverschleppung ist vorgebeugt
- Intimhygiene ist gewährleistet
- Leukozytenanzahl im Urin ist kleiner 10 Zellen/µl
- Kann die Selbstbeobachtung adäquat durchführen und kennt die Notwendigkeit der Maßnahmen
- Inkontinenzprovozierende Medikamente sind abgesetzt
- Restharnmenge ist kleiner 50 ml
- Restharnmenge ist kleiner 100 ml
- Ausscheidung kann auf der Toilette durchgeführt werden

Pflegeinterventionen

Systematisches Assessment mithilfe eines Fragebogens durchführen
- Gesprächsinhalt
- Zeitdauer angeben

Pflegegespräch über Ursachen, pflegetherapeutische Maßnahmen sowie Versorgungsmöglichkeiten führen
- Themenschwerpunkte angeben
  - » Urinverlust bei körperlicher Aktivität
  - » Häufigkeit des Wasserlassens während des Tages
  - » Wasserlassen in der Nacht
  - » Blasenentleerungsgefühl nach dem Wasserlassen
  - » Umstände des ungewollten Urinabgangs
  - » Beschwerden im Zusammenhang mit der Urinausscheidung
  - » Hustentest bei voller Blase
  - » Harndrang
  - » Medikamente und Auswirkungen auf die Kontinenz
  - » Inkontinenzversorgung
  - » Möglichkeiten des Kontinenztrainings
- Teilnehmende Personen angeben
  - » Angehöriger/Bezugsperson
  - » Betroffene Person
  - » Sonstige Personen
- Zeit angeben

Urinausscheidung/Blasenentleerung beobachten und dokumentieren
- Pflegeintervention konkretisieren
  - » Miktionsprotokoll nutzen
  - » Individuelle Aufzeichnungen des Betroffenen nutzen
- Art der Unterstützungsleistung angeben
  - » Miktionsprotokoll für den Betroffenen führen
  - » Eintragungen mit dem Betroffenen auswerten
  - » Miktionsereignisse gemeinsam in das Miktionsprotokoll eintragen
  - » Auswertungsgespräch im therapeutischen Team führen

Blasenentleerung stimulieren/fördern
- Pflegeintervention konkretisieren
  - » Im Stehen urinieren lassen
  - » Blasenentleerung durch Triggern stimulieren
  - » Zur Anwendung des Credé-Handgriffs anleiten
  - » Zur Anwendung des Valsalva-Manövers (Bauchpresse) anleiten
- Art der Unterstützung
  - » Blasenentleerung wird selbstständig durchgeführt
  - » Anleitung zur selbstständigen Unterstützung der Blasenentleerung
  - » Blasenentleerungsstimulation übernehmen
- Anzuleitende Person(en) festlegen
  - » Betroffene Person
  - » Angehöriger/Bezugsperson

Zum intermittierenden Selbstkatheterismus der Blase anleiten
- Pflegeintervention konkretisieren
  - » Aseptische Selbstkatheterisierung
  - » Hygienische Selbstkatheterisierung
- Anzuleitende Person(en) festlegen
  - » Betroffene Person
  - » Angehöriger/Bezugsperson

Intermittierende Fremdkatheterisierung durchführen
- Pflegeintervention konkretisieren

Angehörige/Bezugspersonen zur intermittierenden Fremdkatheterisierung anleiten
- Pflegeintervention konkretisieren
  - » Aseptische Katheterisierung
  - » Hygienische Katheterisierung

Ausscheidung auf der Toilette ermöglichen/unterstützen
- Pflegeintervention konkretisieren
  - » Zum Toilettengang/Wasserlassen auffordern
  - » Zur Toilette führen
  - » Zur Toilette mit dem Roll-/Lehnstuhl fahren
  - » Transfer auf die Toilette und zurück durchführen
  - » Bei der Miktion (Urinausscheidung) unterstützen
  - » Bei der Defäkation (Stuhlausscheidung) unterstützen
  - » Beim Aus-/Ankleiden des Unterkörpers zur Ausscheidung unterstützen
- Art der Unterstützungsleistung angeben
  - » Beaufsichtigen
  - » Durch Unterstützen helfen
  - » Teilweise übernehmen
  - » Vollständig übernehmen
  - » Zur Pflegeintervention anleiten
- Anzahl erforderlicher Pflegepersonen angeben

Einmalkatheterisierung der Blase durchführen
- Pflegeintervention konkretisieren
- Zeit angeben

Inkontinenzhilfsmittel auswählen/einsetzen
- Pflegeintervention konkretisieren
  - » Slipeinlagen verwenden
  - » Kleine Einlagen/Vorlagen verwenden
  - » Große Vorlagen verwenden
  - » Geschlossene Slips verwenden
  - » Netzhosen/Einmalschlüpfer zur Fixierung der Einlagen/Vorlagen verwenden
  - » Inkontinenzhosen verwenden
  - » Kondom-Urinal für Männer verwenden
  - » Incogyn-System für Frauen verwenden
  - » Fäkalkollektor verwenden

- Art der Unterstützungsleistung angeben
  - » Anwendung der Inkontinenzhilfen beaufsichtigen
  - » Über Inkontinenzhilfen beraten
  - » Zum Einsatz von Inkontinenzhilfen anleiten
  - » Teilweise übernehmen
  - » Vollständig übernehmen

Infektionsscreening durchführen
- Pflegeintervention konkretisieren
  - » Urinprobe zur Untersuchung gewinnen
  - » Urinscreening mit Urinteststreifen durchführen
  - » Spezifisches Gewicht des Urins ermitteln
  - » Betroffenen zur Selbstbeobachtung und zum Infektionsscreening des Urins anleiten

Betroffenen über den Zusammenhang der Flüssigkeitszufuhr und des Kontinenzmanagements aufklären
- Gesprächsinhalt
- Zeitdauer angeben

Adäquate tägl. Flüssigkeitszufuhr, in Verbindung mit den Anforderungen an das Kontinenzmanagement, sicherstellen
- Pflegeintervention konkretisieren
  - » Zieleinfuhr ermitteln/festlegen (lt. Arztanordnung)
  - » Zieleinfuhr ermitteln (30 ml x kg Körpergewicht)
  - » Trinkfahrplan erstellen und aktualisieren
  - » Flüssigkeit nach Trinkfahrplan zuführen

Händewaschen nach jedem Ausscheidungsvorgang ermöglichen
- Pflegeintervention konkretisieren
- Zeit angeben

Intimbereich nach der Ausscheidung reinigen
- Pflegeintervention konkretisieren
- Zeit angeben

Infektionsscreening durchführen
- Pflegeintervention konkretisieren
  - » Urinprobe zur Untersuchung gewinnen
  - » Urinscreening mit Urinteststreifen durchführen
  - » Spezifisches Gewicht des Urins ermitteln
  - » Betroffenen zur Selbstbeobachtung und zum Infektionsscreening des Urins anleiten

Im therapeutischen Team abklären, ob Nebenwirkungen von Medikamenten zur Inkontinenz führen
- Pflegeintervention konkretisieren
- Zeitdauer angeben

Restharnbestimmung mit Sonographiegerät durchführen
- Pflegeintervention konkretisieren
- Zeit angeben

Toilettenstuhl bereitstellen und ausleeren
- Pflegeintervention konkretisieren
- Zeit angeben

Sonstige Pflegemaßnahmen durchführen
- Maßnahmen konkretisieren
- Zeit angeben

Literaturhinweise: 51, 68, 95, 125, 133, 151, 175, 176, 258, 445, 446, 447, 448, 449, 451, 452, 453, 458, 459, 460, 461, 462, 463, 464, 465, 466, 467

Der Patient ist **unfähig**, bei intaktem Urogenitaltrakt **einen unwillkürlichen Urinabgang zu vermeiden** (funktionelle Urininkontinenz)

Kennzeichen

Kennzeichen einer funktionellen Inkontinenz
- Blase kann vollständig entleert werden
- Kann Harndrang wahrnehmen
- Die Dauer von der Wahrnehmung des Harndrangs bis zum Erreichen der Toilette reicht nicht aus
- Kann nicht selbstständig zur Toilette gehen
- Äußert Hemmungen zu läuten

Spezifische Kennzeichen bei Demenz
- Kann Harndrang nicht äußern
- Äußert, sich nicht zurechtzufinden
- Kann den Weg zur Toilette nicht finden
- Uriniert in das Zimmer, findet die Toilette nicht
- Wiederholt eingenässte Wäsche/Bett

Status entsprechend dem pflegerischen Kontinenzprofil
- Ist mit pflegerischer Unterstützung kontinent
- Kann die Inkontinenz unabhängig von pflegerischer Unterstützung kompensieren
- Kann die Inkontinenz mit pflegerischer Unterstützung kompensieren
- Inkontinenz kann nicht kompensiert werden

Ursachen

- Umgebungsveränderung
- Eingeschränkte kognitive Fähigkeiten
- Nichtbeachtung des Harndrangs
- Eingeschränkte Fähigkeit, die Toilette zu benutzen
- Eingeschränkte Fähigkeit, die Kleidung auszuziehen, um sich rechtzeitig auf die Toilette zu setzen
- Eingeschränkte körperliche Mobilität
- Zeitraum zwischen wahrgenommenem Harndrang und dem Erreichen der Toilette ist zu lange

Krankheitsbedingte Ursachen
- Morbus Alzheimer
- Multi-Infarkt-Demenz
- Demenz mit örtlicher Desorientierung
- Morbus Parkinson
- Hochgradige Einschränkung der Sehfähigkeit
- Psychologischer Hintergrund
- Behinderungsbedingte(s) Selbstfürsorgedefizit/-fähigkeit

Ressourcen

- Kann den Toilettenstuhl benutzen
- Meldet sich, wenn er zur Toilette muss
- Zeigt Verhaltensweisen, die die Therapie unterstützen
- Kennt für die Situation passende Inkontinenzhilfen und kann sie adäquat einsetzen
- Kann die Toilette mit Unterstützung benutzen
- Akzeptiert die Unterstützung
- Akzeptiert die Unterstützung von Angehörigen

Pflegeziele

- Inkontinenzform ist eingeschätzt
- Ist über die Möglichkeiten der Inkontinenzversorgung und des Kontinenztrainings aufgeklärt
- Angestrebtes Kontinenzprofil ist vereinbart
- Die kontinenzfördernden Interventionen können evaluiert werden
- Kennt und findet den Weg zur Toilette
- Ist unabhängig von pflegerischer Unterstützung kontinent
- Ist mit pflegerischer Unterstützung kontinent
- Kann die Inkontinenz unabhängig von pflegerischer Unterstützung kompensieren
- Kann die Inkontinenz mit pflegerischer Unterstützung kompensieren
- Ausscheidung kann auf der Toilette durchgeführt werden
- Individuelles Ausscheidungsmuster ist ermittelt
- Kann die Ausscheidung auf der Toilette selbstständig durchführen
- Das spezifische Uringewicht liegt im Normbereich (1012-1030 g/ml)
- Urinmenge pro Tag zwischen 1,5-2 Liter
- Intimhygiene ist gewährleistet
- Hygiene ist gewährleistet, einer Keimverschleppung ist vorgebeugt
- Ermittelte Zieleinfuhr ist täglich erreicht
- Kennt die Zusammenhänge zwischen der Urininkontinenz und dem Einfluss des Flüssigkeitsmanagements
- Meldet sich rechtzeitig bei Harndrang
- Kann die Toilette selbstständig benutzen
- Ist über die verschiedenen Möglichkeiten informiert

Pflegeinterventionen

Systematisches Assessment mithilfe eines Fragebogens durchführen
- Gesprächsinhalt
- Zeitdauer angeben

Pflegegespräch über Ursachen, pflegetherapeutische Maßnahmen sowie Versorgungsmöglichkeiten führen
- Themenschwerpunkte angeben
  - » Urinverlust bei körperlicher Aktivität
  - » Häufigkeit des Wasserlassens während des Tages
  - » Wasserlassen in der Nacht
  - » Blasenentleerungsgefühl nach dem Wasserlassen
  - » Umstände des ungewollten Urinabgangs
  - » Beschwerden im Zusammenhang mit der Urinausscheidung
  - » Hustentest bei voller Blase
  - » Harndrang
  - » Medikamente und Auswirkungen auf die Kontinenz
  - » Inkontinenzversorgung
  - » Möglichkeiten des Kontinenztrainings
- Teilnehmende Personen angeben
  - » Angehöriger/Bezugsperson
  - » Betroffene Person
  - » Sonstige Personen
- Zeit angeben

Behandlungserfolge des Kontinenztrainings beobachten, einschätzen, dokumentieren
- Pflegeintervention konkretisieren
  - » Miktionsprotokoll nutzen
  - » Individuelle Aufzeichnungen des Betroffenen nutzen
- Art der Unterstützungsleistung angeben
  - » Miktionsprotokoll für den Betroffenen führen
  - » Eintragungen mit dem Betroffenen auswerten
  - » Miktionsereignisse gemeinsam in das Miktionsprotokoll eintragen
  - » Auswertungsgespräch im therapeutischen Team führen

Orientierungshilfen anbringen, um den Weg zur Toilette für den Betroffenen eindeutig zu markieren
- Pflegeintervention konkretisieren
  - » Betroffenen immer wieder im Gespräch auf die Orientierungshilfe aufmerksam machen
  - » Betroffenen auf dem Weg zur Toilette anleiten, die Orientierungshilfe zu nutzen
- Zeit angeben

Den Weg zur Toilette zeigen, beim Einprägen des Weges unterstützen
- Pflegeintervention konkretisieren
- Zeit angeben

Toilettentraining entsprechend dem individuellen Ausscheidungsmuster durchführen
- Pflegeintervention konkretisieren
  - » Nach Plan zum Toilettengang/ Wasserlassen auffordern
  - » Nach Plan beim Benutzen der Bettschüssel/Harnflasche unterstützen
  - » Nach Plan/festgelegten Zeiten beim Benutzen des Toiletten-/Nachtstuhls unterstützen
  - » Nach Plan/festgelegten Zeiten zur Toilette führen
- Sonstige Interventionen im Zusammenhang mit der Ausscheidungsunterstützung
  - » Bei der Miktion (Urinausscheidung) unterstützen
  - » Beim Aus-/Ankleiden des Unterkörpers zur Ausscheidung unterstützen
- Art der Unterstützungsleistung angeben
  - » Beaufsichtigen
  - » Durch Unterstützen helfen
  - » Teilweise übernehmen
  - » Vollständig übernehmen
  - » Zum Einsatz von Inkontinenzhilfen anleiten

Toilettentraining in festgelegten Zeitabständen durchführen
- Pflegeintervention konkretisieren
  - » Nach Plan zum Toilettengang/ Wasserlassen auffordern
  - » Nach Plan beim Benutzen der Bettschüssel/Harnflasche unterstützen
  - » Nach Plan/festgelegten Zeiten beim Benutzen des Toiletten-/Nachtstuhls unterstützen
  - » Nach Plan/festgelegten Zeiten zur Toilette führen
- Sonstige Interventionen im Zusammenhang mit der Ausscheidungsunterstützung
  - » Bei der Miktion (Urinausscheidung) unterstützen
  - » Beim Aus-/Ankleiden des Unterkörpers zur Ausscheidung unterstützen
- Art der Unterstützungsleistung angeben
  - » Beaufsichtigen
  - » Durch Unterstützen helfen
  - » Teilweise übernehmen
  - » Vollständig übernehmen
  - » Zum Einsatz von Inkontinenzhilfen anleiten

Toilettenstuhl bereitstellen und ausleeren
- Pflegeintervention konkretisieren
- Zeit angeben

Individuelles Ausscheidungsmuster ermit-

teln
- Pflegeintervention konkretisieren
  - » Miktionsprotokoll führen
  - » Miktionsprotokolle gemeinsam mit dem Betroffenen führen/auswerten
  - » Auswertungsgespräch im therapeutischen Team führen
- Parameter des Miktionsprotokolls festlegen
  - » Trinkmenge und Zeitpunkt
  - » Miktionszeitpunkt
  - » Begleitsymptome bei der Miktion
  - » Unwillkürlicher Harnabgang
  - » Ausscheidungsmenge
  - » Mengenangaben über den unwillkürlichen Harnabgang
  - » Vorlagen/Inkontinenzhosen wiegen, um die Urinmenge zu ermitteln

Ausscheidung auf der Toilette ermöglichen/ unterstützen
- Pflegeintervention konkretisieren
  - » Zum Toilettengang/Wasserlassen auffordern
  - » Zur Toilette führen
  - » Zur Toilette mit dem Roll-/Lehnstuhl fahren
  - » Transfer auf die Toilette und zurück durchführen
  - » Bei der Miktion (Urinausscheidung) unterstützen
  - » Bei der Defäkation (Stuhlausscheidung) unterstützen
  - » Beim Aus-/Ankleiden des Unterkörpers zur Ausscheidung unterstützen
- Art der Unterstützungsleistung angeben
  - » Beaufsichtigen
  - » Durch Unterstützen helfen
  - » Teilweise übernehmen
  - » Vollständig übernehmen
  - » Zur Pflegeintervention anleiten
- Anzahl erforderlicher Pflegepersonen angeben

Inkontinenzhilfsmittel auswählen/einsetzen
- Pflegeintervention konkretisieren
  - » Slipeinlagen verwenden
  - » Kleine Einlagen/Vorlagen verwenden
  - » Große Vorlagen verwenden
  - » Geschlossene Slips verwenden
  - » Netzhosen/Einmalschlüpfer zur Fixierung der Einlagen/Vorlagen verwenden
  - » Inkontinenzhosen verwenden
  - » Kondom-Urinal für Männer verwenden
  - » Incogyn-System für Frauen verwenden
  - » Fäkalkollektor verwenden
- Art der Unterstützungsleistung angeben
  - » Anwendung der Inkontinenzhilfen beaufsichtigen
  - » Über Inkontinenzhilfen beraten
  - » Zum Einsatz von Inkontinenzhilfen anleiten
  - » Teilweise übernehmen
  - » Vollständig übernehmen

Adäquate tägl. Flüssigkeitszufuhr, in Verbindung mit den Anforderungen an das Kontinenzmanagement, sicherstellen
- Pflegeintervention konkretisieren
  - » Zieleinfuhr ermitteln/festlegen (lt. Arztanordnung)
  - » Zieleinfuhr ermitteln (30 ml x kg Körpergewicht)
  - » Trinkfahrplan erstellen und aktualisieren
  - » Flüssigkeit nach Trinkfahrplan zuführen

Intimbereich nach der Ausscheidung reinigen
- Pflegeintervention konkretisieren
- Zeit angeben

Händewaschen nach jedem Ausscheidungsvorgang ermöglichen
- Pflegeintervention konkretisieren
- Zeit angeben

Betroffenen über den Zusammenhang der Flüssigkeitszufuhr und des Kontinenzmanagements aufklären
- Gesprächsinhalt
- Zeitdauer angeben

Umgebungsfaktoren/Hilfsmittel überprüfen und optimieren
- Pflegeintervention konkretisieren
  - » Lichtverhältnisse verbessern
  - » Klingel und Rufanlagen anpassen
  - » Gefährliche Hindernisse aus dem Weg räumen
  - » Kurze Wegstecken zur Toilette ermöglichen
  - » Gehhilfen anbieten und die Benutzung einüben
  - » Toilettensitzerhöhung nutzen
  - » Toilettenstuhl bereitstellen

Bettschutz einbetten und bei Bedarf wechseln
- Pflegeintervention konkretisieren
- Zeit angeben

Sonstige Pflegemaßnahmen durchführen
- Maßnahmen konkretisieren
- Zeit angeben

Literaturhinweise: 51, 68, 95, 125, 133, 151, 171, 175, 176, 258, 453, 456, 458, 460, 461, 462, 463, 464, 465, 466, 467

Das Kind **nässt** bei einem Alter über 5 Jahren ohne organische Ursachen **ein** (Enuresis)

Kennzeichen

- Einnässen mit großen Urinmengen in der Nacht
- Normale Blasenkapazität (Alter x 30 ml)
- Polyurie
- Schwere Erweckbarkeit bei normalem Schlafmuster
- Unterwäsche ist feucht
- Tagsüber auffälliges Miktionsverhalten

Ausprägungen
- Enuresis nocturna mindestens 2 Nächte pro Woche
- Enuresis nocturna mindestens 2 Nächte pro Monat
- Enuresis diurna (Einnässen tagsüber)
- Enuresis nocturna (nächtliches Einnässen)
- Längstes trockenes Intervall > 6 Monate
- Längstes trockenes Intervall < 6 Monate

Ursachen

- Primäre Enuresis
- Sekundäre Enuresis
- Psychische Ursache
- Harnwegsinfektion
- Beeinträchtigte elterliche Fürsorge
- Unterbrochene elterliche Fürsorge
- Traumatisches Erlebnis
- Geteilte Aufmerksamkeit der Bezugsperson durch das Hinzukommen eines Geschwisterkindes
- Verzögerte Reifung jener Nervenstrukturen, die den Detrusorreflex steuern
- Gestörte Schlafmuster
- Nächtliche Polyurie (ADH Dysregulation)
- Überforderung des Kindes
- Kindliche Depression
- Diabetes mellitus

Ressourcen

- Ist motiviert, neu zu lernen
- Ist an einem Kontinenztraining interessiert
- Angehörige/Bezugspersonen unterstützen den Behandlungsplan

Pflegeziele

- Inkontinenzform ist eingeschätzt
- Individuelles Ausscheidungsmuster ist ermittelt
- Ist über die Möglichkeiten der Inkontinenzversorgung und des Kontinenztrainings aufgeklärt
- Angestrebtes Kontinenzprofil ist vereinbart
- Hält die vereinbarten Verhaltensregeln im Umgang mit Kind ein
- Kann die gegebenen Informationen aufnehmen und in Handlungen überführen
- Berichtet über die Anwendung der vereinbarten Maßnahmen und deren Wirkung auf das Kind
- Fassungsvermögen der Harnblase ist altersentsprechend (Alter x 30 ml)
- Ist mit nächtlichem Toilettengang und Unterstützung der Bezugsperson kontinent
- Ist ohne nächtlichen Toilettengang kontinent
- Ist unabhängig von pflegerischer Unterstützung kontinent
- Ist mit pflegerischer Unterstützung kontinent
- Kann die Ausscheidung auf der Toilette selbstständig durchführen
- Kann die Toilette selbstständig benutzen
- Hygiene ist gewährleistet, einer Keimverschleppung ist vorgebeugt
- Intimhygiene ist gewährleistet

Pflegeinterventionen

Systematisches Assessment mithilfe eines Fragebogens durchführen
- Gesprächsinhalt
- Zeitdauer angeben

Miktionsverhalten analysieren und dokumentieren
- Pflegeintervention konkretisieren
  - Miktionsprotokoll führen
  - Miktionsprotokoll mit den Angehörigen/der Bezugsperson führen
  - Auswertungsgespräch im therapeutischen Team führen
- Parameter des Miktionsprotokolls festlegen
  - Trinkmenge und Zeitpunkt
  - Miktionszeitpunkt
  - Begleitsymptome bei der Miktion
  - Unwillkürlicher Harnabgang
  - Ausscheidungsmenge
  - Zeitpunkt des nächtlichen Toilettengangs
  - Mengenangaben über den unwillkürlichen Harnabgang
  - Situationsbedingungen

Pflegegespräch über Ursachen, pflegetherapeutische Maßnahmen sowie Versorgungsmöglichkeiten führen
- Themenschwerpunkte angeben
  - Urinverlust bei körperlicher Aktivität
  - Häufigkeit des Wasserlassens während des Tages
  - Wasserlassen in der Nacht
  - Blasenentleerungsgefühl nach dem Wasserlassen
  - Umstände des ungewollten Urinabgangs
  - Beschwerden im Zusammenhang mit der Urinausscheidung
  - Hustentest bei voller Blase
  - Harndrang
  - Medikamente und Auswirkungen auf die Kontinenz
  - Inkontinenzversorgung
  - Möglichkeiten des Kontinenztrainings
- Teilnehmende Personen angeben
  - Angehöriger/Bezugsperson
  - Betroffene Person
  - Sonstige Personen
- Zeit angeben

Bezugspersonen über die Konditionierungstherapie informieren und bei der Umsetzung dieser unterstützen
- Pflegeintervention konkretisieren
  - "Dryness Scale" einsetzen
  - Quantifizierung der Symptome und des Miktionsverhaltens des Kindes
  - Klingelhose einsetzen
  - Merksatz vor dem Einschlafen aufsagen lassen
- Zeit angeben

Blasentrainingsprogramm durchführen
- Pflegeintervention konkretisieren
- Zeit angeben

Adäquate tägliche Flüssigkeitszufuhr/Trinkverhalten sicherstellen
- Pflegeintervention konkretisieren
- Zeit angeben

Inkontinenzhilfsmittel einsetzen
- Pflegeintervention konkretisieren
  - Bettschutz einbetten/wechseln
  - Windel beim Kind wechseln
  - Windel wiegen, um die Ausscheidungsmenge zu ermitteln
  - Hautschutzcreme auftragen
- Hautschutz durchführen mit

Intimhygiene nach dem Einnässen durchführen
- Pflegeintervention konkretisieren
- Zeit angeben

Toilettentraining nach individuell festgelegten Zeiten durchführen
- Pflegeintervention konkretisieren
- Zeit angeben

Ausscheidung auf der Toilette ermöglichen/unterstützen
- Pflegeintervention konkretisieren
  - Zum Toilettengang/Wasserlassen auffordern
  - Zur Toilette führen
  - Zur Toilette mit dem Roll-/Lehnstuhl fahren
  - Transfer auf die Toilette und zurück durchführen
  - Bei der Miktion (Urinausscheidung) unter-

stützen
  - » Bei der Defäkation (Stuhlausscheidung) unterstützen
  - » Beim Aus-/Ankleiden des Unterkörpers zur Ausscheidung unterstützen
- Art der Unterstützungsleistung angeben
  - » Beaufsichtigen
  - » Durch Unterstützen helfen
  - » Teilweise übernehmen
  - » Vollständig übernehmen
  - » Zur Pflegeintervention anleiten
- Anzahl erforderlicher Pflegepersonen angeben

Händewaschen nach jedem Ausscheidungsvorgang ermöglichen
- Pflegeintervention konkretisieren
- Zeit angeben

Intimbereich nach der Ausscheidung reinigen
- Pflegeintervention konkretisieren
- Zeit angeben

Sonstige Pflegemaßnahmen durchführen
- Maßnahmen konkretisieren
- Zeit angeben

Literaturhinweise: 151, 175, 176, 197, 453, 460, 461, 462, 463, 464, 465, 466, 467, 468, 469, 470, 471, 472, 655

Der Patient ist **harninkontinent** (Mischinkontinenzform/nicht kategorisierte Inkontinenzform)

Kennzeichen

Status entsprechend dem pflegerischen Kontinenzprofil
- Ist mit pflegerischer Unterstützung kontinent
- Kann die Inkontinenz unabhängig von pflegerischer Unterstützung kompensieren
- Kann die Inkontinenz mit pflegerischer Unterstützung kompensieren
- Inkontinenz kann nicht kompensiert werden

Kennzeichen einer Belastungsinkontinenz
- Beobachtetes Harnträufeln bei erhöhtem intraabdominalem Druck (Lachen, Schnäuzen, Niesen usw.)
- Beobachteter Urinabgang bei leichter Anstrengung wie Treppensteigen, Gehen
- Ausscheidungsfrequenz ist erhöht
- Urinabgang tagsüber stärker als nachts
- Berichtet von Urinabgang beim Lachen, Husten, Niesen
- Berichtet vom Urinabgang beim Hüpfen
- Berichtet vom Urinabgang beim Treppensteigen
- Beschreibt einen Harnverlust ohne Harndranggefühl
- Beobachteter Urinabgang bei starker körperlicher Anstrengung (Laufen, Hüpfen, schweres Tragen, Heben)
- Kontinuierlicher Urinabgang

Kennzeichen einer Dranginkontinenz
- Kann den Harndrang nicht unterdrücken
- Erhöhte Ausscheidungsfrequenz
- Uriniert in kleinen Mengen (< 10 ml)
- Blasenspasmus
- Uriniert in großen Mengen (> 500 ml)
- Häufiges Wasserlassen in kleinen Mengen bei normaler 24-Stunden-Urinmenge (Pollakisurie)
- Nykturie
- Beschreibt heftigen Harndrang
- Kontinuierlicher Urinverlust
- Urinverlust bei bestimmter Körperpositionierung
- Beobachtbarer Urinabgang aus einer Fistel
- Beobachtbarer Urinabgang aus der Vagina

Kennzeichen einer funktionellen Inkontinenz
- Kann nicht selbstständig zur Toilette gehen
- Kann Harndrang nicht äußern
- Äußert, sich nicht zurechtzufinden
- Äußert Hemmungen zu läuten
- Wiederholt eingenässte Wäsche/Bett
- Uriniert in das Zimmer
- Blase kann vollständig entleert werden
- Kann Harndrang wahrnehmen

Kennzeichen einer chronischen Harnretention
- Berichtet über häufigen Harndrang
- Berichtet über Harnträufeln
- Restharnmenge über 100 ml
- Blase ist nicht schmerzhaft
- Urinabgang in kleinen Mengen
- Beschreibt ein Restharngefühl nach der Miktion
- Beschreibt Schwierigkeiten, die Harnblase willkürlich zu entleeren

Kennzeichen einer spontanen Reflexentleerung
- Empfindet keinen Harndrang
- Spontaner Urinabgang in regelmäßigen Zeitabständen
- Fehlendes Gefühl für die Blasenfüllung
- Spürt die Blasenentleerung nicht
- Fühlt sich bei einer gefüllten Blase unwohl (z. B. Schwitzen, Unruhezustände)
- Kann die Blasenentleerung nicht willentlich steuern
- Nach der Blasenentleerung Restharn in der Harnblase
- Kann den Blasenmuskel nicht willentlich steuern
- Das Blasenentleerungsmuster ist vorhersehbar

Sonstige Kennzeichen
- Unkontrollierter Harnabgang in regelmäßigen Zeitabständen durch ungehemmte Blasenkontraktion
- Vermindertes Bewusstsein für die Kontinenz

Ursachen

- Fistelbildung infolge von Bestrahlung
- Prostatavergrößerung
- Östrogenmangel/Klimakterium
- Neuropathie
- Neurologische Störung
- Rückenmarksverletzung/-erkrankung
- Schwache Beckenmuskulatur
- Überdehnung der Blase
- Altersdemenz
- Mobilitätseinschränkung
- Eingeschränkte kognitive Fähigkeiten
- Umgebungsveränderung

Ressourcen

- Kennt die Faktoren, die zur Inkontinenz führen
- Kennt für die Situation passende Inkontinenzhilfen und kann sie adäquat einsetzen
- Ist an einem Kontinenztraining interessiert
- Ist an der selbstständigen Versorgung interessiert
- Ist motiviert, die Pflegemaßnahme zu unterstützen und zeigt entsprechende Verhaltensweisen
- Akzeptiert die Unterstützung
- Akzeptiert die Unterstützung von Angehörigen

Pflegeziele

- Inkontinenzform ist eingeschätzt
- Inkontinenzprovozierende Medikamente sind abgesetzt
- Ist über die Möglichkeiten der Inkontinenzversorgung und des Kontinenztrainings aufgeklärt
- Angestrebtes Kontinenzprofil ist vereinbart
- Individuelles Ausscheidungsmuster ist ermittelt
- Kann die Ausscheidung auf der Toilette selbstständig durchführen
- Die kontinenzfördernden Interventionen können evaluiert werden
- Ist unabhängig von pflegerischer Unterstützung kontinent
- Ist mit pflegerischer Unterstützung kontinent
- Kann die Inkontinenz unabhängig von pflegerischer Unterstützung kompensieren
- Kann die Inkontinenz mit pflegerischer Unterstützung kompensieren
- Kann den Harn bei erhöhtem abdominalen Druck (z. B. Niesen, Husten, Lachen, Hüpfen) halten
- Hat zwischen den Miktionen keinen unwillkürlichen Urinabgang
- Beckenbodenmuskulatur wird durch spontane Kontraktionswiederholungen trainiert
- Das spezifische Uringewicht liegt im Normbereich (1012-1030 g/ml)
- Urinmenge pro Tag zwischen 1,5-2 Liter
- Ermittelte Zieleinfuhr ist täglich erreicht
- Kennt die Zusammenhänge zwischen der Urininkontinenz und dem Einfluss des Flüssigkeitsmanagements
- Fassungsvermögen der Harnblase ist > 150 ml
- Fassungsvermögen der Harnblase ist > 200 ml
- Fassungsvermögen der Harnblase ist > 300 ml
- Das Entleerungsintervall der Harnblase von 3-4 Stunden ist erreicht
- Kann die Miktion um die vereinbarte Zeit aufschieben, um die Kapazität der Blase zu vergrößern
- Erreicht die Toilette ohne unwillkürlichen Harnabgang
- Leukozytenanzahl im Urin ist kleiner 10 Zellen/µl
- Kann die Selbstbeobachtung adäquat durchführen und kennt die Notwendigkeit der Maßnahmen
- Restharnmenge ist kleiner 50 ml
- Restharnmenge ist kleiner 100 ml
- Kennt und findet den Weg zur Toilette
- Hygiene ist gewährleistet, einer Keimverschleppung ist vorgebeugt
- Intimhygiene ist gewährleistet
- Meldet sich rechtzeitig bei Harndrang
- Kann die Toilette selbstständig benutzen
- Ausscheidung kann auf der Toilette durchgeführt werden
- Ist über die verschiedenen Möglichkeiten informiert

Pflegeinterventionen

Systematisches Assessment mithilfe eines Fragebogens durchführen

- Gesprächsinhalt
- Zeitdauer angeben

Im therapeutischen Team abklären, ob Nebenwirkungen von Medikamenten zur Inkontinenz führen

- Pflegeintervention konkretisieren
- Zeitdauer angeben

Pflegegespräch über Ursachen, pflegetherapeutische Maßnahmen sowie Versorgungsmöglichkeiten führen

- Themenschwerpunkte angeben
  - » Urinverlust bei körperlicher Aktivität
  - » Häufigkeit des Wasserlassens während des Tages
  - » Wasserlassen in der Nacht
  - » Blasenentleerungsgefühl nach dem Wasserlassen
  - » Umstände des ungewollten Urinabgangs
  - » Beschwerden im Zusammenhang mit der Urinausscheidung
  - » Hustentest bei voller Blase
  - » Harndrang
  - » Medikamente und Auswirkungen auf die Kontinenz
  - » Inkontinenzversorgung
  - » Möglichkeiten des Kontinenztrainings
- Teilnehmende Personen angeben
  - » Angehöriger/Bezugsperson
  - » Betroffene Person
  - » Sonstige Personen
- Zeit angeben

Miktionsverhalten analysieren und dokumentieren

- Pflegeintervention konkretisieren
  - » Miktionsprotokoll führen
  - » Miktionsprotokoll mit den Angehörigen/der Bezugsperson führen
  - » Auswertungsgespräch im therapeutischen Team führen
- Parameter des Miktionsprotokolls festlegen
  - » Trinkmenge und Zeitpunkt
  - » Miktionszeitpunkt
  - » Begleitsymptome bei der Miktion
  - » Unwillkürlicher Harnabgang
  - » Ausscheidungsmenge
  - » Zeitpunkt des nächtlichen Toilettengangs
  - » Mengenangaben über den unwillkürlichen Harnabgang
  - » Situationsbedingungen

Ausscheidung auf der Toilette ermöglichen/unterstützen

- Pflegeintervention konkretisieren
  - » Zum Toilettengang/Wasserlassen auffordern
  - » Zur Toilette führen
  - » Zur Toilette mit dem Roll-/Lehnstuhl fahren
  - » Transfer auf die Toilette und zurück durchführen
  - » Bei der Miktion (Urinausscheidung) unterstützen
  - » Bei der Defäkation (Stuhlausscheidung) unterstützen
  - » Beim Aus-/Ankleiden des Unterkörpers zur Ausscheidung unterstützen
- Art der Unterstützungsleistung angeben
  - » Beaufsichtigen
  - » Durch Unterstützen helfen
  - » Teilweise übernehmen
  - » Vollständig übernehmen
  - » Zur Pflegeintervention anleiten
- Anzahl erforderlicher Pflegepersonen angeben

Inkontinenzhilfsmittel auswählen/einsetzen

- Pflegeintervention konkretisieren
  - » Slipeinlagen verwenden
  - » Kleine Einlagen/Vorlagen verwenden

- » Große Vorlagen verwenden
- » Geschlossene Slips verwenden
- » Netzhosen/Einmalschlüpfer zur Fixierung der Einlagen/Vorlagen verwenden
- » Inkontinenzhosen verwenden
- » Kondom-Urinal für Männer verwenden
- » Incogyn-System für Frauen verwenden
- » Fäkalkollektor verwenden
- Art der Unterstützungsleistung angeben
  - » Anwendung der Inkontinenzhilfen beaufsichtigen
  - » Über Inkontinenzhilfen beraten
  - » Zum Einsatz von Inkontinenzhilfen anleiten
  - » Teilweise übernehmen
  - » Vollständig übernehmen

Behandlungserfolge des Kontinenztrainings beobachten, einschätzen, dokumentieren
- Pflegeintervention konkretisieren
  - » Miktionsprotokoll nutzen
  - » Individuelle Aufzeichnungen des Betroffenen nutzen
- Art der Unterstützungsleistung angeben
  - » Miktionsprotokoll für den Betroffenen führen
  - » Eintragungen mit dem Betroffenen auswerten
  - » Miktionsereignisse gemeinsam in das Miktionsprotokoll eintragen
  - » Auswertungsgespräch im therapeutischen Team führen

Toilettentraining entsprechend dem individuellen Ausscheidungsmuster durchführen
- Pflegeintervention konkretisieren
  - » Nach Plan zum Toilettengang/ Wasserlassen auffordern
  - » Nach Plan beim Benutzen der Bettschüssel/Harnflasche unterstützen
  - » Nach Plan/festgelegten Zeiten beim Benutzen des Toiletten-/Nachtstuhls unterstützen
  - » Nach Plan/festgelegten Zeiten zur Toilette führen
- Sonstige Interventionen im Zusammenhang mit der Ausscheidungsunterstützung
  - » Bei der Miktion (Urinausscheidung) unterstützen
  - » Beim Aus-/Ankleiden des Unterkörpers zur Ausscheidung unterstützen
- Art der Unterstützungsleistung angeben
  - » Beaufsichtigen
  - » Durch Unterstützen helfen
  - » Teilweise übernehmen
  - » Vollständig übernehmen
  - » Zum Einsatz von Inkontinenzhilfen anleiten

Toilettentraining in festgelegten Zeitabständen durchführen
- Pflegeintervention konkretisieren
  - » Nach Plan zum Toilettengang/ Wasserlassen auffordern
  - » Nach Plan beim Benutzen der Bettschüssel/Harnflasche unterstützen
  - » Nach Plan/festgelegten Zeiten beim Benutzen des Toiletten-/Nachtstuhls unterstützen
  - » Nach Plan/festgelegten Zeiten zur Toilette führen
- Sonstige Interventionen im Zusammenhang mit der Ausscheidungsunterstützung
  - » Bei der Miktion (Urinausscheidung) unterstützen
  - » Beim Aus-/Ankleiden des Unterkörpers zur Ausscheidung unterstützen
- Art der Unterstützungsleistung angeben
  - » Beaufsichtigen
  - » Durch Unterstützen helfen
  - » Teilweise übernehmen
  - » Vollständig übernehmen
  - » Zum Einsatz von Inkontinenzhilfen anleiten

Individuelles Ausscheidungsmuster ermitteln
- Pflegeintervention konkretisieren
  - » Miktionsprotokoll führen
  - » Miktionsprotokolle gemeinsam mit dem Betroffenen führen/auswerten
  - » Auswertungsgespräch im therapeutischen Team führen
- Parameter des Miktionsprotokolls festlegen
  - » Trinkmenge und Zeitpunkt
  - » Miktionszeitpunkt
  - » Begleitsymptome bei der Miktion
  - » Unwillkürlicher Harnabgang
  - » Ausscheidungsmenge
  - » Mengenangaben über den unwillkürlichen Harnabgang
  - » Vorlagen/Inkontinenzhosen wiegen, um die Urinmenge zu ermitteln

Zum Beckenbodentraining anleiten
- Pflegeintervention konkretisieren
  - » Zum Beckenbodentraining anleiten
  - » Informationsbroschüre mit Übungsanleitungen zum Beckenbodentraining aushändigen und Übungen erläutern
  - » Übungsfortschritte des Beckenbodentrainings besprechen
- Beckenbodentraining mit unterstützender Technik
  - » Beckenbodentraining mit Bio-Feedback
  - » Beckenbodentraining mit Power Plate
  - » Beckenbodentraining mit Vaginalkonen
- Zu den Übungen anleiten und anweisen durch
  - » Pflegeperson
  - » Physiotherapeut
- Anzuleitende Person(en) festlegen
  - » Betroffene Person
  - » Angehöriger/Bezugsperson

Adäquate tägl. Flüssigkeitszufuhr, in Verbindung mit den Anforderungen an das Kontinenzmanagement, sicherstellen
- Pflegeintervention konkretisieren
  - » Zieleinfuhr ermitteln/festlegen (lt. Arztanordnung)
  - » Zieleinfuhr ermitteln (30 ml x kg Körpergewicht)
  - » Trinkfahrplan erstellen und aktualisieren
  - » Flüssigkeit nach Trinkfahrplan zuführen

Betroffenen über den Zusammenhang der Flüssigkeitszufuhr und des Kontinenzmanagements aufklären
- Gesprächsinhalt
- Zeitdauer angeben

Zum Blasentraining (Miktionstraining) anleiten
- Pflegeintervention konkretisieren
  - » Individuellen Entleerungsrhythmus der Blase durch Dokumentation im Miktionsprotokoll ermitteln
  - » Festgesetzte Miktionszeiten entsprechend dem individuell ermittelten Entleerungsrhythmus vereinbaren
  - » Auffordern, die Zeiträume zwischen den Miktionen auszuhalten, zu verlängern
  - » Miktionszeiträume schrittweise verlängern
- Art der Unterstützungsleistung angeben
  - » Miktionsprotokolle gemeinsam mit dem Betroffenen führen/auswerten
  - » Zielsetzungen bezüglich des angestrebten Miktionsrhythmus vereinbaren
  - » Für den Betroffenen Miktionsprotokoll führen
  - » Auswertungsgespräch im therapeutischen Team führen
- Anzuleitende Person(en) festlegen
  - » Betroffene Person
  - » Angehöriger/Bezugsperson

Zum bewussten Anspannen der Beckenbodenmuskulatur vor dem Aufstehen/dem Toilettengang anleiten
- Pflegeintervention konkretisieren
- Zeit angeben

Infektionsscreening durchführen
- Pflegeintervention konkretisieren
  - » Urinprobe zur Untersuchung gewinnen
  - » Urinscreening mit Urinteststreifen durchführen
  - » Spezifisches Gewicht des Urins ermitteln
  - » Betroffenen zur Selbstbeobachtung und zum Infektionsscreening des Urins anleiten

Restharnbestimmung mit Sonographiegerät durchführen
- Pflegeintervention konkretisieren
- Zeit angeben

Orientierungshilfen anbringen, um den Weg zur Toilette für den Betroffenen eindeutig

zu markieren
- Pflegeintervention konkretisieren
  - » Betroffenen immer wieder im Gespräch auf die Orientierungshilfe aufmerksam machen
  - » Betroffenen auf dem Weg zur Toilette anleiten, die Orientierungshilfe zu nutzen
- Zeit angeben

Händewaschen nach jedem Ausscheidungsvorgang ermöglichen
- Pflegeintervention konkretisieren
- Zeit angeben

Den Weg zur Toilette zeigen, beim Einprägen des Weges unterstützen
- Pflegeintervention konkretisieren
- Zeit angeben

Intimbereich nach der Ausscheidung reinigen
- Pflegeintervention konkretisieren
- Zeit angeben

Umgebungsfaktoren/Hilfsmittel überprüfen und optimieren
- Pflegeintervention konkretisieren
  - » Lichtverhältnisse verbessern
  - » Klingel und Rufanlagen anpassen
  - » Gefährliche Hindernisse aus dem Weg räumen
  - » Kurze Wegstecken zur Toilette ermöglichen
  - » Gehhilfen anbieten und die Benutzung einüben
  - » Toilettensitzerhöhung nutzen
  - » Toilettenstuhl bereitstellen

Toilettenstuhl bereitstellen und ausleeren
- Pflegeintervention konkretisieren
- Zeit angeben

Bettschutz einbetten und bei Bedarf wechseln
- Pflegeintervention konkretisieren
- Zeit angeben

Sonstige Pflegemaßnahmen durchführen
- Maßnahmen konkretisieren
- Zeit angeben

Literaturhinweise: 51, 68, 95, 125, 133, 151, 171, 175, 176, 197, 279, 299, 457, 458, 460, 461, 462, 463, 464, 465, 466, 467, 820

Der Patient hat aufgrund einer **extraurethralen Inkontinenz** einen **kontinuierlichen Harnabgang**

Kennzeichen

- Kontinuierlicher Urinabgang
- Urinverlust bei bestimmter Körperpositionierung
- Beobachtbarer Urinabgang aus einer Fistel
- Beobachtbarer Urinabgang aus der Vagina
- Beobachtbarer Urinabgang aus dem Darm

Ursachen

- Angeborene Ektopie (Organverlagerung)
- Fistelbildung infolge von Bestrahlung
- Fistelbildung nach der Geburt
- Fistelbildung infolge chronischer Entzündungsprozesse (z. B. Morbus Crohn)
- Fistelbildung infolge gynäkologischer OPs

Ressourcen

Pflegeziele

- Inkontinenzform ist eingeschätzt
- Ist über die Möglichkeiten der Inkontinenzversorgung und des Kontinenztrainings aufgeklärt
- Angestrebtes Kontinenzprofil ist vereinbart
- Ermittelte Zieleinfuhr ist täglich erreicht
- Kennt die Zusammenhänge zwischen der Urininkontinenz und dem Einfluss des Flüssigkeitsmanagements
- Kann die Inkontinenz unabhängig von pflegerischer Unterstützung kompensieren
- Kann die Inkontinenz mit pflegerischer Unterstützung kompensieren
- Ist über die verschiedenen Möglichkeiten informiert
- Ausscheidung ist beobachtet und eingeschätzt
- Kann die Ausscheidung auf der Toilette selbstständig durchführen
- Kann die Toilette selbstständig benutzen

- Ausscheidung kann auf der Toilette durchgeführt werden
- Das spezifische Uringewicht liegt im Normbereich (1012-1030 g/ml)
- Urinmenge pro Tag zwischen 1,5-2 Liter
- Intimhygiene ist gewährleistet
- Hygiene ist gewährleistet, einer Keimverschleppung ist vorgebeugt

Pflegeinterventionen

Systematisches Assessment mithilfe eines Fragebogens durchführen
- Gesprächsinhalt
- Zeitdauer angeben

Pflegegespräch über Ursachen, pflegetherapeutische Maßnahmen sowie Versorgungsmöglichkeiten führen
- Themenschwerpunkte angeben
  - » Urinverlust bei körperlicher Aktivität
  - » Häufigkeit des Wasserlassens während des Tages
  - » Wasserlassen in der Nacht
  - » Blasenentleerungsgefühl nach dem Wasserlassen
  - » Umstände des ungewollten Urinabgangs
  - » Beschwerden im Zusammenhang mit der Urinausscheidung
  - » Hustentest bei voller Blase
  - » Harndrang
  - » Medikamente und Auswirkungen auf die Kontinenz
  - » Inkontinenzversorgung
  - » Möglichkeiten des Kontinenztrainings
- Teilnehmende Personen angeben
  - » Angehöriger/Bezugsperson
  - » Betroffene Person
  - » Sonstige Personen
- Zeit angeben

Betroffenen über den Zusammenhang der Flüssigkeitszufuhr und des Kontinenzmanagements aufklären
- Gesprächsinhalt
- Zeitdauer angeben

Inkontinenzhilfsmittel auswählen/einsetzen
- Pflegeintervention konkretisieren
  - » Slipeinlagen verwenden
  - » Kleine Einlagen/Vorlagen verwenden
  - » Große Vorlagen verwenden
  - » Geschlossene Slips verwenden
  - » Netzhosen/Einmalschlüpfer zur Fixierung der Einlagen/Vorlagen verwenden
  - » Inkontinenzhosen verwenden
  - » Kondom-Urinal für Männer verwenden
  - » Incogyn-System für Frauen verwenden
  - » Fäkalkollektor verwenden
- Art der Unterstützungsleistung angeben
  - » Anwendung der Inkontinenzhilfen beaufsichtigen
  - » Über Inkontinenzhilfen beraten
  - » Zum Einsatz von Inkontinenzhilfen anleiten
  - » Teilweise übernehmen
  - » Vollständig übernehmen

Bettschutz einbetten und bei Bedarf wechseln
- Pflegeintervention konkretisieren
- Zeit angeben

Urinausscheidung/Blasenentleerung beobachten und dokumentieren
- Pflegeintervention konkretisieren
  - » Miktionsprotokoll nutzen
  - » Individuelle Aufzeichnungen des Betroffenen nutzen
- Art der Unterstützungsleistung angeben
  - » Miktionsprotokoll für den Betroffenen führen
  - » Eintragungen mit dem Betroffenen auswerten
  - » Miktionsereignisse gemeinsam in das Miktionsprotokoll eintragen
  - » Auswertungsgespräch im therapeutischen Team führen

Ausscheidung auf der Toilette ermöglichen/unterstützen
- Pflegeintervention konkretisieren
  - » Zum Toilettengang/Wasserlassen auffordern
  - » Zur Toilette führen
  - » Zur Toilette mit dem Roll-/Lehnstuhl fahren
  - » Transfer auf die Toilette und zurück durchführen
  - » Bei der Miktion (Urinausscheidung) unterstützen
  - » Bei der Defäkation (Stuhlausscheidung) unterstützen
  - » Beim Aus-/Ankleiden des Unterkörpers zur Ausscheidung unterstützen
- Art der Unterstützungsleistung angeben
  - » Beaufsichtigen
  - » Durch Unterstützen helfen
  - » Teilweise übernehmen
  - » Vollständig übernehmen
  - » Zur Pflegeintervention anleiten
- Anzahl erforderlicher Pflegepersonen angeben

Toilettenstuhl bereitstellen und ausleeren
- Pflegeintervention konkretisieren
- Zeit angeben

Adäquate tägl. Flüssigkeitszufuhr, in Verbindung mit den Anforderungen an das Kontinenzmanagement, sicherstellen
- Pflegeintervention konkretisieren
  - » Zieleinfuhr ermitteln/festlegen (lt. Arztanordnung)
  - » Zieleinfuhr ermitteln (30 ml x kg Körpergewicht)
  - » Trinkfahrplan erstellen und aktualisieren
  - » Flüssigkeit nach Trinkfahrplan zuführen

Intimbereich nach der Ausscheidung reinigen
- Pflegeintervention konkretisieren
- Zeit angeben

Händewaschen nach jedem Ausscheidungsvorgang ermöglichen
- Pflegeintervention konkretisieren
- Zeit angeben

Sonstige Pflegemaßnahmen durchführen
- Maßnahmen konkretisieren
- Zeit angeben

Literaturhinweise: 453, 454, 455, 456, 457, 458, 460, 461, 462, 463, 464, 465, 466, 467, 820

Der Patient hat eine **verminderte Defäkationsfrequenz** einhergehend mit hartem/trockenem Stuhlgang (Obstipation)

Kennzeichen

- Erschwerte Defäkation mit Pressen
- Ausbleibende Defäkation (länger als 3 Tage)
- Schmerzhafte Stuhlentleerung
- Harter, trockener Fäzes
- Äußert rektales/abdominelles Völlegefühl
- Geblähtes, hartes Abdomen
- Äußert Kopfschmerzen
- Palpierbar gefüllter Darm
- Beschreibt Rückenschmerzen
- Äußert, an Appetitlosigkeit zu leiden
- Benötigt Laxanzien
- Das Ausscheidungsmuster der Defäkation hat sich vermindert
- Kann den Stuhlgang nicht selbstständig ausscheiden
- Berichtet über Bauchschmerzen
- Anzeichen von Dehydratation
- Hellrotes Blut auf dem Stuhlgang
- Äußert Übelkeitsgefühl
- Übelkeit und Erbrechen
- Blähungen
- Beschreibt das Gefühl der inkompletten Darmentleerung
- Manuelle Manöver zur Erleichterung der Defäkation sind erforderlich

Ursachen

- Bewegungsmangel
- Immobilität
- Ballaststoffarme Kost
- Reduzierte Flüssigkeitszufuhr
- Ungewohnte Essenszeiten
- Scham, auf Hilfe angewiesen zu sein
- Ekel davor, fremde Toiletten zu benutzen
- Nebenwirkungen von Medikamenten
- Störung im Elektrolythaushalt
- Schwangerschaft
- Neurologische Erkrankung
- Depressionen
- Flüssigkeitsdefizit/Dehydratation/ Exsikkose
- Nahrungsumstellung
- Mechanische Obstruktion
- Postoperative Obstruktion
- Myelomeningozele
- Mastdarmlähmung
- Geringe Darmmotilität
- Laxanzienmissbrauch
- Megakolon
- Regelmäßige Nichtbeachtung von Stuhldrang
- Fehlbildung des Darms
- Tumore im Darmbereich

Ressourcen

- Hält sich an den Trinkfahrplan
- Die Angehörigen verabreichen die Flüssigkeit nach Trinkfahrplan
- Ist zuverlässig bezüglich der Einnahme der Medikation
- Erkennt die Notwendigkeit der getroffenen Intervention und kooperiert mit dem therapeutischen Team

Pflegeziele

- Ursachen sind erkannt
- Ausprägung /Schwere der Obstipation ist ermittelt
- Stuhlausscheidung mindestens jeden zweiten Tag
- Stuhlentleerung erfolgt schmerzfrei
- Intimsphäre ist gewahrt
- Kotsteine werden ohne Verletzungen des Darms entfernt
- Bedarfsgerechte Flüssigkeitszufuhr ist sichergestellt
- Die Effektivität/das Outcome des Darmmanagements kann evaluiert werden

Pflegeinterventionen

Assessment bezüglich der Ursachen und Einflussfaktoren der Obstipation durchführen und Ergebnis dokumentieren
- Pflegeintervention konkretisieren
  - » Abklärung möglicher Ursachen/Einflussfaktoren für die Obstipation
  - » Ermittlung der Symptome der Obstipation
- Assessment zur Einschätzung der Obstipation
  - » Obstipations-Score nach Herold (2006)
  - » Patient Assessment of Constipation Symptoms Questionnaire (PAC-Sym)
  - » Constipation Assessment Scale
- Zeit angeben

Kolonmassage durchführen
- Pflegeintervention konkretisieren
  - » Im Anschluss an eine digitale Stimulation
  - » Im Anschluss nach dem Einbringen eines Suppositoriums

Darmperistaltik durch Karlsbader Salz/Glaubersalz stimulieren
- Pflegeintervention konkretisieren
- Zeit angeben

Darmperistaltik durch Leinsamen/Weizenkleie stimulieren
- Pflegeintervention konkretisieren
- Zeit angeben

Darmperistaltik durch Milchzucker stimulieren
- Pflegeintervention konkretisieren
- Zeit angeben

Stuhlentleerung mit Mikroklist stimulieren
- Pflegeintervention konkretisieren
- Zeit angeben

Stuhlentleerung mit Klysma stimulieren
- Pflegeintervention konkretisieren
- Zeit angeben

Feuchtwarme Bauchwickel anwenden
- Pflegeintervention konkretisieren
  - » Wickellösung mit Kamille
  - » Wickellösung mit Salzwasser

Reinigungseinlauf durchführen

- Pflegeintervention konkretisieren
  - » Wasser
  - » Wasser und NaCl
  - » Wasser mit Glyzerin
  - » Wasser und Rizinusöl
  - » Kamillentee
  - » Sonstiges

Digitales rektales Ausräumen durchführen
- Pflegeintervention konkretisieren
- Zeit angeben

Trinkfahrplan aufstellen und bei der Flüssigkeitsverabreichung unterstützen
- Pflegeintervention konkretisieren
  - » Zieleinfuhr mit dem Arzt vereinbaren
  - » Zieleinfuhr ermitteln (30 ml x kg Körpergewicht)
  - » Trinkfahrplan erstellen und aktualisieren
  - » Flüssigkeit nach Trinkfahrplan zuführen
  - » Flüssigkeit nach Flüssigkeitsbilanz des Vortags verabreichen
- Unterstützung bei der Flüssigkeitszufuhr
  - » Getränke bereitstellen
  - » Flüssigkeit mit Teelöffel zuführen
  - » Flüssigkeit mit Esslöffel zuführen
  - » Flüssigkeit mit Trinkhalm zuführen
  - » Flüssigkeit mit Schnabelbecher zuführen
  - » Flüssigkeit mit Tasse/Glas zuführen
- Art der Unterstützungsleistung angeben
  - » Beaufsichtigen
  - » Unterstützen
  - » Teilweise übernehmen
  - » Vollständig übernehmen
  - » Zur selbstständigen Flüssigkeitszufuhr anleiten

Stuhltagebuch führen
- Pflegeintervention konkretisieren
  - » Zur Dokumentation der Stuhlausscheidung anleiten
  - » Dokumentation übernehmen

Sonstige Pflegemaßnahmen durchführen
- Maßnahmen konkretisieren
- Zeit angeben

Literaturhinweise: 51, 84, 95, 133, 170, 175, 176, 810, 820, 830, 841, 842, 855, 856, 883, 884, 885, 886, 887

Der Patient hat das **Risiko einer verminderten Defäkationsfrequenz** (Obstipationsrisiko)

Kennzeichen

- Zeigt Verhaltensweisen, die darauf hinweisen, dass die Gefahren nicht ausreichend beachtet werden
- Äußert ein Wissensdefizit über entsprechende Prophylaxemaßnahmen
- Nimmt Medikamente ein, die eine Obstipation fördern

Ursachen

- Bewegungsmangel
- Immobilität
- Reduzierte Flüssigkeitszufuhr
- Scham, auf Hilfe angewiesen zu sein
- Ekel davor, fremde Toiletten zu benutzen
- Nebenwirkungen von Medikamenten
- Ballaststoffarme Kost
- Ungewohnte Essenszeiten
- Störung im Elektrolythaushalt
- Flüssigkeitsdefizit/Dehydratation/ Exsikkose
- Schwangerschaft
- Regelmäßige Nichtbeachtung von Stuhldrang
- Depressionen
- Laxanzienmissbrauch
- Mechanische Obstruktion
- Postoperative Obstruktion
- Geringe Darmmotilität
- Myelomeningozele
- Mastdarmlähmung
- Neurologische Erkrankung
- Morbus Hirschsprung
- Morbus Parkinson
- Multiple Sklerose
- Hypothyreose
- Fehlbildung des Darms
- Tumore im Darmbereich
- Schmerzbedingte Vermeidung der Stuhlentleerung

Ressourcen

- Hält sich an den Trinkfahrplan
- Ist bereit, die Ernährung umzustellen
- Akzeptiert die Notwendigkeit der Diät (bestimmte Einschränkungen)
- Die Angehörigen verabreichen die Flüssigkeit nach Trinkfahrplan
- Körperliche Fähigkeit, sich frei zu bewegen, ist vorhanden
- Akzeptiert die Unterstützung
- Akzeptiert die Unterstützung von Angehörigen

Pflegeziele

- Regelmäßiger, gut geformter Stuhlgang
- Stuhlausscheidung mindestens jeden zweiten Tag
- Kennt Maßnahmen, um die physiologische Darmfunktion zu fördern
- Darmtätigkeit ist angeregt
- Intimsphäre ist gewahrt
- Bei Stuhldrang erfolgt Ausscheidung
- Veränderungen werden frühzeitig erkannt und dokumentiert
- Bedarfsgerechte Flüssigkeitszufuhr ist sichergestellt
- Komplikationen sind vorgebeugt

Pflegeinterventionen

Gefahr einer Obstipation einschätzen

- Pflegeintervention konkretisieren
  - » Abklärung möglicher Ursachen/Einflussfaktoren für die Obstipation
  - » Ermittlung der Symptome der Obstipation
- Assessment zur Einschätzung der Obstipation
  - » Obstipations-Score nach Herold (2006)
  - » Patient Assessment of Constipation Symptoms Questionnaire (PAC-Sym)
  - » Constipation Assessment Scale
- Zeit angeben

Darmtätigkeit/Stuhlausscheidung beobachten

- Pflegeintervention konkretisieren
  - » Häufigkeit der Ausscheidung
  - » Darmgeräusche
  - » Beschaffenheit der Defäkation

Informationsgespräch über Möglichkeiten der Obstipationsprophylaxe führen

- Pflegeintervention konkretisieren
- Zeit angeben

Faserstoff-/ballaststoffreiche Kost bestellen

- Pflegeintervention konkretisieren
- Zeit angeben

Quellmittel anbieten/verabreichen

- Quellmittel
  - » Weizenkleie
  - » Leinsamen
  - » Flohsamen (Plantago ovata)

Frühzeitig Mobilisierung durchführen

- Art der Mobilisation bestimmen
  - » Zum Sitzen mobilisieren
  - » Standtraining durchführen
  - » Standtraining und wenige Schritte gehen
  - » Gehtraining durchführen (Wegstrecke <10 Meter)
  - » Gehtraining durchführen (Wegstrecke >10 Meter)
- Ort der Mobilisation
  - » Bett
  - » Sessel/Lehnstuhl
  - » Sitzsack
  - » Rollstuhl
  - » Hängematte
- Maßnahmen konkretisieren
  - » Techniken der Kinästhetik einsetzen
  - » Nach dem Bobath-Konzept mobilisieren
  - » Faszilitationstechnik einsetzen
  - » Inhibitationstechniken einsetzen
  - » Spastik im Rahmen der Mobilisation lösen
  - » Hubfreie/-arme Mobilisation durchführen
- Erschwerte Bedingungen feststellen
  - » Zu- und Ableitungssysteme
  - » Kreislaufinstabilität
  - » Abwehrhaltung
  - » Lähmung
  - » Kontraktur
  - » Spasmus
- Art der Unterstützungsleistung angeben
  - » Beaufsichtigen
  - » Teilweise übernehmen
  - » Vollständig übernehmen
  - » Zur Durchführung anleiten
- Anzahl Pflegepersonen angeben
- Zeit angeben

Milchsäurehaltige Nahrungsmittel anbieten

- Milchsäurehaltige Nahrungsmittel angeben
  - » Buttermilch
  - » Jogurt
  - » Sauermilch

Auf Anzeichen einer Unterdrückung des Stuhldrangs achten und Ursachen ermitteln

- Pflegeintervention konkretisieren
- Zeit angeben

Darmperistaltik stimulieren

- Pflegeintervention konkretisieren
  - » Kolonmassage
  - » Karlsbader Salz oder Glaubersalz
  - » Leinsamen
  - » Weizenkleie
  - » Mikroklistier
  - » Klistier

Trinkfahrplan aufstellen und bei der Flüssigkeitsverabreichung unterstützen

- Pflegeintervention konkretisieren
  - » Zieleinfuhr mit dem Arzt vereinbaren
  - » Zieleinfuhr ermitteln (30 ml x kg Körpergewicht)
  - » Trinkfahrplan erstellen und aktualisieren
  - » Flüssigkeit nach Trinkfahrplan zuführen
  - » Flüssigkeit nach Flüssigkeitsbilanz des Vortags verabreichen
- Unterstützung bei der Flüssigkeitszufuhr
  - » Getränke bereitstellen
  - » Flüssigkeit mit Teelöffel zuführen
  - » Flüssigkeit mit Esslöffel zuführen
  - » Flüssigkeit mit Trinkhalm zuführen
  - » Flüssigkeit mit Schnabelbecher zuführen
  - » Flüssigkeit mit Tasse/Glas zuführen
- Art der Unterstützungsleistung angeben
  - » Beaufsichtigen
  - » Unterstützen
  - » Teilweise übernehmen
  - » Vollständig übernehmen
  - » Zur selbstständigen Flüssigkeitszufuhr anleiten

Bedarfsmedikation nach Arztverordnung applizieren

- Maßnahmen konkretisieren
  - » Zäpfchen verabreichen
  - » Tabletten verabreichen
  - » Brausetabletten vorbereiten und verabreichen
  - » Tropfen/Saft verabreichen
  - » I. m. Injektion verabreichen
  - » I. v. Injektion verabreichen
- Art der Unterstützungsleistung angeben
  - » Medikamente selbstständig einnehmen lassen
  - » Medikamentenverabreichung übernehmen
  - » Einnahmeverweigerung überwinden
  - » Medikamente mörsern

Sonstige Pflegemaßnahmen durchführen

- Maßnahmen konkretisieren
- Zeit angeben

Literaturhinweise: 95, 125, 127, 170, 175, 176, 810

Der Patient hat aufgrund einer **Beeinträchtigung beim Pressen** eine **erschwerte Stuhlausscheidung**

Kennzeichen

- Erschwerte Defäkation mit Pressen
- Schmerzhafte Stuhlentleerung
- Beim Pressen entstehen Komplikationen
- Pressen ist unwirksam

Ursachen

- Auswirkung einer OP
- Hämorrhoiden
- Analfissuren
- Reduzierte Kraft der Bauchpresse
- Bewusstseinsveränderung

Ressourcen

- Hält sich an den Trinkfahrplan
- Die Angehörigen verabreichen die Flüssigkeit nach Trinkfahrplan
- Kann den Toilettenstuhl benutzen
- Kann die Toilette mit Unterstützung benutzen
- Akzeptiert die Unterstützung
- Akzeptiert die Unterstützung von Angehörigen
- Meldet sich, wenn er zur Toilette muss
- Kann den Toilettengang selbstständig durchführen
- Zeigt Verhaltensweisen, die die Therapie unterstützen

Pflegeziele

- Stuhlausscheidung mindestens jeden zweiten Tag
- Bedarfsgerechte Flüssigkeitszufuhr ist sichergestellt
- Stuhlentleerung ist ohne zu pressen möglich
- Stuhlausscheidung ist erfolgreich

Pflegeinterventionen

Einlauf laut Arztanordnung durchführen

- Pflegeintervention konkretisieren
- Zeit angeben

Klistier laut Arztanordnung durchführen

- Pflegeintervention konkretisieren
- Zeit angeben

Laxanzien laut Arztanordnung verabreichen

- Pflegeintervention konkretisieren
- Zeit angeben

Flüssigkeitszufuhr festlegen und für Einhaltung sorgen

- Pflegeintervention konkretisieren
  - Angeordnete Flüssigkeitsmenge in 24 h
- Flüssigkeitszufuhr managen
  - Flüssigkeitszufuhr mithilfe eines Trinkfahrplans dokumentieren
  - Flüssigkeitszufuhr mithilfe eines Einfuhrprotokolls dokumentieren
  - Trinkfahrplan erstellen/aktualisieren
  - 24-h-Flüssigkeitszufuhr berechnen/dokumentieren
  - Zu selbstständiger Dokumentation der Trinkmenge anleiten/anhalten

Quellmittel verabreichen

- Quellmittel
  - Weizenkleie
  - Leinsamen
  - Flohsamen (Plantago ovata)

Beim Ausscheidungsvorgang unterstützen

- Pflegeintervention konkretisieren
  - Kleidung vor und nach der Ausscheidung richten
  - Steckbecken verwenden
  - Urinflasche verwenden
  - Urinbeutel wechseln/entleeren
  - Stomabeutel wechseln/entleeren
  - Händewaschen ermöglichen
- Inkontinenzhilfen einsetzen
  - Inkontinenzhosen wechseln nach Wasserlassen
  - Inkontinenzhosen wechseln nach Stuhlgang
  - Kleine Vorlage mit Netzhose wechseln
- Art der Unterstützungsleistung angeben
  - Beaufsichtigen
  - Durch Unterstützen helfen
  - Teilweise übernehmen
  - Vollständig übernehmen
  - Zum Einsatz von Inkontinenzhilfen anleiten

Sonstige Pflegemaßnahmen durchführen

- Maßnahmen konkretisieren
- Zeit angeben

Literaturhinweise: 121, 140, 151, 170

Der Patient hat einen **unwillkürlichen Stuhlabgang** (Stuhlinkontinenz)

Kennzeichen

- Unsteuerbarer Luftabgang
- Kann Darmgase nicht von Stuhlgang unterscheiden
- Enkopresis (Einkoten)
- Unwillkürliche, unkontrollierte Stuhlentleerung
- Äußert, keinen Stuhldrang zu haben
- Kotschmieren (Koprophilie)
- Mit Stuhlgang beschmierte Kleidungsstücke/Bettwäsche
- Gerötete Haut im Analbereich
- Berichtet von der beeinträchtigten Fähigkeit, Stuhlgang/Winde zurückzuhalten
- Kontinuierlicher Verlust weichen Stuhlgangs
- Unangenehmer Geruch nach dem Stuhlgang, der vom Betroffenen ausgeht

Schweregradeinteilung

- Grad 1: Unkontrollierter Abgang von Darmgasen/Winden
- Grad 2: Unkontrollierter Abgang von dünnflüssigem Stuhl
- Grad 3: Unkontrollierter Abgang von festem Stuhlgang

Ursachen

Sensorische Ursachen

- Fehlendes oder eingeschränktes Wahrnehmungsvermögen für den Füllungszustand im Enddarmbereich
- Hämorrhoiden
- Hämorrhoiden-Operation
- Diarrhö
- Laxanzienmissbrauch
- Infektionskrankheit des Darms
- Colitis ulcerosa
- Chronische Darmentzündung
- Rektumprolaps (Vorstülpen der Darmschleimhaut nach außen)

Muskuläre Ursachen

- Beeinträchtigte Verschlussfunktion des rektalen Schließmuskels
- Erschlaffung des Beckenbodens
- Tumor im Enddarmbereich
- Dammriss
- Überdehnung durch Obstipation
- Starke Beckenbodensenkung
- Nachlassende Verschlusskraft im Alter
- Schwierige Geburt
- Gynäkologische operative Eingriffe
- Analfissuren

Neurogene Ursachen

- Nervenschädigung des Verschlusses
- Querschnittslähmung
- Apoplektischer Insult
- Erkrankungen des ZNS
- Morbus Alzheimer
- Multiple Sklerose
- Spina bifida aperta
- Myelomeningozele
- Mastdarmlähmung

Psychische/Kognitive Ursachen

- Demenz
- Entwicklungsbedingte(s) Selbstfürsorgedefizit/-fähigkeit
- Rückfall in kleinkindliche Muster (Regression)
- Gehirntumor
- Geistige Behinderung

Sonstige Ursachen

- Diabetes-Spätfolgen
- Hoher abdominaler/intestinaler Druck
- Kotstauung im Enddarm

Ressourcen

- Hat einen geregelten Tagesablauf und kann feste Toilettenzeiten einrichten
- Kann den Toilettenstuhl benutzen
- Kann die Toilette mit Unterstützung benutzen
- Kann den Toilettengang selbstständig durchführen
- Kennt für die Situation passende Inkontinenzhilfen und kann sie adäquat einsetzen
- Meldet sich, wenn er zur Toilette muss
- Ist motiviert, die Pflegemaßnahme zu unterstützen und zeigt entsprechende Verhaltensweisen
- Akzeptiert die Unterstützung
- Akzeptiert die Unterstützung von Angehörigen

Pflegeziele

- Ist über die Pflegemaßnahmen informiert und zur Mitarbeit motiviert
- Regelmäßige Darmentleerung in einem festen Rhythmus ist erreicht
- Ist über die Möglichkeiten der Inkontinenzversorgung und des Kontinenztrainings aufgeklärt
- Kann die Inkontinenz mit pflegerischer Unterstützung kompensieren
- Kann die Inkontinenz unabhängig von pflegerischer Unterstützung kompensieren
- Inkontinenzform ist eingeordnet
- Ist unabhängig von pflegerischer Unterstützung kontinent
- Ist mit pflegerischer Unterstützung kontinent
- Physiologisches Hautmilieu ist hergestellt
- Kann die Ausscheidung auf der Toilette selbstständig durchführen
- Kann die Toilette selbstständig benutzen
- Ausscheidung kann auf der Toilette durchgeführt werden
- Intimsphäre ist gewahrt
- Ungehinderte Ausscheidung ist gewährleistet
- Äußert Wohlbefinden
- Körperhygiene ist gewährleistet
- Mind. 24 Stunden keine Stuhlausscheidung
- Oro-anale Transitzeit beträgt 39 +/- 5 Stunden
- Sicheres Beherrschen der Darmentleerung
- Vorhersehbare, geplante Darmentleerung
- Quergestreifte Sphinkter- und Beckenbodenmuskulatur ist gestärkt

- Hat ein Gefühl für die Beckenbodenmuskulatur, ist kontinent
- Stuhlgang wird durch das Drainagesystem abgeleitet
- Die Effektivität/das Outcome des Darmmanagements kann evaluiert werden

Pflegeinterventionen

Stuhlausscheidung beobachten und analysieren
- Pflegeintervention konkretisieren
- Zeit angeben

Nebenwirkung von Medikamenten bezüglich möglicher Auswirkungen auf die Inkontinenz prüfen
- Pflegeintervention konkretisieren
- Zeit angeben

Beratungsgespräch über Strategien zum (In-)Kontinenzmanagement und/oder zu Inkontinenzhilfen durchführen
- Maßnahmen konkretisieren
  - » Möglichkeiten des Darmmanagements
  - » Auswirkungen der Ernährung auf die Darmfunktion
  - » Risiko einer inkontinenzassozierten Dermatitis und Prophylaxemöglichkeiten
  - » Vor- und Nachteile der verschiedenen Inkontinenzhilfen
- Zeit angeben
- Inkontinenzhilfen auswählen
  - » Slipeinlagen verwenden
  - » Einlagen-Vorlagen verwenden
  - » Geschlossene Slips verwenden
  - » Inkontinenzhosen verwenden
  - » Fäkalkollektor verwenden

Toilettentraining zu festen Zeiten durchführen
- Pflegeintervention konkretisieren
  - » Nach Plan zum Toilettengang/ Wasserlassen auffordern
  - » Nach Plan beim Benutzen der Bettschüssel/Harnflasche unterstützen
  - » Nach Plan/festgelegten Zeiten beim Benutzen des Toiletten-/Nachtstuhls unterstützen
  - » Nach Plan/festgelegten Zeiten zur Toilette führen
- Sonstige Interventionen im Zusammenhang mit der Ausscheidungsunterstützung
  - » Bei der Miktion (Urinausscheidung) unterstützen
  - » Beim Aus-/Ankleiden des Unterkörpers zur Ausscheidung unterstützen
- Art der Unterstützungsleistung angeben
  - » Beaufsichtigen
  - » Durch Unterstützen helfen
  - » Teilweise übernehmen
  - » Vollständig übernehmen
  - » Zum Einsatz von Inkontinenzhilfen anleiten

Intimpflege und Hautschutz/-pflege nach jeder Ausscheidung durchführen
- Pflegeintervention konkretisieren
  - » Intimwaschung durchführen
  - » Mit Pflegeschaum Haut reinigen
  - » Feuchttücher zur Hautreinigung anwenden
- Hautpflege/-schutz durchführen
  - » Hautpflegemittel auftragen
  - » Hautschutzcreme auftragen

Ausscheidung auf der Toilette ermöglichen/ unterstützen
- Pflegeintervention konkretisieren
  - » Zum Toilettengang/Wasserlassen auffordern
  - » Zur Toilette führen
  - » Zur Toilette mit dem Roll-/Lehnstuhl fahren
  - » Transfer auf die Toilette und zurück durchführen
  - » Bei der Miktion (Urinausscheidung) unterstützen
  - » Bei der Defäkation (Stuhlausscheidung) unterstützen
  - » Beim Aus-/Ankleiden des Unterkörpers zur Ausscheidung unterstützen
- Art der Unterstützungsleistung angeben
  - » Beaufsichtigen
  - » Durch Unterstützen helfen
  - » Teilweise übernehmen
  - » Vollständig übernehmen
  - » Zur Pflegeintervention anleiten
- Anzahl erforderlicher Pflegepersonen angeben

Bei der Benutzung des Toilettenstuhls anleiten/unterstützen
- Pflegeintervention konkretisieren
- Art der Unterstützungsleistung angeben
  - » Beaufsichtigen
  - » Durch Unterstützen helfen
  - » Teilweise übernehmen
  - » Vollständig übernehmen
  - » Zur Pflegeintervention anleiten
- Anzuleitende Person(en) festlegen
  - » Betroffene Person
  - » Angehöriger/Bezugsperson
- Anzahl erforderlicher Pflegepersonen angeben

Bei (sonstigen) Ausscheidungsaktivitäten unterstützen
- Pflegeintervention konkretisieren
  - » Kleidung vor und nach der Ausscheidung richten
  - » Steckbecken verwenden
  - » Urinflasche verwenden
  - » Urinbeutel wechseln/entleeren
  - » Stomabeutel wechseln/entleeren
  - » Händewaschen ermöglichen
- Inkontinenzhilfen einsetzen
  - » Inkontinenzhosen wechseln nach Wasserlassen
  - » Inkontinenzhosen wechseln nach Stuhlgang
  - » Kleine Vorlage mit Netzhose wechseln
  - » Große Vorlagen verwenden
- Art der Unterstützungsleistung angeben
  - » Beaufsichtigen
  - » Durch Unterstützen helfen
  - » Teilweise übernehmen
  - » Vollständig übernehmen
  - » Zum Einsatz von Inkontinenzhilfen anleiten
- Anzahl erforderlicher Pflegepersonen angeben

Nach dem Einstuhlen bei der Intimhygiene unterstützen
- Pflegeintervention konkretisieren
  - » Gesäß reinigen
  - » Inkontinenzhosen wechseln nach Stuhlgang
  - » Große Vorlagen verwenden
  - » Kleine Einlagen/Vorlagen verwenden
  - » Netzhosen/Einmalschlüpfer zur Fixierung der Einlagen/Vorlagen verwenden
  - » Fäkalkollektor verwenden
- Art der Unterstützungsleistung angeben
  - » Unterstützen
  - » Beaufsichtigen
  - » Anleiten
  - » Teilweise übernehmen
  - » Vollständig übernehmen

Teilkörperwaschung nach dem Einstuhlen durchführen
- Zu waschendes Körperteil
  - » Gesicht
  - » Hände
  - » Arme
  - » Ein Arm
  - » Brust
  - » Bauch
  - » Rücken
  - » Beine
  - » Ein Bein
  - » Füße
  - » Ein Fuß
  - » Intimbereich vorne
  - » Intimbereich Gesäß
- Unterstützungsgrad angeben
  - » Beaufsichtigen
  - » Durch Unterstützen helfen
  - » Teilweise übernehmen
  - » Vollständig übernehmen
  - » Aktivieren/anleiten
- Ort der Teilkörperwaschung
  - » Im Bett
  - » Am Bettrand
  - » Am Waschbecken/Lavabo

- Besonderheiten beachten
  - » Ritualisierung einhalten
- Verwendetes Pflegeprodukt angeben

Irrigation durchführen
- Pflegeintervention konkretisieren
  - » Transanale Irrigation
  - » Peristeen Anal Irrigation
  - » Irrigation durch ein Appendikostoma nach Malone
  - » Irrigation durch eine Stomaanlage
- Art der Unterstützung
  - » Beaufsichtigen
  - » Durch Unterstützen helfen
  - » Teilweise übernehmen
  - » Vollständig übernehmen
  - » Zur selbstständigen Durchführung anleiten
- Anzuleitende Person(en) festlegen
  - » Betroffene Person
  - » Angehöriger/Bezugsperson
- Zeit angeben

Biofeedback durchführen
- Pflegeintervention konkretisieren
- Zeit angeben

Analtampon einsetzen
- Pflegeintervention konkretisieren
- Zeit angeben

Schließmuskeltraining durchführen
- Maßnahmen konkretisieren
  - » Zum Schließmuskeltraining anleiten
  - » Schließmuskeltraining mit Elektrostimulation durchführen
  - » Biofeedback-Training durchführen
- Zeit angeben

Zur Beckenbodengymnastik anleiten
- Pflegeintervention konkretisieren
- Zeit angeben

Stuhldrainagesystem managen
- Pflegeintervention konkretisieren
  - » Legen/Wechseln eines Stuhldrainagesystems
  - » Cuff-Kontrolle durchführen
  - » Beutelwechsel durchführen
  - » Dichtigkeit und Durchgängigkeit des Systems kontrollieren
  - » Durchspülen

Stuhltagebuch führen
- Pflegeintervention konkretisieren
  - » Zur Dokumentation der Stuhlausscheidung anleiten
  - » Dokumentation übernehmen

Sonstige Pflegemaßnahmen durchführen
- Maßnahmen konkretisieren
- Zeit angeben

Literaturhinweise: 95, 133, 170, 175, 176, 798, 800, 810, 811, 812, 813, 814, 815, 816, 817, 818, 819, 820, 827, 828, 829, 830, 831, 843, 844, 858, 859, 860, 866, 870, 871, 945

Der Patient hat eine **beeinträchtigte Darmentleerung**

Kennzeichen

"Reflexiver Darm"
- Stuhlentleerungsstörung
- Erhöhter Tonus der Beckenbodenmuskulatur
- Erhöhter Tonus des Sphinkter ani externus

"Areflexiver Darm"
- Veränderte Dehnungsfähigkeit in Sigma und Rectum
- Niedriger Tonus der Beckenbodenmuskulatur
- Reduzierter/fehlender Tonus des Sphinkter ani externus

Sonstige Kennzeichen
- Stuhltransportstörung
- Beschreibt Schmerzen bei der Ausscheidung
- Verlängerte Kolonpassagezeit
- Kontrollverlust der Stuhlausscheidung (Inkontinenz)
- Stuhlgangsfrequenz > jeden 3. Tag
- Dauer während der Stuhlausscheidung ist zu lang
- Harter Stuhlgang
- Zu weicher Stuhlgang (Diarrhoea paradoxa)

Ursachen

- Hämorrhoiden-Operation
- Hämorrhoiden
- Querschnittslähmung
- Spina bifida aperta
- Multiple Sklerose

Ressourcen

- Kann das Darmmanagement unterstützen

Pflegeziele

- Nimmt Veränderungen der Darmsituation wahr und leitet diese an betreuende Personen weiter
- Findet einen Rhythmus für die regelmäßige Darmentleerung
- Darmentleerungszeit ist < 60 Minuten
- Tägliche Darmentleerung, um einer Überdehnung des Darms vorzubeugen
- Zweitägige Darmentleerung, um einer Überdehnung des Darms vorzubeugen
- Defäkationsfrequenz entspricht dem Ausscheidungsmuster vor dem Krankheitsereignis
- Intimsphäre ist gewahrt
- Stuhlentleerung erfolgt schmerzfrei
- Kotsteine werden ohne Verletzungen des Darms entfernt
- Mind. 24 Stunden keine Stuhlausscheidung
- Oro-anale Transitzeit beträgt 39 +/- 5 Stunden
- Sicheres Beherrschen der Darmentleerung
- Stuhlausscheidung mindestens jeden zweiten Tag
- Reflektorische Spastik des Schließmuskels ist überwunden
- Ausreichende regelmäßige Darmentleerung
- Die Effektivität/das Outcome des Darmmanagements kann evaluiert werden
- Kann mit angepasster Ernährung und genügend Flüssigkeit die Darmtätigkeit und Darmentleerung regulieren
- Vorhersagbare Reflexantwort des Darmes wird erzielt
- Komplikationen sind vorgebeugt
- Veränderungen werden frühzeitig erkannt und dokumentiert

Pflegeinterventionen

Darmmanagement (Ritual für die Stuhlausscheidung festlegen/durchführen)
- Pflegeintervention konkretisieren
  - » Analyse der Ausscheidungsgewohnheiten durchführen
  - » Funktionale Einschränkungen/Beeinträchtigungen und Ressourcen ermitteln
  - » Festlegen eines günstigen Ausscheidungszeitpunktes und Intervalls
  - » Tonus des Analsphinkters testen
  - » Geeignete Maßnahmen für das Darmmanagement ermitteln und festlegen
  - » Ineffektives Darmmanagement evaluieren
- Zeit angeben

Unterstützende Maßnahmen zur Darmentleerung durchführen
- Pflegeintervention konkretisieren
  - » Bauchpresse
  - » Sitzende Körperposition auf der Toilette ermöglichen
  - » Oberkörper hoch und nach vorne beugen
  - » Stabilisierende Positionierung/Lagerungsmaßnahmen zur Unterstützung der Stuhlausscheidung im Bett durchführen

Digitales rektales Ausräumen durchführen
- Pflegeintervention konkretisieren
- Zeit angeben

Irrigation durchführen
- Pflegeintervention konkretisieren
  - » Transanale Irrigation
  - » Peristeen Anal Irrigation
  - » Irrigation durch ein Appendikostoma nach Malone
  - » Irrigation durch eine Stomaanlage
- Art der Unterstützung
  - » Beaufsichtigen
  - » Durch Unterstützen helfen
  - » Teilweise übernehmen
  - » Vollständig übernehmen
  - » Zur selbstständigen Durchführung anleiten
- Anzuleitende Person(en) festlegen
  - » Betroffene Person
  - » Angehöriger/Bezugsperson
- Zeit angeben

Kolonmassage durchführen
- Pflegeintervention konkretisieren
  - » Im Anschluss an eine digitale Stimulation
  - » Im Anschluss nach dem Einbringen eines Suppositoriums

Analstretching (bei spastischem Sphinkter) durchführen
- Pflegeintervention konkretisieren
- Zeit angeben

Digitale Ampullenkontrolle durchführen
- Pflegeintervention konkretisieren
- Zeit angeben

Digitale rektale Stimulation durchführen
- Pflegeintervention konkretisieren
- Zeit angeben

Stuhltagebuch führen
- Pflegeintervention konkretisieren
  - » Zur Dokumentation der Stuhlausscheidung anleiten
  - » Dokumentation übernehmen

Beratungsgespräch durchführen
- Gesprächsinhalt konkretisieren
  - » Einfluss von Ernährung und Medikamenten auf die Darmtätigkeit
- Zeit angeben

Darmentleerung pharmakologisch unterstützen/stimulieren
- Maßnahmen konkretisieren
  - » Zäpfchen verabreichen
  - » Klistier verabreichen
  - » Mikroklist verabreichen

Darmtätigkeit/Stuhlausscheidung beobachten
- Pflegeintervention konkretisieren
  - » Häufigkeit der Ausscheidung
  - » Darmgeräusche
  - » Beschaffenheit der Defäkation

Sonstige Pflegemaßnahmen durchführen
- Maßnahmen konkretisieren
- Zeit angeben

Literaturhinweise: 776, 798, 800, 827, 828, 829, 840, 854, 855, 856, 857, 859, 868, 869

Das Kind **kotet** bei einem Alter von über 4 Jahren ohne organische Ursachen **ein** (Enkopresis)

Kennzeichen

- Unabsichtliches Absetzen von Stuhl
- Absichtliches Absetzen von Stuhl an einem nicht angemessenen Ort
- Auffälliges Verhalten tritt über mindestens drei Monate und mindestens einmal im Monat auf
- Leidet an Obstipation
- Kontinuierlicher Stuhlabgang
- Leidet an Überlaufinkontinenz
- Mit Stuhlgang beschmierte Kleidungsstücke/ Bettwäsche
- Ausgeschiedener Stuhlgang findet sich an auffälligen, nicht angemessenen Stellen

Ursachen

- Primäre Enkopresis
- Sekundäre Enkopresis
- Emotionale Belastungssituation
- Pychosoziale Belastungssituation
- Einschulung
- Geburt eines Geschwisterkindes

Ressourcen

- Kann Vertrauen zum Pflegepersonal aufbauen
- Erkennt die Notwendigkeit der getroffenen Intervention und kooperiert mit dem therapeutischen Team
- Angehörige/Bezugspersonen unterstützen den Pflegeprozess
- Kann die Toilette mit Unterstützung benutzen
- Kann den Toilettengang selbstständig durchführen
- Akzeptiert die Unterstützung
- Meldet sich, wenn er zur Toilette muss

Pflegeziele

- Ist unabhängig von pflegerischer Unterstützung kontinent
- Ist mit pflegerischer Unterstützung kontinent
- Kann die Ausscheidung auf der Toilette selbstständig durchführen
- Kann die Toilette selbstständig benutzen
- Hygiene ist gewährleistet, einer Keimverschleppung ist vorgebeugt
- Intimhygiene ist gewährleistet

Pflegeinterventionen

Toilettentraining in festgelegten Zeitabständen durchführen
- Pflegeintervention konkretisieren
  - » Nach Plan zum Toilettengang/ Wasserlassen auffordern
  - » Nach Plan beim Benutzen der Bettschüssel/Harnflasche unterstützen
  - » Nach Plan/festgelegten Zeiten beim Benutzen des Toiletten-/Nachtstuhls unterstützen
  - » Nach Plan/festgelegten Zeiten zur Toilette führen
- Sonstige Interventionen im Zusammenhang mit der Ausscheidungsunterstützung
  - » Bei der Miktion (Urinausscheidung) unterstützen
  - » Beim Aus-/Ankleiden des Unterkörpers zur Ausscheidung unterstützen
- Art der Unterstützungsleistung angeben
  - » Beaufsichtigen
  - » Durch Unterstützen helfen
  - » Teilweise übernehmen
  - » Vollständig übernehmen
  - » Zum Einsatz von Inkontinenzhilfen anleiten

Inkontinenzhilfsmittel einsetzen
- Pflegeintervention konkretisieren
  - » Bettschutz einbetten/wechseln
  - » Windel beim Kind wechseln
  - » Windel wiegen, um die Ausscheidungsmenge zu ermitteln
  - » Hautschutzcreme auftragen
- Hautschutz durchführen mit

Ausscheidung auf der Toilette ermöglichen/ unterstützen
- Pflegeintervention konkretisieren
  - » Zum Toilettengang/Wasserlassen auffordern
  - » Zur Toilette führen
  - » Zur Toilette mit dem Roll-/Lehnstuhl fahren
  - » Transfer auf die Toilette und zurück durchführen
  - » Bei der Miktion (Urinausscheidung) unterstützen
  - » Bei der Defäkation (Stuhlausscheidung) unterstützen
  - » Beim Aus-/Ankleiden des Unterkörpers zur Ausscheidung unterstützen
- Art der Unterstützungsleistung angeben
  - » Beaufsichtigen
  - » Durch Unterstützen helfen
  - » Teilweise übernehmen
  - » Vollständig übernehmen
  - » Zur Pflegeintervention anleiten
- Anzahl erforderlicher Pflegepersonen angeben

Händewaschen nach jedem Ausscheidungsvorgang ermöglichen
- Pflegeintervention konkretisieren
- Zeit angeben

Intimbereich nach der Ausscheidung reinigen
- Pflegeintervention konkretisieren
- Zeit angeben

Sonstige Pflegemaßnahmen durchführen
- Maßnahmen konkretisieren
- Zeit angeben

Literaturhinweise: 818

Der Patient hat ein **Selbstfürsorgedefizit** bei der **Stomapflege**

Kennzeichen

- Kann keine Entscheidungen in Bezug auf das Stoma treffen
- Kann den Stomabeutel nicht selbstständig wechseln
- Kann den Stomabeutel nicht selbstständig entleeren
- Ignoriert den künstlichen Ausgang
- Äußert Unsicherheit bei der Versorgung
- Fehlende Handgeschicklichkeit

Ursachen

- Ablehnung gegenüber der Stomaanlage
- Eingeschränkte körperliche Belastungsfähigkeit
- Schmerzzustände
- Bewegungseinschränkung
- Belastungs-/Ruhedyspnoe
- Angstzustände
- Depressive Verstimmung
- Apraxie
- Hypotone Kreislaufveränderung
- Fehlende kognitive Fähigkeiten
- Wissensdefizit
- Beeinträchtigte Anpassungsfähigkeit
- Beeinträchtigtes Körperbild
- Entwicklungsbedingte(s) Selbstfürsorgedefizit/-fähigkeit

Ressourcen

- Angehörige zeigen Bereitschaft, neu zu lernen
- Akzeptiert die Unterstützung
- Akzeptiert die Unterstützung von Angehörigen
- Ist motiviert, die Pflegemaßnahme zu unterstützen und zeigt entsprechende Verhaltensweisen
- Stellt Fragen bezüglich der Versorgung des Stomas

Pflegeziele

- Komplikationen sind vorgebeugt
- Veränderungen werden frühzeitig erkannt und dokumentiert
- Versorgt das Stoma selbstständig
- Stomaversorgung nach Entlassung ist gewährleistet
- Einer Unterwanderung der Stomaplatte mit Ausscheidungen ist vorgebeugt

Pflegeinterventionen

Geeignetes Versorgungssystem auswählen

- Stomaversorgungssystem auswählen
  - » Geschlossener Beutel ohne integrierten Hautschutz
  - » Geschlossener Beutel mit integriertem Hautschutz
  - » Ausstreifbeutel einteilig mit integriertem Hautschutz
  - » Basisplatte mit Rasterring und Beutel zum Aufdrücken
  - » Basisplatte ohne Rasterring und Beutel zum Aufkleben
  - » Basisplatte mit Rasterring und Ausstreifbeutel
  - » Postoperatives Versorgungssystem mit sterilem, transparentem Ausstreifbeutel
  - » Stomakappe
  - » Minibeutel zum Aufkleben

Täglich Haut- und Stomainspektion durchführen

- Pflegeintervention konkretisieren
- Zeit angeben

Stomapflege/-versorgung durchführen

- Angaben zur Stomaanlage machen
  - » Frisch angelegte Stomaanlage (bis 7 Tage)
  - » Bestehende Stomaanalge
  - » Problemstoma
- Stomapflege durchführen
  - » Stomabeutel abnehmen
  - » Stoma und umgebende Haut von außen nach innen reinigen
  - » Haut abtrocknen
- Versorgungssystem anbringen
  - » Öffnung des Stomabeutels ausmessen/anpassen
  - » Stomaversorgungssystem anbringen
- Besonderheiten bestimmen
- Haftfläche des Stomabereichs rasieren
  - » Nassrasur durchführen
  - » Trockenrasur mit Einmalrasierer durchführen
- Art der Unterstützungsleistung angeben
  - » Unterstützen
  - » Teilweise übernehmen
  - » Beaufsichtigen
  - » Vollständig übernehmen
  - » Anleiten

Zur selbstständigen Stomaversorgung anleiten

- Pflegeintervention konkretisieren
- Art der Unterstützung
  - » Beaufsichtigen
  - » Durch Unterstützen helfen
  - » Teilweise übernehmen
  - » Vollständig übernehmen
  - » Zur selbstständigen Durchführung anleiten
- Anzuleitende Person(en) festlegen
  - » Betroffene Person
  - » Angehöriger/Bezugsperson
- Zeit angeben

Angehörige zur Versorgung des Stomas anleiten und schulen

- Pflegeintervention konkretisieren
- Zeit angeben

Entlassungsmanagement zur Sicherstellung der Versorgung zu Hause einschalten

- Pflegeintervention konkretisieren
  - » Überleitungspflege einschalten
  - » Mobile Kinderkrankenpflege einschalten
  - » Stomatherapeutin einschalten

Gürtel zum zusätzlichen Fixieren und Verstärken des Andrucks der Stomaversorgung

anbringen
- Pflegeintervention konkretisieren
- Zeit angeben

Darmtätigkeit/Stuhlausscheidung beobachten
- Pflegeintervention konkretisieren
  - » Häufigkeit der Ausscheidung
  - » Darmgeräusche
  - » Beschaffenheit der Defäkation

Sonstige Pflegemaßnahmen durchführen
- Maßnahmen konkretisieren
- Zeit angeben

Literaturhinweise: 64, 95, 124, 140, 151, 175, 176

Der Patient hat eine **Stomaretraktion**, es besteht eine **beeinträchtigte Versorgung des Stomas**

Kennzeichen

- Einziehung des Darms unter Hautniveau

Ursachen

- Hautmazerationen parastomal
- Traumatische Einflüsse
- Stomanekrose/-abszess
- Beeinträchtigte Wundheilung der Stomaanlage

Ressourcen

- Kann die vereinbarte Therapie selbstständig durchführen
- Nimmt die vereinbarten Veränderungen der Pflegeintervention an
- Erkennt die Notwendigkeit der getroffenen Intervention und kooperiert mit dem therapeutischen Team
- Akzeptiert die Unterstützung
- Akzeptiert die Unterstützung von Angehörigen

Pflegeziele

- Komplikationen sind frühzeitig erkannt und abgewendet
- Physiologisches Hautmilieu ist hergestellt
- Stomaversorgung verläuft schmerzfrei
- Komplikationen sind vorgebeugt
- Weitere Komplikationen sind vermieden

Pflegeinterventionen

Auf Anzeichen einer Peritonitis beobachten
- Pflegeintervention konkretisieren
- Zeit angeben

Stoma mit einem konvexen System versorgen
- Pflegeintervention konkretisieren
- Zeit angeben

Mieder mit entsprechender Aussparung anziehen
- Pflegeintervention konkretisieren
  - » Beim Anziehen des Mieders mit Aussparung unterstützen

Stomaversorgung durchführen
- Pflegeintervention konkretisieren
  - » Stomaversorgung wird selbstständig durchgeführt
  - » Zur Verwendung des neuen Versorgungssystems anleiten
  - » Stomaversorgung übernehmen
  - » Stomaversorgung bei Problemstoma übernehmen

Stomatherapeuten vermitteln
- Pflegeintervention konkretisieren
- Zeit angeben

Sonstige Pflegemaßnahmen durchführen
- Maßnahmen konkretisieren
- Zeit angeben

Literaturhinweise: 64, 95, 124, 140, 151, 175, 176

Der Patient hat eine **Pilzinfektion** im Bereich des Enterostomas, es besteht eine **beeinträchtigte Versorgung des Stomas**

Kennzeichen

- Rote punktförmige Papeln
- Sich ausbreitende Entzündung
- Rötung der Haut um das Stoma
- Juckreiz

Ursachen

- Diabetes mellitus
- Immunabwehrschwäche
- Ständige Feuchtigkeit
- Starkes Schwitzen (Hyperhidrosis)
- Antibiotikatherapie
- Mangelnde Hygiene

Ressourcen

- Kann die Maßnahme nach Anleitung selbstständig durchführen
- Kann die vereinbarte Therapie selbstständig durchführen
- Nimmt die vereinbarten Veränderungen der Pflegeintervention an
- Erkennt die Notwendigkeit der getroffenen Intervention und kooperiert mit dem therapeutischen Team

Pflegeziele

- Physiologisches Hautmilieu ist hergestellt
- Weitere Komplikationen sind vermieden
- Mykose ist abgeheilt

Pflegeinterventionen

Mögliche Ursachen abklären und bezüglich einer Pilzprophylaxe beraten
- Pflegeintervention konkretisieren
- Zeit angeben

Stomaversorgung durchführen
- Pflegeintervention konkretisieren
  - » Stomaversorgung wird selbstständig durchgeführt
  - » Zur Verwendung des neuen Versorgungssystems anleiten
  - » Stomaversorgung übernehmen
  - » Stomaversorgung bei Problemstoma übernehmen

Zum exakten Anpassen der Hautschutzplatte anleiten
- Pflegeintervention konkretisieren
- Art der Unterstützung
  - » Beaufsichtigen
  - » Durch Unterstützen helfen
  - » Teilweise übernehmen
  - » Vollständig übernehmen
  - » Zur selbstständigen Durchführung anleiten
- Anzuleitende Person(en) festlegen
  - » Betroffene Person
  - » Angehöriger/Bezugsperson
- Zeit angeben

Verschiedene Versorgungssysteme bezüglich besserer Verträglichkeit ausprobieren
- Stomaversorgungssystem auswählen
  - » Geschlossener Beutel ohne integrierten Hautschutz
  - » Geschlossener Beutel mit integriertem Hautschutz
  - » Ausstreifbeutel einteilig mit integriertem Hautschutz
  - » Basisplatte mit Rasterring und Beutel zum Aufdrücken
  - » Basisplatte ohne Rasterring und Beutel zum Aufkleben
  - » Basisplatte mit Rasterring und Ausstreifbeutel
  - » Postoperatives Versorgungssystem mit sterilem, transparentem Ausstreifbeutel
  - » Stomakappe
  - » Minibeutel zum Aufkleben

Stomatherapeuten vermitteln
- Pflegeintervention konkretisieren
- Zeit angeben

Angeordnetes Antimykotikum auftragen
- Pflegeintervention konkretisieren
- Zeit angeben

Sonstige Pflegemaßnahmen durchführen
- Maßnahmen konkretisieren
- Zeit angeben

Literaturhinweise: 64, 95, 124, 140, 151, 175, 176

Der Patient hat eine **Hautveränderung** im Bereich des Enterostomas, es besteht eine **beeinträchtigte Versorgung des Stomas**

Kennzeichen

- Rötung der Haut um das Stoma
- Sichtbare kleine Bläschen
- Nässende Hautablösungen
- Sichtbare kleine Knötchen
- Juckreiz
- Äußerungen über Brennen der Haut

Ursachen

- Wechsel des Versorgungssystems
- Überempfindlichkeit gegen das Versorgungssystem
- Überempfindlichkeit gegen ein Pflegeprodukt
- Kontakt mit Exkretionen
- Allergisch bedingte Hautreizungen

Ressourcen

- Hat vor der Umstellung auf das neue System/Pflegeprodukt keine allergischen Reaktionen gezeigt
- Verwendet Pflegeprodukte, die gut vertragen werden
- Kennt die Schutz- und Hygienemaßnahmen und hält sie ein

Pflegeziele

- Stomaversorgung verläuft schmerzfrei
- Physiologisches Hautmilieu ist hergestellt
- Versorgungssystem passt zum jeweiligen Hauttyp
- Weitere Komplikationen sind vermieden

Pflegeinterventionen

Ursachen für die allergische Hautreaktion/Hautirritation abklären

- Pflegeintervention konkretisieren
- Zeit angeben

Versorgung des Stomas umstellen

- Stomaversorgungssystem auswählen
  - » Geschlossener Beutel ohne integrierten Hautschutz
  - » Geschlossener Beutel mit integriertem Hautschutz
  - » Ausstreifbeutel einteilig mit integriertem Hautschutz
  - » Basisplatte mit Rasterring und Beutel zum Aufdrücken
  - » Basisplatte ohne Rasterring und Beutel zum Aufkleben
  - » Basisplatte mit Rasterring und Ausstreifbeutel
  - » Postoperatives Versorgungssystem mit sterilem, transparentem Ausstreifbeutel
  - » Stomakappe
  - » Minibeutel zum Aufkleben

Stomaversorgung durchführen

- Pflegeintervention konkretisieren
  - » Stomaversorgung wird selbstständig durchgeführt
  - » Zur Verwendung des neuen Versorgungssystems anleiten
  - » Stomaversorgung übernehmen
  - » Stomaversorgung bei Problemstoma übernehmen

Stomatherapeuten vermitteln

- Pflegeintervention konkretisieren
- Zeit angeben

Sonstige Pflegemaßnahmen durchführen

- Maßnahmen konkretisieren
- Zeit angeben

Literaturhinweise: 64, 95, 124, 140, 151, 175, 176

Der Patient hat eine **Stomanekrose**, es besteht eine **beeinträchtigte Versorgung des Stomas**

Kennzeichen

- Dunkelrote bis schwarze Stomaschleimhaut
- Graue Stomaschleimhaut

Ursachen

- Beeinträchtigte Wundheilung der Stomaanlage
- Stomatitis
- OP-bedingte Mangeldurchblutung
- Einschnürung durch das Versorgungssystem
- Harte, wenig flexible Basisplatten des Versorgungssystems

Ressourcen

- Stellt Fragen bezüglich der Versorgung des Stomas
- Kann die vereinbarte Therapie selbstständig durchführen
- Nimmt die vereinbarten Veränderungen der Pflegeintervention an
- Kann Veränderungen des Stomas beurteilen und richtig einschätzen
- Erkennt die Notwendigkeit der getroffenen Intervention und kooperiert mit dem therapeutischen Team
- Akzeptiert die Unterstützung

Pflegeziele

- Schleimhaut der Stomaanlage ist intakt und gut durchblutet
- Druck durch Faltenbildung ist vermieden
- Sichtkontrolle der Nekrose am Stoma ist ohne Abnahme des Versorgungssystems möglich
- Physiologisches Hautmilieu ist hergestellt
- Weitere Komplikationen sind vermieden

Pflegeinterventionen

Stomaveränderungen beobachten und dokumentieren
- Pflegeintervention konkretisieren
- Zeit angeben

Flexible, weiche Basisplatte zur exakten Anpassung an das Stoma auswählen, durchsichtigen Stomabeutel verwenden
- Pflegeintervention konkretisieren
- Zeit angeben

Stomaversorgung durchführen
- Pflegeintervention konkretisieren
  - » Stomaversorgung wird selbstständig durchgeführt
  - » Zur Verwendung des neuen Versorgungssystems anleiten
  - » Stomaversorgung übernehmen
  - » Stomaversorgung bei Problemstoma übernehmen

Stomatherapeuten vermitteln
- Pflegeintervention konkretisieren
- Zeit angeben

Sonstige Pflegemaßnahmen durchführen
- Maßnahmen konkretisieren
- Zeit angeben

Literaturhinweise: 64, 95, 124, 140, 151, 175, 176

Der Patient hat einen **Stomaprolaps**, es besteht eine **beeinträchtigte Versorgung des Stomas**

Kennzeichen

- Vorfall des Darms

Ursachen

- Zu hoher intraabdomineller Druck
- Unzureichende operative Fixation

Ressourcen

- Nimmt die vereinbarten Veränderungen der Pflegeintervention an
- Erkennt die Notwendigkeit der getroffenen Intervention und kooperiert mit dem therapeutischen Team
- Stellt Fragen bezüglich der Versorgung des Stomas
- Akzeptiert die Unterstützung
- Akzeptiert die Unterstützung von Angehörigen

Pflegeziele

- Stomaversorgungssystem ist korrekt angelegt
- Stomaprolaps ist repositioniert
- Komplikationen sind vorgebeugt
- Weitere Komplikationen sind vermieden
- Intraabdomineller Druck ist reduziert

Pflegeinterventionen

Stomaversorgung im Liegen durchführen
- Pflegeintervention konkretisieren
  - » Stomaversorgung wird selbstständig durchgeführt
  - » Zur Verwendung des neuen Versorgungssystems anleiten
  - » Stomaversorgung übernehmen
  - » Stomaversorgung bei Problemstoma übernehmen

Darm repositionieren und Prolapskappe tragen
- Pflegeintervention konkretisieren
- Zeit angeben

Mieder mit entsprechender Aussparung anziehen
- Pflegeintervention konkretisieren
  - » Beim Anziehen des Mieders mit Aussparung unterstützen

Stomatherapeuten vermitteln
- Pflegeintervention konkretisieren
- Zeit angeben

Informations-/Beratungsgespräch über Maßnahmen zur Reduktion des intraabdominellen Drucks führen
- Pflegeintervention konkretisieren
- Zeit angeben

Sonstige Pflegemaßnahmen durchführen
- Maßnahmen konkretisieren
- Zeit angeben

Literaturhinweise: 64, 95, 124, 140, 151, 175, 176

Der Patient hat eine **parastomale Hernie**, es besteht eine **beeinträchtigte Versorgung des Stomas**

Kennzeichen

- Vorwölbung der Bauchdecke um das Stoma
- Tastbare Bruchpforte

Ursachen

- Zu hoher intraabdomineller Druck
- Operativ bedingte, zu große Durchtrittspforte
- Anlage des Stomas in altem Narbengewebe

Ressourcen

- Verhält sich entsprechend der Anleitung und Anweisung
- Erkennt die Notwendigkeit der getroffenen Intervention und kooperiert mit dem therapeutischen Team
- Kennt die Möglichkeiten der Selbstversorgung
- Ist an der selbstständigen Versorgung interessiert
- Stellt Fragen bezüglich der Versorgung des Stomas
- Kann Veränderungen des Stomas beurteilen und richtig einschätzen

Pflegeziele

- Komplikationen sind vorgebeugt
- Intraabdomineller Druck ist reduziert
- Physiologisches Hautmilieu ist hergestellt
- Weitere Komplikationen sind vermieden

Pflegeinterventionen

Mieder mit entsprechender Aussparung anziehen

- Pflegeintervention konkretisieren
  - » Beim Anziehen des Mieders mit Aussparung unterstützen

Informationsgespräch über Maßnahmen zur Reduktion des intraabdominellen Drucks führen
- Pflegeintervention konkretisieren
- Zeit angeben

Stomaversorgung durchführen
- Pflegeintervention konkretisieren
  - » Stomaversorgung wird selbstständig durchgeführt
  - » Zur Verwendung des neuen Versorgungssystems anleiten
  - » Stomaversorgung übernehmen
  - » Stomaversorgung bei Problemstoma übernehmen

Stomatherapeuten vermitteln
- Pflegeintervention konkretisieren
- Zeit angeben

Sonstige Pflegemaßnahmen durchführen
- Maßnahmen konkretisieren
- Zeit angeben

Literaturhinweise: 64, 95, 124, 140, 151, 175, 176

Der Patient hat **sonstige Beeinträchtigungen** bei der Stomaversorgung

Kennzeichen

- Äußert, eine Beeinträchtigung bei der Stomaversorgung zu haben

Ursachen

Ressourcen

- Kann die vereinbarte Therapie selbstständig durchführen
- Erkennt die Notwendigkeit der getroffenen Intervention und kooperiert mit dem therapeutischen Team
- Angehörige/Bezugspersonen unterstützen den Pflegeprozess
- Kennt die Schutz- und Hygienemaßnahmen und hält sie ein
- Verwendet Pflegeprodukte, die gut vertragen werden

Pflegeziele

- Physiologisches Hautmilieu ist hergestellt
- Weitere Komplikationen sind vermieden

Pflegeinterventionen

Stomaversorgung durchführen
- Pflegeintervention konkretisieren
  - » Stomaversorgung wird selbstständig durchgeführt
  - » Zur Verwendung des neuen Versorgungssystems anleiten
  - » Stomaversorgung übernehmen
  - » Stomaversorgung bei Problemstoma übernehmen

Stomatherapeuten vermitteln
- Pflegeintervention konkretisieren
- Zeit angeben

Sonstige Pflegemaßnahmen durchführen
- Maßnahmen konkretisieren
- Zeit angeben

Literaturhinweise: 64, 95, 124, 175, 176

Der Patient hat das **Risiko der Magen-Darm-Atonie/des paralytischen Ileus**

Kennzeichen

- Pflege-/Behandlungsvereinbarungen werden nicht eingehalten
- Zeigt Verhaltensweisen, die darauf hinweisen, dass die Gefahren nicht ausreichend beachtet werden
- Äußert ein Wissensdefizit über entsprechende Prophylaxemaßnahmen
- Erbrechen von Kot

Ursachen

- Abdomineller Eingriff
- LWS-Fraktur
- Pankreatitis
- Peritonitis

Ressourcen

- Akzeptiert die Notwendigkeit der Diät (bestimmte Einschränkungen)
- Kann die Zusammenhänge zwischen der notwendigen Diät und Krankheit/Symptomen erklären
- Erkennt die Notwendigkeit der getroffenen Intervention und kooperiert mit dem therapeutischen Team
- Meldet sich bei Anzeichen von Komplikationen

Pflegeziele

- Ausscheidung ist beobachtet und eingeschätzt
- Darmtätigkeit ist eingeschätzt
- Physiologische Darmperistaltik ist unterstützt
- Komplikationen sind vorgebeugt
- Magen-Darm-Trakt ist entlastet

Pflegeinterventionen

Darmtätigkeit und Ausscheidung beobachten und dokumentieren
- Pflegeintervention konkretisieren
- Zeit angeben

Darmgeräusche kontrollieren
- Pflegeintervention konkretisieren
- Zeit angeben

Obstipationsprophylaxe durchführen
- Pflegeintervention konkretisieren
  - » Kolonmassage
  - » Karlsbader Salz oder Glaubersalz
  - » Leinsamen
  - » Weizenkleie
  - » Mikroklistier
  - » Klistier

Nahrungsaufbau laut Arzt gestalten
- Pflegeintervention konkretisieren

Magen-Darm-Trakt entlasten
  - » Magensonde legen
  - » Darmrohr einführen

Sonstige Pflegemaßnahmen durchführen
- Maßnahmen konkretisieren
- Zeit angeben

Literaturhinweise: 95, 125, 140, 151, 175, 176

Der Patient hat **postoperativ** ein **Risiko des Harnverhalts/Nierenversagens**

Kennzeichen

- Pflege-/Behandlungsvereinbarungen werden nicht eingehalten
- Zeigt Verhaltensweisen, die darauf hinweisen, dass die Gefahren nicht ausreichend beachtet werden
- Äußert ein Wissensdefizit über entsprechende Prophylaxemaßnahmen

Ursachen

- Operativer Eingriff
- Hypotones Kreislaufverhältnis

Ressourcen

- Meldet sich, wenn er zur Toilette muss
- Meldet sich bei Anzeichen von Komplikationen
- Ist motiviert, die Pflegemaßnahme zu unterstützen und zeigt entsprechende Verhaltensweisen

Pflegeziele

- Komplikationen sind vorgebeugt
- Veränderungen werden frühzeitig erkannt und dokumentiert
- Nierenfunktion ist eingeschätzt
- Kann spontan Wasser lassen
- Blasenentleerung ist sichergestellt
- Füllungszustand der Blase ist ermittelt

Pflegeinterventionen

Urinausscheidung beobachten

- Pflegeintervention konkretisieren
  - » Urinförderung bei liegendem Blasenkatheter beobachten
  - » Urinausscheidung in Urinflasche/Steckbecken beobachten/einschätzen

Bei der Ausscheidung unterstützen

- Pflegeintervention konkretisieren
  - » Kleidung vor und nach der Ausscheidung richten
  - » Steckbecken verwenden
  - » Urinflasche verwenden
  - » Urinbeutel wechseln/entleeren
  - » Stomabeutel wechseln/entleeren
  - » Händewaschen ermöglichen
- Inkontinenzhilfen einsetzen
  - » Inkontinenzhosen wechseln nach Wasserlassen
  - » Inkontinenzhosen wechseln nach Stuhlgang
  - » Kleine Vorlage mit Netzhose wechseln
  - » Große Vorlagen verwenden
- Art der Unterstützungsleistung angeben
  - » Beaufsichtigen
  - » Durch Unterstützen helfen
  - » Teilweise übernehmen
  - » Vollständig übernehmen
  - » Zum Einsatz von Inkontinenzhilfen anleiten
- Anzahl erforderlicher Pflegepersonen angeben

Stundenurinkontrolle durchführen

- Pflegeintervention konkretisieren
- Zeit angeben

Miktion stimulieren

- Pflegeintervention konkretisieren
  - » Feuchtwarme Kompresse auf den Unterbauch legen
  - » Reflexbogen durch Eisanwendung stimulieren, Oberschenkelinnenseite bestreichen
  - » Reflexbogen durch das Gießen von warmem Wasser über den Damm stimulieren
  - » Wasserhahn aufdrehen - akustische Stimulation
  - » Handbad in warmem Wasser

Füllungszustand der Blase durch Palpation ermitteln

- Pflegeintervention konkretisieren
- Zeit angeben

Sonstige Pflegemaßnahmen durchführen

- Maßnahmen konkretisieren
- Zeit angeben

Literaturhinweise: 51, 68, 95, 125, 133, 151, 171, 175, 176

Der Patient hat ein **Risiko des Nierenversagens**

Kennzeichen

- Ödembildung
- Oligurie: Harnausscheidung zwischen 100 und 500 ml täglich
- Anurie: Harnausscheidung weniger als 100 ml pro Tag
- Unruhezustände
- Erhöhte Atemfrequenz
- Krampfanfälle

Ursachen

- Toxische Schädigung
- Hypotone Dehydratation (einhergehend mit Veränderungen des Natriumspiegels)
- Schock
- Postoperativ/zirkulatorisch-ischämische Störung
- Chronische Niereninsuffizienz
- Diabetische Nephropathie
- Glomerulonephritis
- Analgetika-Nephropathie

Ressourcen

- Äußert Einsicht in die Pflegemaßnahme
- Zeigt Verhaltensweisen, die die Therapie unterstützen
- Kann Veränderungen bezüglich des Gesundheitszustands erkennen und einschätzen

Pflegeziele

- Wassereinlagerungen sind erkannt und dokumentiert
- Komplikationen sind frühzeitig erkannt und abgewendet
- Komplikationen sind vorgebeugt
- Veränderungen sind frühzeitig erkannt
- Hautturgor ist eingeschätzt

Pflegeinterventionen

Flüssigkeitsbilanzierung durchführen
- Pflegeintervention konkretisieren
  - » ZVD-Messung durchführen
  - » Flüssigkeitsbilanzierung durchführen
  - » Stundenurinkontrolle durchführen
  - » Ausfuhr berechnen
  - » Einfuhr berechnen
  - » Bilanzprotokoll erstellen
- Flüssigkeitszufuhr lt. Arztanordnung festlegen
  - » Positiv-Bilanz
  - » Negativ-Bilanz
  - » Ausgeglichene Bilanz
- Erfassungszeitraum bestimmen/sonstige Angaben
  - » Blase am Ende des Erfassungszeitraums entleeren lassen
  - » Ergebnisse in die Dokumentation eintragen
  - » Erfassungszeitraum bestimmen

Urin im Hinblick auf Menge, Farbe, Aussehen und spezifisches Gewicht beobachten und Ergebnis dokumentieren
- Pflegeintervention konkretisieren
- Zeit angeben

Gewichtskontrollen durchführen
- Gewichtskontrollen durchführen
  - » Mit einer Stehwaage
  - » Mit einer Sitzwaage
- Körpergewicht kontrollieren
  - » Morgens vor dem Frühstück
  - » In Unterwäsche/ohne Schuhe
  - » Nach der Blasenentleerung

Vitalzeichenkontrolle durchführen
- Überwachungsmonitor benutzen
  - » Überwachungsmonitor benutzen
  - » Pulsfrequenz/-qualität messen
  - » Blutdruckwert messen
  - » Atemfrequenz/-qualität messen
  - » Körpertemperatur messen
  - » Sauerstoffsättigung mit Oximeter überprüfen
- Vitalzeichenwerte manuell messen
  - » Pulsfrequenz/-qualität messen
  - » Blutdruckwert messen
  - » Atemfrequenz/-qualität messen
  - » Körpertemperatur messen
- Ort der Messung angeben
  - » Am rechten Arm messen
  - » Am linken Arm messen
  - » Am Finger messen
  - » Am Zeh messen
  - » Besonderheiten bei der Messung bestimmen

Bei abdominalem Eingriff Oberkörperhochlagerung (30°) durchführen
- Pflegeintervention konkretisieren
- Zeit angeben

Oberkörperhochlagerung (20°) durchführen
- Pflegeintervention konkretisieren
- Zeit angeben

Sonstige Pflegemaßnahmen durchführen
- Maßnahmen konkretisieren
- Zeit angeben

Hautturgor beobachten
- Pflegeintervention konkretisieren
- Zeit angeben

Literaturhinweise: 125, 126, 151, 175, 176, 329

Der Patient hat aufgrund eines **transurethralen Blasenverweilkatheters** das **Risiko einer aufsteigenden Harnwegsinfektion**

Kennzeichen

Infektionsrisiko erhöhende Faktoren

- Pflege-/Behandlungsvereinbarungen werden nicht eingehalten
- Zeigt Verhaltensweisen, die darauf hinweisen, dass die Gefahren nicht ausreichend beachtet werden
- Äußert ein Wissensdefizit über entsprechende Prophylaxemaßnahmen
- Häufige Manipulation am Katheter
- Lange Liegezeiten

Ursachen

- Erkrankung im Intimbereich
- Immunabwehrschwäche
- Reduzierte Flüssigkeitszufuhr
- Fehlendes Verständnis für spezielle Verhaltensweisen und prophylaktische Maßnahmen
- Häufige Diskonnektion von Katheter und Urinauffangbeutel
- Keimbesiedelung im Intimbereich
- Inadäquates Hygieneempfinden
- Stuhlinkontinenz

Ressourcen

- Kennt die Schutz- und Hygienemaßnahmen und hält sie ein
- Verhält sich entsprechend der Anleitung und Anweisung
- Zeigt Verhaltensweisen, die eine Therapie mit einem Blasendauerkatheter unterstützen
- Erkennt die Notwendigkeit der getroffenen Intervention und kooperiert mit dem therapeutischen Team
- Ist an der selbstständigen Versorgung interessiert
- Meldet sich bei Anzeichen von Komplikationen

Pflegeziele

- Veränderungen der Urinausscheidung sind erkannt und dokumentiert
- Beginnende Infektion ist sofort erkannt
- Gefahr einer aufsteigenden Infektion entlang des Kathetersystems ist reduziert
- Einer Infektion/Keimverschleppung ist vorgebeugt
- Urinreflux im Beutel ist verhindert
- Einer Keimverschleppung ist vorgebeugt
- Äußert Akzeptanz hinsichtlich des ableitenden Urinsystems
- Zeitpunkt des nächsten Katheterwechsels ist richtig gewählt und festgelegt
- Einer Infektion ist vorgebeugt bzw. sie ist rechtzeitig erkannt
- Ungehinderter Harnabgang
- Einem Harnwegsinfekt ist vorgebeugt

Pflegeinterventionen

Auf Infektionszeichen beobachten und Ergebnisse dokumentieren

- Pflegeintervention konkretisieren
  - » Ausgeschiedenen Urin auf Infektionshinweise einschätzen
  - » Urethralsekret bezüglich Infektionsanzeichen beurteilen
  - » Urinprobe zur Untersuchung gewinnen

Temperatur kontrollieren

- Messmethode auswählen
  - » Messort rektal
  - » Messort sublingual
  - » Messort axillar
  - » Messort Ohr
  - » Kontaktlose Stirntemperaturmessung mit Infrarottechnologie
- Dokumentationsort der Messwerte bestimmen
  - » In der Fieberkurve dokumentieren
  - » Messwerte in den Pflegeplan eintragen
  - » Messwerte in das Überwachungsprotokoll eintragen
- Thermometer wieder aufbereiten
  - » Schutzhüllen entsorgen, Schmutz abwischen und in Desinfektionslösung nach Plan einlegen
  - » Trocken gelagertes, im Zimmer verbleibendes Thermometer alle drei Tage desinfizieren

Flüssigkeitszufuhr festlegen und kontrollieren

- Pflegeintervention konkretisieren
  - » Flüssigkeit verabreichen
  - » Flüssigkeit vorbereiten und in Reichweite platzieren
  - » Flüssigkeitszufuhr beobachten
- Sonstige Hinweise
  - » Mithilfe des Trinkfahrplans kontrollieren
  - » Flüssigkeitszufuhr auf einem Bilanzbogen dokumentieren
  - » Zieleinfuhr ermitteln/festlegen (lt. Arztanordnung)
  - » Trinkfahrplan aktualisieren
  - » Trinkmenge zusammenzählen und dokumentieren

Blasenkatheterpflege durchführen

- Verwendetes Pflegeprodukt angeben
- Pflegeintervention konkretisieren

Infektionsprophylaxe durchführen

- Pflegeintervention konkretisieren
  - » Geschlossenes Urinableitungssystem verwenden
  - » Urinbeutel wechseln/entleeren
  - » Urinablassventil nach dem Entleeren desinfizieren
  - » Urin beobachten

Urinbeutel unter Berücksichtigung der Hygiene regelmäßig leeren

- Pflegeintervention konkretisieren
- Zeit angeben

Geschlossenen Urinauffangbeutel unter aseptischen Kautelen wechseln

- Pflegeintervention konkretisieren
- Zeit angeben

Beutelbefestigungen zum unsichtbaren Tragen der Urinbeutel nutzen
- Pflegeintervention konkretisieren
  - » Beutel am Unterschenkel befestigen
  - » Beutel am Oberschenkel befestigen
  - » Spezielle Kleidungsstücke mit integrierter Halterung nutzen

Nächsten Wechsel des transurethralen Katheters festlegen/durchführen
- Pflegeintervention konkretisieren
  - » Wechsel des transurethralen Katheters bei Bedarf
  - » Datum des nächsten Wechsels des transurethralen Katheters bestimmen
- Angaben zum verwendeten Material machen
  - » Katheterwechsel durchführen
- Anzahl der beteiligten Pflegepersonen bestimmen

Durchgängigkeit des harnableitenden Systems kontrollieren/sicherstellen
- Pflegeintervention konkretisieren
- Zeit angeben

Zur Infektionsprophylaxe Preiselbeersaft (100%ig) trinken

Sonstige Pflegemaßnahmen durchführen
- Maßnahmen konkretisieren
- Zeit angeben

Literaturhinweise: 95, 100, 125, 166, 175, 176, 292, 1218, 1219, 1220

Der Patient hat aufgrund eines **suprapubischen Blasenkatheters** das **Risiko der Infektion** der Ausscheidungsorgane

Kennzeichen

Infektionsrisiko erhöhende Faktoren
- Pflege-/Behandlungsvereinbarungen werden nicht eingehalten
- Zeigt Verhaltensweisen, die darauf hinweisen, dass die Gefahren nicht ausreichend beachtet werden
- Äußert ein Wissensdefizit über entsprechende Prophylaxemaßnahmen
- Häufige Manipulation am Katheter
- Lange Liegezeiten

Ursachen

- Immunabwehrschwäche
- Umfeldbedingt erhöhtes Infektionsrisiko
- Fehlendes Verständnis für spezielle Verhaltensweisen und prophylaktische Maßnahmen
- Unsteril durchgeführter Verbandwechsel
- Häufige Manipulation am Katheter

Ressourcen

- Kennt die Schutz- und Hygienemaßnahmen und hält sie ein
- Legt sehr viel Wert auf persönliche Hygiene
- Erkennt die Notwendigkeit der getroffenen Intervention und kooperiert mit dem therapeutischen Team
- Toleriert den Verbandwechsel
- Angehörige zeigen Bereitschaft, neu zu lernen

Pflegeziele

- Krankhafte Veränderungen sind frühzeitig erkannt
- Einstichstelle ist reizlos und nicht infiziert
- Zug auf den Katheter ist vermieden
- Einer Infektion ist vorgebeugt bzw. sie ist rechtzeitig erkannt
- Einer Infektion/Keimverschleppung ist vorgebeugt
- Kann Füllungszustand der Blase einschätzen
- Meldet sich bei Harndrang zuverlässig
- Gefahr einer aufsteigenden Infektion entlang des Kathetersystems ist reduziert
- Urinreflux im Beutel ist verhindert
- Ungehinderter Harnabgang

Pflegeinterventionen

Verband wechseln und Punktionsstelle reinigen
- Pflegeintervention konkretisieren
  - » Haut der Einstichstelle desinfizieren
  - » Wischrichtung bei der Desinfektion von außen nach innen wählen
  - » Wischrichtung bei der Reinigung/ Desinfektion von innen nach außen wählen
- Verbandmaterialien auswählen
- Zeitdauer angeben

Einstichstelle auf Infektionszeichen kontrollieren und Ergebnisse dokumentieren
- Pflegeintervention konkretisieren
- Zeit angeben

Zügelpflaster zur sicheren Fixierung anbringen
- Pflegeintervention konkretisieren
- Zeit angeben

Infektionsprophylaxe durchführen
- Pflegeintervention konkretisieren
  - » Geschlossenes Urinableitungssystem verwenden
  - » Urinbeutel wechseln/entleeren
  - » Urinablassventil nach dem Entleeren desinfizieren
  - » Urin beobachten

Blasen- und Kontinenztraining durchführen

- Pflegeintervention konkretisieren
- Zeit angeben

Flüssigkeitszufuhr festlegen und kontrollieren
- Pflegeintervention konkretisieren
  - » Flüssigkeit verabreichen
  - » Flüssigkeit vorbereiten und in Reichweite platzieren
  - » Flüssigkeitszufuhr beobachten
- Sonstige Hinweise
  - » Mithilfe des Trinkfahrplans kontrollieren
  - » Flüssigkeitszufuhr auf einem Bilanzbogen dokumentieren
  - » Zieleinfuhr ermitteln/festlegen (lt. Arztanordnung)
  - » Trinkfahrplan aktualisieren
  - » Trinkmenge zusammenzählen und dokumentieren

Urinbeutel unter Berücksichtigung der Hygiene regelmäßig leeren
- Pflegeintervention konkretisieren
- Zeit angeben

Durchgängigkeit des harnableitenden Systems kontrollieren/sicherstellen
- Pflegeintervention konkretisieren
- Zeit angeben

Sonstige Pflegemaßnahmen durchführen
- Maßnahmen konkretisieren
- Zeit angeben

Literaturhinweise: 125, 133, 151, 166, 171, 175, 176

Inhaltsverzeichnis

Der Patient hat aufgrund einer **verminderten Herzleistung** eine **instabile Herz-/Kreislauf-Situation**

Kennzeichen

- Äußerungen des BetroffenenBeschreibt plötzliches Herzrasen
- Fühlt sich chronisch müde und matt
- Äußert Angstgefühle
- Äußert Übelkeitsgefühl
- Äußert plötzliches Schwindelgefühl
- Beschreibt ein retrosternales Druckgefühl
- Beschreibt retrosternale Brustschmerzen
- Beobachtbare VerhaltensänderungEingeschränkte Leistungsfähigkeit
- Ist schnell erschöpft
- Einsatz der Atemhilfsmuskulatur
- Ist verlangsamt
- Unruhezustände
- Veränderungen der Körperfunktion/MesswerteSchwankende Blutdruckwerte
- Blutdruckabfall
- Gewichtszunahme
- Verminderte periphere Pulse
- Zyanosezeichen
- Arrhythmien
- Tachykardie
- Bradykardie
- Atemnot (Dyspnoe)
- Paroxysmale nächtliche Dyspnoe
- Orthopnoe
- Erhöhte Atemfrequenz
- Fadenförmiger Puls
- Hat Synkopen
- Jugularvenenstauung
- Rasselgeräusche beim Atmen
- Husten
- Ödembildung
- Oligurie
- Verminderte periphere Durchblutung
- Nykturie
- Erhöhter ZVD (Zentralvenendruck)
- Kaltschweißigkeit
- Veränderte Herztöne
- Reduzierte Auswurffraktion
- Pathologische arterielle Blutgaswerte
- Laborbefunde, die eine beeinträchtigte Herzfunktion bestätigen

Ursachen

Bekannte medizinische Diagnose

- Herzinsuffizienz
- Rechtsherzinsuffizienz
- Linksherzinsuffizienz
- Herzrhythmusstörungen (Arrhythmie)
- Extrasystole
- Entzündliche Herzerkrankung
- Zustand nach Herzinfarkt
- Angeborene Herzfehler
- Kardiomyopathie
- Herzklappeninsuffizienz
- Aortenklappenstenose
- Flüssigkeitsüberbelastung
- Chronisch obstruktive Lungenerkrankung
- Akute Lungenerkrankung
- Lungenerkrankung
- Erhöhter pulmonalvaskulärer Widerstand
- Operativer Eingriff am Herzen

Ressourcen

- Passt sich dem veränderten Aktionspotenzial an
- Findet Freude an ruhigeren Aktivitäten

Pflegeziele

- Individuelles Aktivitätsniveau ist beschrieben
- Belastbarkeit ist eingeschätzt
- Volumenstatus ist eingeschätzt
- Komplikationen sind vorgebeugt
- Herz-Kreislauf-System ist entlastet
- Körperlicher Überforderung ist vorgebeugt
- Wassereinlagerungen sind erkannt und dokumentiert
- Flüssigkeits- und Elektrolythaushalt sind ausgeglichen
- Kennt die Behandlungsziele und ist zur Mitarbeit motiviert
- Fühlt sich angenommen und verstanden
- Erstickungsangst ist reduziert
- Sauerstoffversorgung ist gewährleistet
- Herz-Kreislauf-Situation ist kontinuierlich eingeschätzt
- Sichere Medikamentenverabreichung nach Arztanordnung ist gewährleistet
- Infusionstherapie lt. Arztanordnung ist sichergestellt
- Die subjektiv empfundene Atemnot nach/während der körperlichen Aktivität befindet sich auf der 5er-Skala kleiner 3 (1=keine Atemnot, 5=maximale Atemnot)
- Urinausscheidung ist erhöht
- Therapie ist sichergestellt
- Veränderungen sind frühzeitig erkannt
- Sauerstoffgehalt im Blutkreislauf ist überwacht und liegt im Normbereich (Arterielle BGA) pO2: 70-110 mmHG (altersabhängig), O2-Sättigung 95-99%
- Emotionaler Stress ist reduziert
- Pathophysiologische Zustandsveränderungen sind sofort erkannt
- Natriumgehalt der Nahrung ist reduziert
- Unterstützt die Therapie
- Hautturgor ist altersentsprechend
- Ist über Risiken und mögliche Komplikationen informiert und kann diese Informationen auf die eigene Situation anwenden, hält Therapie- und Behandlungsvereinbarungen ein

Pflegeinterventionen

Beurteilung der funktionalen Kapazität der körperlichen Belastbarkeit

- Maßnahmen konkretisieren
  - » Einschätzung der Belastbarkeit in Alltagsituationen
  - » 6-Minuten-Gehtest durchführen
  - » Einschätzung nach der NYHA Functional Classification
- Zeit angeben

Beurteilung des Volumenstatus durchführen

- Maßnahmen konkretisieren

- » Evaluation der Gewichtsprotokolle
- » Beurteilung des Ausmaßes peripherer Ödeme
- » Blutdruckmessung im Liegen und anschließend im Stehen
- » Beurteilung von Atemgeräuschen
- Zeit angeben

Für Einhaltung der Bettruhe sorgen
- Pflegeintervention konkretisieren
- Zeit angeben

Vitalzeichenkontrolle durchführen
- Überwachungsmonitor benutzen
  - » Überwachungsmonitor benutzen
  - » Pulsfrequenz/-qualität messen
  - » Blutdruckwert messen
  - » Atemfrequenz/-qualität messen
  - » Körpertemperatur messen
  - » Sauerstoffsättigung mit Oximeter überprüfen
- Vitalzeichenwerte manuell messen
  - » Pulsfrequenz/-qualität messen
  - » Blutdruckwert messen
  - » Atemfrequenz/-qualität messen
  - » Körpertemperatur messen
- Ort der Messung angeben
  - » Am rechten Arm messen
  - » Am linken Arm messen
  - » Am Finger messen
  - » Am Zeh messen
  - » Besonderheiten bei der Messung bestimmen

In Abhängigkeit von der Herz-/Kreislaufsituation stufenweise mobilisieren
- Art der Mobilisation bestimmen
  - » Zum Sitzen mobilisieren
  - » Standtraining durchführen
  - » Standtraining und wenige Schritte gehen
  - » Gehtraining durchführen (Wegstrecke <10 Meter)
  - » Gehtraining durchführen (Wegstrecke >10 Meter)
- Ort der Mobilisation
  - » Bett
  - » Sessel/Lehnstuhl
  - » Sitzsack
  - » Rollstuhl
  - » Hängematte
- Maßnahmen konkretisieren
  - » Techniken der Kinästhetik einsetzen
  - » Nach dem Bobath-Konzept mobilisieren
  - » Faszilitationstechnik einsetzen
  - » Inhibitationstechniken einsetzen
  - » Spastik im Rahmen der Mobilisation lösen
  - » Hubfreie/-arme Mobilisation durchführen
- Erschwerte Bedingungen feststellen
  - » Zu- und Ableitungssysteme
  - » Kreislaufinstabilität
  - » Abwehrhaltung
  - » Lähmung
  - » Kontraktur
  - » Spasmus
- Art der Unterstützungsleistung angeben
  - » Beaufsichtigen
  - » Teilweise übernehmen
  - » Vollständig übernehmen
  - » Zur Durchführung anleiten
- Anzahl Pflegepersonen angeben
- Zeit angeben

Gewichtskontrollen durchführen
- Gewichtskontrollen durchführen
  - » Mit einer Stehwaage
  - » Mit einer Sitzwaage
- Körpergewicht kontrollieren
  - » Morgens vor dem Frühstück
  - » In Unterwäsche/ohne Schuhe
  - » Nach der Blasenentleerung

ZVD-Messung durchführen
- Pflegeintervention konkretisieren
- Zeit angeben

Gesprächsbereitschaft signalisieren, kurze Gespräche über Befindlichkeit und Wünsche führen
- Gesprächsinhalt
- Zeit angeben
- Beteiligte Personen angeben
  - » Betroffene Person
  - » Angehöriger/Bezugsperson
  - » Betreuer
  - » Eltern
  - » Sonstige Personen
- Durchführende Person angeben
  - » Bezugspflegeperson
  - » Pflegeperson
  - » Spezialtherapeuten
  - » Physiotherapeuten

Beratungsgespräch führen
- Beratung
  - » Blutdruckwerte und ihre Bedeutung
  - » Symptome und therapeutische Sofortmaßnahmen bei Komplikationen
  - » Gesundheitsförderung/Prävention
  - » Sinnvolle Modifikation des Lebensstils
  - » Herz-Kreislauf-Training für zu Hause
  - » Einfluss der Ernährung auf Herz-Kreislauf
  - » Entlassungsplanung
- Beteiligte Personen angeben
  - » Angehöriger/Bezugsperson
  - » Betroffene Person
  - » Sonstige Personen
- Zeit angeben

Sauerstoff nach Arztanordnung verabreichen
- Pflegeintervention konkretisieren
  - » Sauerstoff in der Akutphase verabreichen und Wirkung kontrollieren
  - » Kontinuierlich Sauerstoff verabreichen
  - » Intermittierend Sauerstoff verabreichen
- Sauerstoff verabreichen mit
  - » Sauerstoffsonde
  - » Sauerstoffbrille
  - » Sauerstoffmaske
- Sauerstoffkonzentration angeben
- Pflege bei Sauerstofftherapie durchführen
  - » Nasen- und Sondenpflege durchführen
  - » Schlauchsystem aseptisch aufbereiten

Durch Monitoring Herzaktivität kontinuierlich überwachen
- Pflegeintervention konkretisieren
- Zeit angeben

Medikamente mithilfe eines Perfusors (Spritzenpumpe) intravenös verabreichen
- Pflegeintervention konkretisieren
  - » 1-2 Spritzenpumpen vorbereiten/anhängen
  - » 3 und mehr Spritzenpumpen vorbereiten/anhängen
  - » Spritzenpumpe mit Lösung und Trockenpulver herstellen
- Tropfgeschwindigkeit angeben
- Besonderheiten bestimmen
  - » Zwei- und Dreiwegehähne auswechseln
  - » Hahnenbank austauschen
  - » Sonstiges
- Zeit angeben

Infusionstherapie laut Arztanordnung vorbereiten und Infusionen anhängen
- Infusionen ohne Zusätze vorbereiten und infundieren
  - » 1 Infusion
  - » 2 Infusionen
  - » 3 Infusionen
  - » 4 Infusionen
  - » 5 und mehr Infusionen
- Infusionen mit Zusätzen vorbereiten und infundieren
  - » 1 Infusion mit Zusatz
  - » 2 Infusionen mit Zusatz
  - » 3 Infusionen mit Zusatz
  - » 4 Infusionen mit Zusatz
  - » 5 und mehr Infusionen mit Zusatz
- Zytostaselösungen herstellen/vorbereiten
  - » Zytostase herstellen/vorbereiten
- Hygienemaßnahmen
  - » Zwei- und Dreiwegehähne auswechseln
  - » Hahnenbank austauschen
  - » Filter wechseln
  - » Infusionssystem wechseln
  - » Besonderheiten bestimmen
- Applikationsart bestimmen
  - » Über Infusomat verabreichen
  - » Über Perfusor verabreichen
  - » Über Tropfenzähler verabreichen
- Tropfgeschwindigkeit einstellen

Herzbettlagerung durchführen
- Pflegeintervention konkretisieren
- Zeit angeben

Stundenurinkontrolle durchführen und bei der Negativ-Bilanzierung unterstützen
- Pflegeintervention konkretisieren
  - » ZVD-Messung durchführen
  - » Flüssigkeitsbilanzierung durchführen
  - » Stundenurinkontrolle durchführen
  - » Ausfuhr berechnen
  - » Einfuhr berechnen
  - » Bilanzprotokoll erstellen
- Flüssigkeitszufuhr lt. Arztanordnung festlegen
  - » Positiv-Bilanz
  - » Negativ-Bilanz
  - » Ausgeglichene Bilanz
- Erfassungszeitraum bestimmen/sonstige Angaben
  - » Blase am Ende des Erfassungszeitraums entleeren lassen
  - » Ergebnisse in die Dokumentation eintragen
  - » Erfassungszeitraum bestimmen

Bei diagnostischen Untersuchungen des Herzens unterstützen/diese vorbereiten
- Pflegeintervention konkretisieren
  - » 12-Kanal-EKG anlegen und schreiben
  - » Langzeit-EKG anlegen und schreiben
  - » Bei elektrophysiologischen Untersuchungen assistieren
  - » Bei der Herzkatheteruntersuchung assistieren
- Zeit angeben

Blutgasanalyse durchführen
- Pflegeintervention konkretisieren
- Zeit angeben

Stressbewältigungsstrategien und emotionsregulierende Verhaltensweisen entwickeln/fördern
- Maßnahmen konkretisieren
- Zeit angeben

Hämodynamisches Monitoring durchführen
- Maßnahmen konkretisieren
  - » Hämodynamisches Basis-Monitoring durchführen
  - » Erweitertes hämodynamisches Monitoring durchführen
- Überwachungsparameter angeben
  - » EKG Monitoring
  - » Pulsoximetrie
  - » (ABP) Arterial blood pressure
  - » (CVP) Central Venous Pressure (=ZVD)
  - » (SaO^2) Arterial Oxygen Saturation
  - » (SvO-^{2}) Mixed Venous Saturation
  - » (BP) Arterial Blood Pressure
  - » (MAP) Mean Arterial Pressure
  - » (CO) Cardiac Output
  - » (CI) Cardiac Index
  - » (SV) Stroke Volume
  - » (SVV) Stroke Volume Variation
  - » (SVR) Systemic Vascular Resistance
  - » (PAP) Pulmonary Artery Pressure
  - » (PCCO) Pulse Contour Cardic Output
  - » (DO^2) Oxygen Delivery
  - » (VO^2) Oxygen Consumption
  - » (CaO^2) Arterial Oxygen Content
  - » {CvO^2) Venous Oxygen Content
- Zeit angeben

Natriumarme Kost (laut Arztanordnung) bestellen
- Pflegeintervention konkretisieren
- Zeit angeben

Anleitung zum Selbstmonitoring durchführen
- Elemente des Selbstmonitorings angeben
  - » Gewichtskontrollen durchführen und Ergebnisse bewerten
  - » Dosieranpassung von Diuretika nach vereinbartem Schema
  - » Mögliche bekannte Nebenwirkungen spezifisch beobachten
- Zeit angeben

Sonstige Pflegemaßnahmen durchführen
- Maßnahmen konkretisieren
- Zeit angeben

Literaturhinweise: 51, 86, 95, 113, 125, 126, 157, 165, 175, 176, 946, 947, 948, 949, 950, 951, 952, 954, 955, 956, 967, 969, 973, 974, 978, 1001

Der Patient hat aufgrund einer **autonomen Dysreflexie** eine **Bluthochdruckkrise**

Kennzeichen

- Systolische Blutdruckwerte gleich/größer 20mmHg als die Basislinie/-werte des Betroffenen
- Hypertonie
- Sehr hohe systolische Blutdruckwerte
- Bradykardie
- Pochende Kopfschmerzen
- Kopfschmerzen
- Verschwommenes Sehen
- Heiße Ohren
- Schwitzen
- Kaltschweißige Haut oberhalb der Läsionshöhe
- Gänsehaut (Piloerektion)
- Blässe und anschließende Gesichtsrötung
- Pupillenerweiterung
- Dys- und Parästhesien
- Verstopfte Nase

Ursachen

- Magen-Darm-TraktEnddarmüberdehnung
- Analfissuren
- Rektaler Einlauf
- Überdehnung des Magens
- Magenulzera
- Ösophagealer Reflux
- Cholezystitis
- Cholelithiasis
- Urogenitales SystemBlasenüberdehnung
- Harnwegsinfektion
- Zystitis
- Katheterisierung
- Urethraverletzungen
- Geschlechtsverkehr
- Penismanipulation
- Hodentorsion
- Nierensteine
- Vaginale Dilatation
- HautAuftreten von Druck
- Hautirritation
- Verbrennung
- Dekubitus

- Sonstige UrsachenKaltes Wasser
- Spastizität
- Lagewechsel
- Mobilisierungsmaßnahmen
- Stillen
- Verschiedene medizinische Untersuchungen
- Wehen
- Menstruation
- Ejakulation
- Tiefe Venenthrombose
- Lungenembolie

Ressourcen

- Erkennt die individuellen Symptome einer autonomen Dysreflexie und kann Hilfe anfordern
- Kennt die spezifischen Ursachen, die eine autonome Dysreflexie auslösen und kann Hinweise geben

Pflegeziele

- Blutdrucksenkung
- Komplikationen sind vorgebeugt
- Auslösende Ursachen der autonomen Dysreflexie sind beseitigt
- Ist frei von Symptomen einer autonomen Dysreflexie
- Vollständige Blasenentleerung ist erreicht
- Enddarm ist ausgeräumt
- Blutdruckwerte sind physiologisch
- Wiederholt auslösende Faktoren einer autonomen Dysreflexie werden erkannt und vorgebeugt
- Komplikationen sind frühzeitig erkannt und abgewendet

Pflegeinterventionen

Patient aufsetzen

- Pflegeintervention konkretisieren
- Zeit angeben

Engmaschige Blutdruckkontrollen durchführen

- Pflegeintervention konkretisieren
  - » Blutdruck messen
  - » Blutdruckmessung bei Werten > 150 alle drei Minuten
  - » Nach einer Bluthochdruckkrise Blutdruck mindestens 2 Stunden engmaschig kontrollieren
- Ort
  - » Am linken Arm messen
  - » Am rechten Arm messen
  - » An beiden Armen messen

Systematische Abklärung möglicher Ursachen der autonomen Dysreflexie und Abstellen des Reizes

- Pflegeintervention konkretisieren
  - » Suche nach Schmerzreizen unterhalb der Läsionshöhe und Abstellen dieser
  - » Harnableitung auf möglichen Rückstau kontrollieren und Abfluss sicherstellen
  - » Blasenfüllung kontrollieren
  - » Darmkontrolle, mögliche Überdehnung des Mastdarms oder Obstipation abklären
  - » Hautkontrolle auf z. B. mögliche Druckstellen, Infektionen, Hämatome, Abschnürungen durch Kleidung durchführen
  - » Gastrointestinale Reizung abklären (Überdehnung, Blähung)
  - » Geschlechtsspezifische Ursachen abklären
- Zeit angeben

Einmalkatheterisierung der Blase durchführen

- Pflegeintervention konkretisieren
  - » Lidocain vor der Katheterisierung installieren
  - » Lokalanästhetikum installieren

Enddarm digital ausräumen

- Pflegeintervention konkretisieren
  - » Lokalanästhetikum vor der digitalen Ausräumung installieren

Angeordnete blutdrucksenkende Medikation verabreichen

- Pflegeintervention konkretisieren
- Zeit angeben

Systematische Dokumentation der auslösenden Faktoren für die autonome Dysreflexie sowie der Therapiemaßnahmen

- Pflegeintervention konkretisieren
- Zeit angeben

Auf Symptome/Kennzeichen möglicher Komplikationen beobachten

- Pflegeintervention konkretisieren
- Zeit angeben

Sonstige Pflegemaßnahmen durchführen

- Maßnahmen konkretisieren
- Zeit angeben

Literaturhinweise: 611, 770, 771, 772, 773, 774, 775, 776, 777, 778, 779, 780, 797, 798, 799, 800, 802, 805, 807

Der Patient hat aufgrund **hypertoner Kreislaufveränderungen** das **Risiko von Herz-/Kreislauf-Komplikationen**

Kennzeichen

- Äußert Kopfschmerzen
- Ohrgeräusche
- Herzklopfen
- Schwindelgefühl
- Schweißausbruch
- Roter Kopf
- Beschreibt Sehstörungen
- Nasenbluten

Blutdruck

- Stufe 1: Blutdruckwert systolisch > 140 mmHg
- Stufe 1: Blutdruckwert diastolisch > 90 mmHg
- Stufe 2: Blutdruckwert systolisch > 160 mmHg
- Stufe 2: Blutdruckwert diastolisch > 100 mmHg
- Stufe 3: Blutdruckwert systolisch > 180 mmHg
- Stufe 3: Blutdruckwert diastolisch > 110 mmHg

Ursachen

- Übergewicht
- Alkoholkonsum
- Fehlernährung
- Steht unter starker Anspannung/Stress
- Einnahme bestimmter Arzneimittel
- Hormonstörung
- Drogenmissbrauch
- Starkes Rauchen
- Mikroalbuminurie
- Krankheitsbedingte UrsachenSchwangerschaftsinduzierte Hypertonie
- Diabetes mellitus
- Herzerkrankung
- Erkankung des Nierenparenchyms
- Nierenarterienstenose
- Erkrankungen des zentralen Nervensystems

Ressourcen

- Kennt Vorbeugungsmaßnahmen und unterstützt diese aktiv
- Akzeptiert die Notwendigkeit der Diät (bestimmte Einschränkungen)
- Hält die Therapievereinbarungen ein
- Erkennt/fühlt die Blutdruckveränderungen und meldet sich
- Ist aktiv daran interessiert, Lebensgewohnheiten zu verändern

Pflegeziele

- Akzeptiert Unterstützung in den Aktivitäten des täglichen Lebens
- Herz-Kreislauf-System ist während/nach der durchgeführten (Pflege-)Aktivität stabil, Vitalparameter verändern sich im physiologischen Normbereich
- Kann die persönliche Belastbarkeit einschätzen
- Bluthochdruck auslösende Faktoren sind identifiziert und abgebaut
- Komplikationen sind frühzeitig erkannt und abgewendet
- Fühlt sich angenommen und verstanden

Pflegeinterventionen

Herz-Kreislauf-Situation beobachten, erfassen und dokumentieren

- Überwachungsmonitor benutzen
  - » Überwachungsmonitor benutzen
  - » Pulsfrequenz/-qualität messen
  - » Blutdruckwert messen
  - » Atemfrequenz/-qualität messen
  - » Körpertemperatur messen
  - » Sauerstoffsättigung mit Oximeter überprüfen
- Vitalzeichenwerte manuell messen
  - » Pulsfrequenz/-qualität messen
  - » Blutdruckwert messen
  - » Atemfrequenz/-qualität messen
  - » Körpertemperatur messen
- Ort der Messung angeben
  - » Am rechten Arm messen
  - » Am linken Arm messen
  - » Am Finger messen
  - » Am Zeh messen
  - » Besonderheiten bei der Messung bestimmen

Individuelle Leistungsfähigkeit erfassen und körperliche Aktivitäten gemeinsam festlegen

- Pflegeintervention konkretisieren
- Art der Unterstützung
  - » Beaufsichtigen
  - » Durch Unterstützen helfen
  - » Teilweise übernehmen
  - » Vollständig übernehmen
  - » Zur selbstständigen Durchführung anleiten
- Anzuleitende Person(en) festlegen
  - » Betroffene Person
  - » Angehöriger/Bezugsperson
- Zeit angeben

Vor mobilisierenden Maßnahmen Blutdruck kontrollieren

- Pflegeintervention konkretisieren
- Zeit angeben

Gespräch über psychosoziale Stresssituation führen

- Gesprächsinhalt
- Zeit angeben
- Beteiligte Personen angeben
  - » Betroffene Person
  - » Angehöriger/Bezugsperson
  - » Betreuer
  - » Eltern
  - » Sonstige Personen
- Durchführende Person angeben
  - » Bezugspflegeperson
  - » Pflegeperson
  - » Spezialtherapeuten
  - » Physiotherapeuten

Beratungsgespräch führen
- Beratung
  - » Blutdruckwerte und ihre Bedeutung
  - » Symptome und therapeutische Sofortmaßnahmen bei Komplikationen
  - » Gesundheitsförderung/Prävention
  - » Sinnvolle Modifikation des Lebensstils
  - » Herz-Kreislauf-Training für zu Hause
  - » Einfluss der Ernährung auf Herz-Kreislauf
  - » Entlassungsplanung
- Beteiligte Personen angeben
  - » Angehöriger/Bezugsperson
  - » Betroffene Person
  - » Sonstige Personen
- Zeit angeben

Sonstige Pflegemaßnahmen durchführen
- Maßnahmen konkretisieren
- Zeit angeben

Literaturhinweise: 51, 86, 95, 113, 125, 126, 157, 165, 175, 176, 956, 970, 979, 981, 982

Der Patient hat aufgrund **hypotoner Kreislaufveränderungen** das **Risiko von Herz-/Kreislauf-Komplikationen**

Kennzeichen

- Berichtet über häufige Kreislaufkollapse
- Blässe der Haut
- Anzeichen körperlicher Schwäche
- Äußert Kopfschmerzen
- Konzentrationsschwäche
- Äußerungen über Leistungsschwäche
- Kreislaufkollaps bei der Mobilisation
- Sturzneigung
- Schwindelgefühl beim Aufstehen
- Schwindelgefühl beim Aufsetzen
- Beschreibt Sehstörungen
- Ohnmacht
- Tachykardie
- Oligurie: Harnausscheidung zwischen 100 und 500 ml täglich
- Anurie: Harnausscheidung weniger als 100 ml pro Tag
- Bekannte Orthostase-Intoleranz
- BlutdruckBlutdruckwerte unter 105/60 mmHg
- Blutdruckwerte ca. 30% unter durchschnittlichem Normalwert
- Diastolischer Blutdruckabfall nach dem Aufstehen von mind. 10 mmHg
- Systolischer Blutdruckabfall nach dem Aufstehen von mind. 20 mmHg

Ursachen

- Reduzierte Pumpfunktion des Herzens
- Herzinsuffizienz
- Erniedrigter Gefäßwiderstand
- Orthostatische Dysregulation
- Spinaler Schock
- Beeinträchtigte tonische sympathische Kontrolle
- Nach Sympathektomie
- Reduziertes absolutes Blutvolumen
- Hypovolämie
- Entbindung
- Flüssigkeitsmangel
- Blutverlust
- Nebenwirkungen von Medikamenten
- Nebennierenerkrankung
- Arzneimitteleinnahme gegen Hypertonie
- Schilddrüsenunterfunktion
- Essstörung
- Untergewicht
- Reduzierter Blutrückstrom zum Herzen
- Myokardinfarkt
- Gefäßwandschädigung
- Postoperative Phase/Narkoseüberhang
- Veränderte Barorezeptoren-Sensivität
- Kardiovaskuläre Dekonditionierung
- Veränderter Salz-/Elektrolythaushalt

Ressourcen

- Kennt krankheits- bzw. symptomauslösende Faktoren und kann diese vermeiden
- Hält die Therapievereinbarungen ein
- Erkennt/fühlt die Blutdruckveränderungen und meldet sich
- Setzt Maßnahmen zur Blutdruckstabilisierung selbstständig ein

Pflegeziele

- Herz-Kreislauf-Situation ist vor der Mobilisation eingeschätzt
- Äußert Gefühl der Sicherheit
- Verletzungen sind vermieden
- Akzeptiert Unterstützung in den Aktivitäten des täglichen Lebens
- Kann die persönliche Belastbarkeit einschätzen
- Flüssigkeitsbilanz ist ausgeglichen
- Urinausscheidung ist eingeschätzt, Komplikationen werden erkannt
- Fühlt sich angenommen und verstanden
- Sichere Mobilisation und Fortbewegung sind gewährleistet
- Stufenweise Aktivierung ist umgesetzt
- Ist über die Pflegemaßnahmen informiert und zur Mitarbeit motiviert
- Kreislauf ist angeregt

- Venöser Blutrückfluss ist stimuliert
- Herz-Kreislauf-System ist während/nach der durchgeführten (Pflege-)Aktivität stabil, Vitalparameter verändern sich im physiologischen Normbereich
- Neurogene orthostatische Hypotension ist vorgebeugt

Pflegeinterventionen

Herz-Kreislauf-Situation beobachten, erfassen und dokumentieren
- Überwachungsmonitor benutzen
  - » Überwachungsmonitor benutzen
  - » Pulsfrequenz/-qualität messen
  - » Blutdruckwert messen
  - » Atemfrequenz/-qualität messen
  - » Körpertemperatur messen
  - » Sauerstoffsättigung mit Oximeter überprüfen
- Vitalzeichenwerte manuell messen
  - » Pulsfrequenz/-qualität messen
  - » Blutdruckwert messen
  - » Atemfrequenz/-qualität messen
  - » Körpertemperatur messen
- Ort der Messung angeben
  - » Am rechten Arm messen
  - » Am linken Arm messen
  - » Am Finger messen
  - » Am Zeh messen
  - » Besonderheiten bei der Messung bestimmen

Blutdruckkontrollen vor der Mobilisation durchführen
- Pflegeintervention konkretisieren
- Zeit angeben

Kreislaufstabilisierende Interventionen vor der Mobilisation durchführen
- Pflegeintervention konkretisieren
  - » Aktive Bewegungsübungen im Bett durchführen
  - » Passive Bewegungsübungen der Beine durchführen
  - » Antithrombosestrümpfe anziehen
  - » Bauchbinde anlegen

Individuelle Leistungsfähigkeit erfassen und körperliche Aktivitäten gemeinsam festlegen
- Pflegeintervention konkretisieren
- Art der Unterstützung
  - » Beaufsichtigen
  - » Durch Unterstützen helfen
  - » Teilweise übernehmen
  - » Vollständig übernehmen
  - » Zur selbstständigen Durchführung anleiten
- Anzuleitende Person(en) festlegen
  - » Betroffene Person
  - » Angehöriger/Bezugsperson
- Zeit angeben

Flüssigkeitsbilanzierung durchführen
- Pflegeintervention konkretisieren
  - » Einfuhr kontrollieren
  - » Ausfuhr kontrollieren
  - » Flüssigkeitsbilanzierung durchführen
  - » Stundenurinkontrolle durchführen
- Erfassungszeitraum bestimmen/sonstige Angaben
  - » Blase am Ende des Erfassungszeitraums entleeren lassen
  - » Einfuhr berechnen
  - » Ausfuhr berechnen
  - » Ergebnisse in die Dokumentation eintragen
  - » Erfassungszeitraum bestimmen

Urinausscheidung beobachten
- Pflegeintervention konkretisieren
- Zeit angeben

Beratungsgespräch führen
- Beratung
  - » Blutdruckwerte und ihre Bedeutung
  - » Symptome und therapeutische Sofortmaßnahmen bei Komplikationen
  - » Gesundheitsförderung/Prävention
  - » Sinnvolle Modifikation des Lebensstils
  - » Herz-Kreislauf-Training für zu Hause
  - » Einfluss der Ernährung auf Herz-Kreislauf
  - » Entlassungsplanung
- Beteiligte Personen angeben
  - » Angehöriger/Bezugsperson
  - » Betroffene Person
  - » Sonstige Personen
- Zeit angeben

Mobilisation nur unter Aufsicht/Begleitung einer Pflegeperson durchführen
- Art der Mobilisation bestimmen
  - » Zum Sitzen mobilisieren
  - » Standtraining durchführen
  - » Standtraining und wenige Schritte gehen
  - » Gehtraining durchführen (Wegstrecke <10 Meter)
  - » Gehtraining durchführen (Wegstrecke >10 Meter)
- Ort der Mobilisation
  - » Bett
  - » Sessel/Lehnstuhl
  - » Sitzsack
  - » Rollstuhl
  - » Hängematte
- Maßnahmen konkretisieren
  - » Techniken der Kinästhetik einsetzen
  - » Nach dem Bobath-Konzept mobilisieren
  - » Faszilitationstechnik einsetzen
  - » Inhibitationstechniken einsetzen
  - » Spastik im Rahmen der Mobilisation lösen
  - » Hubfreie/-arme Mobilisation durchführen
- Erschwerte Bedingungen feststellen
  - » Zu- und Ableitungssysteme
  - » Kreislaufinstabilität
  - » Abwehrhaltung
  - » Lähmung
  - » Kontraktur
  - » Spasmus
- Art der Unterstützungsleistung angeben
  - » Beaufsichtigen
  - » Teilweise übernehmen
  - » Vollständig übernehmen
  - » Zur Durchführung anleiten
- Anzahl Pflegepersonen angeben
- Zeit angeben

Mobilisation stufenweise durchführen
- Art der Mobilisation bestimmen
  - » Zum Sitzen mobilisieren
  - » Standtraining durchführen
  - » Standtraining und wenige Schritte gehen
  - » Gehtraining durchführen (Wegstrecke <10 Meter)
  - » Gehtraining durchführen (Wegstrecke >10 Meter)
- Ort der Mobilisation
  - » Bett
  - » Sessel/Lehnstuhl
  - » Sitzsack
  - » Rollstuhl
  - » Hängematte
- Maßnahmen konkretisieren
  - » Techniken der Kinästhetik einsetzen
  - » Nach dem Bobath-Konzept mobilisieren
  - » Faszilitationstechnik einsetzen
  - » Inhibitationstechniken einsetzen
  - » Spastik im Rahmen der Mobilisation lösen
  - » Hubfreie/-arme Mobilisation durchführen
- Erschwerte Bedingungen feststellen
  - » Zu- und Ableitungssysteme
  - » Kreislaufinstabilität
  - » Abwehrhaltung
  - » Lähmung
  - » Kontraktur
  - » Spasmus
- Art der Unterstützungsleistung angeben
  - » Beaufsichtigen
  - » Teilweise übernehmen
  - » Vollständig übernehmen
  - » Zur Durchführung anleiten
- Anzahl Pflegepersonen angeben
- Zeit angeben

Zu Bewegungsübungen vor der Mobilisation anleiten
- Pflegeintervention konkretisieren
- Art der Unterstützung
  - » Beaufsichtigen
  - » Durch Unterstützen helfen
  - » Teilweise übernehmen
  - » Vollständig übernehmen
  - » Zur selbstständigen Durchführung anleiten
- Anzuleitende Person(en) festlegen

- » Betroffene Person
- » Angehöriger/Bezugsperson
- Zeit angeben

Wechselduschen durchführen
- Ort der Wechseldusche angeben
  - » Füße
  - » Untere Extremitäten
  - » Obere Extremitäten
  - » Ganzer Körper
- Unterstützungsgrad angeben
  - » Beaufsichtigen
  - » Unterstützen
  - » Teilweise übernehmen
  - » Vollständig übernehmen
  - » Aktivieren/anleiten

Funktionelle Elektrostimulation durchführen
- Maßnahmen konkretisieren
  - » Zum vereinbarten Termin in der Ergo-/Physiotherapie bringen
  - » Beim Benutzen des FES-Ergometers unterstützen
- Zeit angeben

Maßnahmen bei akuter orthostatischer Hypotonie durchführen
- Pflegeintervention konkretisieren
  - » Kreislaufstabilisierende Lagerung durchführen
  - » Beine hoch lagern
  - » Rollstuhl ankippen
- Zeit angeben

Risikosituationen vermeiden
- Pflegeintervention konkretisieren
- Zeit angeben

Sonstige Pflegemaßnahmen durchführen
- Maßnahmen konkretisieren
- Zeit angeben

Literaturhinweise: 51, 86, 95, 113, 125, 126, 157, 165, 175, 176, 611, 957, 958, 959, 963, 964, 975, 976, 977, 978, 980, 1002

Der Patient hat aufgrund einer **verminderten Herzleistung** das **Risiko einer instabilen Herz-/Kreislaufsituation**

Kennzeichen

- Blutdruck/HerzfrequenzArrhythmien
- Tachykardie
- Berichtet über Herzklopfen
- Bradykardie
- Schwankende Blutdruckwerte
- Hypotonie
- Kennzeichen einer RechtsherzinsuffizienzJugularvenenstauung
- Ödembildung
- Gewichtszunahme
- Erhöhter ZVD (Zentralvenendruck)
- Aszites
- Äußert, an Appetitlosigkeit zu leiden
- Äußert Völlegefühl
- Stauungsekzeme an den Beinen
- Nykturie
- Kennzeichen einer LinksherzinsuffizienzAtemnot (Dyspnoe)
- Unruhezustände
- Rasselgeräusche beim Atmen
- Hustenreiz
- Sonstige KennzeichenGeringe Anstrengungen, die früher mühelos bewältigt wurden, führen zur Erschöpfung/Überforderung
- Fühlt sich chronisch müde und matt
- Zyanosezeichen
- Chronisch kalte Extremitäten
- Reduziertes Herzminutenvolumen

Ursachen

- Bekannte medizinische DiagnoseRechtsherzinsuffizienz
- Linksherzinsuffizienz
- Rechts-Links-Herzinsuffizienz
- Extrasystole
- Herzrhythmusstörungen (Arrhythmie)
- Entzündliche Herzerkrankung
- Angeborene Herzfehler
- Arrhythmien
- Flüssigkeitsüberbelastung
- Myokardinfarkt
- Kardiomyopathie
- Chronisch obstruktive Lungenerkrankung
- Operativer Eingriff am Herzen
- Akute Lungenerkrankung
- Lungenerkrankung
- Erhöhter pulmonalvaskulärer Widerstand
- Aortenklappenstenose
- Sonstige UrsachenVerändertes Schlagvolumen
- Veränderte Herzfrequenz
- Veränderter Rhythmus
- Veränderte Nachlast
- Veränderte Vorlast
- Veränderte Kontraktilität

Ressourcen

- Hält die Therapievereinbarungen ein.
- Kann die Zusammenhänge zwischen notwendiger Verhaltensänderung und Krankheit/Symptomen erklären
- Passt sich dem veränderten Aktionspotenzial an
- Ist motiviert, die Pflegemaßnahme zu unterstützen und zeigt entsprechende Verhaltensweisen
- Findet Freude an ruhigeren Aktivitäten

Pflegeziele

- Individuelles Aktivitätsniveau ist beschrieben
- Belastbarkeit ist eingeschätzt
- Volumenstatus ist eingeschätzt
- Herz-Kreislauf-Situation ist kontinuierlich eingeschätzt
- Gesundheitsbezogene Selbstpflegefähigkeiten sind eingeschätzt
- Erstickungsangst ist reduziert
- Sauerstoffversorgung ist gewährleistet
- Körperlicher Überforderung ist vorgebeugt
- Ist über Risiken und mögliche Komplikationen informiert und kann diese Informationen auf die eigene Situation anwenden, hält Therapie- und Behandlungsvereinbarungen ein

- Wassereinlagerungen sind erkannt und dokumentiert
- Kennt die Behandlungsziele und ist zur Mitarbeit motiviert
- Fühlt sich angenommen und verstanden
- Urinausscheidung ist erhöht
- Selbstkontrolle ist verbessert
- Emotionaler Stress ist reduziert
- Natriumgehalt der Nahrung ist reduziert
- Unterstützt die Therapie
- Hautturgor ist altersentsprechend

Pflegeinterventionen

Beurteilung der funktionalen Kapazität der körperlichen Belastbarkeit

- Maßnahmen konkretisieren
  - » Einschätzung der Belastbarkeit in Alltagsituationen
  - » 6-Minuten-Gehtest durchführen
  - » Einschätzung nach der NYHA Functional Classification
- Zeit angeben

Beurteilung des Volumenstatus durchführen

- Maßnahmen konkretisieren
  - » Evaluation der Gewichtsprotokolle
  - » Beurteilung des Ausmaßes peripherer Ödeme
  - » Blutdruckmessung im Liegen und anschließend im Stehen
  - » Beurteilung von Atemgeräuschen
- Zeit angeben

Vitalzeichenkontrolle durchführen

- Überwachungsmonitor benutzen
  - » Überwachungsmonitor benutzen
  - » Pulsfrequenz/-qualität messen
  - » Blutdruckwert messen
  - » Atemfrequenz/-qualität messen
  - » Körpertemperatur messen
  - » Sauerstoffsättigung mit Oximeter überprüfen
- Vitalzeichenwerte manuell messen
  - » Pulsfrequenz/-qualität messen
  - » Blutdruckwert messen
  - » Atemfrequenz/-qualität messen
  - » Körpertemperatur messen
- Ort der Messung angeben
  - » Am rechten Arm messen
  - » Am linken Arm messen
  - » Am Finger messen
  - » Am Zeh messen
  - » Besonderheiten bei der Messung bestimmen

Beurteilung der Selbstpflege/Compliance des Betroffenen

- Maßnahmen konkretisieren
  - » Assessment mit der European Heart Failure Self-Care Behaviour Scale durchführen
  - » Assessment mit dem Heart Failure Self-Care Index durchführen
  - » Assessment mit der Health Beliefs Scale durchführen
- Zeit angeben

Sauerstoff nach Arztanordnung verabreichen

- Pflegeintervention konkretisieren
  - » Sauerstoff in der Akutphase verabreichen und Wirkung kontrollieren
  - » Kontinuierlich Sauerstoff verabreichen
  - » Intermittierend Sauerstoff verabreichen
- Sauerstoff verabreichen mit
  - » Sauerstoffsonde
  - » Sauerstoffbrille
  - » Sauerstoffmaske
- Sauerstoffkonzentration angeben
- Pflege bei Sauerstofftherapie durchführen
  - » Nasen- und Sondenpflege durchführen
  - » Schlauchsystem aseptisch aufbereiten

In Abhängigkeit von der Herz-/Kreislaufsituation stufenweise mobilisieren

- Art der Mobilisation bestimmen
  - » Zum Sitzen mobilisieren
  - » Standtraining durchführen
  - » Standtraining und wenige Schritte gehen
  - » Gehtraining durchführen (Wegstrecke <10 Meter)
  - » Gehtraining durchführen (Wegstrecke >10 Meter)
- Ort der Mobilisation
  - » Bett
  - » Sessel/Lehnstuhl
  - » Sitzsack
  - » Rollstuhl
  - » Hängematte
- Maßnahmen konkretisieren
  - » Techniken der Kinästhetik einsetzen
  - » Nach dem Bobath-Konzept mobilisieren
  - » Faszilitationstechnik einsetzen
  - » Inhibitionstechniken einsetzen
  - » Spastik im Rahmen der Mobilisation lösen
  - » Hubfreie/-arme Mobilisation durchführen
- Erschwerte Bedingungen feststellen
  - » Zu- und Ableitungssysteme
  - » Kreislaufinstabilität
  - » Abwehrhaltung
  - » Lähmung
  - » Kontraktur
  - » Spasmus
- Art der Unterstützungsleistung angeben
  - » Beaufsichtigen
  - » Teilweise übernehmen
  - » Vollständig übernehmen
  - » Zur Durchführung anleiten
- Anzahl Pflegepersonen angeben
- Zeit angeben

Anleitung zum Selbstmonitoring durchführen

- Elemente des Selbstmonitorings angeben
  - » Gewichtskontrollen durchführen und Ergebnisse bewerten
  - » Dosieranpassung von Diuretika nach vereinbartem Schema
  - » Mögliche bekannte Nebenwirkungen spezifisch beobachten
- Zeit angeben

Gewichtskontrollen durchführen

- Gewichtskontrollen durchführen
  - » Mit einer Stehwaage
  - » Mit einer Sitzwaage
- Körpergewicht kontrollieren
  - » Morgens vor dem Frühstück
  - » In Unterwäsche/ohne Schuhe
  - » Nach der Blasenentleerung

Gesprächsbereitschaft signalisieren, kurze Gespräche über Befindlichkeit und Wünsche führen

- Gesprächsinhalt
- Zeit angeben
- Beteiligte Personen angeben
  - » Betroffene Person
  - » Angehöriger/Bezugsperson
  - » Betreuer
  - » Eltern
  - » Sonstige Personen
- Durchführende Person angeben
  - » Bezugspflegeperson
  - » Pflegeperson
  - » Spezialtherapeuten
  - » Physiotherapeuten

Beratungsgespräch führen

- Beratung
  - » Blutdruckwerte und ihre Bedeutung
  - » Symptome und therapeutische Sofortmaßnahmen bei Komplikationen
  - » Gesundheitsförderung/Prävention
  - » Sinnvolle Modifikation des Lebensstils
  - » Herz-Kreislauf-Training für zu Hause
  - » Einfluss der Ernährung auf Herz-Kreislauf
  - » Entlassungsplanung
- Beteiligte Personen angeben
  - » Angehöriger/Bezugsperson
  - » Betroffene Person
  - » Sonstige Personen
- Zeit angeben

Stundenurinkontrolle durchführen und bei der Negativ-Bilanzierung unterstützen

- Pflegeintervention konkretisieren
  - » ZVD-Messung durchführen
  - » Flüssigkeitsbilanzierung durchführen
  - » Stundenurinkontrolle durchführen
  - » Ausfuhr berechnen
  - » Einfuhr berechnen
  - » Bilanzprotokoll erstellen
- Flüssigkeitszufuhr lt. Arztanordnung festlegen

- » Positiv-Bilanz
- » Negativ-Bilanz
- » Ausgeglichene Bilanz
- Erfassungszeitraum bestimmen/sonstige Angaben
  - » Blase am Ende des Erfassungszeitraums entleeren lassen
  - » Ergebnisse in die Dokumentation eintragen
  - » Erfassungszeitraum bestimmen

Stressbewältigungsstrategien und emotionsregulierende Verhaltensweisen entwickeln/fördern
- Maßnahmen konkretisieren
- Zeit angeben

Natriumarme Kost (laut Arztanordnung) bestellen
- Pflegeintervention konkretisieren
- Zeit angeben

Sonstige Pflegemaßnahmen durchführen
- Maßnahmen konkretisieren
- Zeit angeben

Literaturhinweise: 51, 86, 95, 113, 125, 126, 157, 165, 175, 176, 946, 947, 948, 949, 951, 952, 952, 953, 954, 954, 955, 969, 971

Der Patient hat aufgrund eines **Flüssigkeitsdefizits bei Diuretikagabe** das **Risiko von hypotonen Kreislaufverhältnissen**

Kennzeichen

- Äußert Kreislaufbeschwerden
- Schwindelgefühl beim Aufstehen
- Äußerungen über Leistungsschwäche
- Urinausscheidung ist erhöht
- Plötzlicher Gewichtsverlust
- Reduzierte Venenfüllung
- Hypotonus
- Tachykardie
- Äußert Durstgefühl
- Trockene Haut/Schleimhäute
- Schwacher Puls
- Erhöhte Körpertemperatur
- Bewusstseinsveränderung
- Erhöhter Hämatokrit

Ursachen

- Verstärkte Mineralstoffausscheidung durch die Diuretika

Ressourcen

- Äußert Einsicht in die Pflegemaßnahme
- Zeigt Verhaltensweisen, die die Therapie unterstützen
- Kann Veränderungen bezüglich des Gesundheitszustands erkennen und einschätzen

Pflegeziele

- Sicherheit ist gewährleistet
- Kreislaufveränderungen sind frühzeitig erkannt
- Einem Sturz ist vorgebeugt
- Negativbilanz ist schnell festgestellt
- Flüssigkeitshaushalt ist eingeschätzt
- Flüssigkeitsbilanz ist ausgeglichen

Pflegeinterventionen

Kreislaufkontrollen festlegen und durchführen
- Überwachungsmonitor benutzen
  - » Überwachungsmonitor benutzen
  - » Pulsfrequenz/-qualität messen
  - » Blutdruckwert messen
  - » Atemfrequenz/-qualität messen
  - » Körpertemperatur messen
  - » Sauerstoffsättigung mit Oximeter überprüfen
- Vitalzeichenwerte manuell messen
  - » Pulsfrequenz/-qualität messen
  - » Blutdruckwert messen
  - » Atemfrequenz/-qualität messen
  - » Körpertemperatur messen
- Ort der Messung angeben
  - » Am rechten Arm messen
  - » Am linken Arm messen
  - » Am Finger messen
  - » Am Zeh messen
  - » Besonderheiten bei der Messung bestimmen

Auf Kollapsneigung bei der Mobilisation achten
- Pflegeintervention konkretisieren
- Zeit angeben

Körpergewicht kontrollieren
- Gewicht kontrollieren
  - » Gewicht mit Sitzwaage kontrollieren (pflegerisch erforderlich)
  - » Gewicht mit Stehwaage kontrollieren
  - » Gewicht mit Sitzwaage kontrollieren

Flüssigkeitsbilanzierung durchführen
- Pflegeintervention konkretisieren
  - » ZVD-Messung durchführen
  - » Flüssigkeitsbilanzierung durchführen
  - » Stundenurinkontrolle durchführen
  - » Ausfuhr berechnen
  - » Einfuhr berechnen
  - » Bilanzprotokoll erstellen
- Flüssigkeitszufuhr lt. Arztanordnung festlegen

- » Positiv-Bilanz
  - » Negativ-Bilanz
  - » Ausgeglichene Bilanz
- Erfassungszeitraum bestimmen/sonstige Angaben
  - » Blase am Ende des Erfassungszeitraums entleeren lassen
  - » Ergebnisse in die Dokumentation eintragen
  - » Erfassungszeitraum bestimmen

Flüssigkeit anreichen/verabreichen
- Darreichungsform bestimmen
  - » Flüssigkeit mit Schnabelbecher zuführen
  - » Flüssigkeit mit Tasse/Glas zuführen
  - » Flüssigkeit mit Trinkhalm zuführen
  - » Flüssigkeit mit Teelöffel zuführen
  - » Flüssigkeit mit Esslöffel zuführen
- Zeitpunkt des Flüssigkeitsangebots regeln
  - » Nach Trinkfahrplan
  - » Nach stationsüblichen Angebotszeiten
- Art der Unterstützungsleistung angeben
  - » Getränke bereitstellen
  - » Zur Flüssigkeitsverabreichung in Sitzposition bringen/anleiten, diese einzunehmen
  - » Flüssigkeitszufuhr beaufsichtigen
  - » Flüssigkeitszufuhr teilweise übernehmen
  - » Flüssigkeit schluckweise verabreichen/vollständig übernehmen
  - » Hand mit dem Trinkgefäß führen/zum selbstständigen Trinken anleiten

Sonstige Pflegemaßnahmen durchführen
- Maßnahmen konkretisieren
- Zeit angeben

Literaturhinweise: 125, 126, 151, 175, 176

Der Patient hat ein **Früh-Dumping-Syndrom**, es besteht das **Risiko des Blutdruckabfalls** nach der Nahrungsaufnahme

Kennzeichen

- Entwickelt 10-30 Minuten nach der Nahrungsaufnahme Früh-Dumping-Symptome
- Übelkeit und Erbrechen
- Äußert Völlegefühl
- Schweißausbruch
- Herzklopfen, Blässe, Schwindel, Ohnmacht und Durchfall

Ursachen

- Folgezustand nach Magen-OP
- Nichteinhalten der Ernährungsempfehlungen

Ressourcen

- Ist bereit, die Ernährung umzustellen
- Akzeptiert die Notwendigkeit der Diät (bestimmte Einschränkungen)
- Kennt krankheits- bzw. symptomauslösende Faktoren und kann diese vermeiden
- Äußert Verständnis für die Notwendigkeit der Maßnahme
- Ist motiviert, die Pflegemaßnahme zu unterstützen und zeigt entsprechende Verhaltensweisen
- Kann die Zusammenhänge zwischen notwendiger Verhaltensänderung und Krankheit/Symptomen erklären

Pflegeziele

- Kennt Ursachen und Verhaltensregeln, um dem Syndrom vorzubeugen
- Herz-Kreislauf ist nach der Nahrungsaufnahme stabil

Pflegeinterventionen

Informationsgespräch über Verhaltensregeln bei der Nahrungsaufnahme führen
- Inhaltliche Ausrichtung des Gesprächs bestimmen
  - » Strategien zur Krankheitsbewältigung
  - » Pflege-, Betreuungs- und Behandlungsprozess
- Zeitdauer des Gesprächs angeben

Sonstige Pflegemaßnahmen durchführen
- Maßnahmen konkretisieren
- Zeit angeben

Literaturhinweise: 84, 89, 95, 126, 175, 176

Der Patient überschätzt die **körperliche Belastungsfähigkeit bei körperlichen Aktivitäten**, es besteht das **Risiko der Herz-/Kreislauf-Instabilität**

Kennzeichen

- Möchte die Maßnahme selbstständig durchführen
- Äußert, dass die Maßnahme selbstständig durchgeführt werden kann
- Führt die Pflegemaßnahmen unaufgefordert selbstständig durch
- Äußert, dass die Unterstützung nicht akzeptiert wird

Ursachen

- Herzinsuffizienz
- Herz-Kreislauf-Instabilität
- Rechts-Links-Herzinsuffizienz
- Zustand nach Herzinfarkt
- Verminderte Herzleistung

Ressourcen

- Kann die körperliche Belastbarkeit einschätzen und fordert rechtzeitig Unterstützung an
- Akzeptiert die körperliche Einschränkung
- Akzeptiert die vereinbarten Ruhephasen und hält sich daran
- Ist motiviert, Teile der Körperpflege je nach körperlichem Zustand selbstständig zu übernehmen
- Akzeptiert die Unterstützung
- Akzeptiert die Unterstützung von Angehörigen

Pflegeziele

- Kann die Situation richtig einschätzen
- Akzeptiert momentane Passivität und Abhängigkeit
- Versteht den Zusammenhang zwischen der stufenweisen Aktivierung und der Erkrankung
- Gesundheitsbezogene Selbstpflegefähigkeiten sind eingeschätzt

Pflegeinterventionen

Informationsgespräch über die Krankheitssituation und entlastende Maßnahmen bei der Körperpflege führen
- Inhaltliche Ausrichtung des Gesprächs bestimmen
  - » Strategien zur Krankheitsbewältigung
  - » Pflege-, Betreuungs- und Behandlungsprozess
- Zeitdauer des Gesprächs angeben

Beurteilung der Selbstpflege/Compliance des Betroffenen
- Maßnahmen konkretisieren
  - » Assessment mit der European Heart Failure Self-Care Behaviour Scale durchführen
  - » Assessment mit dem Heart Failure Self-Care Index durchführen
  - » Assessment mit der Health Beliefs Scale durchführen
- Zeit angeben

Sonstige Pflegemaßnahmen durchführen
- Maßnahmen konkretisieren
- Zeit angeben

Literaturhinweise: 510, 963, 968

Der Patient hat aufgrund einer **Querschnittlähmung** das **Risiko einer autonomen Dysreflexie**

Kennzeichen

- Komplette Tetraplegie unterhalb C0-2
- Komplette Tetraplegie unterhalb C3-4
- Komplette Tetraplegie unterhalb C5
- Komplette Tetraplegie unterhalb C6
- Komplette Tetraplegie unterhalb C7/8
- Inkomplette Tetraplegie
- Komplette Paraplegie unterhalb Th 1-7

Ursachen

- Magen-Darm-TraktEnddarmüberdehnung
- Analfissuren
- Rektaler Einlauf
- Überdehnung des Magens
- Magenulzera
- Ösophagealer Reflux
- Cholezystitis
- Cholelithiasis
- Urogenitales SystemBlasenüberdehnung
- Harnwegsinfektion
- Zystitis
- Katheterisierung
- Urethraverletzungen
- Geschlechtsverkehr
- Penismanipulation
- Hodentorsion
- Nierensteine
- Vaginale Dilatation
- HautAuftreten von Druck
- Hautirritation
- Verbrennung
- Dekubitus
- Sonstige UrsachenKaltes Wasser
- Spastizität
- Lagewechsel
- Mobilisierungsmaßnahmen
- Stillen
- Verschiedene medizinische Untersuchungen
- Wehen
- Menstruation
- Ejakulation
- Tiefe Venenthrombose
- Lungenembolie

Ressourcen

- Erkennt die individuellen Symptome einer autonomen Dysreflexie und kann Hilfe anfordern
- Kennt die spezifischen Ursachen, die eine autonome Dysreflexie auslösen und kann Hinweise geben

Pflegeziele

- Komplikationen sind frühzeitig erkannt und abgewendet
- Am Versorgungsprozess beteiligte Personen kennen die individuellen Auslöser einer autonomen Dysreflexie und unterstützen Präventivmaßnahmen
- Kennt die Präventivmaßnahmen und kann diese durchführen
- Ist frei von Symptomen einer autonomen Dysreflexie
- Schmerzauslösende Faktoren unterhalb der Bruchstelle der Wirbelsäule sind reduziert

Pflegeinterventionen

Systematische Anamnese zur Einschätzung des Risikos einer autonomen Dysreflexie durchführen

- Pflegeintervention konkretisieren
  - » Auswertung bereits vergangener Episoden einer autonomen Dysreflexie
- Zeit angeben

Pflegefachgespräch zur Prävention einer autonomen Dysreflexie durchführen

- Pflegeintervention konkretisieren
  - » Lehren, die Kennzeichen/Symptome einer autonomen Dysreflexie zu erkennen
  - » Über Präventionsmaßnahmen informieren
  - » Über Sofortmaßnahmen bei einer autonomen Dysreflexie informieren
  - » Anleitung, Präventivmaßnahmen durchzuführen
  - » Anleiten, bei auftretender autonomen Dysreflexie die Ereignisse und Ursachen systematisch zu dokumentieren und auszuwerten
  - » Risiken im Zusammenhang mit Geschlechtsverkehr/Schwangerschaft aufzeigen
- Beteiligte Personen angeben
  - » Betroffene Person
  - » Angehöriger/Bezugsperson
  - » Sonstige Personen
- Zeit angeben

Präventionsmaßnahmen planen und durchführen

- Pflegeintervention konkretisieren
  - » Systematische Evaluation der Blasenfunktion
  - » Sicherstellung einer ungehinderten Harnableitung
  - » Sicherstellung einer regelmäßigen Katheterisierung der Harnblase
  - » Sicherstellung einer regelmäßigen Stuhlausscheidung
  - » Sicherstellung eines regelmäßigen Positionswechsels zur Druckentlastung
  - » Einschnürende Kleidungsstücke vermeiden

Sonstige Maßnahmen zur Prävention einer autonomen Dysreflexie durchführen

- Pflegeintervention konkretisieren
- Zeit angeben

Schmerzmanagement durchführen

- Pflegeintervention konkretisieren
  - » Schmerzmedikation vor der Wundbehandlung verabreichen
  - » Betäubende Wirkstoffe vor analrektalen Prozeduren in das Rektum instillieren und Anus auftragen
- Zeit angeben

Sonstige Pflegemaßnahmen durchführen

- Maßnahmen konkretisieren
- Zeit angeben

Literaturhinweise: 771, 772, 799, 801, 802, 803, 804, 804, 806, 807

Der Patient hat aufgrund einer **Bewegungseinschränkung** einen **reduzierten venösen Rückfluss**, es besteht das **Risiko einer Thrombose**

Kennzeichen

- Beeinträchtigte Mobilität im Bett
- Vermeidet Bewegung
- Lehnt Bewegungen ab
- Zeigt Vermeidungsreaktion, indem Bewegungen im Bett umgangen werden
- Mit Hilfe eines Einschätzungsinstruments (Assessmentinstrument) festgestelltes Risiko

Ursachen

- Verordnete Bettruhe
- Verordnete Bewegungseinschränkung
- Bettruhe aufgrund von Aktivitätsintoleranz
- Bewusstlosigkeit
- Bewusstseinsveränderung
- Paraplegie
- Hemiplegie
- Tetraplegie
- Lähmung (nicht näher bezeichnet)
- Gipsverband oder Schienenlagerung
- Schmerzbedingte Schonatmung
- Aktivitätsintoleranz
- Postoperative Einschränkung
- Herz-Kreislauf-Instabilität
- Muskuloskeletale Erkrankung
- Neuromuskuläre Erkrankung
- Sedierung

Ressourcen

- Kennt Vorbeugungsmaßnahmen und unterstützt diese aktiv
- Setzt die Muskelpumpe selbstständig ein
- Kann die Muskelpumpe selbstständig einsetzen
- Toleriert Antithrombose-/Kompressionsstrümpfe
- Toleriert den Kompressionsverband
- Zeigt Verhaltensweisen, die die Therapie unterstützen
- Kann die Zusammenhänge zwischen Bewegungsmangel und Thrombosegefahr erklären

Pflegeziele

- Thromboserisiko ist eingeschätzt
- Kompression entspricht den therapeutischen Anforderungen
- Zieht die Kompressionsstrümpfe selbstständig an und aus
- Unterstützt die prophylaktischen Maßnahmen
- Permanente Kompression ist gewährleistet
- Veränderungen werden frühzeitig erkannt und dokumentiert
- Adäquate systemische Gewebedurchblutung ist sichergestellt
- Herz-Kreislauf-Aktivität ist angeregt
- Ist über die Pflegemaßnahmen informiert und zur Mitarbeit motiviert
- Gerinnungsbereitschaft ist gesenkt, Thrombose ist vermieden
- Venöser Rückfluss ist gefördert

Pflegeinterventionen

Thrombosegefährdung mithilfe einer Messskala einschätzen

- Pflegeintervention konkretisieren
  - » Autar DVT Scale verwenden (Autar, 1996)
  - » Messskala der Thrombosegefährdung nach Kümpel (1995) verwenden
  - » Skala zur Erfassung des Thromboserisikos nach Frowein verwenden (Frowein, 1997)

Notwendigkeit präventiver Maßnahmen zur Thromboseprophylaxe aufzeigen und Interventionen planen

- Pflegeintervention konkretisieren
  - » Informationsgespräch über Gefahren und Vorbeugung führen
  - » Zu aktiven Bewegungsübungen mit täglicher Kontrolle anleiten
  - » Bewegungsübungen durchführen
  - » Zur selbstständigen Mobilisation auffordern

Kompressionsstrümpfe/-strumpfhose anziehen

- Pflegeintervention konkretisieren
  - » Kompressionsstrümpfe ausmessen und anpassen
  - » Kompressionsstrumpf Größe/Firma
- Beim Anlegen der Kompressionsstrümpfe/-strumpfhose unterstützen
  - » Beim An- und Ausziehen unterstützen
  - » An- und Ausziehen übernehmen
  - » Beim An- und Ausziehen anleiten
  - » Kompressionsstrümpfe/-strumpfhose wechseln, Häufigkeit angeben
- Spezielle Pflege beim Tragen von Stützstrumpfhosen durchführen
  - » Fußbad durchführen
  - » Hautpflege vor dem Anziehen der Kompressionsstrümpfe durchführen

Beim Anziehen der Kompressionsstrümpfe anleiten

- Pflegeintervention konkretisieren
- Art der Unterstützung
  - » Beaufsichtigen
  - » Durch Unterstützen helfen
  - » Teilweise übernehmen
  - » Vollständig übernehmen
  - » Zur selbstständigen Durchführung anleiten
- Anzuleitende Person(en) festlegen
  - » Betroffene Person
  - » Angehöriger/Bezugsperson
- Zeit angeben

Kompressionsverband anlegen

- Pflegeintervention konkretisieren
- Zeit angeben

Extremitäten auf Anzeichen einer entstehenden Thrombose beobachten

- Pflegeintervention konkretisieren
- Zeit angeben

Korrekten Sitz der Kompressionsstrümpfe/ des -verbands kontrollieren
- Pflegeintervention konkretisieren
- Zeit angeben

Zu aktiven Bewegungsübungen anleiten
- Rückstromfördernde Bewegungsübungen
  - » Sitzend auf einem Stuhl, Füße fest auf den Boden drücken und wieder loslassen
  - » Sitzend auf einem Stuhl, Fußsohle aufsetzen und abwechselnd von den Fersen zu den Zehen abrollen
  - » Liegend im Bett, Füße strecken, beugen und Zehen krallen
  - » Liegend im Bett Füße kreisen und Bein abwechselnd gestreckt leicht anheben
- Art der Unterstützung
  - » Beaufsichtigen
  - » Teilweise übernehmen
  - » Anleiten

Mobilisation durchführen
- Art der Mobilisation bestimmen
  - » Zum Sitzen mobilisieren
  - » Standtraining durchführen
  - » Standtraining und wenige Schritte gehen
  - » Gehtraining durchführen (Wegstrecke <10 Meter)
  - » Gehtraining durchführen (Wegstrecke >10 Meter)
- Ort der Mobilisation
  - » Bett
  - » Sessel/Lehnstuhl
  - » Sitzsack
  - » Rollstuhl
  - » Hängematte
- Maßnahmen konkretisieren
  - » Techniken der Kinästhetik einsetzen
  - » Nach dem Bobath-Konzept mobilisieren
  - » Faszilitationstechnik einsetzen
  - » Inhibitationstechniken einsetzen
  - » Spastik im Rahmen der Mobilisation lösen
  - » Hubfreie/-arme Mobilisation durchführen
- Erschwerte Bedingungen feststellen
  - » Zu- und Ableitungssysteme
  - » Kreislaufinstabilität
  - » Abwehrhaltung
  - » Lähmung
  - » Kontraktur
  - » Spasmus
- Art der Unterstützungsleistung angeben
  - » Beaufsichtigen
  - » Teilweise übernehmen
  - » Vollständig übernehmen
  - » Zur Durchführung anleiten
- Anzahl Pflegepersonen angeben
- Zeit angeben

Untere Extremitäten hochlagern
- Pflegeintervention konkretisieren
- Zeit angeben

Pumpstiefel/Vakuumstiefel anlegen
- Pflegeintervention konkretisieren
- Zeit angeben

Bettfahrrad einsetzen
- Pflegeintervention konkretisieren
- Zeit angeben

Angeordnete Antikoagulanzien verabreichen
- Pflegeintervention konkretisieren
  - » Subkutane Injektionen (s. c.)
  - » Intramuskuläre Injektionen (i. m.)
  - » Intravenöse Injektionen (i. v.)
  - » I. v. Injektionen lt. Arztanordnung über liegenden Zugang (Intensivstation) verabreichen

Im Rahmen von Körperwaschung und Hautpflege Beine in Richtung Herz ausstreichen
- Pflegeintervention konkretisieren
- Zeit angeben

Sonstige Pflegemaßnahmen durchführen
- Maßnahmen konkretisieren
- Zeit angeben

Literaturhinweise: 57, 58, 125, 126, 127, 175, 176, 323

Der Patient hat **Risikofaktoren**, die eine **Thromboseentstehung** begünstigen

Kennzeichen

- Mit Hilfe eines Einschätzungsinstruments (Assessmentinstrument) festgestelltes Risiko

Ursachen

- Flüssigkeitsdefizit/Dehydratation/ Exsikkose
- Blutverlust
- Diarrhö
- Erbrechen
- Bluteindickung bei Polyglobulie
- Gerinnungsneigung bei viraler Infektionserkrankung
- Ovulationshemmer
- Kortison-Therapie
- Großer operativer Eingriff
- Gefäßwandschädigung
- Thrombophlebitis
- Ausgeprägte Beinvarizen
- Schäden nach Varizenstripping
- Entzündung der Gefäße
- Schäden nach operativem Eingriff
- Schwangerschaft
- Maligner Tumor
- Starkes Rauchen
- Durchgemachte Thrombose
- Herzinsuffizienz
- Stützverband
- Knochenbruch (Fraktur)
- Querschnittslähmung

Ressourcen

- Kann die Muskelpumpe selbstständig einsetzen
- Kennt Vorbeugungsmaßnahmen und unterstützt diese aktiv
- Toleriert den Kompressionsverband
- Toleriert Antithrombose-/Kompressionsstrümpfe
- Kann die Zusammenhänge zwischen Bewegungsmangel und Thrombosegefahr

erklären
- Zeigt Verhaltensweisen, die die Therapie unterstützen

Pflegeziele

- Kennt die Behandlungsziele und ist zur Mitarbeit motiviert
- Fließeigenschaft des Bluts ist verbessert
- Flüssigkeitsbilanz ist ausgeglichen
- Gerinnungsbereitschaft ist gesenkt, Thrombose ist vermieden
- Venöser Rückfluss ist gewährleistet, Gefäßlumen ist frei
- Venöser Rückfluss ist gefördert
- Postoperative Nachblutung in das Gewebe ist reduziert
- Hämodynamik ist verbessert, Strömungsgeschwindigkeit ist beschleunigt
- Permanente Kompression ist gewährleistet
- Kompressionsverband wird toleriert

Pflegeinterventionen

Beratungsgespräch über Verhaltensmaßnahmen führen
- Gesprächsinhalt konkretisieren
- Zeitdauer des Gesprächs angeben

Für einen ausgeglichenen Flüssigkeitshaushalt sorgen
- Pflegeintervention konkretisieren
  - » Zieleinfuhr mit dem Arzt vereinbaren
  - » Zieleinfuhr ermitteln (30 ml x kg Körpergewicht)
  - » Trinkfahrplan erstellen und aktualisieren
  - » Flüssigkeit nach Trinkfahrplan zuführen
  - » Flüssigkeit nach Flüssigkeitsbilanz des Vortags verabreichen
- Unterstützung bei der Flüssigkeitszufuhr
  - » Getränke bereitstellen
  - » Flüssigkeit mit Teelöffel zuführen
  - » Flüssigkeit mit Esslöffel zuführen
  - » Flüssigkeit mit Trinkhalm zuführen
  - » Flüssigkeit mit Schnabelbecher zuführen
  - » Flüssigkeit mit Tasse/Glas zuführen
- Art der Unterstützungsleistung angeben
  - » Beaufsichtigen
  - » Unterstützen
  - » Teilweise übernehmen
  - » Vollständig übernehmen
  - » Zur selbstständigen Flüssigkeitszufuhr anleiten

Antikoagulanzien nach Arztverordnung verabreichen
- Pflegeintervention konkretisieren
  - » Subkutane Injektionen (s. c.)
  - » Intramuskuläre Injektionen (i. m.)
  - » Intravenöse Injektionen (i. v.)
  - » I. v. Injektionen lt. Arztanordnung über liegenden Zugang (Intensivstation) verabreichen

Weich lagern und für störungsfreien venösen Rückfluss sorgen
- Pflegeintervention konkretisieren
- Zeit angeben

Kompressionsstrumpf Klasse II-III verwenden
- Pflegeintervention konkretisieren
  - » Kompressionsstrümpfe ausmessen und anpassen
  - » Kompressionsstrumpf Größe/Firma
- Beim Anlegen der Kompressionsstrümpfe/-strumpfhose unterstützen
  - » Beim An- und Ausziehen unterstützen
  - » An- und Ausziehen übernehmen
  - » Beim An- und Ausziehen anleiten
  - » Kompressionsstrümpfe/-strumpfhose wechseln, Häufigkeit angeben
- Spezielle Pflege beim Tragen von Stützstrumpfhosen durchführen
  - » Fußbad durchführen
  - » Hautpflege vor dem Anziehen der Kompressionsstrümpfe durchführen

Mobilisation durchführen
- Art der Mobilisation bestimmen
  - » Zum Sitzen mobilisieren
  - » Standtraining durchführen
  - » Standtraining und wenige Schritte gehen
  - » Gehtraining durchführen (Wegstrecke <10 Meter)
  - » Gehtraining durchführen (Wegstrecke >10 Meter)
- Ort der Mobilisation
  - » Bett
  - » Sessel/Lehnstuhl
  - » Sitzsack
  - » Rollstuhl
  - » Hängematte
- Maßnahmen konkretisieren
  - » Techniken der Kinästhetik einsetzen
  - » Nach dem Bobath-Konzept mobilisieren
  - » Faszilitationstechnik einsetzen
  - » Inhibitationstechniken einsetzen
  - » Spastik im Rahmen der Mobilisation lösen
  - » Hubfreie/-arme Mobilisation durchführen
- Erschwerte Bedingungen feststellen
  - » Zu- und Ableitungssysteme
  - » Kreislaufinstabilität
  - » Abwehrhaltung
  - » Lähmung
  - » Kontraktur
  - » Spasmus
- Art der Unterstützungsleistung angeben
  - » Beaufsichtigen
  - » Teilweise übernehmen
  - » Vollständig übernehmen
  - » Zur Durchführung anleiten
- Anzahl Pflegepersonen angeben
- Zeit angeben

Intraoperativ einen sehr straffen Kompressionsverband verwenden
- Pflegeintervention konkretisieren
- Zeit angeben

Kompressionsstrumpf, Klasse IV, maßangefertigt, verwenden
- Pflegeintervention konkretisieren
  - » Kompressionsstrümpfe ausmessen und anpassen
  - » Kompressionsstrumpf Größe/Firma
- Beim Anlegen der Kompressionsstrümpfe/-strumpfhose unterstützen
  - » Beim An- und Ausziehen unterstützen
  - » An- und Ausziehen übernehmen
  - » Beim An- und Ausziehen anleiten
  - » Kompressionsstrümpfe/-strumpfhose wechseln, Häufigkeit angeben
- Spezielle Pflege beim Tragen von Stützstrumpfhosen durchführen
  - » Fußbad durchführen
  - » Hautpflege vor dem Anziehen der Kompressionsstrümpfe durchführen

Intermittierende Venenkompression durchführen (Pneumomassage)
- Pflegeintervention konkretisieren
- Zeit angeben

Kompressionsverband anlegen
- Pflegeintervention konkretisieren
- Zeit angeben

Wickeln der Beine mit elastischen Langzugbinden durchführen
- Pflegeintervention konkretisieren
- Zeit angeben

Sonstige Pflegemaßnahmen durchführen
- Maßnahmen konkretisieren
- Zeit angeben

Literaturhinweise: 57, 58, 125, 126, 127, 175, 176, 323

Der Patient hat aufgrund einer **tiefen Venenthrombose** das **Risiko einer Lungenembolie**

Kennzeichen

- Überwärmte Haut
- Blaurote Verfärbung der Extremität
- Glänzende Hautstellen
- Äußert Schweregefühl
- Äußert Spannungsgefühl
- Belastungsunabhängiger Fußsohlenschmerz
- Belastungsunabhängiger Wadenschmerz
- Schwellung
- Ödembildung
- Fieber

Ursachen

- Veränderte Blutungsströmung
- Gefäßwandschädigung
- Veränderte Blutzusammensetzung

Ressourcen

- Überprüft die korrekte Lagerung und meldet sich bei Abweichungen
- Meldet sich bei Anzeichen von Komplikationen
- Zeigt Verhaltensweisen, die die Therapie unterstützen
- Akzeptiert die angeordnete Bettruhe
- Toleriert den Kompressionsverband

Pflegeziele

- Komplikationen sind reduziert
- Der Ablösung eines Thrombus ist vorgebeugt
- Zunehmende Schwellung/Umfangsveränderung der Extremität ist erkannt

Pflegeinterventionen

Bettruhe nach Arztanordnung einhalten
- Pflegeintervention konkretisieren
  - » Absolute Bettruhe einhalten
  - » Gelockerte Bettruhe einhalten

Betroffene Extremität mit Schaumstoffschiene hoch und ruhig lagern
- Pflegeintervention konkretisieren
  - » Nach Arztanordnung
  - » Mit Schaumstoffschiene
  - » Lagerungskissen verwenden

Pressen und abrupte Bewegungen vermeiden
- Pflegeintervention konkretisieren
- Zeit angeben

Kompressionsverband anlegen und regelmäßig erneuern
- Pflegeintervention konkretisieren
- Zeit angeben

Umfang der betroffenen Extremität zur Einschätzung von Ödemen und Veränderungen messen
- Assessment: Umfangmessungen
  - » Zur Ermittlung und Verlaufsbeurteilung von Ödemen Umfang messen
  - » Zur Ermittlung und Verlaufsbeurteilung von akuten Schwellungen Umfang messen
- Umfangsmessung durchführen
  - » Rechter Arm
  - » Linker Arm
  - » Handgelenk rechts
  - » Handgelenk links
  - » Rechtes Bein
  - » Linkes Bein
  - » Sprunggelenk links
  - » Sprunggelenk rechts
  - » Bauchumfang messen
- Methode der Umfangsmessung
  - » Konventionelle Umfangmessung
  - » Figure-of-Eight-Methode

Sonstige Pflegemaßnahmen durchführen
- Maßnahmen konkretisieren
- Zeit angeben

Literaturhinweise: 51, 86, 95, 125, 126, 151, 175, 176

Der Patient hat das **Risiko eines lebensbedrohlichen Blutverlusts**

Kennzeichen

- Ekchymosen (kleinflächige Hautblutungen)
- Petechien
- Purpura
- Thrombozytopenie
- Thrombozytose
- Reduzierte partielle Thromboplastinzeit
- Thrombinzeit unter 11 s
- Reduzierter Quick-Test

Ursachen

- Angeborene Gerinnungsstörung
- Hämophilie A
- Hämophilie B
- Gerinnungsstörung infolge fortgeschrittener Lebererkrankung
- Gerinnungsstörung infolge chronischer Niereninsuffizienz
- Massivtransfusion
- Lysetherapie
- Marcumartherapie
- Heparintherapie
- Magengeschwür
- Ösophagusvarizen

Ressourcen

- Kann sich bei selbst beobachteten Veränderungen melden
- Hält sich an die Verhaltensmaßregeln zur Blutungsprophylaxe
- Kennt Maßnahmen, um die Blutung zu stillen
- Zeigt Verhaltensweisen, die die Therapie unterstützen

Pflegeziele

- Komplikationen sind vorgebeugt
- Verletzungen sind vermieden
- Blutdruckabfall ist rechtzeitig erkannt
- Komplikationen sind frühzeitig erkannt und abgewendet
- Führt die Selbstbeobachtung selbstständig und zuverlässig durch
- Mundschleimhaut ist intakt
- Äußert, schmerzfrei zu sein

Pflegeinterventionen

Keine rektale Temperaturkontrolle/Applikation durchführen
- Pflegeintervention konkretisieren
- Zeit angeben

Keine i. m. Injektionen verabreichen
- Pflegeintervention konkretisieren
- Zeit angeben

Keine Nassrasur durchführen
- Pflegeintervention konkretisieren
- Zeit angeben

Keine Zähne putzen
- Pflegeintervention konkretisieren
- Zeit angeben

Haut und Schleimhäute auf Blutungen inspizieren
- Pflegeintervention konkretisieren
- Zeit angeben

Urinausscheidung auf Blutspuren beobachten
- Pflegeintervention konkretisieren
- Zeit angeben

Vitalzeichenkontrolle durchführen
- Überwachungsmonitor benutzen
  - » Überwachungsmonitor benutzen
  - » Pulsfrequenz/-qualität messen
  - » Blutdruckwert messen
  - » Atemfrequenz/-qualität messen
  - » Körpertemperatur messen
  - » Sauerstoffsättigung mit Oximeter überprüfen
- Vitalzeichenwerte manuell messen
  - » Pulsfrequenz/-qualität messen
  - » Blutdruckwert messen
  - » Atemfrequenz/-qualität messen
  - » Körpertemperatur messen
- Ort der Messung angeben
  - » Am rechten Arm messen
  - » Am linken Arm messen
  - » Am Finger messen
  - » Am Zeh messen
  - » Besonderheiten bei der Messung bestimmen

Auf Teerstuhl beobachten
- Pflegeintervention konkretisieren
- Zeit angeben

Zur Selbstbeobachtung anleiten
- Pflegeintervention konkretisieren
- Zeit angeben

Spezielle Mundpflege durchführen
- Pflegeintervention konkretisieren
  - » Mundhöhle mit Peanklemme und getränktem Tupfer reinigen
  - » Mundhöhle mit um den Finger gewickelter, getränkter Kompresse reinigen
  - » Mundhöhle mit Pflaumentupfer auswischen
  - » Mundhöhle mit feuchten Watteträgern auswischen
  - » Zunge mit Zungenreiniger säubern
  - » Zahnfleisch, Zunge und Zähne mit Mundpflege-Fingerling reinigen
  - » Mundspülung durchführen
- Produkt zur Mundpflege angeben

Auf Sodbrennen und/oder Schmerzen im Magen beobachten
- Pflegeintervention konkretisieren
- Zeit angeben

Sonstige Pflegemaßnahmen durchführen
- Maßnahmen konkretisieren
- Zeit angeben

Literaturhinweise: 95, 125, 126, 175, 176

Der Patient hat postoperativ ein **Risiko der Nachblutung**

Kennzeichen

- Durchbluten des Verbands
- Rasch gefüllte Redon-Drainagen
- Kalte Extremität
- Blutdruckabfall
- Kaltschweißigkeit
- Schocksymptomatik
- Hämatombildung

Ursachen

- Operativer Eingriff

Ressourcen

- Toleriert den Verbandwechsel
- Kann sich bei selbst beobachteten Veränderungen melden
- Ist sicher im Umgang mit der Drainage/Sonde
- Meldet sich bei Anzeichen von Komplikationen
- Besitzt die Fähigkeit der Selbstbeobachtung von kritischen körperlichen Veränderungen

Pflegeziele

- Komplikationen sind vorgebeugt
- Primäre Wundheilung ist gewährleistet
- Komplikationen sind frühzeitig erkannt und abgewendet
- Einer Hämatombildung ist vorgebeugt
- Nachblutung und Volumenmangel sind rechtzeitig erkannt

Pflegeinterventionen

Verbandkontrollen durchführen
- Pflegeintervention konkretisieren
  - » Am OP-Tag Sichtkontrolle auf dem Überwachungsprotokoll dokumentieren
  - » Verbandkontrolle durchführen und dokumentieren

Sonde/Drainage auf Fördermenge beobachten
- Pflegeintervention konkretisieren
- Zeit angeben

Vitalzeichenkontrolle durchführen
- Überwachungsmonitor benutzen
  - » Überwachungsmonitor benutzen
  - » Pulsfrequenz/-qualität messen
  - » Blutdruckwert messen
  - » Atemfrequenz/-qualität messen
  - » Körpertemperatur messen
  - » Sauerstoffsättigung mit Oximeter überprüfen
- Vitalzeichenwerte manuell messen
  - » Pulsfrequenz/-qualität messen
  - » Blutdruckwert messen
  - » Atemfrequenz/-qualität messen
  - » Körpertemperatur messen
- Ort der Messung angeben
  - » Am rechten Arm messen
  - » Am linken Arm messen
  - » Am Finger messen
  - » Am Zeh messen
  - » Besonderheiten bei der Messung bestimmen

Postoperativ Kompressionsverband am betroffenen Bein, die ersten Stunden ebenfalls an der betroffenen Hüfte, anlegen
- Pflegeintervention konkretisieren
- Zeit angeben

Kälteanwendung zur Reduzierung der Nachblutung laut Arzt durchführen
- Pflegeintervention konkretisieren
  - » Eisbeutel auflegen
  - » Kühlelement auflegen
  - » Kalte Kompresse/Auflage anwenden

Auf Anzeichen einer Nachblutung nach innen beobachten
- Pflegeintervention konkretisieren
  - » Auf Schwellung beobachten
  - » Auf Schockzeichen beobachten
  - » Halsumfang messen
  - » Beinumfang rechts messen
  - » Beinumfang links messen
  - » Auf Stridor beobachten
  - » Auf Dyspnoe beobachten

Sonstige Pflegemaßnahmen durchführen
- Maßnahmen konkretisieren
- Zeit angeben

Literaturhinweise: 95, 125, 140, 151, 175, 176

Der Patient hat ein **Risiko, Nasenbluten** (Epistaxis) zu bekommen

Kennzeichen

- Blut läuft aus der Nase

Ursachen

- Gutartige Polypen
- Fieber (Hyperthermie)
- Hypertonie
- Tumor
- Blutgerinnungsstörung
- Verletzungen der Blutgefäße in der Nase
- Nasenschleimhautveränderung
- Nebenwirkungen von Antikoagulanzien
- Schädel-Hirn-Trauma

Ressourcen

- Hält sich an die Verhaltensmaßregeln zur Blutungsprophylaxe
- Kennt Maßnahmen, um die Blutung zu stillen
- Bewahrt Ruhe beim Nasenbluten

Pflegeziele

- Komplikationen sind vorgebeugt
- Ursachen sind analysiert und gezielte Pflegeinterventionen eingeleitet
- Nasenblutung ist gestoppt/ihr wird vorgebeugt

Pflegeinterventionen

Kreislaufsituation einschätzen
- Pflegeintervention konkretisieren
  - » Blutdruck messen
  - » Puls messen
  - » Blutverlust einschätzen

Ursache und Einflussfaktoren mit dem Arzt abklären und dokumentieren
- Pflegeintervention konkretisieren
- Zeit angeben

Körperliche Anstrengung meiden
- Pflegeintervention konkretisieren
- Zeit angeben

Sonstige Pflegemaßnahmen durchführen
- Maßnahmen konkretisieren
- Zeit angeben

Literaturhinweise: 52, 95, 118, 125, 126, 140, 175, 176

Der Patient hat aufgrund einer **Erosion der Arteria carotis** das **Risiko einer Blutung (Carotisruptur)**

Kennzeichen

- Pflege-/Behandlungsvereinbarungen werden nicht eingehalten
- Zeigt Verhaltensweisen, die darauf hinweisen, dass die Gefahren nicht ausreichend beachtet werden
- Äußert ein Wissensdefizit über entsprechende Prophylaxemaßnahmen

Ursachen

- Progredienter Tumor
- Bestrahlung
- Auswirkung einer OP

Ressourcen

- Kennt Vorbeugungsmaßnahmen und unterstützt diese aktiv
- Erkennt die Notwendigkeit der getroffenen Intervention und kooperiert mit dem therapeutischen Team
- Kann das Komplikationsrisiko einschätzen und eine Entscheidung für lebensbedrohliche Situationen treffen

Pflegeziele

- Einer Drucksteigerung in der Arteria carotis ist vorgebeugt
- Stuhlentleerung ist ohne zu pressen möglich
- Kann eine Entscheidung treffen
- Hustenreiz ist gemindert

Pflegeinterventionen

Hustenprophylaxe durchführen
- Pflegeintervention konkretisieren
  - » Zur Räuspertechnik anleiten
  - » Lutschbonbon/Hustenbonbon anbieten
  - » Atemluft befeuchten

Obstipationsprophylaxe durchführen
- Pflegeintervention konkretisieren
  - » Kolonmassage
  - » Karlsbader Salz oder Glaubersalz
  - » Leinsamen
  - » Weizenkleie
  - » Mikroklistier
  - » Klistier

Beim Entscheidungsprozess, ob im Falle einer Ruptur lebensrettende Maßnahmen eingeleitet werden sollen, unterstützen
- Pflegeintervention konkretisieren
- Zeitdauer des Gesprächs angeben

Husten stillende Tees verabreichen
- Reizzustände der oberen Atemwege lindern
  - » Spitzwegerichtee anbieten
  - » Fencheltee anbieten
  - » Anistee anbieten
  - » Salbeitee anbieten
- Krampfartige Hustenzustände mildern
  - » Thymiantee anbieten

Sonstige Pflegemaßnahmen durchführen
- Maßnahmen konkretisieren
- Zeit angeben

Literaturhinweise: 95, 125, 175, 176, 191

Der Patient hat das **Risiko einer allergischen Reaktion** /eines **anaphylaktischen Schocks**

Kennzeichen

- Gehört zu einer Risikogruppe
- Vorangegangene Unverträglichkeitsreaktion
- Eltern/Geschwister leiden an einer Allergie
- Belastung des Umfelds mit Allergenen (Hausstaub, Tierhaare)
- Schimmelpilzbelastung in der Wohnumgebung
- Im Kindesalter häufige OP's/oder Behandlung einer Spina bifida
- Wurde als Säugling nicht gestillt

Ursachen

- Bekannte Allergien
- Medikamenteneinwirkung
- Antibiotikatherapie
- Jodhaltige Präparate
- Bestimmte Nahrungsmittel
- Konservierungsstoffe
- Körperpflegeartikel
- Syndets oder Seifen
- Cremes
- Lotionen
- Pollen
- Häufiger Kontakt mit Latex (med. Berufe/Träger von Dauerkatheter/Sonden usw.)
- Diagnostik und/oder Eingriff, z. B. Kontrastmitteldarstellung
- Sonstige Allergene

Ressourcen

- Erkennt die Vorboten und meldet sich zuverlässig
- Besitzt die Fähigkeit der Selbstbeobachtung von kritischen körperlichen Veränderungen
- Meldet sich bei Anzeichen von Komplikationen
- Kennt krankheits- bzw. symptomauslösende Faktoren und kann diese vermeiden

Pflegeziele

- Krankhafte Veränderungen sind frühzeitig erkannt
- Äußert Gefühl der Sicherheit
- Meldet sich bei selbst beobachteten Veränderungen
- Komplikationen sind frühzeitig erkannt und abgewendet

Pflegeinterventionen

Vitalzeichen beobachten

- Überwachungsmonitor benutzen
  - » Überwachungsmonitor benutzen
  - » Pulsfrequenz/-qualität messen
  - » Blutdruckwert messen
  - » Atemfrequenz/-qualität messen
  - » Körpertemperatur messen
  - » Sauerstoffsättigung mit Oximeter überprüfen
- Vitalzeichenwerte manuell messen
  - » Pulsfrequenz/-qualität messen
  - » Blutdruckwert messen
  - » Atemfrequenz/-qualität messen
  - » Körpertemperatur messen
- Ort der Messung angeben
  - » Am rechten Arm messen
  - » Am linken Arm messen
  - » Am Finger messen
  - » Am Zeh messen
  - » Besonderheiten bei der Messung bestimmen

Klingel in Reichweite befestigen

- Pflegeintervention konkretisieren
- Zeit angeben

Medikamentenzufuhr sofort beenden

- Pflegeintervention konkretisieren
- Zeit angeben

Transfusion sofort abbrechen .

- Pflegeintervention konkretisieren
- Zeit angeben

Andere Allergene ausschalten

- Pflegeintervention konkretisieren
- Zeit angeben

Sonstige Pflegemaßnahmen durchführen

- Maßnahmen konkretisieren
- Zeit angeben

Literaturhinweise: 95, 125, 175, 176

Der Patient ist in der **Transferfähigkeit beeinträchtigt**

Kennzeichen

- Schwere Beeinträchtigung, von liegender Körperposition zum Sitzen zu gelangen
- Unfähigkeit, vom Sitzen in den Stand zu gelangen
- Beeinträchtigte Fähigkeit, das Körpergewicht im Stand selbstständig zu tragen
- Beeinträchtigte Transferfähigkeit vom Bett in den (Roll-, Lehn-) Stuhl
- Beeinträchtigte Transferfähigkeit vom (Roll-, Lehn-) Stuhl in das Bett
- Beeinträchtigte Transferfähigkeit vom Rollstuhl auf die Toilette
- Beeinträchtigte Transferfähigkeit von der Toilette auf den Rollstuhl
- Beeinträchtigte Transferfähigkeit von sitzender Körperposition in den Stand
- Beeinträchtigte Transferfähigkeit von liegender Körperposition zum Sitzen an der Bettkannte
- Beeinträchtigte Transferfähigkeit in die Badewanne/aus der Badewanne
- Beeinträchtigte Transferfähigkeit in die Dusche/aus der Dusche
- Beeinträchtigte Transferfähigkeit, in das Auto/aus dem Auto zu steigen
- Erschwerter Transfer, da bei der Mobilisation Widerstände entgegengesetzt werden

Beeinträchtigungsgrad des Transfers
- Stufe 1: Selbstständiger Transfer mit Hilfsmitteln
- Stufe 2: Geringe Beeinträchtigung des Transfers
- Stufe 3: Erhebliche Beeinträchtigung des Transfers
- Stufe 4: Schwere Beeinträchtigung des Transfers
- Stufe 5: Völliger Verlust der Transferfähigkeit

Ursachen

- Reduzierte/fehlende Muskelkraft
- Reduzierte/fehlende Muskelkontrolle
- Veränderung des Muskeltonus
- Eingeschränkte körperliche Belastungsfähigkeit
- Schmerzzustände
- Beeinträchtigte Reizempfindung
- Gleichgewichtsstörung
- Funktionseinschränkung großer Gelenke
- Qualitative Bewusstseinsveränderung
- Kognitive Beeinträchtigung
- Bewusstlosigkeit
- Hemiplegie
- Hemiparese
- Paraplegie
- Paraparese
- Tetraplegie
- Tetraparese
- Muskeldystrophie
- Wirbelsäuleninstabilität (Stützkorsagenversorgung)
- Orthese der unteren Extremität/en
- Entwicklungsbedingt

Im Zusammenhang mit Krankheitsbildern
- Apallisches Syndrom
- Morbus Parkinson
- Multiple Sklerose
- Apoplektischer Insult
- Muskeldystrophie
- Schwere Demenz
- Atemwegserkrankungen
- Postoperative Einschränkung
- Herz-Kreislauf-Instabilität
- Amputation

Ressourcen

- Akzeptiert die Unterstützung
- Akzeptiert die Unterstützung von Angehörigen
- Führt Bewegungen nach Anweisung/Anleitung durch
- Kognitive Fähigkeiten unterstützen die Bewegungsübungen
- Darf aus medizinischer Sicht mobilisiert werden
- Zeigt/äußert starkes Interesse mitzuarbeiten
- Ist motiviert, Hilfsmittel zur Steigerung der Mobilität einzusetzen

Pflegeziele

- Transferfähigkeit ist systematisch eingeschätzt
- Angebotene Bewegungs- und Mobilisierungsübungen entsprechen der Lernebene nach dem NDT-Konzept
- Kann sich selbstständig aufsetzen
- Der Kraftaufwand beim Transfer ist reduziert
- Führt den Transfer zum Stehen selbstständig durch
- Führt den Transfer vom Bett zum (Roll-) Stuhl selbstständig durch
- Führt den Transfer vom (Roll-) Stuhl ins Bett selbstständig durch
- Sicherheit ist gewährleistet
- Führt den Transfer unter Anleitung selbstständig durch
- Beweglichkeit und Muskelkraft werden kontinuierlich gesteigert
- Verbesserung und Förderung der Wahrnehmungsorganisation
- Erhält angemessene Spürinformationen in der Interaktion mit der Umwelt
- Tonusregulation und Koordination im Rahmen von Alltagshandlungen wird gefördert

Pflegeinterventionen

Assessment zur Beurteilung der Transferfähigkeit durchführen
- Pflegeintervention konkretisieren
  - » Selbstständigkeitslevel und Einschränkungen analysieren
  - » Körperkraft, Bewegungsfähigkeit, Gleichgewicht, Muskeltonus, Sensibilität, Körperwahrnehmung untersuchen
  - » Sinnvollen Einsatz von Hilfsmitteln bewerten

- » Pathologische Bewegungsmuster/motorische Pathologien analysieren
- Durchführende Person angeben
  - » Pflegeperson
  - » Ergotherapeut
  - » Physiotherapeut
  - » Sonstige Therapeuten
- Zeit angeben

Lernebene nach dem NDT-Konzept einschätzen und Unterstützungsgrad beim Transfer festlegen

- Lernebene bestimmen
  - » Lernebene 1: Eingeschränkte Fähigkeit der Aktivität im Liegen
  - » Lernebene 2: Aktivität im Liegen ist möglich
  - » Lernebene 3: Keine Aktivität im Sitzen
  - » Lernebene 4: Eingeschränkte Aktivität im Sitzen
  - » Lernebene 5: Aktivität im Sitzen ist gut möglich
  - » Lernebene 6: Eingeschränkte Aktivität im Stehen möglich
  - » Lernebene 7: Aktivität im Stehen ist gut möglich
- Unterstützungsgrad angeben

Vorbereitend auf den Transfer beim Aufsetzen an den Bettrand unterstützen

- Aufsetzen an den Bettrand
  - » Beim Aufsetzen nach kinästhetischen Grundprinzipien unterstützen
  - » Durch vermehrte Faszilitation vom Liegen zum Sitzen auf der Bettkante anleiten/bringen
  - » Durch mittlere Faszilitation vom Liegen zum Sitzen auf der Bettkante anleiten/bringen
  - » Durch geringe Faszilitation vom Liegen zum Sitzen auf der Bettkante anleiten
  - » Aufsetzen an den Bettrand mit anderen Methoden unterstützen

Vorbereitend auf den Transfer mit dem Gesäß an die Bett-/Stuhlkante bringen

- Schinkengang mit herabhängenden Beinen
  - » Schinkengang mit herabhängendem Bein durch geringe Faszilitation unterstützen
  - » Schinkengang mit herabhängendem Bein durch mittlere Faszilitation unterstützen
  - » Schinkengang mit herabhängendem Bein durch vermehrte Faszilitation unterstützen

Hilfsmittel beim Transfer einsetzen

- » Patientenlifter benutzen
- » Rollbord zum Transfer von Bett zu Bett
- » Drehscheibe einsetzen
- » Transfer mit Stecklaken unterstützen
- » Rutschbrett einsetzen

Beim Transfer nach therapeutischem Konzept unterstützen

- Transfer von nach:
  - » Bett zum Rollstuhl/Rollstuhl zum Bett
  - » Bett zum Lehnstuhl/Lehnstuhl zum Bett
  - » Bett zum Stuhl/Stuhl zum Bett
  - » Bett zum Stand/vom Stand zum Bett
- Transfer über den Stand unterstützen
  - » Transfer über den Stand durch Schultergriff, Blockieren der Knie und Gewichtsverlagerung der Pflegeperson unterstützen
  - » Transfer nach dem NDT-Konzept durch geringe Faszilitation über den Stand durchführen
  - » Transfer nach dem NDT-Konzept durch mittlere Faszilitation über den Stand durchführen
  - » Transfer nach dem NDT-Konzept durch vermehrte Faszilitation über den Stand durchführen
  - » Transfer über den Stand nach kinästhetischen Grundprinzipien über Zug und Druck unterstützen
  - » Transfer über den Stand nach sonstigen Methoden unterstützen
- Tiefer Transfer über Schwenken
  - » Tiefer Transfer mit vorgebeugtem Oberkörper und blockierten Knien, den Unterkörper/das Gesäß auf den nebenstehenden Stuhl schwenken
  - » Tiefer Transfer nach kinästhetischen Grundprinzipien über Spiralbewegung, Zug und Druck unterstützen
  - » Tiefer Transfer nach dem NDT-Konzept durch vermehrte Faszilitation durchführen
  - » Tiefer Transfer nach dem NDT-Konzept durch mittlere Faszilitation durchführen
  - » Tiefer Transfer nach dem NDT-Konzept durch geringe Faszilitation durchführen
  - » Tiefer Transfer nach sonstigen Methoden durchführen
- Sonstige Anmerkungen
  - » Transfer über die betroffene Seite durchführen
  - » Beim Transfer Gebetsgriff durchführen/zum Betgriff anleiten
- Anzahl Pflegepersonen angeben

Transfer voll übernehmen

- Transfer von nach:
  - » Transfer von Bett zu Bett/Liege
  - » Transfer Rollstuhl/Bett oder Bett/Rollstuhl
  - » Transfer Bett/Badewanne und Badewanne/Bett
  - » Transfer Bett/Duschliege und Duschliege/Bett
  - » Transfer Bett/Untersuchungsliege/OP oder zurück
- Hilfsmittel einsetzen
  - » Patientenlifter benutzen
  - » Badelifter
  - » Rollbrett
- Anzahl Pflegepersonen angeben
- Zeit angeben

Zum Transfer anleiten/motivieren

- Pflegeintervention konkretisieren
- Art der Unterstützung
  - » Beaufsichtigen
  - » Durch Unterstützen helfen
  - » Teilweise übernehmen
  - » Vollständig übernehmen
  - » Zur selbstständigen Durchführung anleiten
- Anzuleitende Person(en) festlegen
  - » Betroffene Person
  - » Angehöriger/Bezugsperson
- Zeit angeben

Sicherheitsmaßnahmen vor/nach dem Transfer durchführen

- Pflegeintervention konkretisieren
  - » Festes Schuhwerk anziehen
  - » Bremsen von fahrbaren Gegenständen/Hilfsmitteln feststellen
  - » Bettebene zum Aufstehen/ins Bett gehen anpassen

Beim Transfer in die Badewanne und aus der Badewanne unterstützen

- Hilfsmittel einsetzen
  - » Badelifter
  - » Badewannensitz
  - » Badewannenbrett
- Transfer ohne Hilfsmittel durchführen
  - » Transferhilfe über den seitlichen Rand der Badewanne durchführen
- Anzahl der Pflegepersonen eintragen

Bewegungsübungen durchführen

- Bewegungsübungen festlegen
  - » Passive Bewegungsübungen der großen Gelenke durchführen
  - » Bewegungsübungen durch Krankengymnasten durchführen
- Bewegungsübungen der Gelenke durchführen
  - » Hüftgelenk(e)
  - » Handgelenk(e)
  - » Fingergelenke
  - » Sprunggelenk(e)
  - » Kniegelenk(e)
  - » Schultergelenk(e)
  - » Ellenbogengelenk(e)

Maßnahmen zur Vorbereitung der Mobilisation durchführen

- Orthesen/Prothesen/Stützkorsagen anlegen
  - » Oberschenkelprothese
  - » Unterschenkelprothese
  - » Hüftexartikulationsprothese
  - » Knie-Orthese
  - » Hüft-Bein-Orthese
  - » Unterschenkelorthese
  - » Vorfußstumpf
  - » Rückfußstumpf
  - » Doppelschalenkorsett

- » Rumpforthese
  - » Beckenbodenorthese
  - » Rückenorthese
- Art der Unterstützungsleistung angeben
  - » Teilweise übernehmen
  - » Vollständig übernehmen
  - » Zum selbstständigen An-/Ablegen anleiten

Gespürte Interaktionstherapie nach Affolter im Rahmen des Transfers durchführen
- Pflegeintervention konkretisieren
  - » "Elementares Führen" während der Handlung
  - » Durch "Elementares Führen" die Handlung einleiten
  - » "Pflegerisches Führen" bei der Aktivität
  - » Durchgeführte Handlung mit dem Betroffenen repetieren
- Zeit angeben

Sonstige Pflegemaßnahmen durchführen
- Maßnahmen konkretisieren
- Zeit angeben

Literaturhinweise: 44, 51, 75, 100, 125, 126, 127, 151, 172, 174, 175, 176, 223, 249, 322, 614, 619, 620, 621, 622, 1064, 1065, 1068, 1072

Der Patient ist in der Fähigkeit, selbstständig einen **Positionswechsel im Bett** durchzuführen, **beeinträchtigt**

Kennzeichen

- Beeinträchtigte Fähigkeit, einen Positionswechsel im Bett vorzunehmen
- Beeinträchtigte Fähigkeit, sich um den Rücken auf die rechte Seite zu drehen
- Beeinträchtigte Fähigkeit, sich vom Rücken auf die linke Seite zu drehen
- Beeinträchtigte Fähigkeit, sich von der Seitenlage in Rückenlage zu bringen
- Beeinträchtigte Fähigkeit, im Bett nach oben zu rutschen
- Beeinträchtigte Fähigkeit, sich im Bett aufzusetzen
- Beeinträchtigte Fähigkeit, mit dem Körper an den Bettrand zu rutschen
- Äußert, sich nicht selbstständig im Bett bewegen zu können
- Darf aus medizinischen Gründen keinen selbstständigen Positionswechsel durchführen
- Zeigt beim Umlagern/Mobilisieren Abwehr/Widerstände, indem den Maßnahmen Widerstände entgegengesetzt werden
- Lehnt erforderliche Lagerungs-/ Moblisierungsmaßnahmen ab

Grad der Beeinträchtigung, einen Positionswechsel im Bett selbstständig durchzuführen
- Stufe 1: Selbstständiger Positionswechsel mit Hilfsmitteln
- Stufe 2: Geringe Beeinträchtigung
- Stufe 3: Erhebliche Beeinträchtigung
- Stufe 4: Schwere Beeinträchtigung
- Stufe 5: Verlust der Fähigkeit, den Positionswechsel im Bett selbstständig durchzuführen

Ursachen

- Reduzierte/fehlende Muskelkontrolle
- Reduzierte/fehlende Muskelkraft
- Fehlende körperliche Kraft zur Eigenbewegung
- Pathologische Bewegungsmuster
- Veränderung des Muskeltonus
- Eingeschränkte körperliche Belastungsfähigkeit
- Bewusstlosigkeit
- Quantitative Bewusstseinsveränderung
- Schmerzzustände
- Gleichgewichtsstörung
- Funktionseinschränkung großer Gelenke
- Hemiplegie
- Paraplegie
- Tetraplegie
- Spastische Tetraplegie
- Ausgeprägte Spastik
- Ausgeprägte Kontraktur
- Unterschiedliche Zu- und/oder Ableitungsssysteme > 3
- Sensorische Integrationsstörung
- Noch nicht entwickelte Selbstpflegekompetenz

Im Zusammenhang mit Krankheitsbildern/Behandlung
- Operativer Eingriff
- Extensionsbehandlung
- Bewegungseinschränkung durch Gipsschale
- Extreme Bewegungseinschränkung durch Körpergipsschale
- Schädel-Hirn-Trauma
- Großflächige Wunden/Wundbehandlung
- Wirbelsäulenfraktur
- Wirbelsäuleninstabilität
- Beckenringfraktur
- Apallisches Syndrom
- Apoplektischer Insult
- Multiple Sklerose
- Einnahme von Sedativa/Hypnotika
- Extreme Adipositas
- Ruhigstellung von Extremitäten
- Ruhigstellung einer Extremität

Ressourcen

- Kognitive Fähigkeiten unterstützen die Bewegungsübungen
- Darf aus medizinischer Sicht mobilisiert werden

- Zeigt/äußert starkes Interesse mitzuarbeiten
- Ist motiviert, Hilfsmittel zur Steigerung der Mobilität einzusetzen
- Akzeptiert die Unterstützung
- Akzeptiert die Unterstützung von Angehörigen

Pflegeziele

- Bewegungsfähigkeit im Bett ist systematisch eingeschätzt
- Dekubitusrisiko ist eingeschätzt
- Kann sich selbstständig im Bett drehen/umlagern
- Beteiligt die betroffene Körperseite beim Umlagern und verlagert sich symmetrisch im Bett
- Liegt in inhibierter und bequemer Lage im Bett
- Liegt bequem/entspannt im Bett
- Kennt Bewegungstechniken und kann diese selbst ausführen
- Komplikationen sind vorgebeugt
- Haut ist ausreichend durchblutet
- Herz-Kreislauf-Aktivität ist angeregt
- Vorhandene Kompetenzen und Ressourcen sind gefördert
- Aktivitäten des täglichen Lebens sind gefördert
- Risiko der Entwicklung eines sekundären Hypertonus ist reduziert
- Verbesserung und Förderung der Wahrnehmungsorganisation
- Erhält angemessene Spürinformationen in der Interaktion mit der Umwelt
- Tonusregulation und Koordination im Rahmen von Alltagshandlungen wird gefördert

Pflegeinterventionen

Assessment zur Beurteilung der Bewegungsfähigkeit im Bett durchführen

- Pflegeintervention konkretisieren
  - » Selbstständigkeitslevel und Einschränkungen analysieren
  - » Körperkraft, Bewegungsfähigkeit, Gleichgewicht, Muskeltonus, Sensibilität, Körperwahrnehmung untersuchen
  - » Sinnvollen Einsatz von Hilfsmitteln bewerten
  - » Pathologische Bewegungsmuster/motorische Pathologien analysieren
- Durchführende Person angeben
  - » Pflegeperson
  - » Ergotherapeut
  - » Physiotherapeut
  - » Sonstige Therapeuten
- Zeit angeben

Mögliches Dekubitusrisiko abklären

- Risikoeinschätzungsskala mit Skala
  - » Systematische, klinische Risikoeinschätzung
  - » Erweiterte Norton-Skala
  - » Braden-Skala
  - » Braden Q-Skala
  - » Waterlow-Skala
  - » Andersen-Skala
  - » Medley-Skala
  - » NSRAS (Neonatal Skin Risk Assessment Scale)
  - » Prölß-Skala
  - » Sonstige Skalen

Positionswechsel im Bett nach einem therapeutischen Konzept durchführen/einüben

- Therapeutisches Konzept
  - » NDT-Konzept (Neuro-Developmental Treatment)
  - » Bobath-Konzept
  - » Sonstige Konzepte
- Art des Positionswechsels
  - » Drehen von der Seitenlage in die Rückenlage
  - » Drehen von der Rückenlage auf die betroffene Körperseite
  - » Drehen von der Rückenlage auf die nicht betroffene Körperseite
  - » Richtung Kopfende mit Hilfe einer Brücke rutschen
  - » Richtung Kopfende im Schinkengang bewegen
- Art der Unterstützung
  - » Vermehrte Faszilitation
  - » Mittlere Faszilitation
  - » Geringe Faszilitation
  - » Anleitung zum selbstständigen Positionswechsel
- Besonderheiten beachten
  - » Zehen-Kniegriff anwenden
  - » Zehengriff anwenden
  - » Klatschgriff anwenden
  - » Handgelenksgriff anwenden
  - » Gebetsgriff anwenden
  - » Arme verschränken
  - » Schulterblatt inhibieren
  - » Schulterblatt stabilisieren
  - » Schulterkontrolle durchführen
- Durchführende Person angeben
  - » Pflegeperson
  - » Ergotherapeut
  - » Physiotherapeut
  - » Sonstige Therapeuten

Positionswechsel im Bett nach kinästhetischen Grundprinzipien durchführen

- Kinästhetische Bewegungstechniken einsetzen
  - » Zu kinästhetischen Bewegungstechniken anleiten
  - » Kinästhetische Bewegungs- und Transfertechniken anwenden
- Ressourcen gezielt nutzen
  - » Haltungsressourcen nutzen
  - » Bewegungsressourcen nutzen

Lagerungswechsel im Bett durchführen

- Lagerungsart bestimmen
  - » 30°-Lagerung links durchführen
  - » 30°-Lagerung rechts durchführen
  - » Rückenlagerung durchführen
  - » 135°-Lagerung durchführen
  - » Bauchlagerung durchführen
- Besonderheiten beachten
  - » Zehen-Kniegriff anwenden
  - » Zehengriff anwenden
  - » Druck auf die Zehenballen verhindern
  - » Arme verschränken
  - » Schulterblatt inhibieren
  - » Schulterblatt nach vorn bringen
  - » Schulterblatt stabilisieren
  - » Schulterkontrolle durchführen
  - » Abwehr/Widerstände abbauen
  - » Fersenfreilagerung
  - » Hautinspektion durchführen
- Durchführende Person angeben
  - » Pflegeperson
  - » Ergotherapeut
  - » Physiotherapeut
  - » Sonstige Therapeuten
- Anzahl Pflegepersonen angeben

Strickleiter zum selbstständigen Aufsetzen anbieten

- Pflegeintervention konkretisieren
- Zeit angeben

Bettbügel entfernen

- Pflegeintervention konkretisieren
- Zeit angeben

Instabilität des Bewegungsapparats beachten

- Pflegeintervention konkretisieren
  - » Darf nur en bloc gedreht werden
  - » Betroffenen anheben
- Anzahl der Pflegepersonen eintragen
- Arztanordnung
  - » Nach ärztlicher Anordnung Lifter einsetzen
  - » Kopfteil des Bettes nicht verändern

Mobilisationsmaßnahmen durchführen

- Art der Mobilisation bestimmen
  - » Zum Sitzen mobilisieren
  - » Standtraining durchführen
  - » Standtraining und wenige Schritte gehen
  - » Gehtraining durchführen (Wegstrecke <10 Meter)
  - » Gehtraining durchführen (Wegstrecke >10 Meter)
- Ort der Mobilisation
  - » Bett
  - » Sessel/Lehnstuhl
  - » Sitzsack

  - » Rollstuhl
  - » Hängematte
- Maßnahmen konkretisieren
  - » Techniken der Kinästhetik einsetzen
  - » Nach dem Bobath-Konzept mobilisieren
  - » Faszilitationstechnik einsetzen
  - » Inhibitationstechniken einsetzen
  - » Spastik im Rahmen der Mobilisation lösen
  - » Hubfreie/-arme Mobilisation durchführen
- Erschwerte Bedingungen feststellen
  - » Zu- und Ableitungssysteme
  - » Kreislaufinstabilität
  - » Abwehrhaltung
  - » Lähmung
  - » Kontraktur
  - » Spasmus
- Art der Unterstützungsleistung angeben
  - » Beaufsichtigen
  - » Teilweise übernehmen
  - » Vollständig übernehmen
  - » Zur Durchführung anleiten
- Anzahl Pflegepersonen angeben
- Zeit angeben

Lagerung in Neutralstellung (LiN) durchführen
- Lagerungsart bestimmen
  - » 30°-Lagerung rechts in Neutralstellung
  - » 30°-Lagerung links in Neutralstellung
  - » 90°-Lagerung re. in Neutralstellung
  - » 90°-Lagerung li. in Neutralstellung
  - » 135°-Lagerung re. in Neutralstellung
  - » 135°-Lagerung li. in Neutralstellung
  - » Rückenlagerung in Neutralstellung
  - » Sitzen im Bett in Neutralstellung
- Besonderheiten beachten
- Zeit angeben
- Anzahl Pflegepersonen angeben

Pflegerisches Führen bei der Lagerung/dem Positionswechsel nach Affolter durchführen
- Pflegeintervention konkretisieren
  - » Spürinformationen über die Körperlage vor dem Positionswechsel vermitteln
  - » Spürinformationen nach jedem Handlungsschritt vermitteln
  - » Spürinformationen über neue Körperposition vermitteln
- Art des Positionswechsels
  - » 30°-Lagerung links durchführen
  - » 30°-Lagerung rechts durchführen
  - » 30°-Lagerung links in Neutralstellung
  - » 30°-Lagerung rechts in Neutralstellung
  - » 90°-Lagerung li. in Neutralstellung
  - » 90°-Lagerung re. in Neutralstellung
  - » 135°-Lagerung li. in Neutralstellung
  - » 135°-Lagerung re. in Neutralstellung
  - » Rückenlagerung durchführen
  - » Rückenlagerung in Neutralstellung
  - » Sitzen im Bett in Neutralstellung
- Zeit angeben
- Anzahl Pflegepersonen angeben

Sonstige Pflegemaßnahmen durchführen
- Maßnahmen konkretisieren
- Zeit angeben

Literaturhinweise: 44, 51, 75, 125, 126, 127, 151, 172, 175, 176, 223, 623, 1051, 1054, 1055, 1056, 1057, 1058, 1059, 1060, 1062, 1063

Der Patient ist in der Fähigkeit, **selbstständig zu sitzen, beeinträchtigt**

Kennzeichen

- Kann sich nicht selbstständig aufsetzen
- Rutscht immer wieder im Stuhl nach unten
- Kann sich nicht im Rollstuhl halten
- Rutscht aus dem Rollstuhl heraus
- Anzeichen körperlicher Schwäche
- Beschreibt Rückenschmerzen
- Kann den Kopf im Sitzen nicht im Gleichgewicht halten
- Asymmetrische Sitzhaltung
- Beeinträchtigte Rumpfstabilität
- Fehlende Rumpfstabilität
- Beeinträchtigte Körperbalance
- Fehlende Körperbalance
- Distale Tonuserhöhung durch einen hypotonen Rumpf

Ursachen

- Streckspastik im Rumpfbereich
- Gleichgewichtsstörung
- Hypotonie im Rumpfbereich
- Atonie im Rumpfbereich
- Hypotonie im Kopf-, Nackenbereich
- Körperliche Schwäche
- Entwicklungsbedingt

Im Zusammenhang mit Krankheitsbildern
- Neurologische Erkrankung
- Hemiplegie
- Apoplektischer Insult
- Tetraplegie
- Querschnittslähmung
- Multiple Sklerose
- Pusher-Syndrom
- Hirntumor
- Schädel-Hirn-Trauma
- Hypoxischer Hirnschaden
- Angeborene Hirnschädigung
- Erworbene Hirnschädigung

Ressourcen

- Ist motiviert, die Pflegemaßnahme zu unterstützen und zeigt entsprechende Verhaltensweisen
- Akzeptiert die Unterstützung
- Akzeptiert die Unterstützung von Angehörigen
- Führt Bewegungen nach Anweisung/Anleitung durch

Pflegeziele

- Fähigkeit, selbstständig zu sitzen, ist systematisch eingeschätzt
- Kann Aktivitäten durchführen /daran teilhaben
- Kann das Gleichgewicht im Sitzen selbstständig halten
- Sitzt selbstständig im (Roll-) Stuhl
- Vorbeugung einer distalen Tonuserhöhung durch einen hypotonen Rumpf
- Kann an Aktivitäten im Wohnumfeld teilhaben
- Sitz- und Rumpfstabilität ist unterstützt

Pflegeinterventionen

Assessment zur Beurteilung der Sitzfähigkeit durchführen

- Pflegeintervention konkretisieren
  - » Selbstständigkeitslevel und Einschränkungen analysieren
  - » Körperkraft, Bewegungsfähigkeit, Gleichgewicht, Muskeltonus, Sensibilität, Körperwahrnehmung untersuchen
  - » Sinnvollen Einsatz von Hilfsmitteln bewerten
  - » Pathologische Bewegungsmuster/motorische Pathologien analysieren
- Durchführende Person angeben
  - » Pflegeperson
  - » Ergotherapeut
  - » Physiotherapeut
  - » Sonstige Therapeuten
- Zeit angeben

Sitzen im Bett durchführen

- Pflegeintervention konkretisieren
  - » Oberkörperhochlagerung (ca. 70 Grad) durchführen
  - » Oberkörperhoch-/Beintieflagerung durchführen
  - » Therapeutischen Langsitz durchführen
  - » Sitzposition in Neutralstellung (LiN) durchführen
- Zeit angeben
- Anzahl Pflegepersonen angeben

Sitzposition im (Roll-)Stuhl optimieren

- Korrektur der Sitzposition auf dem (Roll-) Stuhl
  - » Schinkengang mit herabhängendem Bein durch geringe Faszilitation unterstützen
  - » Schinkengang mit herabhängendem Bein durch mittlere Faszilitation unterstützen
  - » Schinkengang mit herabhängendem Bein durch vermehrte Faszilitation unterstützen
  - » Zur selbstständigen Korrektur der Sitzposition anleiten
  - » In die richtige Sitzposition durch Anheben bringen
- Bei der Sitzposition beachten
  - » Symmetrische Sitzhaltung
  - » Betroffenen Unterarm gut gestützt auf den/die Tisch/Armauflage platzieren
  - » Gesäß an der Rückenlehne
  - » Aufrichtung mit einem kleinen Kissen im Lendenwirbelbereich unterstützen
  - » Füße stehen hüftbreit nebeneinander, mit ganzer Sohle auf dem Boden
  - » Knöchel-, Knie- und Hüftgelenk sind jeweils 90 Grad angewinkelt
  - » Füße werden nur kurzfristig zum Transport auf die Trittbretter des Rollstuhls gestellt
  - » Schulterkontrolle durchführen
- Anzahl Pflegepersonen angeben

Gleichgewicht im Sitzen trainieren/fördern

- Gleichgewichtstraining durchführen
  - » Gleichgewichtsübungen mit Gewichtsverlagerung am Bettrand sitzend durchführen
  - » Gleichgewichtsübungen mit Rumpfrotation am Bettrand sitzend durchführen
  - » Bewegungs- und Gleichgewichtsübungen durchführen
- Durchführende Person angeben
  - » Pflegeperson
  - » Ergotherapeut
  - » Sonstige Therapeuten
  - » Physiotherapeut
- Zeit angeben

Rumpfkontrolle trainieren/optimieren

- Maßnahmen konkretisieren
- Durchführende Person angeben
  - » Pflegeperson
  - » Ergotherapeut
  - » Physiotherapeut
  - » Sonstige Therapeuten
- Zeit angeben

Sitzen im Lehnstuhl/Spezialrollstuhl ermöglichen

- Pflegeintervention konkretisieren
- Zeit angeben

Rumpfstabilität passiv unterstützen

- Pflegeintervention konkretisieren
  - » Breites Bauchtuch/-bandage anlegen
  - » Rumpfpelotten einsetzen
  - » Abduktionskeil einsetzen
  - » Sitzorthese anlegen
- Zeit angeben

Sonstige Pflegemaßnahmen durchführen

- Maßnahmen konkretisieren
- Zeit angeben

Literaturhinweise: 44, 51, 75, 94, 125, 126, 127, 151, 175, 176, 223, 322, 652, 1050, 1051, 1052, 1053

Der Patient ist aufgrund einer **Kontraktur** in der **Beweglichkeit eingeschränkt**

Kennzeichen

- Störungen/Einschränkungen im Bewegungsablauf
- Bewegungseinschränkung im Bereich der Aktivitäten des täglichen Lebens
- Beugestellung betroffener Gelenke
- Funktionseinschränkung der Hand
- Funktionseinschränkung der Finger
- Funktionseinschränkung der Ellenbogen
- Funktionseinschränkung der Schulter
- Funktionseinschränkung des Fußes
- Bewegungseinschränkung des betroffenen Gelenks
- Funktionseinschränkung der Zehen
- Funktionseinschränkung des Hüftgelenks
- Beidseitig
- Verbunden mit Atrophie
- Verbunden mit Verkürzung der Muskelfasern
- Verlust der Hautelastizität über dem Gelenk

Ursachen

- Frakturkrankheit bei Gipsverband
- Längere Ruhigstellung
- Anhaltende Schonstellung
- Lähmung (nicht näher bezeichnet)
- Großflächige Narben in Gelenknähe
- Pflege- und Behandlungsfehler

Ressourcen

- Führt Bewegungen nach Anweisung/Anleitung durch
- Zeigt Verhaltensweisen, die die Therapie unterstützen
- Kognitive Fähigkeiten unterstützen die Bewegungsübungen
- Darf aus medizinischer Sicht mobilisiert werden
- Zeigt/äußert starkes Interesse mitzuarbeiten
- Ist motiviert, Hilfsmittel zur Steigerung der Mobilität einzusetzen
- Akzeptiert die Unterstützung
- Akzeptiert die Unterstützung von Angehörigen

Pflegeziele

- Bewegungseinschränkung ist spezifiziert
- Beweglichkeit ist gefördert
- Mobilität ist verbessert
- Akzeptiert die Bewegungseinschränkung
- Bewegungseinschränkung ist weitestgehend kompensiert
- Kann sich selbstständig fortbewegen
- Führt die Bewegungsübungen schmerzfrei durch
- Unterstützt die Therapie aktiv
- Funktion und Beweglichkeit der Gelenke sind erhalten
- Stabilisierung/Fixierung ist gewährleistet
- Ruhigstellung ist sichergestellt
- Entlastung ist sichergestellt
- Fehlstellung ist korrigiert
- Unterstützende Funktionsübernahme ist gewährleistet
- Definierte Muskelgruppe ist gekräftigt

Pflegeinterventionen

Beweglichkeit und Funktionseinschränkung beobachten
- Pflegeintervention konkretisieren
- Zeit angeben

Assistive/passive/aktive Bewegungsübungen durchführen
- Assistive Bewegungsübungen durchführen
  - » Assistive Bewegungsübungen durchführen
  - » Handgelenk(e)
  - » Schultergelenk(e)
  - » Ellenbogengelenk(e)
  - » Hüftgelenk(e)
  - » Kniegelenk(e)
  - » Sprunggelenk(e)
- Passive Bewegungsübungen durchführen
  - » Passive Bewegungsübungen durchführen
  - » Handgelenk(e)
  - » Schultergelenk(e)
  - » Ellenbogengelenk(e)
  - » Hüftgelenk(e)
  - » Kniegelenk(e)
  - » Sprunggelenk(e)
- Aktive Bewegungsübungen durchführen
  - » Zu aktiven Bewegungsübungen anleiten
  - » Gehübungen durchführen
  - » Dehnungsübungen durchführen
- Durchführende Person(en) bestimmen
  - » Pflegeperson
  - » Physiotherapeut
  - » Ergotherapeut
- Zeit angeben

Gemeinsam Mobilisationsplan (Zeitplan) aufstellen
- Pflegeintervention konkretisieren
- Zeit angeben

Hilfsmittel organisieren
- Hilfsmittel organisieren/einsetzen
  - » Gehstock
  - » Unterarmgehstützen
  - » Gehwagen mit Achselstützen
  - » Gehbock/Gehgestell
  - » Rollmobil und Unterarmauflage

Gehübungen durchführen
- Beim Aufstehen unterstützen
  - » Spiralförmig aufstehen
  - » Zu selbstständigem Aufstehen anleiten
- Gehübungen durchführen
  - » Gehübungen mit Hilfsmitteln durchführen
  - » Mit Hilfe gehen
  - » Ohne Belastung des betroffenen Beins gehen
  - » Mit Teilbelastung des betroffenen Beins gehen
  - » Beinprothese vor den Gehübungen anlegen
- Erschwerte Bedingungen feststellen
  - » Zu- und Ableitungssysteme
  - » Kreislaufinstabilität
  - » Abwehrhaltung

- » Lähmung
  - » Kontraktur
  - » Spasmus
- Anzuleitende Person(en) festlegen
  - » Betroffene Person
  - » Angehöriger/Bezugsperson

Warmes Bewegungsbad (34 °C) durchführen
- Pflegeintervention konkretisieren
- Zeit angeben

Über Ursachen und Zusammenhänge der Kontraktur aufklären
- Pflegeintervention konkretisieren
- Zeit angeben

Alltagsbewegungen unterstützen und fördern
- Pflegeintervention konkretisieren
- Zeit angeben

Beim An-/Ablegen der Orthese unterstützen
- Art der Orthese
  - » Handgelenk-Orthese
  - » Ellenbogen-Orthese
  - » Ober- und Unterarm-Orthese
  - » Unterarm-Orthese
  - » Knie-Orthese
  - » Fußgelenk-Orthese
  - » Schulter-Orthese
  - » Rumpf-Orthese
  - » LWS-Orthese
  - » Hüft-Bein-Orthese
  - » Becken-Orthese
- Unterstützungsgrad angeben
  - » Teilweise übernehmen
  - » Vollständig übernehmen
  - » Anleiten
- Zeit angeben

Sonstige Pflegemaßnahmen durchführen
- Maßnahmen konkretisieren
- Zeit angeben

Literaturhinweise: 44, 51, 75, 125, 126, 127, 151, 175, 176, 223, 322

Der Patient ist aufgrund von **externen Faktoren** in der **Bewegungsfreiheit eingeschränkt**

Kennzeichen

- Äußert Unsicherheit im Umgang mit den Drainagen/Sonden
- Traut sich nicht, sich zu bewegen
- Bewegt sich wenig
- Kann nicht allein gehen
- Berichtet über Ängste

Ursachen

- Infusionssystem
- Drainage
- Verband
- Magensonde
- Ernährungspumpe
- Beatmungsmaschine
- Beatmungssystem
- Schiene
- Gipsverband
- Bewegungseinschränkung durch Extension
- Kabel von Messinstrumenten
- Blasendauerkatheter
- Suprapubischer Blasenkatheter
- PEG
- Fixateur externe

Ressourcen

- Ist motiviert, neu zu lernen
- Körperliche Fähigkeit, sich frei zu bewegen, ist vorhanden
- Führt Bewegungen nach Anweisung/Anleitung durch
- Lässt sich durch Aufforderung zu Bewegungsabläufen motivieren
- Darf aus medizinischer Sicht mobilisiert werden
- Zeigt/äußert starkes Interesse mitzuarbeiten
- Ist motiviert, Hilfsmittel zur Steigerung der Mobilität einzusetzen
- Entwickelt kreative Möglichkeiten, die Bewegungseinschränkung zu kompensieren
- Verhält sich entsprechend der Anleitung und Anweisung
- Akzeptiert die Unterstützung
- Akzeptiert die Unterstützung von Angehörigen

Pflegeziele

- Kennt den Bewegungsfreiraum
- Akzeptiert die Schmerztherapie
- Äußert, keine Angst zu haben
- Bewegungsfreiheit ist erhalten
- Kann sich im Bett bewegen
- Bewegungsfreiheit ist trotz Infusionsschläuchen erhalten
- Steht selbstständig auf und bewegt sich ungehindert
- Bewegungseinschränkung ist weitestgehend kompensiert
- Bewegungsfreiheit ist erhalten

Pflegeinterventionen

Im Umgang mit den Drainagen und Schläuchen anleiten
- Pflegeintervention konkretisieren
- Art der Unterstützung
  - » Beaufsichtigen
  - » Durch Unterstützen helfen
  - » Teilweise übernehmen
  - » Vollständig übernehmen
  - » Zur selbstständigen Durchführung anleiten
- Anzuleitende Person(en) festlegen
  - » Betroffene Person
  - » Angehöriger/Bezugsperson
- Zeit angeben

Bewegungsfreiräume aufzeigen und bei der selbstständigen Mobilisation anleiten
- Pflegeintervention konkretisieren
- Art der Unterstützung
  - » Beaufsichtigen

  » Durch Unterstützen helfen
  » Teilweise übernehmen
  » Vollständig übernehmen
  » Zur selbstständigen Durchführung anleiten
- Anzuleitende Person(en) festlegen
  » Betroffene Person
  » Angehöriger/Bezugsperson
- Zeit angeben

Verlängerungen benutzen, um die Bewegungsfreiheit zu erhöhen
- Pflegeintervention konkretisieren
- Zeit angeben

Zu selbstständigem Aufstehen anleiten
- Pflegeintervention konkretisieren
- Art der Unterstützung
  » Beaufsichtigen
  » Durch Unterstützen helfen
  » Teilweise übernehmen
  » Vollständig übernehmen
  » Zur selbstständigen Durchführung anleiten
- Anzuleitende Person(en) festlegen
  » Betroffene Person
  » Angehöriger/Bezugsperson
- Zeit angeben

Fahrbaren Infusionsständer einsetzen
- Pflegeintervention konkretisieren
- Zeit angeben

Akkubetriebenen Infusomaten/Perfusor einsetzen
- Pflegeintervention konkretisieren
- Zeit angeben

Zu ressourcensparenden/kompensatorischen Bewegungsabläufen/-mustern anleiten
- Pflegeintervention konkretisieren
  » Beim Einüben von neuen Bewegungsmustern anleiten
  » Bewegungsmuster nach einem Stufenprogramm einüben
- Gehübungen durchführen
  » Gehübungen mit Hilfsmitteln durchführen
  » Ohne Belastung des betroffenen Beins gehen
  » Mit Teilbelastung des betroffenen Beins gehen
  » Beinprothese vor den Gehübungen anlegen
- Hilfsmittel einsetzen
  » Gehstock
  » Unterarmgehstützen
  » Gehwagen mit Achselstützen
  » Gehbock/Gehgestell
  » Rollmobil und Unterarmauflage
- Durchführende Person(en) bestimmen
  » Gehübungen mit Pflegeperson durchführen
  » Gehübungen mit Physiotherapeut durchführen
  » Gehübungen durchführen mit
- Anzuleitende Person(en) festlegen
  » Betroffene Person
  » Angehöriger/Bezugsperson

Entsprechend der Bewegungseinschränkung unterstützen
- Pflegeintervention konkretisieren
  » Bewegungen im Bett unterstützen
  » Beim Transfer unterstützen
  » Beim Gehen unterstützen

Sonstige Pflegemaßnahmen durchführen
- Maßnahmen konkretisieren
- Zeit angeben

Literaturhinweise: 51, 121, 125, 126, 140, 151, 175, 176

Der Patient **verharrt in bestimmten Bewegungen** und kann die Haltung nur verzögert lösen, es besteht eine **beeinträchtigte Beweglichkeit**

Kennzeichen

- Rigor
- Vorliegendes spastisches Haltungsmuster
- Erhöhter Muskeltonus
- Erhöhter Widerstand bei passiver Bewegung

Ursachen

- Morbus Parkinson
- Störung des extrapyramidalen Systems
- Schmerzzustände
- Angstzustände

Ressourcen

- Zeigt Motivation, die Übungen durchzuführen
- Kann die Maßnahme nach Anleitung selbstständig durchführen
- Hat den Willen, die Selbstständigkeit zu erhalten
- Kennt Spastik auslösende Faktoren und vermeidet diese

Pflegeziele

- Erkennt den Vorteil der Verhaltensmaßnahmen und setzt diese selbstständig ein
- Ist über Verhaltensmaßnahmen informiert und setzt diese um
- Reflektiert und korrigiert die eigene Körperhaltung

Pflegeinterventionen

Verhaltensmaßnahmen beim Kleben-Freezing aufzeigen/dazu anleiten
- Pflegeintervention konkretisieren

- Art der Unterstützung
  - » Beaufsichtigen
  - » Durch Unterstützen helfen
  - » Teilweise übernehmen
  - » Vollständig übernehmen
  - » Zur selbstständigen Durchführung anleiten
- Anzuleitende Person(en) festlegen
  - » Betroffene Person
  - » Angehöriger/Bezugsperson
- Zeit angeben

Bewegungsabläufe/-übungen im Spiegel kontrollieren
- Pflegeintervention konkretisieren
- Zeit angeben

Sonstige Pflegemaßnahmen durchführen
- Maßnahmen konkretisieren
- Zeit angeben

Literaturhinweise: 44, 51, 75, 125, 127, 155, 173, 175, 176

Der Patient hat eine **postoperative Bewegungseinschränkung**

Kennzeichen

- Anzeichen körperlicher Schwäche
- Erschöpfungszustände
- Beschreibt Schmerzen beim Bewegen
- Aktivitätsintoleranz
- Hypotone Kreislaufverhältnisse
- Schonhaltung
- Extension
- Fehlende/eingeschränkte Gehfähigkeit
- Fehlende Fähigkeit zu sitzen

Schweregrad der Bewegungseinschränkung
- Selbstständiges Bewegen unter Anwendung von Kompensations- mechanismen/Hilfsmitteln ist möglich
- Geringe Beeinträchtigung der Bewegungsfähigkeit
- Erhebliche Bewegungseinschränkung
- Schwere Bewegungseinschränkung
- Verlust der Bewegungsfähigkeit

Ursachen

- Postoperative Phase/Narkoseüberhang
- Operativer Eingriff im Bereich des Bewegungsapparats
- Ruhigstellung nach operativem Eingriff
- Orthese der unteren Extremität/en
- Wirbelsäuleninstabilität (Stützkorsagenversorgung)
- Extensionsbehandlung
- Großflächige Wunden/Wundbehandlung
- Ruhigstellung mit Gipsschale
- Bewegungseinschränkung durch Gipsschale
- Ruhigstellung einer Extremität
- Ruhigstellung von Extremitäten
- Fehlende körperliche Kraft zur Eigenbewegung
- Zu-/ableitende Systeme
- Unterschiedliche Zu- und/oder Ableitungsssysteme > 3
- Rumpforthese
- Fixateur externe
- Extreme Bewegungseinschränkung durch Körpergipsschale
- Angst vor Schmerzen

Ressourcen

- Akzeptiert die körperliche Einschränkung
- Kann Aufforderungen folgen und hält sich an Vorgaben
- Meldet sich, wenn $er zur Toilette muss
- Kognitive Fähigkeiten unterstützen die Bewegungsübungen
- Darf aus medizinischer Sicht mobilisiert werden
- Zeigt/äußert starkes Interesse mitzuarbeiten
- Ist motiviert, Hilfsmittel zur Steigerung der Mobilität einzusetzen
- Akzeptiert die Unterstützung
- Akzeptiert die Unterstützung von Angehörigen
- Angehörige/Bezugspersonen wirken motivierend und unterstützend bei der Mobilisation

Pflegeziele

- Physiologische Kreislaufverhältnisse sind sichergestellt
- Komplikationen sind vorgebeugt
- Herz-Kreislauf-Aktivität ist angeregt
- Muskelkraft ist aufgebaut
- Physiologische Beweglichkeit der Gelenke ist unterstützt
- Kennt das Bewegungsverhalten und die Belastbarkeit des operierten Beins
- Sichere Mobilisation und Fortbewegung sind gewährleistet
- Venöser Rückfluss ist gefördert

Pflegeinterventionen

Postoperative Frühmobilisation durchführen
- Postoperative Frühmobilisation durchführen
  - » Bewegungsübungen im Bett durchführen

   - Am OP-Tag an den Bettrand setzen
   - Am OP-Tag vor das Bett stellen und mit Unterstützung einige Schritte gehen
   - Längere Strecken mit Unterstützung einer Pflegeperson gehen
   - Selbstständig aufstehen und herumgehen
- Besonderheiten beachten

Postoperativ eine Extremität mit entsprechender Lagerung ruhigstellen
- Lagerungsart bestimmen
   - Oberkörper 30° hochlagern
   - Oberkörperhochlagerung (ca. 70 Grad) durchführen
   - Hochlagerung mit Schiene durchführen
   - Hochlagerung mit Lagerungskissen durchführen
   - Flach lagern
   - Leichte Tieflage einhalten
   - Abknicken und Druckerhöhung auf Gefäße vermeiden
- Zu lagernde Extremität bestimmen
   - Betroffene Extremität
   - Obere Extremitäten
   - Untere Extremitäten

Bewegungsübungen im Bett durchführen
- Assistive Bewegungsübungen durchführen
   - Assistive Bewegungsübungen durchführen
   - Handgelenk(e)
   - Schultergelenk(e)
   - Ellenbogengelenk(e)
   - Hüftgelenk(e)
   - Kniegelenk(e)
   - Sprunggelenk(e)
- Passive Bewegungsübungen durchführen
   - Passive Bewegungsübungen durchführen
   - Handgelenk(e)
   - Schultergelenk(e)
   - Ellenbogengelenk(e)
   - Hüftgelenk(e)
   - Kniegelenk(e)
   - Sprunggelenk(e)
- Aktive Bewegungsübungen durchführen
   - Zu aktiven Bewegungsübungen anleiten
   - Gehübungen durchführen
   - Dehnungsübungen durchführen
- Durchführende Person(en) bestimmen
   - Pflegeperson
   - Physiotherapeut
   - Ergotherapeut
- Zeit angeben

Postoperativ bei der Mobilisation anleiten und unterstützen
- Beim Aufstehen unterstützen
   - Spiralförmig aufstehen
   - Zu selbstständigem Aufstehen anleiten
- Gehübungen durchführen
   - Gehübungen mit Hilfsmitteln durchführen
   - Mit Hilfe gehen
   - Ohne Belastung des betroffenen Beins gehen
   - Mit Teilbelastung des betroffenen Beins gehen
   - Beinprothese vor den Gehübungen anlegen
- Erschwerte Bedingungen feststellen
   - Zu- und Ableitungssysteme
   - Kreislaufinstabilität
   - Abwehrhaltung
   - Lähmung
   - Kontraktur
   - Spasmus
- Anzuleitende Person(en) festlegen
   - Betroffene Person
   - Angehöriger/Bezugsperson

(Früh-)Mobilisation mit Gehübungen durchführen
- Art der Mobilisation bestimmen
   - Zum Sitzen mobilisieren
   - Standtraining durchführen
   - Standtraining und wenige Schritte gehen
   - Gehtraining durchführen (Wegstrecke <10 Meter)
   - Gehtraining durchführen (Wegstrecke >10 Meter)
- Ort der Mobilisation
   - Bett
   - Sessel/Lehnstuhl
   - Sitzsack
   - Rollstuhl
   - Hängematte
- Maßnahmen konkretisieren
   - Techniken der Kinästhetik einsetzen
   - Nach dem Bobath-Konzept mobilisieren
   - Faszilitationstechnik einsetzen
   - Inhibitationstechniken einsetzen
   - Spastik im Rahmen der Mobilisation lösen
   - Hubfreie/-arme Mobilisation durchführen
- Erschwerte Bedingungen feststellen
   - Zu- und Ableitungssysteme
   - Kreislaufinstabilität
   - Abwehrhaltung
   - Lähmung
   - Kontraktur
   - Spasmus
- Art der Unterstützungsleistung angeben
   - Beaufsichtigen
   - Teilweise übernehmen
   - Vollständig übernehmen
   - Zur Durchführung anleiten
- Anzahl Pflegepersonen angeben
- Zeit angeben

Maßnahmen zur Vorbereitung der Mobilisation durchführen
- Orthesen/Prothesen/Stützkorsagen anlegen
   - Oberschenkelprothese
   - Unterschenkelprothese
   - Hüftexartikulationsprothese
   - Knie-Orthese
   - Hüft-Bein-Orthese
   - Unterschenkelorthese
   - Vorfußstumpf
   - Rückfußstumpf
   - Doppelschalenkorsett
   - Rumpforthese
   - Beckenbodenorthese
   - Rückenorthese
- Art der Unterstützungsleistung angeben
   - Teilweise übernehmen
   - Vollständig übernehmen
   - Zum selbstständigen An-/Ablegen anleiten

Sonstige Pflegemaßnahmen durchführen
- Maßnahmen konkretisieren
- Zeit angeben

Literaturhinweise: 95, 121, 125, 140, 151, 175, 176

Der Patient hat aufgrund eines **reduzierten Muskeltonus** einen **eingeschränkten Haltungsmechanismus** und ist in der **Bewegungsfreiheit beeinträchtigt**

Kennzeichen

- Kann sich nicht im Rollstuhl halten
- Rutscht aus dem Rollstuhl heraus
- Kann nicht stehen
- Kann das Gleichgewicht nicht halten und kippt zu einer Seite
- Kann nicht ohne Hilfsmittel gehen
- Vermeidet aufzustehen/zu gehen

Ursachen

- Neurologische Erkrankung
- Multiple Sklerose
- Hemiplegie
- Hemiparese
- Paraplegie
- Paraparese
- Tetraplegie
- Tetraparese

Ressourcen

- Erkennt die Notwendigkeit der Bewegungsübungen
- Ist motiviert, neue Bewegungsmuster zu lernen
- Führt Bewegungen nach Anweisung/Anleitung durch
- Führt die vereinbarten Übungen selbstständig durch
- Ist motiviert, die Bewegungsabläufe mit Gehhilfen neu zu lernen

Pflegeziele

- Betroffene Körperhälfte ist in die Bewegungsabläufe integriert
- Haltungstonus ist stimuliert
- Normale Bewegungsabläufe sind angebahnt
- Mobilisierungsmaßnahmen sind unterstützt

Pflegeinterventionen

Betroffene Seite bei Bewegungsabläufen integrieren
- Bei der Mobilisation betroffene Seite integrieren
  - » Normale, beidseitige Bewegungsmuster durchführen, Bewegungen faszilitieren
  - » Gleichgewichtstraining durchführen
- Wahrnehmung fördern
  - » Transfer über die betroffene Seite durchführen
  - » Regelmäßig Lagerungswechsel nach dem Bobath-Konzept durchführen
  - » Körperumgrenzende Lagerung durchführen

Haltungstonus durch Reduzierung der Unterstützungsfläche gezielt fördern
- Pflegeintervention konkretisieren
- Zeit angeben

Mobilisations-/Bewegungsübungen zur Anbahnung physiologischer Bewegungsmuster durchführen
- Pflegeintervention konkretisieren
  - » Schultermobilisation durchführen
  - » Hüftmobilisation durchführen
  - » Becken heben, im Bett liegend
  - » Vom Liegen zum Sitzen an den Bettrand bringen
  - » Vom Sitzen zum Aufstehen und vom Stehen zum Sitzen bringen
  - » Vom Bett zum Stuhl transferieren
  - » Gehtraining durchführen (Wegstrecke <10 Meter)
- Therapeutisches Konzept
  - » Überaktivität der nicht betroffenen Seite vermeiden
  - » Pflegerische Hilfestellung über die gelähmte Seite erfolgen lassen
  - » Faszilitationstechniken einsetzen
  - » Inhibitationstechniken einsetzen
  - » Hubfreie/-arme Mobilisation durchführen
  - » Nach dem NDT-Konzept (Neuro-Developmental Treatment) mobilisieren
  - » Nach dem Bobath-Konzept mobilisieren
  - » Nach sonstigen Konzepten mobilisieren
- Durchführende Person angeben
  - » Pflegeperson
  - » Physiotherapeut
  - » Ergotherapeut
  - » Sonstige Therapeuten
- Anzahl Pflegepersonen angeben
- Zeit angeben

Eingesetzte Hilfsmittel zur Mobilisation angeben
- Hilfsmittel konkretisieren
  - » Rollator
  - » Unterarmgehstützen
  - » Gehbock/Gehgestell
  - » Eulenburg-Gehwagen
  - » Rollstuhl
  - » Bauchgurt benutzen
  - » Multifunktionsrollstuhl
  - » Elektrischer Personenlifter
  - » Deckenliftanlage
  - » Transferhilfe Rutschbrett
  - » Transferhilfe Drehscheibe
  - » Elektrische Aufrichthilfe/Hebehilfe

Sonstige Pflegemaßnahmen durchführen
- Maßnahmen konkretisieren
- Zeit angeben

Literaturhinweise: 71, 173, 326

Der Patient ist aufgrund eines **erhöhten Muskeltonus** in der **Bewegungsfreiheit beeinträchtigt**

Kennzeichen

- Erhöhter Widerstand bei passiver Bewegung
- Bewegungsabläufe sind verlangsamt
- Trippelnder Gang
- Schlürfender Gang
- Nach vorn gebeugte Haltung beim Gehen
- Protraktion des Kopfes
- Vorliegendes spastisches Haltungsmuster
- Rigor
- Muskelzucken
- Beeinträchtigte Geschicklichkeit
- Beeinträchtigte Bewegungskoordination
- Beeinträchtigte Beweglichkeit

Ursachen

- Morbus Parkinson
- Störung des extrapyramidalen Systems
- Zustand nach Apoplex
- Nebenwirkungen von Medikamenten

Ressourcen

- Führt Bewegungen nach Anweisung/Anleitung durch
- Zeigt Verhaltensweisen, die die Therapie unterstützen
- Ist motiviert, Hilfsmittel zur Steigerung der Mobilität einzusetzen
- Erkennt die Notwendigkeit der Bewegungsübungen
- Führt die Bewegungsübungen regelmäßig durch

Pflegeziele

- Bewegungsablauf ist harmonisch
- Ist über Verhaltensmaßnahmen informiert und setzt diese um
- Physiologischer Muskeltonus ist erhalten
- Sturzgefahr ist reduziert
- Bewegt sich entspannt
- Ist zur aktiven Mitarbeit motiviert
- Kann eigene Fähigkeiten und Belastbarkeit einschätzen
- Mobilität und soziale Kontakte sind erhalten
- Körperliche Aktivität ist erhöht
- Entwickelt Freude an der Bewegung in der Natur
- Konzentriert sich bewusst auf die Bewegungsabläufe
- Reflektiert und korrigiert die eigene Körperhaltung
- Termin wird wahrgenommen

Pflegeinterventionen

Fähigkeiten beobachten und analysieren

- Pflegeintervention konkretisieren
- Zeit angeben

Gehtraining durchführen

- Maßnahmen konkretisieren
  - » Gehen mit Dorsalflexion des Fußes (mittels Bandage/Schiene)
  - » Gehen mit Unterstützung am Rumpf in der Standphase
  - » Gehen mit Unterstützung am Becken in der Standphase
  - » Gehen mit Unterstützung am Becken in der Schwungphase
  - » Inhibitationstechniken einsetzen
  - » Faszilitationstechnik einsetzen
  - » Techniken der Kinästhetik einsetzen
  - » Spastik im Rahmen der Mobilisation lösen
- Grundsätze im Bewegungsablauf einüben
  - » Immer nur eine Bewegung ausführen
  - » Komplexe Bewegungsabläufe vermeiden
  - » Beim Gehen die Füße bewusst anheben
  - » Große Schritte machen
  - » Mit den Fersen bewusst abrollen
  - » Auf korrekte Körperhaltung achten
- Durchführende Person angeben
  - » Pflegeperson
  - » Ergotherapeut
  - » Physiotherapeut
  - » Sonstige Therapeuten
- Zeit angeben

Für eine sichere Umgebung sorgen

- Für eine sichere Umgebung sorgen
  - » Stolperfallen herausfinden und entfernen
  - » Lichtverhältnisse verbessern
  - » Gefährliche Gegenstände entfernen
  - » Gefährliche Hindernisse aus dem Weg räumen
- Maßnahmen zur Förderung der Sicherheit
  - » Brille überprüfen und anbieten
  - » Hörgerät anbieten
  - » Anti-Rutsch-Socken anziehen
  - » Gehhilfen anbieten und die Benutzung einüben

Gehübungen mit/ohne Gehhilfen durchführen

- Gehübungen durchführen
  - » Gehübungen mit Hilfsmitteln durchführen
  - » Mit Unterstützung gehen
- Hilfsmittel einsetzen
  - » Rollator
  - » Gehbock
  - » Eulenburg-Gehwagen
  - » Unterarmgehstützen
  - » Gehwagen mit Achselstützen
  - » Gehstock

Aktive Bewegungsübungen durchführen

- Pflegeintervention konkretisieren
- Zeit angeben

Schwimmübungen anbieten

- Maßnahmen konkretisieren
  - » Zum vereinbarten Termin innerhalb der Einrichtung bringen
  - » Zum vereinbarten Termin außerhalb der Einrichtung bringen
- Einrichtungsspezifische Aktivität wählen
- Zeitdauer angeben
- Anzahl erforderlicher Pflegepersonen angeben

Spaziergang mit dem Patienten durchführen

- Pflegeintervention konkretisieren

- Zeitdauer angeben

In eine Gruppe integrieren, die regelmäßig spazieren geht
- Pflegeintervention konkretisieren
  - » Zu Spaziergängen auffordern
  - » Mit dem Patienten spazieren gehen
  - » Spaziergänge mit Angehörigen organisieren
- Gruppenspaziergang
  - » In der Gruppe mit dem Patienten spazieren gehen
- Zeit angeben

Bewusst auf Körperhaltung und geplante Bewegung konzentrieren
- Pflegeintervention konkretisieren
- Zeit angeben

Spiegel einsetzen
- Pflegeintervention konkretisieren
- Zeit angeben

Physiologische Haltung durch häufiges Loben positiv verstärken
- Pflegeintervention konkretisieren
- Zeit angeben

Zur Bewegungstherapie begleiten/bringen
- Maßnahmen konkretisieren
- Termineinhaltung sicherstellen
  - » Zum vereinbarten Termin innerhalb der Einrichtung bringen
  - » Zum vereinbarten Termin außerhalb der Einrichtung bringen
  - » An vereinbarte Termine erinnern
- Zeit angeben

Sonstige Pflegemaßnahmen durchführen
- Maßnahmen konkretisieren
- Zeit angeben

Literaturhinweise: 44, 51, 75, 125, 127, 155, 173, 175, 176, 393

Der Patient hat aufgrund eines **spastischen Haltungsmusters** eine **überstreckte Kopfhaltung**, es besteht eine **beeinträchtigte Bewegungsfreiheit**

Kennzeichen

- Erhöhter Muskeltonus
- Starkes Überstrecken des Kopfes nach hinten

Ursachen

- Hemiplegie
- Neurologische Erkrankung
- Multiple Sklerose
- Tetraplegie
- Zustand nach Apoplex
- Paraplegie
- Schädel-Hirn-Trauma
- Infantile Zerebralparese

Ressourcen

- Erkennt die Notwendigkeit der Bewegungsübungen

Pflegeziele

- Sich entwickelnde Spastik wird frühzeitig erkannt
- Physiologischer Muskeltonus ist erhalten
- Spastizität ist reduziert bzw. abgebaut
- Spastisches Haltungsmuster ist gelöst

Pflegeinterventionen

Muskelspannung analysieren und auf Anzeichen abnormer Bewegungsmuster (Spastik) beobachten
- Pflegeintervention konkretisieren
- Zeit angeben

Spastik reduzierende Grundsätze bei der Mobilisation beachten
- Pflegeintervention konkretisieren
  - » Berührungen der Handinnenfläche vermeiden
  - » Keine Gegenstände in die betroffene Hand einlegen
  - » Zug an den Fingern oder Armen vermeiden
  - » Druck auf die Zehenballen verhindern
  - » Blase vor der Mobilisation entleeren
  - » Bewegungsabläufe zuerst durchdenken, anschließend mit Konzentration durchführen

Kopf von vorne am Hinterkopf bis zum Unterkiefer halten und unter leichtem Zug vorsichtig zur rechten/linken Körperseite drehen
- Pflegeintervention konkretisieren
- Zeit angeben

Sonstige Pflegemaßnahmen durchführen
- Maßnahmen konkretisieren
- Zeit angeben

Literaturhinweise: 44, 75, 175, 176, 510, 1149

Der Patient ist in der **Gehfähigkeit beeinträchtigt**

Kennzeichen

- Eingeschränkte Fähigkeit, auf einer ebenen Fläche zu gehen
- Eingeschränkte Fähigkeit, auf einer unebenen Fläche zu gehen
- Eingeschränkte Fähigkeit, ansteigende oder absteigende Wege zu gehen
- Eingeschränkte Fähigkeit, Treppen zu gehen
- Eingeschränkte Fähigkeit, Kurven zu gehen
- Äußert Unsicherheit beim Gehen
- Reduzierte Gehgeschwindigkeit
- Schwere Beeinträchtigung, von liegender Körperposition zum Sitzen zu gelangen
- Unfähigkeit, vom Sitzen in den Stand zu gelangen
- Beeinträchtigte Fähigkeit, das Körpergewicht im Stand selbstständig zu tragen
- Lehnt Mobilisierungsmaßnahmen verbal/nonverbal ab

Verändertes Gangbild
- Verändertes Gangbild
- Steppergang
- Beine werden abgespreizt, Körpergewicht wird von einer zur anderen Seite verlagert, "Entengang"
- Unkoordiniert wirkende tänzelnde Bewegungen beim Gehen
- Hat einen trippelnden, schlurfenden Gang
- Spastisches Gangbild
- Breitbeiniger steifer Gang

Beeinträchtigungsgrad der Gehfähigkeit
- Stufe 1: Selbstständiges Gehen
- Stufe 2: Geringe Beeinträchtigung
- Stufe 3: Erhebliche Beeinträchtigung
- Stufe 4: Schwere Beeinträchtigung
- Stufe 5: Verlust der Gehfähigkeit

Ursachen

- Gleichgewichtsstörung
- Kreislaufstörung
- Reduzierte/fehlende Muskelkraft
- Neuromuskuläre Beeinträchtigung
- Körperliche Schwäche
- Ängstliches Verhalten
- Erhöhter Muskeltonus
- Schmerzzustände
- Gelenkserkrankung
- Sehschwäche
- Orthese der unteren Extremität/en
- Entwicklungsbedingt

Im Zusammenhang mit Krankheitsbildern/Behandlung
- Gipsverband
- Fixateur externe
- Neurologische Erkrankung
- Neuromuskuläre Erkrankung
- Multiple Sklerose
- Morbus Parkinson
- Hemiplegie links
- Hemiplegie rechts
- Erkrankungen des Hüftgelenks
- Peroneuslähmung
- Psychogene Gangstörung

Ressourcen

- Hält Absprachen ein
- Ist motiviert, die Bewegungsabläufe mit Gehhilfen neu zu lernen
- Kann Gehhilfen gezielt und sicher einsetzen
- Ist motiviert, neue Bewegungsmuster zu lernen
- Kann sich mit dem Rollstuhl selbstständig fortbewegen
- Führt Bewegungen nach Anweisung/Anleitung durch
- Nimmt die vorbereiteten Medikamente zuverlässig ein
- Akzeptiert die Unterstützung
- Akzeptiert die Unterstützung von Angehörigen

Pflegeziele

- Gehfähigkeit ist systematisch eingeschätzt
- Bewegt sich in der Alltagsumgebung sicher
- Ist über die Möglichkeit von Hilfsmitteln informiert
- Kann Gehhilfen sicher einsetzen
- Bewegungsablauf ist harmonisch
- Normale Bewegungsabläufe sind angebahnt
- Bewegungsmuster sind analysiert
- Bewegungs- und Gehübungen sind schmerzfrei möglich
- Kann eigene Fähigkeiten und Belastbarkeit einschätzen
- Ist über Verhaltensmaßnahmen informiert und setzt diese um
- Ist zur aktiven Mitarbeit motiviert
- Physiologischer Muskeltonus ist erhalten
- Erreicht die Gehfähigkeit innerhalb der Wohnung
- Erreicht die Gehfähigkeit im Außengelände
- Erreicht die Gehfähigkeit innerhalb des Zimmers
- Gelenkbelastung ist reguliert, hartes Auftreten ist reduziert

Pflegeinterventionen

Assessment zur Beurteilung der Gehfähigkeit durchführen
- Pflegeintervention konkretisieren
  - » Selbstständigkeitslevel und Einschränkungen analysieren
  - » Körperkraft, Bewegungsfähigkeit, Gleichgewicht, Muskeltonus, Sensibilität, Körperwahrnehmung untersuchen
  - » Sinnvollen Einsatz von Hilfsmitteln bewerten
  - » Pathologische Bewegungsmuster/motorische Pathologien analysieren
- Durchführende Person angeben
  - » Pflegeperson
  - » Ergotherapeut
  - » Physiotherapeut
  - » Sonstige Therapeuten
- Zeit angeben

Beim Gehen und bei der Mobilisation unter-

stützen
- Beim Aufstehen unterstützen
  - » Spiralförmig aufstehen
  - » Zu selbstständigem Aufstehen anleiten
- Gehübungen durchführen
  - » Gehübungen mit Hilfsmitteln durchführen
  - » Mit Hilfe gehen
  - » Ohne Belastung des betroffenen Beins gehen
  - » Mit Teilbelastung des betroffenen Beins gehen
  - » Beinprothese vor den Gehübungen anlegen
- Erschwerte Bedingungen feststellen
  - » Zu- und Ableitungssysteme
  - » Kreislaufinstabilität
  - » Abwehrhaltung
  - » Lähmung
  - » Kontraktur
  - » Spasmus
- Anzuleitende Person(en) festlegen
  - » Betroffene Person
  - » Angehöriger/Bezugsperson

Beim Einsatz von Gehhilfen anleiten/unterstützen
- Gehstöcke/Unterarmgehstützen einsetzen
  - » Vier-Punkt-Gang
  - » Drei-Punkt-Gang
  - » Zwei-Punkt-Gang ohne Belastung
  - » Zwei-Punkt-Gang mit Teilbelastung
- Teilbelastung in kg angeben
- Besonderheiten bei der Anleitung beachten
- Zum Gehtraining mit Gehhilfen anleiten
  - » Arthritisstütze
  - » Achselstütze
  - » Deltarad
  - » Eulenburg-Gehwagen
  - » Gehbock
  - » Gehwagen
  - » Gehwagen mit Achselstützen
  - » Unterarmgehstützen
  - » Rollator
  - » Vier-Punkt-Gehstützen
- Durchführende Person angeben
  - » Pflegeperson
  - » Ergotherapeut
  - » Krankengymnast
  - » Sonstige Therapeuten
- Anzuleitende Person(en) festlegen
  - » Betroffene Person
  - » Angehöriger/Bezugsperson
- Zeit angeben
- Anzahl Pflegepersonen angeben

Spannungs- und Bewegungsübungen zur Verbesserung von Muskelkraft und Beweglichkeit durchführen
- Pflegeintervention konkretisieren
- Zeit angeben

Bewegungsabläufe und Körperhaltung beobachten
- Pflegeintervention konkretisieren
- Zeit angeben

Analgetika nach Arztanordnung verabreichen
- Angeordnete Schmerztherapie
  - » Schmerzmedikation über Spritzenpumpe lt. Arzt verabreichen
  - » Schmerzmedikation lt. Therapieplan über s. c. Injektion verabreichen
  - » Schmerzmedikation lt. Therapieplan über i. m. Injektion verabreichen
  - » Orale Schmerzmedikation lt. Therapieplan verabreichen
  - » Schmerztherapie mit Zäpfchen lt. Therapieplan durchführen
  - » Schmerzpflaster lt. Arztanordnung anbringen
  - » Schmerzmedikation lt. Therapieplan über i. v. Injektion verabreichen
- Bedarfsmedikation lt. Arzt verabreichen
  - » Schmerzen, bei denen die Bedarfsmedikation verabreicht werden darf, beschreiben

Gehtraining durchführen
- Maßnahmen konkretisieren
  - » Gehen mit Dorsalflexion des Fußes (mittels Bandage/Schiene)
  - » Gehen mit Unterstützung am Rumpf in der Standphase
  - » Gehen mit Unterstützung am Becken in der Standphase
  - » Gehen mit Unterstützung am Becken in der Schwungphase
  - » Inhibitationstechniken einsetzen
  - » Faszilitationstechnik einsetzen
  - » Techniken der Kinästhetik einsetzen
  - » Spastik im Rahmen der Mobilisation lösen
- Grundsätze im Bewegungsablauf einüben
  - » Immer nur eine Bewegung ausführen
  - » Komplexe Bewegungsabläufe vermeiden
  - » Beim Gehen die Füße bewusst anheben
  - » Große Schritte machen
  - » Mit den Fersen bewusst abrollen
  - » Auf korrekte Körperhaltung achten
- Durchführende Person angeben
  - » Pflegeperson
  - » Ergotherapeut
  - » Physiotherapeut
  - » Sonstige Therapeuten
- Zeit angeben

Maßnahmen zur Vorbereitung der Mobilisation durchführen
- Orthesen/Prothesen/Stützkorsagen anlegen
  - » Oberschenkelprothese
  - » Unterschenkelprothese
  - » Hüftexartikulationsprothese
  - » Knie-Orthese
  - » Hüft-Bein-Orthese
  - » Unterschenkelorthese
  - » Vorfußstumpf
  - » Rückfußstumpf
  - » Doppelschalenkorsett
  - » Rumpforthese
  - » Beckenbodenorthese
  - » Rückenorthese
- Art der Unterstützungsleistung angeben
  - » Teilweise übernehmen
  - » Vollständig übernehmen
  - » Zum selbstständigen An-/Ablegen anleiten

Gehtraining nach therapeutischem Konzept durchführen
- Pflegeintervention konkretisieren
  - » NDT-Konzept (Neuro-Developmental Treatment)
  - » Nach dem Bobath-Konzept
- Durchführende Person angeben
  - » Pflegeperson
  - » Ergotherapeut
  - » Krankengymnast
  - » Sonstige Tests durchführen
- Zeit angeben
- Anzahl Pflegepersonen angeben

Gehtraining mit Einsatz von Hilfsmitteln durchführen
- Gehstöcke/Unterarmgehstützen einsetzen
  - » Vier-Punkt-Gang
  - » Drei-Punkt-Gang
  - » Zwei-Punkt-Gang ohne Belastung
  - » Zwei-Punkt-Gang mit Teilbelastung
- Teilbelastung in kg angeben
- Besonderheiten bei der Anleitung beachten
- Zum Gehtraining mit Gehhilfen anleiten
  - » Arthritisstütze
  - » Achselstütze
  - » Deltarad
  - » Eulenburg-Gehwagen
  - » Gehbock
  - » Gehwagen
  - » Gehwagen mit Achselstützen
  - » Unterarmgehstützen
  - » Rollator
  - » Vier-Punkt-Gehstützen
- Durchführende Person angeben
  - » Pflegeperson
  - » Ergotherapeut
  - » Krankengymnast
  - » Sonstige Therapeuten
- Anzuleitende Person(en) festlegen
  - » Betroffene Person
  - » Angehöriger/Bezugsperson
- Zeit angeben
- Anzahl Pflegepersonen angeben

Belastung durch Pufferabsätze oder Abrollhilfen regulieren
- Pflegeintervention konkretisieren
- Zeit angeben

Sonstige Pflegemaßnahmen durchführen
- Maßnahmen konkretisieren
- Zeit angeben

Literaturhinweise: 44, 51, 75, 125, 126, 127, 151, 175, 176, 223, 322

Der Patient ist aufgrund der **unsicheren Anwendung von Gehhilfen** beim **Gehen beeinträchtigt**

Kennzeichen

- Äußert Unsicherheit in der Anwendung von Gehhilfen
- Gangbild mit den Gehhilfen ist unharmonisch
- Kann mit Gehhilfen nicht gehen

Ursachen

- Ärztlich angeordnete Entlastung
- Ärztlich angeordnete Teilbelastung
- Ärztlich angeordnete Vollbelastung
- Desorientierung
- Verminderte Muskelkraft
- Gangunsicherheit

Ressourcen

- Führt Bewegungen nach Anweisung/Anleitung durch
- Ist motiviert, die Bewegungsabläufe mit Gehhilfen neu zu lernen
- Körperliche Ressourcen zum Gehen mit Gehhilfen sind vorhanden
- Akzeptiert die Unterstützung
- Akzeptiert die Unterstützung von Angehörigen

Pflegeziele

- Sicherheit ist gewährleistet
- Gehhilfen sind sicher eingesetzt

Pflegeinterventionen

Zur Handhabung/zum Einsatz von Gehhilfen anleiten
- Gehstöcke/Unterarmgehstützen einsetzen
  - » Vier-Punkt-Gang
  - » Drei-Punkt-Gang
  - » Zwei-Punkt-Gang ohne Belastung
  - » Zwei-Punkt-Gang mit Teilbelastung
- Teilbelastung in kg angeben
- Besonderheiten bei der Anleitung beachten
- Zum Gehtraining mit Gehhilfen anleiten
  - » Arthritisstütze
  - » Achselstütze
  - » Deltarad
  - » Eulenburg-Gehwagen
  - » Gehbock
  - » Gehwagen
  - » Gehwagen mit Achselstützen
  - » Unterarmgehstützen
  - » Rollator
  - » Vier-Punkt-Gehstützen
- Durchführende Person angeben
  - » Pflegeperson
  - » Ergotherapeut
  - » Krankengymnast
  - » Sonstige Therapeuten
- Anzuleitende Person(en) festlegen
  - » Betroffene Person
  - » Angehöriger/Bezugsperson
- Zeit angeben
- Anzahl Pflegepersonen angeben

Gehhilfen auf Sicherheit und Funktionsfähigkeit inspizieren
- Pflegeintervention konkretisieren
- Zeit angeben

Gangbild und Handhabung der Gehstöcke beobachten
- Pflegeintervention konkretisieren
- Zeit angeben

Zum Gehen mit Gehhilfen anleiten/dieses einüben
- Pflegeintervention konkretisieren
- Art der Unterstützung
  - » Beaufsichtigen
  - » Durch Unterstützen helfen
  - » Teilweise übernehmen
  - » Vollständig übernehmen
  - » Zur selbstständigen Durchführung anleiten

- Anzuleitende Person(en) festlegen
  - » Betroffene Person
  - » Angehöriger/Bezugsperson
- Zeit angeben

Sonstige Pflegemaßnahmen durchführen
- Maßnahmen konkretisieren
- Zeit angeben

Literaturhinweise: 51, 125, 126, 127, 151, 175, 176, 223, 322

Der Patient ist aufgrund eines **veränderten Körperschemas/-bilds** beim **Gehen beeinträchtigt**

Kennzeichen

- Unsicherheit beim Gehen
- Unsicherheit beim Gehen mit der Prothese
- Unsichere Gewichtsverlagerung
- Häufige Stürze
- Äußerungen hinsichtlich einer veränderten Wahrnehmung des Körperbildes

Ursachen

- Amputation
- Hemiparese links
- Hemiparese rechts
- Sonstige Lähmungen
- Pusher-Syndrom

Ressourcen

- Erkennt die Notwendigkeit der getroffenen Intervention und kooperiert mit dem therapeutischen Team
- Hält Absprachen ein
- Führt Bewegungen nach Anweisung/Anleitung durch
- Ist motiviert, Hilfsmittel zur Steigerung der Mobilität einzusetzen
- Kann Gehhilfen gezielt und sicher einsetzen
- Ist motiviert, neue Bewegungsmuster zu lernen
- Kann sich mit dem Rollstuhl selbstständig fortbewegen
- Akzeptiert die Unterstützung
- Akzeptiert die Unterstützung von Angehörigen

Pflegeziele

- Körperwahrnehmung ist aktiviert und stimuliert
- Gleichgewichtssinn ist stimuliert

Pflegeinterventionen

Aktive/assistive/passive Bewegungsübungen durchführen
- Assistive Bewegungsübungen durchführen
  - » Assistive Bewegungsübungen durchführen
  - » Handgelenk(e)
  - » Schultergelenk(e)
  - » Ellenbogengelenk(e)
  - » Hüftgelenk(e)
  - » Kniegelenk(e)
  - » Sprunggelenk(e)
- Passive Bewegungsübungen durchführen
  - » Passive Bewegungsübungen durchführen
  - » Handgelenk(e)
  - » Schultergelenk(e)
  - » Ellenbogengelenk(e)
  - » Hüftgelenk(e)
  - » Kniegelenk(e)
  - » Sprunggelenk(e)
- Aktive Bewegungsübungen durchführen
  - » Zu aktiven Bewegungsübungen anleiten
  - » Gehübungen durchführen
  - » Dehnungsübungen durchführen
- Durchführende Person(en) bestimmen
  - » Pflegeperson
  - » Physiotherapeut
  - » Ergotherapeut
- Zeit angeben

Bewegungsübungen und Gehübungen mit einer Prothese durchführen
- Beim Aufstehen unterstützen
  - » Spiralförmig aufstehen
  - » Zu selbstständigem Aufstehen anleiten
- Gehübungen durchführen
  - » Gehübungen mit Hilfsmitteln durchführen
  - » Mit Hilfe gehen
  - » Ohne Belastung des betroffenen Beins gehen
  - » Mit Teilbelastung des betroffenen Beins gehen
  - » Beinprothese vor den Gehübungen anlegen
- Erschwerte Bedingungen feststellen
  - » Zu- und Ableitungssysteme
  - » Kreislaufinstabilität

- » Abwehrhaltung
  - » Lähmung
  - » Kontraktur
  - » Spasmus
- Anzuleitende Person(en) festlegen
  - » Betroffene Person
  - » Angehöriger/Bezugsperson

Täglich die Leistungsgrenze erfassen und individuell steigern
- Pflegeintervention konkretisieren
- Zeit angeben

Gleichgewicht fördern/stimulieren
- Bei der Mobilisation betroffene Seite integrieren
  - » Normale, beidseitige Bewegungsmuster durchführen, Bewegungen faszilitieren
  - » Gleichgewichtstraining durchführen
- Wahrnehmung fördern
  - » Transfer über die betroffene Seite durchführen
  - » Regelmäßig Lagerungswechsel nach dem Bobath-Konzept durchführen
  - » Körperumgrenzende Lagerung durchführen

Beim An-/Ablegen der Orthese/Prothese/Stützkorsage unterstützen
- Orthesen/Prothesen/Stützkorsagen anlegen
  - » Oberschenkelprothese
  - » Unterschenkelprothese
  - » Hüftexartikulationsprothese
  - » Knie-Orthese
  - » Hüft-Bein-Orthese
  - » Unterschenkelorthese
  - » Vorfußstumpf
  - » Rückfußstumpf
  - » Doppelschalenkorsett
  - » Rumpforthese
  - » Beckenbodenorthese
  - » Rückenorthese
- Art der Unterstützungsleistung angeben
  - » Teilweise übernehmen
  - » Vollständig übernehmen
  - » Zum selbstständigen An-/Ablegen anleiten

Maßnahmen zur Vorbereitung der Mobilisation durchführen
- Orthesen/Prothesen/Stützkorsagen anlegen
  - » Oberschenkelprothese
  - » Unterschenkelprothese
  - » Hüftexartikulationsprothese
  - » Knie-Orthese
  - » Hüft-Bein-Orthese
  - » Unterschenkelorthese
  - » Vorfußstumpf
  - » Rückfußstumpf
  - » Doppelschalenkorsett
  - » Rumpforthese
  - » Beckenbodenorthese
  - » Rückenorthese
- Art der Unterstützungsleistung angeben
  - » Teilweise übernehmen
  - » Vollständig übernehmen
  - » Zum selbstständigen An-/Ablegen anleiten

Sonstige Pflegemaßnahmen durchführen
- Maßnahmen konkretisieren
- Zeit angeben

Literaturhinweise: 44, 51, 75, 125, 126, 127, 151, 175, 176, 223

Der Patient ist aufgrund **reduzierter Ausdauer/physischer Kraft** in der **Mobilität eingeschränkt**

Kennzeichen

- Beschreibt belastungsabhängige Schwäche
- Anzeichen körperlicher Schwäche
- Kurzatmigkeit bei Bewegung
- Äußert, keine Kraft mehr zu haben
- Bewegt sich wenig
- Fehlende Muskelmasse
- Fühlt sich müde und matt
- Erschöpfungszustände
- Unphysiologische Blutdruckveränderung als Reaktion auf Aktivität/Belastung
- Unphysiologische Herzfrequenz als Reaktion auf Aktivität/Belastung

Ursachen

- Reduzierter Allgemeinzustand
- Missverhältnis zwischen Sauerstoffangebot und -bedarf
- Mangelndes Training
- Reduzierte/fehlende Muskelkraft
- Vorzeitige Muskelermüdung
- Flüssigkeitsdefizit/Dehydratation/ Exsikkose
- Fehlende Motivation

Krankheitsbedingte Ursachen
- Lungenerkrankung
- Bestehende Herz-/Kreislaufprobleme
- Herzinsuffizienz
- Herzerkrankung
- Anämie
- Psychische Erkrankung
- Tumorerkrankung
- Schilddrüsenfunktionsstörung

Ressourcen

- Kann die körperliche Belastbarkeit einschätzen und fordert rechtzeitig Unterstützung an
- Kennt die Belastungsgrenze und kann sich damit arrangieren
- Kennt Kräfte schonende Methoden, die

Körperpflege durchzuführen
- Akzeptiert die Unterstützung
- Akzeptiert die Unterstützung von Angehörigen
- Zeigt Verhaltensweisen, die die Therapie unterstützen

Pflegeziele

- Zustände und Symptome, die eine erneute medizinische Beurteilung erfordern, sind erkannt und weitergeleitet
- Körperliche Leistungsfähigkeit ist gesteigert
- Körperliche Aktivität ist erhöht
- Herz-Kreislauf-Aktivität ist angeregt
- Körperliche Leistungsfähigkeit ist gesteigert
- Körperliche Aktivität/Bewegung von 150 Min. mittlerer Intensität pro Woche wird erreicht
- Körperliche Aktivität/Bewegung von 75 Min. höherer Intensität pro Woche wird erreicht
- Körperliche Aktivität/Bewegung von 150 Min. höherer Intensität pro Woche wird erreicht
- Körperliche Aktivität/Bewegung von 300 Min. mittlerer Intensität pro Woche wird erreicht

Pflegeinterventionen

Ursachen für die Aktivitätsintoleranz ermitteln und mit dem Patienten und dem Arzt besprechen
- Pflegeintervention konkretisieren
- Zeit angeben

Körperliches Bewegungsprogramm entwickeln/durchführen
- Vereinbartes Aktivierungsprogramm angeben
  - » Beim Aufstehen/zu Bett gehen unterstützen
  - » Aktivierungsprogramm in Absprache mit den Beteiligten aufstellen
  - » An den Bettrand setzen
  - » Standtraining und wenige Schritte gehen
  - » Kurze Strecken in Begleitung gehen
  - » Größere Strecken in Begleitung gehen
  - » Treppen steigen
- Unterstützungsleistung bestimmen
  - » Unterstützen
  - » Teilweise übernehmen
  - » Beaufsichtigen
  - » Vollständig übernehmen
  - » Anleiten

Belastung bei Bewegungsabläufen und Mobilisation langsam steigern
- Pflegeintervention konkretisieren
- Zeit angeben

An einrichtungsspezifischen bewegungsfördernden körperlichen Aktivitäten teilnehmen
- Maßnahmen konkretisieren
- Einrichtungsspezifische Aktivität wählen
- Zeitdauer der Gruppentherapie bestimmen

Sonstige Pflegemaßnahmen durchführen
- Maßnahmen konkretisieren
- Zeit angeben

Literaturhinweise: 51, 125, 126, 127, 175, 176, 878

Der Patient ist aufgrund der **Amputation** einer unteren Extremität in der **Mobilität eingeschränkt**

Kennzeichen

- Beeinträchtigung des Gleichgewichts
- Kann nicht ohne Hilfsmittel gehen
- Ist unsicher im Einsatz von Hilfsmitteln
- Äußert Schmerzen und Unbehagen beim Tragen der Prothese
- Unsicherheit beim Gehen mit der Prothese
- Kann sich die Prothese nicht selbstständig anlegen

Ursachen

- Amputation in Höhe des Oberschenkels links
- Amputation in Höhe des Oberschenkels rechts
- Amputation in Höhe des Unterschenkels links
- Amputation in Höhe des Unterschenkels rechts
- Traumatische Amputationsverletzung
- Amputation aufgrund peripherer Verschlusskrankheit
- Amputation aufgrund diabetischer Angiopathie

Ressourcen

- Ist motiviert, Hilfsmittel einzusetzen
- Zeigt einen großen Willen, wieder gehen zu lernen
- Akzeptiert die Unterstützung
- Akzeptiert die Unterstützung von Angehörigen
- Körperliche Ressourcen für Kompensationsmechanismen sind vorhanden
- Ist motiviert, neue Bewegungsmuster zu lernen
- Akzeptiert die körperliche Einschränkung

Pflegeziele

- Ist über Verhaltensmaßnahmen informiert und setzt diese um
- Ist zur aktiven Mitarbeit motiviert
- Ist über die Möglichkeit von Hilfsmitteln informiert
- Kann Gehhilfen sicher einsetzen
- Beweglichkeit des Stumpfs ist unterstützt
- Fühlt sich beim Gehen/bei den Gehübungen sicher
- Kann selbstständig gehen

Pflegeinterventionen

Pflegefachgespräch über Bewegungsverhalten führen
- Pflegeintervention konkretisieren
- Zeit angeben

Beim Einsatz von Gehhilfen anleiten/unterstützen
- Gehstöcke/Unterarmgehstützen einsetzen
  - » Vier-Punkt-Gang
  - » Drei-Punkt-Gang
  - » Zwei-Punkt-Gang ohne Belastung
  - » Zwei-Punkt-Gang mit Teilbelastung
- Teilbelastung in kg angeben
- Besonderheiten bei der Anleitung beachten
- Zum Gehtraining mit Gehhilfen anleiten
  - » Arthritisstütze
  - » Achselstütze
  - » Deltarad
  - » Eulenburg-Gehwagen
  - » Gehbock
  - » Gehwagen
  - » Gehwagen mit Achselstützen
  - » Unterarmgehstützen
  - » Rollator
  - » Vier-Punkt-Gehstützen
- Durchführende Person angeben
  - » Pflegeperson
  - » Ergotherapeut
  - » Krankengymnast
  - » Sonstige Therapeuten
- Anzuleitende Person(en) festlegen
  - » Betroffene Person
  - » Angehöriger/Bezugsperson
- Zeit angeben
- Anzahl Pflegepersonen angeben

Bewegungs- und Mobilisationsübungen nach Plan durchführen
- Pflegeintervention konkretisieren
- Zeit angeben

Beim Anlegen der Beinprothese unterstützen
- Pflegeintervention konkretisieren
  - » Oberschenkelprothese
  - » Unterschenkelprothese
  - » Hüftexartikulationsprothese
- Art der Unterstützungsleistung angeben
  - » Teilweise übernehmen
  - » Vollständig übernehmen
  - » Zum selbstständigen An-/Ablegen anleiten

Gehübungen/-training durchführen
- Pflegeintervention konkretisieren
  - » Gehen auf ebener Fläche durchführen
  - » Treppen steigen
  - » Gehtraining im Freien durchführen
  - » Gehübungen auf unterschiedlichen Bodenbeschaffenheiten durchführen
  - » Reaktionstraining zur Schulung der Stell- und Haltereaktion durchführen
- Geplante Wegstrecke angeben
  - » < 10 Meter
  - » > 10 Meter
- Art der Unterstützung
  - » Gehen mit Unterstützung am Becken in der Schwungphase
  - » Gehen mit Unterstützung am Becken in der Standphase
  - » Gehen mit Unterstützung am Rumpf in der Standphase
- Durchführende Person angeben
  - » Pflegeperson
  - » Ergotherapeut
  - » Physiotherapeut
  - » Sonstige Therapeuten
- Zeit angeben

Sonstige Pflegemaßnahmen durchführen
- Maßnahmen konkretisieren
- Zeit angeben

Literaturhinweise: 95, 121, 125, 140, 151, 689

Der Patient kann aufgrund einer **arteriellen Gefäßerkrankung** in den Beinen **nur eine bestimmte Wegstrecke gehen** (Claudicatio intermittens)

Kennzeichen

- Kann maximal 100-150 Meter gehen und bleibt dann wegen Schmerzen in den Beinen stehen
- Äußert Schmerzen beim Gehen, die in Ruhesituationen nachlassen
- Blutdruckveränderungen an den Extremitäten
- Farbveränderung der Haut
- Schwacher Puls der betroffenen Extremität
- Wundheilungsstörung
- Veränderte Hauttemperatur
- Beeinträchtigte Sensibilität
- Ödembildung lokal
- Veränderte Strömungsgeräusche
- Haarausfall an den Beinen
- Beschreibt Ruheschmerzen

Ursachen

- Starkes Rauchen
- Bewegungsmangel
- Übergewicht
- Hoher Cholesterinspiegel
- Arteriell bedingte Durchblutungsstörung
- Periphere Gefäßkrankheit

Krankheitsbedingte Ursachen

- Diabetes mellitus

Ressourcen

- Kennt die Belastungsgrenze und kann sich damit arrangieren
- Zeigt Verhaltensweisen, die die Therapie unterstützen
- Ist zuverlässig bezüglich der Einnahme der Medikation

Pflegeziele

- Ist über die Erkrankung informiert
- Kennt die schmerzfreie Wegstrecke und orientiert daran das Gehtraining
- Schmerzfreie Wegstrecke ist verlängert
- Kann die körperlichen Kraftressourcen einschätzen und entsprechend planen
- Unterstützt die Therapie aktiv
- Zuverlässige Medikamenteneinnahme ist gewährleistet
- Hat warme Füße
- Durchblutung und Stoffwechsel sind angeregt

Pflegeinterventionen

Informationsgespräch über ein notwendiges Gefäß- und Gehtraining führen

- Pflegeintervention konkretisieren
- Zeit angeben

Zum regelmäßigen Gehtraining entsprechend den Belastungsgrenzen anleiten

- Pflegeintervention konkretisieren
- Wochenziel festlegen
- Anzuleitende Person(en) festlegen
  - » Betroffene Person
  - » Angehöriger/Bezugsperson
- Zeit angeben

Ruhepausen zur körperlichen und psychischen Entspannung festlegen und einhalten

- Pflegeintervention konkretisieren
- Wochenziel festlegen
- Anzuleitende Person(en) festlegen
  - » Betroffene Person
  - » Angehöriger/Bezugsperson
- Zeit angeben

Trainingsstrecke wöchentlich testen und festlegen

- Pflegeintervention konkretisieren
- Wochenziel festlegen
- Anzuleitende Person(en) festlegen
  - » Betroffene Person
  - » Angehöriger/Bezugsperson
- Zeit angeben

Durchblutungsfördernde Medikamente nach Arztanordnung verabreichen

- Pflegeintervention konkretisieren
  - » 1-2 Medikamente verabreichen
  - » 3 und mehr Medikamente verabreichen
  - » Medizinische Spezialtees vorbereiten und verabreichen
  - » Tabletten vor der Verabreichung mörsern
  - » Gemörserte und anschließend aufgelöste Medikamente durch die PEG verabreichen
  - » Medikamente auflösen
- Art und Weise der Unterstützung bestimmen
  - » Medikamente richten und zur Einnahme bereitstellen
  - » Hilfestellung bei der Selbstapplikation geben
  - » Bei der Verabreichung unterstützen
  - » Vor der Medikamentenverabreichung bei der Einnahme der richtigen Körperposition unterstützen
  - » Medikamentenverabreichung bei bestehenden Schluckstörungen unterstützen
  - » Einnahmeverweigerung überwinden helfen
- Grund für die Medikation bestimmen
  - » Angeordnete Dauermedikation
  - » Bedarfsmedikation
  - » Medikation zur Vorbereitung von Untersuchungen
  - » Akute Notfallmedikation

Füße warm halten

- Pflegeintervention konkretisieren
  - » Beine tief lagern
  - » Beine weich lagern
  - » Weiche, weite Socken anziehen
  - » Watteverband anlegen
  - » Sorgfältige Fußpflege durchführen

Beine tieflagern

- Pflegeintervention konkretisieren
- Zeit angeben

Sonstige Pflegemaßnahmen durchführen

- Maßnahmen konkretisieren
- Zeit angeben

Literaturhinweise: 51, 125, 126, 127, 140, 151, 175, 176, 223

Der Patient ist aufgrund eines **Belastungsschmerzes** in der **Mobilität beeinträchtigt**

Kennzeichen

- Beschreibt Schmerzen beim Bewegen
- Körperliche Einschränkung aufgrund von Schmerzen
- Äußert Schmerzen
- Belastungsschmerz
- Schonhaltung
- Vermeidet Bewegung

Ursachen

- Arthrose
- Osteosyntheseverfahren
- Arteriell bedingte Durchblutungsstörung

Ressourcen

- Ist motiviert, Hilfsmittel zur Steigerung der Mobilität einzusetzen
- Kennt die Belastungsgrenze und kann sich damit arrangieren
- Unterstützt die Schmerztherapie
- Äußert Schmerzzustände und kann diese beschreiben
- Erkennt die Notwendigkeit der getroffenen Intervention und kooperiert mit dem therapeutischen Team
- Erkennt die Notwendigkeit der Bewegungsübungen
- Führt Bewegungen nach Anweisung/Anleitung durch
- Führt die Bewegungsübungen regelmäßig durch

Pflegeziele

- Ausmaß und Ursache der Funktionseinschränkung sind erkannt
- Funktion der betroffenen Gelenke ist erhalten
- Funktion und Beweglichkeit der Gelenke sind erhalten
- Führt selbst Trainingsmaßnahmen durch
- Ist zur aktiven Mitarbeit motiviert
- Schmerzen sind reduziert
- Mobilität ist gefördert
- Gelenkbelastung ist reguliert, hartes Auftreten ist reduziert
- Die Schmerzlinderung ist durch die physikalische Therapie unterstützt
- Entzündungsprozesse sind durch die physikalische Therapie gehemmt
- Akut betroffene Gelenke sind geschont und in ihrer Funktion erhalten
- Nutzt eigene Ressourcen zur Schmerzlinderung
- Äußert eigene Schmerzeinschätzung
- Schmerzintensität ist eingeschätzt
- Beweglichkeit und Muskelkraft bleiben erhalten
- Beweglichkeit und Muskelkraft werden kontinuierlich gesteigert
- Herz-Kreislauf-Aktivität ist angeregt
- Körperliche Leistungsfähigkeit ist gesteigert
- Körperliche Aktivität/Bewegung von 150 Min. mittlerer Intensität pro Woche wird erreicht
- Körperliche Aktivität/Bewegung von 75 Min. höherer Intensität pro Woche wird erreicht
- Körperliche Aktivität/Bewegung von 150 Min. höherer Intensität pro Woche wird erreicht
- Körperliche Aktivität/Bewegung von 300 Min. mittlerer Intensität pro Woche wird erreicht

Pflegeinterventionen

Funktionseinschränkung und Ressourcen analysieren/dokumentieren
- Funktionseinschränkung und Ressourcen analysieren

Bewegungsübungen durchführen, wie durch Arzt und Krankengymnast verordnet
- Bewegungsübungen festlegen
  - » Passive Bewegungsübungen der großen Gelenke durchführen
  - » Bewegungsübungen durch Krankengymnasten durchführen
- Bewegungsübungen der Gelenke durchführen
  - » Hüftgelenk(e)
  - » Handgelenk(e)
  - » Fingergelenke
  - » Sprunggelenk(e)
  - » Kniegelenk(e)
  - » Schultergelenk(e)
  - » Ellenbogengelenk(e)

Bewegungsreize aufspüren und Umgebung entsprechend gestalten
- Pflegeintervention konkretisieren
- Zeit angeben

Bewegungsablauf mit Hilfsmitteln unterstützen
- Hilfsmittel organisieren/einsetzen
  - » Gehstock
  - » Unterarmgehstützen
  - » Gehwagen mit Achselstützen
  - » Gehbock/Gehgestell
  - » Rollmobil und Unterarmauflage

Belastung durch Pufferabsätze oder Abrollhilfen regulieren
- Pflegeintervention konkretisieren
- Zeit angeben

Physikalische Therapie nach Anordnung durchführen
- Pflegeintervention konkretisieren
- Kälteanwendung durchführen
  - » Eisbeutel auflegen
  - » Kühlelemente auflegen
  - » Kalte Kompressen/Auflagen einsetzen
  - » Alkoholumschläge einsetzen
- Wärmeanwendung
  - » Wärmflasche auflegen
  - » Warme Kataplasmen (Breiumschläge) einsetzen
  - » Heublumensäckchen einsetzen
  - » Feuchtwarme Wickel einsetzen
  - » Rotlicht-Bestrahlung durchführen

Gelenke durch Lagerung/Schienung nach Arztanordnung schonen
- Pflegeintervention konkretisieren

- Zeit angeben

Schmerzen mithilfe eines Schmerzerhebungsprotokolls dokumentieren
- Pflegeintervention konkretisieren
- Zeit angeben

Schmerzintensität mithilfe einer Schmerzskala ermitteln
- Pflegeintervention konkretisieren
- Zeit angeben

Maßnahmen zur Mobilisation durchführen
- Art der Mobilisation bestimmen
  - » Zum Sitzen mobilisieren
  - » Standtraining durchführen
  - » Standtraining und wenige Schritte gehen
  - » Gehtraining durchführen (Wegstrecke <10 Meter)
  - » Gehtraining durchführen (Wegstrecke >10 Meter)
- Ort der Mobilisation
  - » Bett
  - » Sessel/Lehnstuhl
  - » Sitzsack
  - » Rollstuhl
  - » Hängematte
- Maßnahmen konkretisieren
  - » Techniken der Kinästhetik einsetzen
  - » Nach dem Bobath-Konzept mobilisieren
  - » Faszilitationstechnik einsetzen
  - » Inhibitationstechniken einsetzen
  - » Spastik im Rahmen der Mobilisation lösen
  - » Hubfreie/-arme Mobilisation durchführen
- Erschwerte Bedingungen feststellen
  - » Zu- und Ableitungssysteme
  - » Kreislaufinstabilität
  - » Abwehrhaltung
  - » Lähmung
  - » Kontraktur
  - » Spasmus
- Art der Unterstützungsleistung angeben
  - » Beaufsichtigen
  - » Teilweise übernehmen
  - » Vollständig übernehmen
  - » Zur Durchführung anleiten
- Anzahl Pflegepersonen angeben

- Zeit angeben

An einrichtungsspezifischen bewegungsfördernden körperlichen Aktivitäten teilnehmen
- Maßnahmen konkretisieren
- Einrichtungsspezifische Aktivität wählen
- Zeitdauer der Gruppentherapie bestimmen

Sonstige Pflegemaßnahmen durchführen
- Maßnahmen konkretisieren
- Zeit angeben

Literaturhinweise: 44, 51, 75, 125, 126, 127, 151, 175, 176, 223, 322

Der Patient ist aufgrund von **Gleichgewichtsstörungen** in der **Mobilität beeinträchtigt**

Kennzeichen

- Kann das Gleichgewicht nicht halten und kippt zu einer Seite
- Gleichgewichtsstörung beim Gehen
- Gleichgewichtsstörung beim Stehen
- Gleichgewichtsstörung beim Sitzen
- Fehlende Fähigkeit zu sitzen
- Häufige Stürze

Ursachen

- Schwindelanfälle
- Hypotonie (niedriger Blutdruck)
- Flüssigkeitsdefizit/Dehydratation/ Exsikkose
- Psychogene Faktoren

Krankheitsbedingte Ursachen
- Neurologische Erkrankung
- Morbus Parkinson
- Demenz
- Multiple Sklerose
- Zerebrale Durchblutungsstörungen
- Tumor
- Labyrinthitis
- Erkrankung im Innenohrbereich
- Augenerkrankung

Ressourcen

- Ist motiviert, die Pflegemaßnahme zu unterstützen und zeigt entsprechende Verhaltensweisen
- Akzeptiert die körperliche Einschränkung
- Führt die vereinbarten Übungen selbstständig durch

Pflegeziele

- Körperliche Leistungsfähigkeit ist gesteigert
- Körperwahrnehmung ist aktiviert und

stimuliert
- Kann den Bewegungsablauf selbstständig koordinieren
- Bewegt sich selbstständig fort
- Bewegt sich in der Alltagsumgebung sicher
- Fühlt sich beim Gehen sicher
- Herz-Kreislauf-Aktivität ist angeregt
- Körperliche Leistungsfähigkeit ist gesteigert
- Körperliche Aktivität/Bewegung von 150 Min. mittlerer Intensität pro Woche wird erreicht
- Körperliche Aktivität/Bewegung von 75 Min. höherer Intensität pro Woche wird erreicht
- Körperliche Aktivität/Bewegung von 150 Min. höherer Intensität pro Woche wird erreicht
- Körperliche Aktivität/Bewegung von 300 Min. mittlerer Intensität pro Woche wird erreicht

Pflegeinterventionen

Gleichgewichtsstörungen beobachten und Ursachen abklären/dokumentieren
- Pflegeintervention konkretisieren
- Zeit angeben

Körperliches Bewegungsprogramm entwickeln/durchführen
- Vereinbartes Aktivierungsprogramm angeben
  - » Beim Aufstehen/zu Bett gehen unterstützen
  - » Aktivierungsprogramm in Absprache mit den Beteiligten aufstellen
  - » An den Bettrand setzen
  - » Standtraining und wenige Schritte gehen
  - » Kurze Strecken in Begleitung gehen
  - » Größere Strecken in Begleitung gehen
  - » Treppen steigen
- Unterstützungsleistung bestimmen
  - » Unterstützen
  - » Teilweise übernehmen
  - » Beaufsichtigen
  - » Vollständig übernehmen
  - » Anleiten

Körpergefühl/ Gleichgewicht trainieren
- Beim Sitzen unterstützen
  - » Im Bett als "Rutschstopp" ein gefaltetes Handtuch unter die Oberschenkel legen
  - » Fußbank benutzen
  - » Durch Lagerungshilfsmittel unterstützen
- Gleichgewichtstraining durchführen
  - » Gleichgewichtsübungen mit Gewichtsverlagerung am Bettrand sitzend durchführen
  - » Gleichgewichtsübungen mit Rumpfrotation am Bettrand sitzend durchführen
  - » Gleichgewichtsübungen vor dem Bett stehend durchführen
  - » Gehübungen mit Gleichgewichtsübungen durchführen

In den Stuhl/Lehnstuhl unter Berücksichtigung einer korrekten Sitzhaltung mobilisieren
- Pflegeintervention konkretisieren
- Zeit angeben

Großen Spiegel zur Korrektur der Körperhaltung aufstellen
- Pflegeintervention konkretisieren
- Zeit angeben

Gehtraining durchführen
- Pflegeintervention konkretisieren
- Wochenziel festlegen
- Anzuleitende Person(en) festlegen
  - » Betroffene Person
  - » Angehöriger/Bezugsperson
- Zeit angeben

An einrichtungsspezifischen bewegungsfördernden körperlichen Aktivitäten teilnehmen
- Maßnahmen konkretisieren
- Einrichtungsspezifische Aktivität wählen
- Zeitdauer der Gruppentherapie bestimmen

Sonstige Pflegemaßnahmen durchführen
- Maßnahmen konkretisieren
- Zeit angeben

Literaturhinweise: 51, 71, 94, 121, 125, 126, 175, 176, 336, 878

Der Patient kann sich **nicht selbstständig im Lebensraum bewegen**

Kennzeichen

- Reduzierte Bewegungskontrolle
- Unkontrollierte Bewegungsmuster
- Fehlende/eingeschränkte Gehfähigkeit
- Verändertes Gangbild
- Reduzierte Beweglichkeit der Gelenke
- Fehlende/eingeschränkte Transferfähigkeit
- Kann nicht allein aus dem Stuhl aufstehen
- Fehlende Fähigkeit zu sitzen
- Beeinträchtigung des Gleichgewichts
- Stolpert häufig
- Äußert Unsicherheit beim Gehen
- Beschreibt, sich häufig anzustoßen
- Fortbewegung ist ohne Hilfsmittel/Hilfspersonen nicht möglich
- Kann sich mithilfe des Rollstuhls nicht selbstständig fortbewegen
- Fehlende Fähigkeit, den Rollstuhl zu steuern
- Steigungen/Gefälle können nicht selbstständig mit dem Rollstuhl bewältigt werden

Ursachen

- Lähmung (nicht näher bezeichnet)
- Hemiplegie
- Hemiparese
- Tetraplegie
- Paraplegie
- Funktionseinschränkung großer Gelenke
- Beeinträchtigung des Bewegungsapparats
- Beeinträchtigungen des neuromuskulären Systems
- Schmerzzustände
- Beeinträchtigte Reizempfindung
- Eingeschränkte kognitive Fähigkeiten
- Psychische Störung
- Hochgradige Einschränkung der Sehfähigkeit
- Blindheit
- Entwicklungsbedingt

Ressourcen

- Zeigt/äußert starkes Interesse mitzuarbeiten
- Ist motiviert, Hilfsmittel zur Steigerung der Mobilität einzusetzen
- Ist motiviert, die Bewegungsabläufe mit Gehhilfen neu zu lernen
- Kann bei konzentrierten Bewegungsabläufen ein harmonisches Gangbild umsetzen
- Kognitive Fähigkeiten unterstützen die Bewegungsübungen
- Ist bereit, die Defizite zu kompensieren und neu zu lernen
- Lässt sich durch Aufforderung zu Bewegungsabläufen motivieren
- Akzeptiert die Unterstützung
- Akzeptiert die Unterstützung von Angehörigen
- Darf aus medizinischer Sicht mobilisiert werden

Pflegeziele

- Ursachen sind analysiert und gezielte Pflegeinterventionen eingeleitet
- Verlauf der Bewegungseinschränkung kann nachvollzogen werden
- Beweglichkeit und Muskelkraft bleiben erhalten
- Selbstständigkeit ist erhalten
- Kann Bewegungen selbstständig einleiten
- Kennt spastikreduzierende Bewegungsmuster und kann diese einsetzen
- Bewegt sich selbstständig fort
- Bewältigt Transfer in den Rollstuhl selbstständig
- Beweglichkeit und Muskelkraft werden kontinuierlich gesteigert
- Kann sich selbstständig fortbewegen
- Kann mit dem Rollstuhl umgehen
- Schmerztherapie ist optimiert
- Herz-Kreislauf-Aktivität ist angeregt
- Körperliche Leistungsfähigkeit ist gesteigert
- Körperliche Aktivität/Bewegung von 150 Min. mittlerer Intensität pro Woche wird erreicht
- Körperliche Aktivität/Bewegung von 75 Min. höherer Intensität pro Woche wird erreicht
- Körperliche Aktivität/Bewegung von 150 Min. höherer Intensität pro Woche wird erreicht
- Körperliche Aktivität/Bewegung von 300 Min. mittlerer Intensität pro Woche wird erreicht
- Mobilisierungsmaßnahmen sind unterstützt
- Selbstständigkeit ist gefördert

Pflegeinterventionen

Ursachen analysieren und entsprechende Pflegeinterventionen einleiten

- Pflegeintervention konkretisieren
- Zeit angeben

Muskel-, Gelenk- und Bewegungsstatus ermitteln und dokumentieren

- Pflegeintervention konkretisieren
  - » Muskel-, Gelenk- und Bewegungsstatus mit einem Erfassungsinstrument ermitteln
  - » Muskel-, Gelenk- und Bewegungsstatuserhebung durch Krankengymnasten erstellen
  - » Assessment der Bewegungsfähigkeit durch Pflegeperson durchführen

Maßnahmen zur Mobilisation durchführen

- Art der Mobilisation bestimmen
  - » Zum Sitzen mobilisieren
  - » Standtraining durchführen
  - » Standtraining und wenige Schritte gehen
  - » Gehtraining durchführen (Wegstrecke <10 Meter)
  - » Gehtraining durchführen (Wegstrecke >10 Meter)
- Ort der Mobilisation
  - » Bett
  - » Sessel/Lehnstuhl
  - » Sitzsack
  - » Rollstuhl
  - » Hängematte
- Maßnahmen konkretisieren
  - » Techniken der Kinästhetik einsetzen
  - » Nach dem Bobath-Konzept mobilisieren
  - » Faszilitationstechnik einsetzen
  - » Inhibitationstechniken einsetzen
  - » Spastik im Rahmen der Mobilisation lösen
  - » Hubfreie/-arme Mobilisation durchführen
- Erschwerte Bedingungen feststellen
  - » Zu- und Ableitungssysteme
  - » Kreislaufinstabilität
  - » Abwehrhaltung
  - » Lähmung
  - » Kontraktur
  - » Spasmus
- Art der Unterstützungsleistung angeben
  - » Beaufsichtigen
  - » Teilweise übernehmen
  - » Vollständig übernehmen
  - » Zur Durchführung anleiten
- Anzahl Pflegepersonen angeben
- Zeit angeben

Mobilisation nach dem Bobath-Konzept durchführen

- Pflegeintervention konkretisieren
  - » Zum selbstständigen Drehen im Bett anleiten
  - » Gleichgewichtstraining durchführen
  - » Sitzen im Bett unterstützen/fördern
  - » Sitzen am Tisch unterstützen/fördern
  - » Gehübungen durchführen

Fortbewegungsfähigkeit durch Gehtraining fördern/unterstützen

- Gehübungen durchführen
  - » Gehübungen mit Hilfsmitteln durchführen
  - » Ohne Belastung des betroffenen Beins gehen
  - » Mit Teilbelastung des betroffenen Beins gehen
  - » Beinprothese vor den Gehübungen anlegen
- Hilfsmittel einsetzen
  - » Gehstock
  - » Unterarmgehstützen
  - » Gehwagen mit Achselstützen
  - » Gehbock/Gehgestell
  - » Rollmobil und Unterarmauflage
- Durchführende Person(en) bestimmen
  - » Gehübungen mit Pflegeperson durchführen
  - » Gehübungen mit Physiotherapeut durch-

führen

Transferfähigkeit durch Erlernen von Bewegungsabläufen im Sinne der Kinästhetik fördern
- Kinästhetische Bewegungstechniken einsetzen
  - » Zu kinästhetischen Bewegungstechniken anleiten
  - » Kinästhetische Bewegungs- und Transfertechniken anwenden
- Ressourcen gezielt nutzen
  - » Haltungsressourcen nutzen
  - » Bewegungsressourcen nutzen

Bewegungsübungen durchführen
- Bewegungsübungen festlegen
  - » Passive Bewegungsübungen der großen Gelenke durchführen
  - » Bewegungsübungen durch Krankengymnasten durchführen
- Bewegungsübungen der Gelenke durchführen
  - » Hüftgelenk(e)
  - » Handgelenk(e)
  - » Fingergelenke
  - » Sprunggelenk(e)
  - » Kniegelenk(e)
  - » Schultergelenk(e)
  - » Ellenbogengelenk(e)

Rollstuhltraining durchführen
- Rollstuhlart
  - » Greifreifenrollstuhl
  - » Schieberollstuhl
  - » Elektrorollstuhl
- Pflegeintervention konkretisieren
  - » Technische Einweisung
  - » Sicherer Umgang mit dem Rollstuhl
  - » Bewältigung von Treppen
  - » Bewältigung von Stufen
  - » Fahren über eine Rampe
  - » Fahren und Lenken des Rollstuhls
- Zielgruppe festlegen
  - » Betroffene Person
  - » Angehöriger/Bezugsperson
- Zeit angeben

- Therapieart angeben
  - » Einzeltherapie
  - » Gruppentherapie

Schmerztherapie unterstützen
- Angeordnete Schmerztherapie
  - » Schmerzmedikation über Spritzenpumpe lt. Arzt verabreichen
  - » Schmerzmedikation lt. Therapieplan über s. c. Injektion verabreichen
  - » Schmerzmedikation lt. Therapieplan über i. m. Injektion verabreichen
  - » Orale Schmerzmedikation lt. Therapieplan verabreichen
  - » Schmerztherapie mit Zäpfchen lt. Therapieplan durchführen
  - » Schmerzpflaster lt. Arztanordnung anbringen
  - » Schmerzmedikation lt. Therapieplan über i. v. Injektion verabreichen
- Bedarfsmedikation lt. Arzt verabreichen
  - » Schmerzen, bei denen die Bedarfsmedikation verabreicht werden darf, beschreiben

An einrichtungsspezifischen bewegungsfördernden körperlichen Aktivitäten teilnehmen
- Maßnahmen konkretisieren
- Einrichtungsspezifische Aktivität wählen
- Zeitdauer der Gruppentherapie bestimmen

Eingesetzte Hilfsmittel zur Mobilisation angeben
- Hilfsmittel konkretisieren
  - » Rollator
  - » Unterarmgehstützen
  - » Gehbock/Gehgestell
  - » Eulenburg-Gehwagen
  - » Rollstuhl
  - » Bauchgurt benutzen
  - » Multifunktionsrollstuhl
  - » Elektrischer Personenlifter
  - » Deckenliftanlage
  - » Transferhilfe Rutschbrett
  - » Transferhilfe Drehscheibe
  - » Elektrische Aufrichthilfe/Hebehilfe

Zum Zurechtfinden in der neuen Umgebung anleiten
- Pflegeintervention konkretisieren
  - » Gemeinsam Orientierungsprogramm erarbeiten und durchführen
  - » Rundgang durch den Lebensraum machen und die Zimmer benennen lassen
  - » Orientierungspunkte besprechen
  - » Selbstständig zum Zimmer finden lassen
  - » Orientierungsprogramm auf weitere Umgebung ausdehnen (Garten, Park usw.)
  - » Kompensatorische Fähigkeiten fördern
- Anzuleitende Person(en) festlegen
  - » Betroffene Person
  - » Angehöriger/Bezugsperson
- Zeitdauer des Gesprächs angeben

Sonstige Pflegemaßnahmen durchführen
- Maßnahmen konkretisieren
- Zeit angeben

Literaturhinweise: 16, 44, 51, 66, 75, 99, 125, 126, 127, 151, 175, 176, 223, 322, 1149

Der Patient hat aufgrund eines **veränderten Körperschemas Gleichgewichtsstörungen**, es besteht ein **Sturzrisiko**

Kennzeichen

- Gleichgewichtsstörung beim Gehen
- Gleichgewichtsstörung beim Stehen
- Gleichgewichtsstörung beim Sitzen
- Kann sich beim Sitzen nicht halten
- Kann mit Gehhilfen nicht gehen
- Unsicherheit beim Gehen mit der Prothese
- Äußert fehlendes Körpergefühl
- Steht trotz hoher Sturzgefährdung selbstständig auf

Ursachen

- Amputation in Höhe des Oberschenkels rechts
- Amputation in Höhe des Unterschenkels rechts
- Amputation in Höhe des Oberschenkels links
- Amputation in Höhe des Unterschenkels links
- Hemiplegie links
- Hemiplegie rechts
- Hemiparese links
- Hemiparese rechts
- Sonstige Lähmungen
- Beeinträchtigte Körperbalance

Ressourcen

- Kann Hilfe annehmen
- Zeigt einen großen Willen, wieder gehen zu lernen
- Führt die vereinbarten Übungen selbstständig durch
- Zeigt Verhaltensweisen, die die Therapie unterstützen
- Führt Bewegungen nach Anweisung/Anleitung durch
- Akzeptiert die Unterstützung
- Akzeptiert die Unterstützung von Angehörigen

Pflegeziele

- Sturzrisiko ist eingeschätzt
- Ist über die grundsätzlichen Prinzipien informiert und wendet diese an
- Fühlt sich beim Gehen/bei den Gehübungen sicher
- Kann die Körperhaltung selbst kontrollieren
- Gleichgewichtssinn ist stimuliert
- Bewegt sich sicher

Pflegeinterventionen

Sturzrisikoeinschätzung durchführen
- Assessmentinstrument/Vorgehen
  - » Risikoeinschätzung nach Siegfried Huhn (2002)
  - » Risikoeinschätzung nach A. Hendrich et al. (2003)
  - » Mobilitätstest nach Tinetti (1986)
  - » Risikoeinschätzung nach Expertenstandard Deutschland (DNQP, 2005)

Beratungsgespräch über Sicherheitsmaßnahmen führen
- Gesprächsinhalt
  - » Folgen und Gefahren von Stürzen
  - » Risikofaktoren aufzeigen
  - » Interventionsmöglichkeiten und deren Ziele aufzeigen
  - » Realistische Darstellung der Vor- und Nachteile von präventiven Maßnahmen
  - » Vermeiden von sturzauslösenden Situationen
  - » Umfeldgestaltung
  - » Einsatz von Gehhilfen
- Zeit angeben

Selbstkontrolle bei den Bewegungsübungen durch das Aufstellen eines großen Spiegels unterstützen
- Pflegeintervention konkretisieren
- Zeit angeben

Für eine sichere Umgebung sorgen und Stolperfallen entfernen
- Pflegeintervention konkretisieren
- Zeit angeben

Prothesen frühzeitig anlegen und Gehübungen durchführen
- Beim Aufstehen unterstützen
  - » Spiralförmig aufstehen
  - » Zu selbstständigem Aufstehen anleiten
- Gehübungen durchführen
  - » Gehübungen mit Hilfsmitteln durchführen
  - » Mit Hilfe gehen
  - » Ohne Belastung des betroffenen Beins gehen
  - » Mit Teilbelastung des betroffenen Beins gehen
  - » Beinprothese vor den Gehübungen anlegen
- Erschwerte Bedingungen feststellen
  - » Zu- und Ableitungssysteme
  - » Kreislaufinstabilität
  - » Abwehrhaltung
  - » Lähmung
  - » Kontraktur
  - » Spasmus
- Anzuleitende Person(en) festlegen
  - » Betroffene Person
  - » Angehöriger/Bezugsperson

Gleichgewichtsübungen durchführen
- Beim Sitzen unterstützen
  - » Im Bett als "Rutschstopp" ein gefaltetes Handtuch unter die Oberschenkel legen
  - » Fußbank benutzen
  - » Durch Lagerungshilfsmittel unterstützen
- Gleichgewichtstraining durchführen
  - » Gleichgewichtsübungen mit Gewichtsverlagerung am Bettrand sitzend durchführen
  - » Gleichgewichtsübungen mit Rumpfrotation am Bettrand sitzend durchführen
  - » Gleichgewichtsübungen vor dem Bett stehend durchführen
  - » Gehübungen mit Gleichgewichtsübungen durchführen

Sonstige Pflegemaßnahmen durchführen
- Maßnahmen konkretisieren
- Zeit angeben

Literaturhinweise: 51, 71, 94, 121, 125, 126, 140, 151, 175, 176, 336, 503, 1128, 1129

Der Patient hat aufgrund einer **krankheitsbedingten, unphysiologischen Körperhaltung** ein **Sturzrisiko**

Kennzeichen

- Nach vorn übergebeugter Oberkörper
- Arme schwingen nicht mit
- Hat einen trippelnden, schlurfenden Gang
- Bewegungsabläufe sind verlangsamt
- Steht trotz hoher Sturzgefährdung selbstständig auf

Ursachen

- Morbus Parkinson
- Beeinträchtigte Körperbalance
- Beeinträchtigte Gehfähigkeit (Gangveränderung)
- Erhöhter Muskeltonus

Ressourcen

- Kann bei konzentrierten Bewegungsabläufen ein harmonisches Gangbild umsetzen
- Nimmt nach Aufforderung eine physiologische Körperhaltung ein
- Akzeptiert die Unterstützung
- Akzeptiert die Unterstützung von Angehörigen

Pflegeziele

- Sturzrisiko ist eingeschätzt
- Hat eine aufrechte Körperhaltung
- Termin wird wahrgenommen
- Gehhilfen sind sicher eingesetzt

Pflegeinterventionen

Sturzrisikoeinschätzung durchführen
- Assessmentinstrument/Vorgehen
  - » Risikoeinschätzung nach Siegfried Huhn (2002)
  - » Risikoeinschätzung nach A. Hendrich et al. (2003)
  - » Mobilitätstest nach Tinetti (1986)
  - » Risikoeinschätzung nach Expertenstandard Deutschland (DNQP, 2005)

Gehtraining mit aufrechter Körperhaltung durchführen
- Unterstützen durch
  - » Pflegeperson
  - » Mithilfe der Krankengymnasten
- Art der Mobilisation bestimmen
  - » An den Bettrand setzen
  - » Vor dem Bett stehen
  - » Im Rollstuhl/Lehnstuhl mobilisieren
  - » Im Flur/in der Einrichtung gehen
  - » Treppen steigen
- Art der Unterstützung beim Transfer bestimmen
  - » Transfer zum Stehen/Standtraining durchführen
  - » Transfer teilweise übernehmen
  - » Transfer voll übernehmen
  - » Zum Transfer anleiten
- Beim Gehen unterstützen
  - » Gehtraining durchführen (Wegstrecke <10 Meter)
  - » Beim Gehen anleiten
  - » Beim Gehen teilweise übernehmen
  - » Mit Gehhilfen gehen

Krankengymnastische Übungen abklären und koordinieren
- Maßnahmen konkretisieren
- Termineinhaltung sicherstellen
  - » Zum vereinbarten Termin innerhalb der Einrichtung bringen
  - » Zum vereinbarten Termin außerhalb der Einrichtung bringen
  - » An vereinbarte Termine erinnern
- Zeit angeben

Zur Handhabung/zum Einsatz von Gehhilfen anleiten
- Gehstöcke/Unterarmgehstützen einsetzen
  - » Vier-Punkt-Gang
  - » Drei-Punkt-Gang
  - » Zwei-Punkt-Gang ohne Belastung
  - » Zwei-Punkt-Gang mit Teilbelastung
- Teilbelastung in kg angeben
- Besonderheiten bei der Anleitung beachten
- Zum Gehtraining mit Gehhilfen anleiten
  - » Arthritisstütze
  - » Achselstütze
  - » Deltarad
  - » Eulenburg-Gehwagen
  - » Gehbock
  - » Gehwagen
  - » Gehwagen mit Achselstützen
  - » Unterarmgehstützen
  - » Rollator
  - » Vier-Punkt-Gehstützen
- Durchführende Person angeben
  - » Pflegeperson
  - » Ergotherapeut
  - » Krankengymnast
  - » Sonstige Therapeuten
- Anzuleitende Person(en) festlegen
  - » Betroffene Person
  - » Angehöriger/Bezugsperson
- Zeit angeben
- Anzahl Pflegepersonen angeben

Sonstige Pflegemaßnahmen durchführen
- Maßnahmen konkretisieren

Zeit angeben

Literaturhinweise: 51, 71, 94, 121, 125, 126, 140, 151, 175, 176, 336, 503, 1128, 1129

Der Patient hat ein **Sturzrisiko**

Kennzeichen

- Sturzneigung
- Bekannte Stürze in der Anamnese
- Äußert Angst vor einem Sturz
- Häufig sichtbare blaue Flecken
- Nach vorn gebeugte Haltung beim Gehen
- Gleichgewichtsstörung beim Gehen
- Unsicherheit beim Gehen
- Unsicherheit beim Gehen mit der Prothese
- Gleichgewichtsstörung beim Sitzen
- Gleichgewichtsstörung beim Stehen
- Kann sich beim Sitzen nicht halten
- Äußert Unsicherheit in der Anwendung von Gehhilfen
- Verwendet Gehhilfen unsicher
- Berichtet über starke Blutzuckerschwankungen
- Mit Hilfe eines Einschätzungsinstruments (Assessmentinstrument) festgestelltes Risiko
- Steht trotz hoher Sturzgefährdung selbstständig auf

Ursachen

- Einnahme von Antiarrhythmika
- Einnahme von Neuroleptika
- Einnahme von Antidepressiva
- Einnahme von Sedativa/Hypnotika
- Einnahme von Tranquilizern
- Psychopharmaka
- Orientierungsstörung
- Verwirrtheitszustand
- Epilepsie
- Motorischer Verlust oder Schwäche bei neurologischer Störung
- Mobilitätseinschränkung
- Multiple Sklerose
- Zerebrale Durchblutungsstörungen
- Sehschwäche
- Labyrinthitis
- Ohnmachtsanfälle/Synkopen
- Schwindelanfälle
- Erkrankung im Innenohrbereich
- Kann die Gefahren entwicklungsbedingt nicht einschätzen
- Fehlende Beaufsichtigung durch die Eltern/ Erziehungsberechtigten
- Inkontinenz
- Sturzrisiken in der Umgebung
- Durchblutungsstörung/ Polyneuropathien der Extremitäten
- Flüssigkeitsdefizit
- Mangelernährung
- Entwicklungsbedingt

Ressourcen

- Kennt Vorbeugungsmaßnahmen und unterstützt diese aktiv
- Führt Bewegungen nach Anweisung/Anleitung durch
- Hält Absprachen ein
- Kann Gehhilfen gezielt und sicher einsetzen
- Ist motiviert, neue Bewegungsmuster zu lernen
- Toleriert die Fixierungsmaßnahme
- Toleriert Bettgitter
- Akzeptiert die Unterstützung
- Akzeptiert die Unterstützung von Angehörigen

Pflegeziele

- Sturzrisiko ist eingeschätzt
- Ist über die grundsätzlichen Prinzipien informiert und wendet diese an
- Sturzgefahr ist reduziert
- Bewegt sich sicher in der Umgebung
- Verletzungen sind vermieden
- Sturzereignisse sind nachvollziehbar und auswertbar dokumentiert
- Prophylaktische Maßnahmen können abgeleitet werden
- Sicherheit ist gewährleistet
- Kann den Bewegungsablauf selbstständig koordinieren
- Körperwahrnehmung ist aktiviert und stimuliert
- Beweglichkeit und Muskelkraft werden kontinuierlich gesteigert
- Ausdauer wird kontinuierlich gesteigert
- Einem Sturz ist vorgebeugt
- Bewegt sich in der Alltagsumgebung sicher
- Gehhilfen sind sicher eingesetzt
- Fühlt sich beim Gehen/bei den Gehübungen sicher
- Mobilisierungsmaßnahmen sind unterstützt

Pflegeinterventionen

Sturzrisikoeinschätzung durchführen

- Assessmentinstrument/Vorgehen
  - » Risikoeinschätzung nach Siegfried Huhn (2002)
  - » Risikoeinschätzung nach A. Hendrich et al. (2003)
  - » Mobilitätstest nach Tinetti (1986)
  - » Risikoeinschätzung nach Expertenstandard Deutschland (DNQP, 2005)

Beratungsgespräch über Sicherheitsmaßnahmen führen

- Gesprächsinhalt
  - » Folgen und Gefahren von Stürzen
  - » Risikofaktoren aufzeigen
  - » Interventionsmöglichkeiten und deren Ziele aufzeigen
  - » Realistische Darstellung der Vor- und Nachteile von präventiven Maßnahmen
  - » Vermeiden von sturzauslösenden Situationen
  - » Umfeldgestaltung
  - » Einsatz von Gehhilfen
- Zeit angeben

Sturzrisikoreduzierende Umfeldgestaltung durchführen

- Möglichkeiten der Umfeldgestaltung
  - » Stolperfallen herausfinden und entfernen
  - » Für angemessenes, festes Schuhwerk sorgen
  - » Lichtverhältnisse verbessern

» Nachtbeleuchtung sicherstellen
» Klingel und Rufanlagen anpassen
» Zum gezielten Einsatz von Hilfsmitteln anleiten
» Antirutschsocken anziehen
» Lichtschalter in erreichbarer Nähe
» Bremsen von fahrbaren Gegenständen/ Hilfsmitteln feststellen
» Brille überprüfen und anbieten
- Hilfsmittel einsetzen
  » Haltegriffe gezielt einsetzen
  » Toilettensitzerhöhung nutzen
  » Gehhilfen gezielt einsetzen
  » Antirutschmaterialien nutzen

Bewegungs-, Transfer- und Gehfähigkeit fördern
- Unterstützen durch
  » Pflegeperson
  » Mithilfe der Krankengymnasten
- Art der Mobilisation bestimmen
  » An den Bettrand setzen
  » Vor dem Bett stehen
  » Im Rollstuhl/Lehnstuhl mobilisieren
  » Im Flur/in der Einrichtung gehen
  » Treppen steigen
- Art der Unterstützung beim Transfer bestimmen
  » Transfer zum Stehen/Standtraining durchführen
  » Transfer teilweise übernehmen
  » Transfer voll übernehmen
  » Zum Transfer anleiten
- Beim Gehen unterstützen
  » Gehtraining durchführen (Wegstrecke <10 Meter)
  » Beim Gehen anleiten
  » Beim Gehen teilweise übernehmen
  » Mit Gehhilfen gehen

Schutzprotektoren oder Sturzhelme zum Schutz einsetzen
- Pflegeintervention konkretisieren
  » Hüftprotektoren anlegen
  » Sturzhelm aufsetzen
  » Ellenbogenprotektoren einsetzen
  » Knieprotektoren einsetzen
- Zeit/Bedingung der Anwendung bestimmen
  » Bei bestimmtem Verhalten des Patienten
  » Kontinuierlich am Tag
  » Sonstige Gründe
- Art der Unterstützungsleistung angeben
  » Anleiten, die Schutzprotektoren anzulegen
  » Anlegen der Schutzprotektoren/Helme übernehmen

Höhenverstellbares Bett so weit wie möglich herunterfahren
- Pflegeintervention konkretisieren
- Zeit angeben

Auffangmatte vor das Bett legen
- Pflegeintervention konkretisieren
- Zeit angeben

Sturzereignisse mithilfe des Sturzereignisprotokolls dokumentieren
- Pflegeintervention konkretisieren
- Zeit angeben

Bettgitter anbringen und hochstellen
- Pflegeintervention konkretisieren
  » Vorhandene Bettgitter nach Wunsch hochziehen
  » Bettgitter entsprechend dem richterlichen Beschluss anbringen
  » Bettgitter beidseitig anbringen
  » Bettgitter beidseitig entfernen
  » Bettgitter rechts anbringen
  » Bettgitter links anbringen
  » Bettgitter auf einer Seite entfernen
  » Teilbettgitter anbringen
  » Bettgitter muss immer hochgezogen sein

Matratze mit Bettzeug auf den Fußboden verlegen
- Pflegeintervention konkretisieren
- Zeit angeben

Gleichgewichtsstörungen beobachten und Ursachen abklären/dokumentieren
- Pflegeintervention konkretisieren
- Zeit angeben

Körpergefühl/ Gleichgewicht trainieren
- Beim Sitzen unterstützen
  » Im Bett als "Rutschstopp" ein gefaltetes Handtuch unter die Oberschenkel legen
  » Fußbank benutzen
  » Durch Lagerungshilfsmittel unterstützen
- Gleichgewichtstraining durchführen
  » Gleichgewichtsübungen mit Gewichtsverlagerung am Bettrand sitzend durchführen
  » Gleichgewichtsübungen mit Rumpfrotation am Bettrand sitzend durchführen
  » Gleichgewichtsübungen vor dem Bett stehend durchführen
  » Gehübungen mit Gleichgewichtsübungen durchführen

Bewegungsübungen durchführen
- Pflegeintervention konkretisieren
- Durchführende Person angeben
  » Pflegeperson
  » Physiotherapeut
  » Ergotherapeut
  » Sonstige Therapeuten
- Zeit angeben

Analyse der Medikamente bezüglich eines Einflusses auf das Sturzrisiko
- Sturzrisikoerhöhende Medikamente
  » Antidepressiva
  » Antipsychotika
  » Benzodiazepine
  » > als 4 Medikamente
- Pflegeintervention konkretisieren
  » Arzt bezüglich der Medikamente und eines möglichen Sturzrisikos konsultieren

Beim Gehen und bei der Mobilisation unterstützen
- Beim Aufstehen unterstützen
  » Spiralförmig aufstehen
  » Zu selbstständigem Aufstehen anleiten
- Gehübungen durchführen
  » Gehübungen mit Hilfsmitteln durchführen
  » Mit Hilfe gehen
  » Ohne Belastung des betroffenen Beins gehen
  » Mit Teilbelastung des betroffenen Beins gehen
  » Beinprothese vor den Gehübungen anlegen
- Erschwerte Bedingungen feststellen
  » Zu- und Ableitungssysteme
  » Kreislaufinstabilität
  » Abwehrhaltung
  » Lähmung
  » Kontraktur
  » Spasmus
- Anzuleitende Person(en) festlegen
  » Betroffene Person
  » Angehöriger/Bezugsperson

Zur Handhabung/zum Einsatz von Gehhilfen anleiten
- Gehstöcke/Unterarmgehstützen einsetzen
  » Vier-Punkt-Gang
  » Drei-Punkt-Gang
  » Zwei-Punkt-Gang ohne Belastung
  » Zwei-Punkt-Gang mit Teilbelastung
- Teilbelastung in kg angeben
- Besonderheiten bei der Anleitung beachten
- Zum Gehtraining mit Gehhilfen anleiten
  » Arthritisstütze
  » Achselstütze
  » Deltarad
  » Eulenburg-Gehwagen
  » Gehbock
  » Gehwagen
  » Gehwagen mit Achselstützen
  » Unterarmgehstützen
  » Rollator
  » Vier-Punkt-Gehstützen
- Durchführende Person angeben
  » Pflegeperson
  » Ergotherapeut
  » Krankengymnast
  » Sonstige Therapeuten
- Anzuleitende Person(en) festlegen
  » Betroffene Person
  » Angehöriger/Bezugsperson
- Zeit angeben
- Anzahl Pflegepersonen angeben

Für eine sichere Umgebung sorgen und Stolperfallen entfernen

- Pflegeintervention konkretisieren
- Zeit angeben

Eingesetzte Hilfsmittel zur Mobilisation angeben
- Hilfsmittel konkretisieren
  - » Rollator
  - » Unterarmgehstützen
  - » Gehbock/Gehgestell
  - » Eulenburg-Gehwagen
  - » Rollstuhl
  - » Bauchgurt benutzen
  - » Multifunktionsrollstuhl
  - » Elektrischer Personenlifter
  - » Deckenliftanlage
  - » Transferhilfe Rutschbrett
  - » Transferhilfe Drehscheibe
  - » Elektrische Aufrichthilfe/Hebehilfe

Sonstige Pflegemaßnahmen durchführen
- Maßnahmen konkretisieren
- Zeit angeben

Literaturhinweise: 77, 114, 156, 175, 176, 224, 286, 296, 297, 325, 336, 503, 713, 1128, 1129

Der Patient hat aufgrund sonstiger Ursachen das **Risiko einer Kontraktur**

Kennzeichen

- Keine Spontanbewegung
- Spontanbewegung ist reduziert
- Fehlende Lagerungsveränderung
- Schonhaltung
- Äußert Schmerzen im Gelenk
- Vermeidet Bewegung
- Fehlende Spontanbewegung im Fußgelenk
- Sprunggelenke bleiben unverändert in Streckstellung
- Mit Hilfe eines Einschätzungsinstruments (Assessmentinstrument) festgestelltes Risiko

Ursachen

- Verkürzung von Muskeln, Sehnen, Bändern
- Schmerzbedingte Fehlhaltung/Ruhigstellung
- Schrumpfung der Gelenkkapseln
- Verwachsung der Gelenkflächen
- Immobilität
- Großflächige Narben in Gelenknähe
- Verbrennungswunde
- Fehlende willentliche Kontrolle über die Körperhaltung
- Spastizität
- Gipsverband
- Extensionsbehandlung
- Fixateur externe
- Abnorme Körperhaltung aufgrund von psychosozialer/kognitiver Einschränkung

Krankheitsbedingte Ursachen
- Neurologische Erkrankung
- Multiple Sklerose
- Lähmung (nicht näher bezeichnet)
- Hemiplegie
- Paraplegie
- Chronische Gelenkserkrankung
- Entzündliche Gelenkerkrankung
- Rheuma

Ressourcen

- Kennt Vorbeugungsmaßnahmen und unterstützt diese aktiv
- Kognitive Fähigkeiten unterstützen die Bewegungsübungen
- Darf aus medizinischer Sicht mobilisiert werden
- Zeigt/äußert starkes Interesse, das Bett zu verlassen
- Ist motiviert, Hilfsmittel zur Steigerung der Mobilität einzusetzen
- Äußert Einsicht in die Pflegemaßnahme

Pflegeziele

- Krankhafte Veränderungen sind frühzeitig erkannt
- Ist über Verhaltensmaßregeln informiert und unterstützt die Therapie
- Ist über Verhaltensmaßnahmen informiert und zu Bewegungsübungen motiviert
- Funktion und Beweglichkeit der Gelenke sind erhalten
- Ist auf aktive Bewegungsübungen vorbereitet
- Stabilisierung/Fixierung ist gewährleistet
- Ruhigstellung ist sichergestellt
- Entlastung ist sichergestellt
- Fehlstellung ist korrigiert
- Unterstützende Funktionsübernahme ist gewährleistet
- Definierte Muskelgruppe ist gekräftigt
- Physiologische Beweglichkeit des Sprunggelenks ist erhalten
- Mobilisierungsmaßnahmen sind unterstützt

Pflegeinterventionen

Beweglichkeit der Gelenke und Körperhaltung beobachten/Ergebnisse dokumentieren
- Pflegeintervention konkretisieren

- Zeit angeben

Informationsgespräch über Bewegungsverhalten führen und gemeinsam Bewegungsübungen festlegen
- Pflegeintervention konkretisieren
- Zeit angeben

Aktive Bewegungsübungen in den Grundmustern der Gelenke, nicht in extremen Haltungsmustern, durchführen
- Pflegeintervention konkretisieren
- Zeit angeben

Aktivitäten/Eigeninitiative positiv verstärken
- Pflegeintervention konkretisieren
- Zeit angeben

Alltagsbewegungen unterstützen und fördern
- Pflegeintervention konkretisieren
- Zeit angeben

Früh-/Mobilisation festlegen/durchführen
- Art der Mobilisation bestimmen
  - » Zum Sitzen mobilisieren
  - » Standtraining durchführen
  - » Standtraining und wenige Schritte gehen
  - » Gehtraining durchführen (Wegstrecke <10 Meter)
  - » Gehtraining durchführen (Wegstrecke >10 Meter)
- Ort der Mobilisation
  - » Bett
  - » Sessel/Lehnstuhl
  - » Sitzsack
  - » Rollstuhl
  - » Hängematte
- Maßnahmen konkretisieren
  - » Techniken der Kinästhetik einsetzen
  - » Nach dem Bobath-Konzept mobilisieren
  - » Faszilitationstechnik einsetzen
  - » Inhibitationstechniken einsetzen
  - » Spastik im Rahmen der Mobilisation lösen
  - » Hubfreie/-arme Mobilisation durchführen
- Erschwerte Bedingungen feststellen
  - » Zu- und Ableitungssysteme
  - » Kreislaufinstabilität
  - » Abwehrhaltung
  - » Lähmung
  - » Kontraktur
  - » Spasmus
- Art der Unterstützungsleistung angeben
  - » Beaufsichtigen
  - » Teilweise übernehmen
  - » Vollständig übernehmen
  - » Zur Durchführung anleiten
- Anzahl Pflegepersonen angeben
- Zeit angeben

Lagerung zwischen Streckstellung, Beugestellung/physiologischer Mittelstellung der Gelenke abwechseln
- Dokumentationsort
  - » Im Mobilisationsplan dokumentieren
  - » Im Pflegeplan dokumentieren
- Lagerungsart bestimmen
  - » 30°-Lagerung rechts durchführen
  - » 30°-Lagerung links durchführen
  - » Rückenlagerung durchführen
  - » 135°-Lagerung durchführen
  - » Bauchlagerung durchführen
  - » Sitzposition im Lehn-/Rollstuhl/Rehabuggy verändern
  - » Mikrolagerungen durchführen
  - » Herunterrutschen im Bett oder Stuhl verhindern
- Pflegetechnik konkretisieren
  - » Techniken der Kinästhetik einsetzen
  - » Nach dem Bobath-Konzept mobilisieren
- Bewegungs-/Lagerungsintervalle individuell festlegen
  - » < 1 stündl. Intervall [sehr hohes Risiko]
  - » 1-2 stündl. Intervall [hohes Risiko]
  - » 2-3 stündl. Intervall [mittleres Risiko]
  - » > 3 stündl. Intervall [geringes Risiko]
- Hilfsmittel/Lagerungsmaterialien konkretisieren
- Besonderheiten beachten
  - » Abwehr/Widerstände abbauen
- Anzahl der Pflegepersonen eintragen

Assistive Bewegungsübungen durchführen
- Pflegeintervention konkretisieren
- Zeit angeben

Zu aktiven Bewegungsübungen anleiten
- Pflegeintervention konkretisieren
- Art der Unterstützung
  - » Beaufsichtigen
  - » Durch Unterstützen helfen
  - » Teilweise übernehmen
  - » Vollständig übernehmen
  - » Zur selbstständigen Durchführung anleiten
- Anzuleitende Person(en) festlegen
  - » Betroffene Person
  - » Angehöriger/Bezugsperson
- Zeit angeben

Bewegungsübungen durchführen
- Assistive Bewegungsübungen durchführen
  - » Assistive Bewegungsübungen durchführen
  - » Handgelenk(e)
  - » Schultergelenk(e)
  - » Ellenbogengelenk(e)
  - » Hüftgelenk(e)
  - » Kniegelenk(e)
  - » Sprunggelenk(e)
- Passive Bewegungsübungen durchführen
  - » Passive Bewegungsübungen durchführen
  - » Handgelenk(e)
  - » Schultergelenk(e)
  - » Ellenbogengelenk(e)
  - » Hüftgelenk(e)
  - » Kniegelenk(e)
  - » Sprunggelenk(e)
- Aktive Bewegungsübungen durchführen
  - » Zu aktiven Bewegungsübungen anleiten
  - » Gehübungen durchführen
  - » Dehnungsübungen durchführen
- Durchführende Person(en) bestimmen
  - » Pflegeperson
  - » Physiotherapeut
  - » Ergotherapeut
- Zeit angeben

Beim An-/Ablegen der Orthese unterstützen
- Art der Orthese
  - » Handgelenk-Orthese
  - » Ellenbogen-Orthese
  - » Ober- und Unterarm-Orthese
  - » Unterarm-Orthese
  - » Knie-Orthese
  - » Fußgelenk-Orthese
  - » Schulter-Orthese
  - » Rumpf-Orthese
  - » LWS-Orthese
  - » Hüft-Bein-Orthese
  - » Becken-Orthese
- Unterstützungsgrad angeben
  - » Teilweise übernehmen
  - » Vollständig übernehmen
  - » Anleiten
- Zeit angeben

Zeitweise hohe Turnschuhe anziehen
- Pflegeintervention konkretisieren
- Zeit angeben

Fußbrett/-stütze anbieten
- Pflegeintervention konkretisieren
- Zeit angeben

Eingesetzte Hilfsmittel zur Mobilisation angeben
- Hilfsmittel konkretisieren
  - » Rollator
  - » Unterarmgehstützen
  - » Gehbock/Gehgestell
  - » Eulenburg-Gehwagen
  - » Rollstuhl
  - » Bauchgurt benutzen
  - » Multifunktionsrollstuhl
  - » Elektrischer Personenlifter
  - » Deckenliftanlage
  - » Transferhilfe Rutschbrett
  - » Transferhilfe Drehscheibe
  - » Elektrische Aufrichthilfe/Hebehilfe

Sonstige Pflegemaßnahmen durchführen
- Maßnahmen konkretisieren
- Zeit angeben

Literaturhinweise: 85, 95, 100, 111, 125, 175, 176

Der Patient kann **Bewegungsübungen nicht selbstständig durchführen**, es besteht das **Risiko einer Kontraktur**

Kennzeichen

- Keine Spontanbewegung
- Fehlende Lagerungsveränderung
- Schonhaltung

Ursachen

- Bewusstlosigkeit
- Bewusstseinsveränderung
- Apallisches Syndrom
- Multiple Sklerose
- Tetraplegie
- Paraplegie
- Hemiplegie

Ressourcen

- Kennt Vorbeugungsmaßnahmen und unterstützt diese aktiv
- Akzeptiert die Unterstützung
- Akzeptiert die Unterstützung von Angehörigen
- Kognitive Fähigkeiten unterstützen die assistiven Bewegungsübungen
- Darf aus medizinischer Sicht mobilisiert werden
- Zeigt/äußert starkes Interesse mitzuarbeiten
- Ist motiviert, Hilfsmittel zur Steigerung der Mobilität einzusetzen

Pflegeziele

- Einer Kontraktur ist vorgebeugt
- Funktion und Beweglichkeit der Gelenke sind erhalten

Pflegeinterventionen

Passive Bewegungsübungen in den Grundmustern der Gelenke durchführen
- Bewegungsübungen festlegen
  - » Passive Bewegungsübungen der großen Gelenke durchführen
  - » Bewegungsübungen durch Krankengymnasten durchführen
- Bewegungsübungen der Gelenke durchführen
  - » Hüftgelenk(e)
  - » Handgelenk(e)
  - » Fingergelenke
  - » Sprunggelenk(e)
  - » Kniegelenk(e)
  - » Schultergelenk(e)
  - » Ellenbogengelenk(e)

Lagewechsel durchführen
- Dokumentationsort
  - » Im Mobilisationsplan dokumentieren
  - » Im Pflegeplan dokumentieren
- Lagerungsart bestimmen
  - » 30°-Lagerung rechts durchführen
  - » 30°-Lagerung links durchführen
  - » Rückenlagerung durchführen
  - » 135°-Lagerung durchführen
  - » Bauchlagerung durchführen
  - » Sitzposition im Lehn-/Rollstuhl/Rehabuggy verändern
  - » Mikrolagerungen durchführen
  - » Herunterrutschen im Bett oder Stuhl verhindern
- Pflegetechnik konkretisieren
  - » Techniken der Kinästhetik einsetzen
  - » Nach dem Bobath-Konzept mobilisieren
- Bewegungs-/Lagerungsintervalle individuell festlegen
  - » < 1 stündl. Intervall [sehr hohes Risiko]
  - » 1-2 stündl. Intervall [hohes Risiko]
  - » 2-3 stündl. Intervall [mittleres Risiko]
  - » > 3 stündl. Intervall [geringes Risiko]
- Hilfsmittel/Lagerungsmaterialien konkretisieren
- Besonderheiten beachten
  - » Abwehr/Widerstände abbauen
- Anzahl der Pflegepersonen eintragen

Sonstige Pflegemaßnahmen durchführen
- Maßnahmen konkretisieren
- Zeit angeben

Literaturhinweise: 85, 95, 100, 111, 125, 175, 176

Der Patient hat aufgrund einer **Gelenkoperation** eine postoperative Bewegungseinschränkung, es besteht das **Risiko einer Kontraktur**

Kennzeichen

- Kann nicht ohne Hilfsmittel gehen
- Ist unsicher im Einsatz von Hilfsmitteln
- Unsicherheit beim Gehen
- Äußert Schmerzen
- Verweigert Bewegungsübungen
- Bewegungseinschränkung des betroffenen Gelenks

Ursachen

- Operativer Eingriff am Knie-/Sprunggelenk
- Totalendoprothese Kniegelenk
- Schlittenprothese
- Scharniergelenk
- Gleitachsengelenk

Ressourcen

- Hält sich an das postoperativ notwendige Bewegungsverhalten
- Körperliche Ressourcen für Kompensationsmechanismen sind vorhanden
- Führt Bewegungen nach Anweisung/Anleitung durch
- Ist motiviert, die Bewegungsabläufe mit Gehhilfen neu zu lernen
- Kann Unterarmgehstützen effektiv einsetzen
- Ist motiviert, neue Bewegungsmuster zu lernen
- Akzeptiert die Unterstützung
- Entwickelt kreative Möglichkeiten, die Bewegungseinschränkung zu kompensieren

Pflegeziele

- Kniebeugung von 100° ist möglic h
- Kniebeugung >120° ist möglich
- Kniestreckung von 5-10° ist möglich
- Physiologische Beweglichkeit ist wiederhergestellt
- Mobilität ist verbessert
- Stabilisierung/Fixierung ist gewährleistet
- Ruhigstellung ist sichergestellt
- Entlastung ist sichergestellt
- Fehlstellung ist korrigiert
- Unterstützende Funktionsübernahme ist gewährleistet
- Definierte Muskelgruppe ist gekräftigt

Pflegeinterventionen

Bewegungsübungen durchführen

- Art der Bewegungsübungen bestimmen
  - » Aktive Bewegungsübungen durchführen
  - » Passive Bewegungsübungen durchführen
  - » Assistive Bewegungsübungen durchführen
- Topologie/Körperstelle bestimmen
  - » Rechtes Kniegelenk
  - » Linkes Kniegelenk
- Grad der Kniebeugung angeben
- Bewegungsübungen durchführen
  - » Zu Bewegungsübungen anleiten
  - » Mit der elektrischen Bewegungsschiene durchführen

Bewegungstherapie mit der Physiotherapie koordinieren

- Maßnahmen konkretisieren
- Termineinhaltung sicherstellen
  - » Zum vereinbarten Termin innerhalb der Einrichtung bringen
  - » Zum vereinbarten Termin außerhalb der Einrichtung bringen
  - » An vereinbarte Termine erinnern
- Zeit angeben

Frühmobilisation und Belastung des betroffenen Gelenks nach Anordnung des Arztes durchführen

- Frühmobilisation durchführen
  - » An den Bettrand setzen
  - » Vor dem Bett stehen
  - » Gehübungen mit Gehhilfen durchführen
- Arztanordnung zur Belastung beachten
- Bewegungsübungen durchführen
  - » Knie-/Hüft-Bewegungsschiene einsetzen

Im Gebrauch der Gehstützen schulen/dazu anleiten

- Gehstöcke/Unterarmgehstützen einsetzen
  - » Vier-Punkt-Gang
  - » Drei-Punkt-Gang
  - » Zwei-Punkt-Gang ohne Belastung
  - » Zwei-Punkt-Gang mit Teilbelastung
- Teilbelastung in kg angeben
- Besonderheiten bei der Anleitung beachten
- Zum Gehtraining mit Gehhilfen anleiten
  - » Arthritisstütze
  - » Achselstütze
  - » Deltarad
  - » Eulenburg-Gehwagen
  - » Gehbock
  - » Gehwagen
  - » Gehwagen mit Achselstützen
  - » Unterarmgehstützen
  - » Rollator
  - » Vier-Punkt-Gehstützen
- Durchführende Person angeben
  - » Pflegeperson
  - » Ergotherapeut
  - » Krankengymnast
  - » Sonstige Therapeuten
- Anzuleitende Person(en) festlegen
  - » Betroffene Person
  - » Angehöriger/Bezugsperson
- Zeit angeben
- Anzahl Pflegepersonen angeben

Beim An-/Ablegen der Orthese unterstützen

- Art der Orthese
  - » Handgelenk-Orthese
  - » Ellenbogen-Orthese
  - » Ober- und Unterarm-Orthese
  - » Unterarm-Orthese
  - » Knie-Orthese
  - » Fußgelenk-Orthese
  - » Schulter-Orthese
  - » Rumpf-Orthese
  - » LWS-Orthese
  - » Hüft-Bein-Orthese
  - » Becken-Orthese

- Unterstützungsgrad angeben
  - » Teilweise übernehmen
  - » Vollständig übernehmen
  - » Anleiten
- Zeit angeben

Sonstige Pflegemaßnahmen durchführen
- Maßnahmen konkretisieren
- Zeit angeben

Literaturhinweise: 44, 51, 75, 125, 126, 127, 151, 175, 176, 223

Der Patient hat aufgrund eines **spastischen Beugemusters** das **Risiko einer Kontraktur**

Kennzeichen

- Beschreibt Schmerzen beim Bewegen
- Innenrotation des Arms
- Beugung im Ellenbogen
- Daumen liegt in der Handinnenfläche
- Erhöhter Widerstand entgegen der Bewegungsrichtung
- Erhöhter Widerstand bei passiver Bewegung
- Becken nach hinten gedreht
- Becken hochgezogen
- Oberschenkel in Adduktion und Innenrotation
- Oberschenkel, Knie gestreckt
- Plantarflexion
- Fußfläche nach innen gedreht
- Zehen gebeugt

Ursachen

- Hemiplegie
- Tetraplegie
- Paraplegie
- Neurologische Hirnschädigung
- Multiple Sklerose
- Angeborene Hirnschädigung

Ressourcen

- Gelenke sind physiologisch beweglich
- Kann durch gezielte Entspannung Spastik lösen
- Kennt Spastik auslösende Faktoren und vermeidet diese
- Zeigt Verhaltensweisen, die die Therapie unterstützen
- Kann die vereinbarte Therapie selbstständig durchführen
- Akzeptiert die Unterstützung
- Akzeptiert die Unterstützung von Angehörigen

Pflegeziele

- Sich entwickelnde Spastik wird frühzeitig erkannt
- Physiologischer Muskeltonus ist erhalten
- Kann Spastik selbst lösen, um normale Bewegungsabläufe anzubahnen
- Normale Bewegungsabläufe sind angebahnt
- Stabilität der betroffenen Extremität ist verbessert
- Stabilisierung/Fixierung ist gewährleistet
- Ruhigstellung ist sichergestellt
- Entlastung ist sichergestellt
- Fehlstellung ist korrigiert
- Unterstützende Funktionsübernahme ist gewährleistet
- Definierte Muskelgruppe ist gekräftigt
- Spastisches Haltungsmuster ist gelöst
- Einer Kontraktur ist vorgebeugt
- Mobilisierungsmaßnahmen sind unterstützt
- Spastizität ist reduziert bzw. abgebaut

Pflegeinterventionen

Muskelspannung analysieren und auf Anzeichen abnormer Bewegungsmuster (Spastik) beobachten
- Pflegeintervention konkretisieren
- Zeit angeben

Spastik reduzierende Grundsätze bei der Mobilisation beachten
- Pflegeintervention konkretisieren
  - » Berührungen der Handinnenfläche vermeiden
  - » Keine Gegenstände in die betroffene Hand einlegen
  - » Zug an den Fingern oder Armen vermeiden
  - » Druck auf die Zehenballen verhindern
  - » Blase vor der Mobilisation entleeren
  - » Bewegungsabläufe zuerst durchdenken, anschließend mit Konzentration durchführen

Bei Hemiplegie vor der Mobilisation den Kopf zur betroffenen Seite neigen

- Pflegeintervention konkretisieren
- Zeit angeben

Spastik im betroffenen Arm lösen
- Pflegeintervention konkretisieren
  - » Schulterblatt nach vorn bringen
  - » Asymmetrischen tonischen Nackenreflex nutzen
  - » Betroffenen Arm ausstreichen
  - » Kreisende Bewegung des Handgelenks und Außenrotation durchführen
  - » Daumengrundgelenk massieren und Daumen in Abduktionsstellung bringen

Schaumgummistreifen mit Fingerlöchern verwenden
- Pflegeintervention konkretisieren
- Zeit angeben

Luftbandagen im Rehabilitationsverlauf einsetzen
- Pflegeintervention konkretisieren
  - » Luftbandage zur Stabilisation der oberen Extremität einsetzen
  - » Luftbandage zur Stabilisation der unteren Extremität einsetzen
  - » Luftbandage zur Normalisierung der Muskelspannung einsetzen
  - » Luftbandage zur Verminderung des Hypertonus einsetzen
  - » Luftbandage zur Normalisierung der Muskellänge einsetzen
  - » Luftbandage zur Kontrakturenprophylaxe anwenden
  - » Luftbandage zur Schmerz- und Ödemprophylaxe einsetzen
- Luftbandagen URIAS Stroke Rehabilitation Splint auswählen
  - » Langarm-Splint
  - » Ellenbogen-Splint
  - » Unterarm-Splint
  - » Handgelenk-Splint
  - » Hand-Splint
  - » Baby-Splint
  - » Bein-Splint
  - » Fuß-Splint
  - » Schuh-Splint

Beim An-/Ablegen der Orthese unterstützen
- Art der Orthese
  - » Handgelenk-Orthese
  - » Ellenbogen-Orthese
  - » Ober- und Unterarm-Orthese
  - » Unterarm-Orthese
  - » Knie-Orthese
  - » Fußgelenk-Orthese
  - » Schulter-Orthese
  - » Rumpf-Orthese
  - » LWS-Orthese
  - » Hüft-Bein-Orthese
  - » Becken-Orthese
- Unterstützungsgrad angeben
  - » Teilweise übernehmen
  - » Vollständig übernehmen
  - » Anleiten
- Zeit angeben

Physiotherapie und Krankengymnastik durchführen
- Bewegungsübungen festlegen
  - » Passive Bewegungsübungen der großen Gelenke durchführen
  - » Bewegungsübungen durch Krankengymnasten durchführen
- Bewegungsübungen der Gelenke durchführen
  - » Hüftgelenk(e)
  - » Handgelenk(e)
  - » Fingergelenke
  - » Sprunggelenk(e)
  - » Kniegelenk(e)
  - » Schultergelenk(e)
  - » Ellenbogengelenk(e)

Bewegungsübung unter Berücksichtigung der Spastizität durchführen
- Art der Mobilisation bestimmen
  - » Zum Sitzen mobilisieren
  - » Standtraining durchführen
  - » Standtraining und wenige Schritte gehen
  - » Gehtraining durchführen (Wegstrecke <10 Meter)
  - » Gehtraining durchführen (Wegstrecke >10 Meter)
- Ort der Mobilisation
  - » Bett
  - » Sessel/Lehnstuhl
  - » Sitzsack
  - » Rollstuhl
  - » Hängematte
- Maßnahmen konkretisieren
  - » Techniken der Kinästhetik einsetzen
  - » Nach dem Bobath-Konzept mobilisieren
  - » Faszilitationstechnik einsetzen
  - » Inhibitionstechniken einsetzen
  - » Spastik im Rahmen der Mobilisation lösen
  - » Hubfreie/-arme Mobilisation durchführen
- Erschwerte Bedingungen feststellen
  - » Zu- und Ableitungssysteme
  - » Kreislaufinstabilität
  - » Abwehrhaltung
  - » Lähmung
  - » Kontraktur
  - » Spasmus
- Art der Unterstützungsleistung angeben
  - » Beaufsichtigen
  - » Teilweise übernehmen
  - » Vollständig übernehmen
  - » Zur Durchführung anleiten
- Anzahl Pflegepersonen angeben
- Zeit angeben

Eingesetzte Hilfsmittel zur Mobilisation angeben
- Hilfsmittel konkretisieren
  - » Rollator
  - » Unterarmgehstützen
  - » Gehbock/Gehgestell
  - » Eulenburg-Gehwagen
  - » Rollstuhl
  - » Bauchgurt benutzen
  - » Multifunktionsrollstuhl
  - » Elektrischer Personenlifter
  - » Deckenliftanlage
  - » Transferhilfe Rutschbrett
  - » Transferhilfe Drehscheibe
  - » Elektrische Aufrichthilfe/Hebehilfe

Warmes Bewegungsbad zur Lösung einer Spastik durchführen
- Pflegeintervention konkretisieren
  - » Armbad mit Spastik lösenden Ausstreichungen durchführen
  - » Termine für das Bewegungsbad organisieren
  - » Auffordern, zum Bewegungsbad zu gehen

Sonstige Pflegemaßnahmen durchführen
- Maßnahmen konkretisieren
- Zeit angeben

Literaturhinweise: 71, 94, 172, 173, 176, 326

Der Patient hat aufgrund einer **Amputation** das **Risiko, eine Beugekontraktur zu entwickeln**

Kennzeichen

- Benachbartes Gelenk der Amputationsstelle ist überwiegend in Beugestellung

Ursachen

- Fehlende Kontrakturenprophylaxe
- Amputation
- Amputation in Höhe des Oberschenkels links
- Amputation in Höhe des Oberschenkels rechts
- Amputation in Höhe des Unterschenkels links
- Amputation in Höhe des Unterschenkels rechts

Ressourcen

- Schläft/ruht gern in Bauchlage

Pflegeziele

- Physiologische Beweglichkeit des Hüftgelenks ist erhalten

Pflegeinterventionen

Kontrakturenprophylaxe der/des Hüftgelenke(s) durchführen
- Pflegeintervention konkretisieren
  - » Oberschenkel im Hüftgelenk in Streckstellung lagern
  - » Bauchlagerung durchführen

Mit Gehhilfen/Prothese mobilisieren
- Beim Aufstehen unterstützen
  - » Spiralförmig aufstehen
  - » Zu selbstständigem Aufstehen anleiten
- Gehübungen durchführen
  - » Gehübungen mit Hilfsmitteln durchführen
  - » Mit Hilfe gehen
  - » Ohne Belastung des betroffenen Beins gehen
  - » Mit Teilbelastung des betroffenen Beins gehen
  - » Beinprothese vor den Gehübungen anlegen
- Erschwerte Bedingungen feststellen
  - » Zu- und Ableitungssysteme
  - » Kreislaufinstabilität
  - » Abwehrhaltung
  - » Lähmung
  - » Kontraktur
  - » Spasmus
- Anzuleitende Person(en) festlegen
  - » Betroffene Person
  - » Angehöriger/Bezugsperson

Bewegungs- und Mobilisationsübungen nach aufgestelltem Plan durchführen
- Pflegeintervention konkretisieren
- Zeit angeben

Sandsäckchen zur Streckung im Kniebereich auflegen
- Pflegeintervention konkretisieren
- Zeit angeben

Sonstige Pflegemaßnahmen durchführen
- Maßnahmen konkretisieren
- Zeit angeben

Literaturhinweise: 510

Der Patient hat ein **Risiko zur Entwicklung einer Spastik**

Kennzeichen

- Hemiplegie rechts
- Hemiplegie links
- Paraplegie
- Tetraplegie
- Integriert die betroffene Seite nicht in Bewegungsabläufe
- Zieht sich mit der gesunden Seite hoch

Ursachen

- Apoplektischer Insult
- Multiple Sklerose
- Tumor
- Wirbelfraktur
- Schädel-Hirn-Trauma
- Hirntumor
- Infantile Zerebralparese

Ressourcen

- Ist bereit, die Defizite zu kompensieren und neu zu lernen
- Übt konsequent die neuen Bewegungsabläufe ein

Pflegeziele

- Physiologischer Muskeltonus ist erhalten
- Kann sich orientieren und nimmt das Körperschema wahr
- Nimmt das eigene Körperschema wahr
- Sich entwickelnde Spastik wird frühzeitig erkannt
- Spastizität ist reduziert bzw. abgebaut
- Normale Bewegungsabläufe sind angebahnt
- Stabilität der betroffenen Extremität ist verbessert
- Termin wird wahrgenommen
- Herz-Kreislauf-Aktivität ist angeregt
- Einer Kontraktur ist vorgebeugt
- Beweglichkeit und Muskelkraft werden kontinuierlich gesteigert
- Abnorme Haltungsmuster sind vermieden
- Mobilisierungsmaßnahmen sind unterstützt

Pflegeinterventionen

Muskelspannung analysieren und auf Anzeichen abnormer Bewegungsmuster (Spastik) beobachten
- Pflegeintervention konkretisieren
- Zeit angeben

Alle Aktivitäten über die gelähmte Seite erfolgen lassen
- Pflegeintervention konkretisieren
- Zeit angeben

Über bewegungsfördernde Umgebungsgestaltung/ Verhaltensweisen informieren/ aufklären
- Pflegeintervention konkretisieren
- Zeit angeben

Spastik reduzierende Grundsätze bei der Mobilisation beachten
- Pflegeintervention konkretisieren
  - » Berührungen der Handinnenfläche vermeiden
  - » Keine Gegenstände in die betroffene Hand einlegen
  - » Zug an den Fingern oder Armen vermeiden
  - » Druck auf die Zehenballen verhindern
  - » Blase vor der Mobilisation entleeren
  - » Bewegungsabläufe zuerst durchdenken, anschließend mit Konzentration durchführen

Therapeutische Lagerung nach Bobath-Konzept entsprechend dem Lagerungsplan durchführen
- Pflegeintervention konkretisieren
  - » Therapeutische Rückenlagerung durchführen
  - » Therapeutische Lagerung auf der betroffenen Seite durchführen
  - » Therapeutische Lagerung auf der gesunden Seite durchführen

Bettbügel entfernen, um einseitige Bewegungsmuster zu vermeiden
- Pflegeintervention konkretisieren
- Zeit angeben

Warmes Bewegungsbad zur Lösung einer Spastik durchführen
- Pflegeintervention konkretisieren
  - » Armbad mit Spastik lösenden Ausstreichungen durchführen
  - » Termine für das Bewegungsbad organisieren
  - » Auffordern, zum Bewegungsbad zu gehen

Mobilisations-/Bewegungsübungen zur Anbahnung physiologischer Bewegungsmuster durchführen
- Pflegeintervention konkretisieren
  - » Schultermobilisation durchführen
  - » Hüftmobilisation durchführen
  - » Becken heben, im Bett liegend
  - » Vom Liegen zum Sitzen an den Bettrand bringen
  - » Vom Sitzen zum Aufstehen und vom Stehen zum Sitzen bringen
  - » Vom Bett zum Stuhl transferieren
  - » Gehtraining durchführen (Wegstrecke <10 Meter)
- Therapeutisches Konzept
  - » Überaktivität der nicht betroffenen Seite vermeiden
  - » Pflegerische Hilfestellung über die gelähmte Seite erfolgen lassen
  - » Faszilitationstechniken einsetzen
  - » Inhibitationstechniken einsetzen
  - » Hubfreie/-arme Mobilisation durchführen
  - » Nach dem NDT-Konzept (Neuro-Developmental Treatment) mobilisieren
  - » Nach dem Bobath-Konzept mobilisieren
  - » Nach sonstigen Konzepten mobilisieren
- Durchführende Person angeben
  - » Pflegeperson
  - » Physiotherapeut
  - » Ergotherapeut
  - » Sonstige Therapeuten
- Anzahl Pflegepersonen angeben
- Zeit angeben

Luftbandagen im Rehabilitationsverlauf einsetzen
- Pflegeintervention konkretisieren
  - » Luftbandage zur Stabilisation der oberen Extremität einsetzen
  - » Luftbandage zur Stabilisation der unteren Extremität einsetzen
  - » Luftbandage zur Normalisierung der Muskelspannung einsetzen
  - » Luftbandage zur Verminderung des Hypertonus einsetzen
  - » Luftbandage zur Normalisierung der Muskellänge einsetzen
  - » Luftbandage zur Kontrakturenprophylaxe anwenden
  - » Luftbandage zur Schmerz- und Ödemprophylaxe einsetzen
- Luftbandagen URIAS Stroke Rehabilitation Splint auswählen
  - » Langarm-Splint
  - » Ellenbogen-Splint
  - » Unterarm-Splint
  - » Handgelenk-Splint
  - » Hand-Splint
  - » Baby-Splint
  - » Bein-Splint
  - » Fuß-Splint
  - » Schuh-Splint

Zum Bewegungsbad bringen
- Maßnahmen konkretisieren
  - » Zum vereinbarten Termin innerhalb der Einrichtung bringen
  - » Zum vereinbarten Termin außerhalb der Einrichtung bringen
- Zeitdauer angeben
- Anzahl erforderlicher Pflegepersonen angeben

Mit Hilfsmitteln in die vertikale Ebene mobilisieren
- Pflegeintervention konkretisieren

  - » In speziellen Mobilisationslehnstuhl mobilisieren
  - » In Aufrichtstuhl mobilisieren
  - » In Stehbett transferieren
  - » Mit Stehbrett mobilisieren
- Anzahl der Pflegepersonen eintragen

Beidseitige Bewegungsmuster bei der Mobilisation einüben und umsetzen
- Pflegeintervention konkretisieren
- Zeit angeben

Physiologische Bewegungsabläufe nach MRP (Motor Relearning Programme) trainieren
  - » Unphysiologische Bewegungsabläufe bei Alltagsbewegungen korrigieren
  - » Geschicklichkeit bei der Durchführung von Alltagsbewegungen trainieren
  - » Zur Beobachtung und Kontrolle der Muskelbewegung anleiten

Eingesetzte Hilfsmittel zur Mobilisation angeben
- Hilfsmittel konkretisieren
  - » Rollator
  - » Unterarmgehstützen
  - » Gehbock/Gehgestell
  - » Eulenburg-Gehwagen
  - » Rollstuhl
  - » Bauchgurt benutzen
  - » Multifunktionsrollstuhl
  - » Elektrischer Personenlifter
  - » Deckenliftanlage
  - » Transferhilfe Rutschbrett
  - » Transferhilfe Drehscheibe
  - » Elektrische Aufrichthilfe/Hebehilfe

Sonstige Pflegemaßnahmen durchführen
- Maßnahmen konkretisieren
- Zeit angeben

Literaturhinweise: 51, 71, 79, 125, 126, 173, 243, 393, 402, 405, 420

Der Patient hat aufgrund einer **Wirbelsäuleninstabilität** das **Risiko eines spinalen Querschnittsyndroms**

Kennzeichen

- Druck-, Klopf- und Belastungsschmerz der Wirbelsäule
- Neurologische Ausfälle
- Querschnittssymptomatik
- Bradykarde Rhythmusstörung

Ursachen

- Schädigung des Rückenmarks im Bereich Th6 aufwärts
- Wirbelfraktur
- Bandscheibenvorfall
- Bandscheibenoperation
- Operativer Eingriff an der Wirbelsäule

Ressourcen

- Führt Bewegungen nach Anweisung/Anleitung durch
- Kann seine Muskeln anspannen und sich steif machen, um ein sicheres En-bloc-Drehen zu ermöglichen
- Kann die Maßnahme nach Anleitung selbstständig durchführen
- Erkennt die Notwendigkeit der getroffenen Intervention und kooperiert mit dem therapeutischen Team
- Zeigt Verhaltensweisen, die die Therapie unterstützen
- Akzeptiert die Unterstützung

Pflegeziele

- Hält sich an Absprachen und unterstützt aktiv die Therapie
- Einem Hochstellen des Kopfteils durch Besucher oder Personal ist vorgebeugt
- Sicherheit ist gewährleistet
- Selbstständigkeit bei der Nahrungsaufnahme ist gefördert
- Wohlbefinden ist unterstützt
- Heilungsprozess ist optimal unterstützt
- Bewegen und Lagern ist ohne Verdrehen und Abknicken der Wirbelsäule sichergestellt

Pflegeinterventionen

Informationsgespräch über erlaubte Bewegungsmöglichkeiten führen
- Gesprächsinhalt
- Zeit angeben

Kopfteilverstellung feststellen und beschriften (um ein versehentliches Verstellen zu verhindern)
- Pflegeintervention konkretisieren
- Zeit angeben

Bettbügel entfernen
- Pflegeintervention konkretisieren
- Zeit angeben

Bettebenen zum Essen verstellen
- Pflegeintervention konkretisieren
- Zeit angeben

Bei stabiler Fraktur laut Arzt en bloc drehen
- Lagerungswechsel en bloc durchführen
  - » Darf nur en bloc gedreht werden
  - » Kopfteil des Bettes nicht verändern
- Anzahl der Pflegepersonen eintragen

Kleines Kissen unter den Kopf legen
- Pflegeintervention konkretisieren
- Zeit angeben

Gerade Lagerung des Rumpfes sicherstellen
- Pflegeintervention konkretisieren
- Zeit angeben

Beim Betten anheben, da eine Drehung kontraindiziert ist
- Pflegeintervention konkretisieren
  - » Durch Pflegepersonen anheben

  - » Mithilfe eines Lifters anheben
- Anzahl der Pflegepersonen eintragen

Sonstige Pflegemaßnahmen durchführen
- Maßnahmen konkretisieren
- Zeit angeben

Literaturhinweise: 44, 51, 75, 121, 125, 126, 140, 151, 175, 176

Der Patient hat das **Risiko eines plötzlichen Kindstods**

Kennzeichen

Ursachen

- Säugling < 11 Wochen
- Säuglingsalter < 1 Jahr
- Frühgeburt
- Niedriges Geburtsgewicht
- Mehrlingsgeburt
- Durchlebtes lebensbedrohliches Ereignis
- Akuter Infekt
- Zustand nach Impfung
- Schlafposition in Bauchlage
- Überwärmung
- Ungeeignete Kindermatratze
- Mangelnde pränatale Vorsorge
- Mutter < 20 Jahren
- Rauch im Umfeld des Säuglings
- Alkoholkonsum der Mutter
- Drogenkonsum der Mutter
- Sozioökonomische Aspekte
- Plötzlicher Kindstod eines Geschwisterkindes

Ressourcen

- Angehörige/Bezugspersonen verhalten sich kooperativ
- Angehörige/Bezugspersonen unterstützen den Pflegeprozess
- Angehörige zeigen Bereitschaft, neu zu lernen
- Angehörige/Bezugspersonen haben Erfahrungen im Bereich der Dependenzpflege
- Angehörige/Bezugspersonen haben Fähigkeiten im Bereich der Dependenzpflege entwickelt
- Angehörige/Bezugspflegeperson verfügt über die notwendige Dependenzpflegekompetenz

Pflegeziele

- Kennt die Risiken, die im Zusammenhang mit einem plötzlichen Kindstod gesehen werden
- Ist über Maßnahmen zur Reduzierung des Risikos eines plötzlichen Kindstods informiert
- Dem Ersticken ist vorgebeugt
- Risiko eines plötzlichen Kindstods ist minimiert
- Veränderungen sind frühzeitig erkannt

Pflegeinterventionen

Informationsgespräch zu Risiken des plötzlichen Kindstods mit Angehörigen/Bezugspersonen führen

- Gesprächsinhalt konkretisieren
  - » Schlafposition des Säuglings
  - » Vorteile des Stillens
  - » Gestaltung der Schlafumgebung
  - » Gesundheitsförderliches Raumklima
  - » Gefahren von Medikamenten
  - » Verhalten zur Infektionsprophylaxe
  - » Symptome, die eine Arztkonsultation erfordern
- Gesprächsteilnehmer
  - » Mutter
  - » Vater
  - » Angehöriger/Bezugsperson
- Zeit angeben

Kind zum Schlafen in Rückenlage positionieren

- Pflegeintervention konkretisieren
- Zeit angeben

Schlafumgebung des Säuglings sicher gestalten

- Pflegeintervention konkretisieren
  - » Schlafsack anstatt Decke verwenden
  - » Keine Kissen, Nästchen, Felle, Tücher, großen Kuscheltiere o.Ä. im Kinderbett belassen
  - » Keine Mütze oder Kinderjacke mit Bändchem am Hals verwenden
  - » Keine Bänder, Schnüre oder Ketten in Reichweite des Kindes belassen
  - » Eigenes Kinderbett im Schlafzimmer der Eltern verwenden
  - » Schadstofffreie Matratze verwenden
  - » GS- geprüftes Kinderbett verwenden

Gesundes Raumklima herstellen

- Pflegeintervention konkretisieren
  - » Für eine rauchfreie Umgebung sorgen
  - » Zimmer lüften
  - » Zum Schlafen für eine Raumtemperatur von 16-18 °C sorgen

Den Säugling während des Schlafs bezüglich Auffälligkeiten beobachten

- Pflegeintervention konkretisieren
- Zeit angeben

Sonstige Pflegemaßnahmen durchführen

- Maßnahmen konkretisieren
- Zeit angeben

Literaturhinweise: 680, 681, 682, 683, 684

Der Patient ist beim **Einschlafen beeinträchtigt**, es besteht das **Risiko eines Schlafdefizits**

Kennzeichen

- Häufige Nickerchen und Schlafphasen während des Tages
- Klagt über Schlafdefizit
- Beschreibt Einschlafstörungen
- Berichtet davon, länger als 30 Minuten zum Einschlafen zu benötigen
- Erschöpfungszustände
- Zunehmende Reizbarkeit
- Zeigt kein Interesse
- Teilnahmslosigkeit
- Beschreibt Gedankenkreisen und Problemgrübeln
- Setzt sich mit dem Einschlafen unter Druck
- Ist weinerlich
- Zeigt autoaggressives Verhalten

Ursachen

- Bewegungseinschränkung
- Schmerzzustände
- Körperliches Unbehagen
- Innere Unruhe
- Angstzustände
- Wahngedanken
- Halluzinationen
- Ungünstiges Raumklima
- Fieber (Hyperthermie)
- Schwitzt stark
- Umgebungsveränderung
- Zeitverschiebung
- Schlafhindernde Medikamente
- Depressionen
- Angst
- Demenz
- Schizophrene Psychose
- Essstörung
- Psychiatrische Störung
- Psychisches Trauma
- Psychische Störung
- Konflikte, Stress
- Emotionale Belastungssituation
- Krisenhafte Lebenssituation
- Neurologische Erkrankung
- Substanzmissbrauch
- Alter des Neugeborenen 1-7 Tage
- Nebenwirkungen von Medikamenten
- Akustische Störung in der Umgebung
- Veränderter Tag-Nacht-Rhythmus

Ressourcen

- Empfindet die Einschlafstörungen nicht als belastend
- Kann mithilfe von Entspannungstechniken einschlafen
- Kennt Entspannungstechniken und kann diese anwenden
- Akzeptiert die Unterstützung
- Akzeptiert die Unterstützung von Angehörigen

Pflegeziele

- Kennt die Ursachen der Schlafstörung und kann sie abbauen
- Schläft mindestens sechs Stunden ohne Unterbrechung
- Kann innerhalb von 30 Minuten nach dem Zubettgehen einschlafen
- Störungen sind minimiert
- Analyse der Schlafstörung ist unterstützt
- Atemwegsschleimhaut ist intakt
- Hat eine freie und erleichterte Atmung
- Atemluft ist angefeuchtet
- Entspannte und angenehme Lagerung ist unterstützt
- Erlebt keine Störungen und kann ungehindert einschlafen
- Hat einen erholsamen Schlaf
- Schmerztherapie ist optimiert
- Schlaf-Wach-Rhythmus ist wieder reguliert
- Schlafhygiene ist unterstützt
- Kann trotz Lärmbelästigung schlafen
- Kann sich im Schlaf entspannen und erholen
- Wendet Entspannungstechniken erfolgreich an
- Ausreichender und erholsamer Schlaf ist sichergestellt
- Kann in gewohnter Weise einschlafen
- Kann einschlafen
- Entwickelt gesunde Schlafgewohnheiten

Pflegeinterventionen

Gespräch über mögliche Ursachen der Schlafstörung führen

- Pflegeintervention konkretisieren
- Zeit angeben
- Durchführende Person angeben
  - » Bezugspflegeperson
  - » Pflegeperson
  - » Spezialtherapeuten

Störende Faktoren des Umfelds analysieren und beheben

- Pflegeintervention konkretisieren
  - » Gerätealarme leise stellen
  - » Fenster schließen
  - » Lichtverhältnisse anpassen

Im klientenzentrierten Gespräch die Einträge im Schlaftagebuch reflektieren und Problemlösungen erarbeiten

- Pflegeintervention konkretisieren
- Zeit angeben
- Durchführende Person angeben
  - » Bezugspflegeperson
  - » Pflegeperson
  - » Spezialtherapeuten

Für angemessene Raumbelüftung und Raumtemperatur sorgen

- Pflegeintervention konkretisieren
- Zeit angeben

Ultraschallvernebler einsetzen

- Pflegeintervention konkretisieren
- Zeit angeben

Entspannende Lagerungsposition herstellen

- Pflegeintervention konkretisieren
  - » Bauchdeckenentspannende Lagerung durchführen

  » Weich lagern
  » Ruhig stellen
  » Frei lagern
  » Stufenbettlagerung durchführen
  » Nestchenlagerung durchführen

Für frische und bequeme Wäsche sorgen
- Pflegeintervention konkretisieren
- Zeit angeben

Analgetika/Bedarfsmedikation nach Arztanordnung verabreichen
- Pflegeintervention konkretisieren
  » Zäpfchen verabreichen
  » Tabletten verabreichen
  » Brausetabletten vorbereiten und verabreichen
  » Tropfen/Saft verabreichen
- Art der Unterstützungsleistung angeben
  » Medikamente selbstständig einnehmen lassen
  » Medikamentenverabreichung übernehmen
  » Einnahmeverweigerung überwinden
  » Medikamente mörsern

Tagsüber Ruhezeiten vermeiden
- Pflegeintervention konkretisieren
- Zeit angeben

Aufsteh-/Zubettgehzeiten vereinbaren und für deren Einhaltung sorgen
- Pflegeintervention konkretisieren
- Zeit angeben

Schlafen am Tag vermeiden
- Pflegeintervention konkretisieren
- Zeit angeben

Ohrenstöpsel zur Verfügung stellen
- Pflegeintervention konkretisieren
- Zeit angeben

Vor dem Einschlafen beruhigende Körperwaschung anbieten
- Pflegeintervention konkretisieren
  » Weiche Waschlappen/Handtücher verwenden
  » Warmes Wasser verwenden (ca. 40 °C)
  » Mit der Haarwuchsrichtung waschen
  » Intimpflege vor der beruhigenden Waschung durchführen
- Besonderheiten beachten
- Beruhigende Waschzusätze verwenden
  » Lavendel - ätherisches Öl
  » Sandelholz - ätherisches Öl
  » Rosenholz - ätherisches Öl

Zum Erlernen von Entspannungstechniken anleiten
- Entspannungstechniken
  » Entspannungsübung "Körperreise" durchführen
  » Progressive Muskelentspannung trainieren
  » Musik-Entspannungstherapie durchführen
  » Funktionelle atemrhythmisierende Entspannungsmethode anwenden
  » Autogenes Training durchführen
- Einrichtungsspezifische Aktivität wählen
- Zeit angeben

Schlaffördernde Tees anbieten
- Pflegeintervention konkretisieren
- Zeit angeben

Aromen zur Schlafförderung einsetzen
- Duftöl auswählen
- Aromatherapie: Anwendungsart festlegen
  » Duftlampe
  » Dampfbad
  » Räuchern
  » Duftstein
  » Massage-Öl
  » Tee

Aromaschlafkissen mit Heilkräutern nutzen
- Pflegeintervention konkretisieren
- Zeit angeben

Wärmeanwendungen durchführen
- Wärmeanwendung
  » Heizkissen verwenden
  » Heizdecke verwenden
  » Wärmflasche auflegen
  » Warme Kataplasmen (Breiumschläge) einsetzen
  » Warmes Roggenkissen einsetzen
  » Heublumensäckchen einsetzen
  » Rotlicht-Bestrahlung durchführen
- Feuchte Wärme zuführen
  » Kartoffelauflage einsetzen
  » Zitronenbrustwickel anwenden
  » Leinsamensäckchen verwenden
  » Senfmehlkompresse einsetzen

Einschlafrituale, wenn möglich, übernehmen und anbieten
- Pflegeintervention konkretisieren
- Zeit angeben

Individuelle Maßnahmen zur Schlafförderung durchführen
- Pflegeintervention konkretisieren
  » Wickel/Auflagen durchführen
  » Wärmflasche auflegen
  » Warme Milch anbieten
  » Abendspaziergang ermöglichen
  » Nestchenlagerung durchführen
  » Beruhigende Ausstreichungen durchführen

Beruhigungsbad anbieten
- Pflegeintervention konkretisieren
- Zeit angeben

Kognitiv-verhaltenstherapeutische Strategien zur Förderung eines erholsamen Schlafes erarbeiten/durchführen
- Maßnahmen konkretisieren
  » Regeln zur gesunden Schlafhygiene erarbeiten
  » Erarbeiten von Strategien zur Durchbrechung von "Grübelkreisläufen"
  » Erarbeiten von Strategien bei unrealistischen Erwartungen im Hinblick auf Schlaf
  » Umstrukturieren des dysfunktionalen Schlafdialogs
- Therapieart angeben
  » Einzeltherapie
  » Gruppentherapie
- Zeit angeben

Sonstige Pflegemaßnahmen durchführen
- Maßnahmen konkretisieren
- Zeit angeben

Literaturhinweise: 51, 88, 95, 119, 125, 126, 135, 159, 164, 175, 176, 247, 248, 643

Der Patient kann **nicht durchschlafen**, es besteht das **Risiko eines Schlafdefizits**

Kennzeichen

- Häufige Nickerchen und Schlafphasen während des Tages
- Klagt über Schlafdefizit
- Beschreibt Durchschlafstörungen
- Nykturie
- Wird bei den nächtlichen Rundgängen der Pflegeperson wach
- Beschreibt, aufgrund von Albträumen wach zu werden
- Erschöpfungszustände
- Zunehmende Reizbarkeit
- Zeigt kein Interesse
- Teilnahmslosigkeit
- Berichtet über häufiges Kurzerwachen
- Liegt nachts länger wach im Bett
- Steht nachts auf und ist fit
- Beschreibt Gedankenkreisen und Problemgrübeln

Ursachen

- Nykturie (nächtliches Wasserlassen)
- Diarrhö
- Nächtliche Kontrollen der Vitalwerte
- Nächtliches Umlagern
- Nächtliche Herzattacken
- Schmerzzustände
- Schlafapnoesyndrom
- Albträume
- Depressionen
- Angstzustände
- Demenz
- Schizophrene Psychose
- Essstörung
- Psychiatrische Störung
- Psychische Störung
- Psychisches Trauma
- Angst
- Konflikte, Stress
- Emotionale Belastungssituation
- Krisenhafte Lebenssituation
- Störung durch notwendige therapeutische Interventionen

Ressourcen

- Empfindet die Durchschlafstörungen nicht als belastend
- Ruht sich aus und bleibt im Bett
- Hält sich an den Trinkfahrplan
- Die Angehörigen verabreichen die Flüssigkeit nach Trinkfahrplan
- Akzeptiert die Unterstützung
- Akzeptiert die Unterstützung von Angehörigen

Pflegeziele

- Kennt die Ursachen der Schlafstörung und kann sie abbauen
- Schläft mindestens sechs Stunden ohne Unterbrechung
- Kann innerhalb von 30 Minuten nach dem Zubettgehen einschlafen
- Körperliche Leistungsfähigkeit ist gesteigert
- Kann in gewohnter Weise einschlafen
- Ungehinderte Ausscheidung ist gewährleistet
- Urinausscheidung während der Nacht ist reduziert
- Toleriert die Pflegemaßnahmen
- Schlafstörungen sind erfasst und dokumentiert
- Analyse der Schlafstörung ist unterstützt
- Schlafhygiene ist unterstützt
- Ausreichender und erholsamer Schlaf ist sichergestellt
- Schlaf-Wach-Rhythmus ist geregelt
- Kann sich im Schlaf entspannen und erholen
- Entwickelt gesunde Schlafgewohnheiten
- Störungen sind minimiert

Pflegeinterventionen

Gespräch über mögliche Ursachen der Schlafstörung führen
- Pflegeintervention konkretisieren
- Zeit angeben
- Durchführende Person angeben
  - » Bezugspflegeperson
  - » Pflegeperson
  - » Spezialtherapeuten

Körperliches Bewegungsprogramm entwickeln/durchführen
- Vereinbartes Aktivierungsprogramm angeben
  - » Beim Aufstehen/zu Bett gehen unterstützen
  - » Aktivierungsprogramm in Absprache mit den Beteiligten aufstellen
  - » An den Bettrand setzen
  - » Standtraining und wenige Schritte gehen
  - » Kurze Strecken in Begleitung gehen
  - » Größere Strecken in Begleitung gehen
  - » Treppen steigen
- Unterstützungsleistung bestimmen
  - » Unterstützen
  - » Teilweise übernehmen
  - » Beaufsichtigen
  - » Vollständig übernehmen
  - » Anleiten

Einschlafrituale, wenn möglich, übernehmen und anbieten
- Pflegeintervention konkretisieren
- Zeit angeben

Getränke, besonders diuresefördernde Getränke, nicht mehr ab 18.00 Uhr trinken/verabreichen
- Pflegeintervention konkretisieren
- Zeit angeben

Rufanlage/Klingel in erreichbarer Nähe platzieren
- Pflegeintervention konkretisieren
- Zeit angeben

Vor der Nachtruhe zum Wasserlassen auffordern
- Pflegeintervention konkretisieren
- Zeit angeben

Automatisches Blutdruckmessgerät einsetzen
- Pflegeintervention konkretisieren
- Zeit angeben

Lagerungsintervall durch Schräglage, 20°-

Lage während der Tiefschlafphase verlängern
- Pflegeintervention konkretisieren
- Zeit angeben

Schlafmuster überwachen und physiologische und psychologische Umstände dokumentieren
- Pflegeintervention konkretisieren
- Zeit angeben

Im klientenzentrierten Gespräch die Einträge im Schlaftagebuch reflektieren und Problemlösungen erarbeiten
- Pflegeintervention konkretisieren
- Zeit angeben
- Durchführende Person angeben
  - » Bezugspflegeperson
  - » Pflegeperson
  - » Spezialtherapeuten

Aufsteh-/Zubettgehzeiten vereinbaren und für deren Einhaltung sorgen
- Pflegeintervention konkretisieren
- Zeit angeben

Schlafen am Tag vermeiden
- Pflegeintervention konkretisieren
- Zeit angeben

Individuelle Maßnahmen zur Schlafförderung durchführen
- Pflegeintervention konkretisieren
  - » Wickel/Auflagen durchführen
  - » Wärmflasche auflegen
  - » Warme Milch anbieten
  - » Abendspaziergang ermöglichen
  - » Nestchenlagerung durchführen
  - » Beruhigende Ausstreichungen durchführen

Für Ruhephasen sorgen, Tag-Nacht-Rhythmus unterstützen
- Pflegeintervention konkretisieren
  - » Minimal Handling durchführen
  - » Für Ruhephasen sorgen
  - » Umgebungsgestaltung, die den Tag/Nacht-Rhythmus unterstützt, realisieren

Kognitiv-verhaltenstherapeutische Strategien zur Förderung eines erholsamen Schlafes erarbeiten/durchführen
- Maßnahmen konkretisieren
  - » Regeln zur gesunden Schlafhygiene erarbeiten
  - » Erarbeiten von Strategien zur Durchbrechung von "Grübelkreisläufen"
  - » Erarbeiten von Strategien bei unrealistischen Erwartungen im Hinblick auf Schlaf
  - » Umstrukturieren des dysfunktionalen Schlafdialogs
- Therapieart angeben
  - » Einzeltherapie
  - » Gruppentherapie
- Zeit angeben

Störende Faktoren des Umfelds analysieren und beheben
- Pflegeintervention konkretisieren
  - » Gerätealarme leise stellen
  - » Fenster schließen
  - » Lichtverhältnisse anpassen

Sonstige Pflegemaßnahmen durchführen
- Maßnahmen konkretisieren
- Zeit angeben

Literaturhinweise: 51, 88, 95, 119, 123, 125, 126, 135, 159, 164, 175, 176, 247, 248

Der Patient hat eine **chronische Schlaflosigkeit** (Insomnie), es besteht ein **Schlafdefizit**

Kennzeichen

- Berichtet über Schlaf von chronisch nicht erholsamer oder schlechter Qualität
- Reagiert gereizt
- Konzentrationsschwäche
- Unnatürliche Benommenheit
- Aktivitäten sind tageszeitlich inadäquat
- Äußert Unwohlsein
- Gähnt häufig
- Beschreibt das Gefühl der chronischen Müdigkeit
- Schläft tagsüber häufig ein
- Tagesschläfrigkeit
- Wirkt lethargisch/apathisch
- Unruhezustände
- Eingeschränkte Leistungsfähigkeit
- Ist schwer zu einer Aktivität/Aufgabe zu motivieren
- Zeigt ein verlangsamtes Reaktionsvermögen
- Veränderte Wahrnehmungsfähigkeit
- Wahnideen
- Zitternde Hände
- Spannungsgefühle, Kopfschmerzen als Reaktion auf das Schlafdefizit
- Gastrointestinale Symptome als Reaktion auf das Schlafdefizit
- Sorgen um den Schlaf

Ursachen

- Anhaltende psychische Belastung
- Ständige Anreize aus der Umgebung
- Einnahme von Schlaf hemmenden Substanzen
- Schwerer Krankheitsverlauf
- Schichtdienste
- Veränderter Wach-Schlaf-Rhythmus
- Schlafbehindernder Lebensstil
- Tagsüber lange Ruhephasen
- Schlafstörende Umgebungsfaktoren
- Schlafapnoesyndrom
- Nächtliche Muskelkrämpfe/-zuckungen
- Restless-Legs-Syndrom
- Nächtliches Einnässen (Enuresis)

- Regelmäßige Albträume
- Demenz
- Morbus Alzheimer
- Schmerzzustände
- Angstzustände
- Grübelzwang bei Depression

Ressourcen

- Akzeptiert die vereinbarten Ruhephasen und hält sich daran

Pflegeziele

- Kennt die Ursachen der Schlafstörung und kann sie abbauen
- Kann innerhalb von 30 Minuten nach dem Zubettgehen einschlafen
- Schlaf-Wach-Rhythmus ist geregelt
- Äußert das Gefühl, ausgeruht zu sein
- Schläft mindestens sechs Stunden ohne Unterbrechung
- Analyse der Schlafstörung ist unterstützt
- Schlafgewohnheiten sind bekannt
- Erkennt Faktoren, die zu einem reduzierten Schlafbedürfnis führen
- Erkennt geeignete Maßnahmen zur Schlafförderung
- Schlaf-Wach-Rhythmus ist wieder reguliert
- Kann in gewohnter Weise einschlafen
- Wendet Entspannungstechniken erfolgreich an
- Kann sich im Schlaf entspannen und erholen
- Entwickelt gesunde Schlafgewohnheiten

Pflegeinterventionen

Gespräch über mögliche Ursachen der Schlafstörung führen
- Pflegeintervention konkretisieren
- Zeit angeben
- Durchführende Person angeben
  - » Bezugspflegeperson
  - » Pflegeperson
  - » Spezialtherapeuten

Für die Einhaltung der gemeinsam vereinbarten Bettruhe sorgen
- Pflegeintervention konkretisieren
- Zeit angeben

Im klientenzentrierten Gespräch die Einträge im Schlaftagebuch reflektieren und Problemlösungen erarbeiten
- Pflegeintervention konkretisieren
- Zeit angeben
- Durchführende Person angeben
  - » Bezugspflegeperson
  - » Pflegeperson
  - » Spezialtherapeuten

Schlafverhalten beobachten und Ruhezeiten dokumentieren
- Pflegeintervention konkretisieren
- Zeit angeben

Zusätzlich anregende Außenreize vermeiden
- Pflegeintervention konkretisieren
- Zeit angeben

Tagsüber Ruhezeiten vermeiden
- Pflegeintervention konkretisieren
- Zeit angeben

Einschlafrituale, wenn möglich, übernehmen und anbieten
- Pflegeintervention konkretisieren
- Zeit angeben

Zum Erlernen von Entspannungstechniken anleiten
- Entspannungstechniken
  - » Entspannungsübung "Körperreise" durchführen
  - » Progressive Muskelentspannung trainieren
  - » Musik-Entspannungstherapie durchführen
  - » Funktionelle atemrhythmisierende Entspannungsmethode anwenden
  - » Autogenes Training durchführen
- Einrichtungsspezifische Aktivität wählen
- Zeit angeben

Vor dem Einschlafen beruhigende Körperwaschung anbieten
- Pflegeintervention konkretisieren
  - » Weiche Waschlappen/Handtücher verwenden
  - » Warmes Wasser verwenden (ca. 40 °C)
  - » Mit der Haarwuchsrichtung waschen
  - » Intimpflege vor der beruhigenden Waschung durchführen
- Besonderheiten beachten
- Beruhigende Waschzusätze verwenden
  - » Lavendel - ätherisches Öl
  - » Sandelholz - ätherisches Öl
  - » Rosenholz - ätherisches Öl

Kognitiv-verhaltenstherapeutische Strategien zur Förderung eines erholsamen Schlafes erarbeiten/durchführen
- Maßnahmen konkretisieren
  - » Regeln zur gesunden Schlafhygiene erarbeiten
  - » Erarbeiten von Strategien zur Durchbrechung von "Grübelkreisläufen"
  - » Erarbeiten von Strategien bei unrealistischen Erwartungen im Hinblick auf Schlaf
  - » Umstrukturieren des dysfunktionalen Schlafdialogs
- Therapieart angeben
  - » Einzeltherapie
  - » Gruppentherapie
- Zeit angeben

Sonstige Pflegemaßnahmen durchführen
- Maßnahmen konkretisieren
- Zeit angeben

Literaturhinweise: 82, 83, 304, 643, 644

Der Patient **kann sich nicht entspannen**

Kennzeichen

- Kann nicht abschalten
- Ist wegen stressbedingter Erkrankung in Behandlung
- Äußert, angespannt zu sein
- Liegt angespannt im Bett
- Berichtet, Anspannung in bestimmten Situationen zu empfinden (näher zu spezifizieren)
- Berichtet von Stressreaktionen
- Berichtet über Spannungskopfschmerzen

Ursachen

- Schwere soziale Krise
- Sinnkrise durch Krankheit
- Wirtschaftliche Krise
- Steht unter starker Anspannung/Stress
- Traumaerlebnis
- Trennung von Eltern/Bezugspersonen

Ressourcen

- Ist motiviert, neu zu lernen
- Kognitive Fähigkeiten, neu zu lernen, sind vorhanden
- Akzeptiert die Unterstützung
- Akzeptiert die neue Umgebung
- Ist zur Kontaktaufnahme bereit
- Knüpft neue Kontakte

Pflegeziele

- Ausreichende Ruhephasen werden eingehalten
- Erkennt Ursachen und entwickelt Handlungsstrategien
- Geruchssinn ist angeregt
- Ruhe wird erzeugt, Erregung abgebaut
- Wohlbefinden und Entspannung sind unterstützt
- Kann sich entspannen
- Wendet Entspannungstechniken erfolgreich an
- Lernt willentlich, Einfluss auf die Prozesse der Anspannung und Entspannung zu nehmen
- Erlebt eine gewisse Vertrautheit in der Umgebung
- Eine vertrauensvolle Eltern-Kind-Beziehung ist unterstützt
- Wohlbefinden ist gesteigert
- Freizeitgestaltung ist unterstützt
- Nimmt die Möglichkeiten zum Spannungsabbau an
- Kann mit eigenen Gefühlen umgehen

Pflegeinterventionen

Den Patienten in Ruhephasen beobachten
- Pflegeintervention konkretisieren
- Zeit angeben

Ursachen im klientenzentrierten Gespräch analysieren
- Gesprächsinhalt
- Zeit angeben
- Beteiligte Personen angeben
  - » Betroffene Person
  - » Angehöriger/Bezugsperson
  - » Betreuer
  - » Eltern
  - » Sonstige Personen
- Durchführende Person angeben
  - » Bezugspflegeperson
  - » Pflegeperson
  - » Spezialtherapeuten
  - » Physiotherapeuten

Zum Erlernen von Entspannungstechniken anleiten
- Entspannungstechniken
  - » Entspannungsübung "Körperreise" durchführen
  - » Progressive Muskelentspannung trainieren
  - » Musik-Entspannungstherapie durchführen
  - » Funktionelle atemrhythmisierende Entspannungsmethode anwenden
  - » Autogenes Training durchführen
- Einrichtungsspezifische Aktivität wählen
- Zeit angeben

Massage zur Entspannung durchführen
- Pflegeintervention konkretisieren
- Dauer der durchgeführten Intervention:

Aromatherapie durchführen
- Duftöl auswählen
- Aromatherapie: Anwendungsart festlegen
  - » Duftlampe
  - » Dampfbad
  - » Räuchern
  - » Duftstein
  - » Massage-Öl
  - » Tee

Imaginationsübungen durchführen
- Imaginationsübung
  - » Der sichere Ort
  - » Die inneren Helfer
  - » Der Tresor/Safe
  - » Die Baumübung
  - » Der innere Garten
  - » Lichtstromübung
- Einrichtungsspezifische Aktivität wählen
- Zeit angeben

Entspannungsbad durchführen
- Pflegeintervention konkretisieren
- Zeit angeben

Wickel/Auflagen zur Entspannung durchführen
- Pflegeintervention konkretisieren
- Zeit angeben

Körpertherapiemethoden anwenden
  - » Feldenkrais-Methode
  - » Alexander-Technik
  - » Konzentrative Bewegungstherapie (KBT)
  - » Atemtherapie-Methoden
- Pflegeintervention konkretisieren
- Therapieart angeben
  - » Einzeltherapie

  » Gruppentherapie
- Zeit angeben

Biofeedback-Training durchführen
- Pflegeintervention konkretisieren
- Zeit angeben

Umgebung mit vertrauten Gegenständen/ Stimuli gestalten
- Pflegeintervention konkretisieren
  » Bilder von Bezugspersonen aufstellen/ anbringen
  » Vertraute Musik/Hörspiele abspielen
- Zeit angeben

Beschäftigung mit Bezugspersonen ermöglichen/unterstützen
- Pflegeintervention konkretisieren
- Zeit angeben

Aktivitäten mit ehrenamtlichen Mitarbeitern organisieren
- Pflegeintervention konkretisieren
- Zeit angeben

Möglichkeiten zum Spannungsabbau anbieten
- Maßnahmen konkretisieren
  » Angebote zum Aufräumen/Putzen machen
  » Angebot zum Joggen/zur sportlichen Aktivität machen
  » Malen zum Spannungsabbau einsetzen
  » Eins-zu-Eins-Betreuung durchführen
- Zeit angeben

Sonstige Pflegemaßnahmen durchführen
- Maßnahmen konkretisieren
- Zeit angeben

Literaturhinweise: 95, 101, 125, 175, 176, 645, 646, 647, 648, 649

Der Patient ist in der **Erholungsphase immer wieder gestört**, empfindet dies als belastend

Kennzeichen

- Berichtet von dem Bedürfnis nach Ruhe
- Äußert, den Besuch als belastend zu empfinden
- Reagiert ablehnend auf betreuende Personen

Ursachen

- Erhält häufig Besuch aufgrund der sozialen und religiösen Verpflichtung, Kranken beizustehen
- Mitbewohner erhält kontinuierlich viel Besuch
- Rooming in
- Akustische Störung in der Umgebung
- Unruhiger Zimmernachbar

Ressourcen

- Besucherzimmer kann genutzt werden
- Angehörige zeigen Verständnis für eine Besucherregelung
- Erkennt das Problem der Ruhestörung des Bettnachbarn an und akzeptiert dies
- Äußert das Bedürfnis nach Ruhe

Pflegeziele

- Belastungssituation ist eingeschätzt
- Störungen sind minimiert
- Ausreichende Ruhephasen werden eingehalten
- Äußert den Angehörigen gegenüber das Bedürfnis nach Ruhe und Erholung
- Besucher/Angehörige nutzen mit dem Betroffenen den Aufenthaltsraum
- Erholungsphasen sind sichergestellt

Pflegeinterventionen

Nachfragen, inwieweit die Rund-um-die-Uhr-Begleitung durch Angehörige/Besucher mit den Bedürfnissen des Betroffenen übereinstimmen
- Pflegeintervention konkretisieren
- Zeit angeben

Störende Faktoren des Umfelds analysieren und beheben
- Pflegeintervention konkretisieren
  » Gerätealarme leise stellen
  » Fenster schließen
  » Lichtverhältnisse anpassen

Besucherzeiten mit Angehörigen/Besuchern und Betroffenen vereinbaren und für Einhaltung sorgen
- Zeit angeben
- Vereinbarte Besuchszeit

Aufenthaltsraum zur Verfügung stellen
- Pflegeintervention konkretisieren
- Zeit angeben

Einzelzimmer ermöglichen
- Pflegeintervention konkretisieren
- Zeit angeben

Versorgung des Neugeborenen durch Säuglingspflegepersonen ermöglichen
- Pflegeintervention konkretisieren
- Zeit angeben

Sonstige Pflegemaßnahmen durchführen
- Maßnahmen konkretisieren
- Zeit angeben

Literaturhinweise: 378, 383

Inhaltsverzeichnis

Der Patient hat ein **Dekubitusrisiko**

Kennzeichen

- Mit Hilfe einer systematischen, klinischen Einschätzung festgestelltes Risiko
- Mit Hilfe einer systematischen, klinischen Einschätzung festgestelltes hohes Risiko
- Mit Hilfe eines Einschätzungsinstruments (Assessmentinstrument) festgestelltes Risiko
- Mit Hilfe eines Einschätzungsinstruments (Assessmentinstrument) festgestelltes hohes Risiko
- Beim Umlagern sind belastete Hautstellen gerötet
- Wegdrückbare, umschriebene Rötung über einem knöchernen Vorsprung
- Umschriebene Hautverfärbung über einem knöchernen Vorsprung
- Wahrnehmungsveränderungen der Haut (Schmerz, Juckreiz, Gefühlsverlust) über einem knöchernen Vorsprung
- Veränderung der Hauttemperatur über einem knöchernen Vorsprung
- Verhärtung über einem knöchernen Vorsprung
- Ödembildung über einem knöchernen Vorsprung
- Abgeheilter Dekubitus in der Vorgeschichte

Ursachen

- Hauptursachen bedingt durch Druck/ScherkräfteSpontanbewegung/Mikrobewegung ist reduziert
- Keine Spontanbewegung/Mikrobewegung
- Kann gefährdete Körperstellen nicht entlasten
- Beeinträchtigte Mobilität im Bett
- Immobilität
- Bettlägerigkeit
- Auftreten von Scherkräften beim Transfer
- Beeinträchtigte Kontrolle über Körperposition
- Starke Beeinträchtigung der körperlichen Aktivität
- Zeigt beim Umlagern/Mobilisieren Abwehr/Widerstände, indem den Maßnahmen Widerstände entgegengesetzt werden
- Lehnt erforderliche Lagerungs-/ Mobilisierungsmaßnahmen ab
- Druckeinwirkende GegenständeKorsett
- Orthese
- Verband
- Schiene
- Drainage
- Katheter
- Benötigte Gegenstände auf Bett oder Sitzfläche
- RisikofaktorenErnährungsdefizit
- Exsikkose/Dehydratation
- Adipositas
- Kachexie
- Reduziertes Serumalbumin
- Anämie mit einem Hb unter 8 g/l
- Diabetes mellitus
- Durchblutungsstörungen
- Herzinsuffizienz
- Kardiovaskuläre Instabilität
- Reduzierte Durchblutung
- Hypotonie (niedriger Blutdruck)
- Veränderung der Körpertemperatur
- Reduzierte Sauerstoffzufuhr
- Bewusstlosigkeit
- Bewusstseinsveränderung
- Polytrauma
- Lähmung (nicht näher bezeichnet)
- Sensibilitätsstörung
- Eingeschränkte Körperwahrnehmung
- Ruhigstellung
- Hautschäden/trockene Haut an dekubitusgefährdeter Stelle
- Erhöhte Vulnerabilität der Haut durch Feuchtigkeit/Inkontinenz
- Reduzierter Allgemeinzustand
- Hohes Lebensalter
- Große chirurgische Eingriffe
- Diagnostisch oder therapeutisch bedingtes längeres Liegen oder Sitzen

Ressourcen

- Kann sich selbstständig im Raum bewegen
- Kann selbstständig den Transfer bewältigen
- Kann die Körperposition selbstständig verändern
- Kann Mikrobewegungen durchführen
- Darf aus medizinischer Sicht mobilisiert werden
- Zeigt/äußert starkes Interesse, das Bett zu verlassen
- Ist motiviert, Hilfsmittel zur Steigerung der Aktivität einzusetzen
- Ist motiviert, Hilfsmittel zur Steigerung der Mobilität einzusetzen
- Akzeptiert die Unterstützung
- Akzeptiert die Unterstützung von Angehörigen
- Physiologischer Hautzustand

Pflegeziele

- Bewegungsfähigkeiten sind erkannt und dokumentiert
- Bewegungsförderung wird akzeptiert und durchgeführt
- Veränderungen der Haut sind frühzeitig erkannt
- Hautzustand ist mindestens einmal täglich eingeschätzt
- Dekubitusrisiko ist eingeschätzt
- Maßnahmen zur Erhaltung der Integrität der Haut sind rechtzeitig eingeleitet
- Nachhaltige Verbesserung des Bewegungsverhaltens im Alltag
- Herz-Kreislauf-Aktivität ist angeregt
- Vorhandene Kompetenzen und Ressourcen sind gefördert
- Normaler Haut- und Gewebezustand ist aufrechterhalten
- Sicherer Transfer ist gewährleistet
- Mobilität ist verbessert
- Aktivitäten des täglichen Lebens sind gefördert
- Eigenbewegungsfähigkeiten werden gezielt bei der Mobilisation gefördert
- Druckentlastung dekubitusgefährdeter Bereiche
- Eigenbewegungsfrequenz ist gesteigert
- Druckentlastung gefährdeter Körperstellen ist sichergestellt

- Ist über die Pflegemaßnahmen informiert und zur Mitarbeit motiviert
- Hilfsmitteleinsatz entspricht individuellen Voraussetzungen/Bedürfnissen
- Haut ist ausreichend durchblutet
- Auflagedruck ist verteilt
- Risiko der Entwicklung eines sekundären Hypertonus ist reduziert
- Erhält Spürinformationen über eigene Körpergrenzen
- Orientierung über sich selbst und Umgebung ist gefördert

Pflegeinterventionen

Bewegungsanalyse (Mobilisationsassessment) durchführen

- Pflegeintervention konkretisieren
  - » Möglichkeiten der Eigenbeweglichkeit erheben
  - » Selbstständige Lagewechsel ermitteln
  - » Beweglichkeit der Gelenke ermitteln
  - » Mikrobewegungen erheben
  - » Bewegungseinschränkungen ermitteln
  - » Möglichkeiten der Bewegungsförderung ermitteln

Hautinspektion durchführen

- Pflegeintervention konkretisieren
  - » Fingertest bei geröteten Hautstellen durchführen
  - » Test durch Applikation einer transparenten Plastikscheibe durchführen
- Körperregion bestimmen
  - » Alle gefährdeten Körperstellen
  - » Fersen
  - » Außen-/Innenknochen des Sprunggelenks
  - » Gesäß
  - » Trochanter
  - » Außen-/Innenknochen des Kniegelenks
  - » Ellenbogen
  - » Ohren
  - » Schulter
  - » Sitzbeinhöcker
- Zusätzliche Information
  - » Hautzustand analysieren und Pflegediagnosen im Bereich der Hautpflege planen

Dekubitusrisiko ermitteln

- Risikoeinschätzungsskala mit Skala
  - » Systematische, klinische Risikoeinschätzung
  - » Erweiterte Norton-Skala
  - » Braden-Skala
  - » Braden Q-Skala
  - » Waterlow-Skala
  - » Andersen-Skala
  - » Medley-Skala
  - » NSRAS (Neonatal Skin Risk Assessment Scale)
  - » Prölß-Skala
  - » Sonstige Skalen

Bewegungsförderung im Alltag stärken

- Pflegeintervention konkretisieren
  - » Bewegungsbedingte Voraussetzungen zur Bewältigung des Alltags klären
  - » Motorische Fähigkeiten und Fertigkeiten fördern
  - » Zur Kompensation bewegungsbedingter Einschränkungen anleiten
  - » Zu gesundheitsförderndem Bewegungsverhalten anleiten
  - » Zu kräftesparenden Bewegungsabläufen anleiten
- Zeit angeben

Mobilisationsmaßnahmen durchführen

- Art der Mobilisation bestimmen
  - » Zum Sitzen mobilisieren
  - » Standtraining durchführen
  - » Standtraining und wenige Schritte gehen
  - » Gehtraining durchführen (Wegstrecke <10 Meter)
  - » Gehtraining durchführen (Wegstrecke >10 Meter)
- Ort der Mobilisation
  - » Bett
  - » Sessel/Lehnstuhl
  - » Sitzsack
  - » Rollstuhl
  - » Hängematte
- Maßnahmen konkretisieren
  - » Techniken der Kinästhetik einsetzen
  - » Nach dem Bobath-Konzept mobilisieren
  - » Faszilitationstechnik einsetzen
  - » Inhibitationstechniken einsetzen
  - » Spastik im Rahmen der Mobilisation lösen
  - » Hubfreie/-arme Mobilisation durchführen
- Erschwerte Bedingungen feststellen
  - » Zu- und Ableitungssysteme
  - » Kreislaufinstabilität
  - » Abwehrhaltung
  - » Lähmung
  - » Kontraktur
  - » Spasmus
- Art der Unterstützungsleistung angeben
  - » Beaufsichtigen
  - » Teilweise übernehmen
  - » Vollständig übernehmen
  - » Zur Durchführung anleiten
- Anzahl Pflegepersonen angeben
- Zeit angeben

Lagerungswechsel/Mobilisierung nach Plan durchführen

- Dokumentationsort
  - » Im Mobilisationsplan dokumentieren
  - » Im Pflegeplan dokumentieren
- Lagerungsart bestimmen
  - » 30°-Lagerung rechts durchführen
  - » 30°-Lagerung links durchführen
  - » Rückenlagerung durchführen
  - » 135°-Lagerung durchführen
  - » Bauchlagerung durchführen
  - » Sitzposition im Lehn-/Rollstuhl/Rehabuggy verändern
  - » Mikrolagerungen durchführen
  - » Herunterrutschen im Bett oder Stuhl verhindern
- Pflegetechnik konkretisieren
  - » Techniken der Kinästhetik einsetzen
  - » Nach dem Bobath-Konzept mobilisieren
- Bewegungs-/Lagerungsintervalle individuell festlegen
  - » < 1 stündl. Intervall [sehr hohes Risiko]
  - » 1-2 stündl. Intervall [hohes Risiko]
  - » 2-3 stündl. Intervall [mittleres Risiko]
  - » > 3 stündl. Intervall [geringes Risiko]
- Hilfsmittel/Lagerungsmaterialien konkretisieren
- Besonderheiten beachten
  - » Abwehr/Widerstände abbauen
- Anzahl der Pflegepersonen eintragen

Hohl-/Freilagerung gefährdeter Körperstellen durchführen

- Hohllagerung/Freilagerung durchführen
  - » Mit der 5-Kissen-Methode
  - » Mit der 3-Kissen-Methode
  - » Der Ferse mit Lagerungskissen
  - » Der Ellenbogen mit Lagerungshilfsmitteln
  - » Der Ohren mit Lagerungshilfsmitteln

Transfer durchführen

- Transfertechnik festlegen
  - » Tiefer Transfer
  - » Transfer über den Stand
  - » Halbstandtransfer
  - » Kinästhetische Bewegungs- und Transfertechniken anwenden
  - » Nach dem NDT-Konzept (Neuro-Developmental Treatment) mobilisieren
  - » Faszilitationstechnik einsetzen
  - » Inhibitationstechniken einsetzen
- Orte des Transfers
  - » Bett
  - » Bettrand
  - » Sessel/Lehnstuhl
  - » Rollstuhl
  - » Liege
- Unterstützungsgrad angeben
  - » Beaufsichtigen
  - » Teilweise übernehmen
  - » Vollständig übernehmen
  - » Anleiten
- Hilfsmittel einsetzen
  - » Patientenlifter benutzen
  - » Drehscheibe einsetzen
  - » Rutschbrett einsetzen
  - » Transfer mit Stecklaken unterstützen

Systematisch Mobilisierungsanreize im Rahmen von Alltagshandlungen setzen

- Pflegeintervention konkretisieren
  - » Umfeldgestaltung
  - » Individuelle Auswahl geeigneter Hilfsmittel/Lagerungsmaterialien

Eigenbewegungsmöglichkeiten mit dem Betroffenen entwickeln
- Pflegeintervention konkretisieren
- Zeit angeben

Zur Druckentlastung von gefährdeten Hautarealen anleiten
- Pflegeintervention konkretisieren
- Art der Unterstützung
  - » Beaufsichtigen
  - » Durch Unterstützen helfen
  - » Teilweise übernehmen
  - » Vollständig übernehmen
  - » Zur selbstständigen Durchführung anleiten
- Anzuleitende Person(en) festlegen
  - » Betroffene Person
  - » Angehöriger/Bezugsperson
- Zeit angeben

Beratungsgespräch zur Dekubitusprophylaxe führen
- Inhalt konkretisieren
  - » Bedeutung und Zeitumfang der Risikogefährdung
  - » Zusammenhang zwischen Druck/Scherkräften und Dekubitusentstehung
  - » Risikofaktoren
  - » Physiologische und pathophysiologische Zusammenhänge
  - » Möglichkeiten der Steigerung der Mobilität
  - » Möglichkeiten der Steigerung der Aktivität
  - » Präventionsstrategien
  - » Kooperation mit professionellen Akteuren
- Zeit angeben

Druckverteilende Spezialmatratzen einsetzen
- Spezialmatratze zur Druckverteilung einsetzen
  - » Superweiche Schaumstoffmatratze
  - » Schaumstoffquadermatratze
  - » Schaumstoffmatratzenauflage (mind. 7 cm)
  - » Großzellige Wechseldruckmatratze
  - » Luftkissenbett
  - » Air-fluidized-Unterlage (Luftgebläsebett)
  - » Air-Loss-Bett einsetzen
  - » Wasserbett
  - » Sonstige Weichlagerungsmatratzen
- Antidekubitusmatratze einsetzen
  - » In ein Antidekubitusbett umbetten
  - » Bei der Aufnahme ein Antidekubitusbett auswählen
  - » Technische Einstellungen der Antidekubitusmatratze überprüfen
  - » Matratzenauflage einbetten

Hilfsmittel zur Weichlagerung einsetzen
- Weichlagerung durchführen mit
  - » Lagerungskissen
  - » Schaumstoff
  - » Gelkissen
  - » Trockenpolymerauflage
  - » Sonstige Hilfsmittel
- Weichlagerung durchführen von
  - » Außen-/Innenknochen des Kniegelenks
  - » Außen-/Innenknochen des Sprunggelenks
  - » Sitzbeinhöcker
  - » Gesäß
  - » Trochanter
  - » Ohren
  - » Ellenbogen
  - » Schulter
  - » Fersen

Lagerung in Neutralstellung (LiN) durchführen
- Lagerungsart bestimmen
  - » 30°-Lagerung rechts in Neutralstellung
  - » 30°-Lagerung links in Neutralstellung
  - » 90°-Lagerung re. in Neutralstellung
  - » 90°-Lagerung li. in Neutralstellung
  - » 135°-Lagerung re. in Neutralstellung
  - » 135°-Lagerung li. in Neutralstellung
  - » Rückenlagerung in Neutralstellung
  - » Sitzen im Bett in Neutralstellung
- Besonderheiten beachten
- Zeit angeben
- Anzahl Pflegepersonen angeben

Körperumfassende Lagerung durchführen
- Körperumfassende Positionierung (Nestlagerung)
  - » "Nestlagerung" in Rückenlage
  - » "Nestlagerung" in Seitenlage rechts
  - » "Nestlagerung" in Seitenlage links
  - » Offene "Nestlagerung" durchführen
  - » Geschlossene "Nestlagerung" durchführen
- Embryonallagerung
  - » Embryonallagerung rechts
  - » Embryonallagerung links
- Sonstiges
  - » Königsstuhllagerung durchführen
  - » Nussschalenlagerung durchführen
- Zeit angeben
- Anzahl Pflegepersonen angeben

Sonstige Pflegemaßnahmen durchführen
- Maßnahmen konkretisieren
- Zeit angeben

Literaturhinweise: 16, 39, 45, 46, 49, 72, 79, 91, 95, 137, 153, 176, 176, 221, 245, 254, 259, 275, 327, 330, 611, 880, 882, 1051, 1054, 1056, 1057, 1058, 1059, 1060, 1061

Der Patient hat aufgrund einer **Amputation** das **Risiko von Druckstellen** beim Tragen der **Prothese**

Kennzeichen

- Äußert Schmerzen und Unbehagen beim Tragen der Prothese
- Sichtbare Druckstellen im Stumpfbereich

Ursachen

- Fehlende Abhärtung der Haut im Stumpfbereich
- Schlecht sitzende Prothese

Ressourcen

- Zeigt Verhaltensweisen, die die Therapie unterstützen

Pflegeziele

- Haut ist im Stumpfbereich abgehärtet, eine frühzeitige Prothesenschulung ist unterstützt
- Veränderungen der Haut sind frühzeitig erkannt
- Hautzustand ist mindestens einmal täglich eingeschätzt

Pflegeinterventionen

Stumpfhaut nach der Wundheilung bürsten und massieren
- Pflegeintervention konkretisieren
- Zeit angeben

Für intensive/-n Hautpflege/-schutz des Stumpfs sorgen
- Pflegeintervention konkretisieren
  - » Wechselbäder des Stumpfs durchführen
  - » Stülpa oder Stumpfstrumpf beim Tragen der Prothese tragen/anlegen
  - » Haut des Stumpfs mit Hautfunktionsöl pflegen

Hautinspektion durchführen
- Pflegeintervention konkretisieren
  - » Fingertest bei geröteten Hautstellen durchführen
  - » Test durch Applikation einer transparenten Plastikscheibe durchführen
- Körperregion bestimmen
  - » Alle gefährdeten Körperstellen
  - » Fersen
  - » Außen-/Innenknochen des Sprunggelenks
  - » Gesäß
  - » Trochanter
  - » Außen-/Innenknochen des Kniegelenks
  - » Ellenbogen
  - » Ohren
  - » Schulter
  - » Sitzbeinhöcker
- Zusätzliche Information
  - » Hautzustand analysieren und Pflegediagnosen im Bereich der Hautpflege planen

Sonstige Pflegemaßnahmen durchführen
- Maßnahmen konkretisieren
- Zeit angeben

Literaturhinweise: 510

Der Patient hat ein **Risiko der ausscheidungs-/inkontinenzassoziierten Dermatitis**

Kennzeichen

Ursachen

- InkontinenzUrininkontinenz
- Stuhlinkontinenz
- Stuhl- und Urininkontinenz
- Chronische Belastung der Haut durch Feuchtigkeit
- Alkalischer ph-Wert durch die Zersetzung von Stuhl und Harn bei länger anhaltendem Hautkontakt der Ausscheidungsprodukte
- Mechanische Faktoren (z. B. Druck, Scherkräfte, Reibung)
- Besiedelung mit pathogenen Keimen
- Nutzung von Inkontinenzhosen
- Unzureichende Durchblutung der Haut
- Altersbedingte Veränderungen der Haut
- Fieber (Hyperthermie)

Ressourcen

Pflegeziele

- Das individuelle Risiko einer inkontinenzassoziierten Dermatitis ist eingeschätzt
- Risikofaktoren für eine perineale Dermatitis sind identifiziert, dokumentiert
- Hautschonende Reinigung ist sichergestellt
- Verwendete Produkte zur Hautreinigung sind dokumentiert
- Verwendete Hautpflegeprodukte sind dokumentiert
- Verwendete Hautschutzprodukte sind dokumentiert
- Physiologisches Hautmilieu ist hergestellt
- Inkontinenzhilfsmittel sind entsprechend den Anforderungen ausgewählt und eingesetzt
- Ist über die verschiedenen Möglichkeiten informiert

- Wohlbefinden ist unterstützt

Pflegeinterventionen

Risikoeinschätzung durchführen
- Maßnahmen konkretisieren
  - » Hautinspektion durchführen
  - » Risikoeinschätzung mit dem Perineal Assessment Tool (PAT)
  - » Risikoeinschätzung mit dem Incontinence-Associated Dermatitis Intervention Tool (IADIT)

Hautreinigung nach dem Einnässen/Einstuhlen durchführen
- Pflegeintervention konkretisieren
  - » Intimwaschung durchführen
  - » Mit Pflegeschaum Haut reinigen
  - » Feuchttücher zur Hautreinigung anwenden
  - » Alte aufgetragene Hautschutzcreme mit Öl und weichem Tuch entfernen
  - » Reinigungsprodukte mit saurem ph-Wert verwenden
  - » Reibung beim Reinigen und Abtrocknen vermeiden

Hautpflege durchführen
- Hautpflegeprodukt angeben
- Pflegeintervention konkretisieren

Hautschutz auftragen
- Produkt zum Hautschutz angeben
- Pflegeintervention konkretisieren

Intimpflege und Hautschutz/-pflege nach jeder Ausscheidung durchführen
- Pflegeintervention konkretisieren
  - » Intimwaschung durchführen
  - » Mit Pflegeschaum Haut reinigen
  - » Feuchttücher zur Hautreinigung anwenden
- Hautpflege/-schutz durchführen
  - » Hautpflegemittel auftragen
  - » Hautschutzcreme auftragen

Schweregrad der Inkontinenz mittels Vorlagentest ermitteln
- Pflegeintervention konkretisieren
- Zeit angeben

Inkontinenzversorgung individuell festlegen und planen
- Pflegeintervention konkretisieren
  - » Geeignete Inkontinenzprodukte auswählen
  - » Intervall zum Wechsel der Inkontinenzprodukte festlegen
- Zeit angeben

Beratungsgespräch durchführen
- Pflegeintervention konkretisieren
- Zeit angeben

Windel wechseln
- Pflegeintervention konkretisieren
  - » Einmal-Höschenwindel verwenden
  - » Stoffwindel verwenden

Sonstige Pflegemaßnahmen durchführen
- Maßnahmen konkretisieren
- Zeit angeben

Literaturhinweise: 510, 810, 811, 843, 844, 845, 846, 848, 849, 850, 851, 852, 853, 861, 862, 863, 864, 865

Der Patient hat aufgrund von **Intertrigo/Neigung zu Intertrigo** ein **Risiko der Hautschädigung**

Kennzeichen

- Äußert Juckreiz auf der Haut
- Hautmazerationen
- Unangenehmer Geruch der feuchten Hautfalten
- Beschreibt brennende Schmerzen

Ausprägung des Intertrigo(risikos)
- Intakte Haut > 1 Monat
- Kürzlich abgeheilter Intertrigo < 1 Monat
- Gerötete Hautstellen
- Rötung der Haut mit nässenden Läsionen
- Rötung der Haut, nässende Läsionen und schmieriges Hornmaterial

Ort der Hautrötung
- Leiste links
- Leiste rechts
- Unter der Brust links
- Unter der Brust rechts
- Analfalte
- Innenseite des Oberschenkels
- Achselhöhle links
- Achselhöhle rechts
- Zwischenräume der Finger
- Zwischenräume der Zehen
- Hodenbereich
- Bauchfalte

Ursachen

- Schlecht belüftete Körperstellen
- Immobilität
- Starkes Schwitzen (Hyperhidrosis)
- Kontakt mit Exkretionen
- Feuchtigkeit
- Inkontinenz
- Große Hautfalten
- Lähmung (nicht näher bezeichnet)
- Spastik
- Kontrakturen
- Krankheitsbilder im Zusammenhang mit IntertrigorisikoFieber (Hyperthermie)
- Adipositas

- Diabetes mellitus
- Hyperthyreose
- Morbus Parkinson
- Apoplektischer Insult

Ressourcen

- Kennt die Schutz- und Hygienemaßnahmen und hält sie ein
- Äußert Einsicht in die Pflegemaßnahme
- Ist motiviert, die Pflegemaßnahme zu unterstützen und zeigt entsprechende Verhaltensweisen

Pflegeziele

- Gezielte Therapie/Behandlung kann eingeleitet werden
- Einer Keimverschleppung ist vorgebeugt
- Physiologisches Hautmilieu ist hergestellt
- Reibung/Kontakt von Haut auf Haut ist vorgebeugt

Pflegeinterventionen

Reihenfolge der Körperwäsche ändern
- Pflegeintervention konkretisieren
  - » Einmalmaterial verwenden
  - » Infizierte/keimbesiedelte Körperregionen am Schluss waschen
  - » Einmalhandschuhe tragen

In betroffenen Regionen Einmalmaterial verwenden
- Pflegeintervention konkretisieren
- Zeit angeben

Abstrich von der betroffenen Hautregion durchführen
- Bemerkungen eintragen

Betroffene Hautregion laut Anordnung behandeln
- Pflegeintervention konkretisieren
- Zeit angeben

Feuchtes Hautmilieu vermeiden
- Pflegeintervention konkretisieren
  - » Haut gut abtrocknen
  - » Feuchte Kleidung wechseln
  - » Gefährdete Hautregionen sorgfältig abtrocknen
  - » Mullstreifen in gefährdete Hautfalten einlegen
  - » Leinenstreifen einlegen
  - » Puder verwenden

An gefährdeten Körperstellen Hautschutzmaßnahmen durchführen
- Pflegeintervention konkretisieren
  - » Dünnen Hydrokolloidverband anbringen
  - » Dünnen Folienverband anbringen

Sonstige Pflegemaßnahmen durchführen
- Maßnahmen konkretisieren
- Zeit angeben

Literaturhinweise: 95, 125, 127, 175, 176

Der Patient **schwitzt stark**, es besteht das **Risiko der Hautschädigung**

Kennzeichen

- Schweißausbruch
- Vermehrte Schweißproduktion
- Körpergeruch nach Schweiß
- Feuchte Haut
- Großperliger, warmer Schweiß auf der Stirn

Ursachen

- Hohe Außentemperatur
- Anlagebedingt
- Übergewicht
- Adipositas
- Fieber (Hyperthermie)
- Vegetative Störung
- Neurologische Erkrankung
- Hormonelle Schwankungen
- Schilddrüsenfunktionsstörung
- Nebenwirkungen von Medikamenten
- Morbus Parkinson
- Entzugssyndrom
- Korsett
- Orthese
- Klimakterium (Wechseljahre)

Ressourcen

- Physiologischer Hautzustand
- Ist motiviert, die Körperpflege entsprechend häufig durchzuführen
- Akzeptiert die Unterstützung
- Akzeptiert die Unterstützung von Angehörigen
- Es steht ausreichend Kleidung zum Wechseln bereit
- Verwendet Pflegeprodukte, die gut vertragen werden

Pflegeziele

- Ursachen sind erkannt
- Hautzustand ist eingeschätzt
- Schweißbildung ist reduziert
- Kann den Körper selbstständig waschen und abtrocknen
- Die Durchführung der Körperpflege ist zwischen Pflegeperson und Betroffenem abgestimmt und im Ablauf harmonisch
- Wohlbefinden ist unterstützt

Pflegeinterventionen

Hyperhidrosis beobachten und dokumentieren
- Pflegeintervention konkretisieren
- Zeit angeben

Hautinspektion durchführen
- Pflegeintervention konkretisieren
- Zeit angeben

Schweiß reduzierende Körperwaschung durchführen
- Pflegeintervention konkretisieren
  - » Weiche Waschlappen/Handtücher verwenden
  - » Wassertemperatur der Körpertemperatur entsprechend einrichten
  - » Mit der Haarwuchsrichtung waschen
  - » Haut trockentupfen
- Schweiß reduzierende Waschzusätze verwenden
  - » Pfefferminztee (1 l Tee und 4 l Wasser)
  - » Salbeitee (1 l Tee und 4 l Wasser)

Teilkörperwaschung durchführen
- Zu waschendes Körperteil
  - » Gesicht
  - » Hände
  - » Arme
  - » Ein Arm
  - » Brust
  - » Bauch
  - » Rücken
  - » Beine
  - » Ein Bein
  - » Füße
  - » Ein Fuß
  - » Intimbereich vorne
  - » Intimbereich Gesäß
- Unterstützungsgrad angeben
  - » Beaufsichtigen
  - » Durch Unterstützen helfen
  - » Teilweise übernehmen
  - » Vollständig übernehmen
  - » Aktivieren/anleiten
- Ort der Teilkörperwaschung
  - » Im Bett
  - » Am Bettrand
  - » Am Waschbecken/Lavabo
- Besonderheiten beachten
  - » Ritualisierung einhalten
- Verwendetes Pflegeprodukt angeben

Wäsche und Bettwäsche nach Bedarf wechseln
- Pflegeintervention konkretisieren
  - » Kleidungsstücke auswechseln
  - » Bett komplett frisch beziehen
  - » Bettwäsche teilweise auswechseln

Sonstige Pflegemaßnahmen durchführen
- Maßnahmen konkretisieren
- Zeit angeben

Literaturhinweise: 95, 127, 155, 175, 176, 284, 322

Der Patient ist in der **Beweglichkeit des Arms beeinträchtigt und schwitzt unter der Achsel**, es besteht das **Risiko einer Hautschädigung**

Kennzeichen

- Vermehrte Schweißproduktion
- Feuchte Achselhöhlen
- Hautmazerationen
- Druckstellen im Achselbereich
- Äußert Schmerzen

Ursachen

- Lähmung (nicht näher bezeichnet)
- Bewegungseinschränkung
- Gilchrist-Verband
- Briefträgerverband (30°-Abduktionsstellung des Schultergelenks)
- Desault-Verband
- Druck durch den Oberarmgips
- Druck durch den Rucksackverband
- Postoperative Bewegungseinschränkung
- Kontrakturen
- Korsett
- Orthese

Ressourcen

- Äußert Einsicht in die Pflegemaßnahme
- Akzeptiert die Unterstützung
- Akzeptiert die Unterstützung von Angehörigen
- Entwickelt kreative Möglichkeiten, die Bewegungseinschränkung zu kompensieren

Pflegeziele

- Physiologisches Hautmilieu ist hergestellt

Pflegeinterventionen

Vorsichtige Waschung der Achselhöhle übernehmen

- Pflegeintervention konkretisieren
- Zeit angeben

Haut trocken halten, evtl. etwas Hautpuder benutzen
- Pflegeintervention konkretisieren
- Zeit angeben

Achselpolster aus Schlauchverband und Watte unter die Achselhöhle legen
- Pflegeintervention konkretisieren
- Zeit angeben

Sonstige Pflegemaßnahmen durchführen
- Maßnahmen konkretisieren
- Zeit angeben

Literaturhinweise: 95, 125, 127, 140, 151, 175, 176

Der Patient hat aufgrund **trockener Haut** ein **Risiko der Hautschädigung**

Kennzeichen

- Haut ist glanzlos/feinporig
- Matte Haut mit Knitterfältchen
- Haut wirkt dünn
- Schuppende Haut
- Haut fühlt sich rau an
- Äußert Spannungsgefühl
- Rötung der Haut
- Hautrisse

Ursachen

- Flüssigkeitsdefizit/Dehydratation/ Exsikkose
- Ernährungsdefizit
- Mangelnde Hautpflege
- Altersbedingte Veränderungen der Haut
- Disposition zu trockener Haut
- Nebenwirkungen von Medikamenten

Ressourcen

- Akzeptiert die Unterstützung
- Akzeptiert die Unterstützung von Angehörigen
- Verwendet Pflegeprodukte, die gut vertragen werden
- Äußert Einsicht in die Pflegemaßnahme
- Ist motiviert, die Pflegemaßnahme zu unterstützen und zeigt entsprechende Verhaltensweisen

Pflegeziele

- Geschmeidige, intakte Haut
- Natürliche Abwehr und Funktion der Haut sind erhalten
- Physiologisches Hautmilieu ist hergestellt
- Maßnahmen zur Erhaltung der Integrität der Haut sind rechtzeitig eingeleitet

Pflegeinterventionen

Hautbeschaffenheit und Ursachen analysieren/dokumentieren
- Pflegeintervention konkretisieren
- Zeit angeben

Hautpflege mit W/Ö-Präparaten durchführen
- Pflegeintervention konkretisieren
- Hautpflegeprodukt angeben

Für ausreichende Flüssigkeitszufuhr sorgen
- Pflegeintervention konkretisieren
  - » Angeordnete Flüssigkeitsmenge in 24 h
- Flüssigkeitszufuhr managen
  - » Flüssigkeitszufuhr mithilfe eines Trinkfahrplans dokumentieren
  - » Flüssigkeitszufuhr mithilfe eines Einfuhrprotokolls dokumentieren
  - » Trinkfahrplan erstellen/aktualisieren
  - » 24-h-Flüssigkeitszufuhr berechnen/dokumentieren
  - » Zu selbstständiger Dokumentation der Trinkmenge anleiten/anhalten

Vollbäder reduzieren
- Pflegeintervention konkretisieren
- Zeit angeben

Heißes Duschen vermeiden
- Pflegeintervention konkretisieren
- Zeit angeben

Seifen und Syndets nur für Problembereiche und bei starken Verschmutzungen einsetzen
- Pflegeintervention konkretisieren
- Zeit angeben

Keinen Franzbranntwein oder andere alkoholische Lösungen verwenden
- Pflegeintervention konkretisieren
- Zeit angeben

Langes (< 15 Min.) Duschen/Baden vermeiden
- Pflegeintervention konkretisieren
- Zeit angeben

Sonstige Pflegemaßnahmen durchführen
- Maßnahmen konkretisieren
- Zeit angeben

Literaturhinweise: 95, 125, 127, 175, 176

Der Patient hat aufgrund **trockener Lippen** ein **Risiko der fortschreitenden Hautschädigung**

Kennzeichen

- Spröde Lippen
- Sichtbare Einrisse
- Einrisse an den Mundwinkeln
- Äußert Spannungsgefühl

Ursachen

- Mangelnde Lippenpflege
- Flüssigkeitsdefizit/Dehydratation/ Exsikkose
- Äußere Einflüsse
- Vermehrter Speichelfluss

Ressourcen

- Trinkt die vorbereitete Flüssigkeit
- Äußert Einsicht in die Pflegemaßnahme
- Akzeptiert die Unterstützung
- Akzeptiert die Unterstützung von Angehörigen
- Kann Aufforderungen folgen und hält sich an Vorgaben

Pflegeziele

- Lippen sind geschmeidig

Pflegeinterventionen

Lippenpflege durchführen
- Pflegeintervention konkretisieren
- Verwendetes Pflegeprodukt angeben

Sonstige Pflegemaßnahmen durchführen
- Maßnahmen konkretisieren
- Zeit angeben

Literaturhinweise: 95, 125, 127, 175, 176

Der Patient hat aufgrund eines **liegenden Tracheostomas** das **Risiko einer Hautschädigung**

Kennzeichen

- Rötungen am Tracheostoma
- Mazerierte Haut am Tracheostoma
- Druckstellen durch Trachealkanüle
- Starke Bronchialsekretbildung
- Veränderung des Tracheostomas

Ursachen

- Beeinträchtigte Wundheilung der Stomaanlage
- Wissensdefizit über Verhaltensregeln
- Mangelnde Hygiene
- Zu straff fixierte Kanüle
- Lockerung der Kanülenfixierung
- Ungeblockte Kanüle
- Unzureichend geblockte Kanüle
- Vermehrter Speichelfluss
- Häufige Manipulation an der Trachealkanüle
- Häufiges Herausziehen der Trachealkanüle

Ressourcen

- Kennt die Möglichkeiten der Selbstversorgung
- Kennt die Schutz- und Hygienemaßnahmen und hält sie ein
- Hält die Therapievereinbarungen ein
- Toleriert den Verbandwechsel

Pflegeziele

- Einer Infektion/Keimverschleppung ist vorgebeugt
- Haut im Bereich des Tracheostomas ist intakt und reizfrei
- Fehlerhafte Fixierung ist erkannt

Pflegeinterventionen

Verbandwechsel des Tracheostomas durchführen
- Pflegeintervention konkretisieren
- Verbandmaterial angeben

Kanülen unter Beachtung der Hygienevorschriften wechseln
- Pflegeintervention konkretisieren
- Zeit angeben

Tracheostoma reinigen und bei Bedarf Hautschutz auftragen
- Tracheostoma reinigen mit
  - » Ringer-Lösung
  - » Tracheostoma-Reinigungstüchern
  - » Angefeuchteten Kompressen
- Hautschutz auftragen
  - » Hautschutzcreme auftragen
  - » Wund- und Heilsalbe auftragen

Haut sauber und trocken halten
- Pflegeintervention konkretisieren
- Hautpflegeprodukt angeben

Fixierung der Kanüle des Tracheostomas kontrollieren
- Pflegeintervention konkretisieren
- Zeit angeben

Sonstige Pflegemaßnahmen durchführen
- Maßnahmen konkretisieren
- Zeit angeben

Literaturhinweise: 79, 93, 95, 100, 113, 125, 126, 127, 167, 175, 176, 328

Der Patient wird **bestrahlt**, es besteht ein **Risiko der Hautschädigung**

Kennzeichen

- Bestrahlungsgebiet ist markiert
- Rötung
- Trockene, schuppende Haut im Bestrahlungsgebiet
- Nässende Stellen im Bestrahlungsgebiet
- Farbveränderungen der Haut im Bestrahlungsgebiet (dunkler)

Ursachen

- Radiotherapie bei Tumorbehandlung

Ressourcen

- Physiologischer Hautzustand
- Erkennt die Notwendigkeit der getroffenen Intervention und kooperiert mit dem therapeutischen Team
- Äußert Einsicht in die Pflegemaßnahme
- Ist motiviert, die Pflegemaßnahme zu unterstützen und zeigt entsprechende Verhaltensweisen

Pflegeziele

- Natürliche Abwehr und Funktion der Haut sind erhalten
- Zusätzliche Belastungen und äußere Reize auf die Haut sind reduziert

Pflegeinterventionen

Bestrahlungsgebiet beim Waschen aussparen
- Pflegeintervention konkretisieren

Mechanische und thermische Reize bei der

Körperpflege vermeiden
- Pflegeintervention konkretisieren
- Zeit angeben

Keine Seifen, Waschlotionen und Parfümstoffe verwenden
- Pflegeintervention konkretisieren
- Zeit angeben

Nach der Körperpflege Haut des Bestrahlungsgebiets gut trocknen
- Für trockene Haut sorgen
  - » Haartrockner (kühle Stufe) benutzen
  - » Mit Hautpuder trocken halten

Sonneneinstrahlung auf die geschädigte Haut vermeiden
- Pflegeintervention konkretisieren
- Zeit angeben

Sonstige Pflegemaßnahmen durchführen
- Maßnahmen konkretisieren
- Zeit angeben

Literaturhinweise: 95, 125, 127, 175, 176, 256

Der Patient hat aufgrund **sonstiger äußerer Reize** ein **Risiko der Hautschädigung**

Kennzeichen

- Berichtet über Kontaktallergien

Ursachen

- Feuchtes Hautmilieu
- Auftreten von Druck
- Auftreten von Scherkräften/Reibung
- Vermehrte Schweißproduktion
- Hautirritationen durch chemische Stoffe
- Hautirritative Substanzen
- Inkontinenz
- Bestrahlung
- Allergenkontakt
- Verwendung neuer Pflegeprodukte
- Korsett
- Orthese
- Gipsverband
- Vermehrtes Lutschen/Beißen an Fingern oder Händen
- Sonnenstrahlung

Ressourcen

- Kennt die Schutz- und Hygienemaßnahmen und hält sie ein
- Physiologischer Hautzustand
- Äußert Einsicht in die Pflegemaßnahme
- Ist motiviert, die Pflegemaßnahme zu unterstützen und zeigt entsprechende Verhaltensweisen

Pflegeziele

- Hautzustand ist eingeschätzt
- Geschmeidige, intakte Haut
- Physiologisches Hautmilieu ist hergestellt
- Hautschonende Reinigung ist sichergestellt
- Verwendete Produkte zur Hautreinigung sind dokumentiert
- Einer Keimverschleppung ist vorgebeugt
- Natürliche Abwehr und Funktion der Haut sind erhalten

Pflegeinterventionen

Hautbeschaffenheit/-zustand analysieren, einschätzen und dokumentieren
- Pflegeintervention konkretisieren
- Zeit angeben

Hautpflege mit W/Ö-Präparaten durchführen
- Pflegeintervention konkretisieren
- Hautpflegeprodukt angeben

Hautschutzmittel auswählen und auftragen
- Ziel des Hautschutzes
  - » Vor Feuchtigkeit schützen
  - » Sonnenschutz auftragen
  - » Vor Exkrementen schützen
- Hautschutz durchführen mit
- Körperregion des Hautschutzes bestimmen
  - » Gesamte Hautoberfläche
  - » Gesäß
  - » Körperfalten

Seifen, Syndets und Waschzusätze sparsam einsetzen
- Pflegeintervention konkretisieren
- Zeit angeben

Nach der Benutzung von Seifen/Waschlotion Haut mit klarem Wasser nachspülen
- Pflegeintervention konkretisieren
- Zeit angeben

Feuchtes Hautmilieu vermeiden
- Pflegeintervention konkretisieren
  - » Haut gut abtrocknen
  - » Feuchte Kleidung wechseln
  - » Gefährdete Hautregionen sorgfältig abtrocknen
  - » Mullstreifen in gefährdete Hautfalten einlegen

» Leinenstreifen einlegen
» Puder verwenden

Hautreinigung nach dem Einnässen/Einstuhlen durchführen
- Pflegeintervention konkretisieren
  - » Intimwaschung durchführen
  - » Mit Pflegeschaum Haut reinigen
  - » Feuchttücher zur Hautreinigung anwenden
  - » Alte aufgetragene Hautschutzcreme mit Öl und weichem Tuch entfernen
  - » Reinigungsprodukte mit saurem ph-Wert verwenden
  - » Reibung beim Reinigen und Abtrocknen vermeiden

Hautschutz im Intimbereich auftragen
- Produkt zum Hautschutz angeben
- Pflegeintervention konkretisieren

Hygienischen Umgang mit Cremes, Salben, Pasten und anderen Pflegemitteln gewährleisten
- Pflegeintervention konkretisieren
- Zeit angeben

Abhärtung der Haut durchführen
- Pflegeintervention konkretisieren
  - » Kontamination mit Ausscheidungen im Analbereich vor Rückverlegung des Anus durchführen

Sonstige Pflegemaßnahmen durchführen
- Maßnahmen konkretisieren
- Zeit angeben

Literaturhinweise: 95, 125, 127, 175, 176

Der Patient hat aufgrund von **empfindlicher/dünner Haut** das Risiko der Hautschädigung

Kennzeichen

- Haut wirkt dünn
- Haut reißt leicht ein
- Neigt zu "blauen Flecken" an Armen und Beinen, ohne sich bewusst gestoßen zu haben
- Haut wirkt pergamentartig

Ursachen

- Frühgeburt
- Unreifes Neugeborenes
- Erkrankung des Kindes
- Langfristige Kortison-Therapie
- Erkrankungen, die zu einem Cortisolüberschuss führen
- Dünner werdende Haut im Alter
- Verschlechterung der Durchblutungssituation
- Im Zusammenhang mit Krankheitsbildern-Morbus Cushing

Ressourcen

- Angehörige zeigen Bereitschaft, neu zu lernen
- Angehöriger/Bezugsperson möchte das Kind selbstständig versorgen

Pflegeziele

- Einer Überforderung ist vorgebeugt
- Physiologisches Hautmilieu ist hergestellt
- Geschmeidige, intakte Haut
- Veränderungen der Haut sind frühzeitig erkannt
- Haut ist intakt und vor äußeren Einflüssen geschützt

Pflegeinterventionen

Körperpflege mit sterilem Wasser und Kompressen im Inkubator durchführen
- Pflegeintervention konkretisieren
- Zeit angeben

Hautpflege mit W/Ö-Präparaten durchführen
- Pflegeintervention konkretisieren
- Hautpflegeprodukt angeben

Haut häufig inspizieren
- Pflegeintervention konkretisieren
- Zeit angeben

Bei Pflegeinterventionen auf hautschonenden Umgang achten
- Pflegeintervention konkretisieren
- Zeit angeben

Gefährdete Hautstellen abpolstern
- Pflegeintervention konkretisieren

Sonstige Pflegemaßnahmen durchführen
- Maßnahmen konkretisieren
- Zeit angeben

Literaturhinweise: 68, 161, 175, 176, 625

Der Patient hat aufgrund eines **trockenen Munds** ein **Risiko der Schleimhautschädigung**

Kennzeichen

- Trockenheitsgefühl im Mund (Xerostomie)
- Trockene Mundschleimhaut
- Berichtet über eine brennende/schmerzende Zunge
- Berichtet über Schwierigkeiten beim Schlucken
- Berichtet über Schwierigkeiten beim Sprechen

Ursachen

- Mundatmung
- Nahrungskarenz
- Fieber (Hyperthermie)
- Psychopharmaka
- Flüssigkeitsdefizit/Dehydratation/ Exsikkose
- Starkes Schwitzen (Hyperhidrosis)
- Stoffwechsel-/Hormonveränderungen
- Sjögren-Syndrom
- Nebenwirkungen von Medikamenten
- Nebenwirkung der Strahlentherapie
- Diabetes mellitus
- Morbus Parkinson

Ressourcen

- Kann die Mundspülung/Mundpflege selbstständig durchführen
- Kann mit Unterstützung und Anleitung die Mundpflege durchführen
- Kann die Zahnprothese selbstständig aus dem Mund nehmen und wieder einsetzen
- Öffnet den Mund und lässt die Mundpflege durchführen
- Trinkt die vorbereitete Flüssigkeit
- Akzeptiert die Unterstützung
- Akzeptiert die Unterstützung von Angehörigen
- Erkennt die Notwendigkeit der getroffenen Intervention und kooperiert mit dem therapeutischen Team

Pflegeziele

- Atemluft ist angefeuchtet
- Mundschleimhaut ist intakt
- Defekte der Mundschleimhaut sind rechtzeitig erkannt

Pflegeinterventionen

Flüssigkeitszufuhr anpassen

- Pflegeintervention konkretisieren
  - » Angeordnete Flüssigkeitsmenge in 24 h
- Flüssigkeitszufuhr managen
  - » Flüssigkeitszufuhr mithilfe eines Trinkfahrplans dokumentieren
  - » Flüssigkeitszufuhr mithilfe eines Einfuhrprotokolls dokumentieren
  - » Trinkfahrplan erstellen/aktualisieren
  - » 24-h-Flüssigkeitszufuhr berechnen/dokumentieren
  - » Zu selbstständiger Dokumentation der Trinkmenge anleiten/anhalten

Zur Nasenatmung auffordern

- Pflegeintervention konkretisieren
- Zeit angeben

Speichelproduktion anregen

- Pflegeintervention konkretisieren
  - » Im Bereich der Ohrspeicheldrüsen massieren/ausstreichen
  - » Zitrusduft einsetzen
  - » Kaugummi anbieten
  - » Kautätigkeit fördern
  - » Eislutscher anbieten
  - » Lemonstick verwenden
  - » Betupfen der Wangentaschen mit Zitronensaft

Mundpflege durchführen

- Pflegeintervention konkretisieren
  - » Mundspülung durchführen
  - » Zahnteilprothese reinigen
  - » Zahnvollprothese reinigen
  - » Zahnpflege mit Zahnbürste und Zahnpasta durchführen
  - » Spezielle Mundpflege durchführen
  - » Mundhöhle mit Pflaumentupfer auswischen
- Bei der Mund-/Zahnpflege helfen
  - » Materialien bereitlegen
  - » Beaufsichtigen
  - » Durch Unterstützen helfen
  - » Teilweise übernehmen
  - » Vollständig übernehmen
  - » Zur Pflegeintervention anleiten/aktivieren
- Produkt zur Mundpflege angeben

Atemwege mit einem Ultraschallvernebler/mit Wasserdampf anfeuchten

- Pflegeintervention konkretisieren
- Zeit angeben

Inspektion der Mundhöhle durchführen

- Hilfsmittel einsetzen
  - » Taschenlampe
  - » Mundspatel

Sonstige Pflegemaßnahmen durchführen

- Maßnahmen konkretisieren
- Zeit angeben

Literaturhinweise: 69, 95, 125, 127, 175, 176, 391, 1162

Der Patient hat aufgrund einer **Sonde** /eines **Tubus** durch die Nase ein **Risiko der Schleimhaut-/Hautschädigung**

Kennzeichen

- Liegende Nasensonde
- Liegende Sauerstoffbrille
- Angelegte Sauerstoffmaske
- Angelegte Beatmungsmaske
- PH-Messsonde
- Liegende nasojejunale Sonde
- Liegende nasogastrale Sonde
- Liegende nasoduodenale Sonde
- Sonde zur Ösophagusmanometrie

Ursachen

- Keimbesiedelung
- Sauerstoffverabreichung
- Auftreten von Druck

Ressourcen

- Meldet sich bei Anzeichen von Komplikationen
- Erkennt Veränderungen der Körpertemperatur und meldet sich

Pflegeziele

- Einer aufsteigenden Infektion ist vorgebeugt
- Nasenschleimhaut ist intakt
- Komplikationen sind vorgebeugt
- Intakte Haut auf dem Nasenrücken

Pflegeinterventionen

Nasenpflege durchführen
- Pflegeintervention konkretisieren
  - » Nase mit Tupfern reinigen
  - » Nase mit Watteträgern reinigen
  - » Nase mit Watte reinigen
  - » Nasenspülung mit NaCl durchführen
- Materialien zur Nasenpflege wählen

Nasensonde polstern
- Pflegeintervention konkretisieren
- Zeit angeben

Gefährdete Hautstellen abpolstern
- Pflegeintervention konkretisieren

Nasensonde nur kurzzeitig einsetzen
- Pflegeintervention konkretisieren
- Zeit angeben

Fixierung anbringen/erneuern
- Pflegeintervention konkretisieren
- Zeit angeben

Sonstige Pflegemaßnahmen durchführen
- Maßnahmen konkretisieren
- Zeit angeben

Literaturhinweise: 89, 90, 95, 97, 106, 113, 125, 127, 175, 176

Der Patient hat das **Risiko einer Soorinfektion** im Mund

Kennzeichen

- Vernachlässigt die Mund-/Zahnhygiene
- Hat einen dicken/zähen Speichel
- Trockenheitsgefühl im Mund (Xerostomie)
- Plaquebildung im Mund

Ursachen

- Nahrungskarenz
- Chemotherapie
- Antibiotikatherapie
- Immunsuppressive Behandlung
- Immunabwehrschwäche
- Ineffektive Mundhygiene
- Mangelhafte Mundhygiene
- Mundtrockenheit

Ressourcen

- Kaut gern Kaugummi/Brotrinde
- Öffnet den Mund und lässt die Mundpflege durchführen
- Kann die Mundspülung/Mundpflege selbstständig durchführen
- Kann mit Unterstützung und Anleitung die Mundpflege durchführen
- Akzeptiert die Unterstützung
- Akzeptiert die Unterstützung von Angehörigen
- Erkennt die Notwendigkeit der getroffenen Intervention und kooperiert mit dem therapeutischen Team

Pflegeziele

- Tägliche Zahnhygiene ist gewährleistet
- Kann die Mund-/Zahnpflege selbstständig durchführen
- Kann die Mund-/Zahnpflege unter Anleitung selbstständig durchführen
- Mundschleimhaut, Zunge und Lippen sind intakt
- Zunge ist belagfrei
- Ursachen sind erkannt
- Mundgeruch ist reduziert
- Mundschleimhaut ist intakt
- Wissensdefizit ist aufgehoben

Pflegeinterventionen

Systematische Mund- und Zahnhygiene unterstützen

- Pflegeintervention konkretisieren
  - » Materialien zur Mund- und Zahnhygiene bereitstellen
  - » Zahnpflege mit Zahnbürste und Zahnpasta durchführen
  - » Zahn(teil)prothese reinigen
  - » Zahnprothesenreinigung und Mundspülung durchführen
  - » Spezielle Mundpflege durchführen
- Bei der Mundpflege helfen
  - » Beaufsichtigen
  - » Teilweise übernehmen
  - » Durch Unterstützen helfen
  - » Vollständig übernehmen
  - » Zur Pflegeintervention anleiten/aktivieren
- Produkt zur Mundpflege angeben

Therapeutische Mundpflege durchführen

- Pflegeintervention konkretisieren
  - » Mundhöhle mit Peanklemme und getränktem Tupfer reinigen
  - » Mundhöhle mit um den Finger gewickelter, getränkter Kompresse reinigen
  - » Mundhöhle mit Pflaumentupfer auswischen
  - » Mundhöhle mit feuchten Watteträgern auswischen
  - » Zunge mit Zungenreiniger säubern
  - » Zahnfleisch, Zunge und Zähne mit Mundpflege-Fingerling reinigen
  - » Mundspülung durchführen
- Produkt zur Mundpflege angeben

Zunge mit einem Zungenreiniger säubern

- Pflegeintervention konkretisieren
- Zeit angeben

Mundspülung ermöglichen/durchführen

- Mundspüllösungen verwenden
- Art der Unterstützungsleistung angeben
  - » Beaufsichtigen
  - » Durch Unterstützen helfen
  - » Teilweise übernehmen
  - » Vollständig übernehmen
  - » Zur Mundspülung anleiten

Zuckerhaltige Nahrungsmittel reduzieren

- Pflegeintervention konkretisieren
- Zeit angeben

Informationsgespräch über geeignete, keimarme Nahrungsmittel führen

- Pflegeintervention konkretisieren
  - » Keimarme Diät in der Küche bestellen
  - » Aufklärungsgespräch über die Diät führen
- Keimarme Diät bestellen
  - » Gekochte Speisen
  - » Keine Rohkost
  - » Nur geschältes Obst
  - » Keine Käsesorten mit Schimmelpilzkulturen

Sonstige Pflegemaßnahmen durchführen

- Maßnahmen konkretisieren
- Zeit angeben

Literaturhinweise: 69, 107, 278

Der Patient hat aufgrund von **zähem Speichel/reduzierter Speichelproduktion** ein **Risiko der Parotitis/der Mundschleimhautschädigung**

Kennzeichen

- Trockenheitsgefühl im Mund (Xerostomie)
- Borkig belegte Zunge

Ursachen

- Nahrungskarenz
- Mundatmung
- Flüssigkeitsdefizit/Dehydratation/ Exsikkose
- Hormonell bedingt
- Steht unter starker Anspannung/Stress

Ressourcen

- Trinkt die vorbereitete Flüssigkeit
- Erkennt die Notwendigkeit der getroffenen Intervention und kooperiert mit dem therapeutischen Team

Pflegeziele

- Speichel ist verflüssigt
- Speichel fließt kontinuierlich ohne Stauung
- Speichelfluss ist angeregt

Pflegeinterventionen

Ausreichende Flüssigkeitszufuhr festlegen
- Pflegeintervention konkretisieren
  - » Angeordnete Flüssigkeitsmenge in 24 h
- Flüssigkeitszufuhr managen
  - » Flüssigkeitszufuhr mithilfe eines Trinkfahrplans dokumentieren
  - » Flüssigkeitszufuhr mithilfe eines Einfuhrprotokolls dokumentieren
  - » Trinkfahrplan erstellen/aktualisieren
  - » 24-h-Flüssigkeitszufuhr berechnen/dokumentieren
  - » Zu selbstständiger Dokumentation der Trinkmenge anleiten/anhalten

Salzhaltige Zahnpasta verwenden
- Pflegeintervention konkretisieren
- Zeit angeben

Ohr- und Kieferspeicheldrüsen massieren/ausstreichen
- Pflegeintervention konkretisieren
- Zeit angeben

Kautätigkeit anregen
- Pflegeintervention konkretisieren
  - » Dörrobst
  - » Kaugummi anbieten
  - » Brotrinde

Speichelfluss anregen/fördern
- Pflegeintervention konkretisieren
  - » Im Bereich der Ohrspeicheldrüsen massieren/ausstreichen
  - » Zitrusduft einsetzen
  - » Kaugummi anbieten
  - » Kautätigkeit fördern
  - » Eislutscher anbieten
  - » Lemonstick verwenden
  - » Betupfen der Wangentaschen mit Zitronensaft

Sonstige Pflegemaßnahmen durchführen
- Maßnahmen konkretisieren
- Zeit angeben

Literaturhinweise: 69, 95, 125, 127, 175, 176

Der Patient hat eine **reduzierte Kautätigkeit/reduzierten Speichelfluss**, es besteht ein **Risiko von Soor und Parotitis**

Kennzeichen

- Fehlende Kautätigkeit
- Trockene Mundschleimhaut
- Sichtbarer Belag

Ursachen

- Nahrungskarenz
- Apallisches Syndrom
- Bewusstlosigkeit
- Quantitative Bewusstseinsveränderung
- Operativer Eingriff im Kieferbereich
- Sondennahrung
- Ernährung über gastrale Sonde

Ressourcen

- Kaut gern Kaugummi/Brotrinde
- Öffnet den Mund und lässt die Mundpflege durchführen
- Kann die Mundspülung/Mundpflege selbstständig durchführen
- Kann mit Unterstützung und Anleitung die Mundpflege durchführen
- Akzeptiert die Unterstützung
- Akzeptiert die Unterstützung von Angehörigen
- Erkennt die Notwendigkeit der getroffenen Intervention und kooperiert mit dem therapeutischen Team

Pflegeziele

- Mundschleimhaut ist intakt
- Einer aufsteigenden Infektion ist durch geförderten Speichelfluss vorgebeugt
- Speichelfluss ist angeregt

Pflegeinterventionen

Mundpflege durchführen

- Pflegeintervention konkretisieren
  - » Mundspülung durchführen
  - » Zahnteilprothese reinigen
  - » Zahnvollprothese reinigen
  - » Zahnpflege mit Zahnbürste und Zahnpasta durchführen
  - » Spezielle Mundpflege durchführen
  - » Mundhöhle mit Pflaumentupfer auswischen
- Bei der Mund-/Zahnpflege helfen
  - » Materialien bereitlegen
  - » Beaufsichtigen
  - » Durch Unterstützen helfen
  - » Teilweise übernehmen
  - » Vollständig übernehmen
  - » Zur Pflegeintervention anleiten/aktivieren
- Produkt zur Mundpflege angeben

Speichelfluss anregen/fördern

- Pflegeintervention konkretisieren
  - » Im Bereich der Ohrspeicheldrüsen massieren/ausstreichen
  - » Zitrusduft einsetzen
  - » Kaugummi anbieten
  - » Kautätigkeit fördern
  - » Eislutscher anbieten
  - » Lemonstick verwenden
  - » Betupfen der Wangentaschen mit Zitronensaft

Sonstige Pflegemaßnahmen durchführen

- Maßnahmen konkretisieren
- Zeit angeben

Literaturhinweise: 69, 95, 125, 127, 175, 176

Der Patient hat aufgrund einer **Gaumenplatte** das Risiko von **Schleimhautirritationen/Druckstellen**

Kennzeichen

- Kann die Gaumenplatte nicht selbstständig einsetzen/herausnehmen
- Kann die Gaumenplatte nicht adäquat pflegen

Ursachen

- Schwieriger Umgang mit der Gaumenplatte
- Entwicklungsbedingt

Ressourcen

- Angehöriger/Bezugsperson ist motiviert, die Pflegemaßnahme zu unterstützen, und zeigt entsprechendes Verhalten
- Angehörige/Bezugspersonen unterstützen den Pflegeprozess

Pflegeziele

- Defekte der Mundschleimhaut sind rechtzeitig erkannt
- Effektives Saugen ist sichergestellt
- Nasenatmung ist unterstützt
- Mundhygiene ist gewährleistet
- Mundschleimhaut ist intakt
- Kennt die Anforderungen an eine gesundheitsfördernde Mund-/Zahnhygiene und setzt diese adäquat um

Pflegeinterventionen

Inspektion der Mundhöhle durchführen
- Hilfsmittel einsetzen
  - » Taschenlampe
  - » Mundspatel

Gaumenplatte einlegen
- Pflegeintervention konkretisieren
- Zeit angeben

Gaumenplatte reinigen
- Pflegeintervention konkretisieren
- Zeit angeben

Mundpflege durchführen
- Pflegeintervention konkretisieren
  - » Mundpflege durchführen
  - » Zur selbstständigen Mundpflege anleiten

Sonstige Pflegemaßnahmen durchführen
- Maßnahmen konkretisieren
- Zeit angeben

Literaturhinweise: 1037, 1041, 1042, 1043, 1044, 1045, 1046, 1047, 1048, 1049

Der Patient hat eine **Veränderung der Mundschleimhaut**

Kennzeichen

- Unangenehmer Mundgeruch
- Sichtbarer Belag
- Entzündungserscheinungen
- Papeln auf der Mundschleimhaut
- Bläschenbildung im Mundbereich
- Läsionen/Geschwüre
- Erhöhte Berührungsempfindlichkeit
- Äußert Schmerzen
- Zeigt fehlenden Willen/Einsicht, Nahrung zu sich zu nehmen
- Veränderungen der Gewebsschichten
- Blutungen der Mundschleimhaut
- Beschreibt Missempfindungen im Mundbereich

Ursachen

- Bestrahlung
- Verletzung der Schleimhäute durch mechanische Reize
- Einnahme Schleimhaut zerstörender Substanzen
- Chemotherapie
- Flüssigkeitsdefizit/Dehydratation/ Exsikkose
- Vitaminmangel
- Nebenwirkungen von Medikamenten
- Mangelernährung
- Starkes Rauchen
- Übermäßiger Alkoholkonsum
- Ernährung über gastrale Sonde
- Inhalation mit Medikamenten

Ressourcen

- Erkennt die Notwendigkeit der getroffenen Intervention und kooperiert mit dem therapeutischen Team
- Akzeptiert die Unterstützung
- Akzeptiert die Unterstützung von Angehörigen
- Kann mit Unterstützung und Anleitung die

Mundpflege durchführen
- Kann die Mundspülung/Mundpflege selbstständig durchführen

Pflegeziele

- Defekte der Mundschleimhaut sind rechtzeitig erkannt
- Komplikationen sind frühzeitig erkannt und abgewendet
- Äußert, schmerzfrei zu sein
- Mundschleimhaut ist intakt
- Mundraum und Zunge sind belagfrei

Pflegeinterventionen

Inspektion der Mundhöhle durchführen
- Hilfsmittel einsetzen
  - » Taschenlampe
  - » Mundspatel

Ursachen abklären und Arzt informieren
- Pflegeintervention konkretisieren
- Zeit angeben

Spezielle Mundpflege durchführen
- Pflegeintervention konkretisieren
  - » Mundhöhle mit Peanklemme und getränktem Tupfer reinigen
  - » Mundhöhle mit um den Finger gewickelter, getränkter Kompresse reinigen
  - » Mundhöhle mit Pflaumentupfer auswischen
  - » Mundhöhle mit feuchten Watteträgern auswischen
  - » Zunge mit Zungenreiniger säubern
  - » Zahnfleisch, Zunge und Zähne mit Mundpflege-Fingerling reinigen
  - » Mundspülung durchführen
- Produkt zur Mundpflege angeben

Therapeutische Mundpflege durchführen
- Pflegeintervention konkretisieren
  - » Therapeutikum nach der Mundpflege aufbringen
  - » Therapeutikum lokal auftragen
  - » Therapeutische Mundspüllösung einwirken lassen
- Art der Unterstützungsleistung angeben
  - » Beaufsichtigen
  - » Teilweise übernehmen
  - » Durch Unterstützen helfen
  - » Vollständig übernehmen
  - » Zur Pflegeintervention anleiten

Belag der Zunge vorsichtig lösen/entfernen
- Pflegeintervention konkretisieren
  - » Mundhöhle feucht halten
  - » Salbeitee anbieten
  - » Myrrhentinktur verabreichen
  - » Zunge mit Würfelzucker abreiben
  - » Butter zum Lösen von Belag einsetzen

Sonstige Pflegemaßnahmen durchführen
- Maßnahmen konkretisieren
- Zeit angeben

Literaturhinweise: 69, 70, 79, 95, 125, 127, 175, 176

Der Patient hat aufgrund einer **Stomatitis** (Entzündung der Mundschleimhaut) eine **veränderte Mundschleimhaut**

Kennzeichen

- Gerötete und geschwollene Mundschleimhaut
- Brennende Schmerzen im Mundbereich
- Schmerzen beim Schlucken und/oder Kauen
- Trockenheitsgefühl im Mund (Xerostomie)
- Unangenehmer Mundgeruch

Ursachen

- Mangelnde Mund-/Zahnhygiene
- Ineffektive Mundhygiene
- Nahrungskarenz
- Flüssigkeitsdefizit/Dehydratation/ Exsikkose
- Mundatmung
- Reduzierte Speichelproduktion
- Schlecht sitzende Zahnprothese
- Endotrachealer Tubus
- Magensonde
- Operativer Eingriff im Mundbereich
- Stoffwechselstörung

Ressourcen

- Öffnet den Mund und lässt die Mundpflege durchführen
- Akzeptiert die Unterstützung
- Akzeptiert die Unterstützung von Angehörigen
- Kann mit Unterstützung und Anleitung die Mundpflege durchführen
- Erkennt die Notwendigkeit der getroffenen Intervention und kooperiert mit dem therapeutischen Team
- Kann die Mundspülung/Mundpflege selbstständig durchführen

Pflegeziele

- Äußert, schmerzfrei zu sein
- Mundschleimhaut ist intakt

Der Patient hat aufgrund einer **Soorinfektion** (Pilzinfektion) eine **veränderte Mundschleimhaut**

Kennzeichen

- Flächenförmige, weißliche, schwer zu entfernende Beläge
- Weißliche Stippchen
- Brennende Schmerzen im Mundbereich
- Gerötete Mundschleimhaut
- Äußert beeinträchtigtes Geschmacksempfinden
- Befallenes Areal brennt und schmerzt beim Essen fester Nahrung

Ursachen

- Ineffektive Mundhygiene
- Nahrungskarenz
- Flüssigkeitsdefizit/Dehydratation/ Exsikkose
- Mundatmung
- Reduzierte Speichelproduktion
- Antibiotikatherapie
- Immunabwehrschwäche

Ressourcen

- Erkennt die Notwendigkeit der getroffenen Intervention und kooperiert mit dem therapeutischen Team
- Akzeptiert die Unterstützung
- Akzeptiert die Unterstützung von Angehörigen
- Kann mit Unterstützung und Anleitung die Mundpflege durchführen
- Kann die Mundspülung/Mundpflege selbstständig durchführen

Pflegeziele

- Äußert, schmerzfrei zu sein
- Mundraum und Zunge sind belagfrei
- Mundschleimhaut ist intakt

Pflegeinterventionen

Spezielle Mundpflege durchführen
- Pflegeintervention konkretisieren
  - » Mundhöhle mit Peanklemme und getränktem Tupfer reinigen
  - » Mundhöhle mit um den Finger gewickelter, getränkter Kompresse reinigen
  - » Mundhöhle mit Pflaumentupfer auswischen
  - » Mundhöhle mit feuchten Watteträgern auswischen
  - » Zunge mit Zungenreiniger säubern
  - » Zahnfleisch, Zunge und Zähne mit Mundpflege-Fingerling reinigen
  - » Mundspülung durchführen
- Produkt zur Mundpflege angeben

Mundspülung mit Lösungen nach ärztlicher Anordnung durchführen
- Mundspüllösungen verwenden
- Art der Unterstützungsleistung angeben
  - » Beaufsichtigen
  - » Durch Unterstützen helfen
  - » Teilweise übernehmen
  - » Vollständig übernehmen
  - » Zur Mundspülung anleiten

Therapeutische Mundpflege durchführen
- Pflegeintervention konkretisieren
  - » Therapeutikum nach der Mundpflege aufbringen
  - » Therapeutikum lokal auftragen
  - » Therapeutische Mundspüllösung einwirken lassen
- Art der Unterstützungsleistung angeben
  - » Beaufsichtigen
  - » Teilweise übernehmen
  - » Durch Unterstützen helfen
  - » Vollständig übernehmen
  - » Zur Pflegeintervention anleiten

Lutschtabletten mit Dexpanthenol laut ärztlicher Anordnung verabreichen
- Pflegeintervention konkretisieren
- Zeit angeben

Verhaltensregeln zur Linderung der Schmerzen im Mundbereich einhalten
- Maßnahmen konkretisieren
  - » Keine scharf gewürzten Nahrungsmittel anbieten
  - » Weiche/pürierte Kost anbieten
  - » Keine alkoholischen Substanzen/Getränke anbieten
  - » Säurearme Getränke anbieten
  - » Anästhesierende Lutschtabletten nach Arztanordnung verabreichen

Sonstige Pflegemaßnahmen durchführen
- Maßnahmen konkretisieren
- Zeit angeben

Literaturhinweise: 95, 125, 127, 175, 176

Pflegeinterventionen

Spezielle Mundpflege durchführen
- Pflegeintervention konkretisieren
  - » Mundhöhle mit Peanklemme und getränktem Tupfer reinigen
  - » Mundhöhle mit um den Finger gewickelter, getränkter Kompresse reinigen
  - » Mundhöhle mit Pflaumentupfer auswischen
  - » Mundhöhle mit feuchten Watteträgern auswischen
  - » Zunge mit Zungenreiniger säubern
  - » Zahnfleisch, Zunge und Zähne mit Mundpflege-Fingerling reinigen
  - » Mundspülung durchführen
- Produkt zur Mundpflege angeben

Belag der Zunge vorsichtig lösen/entfernen
- Pflegeintervention konkretisieren
  - » Mundhöhle feucht halten
  - » Salbeitee anbieten
  - » Myrrhentinktur verabreichen
  - » Zunge mit Würfelzucker abreiben
  - » Butter zum Lösen von Belag einsetzen

Antimykotika laut ärztlicher Anordnung auftragen
- Pflegeintervention konkretisieren
- Zeit angeben

Mundpflege durchführen
- Pflegeintervention konkretisieren
  - » Materialien zur Mund- und Zahnhygiene bereitstellen
  - » Zahnpflege mit Zahnbürste und Zahnpasta durchführen
  - » Zahn(teil)prothese reinigen
  - » Zahnprothesenreinigung und Mundspülung durchführen
  - » Spezielle Mundpflege durchführen
- Bei der Mundpflege helfen
  - » Beaufsichtigen
  - » Teilweise übernehmen
  - » Durch Unterstützen helfen
  - » Vollständig übernehmen
  - » Zur Pflegeintervention anleiten/aktivieren
- Produkt zur Mundpflege angeben

Verhaltensregeln zur Linderung der Schmerzen im Mundbereich einhalten
- Maßnahmen konkretisieren
  - » Keine scharf gewürzten Nahrungsmittel anbieten
  - » Weiche/pürierte Kost anbieten
  - » Keine alkoholischen Substanzen/Getränke anbieten
  - » Säurearme Getränke anbieten
  - » Anästhesierende Lutschtabletten nach Arztanordnung verabreichen

Therapeutische Mundpflege durchführen
- Pflegeintervention konkretisieren
  - » Therapeutikum nach der Mundpflege aufbringen
  - » Therapeutikum lokal auftragen
  - » Therapeutische Mundspüllösung einwirken lassen
- Art der Unterstützungsleistung angeben
  - » Beaufsichtigen
  - » Teilweise übernehmen
  - » Durch Unterstützen helfen
  - » Vollständig übernehmen
  - » Zur Pflegeintervention anleiten

Sonstige Pflegemaßnahmen durchführen
- Maßnahmen konkretisieren
- Zeit angeben

Literaturhinweise: 95, 125, 127, 175, 176

Der Patient hat aufgrund von **Aphthen** (Schleimhautdefekte) eine **veränderte Mundschleimhaut**

Kennzeichen

- Brennende Schmerzen im Mundbereich
- Äußert Schmerzen/Unbehagen im Mund-/Rachenbereich beim Essen und Trinken
- Flache, rundliche Erosionen an der Mundschleimhaut
- Flache, rundliche Erosionen am Zahnfleisch
- Flache, rundliche Erosionen an der Zunge
- Flache, rundliche Erosionen am Gaumen

Ursachen

- Verletzung durch Zahnprothese, Zahnspange
- Herpes-zoster-Infektion

Ressourcen

- Kann die Mundspülung/Mundpflege selbstständig durchführen
- Kann mit Unterstützung und Anleitung die Mundpflege durchführen
- Erkennt die Notwendigkeit der getroffenen Intervention und kooperiert mit dem therapeutischen Team
- Akzeptiert die Unterstützung
- Akzeptiert die Unterstützung von Angehörigen

Pflegeziele

- Äußert, schmerzfrei zu sein
- Ist frei von Beschwerden
- Mundschleimhaut ist intakt

Pflegeinterventionen

Spezielle Mundpflege durchführen
- Pflegeintervention konkretisieren
  - » Mundhöhle mit Peanklemme und getränk-

tem Tupfer reinigen
  - » Mundhöhle mit um den Finger gewickelter, getränkter Kompresse reinigen
  - » Mundhöhle mit Pflaumentupfer auswischen
  - » Mundhöhle mit feuchten Watteträgern auswischen
  - » Zunge mit Zungenreiniger säubern
  - » Zahnfleisch, Zunge und Zähne mit Mundpflege-Fingerling reinigen
  - » Mundspülung durchführen
- Produkt zur Mundpflege angeben

Schleimhautdefekte mit Tinktur laut ärztlicher Anordnung betupfen
- Pflegeintervention konkretisieren
- Zeit angeben

Maßnahmen zur Linderung der Schmerzen ergreifen
- Maßnahmen konkretisieren
  - » Keine scharf gewürzten Nahrungsmittel anbieten
  - » Weiche/pürierte Kost anbieten
  - » Keine alkoholischen Substanzen/Getränke anbieten
  - » Säurearme Getränke anbieten
  - » Anästhesierende Lutschtabletten nach Arztanordnung verabreichen

Therapeutische Mundpflege durchführen
- Pflegeintervention konkretisieren
  - » Therapeutikum nach der Mundpflege aufbringen
  - » Therapeutikum lokal auftragen
  - » Therapeutische Mundspüllösung einwirken lassen
- Art der Unterstützungsleistung angeben
  - » Beaufsichtigen
  - » Teilweise übernehmen
  - » Durch Unterstützen helfen
  - » Vollständig übernehmen
  - » Zur Pflegeintervention anleiten

Sonstige Pflegemaßnahmen durchführen
- Maßnahmen konkretisieren
- Zeit angeben

Literaturhinweise: 95, 125, 127, 175, 176

Der Patient hat aufgrund von **Rhagaden** (schmerzhafte Einrisse am Mundwinkel) eine **veränderte Mundschleimhaut**

Kennzeichen

- Einrisse an den Mundwinkeln
- Einrisse an den Nasenwinkeln

Ursachen

- Überdehnung der Haut bei herabgesetzter Elastizität
- Eisenmangel

Ressourcen

- Erkennt die Notwendigkeit der getroffenen Intervention und kooperiert mit dem therapeutischen Team
- Akzeptiert die Unterstützung
- Akzeptiert die Unterstützung von Angehörigen

Pflegeziele

- Lippen sind geschmeidig

Pflegeinterventionen

Lippenpflege durchführen
- Pflegeintervention konkretisieren
- Verwendetes Pflegeprodukt angeben

Lokale und allgemeine Behandlung mit Vitaminen (vor allem Vitamin B) laut Arztanordnung durchführen
- Pflegeintervention konkretisieren
- Zeit angeben

Sonstige Pflegemaßnahmen durchführen
- Maßnahmen konkretisieren
- Zeit angeben

Literaturhinweise: 69, 95, 125, 127, 175, 176

Der Patient hat aufgrund einer **Parotitis** (Entzündung der Ohrspeicheldrüse) eine **veränderte Mundschleimhaut**

Kennzeichen

- Gerötete Hautstellen
- Äußert Schmerzen
- Speicheldrüse schwillt auf einer Seite sichtbar an

Ursachen

- Reduzierte Speichelproduktion
- Speichelsteine
- Lange Nahrungskarenz
- Flüssigkeitsdefizit/Dehydratation/ Exsikkose

Ressourcen

- Erkennt die Notwendigkeit der getroffenen Intervention und kooperiert mit dem therapeutischen Team
- Kaut gern Kaugummi/Brotrinde

Pflegeziele

- Äußert, schmerzfrei zu sein
- Keimbesiedelung ist reduziert
- Mundschleimhaut ist intakt

Pflegeinterventionen

Speichelfluss fördern/anregen
- Pflegeintervention konkretisieren
  - » Im Bereich der Ohrspeicheldrüsen massieren/ausstreichen
  - » Zitrusduft einsetzen
  - » Kaugummi anbieten
  - » Kautätigkeit fördern
  - » Eislutscher anbieten
  - » Lemonstick verwenden
  - » Betupfen der Wangentaschen mit Zitronensaft

Keimbesiedelung im Mundbereich durch desinfizierendes Mundwasser reduzieren
- Pflegeintervention konkretisieren
  - » Mundhöhle mit Peanklemme und getränktem Tupfer reinigen
  - » Mundhöhle mit um den Finger gewickelter, getränkter Kompresse reinigen
  - » Mundhöhle mit Pflaumentupfer auswischen
  - » Mundhöhle mit feuchten Watteträgern auswischen
  - » Zunge mit Zungenreiniger säubern
  - » Zahnfleisch, Zunge und Zähne mit Mundpflege-Fingerling reinigen
  - » Mundspülung durchführen
- Produkt zur Mundpflege angeben

Antibiotikatherapie laut Arztanordnung durchführen
- Pflegeintervention konkretisieren
- Zeit angeben

Therapeutische Mundpflege durchführen
- Pflegeintervention konkretisieren
  - » Therapeutikum nach der Mundpflege aufbringen
  - » Therapeutikum lokal auftragen
  - » Therapeutische Mundspüllösung einwirken lassen
- Art der Unterstützungsleistung angeben
  - » Beaufsichtigen
  - » Teilweise übernehmen
  - » Durch Unterstützen helfen
  - » Vollständig übernehmen
  - » Zur Pflegeintervention anleiten

Sonstige Pflegemaßnahmen durchführen
- Maßnahmen konkretisieren
- Zeit angeben

Literaturhinweise: 69, 95, 125, 127, 175, 176

Der Patient hat aufgrund eines **Herpes labialis** (Fieberbläschen) eine **veränderte Mundschleimhaut**

Kennzeichen

- Äußert Schmerzen
- Erhebungen der Schleimhaut/Haut
- Bläschenbildung

Ursachen

- Herpes-simplex-Infektion
- Steht unter starker Anspannung/Stress
- Immunabwehrschwäche

Ressourcen

- Kann die vereinbarte Therapie selbstständig durchführen
- Erkennt die Notwendigkeit der getroffenen Intervention und kooperiert mit dem therapeutischen Team
- Kann mit Unterstützung und Anleitung die Mundpflege durchführen
- Akzeptiert die Unterstützung
- Akzeptiert die Unterstützung von Angehörigen

Pflegeziele

- Lippen sind geschmeidig

Pflegeinterventionen

Antivirale Substanzen laut Arztanordnung auftragen
- Pflegeintervention konkretisieren

Sonstige Pflegemaßnahmen durchführen
- Maßnahmen konkretisieren
- Zeit angeben

Literaturhinweise: 69, 95, 125, 127, 175, 176

Der Patient hat aufgrund eines **beeinträchtigten Lidschlags/-schlusses** das **Risiko der Hornhautschädigung** des Auges

Kennzeichen

- Lidschlag fehlt
- Lidschlag ist reduziert
- Lidschluss fehlt

Ursachen

- Morbus Basedow
- Morbus Parkinson
- Fazialisparese
- Stuporöses Erscheinungsbild
- Bewusstlosigkeit
- Apallisches Syndrom
- Wachkoma

Ressourcen

- Toleriert die Pflegeintervention
- Akzeptiert die Unterstützung
- Akzeptiert die Unterstützung von Angehörigen

Pflegeziele

- Hornhaut der Augen ist vor Austrocknung geschützt
- Bindehaut ist intakt
- Verklebungen ist vorgebeugt
- Fühlt sich gut betreut, Therapie ist optimal unterstützt

Pflegeinterventionen

Tränenersatz laut Anordnung in den unteren Bindehautsack geben
- Pflegeintervention konkretisieren
- Zeit angeben

Therapeutische Augenpflege durchführen
- Pflegeintervention konkretisieren
  - » Mit sterilen, nicht fasernden Tupfern durchführen
  - » Mit 0,9%iger Kochsalzlösung durchführen
  - » Mit steriler Spritze durchführen
  - » Mit steriler Schale durchführen

Augenpflege durchführen
- Pflegeintervention konkretisieren
  - » Frischen Waschlappen/frisches Waschwasser ohne Seifenzusätze verwenden
  - » Wischrichtung von außen nach innen einhalten
  - » Bei bestehender Augenentzündung am gesunden Auge beginnen

Augenverband laut Anordnung anlegen
- Augenverband anlegen
  - » Siebklappenverband
  - » Hohlverband
  - » Druckverband
  - » Uhrglasverband
  - » Einfacher Augenverband
  - » Salbenverband mit
- Verwendete Pflegeprodukte

Augentropfen nach angeordnetem Tropfschema verabreichen
- Augentropfen einträufeln nach Tropfschema

Sonstige Pflegemaßnahmen durchführen
- Maßnahmen konkretisieren
- Zeit angeben

Literaturhinweise: 95, 125, 127, 175, 176, 260

Der Patient hat eine **primär heilende Wunde**, es besteht das **Risiko einer beeinträchtigten Wundheilung**

Kennzeichen

- Trockene OP-Wunde
- Wenig Sekret fördernde OP-Wunde
- Trockene, wenig Sekret fördernde Wunde
- Saubere, exsudative Wunde
- Exsudationsphase
- Granulationsphase
- Epithelisationsphase
- Kleine Wunde/Eintrittspforte
- PKMS-relevante InformationenHydrozephalus mit externer Ableitung
- Fixateur externe
- Abwehr/Widerstand trotz Zuredens/Motivation und Schmerzmanagement
- Verhaltensweisen, die das Risiko einer sekundären Wundheilung bergen

Ursachen

- Haut-/gewebebedingte UrsachenStarke Schwellung
- Blutungen
- Hämatom im Wundbereich
- Multiple Hämatome/Prellungen
- Sensibilitätsstörung
- Empfindliche Haut
- Pergamenthaut
- Blasenbildung der Haut
- Nasale Besiedelung mit S. aureus
- Bestehende Infektionen an anderen Stellen
- Operationsbedingte UrsachenHoher ASA-Score (American Society of Anesthesiologists)
- Präoperative Haarentfernung
- Verzicht auf eine indizierte perioperative Antibiotikatherapie
- Operativer Eingriff, der ein höheres Infektionsrisiko birgt
- Länge der Operationsdauer und damit steigendes Infektionsrisiko
- Operativer Eingriff im Mundbereich
- Sonstige UrsachenErhöhte Verletzungsgefahr des Wundgebiets
- Beeinträchtigte Compliance
- Entwicklungsbedingt eingeschränktes Verständnis
- Adipositas
- Komorbiditäten

Ressourcen

- Toleriert den Verbandwechsel
- Unterstützt die Wundbehandlung
- Kennt die Schutz- und Hygienemaßnahmen und hält sie ein
- Ist normalgewichtig (BMI)
- Keine Risikofaktoren für Wundheilungsstörungen erkennbar
- Verhält sich kooperativ
- Angehörige/Bezugspersonen unterstützen bei der Durchführung von Pflegeinterventionen

Pflegeziele

- Einer Infektion ist vorgebeugt bzw. sie ist rechtzeitig erkannt
- Alle wichtigen Informationen sind weitergeleitet
- Systematische Wundeinschätzung
- Wunde wird entsprechend den Wundheilungsphasen versorgt
- Wundveränderungen sind sofort erkannt und dokumentiert
- Wundverlauf ist lückenlos dokumentiert
- Einer Keimverschleppung ist vorgebeugt
- Wundheilungsförderliches Milieu ist hergestellt
- Wundmanagement ist unterstützt
- Primäre Wundheilung ist gewährleistet
- Wundreinigungsmittel bzw. Medikamente sind gezielt eingesetzt
- Verletzungen sind vermieden
- Einer Infektion/Keimverschleppung ist vorgebeugt
- Nachblutung ist reduziert

Pflegeinterventionen

Temperaturkontrolle durchführen
- Messmethode auswählen
  - » Messort rektal
  - » Messort sublingual
  - » Messort axillar
  - » Messort Ohr
  - » Kontaktlose Stirntemperaturmessung mit Infrarottechnologie
- Dokumentationsort der Messwerte bestimmen
  - » In der Fieberkurve dokumentieren
  - » Messwerte in den Pflegeplan eintragen
  - » Messwerte in das Überwachungsprotokoll eintragen
- Thermometer wieder aufbereiten
  - » Schutzhüllen entsorgen, Schmutz abwischen und in Desinfektionslösung nach Plan einlegen
  - » Trocken gelagertes, im Zimmer verbleibendes Thermometer alle drei Tage desinfizieren

Informationsmaterial aushändigen und Gesprächsbereitschaft signalisieren
- Pflegeintervention konkretisieren
- Zeit angeben

Wundspezifisches Assessment durchführen
- Pflegeintervention konkretisieren
  - » Wundeinschätzung in der Wundverlaufsdokumentation
- Zeit angeben

Verbandwechsel durchführen
- Pflegeintervention konkretisieren
  - » Einfachen Verbandwechsel (5 Min.) durchführen
  - » Einfachen Verbandwechsel (10 Min.) durchführen
  - » Verbandwechsel mit speziellen Auflagen durchführen (10 Min.)
  - » Verbandwechsel mit speziellen Auflagen durchführen (20 Min.)
  - » Verbandwechsel mit speziellen Auflagen durchführen (30 Min.)
  - » Verbandwechsel mit speziellen Auflagen durchführen (45 Min.)
- Anzahl der beteiligten Personen bestimmen

Verband auf Nachblutung kontrollieren
- Pflegeintervention konkretisieren
- Zeit angeben

Nahtmaterial nach Arztanordnung entfernen
- Nahtmaterial
  - » Klammern entfernen
  - » Fäden ziehen
- Anzahl der zu entfernenden Klammern/Fäden bestimmen
  - » Bis 10 Fäden/Klammern
  - » > 10 Fäden/Klammern

Wunde auf Veränderungen/Nachblutungen und Entzündungszeichen inspizieren, Ergebnisse dokumentieren
- Pflegeintervention konkretisieren
- Zeit angeben

Wundverband/Wundreinigung nach ärztlicher Anordnung durchführen
- Wundauflage auswählen
  - » Sterile Kompresse
  - » Sterile Saugkompresse
  - » Ringergetränkte Kompresse
  - » Hydrogelverband
  - » Hydrokolloidverband
  - » Hydropolymer
  - » Polyurethanschaum
  - » Metallinisierte Wundauflage
  - » Aktivkohle-Kompresse
  - » Silber-Aktivkohle-Kompresse
  - » Transparente Wundabdeckung
  - » Folienverband
  - » Folienverband mit Vakuumversiegelung
  - » Salbenkompresse ohne Wirkstoff
  - » Alginat-Kompresse
- Wunde reinigen mit
  - » Ringer-Lösung
  - » Kochsalzlösung 0,9%ig
  - » Wasserstoffperoxid-Lösung 1%ig
  - » Wasserstoffperoxid-Lösung 2%ig

- » Wasserstoffperoxid-Lösung 3%ig
- Verbandstoff auswählen
  - » Elastische Binde
  - » Schlauchmull
  - » Klebevlies/-mull
- Anzahl Pflegepersonen angeben

Wundstatuserhebung mit Wundverlaufsdokumentation durchführen
- Pflegeintervention konkretisieren
  - » Wundprotokoll zur Wunddokumentation anlegen
  - » Foto der Wunde erstellen
- Wunde beschreiben
  - » Wunde ausmessen und zeichnen (mm^2- oder cm^2-Angaben)
  - » Wundtiefe mit Knopfsonde messen
  - » Wundzustand und Wundheilungsphase beschreiben

Beim Verbandwechsel assistieren
- Maßnahmen konkretisieren
  - » Einfachen Verbandwechsel (10 Min.) durchführen
  - » Verbandwechsel mit Wundreinigung durchführen
  - » Verbandwechsel mit Wundspülung durchführen
  - » Verbandwechsel mit speziellen Auflagen durchführen (10 Min.)
  - » Folienverband mit Vakuum anlegen
  - » Folienverband mit Vakuum >9 % der Körperfläche anlegen
  - » Spezielle Wundbehandlung bei Verbrennungen durchführen
  - » Spezielle Wundbehandlung bei Verbrennungen betroffener Körperoberflächen >9 % durchführen
  - » Spezielle Wundbehandlung bei Verbrennungen betroffener Körperoberflächen >18 % durchführen

Wundgebiet vor der Wassertherapie mit wasserdichtem Pflaster versorgen
- Pflegeintervention konkretisieren
- Zeit angeben

Verbandwechsel mit Wundreinigung/Wundspülung durchführen
- Pflegeintervention konkretisieren
- Zeitdauer angeben

Maßnahmen bei Wunden im Mundbereich
- » Oberkörper 30° hochlagern
- » Mundspülung durchführen
- » Zähne vorsichtig putzen
- » Zähne im Unterkieferbereich vorsichtig putzen
- » Manipulationen verhindern
- » Umgang mit Spielsachen kontrollieren/verhindern

Sonstige Pflegemaßnahmen durchführen
- Maßnahmen konkretisieren
- Zeit angeben

Literaturhinweise: 95, 125, 140, 151, 175, 176, 269, 270, 271, 294, 387

Die Patientin hat aufgrund der **Entbindung** eine **Wunde**, es besteht das **Risiko von Dehiszenz und Infektion**

Kennzeichen

- Schwellung
- Äußert starke Schmerzen

Ursachen

- Episiotomie
- Dammschnitt
- Dammriss

Ressourcen

- Kann die vereinbarte Therapie selbstständig durchführen
- Kennt die Schutz- und Hygienemaßnahmen und hält sie ein
- Hält die Therapievereinbarungen ein

Pflegeziele

- Kennt und erkennt Risikofaktoren einer aufsteigenden Infektion und hält die Hygienemaßnahmen ein
- Wendet präventive Hygienemaßnahmen an
- Primäre Wundheilung ist gewährleistet
- Wundschmerz ist reduziert

Pflegeinterventionen

Zum aseptischen Umgang mit Vorlagen und Intimspülung anleiten
- Pflegeintervention konkretisieren
- Art der Unterstützung
  - » Beaufsichtigen
  - » Durch Unterstützen helfen
  - » Teilweise übernehmen
  - » Vollständig übernehmen
  - » Zur selbstständigen Durchführung anleiten

- Anzuleitende Person(en) festlegen
  - » Betroffene Person
  - » Angehöriger/Bezugsperson
- Zeit angeben

Sitzring anbieten
- Pflegeintervention konkretisieren
- Zeit angeben

Sitzbäder nach Arztanordnung durchführen
- Pflegeintervention konkretisieren
- Zeit angeben

Kryotherapie durchführen
- Pflegeintervention konkretisieren
- Zeit angeben

Sonstige Pflegemaßnahmen durchführen
- Maßnahmen konkretisieren
- Zeit angeben

Literaturhinweise: 68, 74, 95, 125, 147, 161, 175, 176

Der Patient hat postoperativ das **Risiko der Wunddehiszenz**

Kennzeichen

- OP-Wunde mit Anzeichen von Spannung
- Große OP-Wunde am Bauch

Ursachen

- Adipositas
- Postoperativer Husten
- Zu früh gezogene Fäden
- Lokale Infektion
- Spannung auf die Wundränder
- Hämatom
- Diabetes mellitus
- Zytostasetherapie
- Kortison-Therapie

Ressourcen

- Kennt Vorbeugungsmaßnahmen und unterstützt diese aktiv
- Verhält sich entsprechend der Anleitung und Anweisung

Pflegeziele

- Hustenreiz ist gemindert
- Schwellungen sind verhindert bzw. gehen zurück
- Sicherheit ist gewährleistet
- Primäre Wundheilung ist gewährleistet

Pflegeinterventionen

Hustenprophylaxe durchführen
- Reizzustände der oberen Atemwege lindern
  - » Spitzwegerichtee anbieten
  - » Fencheltee anbieten
  - » Anistee anbieten
  - » Salbeitee anbieten
- Krampfartige Hustenzustände mildern
  - » Thymiantee anbieten

Zug und Spannungen auf das Wundgebiet reduzieren
- Pflegeintervention konkretisieren
  - » Bauchdeckenentspannende Lagerung durchführen
  - » Weich lagern
  - » Ruhig stellen
  - » Frei lagern
  - » Stufenbettlagerung durchführen
  - » Nestchenlagerung durchführen

Kyrotherapie durchführen
- Pflegeintervention konkretisieren
- Zeit angeben

Bettbügel entfernen
- Pflegeintervention konkretisieren
- Zeit angeben

Für die Einhaltung der angeordneten Bettruhe sorgen
- Pflegeintervention konkretisieren
- Zeit angeben

Sonstige Pflegemaßnahmen durchführen
- Maßnahmen konkretisieren
- Zeit angeben

Literaturhinweise: 95, 125, 140, 151, 175, 176

Der Patient hat aufgrund einer **Amputation** ein **Risiko der Ödembildung/Verformung im Stumpfbereich**

Kennzeichen

- Lokalisierte Flüssigkeitsansammlung im Gewebe des Stumpfbereichs
- Schmerzlosigkeit
- Nicht gerötete Schwellung

Ursachen

- Traumatischer Eingriff

Ressourcen

- Äußert Verständnis für die Notwendigkeit der Maßnahme
- Kennt Vorbeugungsmaßnahmen und unterstützt diese aktiv

Pflegeziele

- Abschwellen des Stumpfs
- Einer Ödembildung ist vorgebeugt

Pflegeinterventionen

Amputationsstumpf wickeln
- Pflegeintervention konkretisieren
- Zeit angeben

Angepassten Kompressionsstrumpf anziehen
- Pflegeintervention konkretisieren
- Zeit angeben

Sonstige Pflegemaßnahmen durchführen
- Maßnahmen konkretisieren
- Zeit angeben

Literaturhinweise: 510

Der Patient hat aufgrund einer **Verbrennungswunde** ein **Risiko der beeinträchtigten Wundheilung**

Kennzeichen

- Gerötete und geschwollene Haut mit Brandblasen
- Äußert Schmerzen
- Komplette Zerstörung der Haut (Nekrosen)
- Befall von Knochen
- Befall von Sehnen
- Befall von Muskeln
- Fehlende Sensibilität der betroffenen Region

Ursachen

- Verbrennung
- Verbrühung
- Stromunfall

Ressourcen

- Toleriert den Verbandwechsel
- Toleriert die therapeutische/pflegerische Intervention

Pflegeziele

- Wundheilungsmilieu ist physiologisch
- Wunde ist infektionsfrei
- Wundverlauf ist lückenlos dokumentiert
- Komplikationen sind frühzeitig erkannt und abgewendet
- Einer Keimverschleppung ist vorgebeugt
- Primäre Wundheilung ist gewährleistet
- Wundheilungsförderliches Milieu ist hergestellt
- Wundmanagement ist unterstützt
- Wundreinigungsmittel bzw. Medikamente sind gezielt eingesetzt

Pflegeinterventionen

Verbandwechsel bei Verbrennungen durchführen
- Pflegeintervention konkretisieren
- Zeit angeben
- Anzahl Pflegepersonen angeben

Wunde auf Veränderungen/Nachblutungen und Entzündungszeichen inspizieren, Ergebnisse dokumentieren
- Pflegeintervention konkretisieren
- Zeit angeben

Verbrannte Körperoberflächen berechnen
- Pflegeintervention konkretisieren
- Zeit angeben

Wundverband/Wundreinigung nach ärztlicher Anordnung durchführen
- Wundauflage auswählen
  - » Sterile Kompresse
  - » Sterile Saugkompresse
  - » Ringergetränkte Kompresse
  - » Hydrogelverband
  - » Hydrokolloidverband
  - » Hydropolymer
  - » Polyurethanschaum
  - » Metallinisierte Wundauflage
  - » Aktivkohle-Kompresse
  - » Silber-Aktivkohle-Kompresse
  - » Transparente Wundabdeckung
  - » Folienverband
  - » Folienverband mit Vakuumversiegelung
  - » Salbenkompresse ohne Wirkstoff
  - » Alginat-Kompresse
- Wunde reinigen mit
  - » Ringer-Lösung
  - » Kochsalzlösung 0,9%ig
  - » Wasserstoffperoxid-Lösung 1%ig
  - » Wasserstoffperoxid-Lösung 2%ig
  - » Wasserstoffperoxid-Lösung 3%ig
- Verbandstoff auswählen
  - » Elastische Binde
  - » Schlauchmull
  - » Klebevlies/-mull
- Anzahl Pflegepersonen angeben

Wundstatuserhebung mit Wundverlaufsdokumentation durchführen
- Pflegeintervention konkretisieren
  - » Wundprotokoll zur Wunddokumentation anlegen
  - » Foto der Wunde erstellen
- Wunde beschreiben
  - » Wunde ausmessen und zeichnen (mm^2- oder cm^2-Angaben)
  - » Wundtiefe mit Knopfsonde messen
  - » Wundzustand und Wundheilungsphase beschreiben

Beim Verbandwechsel assistieren
- Maßnahmen konkretisieren
  - » Einfachen Verbandwechsel (10 Min.) durchführen
  - » Verbandwechsel mit Wundreinigung durchführen
  - » Verbandwechsel mit Wundspülung durchführen
  - » Verbandwechsel mit speziellen Auflagen durchführen (10 Min.)
  - » Folienverband mit Vakuum anlegen
  - » Folienverband mit Vakuum >9 % der Körperfläche anlegen
  - » Spezielle Wundbehandlung bei Verbrennungen durchführen
  - » Spezielle Wundbehandlung bei Verbrennungen betroffener Körperoberflächen >9 % durchführen
  - » Spezielle Wundbehandlung bei Verbrennungen betroffener Körperoberflächen >18 % durchführen

Verbandwechsel mit Wundreinigung/Wundspülung durchführen
- Pflegeintervention konkretisieren
- Zeitdauer angeben

Sonstige Pflegemaßnahmen durchführen
- Maßnahmen konkretisieren
- Zeit angeben

Literaturhinweise: 510

Der Patient hat eine **Hautschädigung im Intimbereich**, es besteht das **Risiko einer beeinträchtigten Wundheilung**

Kennzeichen

- Starke Rötung der Haut
- Schuppende Haut
- Scharf begrenzte, feucht glänzende Rötung der Haut mit randständiger Schuppenkrause
- Nässende gerötete Hautbereiche
- Pusteln/Blasenbildung
- Offene/blutende Wunden

Ursachen

- Zu langes Liegen in nasser Windel
- Ernährungsbedingte Ursachen (Zitrusfrüchte/Fruchtsäfte usw.)
- Allergisch bedingte Hautreizungen
- In Folge einer Antibiotikatherapie
- Bakteriell bedingte Hautreizungen aus dem Stuhlgang
- Pilzinfektion
- Windeldermatitis

Ressourcen

- Kennt die Schutz- und Hygienemaßnahmen und hält sie ein
- Führt die Intimspülung nach Anleitung selbstständig und gewissenhaft durch

Pflegeziele

- Wundheilungsförderliches Milieu ist hergestellt
- Wundschmerz ist reduziert
- Physiologisches Hautmilieu ist hergestellt
- Primäre Wundheilung ist gewährleistet

Pflegeinterventionen

Hautschutz im Intimbereich auftragen

- Produkt zum Hautschutz angeben
- Pflegeintervention konkretisieren

Rotlicht-Bestrahlung durchführen
- Pflegeintervention konkretisieren
- Zeit angeben

Sitzbäder nach Arztanordnung durchführen
- Pflegeintervention konkretisieren
- Zeit angeben

Feuchtes Hautmilieu vermeiden
- Pflegeintervention konkretisieren
  - » Haut gut abtrocknen
  - » Feuchte Kleidung wechseln
  - » Gefährdete Hautregionen sorgfältig abtrocknen
  - » Mullstreifen in gefährdete Hautfalten einlegen
  - » Leinenstreifen einlegen
  - » Puder verwenden

Intimspülung durchführen
- Pflegeintervention konkretisieren
  - » Nach jeder Miktion/Defäkation durchführen
  - » Anstelle der Intimwaschung im Rahmen der Körperpflege durchführen
- Spüllösung angeben

Beim Neugeborenen auf Windeln verzichten und frische Luft an den Po lassen
- Pflegeintervention konkretisieren
- Zeit angeben

Sonstige Pflegemaßnahmen durchführen
- Maßnahmen konkretisieren
- Zeit angeben

Literaturhinweise: 510

Der Patient wird **operiert**, es besteht das **Risiko der sekundären Wundheilung** durch die Körperbehaarung/Keimbesiedelung der Haut im OP-Gebiet

Kennzeichen

- Haare im Operationsfeld

Ursachen

- Haare als potenzielle Keimträger begünstigen Wundinfektionen

Ressourcen

- Erkennt die Notwendigkeit der getroffenen Intervention und kooperiert mit dem therapeutischen Team
- Kann die Rasur nach Anleitung selbstständig durchführen

Pflegeziele

- Saubere Bettwäsche ist sichergestellt
- Hautkeime sind reduziert
- Primäre Wundheilung ist gewährleistet

Pflegeinterventionen

Rasur des OP-Gebiets am OP-Tag durchführen
- Lokalität und Ausmaß angeben
  - » Kleinflächige Rasur vornehmen
  - » Großflächige Rasur vornehmen
  - » Kopfrasur vornehmen
  - » Rasur im Intimbereich vornehmen
- OP-Gebiet rasieren
  - » Nassrasur durchführen
  - » Enthaarungscreme benutzen
  - » Elektrische Haarschneidemaschine verwenden
- Zeitpunkt der Rasur bestimmen
  - » Abend vor der OP
  - » Morgen des OP-Tages
  - » Kurz vor der OP
- Besonderheiten beachten

OP-Gebiet desinfizieren und mit sterilem Tuch abdecken
- Pflegeintervention konkretisieren
- Zeit angeben

Frische Materialien zum Abtrocknen verwenden
- Pflegeintervention konkretisieren
- Zeit angeben

Bett machen/beziehen
- Pflegeintervention konkretisieren
  - » Betttuch glatt ziehen, Bettzeug aufschütteln
  - » Durchzug wechseln
  - » Einwegkrankenunterlage auswechseln
  - » Gummidurchzug auswechseln
  - » Kopfkissen frisch beziehen
  - » Bettdecke frisch beziehen
  - » Betttuch wechseln
  - » Bett komplett frisch beziehen
- Anzuleitende Person(en) festlegen
  - » Betroffene Person
  - » Angehöriger/Bezugsperson

Frische OP-Wäsche anziehen
- Pflegeintervention konkretisieren
  - » Flügelhemd
  - » OP-Haube
  - » Kompressionsstrümpfe

Zur Operationsvorbereitung eine Teilkörperwaschung durchführen
- Zu waschendes Körperteil
  - » Gesicht
  - » Hände
  - » Arme
  - » Ein Arm
  - » Brust
  - » Bauch
  - » Rücken
  - » Beine
  - » Ein Bein

- » Füße
- » Ein Fuß
- » Intimbereich vorne
- » Intimbereich Gesäß
- Unterstützungsgrad angeben
  - » Beaufsichtigen
  - » Durch Unterstützen helfen
  - » Teilweise übernehmen
  - » Vollständig übernehmen
  - » Aktivieren/anleiten
- Ort der Teilkörperwaschung
  - » Im Bett
  - » Am Bettrand
  - » Am Waschbecken/Lavabo
- Besonderheiten beachten
  - » Ritualisierung einhalten
- Verwendetes Pflegeprodukt angeben

Vor der Operation duschen
- Pflegeintervention konkretisieren
  - » Beim Transfer in/aus die/der Dusche unterstützen
  - » Teilwaschung Oberkörper durchführen
  - » Teilwaschung Unterkörper durchführen
  - » Ganzwaschung in der Dusche durchführen
  - » Haarwäsche beim Duschen durchführen
- Beim Duschen helfen
  - » Materialien bereitlegen
  - » Beaufsichtigen
  - » Durch Unterstützen helfen
  - » Teilweise übernehmen
  - » Vollständig übernehmen
  - » Aktivieren/anleiten
- Besonderheiten beachten
  - » Ritualisierung einhalten
- Art und Weise des Duschens bestimmen
  - » Im Sitzen/auf dem Duschstuhl duschen
  - » Im Stehen duschen
  - » Im Liegen mithilfe eines Duschwagens duschen
- Verwendetes Pflegeprodukt angeben

Zur Operationsvorbereitung eine Ganzkörperwaschung durchführen
- Ort der Ganzkörperwaschung angeben
  - » Im Bett
  - » Am Bettrand sitzend
  - » Am Waschbecken
  - » In der Dusche
- Unterstützungsgrad angeben
  - » Beaufsichtigen
  - » Durch Unterstützen helfen
  - » Teilweise übernehmen
  - » Vollständig übernehmen
  - » Aktivieren/anleiten
- Besonderheiten beachten
  - » Körperpflege/-waschung nach dem Aktivitas-Pflegekonzept durchführen
  - » Körperwaschung nach pflegetherapeutischem Konzept durchführen
  - » Ritualisierung einhalten
  - » Kompensatorische Fähigkeiten fördern
- Hilfsmittel einsetzen
  - » Trittstufe
  - » Duschliege
- Verwendetes Pflegeprodukt angeben
- Anzahl der Pflegepersonen eintragen

Besondere präoperative Vorbereitung durchführen
- Speziell reinigen
  - » Nabel reinigen
  - » Nabel desinfizieren
  - » Zehenzwischenräume reinigen
  - » Fingerzwischenräume reinigen
  - » Hautfalten reinigen
  - » Nägel reinigen
  - » Nagellack entfernen
- Besonderheiten beachten
  - » Sonstige Besonderheiten beachten

Sonstige Pflegemaßnahmen durchführen
- Maßnahmen konkretisieren
- Zeit angeben

Literaturhinweise: 95, 125, 175, 176

Der Patient hat das **Risiko einer Infektion der Drahtein- und -austrittsstellen**

Kennzeichen

- Fixateur externe
- Extensionsbehandlung mit Extensionsbügel
- Crutchfield-Extension
- Kalkaneus-Extension
- Olekranon-Extension
- Suprakondyläre Femur-Extension
- Tibiakopf-Extension
- Trochanter-Extension

Ursachen

- Immunabwehrschwäche
- Umfeldbedingt erhöhtes Infektionsrisiko
- Verbindung zwischen Außenwelt und Knochen/Gewebe durch Drähte/Schrauben

Ressourcen

- Kennt die Schutz- und Hygienemaßnahmen und hält sie ein
- Hält die Therapievereinbarungen ein
- Unterstützt die Wundbehandlung
- Toleriert den Verbandwechsel

Pflegeziele

- Ein- und Austrittsstellen sind infektionsfrei
- Infektion ist vorgebeugt, primäre Wundheilung ist gewährleistet

Pflegeinterventionen

Drahtdurchtrittsstellen auf Entzündungszeichen kontrollieren
- Pflegeintervention konkretisieren
- Zeit angeben

Verbandwechsel unter aseptischen Bedingungen laut Anordnung durchführen
- Pflegeintervention konkretisieren
- Verbandwechsel durchführen mit
- Zeitdauer angeben

Drahtdurchtrittsstellen desinfizieren
- Pflegeintervention konkretisieren
- Desinfektionsmittel angeben

Sonstige Pflegemaßnahmen durchführen
- Maßnahmen konkretisieren
- Zeit angeben

Literaturhinweise: 95, 125, 140, 151, 175, 176

Der Patient hat eine **sekundär heilende Wunde**, es besteht eine **beeinträchtigte Wundheilung**

Kennzeichen

- Kennzeichen einer sekundär heilenden WundeÜberwärmung im umschriebenen Bereich
- Funktionsstörung
- Positiver Erregernachweis
- Sichtbare eitrige Beläge
- Blau-grünlicher Eiter
- Rötung des Wundrands
- Äußert starke Schmerzen
- Süßlich-fauliger Geruch
- Entzündete Eintrittstelle von einer Sonde/Drainage
- Klaffende Wundränder
- Wundtaschen
- Sekundär heilende WundenBisswunde
- Schürfwunde
- Brandwunden
- Geöffneter Abszess
- Offener Bruch
- Spalthauttransplantation
- PKMS-relevante InformationenMindestens drei Wunden
- Großflächige Wunden (größer 40 cm^2)
- Stark sezernierende Wunde
- Große septische Wunde (Länge > 3 cm und/oder Fläche > 4 cm^2 und/oder Raum > 1 cm^3)
- Wunde an Hand oder Kopf
- Wunde am Fuß
- Wunde im Intimbereich
- Verbrennung/Verbrühung ab 2. Grades bei mind. 9 % der KOF

Ursachen

- Postoperative Keimbesiedelung
- Keimbesiedelung
- Hämatom im Wundbereich
- Kontusionierte Wundränder (eingerissene/zerfetzte)
- Spannung auf die Wundränder
- Spannung zwischen den Wundrändern
- Unzureichende Ruhigstellung
- Nahtdehiszenz
- Kompartmentsyndrom
- Offene Fraktur
- Künstlicher Darmausgang
- OP im Analbereich
- OP im Urogenitalbereich

Ressourcen

- Kennt die Schutz- und Hygienemaßnahmen und hält sie ein
- Unterstützt die Wundbehandlung
- Toleriert den Verbandwechsel

Pflegeziele

- Systematische Wundeinschätzung
- Wunde wird entsprechend den Wundheilungsphasen versorgt
- Wundschmerz ist reduziert
- Wundheilungsförderliches Milieu ist hergestellt
- Wundheilung ist fortgeschritten
- Wunde ist abgeheilt
- Wundgeruch ist reduziert
- Intakte Haut im Umfeld der Einstichstelle
- Wunde ist infektionsfrei
- Wundheilungsmilieu ist physiologisch
- Schmerzfreie Wundbehandlung
- Schwellungen sind verhindert bzw. gehen zurück
- Schmerzen sind reduziert
- Ist über die Pflegemaßnahmen informiert und zur Mitarbeit motiviert
- Steht zu Entscheidungen und übernimmt dafür die Verantwortung
- Entwickelt Lösungswege im Gespräch
- Kennt die Konsequenzen verschiedener Handlungsalternativen und kann sich entscheiden
- Primäre Wundheilung ist gewährleistet
- Einschränkung durch die Exsudatbildung ist reduziert

Pflegeinterventionen

Wundspezifisches Assessment durchführen
- Pflegeintervention konkretisieren
  - » Wundeinschätzung in der Wundverlaufsdokumentation
- Zeit angeben

Wundbehandlung/-verband durchführen
- Autolytische Wundreinigung
  - » Hydrogelverband
  - » Hydrokolloidverband
  - » Alginat-Kompresse
  - » Alginate
- Enzymatische Wundreinigung
  - » Kollagenase
  - » Fibrinolysin
  - » Desoxyribonuclease
  - » Streptodornase
  - » Streptokinase
- Mechanische Wundreinigung
  - » Spülung der Wunde durchführen
  - » Auswischen der Wunde mit sterilen Tupfern/Kompressen
- Biomechanische Wundreinigung
- Wundantiseptika verwenden
  - » Polihexanid-Lösung
  - » PVP-Jodpräparat
  - » Kaliumpermanganat-Lösung
  - » Wasserstoffperoxid-Lösung
  - » Octenidin
  - » Antibiotikumhaltige Salbe
- Sonstiges Wundtherapeutikum
  - » Salbenkompressen mit Wirkstoff
- Hautschutz der Wundumgebung durchführen
- Sonstige Wundauflage
  - » Hydropolymer
  - » Salbenkompresse ohne Wirkstoff
  - » Folienverband mit Vakuumversiegelung
  - » Silber-Aktivkohle-Kompresse
  - » Metallinisierte Wundauflage
  - » Aktivkohle-Kompresse
  - » Polyurethanschaum
  - » Hydropolymer
  - » Ringergetränkte Kompresse
- Abdeckung/Fixierung der Wundauflage
  - » Sterile Saugkompresse
  - » Sterile Kompresse
  - » Elastische Binde
  - » Klebevlies/-mull
  - » Pflaster
  - » Schlauchverband
- Zeit angeben
- Anzahl Pflegepersonen angeben

Verbandwechsel und Desinfektion/Reinigung der Einstichstelle durchführen
- Pflegeintervention konkretisieren
- Verbandmaterialien angeben

Abstrich der Wunde durchführen und fachgerecht an das Labor senden
- Pflegeintervention konkretisieren
- Zeit angeben

Beim Verbandwechsel assistieren
- Maßnahmen konkretisieren
  - » Einfachen Verbandwechsel (10 Min.) durchführen
  - » Verbandwechsel mit Wundreinigung durchführen
  - » Verbandwechsel mit Wundspülung durchführen
  - » Verbandwechsel mit speziellen Auflagen durchführen (10 Min.)
  - » Folienverband mit Vakuum anlegen
  - » Folienverband mit Vakuum >9 % der Körperfläche anlegen
  - » Spezielle Wundbehandlung bei Verbrennungen durchführen
  - » Spezielle Wundbehandlung bei Verbrennungen betroffener Körperoberflächen >9 % durchführen
  - » Spezielle Wundbehandlung bei Verbrennungen betroffener Körperoberflächen >18 % durchführen

Verbandwechsel bei Verbrennungen durchführen
- Pflegeintervention konkretisieren
- Zeit angeben
- Anzahl Pflegepersonen angeben

Chirurgisches Debridement durchführen
- Maßnahmen konkretisieren
  - » Mit Skalpell
  - » Mit scharfem Löffel
  - » Mit steriler Schere
- Anzahl Pflegepersonen angeben
- Zeit angeben

Analgetika vor der Wundbehandlung verabreichen
- Verabreichungsart
  - » Oral
  - » Subkutane Injektionen (s. c.)
  - » Intramuskuläre Injektionen (i. m.)
  - » Intravenöse Injektionen (i. v.)
  - » Lokal in die Wunde einbringen
  - » Rektale Applikation
- Zeit bis Wirkungseintritt angeben

Betroffene Extremität hochlagern
- Pflegeintervention konkretisieren
  - » Hochlagern
  - » Ruhig lagern
  - » Hoch und ruhig lagern
- Hochzulagernde Extremität angeben
  - » Rechtes Bein
  - » Linkes Bein
  - » Rechter Arm
  - » Linker Arm
- Dabei verwenden
  - » Lagerungskissen
  - » Lagerungsschiene
- Dauer angeben
  - » Kontinuierlich
  - » Zeitweise
- Bei Beckengips/Oberschenkelgips hochlagern
  - » Fußende des Betts leicht erhöhen

Betroffene Extremität ruhig lagern
- Pflegeintervention konkretisieren
  - » Lagerungskissen verwenden
  - » Schienenlagerung durchführen
  - » Ruhig stellenden Stützverband einsetzen

Pflegefachgespräch führen
- Themenschwerpunkt des Gesprächs angeben
  - » Pflege-, Betreuungs- und Behandlungsprozess
  - » Alltagsbewältigung
  - » Instruktion/Anleitung
  - » Motivation/Aktivierung
  - » Strategien zur Krankheitsbewältigung
  - » Förderung der Entscheidungsfindung
  - » Überleitung/Entlassung
  - » Sonstige Gesprächsinhalte
- Gesprächsteilnehmer
  - » Betroffener
  - » Angehöriger/Bezugsperson
- Zeitdauer des Gesprächs angeben

Nahtmaterial nach Arztanordnung entfernen
- Nahtmaterial
  - » Klammern entfernen
  - » Fäden ziehen
- Anzahl der zu entfernenden Klammern/Fäden bestimmen
  - » Bis 10 Fäden/Klammern
  - » > 10 Fäden/Klammern

Stark aufsaugende Verbandsstoffe in Ergänzung zum regelmäßigen Verbandswechsel einsetzen
- Pflegeintervention konkretisieren

Sonstige Pflegemaßnahmen durchführen
- Maßnahmen konkretisieren
- Zeit angeben

Literaturhinweise: 91, 125, 140, 151, 175, 176, 252, 269, 270, 271, 294, 327, 387, 630, 631, 632

Der Patient hat einen **Dekubitus**, es besteht eine erschwerte Wundheilung

Kennzeichen

- Spezielle Kennzeichen DekubitusDekubitus-Grad I: Nicht-eindrückbare Hautrötung bei intakter Haut
- Dekubitus-Grad II: Oberflächliche Hautschädigung, Hautabschürfung und/oder -blase
- Dekubitus-Grad III: Tiefe Hautschädigung/ Nekrose, ohne Beteiligung von stützenden Strukturen/Faszien/Muskelgewebe
- Dekubitus-Grad IV: Ausgedehnte Gewebeschädigung/Nekrose mit Beteiligung von stützenden Strukturen/Muskelgewebe/ Knochen
- Wundschmerz
- Allgemeine Kennzeichen sekundärer WundheilungWundgeruch
- Wundtasche
- Unterminierung
- Fistel
- Nekrose
- Vermehrtes seröses Exsudat
- Vermehrtes serös-blutiges Exsudat
- Serös-eitriges Exsudat
- Eitriges Exsudat
- Infektionszeichen
- Spezielle Kennzeichen chronischer Wunden-Dekubitus besteht länger als 4 Wochen trotz konsequenter Wundtherapie
- Schlafstörungen
- Berichtet über eine beeinträchtigte Lebensqualität
- Berichtet über Beeinträchtigungen im sozialen Leben
- Beschreibt negative Auswirkungen auf das psychische (Wohl-)Befinden
- Berichtet über Macht- und/oder Kontrollverlust
- Äußerungen hinsichtlich einer veränderten Wahrnehmung des Körperbildes
- Äußerungen über Schamgefühl
- PKMS-relevante InformationenMindestens drei Wunden
- Großflächige Wunden (größer 40 cm^2)
- Wunde an Hand oder Kopf
- Große septische Wunde (Länge > 3 cm und/ oder Fläche > 4 cm^2 und/oder Raum > 1 cm^3)

Ursachen

- Druckbedingte UrsachenKeine Spontanbewegung/Mikrobewegung
- Spontanbewegung/Mikrobewegung ist reduziert
- Langes Sitzen ohne Druckausgleich
- Kann gefährdete Körperstellen nicht entlasten
- Immobilität
- Beeinträchtigte Mobilität im Bett
- Ruhigstellung
- Bewegungseinschränkung durch Gipsschale
- Bewegungseinschränkung durch Extension
- Lehnt erforderliche Lagerungs-/ Mobilisierungsmaßnahmen ab
- Zeigt beim Umlagern/Mobilisieren Abwehr/ Widerstände, indem den Maßnahmen Widerstände entgegengesetzt werden
- Krankheitsbedingte UrsachenBewusstlosigkeit
- Eingeschränkte Vigilanz
- Polytrauma
- Lähmung (nicht näher bezeichnet)
- Sensibilitätsstörung
- Eingeschränkte Körperwahrnehmung
- Herzinsuffizienz
- Durchblutungsstörungen
- Große chirurgische Eingriffe
- Diabetes mellitus
- Inkontinenz
- Apathisch-gehemmte Depression
- Ernährungsbedingte UrsachenErnährungsdefizit
- Exsikkose/Dehydratation
- Adipositas
- Extreme Adipositas
- Kachexie

Ressourcen

- Verfügt über aktuelles Wissen in Bezug auf die Wunde
- Beteiligt sich aktiv an Entscheidungen
- Schätzt den wahrscheinlichen Heilungszeitraum der Wunde realistisch ein
- Vertraut den eigenen Fähigkeiten und Fertigkeiten
- Selbstmanagementfähigkeiten sind vorhanden
- Setzt vereinbarte Maßnahmen um
- Kooperiert mit dem therapeutischen Team
- Unterstützt die Wundbehandlung

Pflegeziele

- Systematische Wundeinschätzung
- Wunde wird entsprechend den Wundheilungsphasen versorgt
- Ernährungsdefizite, die Wundheilungsstörungen begünstigen könnten, sind erkannt
- Wundschmerz ist reduziert
- Wundheilungsförderliches Milieu ist hergestellt
- Wundheilung ist fortgeschritten
- Wunde ist abgeheilt
- Wundgeruch ist reduziert
- Schmerzfreie Wundbehandlung
- Druckentlastung gefährdeter Körperstellen ist sichergestellt
- Normaler Haut- und Gewebezustand ist aufrechterhalten
- Aktivitäten des täglichen Lebens sind gefördert
- Hilfsmitteleinsatz entspricht individuellen Voraussetzungen/Bedürfnissen
- Haut ist ausreichend durchblutet
- Auflagedruck ist verteilt
- Scherkräfte sind reduziert/aufgehoben
- Eigenbewegungsfähigkeiten werden gezielt bei der Mobilisation gefördert
- Druckentlastung dekubitusgefährdeter Bereiche
- Eigenbewegungsfrequenz ist gesteigert
- Wundheilungsmilieu ist physiologisch
- Wunde ist infektionsfrei
- Ist über die Pflegemaßnahmen informiert und zur Mitarbeit motiviert
- Steht zu Entscheidungen und übernimmt dafür die Verantwortung

- Entwickelt Lösungswege im Gespräch
- Kennt die Konsequenzen verschiedener Handlungsalternativen und kann sich entscheiden
- Einschränkung durch die Exsudatbildung ist reduziert

Pflegeinterventionen

Wundspezifisches Assessment durchführen
- Pflegeintervention konkretisieren
  - » Wundeinschätzung in der Wundverlaufsdokumentation
- Zeit angeben

Ernährungszustand /-situation einschätzen
- Pflegeintervention konkretisieren
- Zeit angeben

Wundbehandlung/-verband durchführen
- Autolytische Wundreinigung
  - » Hydrogelverband
  - » Hydrokolloidverband
  - » Alginat-Kompresse
  - » Alginate
- Enzymatische Wundreinigung
  - » Kollagenase
  - » Fibrinolysin
  - » Desoxyribonuclease
  - » Streptodornase
  - » Streptokinase
- Mechanische Wundreinigung
  - » Spülung der Wunde durchführen
  - » Auswischen der Wunde mit sterilen Tupfern/Kompressen
- Biomechanische Wundreinigung
- Wundantiseptika verwenden
  - » Polihexanid-Lösung
  - » PVP-Jodpräparat
  - » Kaliumpermanganat-Lösung
  - » Wasserstoffperoxid-Lösung
  - » Octenidin
  - » Antibiotikumhaltige Salbe
- Sonstiges Wundtherapeutikum
  - » Salbenkompressen mit Wirkstoff
- Hautschutz der Wundumgebung durchführen
- Sonstige Wundauflage
  - » Hydropolymer
  - » Salbenkompresse ohne Wirkstoff
  - » Folienverband mit Vakuumversiegelung
  - » Silber-Aktivkohle-Kompresse
  - » Metallinisierte Wundauflage
  - » Aktivkohle-Kompresse
  - » Polyurethanschaum
  - » Hydropolymer
  - » Ringergetränkte Kompresse
- Abdeckung/Fixierung der Wundauflage
  - » Sterile Saugkompresse
  - » Sterile Kompresse
  - » Elastische Binde
  - » Klebevlies/-mull
  - » Pflaster
  - » Schlauchverband
- Zeit angeben
- Anzahl Pflegepersonen angeben

Analgetika vor der Wundbehandlung verabreichen
- Verabreichungsart
  - » Oral
  - » Subkutane Injektionen (s. c.)
  - » Intramuskuläre Injektionen (i. m.)
  - » Intravenöse Injektionen (i. v.)
  - » Lokal in die Wunde einbringen
  - » Rektale Applikation
- Zeit bis Wirkungseintritt angeben

Zur Druckentlastung von gefährdeten Hautarealen anleiten
- Pflegeintervention konkretisieren
- Art der Unterstützung
  - » Beaufsichtigen
  - » Durch Unterstützen helfen
  - » Teilweise übernehmen
  - » Vollständig übernehmen
  - » Zur selbstständigen Durchführung anleiten
- Anzuleitende Person(en) festlegen
  - » Betroffene Person
  - » Angehöriger/Bezugsperson
- Zeit angeben

Lagerungswechsel/Mobilisierung nach Plan durchführen
- Dokumentationsort
  - » Im Mobilisationsplan dokumentieren
  - » Im Pflegeplan dokumentieren
- Lagerungsart bestimmen
  - » 30°-Lagerung rechts durchführen
  - » 30°-Lagerung links durchführen
  - » Rückenlagerung durchführen
  - » 135°-Lagerung durchführen
  - » Bauchlagerung durchführen
  - » Sitzposition im Lehn-/Rollstuhl/Rehabuggy verändern
  - » Mikrolagerungen durchführen
  - » Herunterrutschen im Bett oder Stuhl verhindern
- Pflegetechnik konkretisieren
  - » Techniken der Kinästhetik einsetzen
  - » Nach dem Bobath-Konzept mobilisieren
- Bewegungs-/Lagerungsintervalle individuell festlegen
  - » < 1 stündl. Intervall [sehr hohes Risiko]
  - » 1-2 stündl. Intervall [hohes Risiko]
  - » 2-3 stündl. Intervall [mittleres Risiko]
  - » > 3 stündl. Intervall [geringes Risiko]
- Hilfsmittel/Lagerungsmaterialien konkretisieren
- Besonderheiten beachten
  - » Abwehr/Widerstände abbauen
- Anzahl der Pflegepersonen eintragen

Hohl-/Freilagerung gefährdeter Körperstellen durchführen
- Hohllagerung/Freilagerung durchführen
  - » Mit der 5-Kissen-Methode
  - » Mit der 3-Kissen-Methode
  - » Der Ferse mit Lagerungskissen
  - » Der Ellenbogen mit Lagerungshilfsmitteln
  - » Der Ohren mit Lagerungshilfsmitteln

Hilfsmittel zur Weichlagerung einsetzen
- Weichlagerung durchführen mit
  - » Lagerungskissen
  - » Schaumstoff
  - » Gelkissen
  - » Trockenpolymerauflage
  - » Sonstige Hilfsmittel
- Weichlagerung durchführen von
  - » Außen-/Innenknochen des Kniegelenks
  - » Außen-/Innenknochen des Sprunggelenks
  - » Sitzbeinhöcker
  - » Gesäß
  - » Trochanter
  - » Ohren
  - » Ellenbogen
  - » Schulter
  - » Fersen

Druckverteilende Spezialmatratzen einsetzen
- Spezialmatratze zur Druckverteilung einsetzen
  - » Superweiche Schaumstoffmatratze
  - » Schaumstoffquadermatratze
  - » Schaumstoffmatratzenauflage (mind. 7 cm)
  - » Großzellige Wechseldruckmatratze
  - » Luftkissenbett
  - » Air-fluidized-Unterlage (Luftgebläsebett)
  - » Air-Loss-Bett einsetzen
  - » Wasserbett
  - » Sonstige Weichlagerungsmatratzen
- Antidekubitusmatratze einsetzen
  - » In ein Antidekubitusbett umbetten
  - » Bei der Aufnahme ein Antidekubitusbett auswählen
  - » Technische Einstellungen der Antidekubitusmatratze überprüfen
  - » Matratzenauflage einbetten

Scherkräfte reduzieren
- Pflegeintervention konkretisieren
  - » Echte Felle einsetzen (empfohlen)
  - » Haut- und gewebeschonend mobilisieren

Eigenbewegungsmöglichkeiten mit dem Betroffenen entwickeln
- Pflegeintervention konkretisieren
- Zeit angeben

Chirurgisches Debridement durchführen
- Maßnahmen konkretisieren
  - » Mit Skalpell
  - » Mit scharfem Löffel

    » Mit steriler Schere
- Anzahl Pflegepersonen angeben
- Zeit angeben

Abstrich der Wunde durchführen und fachgerecht an das Labor senden
- Pflegeintervention konkretisieren
- Zeit angeben

Pflegefachgespräch führen
- Themenschwerpunkt des Gesprächs angeben
    - » Pflege-, Betreuungs- und Behandlungsprozess
    - » Alltagsbewältigung
    - » Instruktion/Anleitung
    - » Motivation/Aktivierung
    - » Strategien zur Krankheitsbewältigung
    - » Förderung der Entscheidungsfindung
    - » Überleitung/Entlassung
    - » Sonstige Gesprächsinhalte
- Gesprächsteilnehmer
    - » Betroffener
    - » Angehöriger/Bezugsperson
- Zeitdauer des Gesprächs angeben

Stark aufsaugende Verbandsstoffe in Ergänzung zum regelmäßigen Verbandswechsel einsetzen
- Pflegeintervention konkretisieren

Sonstige Pflegemaßnahmen durchführen
- Maßnahmen konkretisieren
- Zeit angeben

Literaturhinweise: 630, 631, 632, 634, 635, 638

Der Patient hat ein **diabetisches Fußsyndrom (DFS)**, es besteht eine erschwerte Wundheilung

Kennzeichen

- Einteilung nach Wagner(0) Prä- oder postulzerativer Fuß
- (1) Oberflächliche Wunde
- (2) Wunde bis zur Ebene von Sehnen/Kapseln
- (3) Wunde bis zur Ebene von Knochen/Gelenken
- (4) Nekrose von Fußteilen
- (5) Nekrose des gesamten Fußes
- Einteilung nach Armstrong(A) Mit Infektion
- (B) Mit Ischämie
- (C) Mit Infektion und Ischämie
- Weitere KennzeichenSchmerzen beim Auftreten
- Ruheschmerz
- Gangunsicherheit
- Sensibilitätsstörung
- Sensibilitätsverlust
- Beschreibt Missempfindungen
- Läsion am Fußballen
- Läsion an den Zehen
- Hyperkeratose (übermäßige Verhornung)
- Spezielle Kennzeichen chronischer Wunden-Wunde besteht länger als 4 Wochen trotz konsequenter Therapie
- Schlafstörungen
- Berichtet über eine beeinträchtigte Lebensqualität
- Beschreibt negative Auswirkungen auf das psychische (Wohl-)Befinden
- Berichtet über Beeinträchtigungen im sozialen Leben
- Berichtet über Macht- und/oder Kontrollverlust
- Äußerungen hinsichtlich einer veränderten Wahrnehmung des Körperbildes
- Äußerungen über Schamgefühl

Ursachen

- Krankheitsbedingte UrsachenDiabetes mellitus Typ I
- Diabetes mellitus Typ II
- Periphere sensomotorische Neuropathie
- Makro-/Mikroangiopathie
- Stoffwechselstörung
- Abwehrstörung
- Ursachen im Zusammenhang mit Verletzung/DruckSchlecht sitzendes Schuhwerk
- Deformationen an den Füßen
- Verletzungen im Rahmen der Fußpflege
- Verletzungen am Fuß durch Stoß

Ressourcen

- Verfügt über aktuelles Wissen in Bezug auf die Wunde
- Beteiligt sich aktiv an Entscheidungen
- Schätzt den wahrscheinlichen Heilungszeitraum der Wunde realistisch ein
- Vertraut den eigenen Fähigkeiten und Fertigkeiten
- Selbstmanagementfähigkeiten sind vorhanden
- Setzt vereinbarte Maßnahmen um
- Kooperiert mit dem therapeutischen Team
- Unterstützt die Wundbehandlung

Pflegeziele

- Systematische Wundeinschätzung
- Wunde wird entsprechend den Wundheilungsphasen versorgt
- Wundschmerz ist reduziert
- Wundheilungsförderliches Milieu ist hergestellt
- Wundheilung ist fortgeschritten
- Wunde ist abgeheilt
- Wundgeruch ist reduziert
- Schmerzfreie Wundbehandlung
- Verletzungen sind vermieden
- Druckentlastung des Fußulcus ist sichergestellt
- Durchblutung der Beine ist gefördert
- Schmerzen sind reduziert
- Ist über die Pflegemaßnahmen informiert

und zur Mitarbeit motiviert
- Steht zu Entscheidungen und übernimmt dafür die Verantwortung
- Entwickelt Lösungswege im Gespräch
- Kennt die Konsequenzen verschiedener Handlungsalternativen und kann sich entscheiden

Pflegeinterventionen

Wundspezifisches Assessment durchführen
- Pflegeintervention konkretisieren
  - » Wundeinschätzung in der Wundverlaufsdokumentation
- Zeit angeben

Wundbehandlung/-verband durchführen
- Autolytische Wundreinigung
  - » Hydrogelverband
  - » Hydrokolloidverband
  - » Alginat-Kompresse
  - » Alginate
- Enzymatische Wundreinigung
  - » Kollagenase
  - » Fibrinolysin
  - » Desoxyribonuclease
  - » Streptodornase
  - » Streptokinase
- Mechanische Wundreinigung
  - » Spülung der Wunde durchführen
  - » Auswischen der Wunde mit sterilen Tupfern/Kompressen
- Biomechanische Wundreinigung
- Wundantiseptika verwenden
  - » Polihexanid-Lösung
  - » PVP-Jodpräparat
  - » Kaliumpermanganat-Lösung
  - » Wasserstoffperoxid-Lösung
  - » Octenidin
  - » Antibiotikumhaltige Salbe
- Sonstiges Wundtherapeutikum
  - » Salbenkompressen mit Wirkstoff
- Hautschutz der Wundumgebung durchführen
- Sonstige Wundauflage
  - » Hydropolymer
  - » Salbenkompresse ohne Wirkstoff
  - » Folienverband mit Vakuumversiegelung
  - » Silber-Aktivkohle-Kompresse
  - » Metallinisierte Wundauflage
  - » Aktivkohle-Kompresse
  - » Polyurethanschaum
  - » Hydropolymer
  - » Ringergetränkte Kompresse
- Abdeckung/Fixierung der Wundauflage
  - » Sterile Saugkompresse
  - » Sterile Kompresse
  - » Elastische Binde
  - » Klebevlies/-mull
  - » Pflaster
  - » Schlauchverband
- Zeit angeben
- Anzahl Pflegepersonen angeben

Analgetika vor der Wundbehandlung verabreichen
- Verabreichungsart
  - » Oral
  - » Subkutane Injektionen (s. c.)
  - » Intramuskuläre Injektionen (i. m.)
  - » Intravenöse Injektionen (i. v.)
  - » Lokal in die Wunde einbringen
  - » Rektale Applikation
- Zeit bis Wirkungseintritt angeben

Mobilisationsstufen zur Entlastung des betroffenen Fußes vereinbaren
- Mobilisierungsstufe
  - » Verordnetes Gehverbot
  - » Seltenes vorsichtiges Gehen

Verletzungsrisikominimierende Umfeldgestaltung
- Maßnahmen konkretisieren
  - » Verletzungsquellen identifizieren und beseitigen
  - » Lichtverhältnisse verbessern
  - » Nachtbeleuchtung sicherstellen
  - » Lichtschalter in erreichbarer Nähe
  - » Brille überprüfen und anbieten
  - » Klingel und Rufanlagen anpassen

Druckentlastende Hilfsmittel einsetzen
- Hilfsmittel einsetzen
  - » Therapeutisches Schuhwerk
  - » Orthesen
  - » Vollkontaktgips
  - » Unterarmgehstützen
  - » Eulenburg-Gehwagen
  - » Rollstuhl
- Unterstützungsgrad angeben
  - » Anlegen
  - » Zur Benutzung anleiten
  - » Zur Benutzung bereitstellen

Beintieflagerung durchführen
- Pflegeintervention konkretisieren
- Zeit angeben

Betroffenen Fuß weich lagern
- Pflegeintervention konkretisieren
- Zeit angeben

Bettbogen einsetzen
- Pflegeintervention konkretisieren
- Zeit angeben

Pflegefachgespräch führen
- Themenschwerpunkt des Gesprächs angeben
  - » Pflege-, Betreuungs- und Behandlungsprozess
  - » Alltagsbewältigung
  - » Instruktion/Anleitung
  - » Motivation/Aktivierung
  - » Strategien zur Krankheitsbewältigung
  - » Förderung der Entscheidungsfindung
  - » Überleitung/Entlassung
  - » Sonstige Gesprächsinhalte
- Gesprächsteilnehmer
  - » Betroffener
  - » Angehöriger/Bezugsperson
- Zeitdauer des Gesprächs angeben

Sonstige Pflegemaßnahmen durchführen
- Maßnahmen konkretisieren
- Zeit angeben

Literaturhinweise: 630, 631, 632, 633, 783, 792

Der Patient hat einen **Ulcus cruris arteriosum**, es besteht eine erschwerte Wundheilung

Kennzeichen

- Kennzeichen arterielle Verschlusskrankheit-Verschlüsse oder Stenosen
- Claudicatio intermittens mit einer freien Wegstrecke > 200 Meter
- Claudicatio intermittens mit einer freien Wegstrecke < 200 Meter
- Ruhe- und Nachtschmerzen
- Ulcus, Nekrose
- Feuchtes Gangrän
- Trockenes Gangrän
- Lokalisation der LäsionLäsion an den Zehen
- Läsion am Fußrücken
- Läsion an der Tibiakante
- Weitere KennzeichenReduzierter Fußpuls
- Kühle Umgebungshaut
- Haut ist bläulich/zyanotisch verfärbt
- Schmerzreduktion bei Tieflagerung des Beines
- Grau/schwarze nekrotische Beläge
- Trockene Beläge
- Spezielle Kennzeichen chronischer Wunden-Wundgeruch
- Wunde besteht länger als 4 Wochen trotz konsequenter Therapie
- Schlafstörungen
- Berichtet über eine beeinträchtigte Lebensqualität
- Beschreibt negative Auswirkungen auf das psychische (Wohl-)Befinden
- Berichtet über Beeinträchtigungen im sozialen Leben
- Berichtet über Macht- und/oder Kontrollverlust
- Äußerungen hinsichtlich einer veränderten Wahrnehmung des Körperbildes
- Äußerungen über Schamgefühl
- PKMS-relevante InformationenMindestens drei Wunden
- Großflächige Wunden (größer 40 cm^2)

Ursachen

- Krankheitsbedingte UrsachenArteriell bedingte Durchblutungsstörung
- Periphere arterielle Verschlusskrankheit
- Embolien in der Vorgeschichte
- Angiodysplasien (Fehlbildung von Gefäßen)
- Entzündliche Hauterkrankung
- Malignom
- Lymphödem
- Ursachen im Zusammenhang mit arterieller DurchblutungsstörungAdipositas
- Hypertonie
- Nikotinabusus
- Diabetes mellitus

Ressourcen

- Verfügt über aktuelles Wissen in Bezug auf die Wunde
- Beteiligt sich aktiv an Entscheidungen
- Schätzt den wahrscheinlichen Heilungszeitraum der Wunde realistisch ein
- Vertraut den eigenen Fähigkeiten und Fertigkeiten
- Selbstmanagementfähigkeiten sind vorhanden
- Setzt vereinbarte Maßnahmen um
- Kooperiert mit dem therapeutischen Team
- Unterstützt die Wundbehandlung

Pflegeziele

- Systematische Wundeinschätzung
- Wunde wird entsprechend den Wundheilungsphasen versorgt
- Wundschmerz ist reduziert
- Wundheilungsförderliches Milieu ist hergestellt
- Wundheilung ist fortgeschritten
- Wunde ist abgeheilt
- Wundgeruch ist reduziert
- Schmerzfreie Wundbehandlung
- Verletzungen sind vermieden
- Druckentlastung des Fußulcus ist sichergestellt
- Schmerzen sind reduziert
- Kontraindikationen sind ausgeschlossen
- Durchblutung und Stoffwechsel sind angeregt
- Kennt die schmerzfreie Wegstrecke und orientiert daran das Gehtraining
- Schmerzfreie Wegstrecke ist verlängert
- Ist über die Pflegemaßnahmen informiert und zur Mitarbeit motiviert
- Steht zu Entscheidungen und übernimmt dafür die Verantwortung
- Entwickelt Lösungswege im Gespräch
- Kennt die Konsequenzen verschiedener Handlungsalternativen und kann sich entscheiden
- Betroffenen/-es Fuß/Bein warm halten
- Durchblutung der Beine ist gefördert
- Einschränkung durch die Exsudatbildung ist reduziert

Pflegeinterventionen

Wundspezifisches Assessment durchführen

- Pflegeintervention konkretisieren
  - » Wundeinschätzung in der Wundverlaufsdokumentation
- Zeit angeben

Wundbehandlung/-verband durchführen

- Autolytische Wundreinigung
  - » Hydrogelverband
  - » Hydrokolloidverband
  - » Alginat-Kompresse
  - » Alginate
- Enzymatische Wundreinigung
  - » Kollagenase
  - » Fibrinolysin
  - » Desoxyribonuclease
  - » Streptodornase
  - » Streptokinase
- Mechanische Wundreinigung
  - » Spülung der Wunde durchführen
  - » Auswischen der Wunde mit sterilen Tupfern/Kompressen
- Biomechanische Wundreinigung
- Wundantiseptika verwenden

- » Polihexanid-Lösung
- » PVP-Jodpräparat
- » Kaliumpermanganat-Lösung
- » Wasserstoffperoxid-Lösung
- » Octenidin
- » Antibiotikumhaltige Salbe
- Sonstiges Wundtherapeutikum
  - » Salbenkompressen mit Wirkstoff
- Hautschutz der Wundumgebung durchführen
- Sonstige Wundauflage
  - » Hydropolymer
  - » Salbenkompresse ohne Wirkstoff
  - » Folienverband mit Vakuumversiegelung
  - » Silber-Aktivkohle-Kompresse
  - » Metallinisierte Wundauflage
  - » Aktivkohle-Kompresse
  - » Polyurethanschaum
  - » Hydropolymer
  - » Ringergetränkte Kompresse
- Abdeckung/Fixierung der Wundauflage
  - » Sterile Saugkompresse
  - » Sterile Kompresse
  - » Elastische Binde
  - » Klebevlies/-mull
  - » Pflaster
  - » Schlauchverband
- Zeit angeben
- Anzahl Pflegepersonen angeben

Analgetika vor der Wundbehandlung verabreichen
- Verabreichungsart
  - » Oral
  - » Subkutane Injektionen (s. c.)
  - » Intramuskuläre Injektionen (i. m.)
  - » Intravenöse Injektionen (i. v.)
  - » Lokal in die Wunde einbringen
  - » Rektale Applikation
- Zeit bis Wirkungseintritt angeben

Verletzungsrisikominimierende Umfeldgestaltung
- Maßnahmen konkretisieren
  - » Verletzungsquellen identifizieren und beseitigen
  - » Lichtverhältnisse verbessern
  - » Nachtbeleuchtung sicherstellen
  - » Lichtschalter in erreichbarer Nähe
  - » Brille überprüfen und anbieten
  - » Klingel und Rufanlagen anpassen

Druckentlastende Hilfsmittel einsetzen
- Hilfsmittel einsetzen
  - » Therapeutisches Schuhwerk
  - » Orthesen
  - » Vollkontaktgips
  - » Unterarmgehstützen
  - » Eulenburg-Gehwagen
  - » Rollstuhl
- Unterstützungsgrad angeben
  - » Anlegen
  - » Zur Benutzung anleiten
  - » Zur Benutzung bereitstellen

Beintieflagerung durchführen
- Pflegeintervention konkretisieren
- Zeit angeben

Betroffenen Fuß weich lagern
- Pflegeintervention konkretisieren
- Zeit angeben

Bettbogen einsetzen
- Pflegeintervention konkretisieren
- Zeit angeben

Kontraindikationen für ein Gehtraining abklären
- » Ruheschmerz
- » Ausgedehnte Gewebeschädigung
- » Ort der Läsion schließt ein Gehtraining aus

Zum regelmäßigen Gehtraining entsprechend den Belastungsgrenzen anleiten
- Pflegeintervention konkretisieren
- Wochenziel festlegen
- Anzuleitende Person(en) festlegen
  - » Betroffene Person
  - » Angehöriger/Bezugsperson
- Zeit angeben

Jede Kompression vermeiden
- Pflegeintervention konkretisieren
- Zeit angeben

Pflegefachgespräch führen
- Themenschwerpunkt des Gesprächs angeben
  - » Pflege-, Betreuungs- und Behandlungsprozess
  - » Alltagsbewältigung
  - » Instruktion/Anleitung
  - » Motivation/Aktivierung
  - » Strategien zur Krankheitsbewältigung
  - » Förderung der Entscheidungsfindung
  - » Überleitung/Entlassung
  - » Sonstige Gesprächsinhalte
- Gesprächsteilnehmer
  - » Betroffener
  - » Angehöriger/Bezugsperson
- Zeitdauer des Gesprächs angeben

Lockeren Watteverband anlegen
- Pflegeintervention konkretisieren
- Zeit angeben

Gefäßabknickung in der Leiste vorbeugen
- Pflegeintervention konkretisieren
  - » Kopfteil des Bettes max. 60° erhöhen
  - » Sitzen vermeiden

Stark aufsaugende Verbandsstoffe in Ergänzung zum regelmäßigen Verbandswechsel einsetzen
- Pflegeintervention konkretisieren

Sonstige Pflegemaßnahmen durchführen
- Maßnahmen konkretisieren
- Zeit angeben

Literaturhinweise: 630, 631, 637, 638, 639, 640

Der Patient hat einen **Ulcus cruris venosum**, es besteht eine erschwerte Wundheilung

Kennzeichen

- Kennzeichen für VeneninsuffizienzKronenartige oberflächliche Knöchelvenen
- Phleb-Ödeme
- Hyperpigmentierung der Haut (Oberhaut)
- Ekzem
- Knöchelödem
- Lokalisation der LäsionInnenknöchel
- Schmieriger Belag
- Weitere KennzeichenBekannte Ulcera in der Vorgeschichte
- Reduzierte Bewegungsmöglichkeit des Sprunggelenks
- Starkes Jucken
- Geringer Wundschmerz
- Starke Exsudation
- Mazeration der Wundumgebung
- Spezielle Kennzeichen chronischer Wunden-Wundgeruch
- Wunde besteht länger als 4 Wochen trotz konsequenter Therapie
- Schlafstörungen
- Berichtet über eine beeinträchtigte Lebensqualität
- Beschreibt negative Auswirkungen auf das psychische (Wohl-)Befinden
- Berichtet über Beeinträchtigungen im sozialen Leben
- Berichtet über Macht- und/oder Kontrollverlust
- Äußerungen hinsichtlich einer veränderten Wahrnehmung des Körperbildes
- Äußerungen über Schamgefühl
- PKMS-relevante InformationenMindestens drei Wunden
- Großflächige Wunden (größer 40 cm^2)

Ursachen

- Krankheitsbedingte UrsachenChronisch venöse Insuffizienz (CVI)
- Dysfunktion der Wadenmuskulatur
- Lymphödem
- Ursachen im Zusammenhang mit CVIThrombosen in der Vorgeschichte
- Schwangerschaft
- Venenklappeninsuffizienz
- Adipositas
- Überwiegend stehende Tätigkeit

Ressourcen

- Verfügt über aktuelles Wissen in Bezug auf die Wunde
- Beteiligt sich aktiv an Entscheidungen
- Schätzt den wahrscheinlichen Heilungszeitraum der Wunde realistisch ein
- Vertraut den eigenen Fähigkeiten und Fertigkeiten
- Selbstmanagementfähigkeiten sind vorhanden
- Setzt vereinbarte Maßnahmen um
- Kooperiert mit dem therapeutischen Team
- Unterstützt die Wundbehandlung

Pflegeziele

- Systematische Wundeinschätzung
- Wunde wird entsprechend den Wundheilungsphasen versorgt
- Wundschmerz ist reduziert
- Wundheilungsförderliches Milieu ist hergestellt
- Wundheilung ist fortgeschritten
- Wunde ist abgeheilt
- Wundgeruch ist reduziert
- Schmerzfreie Wundbehandlung
- Kompression entspricht den therapeutischen Anforderungen
- Permanente Kompression ist gewährleistet
- Ist über die Pflegemaßnahmen informiert und zur Mitarbeit motiviert
- Steht zu Entscheidungen und übernimmt dafür die Verantwortung
- Entwickelt Lösungswege im Gespräch
- Kennt die Konsequenzen verschiedener Handlungsalternativen und kann sich entscheiden
- Venöser Rückfluss ist gewährleistet, Gefäßlumen ist frei
- Venöser Rückfluss ist gefördert
- Muskelpumpe ist aktiviert
- Sprunggelenksbeweglichkeit ist gefördert
- Adäquate systemische Gewebedurchblutung ist sichergestellt
- Gesundheitsbezogene Selbstpflegefähigkeiten sind eingeschätzt

Pflegeinterventionen

Wundspezifisches Assessment durchführen

- Pflegeintervention konkretisieren
  - Wundeinschätzung in der Wundverlaufsdokumentation
- Zeit angeben

Wundbehandlung/-verband durchführen

- Autolytische Wundreinigung
  - Hydrogelverband
  - Hydrokolloidverband
  - Alginat-Kompresse
  - Alginate
- Enzymatische Wundreinigung
  - Kollagenase
  - Fibrinolysin
  - Desoxyribonuclease
  - Streptodornase
  - Streptokinase
- Mechanische Wundreinigung
  - Spülung der Wunde durchführen
  - Auswischen der Wunde mit sterilen Tupfern/Kompressen
- Biomechanische Wundreinigung
- Wundantiseptika verwenden
  - Polihexanid-Lösung
  - PVP-Jodpräparat
  - Kaliumpermanganat-Lösung
  - Wasserstoffperoxid-Lösung
  - Octenidin
  - Antibiotikumhaltige Salbe
- Sonstiges Wundtherapeutikum
  - Salbenkompressen mit Wirkstoff

- Hautschutz der Wundumgebung durchführen
- Sonstige Wundauflage
  - » Hydropolymer
  - » Salbenkompresse ohne Wirkstoff
  - » Folienverband mit Vakuumversiegelung
  - » Silber-Aktivkohle-Kompresse
  - » Metallinisierte Wundauflage
  - » Aktivkohle-Kompresse
  - » Polyurethanschaum
  - » Hydropolymer
  - » Ringergetränkte Kompresse
- Abdeckung/Fixierung der Wundauflage
  - » Sterile Saugkompresse
  - » Sterile Kompresse
  - » Elastische Binde
  - » Klebevlies/-mull
  - » Pflaster
  - » Schlauchverband
- Zeit angeben
- Anzahl Pflegepersonen angeben

Analgetika vor der Wundbehandlung verabreichen
- Verabreichungsart
  - » Oral
  - » Subkutane Injektionen (s. c.)
  - » Intramuskuläre Injektionen (i. m.)
  - » Intravenöse Injektionen (i. v.)
  - » Lokal in die Wunde einbringen
  - » Rektale Applikation
- Zeit bis Wirkungseintritt angeben

Bettfahrrad einsetzen
- Pflegeintervention konkretisieren
- Zeit angeben

Kompressionsstrümpfe/-strumpfhose anziehen
- Pflegeintervention konkretisieren
  - » Kompressionsstrümpfe ausmessen und anpassen
  - » Kompressionsstrumpf Größe/Firma
- Beim Anlegen der Kompressionsstrümpfe/-strumpfhose unterstützen
  - » Beim An- und Ausziehen unterstützen
  - » An- und Ausziehen übernehmen
  - » Beim An- und Ausziehen anleiten
  - » Kompressionsstrümpfe/-strumpfhose wechseln, Häufigkeit angeben
- Spezielle Pflege beim Tragen von Stützstrumpfhosen durchführen
  - » Fußbad durchführen
  - » Hautpflege vor dem Anziehen der Kompressionsstrümpfe durchführen

Kompressionsverband anlegen
- Pflegeintervention konkretisieren
- Zeit angeben

Untere Extremitäten hochlagern
- Pflegeintervention konkretisieren
- Zeit angeben

Pflegefachgespräch führen
- Themenschwerpunkt des Gesprächs angeben
  - » Pflege-, Betreuungs- und Behandlungsprozess
  - » Alltagsbewältigung
  - » Instruktion/Anleitung
  - » Motivation/Aktivierung
  - » Strategien zur Krankheitsbewältigung
  - » Förderung der Entscheidungsfindung
  - » Überleitung/Entlassung
  - » Sonstige Gesprächsinhalte
- Gesprächsteilnehmer
  - » Betroffener
  - » Angehöriger/Bezugsperson
- Zeitdauer des Gesprächs angeben

Zum kontrollierten Gehtraining anleiten
- Pflegeintervention konkretisieren
- Wochenziel festlegen
- Anzuleitende Person(en) festlegen
  - » Betroffene Person
  - » Angehöriger/Bezugsperson
- Zeit angeben

Zu aktiven Bewegungsübungen anleiten
- Muskelpumpe einsetzen
  - » Fußkreisen
  - » Auf- und Abbewegen des Fußes
  - » Isotone Muskelübungen für die Wadenmuskulatur
- Anzuleitende Person(en) festlegen
  - » Betroffene Person
  - » Angehöriger/Bezugsperson

Korrekten Sitz der Kompressionsstrümpfe/des -verbands kontrollieren
- Pflegeintervention konkretisieren
- Zeit angeben

Gesundheitsbezogene Selbstpflegefähigkeiten erfassen
- Pflegeintervention konkretisieren
  - » Wittener Aktivitätenkatalog der Selbstpflege bei venös bedingten offenen Beinen (WAS-VOB)
- Zeit angeben

Sonstige Pflegemaßnahmen durchführen
- Maßnahmen konkretisieren
- Zeit angeben

Literaturhinweise: 271, 629, 630, 631, 636, 637, 638

Der Patient hat eine **ausscheidungs-/inkontinenzassoziierte Dermatitis**, es besteht eine erschwerte Wundheilung

Kennzeichen

- Windelausschlag
- Starkes Jucken
- Schwellung/Rötung der betroffenen Hautoberfläche mit Blasenbildung
- Farbveränderung der Haut
- Farbveränderung der Haut dunkelrot
- Beschreibt ein kribbelndes Gefühl
- Brennende Schmerzen im Wundbereich
- PKMS-relevante InformationenMindestens drei Wunden
- Großflächige Wunden (größer 40 cm^2)

Ursachen

- InkontinenzUrininkontinenz
- Stuhl- und Urininkontinenz
- Stuhlinkontinenz
- Chronische Belastung der Haut durch Feuchtigkeit
- Alkalischer ph-Wert durch die Zersetzung von Stuhl und Harn bei länger anhaltendem Hautkontakt der Ausscheidungsprodukte
- Mechanische Faktoren (z. B. Druck, Scherkräfte, Reibung)
- Besiedelung mit pathogenen Keimen
- Nutzung von Inkontinenzhosen
- Unzureichende Durchblutung der Haut
- Altersbedingte Veränderungen der Haut
- Fieber (Hyperthermie)

Ressourcen

- Erkennt die Notwendigkeit der getroffenen Intervention und kooperiert mit dem therapeutischen Team
- Angehörige/Bezugspersonen unterstützen den Pflegeprozess
- Kennt die Schutz- und Hygienemaßnahmen und hält sie ein
- Unterstützt die Wundbehandlung
- Verfügt über aktuelles Wissen in Bezug auf die Wunde

Pflegeziele

- Das individuelle Risiko einer inkontinenzassoziierten Dermatitis ist eingeschätzt
- Risikofaktoren für eine perineale Dermatitis sind identifiziert, dokumentiert
- Hautschonende Reinigung ist sichergestellt
- Physiologisches Hautmilieu ist hergestellt
- Verwendete Hautpflegeprodukte sind dokumentiert
- Verwendete Hautschutzprodukte sind dokumentiert
- Wundmanagement ist unterstützt
- Inkontinenzhilfsmittel sind entsprechend den Anforderungen ausgewählt und eingesetzt
- Ist über die verschiedenen Möglichkeiten informiert
- Wohlbefinden ist unterstützt

Pflegeinterventionen

Risikoeinschätzung durchführen
- Maßnahmen konkretisieren
  - » Hautinspektion durchführen
  - » Risikoeinschätzung mit dem Perineal Assessment Tool (PAT)
  - » Risikoeinschätzung mit dem Incontinence-Associated Dermatitis Intervention Tool (IADIT)

Hautreinigung mit warmem Wasser nach jeder Ausscheidung
- Pflegeintervention konkretisieren
- Zeit angeben

Hautpflege durchführen
- Hautpflegeprodukt angeben
- Pflegeintervention konkretisieren

Hautschutz auftragen
- Produkt zum Hautschutz angeben
- Pflegeintervention konkretisieren

Wundbehandlung nach Anordnung durchführen
- Maßnahmen konkretisieren
- Zeit angeben

Schweregrad der Inkontinenz mittels Vorlagentest ermitteln
- Pflegeintervention konkretisieren
- Zeit angeben

Inkontinenzversorgung individuell festlegen und planen
- Pflegeintervention konkretisieren
  - » Geeignete Inkontinenzprodukte auswählen
  - » Intervall zum Wechsel der Inkontinenzprodukte festlegen
- Zeit angeben

Beratungsgespräch durchführen
- Pflegeintervention konkretisieren
- Zeit angeben

Windel wechseln
- Pflegeintervention konkretisieren
  - » Einmal-Höschenwindel verwenden
  - » Stoffwindel verwenden

Sonstige Pflegemaßnahmen durchführen
- Maßnahmen konkretisieren
- Zeit angeben

Literaturhinweise: 810, 811, 843, 844, 847, 848, 849, 850, 851, 853, 860, 861, 864, 865

Der Patient hat eine **chronische Wunde**, es besteht eine **beeinträchtigte Wundheilung**

Kennzeichen

- Spezielle Kennzeichen chronischer Wunden-Wunde besteht länger als 4 Wochen trotz konsequenter Therapie
- Beschreibt Schmerzzustände seit einem Zeitraum von 3 Monaten
- Zieht sich vom sozialen Geschehen zurück
- Störungen/Einschränkungen im Bewegungsablauf
- Äußerungen über Schamgefühl
- Sonstige chronische WundenUlcus cruris mixtum
- Offene Tumorwunden
- Wunden im Zusammenhang mit Lepra
- PKMS-relevante InformationenMindestens drei Wunden
- Großflächige Wunden (größer 40 cm^2)

Ursachen

- Beeinträchtigte Compliance bei der Wundtherapie
- Reduzierter Allgemeinzustand
- Multimorbidität
- Zytostasetherapie
- Antibiotikatherapie
- Wundinfektion
- Immunabwehrschwäche
- Verminderte Mikrozirkulation
- Diabetes mellitus
- Ernährungsdefizit
- Hyperglykämie
- Alkoholneuropathie
- Basalzellkarzinom
- Kutanes Lymphom
- Hämatologische Pathologika
- Entwicklungsbedingtes Wissensdefizit

Ressourcen

- Kann Hilfe annehmen
- Ist motiviert, Hilfsmittel einzusetzen
- Kennt die Schutz- und Hygienemaßnahmen und hält sie ein
- Unterstützt die Wundbehandlung
- Lässt sich ablenken
- Verfügt über aktuelles Wissen in Bezug auf die Wunde
- Beteiligt sich aktiv an Entscheidungen
- Schätzt den wahrscheinlichen Heilungszeitraum der Wunde realistisch ein
- Vertraut den eigenen Fähigkeiten und Fertigkeiten
- Selbstmanagementfähigkeiten sind vorhanden
- Setzt vereinbarte Maßnahmen um
- Kooperiert mit dem therapeutischen Team

Pflegeziele

- Systematische Wundeinschätzung
- Wunde wird entsprechend den Wundheilungsphasen versorgt
- Wundschmerz ist reduziert
- Wundheilungsförderliches Milieu ist hergestellt
- Wundheilung ist fortgeschritten
- Wunde ist abgeheilt
- Wundgeruch ist reduziert
- Wundheilungsmilieu ist physiologisch
- Schmerzfreie Wundbehandlung
- Wunde ist infektionsfrei
- Ist über die Pflegemaßnahmen informiert und zur Mitarbeit motiviert
- Kennt die Konsequenzen verschiedener Handlungsalternativen und kann sich entscheiden
- Durchblutungssituation und Wundheilung sind unterstützt
- Einschränkung durch die Exsudatbildung ist reduziert

Pflegeinterventionen

Wundspezifisches Assessment durchführen

- Pflegeintervention konkretisieren
  - » Wundeinschätzung in der Wundverlaufsdokumentation
- Zeit angeben

Wundbehandlung/-verband durchführen

- Autolytische Wundreinigung
  - » Hydrogelverband
  - » Hydrokolloidverband
  - » Alginat-Kompresse
  - » Alginate
- Enzymatische Wundreinigung
  - » Kollagenase
  - » Fibrinolysin
  - » Desoxyribonuclease
  - » Streptodornase
  - » Streptokinase
- Mechanische Wundreinigung
  - » Spülung der Wunde durchführen
  - » Auswischen der Wunde mit sterilen Tupfern/Kompressen
- Biomechanische Wundreinigung
- Wundantiseptika verwenden
  - » Polihexanid-Lösung
  - » PVP-Jodpräparat
  - » Kaliumpermanganat-Lösung
  - » Wasserstoffperoxid-Lösung
  - » Octenidin
  - » Antibiotikumhaltige Salbe
- Sonstiges Wundtherapeutikum
  - » Salbenkompressen mit Wirkstoff
- Hautschutz der Wundumgebung durchführen
- Sonstige Wundauflage
  - » Hydropolymer
  - » Salbenkompresse ohne Wirkstoff
  - » Folienverband mit Vakuumversiegelung
  - » Silber-Aktivkohle-Kompresse
  - » Metallinisierte Wundauflage
  - » Aktivkohle-Kompresse
  - » Polyurethanschaum
  - » Hydropolymer
  - » Ringergetränkte Kompresse
- Abdeckung/Fixierung der Wundauflage
  - » Sterile Saugkompresse
  - » Sterile Kompresse
  - » Elastische Binde

» Klebevlies/-mull
» Pflaster
» Schlauchverband
- Zeit angeben
- Anzahl Pflegepersonen angeben

Chirurgisches Debridement durchführen
- Maßnahmen konkretisieren
  » Mit Skalpell
  » Mit scharfem Löffel
  » Mit steriler Schere
- Anzahl Pflegepersonen angeben
- Zeit angeben

Analgetika vor der Wundbehandlung verabreichen
- Verabreichungsart
  » Oral
  » Subkutane Injektionen (s. c.)
  » Intramuskuläre Injektionen (i. m.)
  » Intravenöse Injektionen (i. v.)
  » Lokal in die Wunde einbringen
  » Rektale Applikation
- Zeit bis Wirkungseintritt angeben

Abstrich der Wunde durchführen und fachgerecht an das Labor senden
- Pflegeintervention konkretisieren
- Zeit angeben

Beim Verbandwechsel assistieren
- Maßnahmen konkretisieren
  » Einfachen Verbandwechsel (10 Min.) durchführen
  » Verbandwechsel mit Wundreinigung durchführen
  » Verbandwechsel mit Wundspülung durchführen
  » Verbandwechsel mit speziellen Auflagen durchführen (10 Min.)
  » Folienverband mit Vakuum anlegen
  » Folienverband mit Vakuum >9 % der Körperfläche anlegen
  » Spezielle Wundbehandlung bei Verbrennungen durchführen
  » Spezielle Wundbehandlung bei Verbrennungen betroffener Körperoberflächen >9 % durchführen
  » Spezielle Wundbehandlung bei Verbrennungen betroffener Körperoberflächen >18 % durchführen

Pflegefachgespräch führen
- Themenschwerpunkt des Gesprächs angeben
  » Pflege-, Betreuungs- und Behandlungsprozess
  » Alltagsbewältigung
  » Instruktion/Anleitung
  » Motivation/Aktivierung
  » Strategien zur Krankheitsbewältigung
  » Förderung der Entscheidungsfindung
  » Überleitung/Entlassung
  » Sonstige Gesprächsinhalte
- Gesprächsteilnehmer
  » Betroffener
  » Angehöriger/Bezugsperson
- Zeitdauer des Gesprächs angeben

Durchblutungsfördernde Maßnahmen durchführen
- Pflegeintervention konkretisieren
  » Betroffene Extremitäten warm halten
  » Einschnürende Kleidungsstücke vermeiden
  » Geh- und Bewegungsübungen durchführen
  » Kompressionsverband anlegen
  » Beine tief lagern
  » Betroffene Extremität hochlagern

Stark aufsaugende Verbandsstoffe in Ergänzung zum regelmäßigen Verbandswechsel einsetzen
- Pflegeintervention konkretisieren

Sonstige Pflegemaßnahmen durchführen
- Maßnahmen konkretisieren
- Zeit angeben

Literaturhinweise: 91, 125, 140, 151, 175, 176, 252, 272, 273, 274, 294, 295, 327, 629

Der Patient neigt aufgrund des Tragens von **Kompressionsstrümpfen/-strumpfhosen** zu **Juckreiz/Unverträglichkeitsreaktionen**

Kennzeichen

- Äußert Juckreiz auf der Haut
- Trockene, spröde Haut
- Schuppende Haut
- Gerötete Hautstellen

Ursachen

- Unverträglichkeit der Materialien

Ressourcen

- Baumwollkompressionsstrumpfhosen werden vertragen
- Toleriert den Kompressionsverband

Pflegeziele

- Gezielte Maßnahmen sind eingeleitet
- Hautzustand ist eingeschätzt
- Toleriert das Tragen von Kompressionsstrümpfen
- Kompressionsverband wird toleriert

Pflegeinterventionen

Hautverhältnisse analysieren
- Pflegeintervention konkretisieren
- Zeit angeben

Hautpflege der Beine durchführen
- Hautpflegeprodukt angeben
- Pflegeintervention konkretisieren

Strümpfe mit einem höheren Baumwollanteil anbieten
- Pflegeintervention konkretisieren
- Zeit angeben

Wickeln der Beine mit elastischen Langzugbinden durchführen
- Pflegeintervention konkretisieren
- Zeit angeben

Sonstige Pflegemaßnahmen durchführen
- Maßnahmen konkretisieren
- Zeit angeben

Literaturhinweise: 57, 58, 125, 126, 127, 175, 176, 323

Der Patient hat aufgrund einer **Osteosynthese** bei der postoperativen Mobilisation das **Risiko der Dislokation**

Kennzeichen

- Operationswunde am Bein
- Gipsverband am Bein
- Gibt Hinweise zu der Anordnung

Ursachen

- Rechtes Bein
- Linkes Bein
- Hüftkopffraktur
- Schenkelhalsfraktur medial
- Schenkelhalsfraktur lateral
- Subtrochantäre Fraktur
- Reversed-Fraktur
- Schaftfraktur
- Suprakondyläre Fraktur
- Perkondyläre Fraktur
- Patellaquerfraktur
- Tibiakopffraktur
- Tibiaschaftfraktur
- Fibulafraktur
- Maisonneuve-Fraktur
- Malleolarfraktur
- Fußwurzelfraktur
- Mittelfußfraktur
- Zehenfraktur

Ressourcen

- Hält sich an das postoperativ notwendige Bewegungsverhalten
- Hat eine übungsstabile Versorgung erhalten
- Postoperativ stabile Kreislaufsituation
- Kräftige Armmuskulatur
- Kann Unterarmgehstützen effektiv einsetzen
- Kann Hilfsmittel gezielt einsetzen
- Akzeptiert die Unterstützung
- Akzeptiert die Unterstützung von Angehörigen

Pflegeziele

- Kennt negative Auswirkungen bei Fehlbelastung
- Hält die Anordnungen zur Belastung exakt ein
- Ist über die Wichtigkeit der Arztanordnung und deren Einhaltung informiert und hält sich daran
- Sicherheit ist gewährleistet
- Bewegungsverhalten ist bekannt und umgesetzt
- Entlastet das betroffene Bein korrekt

Pflegeinterventionen

Zur Belastung/Teilbelastung der betroffenen Extremität nach Arztanordnung anleiten
- Pflegeintervention konkretisieren
- Art der Unterstützung
  - » Beaufsichtigen
  - » Durch Unterstützen helfen
  - » Teilweise übernehmen
  - » Vollständig übernehmen
  - » Zur selbstständigen Durchführung anleiten
- Anzuleitende Person(en) festlegen
  - » Betroffene Person
  - » Angehöriger/Bezugsperson
- Zeit angeben

Informationsgespräch über die Notwendigkeit der Entlastung/Teilbelastung führen
- Gesprächsinhalt
- Zeit angeben
- Beteiligte Personen angeben
  - » Betroffene Person
  - » Angehöriger/Bezugsperson
  - » Betreuer
  - » Eltern
  - » Sonstige Personen
- Durchführende Person angeben
  - » Bezugspflegeperson
  - » Pflegeperson

  » Spezialtherapeuten
  » Physiotherapeuten

Gehstöcke auf Funktionsfähigkeit, Sicherheit und richtige Einstellung inspizieren
- Pflegeintervention konkretisieren
- Zeit angeben

Zwei-Punkt-Gang ohne Belastung mit Unterarmgehstützen einüben
- Pflegeintervention konkretisieren
- Zeit angeben

Drei-Punkt-Gang mit Unterarmgehstützen und angeordneter Teilbelastung einüben
- Pflegeintervention konkretisieren
  » Nach Arztanordnung teilbelasten
- Anzuleitende Person(en) festlegen
  » Betroffene Person
  » Angehöriger/Bezugsperson
- Durchführende Person angeben
  » Pflegeperson
  » Krankengymnast

Drei-Punkt-Gang mit Unterarmgehstützen und Fußsohlenkontakt einüben
- Pflegeintervention konkretisieren
  » Nach Arztanordnung teilbelasten
- Anzuleitende Person(en) festlegen
  » Betroffene Person
  » Angehöriger/Bezugsperson
- Durchführende Person angeben
  » Pflegeperson
  » Krankengymnast

Gangbild beobachten und Teilbelastung kontrollieren
- Pflegeintervention konkretisieren
- Zeit angeben

Sonstige Pflegemaßnahmen durchführen
- Maßnahmen konkretisieren
- Zeit angeben

Literaturhinweise: 95, 121, 125, 140, 151

Der Patient hat aufgrund einer **endoprothetischen Versorgung der Hüfte** eine Bewegungseinschränkung, es besteht das **Risiko der Dislokation/Luxation**

Kennzeichen

- Beschreibt Schmerzen beim Bewegen
- In Höhe des Trochanter major liegender, gerader Hautschnitt zur Oberschenkelvorderseite hin
- Hinter dem Trochanter major liegender, leicht gebogener Hautschnitt

Ursachen

- Postoperative Bewegungseinschränkung
- TEP zementiert
- TEP zementlos
- HEP
- Manipulation der Muskulatur und der Bänder im Bereich der Hüfte

Ressourcen

- Hält sich an das postoperativ notwendige Bewegungsverhalten
- Führt Bewegungen nach Anweisung/Anleitung durch
- Erkennt die Notwendigkeit der Bewegungsübungen
- Kann Hilfsmittel gezielt einsetzen

Pflegeziele

- Beherrscht das angeordnete Bewegungsverhalten
- Ist über das Bewegungsverhalten informiert
- Gelenkstellung ist physiologisch
- Einer Luxation ist vorgebeugt
- Benutzt die Toilette selbstständig
- Komplikationen sind vorgebeugt

Pflegeinterventionen

Informationsgespräch über postoperatives Bewegungsverhalten führen
- Pflegeintervention konkretisieren
- Zeit angeben

Postoperativ beim Aufstehen und Gehen entsprechend dem Standard und der Arztanweisung unterstützen
- Pflegeintervention konkretisieren
  » Betroffenes Bein beim Aufstehen durch Halten/Führen unterstützen
  » Gehtraining durchführen (Wegstrecke <10 Meter)
- Beim Gehen unterstützen
  » Im Zwei-Punkt-Gang mit voller Entlastung gehen
  » Im Drei-Punkt-Gang mit partieller Belastung lt. Anordnung gehen

Operiertes Bein in leichter Abduktionsstellung und Rotationsmittelstellung bzw. leichter Innenrotation lagern
- Pflegeintervention konkretisieren
- Zeit angeben

Postoperativ Beugung des Hüftgelenks vermeiden
- Pflegeintervention konkretisieren
- Zeit angeben

Beim Lagern/Drehen auf die gesunde Seite zur Stabilisation ein Lagerungskissen zwischen die Beine legen
- Pflegeintervention konkretisieren
- Zeit angeben

Toilettenerhöhung anbieten
- Pflegeintervention konkretisieren
- Zeit angeben

Anleiten, die Toilette mit der Erhöhung zu benutzen
- Pflegeintervention konkretisieren
- Art der Unterstützung
  » Beaufsichtigen
  » Durch Unterstützen helfen
  » Teilweise übernehmen

  - » Vollständig übernehmen
  - » Zur selbstständigen Durchführung anleiten
- Anzuleitende Person(en) festlegen
  - » Betroffene Person
  - » Angehöriger/Bezugsperson
- Zeit angeben

Sonstige Pflegemaßnahmen durchführen
- Maßnahmen konkretisieren
- Zeit angeben

Literaturhinweise: 51, 121, 125, 126, 140, 151, 175, 176

Der Patient hat das **Risiko einer Subluxation des Schultergelenks**

Kennzeichen

- Sichtbare Abflachung des Oberarms am Schulterdach
- Tastbare Lücke zwischen Schulterdach und Humeruskopf
- Äußert Schmerzen im Schultergelenk

Ursachen

- Eigengewicht des betroffenen Arms in Verbindung mit Hypotonus der Schultermuskulatur
- Hypertonus einzelner Strukturen, die das Schulterblatt medial ziehen
- Lagerungs- und Mobilisationsfehler

Ressourcen

- Schultergelenk ist schmerzfrei
- Erkennt die Notwendigkeit der getroffenen Intervention und kooperiert mit dem therapeutischen Team
- Übernimmt Eigenverantwortung bei der Prophylaxe eines Mikrotraumas im Schultergelenk
- Kann die Maßnahme nach Anleitung selbstständig durchführen

Pflegeziele

- Schultergelenk ist schmerzfrei
- Übernimmt Eigenverantwortung bei der Prophylaxe eines Mikrotraumas im Schultergelenk
- Schulterschmerz und -subluxation ist vorgebeugt

Pflegeinterventionen

Prophylaktische Pflegemaßnahmen zur Vermeidung von Mikrotraumata des Schultergelenks durchführen
- Pflegeintervention konkretisieren
  - » Arme bei der Mobilisation bilateral führen, zur Aufhebung des spastischen "Musters"
  - » Betroffenen Arm am Ellenbogen unterstützen
  - » Im Achselbereich bei der Mobilisation nur in Außenrotation des betroffenen Arms unterstützen
  - » Bei Lagerung auf der betroffenen Seite das Gewicht des Oberkörpers nicht vollständig auf das Schultergelenk legen
  - » Verhindern, dass der betroffene Arm durch das Eigengewicht aufgrund der Schwerkraft aus der Gelenkpfanne rutscht
  - » Kinästhetische Bewegungsmuster einsetzen, die dem Bobath-Konzept nicht widersprechen, um ein Ziehen am Schultergelenk zu verhindern
  - » Anleitung zur bilateralen Armführung

Schultermobilisation durchführen
- Pflegeintervention konkretisieren
  - » Schultermobilisation im Liegen durchführen
  - » Schultermobilisation im Sitzen durchführen
- Mobilisation durchführen durch
  - » Physiotherapeut
  - » Pflegeperson

Sonstige Pflegemaßnahmen durchführen
- Maßnahmen konkretisieren
- Zeit angeben

Literaturhinweise: 62, 71, 94, 173, 326

Der Patient hat das **Risiko eines epileptischen Anfalls**

Kennzeichen

- Bewusstseinseintrübung
- Schwindelgefühl
- Äußert Kopfschmerzen
- Äußert Übelkeitsgefühl
- Für einen umschriebenen Zeitraum fehlt die Erinnerung (Amnesie)
- Berichtet über bekannte epileptische Anfälle

Ursachen

- Schädel-Hirn-Trauma
- Meningitis
- Metabolischer Faktor
- Entzugssyndrom
- Endogene Faktoren
- Tumor im Gehirn
- Zustand nach Apoplex

Ressourcen

- Kennt Vorbeugungsmaßnahmen und unterstützt diese aktiv
- Erkennt die Notwendigkeit der getroffenen Intervention und kooperiert mit dem therapeutischen Team
- Ist zuverlässig bezüglich der Einnahme der Medikation
- Toleriert die therapeutische/pflegerische Intervention

Pflegeziele

- Zuverlässige Medikamenteneinnahme ist gewährleistet
- Wissensdefizit über Ursachen und Maßnahmen ist aufgehoben
- Komplikationen sind frühzeitig erkannt und abgewendet
- Verletzungen sind vermieden
- Veränderungen der Vigilanz sind eingeschätzt und dokumentiert
- Auslösende Faktoren sind erkannt und reduziert

Pflegeinterventionen

Antiepileptika nach Arztverordnung verabreichen
- Maßnahmen konkretisieren
  - » Zäpfchen verabreichen
  - » Tabletten verabreichen
  - » Brausetabletten vorbereiten und verabreichen
  - » Tropfen/Saft verabreichen
  - » I. m. Injektion verabreichen
  - » I. v. Injektion verabreichen
- Art der Unterstützungsleistung angeben
  - » Medikamente selbstständig einnehmen lassen
  - » Medikamentenverabreichung übernehmen
  - » Einnahmeverweigerung überwinden
  - » Medikamente mörsern

Pflegefachgespräch über die epileptischen Anfälle und ihre Bedeutung für die Lebensgestaltung führen
- Inhaltliche Ausrichtung des Gesprächs bestimmen
  - » Informationssammlung
  - » Pflege-, Betreuungs- und Behandlungsprozess
  - » Ursachenanalyse
  - » Strategien zur Krankheitsbewältigung
  - » Motivation/Aktivierung
  - » Alltagsbewältigung
  - » Förderung der Entscheidungsfindung
  - » Zukunftsperspektive
  - » Unterstützung der Orientierung
  - » Unterstützung des Realitätsbezugs
  - » Krisenintervention
  - » Aktuelle Bedürfnisse/Wünsche
  - » Instruktion/Anleitung
  - » Feed-back-Gespräch
  - » Sonstige Gesprächsinhalte
- Gesprächsteilnehmer
  - » Angehöriger/Bezugsperson
  - » Betroffene Person
- Zeitdauer des Gesprächs angeben

Auf Krampfanfälle beobachten
- Pflegeintervention konkretisieren
- Zeit angeben

Vigilanz mithilfe der Glasgow-Komaskala einschätzen
- Pflegeintervention konkretisieren
- Zeit angeben

Bei der Dokumentation der Vorkommnisse/Belastungen/Anfälle im Anfallskalender unterstützen
- Pflegeintervention konkretisieren
- Zeit angeben

Sonstige Pflegemaßnahmen durchführen
- Maßnahmen konkretisieren
- Zeit angeben

Literaturhinweise: 95, 113, 125, 140, 173, 175, 176

Der Patient hat aufgrund eines **epileptischen Anfalls** das **Risiko einer Verletzung**

Kennzeichen

- Initialschrei
- Vorangehende Aura
- Tonische Phase: Steif gestreckte Gliedmaßen, Atemstillstand, weite, lichtstarre Pupillen
- Klonische Phase: Zuckungen, Urin-/Stuhlabgang, Schaum vor dem Mund
- Bewusstseinsstörung
- Sensibilitätsstörung
- "Wandernde" Zuckungen und/oder Sensibilitätsstörungen
- Regionale klonische Zuckungen
- Zeigt motorische Aktivität, ist aber nicht ansprechbar
- Schlafphase
- Für einen umschriebenen Zeitraum fehlt die Erinnerung (Amnesie)

Ursachen

- Jackson-Epilepsie
- Fokal-motorischer Anfall
- Grand mal
- Psychomotorische Epilepsie
- Hohes Fieber
- Erhöhter Hirndruck
- Intoxikation

Ressourcen

- Kennt Vorbeugungsmaßnahmen und unterstützt diese aktiv
- Kennt krankheits- bzw. symptomauslösende Faktoren und kann diese vermeiden
- Erkennt die Vorboten und meldet sich zuverlässig

Pflegeziele

- Verletzungen sind vermieden
- Komplikationen sind vorgebeugt
- Einer Aspiration ist vorgebeugt

Pflegeinterventionen

Bedarfsmedikation nach Arztverordnung applizieren
- Maßnahmen konkretisieren
  - » Zäpfchen verabreichen
  - » Tabletten verabreichen
  - » Brausetabletten vorbereiten und verabreichen
  - » Tropfen/Saft verabreichen
  - » I. m. Injektion verabreichen
  - » I. v. Injektion verabreichen
- Art der Unterstützungsleistung angeben
  - » Medikamente selbstständig einnehmen lassen
  - » Medikamentenverabreichung übernehmen
  - » Einnahmeverweigerung überwinden
  - » Medikamente mörsern

Vor Verletzungen und Stürzen schützen, scharfkantige Gegenstände aus dem Umkreis entfernen
- Pflegeintervention konkretisieren
- Zeit angeben

Notfallmaßnahmen bei einem Status epilepticus einleiten und durchführen
- Pflegeintervention konkretisieren
- Zeit angeben

Während des Anfalls bis zur vollständigen Wiedererlangung des Bewusstseins in stabile Seitenlage bringen und nicht allein lassen
- Pflegeintervention konkretisieren
- Zeitdauer angeben

Sonstige Pflegemaßnahmen durchführen
- Maßnahmen konkretisieren
- Zeit angeben

Literaturhinweise: 95, 113, 125, 175, 176

Der Patient hat aufgrund **des Schlafwandelns** das **Risiko von Verletzungen**

Kennzeichen

- Läuft nachts herum
- Zeigt motorische Aktivität, ist aber nicht ansprechbar
- Kann sich an die Phasen des Schlafwandelns nicht erinnern

Ursachen

Ressourcen

- Äußert Einsicht in die Pflegemaßnahme
- Lässt sich unterbrechen

Pflegeziele

- Sicherheit ist gewährleistet

Pflegeinterventionen

Individuelle Sicherheitsmaßnahmen finden und vereinbaren
- Pflegeintervention konkretisieren
- Zeit angeben

Sicherheitsmaßnahmen durchführen
- Pflegeintervention konkretisieren
  - » Zimmer nach Vereinbarung abschließen
  - » Fenster verschließen
  - » Gefährliche Gegenstände und Stolperfallen entfernen
- Genehmigung für freiheitsentziehende Maßnahmen
  - » Schriftliche Genehmigung des Betroffenen liegt vor
  - » Richterliche Verfügung liegt vor

Sonstige Pflegemaßnahmen durchführen
- Maßnahmen konkretisieren
- Zeit angeben

Literaturhinweise: 197, 206

Der Patient hat das Risiko **des Anschwellens einer Extremität**

Kennzeichen

- Angelegter Gipsverband
- Berichtet über eine Verletzung

Ursachen

- Fehlende Muskelpumpe
- Operativer Eingriff
- Verstauchung einer Extremität

Ressourcen

- Meldet sich bei Anzeichen von Komplikationen

Pflegeziele

- Schwellungen sind verhindert bzw. gehen zurück
- Schmerzen sind reduziert

Pflegeinterventionen

Extremität mit dem Gipsverband hochlagern
- Pflegeintervention konkretisieren
- Zeit angeben

Kälteanwendungen durchführen
- Pflegeintervention konkretisieren
  - » Eisbeutel auflegen
  - » Kühlelement auflegen
  - » Kalte Kompresse/Auflage anwenden
  - » Quarkauflage (Topfenauflage) anwenden
  - » Alkoholumschläge anwenden

Betroffene Extremität hochlagern
- Pflegeintervention konkretisieren
  - » Hochlagern
  - » Ruhig lagern
  - » Hoch und ruhig lagern
- Hochzulagernde Extremität angeben
  - » Rechtes Bein
  - » Linkes Bein
  - » Rechter Arm
  - » Linker Arm
- Dabei verwenden
  - » Lagerungskissen
  - » Lagerungsschiene
- Dauer angeben
  - » Kontinuierlich
  - » Zeitweise
- Bei Beckengips/Oberschenkelgips hochlagern
  - » Fußende des Betts leicht erhöhen

Betroffene Extremität ruhig lagern
- Pflegeintervention konkretisieren
  - » Lagerungskissen verwenden
  - » Schienenlagerung durchführen
  - » Ruhig stellenden Stützverband einsetzen

Sonstige Pflegemaßnahmen durchführen
- Maßnahmen konkretisieren
- Zeit angeben

Literaturhinweise: 510

Der Patient hat das **Risiko zur Bildung eines Lymphödems**

Kennzeichen

- Pflege-/Behandlungsvereinbarungen werden nicht eingehalten
- Zeigt Verhaltensweisen, die darauf hinweisen, dass die Gefahren nicht ausreichend beachtet werden
- Äußert ein Wissensdefizit über entsprechende Prophylaxemaßnahmen

Ursachen

- Resektion der axillären Lymphknoten
- Radiotherapie bei Tumorbehandlung
- Brustamputation
- Primäres Lymphödem
- Lymphknotenerkrankung

Ressourcen

- Erkennt die Notwendigkeit der getroffenen Intervention und kooperiert mit dem therapeutischen Team
- Kennt Lagerungen zum besseren Lymphabfluss und wendet diese an
- Erkennt die Notwendigkeit der Bewegungsübungen
- Führt Bewegungen nach Anweisung/Anleitung durch
- Führt aktiv die Bewegungsübungen durch
- Toleriert den Kompressionsverband
- Hält die Therapievereinbarungen ein

Pflegeziele

- Einem Lymphödem ist vorgebeugt
- Rückfluss der Lymphe ist gefördert

Pflegeinterventionen

Betroffene Extremität hochlagern
- Pflegeintervention konkretisieren
- Zeit angeben

Keine Blutdruckmessung am betroffenen Arm durchführen
- Pflegeintervention konkretisieren
- Zeit angeben

Einschnürende Kleidung vermeiden
- Pflegeintervention konkretisieren
- Zeit angeben

Kompressionsverband anlegen
- Pflegeintervention konkretisieren
- Zeit angeben

Aktive Bewegungsübungen durchführen/zu Bewegungsübungen anleiten
- Pflegeintervention konkretisieren
- Art der Unterstützung
  - » Beaufsichtigen
  - » Durch Unterstützen helfen
  - » Teilweise übernehmen
  - » Vollständig übernehmen
  - » Zur selbstständigen Durchführung anleiten
- Anzuleitende Person(en) festlegen
  - » Betroffene Person
  - » Angehöriger/Bezugsperson
- Zeit angeben

Sonstige Pflegemaßnahmen durchführen
- Maßnahmen konkretisieren
- Zeit angeben

Literaturhinweise: 95, 125, 140, 151, 175, 176, 305

Der Patient hat aufgrund von **Diabetesspätfolgen** ein **Risiko** zur Entwicklung eines **diabetischen Fußsyndroms (DFS)**

Kennzeichen

DFS-relevante Spätfolgen
- Äußert Kältegefühl in den Füßen
- Äußert Kribbeln und Taubheitsgefühl
- Hat das Gefühl, wie auf Watte zu gehen
- Pergamentartige Haut
- Bläulichblasse Haut
- Nagelpilz
- Schmerzen bei hochgelagerten Beinen

Weitere Kennzeichen
- Äußert ein Wissensdefizit über entsprechende Prophylaxemaßnahmen
- Zeigt Verhaltensweisen, die darauf hinweisen, dass die Gefahren nicht ausreichend beachtet werden

Ursachen

- Sensibilitätsstörung
- Neuropathie
- Angiopathie
- Wissensdefizit
- Diabetes-Spätfolgen
- Gefäßerkrankung
- Beeinträchtigtes Schmerzempfinden
- Beeinträchtigtes Temperaturempfinden

Ressourcen

- Kennt die Schutz- und Hygienemaßnahmen und hält sie ein
- Zeigt Interesse, die spezielle Fußpflege zu erlernen
- Kann Hilfe annehmen
- Akzeptiert die Unterstützung
- Akzeptiert die Unterstützung von Angehörigen
- Angehörige zeigen Bereitschaft, neu zu lernen

Pflegeziele

- Wissensdefizit über Ursachen und Maßnahmen ist aufgehoben
- Komplikationen sind vorgebeugt
- Füße und Fußnägel sind in einem gepflegten Zustand
- Physiologisches Hautmilieu ist hergestellt
- Verletzungen sind vermieden
- Kennt die schmerzfreie Wegstrecke und orientiert daran das Gehtraining
- Kollateralen von Blutgefäßen sind gebildet

Pflegeinterventionen

Informations-/Beratungsgespräch durchführen
- Pflegeintervention konkretisieren
  - » Füße täglich inspizieren
  - » Über prophylaktische Maßnahmen zur Vermeidung von Komplikationen bei einem "diabetischen Fuß" aufklären
  - » Besonderheiten bei der Fuß-/Nagelpflege besprechen
  - » Orthopädisches/therapeutisches Schuhwerk
  - » Weitere Risikofaktoren (wie z. B. Rauchen, Stürze, Blutzuckerschwankungen)
- Zeit angeben

Bei der speziellen Fußpflege bei Diabetes unterstützen
- Pflegeintervention konkretisieren
  - » Täglich kurzes Fußbad zur gründlichen Reinigung der Füße durchführen
  - » Füße abtrocknen, besonders Zehenzwischenräume
  - » Täglich auf Hautveränderungen und Druckstellen inspizieren
  - » Hautpflege der Füße durchführen
- Art der Unterstützungsleistung angeben
  - » Bei selbstständiger Durchführung beaufsichtigen und anleiten
  - » Durch Unterstützen helfen
  - » Teilweise übernehmen

   » Vollständig übernehmen
- Verwendete Pflegeprodukte

Medizinische Fußpflege organisieren
- Pflegeintervention konkretisieren
- Zeit angeben

Bei der Auswahl geeigneten Schuhwerks unterstützen
- Pflegeintervention konkretisieren
- Zeit angeben

Verletzungsrisikominimierende Umfeldgestaltung
- Maßnahmen konkretisieren
   » Verletzungsquellen identifizieren und beseitigen
   » Lichtverhältnisse verbessern
   » Nachtbeleuchtung sicherstellen
   » Lichtschalter in erreichbarer Nähe
   » Brille überprüfen und anbieten
   » Klingel und Rufanlagen anpassen

Abhängig von der Belastungsfähigkeit zum Gehtraining anleiten
- Pflegeintervention konkretisieren
   » Gespräch über die positiven Auswirkungen des Gehtrainings führen
   » Gehtraining beaufsichtigen
   » Beim Gehtraining unterstützen
- Anzuleitende Person(en) festlegen
   » Betroffene Person
   » Angehöriger/Bezugsperson

Sonstige Pflegemaßnahmen durchführen
- Maßnahmen konkretisieren
- Zeit angeben

Literaturhinweise: 95, 125, 126, 175, 176, 301, 302, 337, 783, 792

Der Patient hat das Risiko einer **Nervenläsion/Blutzirkulationsstörung** einer Extremität

Kennzeichen

- Extension
- Angelegter Gipsverband
- Zirkulär angelegter Verband
- Sensibilitätsstörung
- Farbveränderung der Haut
- Hautveränderung
- Äußert Gefühllosigkeit
- Kalte Extremität
- Kann die Extremität nicht bewegen
- Äußert Kribbeln und Taubheitsgefühl
- Blaurote Verfärbung der Extremität
- Fahle Blässe der Extremität

Ursachen

- Operativer Eingriff
- Knochenbruch (Fraktur)
- Zu enger Gipsverband
- Auftretende Schwellung
- Mangelnde Polsterung der Lagerungsschiene
- Schwellung der Extremität
- Druckstellen durch den Gipsverband

Ressourcen

- Überprüft die korrekte Lagerung und meldet sich bei Abweichungen
- Kennt durchblutungsfördernde Lagerungen und kann diese durchführen
- Meldet sich bei Anzeichen von Komplikationen
- Erkennt die Notwendigkeit der getroffenen Intervention und kooperiert mit dem therapeutischen Team
- Äußert Schmerzzustände und kann diese beschreiben

Pflegeziele

- Schwerkraft unterstützt die Lagerungsposition
- Druckstellen durch Lagerung sind vermieden
- Komplikationen sind vorgebeugt
- Einer Nervenschädigung ist vorgebeugt
- Extremität ist entstaut
- Durchblutung ist sichergestellt

Pflegeinterventionen

Auf Druckstellen beobachten
- Pflegeintervention konkretisieren
- Zeit angeben

Auf Sensibilität, Motorik und Durchblutung der betroffenen Extremität beobachten
- Pflegeintervention konkretisieren
- Zeit angeben

Lagerungsschiene auspolstern
- Pflegeintervention konkretisieren
- Zeit angeben

Zur Selbstbeobachtung auf Anzeichen wie Schmerzen, Gefühllosigkeit, Kältegefühl der betroffenen Extremität anleiten
- Pflegeintervention konkretisieren
- Zeit angeben

Druckgefährdeten Bereich der Lagerungsschiene auspolstern
- Pflegeintervention konkretisieren
- Zeit angeben

Extremität mit Gipsverband hochlagern
- Pflegeintervention konkretisieren
   » Hochlagern
   » Ruhig lagern
   » Hoch und ruhig lagern
- Hochzulagernde Extremität angeben
   » Rechtes Bein
   » Linkes Bein
   » Rechter Arm
   » Linker Arm
- Dabei verwenden
   » Lagerungskissen

  - » Lagerungsschiene
- Dauer angeben
  - » Kontinuierlich
  - » Zeitweise
- Bei Beckengips/Oberschenkelgips hochlagern
  - » Fußende des Betts leicht erhöhen

Bei zirkulärem Gipsverband und auftretenden Schmerzen den Gipsverband aufschneiden und spreizen
- Pflegeintervention konkretisieren
- Zeit angeben

Gipskontrollen durchführen und Ergebnisse dokumentieren
- Pflegeintervention konkretisieren
- Zeit angeben

Auffordern, sich bei Schmerzen, Gefühllosigkeit oder Kältegefühl zu melden
- Pflegeintervention konkretisieren
- Zeit angeben

Außenrotation des betroffenen Beins in der Lagerungsschiene durch Lagerungshilfsmittel vorbeugen
- Pflegeintervention konkretisieren
- Zeit angeben

Sonstige Pflegemaßnahmen durchführen
- Maßnahmen konkretisieren
- Zeit angeben

Literaturhinweise: 95, 125, 140, 151, 175, 176

Der Patient hat aufgrund einer **intravenösen Chemotherapie** das **Risiko einer lokalen Gefäßschädigung/von Komplikationen**

Kennzeichen

- Pflege-/Behandlungsvereinbarungen werden nicht eingehalten
- Zeigt Verhaltensweisen, die darauf hinweisen, dass die Gefahren nicht ausreichend beachtet werden
- Äußert ein Wissensdefizit über entsprechende Prophylaxemaßnahmen

Ursachen

- Schlechte Venenverhältnisse

Ressourcen

- Beobachtet Veränderungen am System und meldet sich
- Meldet sich bei Anzeichen von Komplikationen
- Toleriert die Schienung des betroffenen Arms

Pflegeziele

- Gefäßwände sind geschont
- Komplikationen sind vorgebeugt
- Verabreichung der Medikation ist sichergestellt

Pflegeinterventionen

Durchblutungssituation des Punktionsorts vor Verabreichung der intravenösen Therapie fördern
- Pflegeintervention konkretisieren
  - » Heizkissen verwenden
  - » Wärmflasche auflegen
  - » Warme Kataplasmen (Breiumschläge) einsetzen
  - » Warmes Roggenkissen einsetzen
  - » Hyperämisierende Creme auftragen
  - » Warmes Armbad durchführen

Venösen Zugang mit mind. 10 ml NaCl 0,9%ig laut Arztanordnung nachspülen
- Pflegeintervention konkretisieren
- Zeit angeben

Über Anzeichen von Extravasation aufklären, Notwendigkeit der Schienung und Ruhigstellung des Zugangs erklären
- Pflegeintervention konkretisieren
- Zeit angeben

Punktionsstelle beobachten
- Pflegeintervention konkretisieren
- Zeit angeben

Zytostasetherapie managen
- Maßnahmen konkretisieren
  - » Verordnete Zytostasepräparate unter Berücksichtigung der Sicherheitsmaßnahmen vorbereiten
  - » Zum Anhängen bereitstellen
  - » Zytostasetherapie anhängen
  - » Engmaschig auf Nebenwirkungen beobachten

Sonstige Pflegemaßnahmen durchführen
- Maßnahmen konkretisieren
- Zeit angeben

Literaturhinweise: 95, 125, 175, 176

Der Patient hat ein **Risiko der Entwicklung eines Schulter-Hand-Syndroms**

Kennzeichen

- Äußert ein Wissensdefizit über entsprechende Prophylaxemaßnahmen
- Ödematöse Anschwellung des betroffenen Arms
- Ruheschmerz
- Beschreibt einen Ruheschmerz im Bereich des Arms, der bei Belastung zunimmt
- Bläulich livide Verfärbung der Haut am betroffenen Arm
- Erhöhte Berührungsempfindlichkeit
- Beschreibt einen Brennschmerz

Ursachen

- Veränderung des Muskeltonus
- Hemiplegie
- Hemiparese
- Sudeck-Dystrophie

Ressourcen

- Kennt Vorbeugungsmaßnahmen und unterstützt diese aktiv
- Erkennt die Notwendigkeit der getroffenen Intervention und kooperiert mit dem therapeutischen Team
- Überprüft die korrekte Lagerung und meldet sich bei Abweichungen

Pflegeziele

- Hält sich an Absprachen und unterstützt aktiv die Therapie
- Lymphabfluss ist gewährleistet
- Einem Schulter-Hand-Syndrom ist vorgebeugt

Pflegeinterventionen

Zur korrekten Lagerung des betroffenen Arms anleiten
- Pflegeintervention konkretisieren
- Art der Unterstützung
  - » Beaufsichtigen
  - » Durch Unterstützen helfen
  - » Teilweise übernehmen
  - » Vollständig übernehmen
  - » Zur selbstständigen Durchführung anleiten
- Anzuleitende Person(en) festlegen
  - » Betroffene Person
  - » Angehöriger/Bezugsperson
- Zeit angeben

Die betroffene Hand nicht zur Handinnenfläche hin abknicken (Volarflexion)
- Pflegeintervention konkretisieren
- Zeit angeben

Keine einschnürenden Kleidungsstücke anziehen
- Pflegeintervention konkretisieren
- Zeit angeben

Einem Herunterhängen des Arms durch korrekte Lagerung vorbeugen
- Pflegeintervention konkretisieren
- Zeit angeben

Sonstige Pflegemaßnahmen durchführen
- Maßnahmen konkretisieren
- Zeit angeben

Literaturhinweise: 71, 172, 173, 326

Der Patient hat aufgrund **häufig verschmutzter Hände** ein **Risiko der Infektion**

Kennzeichen

- Die Fähigkeit, das äußere Erscheinungsbild in einem gepflegten Zustand zu halten, ist reduziert
- Klebrige, feuchte Hände
- Schmutzränder unter den Fingernägeln
- Äußert Unwohlsein in Bezug auf verschmutzte Hände

Ursachen

- Degenerative Gelenkveränderung
- Bewegungseinschränkung
- Entwicklungsbedingt
- Desorientierung
- Geistige Behinderung
- Psychiatrische Erkrankung
- Kotschmieren
- Inadäquates Hygieneempfinden

Ressourcen

- Toleriert ein Handbad

Pflegeziele

- Keimbelastung der Hände ist reduziert

Pflegeinterventionen

Handbad bei der Körperpflege durchführen
- Pflegeintervention konkretisieren
- Zeit angeben

Zum regelmäßigen Händewaschen auffordern
- Pflegeintervention konkretisieren
- Zeit angeben

Sonstige Pflegemaßnahmen durchführen
- Maßnahmen konkretisieren
- Zeit angeben

Literaturhinweise: 95, 125, 127, 175, 176

Die Patientin hat das **Risiko einer aufsteigenden Infektion durch die Vagina**

Kennzeichen

- Fehlende Umsetzung der vereinbarten Hygienemaßnahmen
- Äußert Wissensdefizit bezüglich der notwendigen Infektionsprophylaxe

Ursachen

- Geburtswunden
- Gewebezerstörung durch chirurgischen Eingriff
- Stase der Lochien
- Stase der Blutungen
- Bekannte Immunsuppression liegt vor
- Vorzeitiger Blasensprung

Ressourcen

- Kennt die Schutz- und Hygienemaßnahmen und hält sie ein
- Verhält sich entsprechend der Anleitung und Anweisung
- Führt die Intimspülung nach Anleitung selbstständig und gewissenhaft durch
- Zeigt Lernbereitschaft
- Zeigt Verhaltensweisen, die die Therapie unterstützen

Pflegeziele

- Kennt und erkennt Risikofaktoren einer aufsteigenden Infektion und hält die Hygienemaßnahmen ein
- Wendet präventive Hygienemaßnahmen an
- Primäre Wundheilung ist gewährleistet
- Einer Infektion ist vorgebeugt bzw. sie ist rechtzeitig erkannt

Pflegeinterventionen

Intimspülung nach jeder Ausscheidung durchführen
- Pflegeintervention konkretisieren
  - » Nach jeder Miktion/Defäkation durchführen
  - » Anstelle der Intimwaschung im Rahmen der Körperpflege durchführen
- Spüllösung angeben

Zum aseptischen Umgang mit Vorlagen und Intimspülung anleiten
- Pflegeintervention konkretisieren
- Art der Unterstützung
  - » Beaufsichtigen
  - » Durch Unterstützen helfen
  - » Teilweise übernehmen
  - » Vollständig übernehmen
  - » Zur selbstständigen Durchführung anleiten
- Anzuleitende Person(en) festlegen
  - » Betroffene Person
  - » Angehöriger/Bezugsperson
- Zeit angeben

Beim Vorlagenwechsel unterstützen
- Pflegeintervention konkretisieren
- Zeit angeben

Angeordnete Vaginalzäpfchen verabreichen
- Pflegeintervention konkretisieren
- Zeit angeben

Sonstige Pflegemaßnahmen durchführen
- Maßnahmen konkretisieren
- Zeit angeben

Literaturhinweise: 68, 74, 95, 125, 147, 161, 175, 176

Die Patientin hat aufgrund einer **Entbindung** das **Risiko des Lochialstaus**

Kennzeichen

- Reduzierter/fehlender Wochenfluss
- Verzögerte Uterusrückbildung laut Tastbefund des Uterusfundusstands
- Fieber

Ursachen

- Mehrlingsschwangerschaft
- Zervixspasmus
- Verlangsamte Uterusrückbildung
- Verschlossener Muttermund

Ressourcen

- Verhält sich entsprechend der Anleitung und Anweisung
- Ist motiviert, die Pflegemaßnahme zu unterstützen und zeigt entsprechende Verhaltensweisen

Pflegeziele

- Uterus ist zurückgebildet
- Wochenfluss ist physiologisch
- Einer Infektion ist vorgebeugt bzw. sie ist rechtzeitig erkannt
- Lochialsekret fließt ab
- Wundverlauf ist lückenlos dokumentiert

Pflegeinterventionen

Wochenfluss beobachten
- Pflegeintervention konkretisieren
- Zeit angeben

Fundus uteri kontrollieren
- Pflegeintervention konkretisieren

- Zeit angeben

Auffordern, nach jedem Stillen die Bauchlage einzunehmen
- Pflegeintervention konkretisieren
- Zeit angeben

Wunde auf Veränderungen/Nachblutungen und Entzündungszeichen inspizieren, Ergebnisse dokumentieren
- Pflegeintervention konkretisieren
- Zeit angeben

Sonstige Pflegemaßnahmen durchführen
- Maßnahmen konkretisieren
- Zeit angeben

Literaturhinweise: 68, 74, 95, 125, 147, 161, 175, 176, 212

Das Neugeborene hat das **Risiko** einer **Infektion am Nabel**

Kennzeichen

- Bei potenziellen Gefahren können keine Kennzeichen angegeben werden

Ursachen

- Kontakt mit Exkretionen
- Wissensdefizit der Mutter über Verhaltensregeln

Ressourcen

- Angehöriger/Bezugsperson möchte das Kind selbstständig versorgen
- Reifes Neugeborenes

Pflegeziele

- Nabelschnur fällt schnell ab
- Nabel trocknet und heilt schnell ab
- Einer Infektion ist vorgebeugt bzw. sie ist rechtzeitig erkannt
- Nabelpflege wird von dem Angehörigen/der Bezugsperson effektiv durchgeführt

Pflegeinterventionen

Nabelschnur unter aseptischen Bedingungen auf 3-5 cm kürzen und eine sterile Nabelklemme anbringen
- Pflegeintervention konkretisieren
- Zeit angeben

Nabelschnurrest und Nabelgrund mit Hautdesinfektionsmittel und sterilem Mulltupfer behandeln
- Pflegeintervention konkretisieren
- Zeit angeben

Nabelklemme außerhalb der Windel platzieren
- Pflegeintervention konkretisieren
- Zeit angeben

Angehörigen/Bezugsperson zur Nabelpflege anleiten
- Pflegeintervention konkretisieren
- Zeit angeben

Sonstige Pflegemaßnahmen durchführen
- Maßnahmen konkretisieren
- Zeit angeben

Literaturhinweise: 68, 125, 175, 176, 334

Die Patientin hat das **Risiko der Entwicklung einer Mastitis**

Kennzeichen

- Äußert ein Wissensdefizit über Hygienemaßnahmen
- Fehlende Umsetzung der vereinbarten Hygienemaßnahmen

Ursachen

- Keimverschleppung
- Wissensdefizit über Verhaltensregeln
- Inadäquates Hygieneempfinden

Ressourcen

- Kennt die Schutz- und Hygienemaßnahmen und hält sie ein
- Legt sehr viel Wert auf persönliche Hygiene

Pflegeziele

- Einer Infektion ist vorgebeugt bzw. sie ist rechtzeitig erkannt
- Einer Keimverschleppung ist vorgebeugt
- Einer Infektion/Keimverschleppung ist vorgebeugt
- Hygienemaßnahmen werden eingehalten
- Entzündung ist vorgebeugt
- Milcheinschuss ist schmerzfrei

Pflegeinterventionen

Temperatur kontrollieren
- Messmethode auswählen
  - » Messort rektal
  - » Messort sublingual
  - » Messort axillar
  - » Messort Ohr
  - » Kontaktlose Stirntemperaturmessung mit Infrarottechnologie
- Dokumentationsort der Messwerte bestimmen
  - » In der Fieberkurve dokumentieren
  - » Messwerte in den Pflegeplan eintragen
  - » Messwerte in das Überwachungsprotokoll eintragen
- Thermometer wieder aufbereiten
  - » Schutzhüllen entsorgen, Schmutz abwischen und in Desinfektionslösung nach Plan einlegen
  - » Trocken gelagertes, im Zimmer verbleibendes Thermometer alle drei Tage desinfizieren

Bei der Durchführung von Pflegemaßnahmen auf die Einhaltung der Hygiene achten
- Pflegeintervention konkretisieren
- Zeit angeben

Den Patienten anleiten, die Infektionsprophylaxe durchzuführen
- Pflegeintervention konkretisieren
- Zeit angeben

Materialien für die Infektionsprophylaxe bereitstellen
- Pflegeintervention konkretisieren
- Zeit angeben

Brustpflege durchführen
- Pflegeintervention konkretisieren
  - » Salbenauflagen lt. Arztanordnung einsetzen
  - » Brust abpumpen
  - » Milchstau ausstreichen
  - » Brustwarzenschoner einsetzen
  - » Nach dem Stillen mit Muttermilch einreiben und antrocknen lassen

Kühle Umschläge nach dem Stillen aufbringen
- Pflegeintervention konkretisieren
  - » Quarkkompressen auflegen
  - » Kühlelement auflegen

Sonstige Pflegemaßnahmen durchführen
- Maßnahmen konkretisieren
- Zeit angeben

Literaturhinweise: 68, 74, 95, 125, 147, 161, 175, 176

Der Patient hat ein Risiko der **Keimverschleppung** bei der Körperwaschung

Kennzeichen

- Einsicht der Notwendigkeit einer Veränderung der Körperpflege fehlt
- Infektiöse Hauterkrankungen
- Kotschmieren (Koprophilie)
- Äußert Unverständnis über die geforderten Verhaltensmaßnahmen

Ursachen

- Mangelnde Hygiene
- Fehlender Waschwasserwechsel
- Infizierte Hautbereiche und fehlende Veränderung der Waschreihenfolge
- Feuchte Waschlappen/Handtücher, die nicht gewechselt werden
- Bindehautentzündung
- Entwicklungsbedingtes Wissensdefizit

Ressourcen

- Kann die Maßnahme nach Anleitung selbstständig durchführen
- Nimmt die vereinbarten Veränderungen der Pflegeintervention an
- Ist motiviert, die Pflegemaßnahme zu unterstützen und zeigt entsprechende Verhaltensweisen
- Akzeptiert die Unterstützung
- Akzeptiert die Unterstützung von Angehörigen

Pflegeziele

- Einer Keimverschleppung ist vorgebeugt
- Die natürliche Hautflora ist erhalten
- Bindehaut ist intakt
- Hornhaut der Augen ist vor Austrocknung geschützt
- Verklebungen ist vorgebeugt

Pflegeinterventionen

Hygienische Aspekte bei der Körperpflege (z.B. Reihenfolge oder Verwendung von Einmalmaterial) einhalten
- Pflegeintervention konkretisieren
  - » Einmalmaterial verwenden
  - » Infizierte/keimbesiedelte Körperregionen am Schluss waschen
  - » Einmalhandschuhe tragen

Haut sorgfältig auf Veränderungen beobachten
- Pflegeintervention konkretisieren
- Zeit angeben

Waschrichtung bei der Augenpflege beachten
- Pflegeintervention konkretisieren
- Zeit angeben

Therapeutische Augenpflege durchführen
- Pflegeintervention konkretisieren
  - » Mit sterilen, nicht fasernden Tupfern durchführen
  - » Mit 0,9%iger Kochsalzlösung durchführen
  - » Mit steriler Spritze durchführen
  - » Mit steriler Schale durchführen

Waschrichtung beim Waschen des Intimbereichs beachten
- Pflegeintervention konkretisieren
  - » Einmalmaterial verwenden
  - » Handschuhe anziehen

Augenpflege durchführen
- Pflegeintervention konkretisieren
  - » Frischen Waschlappen/frisches Waschwasser ohne Seifenzusätze verwenden
  - » Wischrichtung von außen nach innen einhalten
  - » Bei bestehender Augenentzündung am gesunden Auge beginnen

Sonstige Pflegemaßnahmen durchführen
- Maßnahmen konkretisieren
- Zeit angeben

Literaturhinweise: 510

Der Patient hat aufgrund einer **belegten Zunge** ein **Risiko der Keimverschleppung**

Kennzeichen

- Borkig belegte Zunge
- Plaque
- Trockenheitsgefühl im Mund (Xerostomie)
- Zerklüftete Zungenoberfläche
- Flächenförmige, weißliche, schwer zu entfernende Beläge
- Weißliche Beläge auf der Zunge
- Gelbliche Beläge auf der Zunge
- Bräunliche Beläge auf der Zunge
- Berichtet über eingeschränktes Geschmacksempfinden
- Schleimhautveränderung mit rötlicher/dunkelblauer Farbe

Ursachen

- Ineffektive Mundhygiene
- Mangelnde Mund-/Zahnhygiene
- Nahrungskarenz
- Flüssigkeitsdefizit/Dehydratation/ Exsikkose
- Mundatmung
- Reduzierte Speichelproduktion
- Endotrachealer Tubus
- Magensonde

Ressourcen

- Kann die Mundspülung/Mundpflege selbstständig durchführen
- Kann mit Unterstützung und Anleitung die Mundpflege durchführen
- Erkennt die Notwendigkeit der getroffenen Intervention und kooperiert mit dem therapeutischen Team
- Akzeptiert die Unterstützung
- Akzeptiert die Unterstützung von Angehörigen

Pflegeziele

- Mundschleimhaut ist intakt
- Zunge ist belagfrei

Pflegeinterventionen

Situation/Ursachen einschätzen
- Pflegeintervention konkretisieren
- Zeit angeben

Abstrich der Mundflora durchführen
- Pflegeintervention konkretisieren
- Zeit angeben

Belag auf der Zunge lösen/entfernen
- Pflegeintervention konkretisieren
  - » Mundhöhle feucht halten
  - » Salbeitee anbieten
  - » Myrrhentinktur verabreichen
  - » Zunge mit Würfelzucker abreiben
  - » Butter zum Lösen von Belag einsetzen

Mundpflege durchführen
- Pflegeintervention konkretisieren
  - » Mundspülung durchführen
  - » Zahnteilprothese reinigen
  - » Zahnvollprothese reinigen
  - » Zahnpflege mit Zahnbürste und Zahnpasta durchführen
  - » Spezielle Mundpflege durchführen
  - » Mundhöhle mit Pflaumentupfer auswischen
- Bei der Mund-/Zahnpflege helfen
  - » Materialien bereitlegen
  - » Beaufsichtigen
  - » Durch Unterstützen helfen
  - » Teilweise übernehmen
  - » Vollständig übernehmen
  - » Zur Pflegeintervention anleiten/aktivieren
- Produkt zur Mundpflege angeben

Zunge mit einem Zungenreiniger säubern
- Pflegeintervention konkretisieren
- Zeit angeben

Sonstige Pflegemaßnahmen durchführen
- Maßnahmen konkretisieren
- Zeit angeben

Literaturhinweise: 69, 95, 125, 127, 175, 176, 250, 251

Der Patient hat aufgrund einer Pilzinfektion das Risiko der Keimverschleppung

Kennzeichen

- Gerötete Hautstellen
- Einrisse/Hautschuppen
- Starkes Jucken
- Onychomykose (befallene Nägel)
- Scheibenförmige Herde, scharf begrenzt, mit dunklem Randwall

Ursachen

- Dermatophyten (Fadenpilze)
- Hefepilze

Ressourcen

- Kennt die Schutz- und Hygienemaßnahmen und hält sie ein
- Äußert Einsicht in die Pflegemaßnahme
- Ist motiviert, die Pflegemaßnahme zu unterstützen und zeigt entsprechende Verhaltensweisen

Pflegeziele

- Physiologisches Hautmilieu ist hergestellt
- Keimbesiedelung ist reduziert
- Wundheilungsförderliches Milieu ist hergestellt
- Festsetzen von Sporen in tieferen Hautregionen ist vorgebeugt
- Einer Keimverschleppung ist vorgebeugt
- Darmflora ist ausgeglichen und besiedelt

Pflegeinterventionen

In betroffenen Regionen Einmalmaterial verwenden
- Pflegeintervention konkretisieren
- Zeit angeben

Beratungs- und Informationsgespräch führen, über prophylaktische Maßnahmen aufklären
- Gesprächsinhalt konkretisieren
  - Präventionsmaßnahmen vor Pilzerkrankung
  - Möglichkeiten, die Behandlung zu unterstützen
  - Zusammenhang zwischen Ernährung und Pilzbefall
- Zeit angeben

Betroffene Hautpartien mit antimykotischer Medikation laut Arztanordnung behandeln
- Pflegeintervention konkretisieren
- Zeit angeben

An Körperstellen, bei denen Haut auf Haut zu liegen kommt, Kompressen einlegen
- Pflegeintervention konkretisieren
- Zeit angeben

Feuchtes Hautmilieu vermeiden
- Pflegeintervention konkretisieren
  - Haut gut abtrocknen
  - Feuchte Kleidung wechseln
  - Gefährdete Hautregionen sorgfältig abtrocknen
  - Mullstreifen in gefährdete Hautfalten einlegen
  - Leinenstreifen einlegen
  - Puder verwenden

Desinfizierende waschaktive Substanzen verwenden
- Pflegeintervention konkretisieren
- Verwendetes Pflegeprodukt angeben

Hautregionen nach antimykotischer Behandlung trockenföhnen
- Pflegeintervention konkretisieren
- Zeit angeben

Warme Bäder/Duschen vermeiden
- Pflegeintervention konkretisieren
- Zeit angeben

Kochbare, atmungsaktive Unterwäsche und Socken verwenden
- Pflegeintervention konkretisieren
- Zeit angeben

Zuckerhaltige Nahrungsmittel reduzieren
- Pflegeintervention konkretisieren
- Zeit angeben

Sonstige Pflegemaßnahmen durchführen
- Maßnahmen konkretisieren
- Zeit angeben

Literaturhinweise: 95, 125, 127, 175, 176

Der Patient hat aufgrund einer **infektiösen Hauterkrankung** das **Risiko der Keimverschleppung**

Kennzeichen

- Oberflächliche Bläschen
- Honiggelbe Krusten
- Flächenhafte Ausbreitung der Hautveränderung mit Rötung
- Umschriebene, abgekapselte Entzündung, auf Hautanhangsgebilde begrenzt
- Juckreiz
- Flammende Rötung und Schwellung
- Kleine Wunde/Eintrittspforte
- Hohes Fieber ab 39,1 °C
- Schmerzhafte Lymphknotenschwellung
- Umschriebene oder diffuse Schwellung bei einer Verletzungswunde
- Druckschmerz, Daumendruck bildet eine Delle im entzündlichen Ödem
- Eiterentleerung durch die Haut

Ursachen

- Bakteriell bedingte Infektion der Haut
- Erysipel
- Phlegmone
- Mangelnde Hygiene
- Immunabwehrschwäche
- Diabetes mellitus

Ressourcen

- Kennt die Schutz- und Hygienemaßnahmen und hält sie ein
- Äußert Einsicht in die Pflegemaßnahme
- Ist motiviert, die Pflegemaßnahme zu unterstützen und zeigt entsprechende Verhaltensweisen

Pflegeziele

- Veränderungen werden frühzeitig erkannt und dokumentiert
- Unterstützt die Therapie aktiv
- Entzündliche Prozesse bilden sich zurück
- Keimverschleppung und Sepsis ist vorgebeugt
- Unterstützt die Therapie
- Zeitschema ist genau eingehalten
- Komplikationen sind vorgebeugt
- Einer Keimverschleppung ist vorgebeugt
- Fühlt sich gut betreut, Therapie ist optimal unterstützt

Pflegeinterventionen

Hautveränderungen beobachten und dokumentieren

- Pflegeintervention konkretisieren
- Zeit angeben

Lokaltherapeutika laut Arztanordnung anwenden/auftragen

- Maßnahmen konkretisieren
  - » Präparat auftragen
  - » Verband anlegen zum Abdecken des behandelten Hautareals
  - » Okklusiv-Verband lt. Arztanordnung anlegen
  - » Feuchten Umschlag anlegen
- Größe der betroffenen Haut/Wunde angeben
  - » Hautdefekt < 5 cm Durchmesser
  - » Hautdefekt > 5 cm Durchmesser
  - » Hautdefekt > 9 % Körperoberfläche
  - » Hautdefekt > 18 % Körperoberfläche
- Medizinisches Bad
  - » Voll-/Teilbad mit Zusätzen durchführen
- Anzahl Pflegepersonen angeben

Rivanolumschläge laut Arztanordnung durchführen

- Pflegeintervention konkretisieren
- Zeit angeben

Alkoholumschläge laut Arztanordnung einsetzen

- Pflegeintervention konkretisieren
- Zeit angeben

Kau- und Sprechverbot bei Entzündungen im Gesichtsbereich unterstützen

- Pflegeintervention konkretisieren
- Zeit angeben

Betroffene Extremität ruhig stellen

- Pflegeintervention konkretisieren
- Zeit angeben

Antibiotikatherapie laut Arztanordnung durchführen

- Orale Antibiotikatherapie durchführen
  - » Über Einnahmevorschriften aufklären
  - » Bei der Einnahme der Medikamente unterstützen
  - » Einhaltung der Dosierungsintervalle sicherstellen
  - » Sonstiges
- Intravenöse Antibiotikatherapie durchführen
  - » Kurzinfusion vorbereiten
  - » Kurzinfusion anhängen
  - » Antibiotika aufziehen/entsorgen
  - » Antibiotika i. v. verabreichen

Temperaturkontrollen durchführen

- Messmethode auswählen
  - » Messort rektal
  - » Messort sublingual
  - » Messort axillar
  - » Messort Ohr
  - » Kontaktlose Stirntemperaturmessung mit Infrarottechnologie
- Dokumentationsort der Messwerte bestimmen
  - » In der Fieberkurve dokumentieren
  - » Messwerte in den Pflegeplan eintragen
  - » Messwerte in das Überwachungsprotokoll eintragen
- Thermometer wieder aufbereiten
  - » Schutzhüllen entsorgen, Schmutz abwischen und in Desinfektionslösung nach Plan einlegen
  - » Trocken gelagertes, im Zimmer verbleibendes Thermometer alle drei Tage desinfizieren

Hygienemaßnahmen durchführen

- Pflegeintervention konkretisieren
  - » Bettwäsche wechseln
  - » Kleidung wechseln
  - » Für kurze Fingernägel sorgen
  - » Bei Kontakt mit infiziertem Material Hände desinfizieren und Dienstkleidung wechseln
  - » Schutzkleidung beim Betten/Waschen tragen
  - » Handschuhe bei Hautkontakt tragen
  - » Wäsche als infektiös kennzeichnen
  - » Sonstiges

Homöopathische Therapie bei Furunkel lt. Anordnung durchführen
- Kennzeichen bestimmen und Mittel auswählen
  - » Beginnende Rötung, pochender, schmerzhafter, geschwollener Hautbezirk: Belladonna
  - » Gelbe, eitrige Krusten, beim Kratzen blutend, Reizbarkeit, Unsicherheit: Calcium sulfuricum
  - » Stechende Schmerzen, extrem berührungsempfindlich, übel riechender Schweiß: Hepar sulfuris
  - » Erträgt keine Berührungen, bläulich livide Schwellung, übel riechend, eiternd und blutend, Neigung zur Sepsis: Lachesis
  - » Furunkel zur Reifung und Entleerung bringen: Myristica sebifera
  - » Alte Furunkel/Abszesse, lang andauernde Eiterung, schmerzlos: Silicea
- Potenz angeben

Homöopathische Mittel bei Impetigo contagiosa verabreichen
- Kennzeichen bestimmen und Mittel auswählen
  - » Honigfarbene Borken, trockene Haut, bei Bettwärme Juckreiz, Verdauungsstörungen: Antimonium crudum
  - » Ausbreitender Befall, honigfarbene Krusten, Juckreiz bei Kälte, blutig beim Kratzen: Dulcamara
  - » Eitrige Krusten, stechender Schmerz, Kältegefühl und unangenehmer Schweißgeruch: Hepar sulfuris
  - » Geröteter Grund mit Bläschen, intensiver Juckreiz, durch Kratzen keine Linderung: Rhus toxicodendron
  - » Aufbrechende, dicke Borken, die dicken gelben Eiter entleeren: Viola tricolor
- Potenz angeben

Sonstige Pflegemaßnahmen durchführen
- Maßnahmen konkretisieren
- Zeit angeben

Literaturhinweise: 95, 125, 127, 175, 176

Der Patient hat aufgrund einer **virusbedingten Hautveränderung** das **Risiko der Keimverschleppung**

Kennzeichen
- Beschreibt allgemeines Krankheitsgefühl
- Entlang des Ganglions gruppierte, stechende, kleine Hautbläschen auf gerötetem Grund
- Beschreibt brennende Schmerzen
- Aufgeplatzte Bläschen mit Krusten
- Äußert starke Schmerzen
- Bläschenbildung im Mundbereich
- Bläschenbildung im Genitalbereich

Ursachen
- Herpes-simplex-Infektion
- Herpes-zoster-Infektion
- Windpocken
- Immunabwehrschwäche

Ressourcen
- Kennt die Schutz- und Hygienemaßnahmen und hält sie ein
- Äußert Einsicht in die Pflegemaßnahme
- Ist motiviert, die Pflegemaßnahme zu unterstützen und zeigt entsprechende Verhaltensweisen

Pflegeziele
- Fühlt sich gut betreut, Therapie ist optimal unterstützt
- Keimbesiedelung ist reduziert
- Einer Keimverschleppung ist vorgebeugt
- Hautreaktionen bilden sich zurück
- Beschwerden sind gelindert
- Zusätzliche körperliche Belastung ist reduziert

Der Patient hat aufgrund einer **reduzierten Immunabwehr** das **Risiko einer Infektion** durch endogene/exogene Keime

Kennzeichen

- Äußert Wissensdefizit bezüglich der notwendigen Infektionsprophylaxe
- Beeinträchtigtes Hygieneverständnis
- Fehlende Umsetzung der vereinbarten Hygienemaßnahmen

Ursachen

- Zytostasetherapie
- Allgemeine Immunsuppression
- HIV-Infektion/AIDS
- Erworbener Immundefekt
- Leukopenie bei Autoimmunerkrankung
- Leukämie
- Knochenmarktransplantation
- Ausgedehnte Tumore mit Knochenmarkinfiltration
- Lymphom
- Stammzellentransplantation
- Immunsuppressiv wirkende Medikamente
- Granulozytopenie
- Lymphopenie
- Nach Splenektomie (Milzentfernung)

Ressourcen

- Kennt die Schutz- und Hygienemaßnahmen und hält sie ein
- Versteht die Notwendigkeit einer Schutzisolation und unterstützt sie
- Erkennt die Notwendigkeit der getroffenen Intervention und kooperiert mit dem therapeutischen Team
- Besitzt die Fähigkeit der Selbstbeobachtung von kritischen körperlichen Veränderungen
- Akzeptiert die Körpertemperaturmessungen
- Führt unter Anleitung die Körperpflege gründlich durch
- Verhält sich entsprechend der Anleitung und Anweisung

Pflegeinterventionen

Lokaltherapeutika laut ärztlicher Anordnung anwenden/auftragen
- Maßnahmen konkretisieren
  - » Zinkpaste
  - » Jodlösung
  - » Pyoctaninlösung
  - » Kaliumpermanganat-Lösung
  - » Aciclovirhaltige Substanzen
  - » Teebaumöl
  - » Mit luftdurchlässigem Verbandmaterial leicht abdecken

Betroffene Hautpartien trocken halten
- Pflegeintervention konkretisieren
- Zeit angeben

Hygienemaßnahmen durchführen
- Pflegeintervention konkretisieren
  - » Bettwäsche wechseln
  - » Kleidung wechseln
  - » Für kurze Fingernägel sorgen
  - » Bei Kontakt mit infiziertem Material Hände desinfizieren und Dienstkleidung wechseln
  - » Schutzkleidung beim Betten/Waschen tragen
  - » Handschuhe bei Hautkontakt tragen
  - » Wäsche als infektiös kennzeichnen
  - » Sonstiges

Infusionstherapie laut ärztlicher Anordnung durchführen
- Infusionen ohne Zusätze vorbereiten und infundieren
  - » 1 Infusion
  - » 2 Infusionen
  - » 3 Infusionen
  - » 4 Infusionen
  - » 5 und mehr Infusionen
- Infusionen mit Zusätzen vorbereiten und infundieren
  - » 1 Infusion mit Zusatz
  - » 2 Infusionen mit Zusatz
  - » 3 Infusionen mit Zusatz
  - » 4 Infusionen mit Zusatz
  - » 5 und mehr Infusionen mit Zusatz
- Zytostaselösungen herstellen/vorbereiten
  - » Zytostase herstellen/vorbereiten
- Hygienemaßnahmen
  - » Zwei- und Dreiwegehähne auswechseln
  - » Hahnenbank austauschen
  - » Filter wechseln
  - » Infusionssystem wechseln
  - » Besonderheiten bestimmen
- Applikationsart bestimmen
  - » Über Infusomat verabreichen
  - » Über Perfusor verabreichen
  - » Über Tropfenzähler verabreichen
- Tropfgeschwindigkeit einstellen

Injektionen laut ärztlicher Anordnung vorbereiten und verabreichen
- Pflegeintervention konkretisieren
  - » Subkutane Injektionen (s. c.)
  - » Intramuskuläre Injektionen (i. m.)
  - » Intravenöse Injektionen (i. v.)
  - » I. v. Injektionen lt. Arztanordnung über liegenden Zugang (Intensivstation) verabreichen

Allgemeine Schonung und gelockerte Bettruhe einhalten
- Pflegeintervention konkretisieren
- Zeit angeben

Sonstige Pflegemaßnahmen durchführen
- Maßnahmen konkretisieren
- Zeit angeben

Literaturhinweise: 95, 125, 127, 175, 176

Pflegeziele

- Komplikationen sind vorgebeugt
- Veränderungen werden frühzeitig erkannt und dokumentiert
- Kontakt mit bzw. Belastung durch zusätzliche Keime ist reduziert
- Einer Keimverschleppung ist vorgebeugt
- Einer Infektion ist vorgebeugt bzw. sie ist rechtzeitig erkannt
- Keimbesiedelung der Mundschleimhaut ist reduziert
- Wissensdefizit ist aufgehoben
- Veränderungen der Haut sind frühzeitig erkannt
- Darmausscheidung ist eingeschätzt
- Keimbesiedelung der Darmflora ist reduziert
- Physiologische Keimbesiedelung der Haut ist reduziert
- Risiko einer schwer verlaufenden Infektion ist reduziert

Pflegeinterventionen

Temperatur kontrollieren
- Messmethode auswählen
  - » Messort rektal
  - » Messort sublingual
  - » Messort axillar
  - » Messort Ohr
  - » Kontaktlose Stirntemperaturmessung mit Infrarottechnologie
- Dokumentationsort der Messwerte bestimmen
  - » In der Fieberkurve dokumentieren
  - » Messwerte in den Pflegeplan eintragen
  - » Messwerte in das Überwachungsprotokoll eintragen
- Thermometer wieder aufbereiten
  - » Schutzhüllen entsorgen, Schmutz abwischen und in Desinfektionslösung nach Plan einlegen
  - » Trocken gelagertes, im Zimmer verbleibendes Thermometer alle drei Tage desinfizieren

Schutzisolierung einrichten
- Pflegeintervention konkretisieren
  - » Isolierzimmer/Umkehrisolationseinheit vorbereiten
  - » Isoliereinheit vorbereiten und Desinfektionsmaßnahmen durchführen
  - » Sterilbetteinheit/Life island vorbereiten

Ein-/Ausschleusen in ein Isolierzimmer durchführen
- Pflegeintervention konkretisieren
  - » Vor Kontakt Hände desinfizieren
  - » Bei Kontakt Handschuhe tragen
  - » Mund-Nasen-Schutz tragen
  - » Schutzkittel beim Betreten des Zimmers tragen und weitere Hygienemaßnahmen durchführen
  - » In Hygienemaßnahmen einweisen
  - » Besucher und Angehörige in die speziellen Schutzmaßnahmen einweisen

Zusätzliche Maßnahmen nach Anordnung durchführen
- Pflegeintervention konkretisieren
  - » Sterilisierte Leib- und Bettwäsche täglich wechseln
  - » Körperwaschung mit desinfizierenden Waschsubstanzen durchführen
  - » Keimreduzierte Nahrung bestellen
  - » Steriles Wasser zur Mundpflege verwenden

Hygienische Händedesinfektion durchführen
- Pflegeintervention konkretisieren
- Zeit angeben

Informationsgespräch mit Angehörigen über Hygienemaßnahmen führen
- Pflegeintervention konkretisieren
- Zeit angeben

Auf Infektionszeichen beobachten
- Pflegeintervention konkretisieren
- Zeit angeben

Nach jeder Nahrungsaufnahme spezielle Mundpflege durchführen
- Pflegeintervention konkretisieren
  - » Mundhöhle mit Peanklemme und getränktem Tupfer reinigen
  - » Mundhöhle mit um den Finger gewickelter, getränkter Kompresse reinigen
  - » Mundhöhle mit Pflaumentupfer auswischen
  - » Mundhöhle mit feuchten Watteträgern auswischen
  - » Zunge mit Zungenreiniger säubern
  - » Zahnfleisch, Zunge und Zähne mit Mundpflege-Fingerling reinigen
  - » Mundspülung durchführen
- Produkt zur Mundpflege angeben

Informationsgespräch über geeignete, keimarme Nahrungsmittel führen
- Pflegeintervention konkretisieren
  - » Keimarme Diät in der Küche bestellen
  - » Aufklärungsgespräch über die Diät führen
- Keimarme Diät bestellen
  - » Gekochte Speisen
  - » Keine Rohkost
  - » Nur geschältes Obst
  - » Keine Käsesorten mit Schimmelpilzkulturen

Körperpflege mit desinfizierenden waschaktiven Substanzen durchführen
- Pflegeintervention konkretisieren
- Zeit angeben

Körperfalten/-höhlen desinfizieren
- Pflegeintervention konkretisieren
- Desinfektionsmittel angeben

Wäschewechsel durchführen
- Pflegeintervention konkretisieren
  - » Nachthemd
  - » Bettwäsche
  - » Sterilisiertes Nachthemd
  - » Sterilisierte Bettwäsche

Haut beobachten
- Pflegeintervention konkretisieren
- Zeit angeben

Stuhlausscheidung beobachten
- Pflegeintervention konkretisieren
- Zeit angeben

Darmdekontamination laut Arztanordnung durchführen
- Pflegeintervention konkretisieren

Haut- und Schleimhautdekontamination laut Arztanordnung durchführen
- Pflegeintervention konkretisieren
- Zeit angeben

Informationsgespräch über die Gefahren von offen stehenden Getränken und Gläsern führen
- Pflegeintervention konkretisieren
- Zeit angeben

Keimarme Diät bestellen
- Pflegeintervention konkretisieren
  - » Keimarme Diät in der Küche bestellen
  - » Aufklärungsgespräch über die Diät führen
- Keimarme Diät bestellen
  - » Gekochte Speisen
  - » Keine Rohkost
  - » Nur geschältes Obst
  - » Keine Käsesorten mit Schimmelpilzkulturen

Erkennung und Behandlung von vorbestehenden Infektionen vor Einleitung von immunsuppressiven Therapien
- Abklärung möglicher Infektionsherde
  - » Mund-Rachen-Raum
  - » Nasennebenhöhlen
  - » Inspektion des Mund-, Zahnstatus durchführen
  - » Inspektion der Haut durchführen

Sonstige Pflegemaßnahmen durchführen
- Maßnahmen konkretisieren
- Zeit angeben

Literaturhinweise: 56, 89, 95, 113, 125, 175, 176, 306, 875, 877

Der Patient hat aufgrund einer **Verbrennung** das **Risiko einer Infektion/Sepsis**

Kennzeichen

- Schwellung/Rötung der betroffenen Hautoberfläche mit Blasenbildung
- Gewebszerstörung mit brauner, weißlicher oder schwarzer Hautverfärbung
- Äußert starke Schmerzen
- Äußert keine Schmerzen im betroffenen Bereich

Ursachen

- Thermische Hitzeschädigung
- Chemische Hitzeschädigung
- Elektrische Hitzeschädigung

Ressourcen

- Kennt die Schutz- und Hygienemaßnahmen und hält sie ein
- Erkennt die Notwendigkeit der getroffenen Intervention und kooperiert mit dem therapeutischen Team
- Toleriert den Verbandwechsel
- Akzeptiert die Körpertemperaturmessungen
- Angehörige zeigen Bereitschaft, neu zu lernen

Pflegeziele

- Nosokomialer Infektion ist vorgebeugt
- Einer Keimverschleppung ist vorgebeugt
- Kontakt mit bzw. Belastung durch zusätzliche Keime ist reduziert
- Primäre Wundheilung ist gewährleistet
- Einer Infektion ist vorgebeugt bzw. sie ist rechtzeitig erkannt
- Komplikationen sind vorgebeugt
- Veränderungen werden frühzeitig erkannt und dokumentiert
- Optimale Versorgung ist sichergestellt
- Wundheilungsförderliches Milieu ist hergestellt

Pflegeinterventionen

Schutzisolierung einrichten
- Pflegeintervention konkretisieren
  - » Isolierzimmer/Umkehrisolationseinheit vorbereiten
  - » Isoliereinheit vorbereiten und Desinfektionsmaßnahmen durchführen
  - » Sterilbetteinheit/Life island vorbereiten

Haut im Bereich der Verbrennung rasieren
- Pflegeintervention konkretisieren
- Zeit angeben

Hygienische Händedesinfektion durchführen
- Pflegeintervention konkretisieren
- Zeit angeben

Ein-/Ausschleusen in ein Isolierzimmer durchführen
- Pflegeintervention konkretisieren
  - » Vor Kontakt Hände desinfizieren
  - » Bei Kontakt Handschuhe tragen
  - » Mund-Nasen-Schutz tragen
  - » Schutzkittel beim Betreten des Zimmers tragen und weitere Hygienemaßnahmen durchführen
  - » In Hygienemaßnahmen einweisen
  - » Besucher und Angehörige in die speziellen Schutzmaßnahmen einweisen

Verbrannte Haut/entstandene Blasen abtragen
- Maßnahmen konkretisieren
- Zeit angeben
- Anzahl erforderlicher Pflegepersonen angeben

Informationsgespräch mit Angehörigen über Hygienemaßnahmen führen
- Pflegeintervention konkretisieren
- Zeit angeben

Offene Wundbehandlung laut Arztanordnung durchführen
- Maßnahmen konkretisieren
- Zeit angeben
- Anzahl erforderlicher Pflegepersonen angeben

Temperatur kontrollieren
- Messmethode auswählen
  - » Messort rektal
  - » Messort sublingual
  - » Messort axillar
  - » Messort Ohr
  - » Kontaktlose Stirntemperaturmessung mit Infrarottechnologie
- Dokumentationsort der Messwerte bestimmen
  - » In der Fieberkurve dokumentieren
  - » Messwerte in den Pflegeplan eintragen
  - » Messwerte in das Überwachungsprotokoll eintragen
- Thermometer wieder aufbereiten
  - » Schutzhüllen entsorgen, Schmutz abwischen und in Desinfektionslösung nach Plan einlegen
  - » Trocken gelagertes, im Zimmer verbleibendes Thermometer alle drei Tage desinfizieren

Wundauflagen für die geschlossene Wundbehandlung lt. Anordnung auswählen
- Wundauflage auswählen
  - » Sterile Kompresse
  - » Sterile Saugkompresse
  - » Ringergetränkte Kompresse
  - » Hydrogelverband
  - » Hydrokolloidverband
  - » Hydropolymer
  - » Polyurethanschaum
  - » Metallinisierte Wundauflage
  - » Aktivkohle-Kompresse
  - » Silber-Aktivkohle-Kompresse
  - » Transparente Wundabdeckung
  - » Folienverband
  - » Folienverband mit Vakuumversiegelung

- » Salbenkompresse ohne Wirkstoff
  - » Alginat-Kompresse
- Wunde reinigen mit
  - » Ringer-Lösung
  - » Kochsalzlösung 0,9%ig
  - » Wasserstoffperoxid-Lösung 1%ig
  - » Wasserstoffperoxid-Lösung 2%ig
  - » Wasserstoffperoxid-Lösung 3%ig
- Verbandstoff auswählen
  - » Elastische Binde
  - » Schlauchmull
  - » Klebevlies/-mull
- Anzahl Pflegepersonen angeben

Verbrennungszimmer und Verbrennungsbett vorbereiten
- Pflegeintervention konkretisieren
- Zeit angeben

Verbandwechsel durchführen
- Maßnahmen konkretisieren
  - » Verbandwechsel mit Wundreinigung durchführen
  - » Verbandwechsel mit Wundspülung durchführen
  - » Verbandwechsel mit Wundspülung durchführen, Tamponaden einbringen (20 Min.)
  - » Verbandwechsel mit Nekrosenabtragung durchführen
  - » Verbandwechsel mit speziellen Auflagen durchführen (10 Min.)
  - » Folienverband mit Vakuum anlegen
  - » Folienverband mit Vakuum >9 % der Körperfläche anlegen
  - » Spezielle Wundbehandlung bei Verbrennungen durchführen
  - » Spezielle Wundbehandlung bei Verbrennungen betroffener Körperoberflächen >9 % durchführen
  - » Spezielle Wundbehandlung bei Verbrennungen betroffener Körperoberflächen >18 % durchführen
- Anzahl der beteiligten Personen bestimmen

Beim Verbandwechsel assistieren
- Maßnahmen konkretisieren
  - » Einfachen Verbandwechsel (10 Min.) durchführen
  - » Verbandwechsel mit Wundreinigung durchführen
  - » Verbandwechsel mit Wundspülung durchführen
  - » Verbandwechsel mit speziellen Auflagen durchführen (10 Min.)
  - » Folienverband mit Vakuum anlegen
  - » Folienverband mit Vakuum >9 % der Körperfläche anlegen
  - » Spezielle Wundbehandlung bei Verbrennungen durchführen
  - » Spezielle Wundbehandlung bei Verbrennungen betroffener Körperoberflächen >9 % durchführen
  - » Spezielle Wundbehandlung bei Verbrennungen betroffener Körperoberflächen >18 % durchführen

Sonstige Pflegemaßnahmen durchführen
- Maßnahmen konkretisieren
- Zeit angeben

Literaturhinweise: 89, 95, 113, 125, 175, 176, 269, 270, 271, 272

Der Patient hat das **Risiko der Hyper-/Hypoglykämie**

Kennzeichen

- Kann Fragen bezüglich der Erkrankung und der Verhaltensmaßregeln nicht beantworten
- Kann keine Zusammenhänge bezüglich der Erkrankung und der Ernährung/Insulintherapie erklären
- Ermittelt die BZ-Werte falsch
- Kann die Dosierung nicht benennen
- Kann die Insulinverabreichung nicht selbstständig durchführen
- Äußert ein Wissensdefizit über die richtige Applikation einer Insulinverabreichung
- Zeigt Verhaltensweisen, die darauf hinweisen, dass gesundheitsbezogene Ziele nicht erreicht werden können
- Pflege-/Behandlungsvereinbarungen werden nicht eingehalten
- Berichtet über Schwierigkeiten, die Therapie-/Behandlungsvereinbarung in den Alltag zu integrieren
- Berichtet über starke Blutzuckerschwankungen

Ursachen

- DiabetesformDiabetes mellitus Typ I
- Diabetes mellitus Typ II
- MODY-Diabetes-mellitus
- Schwangerschaftsdiabetes
- Monogenetischer Diabetes
- Neonataler Diabetes
- Aspekte im Zusammenhang mit DiabetesVeränderungen in der Nahrungszufuhr
- Veränderungen im Bereich der körperlichen Aktivitäten
- Konflikte, Stress
- Akuter Infekt
- Beeinträchtigtes Diabetesmanagement
- Ungenügende Blutzuckerkontrollen
- Entwicklungsbedingt
- Beeinträchtigte Compliance
- Informationsdefizit
- Eingeschränkte kognitive Fähigkeiten
- Fingerfertigkeit fehlt
- Reduzierte Fingerbeweglichkeit
- Sehschwäche
- Nicht diabetesbedingte UrsachenAkute Pankreatitis
- Gewichtsreduktion/radikale Diät
- Extreme körperliche Aktivität
- Adipositas
- Starke Gewichtszunahme in kurzer Zeit
- Risikoschwangerschaft

Ressourcen

- Hält die Therapievereinbarungen ein
- Kennt Vorbeugungsmaßnahmen und unterstützt diese aktiv
- Kann die Zusammenhänge zwischen der notwendigen Diät und Krankheit/Symptomen erklären
- Kann die BZ-Werte selbstständig ermitteln
- Kann die Blutzuckerwerte einschätzen und Symptome richtig erkennen
- Kann die Nahrungsmittel gut nach BE-Einheiten einschätzen
- Kann sich das Insulin selbst verabreichen
- Körperliche Fähigkeiten, die Insulinverabreichung durchzuführen, sind vorhanden
- Ist an der selbstständigen Versorgung interessiert
- Erkennt die Notwendigkeit der getroffenen Intervention und kooperiert mit dem therapeutischen Team
- Akzeptiert die Notwendigkeit der Diät (bestimmte Einschränkungen)
- Akzeptiert die Unterstützung
- Akzeptiert die Unterstützung von Angehörigen
- Angehörige/Bezugspersonen sind bereit, die Spritzentechnik zu lernen
- Angehörige/Bezugspersonen erkennen Symptome der Hyper- und Hypoglykämie
- Angehörige/Bezugspersonen können fachlich richtig handeln

Pflegeziele

- Komplikationen sind frühzeitig erkannt und abgewendet
- Kann Hyper- und Hypoglykämien vorbeugen
- Kann frühe Symptome der Hypoglykämie/Hyperglykämie wahrnehmen und zuordnen
- Vereinbartes Therapieziel ist erreicht
- Ist über Verhaltensmaßregeln informiert und unterstützt die Therapie
- Blutzuckerwerte entsprechen dem physiologischen Tagesprofil
- Ess-Spritz-Abstand wird exakt eingehalten
- Ess-Spritz-Abstand ist dem Betroffenen bekannt
- Selbstständigkeit ist gefördert
- Folgeerkrankungen sind vermieden
- Blutzuckerspiegel ist ausgeglichen
- Genaue Bemessungsgrundlage für die Diabeteseinstellung ist sichergestellt
- Risikofaktoren sind frühzeitig erkannt
- Anzeichen einer Folgeerkrankung sind frühzeitig erkannt
- Vermeidung sportinduzierter Ketoazidosen
- Vermeidung sportinduzierter Hyper- und Hypoglykämien
- Fühlt sich sicher durch Informationen
- Kennt die Behandlungsziele und ist zur Mitarbeit motiviert
- Ist über Verhaltensmaßnahmen informiert und setzt diese um
- Ist über ernährungsrelevante Aspekte informiert
- Stellt die Nahrung entsprechend der Diabetesdiät selbstständig zusammen
- Termin wird wahrgenommen
- Ist über die Erkrankung informiert
- Kennt Möglichkeiten, aktiv den Therapieerfolg zu unterstützen
- Spezifische Fähigkeiten sind gefördert/entwickelt
- Kontinuität von Behandlung und Therapie ist sichergestellt
- Betreuende Personen sind informiert und unterstützen die Therapie

Pflegeinterventionen

Auf Anzeichen von Hyper-/Hypoglykämie beobachten
- Pflegeintervention konkretisieren
- Zeit angeben

Anleitung, auf BZ-Schwankungen frühzeitig mit Gegenmaßnahmen zu reagieren
- Pflegeintervention konkretisieren
  - » Insulingabe je nach BZ-Wert anpassen
  - » Kohlenhydratgabe bei abfallenden BZ-Werten
  - » Körperliche Aktivität bei abfallenden BZ-Werten einschränken
- Zeit angeben

Gemeinsame Therapieziele festlegen
- Therapieziel konkretisieren
  - » HbA1c-Wert
  - » Blutglukosewert
- Zeit angeben

Blutzuckerkontrollen festlegen/durchführen
- Blutzuckerkontrollen durchführen
  - » Blutzuckerbestimmung mit Haemo-Glucotest
  - » Mit elektronischem Messgerät und Codestreifen
  - » Mithilfe des Labors
  - » Kontinuierliche automatische Messung (Glukosemonitoring)
- Unterstützungsleistung bestimmen
  - » Zur Selbstbestimmung des BZ-Werts anleiten
  - » BZ-Kontrolle übernehmen
  - » BZ-Kontrolle durch Laborassistentin durchführen

Nahrungszufuhr nach empfohlenen Richtlinien gemeinsam vereinbaren
- Maßnahmen konkretisieren
  - » Nahrungszufuhr nach Zeit, Menge, Glukosespitzen der Nahrung planen
  - » Energiebilanz beachten
  - » Körperliche Aktivität einbeziehen
  - » Empfohlene Nährstoffverteilung beachten
  - » Ballaststoffreiche Lebensmittel mit niedrigem glykämischen Index bevorzugen
  - » Obst, Gemüse, Vollkornprodukte bevorzugen
  - » Kohlenhydrataufnahme auf mehrere Mahlzeiten verteilen
  - » Kohlenhydrataufnahme mit oralen Antidiabetika/Insulinen abstimmen
  - » Salzzufuhr reduzieren
  - » Alkoholgenuss reduzieren
- Teilnehmende Personen angeben
  - » Betroffene Person
  - » Angehöriger/Bezugsperson
  - » Sonstige Personen
- Zeit angeben

Diabetesdiät nach Anordnung bestellen
- Pflegeintervention konkretisieren
- Zeit angeben

Spritz-Ess-Abstand einhalten
- Ess-Spritz-Abstand festlegen

Insulintherapie durchführen
- Art der Insulintherapie
  - » Konventionelle Insulintherapie
  - » Intensivierte Insulintherapie
  - » Insulinpumpentherapie
- Pflegeintervention konkretisieren
  - » Bolusrate berechnen
  - » Blutzuckerbestimmung durchführen
  - » Insulin mit der Insulinspritze aufziehen
  - » Insulin mit der Insulinspritze verabreichen
  - » Insulin mit dem Pen verabreichen
  - » Insulinpumpe verwenden
- Unterstützungsgrad angeben
  - » Anleiten
  - » Teilweise übernehmen
  - » Vollständig übernehmen
  - » Beaufsichtigen

Bei gesundheitsfördernder Verhaltensänderung unterstützen
- Pflegeintervention konkretisieren
  - » Ernährungsmanagement
  - » Bewegungsprogramm
  - » Aktiven Lebensstil fördern
  - » Gewichtsreduktion bei Übergewicht
  - » Raucherentwöhnung
- Zeit angeben

Diabetestagebuch/ Diabetes-Pass führen
- Pflegeintervention konkretisieren
- Unterstützungsgrad angeben
  - » Beaufsichtigen
  - » Teilweise übernehmen
  - » Vollständig übernehmen
  - » Anleiten

Risikofaktoren /Anzeichen von Folgeerkrankungen kontrollieren
- Pflegeintervention konkretisieren
  - » Dokumentation im Diabetes-Pass kontrollieren
  - » Sensibilität an Beinen und Füßen kontrollieren
  - » Auf Veränderungen an den Füßen beobachten
  - » Haut auf Veränderungen, z. B. auf Xanthome, Farbveränderungen beobachten
  - » Sehstörungen erfragen
  - » Schmerzen/Missempfindungen in Armen/Beinen erfragen
  - » Essverhalten beobachten
  - » Auf Anzeichen affektiver Störungen beobachten
  - » BZ-Wert-Messungen der betroffenen Person/des Angehörigen kontrollieren
  - » Blutdruckkontrolle durchführen
  - » BZ-Kontrolle übernehmen
  - » Gewichtskontrolle durchführen
  - » Urinprobe zur Untersuchung gewinnen

Gespräch über Präventionsmaßnahmen sportinduzierter Komplikationen führen
- Gesprächsinhalt konkretisieren
  - » Art und Dauer des Sports, BZ-Werte, Insulindosis und Zusatz-KHE in einem Sporttagebuch protokollieren
  - » Reduktion der Insulinsubstitution vor geplanter sportlicher Aktivität
  - » Zusätzliche Aufnahme von Kohlenhydraten in kleinen Mengen vor, während und nach der Bewegung
  - » Traubenzucker, Glukosegel o.Ä. immer griffbereit haben
  - » Berücksichtigung von Umgebungsbedingungen (Hitze, Kälte und Höhe)
  - » Information von Trainern, Lehrern usw. über Hypoglykämierisiko und Gegenmaßnahmen
- Beteiligte Personen angeben
  - » Betroffene Person
  - » Angehöriger/Bezugsperson
  - » Sonstige Personen
- Zeit angeben

Beratungsgespräch führen
- Themenschwerpunkte angeben
  - » Umgang mit Krankheitserleben, Behandlung und Diabetes
  - » Individuelle Therapieziele
  - » Erkrankung
  - » Behandlung
  - » Maßnahmen zur Selbstkontrolle
  - » Akutkomplikationen
  - » Risikofaktoren
  - » Folgeerkrankungen
  - » Ernährung
  - » Bewegung
  - » Besondere Lebenssituationen
  - » Schwangerschaft
  - » Sozialrechtliche Aspekte
  - » Kontrolluntersuchungen
  - » Integration in den Alltag
- Teilnehmende Personen angeben
  - » Betroffene Person
  - » Angehöriger/Bezugsperson
  - » Lehrer/Erzieher
- Zeit angeben

Ernährungsberatung organisieren
- Pflegeintervention konkretisieren
  - » Über die Termine informieren
  - » Teilnahme an der Schulung dokumentieren
  - » Terminplanung durchführen

Diabetesschulung organisieren
- Pflegeintervention konkretisieren
  - » Über die Termine informieren
  - » Teilnahme an der Schulung dokumentieren
  - » Terminplanung durchführen

Zum vereinbarten Termin bringen
- Maßnahmen konkretisieren
- Termineinhaltung sicherstellen
  - » Zum vereinbarten Termin innerhalb der Einrichtung bringen
  - » Zum vereinbarten Termin außerhalb der Einrichtung bringen
  - » An vereinbarte Termine erinnern
- Zeit angeben

Diabetesschulung durchführen
- Themenschwerpunkte angeben
  - » Umgang mit Krankheitserleben, Behandlung und Diabetes
  - » Individuelle Therapieziele
  - » Erkrankung
  - » Behandlung
  - » Maßnahmen zur Selbstkontrolle
  - » Akutkomplikationen
  - » Risikofaktoren
  - » Folgeerkrankungen
  - » Ernährung
  - » Bewegung
  - » Besondere Lebenssituationen
  - » Schwangerschaft
  - » Sozialrechtliche Aspekte
  - » Kontrolluntersuchungen
  - » Integration in den Alltag
- Teilnehmende Personen angeben
  - » Betroffene Person
  - » Angehöriger/Bezugsperson
  - » Lehrer/Erzieher
- Zeit angeben

Kontrolltermine vereinbaren
- Pflegeintervention konkretisieren
  - » BZ-Messung
  - » Beratungstermin

Diabetes-Set vorbereiten und mitgeben
- Inhalt konkretisieren
  - » BZ-Messgerät
  - » Lanzette
  - » Insulinspritze
  - » Pen
  - » Traubenzucker o.Ä.
  - » Zwischenmahlzeit
  - » Glukagon
  - » Informationen

Betreuende Personen durch Information unterstützen
- Pflegeintervention konkretisieren
  - » Informationsmaterialien zusammenstellen/aushändigen
  - » Relevante Werte zusammenstellen/aushändigen
- Zielgruppe festlegen
  - » Angehöriger/Bezugsperson
  - » Kindergarten
  - » Schule
  - » Sportverein

Sonstige Pflegemaßnahmen durchführen
- Maßnahmen konkretisieren
- Zeit angeben

Literaturhinweise: 95, 125, 126, 175, 176, 300, 696, 697, 698, 699, 700, 703, 704, 705, 706, 707, 708, 709, 782, 783, 784, 785, 786, 787, 789, 790, 791, 792, 793, 794, 795, 796

Der Patient hat ein **Spät-Dumping-Syndrom**, es besteht das **Risiko einer Hypoglykämie** 1-2 Stunden nach der Nahrungsaufnahme

Kennzeichen

- Schweißausbruch
- Äußert Heißhunger
- Anzeichen körperlicher Schwäche
- Hypoglykämische Bewusstseinseintrübung

Ursachen

- Folge einer überschießenden Insulinproduktion durch zu rasche Nahrungspassage
- Ernährungsfehler

Ressourcen

- Kennt krankheits- bzw. symptomauslösende Faktoren und kann diese vermeiden
- Akzeptiert die Notwendigkeit der Diät (bestimmte Einschränkungen)
- Äußert Verständnis für die Notwendigkeit der Maßnahme
- Ist motiviert, die Pflegemaßnahme zu unterstützen und zeigt entsprechende Verhaltensweisen
- Kann die Zusammenhänge zwischen notwendiger Verhaltensänderung und Krankheit/Symptomen erklären

Pflegeziele

- Kennt Ursachen und Verhaltensregeln, um dem Syndrom vorzubeugen
- Herz-Kreislauf ist nach der Nahrungsaufnahme stabil

Pflegeinterventionen

Informationsgespräch über Verhaltensregeln bei der Nahrungsaufnahme führen

- Pflegeintervention konkretisieren
- Zeit angeben

Akutstadium mit Kohlenhydratgabe verbessern
- Pflegeintervention konkretisieren
- Zeit angeben

Sonstige Pflegemaßnahmen durchführen
- Maßnahmen konkretisieren
- Zeit angeben

Literaturhinweise: 84, 89, 95, 126, 175, 176

Der Patient hat aufgrund einer **eingeschränkten Nierenfunktion** das **Risiko der Stoffwechselentgleisung**

Kennzeichen

- Äußert, an Appetitlosigkeit zu leiden
- Äußert Übelkeitsgefühl
- Erbrechen
- Juckreiz
- Ödembildung
- Erhöhter Blutdruck
- Konzentrationsschwäche
- Azidose
- Oligurie: Harnausscheidung zwischen 100 und 500 ml täglich
- Anurie: Harnausscheidung weniger als 100 ml pro Tag
- Erhöhte Harnstoffwerte

Ursachen

- Niereninsuffizienz
- Nierenversagen
- Beeinträchtigte Durchblutung der Niere

Ressourcen

- Akzeptiert die Notwendigkeit der Diät (bestimmte Einschränkungen)
- Zeigt Verhaltensweisen, die die Therapie unterstützen
- Kann Veränderungen bezüglich des Gesundheitszustands erkennen und einschätzen

Pflegeziele

- Komplikationen sind frühzeitig erkannt und abgewendet
- Komplikationen sind vorgebeugt
- Nierenversagen ist rechtzeitig erkannt
- Nimmt nicht an Körpergewicht zu
- Nimmt in dialysefreien Intervallen nicht mehr als 1 kg täglich an Körpergewicht zu
- Schnellem Anstieg harnpflichtiger Substanzen ist vorgebeugt
- Dialyse verläuft komplikationslos
- Harnpflichtige Substanzen sind ausgeschieden
- Unabhängigkeit des Patienten ist unterstützt
- Ist sicher im Umgang mit der Peritonealdialyse
- Kennt Gefahren sowie Möglichkeiten, diesen vorzubeugen
- Wassereinlagerungen sind erkannt und dokumentiert

Pflegeinterventionen

Flüssigkeitsbilanzierung durchführen
- Pflegeintervention konkretisieren
  - » Einfuhr kontrollieren
  - » Ausfuhr kontrollieren
  - » Flüssigkeitsbilanzierung durchführen
  - » Stundenurinkontrolle durchführen
- Erfassungszeitraum bestimmen/sonstige Angaben
  - » Blase am Ende des Erfassungszeitraums entleeren lassen
  - » Einfuhr berechnen
  - » Ausfuhr berechnen
  - » Ergebnisse in die Dokumentation eintragen
  - » Erfassungszeitraum bestimmen

Urin im Hinblick auf Menge, Farbe, Aussehen und spezifisches Gewicht beobachten und Ergebnis dokumentieren
- Pflegeintervention konkretisieren
- Zeit angeben

ZVD-Messung durchführen
- Pflegeintervention konkretisieren
- Zeit angeben

Beratungsgespräch über die Präventionsmaßnahmen einer neonatalen Gelbsucht führen

Gewichtskontrollen durchführen
- Gewichtskontrollen durchführen
  - » Mit einer Stehwaage
  - » Mit einer Sitzwaage
- Körpergewicht kontrollieren

» Morgens vor dem Frühstück
» In Unterwäsche/ohne Schuhe
» Nach der Blasenentleerung

Vitalzeichenkontrolle und Kontrolle des Bewusstseinszustands durchführen
- Überwachungsmonitor benutzen
  » Überwachungsmonitor benutzen
  » Pulsfrequenz/-qualität messen
  » Blutdruckwert messen
  » Atemfrequenz/-qualität messen
  » Körpertemperatur messen
  » Sauerstoffsättigung mit Oximeter überprüfen
- Vitalzeichenwerte manuell messen
  » Pulsfrequenz/-qualität messen
  » Blutdruckwert messen
  » Atemfrequenz/-qualität messen
  » Körpertemperatur messen
- Ort der Messung angeben
  » Am rechten Arm messen
  » Am linken Arm messen
  » Am Finger messen
  » Am Zeh messen
  » Besonderheiten bei der Messung bestimmen

Flüssigkeitszufuhr an den Flüssigkeitsverlust laut Arztanordnung anpassen
- Pflegeintervention konkretisieren
- Zeit angeben

Natriumarme, eiweißarme und kaliumarme Diät nach Arztanordnung bestellen
- Pflegeintervention konkretisieren
- Zeit angeben

Transport zur Hämodialyse organisieren
- Pflegeintervention konkretisieren
- Zeit angeben

Peritonealdialyse durchführen
- Pflegeintervention konkretisieren
  » CAPD (kontinuierliche, ambulante Peritonealdialyse)
  » CCPD (kontinuierliche, zyklische Peritonealdialyse)
  » NIPD (nächtliche, intermittierende Peritonealdialyse)
  » NTPD (nächtliche Tidal-Peritonealdialyse)
- Art der Unterstützungsleistung angeben
  » Dialysat in der Mikrowelle anwärmen
  » Materialien zur Peritonealdialyse herrichten
  » Peritonealdialyse anschließen
  » Peritonealdialyse abhängen und Dialysat entsorgen
  » Flüssigkeitsbilanzierung durchführen

Den Patienten und/oder Angehörige im Umgang mit CAPD (continuous ambulatory peritoneal dialysis)/CCPD (continuous cyclic peritoneal dialysis) anleiten und schulen
- Pflegeintervention konkretisieren
- Art der Unterstützung
  » Beaufsichtigen
  » Durch Unterstützen helfen
  » Teilweise übernehmen
  » Vollständig übernehmen
  » Zur selbstständigen Durchführung anleiten
- Anzuleitende Person(en) festlegen
  » Betroffene Person
  » Angehöriger/Bezugsperson
- Zeit angeben

Körper auf Zunahme von Ödemen beobachten
- Assessment: Umfangmessungen
  » Zur Ermittlung und Verlaufsbeurteilung von Ödemen Umfang messen
  » Zur Ermittlung und Verlaufsbeurteilung von akuten Schwellungen Umfang messen
- Umfangsmessung durchführen
  » Rechter Arm
  » Linker Arm
  » Handgelenk rechts
  » Handgelenk links
  » Rechtes Bein
  » Linkes Bein
  » Sprunggelenk links
  » Sprunggelenk rechts
  » Bauchumfang messen
- Methode der Umfangsmessung
  » Konventionelle Umfangmessung
  » Figure-of-Eight-Methode

Sonstige Pflegemaßnahmen durchführen
- Maßnahmen konkretisieren
- Zeit angeben

Literaturhinweise: 125, 126, 151, 175, 176

Der Patient hat aufgrund einer **Hyperthyreose** das **Risiko einer thyreotoxischen Krise**

Kennzeichen

- Feinschlägiger Tremor
- Psychische Veränderungen
- Äußert ein Gefühl der Rastlosigkeit
- Wirkt nervös und leicht erregbar
- Unruhe und/oder Angst
- Erhöhte Herzfrequenz
- Herzrhythmusstörungen
- Schwitzt leicht
- Überwärmte Haut
- Wärmeempfindlichkeit
- Erhöhte Stuhlfrequenz
- Gewichtsabnahme
- Exophthalmus
- Prätibiales Myxödem

Ursachen

- Jodmangelstruma
- Morbus Basedow
- Thyreoiditis
- Autonomes Adenom

Ressourcen

- Äußert Einsicht in die Pflegemaßnahme
- Erkennt die Vorboten und meldet sich zuverlässig

Pflegeziele

- Einer thyreotoxischen Krise ist vorgebeugt
- Vorboten der thyreotoxischen Krise sind rechtzeitig erkannt
- Ursachen für die Diarrhö sind erkannt
- Körpergewicht ist konstant

Pflegeinterventionen

Vorboten beobachten und dokumentieren
- Pflegeintervention konkretisieren
- Zeit angeben

Vitalzeichenkontrolle durchführen
- Überwachungsmonitor benutzen
  - » Überwachungsmonitor benutzen
  - » Pulsfrequenz/-qualität messen
  - » Blutdruckwert messen
  - » Atemfrequenz/-qualität messen
  - » Körpertemperatur messen
  - » Sauerstoffsättigung mit Oximeter überprüfen
- Vitalzeichenwerte manuell messen
  - » Pulsfrequenz/-qualität messen
  - » Blutdruckwert messen
  - » Atemfrequenz/-qualität messen
  - » Körpertemperatur messen
- Ort der Messung angeben
  - » Am rechten Arm messen
  - » Am linken Arm messen
  - » Am Finger messen
  - » Am Zeh messen
  - » Besonderheiten bei der Messung bestimmen

Stuhlausscheidung auf Veränderungen (Diarrhö) beobachten
- Pflegeintervention konkretisieren
- Zeit angeben

Körpergewicht kontrollieren
- Pflegeintervention konkretisieren
  - » BMI errechnen
  - » Körpergröße ermitteln
  - » Hautfaltendicke-Messung durchführen
  - » Sonstiges
- Gewicht kontrollieren
  - » Gewicht mit Sitzwaage kontrollieren
  - » Gewicht mit Sitzwaage kontrollieren (pflegerisch erforderlich)
  - » Gewicht mit Stehwaage kontrollieren
  - » Gewicht mit Lifterwaage kontrollieren

Sonstige Pflegemaßnahmen durchführen
- Maßnahmen konkretisieren
- Zeit angeben

Literaturhinweise: 95, 125, 126, 175, 176

Das Neugeborene hat das **Risiko einer neonatalen Hyperbilirubinämie**

Kennzeichen

- Postpartaler Gewichtsverlust ist größer 5-7 % des Geburtsgewichtes
- Das Kind bekommt zu wenig Muttermilch und äußert dies entsprechend den Möglichkeiten
- Das Neugeborene zeigt Anpassungsschwierigkeiten beim Übergang in die extrauterine Phase
- 1. bis 7. Lebenstag des Neugeborenen
- Verzögerte Passage des Mekoniums

Ursachen

- Vorliegen von Stillproblemen
- Neugeborenes einer diabetischen Mutter
- ABO-Inkompatibilität
- Rhesus-Inkompatibilität
- Unreife des Gastrointestinaltraktes
- Unreife der Gallenwege/Leberfunktion
- Dehydration des Neugeborenen
- Neugeborenes asiatischer Herkunft
- Infektion

Ressourcen

- Stellt viele Fragen und möchte mehr Informationen
- Möchte alles "richtig" machen
- Angehöriger/Bezugsperson traut sich die Versorgung des Neugeborenen zu
- Kann die Hintergründe für die Intervention erklären
- Ist motiviert, die Pflegemaßnahme zu unterstützen und zeigt entsprechende Verhaltensweisen

Pflegeziele

- Risiko einer schweren neonatalen Hyperbilirubinämie ist eingeschätzt
- Eltern/Bezugspersonen kennen die Anzeichen und Präventivmaßnahmen einer neonatalen Gelbsucht
- Effektives Saugen an der Brust ist sichergestellt
- Starke Mutter-Kind-Bindung
- Wohlbefinden für Mutter und Kind ist gesteigert
- Der Säugling nimmt zu und gedeiht
- Das Geburtsgewicht ist nach 2-3 Wochen nach der Entbindung wieder erreicht

Pflegeinterventionen

Ermittlung und Bewertung des Bilirubinspiegels in Abhängigkeit vom Gestationsalter
- Pflegeintervention konkretisieren
- Zeit angeben

Präventivmaßnahmen einer neonatalen Gelbsucht mit den Eltern besprechen
- Gesprächsinhalt
  - » Symptome der Neugeborenengelbsucht
  - » Ursachen der Neugeborenengelbsucht
  - » Maßnahmen zur Vorbeugung einer Neugeborenengelbsucht (z. B. effektives Stillen, an der frischen Luft in der Sonne aufhalten)
- Zeit angeben

Mutter beim Stillen unterstützen/anleiten
- Pflegeintervention konkretisieren
  - » Zu entspannter und korrekter Stillhaltung anleiten
  - » Bei der Einnahme geeigneter Stillpositionen unterstützen
  - » Beobachtungsfähigkeit bezüglich Stresszeichen beim Saugvorgang schulen
  - » Mit der Mutter den besten Weg zur Stimulierung des effektiven Saugens herausfinden
  - » Milchspendereflex auslösen
  - » Kontinuierlich motivieren und anleiten
- Hilfsmittel einsetzen
- Zeit angeben

Systematische Einschätzung der Nahrungszufuhr des Säuglings
- Pflegeintervention konkretisieren
  - » Säugling vor und nach dem Stillen wiegen und Trinkmenge ermitteln
  - » Indikation einer Zufütterung prüfen und bei Bedarf festlegen
  - » Mutter anleiten, die Stillprobe durchzuführen und einzuschätzen

Sonstige Pflegemaßnahmen durchführen
- Maßnahmen konkretisieren
- Zeit angeben

Literaturhinweise: 1086, 1087, 1088, 1089, 1090, 1091, 1092, 1093, 1094, 1095, 1096, 1097, 1098

ENP - Praxis » Fortpflanzung

Die Patientin hat **vaginale Blutungen während der Schwangerschaft**, es besteht ein **Risiko von Komplikationen für Mutter und Kind**

Kennzeichen

- Leichte vaginale Blutungen
- Stärkere vaginale Blutungen
- Starke vaginale Blutungen
- Intermittierende Blutungen
- Hellrote Blutungen
- Ohne Uteruskontraktionen
- Leichte Wehen
- Starke Wehen
- Herztöne des Embryos vorhanden
- Fehlende Herztöne des Embryos
- Hypotonie
- Schockzustand der Mutter

Ursachen

- Abortus imminens
- Abortus incipiens
- Abortus incompletus
- Placenta praevia
- Vorzeitige Plazentaablösung

Ressourcen

- Hat im sozialen Umfeld Unterstützung bei der Trauerarbeit
- Kann über Sorgen und Ängste sprechen
- Ist motiviert, die Pflegemaßnahme zu unterstützen und zeigt entsprechende Verhaltensweisen
- Akzeptiert die angeordnete Bettruhe

Pflegeziele

- Fehlgeburt ist verhindert
- Einer Infektion ist vorgebeugt bzw. sie ist rechtzeitig erkannt
- Komplikationen sind vorgebeugt

Pflegeinterventionen

Für Einhaltung der angeordneten Bettruhe sorgen
- Maßnahmen konkretisieren
  - » Absolute Bettruhe einhalten
  - » Gelockerte Bettruhe einhalten
  - » Nach sistierender Blutung langsam mobilisieren

Vitalzeichenkontrolle durchführen
- Überwachungsmonitor benutzen
  - » Überwachungsmonitor benutzen
  - » Pulsfrequenz/-qualität messen
  - » Blutdruckwert messen
  - » Atemfrequenz/-qualität messen
  - » Körpertemperatur messen
  - » Sauerstoffsättigung mit Oximeter überprüfen
- Vitalzeichenwerte manuell messen
  - » Pulsfrequenz/-qualität messen
  - » Blutdruckwert messen
  - » Atemfrequenz/-qualität messen
  - » Körpertemperatur messen
- Ort der Messung angeben
  - » Am rechten Arm messen
  - » Am linken Arm messen
  - » Am Finger messen
  - » Am Zeh messen
  - » Besonderheiten bei der Messung bestimmen

Auf Infektionszeichen beobachten
- Pflegeintervention konkretisieren
  - » Temperatur kontrollieren
- Messmethode auswählen
  - » Messort rektal
  - » Messort sublingual
  - » Messort axillar
  - » Messort Ohr
- Temperatur kontrollieren
  - » In der Fieberkurve
  - » Im Pflegeplan dokumentieren

Vaginale Blutung beobachten
- Pflegeintervention konkretisieren
- Zeit angeben

Sonstige Pflegemaßnahmen durchführen
- Maßnahmen konkretisieren
- Zeit angeben

Literaturhinweise: 68, 95, 125, 161, 175, 176

Die Patientin **entbindet**, es besteht das **Risiko von Komplikationen für Mutter und Kind**

Kennzeichen

- Vollständige Muttermundseröffnung
- Starke Wehen
- Starker Pressdrang
- Einschneiden des Kopfes
- Durchschneiden des Kopfes
- Auffälligkeiten der kindlichen Herztöne

Ursachen

- Erschöpfung der Mutter nach der Eröffnungsphase
- Durchblutungsstörungen der Plazenta
- Zusammenpressen der Nabelschnur
- Gebärmutter droht zu reißen
- Kopf des Kindes bleibt im Geburtskanal stecken
- Wehen bleiben nach der Eröffnungsphase aus
- Steißlage des Kindes
- Steiß-Fuß-Lage des Kindes
- Spätgeburt
- Mehrlingsgeburten
- Frühere Fehl- oder Frühgeburten
- Diabetes mellitus
- Herzerkrankung der Mutter

Ressourcen

- Verhält sich entsprechend der Anleitung und Anweisung

Pflegeziele

- Herztöne des Kindes sind eingeschätzt
- Komplikationen sind vorgebeugt
- Entbindung verläuft zügig und in möglichst entspannter Atmosphäre
- Sicherheit für Mutter und Kind ist sichergestellt
- Reifezeichen sind eingeschätzt
- Herz-Kreislauf-Situation ist kontinuierlich eingeschätzt
- Riss ist vorgebeugt

Pflegeinterventionen

Beim Geburtsvorgang unterstützen
- Pflegeintervention konkretisieren
- Anzahl Pflegepersonen angeben
- Zeit angeben

Während der Plazentarperiode unterstützen
- Pflegeintervention konkretisieren
- Anzahl Pflegepersonen angeben
- Zeit angeben

CTG-Kontrollen (CTG=Kardiotokographie) durchführen
- Maßnahmen konkretisieren
  - » CTG zur Überwachung von Wehentätigkeit und Herztönen anlegen
  - » CTG-Überwachungseinheit abbauen und entsprechende Nachsorge durchführen
  - » CTG-Werte im Rahmen der Überwachung einschätzen

Vaginale Untersuchungen durchführen
- Pflegeintervention konkretisieren
- Zeit angeben

Beim Positionswechsel unterstützen, wenn dies nicht gegen die Sicherheit von Mutter und Kind verstößt
- Pflegeintervention konkretisieren
- Zeit angeben

CTG (CTG=Kardiotokographie) anlegen bzw. abnehmen und entsprechend die Nachsorge durchführen
- Pflegeintervention konkretisieren
- Zeit angeben

Erstversorgung des Neugeborenen durchführen
- Pflegeintervention konkretisieren
  - » Fruchtwasser absaugen
  - » APGAR-Schema einschätzen
  - » Nabel versorgen
  - » Reinigungsbad durchführen
  - » Neugeborenes wiegen und messen
  - » Kopfumfang messen
  - » Körpertemperatur messen
  - » Konakiongabe durchführen
  - » Blut aus dem Nabel entnehmen
  - » Blut aus der Ferse entnehmen
  - » Kontaktaufnahme zur Mutter unterstützen
  - » U1-Untersuchung durchführen
- Vitalzeichenkontrolle durchführen
  - » Blutdruck messen
  - » Puls messen
  - » Körpertemperatur messen

Vitalzeichenkontrolle durchführen
- Überwachungsmonitor benutzen
  - » Überwachungsmonitor benutzen
  - » Pulsfrequenz/-qualität messen
  - » Blutdruckwert messen
  - » Atemfrequenz/-qualität messen
  - » Körpertemperatur messen
  - » Sauerstoffsättigung mit Oximeter überprüfen
- Vitalzeichenwerte manuell messen
  - » Pulsfrequenz/-qualität messen
  - » Blutdruckwert messen
  - » Atemfrequenz/-qualität messen
  - » Körpertemperatur messen
- Ort der Messung angeben
  - » Am rechten Arm messen
  - » Am linken Arm messen
  - » Am Finger messen
  - » Am Zeh messen
  - » Besonderheiten bei der Messung bestimmen

Dem Arzt bei der Naht assistieren
- Maßnahmen konkretisieren
- Zeit angeben

Dammschutz während der Austreibungsphase durchführen
- Maßnahmen konkretisieren

- Zeitdauer angeben

Sonstige Pflegemaßnahmen durchführen
- Maßnahmen konkretisieren
- Zeit angeben

Literaturhinweise: 79

Die Patientin hat aufgrund **vorzeitiger Wehenaktivität** das **Risiko der Frühgeburt/des Aborts**

Kennzeichen

- Uterus ist/wird hart
- Wehenaktivität ist auf dem CTG nachweisbar
- Die Betroffene beschreibt einen Wehenschmerz

Ursachen

- Überforderung der Mutter
- Schwangerschaftsinduzierte Hypertonie
- Infektion
- Vorzeitige Öffnung des Muttermunds
- Uterusfehlbildung

Ressourcen

- Akzeptiert die angeordnete Bettruhe
- Erkennt die Notwendigkeit der getroffenen Intervention und kooperiert mit dem therapeutischen Team

Pflegeziele

- Unterstützt die Therapie
- Spannungen und Ängste sind reduziert
- Körperliche Anstrengung und Anspannung sind reduziert
- Herz-Kreislauf-Situation ist kontinuierlich eingeschätzt
- Herztöne des Kindes sind eingeschätzt
- Komplikationen sind vorgebeugt
- Nebenwirkungen und Komplikationen sind erkannt und richtig eingeschätzt
- Entbindung erfolgt termingerecht

Pflegeinterventionen

Bettruhe laut Arztanordnung einhalten
- Pflegeintervention konkretisieren
- Zeit angeben

Pflegefachgespräche führen
- Gesprächsinhalt
- Zeitdauer angeben

Bei der Körperpflege unterstützen
- Pflegeintervention konkretisieren
  - » GW im Bett durchführen
  - » TW Oberkörper im Bett
  - » TW Unterkörper im Bett
- Bei der Körperwaschung helfen
  - » Beaufsichtigen
  - » Teilweise übernehmen
  - » Vollständig übernehmen
  - » Durch Unterstützen helfen
- Besonderheiten beachten

Bei der Ausscheidung unterstützen
- Pflegeintervention konkretisieren
  - » Urinflasche verwenden
  - » Steckbecken verwenden
  - » Beim Benutzen des Nachtstuhls unterstützen
  - » Zur Toilette begleiten
- Art der Unterstützungsleistung angeben
  - » Beaufsichtigen
  - » Teilweise übernehmen
  - » Vollständig übernehmen
  - » Durch Unterstützen helfen
  - » Urinflasche/Bettpfanne nach jeder Miktion leeren

Vitalzeichen beobachten
- Überwachungsmonitor benutzen
  - » Überwachungsmonitor benutzen
  - » Pulsfrequenz/-qualität messen
  - » Blutdruckwert messen
  - » Atemfrequenz/-qualität messen
  - » Körpertemperatur messen
  - » Sauerstoffsättigung mit Oximeter überprüfen
- Vitalzeichenwerte manuell messen
  - » Pulsfrequenz/-qualität messen
  - » Blutdruckwert messen
  - » Atemfrequenz/-qualität messen
  - » Körpertemperatur messen

- Ort der Messung angeben
  - » Am rechten Arm messen
  - » Am linken Arm messen
  - » Am Finger messen
  - » Am Zeh messen
  - » Besonderheiten bei der Messung bestimmen

CTG-Kontrollen (CTG=Kardiotokographie) durchführen
- Maßnahmen konkretisieren
  - » CTG zur Überwachung von Wehentätigkeit und Herztönen anlegen
  - » CTG-Überwachungseinheit abbauen und entsprechende Nachsorge durchführen
  - » CTG-Werte im Rahmen der Überwachung einschätzen

Leichte Beckenhochlage durch Veränderung der Bettebene herstellen
- Pflegeintervention konkretisieren
- Zeit angeben

Zervix und Muttermund sowie Vaginalsekret beurteilen
- Pflegeintervention konkretisieren
- Zeit angeben

Bei der Tokolysetherapie laut Arztanordnung unterstützen
- Maßnahmen konkretisieren
  - » Orale Tokolytika vorbereiten und verabreichen
  - » Intravenöse Tokolytika vorbereiten
  - » Intravenöse Tokolytika verabreichen
  - » Tokolytika vorbereiten und über Infusionspumpe verabreichen
  - » Infusionspumpe auf-/abbauen
- Auf Nebenwirkungen überwachen
  - » Herzfrequenz überwachen
  - » Herzrhythmusstörungen überwachen

Sonstige Pflegemaßnahmen durchführen
- Maßnahmen konkretisieren
- Zeit angeben

Literaturhinweise: 68, 79, 95, 161, 175, 176, 212

Die Patientin **nimmt die Antibabypille unregelmäßig ein**, es besteht das **Risiko einer ungewollten Schwangerschaft**

Kennzeichen

- Vergisst, die Antibabypille einzunehmen

Ursachen

- Innere Abwehrhaltung
- Fehlende Einsicht
- Eingeschränkte kognitive Fähigkeiten

Ressourcen

- Akzeptiert die Unterstützung
- Akzeptiert die Unterstützung von Angehörigen

Pflegeziele

- Kennt die Gefahren der Antibabypille und ist über andere Verhütungsmöglichkeiten aufgeklärt
- Ist bereit, sich über andere Verhütungsmethoden zu informieren

Pflegeinterventionen

Pflegefachgespräche über die Pille und damit verbundene Gefahren sowie alternative Verhütungsmöglichkeiten führen
- Gesprächsinhalt
- Zeit angeben

Sonstige Pflegemaßnahmen durchführen
- Maßnahmen konkretisieren
- Zeit angeben

Literaturhinweise: 68, 95, 125, 175, 176

Die Patientin kennt die **Temperaturmessmethoden zur Ermittlung des Zyklus** nicht, es besteht das **Risiko einer ungewollten Schwangerschaft**

Kennzeichen

- Zeigt Verhaltensweisen/macht Äußerungen, die auf ein Wissensdefizit hinweisen
- Äußert Unsicherheit

Ursachen

- Wissensdefizit

Ressourcen

- Zeigt Lernbereitschaft und ist interessiert

Pflegeziele

- Ermittlung des Zyklus ist gewährleistet
- Wissensdefizit ist aufgehoben
- Fehlerquellen sind reduziert

Pflegeinterventionen

Beim Eintragen der morgendlichen Temperaturmesswerte in die Kurve zur Ermittlung von fruchtbaren Zyklustagen unterstützen
- Pflegeintervention konkretisieren
- Zeit angeben

Beratungsgespräch über die Temperaturmessmethode zur Verhütung führen
- Gesprächsinhalt
- Zeit angeben

Sonstige Pflegemaßnahmen durchführen
- Maßnahmen konkretisieren
- Zeit angeben

Literaturhinweise: 68, 95, 125, 161, 175, 176

Der Patient **kann über Probleme im Sexualleben nicht sprechen**, es besteht ein **unbefriedigendes Sexualleben**

Kennzeichen

- Spricht nicht über das Sexualleben, obwohl ein veränderter Gesundheitszustand zu einer Veränderung der Sexualpraktiken führt
- Weicht bei Themen, die die Sexualität betreffen, aus

Ursachen

- Schämt sich, über Sexualprobleme zu sprechen
- Verdrängung des Problems
- Sexualfeindliche/s Erziehung/Umfeld

Ressourcen

- Kann Vertrauen zum Pflegepersonal aufbauen

Pflegeziele

- Spricht über Probleme und findet Lösungswege

Pflegeinterventionen

Klientenzentriertes Gespräch über Sexualverhalten und Sexualleben führen
- Gesprächsinhalt
- Zeit angeben
- Beteiligte Personen angeben
  - » Betroffene Person
  - » Angehöriger/Bezugsperson
  - » Betreuer
  - » Eltern
  - » Sonstige Personen
- Durchführende Person angeben
  - » Bezugspflegeperson

- » Pflegeperson
- » Spezialtherapeuten
- » Physiotherapeuten

Gynäkologen/Urologen einschalten
- Pflegeintervention konkretisieren
- Zeit angeben

Sonstige Pflegemaßnahmen durchführen
- Maßnahmen konkretisieren
- Zeit angeben

Literaturhinweise: 47, 95, 125, 175, 176

Der Patient hat aufgrund einer **Orgasmusstörung** ein **unbefriedigendes Sexualleben**

Kennzeichen

- Berichtet über fehlenden Orgasmus beim Sexualverkehr
- Ausbleiben des Orgasmus (Anorgasmie)
- Ausbleiben des Samenergusses (Anejakulation)
- Beschreibt beim Orgasmus ein fehlendes Lustgefühl

Ursachen

- Medikamenteneinwirkung
- Psychische Ursache
- Steht unter starker Anspannung/Stress
- Körperliche Einschränkung
- Veränderte Sexualpraktiken des Partners
- Partnerschaftsprobleme
- Sexualfeindliche/s Erziehung/Umfeld

Ressourcen

- Kann mit dem Sexualpartner darüber sprechen

Pflegeziele

- Kennt die Ursache für die Störungen
- Lernt, anders mit dem Problem umzugehen und erreicht Zufriedenheit
- Ursachen sind erkannt
- Ausmaß und Ursache der Funktionseinschränkung sind erkannt
- Erfülltes Sexualleben

Pflegeinterventionen

Professionelle Kontakte zur Lösung von Beziehungsschwierigkeiten mit dem Sexualpartner vermitteln
- Maßnahmen konkretisieren
  - » Partnergespräche mit dem Psychologen führen
  - » Eheberatungsstelle aufsuchen
  - » Terminplanung durchführen

Termine mit dem Urologen/Gynäkologen vereinbaren, um körperliche Ursachen abzuklären
- Pflegeintervention konkretisieren
- Zeit angeben

Penisschwellung (Tumeszenz) während der REM-Schlafphase zur Einschätzung von körperlichen Ursachen für die Orgasmusstörungen beobachten
- Pflegeintervention konkretisieren
- Zeit angeben

Pflegefachgespräch über die sexuelle Funktionsstörung führen
- Gesprächsinhalt konkretisieren
  - » Mögliche psychologische Ursachen abklären
  - » Mögliche organische Ursachen abklären
  - » Beziehungsprobleme analysieren
- Zeit angeben

Sonstige Pflegemaßnahmen durchführen
- Maßnahmen konkretisieren
- Zeit angeben

Literaturhinweise: 68, 95, 125, 175, 176

Der Patient ist mit seinem **Sexualleben unzufrieden**

Kennzeichen

- Berichtet über Libidoverlust
- Beschreibt eine Beeinträchtigung der sexuellen Reaktionen
- Veränderungen (körperlich, psychisch) führen zu einer unbefriedigenden Sexualität
- Berichtet über einen moralischen Konflikt im Zusammenhang mit Sexualität
- Berichtet darüber, sich selbst nicht mehr attraktiv zu finden

Ursachen

- Medikamenteneinwirkung
- Verändertes Körperschema
- Veränderte Sexualpraktiken des Partners
- Chronische körperliche Erkrankung
- Einseitige körperliche Belastung
- Impotenz
- Frigidität
- Frühzeitige Ejakulation
- Fehlende Privatsphäre
- Unverarbeitete Missbrauchs-/Vergewaltigungserlebnisse
- Angst vor einer ungewollten Schwangerschaft
- Neurologische Erkrankung
- Beeinträchtigtes Körperbild
- Scham bei Anus Praeter
- Scham bei Inkontinenz
- Schamgefühl und Angst
- Depressive Verstimmung
- Psychische Erkrankung
- Psychischer Stress

Ressourcen

- Äußert konkrete Wünsche und Bedürfnisse

Pflegeziele

- Beziehungsprobleme werden angesprochen und gemeinsam Lösungswege zur Behebung gesucht
- Baut ein Vertrauensverhältnis zum Gesprächspartner auf
- Spricht die Bezugsperson bei Problemen selbstständig an
- Bespricht die Schwierigkeiten und Unzufriedenheiten im Sexualleben mit dem Partner und entwickelt Lösungsmöglichkeiten
- Erfülltes Sexualleben

Pflegeinterventionen

Einen Termin mit der Partner-/Eheberatung vermitteln
- Pflegeintervention konkretisieren
- Zeit angeben

Bezugsperson festlegen
- Pflegeintervention konkretisieren
- Zeit angeben

Gespräche mit dem Sexualpartner zur Aussprache der Schwierigkeiten und zur Problemlösung moderieren
- Gesprächsinhalt
- Zeit angeben
- Beteiligte Personen angeben
  - » Betroffene Person
  - » Angehöriger/Bezugsperson
  - » Betreuer
  - » Eltern
  - » Sonstige Personen
- Durchführende Person angeben
  - » Bezugspflegeperson
  - » Pflegeperson
  - » Spezialtherapeuten
  - » Physiotherapeuten

Pflegefachgespräch über die sexuelle Funktionsstörung führen
- Gesprächsinhalt konkretisieren
  - » Mögliche psychologische Ursachen abklären
  - » Mögliche organische Ursachen abklären
  - » Beziehungsprobleme analysieren
- Zeit angeben

Sonstige Pflegemaßnahmen durchführen
- Maßnahmen konkretisieren
- Zeit angeben

Literaturhinweise: 47, 95, 125, 175, 176, 1031

Inhaltsverzeichnis

Der Patient hat das **Risiko einer unphysiologischen Körpertemperatur**

Kennzeichen

- Kann sich nicht um angemessene Kleidung kümmern
- Erkennt die Gefahr der Unterkühlung beim Aufenthalt im Freien nicht
- Verändertes Kälteempfinden

Ursachen

- Zentraler Venenkatheter
- Operativer Eingriff
- Blasendauerkatheter
- Suprapubischer Blasenkatheter
- Drainage
- Wunde
- Immunabwehrschwäche
- Altersbedingte Ursachen
- Beeinträchtigung der Wärmeregulation
- Umgebungstemperatur
- Frühgeborene Kinder
- Situative Desorientierung
- Eingeschränkte Selbstfürsorgekompetenz
- Untergewicht
- Flüssigkeitsdefizit/Dehydratation/ Exsikkose
- Fehlende Fähigkeit des Kältezitterns

Ressourcen

- Erkennt Veränderungen der Körpertemperatur und meldet sich
- Akzeptiert die Körpertemperaturmessungen
- Kennt die Schutz- und Hygienemaßnahmen und hält sie ein
- Ist motiviert, die Pflegemaßnahme zu unterstützen und zeigt entsprechende Verhaltensweisen

Pflegeziele

- Einer Infektion ist vorgebeugt bzw. sie ist rechtzeitig erkannt
- Körpertemperaturverlauf ist dokumentiert
- Gefahr der Hyperthermie ist rechtzeitig erkannt
- Herz-Kreislauf-Situation ist kontinuierlich eingeschätzt
- Körpertemperatur ist konstant
- Inkubatortemperatur ist eingeschätzt und entspricht den Vorgaben
- Körpertemperatur ist konstant
- Konstantes Umgebungsmilieu ist sichergestellt
- Einer Unterkühlung ist vorgebeugt
- Körpertemperatur liegt im Normbereich

Pflegeinterventionen

Temperaturkontrollen durchführen

- Messmethode auswählen
  - » Messort rektal
  - » Messort sublingual
  - » Messort axillar
  - » Messort Ohr
  - » Kontaktlose Stirntemperaturmessung mit Infrarottechnologie
- Dokumentationsort der Messwerte bestimmen
  - » In der Fieberkurve dokumentieren
  - » Messwerte in den Pflegeplan eintragen
  - » Messwerte in das Überwachungsprotokoll eintragen
- Thermometer wieder aufbereiten
  - » Schutzhüllen entsorgen, Schmutz abwischen und in Desinfektionslösung nach Plan einlegen
  - » Trocken gelagertes, im Zimmer verbleibendes Thermometer alle drei Tage desinfizieren

Monitoring der Körpertemperatur mit Messsonde durchführen, Temperaturverlauf beobachten und dokumentieren

- Pflegeintervention konkretisieren
- Zeit angeben

Vitalzeichenkontrolle durchführen

- Überwachungsmonitor benutzen
  - » Überwachungsmonitor benutzen
  - » Pulsfrequenz/-qualität messen
  - » Blutdruckwert messen
  - » Atemfrequenz/-qualität messen
  - » Körpertemperatur messen
  - » Sauerstoffsättigung mit Oximeter überprüfen
- Vitalzeichenwerte manuell messen
  - » Pulsfrequenz/-qualität messen
  - » Blutdruckwert messen
  - » Atemfrequenz/-qualität messen
  - » Körpertemperatur messen
- Ort der Messung angeben
  - » Am rechten Arm messen
  - » Am linken Arm messen
  - » Am Finger messen
  - » Am Zeh messen
  - » Besonderheiten bei der Messung bestimmen

Monitoring der Hauttemperatur zur Überwachung der Inkubatortemperatur durchführen

- Pflegeintervention konkretisieren
- Zeit angeben

Wärmeeinheit aufbauen und Funktionsfähigkeit überwachen

- Pflegeintervention konkretisieren
  - » Inkubator aufbauen
  - » Wärmebetteinheit aufbauen
  - » Vom Inkubator in eine Wärmebetteinheit umbetten
  - » Funktionsfähigkeit des Spezialliegeplatzes überwachen

Für angemessene Kleidung sorgen

- Pflegeintervention konkretisieren
- Zeit angeben

In das Wärmebettchen legen

- Pflegeintervention konkretisieren
- Zeit angeben

Im Inkubator/in der Isolette versorgen

- Pflegeintervention konkretisieren
  - » Säugling im Inkubator/in der Isolette waschen
  - » Inkubatortemperatur mit der Hauttemperatur abgleichen

Sonstige Pflegemaßnahmen durchführen
- Maßnahmen konkretisieren
- Zeit angeben

Literaturhinweise: 51, 80, 87, 95, 113, 125, 126, 140, 175, 176

Der Patient hat aufgrund einer **ungenügenden Wärmeregulation mit Schwankungen von Hypothermie und Hyperthermie** das Risiko von Komplikationen

Kennzeichen

- Körpertemperaturschwankungen zwischen Hyper- und Hypothermie
- Äußert Kältegefühl
- Äußert Hitzegefühl
- Äußert Kopfschmerzen
- Bewusstseinsstörung
- Blässe der Haut
- Erhöhte Atemfrequenz
- Fieberkrämpfe
- Gänsehaut (Piloerektion)
- Gerötete Hautstellen
- Gliederschmerzen
- Kältezittern
- Anzeichen körperlicher Schwäche
- Kühle Haut
- Minderdurchblutete, zyanotische Extremitäten
- Müdigkeit, möchte schlafen
- Reduzierte Reflexe
- Schläfrigkeit
- Schüttelfrost
- Tachykardie
- Verlangsamter Puls
- Verwirrung
- Zunehmende Muskelstarre/Steifigkeit

Ursachen

- Hirnödem
- Zerebraler vaskulärer Insult
- Intrakranielle Operation
- Intrakranielle Kopfverletzung
- Frühgeburt
- Unreifes Neugeborenes
- Erworbene Hirnschädigung
- Angeborene Hirnschädigung

Ressourcen

- Akzeptiert die Körpertemperaturmessungen
- Ist motiviert, die Pflegemaßnahme zu unterstützen und zeigt entsprechende Verhaltensweisen

Pflegeziele

- Abweichungen von der normalen Körpertemperatur sind erfasst
- Herz-Kreislauf-Situation ist kontinuierlich eingeschätzt
- Körpertemperatur liegt im Normbereich

Pflegeinterventionen

Temperaturkontrolle durchführen
- Messmethode auswählen
  - » Messort rektal
  - » Messort sublingual
  - » Messort axillar
  - » Messort Ohr
  - » Kontaktlose Stirntemperaturmessung mit Infrarottechnologie
- Dokumentationsort der Messwerte bestimmen
  - » In der Fieberkurve dokumentieren
  - » Messwerte in den Pflegeplan eintragen
  - » Messwerte in das Überwachungsprotokoll eintragen
- Thermometer wieder aufbereiten
  - » Schutzhüllen entsorgen, Schmutz abwischen und in Desinfektionslösung nach Plan einlegen
  - » Trocken gelagertes, im Zimmer verbleibendes Thermometer alle drei Tage desinfizieren

Vitalzeichenkontrolle durchführen
- Überwachungsmonitor benutzen
  - » Überwachungsmonitor benutzen
  - » Pulsfrequenz/-qualität messen
  - » Blutdruckwert messen
  - » Atemfrequenz/-qualität messen
  - » Körpertemperatur messen
  - » Sauerstoffsättigung mit Oximeter über-

prüfen
- Vitalzeichenwerte manuell messen
  - » Pulsfrequenz/-qualität messen
  - » Blutdruckwert messen
  - » Atemfrequenz/-qualität messen
  - » Körpertemperatur messen
- Ort der Messung angeben
  - » Am rechten Arm messen
  - » Am linken Arm messen
  - » Am Finger messen
  - » Am Zeh messen
  - » Besonderheiten bei der Messung bestimmen

Wärme zuführende Maßnahmen ergreifen
- Pflegeintervention konkretisieren
  - » Zusätzliche Decken benutzen
  - » Wärmflasche auflegen
  - » Heizkissen benutzen
  - » Heiße Getränke anbieten
  - » Zimmertemperatur erhöhen
  - » Auf Wärmematte lagern
  - » Wärmelampe einsetzen
  - » Heizstrahler einsetzen
  - » Inkubator verwenden
  - » Wärmebett verwenden

Wärme reduzierende Maßnahmen ergreifen
- Kälteanwendung durchführen
  - » Kühle Getränke anbieten
  - » Wadenwickel einsetzen
  - » Kühle Waschung vornehmen
- Notfallmaßnahmen bei hohen Temperaturen ergreifen
  - » Eisbeutel in die Leisten legen
  - » Kühlelemente in die Leisten legen
  - » Kühlmatte einsetzen

Sonstige Pflegemaßnahmen durchführen
- Maßnahmen konkretisieren
- Zeit angeben

Literaturhinweise: 51, 68, 95, 113, 125, 126, 140, 151, 175, 176

Inhaltsverzeichnis

Der Patient hat Schmerzen des Bewegungsapparates

Kennzeichen

- Beschreibt Muskelschmerzen
- Beschreibt Rückenschmerzen
- Beschreibt Knochenschmerzen
- Berichtet über Schmerzen
- Schmerzverzerrtes Gesicht
- Schonhaltung
- Äußert Schmerzen
- Stöhnt/weint/jammert
- Unruhezustände
- Erhöhte Reizbarkeit
- Gereiztheit
- Sichtbare körperliche Anspannung
- Erhöhter Muskeltonus
- Beschreibt immer wiederkehrende Schmerzen
- Beschreibt Schmerzzustände seit einem Zeitraum von 3 Monaten
- Beschreibt Schmerzzustände seit einem Zeitraum von 6 Monaten
- Stimmungsschwankungen
- Veränderter Schlafrhythmus
- Steife, vorsichtige Bewegungen
- Beeinträchtigter Aktivitätslevel
- Muskelathrophie betroffener Regionen durch Schonhaltung
- Gewichtsabnahme

Ursachen

- Muskelfaserriss
- Operativer Eingriff im Bereich des Bewegungsapparats
- Muskelverspannung
- Knochenbruch (Fraktur)
- Prellung
- Chronische Erkrankung des Bewegungsapparats
- Rheumatische Arthritis
- Bandscheibenoperation
- Bandscheibenvorfall

Ressourcen

- Äußert Schmerzzustände und kann diese beschreiben
- Kennt Verhaltensweisen, die schmerzlindernd wirken
- Kann Schmerzeinschätzung dokumentieren
- Unterstützt die Schmerztherapie
- Akzeptiert die Unterstützung
- Akzeptiert die Unterstützung von Angehörigen

Pflegeziele

- Schmerzintensität ist eingeschätzt
- Systematische, zeitnahe Schmerzerfassung, einschließlich beeinflussender Faktoren, ist gewährleistet
- Kann die im Beratungsgespräch besprochenen Aspekte des Schmerzmanagements anwenden
- Hat Schmerzen, die nicht mehr als 3 von 10 Punkten der Numerischen Rangskala betragen
- Nimmt die Schmerzmedikamente konsequent und zeitnah lt. Arztanordnung ein
- Entzündungsprozesse sind durch die physikalische Therapie gehemmt
- Ist schmerzfrei
- Interventionen werden schmerzfrei durchgeführt
- Die Bandscheibe kann sich regenerieren, Wirbelsäule ist entlastet
- Ruhe wird erzeugt, Erregung abgebaut
- Stabilisierung/Fixierung ist gewährleistet
- Ruhigstellung ist sichergestellt
- Entlastung ist sichergestellt
- Fehlstellung ist korrigiert
- Unterstützende Funktionsübernahme ist gewährleistet
- Definierte Muskelgruppe ist gekräftigt

Pflegeinterventionen

Schmerzintensität mithilfe einer Schmerzskala ermitteln
- Pflegeintervention konkretisieren
- Zeit angeben

Schmerz, beeinflussende Faktoren und Auswirkungen beobachten und mittels Schmerzverlaufsprotokoll einschätzen
- Pflegeintervention konkretisieren
- Zeit angeben

Beratungsgespräch zum Schmerzmanagement durchführen
- Gesprächsinhalt
  - » Ziele des Schmerzmanagements
  - » Behandlungsmöglichkeiten
  - » Grenzen des Schmerzmanagements
  - » Korrekte Einnahme der Schmerzmedikation
  - » Nicht-medikamentöse Behandlungsalternativen zur Schmerzreduktion
  - » Schmerzreduzierende Bewegungsabläufe
  - » Auftreten, Vorbeugen und Behandeln von Nebenwirkungen
- Zeit angeben

Analgetika, entsprechend der ärztlichen Anordnung, nach dem vorgegebenen Zeitschema verabreichen
- Angeordnete Schmerztherapie
  - » Schmerzmedikation über Spritzenpumpe lt. Arzt verabreichen
  - » Schmerzmedikation lt. Therapieplan über s. c. Injektion verabreichen
  - » Schmerzmedikation lt. Therapieplan über i. m. Injektion verabreichen
  - » Orale Schmerzmedikation lt. Therapieplan verabreichen
  - » Schmerztherapie mit Zäpfchen lt. Therapieplan durchführen
  - » Schmerzpflaster lt. Arztanordnung anbringen
  - » Schmerzmedikation lt. Therapieplan über i. v. Injektion verabreichen
- Bedarfsmedikation lt. Arzt verabreichen
  - » Schmerzen, bei denen die Bedarfsmedikation verabreicht werden darf, beschreiben

Feuchtheiße Wickel oder Kartoffelauflage einsetzen
- Pflegeintervention konkretisieren
- Zeit angeben

Heublumensäckchen als Gelenkauflage anbieten
- Pflegeintervention konkretisieren
- Zeit angeben

Fangopackung oder -kompresse einsetzen
- Pflegeintervention konkretisieren
- Zeit angeben

Kälteanwendung durchführen
- Pflegeintervention konkretisieren
  - » Eisbeutel auflegen
  - » Kühlelement auflegen
  - » Kalte Kompresse/Auflage anwenden

Rotlichtbestrahlung der betroffenen Regionen des Bewegungsapparats durchführen
- Pflegeintervention konkretisieren
- Zeit angeben

Präventive Schmerzmedikation, ca. 45 Minuten vor schmerzauslösenden Interventionen, verabreichen
- Pflegeintervention konkretisieren
- Zeit angeben

Liegen in der Stufenbettlage ermöglichen
- Pflegeintervention konkretisieren
- Zeit angeben

Imaginationsübungen durchführen
- Imaginationsübung
  - » Der sichere Ort
  - » Die inneren Helfer
  - » Der Tresor/Safe
  - » Die Baumübung
  - » Der innere Garten
  - » Lichtstromübung
- Einrichtungsspezifische Aktivität wählen
- Zeit angeben

Beim An-/Ablegen der Orthese unterstützen
- Art der Orthese
  - » Handgelenk-Orthese
  - » Ellenbogen-Orthese
  - » Ober- und Unterarm-Orthese
  - » Unterarm-Orthese
  - » Knie-Orthese
  - » Fußgelenk-Orthese
  - » Schulter-Orthese
  - » Rumpf-Orthese
  - » LWS-Orthese
  - » Hüft-Bein-Orthese
  - » Becken-Orthese
- Unterstützungsgrad angeben
  - » Teilweise übernehmen
  - » Vollständig übernehmen
  - » Anleiten
- Zeit angeben

Sonstige Pflegemaßnahmen durchführen
- Maßnahmen konkretisieren
- Zeit angeben

Literaturhinweise: 59, 95, 120, 141, 151, 158, 175, 176, 223, 322, 361, 476, 477, 478, 479, 480, 481, 485, 486, 491

Der Patient hat **Gelenkschmerzen** mit **Anlaufschmerz**

Kennzeichen

- Äußert Schmerzen
- Berichtet über Schmerzen
- Erhöhte Reizbarkeit
- Schmerzen sind von kurzer Dauer
- Unruhezustände
- Stöhnt/weint/jammert
- Sichtbare Gelenkveränderung
- Schmerzverzerrtes Gesicht
- Beschreibt einen Ermüdungsschmerz
- Beschreibt Beschwerden beim Gehen/nach einer gewissen Gehstrecke im Knie/in der Hüfte
- Beschreibt Schmerzen im Knie beim In-die-Hocke-gehen
- Beschreibt Schmerzen bei seltenen Bewegungsrichtungen/-mustern
- Beschreibt ein fühlbares Reiben/Knarren in den betroffenen Gelenken
- Bewegungseinschränkung aufgrund von Schmerzen
- Berichtet über Schmerzen beim ersten Schritt/der ersten Bewegung nach einer Ruhephase
- Beschreibt immer wiederkehrende Schmerzen
- Beschreibt Schmerzzustände seit einem Zeitraum von 3 Monaten
- Beschreibt Schmerzzustände seit einem Zeitraum von 6 Monaten
- Steife, vorsichtige Bewegungen

Ursachen

- Arthrose
- Degenerative Gelenkveränderung

Ressourcen

- Zeigt Verhaltensweisen, die die Therapie unterstützen
- Erkennt die Notwendigkeit der Bewegungs-

übungen
- Äußert Schmerzzustände und kann diese beschreiben
- Akzeptiert die Unterstützung
- Akzeptiert die Unterstützung von Angehörigen

Pflegeziele

- Schmerztherapie ist optimiert
- Schmerzintensität ist eingeschätzt
- Systematische, zeitnahe Schmerzerfassung, einschließlich beeinflussender Faktoren, ist gewährleistet
- Führt Schmerzeinschätzung selbstständig durch
- Aktivitäten des täglichen Lebens werden bewältigt
- Benutzt auf wirksame Weise Hilfsmittel/Prothesen
- Setzt ausgewählte Hilfsmittel zur Körperpflege ein und erreicht dadurch einen höheren Selbstständigkeitsgrad
- Kennt Bewegungsübungen, die sich positiv auf die Gelenkschmerzen auswirken, und wendet sie täglich an
- Interventionen werden schmerzfrei durchgeführt
- Schmerzen sind reduziert
- Entzündungsprozesse sind durch die physikalische Therapie gehemmt
- Ist schmerzfrei
- Hat Schmerzen, die nicht mehr als 3 von 10 Punkten der Numerischen Rangskala betragen

Pflegeinterventionen

Schmerzbiografie erheben
- Pflegeintervention konkretisieren
- Zeit angeben

Schmerz, beeinflussende Faktoren und Auswirkungen beobachten und mittels Schmerzverlaufsprotokoll einschätzen
- Pflegeintervention konkretisieren
- Zeit angeben

Zur Selbstbeobachtung und Dokumentation der Schmerzsituation mittels Schmerzskala anleiten
- Pflegeintervention konkretisieren
- Zeit angeben

Hilfsmittel zur Alltagsbewältigung gezielt auswählen
- Hilfsmittel einsetzen
  - » Kamm mit Verlängerungsstiel benutzen
  - » Gehhilfen gezielt einsetzen
  - » Strumpfanzieher verwenden

Zum Hilfsmitteleinsatz anleiten
- Pflegeintervention konkretisieren
- Zeit angeben

Bewegungsübungen durchführen
- Assistive Bewegungsübungen durchführen
  - » Assistive Bewegungsübungen durchführen
  - » Handgelenk(e)
  - » Schultergelenk(e)
  - » Ellenbogengelenk(e)
  - » Hüftgelenk(e)
  - » Kniegelenk(e)
  - » Sprunggelenk(e)
- Passive Bewegungsübungen durchführen
  - » Passive Bewegungsübungen durchführen
  - » Handgelenk(e)
  - » Schultergelenk(e)
  - » Ellenbogengelenk(e)
  - » Hüftgelenk(e)
  - » Kniegelenk(e)
  - » Sprunggelenk(e)
- Aktive Bewegungsübungen durchführen
  - » Zu aktiven Bewegungsübungen anleiten
  - » Gehübungen durchführen
  - » Dehnungsübungen durchführen
- Durchführende Person(en) bestimmen
  - » Pflegeperson
  - » Physiotherapeut
  - » Ergotherapeut
- Zeit angeben

Präventive Schmerzmedikation, ca. 45 Minuten vor schmerzauslösenden Interventionen, verabreichen
- Pflegeintervention konkretisieren
- Zeit angeben

Bewegungs-/Aktivierungsmaßnahmen schonend/behutsam durchführen
- Pflegeintervention konkretisieren
- Zeit angeben

Kälteanwendung durchführen
- Pflegeintervention konkretisieren
  - » Eisbeutel auflegen
  - » Kühlelement auflegen
  - » Kalte Kompresse/Auflage anwenden

Wärmeanwendungen durchführen
- Wärmeanwendung
  - » Heizkissen verwenden
  - » Heizdecke verwenden
  - » Wärmflasche auflegen
  - » Warme Kataplasmen (Breiumschläge) einsetzen
  - » Warmes Roggenkissen einsetzen
  - » Heublumensäckchen einsetzen
  - » Rotlicht-Bestrahlung durchführen
- Feuchte Wärme zuführen
  - » Kartoffelauflage einsetzen
  - » Zitronenbrustwickel anwenden
  - » Leinsamensäckchen verwenden
  - » Senfmehlkompresse einsetzen

Sonstige Pflegemaßnahmen durchführen
- Maßnahmen konkretisieren
- Zeit angeben

Literaturhinweise: 95, 125, 141, 175, 176, 223, 322, 347, 361, 475, 476, 477, 478, 479, 480, 481, 485, 486

Der Patient hat **Gelenkschmerzen** mit **Funktions-/Bewegungseinschränkungen**

Kennzeichen

- Berichtet über Schmerzen
- Äußert Schmerzen
- Erhöhte Reizbarkeit
- Unruhezustände
- Stimmungsschwankungen
- Asymmetrischer Befall der Gelenke
- Symmetrischer Befall der Gelenke
- Veränderter Schlafrhythmus
- Schmerzen im Hüftgelenk
- Schmerzen im Kniegelenk
- Schmerzen im Fingergelenk
- Schmerzen im Sprunggelenk
- Schmerzen im Schultergelenk
- Schmerzen im Ellenbogengelenk
- Schmerzen im Gelenk der Großzehe
- BewegungsschmerzRuheschmerz
- Beschreibt Ruhe-/Nachtschmerz
- Bewegungseinschränkung aufgrund von Schmerzen
- Versteifung
- Beschreibt immer wiederkehrende Schmerzen
- Beschreibt Schmerzzustände seit einem Zeitraum von 3 Monaten
- Beschreibt Schmerzzustände seit einem Zeitraum von 6 Monaten
- Anzeichen einer Schwellung
- Steife, vorsichtige Bewegungen

Ursachen

- Verletzung
- Chronische Polyarthritis
- Gicht (Arthropathia urica)
- Postinfektiöse Arthritiden
- Entzündliche Gelenkerkrankung
- Chronische Gelenkserkrankung
- Rheumatische Arthritis
- Systemischer Lupus erythematodes
- Großflächige Narben in Gelenknähe
- Entzündliche Gelenkerkrankung
- Gelenkerguss
- Operativer Eingriff
- Totalendoprothese Kniegelenk
- Totalendoprothese Hüftgelenk

Ressourcen

- Äußert Schmerzzustände und kann diese beschreiben
- Kennt Verhaltensweisen, die schmerzlindernd wirken
- Kann Schmerzeinschätzung dokumentieren
- Unterstützt die Schmerztherapie
- Akzeptiert die Unterstützung
- Akzeptiert die Unterstützung von Angehörigen

Pflegeziele

- Systematische, zeitnahe Schmerzerfassung, einschließlich beeinflussender Faktoren, ist gewährleistet
- Schmerzintensität ist eingeschätzt
- Nimmt die Schmerzmedikamente konsequent und zeitnah lt. Arztanordnung ein
- Kann die im Beratungsgespräch besprochenen Aspekte des Schmerzmanagements anwenden
- Kann Gehhilfen sicher einsetzen
- Betroffene Gelenke sind entlastet
- Aktivitäten des täglichen Lebens werden bewältigt
- Benutzt auf wirksame Weise Hilfsmittel/Prothesen
- Akut betroffene Gelenke sind geschont und in ihrer Funktion erhalten
- Entzündungsprozesse sind durch die physikalische Therapie gehemmt
- Ist schmerzfrei
- Hat Schmerzen, die nicht mehr als 3 von 10 Punkten der Numerischen Rangskala betragen
- Physiologische aktive Gelenksbewegung ist vorhanden
- Physiologische passive Gelenksbewegung ist vorhanden
- Muskelkraft nach Janda befindet sich auf der Stufe 5-4
- Ist motiviert, das Gewicht zu reduzieren

Pflegeinterventionen

Schmerz, beeinflussende Faktoren und Auswirkungen beobachten und mittels Schmerzverlaufsprotokoll einschätzen

- Pflegeintervention konkretisieren
- Zeit angeben

Schmerzintensität mithilfe einer Schmerzskala ermitteln

- Pflegeintervention konkretisieren
- Zeit angeben

Analgetika, entsprechend der ärztlichen Anordnung, nach dem vorgegebenen Zeitschema verabreichen

- Angeordnete Schmerztherapie
  - » Schmerzmedikation über Spritzenpumpe lt. Arzt verabreichen
  - » Schmerzmedikation lt. Therapieplan über s. c. Injektion verabreichen
  - » Schmerzmedikation lt. Therapieplan über i. m. Injektion verabreichen
  - » Orale Schmerzmedikation lt. Therapieplan verabreichen
  - » Schmerztherapie mit Zäpfchen lt. Therapieplan durchführen
  - » Schmerzpflaster lt. Arztanordnung anbringen
  - » Schmerzmedikation lt. Therapieplan über i. v. Injektion verabreichen
- Bedarfsmedikation lt. Arzt verabreichen
  - » Schmerzen, bei denen die Bedarfsmedikation verabreicht werden darf, beschreiben

Beratungsgespräch zum Schmerzmanagement durchführen

- Gesprächsinhalt
  - » Ziele des Schmerzmanagements
  - » Behandlungsmöglichkeiten
  - » Grenzen des Schmerzmanagements
  - » Korrekte Einnahme der Schmerzmedikation
  - » Nicht-medikamentöse Behandlungsalternativen zur Schmerzreduktion
  - » Schmerzreduzierende Bewegungsabläufe
  - » Auftreten, Vorbeugen und Behandeln von Nebenwirkungen
- Zeit angeben

Gehhilfen anbieten/einsetzen, Gehübungen anleiten/unterstützen

- Gehstöcke/Unterarmgehstützen einsetzen
  - » Vier-Punkt-Gang
  - » Drei-Punkt-Gang
  - » Zwei-Punkt-Gang ohne Belastung
  - » Zwei-Punkt-Gang mit Teilbelastung
- Teilbelastung in kg angeben
- Besonderheiten bei der Anleitung beachten
- Zum Gehtraining mit Gehhilfen anleiten
  - » Arthritisstütze
  - » Achselstütze
  - » Deltarad
  - » Eulenburg-Gehwagen
  - » Gehbock
  - » Gehwagen
  - » Gehwagen mit Achselstützen
  - » Unterarmgehstützen
  - » Rollator
  - » Vier-Punkt-Gehstützen
- Durchführende Person angeben
  - » Pflegeperson
  - » Ergotherapeut
  - » Krankengymnast
  - » Sonstige Therapeuten
- Anzuleitende Person(en) festlegen
  - » Betroffene Person
  - » Angehöriger/Bezugsperson
- Zeit angeben
- Anzahl Pflegepersonen angeben

Hilfsmittel zur Alltagsbewältigung gezielt auswählen

- Hilfsmittel einsetzen
  - » Kamm mit Verlängerungsstiel benutzen
  - » Gehhilfen gezielt einsetzen
  - » Strumpfanzieher verwenden

Gelenkschutz durch Gelenkfixation/Lage-

rung durchführen
- Pflegeintervention konkretisieren
- Zeit angeben

Kälteanwendung durchführen
- Pflegeintervention konkretisieren
  - » Eisbeutel auflegen
  - » Kühlelement auflegen
  - » Kalte Kompresse/Auflage anwenden

Wärmeanwendungen durchführen
- Wärmeanwendung
  - » Heizkissen verwenden
  - » Heizdecke verwenden
  - » Wärmflasche auflegen
  - » Warme Kataplasmen (Breiumschläge) einsetzen
  - » Warmes Roggenkissen einsetzen
  - » Heublumensäckchen einsetzen
  - » Rotlicht-Bestrahlung durchführen
- Feuchte Wärme zuführen
  - » Kartoffelauflage einsetzen
  - » Zitronenbrustwickel anwenden
  - » Leinsamensäckchen verwenden
  - » Senfmehlkompresse einsetzen

Bewegungsübungen durchführen
- Art der Bewegungsübungen bestimmen
  - » Aktive Bewegungsübungen durchführen
  - » Passive Bewegungsübungen durchführen
  - » Assistive Bewegungsübungen durchführen
- Topologie/Körperstelle bestimmen
  - » Schultergelenk(e)
  - » Ellenbogengelenk(e)
  - » Handgelenk(e)
  - » Hüftgelenk(e)
  - » Kniegelenk(e)
  - » Sprunggelenk(e)
  - » Links/sinister
  - » Rechts/dexter
  - » Beidseitig
- Bewegungsübungen durchführen
  - » Zu Bewegungsübungen anleiten
  - » Mit der elektrischen Bewegungsschiene durchführen
  - » KG-Termine koordinieren

Gespräch über die Zusammenhänge von Körpergewicht und Schmerzzuständen führen
- Gesprächsinhalt
- Zeit angeben
- Beteiligte Personen angeben
  - » Betroffene Person
  - » Angehöriger/Bezugsperson
  - » Betreuer
  - » Eltern
  - » Sonstige Personen
- Durchführende Person angeben
  - » Bezugspflegeperson
  - » Pflegeperson
  - » Spezialtherapeuten
  - » Physiotherapeuten

Sonstige Pflegemaßnahmen durchführen
- Maßnahmen konkretisieren
- Zeit angeben

Literaturhinweise: 59, 95, 120, 125, 141, 175, 176, 223, 322, 347, 361, 473, 474, 475, 476, 477, 478, 479, 480, 481, 485, 486

Der Patient hat aufgrund **arteriosklerotischer Veränderungen der Gefäße** bei Minderdurchblutung der Extremität(en) **Schmerzen**

Kennzeichen

- Beschreibt Ischämieschmerz in den Füßen/den Fußsohlen/den Zehen
- Beschreibt Ischämieschmerz in der Wadenregion
- Beschreibt Ischämieschmerz in Gesäß- und Oberschenkelregion
- Beschreibt wiederkehrende Schmerzen bei körperlicher Belastung
- Schmerzfreie Gehstrecke < 200 Meter
- Schmerzfreie Gehstrecke > 200 Meter
- Beschreibt Ruheschmerzen
- Sichtbare Hautveränderung wie Nekrose/Gangrän/Ulkus
- Schmerzverzerrtes Gesicht
- Stöhnt/weint/jammert
- Unruhezustände
- Erhöhte Reizbarkeit
- Gereiztheit
- Beschreibt Schmerzzustände seit einem Zeitraum von 3 Monaten
- Beschreibt Schmerzzustände seit einem Zeitraum von 6 Monaten
- Stimmungsschwankungen
- Veränderter Schlafrhythmus
- Beeinträchtigter Aktivitätslevel

Ursachen

- Diabetes-Spätfolgen
- Starkes Rauchen
- Fettstoffwechselstörung
- Adipositas
- Hyperfibrinogenämie
- Periphere arterielle Verschlusskrankheit

Ressourcen

- Äußert Schmerzzustände und kann diese beschreiben
- Kennt Verhaltensweisen, die schmerzlindernd wirken

- Kann Schmerzeinschätzung dokumentieren
- Unterstützt die Schmerztherapie
- Ist motiviert, das Gewicht zu reduzieren

Pflegeziele

- Schmerztherapie ist optimiert
- Kann die im Beratungsgespräch besprochenen Aspekte des Schmerzmanagements anwenden
- Systematische, zeitnahe Schmerzerfassung, einschließlich beeinflussender Faktoren, ist gewährleistet
- Führt Schmerzeinschätzung selbstständig durch
- Ist schmerzfrei
- Hat Schmerzen, die nicht mehr als 3 von 10 Punkten der Numerischen Rangskala betragen
- Nimmt die Schmerzmedikamente konsequent und zeitnah lt. Arztanordnung ein
- Durchblutung der Beine ist gefördert
- Schmerzfreie Gehstrecke < 200 Meter
- Schmerzfreie Gehstrecke > 200 Meter
- Ist schmerzfrei bei Belastung der Extremität(en)
- Erkennt die Risikofaktoren und ist bereit, sein Verhalten zu ändern
- Schmerzintensität ist eingeschätzt
- Termin wird wahrgenommen

Pflegeinterventionen

Schmerzbiografie erheben
- Pflegeintervention konkretisieren
- Zeit angeben

Beratungsgespräch zum Schmerzmanagement durchführen
- Gesprächsinhalt
  - » Ziele des Schmerzmanagements
  - » Behandlungsmöglichkeiten
  - » Grenzen des Schmerzmanagements
  - » Korrekte Einnahme der Schmerzmedikation
  - » Nicht-medikamentöse Behandlungsalternativen zur Schmerzreduktion
  - » Schmerzreduzierende Bewegungsabläufe
  - » Auftreten, Vorbeugen und Behandeln von Nebenwirkungen
- Zeit angeben

Schmerz, beeinflussende Faktoren und Auswirkungen beobachten und mittels Schmerzverlaufsprotokoll einschätzen
- Pflegeintervention konkretisieren
- Zeit angeben

Zur Selbstbeobachtung und Dokumentation der Schmerzsituation mittels Schmerzskala anleiten
- Pflegeintervention konkretisieren
- Zeit angeben

Analgetika, entsprechend der ärztlichen Anordnung, nach dem vorgegebenen Zeitschema verabreichen
- Angeordnete Schmerztherapie
  - » Schmerzmedikation über Spritzenpumpe lt. Arzt verabreichen
  - » Schmerzmedikation lt. Therapieplan über s. c. Injektion verabreichen
  - » Schmerzmedikation lt. Therapieplan über i. m. Injektion verabreichen
  - » Orale Schmerzmedikation lt. Therapieplan verabreichen
  - » Schmerztherapie mit Zäpfchen lt. Therapieplan durchführen
  - » Schmerzpflaster lt. Arztanordnung anbringen
  - » Schmerzmedikation lt. Therapieplan über i. v. Injektion verabreichen
- Bedarfsmedikation lt. Arzt verabreichen
  - » Schmerzen, bei denen die Bedarfsmedikation verabreicht werden darf, beschreiben

Durchblutung der Beine fördern/unterstützen
- Pflegeintervention konkretisieren
  - » Beine tief lagern
  - » Beine weich lagern
  - » Weiche, weite Socken anziehen
  - » Watteverband anlegen
  - » Sorgfältige Fußpflege durchführen

Einschnürung durch die Kleidungsstücke vermeiden
- Pflegeintervention konkretisieren
- Zeit angeben

Kontrollierte, dosierte körperliche (Geh-) Übungen in Intervallen durchführen
- Maßnahmen konkretisieren
  - » Gehtraining nach Vereinbarung mit Ergotherapeut und Arzt durchführen
  - » Dosierte Sporttherapieangebote lt. Arzt wahrnehmen
- Durchführung durch Pflegepersonal
  - » Gehtraining durchführen (Wegstrecke >10 Meter)
  - » Gehtraining durchführen (Wegstrecke unter 200 Meter)
  - » Gehtraining durchführen (Wegstrecke über 200 Meter)
  - » Treppen steigen
  - » Gehtraining nach Vereinbarung mit Ergotherapeut und Arzt durchführen
- Zeit angeben

Beratungsgespräch über Risikofaktoren und Gesundheitsförderung durchführen
- Inhalte des Beratungsgespräches
  - » Risikofaktoren aufzeigen
  - » Sorgfältige Hautpflege und -beobachtung
  - » Durchblutungsfördernde Maßnahmen
- Zeit angeben

Schmerzintensität mithilfe einer Schmerzskala ermitteln
- Pflegeintervention konkretisieren
- Zeit angeben

Zu vereinbarten Therapien begleiten
- Maßnahmen konkretisieren
- Termineinhaltung sicherstellen
  - » Zum vereinbarten Termin innerhalb der Einrichtung bringen
  - » Zum vereinbarten Termin außerhalb der Einrichtung bringen
  - » An vereinbarte Termine erinnern
- Zeit angeben

Sonstige Pflegemaßnahmen durchführen
- Maßnahmen konkretisieren
- Zeit angeben

Literaturhinweise: 95, 120, 140, 151, 175, 176, 223, 361, 475, 476, 477, 478, 479, 480, 481, 485, 486, 502

Der Patient hat aufgrund von **Blähungen** (Meteorismus/Flatulenz) Bauchschmerzen

Kennzeichen

- Berichtet über Schmerzen
- Schmerzverzerrtes Gesicht
- Schonhaltung
- Äußert Schmerzen
- Stöhnt/weint/jammert
- Unruhezustände
- Erhöhte Reizbarkeit
- Gereiztheit
- Beschreibt immer wiederkehrende Schmerzen
- Abgang von Darmgasen
- Fehlende Darmgeräusche
- Stuhl-/Windverhalten
- Äußert, keinen Abgang von Darmgasen zu haben
- Krümmt sich vor Bauchschmerzen
- Äußerungen über krampfartige Bauchschmerzen
- Geblähtes, hartes Abdomen
- Veränderter Schlafrhythmus

Ursachen

- Ernährungsumstellung auf Rohkost
- Nahrungsmittelunverträglichkeit
- Unverträglichkeit der Sondennahrung
- Blähende Nahrungsmittel
- Abdomineller Eingriff
- Nachwirkungen einer Vollnarkose
- Sprue
- Mechanische Obstruktion
- Paralytischer Ileus
- Verträgt die Muttermilch nicht
- Verträgt die Zusatznahrung nicht
- Krankhaftes Luftschlucken
- Dreimonatskolik

Ressourcen

- Akzeptiert die Notwendigkeit der Diät (bestimmte Einschränkungen)
- Kann die Zusammenhänge zwischen der notwendigen Diät und Krankheit/Symptomen erklären
- Kennt krankheits- bzw. symptomauslösende Faktoren und kann diese vermeiden
- Kann die vereinbarte Therapie selbstständig durchführen
- Zeigt Verhaltensweisen, die die Therapie unterstützen
- Ist zuverlässig bezüglich der Einnahme der Medikation

Pflegeziele

- Schmerzintensität ist eingeschätzt
- Weiches entblähtes Abdomen
- Gesundungsprozess ist unterstützt
- Ist schmerzfrei
- Blähungen sind reduziert
- Flatulenzfrequenz ist < 20
- Nahrungs- und Flüssigkeitszufuhr entsprechen dem individuellen Bedarf
- Abgang von Darmgasen ist unterstützt
- Relevante Aspekte im Zusammenhang mit Dreimonatskolik sind erhoben

Pflegeinterventionen

Säugling beruhigen
- Pflegeintervention konkretisieren
- Zeit angeben

Schmerzen in Verbindung mit Darmgeräuschen, Abgang von Darmgasen, Blähung des Abdomens beobachten
- Pflegeintervention konkretisieren
- Zeit angeben

Intermittierend Darmrohr legen
- Pflegeintervention konkretisieren
- Zeit angeben

Blähungsmildernden Tee verabreichen
- Pflegeintervention konkretisieren
- Zeit angeben

Wärmeanwendung durchführen
- Pflegeintervention konkretisieren
  - » Wärmflasche auflegen
  - » Warme Thermoelemente auf den Bauch legen
  - » Kirschkernsäckchen auflegen
- Feuchtheiße Bauchwickel anwenden
  - » Wickellösung mit Kamille
  - » Wickellösung mit Salzwasser

Schwenkeinlauf laut Arztanordnung durchführen
- Pflegeintervention konkretisieren
- Zeit angeben

Medikamente nach Anordnung verabreichen (Spasmolytika/Blähungen reduzierende Medikamente)
- Pflegeintervention konkretisieren
- Zeit angeben

Fußsohlenreflexzonenmassage durchführen
- Pflegeintervention konkretisieren
  - » Ohne Druck durchführen
- Zeit angeben

Beratungsgespräch über Blähungsprophylaxe durchführen
- Gesprächsinhalt
  - » Ernährungsgewohnheiten und präventive Maßnahmen
  - » Blähende Nahrungsmittel
  - » Thermische und mechanische Maßnahmen, um den Abgang von Blähungen zu unterstützen
- Zeit angeben

Anpassung der Kostform durchführen
- Pflegeintervention konkretisieren
- Zeit angeben

Den Bauch im Uhrzeigersinn um den Nabel massieren
- Pflegeintervention konkretisieren

- Zeit angeben

Informationen zur Dreimonatskolik im Gespräch mit Eltern/Bezugspersonen sammeln
- Gesprächsinhalte konkretisieren
  - » Dauer, Häufigkeit und Zeitpunkt der Koliken
  - » Tagesrhythmus des Säuglings
  - » Ernährung des Säuglings
  - » Umgang mit Schreiphasen des Säuglings
  - » Bewährte Strategien zur Linderung der Kolik

Sonstige Pflegemaßnahmen durchführen
- Maßnahmen konkretisieren
- Zeit angeben

Literaturhinweise: 51, 84, 95, 133, 170, 175, 176, 475, 476, 477, 478, 479, 480, 481, 500

Der Patient hat **Sodbrennen**

Kennzeichen

- Saures Aufstoßen
- Schmerzen und Brennen hinter dem Sternum
- Schmerzen beim Schlucken und/oder Kauen
- Verstärkung der Symptome beim Bücken/Liegen
- Verstärkung der Symptome durch kohlensäurehaltige Getränke
- Verstärkung der Symptome nach der Nahrungsaufnahme
- Berichtet über Schmerzen
- Schmerzverzerrtes Gesicht
- Äußert Schmerzen
- Stöhnt/weint/jammert
- Erhöhte Reizbarkeit
- Gereiztheit
- Beschreibt immer wiederkehrende Schmerzen
- Schmerzen sind von kurzer Dauer
- Beschreibt Schmerzzustände seit einem Zeitraum von 3 Monaten
- Beschreibt Schmerzzustände seit einem Zeitraum von 6 Monaten

Ursachen

- Herzinsuffizienz
- Zwerchfelldurchbruch
- Refluxösophagitis
- Unverträglichkeit von Speisen
- Alkoholkonsum
- Störungen im Bewegungsablauf der Speiseröhre während des Schluckens
- Schwangerschaft
- Beeinträchtigungen des neuromuskulären Systems

Ressourcen

- Kennt krankheits- bzw. symptomauslösende Faktoren und kann diese vermeiden
- Akzeptiert die Notwendigkeit der Diät (bestimmte Einschränkungen)
- Äußert Verständnis für die Notwendigkeit der Maßnahme
- Ist motiviert, die Pflegemaßnahme zu unterstützen und zeigt entsprechende Verhaltensweisen
- Kann die Zusammenhänge zwischen notwendiger Verhaltensänderung und Krankheit/Symptomen erklären

Pflegeziele

- Schmerzintensität ist eingeschätzt
- Systematische, zeitnahe Schmerzerfassung, einschließlich beeinflussender Faktoren, ist gewährleistet
- Beschwerden sind gelindert
- Komplikationen sind vorgebeugt
- Kennt Möglichkeiten zur Schmerzlinderung
- Ist schmerzfrei

Pflegeinterventionen

Schmerz, beeinflussende Faktoren und Auswirkungen beobachten und mittels Schmerzverlaufsprotokoll einschätzen
- Pflegeintervention konkretisieren
- Zeit angeben

Kleine Mahlzeiten /Schonkost anbieten
- Art der Zwischenmahlzeit bestimmen
  - » Jogurt
  - » Dessertspeise
  - » Brot mit Auflage
  - » Obst
  - » Trinknahrung
  - » Zwischenmahlzeit für Diabetiker
  - » Kalorienreiche Snacks und Getränke

Säurelocker vermeiden
- Pflegeintervention konkretisieren
- Zeit angeben

Beratungsgespräch über Verhaltensweisen bei Sodbrennen durchführen
- Gesprächsinhalt
  - » Abdominellen Druck vermeiden
  - » Mit leicht erhöhtem Oberkörper schlafen
  - » Gewichtsreduktion bei Übergewicht
  - » Ernährungsempfehlungen
  - » Säurelocker
- Zeit angeben

Sonstige Pflegemaßnahmen durchführen
- Maßnahmen konkretisieren
- Zeit angeben

Literaturhinweise: 84, 89, 95, 126, 175, 176, 475, 476, 477, 478, 479, 480, 481, 485, 486, 499

Der Patient hat **Schmerzen beim Schlucken** (Odynophagie)

Kennzeichen
- Vermeidet zu schlucken
- Vermeidet/verweigert die Nahrungsaufnahme
- Schmerzen beim Schlucken und/oder Kauen
- Gewichtsabnahme
- Berichtet über Schmerzen
- Schmerzverzerrtes Gesicht
- Äußert Schmerzen
- Stöhnt/weint/jammert
- Erhöhte Reizbarkeit
- Gereiztheit
- Schmerzen sind von kurzer Dauer
- Beschreibt Schmerzzustände seit einem Zeitraum von 6 Monaten
- Beschreibt Schmerzzustände seit einem Zeitraum von 3 Monaten
- Beschreibt brennende Schmerzen im Bereich des Ösophagus

Ursachen
- Entzündung
- Ösophagitis
- Intubation der Speiseröhre bei inoperablem Karzinom
- Karzinom
- Operativer Eingriff im Nasen-/Rachenraum
- Operativer/invasiver Eingriff an der Speiseröhre
- Magensonde

Ressourcen
- Akzeptiert die Notwendigkeit der Diät (bestimmte Einschränkungen)
- Unterstützt die Schmerztherapie
- Äußert Schmerzzustände und kann diese beschreiben
- Erkennt die Notwendigkeit der getroffenen Intervention und kooperiert mit dem therapeutischen Team
- Äußert Verständnis für die Notwendigkeit der Maßnahme
- Ist motiviert, die Pflegemaßnahme zu unterstützen und zeigt entsprechende Verhaltensweisen
- Kann die Zusammenhänge zwischen notwendiger Verhaltensänderung und Krankheit/Symptomen erklären

Pflegeziele
- Ausreichende Nahrungszufuhr ist sichergestellt
- Kann die im Beratungsgespräch besprochenen Aspekte des Schmerzmanagements anwenden
- Schmerzintensität ist eingeschätzt
- Systematische, zeitnahe Schmerzerfassung, einschließlich beeinflussender Faktoren, ist gewährleistet
- Nahrungsaufnahme ist schmerzfrei

Pflegeinterventionen

Abklären, ob eine parenterale Ernährung erforderlich ist und bei Bedarf entsprechende Pflegediagnosen planen
- Pflegeintervention konkretisieren
- Zeit angeben

Beratungsgespräch zum Schmerzmanagement durchführen
- Gesprächsinhalt
  - » Ziele des Schmerzmanagements
  - » Behandlungsmöglichkeiten
  - » Grenzen des Schmerzmanagements
  - » Korrekte Einnahme der Schmerzmedikation
  - » Nicht-medikamentöse Behandlungsalternativen zur Schmerzreduktion
  - » Schmerzreduzierende Bewegungsabläufe
  - » Auftreten, Vorbeugen und Behandeln von Nebenwirkungen

- Zeit angeben

Schmerz, beeinflussende Faktoren und Auswirkungen beobachten und mittels Schmerzverlaufsprotokoll einschätzen
- Pflegeintervention konkretisieren
- Zeit angeben

Viel zu den Mahlzeiten trinken
- Pflegeintervention konkretisieren
- Zeit angeben

Vor der Nahrungsaufnahme Anästhetikum laut ärztlicher Anordnung verabreichen
- Pflegeintervention konkretisieren
- Zeit angeben

Heiße und kalte Speisen meiden
- Pflegeintervention konkretisieren
- Zeit angeben

Passierte Kost einnehmen
- Pflegeintervention konkretisieren
- Zeit angeben

Sonstige Pflegemaßnahmen durchführen
- Maßnahmen konkretisieren
- Zeit angeben

Literaturhinweise: 89, 95, 126, 175, 176, 475, 476, 477, 478, 479, 480, 481, 485, 486, 494, 495, 496, 497, 498

Die Patientin hat aufgrund des **Milcheinschusses Schmerzen**

Kennzeichen

- Überwärmte Haut
- Druckempfindlichkeit
- Harte, schmerzhafte Brüste
- Ausgeprägte Brustschwellung
- Äußert Schmerzen
- Berichtet über Schmerzen
- Schmerzverzerrtes Gesicht
- Erhöhte Reizbarkeit
- Gereiztheit
- Veränderter Schlafrhythmus

Ursachen

- Postpartale Phase

Ressourcen

- Kann die Hintergründe für die Intervention erklären
- Kann die Maßnahme nach Anleitung selbstständig durchführen
- Ist motiviert, die Pflegemaßnahme zu unterstützen und zeigt entsprechende Verhaltensweisen
- Mutter äußert den Wunsch, das Kind zu stillen
- Akzeptiert die Unterstützung

Pflegeziele

- Kann die im Beratungsgespräch besprochenen Aspekte anwenden
- Milcheinschuss ist schmerzfrei
- Milchfluss ist gefördert

Pflegeinterventionen

Beratungsgespräch über schmerzlindernde Maßnahmen beim Milcheinschuss durchführen
- Gesprächsinhalt
  - » Geeignete Kleidung zur Vorbeugung eines Milchstaus
  - » Risiken in Verbindung mit einer Flüssigkeitsreduktion
  - » Maßnahmen zur Linderung der Schmerzen
  - » Physiologische und pathophysiologische Zusammenhänge
- Zeit angeben

Zum sanften Ausstreichen der Brüste anleiten
- Pflegeintervention konkretisieren
- Art der Unterstützung
  - » Beaufsichtigen
  - » Durch Unterstützen helfen
  - » Teilweise übernehmen
  - » Vollständig übernehmen
  - » Zur selbstständigen Durchführung anleiten
- Anzuleitende Person(en) festlegen
  - » Betroffene Person
  - » Angehöriger/Bezugsperson
- Zeit angeben

Warme Umschläge vor dem Stillen aufbringen
- Pflegeintervention konkretisieren
- Zeit angeben

Kühle Umschläge nach dem Stillen aufbringen
- Pflegeintervention konkretisieren
  - » Quarkkompressen auflegen
  - » Kühlelement auflegen

Salbeitee anbieten, drei Tassen pro Tag
- Pflegeintervention konkretisieren
- Zeit angeben

Homöopathische Mittel laut Anordnung einsetzen
- Maßnahmen konkretisieren
  - » Heiße, harte Brüste, wässrige Milch tritt

aus: Calcium carbonicum D3, D4, D6
- » Empfindliche Brustwarzen, steinharte Brüste: Lac caninum D3, D4, D6

Flüssigkeitszufuhr reduzieren und dokumentieren
- Pflegeintervention konkretisieren
  - » Angeordnete Flüssigkeitsmenge in 24 h
- Flüssigkeitszufuhr managen
  - » Flüssigkeitszufuhr mithilfe eines Trinkfahrplans dokumentieren
  - » Flüssigkeitszufuhr mithilfe eines Einfuhrprotokolls dokumentieren
  - » Trinkfahrplan erstellen/aktualisieren
  - » 24-h-Flüssigkeitszufuhr berechnen/dokumentieren
  - » Zu selbstständiger Dokumentation der Trinkmenge anleiten/anhalten

Brust mit Kampfergel einmassieren
- Pflegeintervention konkretisieren
- Zeit angeben

Sonstige Pflegemaßnahmen durchführen
- Maßnahmen konkretisieren
- Zeit angeben

Literaturhinweise: 68, 212, 334, 352, 357, 475, 476, 477, 478, 493

Der Patient hat aufgrund einer **Amputation Phantomschmerzen**

Kennzeichen

- Äußert Schmerzen in der nicht vorhandenen Extremität
- Schmerzverzerrtes Gesicht
- Stöhnt/weint/jammert
- Unruhezustände
- Erhöhte Reizbarkeit
- Gereiztheit
- Beeinträchtigter Aktivitätslevel
- Beschreibt Schmerzzustände seit einem Zeitraum von 3 Monaten
- Beschreibt Schmerzzustände seit einem Zeitraum von 6 Monaten
- Veränderter Schlafrhythmus
- Muskelatrophie an der betroffenen Extremität

Ursachen

- Amputation

Ressourcen

- Äußert Schmerzzustände und kann diese beschreiben
- Kennt Verhaltensweisen, die schmerzlindernd wirken
- Kann Schmerzeinschätzung dokumentieren
- Unterstützt die Schmerztherapie

Pflegeziele

- Nimmt die Schmerzmedikamente konsequent und zeitnah lt. Arztanordnung ein
- Systematische, zeitnahe Schmerzerfassung, einschließlich beeinflussender Faktoren, ist gewährleistet
- Schmerzintensität ist eingeschätzt
- Interventionen werden schmerzfrei durchgeführt
- Kann die im Beratungsgespräch besprochenen Aspekte des Schmerzmanagements anwenden
- Ist schmerzfrei
- Hat Schmerzen, die nicht mehr als 3 von 10 Punkten der Numerischen Rangskala betragen
- Führt Schmerztherapie selbstständig durch
- Äußert, sich in der Selbstmedikation sicher zu fühlen
- PCA-System funktioniert zuverlässig

Pflegeinterventionen

Analgetika, entsprechend der ärztlichen Anordnung, nach dem vorgegebenen Zeitschema verabreichen
- Angeordnete Schmerztherapie
  - » Schmerzmedikation über Spritzenpumpe lt. Arzt verabreichen
  - » Schmerzmedikation lt. Therapieplan über s. c. Injektion verabreichen
  - » Schmerzmedikation lt. Therapieplan über i. m. Injektion verabreichen
  - » Orale Schmerzmedikation lt. Therapieplan verabreichen
  - » Schmerztherapie mit Zäpfchen lt. Therapieplan durchführen
  - » Schmerzpflaster lt. Arztanordnung anbringen
  - » Schmerzmedikation lt. Therapieplan über i. v. Injektion verabreichen
- Bedarfsmedikation lt. Arzt verabreichen
  - » Schmerzen, bei denen die Bedarfsmedikation verabreicht werden darf, beschreiben

Schmerz, beeinflussende Faktoren und Auswirkungen beobachten und mittels Schmerzverlaufsprotokoll einschätzen
- Pflegeintervention konkretisieren
- Zeit angeben

Schmerzintensität mithilfe einer Schmerzskala ermitteln
- Pflegeintervention konkretisieren
- Zeit angeben

Präventive Schmerzmedikation, ca. 45 Minuten vor schmerzauslösenden Interventionen, verabreichen
- Pflegeintervention konkretisieren
- Zeit angeben

Beratungsgespräch zum Schmerzmanagement durchführen
- Gesprächsinhalt
  - » Ziele des Schmerzmanagements
  - » Behandlungsmöglichkeiten
  - » Grenzen des Schmerzmanagements
  - » Korrekte Einnahme der Schmerzmedikation
  - » Nicht-medikamentöse Behandlungsalternativen zur Schmerzreduktion
  - » Schmerzreduzierende Bewegungsabläufe
  - » Auftreten, Vorbeugen und Behandeln von Nebenwirkungen
- Zeit angeben

Nicht-medikamentöse schmerzreduzierende Maßnahmen durchführen
- Maßnahmen konkretisieren
  - » Vibrationsmassage durchführen
  - » Transkutane elektrische Nervenstimulation (TENS) durchführen
  - » Ablenkungen anbieten
  - » Massage durchführen
  - » Zur Durchführung von entspannenden Atemtechniken anleiten

Zum Umgang mit der Patient-Controlled Analgesia (PCA) anleiten
- Pflegeintervention konkretisieren
  - » In den vereinbarten Therapieplan einweisen
  - » In die Verabreichungsform einweisen
  - » Zur Nutzung der Schmerzskala anleiten
  - » In die Dokumentation der eingenommenen Medikamente einweisen
- Anzuleitende Person(en) festlegen
  - » Betroffene Person
  - » Angehöriger/Bezugsperson

PCA-Kassetten (PCA: Patient-Controlled Analgesia)/Spritzen wechseln
- Pflegeintervention konkretisieren
- Zeit angeben

Sonstige Pflegemaßnahmen durchführen
- Maßnahmen konkretisieren
- Zeit angeben

Literaturhinweise: 475, 476, 477, 478, 479, 480, 481, 484, 485, 486, 487, 488, 489, 490, 491, 492

Der Patient hat **akute Schmerzen**

Kennzeichen

- Berichtet über Schmerzen
- Schonhaltung
- Schmerzverzerrtes Gesicht
- Unruhezustände
- Erhöhte Reizbarkeit
- Teilnahmslosigkeit
- Erhöhter Muskeltonus
- Schmerzen sind von kurzer Dauer
- Schmerzzustände weniger als drei Monate
- Beschreibt immer wiederkehrende Schmerzen
- Vegetative Veränderungen der Vitalzeichen
- Vegetative Symptome
- Äußert, an Appetitlosigkeit zu leiden
- Äußert Schmerzen
- Stärkste Schmerzen laut Schmerzeinschätzung (> 5 von 10 Punkte der Numerischen Rangskala)
- Stöhnt/weint/jammert
- Sichtbare körperliche Anspannung
- Stimmungsschwankungen
- Veränderter Schlafrhythmus
- Beeinträchtigter Aktivitätslevel
- Krümmt sich vor Schmerzen
- Reibt/hält sich bestimmte Körperteile
- Häufiger Lagewechsel
- Vor und zurück schaukeln
- Beeinträchtigte Beweglichkeit
- Verändertes Gangbild
- Lehnt Pflegeinterventionen ab
- Stärkste Schmerzen laut Schmerzeinschätzung (> 5 von 10 Punkte der Numerischen Rangskala)
- Äußert stärkste Schmerzen beim Mobilisieren

Ursachen

- OP-Wunde
- Wunde
- Trauma
- Verbrennung
- Schweres Trauma
- Knochenbruch (Fraktur)

- Raum fordernder Prozess
- Tumor
- Arthritis
- Gallensteine
- Nierensteine
- Nervenschädigung
- Gicht (Arthropathia urica)
- Infektion
- Streptokokkeninfektion
- Akute Pankreatitis
- Nachwehen
- Prellung
- Verletzung
- Hämatom
- Verstauchung einer Extremität
- Operation

Ressourcen

- Äußert Schmerzzustände und kann diese beschreiben
- Kennt Verhaltensweisen, die schmerzlindernd wirken
- Kann Schmerzeinschätzung dokumentieren
- Unterstützt die Schmerztherapie
- Akzeptiert die Unterstützung
- Akzeptiert die Unterstützung von Angehörigen
- Angehöriger/Bezugsperson ist als Bezugs- und Betreuungsperson in der Einrichtung aufgenommen
- Angehöriger/Bezugsperson hat beruhigenden Einfluss

Pflegeziele

- Systematische, zeitnahe Schmerzerfassung, einschließlich beeinflussender Faktoren, ist gewährleistet
- Schmerzintensität ist eingeschätzt
- Kann die im Beratungsgespräch besprochenen Aspekte des Schmerzmanagements anwenden
- Führt Schmerzeinschätzung selbstständig durch
- Nimmt die Schmerzmedikamente konsequent und zeitnah lt. Arztanordnung ein
- Führt Schmerztherapie selbstständig durch
- Äußert, sich in der Selbstmedikation sicher zu fühlen
- PCA-System funktioniert zuverlässig
- Entzündungsprozesse sind durch die physikalische Therapie gehemmt
- Interventionen werden schmerzfrei durchgeführt
- Schonhaltung ist vorgebeugt
- Ist schmerzfrei
- Hat Schmerzen, die nicht mehr als 3 von 10 Punkten der Numerischen Rangskala betragen

Pflegeinterventionen

Schmerz, beeinflussende Faktoren und Auswirkungen beobachten und mittels Schmerzverlaufsprotokoll einschätzen
- Pflegeintervention konkretisieren
- Zeit angeben

Schmerzintensität mithilfe einer Schmerzskala ermitteln
- Pflegeintervention konkretisieren
- Zeit angeben

Beratungsgespräch zum Schmerzmanagement durchführen
- Gesprächsinhalt
  - » Ziele des Schmerzmanagements
  - » Behandlungsmöglichkeiten
  - » Grenzen des Schmerzmanagements
  - » Korrekte Einnahme der Schmerzmedikation
  - » Nicht-medikamentöse Behandlungsalternativen zur Schmerzreduktion
  - » Schmerzreduzierende Bewegungsabläufe
  - » Auftreten, Vorbeugen und Behandeln von Nebenwirkungen
- Zeit angeben

Zur Selbstbeobachtung und Dokumentation der Schmerzsituation mittels Schmerzskala anleiten
- Pflegeintervention konkretisieren
- Zeit angeben

Analgetika, entsprechend der ärztlichen Anordnung, nach dem vorgegebenen Zeitschema verabreichen
- Angeordnete Schmerztherapie
  - » Schmerzmedikation über Spritzenpumpe lt. Arzt verabreichen
  - » Schmerzmedikation lt. Therapieplan über s. c. Injektion verabreichen
  - » Schmerzmedikation lt. Therapieplan über i. m. Injektion verabreichen
  - » Orale Schmerzmedikation lt. Therapieplan verabreichen
  - » Schmerztherapie mit Zäpfchen lt. Therapieplan durchführen
  - » Schmerzpflaster lt. Arztanordnung anbringen
  - » Schmerzmedikation lt. Therapieplan über i. v. Injektion verabreichen
- Bedarfsmedikation lt. Arzt verabreichen
  - » Schmerzen, bei denen die Bedarfsmedikation verabreicht werden darf, beschreiben

Schmerztherapie mit Periduralanästhesie-Kathetertechnik (PDA) durchführen
- Pflegeintervention konkretisieren
- Zeit angeben

Zum Umgang mit der Patient-Controlled Analgesia (PCA) anleiten
- Pflegeintervention konkretisieren
  - » In den vereinbarten Therapieplan einweisen
  - » In die Verabreichungsform einweisen
  - » Zur Nutzung der Schmerzskala anleiten
  - » In die Dokumentation der eingenommenen Medikamente einweisen
- Anzuleitende Person(en) festlegen
  - » Betroffene Person
  - » Angehöriger/Bezugsperson

PCA-Kassetten (PCA: Patient-Controlled Analgesia)/Spritzen wechseln
- Pflegeintervention konkretisieren
- Zeit angeben

Kälteanwendung durchführen
- Pflegeintervention konkretisieren
  - » Eisbeutel auflegen
  - » Kühlelement auflegen
  - » Kalte Kompresse/Auflage anwenden

Wärmeanwendungen durchführen
- Wärmeanwendung
  - » Heizkissen verwenden
  - » Heizdecke verwenden
  - » Wärmflasche auflegen
  - » Warme Kataplasmen (Breiumschläge) einsetzen
  - » Warmes Roggenkissen einsetzen
  - » Heublumensäckchen einsetzen
  - » Rotlicht-Bestrahlung durchführen
- Feuchte Wärme zuführen
  - » Kartoffelauflage einsetzen
  - » Zitronenbrustwickel anwenden
  - » Leinsamensäckchen verwenden
  - » Senfmehlkompresse einsetzen

Für eine entspannende Lagerung sorgen
- Pflegeintervention konkretisieren
  - » Bauchdeckenentspannende Lagerung durchführen
  - » Weich lagern
  - » Ruhig stellen
  - » Frei lagern
  - » Stufenbettlagerung durchführen
  - » Nestchenlagerung durchführen

Präventive Schmerzmedikation, ca. 45 Minuten vor schmerzauslösenden Interventionen, verabreichen
- Pflegeintervention konkretisieren
- Zeit angeben

Zu schmerzreduzierenden Bewegungsabläufen anleiten
- Pflegeintervention konkretisieren
- Art der Unterstützung
  - » Beaufsichtigen

  - » Durch Unterstützen helfen
  - » Teilweise übernehmen
  - » Vollständig übernehmen
  - » Zur selbstständigen Durchführung anleiten
- Anzuleitende Person(en) festlegen
  - » Betroffene Person
  - » Angehöriger/Bezugsperson
- Zeit angeben

Nicht-medikamentöse schmerzreduzierende Maßnahmen durchführen
- Maßnahmen konkretisieren
  - » Vibrationsmassage durchführen
  - » Transkutane elektrische Nervenstimulation (TENS) durchführen
  - » Ablenkungen anbieten
  - » Massage durchführen
  - » Zur Durchführung von entspannenden Atemtechniken anleiten

Sonstige Pflegemaßnahmen durchführen
- Maßnahmen konkretisieren
- Zeit angeben

Literaturhinweise: 16, 17, 18, 51, 79, 95, 120, 125, 143, 175, 176, 223, 304, 361, 475, 476, 477, 478, 479, 480, 481, 482, 483, 484, 485, 486, 487, 488, 489, 490

Der Patient hat **chronische Schmerzen**

Kennzeichen

- Beschreibt Schmerzzustände seit einem Zeitraum von 3 Monaten
- Beschreibt Schmerzzustände seit einem Zeitraum von 6 Monaten
- Äußert Schmerzen
- Berichtet über Schmerzen
- Schonhaltung
- Gereiztheit
- Gewichtsabnahme
- Schmerzverzerrtes Gesicht
- Stöhnt/weint/jammert
- Erhöhte Reizbarkeit
- Anorexie/Kachexie
- Veränderter Schlafrhythmus
- Unruhezustände
- Teilnahmslosigkeit
- Äußert, an Appetitlosigkeit zu leiden
- Stimmungsschwankungen
- Sichtbare körperliche Anspannung
- Beschreibt Gedankenkreisen um den Schmerz
- Beschreibt das Gefühl der Ohnmacht, Hoffnungslosigkeit
- Zieht sich vom sozialen Geschehen zurück
- Beeinträchtigter Aktivitätslevel
- Reibt/hält sich bestimmte Körperteile
- Häufiger Lagewechsel
- Beeinträchtigte Beweglichkeit
- Verändertes Gangbild

Ursachen

- Tumor
- Chronische Gelenkserkrankung
- Wirbelsäulenversteifung
- Bandscheibenvorfall
- Rheumatische Arthritis
- Neuralgie
- Gefäßerkrankung der Extremitäten
- Chronische Wunden
- Trigeminusneuralgie
- Postzosterische Neuralgie
- Sudeck-Syndrom
- Gangrän
- Nekrose
- Ulcus cruris
- Psychosomatische Hintergründe

Ressourcen

- Äußert Schmerzzustände und kann diese beschreiben
- Kennt Verhaltensweisen, die schmerzlindernd wirken
- Kann Schmerzeinschätzung dokumentieren
- Unterstützt die Schmerztherapie

Pflegeziele

- Schmerztherapie ist optimiert
- Systematische, zeitnahe Schmerzerfassung, einschließlich beeinflussender Faktoren, ist gewährleistet
- Schmerzintensität ist eingeschätzt
- Führt Schmerzeinschätzung selbstständig durch
- Nimmt die Schmerzmedikamente konsequent und zeitnah lt. Arztanordnung ein
- Führt Schmerztherapie selbstständig durch
- Äußert, sich in der Selbstmedikation sicher zu fühlen
- PCA-System funktioniert zuverlässig
- Interventionen werden schmerzfrei durchgeführt
- Schmerzen sind reduziert
- Entzündungsprozesse sind durch die physikalische Therapie gehemmt
- Bewegt sich schmerzfrei
- Selbstverantwortung ist gestärkt
- Wendet Entspannungstechniken erfolgreich an
- Ist schmerzfrei
- Hat Schmerzen, die nicht mehr als 3 von 10 Punkten der Numerischen Rangskala betragen
- Ruhe wird erzeugt, Erregung abgebaut

- Kann sich entspannen
- Schonhaltung ist vorgebeugt
- Kann die im Beratungsgespräch besprochenen Aspekte des Schmerzmanagements anwenden

Pflegeinterventionen

Schmerzbiografie erheben
- Pflegeintervention konkretisieren
- Zeit angeben

Schmerz, beeinflussende Faktoren und Auswirkungen beobachten und mittels Schmerzverlaufsprotokoll einschätzen
- Pflegeintervention konkretisieren
- Zeit angeben

Schmerzintensität mithilfe einer Schmerzskala ermitteln
- Pflegeintervention konkretisieren
- Zeit angeben

Zur Selbstbeobachtung und Dokumentation der Schmerzsituation mittels Schmerzskala anleiten
- Pflegeintervention konkretisieren
- Zeit angeben

Optimierung der Schmerztherapie im therapeutischen Team forcieren
- Beteiligte Personen angeben
  - » Bewohner
  - » Pflegeperson
  - » Ärztlicher Dienst
  - » Psychologe
  - » Sozialarbeiter
  - » Sozialpädagoge
  - » Ergotherapeut
  - » Krankengymnast
  - » Logopäde
  - » Beschäftigungstherapeut
  - » Heilpädagoge
  - » Geistlicher Beistand
  - » Lehrer
  - » Erzieher
  - » Jugendamt
  - » Sonstige Personen
- Gesprächsinhalt
  - » Vereinbarte Therapieziele
  - » Vereinbarte Gesprächsinhalte für ein klientenzentriertes Pflegefachgespräch
- Zeitdauer angeben

Analgetika, entsprechend der ärztlichen Anordnung, nach dem vorgegebenen Zeitschema verabreichen
- Angeordnete Schmerztherapie
  - » Schmerzmedikation über Spritzenpumpe lt. Arzt verabreichen
  - » Schmerzmedikation lt. Therapieplan über s. c. Injektion verabreichen
  - » Schmerzmedikation lt. Therapieplan über i. m. Injektion verabreichen
  - » Orale Schmerzmedikation lt. Therapieplan verabreichen
  - » Schmerztherapie mit Zäpfchen lt. Therapieplan durchführen
  - » Schmerzpflaster lt. Arztanordnung anbringen
  - » Schmerzmedikation lt. Therapieplan über i. v. Injektion verabreichen
- Bedarfsmedikation lt. Arzt verabreichen
  - » Schmerzen, bei denen die Bedarfsmedikation verabreicht werden darf, beschreiben

Schmerztherapie mit Periduralanästhesie-Kathetertechnik (PDA) durchführen
- Pflegeintervention konkretisieren
- Zeit angeben

Zum Umgang mit der Patient-Controlled Analgesia (PCA) anleiten
- Pflegeintervention konkretisieren
  - » In den vereinbarten Therapieplan einweisen
  - » In die Verabreichungsform einweisen
  - » Zur Nutzung der Schmerzskala anleiten
  - » In die Dokumentation der eingenommenen Medikamente einweisen
- Anzuleitende Person(en) festlegen
  - » Betroffene Person
  - » Angehöriger/Bezugsperson

PCA-Kassetten (PCA: Patient-Controlled Analgesia)/Spritzen wechseln
- Pflegeintervention konkretisieren
- Zeit angeben

Präventive Schmerzmedikation, ca. 45 Minuten vor schmerzauslösenden Interventionen, verabreichen
- Pflegeintervention konkretisieren
- Zeit angeben

Bewegungs-/Aktivierungsmaßnahmen schonend/behutsam durchführen
- Pflegeintervention konkretisieren
- Zeit angeben

Kälteanwendung durchführen
- Pflegeintervention konkretisieren
  - » Eisbeutel auflegen
  - » Kühlelement auflegen
  - » Kalte Kompresse/Auflage anwenden

Naturheilkundliche Verfahren und TCM (Traditionelle Chinesische Medizin) zur Schmerztherapie einsetzen
- Pflegeintervention konkretisieren
- Zeit angeben

Zum Erlernen von Entspannungstechniken anleiten
- Entspannungstechniken
  - » Entspannungsübung "Körperreise" durchführen
  - » Progressive Muskelentspannung trainieren
  - » Musik-Entspannungstherapie durchführen
  - » Funktionelle atemrhythmisierende Entspannungsmethode anwenden
  - » Autogenes Training durchführen
- Einrichtungsspezifische Aktivität wählen
- Zeit angeben

Für eine entspannende Lagerung sorgen
- Pflegeintervention konkretisieren
  - » Bauchdeckenentspannende Lagerung durchführen
  - » Weich lagern
  - » Ruhig stellen
  - » Frei lagern
  - » Stufenbettlagerung durchführen
  - » Nestchenlagerung durchführen

Wärmeanwendungen durchführen
- Wärmeanwendung
  - » Heizkissen verwenden
  - » Heizdecke verwenden
  - » Wärmflasche auflegen
  - » Warme Kataplasmen (Breiumschläge) einsetzen
  - » Warmes Roggenkissen einsetzen
  - » Heublumensäckchen einsetzen
  - » Rotlicht-Bestrahlung durchführen
- Feuchte Wärme zuführen
  - » Kartoffelauflage einsetzen
  - » Zitronenbrustwickel anwenden
  - » Leinsamensäckchen verwenden
  - » Senfmehlkompresse einsetzen

Nicht-medikamentöse schmerzreduzierende Maßnahmen durchführen
- Maßnahmen konkretisieren
  - » Vibrationsmassage durchführen
  - » Transkutane elektrische Nervenstimulation (TENS) durchführen
  - » Ablenkungen anbieten
  - » Massage durchführen
  - » Zur Durchführung von entspannenden Atemtechniken anleiten

Imaginationsübungen durchführen
- Imaginationsübung
  - » Der sichere Ort
  - » Die inneren Helfer
  - » Der Tresor/Safe
  - » Die Baumübung
  - » Der innere Garten
  - » Lichtstromübung
- Einrichtungsspezifische Aktivität wählen
- Zeit angeben

Massage zur Entspannung durchführen
- Pflegeintervention konkretisieren
- Dauer der durchgeführten Intervention:

Zu schmerzreduzierenden Bewegungsabläufen anleiten
- Pflegeintervention konkretisieren
- Art der Unterstützung
  - » Beaufsichtigen
  - » Durch Unterstützen helfen
  - » Teilweise übernehmen
  - » Vollständig übernehmen
  - » Zur selbstständigen Durchführung anleiten
- Anzuleitende Person(en) festlegen
  - » Betroffene Person
  - » Angehöriger/Bezugsperson
- Zeit angeben

Beratungsgespräch zum Schmerzmanagement durchführen
- Gesprächsinhalt
  - » Ziele des Schmerzmanagements
  - » Behandlungsmöglichkeiten
  - » Grenzen des Schmerzmanagements
  - » Korrekte Einnahme der Schmerzmedikation
  - » Nicht-medikamentöse Behandlungsalternativen zur Schmerzreduktion
  - » Schmerzreduzierende Bewegungsabläufe
  - » Auftreten, Vorbeugen und Behandeln von Nebenwirkungen
- Zeit angeben

Sonstige Pflegemaßnahmen durchführen
- Maßnahmen konkretisieren
- Zeit angeben

Literaturhinweise: 18, 51, 59, 79, 95, 125, 143, 175, 176, 223, 281, 361, 475, 476, 477, 478, 479, 480, 481, 485, 486, 487, 488, 489, 490, 491

Der Patient **äußert** aufgrund des **bevorstehenden Todes Ängste/Sorgen/Befürchtungen**

Kennzeichen

- Äußert Ängste
- Möchte mit niemandem sprechen
- Zieht sich zurück
- Kann sich nicht (mehr) konzentrieren
- Äußert Hoffnungslosigkeit
- Beschreibt das Gefühl, allein gelassen zu sein
- Äußert ein Gefühl der Hilflosigkeit
- Äußert Todesangst
- Berichtet über die Sorge, letzte (Familien-)Angelegenheiten nicht mehr regeln zu können
- Zeigt Resignation
- Zeigt Verhaltensweisen, die ein "Nichtwahrhabenwollen" widerspiegeln
- Zeigt Verhaltensweisen, die "Kampfgeist" ausdrücken mit dem Ziel, leben zu wollen
- Berichtet über Schwierigkeiten beim "Abschiednehmen"

Ursachen

- Ungewissheit
- Fehlende soziale Integration/Begleitung
- Überforderung der Angehörigen
- Fehlende Lebenszufriedenheit/Akzeptanz des zurückgelegten Lebens
- Ungelöste Konflikte über Lebensziele und/oder mit Mitmenschen
- Konflikte mit Angehörigen/Bezugspersonen

Ressourcen

- Empfindet es als angenehm, die engen Angehörigen um sich zu haben
- Akzeptiert die Unterstützung
- Akzeptiert die Unterstützung von Angehörigen

Pflegeziele

- Fühlt sich angenommen und verstanden
- Akzeptiert die Lebenssituation und kann sich mit ihr arrangieren
- Kann das Leben in einer friedlichen Umgebung beenden
- Spricht über Glaubensfragen/Wertvorstellungen
- Schaut auf das Leben zurück und findet inneren Frieden
- Kann Ängste, Bedenken und Bedürfnisse äußern
- Ängste/Befürchtungen sind reduziert
- Angehörige/Bezugspersonen entwickeln Verständnis für die Situation des Betroffenen
- Selbstbestimmung ist unterstützt
- Kontinuierliche Anwesenheit von Angehörigen/Bezugspersonen ist ermöglicht

Pflegeinterventionen

Im Gespräch die individuellen Bedürfnisse ermitteln
- Gesprächsinhalt
- Zeit angeben
- Beteiligte Personen angeben
  - » Betroffene Person
  - » Angehöriger/Bezugsperson
  - » Betreuer
  - » Eltern
  - » Sonstige Personen
- Durchführende Person angeben
  - » Bezugspflegeperson
  - » Pflegeperson
  - » Spezialtherapeuten
  - » Physiotherapeuten

Gespräche mit nahe stehenden Bezugspersonen ermöglichen
- Gesprächsinhalt
- Zeit angeben
- Beteiligte Personen angeben
  - » Betroffene Person
  - » Angehöriger/Bezugsperson
  - » Betreuer
  - » Eltern

» Sonstige Personen
- Durchführende Person angeben
  - » Bezugspflegeperson
  - » Pflegeperson
  - » Spezialtherapeuten
  - » Physiotherapeuten

Termine mit den gewünschten Glaubensvertretern vermitteln und ermöglichen
- Pflegeintervention konkretisieren
- Zeit angeben

Lebensrückschau durch klientenzentriertes Gespräch ermöglichen
- Gesprächsinhalt
- Zeit angeben
- Beteiligte Personen angeben
  - » Betroffene Person
  - » Angehöriger/Bezugsperson
  - » Betreuer
  - » Eltern
  - » Sonstige Personen
- Durchführende Person angeben
  - » Bezugspflegeperson
  - » Pflegeperson
  - » Spezialtherapeuten
  - » Physiotherapeuten

Klientenzentriertes Gespräch führen
- Inhaltliche Ausrichtung des Gesprächs bestimmen
  - » Krisenintervention
  - » Sonstige Gesprächsinhalte
- Zeitdauer des Gesprächs angeben

Körperliche Nähe zwischen Bezugsperson/Angehörigen und Betroffenen ermöglichen
- Pflegeintervention konkretisieren
- Zeit angeben

Klientenzentriertes Gespräch führen
- Inhaltliche Ausrichtung des Gesprächs bestimmen
  - » Informationssammlung
  - » Pflege-, Betreuungs- und Behandlungsprozess
  - » Ursachenanalyse
  - » Strategien zur Krankheitsbewältigung
  - » Motivation/Aktivierung
  - » Alltagsbewältigung
  - » Förderung der Entscheidungsfindung
  - » Zukunftsperspektive
  - » Unterstützung der Orientierung
  - » Unterstützung des Realitätsbezugs
  - » Krisenintervention
  - » Aktuelle Bedürfnisse/Wünsche
  - » Instruktion/Anleitung
  - » Feed-back-Gespräch
  - » Sonstige Gesprächsinhalte
- Gesprächsteilnehmer
  - » Angehöriger/Bezugsperson
  - » Betroffene Person
- Zeitdauer des Gesprächs angeben

In die Gestaltung des Sterbeprozesses aktiv mit einbeziehen
- Pflegeintervention konkretisieren
- Zeit angeben

Flexible Besuchszeiten ermöglichen
- Pflegeintervention konkretisieren
- Zeit angeben

Sonstige Pflegemaßnahmen durchführen
- Maßnahmen konkretisieren
- Zeit angeben

Literaturhinweise: 47, 95, 125, 175, 176, 235, 236, 237, 339, 348, 349, 1032

Der Patient hat **Angst**, empfindet eine **reale/fiktive Bedrohung**

Kennzeichen

- Berichtet über Ängste
- Zeigt Nervosität
- Erhöhter Muskeltonus
- Anspannung der Gesichtsmuskulatur
- Schlafstörungen
- Sympathikusreaktion (erhöhte Herzfrequenz, Tachypnoe, Blutdruckanstieg)
- Parasympathische Reaktionen (z. B. Durchfall, Harndrang, Übelkeit)
- Mustert die Umgebung mit erhöhter Wachsamkeit, gekennzeichnet durch Umherschauen und wenig Blickkontakt
- Äußert Misstrauen gegenüber den Mitmenschen
- Beschreibt Symptome einer Panikattacke
- Äußert verbal/nonverbal Angst bei der Körperwaschung
- Berichtet über Herzklopfen
- Berichtet über eine Denkblockade
- Fehlender Blickkontakt
- Rückzugstendenzen
- Berichtet von Trennungsängsten
- Zeigt Vermeidungsverhalten
- Ausprägung der AngstStufe 1: Geringfügige Angst
- Stufe 2: Mäßige Angst
- Stufe 3: Erhebliche Angst
- Stufe 4: Schwere Angstzustände
- Stufe 5: Massive Angstzustände

Ursachen

- Neurotische Störung
- Psychotische Störung
- Veränderte Lebensumstände
- Wahrgenommene Bedrohung
- Verlusterlebnis
- Ungewisser Krankheitsverlauf
- Demenz
- Bewusste/unbewusste Konflikte
- Konflikte mit Angehörigen/Bezugspersonen
- Ungelöste Konflikte über Lebensziele und/oder mit Mitmenschen

- Beeinträchtigung des Selbstkonzepts durch Veränderungen
- Missbrauchserfahrungen
- Suchterkrankung
- Häufung von Misserfolgen
- Unerfüllte Rollenerwartungen aus dem sozialen Umfeld
- Veränderung des sozialen/ökonomischen Status
- Gewaltpotential im sozialen Umfeld
- Krise in der pubertären Lebensphase
- Unverarbeitete Missbrauchs-/Vergewaltigungserlebnisse
- Fehlendes vertrautes soziales Umfeld
- Fehlende vertraute Bezugsperson
- Minderwertigkeitsgefühle
- Geringes Selbstwertgefühl
- Fehlendes Selbstwertgefühl

Ressourcen

- Kann über die Ängste sprechen
- Zeigt Interesse, Strategien zur Angstbewältigung zu lernen
- Akzeptiert die Unterstützung
- Akzeptiert die Unterstützung von Angehörigen

Pflegeziele

- Äußert, dass sich die Ängste auf ein erträgliches Maß reduziert haben
- Fühlt sich beruhigt
- Setzt Entspannungstechniken gezielt ein
- Nimmt eigene Wünsche und Bedürfnisse wahr
- Steht zu Entscheidungen und übernimmt dafür die Verantwortung
- Verbalisiert Wünsche und Bedürfnisse deutlich und fordert sie ein
- Erkennt Zusammenhänge zwischen eigenem Verhalten und Pflegediagnose
- Entwickelt Lösungswege im Gespräch
- Bewusstseinslage ist eingeschätzt

Pflegeinterventionen

Angstfreie Atmosphäre und Klima der Geborgenheit schaffen, auf Begleiterscheinungen beobachten
- Pflegeintervention konkretisieren
- Zeit angeben

Zuhören und dabei sein, wenn Angstattacken vorhanden sind
- Pflegeintervention konkretisieren
  - » Gespräch mit der Bezugspflegeperson durchführen
- Zeit angeben

Nachtlicht brennen lassen, Tür nur anlehnen
- Pflegeintervention konkretisieren
- Zeit angeben

Rufanlage/Klingel in erreichbarer Nähe platzieren
- Pflegeintervention konkretisieren
- Zeit angeben

Hinweis auf ständige Anwesenheit einer Pflegekraft geben
- Pflegeintervention konkretisieren
- Zeit angeben

Entspannungstechniken einsetzen und den Patienten anleiten, sich zu entspannen
- Entspannungstechniken
  - » Entspannungsübung "Körperreise" durchführen
  - » Progressive Muskelentspannung trainieren
  - » Musik-Entspannungstherapie durchführen
  - » Funktionelle atemrhythmisierende Entspannungsmethode anwenden
  - » Autogenes Training durchführen
- Einrichtungsspezifische Aktivität wählen
- Zeit angeben

Pflegefachgespräch führen
- Inhaltliche Ausrichtung des Gesprächs bestimmen
  - » Informationssammlung
  - » Pflege-, Betreuungs- und Behandlungsprozess
  - » Ursachenanalyse
  - » Strategien zur Krankheitsbewältigung
  - » Motivation/Aktivierung
  - » Alltagsbewältigung
  - » Förderung der Entscheidungsfindung
  - » Zukunftsperspektive
  - » Unterstützung der Orientierung
  - » Unterstützung des Realitätsbezugs
  - » Krisenintervention
  - » Aktuelle Bedürfnisse/Wünsche
  - » Instruktion/Anleitung
  - » Feed-back-Gespräch
  - » Sonstige Gesprächsinhalte
- Gesprächsteilnehmer
  - » Angehöriger/Bezugsperson
  - » Betroffene Person
- Zeitdauer des Gesprächs angeben

Beobachtung von Reaktionen mit entsprechender Anpassung der Angebote
- Pflegeintervention konkretisieren
- Zeit angeben

Sonstige Pflegemaßnahmen durchführen
- Maßnahmen konkretisieren
- Zeit angeben

Literaturhinweise: 47, 51, 79, 82, 95, 125, 173, 175, 176

Der Patient hat Angst vor diagnostischen/therapeutischen Maßnahmen

Kennzeichen

- Rückzugsverhalten
- Äußert, nicht berührt zu werden
- Äußert Bedenken
- Berichtet über eine steigende Anspannung
- Beschreibt eine zunehmende Aufregung
- Äußert, den Termin am liebsten verschieben zu wollen
- Weinen
- Einschlafstörung
- Durchschlafstörung
- Ausprägung der AngstStufe 1: Geringfügige Angst
- Stufe 2: Mäßige Angst
- Stufe 3: Erhebliche Angst
- Stufe 4: Schwere Angstzustände
- Stufe 5: Massive Angstzustände

Ursachen

- Negative Erfahrungen
- Reaktion auf Schmerzsituation
- Fehlende familiäre Vertrauensperson
- Fehlendes Vertrauen gegenüber den Therapeuten/Pflegepersonen
- Operativer Eingriff
- Biopsie
- Fehlende Information und Aufklärung
- Angehörige/Bezugspersonen übertragen Ängste

Ressourcen

- Akzeptiert die Unterstützung
- Akzeptiert die Unterstützung von Angehörigen
- Kennt den Ablauf der Maßnahme
- Hat positive Vorerfahrungen

Pflegeziele

- Akzeptiert die Lebenssituation und kann sich mit ihr arrangieren
- Wissensdefizit ist aufgehoben
- Vertrauensvolle therapeutische Beziehung ist aufgebaut
- Angehörige/Bezugspersonen haben Vertrauen zum therapeutischen Team
- Ist ruhig und kann sich entspannen
- Fühlt sich sicher und angenommen
- Äußert, dass sich die Ängste auf ein erträgliches Maß reduziert haben
- Bewusstseinslage ist eingeschätzt
- Erlebt die Situation als weniger angstbesetzt
- Abwehrhaltung und Angst sind reduziert
- Fühlt sich beruhigt

Pflegeinterventionen

Informationen über den Ablauf, die Vorbereitung und das Verfahren geben
- Gesprächsinhalt
- Gesprächsteilnehmer
  - » Angehöriger/Bezugsperson
  - » Betroffene Person
- Zeit angeben

Für Ruhe sorgen und eine entspannte Atmosphäre bei der Ankunft des Patienten im Operationssaal bzw. Untersuchungsraum schaffen
- Pflegeintervention konkretisieren
- Zeit angeben

Angstfreie Atmosphäre und Klima der Geborgenheit schaffen, auf Begleiterscheinungen beobachten
- Pflegeintervention konkretisieren
- Zeit angeben

Beobachtung von Reaktionen mit entsprechender Anpassung der Angebote
- Pflegeintervention konkretisieren
- Zeit angeben

Beruhigungsmittel nach ärztlicher Anordnung verabreichen
- Pflegeintervention konkretisieren
- Zeit angeben

Angstreduzierende individuelle Pflegeintervention durchführen
- Pflegeintervention konkretisieren
  - » Trösten
  - » Ablenken
  - » Beruhigende Gespräche führen
  - » Berührung bewusst einsetzen
- Zeit angeben

Sonstige Pflegemaßnahmen durchführen
- Maßnahmen konkretisieren
- Zeit angeben

Literaturhinweise: 510

Der Patient hat **Angst, aus dem Bett zu fallen**

Kennzeichen

- Berichtet über Ängste
- Zeigt Nervosität
- Erhöhter Muskeltonus
- Anspannung der Gesichtsmuskulatur
- Schlafstörungen
- Sympathikusreaktion (erhöhte Herzfrequenz, Tachypnoe, Blutdruckanstieg)
- Liegt angespannt im Bett
- Beeinträchtigte Wahrnehmung der Umgebung
- Zeigt Vermeidungsreaktion, indem Bewegungen im Bett umgangen werden
- Versucht sich angespannt am Bett-/gitter festzuhalten

Ursachen

- Sehschwäche
- Verwirrtheitszustand
- Tetraplegie
- Tetraparese
- Hemiplegie
- Hemiparese
- Eingeschränkte Körperwahrnehmung
- Gleichgewichtsstörung

Ressourcen

- Kann über die Ängste sprechen
- Zeigt Interesse, Strategien zur Angstbewältigung zu lernen
- Toleriert Bettgitter

Pflegeziele

- Fühlt sich sicher und kann sich orientieren

Pflegeinterventionen

Das Bett an die Wand stellen und Bettniveau absenken
- Pflegeintervention konkretisieren
- Zeit angeben

Bei Beginn und Durchführung von Pflegemaßnahmen bewusst und direkt berühren
- Pflegeintervention konkretisieren
- Zeit angeben

Sehhilfen einsetzen
  - » Sehhilfe säubern
  - » Sehhilfe bereitlegen
  - » Zum Einsatz der Sehhilfe motivieren
  - » Sehfähigkeit mit Sehhilfe überprüfen
- Art der Sehhilfe
  - » Brille
  - » Lupe
  - » Kontaktlinsen
  - » Monokulare Sehhilfe

Bettgitter einsetzen
- Pflegeintervention konkretisieren
  - » Vorhandene Bettgitter nach Wunsch hochziehen
  - » Bettgitter entsprechend dem richterlichen Beschluss anbringen
  - » Bettgitter beidseitig anbringen
  - » Bettgitter beidseitig entfernen
  - » Bettgitter rechts anbringen
  - » Bettgitter links anbringen
  - » Bettgitter auf einer Seite entfernen
  - » Teilbettgitter anbringen
  - » Bettgitter muss immer hochgezogen sein

Besucher über die Pflegemaßnahmen informieren und um Einhaltung der Vorschriften bitten
- Pflegeintervention konkretisieren
- Zeit angeben

Sonstige Pflegemaßnahmen durchführen
- Maßnahmen konkretisieren
- Zeit angeben

Literaturhinweise: 37, 95, 125, 127, 175, 176

Der Patient hat **Angst vor einem Sturz**

Kennzeichen

- Äußert Angst vor einem Sturz
- Äußert Gefühle wie Unsicherheit, Sorge und Verzweiflung
- Zittern
- Erhöhter Muskeltonus
- Anspannung der Gesichtsmuskulatur
- Zeigt Vermeidungshaltung

Ursachen

- Empfundene Bedrohung des Selbstkonzepts durch die Unsicherheit bei der Fortbewegung
- Bereits erlebte Stürze
- Unsichere Persönlichkeit
- Gleichgewichtsstörung
- Sehschwäche
- Hochgradige Einschränkung der Sehfähigkeit
- Eingeschränkte Körperwahrnehmung

Ressourcen

- Ist motiviert, Hilfsmittel einzusetzen
- Ist motiviert, neu zu lernen
- Kann Hilfe annehmen
- Kognitive Fähigkeiten sind vorhanden
- Akzeptiert die Unterstützung
- Akzeptiert die Unterstützung von Angehörigen

Pflegeziele

- Fühlt sich angenommen und verstanden
- Kennt und akzeptiert die eigenen Grenzen
- Hat Bewältigungsstrategien entwickelt
- Sicherheit ist gewährleistet

Pflegeinterventionen

Ängste ernst nehmen und ansprechen
- Pflegeintervention konkretisieren
- Zeit angeben

Bewegungsabläufe einüben und trainieren, die eine sichere Fortbewegung ermöglichen
- Pflegeintervention konkretisieren
- Zeit angeben

Unterstützen, die Funktionseinschränkung zu akzeptieren und Bewältigungsstrategien zu entwickeln
- Pflegeintervention konkretisieren
- Zeit angeben

Sicherheitsmaßnahmen durchführen
- Pflegeintervention konkretisieren
  - » Bettgitter entsprechend dem richterlichen Beschluss anbringen
  - » Vorhandene Bettgitter nach Wunsch hochziehen
  - » Bettgitter beidseitig anbringen
  - » Bettgitter links anbringen
  - » Bettgitter rechts anbringen
  - » Zum Aufstehen mit Pflegepersonen anleiten

Sonstige Pflegemaßnahmen durchführen
- Maßnahmen konkretisieren
- Zeit angeben

Literaturhinweise: 77, 114, 156, 175, 176, 224, 286, 296, 297, 325, 336

Der Patient hat eine erhöhte **Empfindlichkeit gegenüber äußeren Reizen**

Kennzeichen

- Äußert eine Lichtempfindlichkeit
- Äußert eine Geräuschempfindlichkeit
- Hält sich nur in abgedunkelten Räumlichkeiten auf
- Berichtet über epileptische Anfälle nach der Einwirkung von "Flackerlicht"
- Äußert die Wahrnehmung von unangenehmen Sinneseindrücken

Ursachen

Beeinflussende Umgebungsreize
- Lichtreiz
- Flackerlicht
- Geräusche
- Übermäßige Umgebungsreize
- Unangenehme Gerüche

Krankheitsbilder
- Meningitis
- Migräne
- Epilepsie
- Bindehautentzündung
- Augenerkrankung
- Hypertonie
- Tetanus

Ressourcen

- Kennt krankheits- bzw. symptomauslösende Faktoren und kann diese vermeiden

Pflegeziele

- Lichtreiz ist reduziert
- Umgebungsreize sind reduziert

Pflegeinterventionen

Raum abdunkeln
- Pflegeintervention konkretisieren
- Zeit angeben

Umgebungsreize reduzieren
- Pflegeintervention konkretisieren
- Zeit angeben

Sonstige Pflegemaßnahmen durchführen
- Maßnahmen konkretisieren
- Zeit angeben

Literaturhinweise: 95, 173

Der Patient fühlt sich aufgrund von **Gefühllosigkeit** wie abgestorben/erstarrt, es besteht eine **Beeinträchtigung des emotionalen Empfindens**

Kennzeichen

- Unfähigkeit, Gefühle zu zeigen
- Äußert Gefühllosigkeit
- Äußert, dass Gefühle wie Freude, Aufregung, Genugtuung usw. nicht empfunden werden
- Äußert, dass schmerzhafte Wahrnehmungen wie Trauer oder Enttäuschung nicht empfunden werden

Ursachen

- Depressionen
- Manisch-depressive Psychose

Ressourcen

- Nimmt therapeutische Anregungen an
- Ist bei der Einhaltung von Vereinbarungen zuverlässig

Pflegeziele

- Lässt sich auf Freizeitaktivitäten ein
- Nimmt an Freizeitaktivitäten teil
- Gefestigte Tagesstruktur ist aufgebaut
- Erkennt den Zusammenhang zwischen Aktivitäten und Stimmung
- Nimmt positive Ereignisse bzw. Dinge wahr und kann darüber berichten
- Benennt positive Aspekte von Ereignissen und Erlebnissen
- Selbstvertrauen in eigene Kompetenzen/ Fähigkeiten ist gefördert
- Ein positives Selbstkonzept ist gefördert
- Erkennt und integriert in angemessener Weise die Veränderungen in seinem/ ihrem Selbstkonzept
- Nimmt Gefühle wahr und artikuliert diese adäquat
- Behandlungs- und Therapiekonzept sind

transparent und vom therapeutischen Team umgesetzt
- Aktive Beteiligung an der Behandlungsplanung ist sichergestellt
- Ursachen sind erkannt

Pflegeinterventionen

Im klientenzentrierten Gespräch vereinbaren, sich auf angebotene Aktivitäten einzulassen
- Gesprächsinhalt
- Zeit angeben
- Beteiligte Personen angeben
  - » Betroffene Person
  - » Angehöriger/Bezugsperson
  - » Betreuer
  - » Eltern
  - » Sonstige Personen
- Durchführende Person angeben
  - » Bezugspflegeperson
  - » Pflegeperson
  - » Spezialtherapeuten
  - » Physiotherapeuten

Freizeitaktivitäten besprechen und planen
- Bezugsperson festlegen
- Pflegeintervention konkretisieren
  - » Tages-/Wochenplan erstellen
  - » Aktivitätenplan erstellen
  - » Tages- und Wochenpläne besprechen
  - » Durchgeführte Aktivitäten besprechen
  - » Lebenspraktische Inhalte besprechen
- Fest verbindlichen Tagesplan vereinbaren
  - » Mit Kontrollmöglichkeit
  - » Ohne Kontrollmöglichkeit
  - » In Eigenverantwortung
  - » In Verantwortung der Bezugsperson
  - » Tagesaktivitäten auswerten und reflektieren
- Dauer bestimmen

Klientenzentriertes Reflexionsgespräch über das tägl. geführte Protokoll durchgeführter Aktivitäten mit Stimmungseinschätzung durchführen
- Gesprächsinhalt
- Zeit angeben
- Beteiligte Personen angeben
  - » Betroffene Person
  - » Angehöriger/Bezugsperson
  - » Betreuer
  - » Eltern
  - » Sonstige Personen
- Durchführende Person angeben
  - » Bezugspflegeperson
  - » Pflegeperson
  - » Spezialtherapeuten
  - » Physiotherapeuten

Positiven Tagesrückblick in der Gruppe durchführen
- Pflegeintervention konkretisieren
- Zeitdauer des Gruppengesprächs bestimmen

Selbstkonzept/-bild/-wert und soziale Kompetenzen in Gruppentherapie fördern
- Gruppentherapeutisches Angebot angeben
  - » Selbstsicherheitstraining durchführen
  - » Genusstherapie durchführen
  - » Verhaltenstherapie durchführen
  - » Assertiveness-Training-Programm (ATP) durchführen
  - » Integriertes Psychologisches Therapieprogramm (IPT) durchführen
  - » Kognitive Therapiegruppe besuchen
  - » Musiktherapie durchführen
  - » Gestalttherapie durchführen
  - » Maltherapie durchführen
  - » Märchen-/Literaturgruppe besuchen
  - » Rollenspiele durchführen
  - » Interaktionsspiele zur Persönlichkeitsentwicklung durchführen
  - » Am Gesprächskreis im Erinnerungsraum teilnehmen
  - » Achtsamkeitstraining durchführen
  - » Anti-Phobie/Angst-Training durchführen
- Einrichtungsspezifische Aktivität wählen
- Zeitdauer der Gruppentherapie bestimmen

Selbstkonzept/-bild/-wert und soziale Kompetenzen in Einzeltherapie fördern
- Einzeltherapeutisches Angebot angeben
  - » Selbstsicherheitstraining durchführen
  - » Genusstherapie durchführen
  - » Verhaltenstherapie durchführen
  - » Assertiveness-Training-Programm (ATP) durchführen
  - » Integriertes Psychologisches Therapieprogramm (IPT) durchführen
  - » Positiven Tagesrückblick durchführen
  - » Musiktherapie durchführen
  - » Gestalttherapie durchführen
  - » Maltherapie durchführen
  - » Kognitives Einzeltraining durchführen
  - » Rollenspiele durchführen
  - » Erinnerungstherapie durchführen
  - » Achtsamkeitstraining durchführen
  - » Anti-Phobie/Angst-Training durchführen
- Einrichtungsspezifische Aktivität wählen
- Zeitdauer der Einzelförderung bestimmen

Fallbesprechung zur weiteren Behandlungs- und Therapieplanung durchführen
- Beteiligte Personen angeben
  - » Bewohner
  - » Pflegeperson
  - » Ärztlicher Dienst
  - » Psychologe
  - » Sozialarbeiter
  - » Sozialpädagoge
  - » Ergotherapeut
  - » Krankengymnast
  - » Logopäde
  - » Beschäftigungstherapeut
  - » Heilpädagoge
  - » Geistlicher Beistand
  - » Lehrer
  - » Erzieher
  - » Jugendamt
  - » Sonstige Personen
- Gesprächsinhalt
  - » Vereinbarte Therapieziele
  - » Vereinbarte Gesprächsinhalte für ein klientenzentriertes Pflegefachgespräch
- Zeitdauer angeben

Klientenzentriertes Gespräch zur Ursachenanalyse und Problembewältigung durchführen
- Gesprächsinhalt
- Zeit angeben

Sonstige Pflegemaßnahmen durchführen
- Maßnahmen konkretisieren
- Zeit angeben

Literaturhinweise: 95, 101, 125, 175, 176

Der Patient hat aufgrund von **Übelkeit** ein **beeinträchtigtes Wohlbefinden**

Kennzeichen

- Beschreibt ein "flaues" Gefühl in der Magengegend
- Äußert die Wahrnehmung von unangenehmen Sinneseindrücken
- Äußert Übelkeitsgefühl
- Neigung zum Erbrechen
- Auftretende Kreislaufveränderung (Blässe, Kaltschweißigkeit, Tachykardie, Tachypnoe, Schwindel und anderes mehr)
- Verstärkter Speichelfluss
- Berichtet über einen Würgereiz
- Äußert eine Abneigung gegen Speisen
- Saures Aufstoßen

Ursachen

- Unangenehme Gerüche
- Psychische Erregung
- Unangenehme visuelle Reizung
- Schwangerschaft
- Migräne
- Sonnenstich
- Folge einer Narkose
- Gallenerkrankung
- Leberentzündung
- Gehirnerschütterung
- Herz-Kreislauf-Versagen
- Schwere Erkrankung
- Nebenwirkungen von Medikamenten
- Vergiftung
- Magen-Darm-Infektion
- Reaktion des Körpers auf widersprüchliche Reize
- Strahlentherapie
- Zytostasetherapie
- Magen-Darm-Atonie
- Akute Pankreatitis
- Schmerzzustände
- Urämie
- Tumore im Bauchraum
- Störung des Gleichgewichtsorgans

Ressourcen

- Kennt Möglichkeiten, sich mit der Übelkeit zu arrangieren
- Kennt Möglichkeiten sich abzulenken

Pflegeziele

- Ursachen sind erkannt
- Einer Aspiration ist vorgebeugt
- Bedarfsgerechte Energie- und Nährstoffzufuhr
- Übelkeit ist in einem akzeptablen Rahmen
- Flüssigkeitsdefizit ist sofort erkannt
- Übelkeit ist reduziert
- Atmung ist vertieft
- Kennt die Behandlungsziele und ist zur Mitarbeit motiviert
- Termin wird wahrgenommen
- Empfindet nach der (Pflege-)Aktivität ein aktuelles physisches Wohlbefinden

Pflegeinterventionen

Ursachen für die bestehende Übelkeit abklären
- Pflegeintervention konkretisieren
- Zeit angeben

Übelkeits- und Erbrechensprotokoll führen
- Pflegeintervention konkretisieren
- Zeit angeben

Aspirationsprophylaxe durchführen
- Pflegeintervention konkretisieren
  - » Oberkörper hochlagern, um einer Aspiration vorzubeugen (bei Ansprechbarkeit)
  - » Stabile Seitenlagerung bei starker Schläfrigkeit zur Aspirationsprophylaxe sicherstellen
  - » Absaugbereitschaft herstellen
  - » Intubationsmaterialien griffbereit vorhalten
  - » Kontinuierliche Überwachung sicherstellen
  - » Entlastungsmagensonde legen lt. Anordnung

Vorbeugende und lindernde Maßnahmen gegen Übelkeit im Zusammenhang mit der Nahrungsaufnahme beachten
- Pflegeintervention konkretisieren
  - » 5-7 kleinere Mahlzeiten anbieten
  - » Kaffee, scharfe Gewürze, Nikotin und Alkohol vermeiden
  - » Bereits vor dem Aufstehen im Bett eine Tasse Tee trinken
  - » Pfefferminz-Melissen-Tee anbieten
  - » Anpassung der Kostform durchführen

Ernährungs- und Flüssigkeitshaushalt einschätzen und bei Defiziten entsprechende Interventionen einleiten
- Pflegeintervention konkretisieren
- Zeit angeben

Bei aufkommender Übelkeit Entspannungsübungen durchführen
- Entspannungstechniken
  - » Entspannungsübung "Körperreise" durchführen
  - » Progressive Muskelentspannung trainieren
  - » Musik-Entspannungstherapie durchführen
  - » Funktionelle atemrhythmisierende Entspannungsmethode anwenden
  - » Autogenes Training durchführen
- Einrichtungsspezifische Aktivität wählen
- Zeit angeben

Atemübungen durchführen
- Pflegeintervention konkretisieren
  - » Kontaktatmen - Basaltexte durchführen
  - » Flankenatmung intensivieren
  - » Therapeutische Nasenenge durchführen
  - » Auf "fff" vertieft ausatmen
  - » Zwerchfellatmung üben
  - » Atemübungen mit dem Atemtherapeuten durchführen

Entspannungstraining organisieren und koordinieren
- Maßnahmen konkretisieren

- Termineinhaltung sicherstellen
  - » Zum vereinbarten Termin innerhalb der Einrichtung bringen
  - » Zum vereinbarten Termin außerhalb der Einrichtung bringen
  - » An vereinbarte Termine erinnern
- Zeit angeben

Sonstige lindernde Pflegemaßnahmen
- Pflegeintervention konkretisieren
- Zeit angeben

Angeordnete Antiemetikatherapie unterstützen
- Pflegeintervention konkretisieren
- Zeit angeben

Sonstige Pflegemaßnahmen durchführen
- Maßnahmen konkretisieren
- Zeit angeben

Literaturhinweise: 84, 95, 125, 126, 175, 176, 218, 972, 972

Der Patient hat aufgrund eines **unangenehmen Geschmacks im Mund** ein **beeinträchtigtes Wohlbefinden**

Kennzeichen

- Äußert, einen unangenehmen Geschmack im Mund zu haben
- Unangenehmer Mundgeruch

Ursachen

- Mangelnde Mund-/Zahnhygiene
- Veränderte Mundschleimhaut
- Ineffektive Mundhygiene
- Tumor im Mund- und Rachenbereich

Ressourcen

- Kann die Mundspülung/Mundpflege selbstständig durchführen
- Kann mit Unterstützung und Anleitung die Mundpflege durchführen
- Öffnet den Mund und lässt die Mundpflege durchführen

Pflegeziele

- Hat einen angenehmen Geschmack im Mund
- Äußert Wohlbefinden

Pflegeinterventionen

Mundspülung ermöglichen/durchführen
- Mundspüllösungen verwenden
- Art der Unterstützungsleistung angeben
  - » Beaufsichtigen
  - » Durch Unterstützen helfen
  - » Teilweise übernehmen
  - » Vollständig übernehmen
  - » Zur Mundspülung anleiten

Speichelfluss anregen
- Pflegeintervention konkretisieren
  - » Im Bereich der Ohrspeicheldrüsen massieren/ausstreichen
  - » Zitrusduft einsetzen
  - » Kaugummi anbieten
  - » Kautätigkeit fördern
  - » Eislutscher anbieten
  - » Lemonstick verwenden
  - » Betupfen der Wangentaschen mit Zitronensaft

Sonstige Pflegemaßnahmen durchführen
- Maßnahmen konkretisieren
- Zeit angeben

Literaturhinweise: 95, 125, 127, 175, 176

Der Patient fühlt sich aufgrund des **Mundgeruchs** im **Wohlbefinden beeinträchtigt**

Kennzeichen

- Unangenehmer Mundgeruch
- Ammoniakgeruch (wie Salmiakgeist)
- Azetongeruch (obstig)
- Foetor hepaticus (wie frische Leber/Erde)
- Fäulnisgeruch (jauchig stinkend)
- Eitergeruch (fade-süßlich)
- Foetor uraemicus (urinöser Geruch)

Ursachen

- Beeinträchtigung der Leberfunktion
- Zerfallsprozess in den Atemwegen
- Bakterielle Infektion (Bronchitis/Pneumonie)
- Nierenversagen
- Divertikulose des Ösophagus
- Soor
- Stomatitis
- Aphthen

Ressourcen

- Kann die Mundspülung/Mundpflege selbstständig durchführen
- Kann mit Unterstützung und Anleitung die Mundpflege durchführen
- Öffnet den Mund und lässt die Mundpflege durchführen

Pflegeziele

- Ursachen sind erkannt
- Mundgeruch ist reduziert
- Zunge ist belagfrei

Pflegeinterventionen

Ursachen mit dem Arzt abklären
- Pflegeintervention konkretisieren
- Zeit angeben

Nach den Mahlzeiten viel trinken
- Pflegeintervention konkretisieren
- Zeit angeben

Mundspülung ermöglichen/durchführen
- Mundspüllösungen verwenden
- Art der Unterstützungsleistung angeben
  - » Beaufsichtigen
  - » Durch Unterstützen helfen
  - » Teilweise übernehmen
  - » Vollständig übernehmen
  - » Zur Mundspülung anleiten

Zunge mit einem Zungenreiniger säubern
- Pflegeintervention konkretisieren
- Zeit angeben

Sonstige Pflegemaßnahmen durchführen
- Maßnahmen konkretisieren
- Zeit angeben

Literaturhinweise: 95, 125, 127, 175, 176, 250, 251

Der Patient hat aufgrund von **Juckreiz** ein **beeinträchtigtes Wohlbefinden**

Kennzeichen

- Äußert generalisierten Juckreiz
- Äußert lokalen Juckreiz
- Beschreibt Juckreiz besonders nach dem Baden
- Beschreibt Juckreiz besonders im Winter
- Beschreibt Juckreiz überwiegend nachts
- Beschreibt, dass sich der Juckreiz bei Wärme verstärkt
- Sichtbare Kratzspuren
- Rötung
- Ödembildung
- Bläschenbildung
- Nässende Erosionen
- Hautschuppung und Jucken über befallenen Gelenken

Ursachen

- Trockene Haut
- Leberzirrhose mit Ikterus
- Nierenerkrankung
- Diabetes mellitus
- Neurodermitis
- Infektiöse Hautkrankheit
- Parasitäre Hauterkrankung
- Arzneimittelreaktion
- Polycythaemia (rubra) vera
- Morbus Hodgkin
- Niereninsuffizienz
- Psychose
- Allergisch bedingte Hautreizungen
- Psoriasis vulgaris, exogene Auslöser
- Psoriasis vulgaris, genetisch bedingt

Ressourcen

- Äußert Einsicht in die Pflegemaßnahme
- Ist motiviert, die Pflegemaßnahme zu unterstützen und zeigt entsprechende Verhaltensweisen
- Verwendet Pflegeprodukte, die gut vertragen werden

Pflegeziele

- Ursachen sind erkannt
- Kennt Gefahren sowie Möglichkeiten, diesen vorzubeugen
- Juckreiz ist gelindert
- Physiologisches Hautmilieu ist hergestellt

Pflegeinterventionen

Ursachen ermitteln und Beobachtungen dokumentieren
- Pflegeintervention konkretisieren
- Zeit angeben

Kühle Waschung ohne Seifenzusätze durchführen
- Pflegeintervention konkretisieren
- Zeit angeben

Fingernägel kurz halten
- Pflegeintervention konkretisieren
- Zeit angeben

Juckreiz stillende Salben oder Puder laut ärztlicher Anordnung auftragen
- Maßnahmen konkretisieren
  - » Mit dem Lokaltherapeutikum großflächig einreiben
  - » Therapeutikum lokal auftragen

Beratungsgespräch über Juckreiz stillende Pflegeinterventionen und Möglichkeiten der Prävention führen
- Pflegeintervention konkretisieren
  - » Häusliche Pflege
  - » Tageszentrum
  - » Fahrtendienst
  - » Besuchsdienst
  - » Schmerzambulanz
  - » Aktivitätsangebote für Senioren
- Zeit angeben

Hautpflege mit Wasser-in-Öl-Präparaten oder Massageöl durchführen
- Pflegeintervention konkretisieren
- Hautpflegeprodukt angeben

Für ausreichende Flüssigkeitszufuhr sorgen
- Pflegeintervention konkretisieren
  - » Angeordnete Flüssigkeitsmenge in 24 h
- Flüssigkeitszufuhr managen
  - » Flüssigkeitszufuhr mithilfe eines Trinkfahrplans dokumentieren
  - » Flüssigkeitszufuhr mithilfe eines Einfuhrprotokolls dokumentieren
  - » Trinkfahrplan erstellen/aktualisieren
  - » 24-h-Flüssigkeitszufuhr berechnen/dokumentieren
  - » Zu selbstständiger Dokumentation der Trinkmenge anleiten/anhalten

Sonstige Pflegemaßnahmen durchführen
- Maßnahmen konkretisieren
- Zeit angeben

Literaturhinweise: 95, 125, 127, 175, 176, 972

Der Patient hat **chronisch kalte Füße** und dadurch ein **beeinträchtigtes Wohlbefinden**

Kennzeichen

- Äußert Kältegefühl in den Füßen
- Kühle Haut an den Füßen
- Blässe der Haut
- Sensibilitätsstörung

Ursachen

- AVK I.-II. Grades
- Morbus Raynaud
- Hypotonie (niedriger Blutdruck)
- Hypotones Kreislaufverhältnis
- Schwere arterielle Durchblutungsstörungen
- Kälteeinwirkung

Ressourcen

- Kann die Maßnahme nach Anleitung selbstständig durchführen
- Kennt Vorbeugungsmaßnahmen und unterstützt diese aktiv
- Zieht entsprechend wärmende Kleidungsstücke nach Aufforderung an

Pflegeziele

- Hat warme Füße
- Verbrennungen durch die Wärmeanwendungen ist vorgebeugt
- Durchblutungssituation der Füße ist stabil

Pflegeinterventionen

Warmes Fußbad durchführen
- Pflegeintervention konkretisieren
- Zeit angeben

Ansteigendes Fußbad durchführen
- Pflegeintervention konkretisieren
- Zeit angeben

Füße mit einer Wärmflasche im Bett aufwärmen
- Pflegeintervention konkretisieren
- Zeit angeben

Warme, nicht einschnürende, weiche Socken und Schuhe anziehen
- Pflegeintervention konkretisieren
- Zeit angeben

Sonstige Pflegemaßnahmen durchführen
- Maßnahmen konkretisieren
- Zeit angeben

Literaturhinweise: 95, 107, 125, 126, 175, 176

Der Patient **friert** und ist im **Wohlbefinden beeinträchtigt**

Kennzeichen

- Äußert Kältegefühl
- Äußert Kältegefühl in den Füßen
- Kältezittern
- Äußert Unbehagen über die Raumtemperatur
- Gänsehaut (Piloerektion)

Ursachen

- Altersbedingte Ursachen
- Infusionstherapie
- Hypotones Kreislaufverhältnis
- Wenig Unterhautfettgewebe
- Magersucht
- Durchblutungsstörungen
- Schilddrüsenunterfunktion
- Erkrankungen im Temperaturzentrum

Ressourcen

- Zieht entsprechend wärmende Kleidungsstücke nach Aufforderung an

Pflegeziele

- Kleidung entspricht dem Wärmebedürfnis
- Empfindet die Raumtemperatur als angenehm
- Äußert Wohlbefinden

Pflegeinterventionen

Für angemessene Bekleidung sorgen
- Pflegeintervention konkretisieren
- Zeit angeben

Raumtemperatur erhöhen, Baderäume vorheizen (23-25 °C)
- Pflegeintervention konkretisieren
- Zeit angeben

Zweite Bettdecke besorgen
- Pflegeintervention konkretisieren
- Zeit angeben

Sonstige Pflegemaßnahmen durchführen
- Maßnahmen konkretisieren
- Zeit angeben

Literaturhinweise: 101, 125, 127, 175, 176

Der Patient hat aufgrund von **Muskelverspannungen** ein **beeinträchtigtes Wohlbefinden**

Kennzeichen

- Liegt angespannt im Bett
- Äußert Verspannungsschmerzen
- Harte Muskulatur im Schulterbereich

Ursachen

- Lang anhaltende körperliche Belastung
- Einseitige körperliche Belastung
- Belastende Lebensereignisse
- Psychische Ursache
- Inadäquate Entlastungsmethode gegenüber empfundenen Belastungssituationen

Ressourcen

- Badet/duscht gern und kann sich dabei entspannen
- Kann sich bei der Körperwaschung entspannen
- Reagiert positiv auf die therapeutische Körperwaschung
- Erkennt die Notwendigkeit der getroffenen Intervention und kooperiert mit dem therapeutischen Team

Pflegeziele

- Kann sich entspannen
- Therapeutische Interventionen/Anwendungen sind ermöglicht
- Kontinuität von Behandlung und Therapie ist sichergestellt

Pflegeinterventionen

Warme Voll- oder Teilbäder durchführen
- Pflegeintervention konkretisieren
- Zeit angeben

Warme Dusche durchführen
- Pflegeintervention konkretisieren
- Zeit angeben

Termine mit der Physiotherapie für Fangopackungen vereinbaren
- Maßnahmen konkretisieren
- Termineinhaltung sicherstellen
  - » Zum vereinbarten Termin innerhalb der Einrichtung bringen
  - » Zum vereinbarten Termin außerhalb der Einrichtung bringen
  - » An vereinbarte Termine erinnern
- Zeit angeben

Transport zur Physiotherapie/Fangopackung sicherstellen
- Maßnahmen konkretisieren
- Termineinhaltung sicherstellen
  - » Zum vereinbarten Termin innerhalb der Einrichtung bringen
  - » Zum vereinbarten Termin außerhalb der Einrichtung bringen
  - » An vereinbarte Termine erinnern
- Zeit angeben

Sonstige Pflegemaßnahmen durchführen
- Maßnahmen konkretisieren
- Zeit angeben

Literaturhinweise: 95, 101, 125, 175, 176

Die Patientin hat aufgrund der **Menstruation** ein **beeinträchtigtes Wohlbefinden**

Kennzeichen

- Äußert Unwohlsein
- Erste Menstruationsblutung
- Schmerzhafte Menstruationsblutung
- Starke Menstruationsblutung

Ursachen

Ressourcen

- Kennt Hygienemaßnahmen und führt diese selbstständig durch
- Kann sich entspannen

Pflegeziele

- Selbstständigkeit ist gefördert
- Äußert Wohlbefinden

Pflegeinterventionen

Intimpflege durchführen
- Pflegeintervention konkretisieren
  - » Intimwaschung durchführen
  - » Mit Pflegeschaum Haut reinigen
  - » Feuchttücher zur Hautreinigung anwenden
  - » Alte aufgetragene Hautschutzcreme mit Öl und weichem Tuch entfernen
  - » Reinigungsprodukte mit saurem ph-Wert verwenden
  - » Reibung beim Reinigen und Abtrocknen vermeiden

Binden besorgen und beim Wechseln unterstützen
- Pflegeintervention konkretisieren
- Zeit angeben

Intimsphäre wahren
- Pflegeintervention konkretisieren
- Zeit angeben

Sonstige Pflegemaßnahmen durchführen
- Maßnahmen konkretisieren
- Zeit angeben

Literaturhinweise: 68, 95, 125, 175, 176

Der Patient hat eine **gesteigerte Speichelproduktion** (Ptyalismus) und ist im **Wohlbefinden beeinträchtigt**

Kennzeichen

- Äußert Unbehagen über die vermehrte Speichelproduktion
- Sekret läuft aus dem Mund

Ursachen

- Hormonumstellung bei Schwangerschaft
- Ösophaguskarzinom
- Morbus Parkinson
- Vegetative Störung

Ressourcen

- Akzeptiert die Unterstützung
- Akzeptiert die Unterstützung von Angehörigen

Pflegeziele

- Kann mit dem vermehrten Speichelfluss umgehen
- Haut im Mundwinkelbereich ist intakt

Pflegeinterventionen

Spuckgefäß mit Zellstoff bereitlegen und regelmäßig ausleeren
- Pflegeintervention konkretisieren
- Zeit angeben

Übungen zum verbesserten Mundschluss durchführen
- Pflegeintervention konkretisieren
- Zeit angeben

Besonders intensive Pflege der Mundwinkel durchführen
- Pflegeintervention konkretisieren
- Verwendetes Pflegeprodukt angeben

Sonstige Pflegemaßnahmen durchführen
- Maßnahmen konkretisieren
- Zeit angeben

Literaturhinweise: 69, 95, 125, 127, 175, 176

Der Patient ist in der Gestaltung des **äußeren Erscheinungsbilds** eingeschränkt und dadurch im **Wohlbefinden beeinträchtigt**

Kennzeichen

- Äußert Unzufriedenheit über die Frisur
- Zieht sich vom sozialen Geschehen zurück

Ursachen

- Bewegungseinschränkung
- Fingerfertigkeit fehlt
- Degenerative Gelenkerkrankung der Hände
- Kann/darf nicht zum Friseur gehen

Ressourcen

- Legt Wert auf gepflegtes Aussehen
- Geht gern zum Friseur
- Kann zum Friseurtermin gebracht werden
- Kann sitzen
- Kann den Kopf über das Waschbecken halten
- Akzeptiert die Unterstützung
- Akzeptiert die Unterstützung von Angehörigen

Pflegeziele

- Tägliche Haarpflege ist gewährleistet
- Positives Selbstbild

Pflegeinterventionen

Friseurtermin vereinbaren und Transport organisieren
- Pflegeintervention konkretisieren
- Zeit angeben

Friseur zum Termin in die Einrichtung bestellen und benötigte Materialien bereitstellen
- Pflegeintervention konkretisieren
- Zeit angeben

Bei speziellen Haarpflegemaßnahmen unterstützen
- Pflegeintervention konkretisieren
  - » Haarwäsche nach Wunsch mit Haartönung durchführen
  - » Haare nach Wunsch auf Lockenwickler aufdrehen, trocknen und frisieren
  - » Haare nach Wunsch föhnen
  - » Haare nach Wunsch schneiden
  - » Haare nach Wunsch hochstecken
  - » Haare nach Wunsch flechten
- Zusätzlichen Zeitaufwand zur Haarwäsche angeben

Beim Schminken unterstützen
- Pflegeintervention konkretisieren
  - » Lippenstift auftragen
  - » Rouge auftragen
  - » Wimperntusche auftragen

Sonstige Pflegemaßnahmen durchführen
- Maßnahmen konkretisieren
- Zeit angeben

Literaturhinweise: 95, 125, 127, 175, 176

Der Patient hat aufgrund **fettiger Problemhaut** ein **beeinträchtigtes Wohlbefinden**

Kennzeichen

- Glänzende Hautstellen
- Großporige Haut
- Vermehrte Schweißproduktion
- Pickel und Mitesser
- Akne

Ursachen

- Psoriasis vulgaris, genetisch bedingt
- Hormonelle Einflüsse, Pubertät

Ressourcen

- Verwendet Pflegeprodukte, die gut vertragen werden
- Äußert Einsicht in die Pflegemaßnahme
- Ist motiviert, die Pflegemaßnahme zu unterstützen und zeigt entsprechende Verhaltensweisen
- Akzeptiert die Unterstützung
- Akzeptiert die Unterstützung von Angehörigen

Pflegeziele

- Eine dauerhafte Verbesserung des Hautzustands ist gewährleistet
- Langfristige Ernährungsumstellung ist sichergestellt
- Glanzstellen sind reduziert

Pflegeinterventionen

Beratungsgespräch über Ernährungstherapie zur Regulation der Hautprobleme führen
- Pflegeintervention konkretisieren
  - » Häusliche Pflege
  - » Tageszentrum
  - » Fahrtendienst
  - » Besuchsdienst
  - » Schmerzambulanz
  - » Aktivitätsangebote für Senioren
- Zeit angeben

Hautbeschaffenheit analysieren/dokumentieren
- Pflegeintervention konkretisieren
- Zeit angeben

Öl-in-Wasser-Präparate verwenden
- Hautpflegeprodukt angeben
- Körperregionen der Hautpflege bestimmen
  - » Gesicht
  - » Oberkörper
  - » Unterkörper

Staub, Schmutz und überschüssigen Talg morgens und abends regelmäßig entfernen
- Pflegeintervention konkretisieren
- Zeit angeben

Nach der Reinigung Gesichtswasser auftragen
- Pflegeintervention konkretisieren
- Zeit angeben

Hautcreme für die Nacht auftragen
- Pflegeintervention konkretisieren
- Zeit angeben

Sonstige Pflegemaßnahmen durchführen
- Maßnahmen konkretisieren
- Zeit angeben

Literaturhinweise: 95, 125, 127, 175, 176

Der Patient fühlt sich aufgrund des **Körpergeruchs** im **Wohlbefinden beeinträchtigt**

Kennzeichen

- Unangenehmer Geruch der feuchten Hautfalten
- Körpergeruch nach Schweiß
- Hat unangenehmen Fußgeruch

Ursachen

- Mangelnde Körperhygiene
- Schlecht belüftete Körperstellen
- Bromhidrose bei Nierenerkrankung
- Bromhidrose bei Stoffwechselerkrankung
- Bromhidrose bei Lungenerkrankung
- Änderungen des Hormonhaushalts
- Der Wille, die Körperwaschung durchzuführen, fehlt

Ressourcen

- Äußert Einsicht in die Pflegemaßnahme
- Ist motiviert, Teile der Körperpflege je nach körperlichem Zustand selbstständig zu übernehmen
- Akzeptiert die Unterstützung
- Akzeptiert die Unterstützung von Angehörigen
- Ist motiviert, Neues auszuprobieren

Pflegeziele

- Kennt Maßnahmen zur Vorbeugung von Körpergeruch und kann diese gezielt einsetzen
- Körpergeruch ist vorgebeugt

Pflegeinterventionen

Schweiß reduzierende Körperwaschung durchführen

- Pflegeintervention konkretisieren
  - » Weiche Waschlappen/Handtücher verwenden
  - » Wassertemperatur der Körpertemperatur entsprechend einrichten
  - » Mit der Haarwuchsrichtung waschen
  - » Haut trockentupfen
- Schweiß reduzierende Waschzusätze verwenden
  - » Pfefferminztee (1 l Tee und 4 l Wasser)
  - » Salbeitee (1 l Tee und 4 l Wasser)

Problemzonen häufig waschen
- Pflegeintervention konkretisieren
- Zeit angeben

Deodorant verwenden
- Pflegeintervention konkretisieren
- Zeit angeben

Wäschewechsel bei Bedarf ermöglichen
- Pflegeintervention konkretisieren
  - » Kleidungsstücke auswechseln
  - » Bett komplett frisch beziehen
  - » Bettwäsche teilweise auswechseln

Sonstige Pflegemaßnahmen durchführen
- Maßnahmen konkretisieren
- Zeit angeben

Literaturhinweise: 95, 125, 127, 175, 176

Der Patient ist mit der **Nahrungseinnahme unzufrieden**

Kennzeichen

- Aggressive Reaktion auf die versuchte Nahrungsverabreichung
- Äußert verbal Unzufriedenheit über die Mahlzeiten
- Zeigt fehlenden Willen/Einsicht, Nahrung zu sich zu nehmen
- Isst Speisen, die von außerhalb beschafft/mitgebracht werden
- Äußert Unzufriedenheit über die Abhängigkeit bei der Nahrungszufuhr
- Kann die Nahrungsmittel nicht mundgerecht schneiden
- Eingeschränkte Fähigkeit, die Nahrung mit dem Besteck aufzunehmen

Ursachen

- Großküchenessen entspricht nicht dem Geschmack
- Spezielle Diät
- Ungewohnte Essenszeiten
- Bewegungseinschränkung

Ressourcen

- Äußert konkrete Wünsche und Bedürfnisse
- Angehörige bringen besondere Nahrungsmittel mit in die Einrichtung
- Akzeptiert die Notwendigkeit der Diät (bestimmte Einschränkungen)

Pflegeziele

- Akzeptiert die Lebenssituation und kann sich mit ihr arrangieren
- Wünsche und Gewohnheiten bei der Nahrungsaufnahme sind berücksichtigt
- Isst mit Appetit
- Schluckt, ohne zu aspirieren
- Erfolgreiches Schlucken und Nachschlucken
- Kopfkontrolle beim aufrechten Sitzen
- Äußert Wohlbefinden bei der Essenseinnahme

Pflegeinterventionen

Situationen, die eine Unzufriedenheit auslösen, erfassen und dokumentieren
- Pflegeintervention konkretisieren
- Zeit angeben

Wünsche und Bedürfnisse erkennen und beachten
- Pflegeintervention konkretisieren
- Zeit angeben

Essenseinnahme angenehm gestalten
- Pflegeintervention konkretisieren
- Zeit angeben

Aufrechte Körperhaltung bei der Therapie/Nahrungsaufnahme fördern
- Maßnahmen konkretisieren
  - » Stabile Sitzposition am Tisch herstellen
  - » Stabile Sitzposition im Rollstuhl herstellen und an den Tisch fahren
  - » Beckenaufrichtung fazilitieren
  - » Unterstützungsfläche und stabile Referenzpunkte mit Unterstützung von Packs bieten
  - » Arme auf dem Tisch lagern
  - » Therapeutischen Langsitz durchführen
  - » Sitzposition in Neutralstellung (LiN) durchführen
  - » Haltungshintergrund und Kopfkontrolle erarbeiten
- Zeit angeben

Biografiedaten bezüglich der Nahrungsgewohnheiten ermitteln und realisieren
- Pflegeintervention konkretisieren
- Zeit angeben

Sonstige Pflegemaßnahmen durchführen
- Maßnahmen konkretisieren
- Zeit angeben

Literaturhinweise: 16, 36, 51, 95, 125, 175, 176, 195

Der Patient hat aufgrund einer **Sondenernährung** ein **beeinträchtigtes Wohlbefinden**

Kennzeichen

- Beeinträchtigtes WohlbefindenÄußert beeinträchtigtes Geschmacksempfinden
- Äußert eintönige Geschmackswahrnehmung
- Berichtet über den Verlust des Genusserlebens im Zusammenhang mit der Nahrungsaufnahme
- Berichtet über die fehlende Teilnahme an der Tischgemeinschaft
- Berichtet über reduziertes Geruchserleben bei der Nahrungsaufnahme
- Liegende ErnährungssondeLiegende PEG
- Liegende PEJ
- Liegende FKJ
- Liegende nasogastrale Sonde
- Liegende nasoduodenale Sonde
- Liegende nasojejunale Sonde
- Gastraler Button

Ursachen

- Eingeschränkte Geruchs-/Geschmacksauswahl der Sondenkost
- Fremdkörpergefühl durch die liegende Sonde
- Beeinträchtigtes Schlucken aufgrund der liegenden Sonde
- Vorliegende Kontraindikation für orale Nahrungsaufnahme
- Eingeschränkte orale Stimulation durch die Nahrungsaufnahme

Ressourcen

- Akzeptiert die Einschränkungen bezüglich des Nahrungsangebots
- Kann breiige Nahrung ohne Verschlucken zu sich nehmen
- Nimmt kleine Mengen Nahrung zu sich
- Kann/darf kleine Mengen Nahrung oral zu sich nehmen

Pflegeziele

- Orale Wahrnehmung ist gesteigert
- Orale Nahrungsaufnahme ist ermöglicht
- Ernährungs-/Flüssigkeitsbedarf ist durch orale Nahrungsaufnahme gedeckt
- Nimmt am sozialen Leben teil und fühlt sich integriert

Pflegeinterventionen

Orale basale Stimulation durchführen

- Pflegeintervention konkretisieren
  - » Taktile Mundstimulation (nach Coombes) durchführen
  - » Mimische und orale Bewegungen fazilitieren
  - » Kausäckchen einsetzen
- Zeit angeben

Ergänzend zur Sondennahrung orale Nahrung lt. Ernährungs-/Diätplan anbieten

- Lagerung/Sitzposition bestimmen
  - » Lagerung zur Nahrungsaufnahme durchführen
  - » Therapeutischen Langsitz durchführen
  - » Beim Transfer in den Lehn-/Rollstuhl/Rehabuggy unterstützen, zum Tisch fahren
  - » Zur Nahrungsaufnahme zum Tisch führen
  - » In den Speisesaal fahren/begleiten
  - » Kind zum Füttern auf den Schoß setzen
  - » Nahrungsaufnahme im Hochstuhl
- Ort der Mahlzeiteneinnahme
  - » Essenstablett ins Zimmer bringen
  - » Essenstablett in den Speisesaal bringen
  - » Essen am Tisch ermöglichen
  - » Essen im Bett ermöglichen
- Art der Unterstützungsleistung angeben
  - » Essen mundgerecht vorbereiten
  - » Nahrungs-/Flüssigkeitszufuhr beaufsichtigen
  - » Verabreichung teilweise übernehmen
  - » Nahrung/Flüssigkeit verabreichen
  - » Zur selbstständigen Nahrungsaufnahme anleiten
- Besonderheiten der Nahrungsvorbereitung
  - » Bei Mahlzeiten und Getränken Verzehrtemperatur herstellen
  - » Kontrastreiche Präsentation der Speisen
  - » Energieanreicherung der Mahlzeiten
  - » Mundgerechte Nahrungsvorbereitung gemeinsam durchführen
  - » Ermutigung/Motivation zur Nahrungsaufnahme

Teilnahme an der Tischgemeinschaft unterstützen

- Pflegeintervention konkretisieren
- Zeit angeben

Sonstige Pflegemaßnahmen durchführen

- Maßnahmen konkretisieren
- Zeit angeben

Literaturhinweise: 95, 125, 175, 176

Der Patient hat auf Grund einer **chronischen Wunde** ein beeinträchtigtes Wohlbefinden

Kennzeichen

- Spezielle Kennzeichen für ein beeinträchtigtes Wohlbefinden bei chronischen Wunden-Berichtet über eine beeinträchtigte Lebensqualität
- Beschreibt negative Auswirkungen auf das psychische (Wohl-)Befinden
- Äußerungen hinsichtlich einer veränderten Wahrnehmung des Körperbildes
- Berichtet über Beeinträchtigungen im sozialen Leben
- Umfeld äußert sich negativ zu wundbezogenen Einschränkungen
- Zieht sich vom sozialen Geschehen zurück
- Beschreibt das Gefühl der chronischen Müdigkeit
- Berichtet über Macht- und/oder Kontrollverlust
- Äußerungen über Schamgefühl
- Beschreibt das Gefühl der fehlenden Zukunftsperspektiven
- Leidet unter der Einschränkung der Mobilität
- Spezielle Kennzeichen chronischer Wunden-Wunde besteht länger als 4 Wochen trotz konsequenter Therapie

Ursachen

- Einschränkung der Lebensgestaltung
- Wundgeruch
- Chronische Schmerzzustände
- Unklarer Wundheilungsverlauf
- Negativer Wundheilungsverlauf
- Wundinfektion
- Starke Exsudation der Wunde
- Schlafstörungen
- Wundbedingte Mobilitätseinschränkung
- Einschränkung bei der Kleidungswahl
- Reduzierte Kontaktaufnahme des sozialen Umfelds
- Abhängigkeit von Bezugspersonen
- Abhängigkeit vom therapeutischen Team
- Einschränkung in der freien Tagesgestaltung

Ressourcen

- Akzeptiert die körperlichen Veränderungen
- Akzeptiert die Einschränkungen durch die Wunde
- Schätzt den wahrscheinlichen Heilungszeitraum der Wunde realistisch ein
- Vertraut den eigenen Fähigkeiten und Fertigkeiten
- Verfügt über aktuelles Wissen in Bezug auf die Wunde
- Selbstmanagementfähigkeiten sind vorhanden
- Kooperiert mit dem therapeutischen Team
- Setzt vereinbarte Maßnahmen um
- Beteiligt sich aktiv an Entscheidungen
- Angehörige/Bezugspersonen unterstützen die Anpassung an die veränderten Lebensprozesse
- Wundversorgung ist bedürfnisgerecht

Pflegeziele

- Lebensqualität ist ermittelt
- Wund- und therapiebedingte Beeinträchtigungen sind ermittelt
- Wohlbefinden ist gesteigert
- Akzeptiert die "Andersartigkeit" und richtet das Leben danach aus
- Lebensqualität ist gesteigert
- Nimmt die Lebenssituation an und akzeptiert diese
- Berichtet über eine Verminderung der Ängste
- Nimmt am sozialen Leben teil und fühlt sich integriert
- Wundbezogene Einschränkung ist reduziert
- Wundgeruch ist reduziert
- Wundmanagement ist mit der individuellen Alltagsgestaltung abgestimmt
- Nimmt aktiv an der Therapieplanung teil
- Wundversorgung entspricht den individuellen Bedürfnissen
- Selbstpflegefähigkeit ist gesteigert

Pflegeinterventionen

Ermittlung der Lebensqualität

- Methoden der Ermittlung
  - » Mit Würzburger Wundscore
  - » Therapeutisches/themenzentriertes Pflegefachgespräch
  - » Sonstige Skalen
- Themenbereiche im Zusammenhang mit Lebensqualität
  - » Wundbedingte Einschränkungen
  - » Therapiebedingte Einschränkungen
  - » Selbstmanagementkompetenzen
- Zeit angeben

Pflegetherapeutisches Gespräch über die Wahrnehmung der eigenen Körperlichkeit, den Empfindungen und deren Auswirkungen führen

- Gesprächsinhalte konkretisieren
  - » Ermutigen, über die Gefühle bezogen auf den Körper/auf die Veränderungen zu sprechen
  - » Ermutigen, das betroffene Körperteil anzusehen/zu berühren
  - » Unterstützen, eigene Stärken und Schwächen akzeptieren zu lernen
  - » Spiegeln von positiven Verhaltensweisen, welche zum Genesungsprozess beitragen und diese verstärken
  - » Beratung bezüglich einer Verbesserung des Aussehens
  - » Beim Gespräch mit Angehörigen/Bezugspersonen unterstützen
  - » Zusammenhang zwischen den Emotionen und der Art und Weise der Körperwahrnehmung ergründen
- Zeit angeben

Ursachen wundbezogener Einschränkungen klären und Problemlösungswege entwickeln

- Inhalte des Beratungsgespräches
  - » Geeignete Kleidungsauswahl
  - » Maßnahmen bei starker Exsudatbildung
  - » Geruchsreduzierende Maßnahmen
  - » Belastungsreduzierende Maßnahmen

» Individuelle Alltagsgestaltung
- Pflegeintervention konkretisieren

Individuelle Anleitung im Bereich der Selbstpflegemanagementkompetenz durchführen
- Pflegeintervention konkretisieren
- Art der Unterstützung
  » Beaufsichtigen
  » Durch Unterstützen helfen
  » Teilweise übernehmen
  » Vollständig übernehmen
  » Zur selbstständigen Durchführung anleiten
- Anzuleitende Person(en) festlegen
  » Betroffene Person
  » Angehöriger/Bezugsperson
- Zeit angeben

Sonstige Pflegemaßnahmen durchführen
- Maßnahmen konkretisieren
- Zeit angeben

Literaturhinweise: 271, 630, 635

Der Patient **empfindet** aufgrund vorübergehender Immobilität Langeweile

Kennzeichen

- Äußert ein Gefühl der Langeweile
- Äußert Unzufriedenheit mit der Freizeitgestaltung

Ursachen

- Aktivitätsintoleranz
- Operativer Eingriff
- Verordnete Bettruhe

Ressourcen

- Nimmt Anregungen zur Beschäftigung an
- Lässt sich durch Aufforderungen zu Aktivitäten motivieren

Pflegeziele

- Kann sich entspannen
- Äußert kein Gefühl der Langeweile
- Äußert Zufriedenheit über die Gesellschaft im Zimmer
- Geht einer sinnvollen Beschäftigung nach
- Beschäftigung ist altersgerecht
- Beschäftigung ist situationsangepasst
- Äußert Wohlbefinden
- Ist abgelenkt
- Grübelt nicht über die Krankheit nach
- Fühlt sich nicht allein und hat ständige Ansprache
- Kind ist abgelenkt, hat Spaß und ist sinnvoll beschäftigt
- Zeigt Interesse und Spaß an den Freizeitaktivitäten
- Nimmt an Freizeitaktivitäten teil
- Fühlt sich angenommen und akzeptiert
- Äußert, einen Lebenssinn/-inhalt für sich zu sehen
- Äußert Befriedigung und positive Gefühle durch die Beschäftigungstherapie

Pflegeinterventionen

Zimmerbelegung entsprechend gestalten
- Pflegeintervention konkretisieren
- Zeit angeben

Zugang zum Aufenthaltsraum ermöglichen
- Pflegeintervention konkretisieren
- Zeit angeben

Freizeitaktivitäten unterstützen
- Maßnahmen konkretisieren
  » Fernsehprogramm anbieten
  » Gameboy-Spiel ermöglichen
  » Literatur zum Lesen anbieten
  » Legosteine zum Bauen anbieten
  » Puzzles anbieten
  » Zu Spielen mit anderen Kindern anleiten/unterstützen
  » Stifte zum Malen von Bildern anbieten
  » Zum Basteln anleiten
  » Hörgeschichten anbieten
  » Bobby-Car fahren anbieten
  » Dreiradfahren anbieten
- Einrichtungsspezifische Aktivität wählen
- Zeit angeben

Besucherdienst organisieren
- Pflegeintervention konkretisieren
- Zeit angeben

Besuchszeiten großzügig handhaben
- Pflegeintervention konkretisieren
- Zeit angeben

Gesprächsbereitschaft vermitteln
- Pflegeintervention konkretisieren
- Zeit angeben

Eltern mit aufnehmen, Besuchszeitenregelung großzügig handhaben
- Pflegeintervention konkretisieren
- Zeit angeben

Termine mit Spieldamen/ Beschäftigungstherapeuten, welche ein Beschäftigungsprogramm durchführen, vereinbaren
- Pflegeintervention konkretisieren
- Zeit angeben

Freizeit mit Spielen in der Gruppe gestalten
- Maßnahmen konkretisieren
  - » Volleyball spielen
  - » Tischtennis spielen
  - » Handball spielen
  - » Fußball spielen
  - » Federball spielen
  - » Tennis spielen
- Einrichtungsspezifische Aktivität wählen
- Gesellschaftsspiele spielen
  - » Mensch ärgere Dich nicht
  - » Monopoly
  - » Mikado
  - » Domino
  - » Kartenspiele
- Einrichtungsspezifische Aktivität wählen
- Unter Beteiligung von Pflegepersonen aktivieren

Spiele-Angebote durchführen
- Einrichtungsspezifische Aktivität wählen

Aktivierungstherapie in der Gruppe durchführen
- Pflegeintervention konkretisieren
  - » Gemeinsam Mahlzeiten kochen und einnehmen
  - » An Festaktivitäten teilnehmen
  - » Beschäftigungstherapie durchführen
  - » Gemeinsam alte Lieder singen
  - » Am Gesprächskreis im Erinnerungsraum teilnehmen
  - » Aus der Tageszeitung vorlesen und aktuelle Themen diskutieren
  - » Märchen-/Literaturgruppe besuchen
  - » Tanznachmittag besuchen
  - » Kognitive Aktivitäten planen und durchführen
  - » Alltagsbezogene Aktivitäten planen und durchführen
  - » Kulturelle Aktivitäten durchführen
  - » Musisch-gesellige Aktivitäten durchführen
  - » Künstlerische Aktivitäten durchführen
  - » Kreative Aktivitäten durchführen
- Einrichtungsspezifische Aktivität wählen
- Zeitdauer der Gruppenangebote bestimmen

Beschäftigungstherapie in Einzeltherapie durchführen
- Maßnahmen konkretisieren
  - » Malen
  - » Werken
  - » Töpfern
  - » Collagen gestalten
  - » Batiken
  - » Seidenmalerei betreiben
  - » Weben
  - » Holzarbeiten anfertigen
  - » Flechtarbeiten anfertigen
- Einrichtungsspezifische Aktivität wählen
- Art und Weise der Unterstützung bestimmen
  - » Einleitend motivieren und aktivieren
  - » Kontinuierlich motivieren und anleiten
  - » Bei der Durchführung unterstützen
- Zeitdauer der Einzelförderung bestimmen

Beschäftigungstherapie in der Gruppe durchführen
- Maßnahmen konkretisieren
  - » Malen
  - » Werken
  - » Töpfern
  - » Collagen gestalten
  - » Batiken
  - » Seidenmalerei betreiben
  - » Weben
  - » Holzarbeiten anfertigen
  - » Flechtarbeiten anfertigen
- Einrichtungsspezifische Aktivität wählen
- Zeitdauer der Gruppentherapie bestimmen

Sonstige Pflegemaßnahmen durchführen
- Maßnahmen konkretisieren
- Zeit angeben

Literaturhinweise: 510

Der Patient **empfindet** aufgrund **fehlender sinnvoller Aufgaben** Langeweile

Kennzeichen

- Beschreibt ein Gefühl der Eintönigkeit ohne Anregung und Unterhaltung
- Zeigt Desinteresse an den angebotenen Aktivitäten
- Äußert ein Gefühl der Langeweile
- Äußert, nicht zu wissen, wie Zeit sinnvoll verbracht werden kann
- Rückzugstendenzen
- Verspürt keine Energie, sich zu Aktivitäten aufzuraffen
- Beschreibt Gedanken wie z. B. "Ich weiß nichts mit mir anzufangen."
- Beschreibt Gedanken wie z. B. "Ich weiß nicht, warum ich das ... tun sollte."
- Empfindet an/nach Aktivitäten keine Freude
- Erhöhtes Schlafbedürfnis
- Empfindet ein langsames Verstreichen der Zeit

Ursachen

- Depressionen
- Hospitalisierung
- Umgebungsveränderung
- Psychische Erkrankung
- Bewegungseinschränkung
- Förderangebote führen zur Überforderung
- Förderangebote führen zur Unterforderung
- Fehlende Angebote zur Freizeitgestaltung und Aktivierung

Ressourcen

- Nimmt Anregungen zur Beschäftigung an
- Lässt sich durch Aufforderungen zu Aktivitäten motivieren

Pflegeziele

- Ursachen sind erkannt

- Entwickelt eigene Lösungswege
- Äußert kein Gefühl der Langeweile
- Äußert Befriedigung und positive Gefühle durch die Beschäftigungstherapie
- Selbstvertrauen in eigene Kompetenzen/Fähigkeiten ist gefördert
- Ist sozial integriert
- Nimmt am sozialen Leben teil und fühlt sich integriert
- Baut soziale Kontakte auf und pflegt diese
- Fühlt sich angenommen und akzeptiert
- Äußert, einen Lebenssinn/-inhalt für sich zu sehen
- Geht einer sinnvollen Beschäftigung nach
- Beschäftigung ist altersgerecht
- Beschäftigung ist situationsangepasst
- Äußert Wohlbefinden
- Entwickelt Freude an der Bewegung in der Natur
- Zeigt Interesse und Spaß an den Freizeitaktivitäten
- Nimmt an Freizeitaktivitäten teil
- Fühlt sich nicht allein und hat ständige Ansprache
- Kind ist abgelenkt, hat Spaß und ist sinnvoll beschäftigt

Pflegeinterventionen

Ursachen und Einflussfaktoren im klientenzentrierten Gespräch klären
- Pflegeintervention konkretisieren
- Zeit angeben

Klientenzentriertes Gespräch über die empfundene Langeweile, deren Bedeutung und mögliche Lösungswege führen
- Gesprächsinhalt
- Zeit angeben
- Beteiligte Personen angeben
  - » Betroffene Person
  - » Angehöriger/Bezugsperson
  - » Betreuer
  - » Eltern
  - » Sonstige Personen
- Durchführende Person angeben
  - » Bezugspflegeperson
  - » Pflegeperson
  - » Spezialtherapeuten
  - » Physiotherapeuten

Beschäftigungstherapie in Einzeltherapie durchführen
- Maßnahmen konkretisieren
  - » Malen
  - » Werken
  - » Töpfern
  - » Collagen gestalten
  - » Batiken
  - » Seidenmalerei betreiben
  - » Weben
  - » Holzarbeiten anfertigen
  - » Flechtarbeiten anfertigen
- Einrichtungsspezifische Aktivität wählen
- Art und Weise der Unterstützung bestimmen
  - » Einleitend motivieren und aktivieren
  - » Kontinuierlich motivieren und anleiten
  - » Bei der Durchführung unterstützen
- Zeitdauer der Einzelförderung bestimmen

Beschäftigungstherapie in der Gruppe durchführen
- Maßnahmen konkretisieren
  - » Malen
  - » Werken
  - » Töpfern
  - » Collagen gestalten
  - » Batiken
  - » Seidenmalerei betreiben
  - » Weben
  - » Holzarbeiten anfertigen
  - » Flechtarbeiten anfertigen
- Einrichtungsspezifische Aktivität wählen
- Zeitdauer der Gruppentherapie bestimmen

Gesellschaftliche/soziale Aktivitäten fördern
- Stationsaktivität angeben
  - » Gemeinsam aktuelle Zeitungen/Magazine lesen
  - » Kinoabend im Wohn-/Stationsbereich durchführen
  - » Spielnachmittag besuchen
  - » Mahlzeiten gemeinsam einnehmen
  - » Tanznachmittag besuchen
  - » Kirchenbesuch durchführen
  - » Spazieren gehen
  - » Singstunde besuchen
  - » An Festaktivitäten teilnehmen
  - » Am Sonntagsfrühstück teilnehmen
  - » Aktivitäten im Zusammenhang, den Gemeinschaftsraum zu gestalten
  - » Zur Milieugestaltung malen/basteln
- Einrichtungsspezifische Aktivität wählen
- Zeitdauer der Aktivitäten bestimmen

Soziales Angebot innerhalb der Einrichtung anbieten
- Einrichtungsspezifische Aktivität wählen

Soziales Angebot außerhalb der Einrichtung anbieten
- Einrichtungsspezifische Aktivität wählen

Aktivierungstherapie in der Gruppe durchführen
- Pflegeintervention konkretisieren
  - » Gemeinsam Mahlzeiten kochen und einnehmen
  - » An Festaktivitäten teilnehmen
  - » Beschäftigungstherapie durchführen
  - » Gemeinsam alte Lieder singen
  - » Am Gesprächskreis im Erinnerungsraum teilnehmen
  - » Aus der Tageszeitung vorlesen und aktuelle Themen diskutieren
  - » Märchen-/Literaturgruppe besuchen
  - » Tanznachmittag besuchen
  - » Kognitive Aktivitäten planen und durchführen
  - » Alltagsbezogene Aktivitäten planen und durchführen
  - » Kulturelle Aktivitäten durchführen
  - » Musisch-gesellige Aktivitäten durchführen
  - » Künstlerische Aktivitäten durchführen
  - » Kreative Aktivitäten durchführen
- Einrichtungsspezifische Aktivität wählen
- Zeitdauer der Gruppenangebote bestimmen

Freizeitaktivitäten besprechen und planen
- Bezugsperson festlegen
- Pflegeintervention konkretisieren
  - » Tages-/Wochenplan erstellen
  - » Aktivitätenplan erstellen
  - » Tages- und Wochenpläne besprechen
  - » Durchgeführte Aktivitäten besprechen
  - » Lebenspraktische Inhalte besprechen
- Fest verbindlichen Tagesplan vereinbaren
  - » Mit Kontrollmöglichkeit
  - » Ohne Kontrollmöglichkeit
  - » In Eigenverantwortung
  - » In Verantwortung der Bezugsperson
  - » Tagesaktivitäten auswerten und reflektieren
- Dauer bestimmen

Freizeitaktivitäten unterstützen
- Maßnahmen konkretisieren
  - » Fernsehprogramm anbieten
  - » Gameboy-Spiel ermöglichen
  - » Literatur zum Lesen anbieten
  - » Legosteine zum Bauen anbieten
  - » Puzzles anbieten
  - » Zu Spielen mit anderen Kindern anleiten/unterstützen
  - » Stifte zum Malen von Bildern anbieten
  - » Zum Basteln anleiten
  - » Hörgeschichten anbieten
  - » Bobby-Car fahren anbieten
  - » Dreiradfahren anbieten
- Einrichtungsspezifische Aktivität wählen
- Zeit angeben

Freizeit mit Spielen in der Gruppe gestalten
- Maßnahmen konkretisieren
  - » Volleyball spielen
  - » Tischtennis spielen
  - » Handball spielen
  - » Fußball spielen
  - » Federball spielen
  - » Tennis spielen
- Einrichtungsspezifische Aktivität wählen
- Gesellschaftsspiele spielen
  - » Mensch ärgere Dich nicht
  - » Monopoly
  - » Mikado

- » Domino
- » Kartenspiele
- Einrichtungsspezifische Aktivität wählen
- Unter Beteiligung von Pflegepersonen aktivieren

In eine Gruppe integrieren, die regelmäßig spazieren geht
- Pflegeintervention konkretisieren
  - » Zu Spaziergängen auffordern
  - » Mit dem Patienten spazieren gehen
  - » Spaziergänge mit Angehörigen organisieren
- Gruppenspaziergang
  - » In der Gruppe mit dem Patienten spazieren gehen
- Zeit angeben

Spiele-Angebote durchführen
- Einrichtungsspezifische Aktivität wählen

Eltern mit aufnehmen, Besuchszeitenregelung großzügig handhaben
- Pflegeintervention konkretisieren
- Zeit angeben

Termine mit Spieldamen/ Beschäftigungstherapeuten, welche ein Beschäftigungsprogramm durchführen, vereinbaren
- Pflegeintervention konkretisieren
- Zeit angeben

Sonstige Pflegemaßnahmen durchführen
- Maßnahmen konkretisieren
- Zeit angeben

Literaturhinweise: 95, 125, 175, 176

Der Patient zeigt einen **unstillbaren Bewegungsdrang** und **leidet** darunter

Kennzeichen

- Zielloses Umhergehen (Wandering)
- Planloses Umherwandern
- Ständiges Umherwandern auf der Suche nach etwas
- Wiederholtes Durchführen gleicher Bewegungsabläufe
- Stereotypisches Wiederholen bestimmter Bewegungsabläufe
- Gesteigerter Sprechantrieb
- Reduzierte Erholungspausen
- Bewegungsstereotypie
- Kniebeugen und andere Turnübungen
- Sinnloses Nachahmen von Handlungen der Umgebung
- Zeigt Unruhezustände mit erhöhter Gefahr der Selbstgefährdung
- Nestelbewegungen
- Stilles Sitzen/Stehen ist unmöglich
- Hyperaktivität

Ursachen

- Reizüberflutung aus der Umgebung
- Kognitive Beeinträchtigungen
- Emotionale Instabilität/Schwankung
- Mangelndes Vertrauen in die Umgebung
- Trennung von einer vertrauten Umgebung
- Demenz
- Morbus Alzheimer
- Geistige Behinderung
- Organisches Psychosyndrom
- Psychoorganisches Syndrom POS
- Psychose
- Manie
- Neurologische Störung
- Morbus Parkinson
- Aufmerksamkeitsdefizit-/Hyperaktivitätsstörung (ADHS)
- Restless-Legs-Syndrom
- Nebenwirkungen von Neuroleptika

Ressourcen

- Lässt sich unterbrechen
- Nimmt therapeutische Anregungen an

Pflegeziele

- Ist in den Tagesablauf aktiv integriert
- Motorische Aktivitäten sind in produktive Tätigkeiten des täglichen Lebens gelenkt
- Kann nachts schlafen
- Zeigt Verhaltensweisen, die auf Ermüdung hinweisen
- Psychomotorische Unruhezustände sind gemindert
- Komplikationen sind frühzeitig erkannt und abgewendet
- Unruhezustände werden ausgelebt
- Ausreichende Ruhephasen werden eingehalten
- Zeigt Interesse und Spaß an den Freizeitaktivitäten
- Nimmt an den vereinbarten Aktivitäten teil
- Führt geeignete Aktivitäten durch, die den Gesundheitszustand verbessern können
- Erkennt die Notwendigkeit der Durchführung von Aktivitäten und den Zusammenhang zwischen Stimmungslage und Aktivität
- Soziale Kompetenzen sind gefördert
- Kognitive Fähigkeiten sind gefördert

Pflegeinterventionen

Tages- und wochenstrukturierende Maßnahmen durchführen
- Pflegeintervention konkretisieren
- Zeit angeben

Durch körperliche Aktivität für eine natürliche Ermüdung sorgen
- Pflegeintervention konkretisieren
- Zeit angeben

Rückzugsmöglichkeiten einräumen
- Pflegeintervention konkretisieren
- Zeit angeben

Vitalwerte beobachten
- Pflegeintervention konkretisieren
  - Vitalzeichenkontrolle durchführen, auf dem Überwachungsprotokoll dokumentieren
- Bewusstseinskontrolle durchführen
  - Auf qualitative Veränderungen beobachten
  - Auf quantitative Veränderungen beobachten

Freiräume zum Ausleben der psychomotorischen Unruhezustände einräumen
- Pflegeintervention konkretisieren
- Zeit angeben

Für Pausen und Ruhephasen sorgen
- Pflegeintervention konkretisieren
- Zeit angeben

Aktivitätenprogramm im Rahmen der kognitiven Therapie durchführen
- Therapieangebot konkretisieren
  - Hirnleistungstraining durchführen
  - Gedächtnistraining durchführen
  - Konzentrationstraining durchführen
  - Themenzentrierte Gespräche führen
- Einrichtungsspezifische Aktivität wählen
- Dauer der Therapie angeben

Spiele und Aktivitäten einsetzen, um Kompetenzen des Patienten zu fördern
- Maßnahmen konkretisieren
  - Volleyball spielen
  - Tischtennis spielen
  - Handball spielen
  - Fußball spielen
  - Federball spielen
  - Tennis spielen
- Einrichtungsspezifische Aktivität wählen
- Gesellschaftsspiele spielen
  - Mensch ärgere Dich nicht
  - Monopoly
  - Mikado
  - Domino
  - Kartenspiele
- Einrichtungsspezifische Aktivität wählen
- Unter Beteiligung von Pflegepersonen aktivieren

Sonstige Pflegemaßnahmen durchführen
- Maßnahmen konkretisieren
- Zeit angeben

Literaturhinweise: 82, 83, 95, 101, 173, 175, 176

Der Patient leidet an **Unruhezuständen**

Kennzeichen

- Beschreibt das Gefühl des "Getriebenseins"
- Ständiges Bewegen und unruhiges Hin- und Herrutschen, verbunden mit oder ohne Muskelzuckungen
- Unruhezustände
- Äußert ein Gefühl der Rastlosigkeit
- Hyperaktivität
- Unruhe in der Nacht
- Läuft ständig ziellos umher
- Umtriebigkeit und psychomotorische Unruhe
- Hantiert ständig an etwas herum
- Schiebt Möbel herum
- Reagiert gereizt

Ursachen

- Psychische Ursache
- Lebenskrise
- Bekannte psychiatrische Erkrankung
- Hyperthyreose
- Morbus Alzheimer
- Zentrale Unruhezustände
- Orientierungsstörung
- Akute Desorientierung
- Schmerzzustände
- Demenz
- Häufiges Hungergefühl

Ressourcen

- Lässt sich ablenken
- Zeigt Verhaltensweisen, die die Therapie unterstützen
- Nimmt Anregungen zur Beschäftigung an
- Badet/duscht gern und kann sich dabei entspannen
- Toleriert die therapeutische/pflegerische Intervention
- Reagiert positiv auf die therapeutische Körperwaschung

- Akzeptiert die Unterstützung
- Akzeptiert die Unterstützung von Angehörigen

Pflegeziele

- Ziellose, ungerichtete motorische Aktivität nimmt ab
- Aktivität ist vermehrt zielgerichtet
- Ursachen sind erkannt
- Zusätzliche äußere Belastungen sind reduziert, Ängste und Unruhezustände werden abgebaut
- Hyperaktivität ist reduziert
- Atmung ist vertieft
- Kennt die Behandlungsziele und ist zur Mitarbeit motiviert
- Selbstverantwortlichkeit und Autonomie sind unterstützt
- Wohlbefinden und Entspannung sind unterstützt
- Geruchssinn ist angeregt
- Ist ruhig und kann sich entspannen
- Ziele der beruhigenden Körperwaschung sind erreicht
- Verhaltensweisen, welche beim Betroffenen auf Stress hinweisen, sind abgebaut (z.B. hält sich auf unangemessene Weise fest, schimpft, schreit, kneift, tritt mit dem Fuß, ballt die Faust usw.)

Pflegeinterventionen

Beruhigend wirkende Pflegeinterventionen einleiten

- Pflegeintervention konkretisieren
  - » Beruhigende Gespräche führen
  - » Durch Berührungen zum Stillhalten auffordern

Klientenzentriertes Gespräch zur Ursachenanalyse für die empfundene Unruhe führen

- Gesprächsinhalt
- Zeit angeben

ASE (atemstimulierende Einreibung) durchführen

- Pflegeprodukte zur ASE angeben
- Lagerung bei der ASE bestimmen
  - » Sitzend, mit den Armen auf den Tisch oder die Stuhllehne gestützt, durchführen
  - » In 135°-Lage im Bett durchführen

Weniger leistungsorientierte Tätigkeiten durchführen

- Pflegeintervention konkretisieren
- Zeit angeben

Beim Ausleben der Unruhezustände unterstützen

- Pflegeintervention konkretisieren
- Zeit angeben

Für eine ruhige Umgebung und die Einhaltung von Ruhephasen sorgen

- Pflegeintervention konkretisieren
- Zeit angeben

Stimulierende Getränke wie Kaffee oder Tee vermeiden, entsprechende Vereinbarungen treffen und Alternativen besprechen

- Pflegeintervention konkretisieren
- Zeit angeben

Atemübungen durchführen

- Pflegeintervention konkretisieren
  - » Kontaktatmen - Basaltexte durchführen
  - » Flankenatmung intensivieren
  - » Therapeutische Nasenenge durchführen
  - » Auf "fff" vertieft ausatmen
  - » Zwerchfellatmung üben
  - » Atemübungen mit dem Atemtherapeuten durchführen

Eigenverantwortlichkeit und Autonomie im Gespräch fördern

- Maßnahmen konkretisieren
  - » Handlungsalternativen aufzeigen und so Entscheidungskraft gezielt fördern
  - » Keine Entscheidungen für den Patienten treffen
- Alltagsweltliche Entscheidungen fördern
  - » Menükomponenten beim Essen auswählen lassen
  - » Kleidungsstücke, die am Tag getragen werden, auswählen und zusammenstellen lassen
  - » Bei Freizeitbeschäftigungen mehrere Alternativen aufzeigen

Aromatherapie durchführen

- Duftöl auswählen
- Aromatherapie: Anwendungsart festlegen
  - » Duftlampe
  - » Dampfbad
  - » Räuchern
  - » Duftstein
  - » Massage-Öl
  - » Tee

Beruhigungsbad durchführen

  - » Vollbad durchführen
- Pflegeintervention konkretisieren
  - » Baldrian-Brom-Bad durchführen
- Art der Unterstützungsleistung angeben
  - » Materialien bereitlegen
  - » Beaufsichtigen
  - » Durch Unterstützen helfen
  - » Teilweise übernehmen
  - » Vollständig übernehmen
  - » Aktivieren/anleiten

Intimpflege außerhalb der beruhigenden Waschung durchführen

- Pflegeintervention konkretisieren
- Zeit angeben

Basal stimulierend beruhigende Körperwaschung durchführen

- Pflegeintervention konkretisieren
  - » Weiche Waschlappen/Handtücher verwenden
  - » Warmes Wasser verwenden (ca. 40 °C)
  - » Mit der Haarwuchsrichtung waschen
  - » Intimpflege vor der beruhigenden Waschung durchführen
- Besonderheiten beachten
- Beruhigende Waschzusätze verwenden
  - » Lavendel - ätherisches Öl
  - » Sandelholz - ätherisches Öl
  - » Rosenholz - ätherisches Öl

Sonstige Pflegemaßnahmen durchführen

- Maßnahmen konkretisieren
- Zeit angeben

Literaturhinweise: 82, 83, 95, 101, 173, 175, 176

Der Patient leidet unter dem **Gefühl des Alleinseins**

Kennzeichen

- Meidet Kontakte
- Äußert, sich abgelehnt zu fühlen
- Äußert das Gefühl, allein zu sein
- Äußert das Gefühl, anders zu sein
- Zeigt Verhaltensweisen, die den Kontakt zu Sozialpartnern erschweren
- Berichtet, keine Freunde und/oder sozialen Kontakte zu haben
- Berichtet von der Unfähigkeit, Beziehungen aufzubauen/Kontakt herzustellen
- Bekommt keine/wenig Besuche von Freunden/Angehörigen

Ursachen

- Körperliche Schwäche
- Körperliches Unbehagen
- Fehlender Realitätsbezug
- Psychiatrische Erkrankung
- Körperliche Einschränkung
- Verdrängte, traumatische Erlebnisse
- Eingeschränkte kognitive Fähigkeiten

Ressourcen

- Kann Gefühle und Sorgen mit der Bezugsperson besprechen
- Versteht das Therapiekonzept und ist bereit, sich aktiv zu beteiligen

Pflegeziele

- Akzeptiert das Gefühl und kann dieses zum Ausdruck bringen
- Ursachen sind erkannt
- Fühlt sich nicht abgeschoben und allein gelassen
- Hat täglich mehrere Kurzgespräche
- Gefühl des Alleinseins ist reduziert
- Angehörige/Bezugspersonen entwickeln Verständnis für die Situation des Betroffenen
- Eine konstruktive Beziehung zu Angehörigen/Bezugspersonen ist unterstützt

Pflegeinterventionen

Durch Anwesenheit dem Gefühl des Alleinseins entgegenwirken
- Pflegeintervention konkretisieren
  - » Gespräch mit der Bezugspflegeperson durchführen
- Zeit angeben

Klientenzentriertes Gespräch über die Ursachen des wahrgenommenen Gefühls des Alleinseins führen
- Gesprächsinhalt
- Zeit angeben

Kurzgespräch führen
- Pflegeintervention konkretisieren
  - » Gespräch mit der Bezugspflegeperson durchführen
- Zeit angeben

Klientenzentriertes Gespräch führen
- Inhaltliche Ausrichtung des Gesprächs bestimmen
  - » Informationssammlung
  - » Pflege-, Betreuungs- und Behandlungsprozess
  - » Ursachenanalyse
  - » Strategien zur Krankheitsbewältigung
  - » Motivation/Aktivierung
  - » Alltagsbewältigung
  - » Förderung der Entscheidungsfindung
  - » Zukunftsperspektive
  - » Unterstützung der Orientierung
  - » Unterstützung des Realitätsbezugs
  - » Kriseninterventíon
  - » Aktuelle Bedürfnisse/Wünsche
  - » Instruktion/Anleitung
  - » Feed-back-Gespräch
  - » Sonstige Gesprächsinhalte
- Gesprächsteilnehmer
  - » Angehöriger/Bezugsperson
  - » Betroffene Person
- Zeitdauer des Gesprächs angeben

Flexible Besuchszeiten ermöglichen
- Pflegeintervention konkretisieren
- Zeit angeben

Sonstige Pflegemaßnahmen durchführen
- Maßnahmen konkretisieren
- Zeit angeben

Literaturhinweise: 51, 79, 82, 83, 101, 173, 215, 318

Der Patient hat **Haarausfall** und **leidet darunter**

Kennzeichen

- Haarausfall, lichte Haarpartien
- Verstärkter Haarausfall (über 100 Haare pro Tag)
- Verliert büschelweise Haare
- Kreisrunde Herde mit stummelartigen Resthaaren
- Lichtungsareale fließen immer weiter zusammen

Ursachen

- Androgenetische Alopezie
- Hormonbedingter Haarausfall
- Genetische Haarstrukturveränderungen
- Chemotherapie
- Strahlentherapie
- Verletzungen/Narben mit Schädigung des Haarfollikels

Ressourcen

- Erkennt die Notwendigkeit der getroffenen Intervention und kooperiert mit dem therapeutischen Team
- Ist motiviert, Neues auszuprobieren

Pflegeziele

- Kennt die Ursachen des Haarausfalls und kann sich mit dem Verlust des Haars auseinandersetzen
- Setzt sich mit dem Verlust des Haars auseinander
- Haarausfall ist gestoppt
- Neuwachstum von Haaren ist unterstützt

Pflegeinterventionen

Ursachen für den Haarausfall analysieren
- Gesprächsinhalt
- Zeit angeben

Über (chemo-)therapieinduzierten Haarausfall aufklären
- Pflegeintervention konkretisieren
- Zeit angeben

Über kosmetische Möglichkeiten beim Haarausfall beraten
- Gesprächsinhalt
  - » Beim Besorgen einer Perücke unterstützen
  - » Verschiedene Kopfbedeckungen ausprobieren, z. B. kleine gestrickte Mützen, Haartücher usw.
- Zeitdauer des Gesprächs angeben

Homöopathische Therapie laut Anordnung unterstützen (nur bei Alopecia diffusa und areata)
- Kennzeichen bestimmen und Mittel auswählen
  - » Vorzeitiges Ergrauen, Kummer, Sorgen und Erschöpfung, Zerstreutheit und Teilnahmslosigkeit: Acidum phosphoricum
  - » Schuppende und trockene Kopfhaut, starker Juckreiz, Taubheitsgefühl und kälteempfindliche Kopfhaut: Alumina
  - » Juckende Kopfhaut mit nächtlichem Kopfschweiß, kalte Füße, Haarausfall im Wochenbett: Calcium carbonicum
  - » Nässend, übel riechend, frostig, Schuppenbildung, heftiges Jucken und Neigung zum Übergewicht: Graphites
  - » Hormonelle Umstellungsphase, fettige, ölige Haut, männl. Haarausfallmuster: Natrium muriaticum
  - » Büschelweiser Haarausfall, Erschöpfung, glanzloses, dünnes Haar: Phosphorus
  - » Pergamentartige Kopfhaut, übel riechender Schweiß, druckempfindliche Schläfen: Acidum fluoricum
  - » Kahle Stellen mit weißem, nachwachsendem Flaum: Vinca minor
- Potenz angeben

Sonstige Pflegemaßnahmen durchführen
- Maßnahmen konkretisieren
- Zeit angeben

Literaturhinweise: 95, 125, 127, 175, 176

Der Patient leidet unter **Heimweh**

Kennzeichen

- Äußert Sehnsucht nach der Heimat
- Äußert Sehnsucht nach Menschen, die in der Heimat leben
- Äußert Ängste vor der neuen Lebenssituation
- Zeigt Zorn gegenüber der Lebenssituation

Ursachen

- Umgebungsveränderung
- Einzug in eine Heimeinrichtung
- Isolation von der Familie
- Einweisung in eine Klinik
- Sprachbarrieren, die eine Integration in das neue soziale Umfeld erschweren
- Einzug in eine Betreuungseinrichtung
- Akute Ortsveränderung, auf die eine Vorbereitung nicht möglich war

Ressourcen

- Kann über Sorgen und Ängste sprechen
- Kann Gefühle und Sorgen mit der Bezugsperson besprechen

Pflegeziele

- Akzeptiert das Gefühl und kann dieses zum Ausdruck bringen
- Soziale Kontakte zu Angehörigen und Bekannten sind ausreichend
- Fühlt sich angenommen und akzeptiert

Pflegeinterventionen

Im klientenzentrierten Gespräch die wahrgenommene Gefühlswelt reflektieren
- Gesprächsinhalt
- Zeit angeben
- Beteiligte Personen angeben
  - » Betroffene Person
  - » Angehöriger/Bezugsperson
  - » Betreuer
  - » Eltern
  - » Sonstige Personen
- Durchführende Person angeben
  - » Bezugspflegeperson
  - » Pflegeperson
  - » Spezialtherapeuten
  - » Physiotherapeuten

Gefühle des Patienten akzeptieren
- Pflegeintervention konkretisieren
- Zeit angeben

Sonstige Pflegemaßnahmen durchführen
- Maßnahmen konkretisieren
- Zeit angeben

Literaturhinweise: 47, 95, 125, 175, 176, 317

Der Patient **leidet unter dem Gefühl**, aufgrund der Erkrankung **eine Belastung für die Angehörigen/Bezugspersonen zu sein**

Kennzeichen

- Beschreibt das Gefühl, allein gelassen zu sein
- Sozialer Rückzug wird beschrieben
- Äußert, eine Belastung für Angehörige/Bezugspersonen zu sein
- Berichtet, dass Angehörige sehr wenig Zeit haben und nicht zusätzlich belastet werden können
- Äußert Schuldgefühle
- Äußert Ängste
- Zeigt Resignation
- Zeigt Passivität

Ursachen

- Überforderung der Angehörigen
- Körperliche Einschränkung
- Finanzielle Ressourcen sind begrenzt und reichen nicht aus, um die Gesundheitsdienstleistungen zu finanzieren
- Konflikte mit Angehörigen/Bezugspersonen
- Rollenkonflikt

Ressourcen

- Akzeptiert die Unterstützung von Angehörigen
- Angehörige sind zur Kontaktaufnahme bereit
- Angehörige zeigen Bereitschaft, neu zu lernen
- Empfindet es als angenehm, die engen Angehörigen um sich zu haben

Pflegeziele

- Angehörige/Bezugspersonen entwickeln Verständnis für die Situation des Betroffenen
- Nimmt Kontakt zu Freunden/Angehörigen auf
- Baut soziale Kontakte auf und pflegt diese
- Entwickelt eigene Lösungswege
- Erkennt die Notwendigkeit der Verhaltensänderung
- Nimmt soziale Situationen differenzierter wahr

Pflegeinterventionen

Klientenzentriertes Gespräch führen

- Inhaltliche Ausrichtung des Gesprächs bestimmen
  - » Informationssammlung
  - » Pflege-, Betreuungs- und Behandlungsprozess
  - » Ursachenanalyse
  - » Strategien zur Krankheitsbewältigung
  - » Motivation/Aktivierung
  - » Alltagsbewältigung
  - » Förderung der Entscheidungsfindung
  - » Zukunftsperspektive
  - » Unterstützung der Orientierung
  - » Unterstützung des Realitätsbezugs
  - » Krisenintervention
  - » Aktuelle Bedürfnisse/Wünsche
  - » Instruktion/Anleitung
  - » Feed-back-Gespräch
  - » Sonstige Gesprächsinhalte
- Gesprächsteilnehmer
  - » Angehöriger/Bezugsperson
  - » Betroffene Person
- Zeitdauer des Gesprächs angeben

Den Aufbau eines stützenden sozialen Umfelds fördern

- Netzwerke bestimmen, die aufgebaut/gefördert werden können
  - » Netzwerk Familie
  - » Netzwerk Freundeskreis
  - » Netzwerk Arbeitsfeld
  - » Netzwerk Glaubensgemeinschaft
  - » Netzwerk Freizeitaktivität/Hobby
  - » Selbsthilfegruppe
  - » Sonstige Netzwerke
- Zeitdauer der Intervention bestimmen
- Gesprächspartner bestimmen
  - » Angehöriger/Bezugsperson
  - » Betreuer
  - » Freunde
  - » Arbeitgeber
  - » Arbeitskollegen
  - » Ämter
  - » Kirchenvertreter
  - » Nachbarn
  - » Sonstige Personen

Im klientenzentrierten Gespräch bestehende Schwierigkeiten analysieren und Problemlösungen entwickeln

- Gesprächsinhalt
- Zeit angeben
- Beteiligte Personen angeben
  - » Betroffene Person
  - » Angehöriger/Bezugsperson
  - » Betreuer
  - » Eltern
  - » Sonstige Personen
- Durchführende Person angeben
  - » Bezugspflegeperson
  - » Pflegeperson
  - » Spezialtherapeuten
  - » Physiotherapeuten

Sonstige Pflegemaßnahmen durchführen

- Maßnahmen konkretisieren
- Zeit angeben

Literaturhinweise: 510

Der Patient ist aufgrund von **Einschränkungen aus dem sozialen Umfeld** in der **Lebensgestaltung eingeschränkt** und **leidet darunter**

Kennzeichen

- Äußert das Bedürfnis nach mehr Freiheit/ Freizeit
- Macht einen überforderten Eindruck
- Wirkt gegenüber Angehörigen gereizt
- Berichtet über Einschränkungen in der autonomen Lebensgestaltung/Entscheidungsfreiheit
- Beschreibt Einschränkungen durch das soziale Umfeld
- Äußert, dass die Unterstützung nicht akzeptiert wird
- Erwartete/gewünschte Unterstützung durch Angehörige/Bezugspersonen wird nicht gewährt

Ursachen

- Organisationsbedingte Einschränkungen
- Festgelegte Normen in der Familienhierarchie durch den Kulturkreis
- Kulturelles Gesundheitsverständnis
- Soziales Umfeld
- Zu pflegende Angehörige
- Chronische Krankheit
- Veränderungen in der Familienkonstellation
- Fehlendes Verständnis für spezielle Verhaltensweisen und prophylaktische Maßnahmen

Ressourcen

- Kann Hilfe annehmen
- Ist an einer Problemlösung interessiert
- Angehörige sind zur Kontaktaufnahme bereit
- Angehörige zeigen Bereitschaft, neu zu lernen

Pflegeziele

- Kann sich eigene Freiräume zur Lebensgestaltung schaffen
- Entwickelt Lösungswege im Gespräch

Pflegeinterventionen

Die verschiedenen Unterstützungs-/ Versorgungsmöglichkeiten aufzeigen
- Gesprächsinhalt
- Zeit angeben
- Beteiligte Personen angeben
  - » Betroffene Person
  - » Angehöriger/Bezugsperson
  - » Betreuer
  - » Eltern
  - » Sonstige Personen
- Durchführende Person angeben
  - » Bezugspflegeperson
  - » Pflegeperson
  - » Spezialtherapeuten
  - » Physiotherapeuten

Kontakt zu Selbsthilfegruppen vermitteln
- Pflegeintervention konkretisieren
- Zeit angeben

Sonstige Pflegemaßnahmen durchführen
- Maßnahmen konkretisieren
- Zeit angeben

Literaturhinweise: 510

Der Patient leidet unter **chronischer Fatigue** (Erschöpfung/ Müdigkeit)

Kennzeichen

- Fühlt sich chronisch müde und matt
- Beschreibt eine lähmende Müdigkeit trotz ausreichendem Schlaf
- Erschöpfungszustände
- Geringe Anstrengungen, die früher mühelos bewältigt wurden, führen zur Erschöpfung/ Überforderung
- Zeigt depressives Verhalten
- Beschreibt Symptome einer depressiven Verstimmung
- Wirkt antriebslos
- Eingeschränkte Leistungsfähigkeit
- Beschreibt eine eingeschränkte Leistungsfähigkeit
- Äußerungen über Leistungsschwäche
- Sozialer Rückzug wird beschrieben
- Konzentration/Aufmerksamkeit ist reduziert
- Gedächtnisstörung
- Wirkt lustlos und ist schwer zu Aktivitäten zu motivieren
- Berichtet über Libidoverlust

Ursachen

- CFS (Chronic Fatigue Syndrome)
- CRF (Cancer Related Fatigue)
- Chemotherapie
- Radiotherapie bei Tumorbehandlung
- Chronische Schlafstörung
- Schlafkrankheit
- Obstruktives Schlafapnoesyndrom
- Narkolepsie
- Neurologische Erkrankung
- Anämie
- Verzögerte postoperative Erholungsphase
- Infektionskrankheit
- Schwangerschaft
- Mangelernährung
- Steht unter starker Anspannung/Stress
- Angstzustände
- Depressionen
- Belastendes Klima
- Nicht bewältigter Trauerprozess
- Sinnkrise
- Diabetes mellitus

Ressourcen

- Akzeptiert die Unterstützung
- Akzeptiert die Unterstützung bei der Tagesgestaltung
- Akzeptiert die Unterstützung von Angehörigen
- Akzeptiert die körperliche Einschränkung
- Akzeptiert die vereinbarten Ruhephasen und hält sich daran
- Zeigt Interesse, Bewältigungsstrategien zu entwickeln

Pflegeziele

- Kann die wesentlichen Aktivitäten zur Aufrechterhaltung der persönlichen Versorgung durchführen
- Kennt Möglichkeiten der Energieerhaltung und wendet diese an
- Körperliche und geistige Energie ist wieder soweit hergestellt, dass die Teilhabe am sozialen Leben sichergestellt ist
- Äußert, sich in der Lage zu fühlen, etwas Bewältigung zu tun
- Schlaf- und Müdigkeitsmuster sind analysiert, Ruhepausen können daraufhin abgestimmt werden

Pflegeinterventionen

Aktivitäten angepasst an das jeweilige Leistungsniveau planen
- Pflegeintervention konkretisieren
- Zeit angeben

Ruhe-/Schlafpausen gezielt und sinnvoll in den Tagesablauf einplanen
- Pflegeintervention konkretisieren
- Zeit angeben

Pflegefachgespräch zur Entwicklung von Bewältigungsstrategien führen
- Gesprächsinhalt
- Zeit angeben
- Beteiligte Personen angeben
  - » Betroffene Person
  - » Angehöriger/Bezugsperson
  - » Betreuer
  - » Eltern
  - » Sonstige Personen
- Durchführende Person angeben
  - » Bezugspflegeperson
  - » Pflegeperson
  - » Spezialtherapeuten
  - » Physiotherapeuten

Tagebuch führen über Erschöpfungszustände, Müdigkeitsattacken, Schlafphasen und Aktivitäten
- Pflegeintervention konkretisieren
- Zeit angeben

Kognitive Verhaltenstherapie durchführen
- Pflegeintervention konkretisieren
  - » Gespräch mit der Bezugspflegeperson durchführen
- Zeit angeben

Sonstige Pflegemaßnahmen durchführen
- Maßnahmen konkretisieren
- Zeit angeben

Literaturhinweise: 363, 364, 365, 366, 367, 442

Der Patient ist **antriebsgesteigert**, es besteht das **Risiko der körperlichen Erschöpfung**

Kennzeichen

- Unruhezustände
- Äußert ein Gefühl der Rastlosigkeit
- Hektische Geschäftigkeit
- Ständige Aktivität
- Affektive Erregung/Spannung
- Impulshandlungen
- Findet aufgrund anderer Aktivitäten keine Zeit zur Nahrungsaufnahme
- Vermindertes Schlafbedürfnis
- Rededrang

Ursachen

- Manie
- Neurose
- Hyperthyreose
- Nebenwirkungen von Medikamenten

Ressourcen

- Kann Hilfe annehmen
- Toleriert die therapeutische/pflegerische Intervention
- Erkennt die Notwendigkeit der getroffenen Intervention und kooperiert mit dem therapeutischen Team

Pflegeziele

- Ausreichende Ruhephasen werden eingehalten
- Therapie- und Aktivitätsangebote sind individuell abgestimmt
- Kennt Möglichkeiten, aktiv den Therapieerfolg zu unterstützen
- Hält sich an Absprachen und unterstützt aktiv die Therapie
- Selbstkontrolle ist verbessert

Pflegeinterventionen

Vor körperlichem Ruin schützen und für Entspannungsphasen sorgen
- Pflegeintervention konkretisieren
- Zeit angeben

Fallbesprechung über den Pflege- und Behandlungsprozess führen
- Beteiligte Personen angeben
  - » Bewohner
  - » Pflegeperson
  - » Ärztlicher Dienst
  - » Psychologe
  - » Sozialarbeiter
  - » Sozialpädagoge
  - » Ergotherapeut
  - » Krankengymnast
  - » Logopäde
  - » Beschäftigungstherapeut
  - » Heilpädagoge
  - » Geistlicher Beistand
  - » Lehrer
  - » Erzieher
  - » Jugendamt
  - » Sonstige Personen
- Gesprächsinhalt
  - » Vereinbarte Therapieziele
  - » Vereinbarte Gesprächsinhalte für ein klientenzentriertes Pflegefachgespräch
- Zeitdauer angeben

Therapieziele gemeinsam vereinbaren und kontinuierlich reflektieren
- Maßnahmen konkretisieren
  - » Goal Attainment Scale einsetzen (= Zielerreichungsskala)
  - » Punkteplan einsetzen
- Zeit angeben

Sonstige Pflegemaßnahmen durchführen
- Maßnahmen konkretisieren
- Zeit angeben

Literaturhinweise: 47, 82, 83, 95, 101, 125, 173, 175, 176

Der Patient hat aufgrund von **Hyperaktivität** das **Risiko der körperlichen Erschöpfung**

Kennzeichen

- Umtriebigkeit und psychomotorische Unruhe
- Tachykardie
- Unruhezustände
- Tremor (Muskelzittern)
- Feinschlägiger Fingertremor
- Motorische Unruhezustände
- Schwierigkeiten, sich ruhig zu verhalten und eine Position beizubehalten
- Äußert ein Gefühl der Rastlosigkeit
- Hektische Geschäftigkeit
- Ständige Aktivität

Ursachen

- Schilddrüsenüberfunktion
- Psychische Erkrankung
- Nebenwirkungen von Medikamenten
- Aufmerksamkeitsdefizit-/Hyperaktivitätsstörung (ADHS)

Ressourcen

- Entspannt sich durch Entspannungsübungen
- Kann sich bei der Körperwaschung entspannen
- Reagiert positiv auf die therapeutische Körperwaschung
- Kann mithilfe von Entspannungstechniken einschlafen

Pflegeziele

- Ziellose, ungerichtete motorische Aktivität nimmt ab
- Aktivität ist vermehrt zielgerichtet
- Hyperaktivität ist reduziert
- Therapie- und Aktivitätsangebote sind individuell abgestimmt
- Kennt Möglichkeiten, aktiv den Therapieerfolg zu unterstützen
- Hält sich an Absprachen und unterstützt aktiv die Therapie
- Selbstkontrolle ist verbessert
- Ausreichende Ruhephasen werden eingehalten
- Kann nachts schlafen
- Zeigt Verhaltensweisen, die auf Ermüdung hinweisen
- Kommt zur Ruhe

Pflegeinterventionen

Beruhigend wirkende Pflegeinterventionen einleiten
- Pflegeintervention konkretisieren
  - Beruhigende Gespräche führen
  - Durch Berührungen zum Stillhalten auffordern

Für eine ruhige Umgebung und die Einhaltung von Ruhephasen sorgen
- Pflegeintervention konkretisieren
- Zeit angeben

Stimulierende Getränke wie Kaffee oder Tee vermeiden, entsprechende Vereinbarungen treffen und Alternativen besprechen
- Pflegeintervention konkretisieren
- Zeit angeben

ASE (atemstimulierende Einreibung) durchführen
- Pflegeprodukte zur ASE angeben
- Lagerung bei der ASE bestimmen
  - Sitzend, mit den Armen auf den Tisch oder die Stuhllehne gestützt, durchführen
  - In 135°-Lage im Bett durchführen

Vor körperlichem Ruin schützen und für Entspannungsphasen sorgen
- Pflegeintervention konkretisieren
- Zeit angeben

Fallbesprechung über den Pflege- und Behandlungsprozess führen
- Beteiligte Personen angeben
  - Bewohner
  - Pflegeperson
  - Ärztlicher Dienst
  - Psychologe
  - Sozialarbeiter
  - Sozialpädagoge
  - Ergotherapeut
  - Krankengymnast
  - Logopäde
  - Beschäftigungstherapeut
  - Heilpädagoge
  - Geistlicher Beistand
  - Lehrer
  - Erzieher
  - Jugendamt
  - Sonstige Personen
- Gesprächsinhalt
  - Vereinbarte Therapieziele
  - Vereinbarte Gesprächsinhalte für ein klientenzentriertes Pflegefachgespräch
- Zeitdauer angeben

Therapieziele gemeinsam vereinbaren und kontinuierlich reflektieren
- Maßnahmen konkretisieren
  - Goal Attainment Scale einsetzen (= Zielerreichungsskala)
  - Punkteplan einsetzen
- Zeit angeben

Für Pausen und Ruhephasen sorgen
- Pflegeintervention konkretisieren
- Zeit angeben

Durch körperliche Aktivität für eine natürliche Ermüdung sorgen
- Pflegeintervention konkretisieren
- Zeit angeben

Pflegeaktivitäten, die beruhigend wirken, durchführen
- Pflegeintervention konkretisieren
- Zeit angeben

Sonstige Pflegemaßnahmen durchführen
- Maßnahmen konkretisieren
- Zeit angeben

Literaturhinweise: 82, 83, 95, 101, 173, 175, 176

Der Patient hat aufgrund eines **verminderten Schlafbedürfnisses** das **Risiko der Erschöpfung**

Kennzeichen

- Aufgedrehtes Verhalten
- Ständige Aktivität
- Äußert, den Schlaf nicht zu vermissen
- Unruhe in der Nacht
- Läuft nachts herum

Ursachen

- Schilddrüsenüberfunktion
- Manie
- Erregtheitszustände
- Gesteigerter Antrieb
- Unruhezustände

Ressourcen

- Akzeptiert die vereinbarten Ruhephasen und hält sich daran
- Akzeptiert die angeordnete Bettruhe
- Akzeptiert die Notwendigkeit der Diät (bestimmte Einschränkungen)
- Erkennt die Notwendigkeit der getroffenen Intervention und kooperiert mit dem therapeutischen Team

Pflegeziele

- Schlafgewohnheiten sind bekannt
- Schlaf-Wach-Rhythmus ist geregelt
- Äußert das Gefühl, ausgeruht zu sein
- Schläft mindestens sechs Stunden ohne Unterbrechung
- Erkennt Faktoren, die zu einem reduzierten Schlafbedürfnis führen
- Erkennt geeignete Maßnahmen zur Schlafförderung
- Schläft mindestens sechs Stunden
- Schlafstörungen sind erfasst und dokumentiert
- Ausreichender und erholsamer Schlaf ist sichergestellt
- Physiologischer Tag-/Nachtrhythmus

Pflegeinterventionen

Schlafverhalten beobachten und Ruhezeiten dokumentieren
- Pflegeintervention konkretisieren
- Zeit angeben

Für die Einhaltung der gemeinsam vereinbarten Bettruhe sorgen
- Pflegeintervention konkretisieren
- Zeit angeben

Zusätzlich anregende Außenreize vermeiden
- Pflegeintervention konkretisieren
- Zeit angeben

Abnorme Verhaltensweisen nicht verstärken
- Pflegeintervention konkretisieren
- Zeit angeben

Schlafmuster überwachen und physiologische und psychologische Umstände dokumentieren
- Pflegeintervention konkretisieren
- Zeit angeben

Konsum koffeinhaltiger Getränke reduzieren und Alternativen anbieten
- Pflegeintervention konkretisieren
- Zeit angeben

Schlaf-/Wachzeiten und die individuelle Tagesstrukturierung vereinbaren und ausprobieren
- Bezugsperson festlegen
- Pflegeintervention konkretisieren
  - » Tages-/Wochenplan erstellen
  - » Aktivitätenplan erstellen
  - » Tages- und Wochenpläne besprechen
  - » Durchgeführte Aktivitäten besprechen

  - » Lebenspraktische Inhalte besprechen
- Fest verbindlichen Tagesplan vereinbaren
  - » Mit Kontrollmöglichkeit
  - » Ohne Kontrollmöglichkeit
  - » In Eigenverantwortung
  - » In Verantwortung der Bezugsperson
  - » Tagesaktivitäten auswerten und reflektieren
- Dauer bestimmen

Sonstige Pflegemaßnahmen durchführen
- Maßnahmen konkretisieren
- Zeit angeben

Literaturhinweise: 51, 82, 83, 95, 125, 126, 164, 173, 175, 176, 247, 248

Der Patient **schämt sich** bei Untersuchungen und Pflegeinterventionen

Kennzeichen

- Berichtet, über bestimmte Themen nicht sprechen zu wollen
- Äußert das Gefühl der Peinlichkeit
- Schamesröte tritt in bestimmten Situationen/ bei bestimmten Themen auf
- Zeigt Vermeidungshaltung
- Zögert etwas zu tun
- Möchte der Außenwelt so wenig wie möglich über den eigenen Körper preisgeben
- Lehnt die Unterstützung bei der Körperpflege ab
- Berichtet über die Angst, "das Gesicht" zu verlieren
- Berichtet, sich für seine/ihre Gefühle zu schämen

Ursachen

- Wahrgenommene körperliche Defizite
- Funktionseinschränkungen des Körpers
- Körperliche Defizite
- Ausscheidungsfunktionen, welche für andere sichtbar werden
- Unkontrollierbarkeit von Körperfunktionen
- Kurzfristige Kontrollverluste/Fehlleistungen des Körpers
- Erkrankung im Intimbereich
- Ungewollte Erektion
- Jugendliche/r
- Religiöse Einstellung
- Soziokulturelle Faktoren
- Folge von Verstößen gegen die soziale Norm
- Entwicklungsbedingt

Ressourcen

- Akzeptiert die Unterstützung von Angehörigen
- Empfindet es als angenehm, die engen Angehörigen um sich zu haben
- Angehörige zeigen Bereitschaft, neu zu lernen

Pflegeziele

- Fühlt sich unterstützt
- Intimsphäre ist gewahrt
- Schamgefühl ist reduziert

Pflegeinterventionen

Schamgefühl akzeptieren
- Pflegeintervention konkretisieren
- Zeit angeben

Pflegetätigkeiten von gleichgeschlechtlichen Pflegepersonen durchführen
- Pflegeintervention konkretisieren
- Zeit angeben

Tabuzonen beachten
- Pflegeintervention konkretisieren

Aufenthalt in einem Raum mit einer fremden Person des anderen Geschlechts im Behandlungsprozess vermeiden, gleichgeschlechtliche Drittperson als Begleitung einplanen
- Pflegeintervention konkretisieren
- Zeit angeben

Einzelzimmer ermöglichen
- Pflegeintervention konkretisieren
- Zeit angeben

Sichtschutz zum Bettnachbarn anbringen
- Pflegeintervention konkretisieren
- Zeit angeben

Körperpflege durch Angehörige durchführen lassen
- Pflegeintervention konkretisieren
- Zeit angeben

Sonstige Pflegemaßnahmen durchführen
- Maßnahmen konkretisieren
- Zeit angeben

Literaturhinweise: 95, 125, 175, 176, 377, 378, 383, 384, 1127

Der Patient bekommt **bei der Körperpflege sexuelle Gefühle** und **schämt sich dafür**

Kennzeichen

- Macht sexuell anzügliche Bemerkungen
- Sichtbare körperliche Reaktion

Ursachen

- Kann die Gefühle nicht beherrschen
- Sexuell distanzloses Verhalten

Ressourcen

- Sexuelle Gefühle werden bei gleichgeschlechtlichen Pflegepersonen nicht ausgelöst

Pflegeziele

- Fühlt sich angenommen und verstanden

Pflegeinterventionen

Intimsphäre des Patienten beachten
- Pflegeintervention konkretisieren
- Zeit angeben

Gleichgeschlechtliche Pflegepersonen die Körperpflege durchführen lassen
- Pflegeintervention konkretisieren
- Zeit angeben

Sich taktvoll zurückziehen und die Pflegeintervention später fortsetzen
- Pflegeintervention konkretisieren
- Zeit angeben

Sonstige Pflegemaßnahmen durchführen
- Maßnahmen konkretisieren
- Zeit angeben

Literaturhinweise: 95, 125, 175, 176

Inhaltsverzeichnis

Der Patient ist aufgrund eines **Gesichtsfeldausfalls** in der **Orientierung beeinträchtigt**

Kennzeichen

- Nimmt die Einschränkungen des Gesichtsfeldes wahr
- Isst den Teller nur halb leer
- Erschrickt, wenn man neben ihm steht
- Nimmt Gegenstände nur innerhalb des Gesichtsfelds wahr
- Dreht den Kopf, um Aktivitäten/Gegenstände des Interesses in das Gesichtsfeld zu bekommen
- "Danebensehen" bei der Beobachtung eines Gegenstands
- Neigt dazu, sich beim Fortbewegen anzustoßen
- Beschreibt inselförmige, abgegrenzte Bereiche des Gesichtsfeldes, welche nicht mehr wahrgenommen werden (Skotome)
- Beschreibt den Ausfall eines Viertels des Gesichtsfeldes (Quadrantenanopsie)
- Beschreibt den halbseitigen Ausfall eines Gesichtsfeldes (Hemianopsie)
- Beschreibt eine fortschreitende Einengung des Gesichtsfeldes von außen nach innen (konzentrische Gesichtsfeldausfälle)
- Beschreibt eine Bildverzerrung (Metamorphopsie)

Ursachen

- Einflussfaktor GehirnApoplektischer Insult
- Kopf-OP
- Kopfverletzung
- Tumor im Gehirn
- Migräneanfall
- Aneurysma im Gehirn
- Hirnblutung
- Multiple Sklerose
- Einflussfaktor AugeSehnervverletzung
- Verletzung am Auge
- Erkrankung am Auge
- Netzhautschäden (Retinopathien)

Ressourcen

- Ist motiviert, neu zu lernen
- Kognitive Fähigkeiten, neu zu lernen, sind vorhanden
- Ist bereit, die Defizite zu kompensieren und neu zu lernen
- Körperliche Fähigkeit, sich frei zu bewegen, ist vorhanden
- Akzeptiert die Unterstützung
- Akzeptiert die Unterstützung von Angehörigen

Pflegeziele

- Gesichtsfeldeinschränkung ist eingeschätzt
- Setzt Kompensationsmechanismen selbstständig ein
- Kann Kontakte aufbauen
- Fühlt sich sicher durch Informationen
- Selbstständigkeit ist gefördert

Pflegeinterventionen

Gesichtsfeldeinschränkung systematisch ermitteln und dokumentieren
- Pflegeintervention konkretisieren
- Zeit angeben

Sich beim Kommunizieren in Sichtweite des Patienten begeben
- Pflegeintervention konkretisieren
- Zeit angeben

Sich beim Betreten des Zimmers vorstellen und über weitere Aktivitäten informieren
- Pflegeintervention konkretisieren
- Zeit angeben

Zum Zurechtfinden in der neuen Umgebung anleiten
- Pflegeintervention konkretisieren
  - » Gemeinsam Orientierungsprogramm erarbeiten und durchführen
  - » Rundgang durch den Lebensraum machen und die Zimmer benennen lassen
  - » Orientierungspunkte besprechen
  - » Selbstständig zum Zimmer finden lassen
  - » Orientierungsprogramm auf weitere Umgebung ausdehnen (Garten, Park usw.)
  - » Kompensatorische Fähigkeiten fördern
- Anzuleitende Person(en) festlegen
  - » Betroffene Person
  - » Angehöriger/Bezugsperson
- Zeitdauer des Gesprächs angeben

Sonstige Pflegemaßnahmen durchführen
- Maßnahmen konkretisieren
- Zeit angeben

Literaturhinweise: 95, 125, 127, 173, 175, 176

Der Patient hat aufgrund einer **Amputation** eine **Beeinträchtigung des Körperschemas**

Kennzeichen

- Unsicherheit beim Gehen mit der Prothese
- Gleichgewichtsstörung beim Sitzen
- Gleichgewichtsstörung beim Stehen
- Gleichgewichtsstörung beim Gehen
- Beeinträchtigung des Gleichgewichts
- Kann nicht ohne Hilfsmittel gehen
- Ist unsicher im Einsatz von Hilfsmitteln
- Kann sich die Prothese nicht selbstständig anlegen
- Berichtet, unter dem Verlust der Gliedmaßen zu leiden
- Berichtet kontinuierlich darüber, was alles gemacht wurde, als die Gliedmaßen noch vorhanden waren
- Vermeidet, sich mit den Prothesenangeboten auseinanderzusetzen

Ursachen

- Amputation
- Amputation in Höhe des Oberschenkels rechts
- Amputation in Höhe des Unterschenkels rechts
- Amputation in Höhe des Oberschenkels links
- Amputation in Höhe des Unterschenkels links
- Traumatische Amputationsverletzung
- Amputation aufgrund peripherer Verschlusskrankheit
- Amputation aufgrund diabetischer Angiopathie

Ressourcen

- Ist motiviert, Hilfsmittel einzusetzen
- Zeigt einen großen Willen, wieder gehen zu lernen
- Körperliche Ressourcen für Kompensationsmechanismen sind vorhanden
- Ist motiviert, neue Bewegungsmuster zu lernen
- Akzeptiert die Unterstützung
- Akzeptiert die Unterstützung von Angehörigen
- Akzeptiert die körperliche Einschränkung

Pflegeziele

- Optimale Prothesenanpassung ist unterstützt
- Ist in der Krankheitsbewältigung unterstützt
- Optimierte Bewegungsabläufe mit Prothese
- Phantomphänomene sind reduziert

Pflegeinterventionen

Ausführliches Beratungsgespräch durchführen
- Gesprächsinhalt konkretisieren
  - » Möglichkeiten der Prothesenversorgung
  - » Anpassung der Prothese an den Aktivitäts- und Mobilisationsgrad des Betroffenen
  - » Kompressionstherapie postoperativ
  - » Interimsprothese
  - » Fördernde Aspekte in der Gewöhnungsphase besprechen
- Zeit angeben

Prothesenschulung durchführen, bei der Handhabung der Prothese anleiten
- Pflegeintervention konkretisieren
- Anzuleitende Person(en) festlegen
  - » Betroffene Person
  - » Angehöriger/Bezugsperson
- Zeit angeben

Einfühlsam begleiten, kleinschrittige Ziele bei der Mobilisation setzen und Erfolge aufzeigen
- Pflegeintervention konkretisieren
- Zeit angeben

Spiegeltraining/-therapie durchführen
- Maßnahmen konkretisieren
- Zeit angeben

Sonstige Pflegemaßnahmen durchführen
- Maßnahmen konkretisieren
- Zeit angeben

Literaturhinweise: 510, 888, 889

Der Patient hat ein **verändertes Körperbild** verbunden mit **negativen Gefühlen/Wahrnehmungen bezüglich der Eigenschaften, Funktionen oder Grenzen des eigenen Körpers**

Kennzeichen

- Wiederholte Äußerung negativer Gefühle in Bezug auf den eigenen Körper
- Wiederholte Äußerungen, mit dem eigenen Aussehen unzufrieden zu sein
- Äußerungen hinsichtlich einer veränderten Wahrnehmung des Körperbildes
- Äußert Unzufriedenheit über den Körper
- Empfindet sich selbst nicht als attraktiv
- Äußert eine ständige Sorge bezüglich der Veränderungen des Äußeren
- Äußert Ängste bezüglich möglicher ablehnender/zurückweisender Reaktionen aus dem sozialen Umfeld
- Wünscht sich einen anderen Körper
- Bewertet den eigenen Körper negativ
- Empfindet Hilflosigkeit gegenüber dem Körper

Körperbildstörung im Zusammenhang mit Essstörungen

- Fühlt sich zu dick/unförmig
- Äußert ausgeprägte Ängste vor einer Gewichtszunahme, dick zu werden, trotz bestehendem Untergewicht
- Leugnet den Schweregrad des gegenwärtigen eigenen geringen Körpergewichts
- Beobachtbare Fehleinschätzung der Körperdimensionen

Verändertes Verhalten

- Berührt betroffene(s) Körperteil(e) nicht
- Beachtet betroffene(s) Körperteil(e) nicht
- Vermeidungsreaktion gegenüber der Wahrnehmung des eigenen Körpers
- Zeigt veränderte Verhaltensweisen als Reaktion auf eine wahrgenommene Veränderung des Körpers
- Verbirgt Körperteile/den Körper z. B. durch Kleidung
- Fokussiert das frühere Aussehen/Erscheinungsbild
- Fokussiert frühere Fähigkeiten/Funktionen
- Rückzugsverhalten
- Veränderung der sozialen Anteilnahme
- Personalisierung des Körperteils durch Namensgebung
- Depersonalisierung des Körperteils durch unpersönliche Fürwörter
- Zeigt Verhaltensauffälligkeiten gegenüber dem Körper/dem Erscheinungsbild
- Sucht nach immer weiteren Körpermodifikationen
- Zeigt ritualisierte Verhaltensweisen, wie Überprüfen des eigenen Erscheinungsbilds
- Zeigt ritualisierte Verhaltensweisen, wie das Vergleichen des eigenen Aussehens mit anderen Personen
- Weigerung, die tatsächlichen Veränderungen anzuerkennen
- Exzessives Bodybuilding
- Exzessiver Sport

Ursachen

- Veränderungen im Sinne von Versehrtheit des Aussehens und/oder funktionellen BeeinträchtigungenGesichtsbeeinträchtigung durch Verbrennungen
- Gesichtsbeeinträchtigung durch Verletzungen
- Gesichtsbeeinträchtigungen durch Hautkrankheiten
- Gesichtsbeeinträchtigung durch Operation im Kiefer-, Mund-, Gesichtsbereich
- Amputation
- Veränderter Körper nach einer Entbindung
- Brustamputation
- Beschneidungen des weiblichen Genitals
- Verlust der Haare
- Entstellende Verletzungen
- Brandverletzung
- Anlage eines Stomas
- Anlage eines Tracheostomas
- Beatmung
- Krankheitsbedingte funktionelle Beeinträchtigungen
- Verletzungsbedingte funktionelle Beeinträchtigungen
- Fortpflanzungsunfähigkeit
- Psychosoziale UrsachenNicht-Verarbeitung von Veränderungen im Aussehen
- Nichtverarbeitung von Veränderungen bezogen auf funktionelle Beeinträchtigungen
- Psychische Störung
- Vergewaltigungserfahrung
- Missbrauchserfahrungen
- Wahrnehmungsbedingt Differenz zwischen Fremd- und Selbstwahrnehmung bezogen auf den Körper/die Körperfunktionen
- Unrealistische Wahrnehmung hinsichtlich des Aussehens/der äußeren Erscheinung
- Entwicklungsbedingte Veränderungen
- Wahrgenommene, entwicklungsbedingte Unvollkommenheit
- Im Zusammenhang mit Krankheitsbildern-Veränderte Körperfunktionen
- Adipositas
- Essstörung
- Magersucht
- Psychiatrische Störung
- Dysmorphophobien
- Hemiplegie
- Neurologische Störung
- Lippen-Kiefer-Gaumenspalte
- Querschnittslähmung
- SonstigesKulturbedingte Einstellungen zum Körper
- Kulturelles Gesundheitsverständnis
- Spirituelle Werte

Ressourcen

- Kann über Sorgen und Ängste sprechen
- Ist bereit, die Defizite zu kompensieren und neu zu lernen
- Äußert Schmerzzustände und kann diese beschreiben

Pflegeziele

- Ursachen sind erkannt
- Veränderungen und Auswirkungen des Körperbildes sind eingeschätzt

- Ist in den Tagesablauf aktiv integriert
- Baut ein Vertrauensverhältnis zum Gesprächspartner auf
- Spricht die Bezugsperson bei Problemen selbstständig an
- Akzeptiert die "Andersartigkeit" und richtet das Leben danach aus
- Lebensqualität ist gesteigert
- Nimmt die Lebenssituation an und akzeptiert diese
- Berichtet über eine Verminderung der Ängste
- Nimmt Gefühle wahr und artikuliert diese adäquat
- Selbstvertrauen in eigene Kompetenzen/Fähigkeiten ist gefördert
- Ein positives Selbstkonzept ist gefördert
- Erkennt und integriert in angemessener Weise die Veränderungen in seinem/ ihrem Selbstkonzept
- Aktivitäten des täglichen Lebens werden bewältigt
- Benutzt auf wirksame Weise Hilfsmittel/Prothesen
- Setzt Kompensationsmechanismen selbstständig ein
- Entwickelt und übernimmt neue Bewältigungsstrategien
- Negative Gefühle/ Einstellungen gegenüber dem eigenen Körper sind abgebaut
- Fühlt sich angenommen und verstanden
- Nimmt am sozialen Leben teil und fühlt sich integriert
- Soziale Kompetenzen sind gefördert
- Spricht Konflikte/Empfindungen in der Gruppe an
- Negative Gefühle/Empfindungen gegenüber dem eigenen Körper sind abgebaut
- Körperbezogenes Vermeidungsverhalten ist abgebaut
- Verzerrte Wahrnehmung gegenüber dem eigenen Körper ist korrigiert
- Körperwahrnehmung ist aktiviert und stimuliert
- Selbstvertrauen in die Leistungsfähigkeit des eigenen Körpers ist gestärkt
- Körperliche Fitness ist gefördert

Pflegeinterventionen

Assessment zur Erfassung des Körperbildes durchführen

- Maßnahmen konkretisieren
  - » Positive und negative Bewertungen des Betroffenen über sich selbst und seinen/ihren Körper ermitteln
  - » Soziokulturelle und Wertvorstellungen erfragen
  - » Mögliche Ursachen/Einflussfaktoren ermitteln
  - » Mögliche pathophysiologische Zustände ermitteln
- Erfassung des Körperbildes mittels Testverfahren
  - » Body shape questionnaire
  - » Body esteem scale
  - » Body Cathexis Scale
  - » Body Parts Satisfaction Scale
  - » Body Image Testing System
- Zeit angeben

Verhaltensweisen, welche auf eine gesteigerte Sorge um den Körper bzw. dessen Vorgänge hinweisen, beobachten

Rückzugstendenzen gemeinsam reflektieren und in den Stationsablauf integrieren

- Stationsaktivität angeben
  - » Morgengymnastik durchführen
  - » Mahlzeiten gemeinsam einnehmen
  - » Am gemeinsamen Kaffeetrinken teilnehmen
  - » Am "positiven Tagesrückblick" teilnehmen
  - » Entspannungstraining besuchen
  - » An der Stationsgesprächsrunde (dem Stationsmeeting/-forum) teilnehmen
- Einrichtungsspezifische Aktivität wählen
- Art der Unterstützungsleistung angeben
  - » Auffordern, den Termin des Gruppenangebots einzuhalten
  - » Zur Teilnahme an den Aktivitäten motivieren
  - » Bei der Teilnahme an den Angeboten die Durchführung unterstützen
- Zeit angeben

Bezugsperson festlegen

- Pflegeintervention konkretisieren
- Zeit angeben

Pflegetherapeutisches Gespräch über die Wahrnehmung der eigenen Körperlichkeit, den Empfindungen und deren Auswirkungen führen

- Gesprächsinhalte konkretisieren
  - » Ermutigen, über die Gefühle bezogen auf den Körper/auf die Veränderungen zu sprechen
  - » Ermutigen, das betroffene Körperteil anzusehen/zu berühren
  - » Unterstützen, eigene Stärken und Schwächen akzeptieren zu lernen
  - » Spiegeln von positiven Verhaltensweisen, welche zum Genesungsprozess beitragen und diese verstärken
  - » Beratung bezüglich einer Verbesserung des Aussehens
  - » Beim Gespräch mit Angehörigen/Bezugspersonen unterstützen
  - » Zusammenhang zwischen den Emotionen und der Art und Weise der Körperwahrnehmung ergründen
- Zeit angeben

Selbstkonzept/-bild/-wert und soziale Kompetenzen in Einzeltherapie fördern

- Einzeltherapeutisches Angebot angeben
  - » Selbstsicherheitstraining durchführen
  - » Genusstherapie durchführen
  - » Verhaltenstherapie durchführen
  - » Assertiveness-Training-Programm (ATP) durchführen
  - » Integriertes Psychologisches Therapieprogramm (IPT) durchführen
  - » Positiven Tagesrückblick durchführen
  - » Musiktherapie durchführen
  - » Gestalttherapie durchführen
  - » Maltherapie durchführen
  - » Kognitives Einzeltraining durchführen
  - » Rollenspiele durchführen
  - » Erinnerungstherapie durchführen
  - » Achtsamkeitstraining durchführen
  - » Anti-Phobie/Angst-Training durchführen
- Einrichtungsspezifische Aktivität wählen
- Zeitdauer der Einzelförderung bestimmen

Selbstkonzept/-bild/-wert und soziale Kompetenzen in Gruppentherapie fördern

- Gruppentherapeutisches Angebot angeben
  - » Selbstsicherheitstraining durchführen
  - » Genusstherapie durchführen
  - » Verhaltenstherapie durchführen
  - » Assertiveness-Training-Programm (ATP) durchführen
  - » Integriertes Psychologisches Therapieprogramm (IPT) durchführen
  - » Kognitive Therapiegruppe besuchen
  - » Musiktherapie durchführen
  - » Gestalttherapie durchführen
  - » Maltherapie durchführen
  - » Märchen-/Literaturgruppe besuchen
  - » Rollenspiele durchführen
  - » Interaktionsspiele zur Persönlichkeitsentwicklung durchführen
  - » Am Gesprächskreis im Erinnerungsraum teilnehmen
  - » Achtsamkeitstraining durchführen
  - » Anti-Phobie/Angst-Training durchführen
- Einrichtungsspezifische Aktivität wählen
- Zeitdauer der Gruppentherapie bestimmen

Hilfsmittel zur Alltagsbewältigung gezielt auswählen

- Hilfsmittel einsetzen
  - » Kamm mit Verlängerungsstiel benutzen
  - » Gehhilfen gezielt einsetzen
  - » Strumpfanzieher verwenden

Kompensationstechniken mit/ohne Hilfsmittel vermitteln/einüben

- Maßnahmen konkretisieren
  - » Einhändertraining
  - » Einhändertraining im Sinne des Bobath-Konzeptes
  - » Erarbeiten günstiger und okonomischer Arbeitshaltungen für die verschiedenen Verrichtungen
  - » Einsatz von Teilfähigkeiten und Restkräften zum Transfer
  - » Aufstehtraining

  - » Benutzung und Einsatz der Hilfsmittel
  - » Beim Gehtraining unterstützen
  - » Gehtraining im Freien durchführen
  - » Erarbeiten des Sitzgleichgewichtes
  - » Rollstuhltraining
- Hilfsmittel einsetzen
  - » Griffverbreiterer
  - » Antirutschmaterialien nutzen
  - » Kommunikationshilfen
  - » Teil-aktive Hebegeräte
  - » Einsatz von Gehhilfen
- Durchführende Person angeben
  - » Pflegeperson
  - » Ergotherapeut
  - » Sonstige Personen
- Zeit angeben

Selbsthilfegruppen vermitteln
- Pflegeintervention konkretisieren
- Zeit angeben

Gesprächstherapeutische Gruppenaktivität durchführen
- Therapiegruppe angeben
  - » An Stationsgesprächsrunde/-meeting/-forum teilnehmen
  - » An Gesprächskreis über tagesaktuelle Themen teilnehmen
  - » Wochenendgruppe besuchen
  - » Konfliktgruppe besuchen
  - » Morgenrunde besuchen
  - » Kritikgruppe besuchen
- Einrichtungsspezifische Aktivität wählen
- Zeitdauer der Gruppenangebote bestimmen

Körperkonfrontation per Spiegel und/oder Video durchführen
- Maßnahmen konkretisieren
- Zeit angeben

Aufbau positiver körperbezogener Aktivitäten fördern

Maßnahmen zur Unterstützung der Körpertherapie durchführen
- Maßnahmen konkretisieren
  - » Aufbau positiver körperbezogener Aktivitäten unterstützen
  - » Abbau von körperbezogenen Vermeidungs- und Kontrollverhalten unterstützen
- Zeit angeben

Körperbezogene Therapieangebote/Aktivitäten durchführen
- Maßnahmen konkretisieren
  - » Morgengymnastik durchführen
  - » Fitnesstraining durchführen
  - » Schwimmen gehen
  - » Bewegungsbad durchführen
  - » Wasserjogging durchführen
  - » Konzentrative Körperarbeit leisten
  - » Körpertherapie durchführen
  - » Sport in Form von Spielen machen
  - » An der Seniorengymnastik teilnehmen
  - » Konzentrative Bewegungstherapie durchführen
  - » Tanztherapie durchführen
- Einrichtungsspezifische Aktivität wählen
- Zeit angeben

Sonstige Pflegemaßnahmen durchführen
- Maßnahmen konkretisieren
- Zeit angeben

Literaturhinweise: 82, 83, 95, 101, 125, 135, 173, 175, 176, 1115, 1116, 1117, 1118, 1119, 1120, 1121, 1122, 1123, 1124, 1125, 1126

Der Patient hat aufgrund eines **Verlusterlebnisses** bei beeinträchtigter Bewältigungsstrategie ein **aus dem Gleichgewicht geratenes Selbstkonzept**

Kennzeichen

- Idealisiert die geliebte Person
- Beschreibt ein Gefühl der Leere
- Unterdrückt/überspielt das Gefühl der Trauer
- Äußert Gefühle wie Unsicherheit, Sorge und Verzweiflung
- Äußert das Gefühl, wie betäubt zu sein
- Äußert ein Gefühl des Schocks/Unglaubens
- Zeigt/äußert Zorn darüber, zurückgelassen zu sein
- Spricht in der Gegenwartsform über die verstorbene Person
- Körperliche Begleiterscheinungen (Unruhe, Schwitzen, Übelkeit, unregelmäßer Puls) sind vorhanden
- Konzentrations-/ Wahrnehmungsschwierigkeiten bezüglich äußerer Reize
- Rückzugstendenzen
- Anhaltende Trauer
- Äußert Ängste
- Vermehrter Alkohol-/Betäubungsmittelkonsum
- Äußert Hoffnungslosigkeit
- Führt unkontrollierte und unkoordinierte Bewegungen durch

Ursachen

- Verlust eines ungeborenen Kindes
- Verlust eines Kindes
- Verlust eines Elternteils
- Verlust beider Eltern
- Verlust des Partners
- Verlust einer Gliedmaße
- Abwesenheit eines geliebten Menschen
- Verlust von Existenzgrundlage/Besitz/Haus/Arbeitsplatz
- Verlust durch Auseinanderbrechen der Beziehung zum Lebenspartner
- Verlust eines geliebten Menschen durch Selbstmord
- Verlust eines geliebten/nahe stehenden Menschen durch Tod
- Verlust mehrerer Familienangehöriger durch

einen tragischen Unfall
- Verlust und/oder Trennung von wichtigen Bezugspersonen
- Häufung von Schicksalsschlägen
- Beeinträchtigte Bewältigungsstrategien

Ressourcen

- Soziales Unterstützungsnetz ist vorhanden
- Zeigt Gesprächsbereitschaft
- Akzeptiert die Unterstützung
- Akzeptiert die Unterstützung von Angehörigen

Pflegeziele

- Trauerarbeit ist unterstützt
- Trauerprozess wird adäquat unterstützt
- Therapie- und Aktivitätsangebote sind individuell abgestimmt
- Verleugnungsphase ist durchbrochen, Gefühle in Verbindung mit dem Verlusterlebnis werden mitgeteilt
- Der Realisierungsprozess in der Trauerphase ist unterstützt

Pflegeinterventionen

Klientenzentriertes Gespräch zur Trauerarbeit führen
- Gesprächsinhalt
- Zeit angeben
- Beteiligte Personen angeben
  - » Betroffene Person
  - » Angehöriger/Bezugsperson
  - » Betreuer
  - » Eltern
  - » Sonstige Personen
- Durchführende Person angeben
  - » Bezugspflegeperson
  - » Pflegeperson
  - » Spezialtherapeuten
  - » Physiotherapeuten

Trauerphase, in der sich der Patient befindet, beobachten/einschätzen
- Pflegeintervention konkretisieren
- Zeit angeben

Fallbesprechung über den Pflege- und Behandlungsprozess führen
- Beteiligte Personen angeben
  - » Bewohner
  - » Pflegeperson
  - » Ärztlicher Dienst
  - » Psychologe
  - » Sozialarbeiter
  - » Sozialpädagoge
  - » Ergotherapeut
  - » Krankengymnast
  - » Logopäde
  - » Beschäftigungstherapeut
  - » Heilpädagoge
  - » Geistlicher Beistand
  - » Lehrer
  - » Erzieher
  - » Jugendamt
  - » Sonstige Personen
- Gesprächsinhalt
  - » Vereinbarte Therapieziele
  - » Vereinbarte Gesprächsinhalte für ein klientenzentriertes Pflegefachgespräch
- Zeitdauer angeben

Mit dem Verlust und den Auswirkungen forciert konfrontieren
- Gesprächsinhalt
- Zeit angeben
- Beteiligte Personen angeben
  - » Betroffene Person
  - » Angehöriger/Bezugsperson
  - » Betreuer
  - » Eltern
  - » Sonstige Personen
- Durchführende Person angeben
  - » Bezugspflegeperson
  - » Pflegeperson
  - » Spezialtherapeuten
  - » Physiotherapeuten

Trauerarbeit durch Aufbahrung und Verabschiedung vom Verstorbenen fördern/unterstützen
- Maßnahmen konkretisieren
- Zeit angeben

Sonstige Pflegemaßnahmen durchführen
- Maßnahmen konkretisieren
- Zeit angeben

Literaturhinweise: 16, 51, 79, 235, 236, 237, 245, 339, 340, 341, 343, 344, 345, 346, 348, 349, 355

Der Patient hat aufgrund einer **Sinn-/Lebenskrise** ein **aus dem Gleichgewicht geratenes Selbstkonzept**

Kennzeichen

- Zeigt Zorn gegenüber der Lebenssituation
- Hinterfragt die ethisch-moralischen Grundwerte des Lebens
- Fragt nach dem Sinn des Lebens
- Äußert Zorn auf die Vertreter der Religion
- Äußert Suizidgedanken
- Äußert Hoffnungslosigkeit
- Äußert das Gefühl, nicht gebraucht zu werden
- Beschreibt das Gefühl, eine Belastung/Zumutung für die Umwelt zu sein
- Zieht sich vom sozialen Geschehen zurück
- Zeigt Gefühle wie Zorn, Groll, Wut, Neid und Bitterkeit
- Zeigt wenig/keine Eigeninitiative und/oder Energie
- Zeigt Passivität

Ursachen

- Anhaltende Aktivitätseinschränkungen
- Erkrankung mit schweren Beeinträchtigungen
- Ungewisser Krankheitsverlauf
- Häufung von Schicksalsschlägen
- Enttäuschung/Verletzung durch das soziale Umfeld
- Schwere soziale Krise
- Traumatisches Erlebnis
- Depressive Verstimmung
- Zwangsvorstellungen
- Manische Stimmung
- Schizophrene Psychose
- Krebsdiagnose
- Missbrauch
- Vergewaltigung

Ressourcen

- Kann über die Ängste sprechen
- Kann Gefühle und Sorgen mit der Bezugsperson besprechen
- Kann über die Schwierigkeiten der veränderten Lebensgestaltung und deren Auswirkungen auf soziale Aktivitäten sprechen
- Akzeptiert die Unterstützung
- Akzeptiert die Unterstützung von Angehörigen

Pflegeziele

- Fühlt sich angenommen und entwickelt Vertrauen
- Behandlungs- und Therapiekonzept sind transparent und vom therapeutischen Team umgesetzt
- Aktive Beteiligung an der Behandlungsplanung ist sichergestellt
- Suizidale Absichten sind eingeschätzt, Vorbeugemaßnahmen eingeleitet
- Sozialkontakte und Gruppenverhalten sind gefördert
- Kann soziale Kontakte aufbauen
- Entwickelt eigene Lösungswege
- Hat eine Zukunftsperspektive entwickelt

Pflegeinterventionen

Bezugsperson zum Aufbau einer therapeutischen Beziehung festlegen

- Bezugsperson festlegen
- Pflegeintervention konkretisieren
  - » Tages-/Wochenplan erstellen
  - » Aktivitätenplan erstellen
  - » Tages- und Wochenpläne besprechen
  - » Durchgeführte Aktivitäten besprechen
  - » Lebenspraktische Inhalte besprechen
- Fest verbindlichen Tagesplan vereinbaren
  - » Mit Kontrollmöglichkeit
  - » Ohne Kontrollmöglichkeit
  - » In Eigenverantwortung
  - » In Verantwortung der Bezugsperson
  - » Tagesaktivitäten auswerten und reflektieren
- Dauer bestimmen

Fallbesprechung zur weiteren Behandlungs- und Therapieplanung durchführen

- Beteiligte Personen angeben
  - » Bewohner
  - » Pflegeperson
  - » Ärztlicher Dienst
  - » Psychologe
  - » Sozialarbeiter
  - » Sozialpädagoge
  - » Ergotherapeut
  - » Krankengymnast
  - » Logopäde
  - » Beschäftigungstherapeut
  - » Heilpädagoge
  - » Geistlicher Beistand
  - » Lehrer
  - » Erzieher
  - » Jugendamt
  - » Sonstige Personen
- Gesprächsinhalt
  - » Vereinbarte Therapieziele
  - » Vereinbarte Gesprächsinhalte für ein klientenzentriertes Pflegefachgespräch
- Zeitdauer angeben

Gespräch über die momentane Situation führen und Suizidgefährdung einschätzen

- Gesprächsinhalt
- Zeit angeben
- Beteiligte Personen angeben
  - » Betroffene Person
  - » Angehöriger/Bezugsperson
  - » Betreuer
  - » Eltern
  - » Sonstige Personen
- Durchführende Person angeben
  - » Bezugspflegeperson
  - » Pflegeperson
  - » Spezialtherapeuten
  - » Physiotherapeuten

Soziale Kontakte fördern

- Netzwerke bestimmen, die aufgebaut/gefördert werden können
  - » Netzwerk Familie

  - » Netzwerk Freundeskreis
  - » Netzwerk Arbeitsfeld
  - » Netzwerk Glaubensgemeinschaft
  - » Netzwerk Freizeitaktivität/Hobby
  - » Selbsthilfegruppe
  - » Sonstige Netzwerke
- Zeitdauer der Intervention bestimmen
- Gesprächspartner bestimmen
  - » Angehöriger/Bezugsperson
  - » Betreuer
  - » Freunde
  - » Arbeitgeber
  - » Arbeitskollegen
  - » Ämter
  - » Kirchenvertreter
  - » Nachbarn
  - » Sonstige Personen

Klientenzentriertes Gespräch über die empfundene Lebens- und Sinnkrise, deren Bedeutung und mögliche Lösungswege führen
- Gesprächsinhalt
- Zeit angeben
- Beteiligte Personen angeben
  - » Betroffene Person
  - » Angehöriger/Bezugsperson
  - » Betreuer
  - » Eltern
  - » Sonstige Personen
- Durchführende Person angeben
  - » Bezugspflegeperson
  - » Pflegeperson
  - » Spezialtherapeuten
  - » Physiotherapeuten

Sonstige Pflegemaßnahmen durchführen
- Maßnahmen konkretisieren
- Zeit angeben

Literaturhinweise: 47, 82, 95, 125, 173, 175, 176

Die Patientin **fühlt sich nicht mehr als vollwertige Frau**, es besteht ein **beeinträchtigtes Selbstbild**

Kennzeichen

- Weist den Sexualpartner ab
- Spricht nicht über das Sexualleben, obwohl ein veränderter Gesundheitszustand zu einer Veränderung der Sexualpraktiken führt
- Äußert Bedenken
- Depersonalisiert betroffene Gliedmaßen/Körperregionen
- Ignoriert die betroffenen Gliedmaßen/Körperregionen
- Versucht, die körperlichen Einschränkungen zu überspielen
- Vermeidet alle Aktionen/Aktivitäten, durch die die körperlichen Veränderungen sichtbar würden
- Berichtet darüber, nicht mehr schwimmen/in die Sauna zu gehen

Ursachen

- Uterusentfernung
- Brustamputation

Ressourcen

- Kann über Sorgen und Ängste sprechen
- Kann Gefühle und Sorgen mit der Bezugsperson besprechen

Pflegeziele

- Fühlt sich angenommen und verstanden
- Hat neue Lebensperspektiven
- Erkennt, dass Mitmenschen ähnliche Probleme und Sorgen haben, und ist motiviert, mit Betroffenen über Bewältigungsstrategien zu sprechen
- Akzeptiert die "Andersartigkeit" und richtet das Leben danach aus
- Lebensqualität ist gesteigert
- Nimmt die Lebenssituation an und akzeptiert diese
- Berichtet über eine Verminderung der Ängste
- Bespricht die Schwierigkeiten und Unzufriedenheiten im Sexualleben mit dem Partner und entwickelt Lösungsmöglichkeiten

Pflegeinterventionen

Klientenzentriertes Gespräch zur Bewältigung des Organverlusts führen
- Gesprächsinhalt
- Zeit angeben
- Beteiligte Personen angeben
  - » Betroffene Person
  - » Angehöriger/Bezugsperson
  - » Betreuer
  - » Eltern
  - » Sonstige Personen
- Durchführende Person angeben
  - » Bezugspflegeperson
  - » Pflegeperson
  - » Spezialtherapeuten
  - » Physiotherapeuten

Selbsthilfegruppen und Kontakte vermitteln
- Pflegeintervention konkretisieren
- Zeit angeben

Pflegetherapeutisches Gespräch über die Wahrnehmung der eigenen Körperlichkeit, den Empfindungen und deren Auswirkungen führen
- Gesprächsinhalte konkretisieren
  - » Ermutigen, über die Gefühle bezogen auf den Körper/auf die Veränderungen zu sprechen
  - » Ermutigen, das betroffene Körperteil anzusehen/zu berühren
  - » Unterstützen, eigene Stärken und Schwächen akzeptieren zu lernen
  - » Spiegeln von positiven Verhaltensweisen, welche zum Genesungsprozess beitragen

und diese verstärken
  » Beratung bezüglich einer Verbesserung des Aussehens
  » Beim Gespräch mit Angehörigen/Bezugspersonen unterstützen
  » Zusammenhang zwischen den Emotionen und der Art und Weise der Körperwahrnehmung ergründen
- Zeit angeben

Partnergespräche über die Bedeutung und Schwierigkeiten des Organverlusts moderieren
- Gesprächsinhalt
- Zeit angeben
- Beteiligte Personen angeben
  - » Betroffene Person
  - » Angehöriger/Bezugsperson
  - » Betreuer
  - » Eltern
  - » Sonstige Personen
- Durchführende Person angeben
  - » Bezugspflegeperson
  - » Pflegeperson
  - » Spezialtherapeuten
  - » Physiotherapeuten

Sonstige Pflegemaßnahmen durchführen
- Maßnahmen konkretisieren
- Zeit angeben

Literaturhinweise: 68, 95, 125, 175, 176

Der Patient fühlt sich in seinem Körper nicht wohl, **Geschlechtsmerkmale stimmen nicht mit dem Selbstkonzept/-bild überein**

Kennzeichen
- Äußert das Gefühl, im falschen Körper zu leben
- Berichtet darüber, sich trotz eindeutiger Geschlechtsmerkmale als Angehöriger des anderen Geschlechts zu empfinden

Ursachen
- Transsexualität

Ressourcen
- Kann Gefühle und Sorgen mit der Bezugsperson besprechen
- Kann mit dem Sexualpartner darüber sprechen

Pflegeziele
- Fühlt sich akzeptiert
- Akzeptiert die "Andersartigkeit" und findet in anderen Betroffenen Gesprächspartner
- Behandlungs- und Therapiekonzept sind transparent und vom therapeutischen Team umgesetzt
- Aktive Beteiligung an der Behandlungsplanung ist sichergestellt
- Nimmt eigene Wünsche und Bedürfnisse wahr
- Steht zu Entscheidungen und übernimmt dafür die Verantwortung
- Verbalisiert Wünsche und Bedürfnisse deutlich und fordert sie ein
- Erkennt Zusammenhänge zwischen eigenem Verhalten und Pflegediagnose
- Entwickelt Lösungswege im Gespräch

Pflegeinterventionen

Akzeptierende Grundhaltung durch Wertschätzung und wertfreien Umgang vermitteln
- Pflegeintervention konkretisieren
- Zeit angeben

Kontaktadressen vermitteln
- Pflegeintervention konkretisieren
- Zeit angeben

Fallbesprechung zur weiteren Behandlungs- und Therapieplanung durchführen
- Beteiligte Personen angeben
  - » Bewohner
  - » Pflegeperson
  - » Ärztlicher Dienst
  - » Psychologe
  - » Sozialarbeiter
  - » Sozialpädagoge
  - » Ergotherapeut
  - » Krankengymnast
  - » Logopäde
  - » Beschäftigungstherapeut
  - » Heilpädagoge
  - » Geistlicher Beistand
  - » Lehrer
  - » Erzieher
  - » Jugendamt
  - » Sonstige Personen
- Gesprächsinhalt
  - » Vereinbarte Therapieziele
  - » Vereinbarte Gesprächsinhalte für ein klientenzentriertes Pflegefachgespräch
- Zeitdauer angeben

Pflegefachgespräch führen
- Inhaltliche Ausrichtung des Gesprächs bestimmen
  - » Informationssammlung
  - » Pflege-, Betreuungs- und Behandlungsprozess
  - » Ursachenanalyse
  - » Strategien zur Krankheitsbewältigung
  - » Motivation/Aktivierung
  - » Alltagsbewältigung

» Förderung der Entscheidungsfindung
» Zukunftsperspektive
» Unterstützung der Orientierung
» Unterstützung des Realitätsbezugs
» Krisenintervention
» Aktuelle Bedürfnisse/Wünsche
» Instruktion/Anleitung
» Feed-back-Gespräch
» Sonstige Gesprächsinhalte
- Gesprächsteilnehmer
  » Angehöriger/Bezugsperson
  » Betroffene Person
- Zeitdauer des Gesprächs angeben

Sonstige Pflegemaßnahmen durchführen
- Maßnahmen konkretisieren
- Zeit angeben

Literaturhinweise: 95, 125, 175, 176

Der Patient hat aufgrund der **Einnahme/Verabreichung zentral wirksamer Substanzen** das **Risiko von Bewusstseinsstörungen**

Kennzeichen

- Geht sorglos mit der Medikamenteneinnahme um
- Kann Risiko einer falschen Medikamenteneinnahme nicht einschätzen
- Schätzt Risiko der Substanzeinnahme falsch ein
- Kann Medikamente nicht von Nahrungsmitteln/Süßigkeiten unterscheiden

Ursachen

- Beruhigungsmittel
- Schlafmittel
- Psychopharmaka
- Opiate
- Tranquilizer
- Barbiturate
- Amphetamine
- Koffein/Nikotin
- Psychoanaleptika
- Psychoenergetika

Ressourcen

- Hat die Medikamente bereits mehrmals ohne Nebenwirkungen eingenommen
- Meldet sich bei Anzeichen von Komplikationen
- Akzeptiert die Unterstützung
- Akzeptiert die Unterstützung von Angehörigen

Pflegeziele

- Komplikationen sind frühzeitig erkannt und abgewendet
- Paradoxen Wirkungen von Medikamenten ist vorgebeugt
- Angehörige und Besucher sind informiert und unterstützen die Therapie
- Verletzungen sind vermieden
- Äußert Gefühl der Sicherheit
- Veränderungen der Vigilanz sind eingeschätzt und dokumentiert

Pflegeinterventionen

Bewusstseinszustand und Wirkungsweise der Medikation beobachten
- Pflegeintervention konkretisieren
  » Vitalzeichenkontrolle durchführen, auf dem Überwachungsprotokoll dokumentieren
- Bewusstseinskontrolle durchführen
  » Auf qualitative Veränderungen beobachten
  » Auf quantitative Veränderungen beobachten

Zusätzliche Genussmittel vermeiden
- Pflegeintervention konkretisieren
- Zeit angeben

Informationen vonseiten der Besucher und Nachbarn bei Auftreten von Reaktionen sammeln
- Pflegeintervention konkretisieren
- Zeit angeben

Durch individuelle Beobachtung und Begleitung vor Verletzungen schützen
- Pflegeintervention konkretisieren
- Zeit angeben

Vigilanz mithilfe der Glasgow-Komaskala einschätzen
- Pflegeintervention konkretisieren
- Zeit angeben

Sonstige Pflegemaßnahmen durchführen
- Maßnahmen konkretisieren
- Zeit angeben

Literaturhinweise: 95, 109, 113, 125, 140, 151, 164, 175, 176

Der Patient kann die **Aufmerksamkeit nicht/nur mühsam** auf die kontraläsionale (= vernachlässigte) **Raum- oder Körperseite richten** (=Neglect)

Kennzeichen

- Phasen der Wahrnehmungsfähigkeit (awareness) vgl. KerkhoffFehlende Wahrnehmung (awareness): Kann die Vernachlässigung des kontraläsionalen Wahrnehmungsfeldes nicht realisieren, leugnet die Störung
- Informelle Wahrnehmung (awareness): Benennt sein/ihr Defizit, welches aber keine Konsequenz auf die Handlungen hat
- Beginnende Wahrnehmung (awareness): Nimmt Defizite im Moment des Versagens/Auftretens wahr
- Vorausschauende Wahrnehmung (awareness): Kann die Wahnehmungseinschränkungen vorausschauend im Alltag berücksichtigen
- AkutphaseRichtet den Blick auf die ipsiläsionale Seite (= nicht vernachlässigte Seite)
- Richtet den Kopf/Oberkörper auf die ipsiläsionale Seite (= nicht vernachlässigte Seite)
- Visueller NeglectErkennt Personen auf der kontraläsionalen Seite nicht
- Isst nicht von der kontraläsionalen Tellerhälfte
- Kämmt die kontraläsionale Kopfseite nicht
- Rasiert/schminkt die kontraläsionale Gesichtshälfte nicht
- Stößt häufiger auf der kontraläsionalen Seite an
- Unfähigkeit, den Sinn von geschriebenem Text zu verstehen, da der Text der kontraläsionalen Seite fehlt
- Sollen waagerechte Striche durch einen vertikalen Strich gemittelt werden, so werden nur die waagerechten Striche der kontraläsionalen Seite nicht bearbeitet und es besteht eine Tendenz, die vertikalen Striche in Richtung der gesunden Seite zu verschieben
- Zeichnet eine Uhr mit einem Kreis, die 12 Stundenmarkierungen befinden sich auf der wahrgenommenen Objektseite
- Olfaktorischer NeglectGerüche können mit dem Nasenloch auf der kontraläsionalen Seite nicht wahrgenommen werden
- Somatosensibler NeglectReagiert nicht auf Berührungs-/Schmerzreize auf der kontraläsionalen Seite
- Reagiert verspätet auf Berührungs-/Schmerzreize auf der kontraläsionalen Seite
- Ordnet Berührungs-/Schmerzreize einem anderen Ort am Körper zu
- Perseveration
- Empfindet die Extemität(en) der kontraläsionalen Körperhälfte als fremd
- Auditorischer NeglectReagiert verspätet auf Stimmen/Geräusche auf der vernachlässigten Raumhälfte
- Reagiert verspätet auf Stimmen/Geräusche auf der vernachlässigten Raumhälfte
- Zeigt Suchbewegungen nach der Schallquelle nur im nicht betroffenen Feld des Raumes

Ursachen

- Hirnschädigung im Bereich der linken Hemisphäre
- Hirnschädigung im Bereich der rechten Hemisphäre

Schädigung des Gehirns durch:
- Ischämischer Hirninfarkt
- Hirnblutung
- Tumor im Gehirn
- Schädel-Hirn-Trauma

Ressourcen

- Erkennt die Notwendigkeit der getroffenen Intervention und kooperiert mit dem therapeutischen Team
- Angehörige/Bezugspersonen unterstützen den Pflegeprozess
- Kann Vertrauen zum Pflegepersonal aufbauen
- Ist motiviert, neue Bewegungsmuster zu lernen

Pflegeziele

- Gezielte Maßnahmen sind eingeleitet
- Versteht, dass außerhalb des eigenen Erlebens der Welt noch weitere relevante Reize vorhanden sind (informelle awareness)
- Findet Interesse am Geschehen im vernachlässigten Halbraum und richtet die Aufmerksamkeit gezielt dorthin (beginnende awareness)
- Kann den vernachlässigten Halbraum selbstständig in Handlungen einbeziehen (vorausschauende awareness)
- Kann die kontraläsionale Körperhälfte mit Unterstützung finden
- Kann die kontraläsionale Körperhälfte selbstständig finden /wahrnehmen
- Kann den kontraläsionalen Halbraum mit Unterstützung finden
- Kann den kontraläsionalen Halbraum selbstständig erschließen
- Führt Präventionsmaßnahmen durch, um vorhandene Beeinträchtigungen der Wahrnehmung im betroffenen Halbraum zu kompensieren
- Unterschiedliche Sinne sind durch Reize zur Förderung von Orientierung und Wahrnehmung stimuliert

Pflegeinterventionen

Ausmaß der neurologischen Ausfälle und Wahrnehmung einschätzen und gegenüber anderen zentral sensorischen oder motorischen Störungen abgrenzen
- Pflegeintervention konkretisieren
- Zeit angeben

In Alltagssituationen Schlüsselsituationen nutzen und behutsam auf das Neglectphänomen aufmerksam machen
- Maßnahmen konkretisieren
- Durchführende Person angeben
  - » Pflegeperson
  - » Ergotherapeut
  - » Physiotherapeut
  - » Sonstige Therapeuten

  » Angeleitete Angehörige
- Zeit angeben

Fokussieren der Aufmerksamkeit auf die kontraläsionale Seite, abhängig von der aktuellen Wahrnehmungsfähigkeit
- Maßnahmen konkretisieren
  » Schwerpunkt der Aufmerksamkeit auf die kontraläsionale Seite richten
  » Persönliche Gegenstände auf der kontraläsionalen Seite platzieren
  » Aktivitäten des Pflegepersonals von der kontraläsionalen Seite ausgehend durchführen
  » Ermutigen, die kontraläsionale Körperseite anzusehen
  » Ermutigen, die kontraläsionale Körperseite zu berühren
  » Betroffene Körperhälfte/Extremität in Bewegungs-, Handlungsabläufe einbeziehen

Durch gezielte Hinweisreize auf den kontraläsionalen Halbraum aufmerksam machen
- Maßnahmen konkretisieren
- Durchführende Person angeben
  » Pflegeperson
  » Ergotherapeut
  » Physiotherapeut
  » Sonstige Therapeuten
  » Angeleitete Angehörige
- Zeit angeben

Maßnahmen zur Erarbeitung der Körperwahrnehmung durchführen (sensomotorische Exploration)
- Wahrnehmungsaufträge bei der Stimulation geben
  » Aufmerksamkeit auf die betroffene Körperseite lenken
  » Gesetzten Berührungsreiz auf der betroffenen Körperseite lokalisieren lassen
  » Berührungsreiz auf der betroffenen Seite beschreiben
- Durchführende Person angeben
  » Pflegeperson
  » Ergotherapeut
  » Physiotherapeut
  » Sonstige Therapeuten
- Zeit angeben

Maßnahmen zur (visuellen, auditiven) Exploration des betroffenen Halbraumes durchführen
  » Visuelles Explorationstraining durchführen
  » Akustisches Explorationstraining durchführen
- Durchführende Person angeben
  » Pflegeperson
  » Ergotherapeut
  » Physiotherapeut
  » Sonstige Therapeuten
- Zeit angeben

Maßnahmen zur differenzierten Wahrnehmung von Außenreizen durchführen
  » Taktile Exploration von Alltagsgegenständen
  » Taktile Exploration von abstrakten Formen
  » Taktile Exploration von sonstigen Reizen
- Durchführende Person angeben
  » Pflegeperson
  » Ergotherapeut
  » Physiotherapeut
  » Sonstige Therapeuten
- Zeit angeben

Maßnahmen zur Erarbeitung einer vorausschauenden Wahrnehmung (awareness) durchführen
  » Reflexion von ausgewählten (Alltags-) Handlungen
  » Beeinflussung von Handlungsmustern durch Selbstinstruktion erarbeiten
- Durchführende Person angeben
  » Pflegeperson
  » Ergotherapeut
  » Physiotherapeut
  » Sonstige Therapeuten
- Zeit angeben

Sonstige Angebote zur Förderung der Wahrnehmung durchführen
- Maßnahmen konkretisieren
  » Übungen zur Förderung der visuellen Wahrnehmung durchführen
  » Übungen zur Förderung der taktilen Wahrnehmung durchführen
  » Übungen zur Förderung der vestibulären Wahrnehmung durchführen
  » Übungen zur Förderung der auditiven Wahrnehmung durchführen
- Einrichtungsspezifische Aktivität wählen
- Zeit angeben

Sonstige Pflegemaßnahmen durchführen
- Maßnahmen konkretisieren
- Zeit angeben

Literaturhinweise: 71, 613, 615, 616, 617, 618

Der Patient zeigt **motorische und/oder Verhaltens-Auffälligkeiten** bei Anpassungsreaktionen bezogen auf die Umwelt, **beeinträchtigte Wahrnehmung/sensorische Integrationsstörung**

Kennzeichen

- Beeinträchtigte Fähigkeit, (Alltags-) Handlungen durchzuführenBeeinträchtigte motorische Planung und Koordination von Handlungen (Dyspraxie)
- Kann Handlungen nicht planen
- Alltägliche Handlungsabläufe sind nicht präsent
- Kann Handlungen nicht beginnen
- Kann Handlungen nicht fortführen
- Kann begonnene Handlungen nicht stoppen
- Führt Handlungen zu langsam durch
- Führt Handlungen zu schnell durch
- Unsichere Nutzung der Gegenstände zur Durchführung der Handlung
- Abschätzen von räumlichen Distanzen ist beeinträchtigt
- Abschätzen von Zeit/Zeiteinteilung ist beeinträchtigt
- Störung der vestibulären WahrnehmungExtremes Verhalten beim Schaukeln
- Starke Reaktionen auf Gleichgewichtsreize (z. B. Erbrechen)
- Beeinträchtigte Halte-, Stell- und Gleichgewichtsreaktionen
- Tollpatschig wirkende Bewegung
- Keine Abstützversuche beim Fallen
- Angstreaktionen beim Lagewechsel
- Schwierigkeiten beim Balancieren auf einem Bein
- Starre Rumpfhaltung
- Störung der Tiefensensibiltät/KinästhetikKein spontanes Kreuzen der Körpermittellinie
- Ungeschickte/tollpatschige Handfertigkeit
- Inadäquate Kraftdosierung beim Greifen
- Hyperaktivität
- Motorische Gehemmtheit
- Erhöhter Muskeltonus
- Geringer Muskeltonus
- Schwierigkeiten beim Laufen auf unebener Unterlage
- Unzureichende Haltungskontrolle
- Zusammengesunkenes Sitzen
- Beeinträchtigte Bewegungskoordination
- Störung der taktilen WahrnehmungAngst vor Berührungsreizen
- Abwehrreaktionen auf Berührung (taktile Defensivität)
- Stereotypes einförmiges Spielen
- Schmerzunempfindlichkeit
- Temperaturunempfindlichkeit
- Selbststimulation durch Schlagen
- Trägt lieber langärmelige Kleidung
- Störung der visuellen WahrnehmungBeeinträchtigte Formen- und Raumwahrnehmung
- Beeinträchtigte Figur-Hintergrund-Unterscheidung
- AutostimulationsreaktionenNestelbewegungen
- Zähneknirschen
- Kratzen
- Schaukelbewegung
- Kopfschlagen
- Sonstige KennzeichenFehlende Sprache
- Verzögertes Einsetzen der Sprache
- Mangelndes Nachahmungsverhalten
- Gebärden- und mimikarmer Ausdruck
- Mangel, spontan Freude/eigene Interessen zu zeigen
- Ist wach, mit offenen Augen ohne erkennbare Reaktion auf Reize
- Unfähigkeit zu sinnvoller Reizerwiderung

Ursachen

- Wahrnehmungs-/IntegrationsstörungStörung der zentralen Organisation der Wahrnehmung
- Störung der propriozeptiven/kinästhetischen Wahrnehmung
- Störung der taktilen Wahrnehmung
- Störung der vestibulären Wahrnehmung
- Störung der visuellen Wahrnehmung
- Störung der auditiven Wahrnehmung
- Störung der olfaktorischen/gustatorischen Wahrnehmung
- Umweltbedingte UrsachenMangel an Entwicklungsreizen
- Folgen einer sensorischen Deprivation
- Folgen einer emotionalen Deprivation
- Vernachlässigung durch die Eltern
- HirnschädigungErworbene Hirnschädigung
- Schädel-Hirn-Trauma
- Hirnschaden aufgrund eines Tumors
- Zustand nach Apoplex
- Zustand nach Hirnblutung
- Apallisches Syndrom
- Toxische Schädigung
- Zerebrale Hypoxie
- Angeborene Hirnschädigung
- Frühkindliche Hirnschädigung
- Progressiv-degenerative Erkrankungen des zentralen NervensystemsDemenz
- Morbus Alzheimer
- Multiple Sklerose
- Sonstige UrsachenMorbus-Down-Syndrom
- Autismus
- Rett-Syndrom
- Geistige Behinderung, die daran hindert, Erfahrungen zu sammeln
- Körperliche Behinderung, die daran hindert, Erfahrungen zu sammeln
- Psychiatrische Erkrankung

Ressourcen

- Kann selbstständig (Positions-)Veränderungen vornehmen
- Fähigkeit, sich zu bewegen, ist vorhanden
- Der Blick geht zielgerichtet zum Geschehen
- Es können angemessene Tonusveränderungen passend zur Handlung festgestellt werden
- Entwickelt eigene Handlungsziele
- Kann Handlungsziele beibehalten/verfolgen
- Exploriert Gegenstände
- Fähigkeit zur taktil-kinästhetischen Wahrnehmung
- Exploriert Ursachen-Wirkungszusammenhänge
- Fähigkeit, Transferleistungen auf andere Alltagssituationen durchzuführen

Pflegeziele

- Wahrnehmungsprobleme des Betroffenen

sind erkannt und verstanden, individuelle pflegetherapeutische Maßnahmen sind sinnvoll auf die Fähigkeiten des Betroffenen abgestimmt
- Verbesserung und Förderung der Wahrnehmungsorganisation
- Erhält angemessene Spürinformationen in der Interaktion mit der Umwelt
- Tonusregulation und Koordination im Rahmen von Alltagshandlungen wird gefördert
- Sinneswahrnehmungen sind durch unterschiedliche Reize stimuliert
- Körperwahrnehmung ist aktiviert und stimuliert
- Tonusnormalisierung ist erreicht
- Kognitive Fähigkeiten sind gefördert
- Bewegungskoordination ist verbessert
- Setzt Kompensationsmechanismen selbstständig ein
- Entwickelt und übernimmt neue Bewältigungsstrategien
- Negative Gefühle/ Einstellungen gegenüber dem eigenen Körper sind abgebaut
- Orientierung über sich selbst und Umgebung ist gefördert
- Risiko der Entwicklung eines sekundären Hypertonus ist reduziert
- Muskeltonus ist reduziert
- Wachheit und Wahrnehmung sind gesteigert
- Erhält Spürinformationen über eigene Körpergrenzen
- Erhält einen Termin
- Wohlbefinden und Entspannung sind unterstützt
- Spannungen und Ängste sind reduziert
- Interesse ist geweckt
- Erinnerungen sind hervorgerufen
- Unterschiedliche Sinne sind durch Reize zur Förderung von Orientierung und Wahrnehmung stimuliert

Pflegeinterventionen

Pflegerische Befunderhebung durchführen
- Maßnahmen konkretisieren
  - » Anamnesegespräch führen
  - » Standardisierte Entwicklungstests/Untersuchungsverfahren nutzen
  - » Beobachtung in alltäglichen Situationen
  - » Auswertung von Videoaufzeichnungen
  - » Beobachtung und Auswertung der Therapiesituation
  - » Standardisierte Befunderhebung mit Evaluationsbogen "Bobath-Konzept" durchführen
- Zeit angeben

Fallbesprechungen innerhalb der Disziplin Pflege durchführen
- Zielsetzungen der Fallbesprechung bestimmen
  - » Pflegeprozess im Pflegeteam reflektieren
  - » Therapeutische Verhaltensstrategie im Pflegeteam festlegen
  - » Sonstige fallbezogene Inhalte besprechen
- Auslöser für eine Fallbesprechung bestimmen
  - » Turnusgemäß Fallbesprechung durchführen
  - » Außergewöhnliche Fragestellungen/Akutsituationen besprechen
- Zeitdauer angeben
- Anzahl der beteiligten Pflegepersonen bestimmen
  - » Pflegeperson

Interdisziplinäre Fallbesprechungen durchführen
- Beteiligte Personen angeben
  - » Bewohner
  - » Pflegeperson
  - » Ärztlicher Dienst
  - » Psychologe
  - » Sozialarbeiter
  - » Sozialpädagoge
  - » Ergotherapeut
  - » Krankengymnast
  - » Logopäde
  - » Beschäftigungstherapeut
  - » Heilpädagoge
  - » Geistlicher Beistand
  - » Lehrer
  - » Erzieher
  - » Jugendamt
  - » Sonstige Personen
- Gesprächsinhalt
  - » Vereinbarte Therapieziele
  - » Vereinbarte Gesprächsinhalte für ein klientenzentriertes Pflegefachgespräch
- Zeitdauer angeben

Führen in Alltagssituationen nach dem Affolter-Konzept
- Auswahl des problemlösenden Alltagsgeschehnisses
  - » Gespürte Interaktionstherapie im Rahmen der Körperpflege durchführen
  - » Gespürte Interaktionstherapie im Rahmen des An- und Auskleidens durchführen
  - » Gespürte Interaktionstherapie im Rahmen der Nahrungsaufnahme durchführen
  - » Gespürte Interaktionstherapie im Rahmen eines Transfers durchführen
- Maßnahmen konkretisieren
  - » "Elementares Führen" während der Handlung
  - » Durch "Elementares Führen" die Handlung einleiten
  - » "Pflegerisches Führen" bei der Aktivität
  - » Durchgeführte Handlung mit dem Betroffenen repetieren
  - » Maßnahmen sind im Rahmen des Pflegeprozesses geplant
  - » Maßnahmen evaluieren und Berichtseintrag erstellen
  - » Beobachtungen evaluieren und für die Fallbesprechung vorbereiten
- Zeit angeben
- Durchführende Person angeben
  - » Pflegeperson
  - » Ergotherapeut
  - » Sonstige Personen

Basal stimulierende Angebote durchführen
- » Somatische, vestibuläre Stimulation durchführen
- » Vibratorische Stimulation durchführen
- » Orale Stimulation durchführen
- » Auditive Stimulation durchführen
- » Visuelle Stimulation durchführen
- » Taktil-haptische Stimulation durchführen
- Zeit angeben

Sensomotorische/perzeptive Therapie durchführen
- Maßnahmen konkretisieren
  - » Ergotherapeutische Behandlung entsprechend dem Bobath-Konzept durchführen
  - » Übungen/Problemlösungsaufgaben im Rahmen des Neurotrainings nach Schweizer durchführen
  - » Aktivitäten unter Anwendung von PNF (Propriozeptive neuromuskuläre Fazilitation) durchführen
  - » Handlungsorientierte Diagnostik und Therapie (HoDT) durchführen
  - » Alltagsorientierte Therapie (AOT) durchführen
  - » Sensorische Integrationstherapie nach Ayres durchführen
  - » Kognitiv-therapeutische Übungen nach Perfetti durchführen
  - » Spiegeltherapie/-training durchführen
- Bemerkungen eintragen
- Durchführende Person angeben
  - » Ergotherapeut
  - » Pflegeperson
  - » Pflegeperson, entsprechend dem ergotherapeutischen Konzept
- Zeit angeben
- Therapieart angeben
  - » Einzeltherapie
  - » Gruppentherapie

Kompensationstechniken mit/ohne Hilfsmittel vermitteln/einüben
- Maßnahmen konkretisieren
  - » Einhändertraining
  - » Einhändertraining im Sinne des Bobath-Konzeptes
  - » Erarbeiten günstiger und okonomischer Arbeitshaltungen für die verschiedenen Verrichtungen
  - » Einsatz von Teilfähigkeiten und Restkräften zum Transfer
  - » Aufstehtraining

  - » Benutzung und Einsatz der Hilfsmittel
  - » Beim Gehtraining unterstützen
  - » Gehtraining im Freien durchführen
  - » Erarbeiten des Sitzgleichgewichtes
  - » Rollstuhltraining
- Hilfsmittel einsetzen
  - » Griffverbreiterer
  - » Antirutschmaterialien nutzen
  - » Kommunikationshilfen
  - » Teil-aktive Hebegeräte
  - » Einsatz von Gehhilfen
- Durchführende Person angeben
  - » Pflegeperson
  - » Ergotherapeut
  - » Sonstige Personen
- Zeit angeben

Körperumfassende Lagerung durchführen
- Körperumfassende Positionierung (Nestlagerung)
  - » "Nestlagerung" in Rückenlage
  - » "Nestlagerung" in Seitenlage rechts
  - » "Nestlagerung" in Seitenlage links
  - » Offene "Nestlagerung" durchführen
  - » Geschlossene "Nestlagerung" durchführen
- Embryonallagerung
  - » Embryonallagerung rechts
  - » Embryonallagerung links
- Sonstiges
  - » Königsstuhllagerung durchführen
  - » Nussschalenlagerung durchführen
- Zeit angeben
- Anzahl Pflegepersonen angeben

Lagerung in Neutralstellung (LiN) durchführen
- Lagerungsart bestimmen
  - » 30°-Lagerung rechts in Neutralstellung
  - » 30°-Lagerung links in Neutralstellung
  - » 90°-Lagerung re. in Neutralstellung
  - » 90°-Lagerung li. in Neutralstellung
  - » 135°-Lagerung re. in Neutralstellung
  - » 135°-Lagerung li. in Neutralstellung
  - » Rückenlagerung in Neutralstellung
  - » Sitzen im Bett in Neutralstellung
- Besonderheiten beachten
- Zeit angeben
- Anzahl Pflegepersonen angeben

Homunculus-Pflegetherapie durchführen
- Pflegeintervention konkretisieren
  - » Faci-orale Stimulation durch Gesichtswaschung
  - » Faci-orale Stimulation durch Gesichtsmassage
  - » Taktil-haptische Stimulation der Extremitäten
- Zeit angeben

Maßnahmen zur Wahrnehmung der Körpergrenzen durchführen
- Pflegeintervention konkretisieren
  - » Gelkissen nacheinander kurz auf die Extremitäten auflegen und nachmodellieren
  - » Körperschwere durch wiederholtes Anheben der Extremitäten mit Hilfe von Handtüchern/Bettlaken durchführen
  - » Somatische Stimulation durch das Tragen von "rauhen" Kleidungsstücken durchführen
- Zeit angeben

Termine mit der Ergotherapie koordinieren
- Pflegeintervention konkretisieren
- Zeit angeben

Snoezelen-Angebote durchführen
- Angebotene Reize konkretisieren
  - » Spezielle Lichtverhältnisse/-effekte einsetzen
  - » Klang- und Tonelemente einsetzen
  - » Musik einsetzen
  - » Aromatherapie einsetzen
- Snoezelen-Angebot konkretisieren
  - » Ruhe- und Entspannungsangebot
- Kombinationen mit Snoezelen-Angeboten
  - » Snoezelen mit Tieren
  - » Snoezelen und Wahrnehmungsförderung
  - » Snoezelen und Gedächtnistraining
  - » Snoezelen und Aufmerksamkeits- und Konzentrationstraining
- Zeit angeben

Sonstige Angebote zur Förderung der Wahrnehmung durchführen
- Maßnahmen konkretisieren
  - » Übungen zur Förderung der visuellen Wahrnehmung durchführen
  - » Übungen zur Förderung der taktilen Wahrnehmung durchführen
  - » Übungen zur Förderung der vestibulären Wahrnehmung durchführen
  - » Übungen zur Förderung der auditiven Wahrnehmung durchführen
- Einrichtungsspezifische Aktivität wählen
- Zeit angeben

Sonstige Pflegemaßnahmen durchführen
- Maßnahmen konkretisieren
- Zeit angeben

Literaturhinweise: 614, 900, 915, 1064, 1065, 1066, 1067, 1068, 1069, 1070, 1071, 1072, 1073, 1074, 1075, 1076, 1077, 1078, 1079, 1080, 1081

Der Patient zeigt **keine Reaktion** auf Reize, **beeinträchtigtes Bewusstsein**

Kennzeichen

- Fehlende Reaktion auf Berührung
- Fehlende motorische Reaktion
- Fehlende Reaktion auf Schmerzreize
- Öffnet die Augen nach Aufforderung nicht
- Blick starr gerade aus
- Blick gleitet ohne Fixationspunkte hin und her
- Ansprechen, Anfassen erweckt keinen sinnvollen Widerhall
- Reflektorische Abwehrbewegungen fehlen
- Trotz Wachseins unfähig zu erkennen, sinnvolle Handlungsformen erlernter Art durchzuführen
- Bewusste Kontrolle über Körperfunktionen erlahmt
- Kontrolle über Harn-/Stuhlgang ist gestört
- Erschlaffung der Muskulatur
- Verlust von Sprachverständnis
- Verlust von Sprachproduktion
- Schlaf-/Wachrhythmus ist gestört
- Tetraspastik

Ursachen

- Verminderte Hirndurchblutung
- Schädel-Hirn-Trauma
- Schädelfraktur
- Erhöhter Hirndruck
- Hirnblutung
- Zustand nach Hirnblutung
- Apallisches Syndrom
- Bewusstlosigkeit durch Koma
- Stoffwechselbedingtes Koma
- Stoffwechselbedingte Bewusstseinsveränderung
- Bewusstseinsveränderung durch hirnorganische Prozesse
- Vergiftung
- Hirntumor
- Enzephalitiden (Hirnentzündungen)

Ressourcen

- Angehörige/Bezugspersonen unterstützen den Pflegeprozess

Pflegeziele

- Vitalzeichenwerte bleiben während der Versorgung konstant
- Fühlt sich angenommen und hat keine Ängste
- Erkennt die Begrüßung und stellt sich auf die Versorgung ein
- Ist über die Pflegetätigkeit informiert
- Erlebt die Körperpflege als angenehm und ist entspannt
- Sinneswahrnehmungen sind durch unterschiedliche Reize stimuliert
- Verbesserung und Förderung der Wahrnehmungsorganisation
- Erhält angemessene Spürinformationen in der Interaktion mit der Umwelt
- Tonusregulation und Koordination im Rahmen von Alltagshandlungen wird gefördert
- Orientierung über sich selbst und Umgebung ist gefördert
- Risiko der Entwicklung eines sekundären Hypertonus ist reduziert
- Muskeltonus ist reduziert
- Wachheit und Wahrnehmung sind gesteigert
- Erhält Spürinformationen über eigene Körpergrenzen
- Wohlbefinden und Entspannung sind unterstützt
- Spannungen und Ängste sind reduziert
- Interesse ist geweckt

Pflegeinterventionen

Informationen beim Betreten des Zimmers geben
- Pflegeintervention konkretisieren
- Zeit angeben

Klare taktile und verbale Informationen geben
- Pflegeintervention konkretisieren
- Zeit angeben

Begrüßungsritual im Team vereinbaren und durchführen
- Pflegeintervention konkretisieren
- Zeit angeben

Über jede Pflegeintervention/Aktion im Umfeld informieren
- Pflegeintervention konkretisieren
- Zeit angeben

Fallbesprechungen innerhalb der Disziplin Pflege durchführen
- Zielsetzungen der Fallbesprechung bestimmen
  - » Pflegeprozess im Pflegeteam reflektieren
  - » Therapeutische Verhaltensstrategie im Pflegeteam festlegen
  - » Sonstige fallbezogene Inhalte besprechen
- Auslöser für eine Fallbesprechung bestimmen
  - » Turnusgemäß Fallbesprechung durchführen
  - » Außergewöhnliche Fragestellungen/Akutsituationen besprechen
- Zeitdauer angeben
- Anzahl der beteiligten Pflegepersonen bestimmen
  - » Pflegeperson

Interdisziplinäre Fallbesprechungen durchführen
- Beteiligte Personen angeben
  - » Bewohner
  - » Pflegeperson
  - » Ärztlicher Dienst
  - » Psychologe
  - » Sozialarbeiter
  - » Sozialpädagoge
  - » Ergotherapeut
  - » Krankengymnast
  - » Logopäde
  - » Beschäftigungstherapeut
  - » Heilpädagoge
  - » Geistlicher Beistand
  - » Lehrer
  - » Erzieher
  - » Jugendamt
  - » Sonstige Personen
- Gesprächsinhalt
  - » Vereinbarte Therapieziele
  - » Vereinbarte Gesprächsinhalte für ein klientenzentriertes Pflegefachgespräch
- Zeitdauer angeben

Basal stimulierende Angebote durchführen
  - » Somatische, vestibuläre Stimulation durchführen
  - » Vibratorische Stimulation durchführen
  - » Orale Stimulation durchführen
  - » Auditive Stimulation durchführen
  - » Visuelle Stimulation durchführen
  - » Taktil-haptische Stimulation durchführen
- Zeit angeben

Führen in Alltagssituationen nach dem Affolter-Konzept
- Auswahl des problemlösenden Alltagsgeschehnisses
  - » Gespürte Interaktionstherapie im Rahmen der Körperpflege durchführen
  - » Gespürte Interaktionstherapie im Rahmen des An- und Auskleidens durchführen
  - » Gespürte Interaktionstherapie im Rahmen der Nahrungsaufnahme durchführen
  - » Gespürte Interaktionstherapie im Rahmen eines Transfers durchführen
- Maßnahmen konkretisieren
  - » "Elementares Führen" während der Handlung
  - » Durch "Elementares Führen" die Handlung einleiten
  - » "Pflegerisches Führen" bei der Aktivität
  - » Durchgeführte Handlung mit dem Betroffenen repetieren
  - » Maßnahmen sind im Rahmen des Pflegeprozesses geplant
  - » Maßnahmen evaluieren und Berichtseintrag erstellen
  - » Beobachtungen evaluieren und für die

Fallbesprechung vorbereiten
- Zeit angeben
- Durchführende Person angeben
  - » Pflegeperson
  - » Ergotherapeut
  - » Sonstige Personen

Körperumfassende Lagerung durchführen
- Körperumfassende Positionierung (Nestlagerung)
  - » "Nestlagerung" in Rückenlage
  - » "Nestlagerung" in Seitenlage rechts
  - » "Nestlagerung" in Seitenlage links
  - » Offene "Nestlagerung" durchführen
  - » Geschlossene "Nestlagerung" durchführen
- Embryonallagerung
  - » Embryonallagerung rechts
  - » Embryonallagerung links
- Sonstiges
  - » Königsstuhllagerung durchführen
  - » Nussschalenlagerung durchführen
- Zeit angeben
- Anzahl Pflegepersonen angeben

Lagerung in Neutralstellung (LiN) durchführen
- Lagerungsart bestimmen
  - » 30°-Lagerung rechts in Neutralstellung
  - » 30°-Lagerung links in Neutralstellung
  - » 90°-Lagerung re. in Neutralstellung
  - » 90°-Lagerung li. in Neutralstellung
  - » 135°-Lagerung re. in Neutralstellung
  - » 135°-Lagerung li. in Neutralstellung
  - » Rückenlagerung in Neutralstellung
  - » Sitzen im Bett in Neutralstellung
- Besonderheiten beachten
- Zeit angeben
- Anzahl Pflegepersonen angeben

Homunculus-Pflegetherapie durchführen
- Pflegeintervention konkretisieren
  - » Faci-orale Stimulation durch Gesichtswaschung
  - » Faci-orale Stimulation durch Gesichtsmassage
  - » Taktil-haptische Stimulation der Extremitäten
- Zeit angeben

Maßnahmen zur Wahrnehmung der Körpergrenzen durchführen
- Pflegeintervention konkretisieren
  - » Gelkissen nacheinander kurz auf die Extremitäten auflegen und nachmodellieren
  - » Körperschwere durch wiederholtes Anheben der Extremitäten mit Hilfe von Handtüchern/Bettlaken durchführen
  - » Somatische Stimulation durch das Tragen von "rauhen" Kleidungsstücken durchführen
- Zeit angeben

Snoezelen-Angebote durchführen
- Angebotene Reize konkretisieren
  - » Spezielle Lichtverhältnisse/-effekte einsetzen
  - » Klang- und Tonelemente einsetzen
  - » Musik einsetzen
  - » Aromatherapie einsetzen
- Snoezelen-Angebot konkretisieren
  - » Ruhe- und Entspannungsangebot
- Kombinationen mit Snoezelen-Angeboten
  - » Snoezelen mit Tieren
  - » Snoezelen und Wahrnehmungsförderung
  - » Snoezelen und Gedächtnistraining
  - » Snoezelen und Aufmerksamkeits- und Konzentrationstraining
- Zeit angeben

Tiergestützte Aktivierung durchführen
- Maßnahmen konkretisieren
  - » Individuelle tiergestützte Therapieangebote durchführen
  - » Tiergestützte Therapie in der Gruppe
  - » Versorgung des Tieres übernehmen
- Einrichtungsspezifische Aktivität wählen
- Zeit angeben

Sonstige Pflegemaßnahmen durchführen
- Maßnahmen konkretisieren
- Zeit angeben

Literaturhinweise: 95, 113, 125, 175, 176

Inhaltsverzeichnis

Der Patient kann **Bedürfnisse** nur über **Weinen/Schreien äußern**

Kennzeichen

- Äußert sich durch Lärmen/Schreien
- Äußert sich durch schrilles Schreien
- Äußert sich durch anhaltendes Schreien
- Äußert sich durch anschwellendes, lautes Schreien
- Äußert sich durch kontinuierliches Schreien

Ursachen

- Blähungen
- Schmerzzustände
- Hunger-/Durstgefühl
- Körperliches Unbehagen
- Ursachen für eingeschränkte Bedürfnisäußerung Apallisches Syndrom
- Schwere Demenz
- Sprachabbau bei Demenz
- Multiple Sklerose
- Angeborene geistige Behinderung
- Entwicklungsbedingt

Ressourcen

- Reagiert positiv auf bestimmte Angebote/ Zuwendungen

Pflegeziele

- Setzt Entspannungstechniken gezielt ein
- Ursachen sind erkannt
- Ist ruhig und kann sich entspannen
- Körperwahrnehmung ist aktiviert und stimuliert
- Erhält Zuwendung ohne Forderung

Pflegeinterventionen

Den Säugling durch Herumtragen beruhigen
- Pflegeintervention konkretisieren
- Zeit angeben

Durch unterschiedliche Angebote versuchen, die Ursache für das Schreien/Weinen zu beheben
- Pflegeintervention konkretisieren
- Zeit angeben

Babymassage durchführen
- Pflegeintervention konkretisieren
- Zeit angeben

Durch sanftes Halten taktil beruhigen
- Pflegeintervention konkretisieren
- Zeit angeben

Sonstige Pflegemaßnahmen durchführen
- Maßnahmen konkretisieren
- Zeit angeben

Literaturhinweise: 351, 352

Der Patient zeigt einen **inkongruenten Kommunikationsstil**, es besteht ein **Risiko der ineffektiven Kommunikation**

Kennzeichen

- Berichtet zum wiederholten Male von Ereignissen, die so wie berichtet nicht stimmen können
- Verbale Äußerungen und nonverbale Signale stimmen nicht überein

Ursachen

- Selbstschutz
- Psychische Störung
- Beeinträchtigung durch Störungen von Mimik oder Gestik

Ressourcen

- Kann $sein Verhalten in Gesprächen reflektieren
- Reagiert positiv auf therapeutische Gespräche

Pflegeziele

- Kann das persönliche Verhalten reflektieren
- Gefühl und verbale Äußerungen stimmen überein
- Kennt die Wirkung auf Mitmenschen bei inkongruentem Verhalten
- Kennt Verhaltensweisen, die Missverständnisse verhindern, und wendet diese an
- Ist motiviert, Kongruenz zu erreichen
- Erhält Feed-back aus der Gruppe
- Erkennt eine einheitliche Zielsetzung im therapeutischen Team und akzeptiert diese

Pflegeinterventionen

Auf inkongruente Kommunikation beobachten
- Pflegeintervention konkretisieren
- Zeit angeben

Klientenzentriertes Gespräch über inkongruentes Verhalten und inkongruenten Kommunikationsstil führen
- Gesprächsinhalt
- Zeit angeben
- Beteiligte Personen angeben
  - » Betroffene Person
  - » Angehöriger/Bezugsperson
  - » Betreuer
  - » Eltern
  - » Sonstige Personen
- Durchführende Person angeben
  - » Bezugspflegeperson
  - » Pflegeperson
  - » Spezialtherapeuten
  - » Physiotherapeuten

Feed-back im Gruppengespräch ermöglichen
- Gruppentherapie konkretisieren
- Zeitdauer des Gruppengesprächs bestimmen

Verhaltensstrategien bezüglich des Feedbacks an den Patienten im Team absprechen
- Beteiligte Personen angeben
  - » Bewohner
  - » Pflegeperson
  - » Ärztlicher Dienst
  - » Psychologe
  - » Sozialarbeiter
  - » Sozialpädagoge
  - » Ergotherapeut
  - » Krankengymnast
  - » Logopäde
  - » Beschäftigungstherapeut
  - » Heilpädagoge
  - » Geistlicher Beistand
  - » Lehrer
  - » Erzieher
  - » Jugendamt
  - » Sonstige Personen
- Gesprächsinhalt
  - » Vereinbarte Therapieziele
  - » Vereinbarte Gesprächsinhalte für ein klientenzentriertes Pflegefachgespräch
- Zeitdauer angeben

Sonstige Pflegemaßnahmen durchführen
- Maßnahmen konkretisieren
- Zeit angeben

Literaturhinweise: 47, 82, 83, 95, 101, 125, 173, 175, 176, 215, 312

Der Patient neigt dazu, den **Gesprächspartner zu manipulieren**, es besteht das **Risiko einer inadäquaten Kommunikation**

Kennzeichen

- Übt sozialen Druck auf Mitmenschen (Familienangehörige) aus
- Schmeichelt sich durch Komplimente/ausgewählte Höflichkeiten ein
- Benutzt bei der Kommunikation häufig suggestive Fragestellungen
- Zeigt gegenüber Gesprächspartnern Imponiergehabe
- Provoziert oder beleidigt Gesprächspartner

Ursachen

- Bedürfnis nach Selbstbestätigung
- Bedürfnis nach Macht und Anerkennung
- Manie
- Neurotische Störung

Ressourcen

- Kann $sein Verhalten in Gesprächen reflektieren
- Reagiert positiv auf therapeutische Gespräche

Pflegeziele

- Erkennt eine einheitliche Zielsetzung im therapeutischen Team und akzeptiert diese
- Kann den eigenen Kommunikationsstil einschätzen
- Erhält Feed-back aus der Gruppe

Pflegeinterventionen

Kommunikationsverhalten beobachten
- Pflegeintervention konkretisieren
- Zeit angeben

Klientenzentrierte Gespräche zum Erlernen eines ausgewogenen Gesprächsstils führen
- Gesprächsinhalt
- Zeit angeben
- Beteiligte Personen angeben
  - » Betroffene Person
  - » Angehöriger/Bezugsperson
  - » Betreuer
  - » Eltern
  - » Sonstige Personen
- Durchführende Person angeben
  - » Bezugspflegeperson
  - » Pflegeperson
  - » Spezialtherapeuten
  - » Physiotherapeuten

Feed-back im Gruppengespräch ermöglichen
- Gruppentherapie konkretisieren
- Zeitdauer des Gruppengesprächs bestimmen

Sonstige Pflegemaßnahmen durchführen
- Maßnahmen konkretisieren
- Zeit angeben

Literaturhinweise: 47, 82, 83, 95, 101, 125, 173, 175, 176, 215, 312

Der Patient ist aufgrund von **Schwerhörigkeit** in der **Kommunikation beeinträchtigt**

Kennzeichen

- Fragt häufig nach oder versteht andere Gesprächsinhalte
- Zeigt misstrauisches Verhalten
- Zieht sich vom sozialen Geschehen zurück
- Äußert, das Gefühl zu haben, es würde über die eigene Person gesprochen
- Ohrgeräusche

Ursachen

- Schwerhörigkeit infolge eines Gehörsturzes
- Schwerhörigkeit infolge eines Knallschadens
- Schwerhörigkeit infolge einer veränderten Reizaufnahme aufgrund von Erkrankungen am Ohr
- Veranlagungsbedingte Schwerhörigkeit
- Altersbedingte Schwerhörigkeit

Ressourcen

- Hat noch einen Rest an Hörfähigkeit
- Kann Mimik und Gestik deuten
- Ist sicher im Umgang mit den Hörgeräten
- Akzeptiert die Unterstützung
- Akzeptiert die Unterstützung von Angehörigen

Pflegeziele

- Kann Wörter von den Lippen ablesen
- Kommunikation und Informationsweitergabe sind sichergestellt
- Akzeptiert den Einsatz der Hörhilfe und erlebt diesen als positiv
- Nimmt mit Hörhilfen an der Kommunikation teil
- Hörgerät ist funktionstüchtig
- Führt die Funktionsüberprüfung des Hörgeräts selbstständig durch
- Hörgerät wird richtig bedient
- Ist am Umgebungsgeschehen beteiligt und hat sozialen Kontakt
- Fühlt sich sicher durch Informationen

Pflegeinterventionen

Langsam, mittellaut und deutlich sprechen
- Pflegeintervention konkretisieren
- Zeit angeben

Beim Sprechen dem Patienten das Gesicht zuwenden
- Pflegeintervention konkretisieren
- Zeit angeben

Zeichensprache einsetzen
- Pflegeintervention konkretisieren
- Zeit angeben

Verwendung eines Hörgeräts ermöglichen
- Pflegeintervention konkretisieren
  - » Termin für die Anpassung eines Hörgeräts koordinieren
  - » Zum Bedienen des Hörgeräts anleiten
  - » Hörgerät einsetzen

Hörgerät reinigen und auf Funktionalität überprüfen
- Pflegeintervention konkretisieren
  - » Hörgerät reinigen
  - » Batterien im Hörgerät wechseln

Für kommunikationsförderndes Stationsmilieu sorgen
- Pflegeintervention konkretisieren
- Zeit angeben

Regelmäßig überprüfen, ob die Informationen verstanden wurden
- Pflegeintervention konkretisieren
- Zeit angeben

Bei Gruppengesprächen immer wieder über Gesprächsinhalte informieren
- Pflegeintervention konkretisieren
- Zeit angeben

Sonstige Pflegemaßnahmen durchführen
- Maßnahmen konkretisieren
- Zeit angeben

Literaturhinweise: 47, 51, 79, 95, 125, 175, 176

Der Patient ist aufgrund von **Gehörlosigkeit** in der **Kommunikation beeinträchtigt**

Kennzeichen

- Benutzt die Gebärdensprache
- Reagiert nicht auf Ansprache/Zuruf
- Versteht verbale Anordnungen nicht und kann daher nicht darauf reagieren
- Fehlende soziale Integration
- Zeigt misstrauisches Verhalten
- Zeigt ängstliches Verhalten

Ursachen

- Schwerhörigkeit infolge einer veränderten Reizaufnahme aufgrund von Erkrankungen am Ohr
- Veranlagungsbedingte Schwerhörigkeit
- Taubstummheit

Ressourcen

- Kann Mimik und Gestik deuten
- Beherrscht die Taubstummensprache
- Ist bereit, Kommunikationshilfen einzusetzen
- Akzeptiert die Unterstützung
- Akzeptiert die Unterstützung von Angehörigen

Pflegeziele

- Kann die Mitmenschen verstehen und sich verständlich machen
- Kann Wörter von den Lippen ablesen
- Fühlt sich angenommen und entwickelt Vertrauen
- Abwehrhaltung und Angst sind reduziert

Pflegeinterventionen

Nonverbale Kommunikationsmöglichkeiten einsetzen
- Pflegeintervention konkretisieren
- Zeit angeben

Mitteilungen aufschreiben
- Pflegeintervention konkretisieren
- Zeit angeben

Lippenlesen ermöglichen
- Pflegeintervention konkretisieren
- Zeit angeben

Problem der Schwerhörigkeit besprechen und Problemlösungen erarbeiten
- Pflegeintervention konkretisieren
- Zeit angeben

Berührung nur mit Sichtkontakt durchführen
- Pflegeintervention konkretisieren
- Zeit angeben

Sonstige Pflegemaßnahmen durchführen
- Maßnahmen konkretisieren
- Zeit angeben

Literaturhinweise: 95, 125, 175, 176

Der Patient ist aufgrund von **körperlicher Schwäche** in der **Kommunikation beeinträchtigt**

Kennzeichen

- Kann Worte nicht deutlich aussprechen
- Luft bleibt beim Sprechen weg
- Äußert, dass das Sprechen Mühe macht
- Möchte mit niemandem sprechen

Ursachen

- Herzinsuffizienz
- Lungenödem
- Herz-Kreislauf-Instabilität
- Erschöpfung
- Erschöpfung der Atemmuskulatur

Ressourcen

- Kann Hilfe annehmen
- Ist fähig, sich kurz zu äußern

Pflegeziele

- Fühlt sich angenommen und verstanden
- Kommunikation ist ohne große Anstrengung möglich

Pflegeinterventionen

Durch Berührung Kontakt aufnehmen
- Pflegeintervention konkretisieren
- Zeit angeben

Ja/Nein-Fragen stellen
- Pflegeintervention konkretisieren
- Zeit angeben

Alle Pflegetätigkeiten konsequent beschreiben
- Pflegeintervention konkretisieren
- Zeit angeben

Sonstige Pflegemaßnahmen durchführen
- Maßnahmen konkretisieren
- Zeit angeben

Literaturhinweise: 95, 125, 175, 176

Der Patient ist aufgrund einer **globalen Aphasie** in der verbalen **Kommunikation beeinträchtigt**

Kennzeichen

- Hat eine Sprachproduktionsstörung
- Beeinträchtigtes Sprachverständnis
- Versteht verbale Anordnungen nicht und kann daher nicht darauf reagieren
- Kann nicht lesen und schreiben
- Kann nur "sinnlose" Silben wie "lalala" sprechen
- Gereizte Reaktion bei Unverständnis anderer

Ursachen

- Neurologische Hirnschädigung
- Hirntumor
- Minderdurchblutung des Sprachzentrums
- Apoplektischer Insult
- Organisch bedingte Hirnschädigung
- Multiple Sklerose

Ressourcen

- Verhält sich entsprechend der Anleitung und Anweisung
- Ist bereit, Kommunikationshilfen einzusetzen
- Zeigt Verhaltensweisen, die die Therapie unterstützen
- Zeigt Motivation, die Übungen durchzuführen

Pflegeziele

- Fühlt sich angenommen und akzeptiert
- Sprachverständnis ist gefördert
- Sprachverständnis ist unterstützt, Verständigung ist möglich
- Kann sich verständlich machen
- Äußerungen von Mitmenschen werden verstanden
- Ist motiviert, immer wieder Sprechversuche zu unternehmen

- Kennt Möglichkeiten, aktiv den Therapieerfolg zu unterstützen
- Veränderungen sind frühzeitig erkannt
- Lernt, wieder zu sprechen und sich zu verständigen
- Kontinuität von Behandlung und Therapie ist sichergestellt
- Angehörige und Besucher sind informiert und unterstützen die Therapie
- Erhält einen Termin
- Interdisziplinärer Therapieplan ist aufgestellt

Pflegeinterventionen

Wertschätzende Grundhaltung einnehmen
- Pflegeintervention konkretisieren
- Zeit angeben

Sprachverständnis im Rahmen der Kommunikation/Interaktion fördern
- Pflegeintervention konkretisieren
  - » Durch gemeinsames Handeln versuchen, sich zu verständigen
  - » Alltagsweltliche Gegenstände immer gleichzeitig benennen und zeigen
  - » Über jede Pflegetätigkeit informieren
  - » Langsam und in einfachen, kurzen Sätzen sprechen
  - » Für entspannte, entkrampfte Gesprächsatmosphäre sorgen
  - » Aussprechen lassen
  - » Fehler nicht verbessern und zu weiterem Sprechen motivieren

Sprach-/Sprechfähigkeiten fördern
- Pflegeintervention konkretisieren
  - » Langsam und in einfachen, kurzen Sätzen sprechen
  - » Ja/Nein-Fragen nutzen, um die Kommunikation zu unterstützen
  - » Fehler nicht verbessern und zu weiterem Sprechen motivieren
  - » Begonnene Sätze nicht vervollständigen
  - » Zeit zur Wortfindung lassen
  - » Worte nicht in den Mund legen
  - » Sprechbereitschaft durch häufigen Kontakt fördern
  - » Grammatik und Satzbau durch Fragen fördern

Sicherstellen, dass die logopädischen Termine eingehalten werden
- Maßnahmen konkretisieren
- Termineinhaltung sicherstellen
  - » Zum vereinbarten Termin innerhalb der Einrichtung bringen
  - » Zum vereinbarten Termin außerhalb der Einrichtung bringen
  - » An vereinbarte Termine erinnern
- Zeit angeben

Kommunikationshilfsmittel zur Unterstützung der Verständigung einsetzen
- Maßnahmen konkretisieren
  - » Kommunikator einsetzen
  - » Bildtafeln verwenden
  - » Papier und Stift zur Verfügung stellen
  - » Sprechventil einsetzen
  - » Sensorklingel
  - » Umweltkontrollgeräte
  - » Lesegerät
  - » Computer mit Sprachsteuerung
  - » Mundsteuerung für den E-Rollstuhl

Logopädische Übungen nach dem vereinbarten Behandlungskonzept durchführen
- Maßnahmen konkretisieren
  - » Entsprechend dem Behandlungs-konzept zu den Übungen anleiten
  - » Entsprechend dem Behandlungs-konzept bei den Übungen unterstützen
- Therapeutisches Konzept auswählen und Maßnahmen beschreiben
  - » Funktionelle Dysphagietherapie FDT
  - » Neuromotorische Entwicklungstherapie NET (Castillo Morales)
  - » Orofaziale Regulationstherapie ORT (Castillo Morales)
  - » Fazio-orale Trakt-Therapie F.O.T.T
  - » Propriozeptive neuromuskuläre Fazilitation PNF
  - » Elektrostimulation
  - » Transkranielle Magnetstimulation
- Einrichtungsspezifische Aktivität wählen
- Zeit angeben

Angehörige in die Besonderheiten, die als Besucher zu beachten sind, einweisen/zum richtigen Umgang anleiten
- Pflegeintervention konkretisieren
- Zeit angeben

Termine mit der Logopädie organisieren
- Pflegeintervention konkretisieren
- Zeit angeben

Sonstige Pflegemaßnahmen durchführen
- Maßnahmen konkretisieren
- Zeit angeben

Literaturhinweise: 71, 95, 125, 173, 175, 176, 283, 285, 287, 314

Der Patient ist aufgrund einer **sensorischen Aphasie** (Wernicke-Aphasie) in der verbalen **Kommunikation beeinträchtigt**

Kennzeichen

- Satzbau wird nicht richtig umgesetzt
- Beeinträchtigtes Sprachverständnis
- Verwechselt Worte und Laute
- Wörter sind lautlich entstellt, es entstehen unverständliche Begriffsvariationen
- Kann Gegenstände nicht richtig benennen
- Gereizte Reaktion bei Unverständnis anderer

Ursachen

- Neurologische Hirnschädigung
- Hirntumor
- Minderdurchblutung des Sprachzentrums
- Apoplektischer Insult
- Organisch bedingte Hirnschädigung
- Multiple Sklerose

Ressourcen

- Kann die gesundheitliche Einschränkung richtig erfassen und einschätzen
- Ist bereit, Kommunikationshilfen einzusetzen
- Zeigt Verhaltensweisen, die die Therapie unterstützen

Pflegeziele

- Fühlt sich angenommen und akzeptiert
- Sprachverständnis ist gefördert
- Sprachverständnis ist unterstützt, Verständigung ist möglich
- Kann sich verständlich machen
- Angehörige und Besucher sind informiert und unterstützen die Therapie
- Kontinuität von Behandlung und Therapie ist sichergestellt
- Kennt Möglichkeiten, aktiv den Therapieerfolg zu unterstützen
- Veränderungen sind frühzeitig erkannt
- Lernt, wieder zu sprechen und sich zu verständigen
- Erhält einen Termin
- Interdisziplinärer Therapieplan ist aufgestellt

Pflegeinterventionen

Wertschätzende Grundhaltung einnehmen
- Pflegeintervention konkretisieren
- Zeit angeben

Sprachverständnis im Rahmen der Kommunikation/Interaktion fördern
- Pflegeintervention konkretisieren
  - » Durch gemeinsames Handeln versuchen, sich zu verständigen
  - » Alltagsweltliche Gegenstände immer gleichzeitig benennen und zeigen
  - » Über jede Pflegetätigkeit informieren
  - » Langsam und in einfachen, kurzen Sätzen sprechen
  - » Für entspannte, entkrampfte Gesprächsatmosphäre sorgen
  - » Aussprechen lassen
  - » Fehler nicht verbessern und zu weiterem Sprechen motivieren

Angehörige in die Besonderheiten, die als Besucher zu beachten sind, einweisen/zum richtigen Umgang anleiten
- Pflegeintervention konkretisieren
- Zeit angeben

Logopädische Übungen nach dem vereinbarten Behandlungskonzept durchführen
- Maßnahmen konkretisieren
  - » Entsprechend dem Behandlungs-konzept zu den Übungen anleiten
  - » Entsprechend dem Behandlungs-konzept bei den Übungen unterstützen
- Therapeutisches Konzept auswählen und Maßnahmen beschreiben
  - » Funktionelle Dysphagietherapie FDT
  - » Neuromotorische Entwicklungstherapie NET (Castillo Morales)
  - » Orofaziale Regulationstherapie ORT (Castillo Morales)
  - » Fazio-orale Trakt-Therapie F.O.T.T
  - » Propriozeptive neuromuskuläre Fazilitation PNF
  - » Elektrostimulation
  - » Transkranielle Magnetstimulation
- Einrichtungsspezifische Aktivität wählen
- Zeit angeben

Kommunikationshilfsmittel zur Unterstützung der Verständigung einsetzen
- Maßnahmen konkretisieren
  - » Kommunikator einsetzen
  - » Bildtafeln verwenden
  - » Papier und Stift zur Verfügung stellen
  - » Sprechventil einsetzen
  - » Sensorklingel
  - » Umweltkontrollgeräte
  - » Lesegerät
  - » Computer mit Sprachsteuerung
  - » Mundsteuerung für den E-Rollstuhl

Sicherstellen, dass die logopädischen Termine eingehalten werden
- Maßnahmen konkretisieren
- Termineinhaltung sicherstellen
  - » Zum vereinbarten Termin innerhalb der Einrichtung bringen
  - » Zum vereinbarten Termin außerhalb der Einrichtung bringen
  - » An vereinbarte Termine erinnern
- Zeit angeben

Termine mit der Logopädie organisieren
- Pflegeintervention konkretisieren
- Zeit angeben

Sonstige Pflegemaßnahmen durchführen
- Maßnahmen konkretisieren
- Zeit angeben

Literaturhinweise: 71, 79, 95, 125, 173, 175, 176, 283, 285, 287, 314

Der Patient ist aufgrund einer **motorischen Aphasie** (Broca-Aphasie) in der verbalen **Kommunikation beeinträchtigt**

Kennzeichen

- Hat eine monotone Artikulation
- Es kommt beim Sprechen zu Lautverwechslungen
- Kann nicht lesen und schreiben
- Satzbau erinnert an den Telegrammstil
- Sprache ist verwaschen
- Sprache ist bruchstückhaft/stockend

Ursachen

- Neurologische Hirnschädigung
- Hirntumor
- Minderdurchblutung des Sprachzentrums
- Apoplektischer Insult
- Organisch bedingte Hirnschädigung
- Multiple Sklerose

Ressourcen

- Verhält sich entsprechend der Anleitung und Anweisung
- Ist bereit, Kommunikationshilfen einzusetzen
- Zeigt Verhaltensweisen, die die Therapie unterstützen
- Erkennt die Notwendigkeit der getroffenen Intervention und kooperiert mit dem therapeutischen Team
- Akzeptiert die Unterstützung
- Akzeptiert die Unterstützung von Angehörigen

Pflegeziele

- Äußerungen von Mitmenschen werden verstanden
- Ist motiviert, immer wieder Sprechversuche zu unternehmen
- Kennt Möglichkeiten, aktiv den Therapieerfolg zu unterstützen
- Veränderungen sind frühzeitig erkannt
- Lernt, wieder zu sprechen und sich zu verständigen
- Kontinuität von Behandlung und Therapie ist sichergestellt
- Erhält einen Termin
- Interdisziplinärer Therapieplan ist aufgestellt
- Ist über die Pflegemaßnahmen informiert und zur Mitarbeit motiviert
- Steht zu Entscheidungen und übernimmt dafür die Verantwortung
- Entwickelt Lösungswege im Gespräch
- Kennt die Konsequenzen verschiedener Handlungsalternativen und kann sich entscheiden

Pflegeinterventionen

Sprach-/Sprechfähigkeiten fördern

- Pflegeintervention konkretisieren
  - » Langsam und in einfachen, kurzen Sätzen sprechen
  - » Ja/Nein-Fragen nutzen, um die Kommunikation zu unterstützen
  - » Fehler nicht verbessern und zu weiterem Sprechen motivieren
  - » Begonnene Sätze nicht vervollständigen
  - » Zeit zur Wortfindung lassen
  - » Worte nicht in den Mund legen
  - » Sprechbereitschaft durch häufigen Kontakt fördern
  - » Grammatik und Satzbau durch Fragen fördern

Sicherstellen, dass die logopädischen Termine eingehalten werden

- Maßnahmen konkretisieren
- Termineinhaltung sicherstellen
  - » Zum vereinbarten Termin innerhalb der Einrichtung bringen
  - » Zum vereinbarten Termin außerhalb der Einrichtung bringen
  - » An vereinbarte Termine erinnern
- Zeit angeben

Termine mit der Logopädie organisieren

- Pflegeintervention konkretisieren
- Zeit angeben

Pflegefachgespräch führen

- Themenschwerpunkt des Gesprächs angeben
  - » Pflege-, Betreuungs- und Behandlungsprozess
  - » Alltagsbewältigung
  - » Instruktion/Anleitung
  - » Motivation/Aktivierung
  - » Strategien zur Krankheitsbewältigung
  - » Förderung der Entscheidungsfindung
  - » Überleitung/Entlassung
  - » Sonstige Gesprächsinhalte
- Gesprächsteilnehmer
  - » Betroffener
  - » Angehöriger/Bezugsperson
- Zeitdauer des Gesprächs angeben

Sonstige Pflegemaßnahmen durchführen

- Maßnahmen konkretisieren
- Zeit angeben

Literaturhinweise: 71, 79, 95, 125, 173, 175, 176, 283, 285, 287, 314

Der Patient ist aufgrund einer **amnestischen Aphasie** in der verbalen **Kommunikation beeinträchtigt**

Kennzeichen

- Hat Wortfindungsstörungen
- Der Redefluss ist immer wieder durch die Suche nach passenden Wörtern unterbrochen
- Bildet teilweise inhaltsleere Redefloskeln

Ursachen

- Neurologische Hirnschädigung
- Hirntumor
- Minderdurchblutung des Sprachzentrums
- Apoplektischer Insult
- Organisch bedingte Hirnschädigung
- Multiple Sklerose

Ressourcen

- Zeigt Verhaltensweisen, die die Therapie unterstützen
- Ist bereit, Kommunikationshilfen einzusetzen

Pflegeziele

- Fühlt sich angenommen und akzeptiert
- Sprachverständnis ist gefördert
- Sprachverständnis ist unterstützt, Verständigung ist möglich
- Kann sich verständlich machen
- Ist über die Pflegemaßnahmen informiert und zur Mitarbeit motiviert
- Steht zu Entscheidungen und übernimmt dafür die Verantwortung
- Entwickelt Lösungswege im Gespräch
- Kennt die Konsequenzen verschiedener Handlungsalternativen und kann sich entscheiden
- Erhält einen Termin
- Interdisziplinärer Therapieplan ist aufgestellt
- Kennt Möglichkeiten, aktiv den Therapieerfolg zu unterstützen
- Veränderungen sind frühzeitig erkannt
- Lernt, wieder zu sprechen und sich zu verständigen
- Kontinuität von Behandlung und Therapie ist sichergestellt

Pflegeinterventionen

Sprachverständnis im Rahmen der Kommunikation/Interaktion fördern
- Pflegeintervention konkretisieren
  - » Durch gemeinsames Handeln versuchen, sich zu verständigen
  - » Alltagsweltliche Gegenstände immer gleichzeitig benennen und zeigen
  - » Über jede Pflegetätigkeit informieren
  - » Langsam und in einfachen, kurzen Sätzen sprechen
  - » Für entspannte, entkrampfte Gesprächsatmosphäre sorgen
  - » Aussprechen lassen
  - » Fehler nicht verbessern und zu weiterem Sprechen motivieren

Pflegefachgespräch führen
- Themenschwerpunkt des Gesprächs angeben
  - » Pflege-, Betreuungs- und Behandlungsprozess
  - » Alltagsbewältigung
  - » Instruktion/Anleitung
  - » Motivation/Aktivierung
  - » Strategien zur Krankheitsbewältigung
  - » Förderung der Entscheidungsfindung
  - » Überleitung/Entlassung
  - » Sonstige Gesprächsinhalte
- Gesprächsteilnehmer
  - » Betroffener
  - » Angehöriger/Bezugsperson
- Zeitdauer des Gesprächs angeben

Termine mit der Logopädie organisieren
- Pflegeintervention konkretisieren
- Zeit angeben

Sicherstellen, dass die logopädischen Termine eingehalten werden
- Maßnahmen konkretisieren
- Termineinhaltung sicherstellen
  - » Zum vereinbarten Termin innerhalb der Einrichtung bringen
  - » Zum vereinbarten Termin außerhalb der Einrichtung bringen
  - » An vereinbarte Termine erinnern
- Zeit angeben

Sonstige Pflegemaßnahmen durchführen
- Maßnahmen konkretisieren
- Zeit angeben

Literaturhinweise: 71, 95, 125, 173, 175, 176, 283, 285, 287, 314

Der Patient hat aufgrund von **Rigor und Akinese Schwierigkeiten beim Sprechen**, es besteht eine **beeinträchtigte Kommunikation**

Kennzeichen

- Steifigkeit von Gesichts-, Lippen- und Zungenmuskeln
- Die Sprachmelodie ist gleichförmig und/oder monoton

Ursachen

- Morbus Parkinson
- Psychopharmaka

Ressourcen

- Zeigt Verhaltensweisen, die die Therapie unterstützen
- Erkennt die Notwendigkeit der getroffenen Intervention und kooperiert mit dem therapeutischen Team
- Kann die Maßnahme nach Anleitung selbstständig durchführen

Pflegeziele

- Kennt Möglichkeiten, aktiv den Therapieerfolg zu unterstützen
- Veränderungen sind frühzeitig erkannt
- Lernt, wieder zu sprechen und sich zu verständigen
- Kann sich ausdrücken und wird verstanden
- Unternimmt Sprechversuche und beteiligt sich am Gespräch
- Sprechmelodie ist erhalten
- Führt die Sprechübungen regelmäßig durch
- Kontinuität von Behandlung und Therapie ist sichergestellt
- Sprachverständnis ist gefördert
- Angehörige und Besucher sind informiert und unterstützen die Therapie
- Kann sich verständlich machen
- Beweglichkeit der Gesichts-, Lippen- und Zungenmuskeln ist erhalten
- Nonverbale Kommunikation ist möglich

Pflegeinterventionen

Sprache, Mimik und Gestik beobachten
- Pflegeintervention konkretisieren
- Zeit angeben

Sicherstellen, dass die logopädischen Termine eingehalten werden
- Maßnahmen konkretisieren
- Termineinhaltung sicherstellen
  - » Zum vereinbarten Termin innerhalb der Einrichtung bringen
  - » Zum vereinbarten Termin außerhalb der Einrichtung bringen
  - » An vereinbarte Termine erinnern
- Zeit angeben

Zu Sprachübungen entsprechend dem logotherapeutischen Konzept anleiten
- Pflegeintervention konkretisieren
- Anzuleitende Person(en) festlegen
  - » Betroffene Person
  - » Angehöriger/Bezugsperson
- Zeit angeben

Kontrollieren, ob die Übungen regelmäßig und exakt durchgeführt werden
- Pflegeintervention konkretisieren
- Zeit angeben

Logopädische Übungen nach dem vereinbarten Behandlungskonzept durchführen
- Maßnahmen konkretisieren
  - » Entsprechend dem Behandlungs-konzept zu den Übungen anleiten
  - » Entsprechend dem Behandlungs-konzept bei den Übungen unterstützen
- Therapeutisches Konzept auswählen und Maßnahmen beschreiben
  - » Funktionelle Dysphagietherapie FDT
  - » Neuromotorische Entwicklungstherapie NET (Castillo Morales)
  - » Orofaziale Regulationstherapie ORT (Castillo Morales)
  - » Fazio-orale Trakt-Therapie F.O.T.T
  - » Propriozeptive neuromuskuläre Fazilitation PNF
  - » Elektrostimulation
  - » Transkranielle Magnetstimulation
- Einrichtungsspezifische Aktivität wählen
- Zeit angeben

Angehörige in die Besonderheiten, die als Besucher zu beachten sind, einweisen/zum richtigen Umgang anleiten
- Pflegeintervention konkretisieren
- Zeit angeben

Lockerungsübungen für Gesichtsmuskeln durchführen
- Pflegeintervention konkretisieren
- Zeit angeben

Gesichtsmassage zur Lockerung der Gesichtsmuskeln durchführen
- Pflegeintervention konkretisieren
- Zeit angeben

Lockerungsübungen für Mund, Lippen und Zunge durchführen
- Pflegeintervention konkretisieren
- Zeit angeben

Sonstige Pflegemaßnahmen durchführen
- Maßnahmen konkretisieren
- Zeit angeben

Literaturhinweise: 95, 125, 155, 173, 175, 176, 284

Der Patient hat aufgrund einer **überstürzten Sprechweise** (Poltern) eine **beeinträchtigte Kommunikation**

Kennzeichen

- Sehr schnelles Sprechtempo
- Verschluckt Worte durch Hast und Schnelligkeit beim Sprechen
- Endsilben werden ausgelassen
- Einsilbige Wörter werden ausgelassen
- Verwaschene Artikulation

Ursachen

- Steht unter starker Anspannung/Stress
- Ausgeprägte Selbstunsicherheit
- Sprechen ist durch die Umgebung/Situation erschwert (Stresssituation)

Ressourcen

- Zeigt Verhaltensweisen, die die Therapie unterstützen
- Verhält sich entsprechend der Anleitung und Anweisung

Pflegeziele

- Spricht langsam mit Pausen
- Kennt Möglichkeiten, aktiv den Therapieerfolg zu unterstützen
- Veränderungen sind frühzeitig erkannt
- Lernt, wieder zu sprechen und sich zu verständigen
- Kontinuität von Behandlung und Therapie ist sichergestellt
- Erhält einen Termin
- Interdisziplinärer Therapieplan ist aufgestellt

Pflegeinterventionen

Zu langsamem, lautem Sprechen anhalten
- Pflegeintervention konkretisieren
- Zeit angeben

Zur Atemkontrolle beim Sprechen auffordern
- Pflegeintervention konkretisieren
- Zeit angeben

Sicherstellen, dass die logopädischen Termine eingehalten werden
- Maßnahmen konkretisieren
- Termineinhaltung sicherstellen
  - » Zum vereinbarten Termin innerhalb der Einrichtung bringen
  - » Zum vereinbarten Termin außerhalb der Einrichtung bringen
  - » An vereinbarte Termine erinnern
- Zeit angeben

Logopädische Übungen nach dem vereinbarten Behandlungskonzept durchführen
- Maßnahmen konkretisieren
  - » Entsprechend dem Behandlungs-konzept zu den Übungen anleiten
  - » Entsprechend dem Behandlungs-konzept bei den Übungen unterstützen
- Therapeutisches Konzept auswählen und Maßnahmen beschreiben
  - » Funktionelle Dysphagietherapie FDT
  - » Neuromotorische Entwicklungstherapie NET (Castillo Morales)
  - » Orofaziale Regulationstherapie ORT (Castillo Morales)
  - » Fazio-orale Trakt-Therapie F.O.T.T
  - » Propriozeptive neuromuskuläre Fazilitation PNF
  - » Elektrostimulation
  - » Transkranielle Magnetstimulation
- Einrichtungsspezifische Aktivität wählen
- Zeit angeben

Termine mit der Logopädie organisieren
- Pflegeintervention konkretisieren
- Zeit angeben

Sonstige Pflegemaßnahmen durchführen
- Maßnahmen konkretisieren
- Zeit angeben

Literaturhinweise: 95, 125, 173, 175, 176

Der Patient ist aufgrund von **Stimmlosigkeit** in der verbalen **Kommunikation beeinträchtigt**

Kennzeichen

- Kann keine Sprachlaute bilden

Ursachen

- Taubstummheit
- Operativer Eingriff mit Folge von Stimmlosigkeit
- Kehlkopferkrankung
- Lähmung der Stimmbänder
- Tumor mit Beeinträchtigung der Stimmbänder

Ressourcen

- Zeigt Verhaltensweisen, die die Therapie unterstützen
- Ist motiviert, neu zu lernen
- Kognitive Fähigkeiten, neu zu lernen, sind vorhanden
- Ist bereit, Kommunikationshilfen einzusetzen
- Kann Hilfsmittel gezielt einsetzen
- Akzeptiert die Unterstützung
- Akzeptiert die Unterstützung von Angehörigen

Pflegeziele

- Kennt Möglichkeiten, aktiv den Therapieerfolg zu unterstützen
- Veränderungen sind frühzeitig erkannt
- Lernt, wieder zu sprechen und sich zu verständigen
- Kann sich verbal mitteilen
- Kontinuität von Behandlung und Therapie ist sichergestellt
- Erhält einen Termin
- Interdisziplinärer Therapieplan ist aufgestellt

Pflegeinterventionen

Sicherstellen, dass die logopädischen Termine eingehalten werden
- Maßnahmen konkretisieren
- Termineinhaltung sicherstellen
  - » Zum vereinbarten Termin innerhalb der Einrichtung bringen
  - » Zum vereinbarten Termin außerhalb der Einrichtung bringen
  - » An vereinbarte Termine erinnern
- Zeit angeben

Sprechkanülen einsetzen
- Pflegeintervention konkretisieren
- Zeit angeben

Logopädische Übungen nach dem vereinbarten Behandlungskonzept durchführen
- Maßnahmen konkretisieren
  - » Entsprechend dem Behandlungs-konzept zu den Übungen anleiten
  - » Entsprechend dem Behandlungs-konzept bei den Übungen unterstützen
- Therapeutisches Konzept auswählen und Maßnahmen beschreiben
  - » Funktionelle Dysphagietherapie FDT
  - » Neuromotorische Entwicklungstherapie NET (Castillo Morales)
  - » Orofaziale Regulationstherapie ORT (Castillo Morales)
  - » Fazio-orale Trakt-Therapie F.O.T.T
  - » Propriozeptive neuromuskuläre Fazilitation PNF
  - » Elektrostimulation
  - » Transkranielle Magnetstimulation
- Einrichtungsspezifische Aktivität wählen
- Zeit angeben

Termine mit der Logopädie organisieren
- Pflegeintervention konkretisieren
- Zeit angeben

Sonstige Pflegemaßnahmen durchführen
- Maßnahmen konkretisieren
- Zeit angeben

Literaturhinweise: 95, 125, 175, 176

Der Patient ist aufgrund einer **Gedanken-/Ideenflut** in der **Kommunikation beeinträchtigt**

Kennzeichen

- Häufiger Themenwechsel
- Sehr schnelles Sprechtempo
- Lässt sich leicht ablenken
- Zusammenhanglose Gedankensprünge
- Bricht angefangene Sätze abrupt ab und beginnt mit anderen Themen

Ursachen

- Endogene Psychose
- Organisch bedingte Psychose
- Suchterkrankung
- Manie
- Zyklothymie

Ressourcen

- Kann sich auf kurze Gespräche konzentrieren
- Zeigt Freude an Konzentrationsspielen
- Zeigt Verhaltensweisen, die die Therapie unterstützen

Pflegeziele

- Konzentriert sich auf die jeweilige Aktivität und führt diese durch
- Kann zuhören und lässt Mitmenschen zu Wort kommen
- Erkennt eine einheitliche Zielsetzung im therapeutischen Team und akzeptiert diese
- Therapie- und Aktivitätsangebote sind individuell abgestimmt
- Fühlt sich angenommen und entwickelt Vertrauen

Pflegeinterventionen

Gedankenflut im klientenzentrierten Gespräch kanalisieren
- Gesprächsinhalt
- Zeit angeben
- Beteiligte Personen angeben
  - » Betroffene Person
  - » Angehöriger/Bezugsperson
  - » Betreuer
  - » Eltern
  - » Sonstige Personen
- Durchführende Person angeben
  - » Bezugspflegeperson
  - » Pflegeperson
  - » Spezialtherapeuten
  - » Physiotherapeuten

Redefluss und Ideenflut eindämmen
- Pflegeintervention konkretisieren
- Zeit angeben

Zeitbegrenzung für Gespräche festlegen
- Pflegeintervention konkretisieren
- Zeit angeben

Fallbesprechung über den Pflege- und Behandlungsprozess führen
- Beteiligte Personen angeben
  - » Bewohner
  - » Pflegeperson
  - » Ärztlicher Dienst
  - » Psychologe
  - » Sozialarbeiter
  - » Sozialpädagoge
  - » Ergotherapeut
  - » Krankengymnast
  - » Logopäde
  - » Beschäftigungstherapeut
  - » Heilpädagoge
  - » Geistlicher Beistand
  - » Lehrer
  - » Erzieher
  - » Jugendamt
  - » Sonstige Personen
- Gesprächsinhalt
  - » Vereinbarte Therapieziele
  - » Vereinbarte Gesprächsinhalte für ein klientenzentriertes Pflegefachgespräch
- Zeitdauer angeben

Bezugsperson und Gesprächsinhalte festlegen
- Bezugsperson festlegen
- Pflegeintervention konkretisieren
  - » Tages-/Wochenplan erstellen
  - » Aktivitätenplan erstellen
  - » Tages- und Wochenpläne besprechen
  - » Durchgeführte Aktivitäten besprechen
  - » Lebenspraktische Inhalte besprechen
- Fest verbindlichen Tagesplan vereinbaren
  - » Mit Kontrollmöglichkeit
  - » Ohne Kontrollmöglichkeit
  - » In Eigenverantwortung
  - » In Verantwortung der Bezugsperson
  - » Tagesaktivitäten auswerten und reflektieren
- Dauer bestimmen

Sonstige Pflegemaßnahmen durchführen
- Maßnahmen konkretisieren
- Zeit angeben

Literaturhinweise: 47, 82, 83, 95, 101, 125, 173, 175, 176

Der Patient kann aufgrund von **Sprachbarrieren Informationen und Anleitungen nicht verstehen** und realisieren

Kennzeichen

- Reagiert auf gestellte Forderungen bezüglich Therapie und Behandlung mit Abwehrverhalten
- Reagiert gereizt
- Reagiert nicht adäquat bei ernsten Gesprächsinhalten
- Zieht sich vom sozialen Geschehen zurück
- Kann sich nicht verständlich machen
- Reagiert trotz normaler Vigilanz nicht auf Ansprache

Ursachen

- Spricht eine andere Landessprache (Sprachhindernisse)
- Taubstummheit
- Schwerhörigkeit

Ressourcen

- Akzeptiert die Unterstützung
- Akzeptiert die Unterstützung von Angehörigen
- Ist interessiert an der Umwelt und zeigt Interesse, Kommunikationsfähigkeiten zu entwickeln
- Angebot eines Dolmetschers wird angenommen

Pflegeziele

- Fühlt sich ernst genommen
- Fühlt sich angenommen und akzeptiert
- Sprachverständnis ist gefördert
- Kann sich verständlich machen
- Sprachverständnis ist unterstützt, Verständigung ist möglich
- Kann Informationen aufnehmen und verarbeiten
- Kann Gesprächsinhalten folgen und sie verstehen
- Missverständnissen ist vorgebeugt
- Kommunikation und Informationsweitergabe sind sichergestellt

Pflegeinterventionen

Angehörige als Übersetzer mit einbeziehen
- Pflegeintervention konkretisieren
- Zeit angeben

Dolmetscher zu wichtigen Aufklärungsgesprächen organisieren
- Pflegeintervention konkretisieren
- Zeit angeben

Wörterbuch für Übersetzungen im Gespräch nutzen
- Pflegeintervention konkretisieren
- Zeit angeben

Langsam und deutlich sprechen
- Pflegeintervention konkretisieren
- Zeit angeben

Kommunikationshilfsmittel zur Unterstützung der Verständigung einsetzen
- Maßnahmen konkretisieren
  - » Kommunikator einsetzen
  - » Bildtafeln verwenden
  - » Papier und Stift zur Verfügung stellen
  - » Sprechventil einsetzen
  - » Sensorklingel
  - » Umweltkontrollgeräte
  - » Lesegerät
  - » Computer mit Sprachsteuerung
  - » Mundsteuerung für den E-Rollstuhl

Durch gemeinsames Handeln versuchen, sich zu verständigen
- Pflegeintervention konkretisieren
- Zeit angeben

Gebärdensprache einsetzen
- Pflegeintervention konkretisieren
- Zeit angeben

Verfügbare Sprachkompetenz unter den Pflegemitarbeitern nutzen
- Pflegeintervention konkretisieren
- Zeit angeben

Informationsblätter und Aufklärungen in den relevanten Sprachen nutzen
- Pflegeintervention konkretisieren
- Zeit angeben

Gespräch mit Unterstützung eines Dolmetschers führen
- Gesprächsinhalt
- Zeit angeben
- Beteiligte Personen angeben
  - » Betroffene Person
  - » Angehöriger/Bezugsperson
  - » Betreuer
  - » Eltern
  - » Sonstige Personen
- Durchführende Person angeben
  - » Bezugspflegeperson
  - » Pflegeperson
  - » Spezialtherapeuten
  - » Physiotherapeuten

Sonstige Pflegemaßnahmen durchführen
- Maßnahmen konkretisieren
- Zeit angeben

Literaturhinweise: 71, 374, 378, 379, 381, 382, 383

Der Patient ist aufgrund einer **Sprechstörung** in der **Kommunikation beeinträchtigt**

Kennzeichen

- Hat eine Redeflussstörung (Stottern/Poltern)
- Hat eine reaktive Sprechhemmung, die sich durch Schweigen äußert
- Ist heiser
- Ist vorübergehend stimmlos
- Undeutliche Aussprache
- Kann Worte nicht deutlich aussprechen
- Veränderung der Stimmqualität
- Veränderung der Sprechmelodie
- Veränderung des Sprechtempos
- Veränderung der Rhythmik/Dynamik des Sprechens
- Veränderung des Stimmklangs
- Veränderte Artikulation
- Näselnde Sprache
- Ersetzen von Lauten durch andere
- Auslassen von Lauten
- Kann keine Sprachlaute bilden
- Völlige Unfähigkeit, sprachähnliche Laute zu produzieren (Anarthrie)

Ursachen

- Störung der Sprechmotorik
- Störung der Phonation/Sprechatmung
- Veränderung der Sprechorgane
- Erkrankung/Schädigung der zentralen Bahnen der Nerven, die am Sprechvorgang beteiligt sind
- Einseitige Rekurrensparese
- Beidseitige Rekurrensparese
- Intraoperative Irritation des Nervs
- Intraoperative Verletzung des Nervs
- Lokales Wundödem
- Larynxtumor
- Kehlkopfoperation
- Anlage eines Tracheostomas
- Schädel-Hirn-Trauma
- Tetraplegie
- Entwicklungsstörung
- Atemhindernis im vorderen Nasenbereich
- Atemhindernis im hinteren Nasenbereich
- Unvollständiger Gaumenschluss
- Begleitender Luftstrom durch die Nase
- Orale myofunktionelle Inkompetenz

Ressourcen

- Ist bereit, Kommunikationshilfen einzusetzen
- Kann Hilfsmittel gezielt einsetzen
- Erkennt die Notwendigkeit der getroffenen Intervention und kooperiert mit dem therapeutischen Team
- Hat ein Sprechventil
- Kann sich mit einem Sprechventil äußern
- Ist bereit, die Kommunikation mit einem Sprechventil zu lernen

Pflegeziele

- Veränderungen werden frühzeitig erkannt und dokumentiert
- Kontinuität von Behandlung und Therapie ist sichergestellt
- Stimmklang ist normalisiert
- Fühlt sich beim Sprechen sicher
- Spricht regelmäßig
- Verständlichkeit ist verbessert
- Kann Artikulation selbst bewerten
- Verbesserte Sprechfunktion
- Verbesserte Zungenfunktion
- Verbesserte Weichgaumenfunktion
- Muskulatur ist gekräftigt
- Selbststeuerungsfähigkeit ist verbessert
- Kann sich verständlich machen
- Unterstützt die Therapie aktiv
- Kann sich ohne Anstrengung mitteilen
- Fühlt sich angenommen und akzeptiert
- Sprachverständnis ist gefördert
- Angehörige und Besucher sind informiert und unterstützen die Therapie
- Kennt Möglichkeiten, aktiv den Therapieerfolg zu unterstützen
- Veränderungen sind frühzeitig erkannt
- Lernt, wieder zu sprechen und sich zu verständigen
- Erhält einen Termin
- Interdisziplinärer Therapieplan ist aufgestellt

Pflegeinterventionen

Wahrnehmungsfähigkeit und Hörleistung beobachten
- Pflegeintervention konkretisieren
- Zeit angeben

Logopädische Übungen nach dem vereinbarten Behandlungskonzept durchführen
- Maßnahmen konkretisieren
  - » Entsprechend dem Behandlungs-konzept zu den Übungen anleiten
  - » Entsprechend dem Behandlungs-konzept bei den Übungen unterstützen
- Therapeutisches Konzept auswählen und Maßnahmen beschreiben
  - » Funktionelle Dysphagietherapie FDT
  - » Neuromotorische Entwicklungstherapie NET (Castillo Morales)
  - » Orofaziale Regulationstherapie ORT (Castillo Morales)
  - » Fazio-orale Trakt-Therapie F.O.T.T
  - » Propriozeptive neuromuskuläre Fazilitation PNF
  - » Elektrostimulation
  - » Transkranielle Magnetstimulation
- Einrichtungsspezifische Aktivität wählen
- Zeit angeben

Fremd- und Eigenwahrnehmung des Stimmklanges schulen
- Pflegeintervention konkretisieren
- Zeit angeben

Therapeutische Stimulation durchführen
- Pflegeintervention konkretisieren
- Zeit angeben

Spezielle Therapien durchführen
- Pflegeintervention konkretisieren
  - » Biofeedback-Training durchführen
  - » Reizstromtherapie durchführen

Sprechhilfen einsetzen
- Maßnahmen konkretisieren
  - » Kommunikator einsetzen
  - » Bildtafeln verwenden
  - » Papier und Stift zur Verfügung stellen
  - » Sprechventil einsetzen
  - » Sensorklingel
  - » Umweltkontrollgeräte
  - » Lesegerät
  - » Computer mit Sprachsteuerung
  - » Mundsteuerung für den E-Rollstuhl

Kommunikationshilfsmittel zur Unterstützung der Verständigung einsetzen
- Maßnahmen konkretisieren
  - » Kommunikator einsetzen
  - » Bildtafeln verwenden
  - » Papier und Stift zur Verfügung stellen
  - » Sprechventil einsetzen
  - » Sensorklingel
  - » Umweltkontrollgeräte
  - » Lesegerät
  - » Computer mit Sprachsteuerung
  - » Mundsteuerung für den E-Rollstuhl

Auffordern, auf die Stimmschonung zu achten
- Pflegeintervention konkretisieren
- Zeit angeben

Sprachverhalten so gestalten, dass dem Patienten Passivität ermöglicht wird
- Pflegeintervention konkretisieren
- Zeit angeben

Nonverbale Kommunikation ermöglichen
- Pflegeintervention konkretisieren
- Zeit angeben

Angehörige in die Besonderheiten, die als Besucher zu beachten sind, einweisen/zum richtigen Umgang anleiten
- Pflegeintervention konkretisieren
- Zeit angeben

Sicherstellen, dass die logopädischen Termine eingehalten werden
- Maßnahmen konkretisieren
- Termineinhaltung sicherstellen
  - » Zum vereinbarten Termin innerhalb der Einrichtung bringen
  - » Zum vereinbarten Termin außerhalb der Einrichtung bringen
  - » An vereinbarte Termine erinnern
- Zeit angeben

Termine mit der Logopädie organisieren
- Pflegeintervention konkretisieren
- Zeit angeben

Sonstige Pflegemaßnahmen durchführen
- Maßnahmen konkretisieren
- Zeit angeben

Literaturhinweise: 95, 125, 140, 151, 155, 175, 176, 284, 1037, 1041, 1042, 1043, 1044, 1045, 1046, 1047, 1048, 1049

Der Patient ist aufgrund einer **Sprachstörung** in der **Kommunikation beeinträchtigt**

Kennzeichen

- Undeutliche Aussprache
- Falsche Bildung von Lauten
- Ersetzen von Lauten durch andere
- Falsche Reihenfolge von Worten
- Unvollständige Sätze

Ursachen

- Gedankliche Erzeugung von Sprache ist beeinträchtigt
- Sprachentwicklungsstörung
- Sprachabbau bei Demenz
- Frühkindliche Hirnschädigung
- Schädigung der Sprachregionen im Gehirn
- Taubstummheit
- Autistische Störung
- Mutismus (beharrliches Schweigen)
- Anhaltende Hörstörung
- Paukenergüsse mit Hörstörungen

Ressourcen

- Verhält sich entsprechend der Anleitung und Anweisung
- Zeigt Verhaltensweisen, die die Therapie unterstützen
- Zeigt Motivation, die Übungen durchzuführen
- Erkennt die Notwendigkeit der getroffenen Intervention und kooperiert mit dem therapeutischen Team
- Angehörige/Bezugspersonen unterstützen den Pflegeprozess
- Kann Vertrauen zum Pflegepersonal aufbauen

Pflegeziele

- Vorhandene Ressourcen sind aktiviert und gefördert

- Fühlt sich angenommen und akzeptiert
- Sprachverständnis ist gefördert
- Angehörige und Besucher sind informiert und unterstützen die Therapie
- Kann sich verständlich machen
- Kontinuität von Behandlung und Therapie ist sichergestellt
- Kennt Möglichkeiten, aktiv den Therapieerfolg zu unterstützen
- Veränderungen sind frühzeitig erkannt
- Lernt, wieder zu sprechen und sich zu verständigen
- Erhält einen Termin
- Interdisziplinärer Therapieplan ist aufgestellt
- Äußerungen von Mitmenschen werden verstanden
- Ist motiviert, immer wieder Sprechversuche zu unternehmen
- Findet einen Weg, persönliche Probleme aufzuarbeiten
- Fühlt sich angenommen und verstanden
- Selbstwertgefühl ist gestärkt

Pflegeinterventionen

Systematisches Assessment durchführen
- Gesprächsinhalt
- Zeitdauer angeben

Wertschätzende Grundhaltung einnehmen
- Pflegeintervention konkretisieren
- Zeit angeben

Angehörige in die Besonderheiten, die als Besucher zu beachten sind, einweisen/zum richtigen Umgang anleiten
- Pflegeintervention konkretisieren
- Zeit angeben

Logopädische Übungen nach dem vereinbarten Behandlungskonzept durchführen
- Maßnahmen konkretisieren
  - » Entsprechend dem Behandlungs-konzept zu den Übungen anleiten
  - » Entsprechend dem Behandlungs-konzept bei den Übungen unterstützen
- Therapeutisches Konzept auswählen und Maßnahmen beschreiben
  - » Funktionelle Dysphagietherapie FDT
  - » Neuromotorische Entwicklungstherapie NET (Castillo Morales)
  - » Orofaziale Regulationstherapie ORT (Castillo Morales)
  - » Fazio-orale Trakt-Therapie F.O.T.T
  - » Propriozeptive neuromuskuläre Fazilitation PNF
  - » Elektrostimulation
  - » Transkranielle Magnetstimulation
- Einrichtungsspezifische Aktivität wählen
- Zeit angeben

Sicherstellen, dass die logopädischen Termine eingehalten werden
- Maßnahmen konkretisieren
- Termineinhaltung sicherstellen
  - » Zum vereinbarten Termin innerhalb der Einrichtung bringen
  - » Zum vereinbarten Termin außerhalb der Einrichtung bringen
  - » An vereinbarte Termine erinnern
- Zeit angeben

Termine mit der Logopädie organisieren
- Pflegeintervention konkretisieren
- Zeit angeben

Sprach-/Sprechfähigkeiten fördern
- Pflegeintervention konkretisieren
  - » Langsam und in einfachen, kurzen Sätzen sprechen
  - » Ja/Nein-Fragen nutzen, um die Kommunikation zu unterstützen
  - » Fehler nicht verbessern und zu weiterem Sprechen motivieren
  - » Begonnene Sätze nicht vervollständigen
  - » Zeit zur Wortfindung lassen
  - » Worte nicht in den Mund legen
  - » Sprechbereitschaft durch häufigen Kontakt fördern
  - » Grammatik und Satzbau durch Fragen fördern

Im klientenzentrierten Gespräch Ursachen klären und Problemlösungswege entwickeln
- Gesprächsinhalt
- Zeit angeben
- Beteiligte Personen angeben
  - » Betroffene Person
  - » Angehöriger/Bezugsperson
  - » Betreuer
  - » Eltern
  - » Sonstige Personen
- Durchführende Person angeben
  - » Bezugspflegeperson
  - » Pflegeperson
  - » Spezialtherapeuten
  - » Physiotherapeuten

Gespräch mit integrativ-validierendem Ansatz führen
- Maßnahmen konkretisieren
  - » Gefühlsäußerungen akzeptieren
  - » Botschaften auf allen drei Ebenen der Kommunikation (verbal, nonverbal, paraverbal) klar und deutlich formulieren
  - » Individuelle Angebote bei häufig auftretenden Gefühlsäußerungen durchführen
  - » Ähnlich personenbezogene verbale Angebote bei wiederkehrenden Aktivitäten durchführen
- Zeitdauer des Gesprächs bestimmen

Literaturhinweise: 992, 1227

Der Patient ist in der **Kommunikation gehemmt**, es besteht das **Risiko der beeinträchtigten Interaktion**

Kennzeichen

- Kann in einer Gruppe nicht sprechen, bringt keinen Ton heraus
- Fehlender Blickkontakt
- Neurophysiologische Hemmung
- Weigert sich zu antworten/zu sprechen
- Traut sich im Gespräch nicht, einen eigenen Standpunkt zu vertreten
- Psychomotorische Retardierung (Hemmung)
- Äußert, Hemmungen beim Sprechen in Gruppen zu haben

Ursachen

- Angst
- Depressionen
- Sprachstörung
- Fehlendes Selbstwertgefühl
- Entwicklungsbedingte(s) Selbstfürsorgedefizit/-fähigkeit
- Psychopharmaka
- Psychotische Störung

Ressourcen

- Versteht das Therapiekonzept und ist bereit, sich aktiv zu beteiligen
- Reagiert positiv auf therapeutische Gespräche

Pflegeziele

- Kommuniziert ohne Angst und Hemmung, nimmt Kontakt auf
- Behandlungs- und Therapiekonzept sind transparent und vom therapeutischen Team umgesetzt
- Aktive Beteiligung an der Behandlungsplanung ist sichergestellt
- Wut, Ärger und Aggression werden in adäquater Weise wahrgenommen und ausgelebt
- Kann sich ausdrücken und Wünsche/Bedürfnisse adäquat äußern
- Verhält sich angemessen in sozialen Lebenssituationen

Pflegeinterventionen

Klientenzentriertes Gespräch über Lösungswege für den Umgang mit Hemmungen führen
- Gesprächsinhalt
- Zeit angeben
- Beteiligte Personen angeben
  - Betroffene Person
  - Angehöriger/Bezugsperson
  - Betreuer
  - Eltern
  - Sonstige Personen
- Durchführende Person angeben
  - Bezugspflegeperson
  - Pflegeperson
  - Spezialtherapeuten
  - Physiotherapeuten

Fallbesprechung zur weiteren Behandlungs- und Therapieplanung durchführen
- Beteiligte Personen angeben
  - Bewohner
  - Pflegeperson
  - Ärztlicher Dienst
  - Psychologe
  - Sozialarbeiter
  - Sozialpädagoge
  - Ergotherapeut
  - Krankengymnast
  - Logopäde
  - Beschäftigungstherapeut
  - Heilpädagoge
  - Geistlicher Beistand
  - Lehrer
  - Erzieher
  - Jugendamt
  - Sonstige Personen
- Gesprächsinhalt
  - Vereinbarte Therapieziele
  - Vereinbarte Gesprächsinhalte für ein klientenzentriertes Pflegefachgespräch
- Zeitdauer angeben

Selbstsicherheitstraining in Form von Rollenspielen durchführen
- Selbstsicherheitstraining konkretisieren
- Teilnehmende Personen angeben
- Zeitdauer der Gruppenangebote bestimmen

Sonstige Pflegemaßnahmen durchführen
- Maßnahmen konkretisieren
- Zeit angeben

Literaturhinweise: 47, 82, 83, 95, 101, 125, 173, 175, 176, 215, 312

Der Patient drängt sich in Gesprächen in den **Mittelpunkt**, es besteht das **Risiko der beeinträchtigten Interaktion**

Kennzeichen

- Unterbricht Gesprächspartner häufig
- Neigt dazu, durch eine "Pseudo-Offenheit" die Gespräche an sich zu ziehen
- Lässt Gesprächspartner nicht zu Wort kommen

Ursachen

- Bedürfnis nach Selbstbestätigung
- Fehlendes Selbstwertgefühl

Ressourcen

- Kann $sein Verhalten in Gesprächen reflektieren
- Reagiert positiv auf therapeutische Gespräche

Pflegeziele

- Kann das persönliche Handeln hinterfragen und ändern
- Behandlungs- und Therapiekonzept sind transparent und vom therapeutischen Team umgesetzt
- Aktive Beteiligung an der Behandlungsplanung ist sichergestellt
- Kann zuhören und lässt Mitmenschen zu Wort kommen
- Erhält Feed-back aus der Gruppe

Pflegeinterventionen

Kommunikationsverhalten beobachten und dokumentieren
- Pflegeintervention konkretisieren
- Zeit angeben

Im klientenzentrierten Gespräch Ursachen/Zusammenhänge erkennen und Problemlösungswege entwickeln
- Gesprächsinhalt
- Zeit angeben
- Beteiligte Personen angeben
  - » Betroffene Person
  - » Angehöriger/Bezugsperson
  - » Betreuer
  - » Eltern
  - » Sonstige Personen
- Durchführende Person angeben
  - » Bezugspflegeperson
  - » Pflegeperson
  - » Spezialtherapeuten
  - » Physiotherapeuten

Fallbesprechung zur weiteren Behandlungs- und Therapieplanung durchführen
- Beteiligte Personen angeben
  - » Bewohner
  - » Pflegeperson
  - » Ärztlicher Dienst
  - » Psychologe
  - » Sozialarbeiter
  - » Sozialpädagoge
  - » Ergotherapeut
  - » Krankengymnast
  - » Logopäde
  - » Beschäftigungstherapeut
  - » Heilpädagoge
  - » Geistlicher Beistand
  - » Lehrer
  - » Erzieher
  - » Jugendamt
  - » Sonstige Personen
- Gesprächsinhalt
  - » Vereinbarte Therapieziele
  - » Vereinbarte Gesprächsinhalte für ein klientenzentriertes Pflegefachgespräch
- Zeitdauer angeben

Auffälliges Verhalten spiegeln
- Pflegeintervention konkretisieren
- Zeit angeben

Redefluss unterbrechen
- Pflegeintervention konkretisieren
- Zeit angeben

Mitmenschen unterstützen, zu Wort zu kommen
- Pflegeintervention konkretisieren
- Zeit angeben

Redepausen zur Unterbrechung des Redeflusses vereinbaren
- Pflegeintervention konkretisieren
- Zeit angeben

Feed-back im Gruppengespräch ermöglichen
- Gruppentherapie konkretisieren
- Zeitdauer des Gruppengesprächs bestimmen

Sonstige Pflegemaßnahmen durchführen
- Maßnahmen konkretisieren
- Zeit angeben

Literaturhinweise: 47, 82, 83, 95, 101, 125, 173, 175, 176, 215, 312

Der Patient ist beim **Aufbau und Aufrechterhalten von Beziehungen** eingeschränkt, die **soziale Interaktion ist beeinträchtigt**

Kennzeichen

- Berichtet von der Unfähigkeit, Beziehungen aufzubauen/Kontakt herzustellen
- Berichtet von der Unfähigkeit, Beziehungen aufrechtzuerhalten/zu pflegen
- Fehlende soziale Integration
- Bekommt keine/wenig Besuche von Freunden/Angehörigen
- Berichtet, keine Freunde und/oder sozialen Kontakte zu haben
- Zieht sich vom sozialen Geschehen zurück
- Zeigt misstrauisches Verhalten
- Äußert Misstrauen gegenüber den Mitmenschen
- Äußert Misstrauen gegenüber der Therapie und/oder dem Behandlungsteam

Ursachen

- Psychopharmaka
- Beziehungswahn
- Psychische Ursache
- Negative Erfahrungen
- Psychiatrische Erkrankung
- Äußert, Hemmungen beim Beziehungsaufbau/bei der Kontaktaufnahme mit Sozialpartnern zu haben
- Äußert, Angst davor zu haben, durch soziale Beziehungen psychische Verletzungen/Enttäuschungen zu erfahren
- Unverarbeitete Missbrauchs-/Vergewaltigungserlebnisse

Ressourcen

- Erkennt die Notwendigkeit der getroffenen Intervention und kooperiert mit dem therapeutischen Team
- Äußert, Spaß an den Gruppenangeboten zu haben
- Zeigt Verhaltensweisen, die die Therapie unterstützen

Pflegeziele

- Baut Vertrauen zum therapeutischen Team auf
- Baut ein Vertrauensverhältnis zum Gesprächspartner auf
- Spricht die Bezugsperson bei Problemen selbstständig an
- Zuwendung und Vertrauensaufbau sind unterstützt
- Findet einen Weg, persönliche Probleme aufzuarbeiten
- Behandlungs- und Therapiekonzept sind transparent und vom therapeutischen Team umgesetzt
- Aktive Beteiligung an der Behandlungsplanung ist sichergestellt
- Sozialkontakte und Gruppenverhalten sind gefördert
- Kann soziale Kontakte aufbauen
- Ist sozial integriert
- Übernimmt Mitverantwortung in der Gruppe
- Soziales Lernen ist unterstützt
- Integriert sich in das Gruppengeschehen
- Kennt die Spielregeln in sozialen Gemeinschaften
- Kennt Möglichkeiten, aktiv den Therapieerfolg zu unterstützen
- Hält sich an Absprachen und unterstützt aktiv die Therapie
- Selbstkontrolle ist verbessert

Pflegeinterventionen

Vertrauensbildende Maßnahmen durch gemeinsame Aktivitäten mit dem Patienten durchführen
- Pflegeintervention konkretisieren
- Zeit angeben

Bezugsperson festlegen
- Pflegeintervention konkretisieren
- Zeit angeben

An Gruppenaktivitäten zum Aufbau gegenseitigen Vertrauens gemeinsam teilnehmen
- Maßnahmen konkretisieren
  - » Volleyball spielen
  - » Tischtennis spielen
  - » Handball spielen
  - » Fußball spielen
  - » Federball spielen
  - » Tennis spielen
- Einrichtungsspezifische Aktivität wählen
- Gesellschaftsspiele spielen
  - » Mensch ärgere Dich nicht
  - » Monopoly
  - » Mikado
  - » Domino
  - » Kartenspiele
- Einrichtungsspezifische Aktivität wählen
- Unter Beteiligung von Pflegepersonen aktivieren

Im klientenzentrierten Gespräch Ursachen klären und Problemlösungswege entwickeln
- Gesprächsinhalt
- Zeit angeben
- Beteiligte Personen angeben
  - » Betroffene Person
  - » Angehöriger/Bezugsperson
  - » Betreuer
  - » Eltern
  - » Sonstige Personen
- Durchführende Person angeben
  - » Bezugspflegeperson
  - » Pflegeperson
  - » Spezialtherapeuten
  - » Physiotherapeuten

Fallbesprechung zur weiteren Behandlungs- und Therapieplanung durchführen
- Beteiligte Personen angeben
  - » Bewohner
  - » Pflegeperson
  - » Ärztlicher Dienst
  - » Psychologe
  - » Sozialarbeiter
  - » Sozialpädagoge
  - » Ergotherapeut
  - » Krankengymnast

- » Logopäde
- » Beschäftigungstherapeut
- » Heilpädagoge
- » Geistlicher Beistand
- » Lehrer
- » Erzieher
- » Jugendamt
- » Sonstige Personen
- Gesprächsinhalt
  - » Vereinbarte Therapieziele
  - » Vereinbarte Gesprächsinhalte für ein klientenzentriertes Pflegefachgespräch
- Zeitdauer angeben

Soziale Kontakte fördern

- Netzwerke bestimmen, die aufgebaut/gefördert werden können
  - » Netzwerk Familie
  - » Netzwerk Freundeskreis
  - » Netzwerk Arbeitsfeld
  - » Netzwerk Glaubensgemeinschaft
  - » Netzwerk Freizeitaktivität/Hobby
  - » Selbsthilfegruppe
  - » Sonstige Netzwerke
- Zeitdauer der Intervention bestimmen
- Gesprächspartner bestimmen
  - » Angehöriger/Bezugsperson
  - » Betreuer
  - » Freunde
  - » Arbeitgeber
  - » Arbeitskollegen
  - » Ämter
  - » Kirchenvertreter
  - » Nachbarn
  - » Sonstige Personen

Gesellschaftliche/soziale Aktivitäten fördern

- Stationsaktivität angeben
  - » Gemeinsam aktuelle Zeitungen/Magazine lesen
  - » Kinoabend im Wohn-/Stationsbereich durchführen
  - » Spielnachmittag besuchen
  - » Mahlzeiten gemeinsam einnehmen
  - » Tanznachmittag besuchen
  - » Kirchenbesuch durchführen
  - » Spazieren gehen
  - » Singstunde besuchen
  - » An Festaktivitäten teilnehmen
  - » Am Sonntagsfrühstück teilnehmen
  - » Aktivitäten im Zusammenhang, den Gemeinschaftsraum zu gestalten
  - » Zur Milieugestaltung malen/basteln
- Einrichtungsspezifische Aktivität wählen
- Zeitdauer der Aktivitäten bestimmen

Therapieziele gemeinsam vereinbaren und kontinuierlich reflektieren

- Maßnahmen konkretisieren
  - » Goal Attainment Scale einsetzen (= Zielerreichungsskala)
  - » Punkteplan einsetzen
- Zeit angeben

Sonstige Pflegemaßnahmen durchführen

- Maßnahmen konkretisieren
- Zeit angeben

Literaturhinweise: 24, 82, 83, 101, 144, 173, 175, 176, 215, 316, 318

Der Patient **überschreitet soziale/gesetzte Grenzen, hält Regeln nicht ein**, es besteht eine beeinträchtigte Interaktion

Kennzeichen

- Regeln der Station/Organisationseinheit werden nicht eingehalten
- Zeigt teilweise rücksichtsloses Verhalten gegenüber Mitmenschen
- Zeigt verantwortungsloses Geschäftsverhalten/überschreitet den Finanzrahmen
- Hält sich nicht an die Vereinbarungen bezüglich Therapie und Behandlung
- Hält sich nicht an Verhaltensregeln
- Äußert sich durch aggressives Verhalten
- Verletzt und setzt Mitmenschen herab
- Äußert sich gegenüber Mitmenschen wertend und macht diese lächerlich
- Provoziert oder beleidigt Gesprächspartner
- Zeigt sexuell enthemmtes Verhalten
- Befriedigt sich vor anderen

Ursachen

- Zyklothymie
- Fehlende Einsicht
- Fehlendes Krankheitsgefühl
- Manie
- Erziehung

Ressourcen

- Verhält sich entsprechend der Anleitung und Anweisung
- Hält Absprachen ein
- Kognitive Fähigkeiten sind vorhanden
- Familienmitglieder beteiligen sich konstruktiv am Therapieplan
- Gefestigte Familienstrukturen sind vorhanden

Pflegeziele

- Kennt die Stationsordnung und hält diese ein
- Hält die vorgegebene/vereinbarte Tages-

struktur ein
- Kennt die Spielregeln und Grenzen der Station
- Kennt und akzeptiert die eigenen Grenzen
- Therapie- und Aktivitätsangebote sind individuell abgestimmt
- Behandlungs- und Therapiekonzept sind transparent und vom therapeutischen Team umgesetzt
- Aktive Beteiligung an der Behandlungsplanung ist sichergestellt
- Kennt Möglichkeiten, aktiv den Therapieerfolg zu unterstützen
- Hält sich an Absprachen und unterstützt aktiv die Therapie
- Selbstkontrolle ist verbessert
- Hält die vereinbarten Regeln ein
- Tagesablauf ist geregelt
- Geplante Aktivitäten werden eingehalten
- Übernimmt Eigenverantwortung in der Tagesgestaltung

Pflegeinterventionen

Erkennbare, klare Grenzen ziehen und die therapeutische Distanz wahren
- Pflegeintervention konkretisieren
- Zeit angeben

Für die genaue Einhaltung der Vereinbarungen sorgen
- Pflegeintervention konkretisieren
- Zeit angeben

Fallbesprechung über die Inhalte der gesetzten Grenzen führen
- Beteiligte Personen angeben
  - » Bewohner
  - » Pflegeperson
  - » Ärztlicher Dienst
  - » Psychologe
  - » Sozialarbeiter
  - » Sozialpädagoge
  - » Ergotherapeut
  - » Krankengymnast
  - » Logopäde
  - » Beschäftigungstherapeut
  - » Heilpädagoge
  - » Geistlicher Beistand
  - » Lehrer
  - » Erzieher
  - » Jugendamt
  - » Sonstige Personen
- Gesprächsinhalt
  - » Vereinbarte Therapieziele
  - » Vereinbarte Gesprächsinhalte für ein klientenzentriertes Pflegefachgespräch
- Zeitdauer angeben

Therapieziele gemeinsam vereinbaren und kontinuierlich reflektieren
- Maßnahmen konkretisieren
  - » Goal Attainment Scale einsetzen (= Zielerreichungsskala)
  - » Punkteplan einsetzen
- Zeit angeben

Regelplan täglich auswerten, bei Regelverstößen Konsequenzen vereinbaren und realisieren
- Gesprächsinhalt
- Zeit angeben

Tages-/Aktivitätenplan verwenden
- Bezugsperson festlegen
- Pflegeintervention konkretisieren
  - » Tages-/Wochenplan erstellen
  - » Aktivitätenplan erstellen
  - » Tages- und Wochenpläne besprechen
  - » Durchgeführte Aktivitäten besprechen
  - » Lebenspraktische Inhalte besprechen
- Fest verbindlichen Tagesplan vereinbaren
  - » Mit Kontrollmöglichkeit
  - » Ohne Kontrollmöglichkeit
  - » In Eigenverantwortung
  - » In Verantwortung der Bezugsperson
  - » Tagesaktivitäten auswerten und reflektieren
- Dauer bestimmen

Sonstige Pflegemaßnahmen durchführen
- Maßnahmen konkretisieren
- Zeit angeben

Literaturhinweise: 47, 82, 83, 95, 101, 125, 173, 175, 176

Der Patient verhält sich **gereizt/ aggressiv**, es besteht eine **beeinträchtigte Interaktion**

Kennzeichen

- Feindseliges, trotziges Verhalten auf Angebote
- Affektive unkontrollierte, impulsive Reaktionen bei Ansprache
- Macht zynische Bemerkungen, stichelt und/oder tyrannisiert verbal
- Nimmt eine "Jetzt-erst-recht-Haltung" ein
- Ist auf eigene Haltung/eigenen Standpunkt fixiert
- Sucht Fehler beim Gegenüber
- Fehlende soziale Integration
- Schwierigkeit, mit mehrdeutigen Situationen umzugehen
- Zeigt Angriffshaltung
- Äußert sich durch verbale Angriffe
- Neigt dazu, Gesprächspartner zu beschimpfen
- Zeigt intentionale aggressive Verhaltensweisen (kontrolliert, geplant)
- Klassifizierung von aggressivem Verhalten-Verbal aggressives Verhalten
- Körperliches aggressives Verhalten
- Direkt aggressives Verhalten
- Indirekt aggressives Verhalten

Ursachen

- Verkennt die aktuelle Situation
- Störung des Sozialverhaltens
- Mangelnde Sozialkompetenz
- Interpretiert Situationen nicht adäquat
- Degenerativer Prozess des Gehirns
- Probleme in der Informationsverarbeitung
- Drogen-, Medikamentenmissbrauch
- Negativ empfundene Gefühle (wie Ärger, Wut, Enttäuschung usw.)
- Sich wiederholende Stressoren
- Krankheitsbedingte UrsachenPsychiatrische Erkrankung
- Gewaltpotential im sozialen Umfeld
- Demenz

Ressourcen

- Kann $sein Verhalten in Gesprächen reflektieren
- Reagiert positiv auf therapeutische Gespräche
- Lässt sich ablenken

Pflegeziele

- Findet einen Weg, persönliche Probleme aufzuarbeiten
- Behandlungs- und Therapiekonzept sind transparent und vom therapeutischen Team umgesetzt
- Aktive Beteiligung an der Behandlungsplanung ist sichergestellt
- Benennt den Grund der gereizten Reaktion
- Erhält Feed-back aus der Gruppe
- Fühlt sich angenommen und verstanden
- Selbstwertgefühl ist gestärkt
- Andere Verhaltensweisen werden angenommen
- Eltern lernen, das Verhalten des Kindes in Alltagssituationen zu steuern
- Eltern verbalisieren positive Gefühle gegenüber ihrem Kind
- Eine vertrauensvolle Eltern-Kind-Beziehung ist unterstützt
- Das Kind verbalisiert positive Gefühle gegenüber den Eltern

Pflegeinterventionen

Aufbau einer konstruktiven therapeutischen Beziehung zur Bezugspflegeperson fördern
- Bezugsperson festlegen
- Pflegeintervention konkretisieren
  - » Tages-/Wochenplan erstellen
  - » Aktivitätenplan erstellen
  - » Tages- und Wochenpläne besprechen
  - » Durchgeführte Aktivitäten besprechen
  - » Lebenspraktische Inhalte besprechen
- Fest verbindlichen Tagesplan vereinbaren
  - » Mit Kontrollmöglichkeit
  - » Ohne Kontrollmöglichkeit
  - » In Eigenverantwortung
  - » In Verantwortung der Bezugsperson
  - » Tagesaktivitäten auswerten und reflektieren
- Dauer bestimmen

Im klientenzentrierten Gespräch Ursachen klären und Problemlösungswege entwickeln
- Gesprächsinhalt
- Zeit angeben
- Beteiligte Personen angeben
  - » Betroffene Person
  - » Angehöriger/Bezugsperson
  - » Betreuer
  - » Eltern
  - » Sonstige Personen
- Durchführende Person angeben
  - » Bezugspflegeperson
  - » Pflegeperson
  - » Spezialtherapeuten
  - » Physiotherapeuten

Fallbesprechung zur weiteren Behandlungs- und Therapieplanung durchführen
- Beteiligte Personen angeben
  - » Bewohner
  - » Pflegeperson
  - » Ärztlicher Dienst
  - » Psychologe
  - » Sozialarbeiter
  - » Sozialpädagoge
  - » Ergotherapeut
  - » Krankengymnast
  - » Logopäde
  - » Beschäftigungstherapeut
  - » Heilpädagoge
  - » Geistlicher Beistand
  - » Lehrer
  - » Erzieher
  - » Jugendamt
  - » Sonstige Personen
- Gesprächsinhalt
  - » Vereinbarte Therapieziele
  - » Vereinbarte Gesprächsinhalte für ein klientenzentriertes Pflegefachgespräch
- Zeitdauer angeben

Im Klärungsgespräch die Technik der Metakommunikation anwenden
- Pflegeintervention konkretisieren
- Zeit angeben

Feed-back im Gruppengespräch ermöglichen
- Gruppentherapie konkretisieren
- Zeitdauer des Gruppengesprächs bestimmen

Gespräch mit integrativ-validierendem Ansatz führen
- Maßnahmen konkretisieren
  - » Gefühlsäußerungen akzeptieren
  - » Botschaften auf allen drei Ebenen der Kommunikation (verbal, nonverbal, paraverbal) klar und deutlich formulieren
  - » Individuelle Angebote bei häufig auftretenden Gefühlsäußerungen durchführen
  - » Ähnlich personenbezogene verbale Angebote bei wiederkehrenden Aktivitäten durchführen
- Zeitdauer des Gesprächs bestimmen

Sozial-kognitives Training durchführen
- Pflegeintervention konkretisieren
- Art der Unterstützung
  - » Beaufsichtigen
  - » Durch Unterstützen helfen
  - » Teilweise übernehmen
  - » Vollständig übernehmen
  - » Zur selbstständigen Durchführung anleiten
- Anzuleitende Person(en) festlegen
  - » Betroffene Person
  - » Angehöriger/Bezugsperson
- Zeit angeben

Zur Familientherapie begleiten
- Pflegeintervention konkretisieren
- Zeit angeben

Elterntraining inhaltlich festlegen/durchführen
- Therapie konkretisieren
  - » Zielgerichtete Anleitung der Eltern
  - » Zielgerichtete Anleitung des Kindes
- Inhalte des Elterntrainings festlegen
  - » Alltagssituationen, die konfliktbelastet sind, analysieren
  - » Kommunikationsmuster der Eltern-Kind-Beziehung analysieren
  - » Definition der Verhaltensprobleme des Kindes in der Familie
  - » Kommunikationsregeln erarbeiten und umsetzen
  - » Entwickeln von alternativen Verhaltensweisen im Umgang mit dem Kind
  - » Behandlungsziele und Behandlungsplanung entwickeln
  - » Fokussierung der Aufmerksamkeit auf positive Erlebnisse mit dem Kind
  - » Aufbau positiver Interaktionssequenzen
- Zeit angeben

Sonstige Pflegemaßnahmen durchführen
- Maßnahmen konkretisieren
- Zeit angeben

Literaturhinweise: 47, 82, 83, 95, 101, 125, 173, 175, 176, 989, 990, 991

Der Patient kann sich nur **schwer auf Gespräche konzentrieren**, es besteht eine **beeinträchtigte Interaktion**

Kennzeichen

- Die Aufmerksamkeit ist geteilt
- Wirkt teilnahmslos und reagiert nicht auf Ansprache
- Antwort ist nicht adäquat zum Gesprächsinhalt/Gesprächsfluss

Ursachen

- Demenzielle Veränderung
- Konzentrationsdefizit
- Psychische Störung

Ressourcen

- Kann sich auf kurze Gespräche konzentrieren
- Kann einfachen Aufforderungen folgen

Pflegeziele

- Alle wichtigen Informationen werden aufgenommen
- Kann dem Gespräch konzentriert zuhören
- Kann Gesprächsinhalten folgen und sie verstehen

Pflegeinterventionen

Sich vergewissern, ob der Patient Gesprächsinhalten folgen kann und aufnahmebereit ist
- Pflegeintervention konkretisieren
- Zeit angeben

Gesprächszeiten auf höchstens 15 Minuten begrenzen
- Pflegeintervention konkretisieren
- Zeit angeben

Sonstige Pflegemaßnahmen durchführen
- Maßnahmen konkretisieren
- Zeit angeben

Literaturhinweise: 47, 79, 82, 83, 95, 101, 125, 173, 175, 176

Der Patient kann **nicht in gewohnter Weise Kontakt aufnehmen**, es besteht eine **beeinträchtigte Interaktion**

Kennzeichen

- Rituale erscheinen befremdlich
- Muss eine Distanz zum Gegenüber wahren
- Kann/darf keinen Besuch empfangen
- Fähigkeit, sich zu bewegen, ist eingeschränkt

Ursachen

- Sprachstörung
- Anderer kultureller Kontext
- Spricht eine andere Landessprache (Sprachhindernisse)
- Ist in einer Isoliereinheit untergebracht
- Ist fixiert

Ressourcen

- Ist bereit, Kommunikationshilfen einzusetzen
- Angebot eines Dolmetschers wird angenommen
- Versteht die Notwendigkeit einer Schutzisolation und unterstützt sie
- Kennt die Schutz- und Hygienemaßnahmen und hält sie ein
- Toleriert die Fixierungsmaßnahme

Pflegeziele

- Kennt vorbeugende Maßnahmen
- Fühlt sich nicht abgeschoben und allein gelassen
- Missverständnissen ist vorgebeugt
- Kommunikation und Informationsweitergabe sind sichergestellt
- Eine konstruktive Beziehung zu Angehörigen/Bezugspersonen ist unterstützt

Pflegeinterventionen

Häufige Kontaktaufnahme in Form von alltagsweltlichen Pflegefachgesprächen sicherstellen
- Pflegeintervention konkretisieren
  - » Zum Aufstehen auffordern
  - » Auffordern, die Nachtruhe einzuhalten
  - » Zur Medikamenteneinnahme motivieren
  - » Tagesablauf besprechen
  - » An Vereinbarungen erinnern
- Zeitdauer des Alltagsbewältigungsgesprächs bestimmen

Pflegemaßnahmen erklären
- Pflegeintervention konkretisieren
- Zeit angeben

Beruhigende Gespräche bzw. Worte an den Patienten richten
- Pflegeintervention konkretisieren
- Zeit angeben

Dolmetscher zu wichtigen Aufklärungsgesprächen organisieren
- Pflegeintervention konkretisieren
- Zeit angeben

Wörterbuch für Übersetzungen im Gespräch nutzen
- Pflegeintervention konkretisieren
- Zeit angeben

Flexible Besuchszeiten ermöglichen
- Pflegeintervention konkretisieren
- Zeit angeben

Sonstige Pflegemaßnahmen durchführen
- Maßnahmen konkretisieren
- Zeit angeben

Literaturhinweise: 79, 95, 101, 125, 126, 175, 176

Der Patient hat aufgrund einer **Affektverflachung** (Verarmung des Fühlens/der emotionalen Ausdrucks- und Reaktionsfähigkeit) eine **beeinträchtigte Interaktion**

Kennzeichen

- Unfähigkeit, Gefühle zu zeigen
- Zeigt keine emotionale Reaktion
- Empfindet eine schmerzliche Leere
- Beschreibt eine Gefühlsleere/abgestorbene Gefühle
- Äußert, sich deprimiert, freudlos und niedergeschlagen zu fühlen

Ursachen

- Psychose
- Schizophrene Psychose
- Endogene Depression

Ressourcen

- Akzeptiert die Bezugsperson
- Akzeptiert die Unterstützung
- Akzeptiert die Unterstützung von Angehörigen
- Kann Vertrauen zum Pflegepersonal aufbauen
- Wahrnehmungsfähigkeit ist vorhanden
- Zeigt Verhaltensweisen, die die Therapie unterstützen
- Toleriert die therapeutische/pflegerische Intervention

Pflegeziele

- Geht einer sinnvollen Beschäftigung nach
- Findet einen Weg aus der psychotischen Welt in den Alltag
- Kann psychotische Welt und Realität unterscheiden
- Eigenständige Lebensgestaltung ist ermöglicht
- Kann sich am Tagesablauf orientieren
- Baut ein Vertrauensverhältnis zum Gesprächspartner auf
- Spricht die Bezugsperson bei Problemen selbstständig an
- Erkennt eine einheitliche Zielsetzung im therapeutischen Team und akzeptiert diese
- Nimmt Gefühle wahr und artikuliert diese adäquat
- Soziale Kompetenzen sind gefördert
- Entwickelt ein positives Selbstwertgefühl
- Körperwahrnehmung ist aktiviert und stimuliert
- Ist körperlich fit
- Selbstvertrauen in die Leistungsfähigkeit des eigenen Körpers ist gestärkt
- Körperliche Fitness ist gefördert
- Ist sozial integriert
- Übernimmt Mitverantwortung in der Gruppe
- Soziales Lernen ist unterstützt
- Integriert sich in das Gruppengeschehen
- Kennt die Spielregeln in sozialen Gemeinschaften

Pflegeinterventionen

Vereinbarte Stationsaufgaben übernehmen lassen
- Pflegeintervention konkretisieren
- Zeit angeben

Realitätsbezug im Alltag fördern
- Maßnahmen konkretisieren
  - » Wahnthemen und Zwangshandlungen nicht versuchen auszureden und keine Diskussion entstehen lassen
  - » Akzeptierende Grundhaltung gegenüber den Wahnideen zeigen
  - » Eigene Realität gegenüberstellen
  - » Lebenspraktische Tätigkeiten durchführen
  - » "Harmlose" Gesprächsthemen anbieten

Tages- und Wochenplan gemeinsam erarbeiten und Vereinbarungen bezüglich der Aktivitäten treffen
- Bezugsperson festlegen
- Pflegeintervention konkretisieren
  - » Tages-/Wochenplan erstellen
  - » Aktivitätenplan erstellen
  - » Tages- und Wochenpläne besprechen
  - » Durchgeführte Aktivitäten besprechen
  - » Lebenspraktische Inhalte besprechen
- Fest verbindlichen Tagesplan vereinbaren
  - » Mit Kontrollmöglichkeit
  - » Ohne Kontrollmöglichkeit
  - » In Eigenverantwortung
  - » In Verantwortung der Bezugsperson
  - » Tagesaktivitäten auswerten und reflektieren
- Dauer bestimmen

Bezugsperson festlegen
- Pflegeintervention konkretisieren
- Zeit angeben

Rückzugstendenzen nur zulassen, soweit sie nützlich sind
- Maßnahmen konkretisieren
  - » Feste Rückzugszeiten ins Zimmer vereinbaren
  - » Zimmer des Betroffenen verschließen
  - » Zu Gruppenaktivitäten holen und motivieren

Selbstkonzept/-bild/-wert und soziale Kompetenzen in Einzeltherapie fördern
- Einzeltherapeutisches Angebot angeben
  - » Selbstsicherheitstraining durchführen
  - » Genusstherapie durchführen
  - » Verhaltenstherapie durchführen
  - » Assertiveness-Training-Programm (ATP) durchführen
  - » Integriertes Psychologisches Therapieprogramm (IPT) durchführen
  - » Positiven Tagesrückblick durchführen
  - » Musiktherapie durchführen
  - » Gestalttherapie durchführen
  - » Maltherapie durchführen
  - » Kognitives Einzeltraining durchführen
  - » Rollenspiele durchführen
  - » Erinnerungstherapie durchführen
  - » Achtsamkeitstraining durchführen
  - » Anti-Phobie/Angst-Training durchführen
- Einrichtungsspezifische Aktivität wählen

- Zeitdauer der Einzelförderung bestimmen

Selbstkonzept/-bild und soziale Kompetenzen in Gruppentherapie fördern
- Gruppentherapeutisches Angebot angeben
  - » Selbstsicherheitstraining durchführen
  - » Genusstherapie durchführen
  - » Verhaltenstherapie durchführen
  - » Assertiveness-Training-Programm (ATP) durchführen
  - » Integriertes Psychologisches Therapieprogramm (IPT) durchführen
  - » Kognitive Therapiegruppe besuchen
  - » Musiktherapie durchführen
  - » Gestalttherapie durchführen
  - » Maltherapie durchführen
  - » Märchen-/Literaturgruppe besuchen
  - » Rollenspiele durchführen
  - » Interaktionsspiele zur Persönlichkeitsentwicklung durchführen
  - » Am Gesprächskreis im Erinnerungsraum teilnehmen
  - » Achtsamkeitstraining durchführen
  - » Anti-Phobie/Angst-Training durchführen
- Einrichtungsspezifische Aktivität wählen
- Zeitdauer der Gruppentherapie bestimmen

Selbstwertgefühl und Selbstachtung durch einheitliche Verhaltensweisen im therapeutischen Team fördern
- Maßnahmen konkretisieren
  - » Gewünschtes Verhalten durch Lob fördern
  - » Im therapeutischen Team Verhaltensweisen zur Stärkung des Selbstkonzepts vereinbaren
  - » Einüben, sich selbst zu belohnen

Körperbezogene Therapieangebote/Aktivitäten durchführen
- Maßnahmen konkretisieren
  - » Morgengymnastik durchführen
  - » Fitnesstraining durchführen
  - » Schwimmen gehen
  - » Bewegungsbad durchführen
  - » Wasserjogging durchführen
  - » Konzentrative Körperarbeit leisten
  - » Körpertherapie durchführen
  - » Sport in Form von Spielen machen
  - » An der Seniorengymnastik teilnehmen
  - » Konzentrative Bewegungstherapie durchführen
  - » Tanztherapie durchführen
- Einrichtungsspezifische Aktivität wählen
- Zeit angeben

Gesellschaftliche/soziale Aktivitäten fördern
- Stationsaktivität angeben
  - » Gemeinsam aktuelle Zeitungen/Magazine lesen
  - » Kinoabend im Wohn-/Stationsbereich durchführen
  - » Spielnachmittag besuchen
  - » Mahlzeiten gemeinsam einnehmen
  - » Tanznachmittag besuchen
  - » Kirchenbesuch durchführen
  - » Spazieren gehen
  - » Singstunde besuchen
  - » An Festaktivitäten teilnehmen
  - » Am Sonntagsfrühstück teilnehmen
  - » Aktivitäten im Zusammenhang, den Gemeinschaftsraum zu gestalten
  - » Zur Milieugestaltung malen/basteln
- Einrichtungsspezifische Aktivität wählen
- Zeitdauer der Aktivitäten bestimmen

Sonstige Pflegemaßnahmen durchführen
- Maßnahmen konkretisieren
- Zeit angeben

Literaturhinweise: 27, 71, 82, 83, 95, 101, 125, 164, 173, 175, 176

Der Patient **reagiert bei Aufforderung mit gegenteiligem/ablehnendem Verhalten** (Negativismus), es besteht eine **beeinträchtigte Interaktion**

Kennzeichen

- Tut immer das Gegenteil von dem, was von ihm gefordert wird (aktiver Negativismus)
- Reagiert überhaupt nicht auf Aufforderungen (passiver Negativismus)

Ursachen

- Endogene Psychose
- Schizophrene Psychose

Ressourcen

- Das tägliche Leben ist durch gezielte Formulierung des Gegenteils des Gewünschten zu gestalten

Pflegeziele

- Führt aufgetragene Tätigkeiten zur Regelung der täglichen Aktivitäten selbstständig durch

Pflegeinterventionen

Das Gegenteil von dem sagen, was gewünscht/gefordert wird
- Pflegeintervention konkretisieren
- Zeit angeben

Vor dem Hintergrund einer stabilen Umgebung immer wieder positiv und geduldig Forderungen anbringen
- Pflegeintervention konkretisieren
- Zeit angeben

Sonstige Pflegemaßnahmen durchführen
- Maßnahmen konkretisieren
- Zeit angeben

Literaturhinweise: 82, 83, 95, 101, 173, 175, 176

Der Patient ist aufgrund von **infantilem Verhalten** in der **sozialen Interaktion beeinträchtigt**

Kennzeichen

- Unterbricht und stört andere häufig
- Zeigt distanzloses Verhalten
- Duzt jeden
- Ausgeprägte Ich-Zentrierung
- Zeigt "läppisches" Verhalten
- Spielt den Pausenclown
- Mangelnde Selbstständigkeit
- Kindliche Denk- und Verhaltensmuster

Ursachen

- Aufmerksamkeitsdefizit
- Psychisches Trauma
- Angst vor Verantwortung
- Abwehrmaßnahme in schwieriger existentieller Lebenssituation
- Organisch bedingte Hirnschädigung

Ressourcen

- Kann $sein Verhalten in Gesprächen reflektieren
- Zeigt Verhaltensweisen, die die Therapie unterstützen

Pflegeziele

- Partizipation ist unterstützt
- Entscheidungen werden selbstständig getroffen
- Zeigt dem Alter entsprechendes Verhalten
- Wissensdefizit ist aufgehoben
- Fühlt sich angenommen und entwickelt Vertrauen
- Ist in den Tagesablauf aktiv integriert
- Ein menschenwürdiges, an die persönliche Lebensgeschichte angepasstes Leben ist ermöglicht
- Ist aktiviert und beteiligt sich an den Milieuprozessen
- Entwickelt Verhaltensweisen, die das Leben in der Gemeinschaft fördern
- Fühlt sich angenommen und verstanden
- Soziale Kompetenzen sind gefördert
- Spricht Konflikte/Empfindungen in der Gruppe an
- Adäquate Konfliktlösungsstrategien sind entwickelt
- Kennt Möglichkeiten, aktiv den Therapieerfolg zu unterstützen
- Hält sich an Absprachen und unterstützt aktiv die Therapie
- Selbstkontrolle ist verbessert

Pflegeinterventionen

Den Patienten mit den gezeigten Verhaltensweisen ernst nehmen

- Pflegeintervention konkretisieren
- Zeit angeben

Entscheidungsfähigkeit fördern und Eigenständigkeit verstärken

- Maßnahmen konkretisieren
  - » Handlungsalternativen aufzeigen und so Entscheidungskraft gezielt fördern
  - » Keine Entscheidungen für den Patienten treffen
- Alltagsweltliche Entscheidungen fördern
  - » Menükomponenten beim Essen auswählen lassen
  - » Kleidungsstücke, die am Tag getragen werden, auswählen und zusammenstellen lassen
  - » Bei Freizeitbeschäftigungen mehrere Alternativen aufzeigen

Selbstständiges Verhalten des Patienten positiv verstärken

- Maßnahmen konkretisieren
  - » Gewünschtes Verhalten durch Lob fördern
  - » Im therapeutischen Team Verhaltensweisen zur Stärkung des Selbstkonzepts vereinbaren

» Einüben, sich selbst zu belohnen

Ausführliche und verständliche Informationen geben
- Pflegeintervention konkretisieren
- Zeit angeben

Bezugsperson und Gesprächsinhalte festlegen
- Bezugsperson festlegen
- Pflegeintervention konkretisieren
  - » Tages-/Wochenplan erstellen
  - » Aktivitätenplan erstellen
  - » Tages- und Wochenpläne besprechen
  - » Durchgeführte Aktivitäten besprechen
  - » Lebenspraktische Inhalte besprechen
- Fest verbindlichen Tagesplan vereinbaren
  - » Mit Kontrollmöglichkeit
  - » Ohne Kontrollmöglichkeit
  - » In Eigenverantwortung
  - » In Verantwortung der Bezugsperson
  - » Tagesaktivitäten auswerten und reflektieren
- Dauer bestimmen

Milieutherapeutische Aktivitäten im Wohn-/Stationsbereich durchführen
- Stationsaktivität angeben
  - » Gemeinsam aktuelle Zeitungen/Magazine lesen
  - » Kinoabend im Wohn-/Stationsbereich durchführen
  - » Spielnachmittag besuchen
  - » Mahlzeiten gemeinsam einnehmen
  - » Tanznachmittag besuchen
  - » Kirchenbesuch durchführen
  - » Spazieren gehen
  - » Singstunde besuchen
  - » An Festaktivitäten teilnehmen
  - » Am Sonntagsfrühstück teilnehmen
  - » Aktivitäten im Zusammenhang, den Gemeinschaftsraum zu gestalten
  - » Zur Milieugestaltung malen/basteln
- Einrichtungsspezifische Aktivität wählen
- Zeitdauer der Aktivitäten bestimmen

Klientenzentriertes Gespräch über Verhalten, Selbst- und Fremdwahrnehmung führen
- Gesprächsinhalt
- Zeit angeben
- Beteiligte Personen angeben
  - » Betroffene Person
  - » Angehöriger/Bezugsperson
  - » Betreuer
  - » Eltern
  - » Sonstige Personen
- Durchführende Person angeben
  - » Bezugspflegeperson
  - » Pflegeperson
  - » Spezialtherapeuten
  - » Physiotherapeuten

Gesprächstherapeutische Gruppenaktivität durchführen
- Therapiegruppe angeben
  - » An Stationsgesprächsrunde/-meeting/-forum teilnehmen
  - » An Gesprächskreis über tagesaktuelle Themen teilnehmen
  - » Wochenendgruppe besuchen
  - » Konfliktgruppe besuchen
  - » Morgenrunde besuchen
  - » Kritikgruppe besuchen
- Einrichtungsspezifische Aktivität wählen
- Zeitdauer der Gruppenangebote bestimmen

Therapieziele gemeinsam vereinbaren und kontinuierlich reflektieren
- Maßnahmen konkretisieren
  - » Goal Attainment Scale einsetzen (= Zielerreichungsskala)
  - » Punkteplan einsetzen
- Zeit angeben

Sonstige Pflegemaßnahmen durchführen
- Maßnahmen konkretisieren
- Zeit angeben

Literaturhinweise: 71, 82, 83, 95, 101, 102, 125, 127, 173, 175, 176

Der Patient hat eine **beeinträchtigte Beziehung zu den Eltern**

Kennzeichen

- Zeigt aggressives Verhalten
- Zeigt autoaggressives Verhalten
- Äußert sich durch aggressives Verhalten
- Hält Regeln/Grenzen nicht ein
- Grausamkeiten gegenüber anderen Menschen oder Tieren
- Beeinträchtigte Bindung
- Läuft von zu Hause weg
- Negative Äußerungen über die Eltern
- Fehlender Austausch von Zärtlichkeiten zwischen Eltern und Kind (altersentsprechend)
- Berichtet darüber, nicht am Familienleben teilhaben zu können
- Berichtet über Konflikte in der Gemeinschaft
- Die Versorgung/Betreuung des Kindes ist unangemessen
- Zeigt ein unangemessenes Problemlösungsverhalten
- Neigt zu aggressiven Handlungen gegenüber den Eltern
- Zeigt aufsässiges, oppositionelles Verhalten
- Beschimpft die Eltern

Ursachen

- Ungenügende Grenzsetzung
- Psychiatrisch erkrankte Eltern
- Drogenabusus der Eltern/eines Elternteils
- Vernachlässigung durch die Eltern
- Negativer Einfluss von Gleichaltrigen
- Unfähigkeit der Eltern, für eine entwicklungsfördernde Umgebung zu sorgen
- Missbrauch des Kindes
- Beeinträchtigte soziale Kompetenz der Eltern
- Veränderungen in der Familienkonstellation
- Beeinträchtigte Problemlösungsstrategien der Eltern
- Fehlender Familienzusammenhalt
- Familiendynamische Faktoren
- Ungewolltes Kind
- Ablehnung durch die Eltern, da deren Erwartungen/Vorstellungen nicht erfüllt werden
- Verlust und/oder Trennung von wichtigen

Bezugspersonen
- Suchterkrankung

Ressourcen

- Kann Hilfe annehmen
- Ist an einer Problemlösung interessiert
- Angehörige sind zur Kontaktaufnahme bereit
- Ist zur Kontaktaufnahme mit Angehörigen/Bezugspersonen bereit
- Angehörige zeigen Bereitschaft, neu zu lernen
- Ist motiviert, neu zu lernen
- Kann $sein Verhalten in Gesprächen reflektieren

Pflegeziele

- Entwickelt eigene Lösungswege
- Erkennt die Notwendigkeit der Verhaltensänderung
- Nimmt soziale Situationen differenzierter wahr
- Kennt Möglichkeiten, aktiv den Therapieerfolg zu unterstützen
- Hält sich an Absprachen und unterstützt aktiv die Therapie
- Selbstkontrolle ist verbessert
- Tagesablauf ist geregelt
- Geplante Aktivitäten werden eingehalten
- Übernimmt Eigenverantwortung in der Tagesgestaltung
- Normgemäßes Verhalten wird belohnt
- Emotionaler Stress ist reduziert
- Erfüllt die Rollenerwartungen
- Selbstwertgefühl ist gestärkt
- Nimmt soziale Situationen differenziert wahr und kennt verschiedene Problemlösungsansätze und kann diese gezielt einsetzen
- Setzt die vereinbarten Verhaltensänderungen um
- Kennt die Spielregeln und Grenzen der Station
- Eltern lernen, das Verhalten des Kindes in Alltagssituationen zu steuern
- Eltern verbalisieren positive Gefühle gegenüber ihrem Kind
- Eine vertrauensvolle Eltern-Kind-Beziehung ist unterstützt
- Das Kind verbalisiert positive Gefühle gegenüber den Eltern
- Hält die vereinbarten Regeln ein
- Ist sozial integriert
- Übernimmt Mitverantwortung in der Gruppe
- Soziales Lernen ist unterstützt
- Integriert sich in das Gruppengeschehen
- Kennt die Spielregeln in sozialen Gemeinschaften
- Nimmt Gefühle wahr und artikuliert diese adäquat
- Soziale Kompetenzen sind gefördert
- Nimmt eigene Wünsche und Bedürfnisse wahr
- Steht zu Entscheidungen und übernimmt dafür die Verantwortung
- Verbalisiert Wünsche und Bedürfnisse deutlich und fordert sie ein
- Erkennt Zusammenhänge zwischen eigenem Verhalten und Pflegediagnose
- Entwickelt Lösungswege im Gespräch
- Behandlungs- und Therapiekonzept sind transparent und vom therapeutischen Team umgesetzt
- Aktive Beteiligung an der Behandlungsplanung ist sichergestellt

Pflegeinterventionen

Im klientenzentrierten Gespräch bestehende Schwierigkeiten analysieren und Problemlösungen entwickeln
- Gesprächsinhalt
- Zeit angeben
- Beteiligte Personen angeben
  - » Betroffene Person
  - » Angehöriger/Bezugsperson
  - » Betreuer
  - » Eltern
  - » Sonstige Personen
- Durchführende Person angeben
  - » Bezugspflegeperson
  - » Pflegeperson
  - » Spezialtherapeuten
  - » Physiotherapeuten

Therapieziele gemeinsam vereinbaren und kontinuierlich reflektieren
- Maßnahmen konkretisieren
  - » Goal Attainment Scale einsetzen (= Zielerreichungsskala)
  - » Punkteplan einsetzen
- Zeit angeben

Klare Regeln aufstellen und gemeinsam vereinbaren
- Gesprächsinhalt
- Zeit angeben
- Beteiligte Personen angeben
  - » Betroffene Person
  - » Angehöriger/Bezugsperson
  - » Betreuer
  - » Eltern
  - » Sonstige Personen
- Durchführende Person angeben
  - » Bezugspflegeperson
  - » Pflegeperson
  - » Spezialtherapeuten
  - » Physiotherapeuten

Tages-/Aktivitätenplan verwenden
- Bezugsperson festlegen
- Pflegeintervention konkretisieren
  - » Tages-/Wochenplan erstellen
  - » Aktivitätenplan erstellen
  - » Tages- und Wochenpläne besprechen
  - » Durchgeführte Aktivitäten besprechen
  - » Lebenspraktische Inhalte besprechen
- Fest verbindlichen Tagesplan vereinbaren
  - » Mit Kontrollmöglichkeit
  - » Ohne Kontrollmöglichkeit
  - » In Eigenverantwortung
  - » In Verantwortung der Bezugsperson
  - » Tagesaktivitäten auswerten und reflektieren
- Dauer bestimmen

Belohnungssystem mit Punkteplan durchführen
- Pflegeintervention konkretisieren
- Zeit angeben

Stressbewältigungsstrategien und emotionsregulierende Verhaltensweisen entwickeln/fördern
- Maßnahmen konkretisieren
- Zeit angeben

Gewünschtes Verhalten positiv verstärken
- Maßnahmen konkretisieren
  - » Gewünschtes Verhalten durch Lob fördern
  - » Im therapeutischen Team Verhaltensweisen zur Stärkung des Selbstkonzepts vereinbaren
  - » Einüben, sich selbst zu belohnen

Problemlösungstraining durchführen
- Maßnahmen konkretisieren
- Zeit angeben

Für die genaue Einhaltung der Vereinbarungen sorgen
- Pflegeintervention konkretisieren
- Zeit angeben

Elterntraining inhaltlich festlegen/durchführen
- Therapie konkretisieren
  - » Zielgerichtete Anleitung der Eltern
  - » Zielgerichtete Anleitung des Kindes
- Inhalte des Elterntrainings festlegen
  - » Alltagssituationen, die konfliktbelastet sind, analysieren
  - » Kommunikationsmuster der Eltern-Kind-Beziehung analysieren
  - » Definition der Verhaltensprobleme des Kindes in der Familie
  - » Kommunikationsregeln erarbeiten und umsetzen
  - » Entwickeln von alternativen Verhaltensweisen im Umgang mit dem Kind
  - » Behandlungsziele und Behandlungsplanung entwickeln
  - » Fokussierung der Aufmerksamkeit auf

positive Erlebnisse mit dem Kind
  - » Aufbau positiver Interaktionssequenzen
- Zeit angeben

Regelplan täglich auswerten, bei Regelverstößen Konsequenzen vereinbaren und realisieren
- Gesprächsinhalt
- Zeit angeben

Gesellschaftliche/soziale Aktivitäten fördern
- Stationsaktivität angeben
  - » Gemeinsam aktuelle Zeitungen/Magazine lesen
  - » Kinoabend im Wohn-/Stationsbereich durchführen
  - » Spielnachmittag besuchen
  - » Mahlzeiten gemeinsam einnehmen
  - » Tanznachmittag besuchen
  - » Kirchenbesuch durchführen
  - » Spazieren gehen
  - » Singstunde besuchen
  - » An Festaktivitäten teilnehmen
  - » Am Sonntagsfrühstück teilnehmen
  - » Aktivitäten im Zusammenhang, den Gemeinschaftsraum zu gestalten
  - » Zur Milieugestaltung malen/basteln
- Einrichtungsspezifische Aktivität wählen
- Zeitdauer der Aktivitäten bestimmen

Selbstkonzept/-bild/-wert und soziale Kompetenzen in Einzeltherapie fördern
- Einzeltherapeutisches Angebot angeben
  - » Selbstsicherheitstraining durchführen
  - » Genusstherapie durchführen
  - » Verhaltenstherapie durchführen
  - » Assertiveness-Training-Programm (ATP) durchführen
  - » Integriertes Psychologisches Therapieprogramm (IPT) durchführen
  - » Positiven Tagesrückblick durchführen
  - » Musiktherapie durchführen
  - » Gestalttherapie durchführen
  - » Maltherapie durchführen
  - » Kognitives Einzeltraining durchführen
  - » Rollenspiele durchführen
  - » Erinnerungstherapie durchführen
  - » Achtsamkeitstraining durchführen
  - » Anti-Phobie/Angst-Training durchführen
- Einrichtungsspezifische Aktivität wählen
- Zeitdauer der Einzelförderung bestimmen

Selbstkonzept/-bild und soziale Kompetenzen in Gruppentherapie fördern
- Gruppentherapeutisches Angebot angeben
  - » Selbstsicherheitstraining durchführen
  - » Genusstherapie durchführen
  - » Verhaltenstherapie durchführen
  - » Assertiveness-Training-Programm (ATP) durchführen
  - » Integriertes Psychologisches Therapieprogramm (IPT) durchführen
  - » Kognitive Therapiegruppe besuchen
  - » Musiktherapie durchführen
  - » Gestalttherapie durchführen
  - » Maltherapie durchführen
  - » Märchen-/Literaturgruppe besuchen
  - » Rollenspiele durchführen
  - » Interaktionsspiele zur Persönlichkeitsentwicklung durchführen
  - » Am Gesprächskreis im Erinnerungsraum teilnehmen
  - » Achtsamkeitstraining durchführen
  - » Anti-Phobie/Angst-Training durchführen
- Einrichtungsspezifische Aktivität wählen
- Zeitdauer der Gruppentherapie bestimmen

Pflegefachgespräch führen
- Inhaltliche Ausrichtung des Gesprächs bestimmen
  - » Informationssammlung
  - » Pflege-, Betreuungs- und Behandlungsprozess
  - » Ursachenanalyse
  - » Strategien zur Krankheitsbewältigung
  - » Motivation/Aktivierung
  - » Alltagsbewältigung
  - » Förderung der Entscheidungsfindung
  - » Zukunftsperspektive
  - » Unterstützung der Orientierung
  - » Unterstützung des Realitätsbezugs
  - » Krisenintervention
  - » Aktuelle Bedürfnisse/Wünsche
  - » Instruktion/Anleitung
  - » Feed-back-Gespräch
  - » Sonstige Gesprächsinhalte
- Gesprächsteilnehmer
  - » Angehöriger/Bezugsperson
  - » Betroffene Person
- Zeitdauer des Gesprächs angeben

Fallbesprechung zur weiteren Behandlungs- und Therapieplanung durchführen
- Beteiligte Personen angeben
  - » Bewohner
  - » Pflegeperson
  - » Ärztlicher Dienst
  - » Psychologe
  - » Sozialarbeiter
  - » Sozialpädagoge
  - » Ergotherapeut
  - » Krankengymnast
  - » Logopäde
  - » Beschäftigungstherapeut
  - » Heilpädagoge
  - » Geistlicher Beistand
  - » Lehrer
  - » Erzieher
  - » Jugendamt
  - » Sonstige Personen
- Gesprächsinhalt
  - » Vereinbarte Therapieziele
  - » Vereinbarte Gesprächsinhalte für ein klientenzentriertes Pflegefachgespräch
- Zeitdauer angeben

Sonstige Pflegemaßnahmen durchführen
- Maßnahmen konkretisieren
- Zeit angeben

Literaturhinweise: 370

Der Patient hat eine **beeinträchtigte Beziehung zu Angehörigen** /nahe stehenden Personen

Kennzeichen

- Bekommt keine/wenig Besuche von Freunden/Angehörigen
- Kennt die Adressen der Angehörigen nicht
- Berichtet darüber, unter der Beziehung zu leiden
- Ist nach dem Kontakt mit dem Angehörigen/der Bezugsperson emotional verändert
- Berichtet über den Rückzug der Bezugspersonen/Angehörigen
- Berichtet über das fehlende Verständnis der Bezugspersonen/Angehörigen bezüglich der Einschränkungen/Krankheit
- Berichtet über den gescheiterten Versuch der Kontaktaufnahme/des Beziehungsaufbaus

Ursachen

- Kontakte wurden nicht gepflegt
- Verunsicherung darüber, wie mit dem Kranken umgegangen werden soll
- Schuldgefühle der Angehörigen
- Überforderung der Angehörigen
- Angehörige erkennen die Bedeutung ihrer Unterstützung für den Genesungsprozess nicht
- Angehörige/Bezugspersonen akzeptieren die Erkrankung des Betroffenen nicht
- Schuldgefühle der Angehörigen
- Veränderungen in der Familienstruktur
- Bezugspersonen/Angehörige sind mit eigenen Problemen/Konflikten beschäftigt
- Ungelöste Konflikte über Lebensziele und/oder mit Mitmenschen

Ressourcen

- Angehörige zeigen Bereitschaft, neu zu lernen
- Angehörige sind zur Kontaktaufnahme bereit
- Akzeptiert die Unterstützung
- Akzeptiert die Unterstützung von Angehörigen

Pflegeziele

- Soziale Kontakte zu Angehörigen und Bekannten sind ausreichend
- Behandlungs- und Therapiekonzept sind transparent und vom therapeutischen Team umgesetzt
- Aktive Beteiligung an der Behandlungsplanung ist sichergestellt
- Sozialkontakte und Gruppenverhalten sind gefördert
- Kann soziale Kontakte aufbauen
- Nimmt eigene Wünsche und Bedürfnisse wahr
- Steht zu Entscheidungen und übernimmt dafür die Verantwortung
- Verbalisiert Wünsche und Bedürfnisse deutlich und fordert sie ein
- Erkennt Zusammenhänge zwischen eigenem Verhalten und Pflegediagnose
- Entwickelt Lösungswege im Gespräch
- Ist sozial integriert
- Übernimmt Mitverantwortung in der Gruppe
- Soziales Lernen ist unterstützt
- Integriert sich in das Gruppengeschehen
- Kennt die Spielregeln in sozialen Gemeinschaften
- Soziale Kompetenzen sind gefördert
- Spricht Konflikte/Empfindungen in der Gruppe an
- Adäquate Konfliktlösungsstrategien sind entwickelt
- Angehörige/Bezugspersonen entwickeln Verständnis für die Situation des Betroffenen
- Eine konstruktive Beziehung zu Angehörigen/Bezugspersonen ist unterstützt

Pflegeinterventionen

Offene, angstfreie Atmosphäre vermitteln und im Gespräch aufzeigen, dass das therapeutische Team der Schweigepflicht unterliegt
- Pflegeintervention konkretisieren
- Zeit angeben

Fallbesprechung zur weiteren Behandlungs- und Therapieplanung durchführen
- Beteiligte Personen angeben
  - » Bewohner
  - » Pflegeperson
  - » Ärztlicher Dienst
  - » Psychologe
  - » Sozialarbeiter
  - » Sozialpädagoge
  - » Ergotherapeut
  - » Krankengymnast
  - » Logopäde
  - » Beschäftigungstherapeut
  - » Heilpädagoge
  - » Geistlicher Beistand
  - » Lehrer
  - » Erzieher
  - » Jugendamt
  - » Sonstige Personen
- Gesprächsinhalt
  - » Vereinbarte Therapieziele
  - » Vereinbarte Gesprächsinhalte für ein klientenzentriertes Pflegefachgespräch
- Zeitdauer angeben

Soziale Kontakte fördern
- Netzwerke bestimmen, die aufgebaut/gefördert werden können
  - » Netzwerk Familie
  - » Netzwerk Freundeskreis
  - » Netzwerk Arbeitsfeld
  - » Netzwerk Glaubensgemeinschaft
  - » Netzwerk Freizeitaktivität/Hobby
  - » Selbsthilfegruppe
  - » Sonstige Netzwerke
- Zeitdauer der Intervention bestimmen
- Gesprächspartner bestimmen
  - » Angehöriger/Bezugsperson
  - » Betreuer
  - » Freunde
  - » Arbeitgeber
  - » Arbeitskollegen
  - » Ämter
  - » Kirchenvertreter
  - » Nachbarn
  - » Sonstige Personen

Pflegefachgespräch führen
- Inhaltliche Ausrichtung des Gesprächs bestimmen
  - » Informationssammlung
  - » Pflege-, Betreuungs- und Behandlungsprozess
  - » Ursachenanalyse
  - » Strategien zur Krankheitsbewältigung
  - » Motivation/Aktivierung
  - » Alltagsbewältigung
  - » Förderung der Entscheidungsfindung
  - » Zukunftsperspektive
  - » Unterstützung der Orientierung
  - » Unterstützung des Realitätsbezugs
  - » Krisenintervention
  - » Aktuelle Bedürfnisse/Wünsche
  - » Instruktion/Anleitung
  - » Feed-back-Gespräch
  - » Sonstige Gesprächsinhalte
- Gesprächsteilnehmer
  - » Angehöriger/Bezugsperson
  - » Betroffene Person
- Zeitdauer des Gesprächs angeben

Gesellschaftliche/soziale Aktivitäten fördern
- Stationsaktivität angeben
  - » Gemeinsam aktuelle Zeitungen/Magazine lesen
  - » Kinoabend im Wohn-/Stationsbereich durchführen
  - » Spielnachmittag besuchen
  - » Mahlzeiten gemeinsam einnehmen
  - » Tanznachmittag besuchen
  - » Kirchenbesuch durchführen
  - » Spazieren gehen
  - » Singstunde besuchen
  - » An Festaktivitäten teilnehmen
  - » Am Sonntagsfrühstück teilnehmen
  - » Aktivitäten im Zusammenhang, den Gemeinschaftsraum zu gestalten
  - » Zur Milieugestaltung malen/basteln
- Einrichtungsspezifische Aktivität wählen
- Zeitdauer der Aktivitäten bestimmen

Gesprächstherapeutische Gruppenaktivität durchführen
- Therapiegruppe angeben
  - » An Stationsgesprächsrunde/-meeting/-forum teilnehmen
  - » An Gesprächskreis über tagesaktuelle Themen teilnehmen
  - » Wochenendgruppe besuchen
  - » Konfliktgruppe besuchen
  - » Morgenrunde besuchen
  - » Kritikgruppe besuchen
- Einrichtungsspezifische Aktivität wählen
- Zeitdauer der Gruppenangebote bestimmen

Klientenzentriertes Gespräch führen
- Inhaltliche Ausrichtung des Gesprächs bestimmen
  - » Informationssammlung
  - » Pflege-, Betreuungs- und Behandlungsprozess
  - » Ursachenanalyse
  - » Strategien zur Krankheitsbewältigung
  - » Motivation/Aktivierung
  - » Alltagsbewältigung
  - » Förderung der Entscheidungsfindung
  - » Zukunftsperspektive
  - » Unterstützung der Orientierung
  - » Unterstützung des Realitätsbezugs
  - » Krisenintervention
  - » Aktuelle Bedürfnisse/Wünsche
  - » Instruktion/Anleitung
  - » Feed-back-Gespräch
  - » Sonstige Gesprächsinhalte
- Gesprächsteilnehmer
  - » Angehöriger/Bezugsperson
  - » Betroffene Person
- Zeitdauer des Gesprächs angeben

Flexible Besuchszeiten ermöglichen
- Pflegeintervention konkretisieren
- Zeit angeben

Sonstige Pflegemaßnahmen durchführen
- Maßnahmen konkretisieren
- Zeit angeben

Literaturhinweise: 47, 83, 95, 125, 175, 176, 215, 312, 318

Der Patient ist im **Aufbau von Liebes-/Sexualbeziehungen beeinträchtigt**

Kennzeichen

- Stottert
- Errötet schnell
- Berichtet von der Unfähigkeit, Beziehungen aufzubauen/Kontakt herzustellen

Ursachen

- Mangelndes Selbstbewusstsein
- Vergewaltigung
- Unverarbeitete Missbrauchs-/Vergewaltigungserlebnisse

Ressourcen

- Ist motiviert, neu zu lernen

Pflegeziele

- Ursachen sind erkannt
- Kann Kontakt aufnehmen
- Erkennt die Ursachen für die Problematik und entwickelt Lösungsmöglichkeiten
- Erwirbt soziale Kompetenzen bei der Kontaktaufnahme mit gegengeschlechtlichen Personen

Pflegeinterventionen

Kontaktaufnahme beobachten
- Pflegeintervention konkretisieren
- Zeit angeben

Klientenzentriertes Gespräch über die Probleme führen und Lösungswege entwickeln
- Gesprächsinhalt
- Zeit angeben
- Beteiligte Personen angeben

  - » Betroffene Person
  - » Angehöriger/Bezugsperson
  - » Betreuer
  - » Eltern
  - » Sonstige Personen
- Durchführende Person angeben
  - » Bezugspflegeperson
  - » Pflegeperson
  - » Spezialtherapeuten
  - » Physiotherapeuten

Einzeltraining sozialer Kompetenzen im Rollenspiel fördern
- Pflegeintervention konkretisieren
- Zeit angeben

Soziale Kompetenzen im Gruppenrollenspiel fördern
- Gruppentherapie konkretisieren
- Anzahl der beteiligten Personen bestimmen
- Zeitdauer der Gruppentherapie bestimmen

Sonstige Pflegemaßnahmen durchführen
- Maßnahmen konkretisieren
- Zeit angeben

Literaturhinweise: 95, 125, 175, 176

Der Patient kann eigene **Wünsche/Bedürfnisse nur schwer äußern**, es besteht das **Risiko, dass diese nicht adäquat erfüllt werden**

Kennzeichen

- Traut sich im Gespräch nicht, einen eigenen Standpunkt zu vertreten
- Wird in der eigenen Tagesstruktur durch die Anforderungen und Wünsche der Mitmenschen fremdbestimmt
- Kann Wünsche nicht ausschlagen/nicht Nein sagen
- Kann eigene Wünsche nicht benennen
- Verliert eigene Bedürfnisse aus dem Auge
- Spricht über unausgesprochene Erwartungen an den Sozialpartner
- Fragen werden durch die Bezugsperson beantwortet

Ursachen

- Fehlendes Selbstwertgefühl
- Unsichere Persönlichkeit
- Angst, eigene Wünsche und Bedürfnisse zu äußern
- Nimmt eigene Bedürfnisse nicht wahr
- Dominanz einer Bezugsperson
- Festgelegte Normen in der Familienhierarchie durch den Kulturkreis

Ressourcen

- Reagiert positiv auf therapeutische Gespräche
- Auf Nachfrage werden Wünsche und Bedürfnisse mitgeteilt

Pflegeziele

- Erhält konkretes Feed-back
- Kann eigene Bedürfnisse und Wünsche wahrnehmen und ansprechen
- Steht zu Entscheidungen und übernimmt dafür die Verantwortung
- Verbalisiert Wünsche und Bedürfnisse deutlich und fordert sie ein
- Erkennt Zusammenhänge zwischen eigenem Verhalten und Pflegediagnose
- Entwickelt Lösungswege im Gespräch
- Nimmt eigene Wünsche und Bedürfnisse wahr
- Behandlungs- und Therapiekonzept sind transparent und vom therapeutischen Team umgesetzt
- Aktive Beteiligung an der Behandlungsplanung ist sichergestellt
- Kann Wünsche und Bedürfnisse wahrnehmen und realisieren
- Kann sich ohne Beeinflussung frei äußern und entscheiden

Pflegeinterventionen

Kommunikation beobachten
- Pflegeintervention konkretisieren
- Zeit angeben

Pflegefachgespräch führen
- Inhaltliche Ausrichtung des Gesprächs bestimmen
  - » Informationssammlung
  - » Pflege-, Betreuungs- und Behandlungsprozess
  - » Ursachenanalyse
  - » Strategien zur Krankheitsbewältigung
  - » Motivation/Aktivierung
  - » Alltagsbewältigung
  - » Förderung der Entscheidungsfindung
  - » Zukunftsperspektive
  - » Unterstützung der Orientierung
  - » Unterstützung des Realitätsbezugs
  - » Krisenintervention
  - » Aktuelle Bedürfnisse/Wünsche
  - » Instruktion/Anleitung
  - » Feed-back-Gespräch
  - » Sonstige Gesprächsinhalte
- Gesprächsteilnehmer
  - » Angehöriger/Bezugsperson
  - » Betroffene Person

- Zeitdauer des Gesprächs angeben

Klientenzentriertes Gespräch zur Klärung von vermuteten, unausgesprochenen Erwartungen führen
- Gesprächsinhalt
- Zeit angeben
- Beteiligte Personen angeben
  - » Betroffene Person
  - » Angehöriger/Bezugsperson
  - » Betreuer
  - » Eltern
  - » Sonstige Personen
- Durchführende Person angeben
  - » Bezugspflegeperson
  - » Pflegeperson
  - » Spezialtherapeuten
  - » Physiotherapeuten

Fallbesprechung zur weiteren Behandlungs- und Therapieplanung durchführen
- Beteiligte Personen angeben
  - » Bewohner
  - » Pflegeperson
  - » Ärztlicher Dienst
  - » Psychologe
  - » Sozialarbeiter
  - » Sozialpädagoge
  - » Ergotherapeut
  - » Krankengymnast
  - » Logopäde
  - » Beschäftigungstherapeut
  - » Heilpädagoge
  - » Geistlicher Beistand
  - » Lehrer
  - » Erzieher
  - » Jugendamt
  - » Sonstige Personen
- Gesprächsinhalt
  - » Vereinbarte Therapieziele
  - » Vereinbarte Gesprächsinhalte für ein klientenzentriertes Pflegefachgespräch
- Zeitdauer angeben

Indirekte Äußerungen des Patienten beachten und für ihn übersetzen
- Pflegeintervention konkretisieren
- Zeit angeben

Gespräch über die Behandlung ohne die dominante Bezugsperson führen
- Pflegeintervention konkretisieren
- Zeit angeben

Sonstige Pflegemaßnahmen durchführen
- Maßnahmen konkretisieren
- Zeit angeben

Literaturhinweise: 82, 83, 95, 101, 125, 173, 175, 176, 312, 385

Der Patient **kann nicht "Nein" sagen**, es besteht das **Risiko unerfüllter Bedürfnisse**

Kennzeichen

- Kann eigene Wünsche nicht benennen
- Übernimmt ständig Aufgaben/Aufträge für andere
- Verliert eigene Bedürfnisse aus dem Auge
- Wird in der eigenen Tagesstruktur durch die Anforderungen und Wünsche der Mitmenschen fremdbestimmt

Ursachen

- Mangelndes Selbstbewusstsein
- Fehlendes Selbstwertgefühl
- Unsichere Persönlichkeit

Ressourcen

- Kann Vertrauen zum Pflegepersonal aufbauen
- Zeigt Verhaltensweisen, die die Therapie unterstützen
- Auf Nachfrage werden Wünsche und Bedürfnisse mitgeteilt
- Akzeptiert die Unterstützung
- Akzeptiert die Unterstützung von Angehörigen

Pflegeziele

- Kann Mitmenschen Wünsche ausschlagen, ohne ein schlechtes Gewissen zu bekommen
- Kann Nein sagen und Wünsche anderer ausschlagen, ohne dabei ein schlechtes Gewissen zu haben
- Therapie- und Aktivitätsangebote sind individuell abgestimmt
- Macht die Erfahrung, dass Wünsche ausgeschlagen werden können, ohne dass "Liebesentzug" erfolgt
- Kennt Möglichkeiten, aktiv den Therapieer-

folg zu unterstützen
- Hält sich an Absprachen und unterstützt aktiv die Therapie
- Selbstkontrolle ist verbessert

Pflegeinterventionen

Nein sagen im Rollenspiel einüben
- Selbstsicherheitstraining konkretisieren
- Teilnehmende Personen angeben
- Zeitdauer der Gruppenangebote bestimmen

Anleiten, bewusst Wünsche auszuschlagen
- Pflegeintervention konkretisieren
- Zeit angeben

Unterstützend eingreifen, wenn der Patient von Mitmenschen ausgenutzt wird
- Pflegeintervention konkretisieren
- Zeit angeben

Fallbesprechung über den Pflege- und Behandlungsprozess führen
- Beteiligte Personen angeben
  - » Bewohner
  - » Pflegeperson
  - » Ärztlicher Dienst
  - » Psychologe
  - » Sozialarbeiter
  - » Sozialpädagoge
  - » Ergotherapeut
  - » Krankengymnast
  - » Logopäde
  - » Beschäftigungstherapeut
  - » Heilpädagoge
  - » Geistlicher Beistand
  - » Lehrer
  - » Erzieher
  - » Jugendamt
  - » Sonstige Personen
- Gesprächsinhalt
  - » Vereinbarte Therapieziele
  - » Vereinbarte Gesprächsinhalte für ein klientenzentriertes Pflegefachgespräch
- Zeitdauer angeben

Feed-back im Gruppengespräch ermöglichen
- Gruppentherapie konkretisieren
- Zeitdauer des Gruppengesprächs bestimmen

Therapieziele gemeinsam vereinbaren und kontinuierlich reflektieren
- Maßnahmen konkretisieren
  - » Goal Attainment Scale einsetzen (= Zielerreichungsskala)
  - » Punkteplan einsetzen
- Zeit angeben

Sonstige Pflegemaßnahmen durchführen
- Maßnahmen konkretisieren
- Zeit angeben

Literaturhinweise: 47, 82, 83, 95, 101, 125, 173, 175, 176, 370

ENP-Praxis » Handlung/Verhalten

Der Patient ist in der **Fähigkeit beeinträchtigt**, sich an den **veränderten Gesundheitszustand anzupassen**

Kennzeichen

- Verleugnet den veränderten Gesundheitszustand
- Zeigt fehlende und/oder unzureichende Problem- und Zielerfassung
- Veränderter Gesundheitszustand wird nicht angenommen, Anpassung an die Lebenssituation fehlt
- Kann für sich keine (Lebens-)Perspektiven formulieren
- Äußert Gefühle wie Angst, Furcht und Ärger
- Zeigt depressives Verhalten
- Zieht sich vom sozialen Geschehen zurück
- Verschiebt Entscheidungen bezüglich des Behandlungsprozesses
- Bagatellisiert die Symptome
- Verhält sich gegenüber den Bezugspersonen aggressiv
- Verhält sich gegenüber dem Personal aggressiv

Ursachen

- Fehlender sozialer Rückhalt
- Reduzierte positive Selbsteinschätzung
- Nicht bewältigter Trauerprozess
- Eingeschränkte kognitive Fähigkeiten
- Verlust und/oder Trennung von wichtigen Bezugspersonen
- Wahrnehmungsfähigkeit ist beeinträchtigt
- Störung des Ich-Erlebens
- Denk- und Sprachstörung
- Chronische Krankheit
- Querschnittslähmung
- Alkoholabhängigkeit
- Morbus Parkinson
- Morbus Alzheimer
- Diabetes mellitus
- Progredienter Tumor
- Asthma bronchiale
- Fehlende Unterstützung aus dem sozialen Umfeld/von Angehörigen/Bezugspersonen
- Unkoordinierte Handlungen/Aktionismus von Angehörigen erschweren die Anpassung des Betroffenen
- Beeinträchtigte Motivation, sich den veränderten Anforderungen anzupassen
- Sich überschneidende therapeutische Anforderungen
- Fehlende Motivation
- Deprivationssyndrom (Hospitalismus)
- Chronische respiratorische Insuffizienz

Ressourcen

- Kann die gesundheitliche Einschränkung richtig erfassen und einschätzen
- Zeigt Bereitschaft, an der Krankheitsbewältigung zu arbeiten
- Hat das physische Potenzial, die Krankheitsfolgen zu kompensieren
- Erfährt Rückhalt in der sozialen Umgebung
- Akzeptiert die Unterstützung
- Akzeptiert die Unterstützung von Angehörigen

Pflegeziele

- Akzeptiert die Lebenssituation und kann sich mit ihr arrangieren
- Angehörige sind über ernährungsrelevante Aspekte informiert
- Selbstständigkeit ist gefördert
- Behandlungs- und Therapiekonzept sind transparent und vom therapeutischen Team umgesetzt
- Aktive Beteiligung an der Behandlungsplanung ist sichergestellt
- Entwickelt Lösungswege im Gespräch
- Entwickelt Strategien und Bewältigungsformen, um den Alltag zu meistern
- Kann realistische Ziele formulieren
- Angehörige/Bezugspersonen entwickeln Verständnis für die Situation des Betroffenen

Pflegeinterventionen

Pflegeprozessplanung gemeinsam gestalten

- Themenschwerpunkte angeben
- Zeit angeben

Informations-/Beratungsgespräche mit Angehörigen durchführen

- Themenschwerpunkt des Gesprächs angeben
  - » Pflege-, Betreuungs- und Behandlungsprozess
  - » Alltagsbewältigung
  - » Instruktion/Anleitung
  - » Motivation/Aktivierung
  - » Strategien zur Krankheitsbewältigung
  - » Förderung der Entscheidungsfindung
  - » Überleitung/Entlassung
  - » Sonstige Gesprächsinhalte
- Gesprächsteilnehmer
  - » Betroffener
  - » Angehöriger/Bezugsperson
- Zeitdauer des Gesprächs angeben

Neue Möglichkeiten zum Erlernen von Bewältigungsstrategien im Gespräch vereinbaren

- Bewältigungsstrategien angeben
  - » Alltagskompetenzen ritualisieren
  - » Neue Bewegungsmuster erlernen
  - » Logopädische Maßnahmen ergreifen
  - » Ergotherapeutische Maßnahmen ergreifen
  - » Sonstige therapeutische Maßnahmen ergreifen
- Zeitdauer des Gesprächs bestimmen

Fallbesprechung zur weiteren Behandlungs- und Therapieplanung durchführen

- Beteiligte Personen angeben
  - » Bewohner
  - » Pflegeperson
  - » Ärztlicher Dienst
  - » Psychologe
  - » Sozialarbeiter
  - » Sozialpädagoge
  - » Ergotherapeut

- » Krankengymnast
  - » Logopäde
  - » Beschäftigungstherapeut
  - » Heilpädagoge
  - » Geistlicher Beistand
  - » Lehrer
  - » Erzieher
  - » Jugendamt
  - » Sonstige Personen
- Gesprächsinhalt
  - » Vereinbarte Therapieziele
  - » Vereinbarte Gesprächsinhalte für ein klientenzentriertes Pflegefachgespräch
- Zeitdauer angeben

Klientenzentriertes Gespräch zur Entwicklung von Lösungswegen für die aktuelle Gesundheitssituation führen
- Gesprächsinhalt
- Zeit angeben
- Beteiligte Personen angeben
  - » Betroffene Person
  - » Angehöriger/Bezugsperson
  - » Betreuer
  - » Eltern
  - » Sonstige Personen
- Durchführende Person angeben
  - » Bezugspflegeperson
  - » Pflegeperson
  - » Spezialtherapeuten
  - » Physiotherapeuten

Bei der Anpassung der Alltagsroutine unterstützen
- Pflegeintervention konkretisieren
- Zeit angeben

Realistische Ziele bezüglich des Therapie- und Behandlungsprozesses vereinbaren und regelmäßig evaluieren
- Gesprächsinhalt
- Zeit angeben
- Beteiligte Personen angeben
  - » Betroffene Person
  - » Angehöriger/Bezugsperson
  - » Betreuer
  - » Eltern
  - » Sonstige Personen
- Durchführende Person angeben
  - » Bezugspflegeperson
  - » Pflegeperson
  - » Spezialtherapeuten
  - » Physiotherapeuten

Therapiepause auf Wunsch vereinbaren
- Pflegeintervention konkretisieren
- Zeit angeben

Klientenzentriertes Gespräch führen
- Inhaltliche Ausrichtung des Gesprächs bestimmen
  - » Informationssammlung
  - » Pflege-, Betreuungs- und Behandlungsprozess
  - » Ursachenanalyse
  - » Strategien zur Krankheitsbewältigung
  - » Motivation/Aktivierung
  - » Alltagsbewältigung
  - » Förderung der Entscheidungsfindung
  - » Zukunftsperspektive
  - » Unterstützung der Orientierung
  - » Unterstützung des Realitätsbezugs
  - » Krisenintervention
  - » Aktuelle Bedürfnisse/Wünsche
  - » Instruktion/Anleitung
  - » Feed-back-Gespräch
  - » Sonstige Gesprächsinhalte
- Gesprächsteilnehmer
  - » Angehöriger/Bezugsperson
  - » Betroffene Person
- Zeitdauer des Gesprächs angeben

Sonstige Pflegemaßnahmen durchführen
- Maßnahmen konkretisieren
- Zeit angeben

Literaturhinweise: 47, 51, 95, 125, 175, 176, 350, 372, 374, 983

Der Patient ist in der Fähigkeit, **sich veränderten Lebensumständen anzupassen**, beeinträchtigt

Kennzeichen

- Schlafstörungen
- Spricht über die Suizidabsicht
- Missglückter Suizidversuch
- Substanzmissbrauch
- Schwänzt die Schule
- Läuft weg
- Schlechte Schulnoten
- Depressive Verstimmung
- Regressive Phänomene
- Einnässen bei Tag
- Enuresis nocturna (nächtliches Einnässen)
- Enkopresis (Einkoten)
- Nächtliches Einkoten (Enkopresis)
- Daumenlutschen
- Nägelbeißen
- Babysprache
- Vegetative Symptome
- Tics (Zwinkern, Blinzeln, Schulterzucken, Grimassen schneiden usw.)
- Selbstverletzungen
- Somatisiert
- Verschiebt Entscheidungen bezüglich des Behandlungsprozesses
- Bagatellisiert die Symptome

Ursachen

- Veränderte Lebensumstände
- Umzug
- Neues soziales Milieu
- Schulwechsel
- Trennung von Eltern/Bezugsperson aufgrund von richterlichem Beschluss
- Trennung von Eltern/Bezugsperson aufgrund einer medizinischen Indikation des Bewohners
- Emigration
- Veränderte Lebensumstände durch einen Trauerfall
- Unterbringungsmaßnahme in einer Einrichtung
- Verdrängte, traumatische Erlebnisse
- Fehlende Unterstützung aus dem sozialen

Umfeld/von Angehörigen/Bezugspersonen
- Unkoordinierte Handlungen/Aktionismus von Angehörigen erschweren die Anpassung des Betroffenen
- Beeinträchtigte Motivation, sich den veränderten Anforderungen anzupassen

Ressourcen

- Akzeptiert die Unterstützung
- Akzeptiert die Unterstützung von Angehörigen

Pflegeziele

- Lernt, Bewältigungsstrategien einzusetzen und sich an die veränderte Lebenssituation anzupassen
- Nimmt Kontakt zu Freunden/Angehörigen auf
- Baut soziale Kontakte auf und pflegt diese
- Entwickelt eigene Lösungswege
- Erkennt die Notwendigkeit der Verhaltensänderung
- Nimmt soziale Situationen differenzierter wahr
- Ist sozial integriert
- Übernimmt Mitverantwortung in der Gruppe
- Soziales Lernen ist unterstützt
- Integriert sich in das Gruppengeschehen
- Kennt die Spielregeln in sozialen Gemeinschaften
- Behandlungs- und Therapiekonzept sind transparent und vom therapeutischen Team umgesetzt
- Aktive Beteiligung an der Behandlungsplanung ist sichergestellt
- Angehörige/Bezugspersonen entwickeln Verständnis für die Situation des Betroffenen
- Nimmt Gefühle wahr und artikuliert diese adäquat
- Selbstvertrauen in eigene Kompetenzen/Fähigkeiten ist gefördert
- Ein positives Selbstkonzept ist gefördert
- Erkennt und integriert in angemessener Weise die Veränderungen in seinem/ ihrem Selbstkonzept
- Ist in den Tagesablauf aktiv integriert
- Ist aktiviert und beteiligt sich an den Milieuprozessen
- Entwickelt Verhaltensweisen, die das Leben in der Gemeinschaft fördern
- Erfüllt die Rollenerwartungen
- Selbstwertgefühl ist gestärkt
- Setzt die vereinbarten Verhaltensänderungen um
- Nimmt positive Ereignisse bzw. Dinge wahr und kann darüber berichten
- Benennt positive Aspekte von Ereignissen und Erlebnissen
- Soziale Kompetenzen sind gefördert
- Spricht Konflikte/Empfindungen in der Gruppe an
- Adäquate Konfliktlösungsstrategien sind entwickelt

Pflegeinterventionen

Verhaltensweisen beobachten und dokumentieren
- Beobachtungskriterien bestimmen
  - » Sozialverhalten
  - » Sozialkontakte
  - » Belastbarkeit
  - » Strukturierung des Tages
  - » Ordnung bzw. Organisation des Lebens
  - » Körperliche/geistige Beeinträchtigung
  - » Coping-Fähigkeiten
  - » Freizeitgestaltung
  - » Arbeitsbereich
- Ergebnisse dokumentieren
  - » Verhaltenstagebuch verwenden
  - » Verhaltenskurve verwenden
  - » Zeitabschnittsbogen verwenden
  - » Zeitdauerprotokoll verwenden
  - » Häufigkeitsbogen verwenden
  - » Zusammenfassenden Bericht über die Beobachtungen verfassen

Stressoren identifizieren und Anpassungsmöglichkeiten entwickeln
- Gesprächsinhalt
- Zeit angeben
- Beteiligte Personen angeben
  - » Betroffene Person
  - » Angehöriger/Bezugsperson
  - » Betreuer
  - » Eltern
  - » Sonstige Personen
- Durchführende Person angeben
  - » Bezugspflegeperson
  - » Pflegeperson
  - » Spezialtherapeuten
  - » Physiotherapeuten

Den Aufbau eines stützenden sozialen Umfelds fördern
- Netzwerke bestimmen, die aufgebaut/gefördert werden können
  - » Netzwerk Familie
  - » Netzwerk Freundeskreis
  - » Netzwerk Arbeitsfeld
  - » Netzwerk Glaubensgemeinschaft
  - » Netzwerk Freizeitaktivität/Hobby
  - » Selbsthilfegruppe
  - » Sonstige Netzwerke
- Zeitdauer der Intervention bestimmen
- Gesprächspartner bestimmen
  - » Angehöriger/Bezugsperson
  - » Betreuer
  - » Freunde
  - » Arbeitgeber
  - » Arbeitskollegen
  - » Ämter
  - » Kirchenvertreter
  - » Nachbarn
  - » Sonstige Personen

Im klientenzentrierten Gespräch bestehende Schwierigkeiten analysieren und Problemlösungen entwickeln
- Gesprächsinhalt
- Zeit angeben
- Beteiligte Personen angeben
  - » Betroffene Person
  - » Angehöriger/Bezugsperson
  - » Betreuer
  - » Eltern
  - » Sonstige Personen
- Durchführende Person angeben
  - » Bezugspflegeperson
  - » Pflegeperson
  - » Spezialtherapeuten
  - » Physiotherapeuten

Gesellschaftliche/soziale Aktivitäten fördern
- Stationsaktivität angeben
  - » Gemeinsam aktuelle Zeitungen/Magazine lesen
  - » Kinoabend im Wohn-/Stationsbereich durchführen
  - » Spielnachmittag besuchen
  - » Mahlzeiten gemeinsam einnehmen
  - » Tanznachmittag besuchen
  - » Kirchenbesuch durchführen
  - » Spazieren gehen
  - » Singstunde besuchen
  - » An Festaktivitäten teilnehmen
  - » Am Sonntagsfrühstück teilnehmen
  - » Aktivitäten im Zusammenhang, den Gemeinschaftsraum zu gestalten
  - » Zur Milieugestaltung malen/basteln
- Einrichtungsspezifische Aktivität wählen
- Zeitdauer der Aktivitäten bestimmen

Fallbesprechung zur weiteren Behandlungs- und Therapieplanung durchführen
- Beteiligte Personen angeben
  - » Bewohner
  - » Pflegeperson
  - » Ärztlicher Dienst
  - » Psychologe
  - » Sozialarbeiter
  - » Sozialpädagoge
  - » Ergotherapeut
  - » Krankengymnast
  - » Logopäde
  - » Beschäftigungstherapeut
  - » Heilpädagoge
  - » Geistlicher Beistand
  - » Lehrer
  - » Erzieher

  - » Jugendamt
  - » Sonstige Personen
- Gesprächsinhalt
  - » Vereinbarte Therapieziele
  - » Vereinbarte Gesprächsinhalte für ein klientenzentriertes Pflegefachgespräch
- Zeitdauer angeben

Klientenzentriertes Gespräch führen
- Inhaltliche Ausrichtung des Gesprächs bestimmen
  - » Informationssammlung
  - » Pflege-, Betreuungs- und Behandlungsprozess
  - » Ursachenanalyse
  - » Strategien zur Krankheitsbewältigung
  - » Motivation/Aktivierung
  - » Alltagsbewältigung
  - » Förderung der Entscheidungsfindung
  - » Zukunftsperspektive
  - » Unterstützung der Orientierung
  - » Unterstützung des Realitätsbezugs
  - » Krisenintervention
  - » Aktuelle Bedürfnisse/Wünsche
  - » Instruktion/Anleitung
  - » Feed-back-Gespräch
  - » Sonstige Gesprächsinhalte
- Gesprächsteilnehmer
  - » Angehöriger/Bezugsperson
  - » Betroffene Person
- Zeitdauer des Gesprächs angeben

Selbstkonzept/-bild/-wert und soziale Kompetenzen in Einzeltherapie fördern
- Einzeltherapeutisches Angebot angeben
  - » Selbstsicherheitstraining durchführen
  - » Genusstherapie durchführen
  - » Verhaltenstherapie durchführen
  - » Assertiveness-Training-Programm (ATP) durchführen
  - » Integriertes Psychologisches Therapieprogramm (IPT) durchführen
  - » Positiven Tagesrückblick durchführen
  - » Musiktherapie durchführen
  - » Gestalttherapie durchführen
  - » Maltherapie durchführen
  - » Kognitives Einzeltraining durchführen
  - » Rollenspiele durchführen
  - » Erinnerungstherapie durchführen
  - » Achtsamkeitstraining durchführen
  - » Anti-Phobie/Angst-Training durchführen
- Einrichtungsspezifische Aktivität wählen
- Zeitdauer der Einzelförderung bestimmen

Selbstkonzept/-bild/-wert und soziale Kompetenzen in Gruppentherapie fördern
- Gruppentherapeutisches Angebot angeben
  - » Selbstsicherheitstraining durchführen
  - » Genusstherapie durchführen
  - » Verhaltenstherapie durchführen
  - » Assertiveness-Training-Programm (ATP) durchführen
  - » Integriertes Psychologisches Therapieprogramm (IPT) durchführen
  - » Kognitive Therapiegruppe besuchen
  - » Musiktherapie durchführen
  - » Gestalttherapie durchführen
  - » Maltherapie durchführen
  - » Märchen-/Literaturgruppe besuchen
  - » Rollenspiele durchführen
  - » Interaktionsspiele zur Persönlichkeitsentwicklung durchführen
  - » Am Gesprächskreis im Erinnerungsraum teilnehmen
  - » Achtsamkeitstraining durchführen
  - » Anti-Phobie/Angst-Training durchführen
- Einrichtungsspezifische Aktivität wählen
- Zeitdauer der Gruppentherapie bestimmen

Milieutherapeutische Aktivitäten im Wohn-/Stationsbereich durchführen
- Stationsaktivität angeben
  - » Gemeinsam aktuelle Zeitungen/Magazine lesen
  - » Kinoabend im Wohn-/Stationsbereich durchführen
  - » Spielnachmittag besuchen
  - » Mahlzeiten gemeinsam einnehmen
  - » Tanznachmittag besuchen
  - » Kirchenbesuch durchführen
  - » Spazieren gehen
  - » Singstunde besuchen
  - » An Festaktivitäten teilnehmen
  - » Am Sonntagsfrühstück teilnehmen
  - » Aktivitäten im Zusammenhang, den Gemeinschaftsraum zu gestalten
  - » Zur Milieugestaltung malen/basteln
- Einrichtungsspezifische Aktivität wählen
- Zeitdauer der Aktivitäten bestimmen

Gewünschtes Verhalten positiv verstärken
- Maßnahmen konkretisieren
  - » Gewünschtes Verhalten durch Lob fördern
  - » Im therapeutischen Team Verhaltensweisen zur Stärkung des Selbstkonzepts vereinbaren
  - » Einüben, sich selbst zu belohnen

Positiven Tagesrückblick in der Gruppe durchführen
- Pflegeintervention konkretisieren
- Zeitdauer des Gruppengesprächs bestimmen

Gesprächstherapeutische Gruppenaktivität durchführen
- Therapiegruppe angeben
  - » An Stationsgesprächsrunde/-meeting/-forum teilnehmen
  - » An Gesprächskreis über tagesaktuelle Themen teilnehmen
  - » Wochenendgruppe besuchen
  - » Konfliktgruppe besuchen
  - » Morgenrunde besuchen
  - » Kritikgruppe besuchen
- Einrichtungsspezifische Aktivität wählen
- Zeitdauer der Gruppenangebote bestimmen

Sonstige Pflegemaßnahmen durchführen
- Maßnahmen konkretisieren
- Zeit angeben

Literaturhinweise: 372, 373, 374

Der Patient ist in der **Fähigkeit**, eigenes **Verhalten innerhalb sozial definierter Regeln angemessen einzuhalten** und sich zu kontrollieren, **beeinträchtigt**

Kennzeichen

- Ärgert gezielt Mitmenschen
- Schuld wird auf andere projiziert
- Droht und schüchtert Mitmenschen ein
- Fängt oft einen Streit an
- Benutzt zum Austragen eines Streits Gewalt
- Ist gegenüber Mitmenschen grausam
- Ist gegenüber Tieren grausam
- Stiehlt mit Gewaltanwendung
- Richtet absichtlich Schaden an
- Entfernt sich ohne Erlaubnis von der Gemeinschaft

Ursachen

- Interpretiert neutrale Äußerungen aus dem Umfeld als Angriff
- Fehlendes Selbstwertgefühl
- Geringes Selbstwertgefühl
- Fördernde Eltern-Kind-Interaktionsmuster
- Psychiatrisch erkrankte Eltern
- Ungenügende Grenzsetzung der Eltern
- Drogenabusus der Eltern/eines Elternteils
- Vernachlässigung durch die Eltern
- Fehlende(s) Lob und Anerkennung

Ressourcen

- Kann Hilfe annehmen
- Ist an einer Problemlösung interessiert
- Ist zur Kontaktaufnahme mit Angehörigen/Bezugspersonen bereit
- Angehörige sind zur Kontaktaufnahme bereit
- Ist motiviert, neu zu lernen
- Kognitive Fähigkeiten, neu zu lernen, sind vorhanden

Pflegeziele

- Entwickelt eigene Lösungswege
- Erkennt die Notwendigkeit der Verhaltensänderung
- Nimmt soziale Situationen differenzierter wahr
- Körperwahrnehmung ist aktiviert und stimuliert
- Ist körperlich fit
- Selbstvertrauen in die Leistungsfähigkeit des eigenen Körpers ist gestärkt
- Körperliche Fitness ist gefördert
- Ist in den Tagesablauf aktiv integriert
- Ist aktiviert und beteiligt sich an den Milieuprozessen
- Entwickelt Verhaltensweisen, die das Leben in der Gemeinschaft fördern
- Selbstständigkeit ist gefördert
- Vorhandene Kompetenzen in der selbstständigen Lebensführung erhalten
- Kompetenzen der selbstständigen Lebensführung fördern
- Selbstwertgefühl ist gestärkt
- Nimmt Gefühle wahr und artikuliert diese adäquat
- Soziale Kompetenzen sind gefördert
- Spricht Konflikte/Empfindungen in der Gruppe an
- Adäquate Konfliktlösungsstrategien sind entwickelt
- Nimmt positive Ereignisse bzw. Dinge wahr und kann darüber berichten
- Benennt positive Aspekte von Ereignissen und Erlebnissen
- Kennt Möglichkeiten, aktiv den Therapieerfolg zu unterstützen
- Hält sich an Absprachen und unterstützt aktiv die Therapie
- Selbstkontrolle ist verbessert
- Erfüllt die Rollenerwartungen
- Setzt die vereinbarten Verhaltensänderungen um
- Kennt die Stationsordnung und hält diese ein
- Hält die vorgegebene/vereinbarte Tagesstruktur ein
- Kennt die Spielregeln und Grenzen der Station
- Normgemäßes Verhalten wird belohnt
- Tagesablauf ist geregelt
- Geplante Aktivitäten werden eingehalten
- Übernimmt Eigenverantwortung in der Tagesgestaltung
- Hält die vereinbarten Regeln ein
- Nimmt eigene Wünsche und Bedürfnisse wahr
- Steht zu Entscheidungen und übernimmt dafür die Verantwortung
- Verbalisiert Wünsche und Bedürfnisse deutlich und fordert sie ein
- Erkennt Zusammenhänge zwischen eigenem Verhalten und Pflegediagnose
- Entwickelt Lösungswege im Gespräch
- Ist sozial integriert
- Übernimmt Mitverantwortung in der Gruppe
- Soziales Lernen ist unterstützt
- Integriert sich in das Gruppengeschehen
- Kennt die Spielregeln in sozialen Gemeinschaften
- Gefestigte Tagesstruktur ist aufgebaut
- Selbstvertrauen in eigene Kompetenzen/Fähigkeiten ist gefördert
- Körperliche Geschicklichkeit ist gefördert
- Zugang zu den eigenen Empfindungen ist unterstützt
- Eltern lernen, das Verhalten des Kindes in der häuslichen Umgebung zu steuern
- Behandlungs- und Therapiekonzept sind transparent und vom therapeutischen Team umgesetzt
- Aktive Beteiligung an der Behandlungsplanung ist sichergestellt

Pflegeinterventionen

Verhaltensweisen beobachten und dokumentieren

- Beobachtungskriterien bestimmen
  - » Sozialverhalten
  - » Sozialkontakte
  - » Belastbarkeit
  - » Strukturierung des Tages
  - » Ordnung bzw. Organisation des Lebens
  - » Körperliche/geistige Beeinträchtigung
  - » Coping-Fähigkeiten

- » Freizeitgestaltung
- » Arbeitsbereich
- Ergebnisse dokumentieren
  - » Verhaltenstagebuch verwenden
  - » Verhaltenskurve verwenden
  - » Zeitabschnittsbogen verwenden
  - » Zeitdauerprotokoll verwenden
  - » Häufigkeitsbogen verwenden
  - » Zusammenfassenden Bericht über die Beobachtungen verfassen

Im klientenzentrierten Gespräch bestehende Schwierigkeiten analysieren und Problemlösungen entwickeln

- Gesprächsinhalt
- Zeit angeben
- Beteiligte Personen angeben
  - » Betroffene Person
  - » Angehöriger/Bezugsperson
  - » Betreuer
  - » Eltern
  - » Sonstige Personen
- Durchführende Person angeben
  - » Bezugspflegeperson
  - » Pflegeperson
  - » Spezialtherapeuten
  - » Physiotherapeuten

Körperbezogene Therapieangebote/Aktivitäten durchführen

- Maßnahmen konkretisieren
  - » Morgengymnastik durchführen
  - » Fitnesstraining durchführen
  - » Schwimmen gehen
  - » Bewegungsbad durchführen
  - » Wasserjogging durchführen
  - » Konzentrative Körperarbeit leisten
  - » Körpertherapie durchführen
  - » Sport in Form von Spielen machen
  - » An der Seniorengymnastik teilnehmen
  - » Konzentrative Bewegungstherapie durchführen
  - » Tanztherapie durchführen
- Einrichtungsspezifische Aktivität wählen
- Zeit angeben

Milieutherapeutische Aktivitäten im Wohn-/Stationsbereich durchführen

- Stationsaktivität angeben
  - » Gemeinsam aktuelle Zeitungen/Magazine lesen
  - » Kinoabend im Wohn-/Stationsbereich durchführen
  - » Spielnachmittag besuchen
  - » Mahlzeiten gemeinsam einnehmen
  - » Tanznachmittag besuchen
  - » Kirchenbesuch durchführen
  - » Spazieren gehen
  - » Singstunde besuchen
  - » An Festaktivitäten teilnehmen
  - » Am Sonntagsfrühstück teilnehmen
  - » Aktivitäten im Zusammenhang, den Gemeinschaftsraum zu gestalten
  - » Zur Milieugestaltung malen/basteln
- Einrichtungsspezifische Aktivität wählen
- Zeitdauer der Aktivitäten bestimmen

Lebenspraktisches Einzeltraining durchführen

- Einzeltraining konkretisieren
  - » Aus der Tageszeitung vorlesen und aktuelle Themen diskutieren
  - » Mahlzeiten kochen
  - » Einkaufen gehen
  - » Küchendienst übernehmen
  - » Zimmer reinigen
  - » Tisch für die Mahlzeiten decken/abdecken
  - » Blumen-/Pflanzenpflege durchführen
  - » Wäsche versorgen
- Einrichtungsspezifische Aktivität wählen
- Art der Unterstützungsleistung angeben
  - » Beim Durchführen anleiten
  - » Beim Durchführen beaufsichtigen
  - » Durchgeführte Tätigkeiten im Pflegefachgespräch reflektieren
  - » Gemeinsam partnerschaftlich durchführen
- Zeitdauer der Einzelförderung bestimmen

Lebenspraktisches Gruppentraining durchführen

- Gruppentraining konkretisieren
  - » Gemeinsam Mahlzeiten kochen und einnehmen
  - » Gemeinsam einkaufen
  - » An der Kosmetikgruppe teilnehmen
  - » Feste planen, vorbereiten und durchführen
  - » An der Hauswirtschaftsgruppe teilnehmen
- Einrichtungsspezifische Aktivität wählen
- Art der Unterstützungsleistung angeben
  - » Auffordern, den Termin des Gruppenangebots einzuhalten
  - » Zur Teilnahme an den Aktivitäten motivieren
  - » Bei den Gruppenaktivitäten unterstützen
  - » Nach der Aktivität Reflexionsgespräch führen
- Zeitdauer der Gruppentherapie bestimmen

Selbstkonzept/-bild/-wert und soziale Kompetenzen in Einzeltherapie fördern

- Einzeltherapeutisches Angebot angeben
  - » Selbstsicherheitstraining durchführen
  - » Genusstherapie durchführen
  - » Verhaltenstherapie durchführen
  - » Assertiveness-Training-Programm (ATP) durchführen
  - » Integriertes Psychologisches Therapieprogramm (IPT) durchführen
  - » Positiven Tagesrückblick durchführen
  - » Musiktherapie durchführen
  - » Gestalttherapie durchführen
  - » Maltherapie durchführen
  - » Kognitives Einzeltraining durchführen
  - » Rollenspiele durchführen
  - » Erinnerungstherapie durchführen
  - » Achtsamkeitstraining durchführen
  - » Anti-Phobie/Angst-Training durchführen
- Einrichtungsspezifische Aktivität wählen
- Zeitdauer der Einzelförderung bestimmen

Selbstkonzept/-bild und soziale Kompetenzen in Gruppentherapie fördern

- Gruppentherapeutisches Angebot angeben
  - » Selbstsicherheitstraining durchführen
  - » Genusstherapie durchführen
  - » Verhaltenstherapie durchführen
  - » Assertiveness-Training-Programm (ATP) durchführen
  - » Integriertes Psychologisches Therapieprogramm (IPT) durchführen
  - » Kognitive Therapiegruppe besuchen
  - » Musiktherapie durchführen
  - » Gestalttherapie durchführen
  - » Maltherapie durchführen
  - » Märchen-/Literaturgruppe besuchen
  - » Rollenspiele durchführen
  - » Interaktionsspiele zur Persönlichkeitsentwicklung durchführen
  - » Am Gesprächskreis im Erinnerungsraum teilnehmen
  - » Achtsamkeitstraining durchführen
  - » Anti-Phobie/Angst-Training durchführen
- Einrichtungsspezifische Aktivität wählen
- Zeitdauer der Gruppentherapie bestimmen

Gesprächstherapeutische Gruppenaktivität durchführen

- Therapiegruppe angeben
  - » An Stationsgesprächsrunde/-meeting/-forum teilnehmen
  - » An Gesprächskreis über tagesaktuelle Themen teilnehmen
  - » Wochenendgruppe besuchen
  - » Konfliktgruppe besuchen
  - » Morgenrunde besuchen
  - » Kritikgruppe besuchen
- Einrichtungsspezifische Aktivität wählen
- Zeitdauer der Gruppenangebote bestimmen

Positiven Tagesrückblick in der Gruppe durchführen

- Pflegeintervention konkretisieren
- Zeitdauer des Gruppengesprächs bestimmen

Bewegungsfördernde/sportliche Aktivitäten durchführen

- Maßnahmen konkretisieren
  - » Morgengymnastik durchführen
  - » Fitnesstraining durchführen
  - » Schwimmen gehen
  - » Bewegungsbad durchführen
  - » Wasserjogging durchführen
  - » Konzentrative Körperarbeit leisten
  - » Körpertherapie durchführen
  - » Sport in Form von Spielen machen
  - » An der Seniorengymnastik teilnehmen
  - » Konzentrative Bewegungstherapie durchführen

- » Tanztherapie durchführen
- Einrichtungsspezifische Aktivität wählen
- Zeit angeben

Therapieziele gemeinsam vereinbaren und kontinuierlich reflektieren
- Maßnahmen konkretisieren
  - » Goal Attainment Scale einsetzen (= Zielerreichungsskala)
  - » Punkteplan einsetzen
- Zeit angeben

Gewünschtes Verhalten positiv verstärken
- Maßnahmen konkretisieren
  - » Gewünschtes Verhalten durch Lob fördern
  - » Im therapeutischen Team Verhaltensweisen zur Stärkung des Selbstkonzepts vereinbaren
  - » Einüben, sich selbst zu belohnen

Erkennbare, klare Grenzen ziehen und die therapeutische Distanz wahren
- Pflegeintervention konkretisieren
- Zeit angeben

Für die genaue Einhaltung der Vereinbarungen sorgen
- Pflegeintervention konkretisieren
- Zeit angeben

Belohnungssystem mit Punkteplan durchführen
- Pflegeintervention konkretisieren
- Zeit angeben

Tages-/Aktivitätenplan verwenden
- Bezugsperson festlegen
- Pflegeintervention konkretisieren
  - » Tages-/Wochenplan erstellen
  - » Aktivitätenplan erstellen
  - » Tages- und Wochenpläne besprechen
  - » Durchgeführte Aktivitäten besprechen
  - » Lebenspraktische Inhalte besprechen
- Fest verbindlichen Tagesplan vereinbaren
  - » Mit Kontrollmöglichkeit
  - » Ohne Kontrollmöglichkeit
  - » In Eigenverantwortung
  - » In Verantwortung der Bezugsperson
  - » Tagesaktivitäten auswerten und reflektieren
- Dauer bestimmen

Problemlösungstraining mit Zielerreichungsbewertung durchführen
- Therapie konkretisieren
- Zeit angeben
- Beteiligte Personen angeben

Regelplan täglich auswerten, bei Regelverstößen Konsequenzen vereinbaren und realisieren
- Gesprächsinhalt
- Zeit angeben

Pflegefachgespräch führen
- Inhaltliche Ausrichtung des Gesprächs bestimmen
  - » Informationssammlung
  - » Pflege-, Betreuungs- und Behandlungsprozess
  - » Ursachenanalyse
  - » Strategien zur Krankheitsbewältigung
  - » Motivation/Aktivierung
  - » Alltagsbewältigung
  - » Förderung der Entscheidungsfindung
  - » Zukunftsperspektive
  - » Unterstützung der Orientierung
  - » Unterstützung des Realitätsbezugs
  - » Krisenintervention
  - » Aktuelle Bedürfnisse/Wünsche
  - » Instruktion/Anleitung
  - » Feed-back-Gespräch
  - » Sonstige Gesprächsinhalte
- Gesprächsteilnehmer
  - » Angehöriger/Bezugsperson
  - » Betroffene Person
- Zeitdauer des Gesprächs angeben

Gesellschaftliche/soziale Aktivitäten fördern
- Stationsaktivität angeben
  - » Gemeinsam aktuelle Zeitungen/Magazine lesen
  - » Kinoabend im Wohn-/Stationsbereich durchführen
  - » Spielnachmittag besuchen
  - » Mahlzeiten gemeinsam einnehmen
  - » Tanznachmittag besuchen
  - » Kirchenbesuch durchführen
  - » Spazieren gehen
  - » Singstunde besuchen
  - » An Festaktivitäten teilnehmen
  - » Am Sonntagsfrühstück teilnehmen
  - » Aktivitäten im Zusammenhang, den Gemeinschaftsraum zu gestalten
  - » Zur Milieugestaltung malen/basteln
- Einrichtungsspezifische Aktivität wählen
- Zeitdauer der Aktivitäten bestimmen

Freizeit mit Spielen in der Gruppe gestalten
- Maßnahmen konkretisieren
  - » Volleyball spielen
  - » Tischtennis spielen
  - » Handball spielen
  - » Fußball spielen
  - » Federball spielen
  - » Tennis spielen
- Einrichtungsspezifische Aktivität wählen
- Gesellschaftsspiele spielen
  - » Mensch ärgere Dich nicht
  - » Monopoly
  - » Mikado
  - » Domino
  - » Kartenspiele
- Einrichtungsspezifische Aktivität wählen
- Unter Beteiligung von Pflegepersonen aktivieren

Beschäftigungstherapie in der Gruppe durchführen
- Maßnahmen konkretisieren
  - » Malen
  - » Werken
  - » Töpfern
  - » Collagen gestalten
  - » Batiken
  - » Seidenmalerei betreiben
  - » Weben
  - » Holzarbeiten anfertigen
  - » Flechtarbeiten anfertigen
- Einrichtungsspezifische Aktivität wählen
- Zeitdauer der Gruppentherapie bestimmen

Elterntraining durchführen
- Elterntraining konkretisieren
  - » Zeitmanagement und Tagesstrukturierung
  - » Regeln setzen
  - » Beobachten und beschreiben lernen
  - » Handlungsspielräume entwickeln
- Zeit angeben

Fallbesprechung zur weiteren Behandlungs- und Therapieplanung durchführen
- Beteiligte Personen angeben
  - » Bewohner
  - » Pflegeperson
  - » Ärztlicher Dienst
  - » Psychologe
  - » Sozialarbeiter
  - » Sozialpädagoge
  - » Ergotherapeut
  - » Krankengymnast
  - » Logopäde
  - » Beschäftigungstherapeut
  - » Heilpädagoge
  - » Geistlicher Beistand
  - » Lehrer
  - » Erzieher
  - » Jugendamt
  - » Sonstige Personen
- Gesprächsinhalt
  - » Vereinbarte Therapieziele
  - » Vereinbarte Gesprächsinhalte für ein klientenzentriertes Pflegefachgespräch
- Zeitdauer angeben

Sonstige Pflegemaßnahmen durchführen
- Maßnahmen konkretisieren
- Zeit angeben

Literaturhinweise: 370, 372, 373, 374

Der Patient hat **unrealistisch hohe Zielvorstellungen und Ansprüche** an sich selbst, es besteht das **Risiko der kontinuierlichen Misserfolgserlebnisse**

Kennzeichen

- Erreicht die gesteckten Ziele nicht
- Steht ständig unter Leistungsdruck
- Berichtet darüber, häufig Misserfolge zu haben
- Berichtet über die kontinuierliche Unzufriedenheit der Arbeitsergebnisse
- Berichtet über Versagensängste
- Berichtet darüber, die eigenen Ziele nicht zu verfolgen, da diese nicht erreichbar seien
- Berichtet von der ständigen Enttäuschung, gesetzte Ziele nicht zu erreichen
- Setzt sich ständig selbst unter Druck, gesetzte Ziele zu erreichen
- Furcht vor Misserfolg

Ursachen

- Überschätzt eigene Fähigkeiten
- Veränderungen der körperlichen Fähigkeiten
- Persönliche Leistungsvoraussetzungen werden bei der Zieldefinition nicht beachtet (qualitative Überforderung)
- In unterschiedlichen Lebensbereichen wurden zu viele Ziele gesetzt (quantitative Überforderung)
- Zielkonflikte
- Soziales Umfeld
- Rollenerwartungen
- Depressionen
- Burnout-Syndrom

Ressourcen

- Kann mit Unterstützung Nahziele formulieren
- Erkennt die Notwendigkeit der getroffenen Intervention und kooperiert mit dem therapeutischen Team
- Zeigt Verhaltensweisen, die die Therapie unterstützen

Pflegeziele

- Kann realistische Ziele formulieren
- Teilt den Weg zum Ziel in kleine Schritte auf und belohnt sich bei gemeisterten Zwischenschritten
- Kann die eigenen Anteile zur Zielerreichung benennen
- Akzeptiert die erreichten Zwischenziele
- Setzt Entspannungstechniken gezielt ein
- Nimmt positive Ereignisse bzw. Dinge wahr und kann darüber berichten
- Benennt positive Aspekte von Ereignissen und Erlebnissen

Pflegeinterventionen

Im klientenzentrierten Gespräch erreichbare, realistische und selbst steuerbare Ziele formulieren
- Gesprächsinhalt
- Zeit angeben
- Beteiligte Personen angeben
  - » Betroffene Person
  - » Angehöriger/Bezugsperson
  - » Betreuer
  - » Eltern
  - » Sonstige Personen
- Durchführende Person angeben
  - » Bezugspflegeperson
  - » Pflegeperson
  - » Spezialtherapeuten
  - » Physiotherapeuten

Reflexiongespräch über die Umsetzung der Ziele führen
- Gesprächsinhalt
- Zeit angeben
- Beteiligte Personen angeben
  - » Betroffene Person
  - » Angehöriger/Bezugsperson
  - » Betreuer
  - » Eltern
  - » Sonstige Personen
- Durchführende Person angeben
  - » Bezugspflegeperson
  - » Pflegeperson
  - » Spezialtherapeuten
  - » Physiotherapeuten

Entspannungstechniken einsetzen und den Patienten anleiten, sich zu entspannen
- Entspannungstechniken
  - » Entspannungsübung "Körperreise" durchführen
  - » Progressive Muskelentspannung trainieren
  - » Musik-Entspannungstherapie durchführen
  - » Funktionelle atemrhythmisierende Entspannungsmethode anwenden
  - » Autogenes Training durchführen
- Einrichtungsspezifische Aktivität wählen
- Zeit angeben

Gesprächstherapeutische Gruppenaktivität durchführen
- Therapiegruppe angeben
  - » An Stationsgesprächsrunde/-meeting/-forum teilnehmen
  - » An Gesprächskreis über tagesaktuelle Themen teilnehmen
  - » Wochenendgruppe besuchen
  - » Konfliktgruppe besuchen
  - » Morgenrunde besuchen
  - » Kritikgruppe besuchen
- Einrichtungsspezifische Aktivität wählen
- Zeitdauer der Gruppenangebote bestimmen

Positiven Tagesrückblick in der Gruppe durchführen
- Pflegeintervention konkretisieren
- Zeitdauer des Gruppengesprächs bestimmen

Sonstige Pflegemaßnahmen durchführen
- Maßnahmen konkretisieren
- Zeit angeben

Literaturhinweise: 47, 82, 83, 95, 101, 125, 173, 175, 176

Der Patient zeigt **abnorme Verhaltensweisen im Umgang mit Exkrementen**

Kennzeichen

- Kotschmieren (Koprophilie)
- Kotessen (Koprophagie)
- Versteckt die Ausscheidungen
- Verschmiert die Ausscheidungen
- Trinkt Urin

Ursachen

- Scham bei Inkontinenz
- Kot wird nicht als solcher erkannt
- Orientierungsstörung
- Kind über 3 Jahre hat nie gelernt, den Stuhlgang zu beherrschen
- Primäre Enkopresis
- Sekundäre Enkopresis
- Im Zusammenhang mit Krankheitsbildern-Demenz
- Morbus Alzheimer
- Schizophrene Psychose

Ressourcen

- Kann Aufforderungen folgen und hält sich an Vorgaben
- Toleriert die therapeutische/pflegerische Intervention
- Äußert Einsicht in die Pflegemaßnahme
- Akzeptiert die Unterstützung
- Akzeptiert die Unterstützung von Angehörigen

Pflegeziele

- Körperhygiene ist gewährleistet
- Mundschleimhaut ist intakt
- Abnormes Verhaltensmuster tritt nicht wieder auf
- Ursachen sind erkannt und Verhaltensänderung ist bewirkt

Pflegeinterventionen

Bei der notwendigen Körperwaschung ohne negative Reaktionen auf das Verhalten Hilfestellung leisten
- Ganzkörperwaschung (GW) durchführen
  - » Ganzwaschung im Bett
  - » Ganzwaschung am Bettrand
  - » Ganzwaschung am Waschbecken
  - » Ganzwaschung in der Dusche durchführen
- Teilkörperwaschung (TW) durchführen
  - » Intimpflege
  - » Teilwaschung Oberkörper durchführen
  - » Teilwaschung Unterkörper durchführen
  - » Teilwaschung Gesicht/Hände
- Bei der Körperwaschung helfen
  - » Beaufsichtigen
  - » Durch Unterstützen helfen
  - » Teilweise übernehmen
  - » Vollständig übernehmen
  - » Aktivierende Ganzwaschung durchführen/dazu anleiten
- Vereinbarungen treffen

Mundpflege durchführen
- Pflegeintervention konkretisieren
  - » Materialien zur Mund- und Zahnhygiene bereitstellen
  - » Zahnpflege mit Zahnbürste und Zahnpasta durchführen
  - » Zahn(teil)prothese reinigen
  - » Zahnprothesenreinigung und Mundspülung durchführen
  - » Spezielle Mundpflege durchführen
- Bei der Mundpflege helfen
  - » Beaufsichtigen
  - » Teilweise übernehmen
  - » Durch Unterstützen helfen
  - » Vollständig übernehmen
  - » Zur Pflegeintervention anleiten/aktivieren
- Produkt zur Mundpflege angeben

Stuhlregulierende Maßnahmen durchführen, Ausscheidung beaufsichtigen
- Pflegeintervention konkretisieren
- Zeit angeben

Pflegegespräche über das abnorme Verhalten im Umgang mit dem Stuhlgang führen
- Gesprächsinhalt
- Zeit angeben

Sonstige Pflegemaßnahmen durchführen
- Maßnahmen konkretisieren
- Zeit angeben

Literaturhinweise: 95, 102, 127, 170, 175, 176, 1077, 1221

Der Patient zeigt aufgrund **mangelnden Zutrauens in die eigene Körperkraft** ein **Vermeidungsverhalten**

Kennzeichen

- Vermeidet Bewegung
- Vermeidet aufzustehen/zu gehen
- Zeigt Vermeidungsreaktion, indem Bewegungen im Bett umgangen werden
- Berichtet über fehlendes Vertrauen in die eigene körperliche Belastungsfähigkeit
- Berichtet über Versagensängste
- Beobachtbare Vermeidungsstrategien
- Berichtet über Vermeidungsstrategien

Ursachen

- Negative Erfahrungen
- Angstzustände

Ressourcen

- Kann die körperliche Belastbarkeit einschätzen und fordert rechtzeitig Unterstützung an
- Kennt die Belastungsgrenze und kann sich damit arrangieren
- Zeigt Verhaltensweisen, die die Therapie unterstützen

Pflegeziele

- Ursachen sind erkannt
- Körperliche Leistungsfähigkeit ist gesteigert
- Behandlungs- und Therapiekonzept sind transparent und vom therapeutischen Team umgesetzt
- Aktive Beteiligung an der Behandlungsplanung ist sichergestellt
- Herz-Kreislauf-Aktivität ist angeregt
- Körperliche Leistungsfähigkeit ist gesteigert
- Körperliche Aktivität/Bewegung von 150 Min. mittlerer Intensität pro Woche wird erreicht
- Körperliche Aktivität/Bewegung von 75 Min. höherer Intensität pro Woche wird erreicht
- Körperliche Aktivität/Bewegung von 150 Min. höherer Intensität pro Woche wird erreicht
- Körperliche Aktivität/Bewegung von 300 Min. mittlerer Intensität pro Woche wird erreicht
- Nimmt positive Ereignisse bzw. Dinge wahr und kann darüber berichten
- Benennt positive Aspekte von Ereignissen und Erlebnissen

Pflegeinterventionen

Ursachen für die Aktivitätsintoleranz ermitteln

- Inhalte des Assessments/der Anamnese konkretisieren
  - » Physiologische Ursachen/Risiken
  - » Ernährungsverhalten
  - » Umgebungsfaktoren
  - » Biografische/kulturelle Aspekte
  - » Gewohnheiten und Bedürfnisse
  - » Auswirkungen der Medikation
  - » Psychosoziale Aspekte
  - » Psychologische Aspekte
  - » Sonstige Gründe
- Zeit angeben

Körperliches Bewegungsprogramm entwickeln/durchführen

- Vereinbartes Aktivierungsprogramm angeben
  - » Beim Aufstehen/zu Bett gehen unterstützen
  - » Aktivierungsprogramm in Absprache mit den Beteiligten aufstellen
  - » An den Bettrand setzen
  - » Standtraining und wenige Schritte gehen
  - » Kurze Strecken in Begleitung gehen
  - » Größere Strecken in Begleitung gehen
  - » Treppen steigen
- Unterstützungsleistung bestimmen
  - » Unterstützen
  - » Teilweise übernehmen
  - » Beaufsichtigen
  - » Vollständig übernehmen
  - » Anleiten

Fallbesprechung zur weiteren Behandlungs- und Therapieplanung durchführen

- Beteiligte Personen angeben
  - » Bewohner
  - » Pflegeperson
  - » Ärztlicher Dienst
  - » Psychologe
  - » Sozialarbeiter
  - » Sozialpädagoge
  - » Ergotherapeut
  - » Krankengymnast
  - » Logopäde
  - » Beschäftigungstherapeut
  - » Heilpädagoge
  - » Geistlicher Beistand
  - » Lehrer
  - » Erzieher
  - » Jugendamt
  - » Sonstige Personen
- Gesprächsinhalt
  - » Vereinbarte Therapieziele
  - » Vereinbarte Gesprächsinhalte für ein klientenzentriertes Pflegefachgespräch
- Zeitdauer angeben

An einrichtungsspezifischen bewegungsfördernden körperlichen Aktivitäten teilnehmen

- Maßnahmen konkretisieren
- Einrichtungsspezifische Aktivität wählen
- Zeitdauer der Gruppentherapie bestimmen

Positiven Tagesrückblick in der Gruppe durchführen

- Pflegeintervention konkretisieren
- Zeitdauer des Gruppengesprächs bestimmen

Sonstige Pflegemaßnahmen durchführen

- Maßnahmen konkretisieren
- Zeit angeben

Literaturhinweise: 51, 125, 126, 127, 175, 176, 878

Der Patient neigt dazu, sich **mit Problemen von Mitmenschen zu beschäftigen**, um sich **nicht mit eigenen Problemen/Gefühlen auseinanderzusetzen**

Kennzeichen

- Die Auseinandersetzung mit eigenen Defiziten ist erschwert möglich
- Spricht viel über die Schwierigkeiten anderer
- Hört bei Gesprächen überwiegend zu
- Spricht kaum von eigenen Problemen

Ursachen

- Möchte von eigenen Schwierigkeiten ablenken
- Nimmt eigene Probleme nicht wahr

Ressourcen

- Kann Gefühle und Sorgen mit der Bezugsperson besprechen
- Versteht das Therapiekonzept und ist bereit, sich aktiv zu beteiligen

Pflegeziele

- Unterstützt die Therapie
- Ursachen sind erkannt
- Behandlungs- und Therapiekonzept sind transparent und vom therapeutischen Team umgesetzt
- Aktive Beteiligung an der Behandlungsplanung ist sichergestellt
- Erkennt, dass das Zeigen von Gefühlen und Schwächen erleichternd wirken kann und nicht an negative Konsequenzen gekoppelt ist
- Nimmt Gefühle wahr und lässt sie zu
- Erhält Feed-back aus der Gruppe
- Erkennt eine einheitliche Zielsetzung im therapeutischen Team und akzeptiert diese
- Nimmt eigene Wünsche und Bedürfnisse wahr
- Steht zu Entscheidungen und übernimmt dafür die Verantwortung
- Verbalisiert Wünsche und Bedürfnisse deutlich und fordert sie ein
- Erkennt Zusammenhänge zwischen eigenem Verhalten und Pflegediagnose
- Entwickelt Lösungswege im Gespräch

Pflegeinterventionen

Kommunikationsstil beobachten
- Pflegeintervention konkretisieren
- Zeit angeben

Fallbesprechung zur weiteren Behandlungs- und Therapieplanung durchführen
- Beteiligte Personen angeben
  - » Bewohner
  - » Pflegeperson
  - » Ärztlicher Dienst
  - » Psychologe
  - » Sozialarbeiter
  - » Sozialpädagoge
  - » Ergotherapeut
  - » Krankengymnast
  - » Logopäde
  - » Beschäftigungstherapeut
  - » Heilpädagoge
  - » Geistlicher Beistand
  - » Lehrer
  - » Erzieher
  - » Jugendamt
  - » Sonstige Personen
- Gesprächsinhalt
  - » Vereinbarte Therapieziele
  - » Vereinbarte Gesprächsinhalte für ein klientenzentriertes Pflegefachgespräch
- Zeitdauer angeben

Schwächen des Patienten zulassen, akzeptierende Werthaltung signalisieren
- Pflegeintervention konkretisieren
- Zeit angeben

Thematisierte Probleme des Patienten in Gesprächsgruppen moderieren
- Gruppentherapie konkretisieren
- Zeitdauer des Gruppengesprächs bestimmen

Verhaltensstrategien bezüglich des Feedbacks an den Patienten im Team absprechen
- Beteiligte Personen angeben
  - » Bewohner
  - » Pflegeperson
  - » Ärztlicher Dienst
  - » Psychologe
  - » Sozialarbeiter
  - » Sozialpädagoge
  - » Ergotherapeut
  - » Krankengymnast
  - » Logopäde
  - » Beschäftigungstherapeut
  - » Heilpädagoge
  - » Geistlicher Beistand
  - » Lehrer
  - » Erzieher
  - » Jugendamt
  - » Sonstige Personen
- Gesprächsinhalt
  - » Vereinbarte Therapieziele
  - » Vereinbarte Gesprächsinhalte für ein klientenzentriertes Pflegefachgespräch
- Zeitdauer angeben

Pflegefachgespräch führen
- Inhaltliche Ausrichtung des Gesprächs bestimmen
  - » Informationssammlung
  - » Pflege-, Betreuungs- und Behandlungsprozess
  - » Ursachenanalyse
  - » Strategien zur Krankheitsbewältigung
  - » Motivation/Aktivierung
  - » Alltagsbewältigung
  - » Förderung der Entscheidungsfindung
  - » Zukunftsperspektive
  - » Unterstützung der Orientierung
  - » Unterstützung des Realitätsbezugs
  - » Krisenintervention
  - » Aktuelle Bedürfnisse/Wünsche
  - » Instruktion/Anleitung
  - » Feed-back-Gespräch
  - » Sonstige Gesprächsinhalte

- Gesprächsteilnehmer
  - » Angehöriger/Bezugsperson
  - » Betroffene Person
- Zeitdauer des Gesprächs angeben

Sonstige Pflegemaßnahmen durchführen
- Maßnahmen konkretisieren
- Zeit angeben

Literaturhinweise: 82, 83, 95, 101, 125, 173, 175, 176

Der Patient kann **Wut/Ärger/Aggression** nicht adäquat äußern, die **Problembewältigung ist beeinträchtigt**

Kennzeichen

- Zeigt aggressives Verhalten
- Äußert sich durch verbale Angriffe
- Äußert sich durch aggressives Verhalten
- Äußert Wut/Ärger/Agression in Form von Tobsuchtsanfällen
- Berichtet darüber, Wut und Ärger in sich hineinzufressen
- Zieht sich bei Gefühlen wie Wut/Ärger/Aggression zurück
- Äußert sich durch körperliche Angriffe

Ursachen

- Kann Aggression/Wut/Ärger nicht adäquat äußern
- Gefühlsäußerungen sind durch kognitive Einschränkungen nicht anders möglich
- Ist durch die Sozialisation in der Gefühls- und Verhaltensäußerung geprägt

Ressourcen

- Reagiert positiv auf therapeutische Gespräche
- Kann $sein Verhalten in Gesprächen reflektieren
- Lässt sich ablenken

Pflegeziele

- Erhält konkretes Feed-back
- Kann Wut, Aggression und Ärger in einer adäquaten Form äußern
- Wut, Ärger und Aggression werden in adäquater Weise wahrgenommen und ausgelebt
- Kann sich ausdrücken und Wünsche/Bedürfnisse adäquat äußern
- Verhält sich angemessen in sozialen Lebenssituationen
- Nimmt eigene Wünsche und Bedürfnisse wahr
- Steht zu Entscheidungen und übernimmt dafür die Verantwortung
- Verbalisiert Wünsche und Bedürfnisse deutlich und fordert sie ein
- Erkennt Zusammenhänge zwischen eigenem Verhalten und Pflegediagnose
- Entwickelt Lösungswege im Gespräch

Pflegeinterventionen

Soziales Verhalten und Umgang mit Wut, Ärger und Aggression beobachten
- Pflegeintervention konkretisieren
- Zeit angeben

Selbstsicherheitstraining in Form von Rollenspielen durchführen
- Selbstsicherheitstraining konkretisieren
- Teilnehmende Personen angeben
- Zeitdauer der Gruppenangebote bestimmen

Pflegefachgespräch führen
- Inhaltliche Ausrichtung des Gesprächs bestimmen
  - » Informationssammlung
  - » Pflege-, Betreuungs- und Behandlungsprozess
  - » Ursachenanalyse
  - » Strategien zur Krankheitsbewältigung
  - » Motivation/Aktivierung
  - » Alltagsbewältigung
  - » Förderung der Entscheidungsfindung
  - » Zukunftsperspektive
  - » Unterstützung der Orientierung
  - » Unterstützung des Realitätsbezugs
  - » Krisenintervention
  - » Aktuelle Bedürfnisse/Wünsche
  - » Instruktion/Anleitung
  - » Feed-back-Gespräch
  - » Sonstige Gesprächsinhalte
- Gesprächsteilnehmer
  - » Angehöriger/Bezugsperson

- » Betroffene Person
- Zeitdauer des Gesprächs angeben

Sonstige Pflegemaßnahmen durchführen
- Maßnahmen konkretisieren
- Zeit angeben

Literaturhinweise: 47, 82, 83, 95, 101, 125, 173, 175, 176, 215, 312

Der Patient neigt dazu, **unangenehme Themen herunterzuspielen oder ins Lächerliche zu ziehen**, es besteht eine **inadäquate Bewältigungsstrategie**

Kennzeichen

- Lacht/schmunzelt ohne ersichtlichen Grund bei ernsten Gesprächsthemen
- Reagiert nicht adäquat bei ernsten Gesprächsinhalten

Ursachen

- Mangelndes Selbstbewusstsein
- Fehlendes Selbstwertgefühl
- Unsichere Persönlichkeit
- Möchte von eigenen Schwierigkeiten ablenken
- Psychische Erkrankung
- Manie

Ressourcen

- Kann $sein Verhalten in Gesprächen reflektieren

Pflegeziele

- Erkennt das Verhalten und lernt, Gefühle direkt zu äußern
- Behandlungs- und Therapiekonzept sind transparent und vom therapeutischen Team umgesetzt
- Aktive Beteiligung an der Behandlungsplanung ist sichergestellt
- Kennt Verhaltensweisen, die Missverständnisse verhindern, und wendet diese an
- Erhält Feed-back aus der Gruppe

Pflegeinterventionen

Bei auftretendem Verhalten die Wichtigkeit der Gesprächsinhalte aufzeigen
- Gesprächsinhalt
- Zeit angeben
- Beteiligte Personen angeben
  - » Betroffene Person
  - » Angehöriger/Bezugsperson
  - » Betreuer
  - » Eltern
  - » Sonstige Personen
- Durchführende Person angeben
  - » Bezugspflegeperson
  - » Pflegeperson
  - » Spezialtherapeuten
  - » Physiotherapeuten

Fallbesprechung zur weiteren Behandlungs- und Therapieplanung durchführen
- Beteiligte Personen angeben
  - » Bewohner
  - » Pflegeperson
  - » Ärztlicher Dienst
  - » Psychologe
  - » Sozialarbeiter
  - » Sozialpädagoge
  - » Ergotherapeut
  - » Krankengymnast
  - » Logopäde
  - » Beschäftigungstherapeut
  - » Heilpädagoge
  - » Geistlicher Beistand
  - » Lehrer
  - » Erzieher
  - » Jugendamt
  - » Sonstige Personen
- Gesprächsinhalt
  - » Vereinbarte Therapieziele
  - » Vereinbarte Gesprächsinhalte für ein klientenzentriertes Pflegefachgespräch
- Zeitdauer angeben

Im klientenzentrierten Gespräch die Gefühle ansprechen, die bei anderen durch das Verhalten ausgelöst werden
- Gesprächsinhalt
- Zeit angeben
- Beteiligte Personen angeben
  - » Betroffene Person
  - » Angehöriger/Bezugsperson

  - Betreuer
  - Eltern
  - Sonstige Personen
- Durchführende Person angeben
  - Bezugspflegeperson
  - Pflegeperson
  - Spezialtherapeuten
  - Physiotherapeuten

Feed-back im Gruppengespräch ermöglichen
- Gruppentherapie konkretisieren
- Zeitdauer des Gruppengesprächs bestimmen

Sonstige Pflegemaßnahmen durchführen
- Maßnahmen konkretisieren
- Zeit angeben

Literaturhinweise: 47, 82, 83, 95, 101, 125, 173, 175, 176, 215, 312

Der Patient ist **resigniert** und **fühlt sich der Situation ausgeliefert**, es besteht eine **beeinträchtigte Problem-/Bewältigungsstrategie**

Kennzeichen

- Beschreibt das Gefühl der fehlenden Zukunftsperspektiven
- Äußert Sorge über die Zukunft
- Äußert Hoffnungslosigkeit
- Äußert Besorgnis
- Äußert das Gefühl der Abhängigkeit
- Rückzugstendenzen
- Reduziertes Selbstwertgefühl
- Äußert, keine Kraft mehr zu haben
- Fehlende Beteiligung an der eigenen Versorgung
- Zeigt wenig/keine Eigeninitiative
- Äußert den Verlust des Glaubens bzw. der Bedeutung für das Leben
- Berichtet über das fehlende Vertrauen in eigene Kräfte und Fähigkeiten
- Eingeschränkte Entscheidungsfähigkeit
- Zeigt Passivität

Ursachen

- Exogene Depression
- Schwere körperliche Beeinträchtigung
- Krebsdiagnose
- Krebserkrankung
- Soziales Umfeld
- Erdrückende Schuldensituation
- Ungewisser Krankheitsverlauf
- Veränderung der Lebenssituation
- Einzug in eine Heimeinrichtung

Ressourcen

- Hat Problemlösungen entwickelt
- Hat eine Zukunftsperspektive entwickelt
- Kann über die Ängste sprechen
- Akzeptiert die Unterstützung
- Akzeptiert die Unterstützung von Angehörigen

Pflegeziele

- Krankhafte Veränderungen sind frühzeitig erkannt
- Selbstwertgefühl ist gestärkt
- Übernimmt die Verantwortung bei der Versorgung des Tieres
- Baut ein Vertrauensverhältnis zum Gesprächspartner auf
- Nimmt an Aktivitäten teil, sucht aktiv Beziehungen
- Erinnert sich an positive Ereignisse im Leben
- Entwickelt ein positives Selbstwertgefühl
- Entwickelt Interesse an den Aktivitäten des täglichen Lebens
- Selbstständigkeit ist gefördert
- Führt Tätigkeiten des täglichen Lebens aus
- Nimmt Gefühle wahr und artikuliert diese adäquat
- Selbstvertrauen in eigene Kompetenzen/ Fähigkeiten ist gefördert
- Ein positives Selbstkonzept ist gefördert
- Erkennt und integriert in angemessener Weise die Veränderungen in seinem/ ihrem Selbstkonzept
- Nimmt an Freizeitaktivitäten teil
- Gefestigte Tagesstruktur ist aufgebaut
- Ist in den Tagesablauf aktiv integriert
- Ein menschenwürdiges, an die persönliche Lebensgeschichte angepasstes Leben ist ermöglicht
- Ist aktiviert und beteiligt sich an den Milieuprozessen
- Entwickelt Verhaltensweisen, die das Leben in der Gemeinschaft fördern
- Zeigt Interesse an der Umgebungsgestaltung
- Bewertet die erreichten Therapieziele als positiv
- Erkennt die erreichten Therapieziele

Pflegeinterventionen

Situation einschätzen und mögliche Ursachen mit dem behandelnden Arzt/therapeutischen Team abklären

- Beteiligte Personen angeben
  - » Bewohner
  - » Pflegeperson
  - » Ärztlicher Dienst
  - » Psychologe
  - » Sozialarbeiter
  - » Sozialpädagoge
  - » Ergotherapeut
  - » Krankengymnast
  - » Logopäde
  - » Beschäftigungstherapeut
  - » Heilpädagoge
  - » Geistlicher Beistand
  - » Lehrer
  - » Erzieher
  - » Jugendamt
  - » Sonstige Personen
- Gesprächsinhalt
  - » Vereinbarte Therapieziele
  - » Vereinbarte Gesprächsinhalte für ein klientenzentriertes Pflegefachgespräch
- Zeitdauer angeben

Tiergestützte Aktivierung durchführen
- Maßnahmen konkretisieren
  - » Individuelle tiergestützte Therapieangebote durchführen
  - » Tiergestützte Therapie in der Gruppe
  - » Versorgung des Tieres übernehmen
- Einrichtungsspezifische Aktivität wählen
- Zeit angeben

Ernst nehmen durch Einhalten von Gesprächsregeln
- Pflegeintervention konkretisieren
- Zeit angeben

Sinnvollen Tageszeitplan festlegen
- Bezugsperson festlegen
- Pflegeintervention konkretisieren
  - » Tages-/Wochenplan erstellen
  - » Aktivitätenplan erstellen
  - » Tages- und Wochenpläne besprechen
  - » Durchgeführte Aktivitäten besprechen
  - » Lebenspraktische Inhalte besprechen
- Fest verbindlichen Tagesplan vereinbaren
  - » Mit Kontrollmöglichkeit
  - » Ohne Kontrollmöglichkeit
  - » In Eigenverantwortung
  - » In Verantwortung der Bezugsperson
  - » Tagesaktivitäten auswerten und reflektieren
- Dauer bestimmen

Positive Erinnerungen aus dem persönlichen Leben fördern
- Gesprächsinhalt
- Zeit angeben
- Beteiligte Personen angeben
  - » Betroffene Person
  - » Angehöriger/Bezugsperson
  - » Betreuer
  - » Eltern
  - » Sonstige Personen
- Durchführende Person angeben
  - » Bezugspflegeperson
  - » Pflegeperson
  - » Spezialtherapeuten
  - » Physiotherapeuten

Eigenaktivitäten fördern
- Maßnahmen konkretisieren
  - » Handlungsalternativen aufzeigen und so Entscheidungskraft gezielt fördern
  - » Keine Entscheidungen für den Patienten treffen
- Alltagsweltliche Entscheidungen fördern
  - » Menükomponenten beim Essen auswählen lassen
  - » Kleidungsstücke, die am Tag getragen werden, auswählen und zusammenstellen lassen
  - » Bei Freizeitbeschäftigungen mehrere Alternativen aufzeigen

Lebenspraktisches Einzeltraining durchführen
- Einzeltraining konkretisieren
  - » Aus der Tageszeitung vorlesen und aktuelle Themen diskutieren
  - » Mahlzeiten kochen
  - » Einkaufen gehen
  - » Küchendienst übernehmen
  - » Zimmer reinigen
  - » Tisch für die Mahlzeiten decken/abdecken
  - » Blumen-/Pflanzenpflege durchführen
  - » Wäsche versorgen
- Einrichtungsspezifische Aktivität wählen
- Art der Unterstützungsleistung angeben
  - » Beim Durchführen anleiten
  - » Beim Durchführen beaufsichtigen
  - » Durchgeführte Tätigkeiten im Pflegefachgespräch reflektieren
  - » Gemeinsam partnerschaftlich durchführen
- Zeitdauer der Einzelförderung bestimmen

Lebenspraktisches Gruppentraining durchführen
- Gruppentraining konkretisieren
  - » Gemeinsam Mahlzeiten kochen und einnehmen
  - » Gemeinsam einkaufen
  - » An der Kosmetikgruppe teilnehmen
  - » Feste planen, vorbereiten und durchführen
  - » An der Hauswirtschaftsgruppe teilnehmen
- Einrichtungsspezifische Aktivität wählen
- Art der Unterstützungsleistung angeben
  - » Auffordern, den Termin des Gruppenangebots einzuhalten
  - » Zur Teilnahme an den Aktivitäten motivieren
  - » Bei den Gruppenaktivitäten unterstützen
  - » Nach der Aktivität Reflexionsgespräch führen
- Zeitdauer der Gruppentherapie bestimmen

Selbstkonzept/-bild/-wert und soziale Kompetenzen in Einzeltherapie fördern
- Einzeltherapeutisches Angebot angeben
  - » Selbstsicherheitstraining durchführen
  - » Genusstherapie durchführen
  - » Verhaltenstherapie durchführen
  - » Assertiveness-Training-Programm (ATP) durchführen
  - » Integriertes Psychologisches Therapieprogramm (IPT) durchführen
  - » Positiven Tagesrückblick durchführen
  - » Musiktherapie durchführen
  - » Gestalttherapie durchführen
  - » Maltherapie durchführen
  - » Kognitives Einzeltraining durchführen
  - » Rollenspiele durchführen
  - » Erinnerungstherapie durchführen
  - » Achtsamkeitstraining durchführen
  - » Anti-Phobie/Angst-Training durchführen
- Einrichtungsspezifische Aktivität wählen
- Zeitdauer der Einzelförderung bestimmen

Selbstkonzept/-bild/-wert und soziale Kompetenzen in Gruppentherapie fördern
- Gruppentherapeutisches Angebot angeben
  - » Selbstsicherheitstraining durchführen
  - » Genusstherapie durchführen
  - » Verhaltenstherapie durchführen
  - » Assertiveness-Training-Programm (ATP) durchführen
  - » Integriertes Psychologisches Therapieprogramm (IPT) durchführen
  - » Kognitive Therapiegruppe besuchen
  - » Musiktherapie durchführen
  - » Gestalttherapie durchführen
  - » Maltherapie durchführen
  - » Märchen-/Literaturgruppe besuchen
  - » Rollenspiele durchführen
  - » Interaktionsspiele zur Persönlichkeitsentwicklung durchführen
  - » Am Gesprächskreis im Erinnerungsraum teilnehmen
  - » Achtsamkeitstraining durchführen
  - » Anti-Phobie/Angst-Training durchführen
- Einrichtungsspezifische Aktivität wählen
- Zeitdauer der Gruppentherapie bestimmen

Freizeitaktivitäten besprechen und planen
- Bezugsperson festlegen
- Pflegeintervention konkretisieren
  - » Tages-/Wochenplan erstellen
  - » Aktivitätenplan erstellen
  - » Tages- und Wochenpläne besprechen
  - » Durchgeführte Aktivitäten besprechen
  - » Lebenspraktische Inhalte besprechen
- Fest verbindlichen Tagesplan vereinbaren
  - » Mit Kontrollmöglichkeit
  - » Ohne Kontrollmöglichkeit
  - » In Eigenverantwortung
  - » In Verantwortung der Bezugsperson
  - » Tagesaktivitäten auswerten und reflektieren

- Dauer bestimmen

Milieutherapeutische Aktivitäten im Wohn-/Stationsbereich durchführen
- Stationsaktivität angeben
  - » Gemeinsam aktuelle Zeitungen/Magazine lesen
  - » Kinoabend im Wohn-/Stationsbereich durchführen
  - » Spielnachmittag besuchen
  - » Mahlzeiten gemeinsam einnehmen
  - » Tanznachmittag besuchen
  - » Kirchenbesuch durchführen
  - » Spazieren gehen
  - » Singstunde besuchen
  - » An Festaktivitäten teilnehmen
  - » Am Sonntagsfrühstück teilnehmen
  - » Aktivitäten im Zusammenhang, den Gemeinschaftsraum zu gestalten
  - » Zur Milieugestaltung malen/basteln
- Einrichtungsspezifische Aktivität wählen
- Zeitdauer der Aktivitäten bestimmen

Angenehme Atmosphäre im Zimmer fördern/schaffen
- Maßnahmen konkretisieren
  - » Bilder aufstellen
  - » Pflanzen aufstellen
  - » Duftlampe aufstellen
  - » Für angenehme Beleuchtung sorgen
  - » Persönliche Gegenstände aufstellen
  - » Gewünschte Musik abspielen
- Zeit angeben

Aufzeigen der bereits erreichten Therapieziele
- Pflegeintervention konkretisieren
- Zeit angeben

Sonstige Pflegemaßnahmen durchführen
- Maßnahmen konkretisieren
- Zeit angeben

Literaturhinweise: 47, 82, 83, 95, 101, 125, 175, 176, 890, 906, 906, 921, 922, 923, 924, 942, 943

Der Patient **droht mit Suizid**, um eigene Interessen durchzusetzen, es besteht eine **beeinträchtigte Problem-/Bewältigungsstrategie**

Kennzeichen

- Führt Suizidversuche durch, die so angelegt sind, dass sie nicht gelingen
- Spricht über die Suizidabsicht
- Äußert Hoffnungslosigkeit
- Droht damit, sich selbst zu töten
- Äußert Suizidabsichten in Verbindung mit Forderungen

Ursachen

- Depressionen
- Verlassensängste
- Fehlende alternative Handlungsmöglichkeiten, um Interessen durchzusetzen

Ressourcen

- Versteht das Therapiekonzept und ist bereit, sich aktiv zu beteiligen
- Erkennt die Notwendigkeit der getroffenen Intervention und kooperiert mit dem therapeutischen Team

Pflegeziele

- Kann das persönliche Verhalten reflektieren
- Denkt über das persönliche Verhalten und dessen Wirkung auf Mitmenschen nach
- Erkennt, dass seine Suiziddrohungen ein inadäquates Druckmittel gegenüber dem Umfeld sind
- Suizidale Absichten sind eingeschätzt, Vorbeugemaßnahmen eingeleitet
- Gibt das Versprechen, sich für einen bestimmten Zeitraum nichts anzutun
- Spricht mit Angehörigen über die Suizidgedanken
- Ist in den Tagesablauf aktiv integriert
- Ist aktiviert und beteiligt sich an den Milieuprozessen
- Entwickelt Verhaltensweisen, die das Leben in der Gemeinschaft fördern

Pflegeinterventionen

Im therapeutischen Gespräch den Einsatz der Suizidäußerungen als Druckmittel reflektieren
- Beteiligte Personen angeben
  - » Bewohner
  - » Pflegeperson
  - » Ärztlicher Dienst
  - » Psychologe
  - » Sozialarbeiter
  - » Sozialpädagoge
  - » Ergotherapeut
  - » Krankengymnast
  - » Logopäde
  - » Beschäftigungstherapeut
  - » Heilpädagoge
  - » Geistlicher Beistand
  - » Lehrer
  - » Erzieher
  - » Jugendamt
  - » Sonstige Personen
- Gesprächsinhalt
  - » Vereinbarte Therapieziele
  - » Vereinbarte Gesprächsinhalte für ein klientenzentriertes Pflegefachgespräch
- Zeitdauer angeben

Gespräch über die momentane Situation führen und Suizidgefährdung einschätzen
- Gesprächsinhalt
- Zeit angeben
- Beteiligte Personen angeben
  - » Betroffene Person
  - » Angehöriger/Bezugsperson
  - » Betreuer
  - » Eltern
  - » Sonstige Personen
- Durchführende Person angeben
  - » Bezugspflegeperson
  - » Pflegeperson

» Spezialtherapeuten
» Physiotherapeuten

Abmachung treffen, dass bei Suizidgedanken Kontakt zum therapeutischen Team aufgenommen wird
- Gesprächsinhalt
- Zeit angeben
- Beteiligte Personen angeben
  » Betroffene Person
  » Angehöriger/Bezugsperson
  » Betreuer
  » Eltern
  » Sonstige Personen
- Durchführende Person angeben
  » Bezugspflegeperson
  » Pflegeperson
  » Spezialtherapeuten
  » Physiotherapeuten

Familie/Bezugspersonen in die Behandlung integrieren
- Netzwerke bestimmen, die aufgebaut/gefördert werden können
  » Netzwerk Familie
  » Netzwerk Freundeskreis
  » Netzwerk Arbeitsfeld
  » Netzwerk Glaubensgemeinschaft
  » Netzwerk Freizeitaktivität/Hobby
  » Selbsthilfegruppe
  » Sonstige Netzwerke
- Zeitdauer der Intervention bestimmen
- Gesprächspartner bestimmen
  » Angehöriger/Bezugsperson
  » Betreuer
  » Freunde
  » Arbeitgeber
  » Arbeitskollegen
  » Ämter
  » Kirchenvertreter
  » Nachbarn
  » Sonstige Personen

Milieutherapeutische Aktivitäten im Wohn-/Stationsbereich durchführen
- Stationsaktivität angeben
  » Gemeinsam aktuelle Zeitungen/Magazine lesen
  » Kinoabend im Wohn-/Stationsbereich durchführen
  » Spielnachmittag besuchen
  » Mahlzeiten gemeinsam einnehmen
  » Tanznachmittag besuchen
  » Kirchenbesuch durchführen
  » Spazieren gehen
  » Singstunde besuchen
  » An Festaktivitäten teilnehmen
  » Am Sonntagsfrühstück teilnehmen
  » Aktivitäten im Zusammenhang, den Gemeinschaftsraum zu gestalten
  » Zur Milieugestaltung malen/basteln
- Einrichtungsspezifische Aktivität wählen
- Zeitdauer der Aktivitäten bestimmen

Sonstige Pflegemaßnahmen durchführen
- Maßnahmen konkretisieren
- Zeit angeben

Literaturhinweise: 47, 82, 83, 95, 101, 125, 173, 175, 176

Der Patient **vermeidet angstbesetzte Alltagssituationen**, es besteht eine **beeinträchtigte Problem-/Bewältigungsstrategie**

Kennzeichen
- Vermeidet angstbesetzte Situationen
- Äußert Angstgefühle vor bestimmten Situationen
- Berichtet über Ängste
- Zeigt Nervosität
- Erhöhter Muskeltonus
- Anspannung der Gesichtsmuskulatur
- Schlafstörungen
- Sympathikusreaktion (erhöhte Herzfrequenz, Tachypnoe, Blutdruckanstieg)
- Beschreibt Symptome einer Panikattacke

Ursachen
- Phobie
- Neurotische Störung
- Persönlichkeitsstörung
- Reaktion auf negative Erfahrungen (Konditionierung)
- Misserfolgsgeprägte Sozialisation
- Spricht eine andere Landessprache (Sprachhindernisse)

Ressourcen
- Kann über die Ängste sprechen
- Kann Gefühle und Sorgen mit der Bezugsperson besprechen
- Reagiert positiv auf therapeutische Gespräche
- Zeigt Interesse, Strategien zur Angstbewältigung zu lernen
- Akzeptiert die Unterstützung
- Akzeptiert die Unterstützung von Angehörigen

Pflegeziele
- Kann über Gefühle sprechen

- Akzeptiert Hinweise des therapeutischen Teams und ist bereit, das Verhalten zu ändern
- Ist bereit, die Ängste zu reflektieren
- Stellt sich stufenweise den Anforderungen des täglichen Lebens
- Behandlungs- und Therapiekonzept sind transparent und vom therapeutischen Team umgesetzt
- Aktive Beteiligung an der Behandlungsplanung ist sichergestellt
- Nimmt Gefühle wahr und artikuliert diese adäquat
- Selbstvertrauen in eigene Kompetenzen/ Fähigkeiten ist gefördert
- Ein positives Selbstkonzept ist gefördert
- Erkennt und integriert in angemessener Weise die Veränderungen in seinem/ ihrem Selbstkonzept
- Soziale Kompetenzen sind gefördert
- Spricht Konflikte/Empfindungen in der Gruppe an
- Adäquate Konfliktlösungsstrategien sind entwickelt

Pflegeinterventionen

Tragfähige, vertrauensvolle therapeutische Beziehung aufbauen
- Bezugsperson festlegen
- Pflegeintervention konkretisieren
  - » Tages-/Wochenplan erstellen
  - » Aktivitätenplan erstellen
  - » Tages- und Wochenpläne besprechen
  - » Durchgeführte Aktivitäten besprechen
  - » Lebenspraktische Inhalte besprechen
- Fest verbindlichen Tagesplan vereinbaren
  - » Mit Kontrollmöglichkeit
  - » Ohne Kontrollmöglichkeit
  - » In Eigenverantwortung
  - » In Verantwortung der Bezugsperson
  - » Tagesaktivitäten auswerten und reflektieren
- Dauer bestimmen

Verhalten und angstauslösende Faktoren beobachten und dokumentieren
- Pflegeintervention konkretisieren
- Zeit angeben

Klientenzentriertes Gespräch über die Ängste, ihre Ursachen und Lösungsmöglichkeiten führen
- Gesprächsinhalt
- Zeit angeben
- Beteiligte Personen angeben
  - » Betroffene Person
  - » Angehöriger/Bezugsperson
  - » Betreuer
  - » Eltern
  - » Sonstige Personen
- Durchführende Person angeben
  - » Bezugspflegeperson
  - » Pflegeperson
  - » Spezialtherapeuten
  - » Physiotherapeuten

Einzeltherapie zur schrittweisen Annäherung an die angstauslösende Situation durchführen
- Einzeltherapie konkretisieren
- Zeit angeben

Fallbesprechung zur weiteren Behandlungs- und Therapieplanung durchführen
- Beteiligte Personen angeben
  - » Bewohner
  - » Pflegeperson
  - » Ärztlicher Dienst
  - » Psychologe
  - » Sozialarbeiter
  - » Sozialpädagoge
  - » Ergotherapeut
  - » Krankengymnast
  - » Logopäde
  - » Beschäftigungstherapeut
  - » Heilpädagoge
  - » Geistlicher Beistand
  - » Lehrer
  - » Erzieher
  - » Jugendamt
  - » Sonstige Personen
- Gesprächsinhalt
  - » Vereinbarte Therapieziele
  - » Vereinbarte Gesprächsinhalte für ein klientenzentriertes Pflegefachgespräch
- Zeitdauer angeben

Selbstkonzept/-bild/-wert und soziale Kompetenzen in Einzeltherapie fördern
- Einzeltherapeutisches Angebot angeben
  - » Selbstsicherheitstraining durchführen
  - » Genusstherapie durchführen
  - » Verhaltenstherapie durchführen
  - » Assertiveness-Training-Programm (ATP) durchführen
  - » Integriertes Psychologisches Therapieprogramm (IPT) durchführen
  - » Positiven Tagesrückblick durchführen
  - » Musiktherapie durchführen
  - » Gestalttherapie durchführen
  - » Maltherapie durchführen
  - » Kognitives Einzeltraining durchführen
  - » Rollenspiele durchführen
  - » Erinnerungstherapie durchführen
  - » Achtsamkeitstraining durchführen
  - » Anti-Phobie/Angst-Training durchführen
- Einrichtungsspezifische Aktivität wählen
- Zeitdauer der Einzelförderung bestimmen

Selbstkonzept/-bild/-wert und soziale Kompetenzen in Gruppentherapie fördern
- Gruppentherapeutisches Angebot angeben
  - » Selbstsicherheitstraining durchführen
  - » Genusstherapie durchführen
  - » Verhaltenstherapie durchführen
  - » Assertiveness-Training-Programm (ATP) durchführen
  - » Integriertes Psychologisches Therapieprogramm (IPT) durchführen
  - » Kognitive Therapiegruppe besuchen
  - » Musiktherapie durchführen
  - » Gestalttherapie durchführen
  - » Maltherapie durchführen
  - » Märchen-/Literaturgruppe besuchen
  - » Rollenspiele durchführen
  - » Interaktionsspiele zur Persönlichkeitsentwicklung durchführen
  - » Am Gesprächskreis im Erinnerungsraum teilnehmen
  - » Achtsamkeitstraining durchführen
  - » Anti-Phobie/Angst-Training durchführen
- Einrichtungsspezifische Aktivität wählen
- Zeitdauer der Gruppentherapie bestimmen

Gesprächstherapeutische Gruppenaktivität durchführen
- Therapiegruppe angeben
  - » An Stationsgesprächsrunde/-meeting/-forum teilnehmen
  - » An Gesprächskreis über tagesaktuelle Themen teilnehmen
  - » Wochenendgruppe besuchen
  - » Konfliktgruppe besuchen
  - » Morgenrunde besuchen
  - » Kritikgruppe besuchen
- Einrichtungsspezifische Aktivität wählen
- Zeitdauer der Gruppenangebote bestimmen

Sonstige Pflegemaßnahmen durchführen
- Maßnahmen konkretisieren
- Zeit angeben

Literaturhinweise: 37, 51, 95, 125, 127, 173, 175, 176

Der Patient ist aufgrund eines **übersteigerten Harmoniebedürfnisses** im **Konflikt-/ Entscheidungsverhalten beeinträchtigt**

Kennzeichen

- Kann Wünsche nicht ausschlagen/nicht Nein sagen
- Passt sich an und steht nicht zur eigenen Meinung
- Widerspricht nicht, trotz gegenteiliger Ansicht
- Wird in der eigenen Tagesstruktur durch die Anforderungen und Wünsche der Mitmenschen fremdbestimmt
- Ist unschlüssig, sich zwischen mehreren Möglichkeiten zu entscheiden
- Entscheidungen werden aufgeschoben
- Äußert Ängste bezüglich der Konsequenzen bei einer Entscheidung

Ursachen

- Mangelndes Selbstbewusstsein
- Unsichere Persönlichkeit
- Angst vor Abbruch von Sozialkontakten
- Verlust und/oder Trennung von wichtigen Bezugspersonen
- Fehlende Unterstützung des sozialen Umfelds, um eigene Entscheidungen treffen zu können
- Fehlende positive Erfahrung, Entscheidungen zu treffen

Ressourcen

- Reagiert positiv auf therapeutische Gespräche
- Kann $sein Verhalten in Gesprächen reflektieren

Pflegeziele

- Nimmt eigene Wünsche und Bedürfnisse wahr
- Steht zu Entscheidungen und übernimmt dafür die Verantwortung
- Verbalisiert Wünsche und Bedürfnisse deutlich und fordert sie ein
- Erkennt Zusammenhänge zwischen eigenem Verhalten und Pflegediagnose
- Entwickelt Lösungswege im Gespräch
- Behandlungs- und Therapiekonzept sind transparent und vom therapeutischen Team umgesetzt
- Aktive Beteiligung an der Behandlungsplanung ist sichergestellt
- Wut, Ärger und Aggression werden in adäquater Weise wahrgenommen und ausgelebt
- Kann sich ausdrücken und Wünsche/Bedürfnisse adäquat äußern
- Verhält sich angemessen in sozialen Lebenssituationen

Pflegeinterventionen

Pflegefachgespräch führen

- Inhaltliche Ausrichtung des Gesprächs bestimmen
  - » Informationssammlung
  - » Pflege-, Betreuungs- und Behandlungsprozess
  - » Ursachenanalyse
  - » Strategien zur Krankheitsbewältigung
  - » Motivation/Aktivierung
  - » Alltagsbewältigung
  - » Förderung der Entscheidungsfindung
  - » Zukunftsperspektive
  - » Unterstützung der Orientierung
  - » Unterstützung des Realitätsbezugs
  - » Krisenintervention
  - » Aktuelle Bedürfnisse/Wünsche
  - » Instruktion/Anleitung
  - » Feed-back-Gespräch
  - » Sonstige Gesprächsinhalte
- Gesprächsteilnehmer
  - » Angehöriger/Bezugsperson
  - » Betroffene Person
- Zeitdauer des Gesprächs angeben

Fallbesprechung zur weiteren Behandlungs- und Therapieplanung durchführen

- Beteiligte Personen angeben
  - » Bewohner
  - » Pflegeperson
  - » Ärztlicher Dienst
  - » Psychologe
  - » Sozialarbeiter
  - » Sozialpädagoge
  - » Ergotherapeut
  - » Krankengymnast
  - » Logopäde
  - » Beschäftigungstherapeut
  - » Heilpädagoge
  - » Geistlicher Beistand
  - » Lehrer
  - » Erzieher
  - » Jugendamt
  - » Sonstige Personen
- Gesprächsinhalt
  - » Vereinbarte Therapieziele
  - » Vereinbarte Gesprächsinhalte für ein klientenzentriertes Pflegefachgespräch
- Zeitdauer angeben

Selbstsicherheitstraining in Form von Rollenspielen durchführen

- Selbstsicherheitstraining konkretisieren
- Teilnehmende Personen angeben
- Zeitdauer der Gruppenangebote bestimmen

Sonstige Pflegemaßnahmen durchführen

- Maßnahmen konkretisieren
- Zeit angeben

Literaturhinweise: 82, 83, 95, 101, 125, 173, 175, 176, 197, 215, 216

Der Patient **verwendet** ohne medizinische Indikation **Abführmittel**, es besteht das **Risiko der Gesundheitsschädigung**

Kennzeichen

- Äußert die Erwartungshaltung, täglich Stuhlgang zu haben
- Äußert die Erwartungshaltung, täglich zur selben Zeit Stuhlgang zu haben
- Nimmt regelmäßig Laxanzien ein
- Führt regelmäßig Einläufe durch
- Verwendet täglich Suppositorien

Ursachen

- Fehleinschätzung
- Fixierung auf die Ausscheidungsvorgänge aufgrund von Beschäftigungsmangel
- Veränderter Denkprozess
- Familiäre Gesundheitsvorstellung
- Kulturelles Gesundheitsverständnis

Ressourcen

- Zeigt Verhaltensweisen, die die Therapie unterstützen
- Ist bereit, die Abführmittel abzusetzen und natürliche Unterstützungsmethoden für die physiologische Ausscheidung zu probieren
- Akzeptiert die Unterstützung

Pflegeziele

- Kann die normale Funktion des Darms erklären
- Kennt Maßnahmen, um die physiologische Darmfunktion zu fördern
- Stuhlausscheidung mindestens jeden zweiten Tag
- Stuhlentleerung erfolgt schmerzfrei

Pflegeinterventionen

Informations- und Beratungsgespräche über Stuhlausscheidung und Obstipationsprophylaxe führen
- Gesprächsinhalt
- Zeit angeben
- Beteiligte Personen angeben
  - » Betroffene Person
  - » Angehöriger/Bezugsperson
  - » Betreuer
  - » Eltern
  - » Sonstige Personen
- Durchführende Person angeben
  - » Bezugspflegeperson
  - » Pflegeperson
  - » Spezialtherapeuten
  - » Physiotherapeuten

Stuhlausscheidungsgewohnheiten beobachten und dokumentieren
- Pflegeintervention konkretisieren
- Zeit angeben

Sonstige Pflegemaßnahmen durchführen
- Maßnahmen konkretisieren
- Zeit angeben

Literaturhinweise: 51, 84, 95, 133, 170, 175, 176

Der Patient empfindet ein **Verlangen**, eine Art Zwang, **psychotrope Substanzen/Suchtstoffe** zu konsumieren, es besteht das **Risiko eines Rückfalls**

Kennzeichen

- Spricht über das Verlangen nach Suchtmitteln
- Versucht, sich Suchtmittel zu beschaffen
- Hält den Kontakt mit den Lieferanten der Suchtmittel
- Gestaltet den Tagesablauf unstrukuriert
- Nimmt Termine nicht wahr
- Ist in Delikte von Beschaffungskriminalität verwickelt

Ursachen

- Substanzmissbrauch
- Bewusste/unbewusste Konflikte
- Bedürfnis der Flucht in eine erwünschte Scheinwelt
- Bedürfnis nach Steigerung der Erlebens- und Leistungsfähigkeit
- Bedürfnis nach emotionaler Entspannung
- Unbewältigte Lebensschwierigkeiten
- Inadäquate Frustbewältigungsstrategie
- Vereinsamung
- Sozio-kulturelle Milieueinflüsse
- Broken-home-Situationen (fehlende Zuwendung/Geborgenheit, wechselnde Bezugspersonen)
- Schuldgefühle
- Geringes Selbstwertgefühl
- Insuffizienzgefühle

Ressourcen

- Äußert den Wunsch, von den Suchtstoffen loszukommen
- Knüpft neue Kontakte im sozialen Umfeld, die nicht aus der Suchtszene kommen
- Akzeptiert die Unterstützung
- Akzeptiert die Unterstützung von Angehörigen

Pflegeziele

- Entzugssyndrom ist rechtzeitig erkannt
- Substanzentzug und Entgiftung ohne Komplikationen
- Komplikationen sind frühzeitig erkannt und abgewendet
- Atmung ist physiologisch
- Die Einnahme von Suchtstoffen ist erkannt
- Entwickelt eine drogenfreie Zukunftsperspektive
- Kann über das Verlangen nach Suchtstoffen sprechen
- Krankhafte Veränderungen sind frühzeitig erkannt
- Hält die Vereinbarungen ein
- Absprachen sind im therapeutischen Team bekannt und werden entsprechend umgesetzt
- Normgemäßes Verhalten wird belohnt
- Entwickelt die Fähigkeit, sich an Regeln zu halten
- Behandlungs- und Therapiekonzept sind transparent und vom therapeutischen Team umgesetzt
- Aktive Beteiligung an der Behandlungsplanung ist sichergestellt
- Ist in den Tagesablauf aktiv integriert
- Ein menschenwürdiges, an die persönliche Lebensgeschichte angepasstes Leben ist ermöglicht
- Ist aktiviert und beteiligt sich an den Milieuprozessen
- Entwickelt Verhaltensweisen, die das Leben in der Gemeinschaft fördern
- Soziale Kompetenzen sind gefördert
- Spricht Konflikte/Empfindungen in der Gruppe an
- Adäquate Konfliktlösungsstrategien sind entwickelt
- Fühlt sich angenommen und entwickelt Vertrauen
- Besucher- und Ausgangsregelungen werden eingehalten
- Kennt Möglichkeiten, aktiv den Therapieerfolg zu unterstützen
- Hält sich an Absprachen und unterstützt aktiv die Therapie
- Selbstkontrolle ist verbessert
- Entwickelt die Fähigkeit, die Rollenerwartung zu erfüllen

Pflegeinterventionen

Auf Anzeichen von Entzugssymptomen beobachten

- Pflegeintervention konkretisieren
- Zeit angeben

Vitalzeichenkontrollen durchführen

- Überwachungsmonitor benutzen
  - » Überwachungsmonitor benutzen
  - » Pulsfrequenz/-qualität messen
  - » Blutdruckwert messen
  - » Atemfrequenz/-qualität messen
  - » Körpertemperatur messen
  - » Sauerstoffsättigung mit Oximeter überprüfen
- Vitalzeichenwerte manuell messen
  - » Pulsfrequenz/-qualität messen
  - » Blutdruckwert messen
  - » Atemfrequenz/-qualität messen
  - » Körpertemperatur messen
- Ort der Messung angeben
  - » Am rechten Arm messen
  - » Am linken Arm messen
  - » Am Finger messen
  - » Am Zeh messen
  - » Besonderheiten bei der Messung bestimmen

Kontrollen bezüglich der Einnahme von Suchtstoffen/Substanzen durchführen

- Maßnahmen konkretisieren
  - » Alkohol-Blastest durchführen
  - » Urinprobe zur Untersuchung gewinnen
  - » Blutentnahme zur Blutuntersuchung auf Suchtstoffe durchführen

Bewusstsein mithilfe eines Überwachungsprotokolls beobachten

- Pflegeintervention konkretisieren

- » Vitalzeichenkontrolle durchführen, auf dem Überwachungsprotokoll dokumentieren
- Bewusstseinskontrolle durchführen
  - » Auf qualitative Veränderungen beobachten
  - » Auf quantitative Veränderungen beobachten

Klare Regeln im Gespräch aufstellen und gemeinsam vereinbaren
- Gesprächsinhalt
- Zeit angeben
- Beteiligte Personen angeben
  - » Betroffene Person
  - » Angehöriger/Bezugsperson
  - » Betreuer
  - » Eltern
  - » Sonstige Personen
- Durchführende Person angeben
  - » Bezugspflegeperson
  - » Pflegeperson
  - » Spezialtherapeuten
  - » Physiotherapeuten

Erwünschtes und unerwünschtes Verhalten im Therapieverlauf entsprechend den gemeinsamen Absprachen handhaben
- Pflegeintervention konkretisieren
- Zeit angeben

Lockerung der vereinbarten Grenzen und Sanktionen entsprechend den Therapieerfolgen in Absprache mit dem interdisziplinären Team
- Pflegeintervention konkretisieren
- Zeit angeben

Fallbesprechung zur weiteren Behandlungs- und Therapieplanung durchführen
- Beteiligte Personen angeben
  - » Bewohner
  - » Pflegeperson
  - » Ärztlicher Dienst
  - » Psychologe
  - » Sozialarbeiter
  - » Sozialpädagoge
  - » Ergotherapeut
  - » Krankengymnast
  - » Logopäde
  - » Beschäftigungstherapeut
  - » Heilpädagoge
  - » Geistlicher Beistand
  - » Lehrer
  - » Erzieher
  - » Jugendamt
  - » Sonstige Personen
- Gesprächsinhalt
  - » Vereinbarte Therapieziele
  - » Vereinbarte Gesprächsinhalte für ein klientenzentriertes Pflegefachgespräch
- Zeitdauer angeben

Milieutherapeutische Aktivitäten im Wohn-/Stationsbereich durchführen
- Stationsaktivität angeben
  - » Gemeinsam aktuelle Zeitungen/Magazine lesen
  - » Kinoabend im Wohn-/Stationsbereich durchführen
  - » Spielnachmittag besuchen
  - » Mahlzeiten gemeinsam einnehmen
  - » Tanznachmittag besuchen
  - » Kirchenbesuch durchführen
  - » Spazieren gehen
  - » Singstunde besuchen
  - » An Festaktivitäten teilnehmen
  - » Am Sonntagsfrühstück teilnehmen
  - » Aktivitäten im Zusammenhang, den Gemeinschaftsraum zu gestalten
  - » Zur Milieugestaltung malen/basteln
- Einrichtungsspezifische Aktivität wählen
- Zeitdauer der Aktivitäten bestimmen

Gesprächstherapeutische Gruppenaktivität durchführen
- Therapiegruppe angeben
  - » An Stationsgesprächsrunde/-meeting/-forum teilnehmen
  - » An Gesprächskreis über tagesaktuelle Themen teilnehmen
  - » Wochenendgruppe besuchen
  - » Konfliktgruppe besuchen
  - » Morgenrunde besuchen
  - » Kritikgruppe besuchen
- Einrichtungsspezifische Aktivität wählen
- Zeitdauer der Gruppenangebote bestimmen

Bezugsperson und Gesprächsinhalte festlegen
- Bezugsperson festlegen
- Pflegeintervention konkretisieren
  - » Tages-/Wochenplan erstellen
  - » Aktivitätenplan erstellen
  - » Tages- und Wochenpläne besprechen
  - » Durchgeführte Aktivitäten besprechen
  - » Lebenspraktische Inhalte besprechen
- Fest verbindlichen Tagesplan vereinbaren
  - » Mit Kontrollmöglichkeit
  - » Ohne Kontrollmöglichkeit
  - » In Eigenverantwortung
  - » In Verantwortung der Bezugsperson
  - » Tagesaktivitäten auswerten und reflektieren
- Dauer bestimmen

Ausgangs- und Besucherregeln im therapeutischen Team festlegen und mit dem Betroffenen vereinbaren
- Pflegeintervention konkretisieren
- Zeit angeben

Therapieziele gemeinsam vereinbaren und kontinuierlich reflektieren
- Maßnahmen konkretisieren
  - » Goal Attainment Scale einsetzen (= Zielerreichungsskala)
  - » Punkteplan einsetzen
- Zeit angeben

Bei Regelverstößen vereinbarte Sanktionen durchführen
- Pflegeintervention konkretisieren
- Zeit angeben

Belohnungssystem mit Punkteplan durchführen
- Pflegeintervention konkretisieren
- Zeit angeben

Sonstige Pflegemaßnahmen durchführen
- Maßnahmen konkretisieren
- Zeit angeben

Literaturhinweise: 510

Der Patient hat aufgrund von **Verwirrtheit/Desorientierung** das **Risiko der Selbst-/Fremdgefährdung**

Kennzeichen

- Erkennt Gefahren nicht, kann selbstgefährdende Situationen nicht einschätzen
- Kennt bekannte Personen nicht mehr
- Angehörige/Bezugspersonen berichten über eine Persönlichkeitsveränderung
- Reduzierte/beeinträchtigte Sozialkontakte
- Drückt sich sprachlich inkohärent aus
- Kann Gesprächen nicht/schwer folgen
- Zeigt Unruhezustände mit erhöhter Gefahr der Selbstgefährdung
- Umtriebigkeit und psychomotorische Unruhe
- Denken ist beeinträchtigt
- Drückt sich verbal unklar aus
- Äußert verworrene Gedanken
- Wirkt zerfahren
- Ideenflucht
- Beschreibt optische/visuelle Halluzinationen
- Beschreibt akustische/auditive Halluzinationen
- Veränderter Schlaf-Wach-Rhythmus
- Konzentrationsschwäche
- Ruft nach bereits verstorbenen Personen

Ursachen

- Nebenwirkungen von Medikamenten
- Postoperative Phase/Narkoseüberhang
- Stoffwechselstörung
- Entzugssyndrom
- Delir
- Flüssigkeitsdefizit/Dehydratation/ Exsikkose
- Psychotische Veränderung
- Demenzielle Veränderung
- Morbus Alzheimer
- Korsakow-Syndrom
- Kopfverletzung
- Zerebrovaskuläres Ereignis
- Multi-Infarkt-Demenz
- Übermäßiger Alkoholkonsum
- Traumatisches Durchgangssyndrom
- Postoperatives Durchgangssyndrom

Ressourcen

- Nimmt Orientierungshilfen an
- Toleriert die Fixierungsmaßnahme
- Erkennt die Notwendigkeit der getroffenen Intervention und kooperiert mit dem therapeutischen Team
- Akzeptiert die Unterstützung
- Akzeptiert die Unterstützung von Angehörigen

Pflegeziele

- Einer Fremdgefährdung ist vorgebeugt
- Einem Sturz ist vorgebeugt
- Einer Selbstgefährdung ist vorgebeugt
- Findet sich in der Umgebung zurecht
- Ist zur Person, örtlich und zeitlich orientiert
- Fixierung smaßnahmen sind nicht erforderlich
- Therapie- und Aktivitätsangebote sind individuell abgestimmt
- Selbstständigkeit ist gefördert
- Vorhandene Kompetenzen in der selbstständigen Lebensführung erhalten
- Kompetenzen der selbstständigen Lebensführung fördern
- Selbstwertgefühl ist gestärkt
- Soziale Kompetenzen sind gefördert
- Spricht Konflikte/Empfindungen in der Gruppe an
- Adäquate Konfliktlösungsstrategien sind entwickelt
- Ist sozial integriert
- Übernimmt Mitverantwortung in der Gruppe
- Soziales Lernen ist unterstützt
- Integriert sich in das Gruppengeschehen
- Kennt die Spielregeln in sozialen Gemeinschaften
- Einer Selbst- und Fremdgefährdung ist vorgebeugt
- Wohlbefinden und Entspannung sind unterstützt
- Spannungen und Ängste sind reduziert
- Interesse ist geweckt
- Erinnerungen sind hervorgerufen
- Sinneswahrnehmungen sind durch unterschiedliche Reize stimuliert
- Verletzungen sind vermieden

Pflegeinterventionen

Einschätzung des Selbst-/Fremdverletzungsrisikos im Zusammenhang mit der Orientierungsfähigkeit
- Pflegeintervention konkretisieren
- Zeit angeben

Für eine sichere Umgebung sorgen und gefährliche Gegenstände entfernen
- Für eine sichere Umgebung sorgen
  - Stolperfallen herausfinden und entfernen
  - Lichtverhältnisse verbessern
  - Gefährliche Gegenstände entfernen
  - Gefährliche Hindernisse aus dem Weg räumen
- Maßnahmen zur Förderung der Sicherheit
  - Brille überprüfen und anbieten
  - Hörgerät anbieten
  - Anti-Rutsch-Socken anziehen
  - Gehhilfen anbieten und die Benutzung einüben

Für sicheres Schuhwerk sorgen
- Maßnahmen konkretisieren
  - Zum Anziehen von festem Schuhwerk auffordern
  - Zum Anziehen von festem Schuhwerk anleiten
  - Beim Anziehen von festem Schuhwerk unterstützen
  - Anziehen von festem Schuhwerk übernehmen
- Zum Gehen folgende Schuhe anziehen
  - Halbschuhe zum Schnüren anziehen
  - Turnschuhe anziehen
  - Spezialschuhe anziehen

Fixierungsmaßnahmen durchführen
- Maßnahmen konkretisieren
  - Bettgitter beidseitig anbringen
  - Bettgitter rechts anbringen

- » Bettgitter links anbringen
- » Bauchgurt benutzen
- » Bett an die Wand stellen
- » Hände fixieren
- » Rechte Hand fixieren
- » Linke Hand fixieren
- » Beine fixieren
- » Therapietisch einsetzen
- Rechtsgrundlage der Fixierungsmaßnahme feststellen
  - » Fixierung ist durch richterlichen Bescheid genehmigt
  - » Freiwilligkeitserklärung bezüglich der freiheitsentziehenden Maßnahme liegt vor
  - » Unterbringung nach PsychKG/UBG

Orientierungs- und Erinnerungshilfen anbieten
- Orientierungshilfen geben
  - » Farblinien auf dem Boden anbringen
  - » Türschilder anbringen
  - » Große Uhr gut sichtbar aufhängen
  - » Kalender mit Tages- und Jahreszahlen in großer Schrift aufhängen und täglich aktualisieren
  - » Für Nachtbeleuchtung sorgen
- Erinnerungshilfen einsetzen
  - » Erinnerungssignale festlegen
  - » Elektronische Notizbücher einsetzen
  - » Hinweistafeln einsetzen
  - » Markante Türschilder nutzen

Individuelle Alternativen zur Fixierung herausfinden und umsetzen
- Pflegeintervention konkretisieren
- Zeit angeben

Fallbesprechung über den Pflege- und Behandlungsprozess führen
- Beteiligte Personen angeben
  - » Bewohner
  - » Pflegeperson
  - » Ärztlicher Dienst
  - » Psychologe
  - » Sozialarbeiter
  - » Sozialpädagoge
  - » Ergotherapeut
  - » Krankengymnast
  - » Logopäde
  - » Beschäftigungstherapeut
  - » Heilpädagoge
  - » Geistlicher Beistand
  - » Lehrer
  - » Erzieher
  - » Jugendamt
  - » Sonstige Personen
- Gesprächsinhalt
  - » Vereinbarte Therapieziele
  - » Vereinbarte Gesprächsinhalte für ein klientenzentriertes Pflegefachgespräch
- Zeitdauer angeben

Lebenspraktisches Einzeltraining durchführen
- Einzeltraining konkretisieren
  - » Aus der Tageszeitung vorlesen und aktuelle Themen diskutieren
  - » Mahlzeiten kochen
  - » Einkaufen gehen
  - » Küchendienst übernehmen
  - » Zimmer reinigen
  - » Tisch für die Mahlzeiten decken/abdecken
  - » Blumen-/Pflanzenpflege durchführen
  - » Wäsche versorgen
- Einrichtungsspezifische Aktivität wählen
- Art der Unterstützungsleistung angeben
  - » Beim Durchführen anleiten
  - » Beim Durchführen beaufsichtigen
  - » Durchgeführte Tätigkeiten im Pflegefachgespräch reflektieren
  - » Gemeinsam partnerschaftlich durchführen
- Zeitdauer der Einzelförderung bestimmen

Lebenspraktisches Gruppentraining durchführen
- Gruppentraining konkretisieren
  - » Gemeinsam Mahlzeiten kochen und einnehmen
  - » Gemeinsam einkaufen
  - » An der Kosmetikgruppe teilnehmen
  - » Feste planen, vorbereiten und durchführen
  - » An der Hauswirtschaftsgruppe teilnehmen
- Einrichtungsspezifische Aktivität wählen
- Art der Unterstützungsleistung angeben
  - » Auffordern, den Termin des Gruppenangebots einzuhalten
  - » Zur Teilnahme an den Aktivitäten motivieren
  - » Bei den Gruppenaktivitäten unterstützen
  - » Nach der Aktivität Reflexionsgespräch führen
- Zeitdauer der Gruppentherapie bestimmen

Gesprächstherapeutische Gruppenaktivität durchführen
- Therapiegruppe angeben
  - » An Stationsgesprächsrunde/-meeting/-forum teilnehmen
  - » An Gesprächskreis über tagesaktuelle Themen teilnehmen
  - » Wochenendgruppe besuchen
  - » Konfliktgruppe besuchen
  - » Morgenrunde besuchen
  - » Kritikgruppe besuchen
- Einrichtungsspezifische Aktivität wählen
- Zeitdauer der Gruppenangebote bestimmen

Gesellschaftliche/soziale Aktivitäten fördern
- Stationsaktivität angeben
  - » Gemeinsam aktuelle Zeitungen/Magazine lesen
  - » Kinoabend im Wohn-/Stationsbereich durchführen
  - » Spielnachmittag besuchen
  - » Mahlzeiten gemeinsam einnehmen
  - » Tanznachmittag besuchen
  - » Kirchenbesuch durchführen
  - » Spazieren gehen
  - » Singstunde besuchen
  - » An Festaktivitäten teilnehmen
  - » Am Sonntagsfrühstück teilnehmen
  - » Aktivitäten im Zusammenhang, den Gemeinschaftsraum zu gestalten
  - » Zur Milieugestaltung malen/basteln
- Einrichtungsspezifische Aktivität wählen
- Zeitdauer der Aktivitäten bestimmen

Den Patienten auf Verkehrsfähigkeit überprüfen
- Pflegeintervention konkretisieren
- Zeit angeben

Snoezelen-Angebote durchführen
- Angebotene Reize konkretisieren
  - » Spezielle Lichtverhältnisse/-effekte einsetzen
  - » Klang- und Tonelemente einsetzen
  - » Musik einsetzen
  - » Aromatherapie einsetzen
- Snoezelen-Angebot konkretisieren
  - » Ruhe- und Entspannungsangebot
- Kombinationen mit Snoezelen-Angeboten
  - » Snoezelen mit Tieren
  - » Snoezelen und Wahrnehmungsförderung
  - » Snoezelen und Gedächtnistraining
  - » Snoezelen und Aufmerksamkeits- und Konzentrationstraining
- Zeit angeben

Basal stimulierende Angebote durchführen
- » Somatische, vestibuläre Stimulation durchführen
- » Vibratorische Stimulation durchführen
- » Orale Stimulation durchführen
- » Auditive Stimulation durchführen
- » Visuelle Stimulation durchführen
- » Taktil-haptische Stimulation durchführen
- Zeit angeben

Schutzmaßnahmen vor Verletzungen bei aggressiven Affekthandlungen ergreifen
- Maßnahmen konkretisieren
  - » Hüftprotektoren anlegen
  - » Sturzhelm aufsetzen
  - » Ellenbogenprotektoren einsetzen
  - » Knieprotektoren einsetzen
  - » Handschuhe anziehen
  - » Zwangsjacke anlegen
  - » In der Akutphase in den Schutzraum bringen
- Zeit/Bedingung der Anwendung bestimmen
  - » Bei bestimmtem Verhalten des Patienten
  - » Kontinuierlich am Tag
  - » Sonstige Gründe

Sonstige Pflegemaßnahmen durchführen
- Maßnahmen konkretisieren
- Zeit angeben

Literaturhinweise: 71, 79, 82, 83, 95, 101, 102, 125, 127, 173, 175, 176, 691, 692, 693, 694, 891

Der Patient hat aufgrund von **Halluzinationen** das **Risiko der Selbst-/Fremdgefährdung**

Kennzeichen

- Erkennt Gefahren nicht, kann selbstgefährdende Situationen nicht einschätzen
- Beeinträchtigte Wahrnehmung der Umgebung
- Real Vorhandenes wird verfremdet wahrgenommen
- Verkennt Gegenstände
- Berichtet über Ängste
- Beschreibt akustische/auditive Halluzinationen
- Beschreibt optische/visuelle Halluzinationen
- Beschreibt olfaktorische Halluzinationen
- Beschreibt taktile Halluzinationen
- Beschreibt coenästhetische Halluzinationen (Leibhalluzinationen)
- Nimmt die Umwelt reduziert wahr

Ursachen

- Schizophrene Psychose
- Organisch bedingte Psychose
- Alkoholpsychose
- Drogenintoxikation
- Epilepsie
- Digitalisüberdosierung
- Übermüdung

Ressourcen

- Äußert Einsicht in die Pflegemaßnahme
- Kann Vertrauen zum Pflegepersonal aufbauen
- Akzeptiert die Unterstützung bei der Tagesgestaltung
- Akzeptiert die Unterstützung
- Akzeptiert die Unterstützung von Angehörigen
- Lässt sich ablenken

Pflegeziele

- Sozialkontakte und Gruppenverhalten sind gefördert
- Soziale Kompetenzen sind gefördert
- Kognitive Fähigkeiten sind gefördert
- Halluzinationen sind reduziert
- Komplikationen sind vorgebeugt
- Kann sich am Tagesablauf orientieren
- Einer Selbstgefährdung ist vorgebeugt
- Einer Fremdgefährdung ist vorgebeugt
- Spricht Konflikte/Empfindungen in der Gruppe an
- Adäquate Konfliktlösungsstrategien sind entwickelt
- Therapie- und Aktivitätsangebote sind individuell abgestimmt
- Kann psychotische Welt und Realität unterscheiden
- Eigenständige Lebensgestaltung ist ermöglicht
- Erkennt eine einheitliche Zielsetzung im therapeutischen Team und akzeptiert diese
- Ist in den Tagesablauf aktiv integriert
- Ein menschenwürdiges, an die persönliche Lebensgeschichte angepasstes Leben ist ermöglicht
- Ist aktiviert und beteiligt sich an den Milieuprozessen
- Entwickelt Verhaltensweisen, die das Leben in der Gemeinschaft fördern

Pflegeinterventionen

Sozialverhalten sowie Äußerungen über Halluzinationen beobachten und dokumentieren
- Pflegeintervention konkretisieren
- Zeit angeben

Spiele und Aktivitäten einsetzen, um Kompetenzen des Patienten zu fördern
- Maßnahmen konkretisieren
  - » Volleyball spielen
  - » Tischtennis spielen
  - » Handball spielen
  - » Fußball spielen
  - » Federball spielen
  - » Tennis spielen
- Einrichtungsspezifische Aktivität wählen
- Gesellschaftsspiele spielen
  - » Mensch ärgere Dich nicht
  - » Monopoly
  - » Mikado
  - » Domino
  - » Kartenspiele
- Einrichtungsspezifische Aktivität wählen
- Unter Beteiligung von Pflegepersonen aktivieren

Auslösende Noxen erkennen, dokumentieren und aus der Umgebung des Patienten entfernen
- Pflegeintervention konkretisieren
- Zeit angeben

Vitalzeichenkontrolle durchführen
- Überwachungsmonitor benutzen
  - » Überwachungsmonitor benutzen
  - » Pulsfrequenz/-qualität messen
  - » Blutdruckwert messen
  - » Atemfrequenz/-qualität messen
  - » Körpertemperatur messen
  - » Sauerstoffsättigung mit Oximeter überprüfen
- Vitalzeichenwerte manuell messen
  - » Pulsfrequenz/-qualität messen
  - » Blutdruckwert messen
  - » Atemfrequenz/-qualität messen
  - » Körpertemperatur messen
- Ort der Messung angeben
  - » Am rechten Arm messen
  - » Am linken Arm messen
  - » Am Finger messen
  - » Am Zeh messen
  - » Besonderheiten bei der Messung bestimmen

Tages- und Wochenplan gemeinsam erarbeiten und Vereinbarungen bezüglich der Aktivitäten treffen
- Bezugsperson festlegen

- Pflegeintervention konkretisieren
  - » Tages-/Wochenplan erstellen
  - » Aktivitätenplan erstellen
  - » Tages- und Wochenpläne besprechen
  - » Durchgeführte Aktivitäten besprechen
  - » Lebenspraktische Inhalte besprechen
- Fest verbindlichen Tagesplan vereinbaren
  - » Mit Kontrollmöglichkeit
  - » Ohne Kontrollmöglichkeit
  - » In Eigenverantwortung
  - » In Verantwortung der Bezugsperson
  - » Tagesaktivitäten auswerten und reflektieren
- Dauer bestimmen

Für eine sichere Umgebung sorgen und gefährliche Gegenstände entfernen
- Für eine sichere Umgebung sorgen
  - » Stolperfallen herausfinden und entfernen
  - » Lichtverhältnisse verbessern
  - » Gefährliche Gegenstände entfernen
  - » Gefährliche Hindernisse aus dem Weg räumen
- Maßnahmen zur Förderung der Sicherheit
  - » Brille überprüfen und anbieten
  - » Hörgerät anbieten
  - » Anti-Rutsch-Socken anziehen
  - » Gehhilfen anbieten und die Benutzung einüben

Gesprächstherapeutische Gruppenaktivität durchführen
- Therapiegruppe angeben
  - » An Stationsgesprächsrunde/-meeting/-forum teilnehmen
  - » An Gesprächskreis über tagesaktuelle Themen teilnehmen
  - » Wochenendgruppe besuchen
  - » Konfliktgruppe besuchen
  - » Morgenrunde besuchen
  - » Kritikgruppe besuchen
- Einrichtungsspezifische Aktivität wählen
- Zeitdauer der Gruppenangebote bestimmen

Fallbesprechung über den Pflege- und Behandlungsprozess führen
- Beteiligte Personen angeben
  - » Bewohner
  - » Pflegeperson
  - » Ärztlicher Dienst
  - » Psychologe
  - » Sozialarbeiter
  - » Sozialpädagoge
  - » Ergotherapeut
  - » Krankengymnast
  - » Logopäde
  - » Beschäftigungstherapeut
  - » Heilpädagoge
  - » Geistlicher Beistand
  - » Lehrer
  - » Erzieher
  - » Jugendamt
  - » Sonstige Personen
- Gesprächsinhalt
  - » Vereinbarte Therapieziele
  - » Vereinbarte Gesprächsinhalte für ein klientenzentriertes Pflegefachgespräch
- Zeitdauer angeben

Realitätsbezug im Alltag fördern
- Maßnahmen konkretisieren
  - » Wahnthemen und Zwangshandlungen nicht versuchen auszureden und keine Diskussion entstehen lassen
  - » Akzeptierende Grundhaltung gegenüber den Wahnideen zeigen
  - » Eigene Realität gegenüberstellen
  - » Lebenspraktische Tätigkeiten durchführen
  - » "Harmlose" Gesprächsthemen anbieten

Rückzugstendenzen nur zulassen, soweit sie nützlich sind
- Maßnahmen konkretisieren
  - » Feste Rückzugszeiten ins Zimmer vereinbaren
  - » Zimmer des Betroffenen verschließen
  - » Zu Gruppenaktivitäten holen und motivieren

Milieutherapeutische Aktivitäten im Wohn-/Stationsbereich durchführen
- Stationsaktivität angeben
  - » Gemeinsam aktuelle Zeitungen/Magazine lesen
  - » Kinoabend im Wohn-/Stationsbereich durchführen
  - » Spielnachmittag besuchen
  - » Mahlzeiten gemeinsam einnehmen
  - » Tanznachmittag besuchen
  - » Kirchenbesuch durchführen
  - » Spazieren gehen
  - » Singstunde besuchen
  - » An Festaktivitäten teilnehmen
  - » Am Sonntagsfrühstück teilnehmen
  - » Aktivitäten im Zusammenhang, den Gemeinschaftsraum zu gestalten
  - » Zur Milieugestaltung malen/basteln
- Einrichtungsspezifische Aktivität wählen
- Zeitdauer der Aktivitäten bestimmen

Sonstige Pflegemaßnahmen durchführen
- Maßnahmen konkretisieren
- Zeit angeben

Literaturhinweise: 71, 82, 83, 95, 101, 102, 125, 127, 173, 175, 176

Der Patient zeigt **Weglauftendenzen**, es besteht das **Risiko der Selbstgefährdung**

Kennzeichen

- Läuft planlos in der Wohnung/dem Wohnbereich umher und verlässt diese(n) dadurch
- Verlässt den Lebensraum ständig
- Verlässt in unbeobachteten Momenten die Wohnung
- Sucht die Eltern/Kinder/das "alte" Zuhause immer wieder
- Umtriebigkeit und psychomotorische Unruhe
- Findet nicht mehr in den Lebensraum zurück
- Erkennt vertraute Personen (Ehefrau/-mann, Kinder) nicht wieder
- Beeinträchtigte örtliche Orientierung
- Beeinträchtigte zeitliche Orientierung
- Beeinträchtigte räumliche Orientierung
- Beeinträchtigte situative Orientierung

Ursachen

- Demenz
- Morbus Alzheimer
- Psychische Erkrankung
- Schizophrene Psychose
- Suchterkrankung
- Geistige Behinderung
- Orientierungsstörung
- Wahrnehmungsstörung

Ressourcen

- Weglauftendenzen lassen sich durch Integration in den Stationsablauf reduzieren
- Freut sich, wenn $er zurück in die Wohngruppe kommt

Pflegeziele

- Weglaufen des Patienten ist sofort erkannt
- Weglauftendenzen sind reduziert
- Kann sofort identifiziert und in den Wohnbereich zurückgeführt werden
- Einer Selbst- und Fremdgefährdung ist vorgebeugt

Pflegeinterventionen

Alle Mitarbeiter über die Weglauftendenz informieren
- Pflegeintervention konkretisieren
- Zeit angeben

Tages- und wohnstrukturierende Maßnahmen durchführen
- Stationsaktivität angeben
  - Morgengymnastik durchführen
  - Mahlzeiten gemeinsam einnehmen
  - Am gemeinsamen Kaffeetrinken teilnehmen
  - Am "positiven Tagesrückblick" teilnehmen
  - Entspannungstraining besuchen
  - An der Stationsgesprächsrunde (dem Stationsmeeting/-forum) teilnehmen
- Einrichtungsspezifische Aktivität wählen
- Art der Unterstützungsleistung angeben
  - Auffordern, den Termin des Gruppenangebots einzuhalten
  - Zur Teilnahme an den Aktivitäten motivieren
  - Bei der Teilnahme an den Angeboten die Durchführung unterstützen
- Zeit angeben

Kleidungsstücke mit Namen und Adresse des Patienten versehen
- Pflegeintervention konkretisieren
- Zeit angeben

Den Patienten auf Verkehrsfähigkeit überprüfen
- Pflegeintervention konkretisieren
- Zeit angeben

Den Patienten suchen und in den Wohnbereich/die Station rückbegleiten
- Pflegeintervention konkretisieren
- Zeit angeben

Alarmsysteme verwenden
- Pflegeintervention konkretisieren
- Alarmsysteme
  - Sensormatten, die das Aufstehen des Betroffenen melden
  - Alarm- und Personensuchsysteme einsetzen

Sonstige Pflegemaßnahmen durchführen
- Maßnahmen konkretisieren
- Zeit angeben

Literaturhinweise: 82, 83, 95, 101, 102, 173, 175, 176

Der Patient hat eine **affektive Erregung/Spannung**, es besteht das **Risiko der Selbstgefährdung**

Kennzeichen

- Sinn- und zweckloser Bewegungsdrang
- Sprachliche Unruhe
- Hypertone Erregungszustände
- Zeigt Unruhezustände mit erhöhter Gefahr der Selbstgefährdung
- Äußert Selbstschädigungswünsche
- Affekthandlungen
- Äußert sich durch aggressives Verhalten
- Äußert sich durch Lärmen/Schreien
- Äußert sich durch selbstgerichtetes Schlagen
- Schlägt um sich/schlägt andere
- Fordert eine Fixierungsmaßnahme aktiv ein

Ursachen

- Psychose
- Schizophrene Psychose
- Neurose
- Aktuelle Ereignisse im Umfeld
- Anhaltende psychische Belastung

Ressourcen

- Akzeptiert die Bezugsperson
- Kann Gefühle und Sorgen mit der Bezugsperson besprechen
- Lässt sich ablenken
- Toleriert die Fixierungsmaßnahme
- Akzeptiert die Unterstützung
- Akzeptiert die Unterstützung von Angehörigen

Pflegeziele

- Baut ein Vertrauensverhältnis zum Gesprächspartner auf
- Spricht die Bezugsperson bei Problemen selbstständig an
- Kann psychotische Welt und Realität unterscheiden
- Eigenständige Lebensgestaltung ist ermöglicht
- Erkennt eine einheitliche Zielsetzung im therapeutischen Team und akzeptiert diese
- Nimmt Gefühle wahr und artikuliert diese adäquat
- Soziale Kompetenzen sind gefördert
- Kann sich am Tagesablauf orientieren
- Entwickelt ein positives Selbstwertgefühl
- Verletzungen sind vermieden
- Ist sozial integriert
- Übernimmt Mitverantwortung in der Gruppe
- Soziales Lernen ist unterstützt
- Integriert sich in das Gruppengeschehen
- Kennt die Spielregeln in sozialen Gemeinschaften
- Spricht Konflikte/Empfindungen in der Gruppe an
- Adäquate Konfliktlösungsstrategien sind entwickelt
- Ist körperlich fit
- Affektive Erregung baut sich ab
- Ruhe wird erzeugt, Erregung abgebaut
- Erhält Feed-back aus der Gruppe
- Wendet Entspannungstechniken erfolgreich an

Pflegeinterventionen

Bezugsperson festlegen
- Pflegeintervention konkretisieren
- Zeit angeben

Realitätsbezug im Alltag fördern
- Maßnahmen konkretisieren
  - » Wahnthemen und Zwangshandlungen nicht versuchen auszureden und keine Diskussion entstehen lassen
  - » Akzeptierende Grundhaltung gegenüber den Wahnideen zeigen
  - » Eigene Realität gegenüberstellen
  - » Lebenspraktische Tätigkeiten durchführen
  - » "Harmlose" Gesprächsthemen anbieten

Rückzugstendenzen nur zulassen, soweit sie nützlich sind
- Maßnahmen konkretisieren
  - » Feste Rückzugszeiten ins Zimmer vereinbaren
  - » Zimmer des Betroffenen verschließen
  - » Zu Gruppenaktivitäten holen und motivieren

Selbstkonzept/-bild/-wert und soziale Kompetenzen in Einzeltherapie fördern
- Einzeltherapeutisches Angebot angeben
  - » Selbstsicherheitstraining durchführen
  - » Genusstherapie durchführen
  - » Verhaltenstherapie durchführen
  - » Assertiveness-Training-Programm (ATP) durchführen
  - » Integriertes Psychologisches Therapieprogramm (IPT) durchführen
  - » Positiven Tagesrückblick durchführen
  - » Musiktherapie durchführen
  - » Gestalttherapie durchführen
  - » Maltherapie durchführen
  - » Kognitives Einzeltraining durchführen
  - » Rollenspiele durchführen
  - » Erinnerungstherapie durchführen
  - » Achtsamkeitstraining durchführen
  - » Anti-Phobie/Angst-Training durchführen
- Einrichtungsspezifische Aktivität wählen
- Zeitdauer der Einzelförderung bestimmen

Selbstkonzept/-bild und soziale Kompetenzen in Gruppentherapie fördern
- Gruppentherapeutisches Angebot angeben
  - » Selbstsicherheitstraining durchführen
  - » Genusstherapie durchführen
  - » Verhaltenstherapie durchführen
  - » Assertiveness-Training-Programm (ATP) durchführen
  - » Integriertes Psychologisches Therapieprogramm (IPT) durchführen
  - » Kognitive Therapiegruppe besuchen
  - » Musiktherapie durchführen
  - » Gestalttherapie durchführen
  - » Maltherapie durchführen
  - » Märchen-/Literaturgruppe besuchen
  - » Rollenspiele durchführen

- » Interaktionsspiele zur Persönlichkeitsentwicklung durchführen
- » Am Gesprächskreis im Erinnerungsraum teilnehmen
- » Achtsamkeitstraining durchführen
- » Anti-Phobie/Angst-Training durchführen
- Einrichtungsspezifische Aktivität wählen
- Zeitdauer der Gruppentherapie bestimmen

Tages- und Wochenplan gemeinsam erarbeiten und Vereinbarungen bezüglich der Aktivitäten treffen
- Bezugsperson festlegen
- Pflegeintervention konkretisieren
  - » Tages-/Wochenplan erstellen
  - » Aktivitätenplan erstellen
  - » Tages- und Wochenpläne besprechen
  - » Durchgeführte Aktivitäten besprechen
  - » Lebenspraktische Inhalte besprechen
- Fest verbindlichen Tagesplan vereinbaren
  - » Mit Kontrollmöglichkeit
  - » Ohne Kontrollmöglichkeit
  - » In Eigenverantwortung
  - » In Verantwortung der Bezugsperson
  - » Tagesaktivitäten auswerten und reflektieren
- Dauer bestimmen

Selbstwertgefühl und Selbstachtung durch einheitliche Verhaltensweisen im therapeutischen Team fördern
- Maßnahmen konkretisieren
  - » Gewünschtes Verhalten durch Lob fördern
  - » Im therapeutischen Team Verhaltensweisen zur Stärkung des Selbstkonzepts vereinbaren
  - » Einüben, sich selbst zu belohnen

Schutzmaßnahmen vor Verletzungen bei aggressiven Affekthandlungen ergreifen
- Maßnahmen konkretisieren
  - » Hüftprotektoren anlegen
  - » Sturzhelm aufsetzen
  - » Ellenbogenprotektoren einsetzen
  - » Knieprotektoren einsetzen
  - » Handschuhe anziehen
  - » Zwangsjacke anlegen
  - » In der Akutphase in den Schutzraum bringen
- Zeit/Bedingung der Anwendung bestimmen
  - » Bei bestimmtem Verhalten des Patienten
  - » Kontinuierlich am Tag
  - » Sonstige Gründe

Gesellschaftliche/soziale Aktivitäten fördern
- Stationsaktivität angeben
  - » Gemeinsam aktuelle Zeitungen/Magazine lesen
  - » Kinoabend im Wohn-/Stationsbereich durchführen
  - » Spielnachmittag besuchen
  - » Mahlzeiten gemeinsam einnehmen
  - » Tanznachmittag besuchen
  - » Kirchenbesuch durchführen
  - » Spazieren gehen
  - » Singstunde besuchen
  - » An Festaktivitäten teilnehmen
  - » Am Sonntagsfrühstück teilnehmen
  - » Aktivitäten im Zusammenhang, den Gemeinschaftsraum zu gestalten
  - » Zur Milieugestaltung malen/basteln
- Einrichtungsspezifische Aktivität wählen
- Zeitdauer der Aktivitäten bestimmen

Gesprächstherapeutische Gruppenaktivität durchführen
- Therapiegruppe angeben
  - » An Stationsgesprächsrunde/-meeting/-forum teilnehmen
  - » An Gesprächskreis über tagesaktuelle Themen teilnehmen
  - » Wochenendgruppe besuchen
  - » Konfliktgruppe besuchen
  - » Morgenrunde besuchen
  - » Kritikgruppe besuchen
- Einrichtungsspezifische Aktivität wählen
- Zeitdauer der Gruppenangebote bestimmen

Bewegungsfördernde/sportliche Aktivitäten durchführen
- Maßnahmen konkretisieren
  - » Morgengymnastik durchführen
  - » Fitnesstraining durchführen
  - » Schwimmen gehen
  - » Bewegungsbad durchführen
  - » Wasserjogging durchführen
  - » Konzentrative Körperarbeit leisten
  - » Körpertherapie durchführen
  - » Sport in Form von Spielen machen
  - » An der Seniorengymnastik teilnehmen
  - » Konzentrative Bewegungstherapie durchführen
  - » Tanztherapie durchführen
- Einrichtungsspezifische Aktivität wählen
- Zeit angeben

Körperlich fordernde Aufgaben übertragen
- Pflegeintervention konkretisieren
- Zeit angeben

Imaginationsübungen durchführen
- Imaginationsübung
  - » Der sichere Ort
  - » Die inneren Helfer
  - » Der Tresor/Safe
  - » Die Baumübung
  - » Der innere Garten
  - » Lichtstromübung
- Einrichtungsspezifische Aktivität wählen
- Zeit angeben

Feed-back im Gruppengespräch ermöglichen
- Gruppentherapie konkretisieren
- Zeitdauer des Gruppengesprächs bestimmen

Zum Erlernen von Entspannungstechniken anleiten
- Entspannungstechniken
  - » Entspannungsübung "Körperreise" durchführen
  - » Progressive Muskelentspannung trainieren
  - » Musik-Entspannungstherapie durchführen
  - » Funktionelle atemrhythmisierende Entspannungsmethode anwenden
  - » Autogenes Training durchführen
- Einrichtungsspezifische Aktivität wählen
- Zeit angeben

Sonstige Pflegemaßnahmen durchführen
- Maßnahmen konkretisieren
- Zeit angeben

Literaturhinweise: 27, 71, 82, 83, 95, 101, 125, 164, 173, 175, 176

Der Patient richtet **Aggressionen und Wut gegen andere Personen**, es besteht **Fremdgefährdung**

Kennzeichen

- Gegen andere gerichtetes Treten, Kratzen, Schlagen und anderes
- Fordert hartnäckig Privilegien
- Äußert verbale Drohungen gegen Personen
- Neigt zu verbalen Aggressionsausbrüchen
- Wendet absichtlich Gewalt bei Mitmenschen an/demonstriert diese
- Misshandelt Mitmenschen
- Zeigt aggressives Verhalten
- Greift Mitmenschen an und fügt Verletzungen zu
- Aggression und Wut richten sich gegen das Kind
- Aggression und Wut richten sich gegen den Lebenspartner
- Aggression und Wut richten sich gegen das Pflegepersonal

Ursachen

- Suchterkrankung
- Halluzinationen
- Fehlende kognitive Fähigkeiten
- Eingeschränkte kognitive Fähigkeiten
- Missbrauchserfahrungen
- Gefühlsäußerungen sind durch kognitive Einschränkungen nicht anders möglich
- In Folge eines posttraumatischen Belastungssyndroms
- Emotionale Belastungssituation
- Inadäquate Entlastungsmethode gegenüber empfundenen Belastungssituationen
- Soziokulturelle Einflüsse
- Drogenkonsum
- Neurologische Hirnschädigung

Ressourcen

- Reagiert positiv auf therapeutische Gespräche
- Kann Gefühle und Sorgen mit der Bezugsperson besprechen
- Lässt sich beruhigen
- Zeigt ein ernsthaftes Interesse, die Wut und Aggressionen zu kontrollieren

Pflegeziele

- Personal erkennt Anspannung frühzeitig
- Spannungen sind gezielt abgebaut
- Lernt, andere Bewältigungsstrategien außer Schlagen einzusetzen
- Akzeptiert das Gefühl und kann dieses zum Ausdruck bringen
- Äußert seinen Unmut und Ärger kontrolliert
- Akzeptiert Hinweise des therapeutischen Teams und ist bereit, das Verhalten zu ändern
- Schaden von Mitmenschen und Personal ist vermieden
- Behandlungs- und Therapiekonzept sind transparent und vom therapeutischen Team umgesetzt
- Aktive Beteiligung an der Behandlungsplanung ist sichergestellt
- Selbstvertrauen in eigene Kompetenzen/ Fähigkeiten ist gefördert
- Ein positives Selbstkonzept ist gefördert
- Erkennt und integriert in angemessener Weise die Veränderungen in seinem/ ihrem Selbstkonzept
- Führt Tätigkeiten des täglichen Lebens aus
- Nimmt Gefühle wahr und artikuliert diese adäquat
- Selbstständigkeit ist gefördert
- Erhält Feed-back aus der Gruppe
- Lernt, Wut und Aggression adäquat abzubauen
- Reflektiert eigenes Verhalten und kann dieses in Zukunft ändern

Pflegeinterventionen

Erregungszustand kontinuierlich einschätzen
- Pflegeintervention konkretisieren
- Zeit angeben

Klientenzentriertes Gespräch über aggressionsauslösende Aspekte, Ursachen und Hintergründe sowie Lösungswege, die zum Aggressionsabbau führen
- Gesprächsinhalt
- Zeit angeben
- Beteiligte Personen angeben
  - » Betroffene Person
  - » Angehöriger/Bezugsperson
  - » Betreuer
  - » Eltern
  - » Sonstige Personen
- Durchführende Person angeben
  - » Bezugspflegeperson
  - » Pflegeperson
  - » Spezialtherapeuten
  - » Physiotherapeuten

Sicherheitsmaßnahmen bei Angriffen im Team absprechen und dokumentieren
- Pflegeintervention konkretisieren
- Anzahl der Pflegepersonen eintragen
- Zeit angeben

Fallbesprechung zur weiteren Behandlungs- und Therapieplanung durchführen
- Beteiligte Personen angeben
  - » Bewohner
  - » Pflegeperson
  - » Ärztlicher Dienst
  - » Psychologe
  - » Sozialarbeiter
  - » Sozialpädagoge
  - » Ergotherapeut
  - » Krankengymnast
  - » Logopäde
  - » Beschäftigungstherapeut
  - » Heilpädagoge
  - » Geistlicher Beistand
  - » Lehrer
  - » Erzieher
  - » Jugendamt
  - » Sonstige Personen
- Gesprächsinhalt
  - » Vereinbarte Therapieziele

  - » Vereinbarte Gesprächsinhalte für ein klientenzentriertes Pflegefachgespräch
- Zeitdauer angeben

Selbstkonzept/-bild/-wert und soziale Kompetenzen in Gruppentherapie fördern
- Gruppentherapeutisches Angebot angeben
  - » Selbstsicherheitstraining durchführen
  - » Genusstherapie durchführen
  - » Verhaltenstherapie durchführen
  - » Assertiveness-Training-Programm (ATP) durchführen
  - » Integriertes Psychologisches Therapieprogramm (IPT) durchführen
  - » Kognitive Therapiegruppe besuchen
  - » Musiktherapie durchführen
  - » Gestalttherapie durchführen
  - » Maltherapie durchführen
  - » Märchen-/Literaturgruppe besuchen
  - » Rollenspiele durchführen
  - » Interaktionsspiele zur Persönlichkeitsentwicklung durchführen
  - » Am Gesprächskreis im Erinnerungsraum teilnehmen
  - » Achtsamkeitstraining durchführen
  - » Anti-Phobie/Angst-Training durchführen
- Einrichtungsspezifische Aktivität wählen
- Zeitdauer der Gruppentherapie bestimmen

Lebenspraktisches Gruppentraining durchführen
- Gruppentraining konkretisieren
  - » Gemeinsam Mahlzeiten kochen und einnehmen
  - » Gemeinsam einkaufen
  - » An der Kosmetikgruppe teilnehmen
  - » Feste planen, vorbereiten und durchführen
  - » An der Hauswirtschaftsgruppe teilnehmen
- Einrichtungsspezifische Aktivität wählen
- Art der Unterstützungsleistung angeben
  - » Auffordern, den Termin des Gruppenangebots einzuhalten
  - » Zur Teilnahme an den Aktivitäten motivieren
  - » Bei den Gruppenaktivitäten unterstützen
  - » Nach der Aktivität Reflexionsgespräch führen
- Zeitdauer der Gruppentherapie bestimmen

Selbstkonzept/-bild/-wert und soziale Kompetenzen in Einzeltherapie fördern
- Einzeltherapeutisches Angebot angeben
  - » Selbstsicherheitstraining durchführen
  - » Genusstherapie durchführen
  - » Verhaltenstherapie durchführen
  - » Assertiveness-Training-Programm (ATP) durchführen
  - » Integriertes Psychologisches Therapieprogramm (IPT) durchführen
  - » Positiven Tagesrückblick durchführen
  - » Musiktherapie durchführen
  - » Gestalttherapie durchführen
  - » Maltherapie durchführen
  - » Kognitives Einzeltraining durchführen
  - » Rollenspiele durchführen
  - » Erinnerungstherapie durchführen
  - » Achtsamkeitstraining durchführen
  - » Anti-Phobie/Angst-Training durchführen
- Einrichtungsspezifische Aktivität wählen
- Zeitdauer der Einzelförderung bestimmen

Lebenspraktisches Einzeltraining durchführen
- Einzeltraining konkretisieren
  - » Aus der Tageszeitung vorlesen und aktuelle Themen diskutieren
  - » Mahlzeiten kochen
  - » Einkaufen gehen
  - » Küchendienst übernehmen
  - » Zimmer reinigen
  - » Tisch für die Mahlzeiten decken/abdecken
  - » Blumen-/Pflanzenpflege durchführen
  - » Wäsche versorgen
- Einrichtungsspezifische Aktivität wählen
- Art der Unterstützungsleistung angeben
  - » Beim Durchführen anleiten
  - » Beim Durchführen beaufsichtigen
  - » Durchgeführte Tätigkeiten im Pflegefachgespräch reflektieren
  - » Gemeinsam partnerschaftlich durchführen
- Zeitdauer der Einzelförderung bestimmen

Feed-back im Gruppengespräch ermöglichen
- Gruppentherapie konkretisieren
- Zeitdauer des Gruppengesprächs bestimmen

In ein Isolierzimmer mit kontinuierlicher Überwachung verlegen
- Pflegeintervention konkretisieren
- Zeit angeben

Möglichkeiten zum Aggressionsabbau identifizieren und anbieten
- Gesprächsinhalt
- Zeit angeben
- Beteiligte Personen angeben
  - » Betroffene Person
  - » Angehöriger/Bezugsperson
  - » Betreuer
  - » Eltern
  - » Sonstige Personen
- Durchführende Person angeben
  - » Bezugspflegeperson
  - » Pflegeperson
  - » Spezialtherapeuten
  - » Physiotherapeuten

Nachbesprechung aufgetretener gewalttätiger Episoden durchführen
- Beteiligte Personen angeben
  - » Bewohner
  - » Pflegeperson
  - » Ärztlicher Dienst
  - » Psychologe
  - » Sozialarbeiter
  - » Sozialpädagoge
  - » Ergotherapeut
  - » Krankengymnast
  - » Logopäde
  - » Beschäftigungstherapeut
  - » Heilpädagoge
  - » Geistlicher Beistand
  - » Lehrer
  - » Erzieher
  - » Jugendamt
  - » Sonstige Personen
- Gesprächsinhalt
  - » Vereinbarte Therapieziele
  - » Vereinbarte Gesprächsinhalte für ein klientenzentriertes Pflegefachgespräch
- Zeitdauer angeben

Sonstige Pflegemaßnahmen durchführen
- Maßnahmen konkretisieren
- Zeit angeben

Literaturhinweise: 47, 51, 79, 82, 83, 95, 125, 173, 175, 176, 238, 239

Der Patient zeigt akutes **selbst-/fremdgefährdendes** Verhalten

Kennzeichen

- Zeigt autoaggressives Verhalten
- Äußert Suizidgedanken
- Zustand nach Suizidversuch
- Droht mit Suizid
- Zeigt selbstgefährdendes Verhalten
- Äußert Selbstschädigungswünsche
- Schädigt sich selbst
- Zeigt gefährdendes Verhalten gegenüber Mitmenschen
- Zeigt Unruhezustände mit erhöhter Gefahr der Selbstgefährdung
- Fordert eine Fixierungsmaßnahme aktiv ein
- Kann Wut/Ärger nicht adäquat äußern und richtet diese gegen Gegenstände/Tiere

Ursachen

- Postoperatives Durchgangssyndrom
- Verwirrtheitszustand
- Lebenskrise
- Psychische Erkrankung
- Labile emotionale Befindlichkeit
- Entwicklungsbedingte(s) Selbstfürsorgedefizit/-fähigkeit
- Neurologische Hirnschädigung
- Geistige Behinderung

Ressourcen

- Kann Vertrauen zum Pflegepersonal aufbauen
- Toleriert die Fixierungsmaßnahme

Pflegeziele

- Extremität ist therapeutisch ruhig gestellt
- Psychomotorische Unruhezustände sind gemindert
- Ist psychomotorisch ruhig gestellt
- Rechtsgrundlage ist sichergestellt
- Fixierung smaßnahmen sind nicht erforderlich
- Therapie ist sichergestellt
- Einer ungewollten Manipulation ist vorgebeugt
- Sicherheit ist gewährleistet

Pflegeinterventionen

Bettgitter anbringen und hochstellen

- Pflegeintervention konkretisieren
  - » Vorhandene Bettgitter nach Wunsch hochziehen
  - » Bettgitter entsprechend dem richterlichen Beschluss anbringen
  - » Bettgitter beidseitig anbringen
  - » Bettgitter beidseitig entfernen
  - » Bettgitter rechts anbringen
  - » Bettgitter links anbringen
  - » Bettgitter auf einer Seite entfernen
  - » Teilbettgitter anbringen
  - » Bettgitter muss immer hochgezogen sein

Fünfpunktfixierung durchführen

- Pflegeintervention konkretisieren
- Zeit angeben

Vierpunktfixierung durchführen

- Pflegeintervention konkretisieren
- Zeit angeben

Dreipunktfixierung durchführen

- Pflegeintervention konkretisieren
- Zeit angeben

Einzelne Extremitäten fixieren

- Pflegeintervention konkretisieren
- Zeit angeben

Fixierungsmaßnahmen im Stuhl (Rollstuhl, Lehnstuhl) vornehmen

- Pflegeintervention konkretisieren
  - » Mit dem Bauchgurt fixieren
  - » Therapietisch einsetzen

Zwangsjacke anlegen

- Pflegeintervention konkretisieren
- Zeit angeben

Isolierungsmaßnahmen durchführen

- Pflegeintervention konkretisieren
  - » Isolierung als Time-out-Maßnahme durchführen
  - » Isolierungsmaßnahme zum Selbstschutz durchführen
  - » Isolierung aufgrund von Fremdgefährdungsgefahr durchführen
- Art der Isolierungsmaßnahme bestimmen
  - » Im Zimmer einsperren
  - » Im speziellen Überwachungsraum einsperren
  - » In den Schutzraum isolieren
- Besonderheiten beachten
  - » Alle Gegenstände, die zu einer Verletzung führen können, aus dem Zimmer entfernen
  - » Isolierungsmaßnahme kontinuierlich überwachen
- Zeit angeben

Angeordnete Zwangsmedikation verabreichen

- Pflegeintervention konkretisieren
- Zeit angeben

Rechtsgrundlage für eine Fixierungsmaßnahme klären und organisieren

- Anlass der Fixierungsmaßnahme
  - » Akute Fixierungsmaßnahme lt. Arztanordnung durchführen
  - » Richterliche Genehmigung anfordern
  - » Auf Wunsch des Betroffenen durchführen
  - » Akute Selbst-/Fremdgefährdungsgefahr
- Zeit/Bedingung der Anwendung bestimmen
  - » Bei bestimmtem Verhalten des Patienten
  - » Am Tag
  - » Im Bett
  - » Nur zur Nachtruhe
  - » Kontinuierliche Fixierungsmaßnahme
- Ergebnisse dokumentieren
  - » Fixierungsmaßnahmen auf dem Fixierungsprotokoll dokumentieren

- » Im Pflegeplan dokumentieren
- » Fixierungsgründe im Pflegebericht dokumentieren

Individuelle Alternativen zur Fixierung herausfinden und umsetzen
- Pflegeintervention konkretisieren
- Zeit angeben

Umgebungsfaktoren sicher gestalten
- Maßnahmen konkretisieren
  - » Gefährdende Gegenstände außer Reichweite platzieren
  - » Therapeutische Geräte und Materialien außer Reichweite platzieren
  - » Umwickeln von Konnektionsstelle/Rollenklemme des Infusionssystems

Manipulationen durch Schutzvorrichtungen verhindern
- Maßnahmen konkretisieren
  - » Handschuhe anziehen
  - » Kinderschlafsack anziehen

Sitzwache durchführen
- Pflegeintervention konkretisieren
- Zeitdauer angeben

1:1-Betreuung durchführen
- Pflegeintervention konkretisieren
- Zeitdauer angeben

Sonstige Pflegemaßnahmen durchführen
- Maßnahmen konkretisieren
- Zeit angeben

Literaturhinweise: 83

Der Patient zeigt wiederholt **selbstverletzendes Verhalten**, es besteht eine **beeinträchtigte Problem-/Bewältigungsstrategie**

Kennzeichen

- Verletzungen wie Schnitte/Verbrennungen sind sichtbar
- Reißt sich Haare aus
- Fügt sich absichtlich selbst körperliche Schäden zu
- Unfähigkeit, Gefühle zu zeigen
- Zeigt keine emotionale Reaktion
- Empfindet eine schmerzliche Leere
- Reaktionen, die der Situation nicht angemessen sind
- Fehlender Blickkontakt
- Beschreibt die Wirkung der Selbstverletzung als spannungsabbauend
- Wirkt wie in einem Trancezustand
- Beschreibt Entfremdungserleben
- Lacht, obwohl es momentan keinen ersichtlichen Grund zum Lachen gibt
- Schlägt den Kopf gegen die Wand
- Fügt sich Schnittverletzungen zu
- Drückt brennende Zigaretten auf der Haut aus
- Kratzt sich die Haut auf, bis es blutet
- Beschreibt die selbstverletzende Handlung als inneren Zwang
- Äußert Gefühle wie Wut, Bitterkeit, Hoffnungslosigkeit

Ursachen

- Depersonalisation
- Inadäquates Coping
- Folge von sexuellem Missbrauch
- Psychose
- Borderline-Persönlichkeitsstörung
- Schizophrene Psychose
- Endogene Depression
- Selbsthass
- Deprivation in der Säuglingszeit
- Misshandlung
- Psychiatrisch erkrankte Eltern
- Schuldgefühl, für ein traumatisches Ereignis verantwortlich zu sein
- Inzesterfahrungen
- Erlebte existenzielle Bedrohung
- Stammt aus zerrütteten Familienverhältnissen

Ressourcen

- Kann Vertrauen zum Pflegepersonal aufbauen
- Akzeptiert die Unterstützung
- Akzeptiert die Unterstützung von Angehörigen

Pflegeziele

- Ernsthafte Schäden sind vermieden
- Andere Verhaltensweisen werden angenommen
- Erkennt den Hintergrund des selbstzerstörerischen Verhaltens
- Erkennt die körperliche Unversehrtheit als wertvolles Gut an
- Nimmt die Möglichkeiten zum Spannungsabbau an
- Kann mit eigenen Gefühlen umgehen
- Behandlungs- und Therapiekonzept sind transparent und vom therapeutischen Team umgesetzt
- Aktive Beteiligung an der Behandlungsplanung ist sichergestellt
- Selbstschädigendes Verhalten ist reduziert/ist vorgebeugt
- Ist in den Tagesablauf aktiv integriert
- Ist aktiviert und beteiligt sich an den Milieuprozessen
- Entwickelt Verhaltensweisen, die das Leben in der Gemeinschaft fördern
- Ein positives Selbstkonzept ist gefördert
- Nimmt Gefühle wahr und artikuliert diese adäquat
- Ist sozial integriert
- Übernimmt Mitverantwortung in der Gruppe
- Soziales Lernen ist unterstützt
- Integriert sich in das Gruppengeschehen

- Kennt die Spielregeln in sozialen Gemeinschaften
- Kennt Möglichkeiten, aktiv den Therapieerfolg zu unterstützen
- Hält sich an Absprachen und unterstützt aktiv die Therapie
- Selbstkontrolle ist verbessert
- Soziale Kompetenzen sind gefördert
- Spricht Konflikte/Empfindungen in der Gruppe an
- Adäquate Konfliktlösungsstrategien sind entwickelt
- Nimmt positive Ereignisse bzw. Dinge wahr und kann darüber berichten
- Benennt positive Aspekte von Ereignissen und Erlebnissen
- Körperwahrnehmung ist aktiviert und stimuliert
- Ist körperlich fit
- Selbstvertrauen in die Leistungsfähigkeit des eigenen Körpers ist gestärkt
- Körperliche Fitness ist gefördert
- Setzt Entspannungstechniken gezielt ein

Pflegeinterventionen

Maßnahmen zur Unterbrechung der Selbstschädigungsaktivitäten ergreifen
- Pflegeintervention konkretisieren
- Zeit angeben

Im therapeutischen Gruppengespräch selbstzerstörerisches Verhalten thematisieren
- Maßnahmen konkretisieren
- Einrichtungsspezifische Aktivität wählen
- Zeitdauer des Gruppengesprächs bestimmen

Möglichkeiten zum Spannungsabbau anbieten
- Maßnahmen konkretisieren
  - » Angebote zum Aufräumen/Putzen machen
  - » Angebot zum Joggen/zur sportlichen Aktivität machen
  - » Malen zum Spannungsabbau einsetzen
  - » Eins-zu-Eins-Betreuung durchführen
- Zeit angeben

Fallbesprechung zur weiteren Behandlungs- und Therapieplanung durchführen
- Beteiligte Personen angeben
  - » Bewohner
  - » Pflegeperson
  - » Ärztlicher Dienst
  - » Psychologe
  - » Sozialarbeiter
  - » Sozialpädagoge
  - » Ergotherapeut
  - » Krankengymnast
  - » Logopäde
  - » Beschäftigungstherapeut
  - » Heilpädagoge
  - » Geistlicher Beistand
  - » Lehrer
  - » Erzieher
  - » Jugendamt
  - » Sonstige Personen
- Gesprächsinhalt
  - » Vereinbarte Therapieziele
  - » Vereinbarte Gesprächsinhalte für ein klientenzentriertes Pflegefachgespräch
- Zeitdauer angeben

Klientenzentriertes Gespräch über selbstschädigendes Verhalten führen
- Gesprächsinhalt
- Zeit angeben
- Beteiligte Personen angeben
  - » Betroffene Person
  - » Angehöriger/Bezugsperson
  - » Betreuer
  - » Eltern
  - » Sonstige Personen
- Durchführende Person angeben
  - » Bezugspflegeperson
  - » Pflegeperson
  - » Spezialtherapeuten
  - » Physiotherapeuten

Milieutherapeutische Aktivitäten im Wohn-/Stationsbereich durchführen
- Stationsaktivität angeben
  - » Gemeinsam aktuelle Zeitungen/Magazine lesen
  - » Kinoabend im Wohn-/Stationsbereich durchführen
  - » Spielnachmittag besuchen
  - » Mahlzeiten gemeinsam einnehmen
  - » Tanznachmittag besuchen
  - » Kirchenbesuch durchführen
  - » Spazieren gehen
  - » Singstunde besuchen
  - » An Festaktivitäten teilnehmen
  - » Am Sonntagsfrühstück teilnehmen
  - » Aktivitäten im Zusammenhang, den Gemeinschaftsraum zu gestalten
  - » Zur Milieugestaltung malen/basteln
- Einrichtungsspezifische Aktivität wählen
- Zeitdauer der Aktivitäten bestimmen

Selbstkonzept/-bild/-wert und soziale Kompetenzen in Gruppentherapie fördern
- Gruppentherapeutisches Angebot angeben
  - » Selbstsicherheitstraining durchführen
  - » Genusstherapie durchführen
  - » Verhaltenstherapie durchführen
  - » Assertiveness-Training-Programm (ATP) durchführen
  - » Integriertes Psychologisches Therapieprogramm (IPT) durchführen
  - » Kognitive Therapiegruppe besuchen
  - » Musiktherapie durchführen
  - » Gestalttherapie durchführen
  - » Maltherapie durchführen
  - » Märchen-/Literaturgruppe besuchen
  - » Rollenspiele durchführen
  - » Interaktionsspiele zur Persönlichkeitsentwicklung durchführen
  - » Am Gesprächskreis im Erinnerungsraum teilnehmen
  - » Achtsamkeitstraining durchführen
  - » Anti-Phobie/Angst-Training durchführen
- Einrichtungsspezifische Aktivität wählen
- Zeitdauer der Gruppentherapie bestimmen

Selbstkonzept/-bild/-wert und soziale Kompetenzen in Einzeltherapie fördern
- Einzeltherapeutisches Angebot angeben
  - » Selbstsicherheitstraining durchführen
  - » Genusstherapie durchführen
  - » Verhaltenstherapie durchführen
  - » Assertiveness-Training-Programm (ATP) durchführen
  - » Integriertes Psychologisches Therapieprogramm (IPT) durchführen
  - » Positiven Tagesrückblick durchführen
  - » Musiktherapie durchführen
  - » Gestalttherapie durchführen
  - » Maltherapie durchführen
  - » Kognitives Einzeltraining durchführen
  - » Rollenspiele durchführen
  - » Erinnerungstherapie durchführen
  - » Achtsamkeitstraining durchführen
  - » Anti-Phobie/Angst-Training durchführen
- Einrichtungsspezifische Aktivität wählen
- Zeitdauer der Einzelförderung bestimmen

Gesellschaftliche/soziale Aktivitäten fördern
- Stationsaktivität angeben
  - » Gemeinsam aktuelle Zeitungen/Magazine lesen
  - » Kinoabend im Wohn-/Stationsbereich durchführen
  - » Spielnachmittag besuchen
  - » Mahlzeiten gemeinsam einnehmen
  - » Tanznachmittag besuchen
  - » Kirchenbesuch durchführen
  - » Spazieren gehen
  - » Singstunde besuchen
  - » An Festaktivitäten teilnehmen
  - » Am Sonntagsfrühstück teilnehmen
  - » Aktivitäten im Zusammenhang, den Gemeinschaftsraum zu gestalten
  - » Zur Milieugestaltung malen/basteln
- Einrichtungsspezifische Aktivität wählen
- Zeitdauer der Aktivitäten bestimmen

In ein Isolierzimmer mit kontinuierlicher Überwachung verlegen
- Pflegeintervention konkretisieren
- Zeit angeben

Therapieziele gemeinsam vereinbaren und kontinuierlich reflektieren

- Maßnahmen konkretisieren
  - » Goal Attainment Scale einsetzen (= Zielerreichungsskala)
  - » Punkteplan einsetzen
- Zeit angeben

Gesprächstherapeutische Gruppenaktivität durchführen
- Therapiegruppe angeben
  - » An Stationsgesprächsrunde/-meeting/-forum teilnehmen
  - » An Gesprächskreis über tagesaktuelle Themen teilnehmen
  - » Wochenendgruppe besuchen
  - » Konfliktgruppe besuchen
  - » Morgenrunde besuchen
  - » Kritikgruppe besuchen
- Einrichtungsspezifische Aktivität wählen
- Zeitdauer der Gruppenangebote bestimmen

Positiven Tagesrückblick in der Gruppe durchführen
- Pflegeintervention konkretisieren
- Zeitdauer des Gruppengesprächs bestimmen

Körperbezogene Therapieangebote/Aktivitäten durchführen
- Maßnahmen konkretisieren
  - » Morgengymnastik durchführen
  - » Fitnesstraining durchführen
  - » Schwimmen gehen
  - » Bewegungsbad durchführen
  - » Wasserjogging durchführen
  - » Konzentrative Körperarbeit leisten
  - » Körpertherapie durchführen
  - » Sport in Form von Spielen machen
  - » An der Seniorengymnastik teilnehmen
  - » Konzentrative Bewegungstherapie durchführen
  - » Tanztherapie durchführen
- Einrichtungsspezifische Aktivität wählen
- Zeit angeben

Entspannungstechniken einsetzen und den Patienten anleiten, sich zu entspannen
- Entspannungstechniken
  - » Entspannungsübung "Körperreise" durchführen
  - » Progressive Muskelentspannung trainieren
  - » Musik-Entspannungstherapie durchführen
  - » Funktionelle atemrhythmisierende Entspannungsmethode anwenden
  - » Autogenes Training durchführen
- Einrichtungsspezifische Aktivität wählen
- Zeit angeben

Sonstige Pflegemaßnahmen durchführen
- Maßnahmen konkretisieren
- Zeit angeben

Literaturhinweise: 47, 95, 125, 173, 175, 176, 360

Der Patient hat aufgrund der **Nichteinhaltung von vereinbarten Regeln** und Therapieabsprachen ein **Risiko des ineffektiven Therapieverlaufs**

Kennzeichen

- Benutzt das Handy, obwohl dies während des Klinikaufenthalts nicht erlaubt ist
- Raucht in rauchfreien Zonen
- Hält Ausgangsregelungen nicht ein
- Nimmt unregelmäßig an den Therapien teil
- Weigert sich, gefährliche Gegenstände abzugeben
- Weigert sich zu antworten/zu sprechen
- Weigert sich, Untersuchungen/Tests durchführen zu lassen
- Äußert Misstrauen gegenüber der Therapie und/oder dem Behandlungsteam
- Äußert, dass die Therapie nicht hilft
- Zeigt Verhaltensweisen, die darauf hinweisen, dass gesundheitsbezogene Ziele nicht erreicht werden können
- Berichtet über Schwierigkeiten, die Therapie-/Behandlungsvereinbarung in den Alltag zu integrieren
- Zeigt extreme Verhaltensweisen, die kontraproduktiv für die Therapie sind (z. B. Negativismus, Abwehr/Widerstände, Trotzverhalten)

Ursachen

- Äußert Probleme mit der Integration in das Therapieprogramm
- Erkennt die Zielsetzungen des Therapieprogramms nicht und akzeptiert diese nicht als einen Lösungsweg für eigene Schwierigkeiten
- Fehlende Einsicht
- Fehlende Selbstverantwortung
- Fehlende kognitive Fähigkeiten
- Fehlender Realitätsbezug
- Fehlendes Krankheitsgefühl
- Fehlendes Interesse
- Fehlendes Verständnis für spezielle Verhaltensweisen und prophylaktische Maßnahmen
- Fehlende finanzielle Ressourcen
- Beeinträchtigte familiäre Unterstützung
- Fehlender sozialer Rückhalt

Ressourcen

- Kann Hilfe annehmen
- Ist an einer Problemlösung interessiert
- Ist zur Kontaktaufnahme mit Angehörigen/Bezugspersonen bereit
- Angehörige sind zur Kontaktaufnahme bereit
- Angehörige zeigen Bereitschaft, neu zu lernen
- Ist motiviert, neu zu lernen
- Kann $sein Verhalten in Gesprächen reflektieren

Pflegeziele

- Kennt die Therapievereinbarungen/Absprachen
- Entwickelt eigene Lösungswege
- Erkennt die Notwendigkeit der Verhaltensänderung
- Nimmt soziale Situationen differenzierter wahr
- Erfüllt die Rollenerwartungen
- Selbstwertgefühl ist gestärkt
- Setzt die vereinbarten Verhaltensänderungen um
- Kennt die Spielregeln und Grenzen der Station
- Erhält konkretes Feed-back
- Ist motiviert, Absprachen einzuhalten
- Entwickelt die Fähigkeit, die Rollenerwartung zu erfüllen
- Behandlungs- und Therapiekonzept sind transparent und vom therapeutischen Team umgesetzt
- Aktive Beteiligung an der Behandlungsplanung ist sichergestellt
- Angehörige/Bezugspersonen entwickeln Verständnis für die Situation des Betroffenen
- Kennt Möglichkeiten, aktiv den Therapieerfolg zu unterstützen
- Hält sich an Absprachen und unterstützt aktiv die Therapie
- Selbstkontrolle ist verbessert

Pflegeinterventionen

Klare erkennbare Regeln/Therapieabsprachen vereinbaren
- Pflegeintervention konkretisieren
- Zeit angeben

Im klientenzentrierten Gespräch bestehende Schwierigkeiten analysieren und Problemlösungen entwickeln
- Gesprächsinhalt
- Zeit angeben
- Beteiligte Personen angeben
  - » Betroffene Person
  - » Angehöriger/Bezugsperson
  - » Betreuer
  - » Eltern
  - » Sonstige Personen
- Durchführende Person angeben
  - » Bezugspflegeperson
  - » Pflegeperson
  - » Spezialtherapeuten
  - » Physiotherapeuten

Gewünschtes Verhalten positiv verstärken
- Maßnahmen konkretisieren
  - » Gewünschtes Verhalten durch Lob fördern
  - » Im therapeutischen Team Verhaltensweisen zur Stärkung des Selbstkonzepts vereinbaren
  - » Einüben, sich selbst zu belohnen

Für die genaue Einhaltung der Vereinbarungen sorgen
- Pflegeintervention konkretisieren
- Zeit angeben

Belohnungssystem mit Punkteplan durchführen
- Gesprächsinhalt
- Zeit angeben
- Beteiligte Personen angeben
  - » Betroffene Person
  - » Angehöriger/Bezugsperson
  - » Betreuer
  - » Eltern
  - » Sonstige Personen
- Durchführende Person angeben
  - » Bezugspflegeperson
  - » Pflegeperson
  - » Spezialtherapeuten
  - » Physiotherapeuten

Bei Regelverstößen vereinbarte Sanktionen durchführen
- Pflegeintervention konkretisieren
- Zeit angeben

Fallbesprechung zur weiteren Behandlungs- und Therapieplanung durchführen
- Beteiligte Personen angeben
  - » Bewohner
  - » Pflegeperson
  - » Ärztlicher Dienst
  - » Psychologe
  - » Sozialarbeiter
  - » Sozialpädagoge
  - » Ergotherapeut
  - » Krankengymnast
  - » Logopäde
  - » Beschäftigungstherapeut
  - » Heilpädagoge
  - » Geistlicher Beistand
  - » Lehrer
  - » Erzieher
  - » Jugendamt
  - » Sonstige Personen
- Gesprächsinhalt
  - » Vereinbarte Therapieziele
  - » Vereinbarte Gesprächsinhalte für ein klientenzentriertes Pflegefachgespräch
- Zeitdauer angeben

Klientenzentriertes Gespräch führen
- Inhaltliche Ausrichtung des Gesprächs bestimmen
  - » Informationssammlung
  - » Pflege-, Betreuungs- und Behandlungsprozess
  - » Ursachenanalyse
  - » Strategien zur Krankheitsbewältigung
  - » Motivation/Aktivierung
  - » Alltagsbewältigung
  - » Förderung der Entscheidungsfindung
  - » Zukunftsperspektive
  - » Unterstützung der Orientierung
  - » Unterstützung des Realitätsbezugs
  - » Krisenintervention
  - » Aktuelle Bedürfnisse/Wünsche
  - » Instruktion/Anleitung
  - » Feed-back-Gespräch
  - » Sonstige Gesprächsinhalte
- Gesprächsteilnehmer
  - » Angehöriger/Bezugsperson
  - » Betroffene Person
- Zeitdauer des Gesprächs angeben

Therapieziele gemeinsam vereinbaren und kontinuierlich reflektieren
- Maßnahmen konkretisieren
  - » Goal Attainment Scale einsetzen (= Zielerreichungsskala)
  - » Punkteplan einsetzen
- Zeit angeben

Sonstige Pflegemaßnahmen durchführen
- Maßnahmen konkretisieren
- Zeit angeben

Literaturhinweise: 51, 374

Der Patient ist in der **Anwendung von Inhalaten beeinträchtigt**, es besteht das **Risiko der unwirksamen Therapie**

Kennzeichen

- Äußert ein Wissensdefizit über die richtige Applikation der Inhalate
- Macht Fehler beim Applizieren der Inhalate
- Kann die Dosierung nicht benennen
- Kennt die Zusammenhänge des Ampelschemas nicht
- Macht Fehler bei der Ermittlung des Peak-Flow-Werts
- Beeinträchtigte Fingerfertigkeit, um Pflegeutensilien zu benutzen

Ursachen

- Fehlender Zugang zu den entsprechenden Informationen
- Eingeschränkte kognitive Fähigkeiten
- Fehlende Information/Anleitung, um handeln zu können
- Fehlendes Interesse an Informationen
- Wissensdefizit wird nicht erkannt
- Fingerfertigkeit fehlt
- Beeinträchtigte familiäre Unterstützung
- Entwicklungsbedingt

Ressourcen

- Kann die Maßnahme nach Anleitung selbstständig durchführen
- Zeigt Lernbereitschaft und ist interessiert
- Kognitive Fähigkeiten, neu zu lernen, sind vorhanden
- Körperliche Fähigkeiten, die Inhalation selbstständig durchzuführen, sind vorhanden
- Akzeptiert die Unterstützung von Angehörigen
- Akzeptiert die Unterstützung

Pflegeziele

- Kann die Atemsituation selbstständig einschätzen und die Asthmatherapie entsprechend unterstützen
- Selbstapplikation von Medikamenten ist effektiv und fachgerecht
- Fühlt sich angenommen und verstanden
- Setzt sich aktiv mit der Erkrankung auseinander
- Lernt, mit den Einschränkungen zu leben
- Fühlt sich ernst genommen
- Dyspnoe ist erfasst und eingeschätzt

Pflegeinterventionen

Verwendung von Inhalaten und Umgang mit elektrischen Zerstäubern einüben/dazu anleiten
- Pflegeintervention konkretisieren
- Zeit angeben

Zum fachgerechten Einsatz von Dosieraerosol anleiten/diesen einüben
- Pflegeintervention konkretisieren
- Art der Unterstützung
  - » Beaufsichtigen
  - » Durch Unterstützen helfen
  - » Teilweise übernehmen
  - » Vollständig übernehmen
  - » Zur selbstständigen Durchführung anleiten
- Anzuleitende Person(en) festlegen
  - » Betroffene Person
  - » Angehöriger/Bezugsperson
- Zeit angeben

Zur selbstständigen Prüfung der Lungenfunktion mit dem Peak-Flow-Meter sowie zur Verabreichung der Medikamente nach dem aufgestellten Ampelsystem anleiten
- Pflegeintervention konkretisieren
  - » Lungenfunktionsprüfung gemeinsam durchführen
  - » Bei der Lungenfunktionsprüfung unterstützen/dazu anleiten
  - » Selbstständig durchgeführte Funktionsprüfung kontrollieren
  - » Zur selbstständigen Medikamenteneinnahme/-applikation entsprechend dem aufgestellten Ampelsystem anleiten
- Anzuleitende Person(en) festlegen
  - » Betroffene Person
  - » Angehöriger/Bezugsperson

Kontaktadressen von Selbsthilfegruppen vermitteln
- Pflegeintervention konkretisieren
- Zeit angeben

Intensität der Dyspnoe mithilfe einer Einschätzungsskala ermitteln
- Pflegeintervention konkretisieren
- Zeit angeben

Sonstige Pflegemaßnahmen durchführen
- Maßnahmen konkretisieren
- Zeit angeben

Literaturhinweise: 95, 125, 175, 176, 187, 232

Der Patient hat aufgrund **fehlender Informationen** über die **korrekte Einnahme von Medikamenten** das **Risiko der unwirksamen Therapie**

Kennzeichen

- Nimmt die Medikamente nicht zum richtigen Zeitpunkt ein
- Nimmt Medikamente nicht in der richtigen Art und Weise ein
- Äußert ein Wissensdefizit über die richtige Einnahme der Medikamente
- Zeigt Verhaltensweisen, die darauf hinweisen, dass gesundheitsbezogene Ziele nicht erreicht werden können

Ursachen

- Fehlender Zugang zu den entsprechenden Informationen
- Eingeschränkte kognitive Fähigkeiten
- Fehlendes Interesse an Informationen
- Wissensdefizit wird nicht erkannt

Ressourcen

- Zeigt Lernbereitschaft und ist interessiert
- Kognitive Fähigkeiten, neu zu lernen, sind vorhanden
- Akzeptiert die Unterstützung
- Akzeptiert die Unterstützung von Angehörigen

Pflegeziele

- Ist über die Medikamente und die Applikationsweise informiert

Pflegeinterventionen

Informationsgespräch über die Medikamenteneinnahme führen
- Pflegeintervention konkretisieren
- Zeit angeben

Sonstige Pflegemaßnahmen durchführen
- Maßnahmen konkretisieren
- Zeit angeben

Literaturhinweise: 95, 125, 175, 176, 187, 232

Der Patient ist in der **selbstständigen Medikamenteneinnahme eingeschränkt**, es besteht das **Risiko der unwirksamen Therapie**

Kennzeichen

- Verwechselt die verschiedenen Medikamente
- Vergisst, die Medikamente einzunehmen
- Kann die Medikamente nicht aus der Blisterpackung entnehmen
- Kann die Medikamente nicht selbstständig schlucken
- Geht sorglos mit der Medikamenteneinnahme um
- Sieht die Notwendigkeit der Medikamenteneinnahme nicht ein
- Lehnt die Medikamenteneinnahme ab
- Spuckt die Medikamente bei passender Gelegenheit aus
- Berichtet über Schwierigkeiten, die Therapie-/Behandlungsvereinbarung in den Alltag zu integrieren

Ursachen

- Sehschwäche
- Demenz
- Eingeschränkte kognitive Fähigkeiten
- Schluckstörung
- Psychische Störung
- Misstrauen gegenüber der Therapie
- Fehlende Einsicht
- Fehlendes Krankheitsgefühl
- Fehlende Tagesstrukturierung
- Reduzierte Fingerbeweglichkeit
- Beeinträchtigte familiäre Unterstützung
- Entwicklungsbedingt

Ressourcen

- Nimmt die vorbereiteten Medikamente zuverlässig ein
- Kann Hilfe annehmen
- Akzeptiert die Unterstützung
- Akzeptiert die Unterstützung von Angehörigen

Pflegeziele

- Selbstapplikation von Medikamenten ist effektiv und fachgerecht
- Korrekte Medikamenteneinnahme ist gewährleistet
- Akzeptiert die Unterstützung bei der Medikamenteneinnahme
- Selbstständige Medikamenteneinnahme ist unterstützt
- Augenmedikation laut Arztanordnung ist fachgerecht und unter hygienischen Kautelen eingebracht
- Zuverlässige Medikamenteneinnahme ist gewährleistet
- Nebenwirkungen und Komplikationen sind erkannt und richtig eingeschätzt
- Verabreichung der Medikation ist sichergestellt
- Bronchialsekret ist gelöst
- Atemluft ist angefeuchtet
- Bronchialsekret wird abgehustet
- Therapie ist sichergestellt
- Bronchialspasmus ist gelöst
- Kann sich das Insulin selbstständig verabreichen und fühlt sich sicher

Pflegeinterventionen

Angeordnete orale Medikamente anreichen/verabreichen

- Pflegeintervention konkretisieren
  - » 1-2 Medikamente verabreichen
  - » 3 und mehr Medikamente verabreichen
  - » Medizinische Spezialtees vorbereiten und verabreichen
  - » Tabletten vor der Verabreichung mörsern
  - » Gemörserte und anschließend aufgelöste Medikamente durch die PEG verabreichen
  - » Medikamente auflösen
- Art und Weise der Unterstützung bestimmen
  - » Medikamente richten und zur Einnahme bereitstellen
  - » Hilfestellung bei der Selbstapplikation geben
  - » Bei der Verabreichung unterstützen
  - » Vor der Medikamentenverabreichung bei der Einnahme der richtigen Körperposition unterstützen
  - » Medikamentenverabreichung bei bestehenden Schluckstörungen unterstützen
  - » Einnahmeverweigerung überwinden helfen
- Grund für die Medikation bestimmen
  - » Angeordnete Dauermedikation
  - » Bedarfsmedikation
  - » Medikation zur Vorbereitung von Untersuchungen
  - » Akute Notfallmedikation

Verordnete Medikamente in Wochen-/Tagesdosett stellen

- Pflegeintervention konkretisieren
  - » Verordnete Medikamente in Tagesdosett stellen
  - » Verordnete Medikamente in Wochendosett stellen
  - » Urlaubsmedikation vorbereiten und mitgeben

Angeordnete Augenmedikation verabreichen

- Pflegeintervention konkretisieren
  - » Zur Selbstmedikation anleiten
  - » Augentropf einbringen
  - » Augensalbe in den Bindehautsack einbringen
- Betroffenes Auge bestimmen
  - » Rechtes Auge
  - » Linkes Auge
  - » Beide Augen
- Aufwand beim Verabreichen der Medikamente bestimmen
  - » Augenverband abnehmen und anschließend wieder anbringen
  - » Durchführungsverweigerung überwinden
  - » Bei eingeschränkter Sehfähigkeit Nachbetreuung gewährleisten

Nasenmedikation laut Arztanordnung verabreichen

- Pflegeintervention konkretisieren

- Zeit angeben

Ohrentropfen laut ärztlicher Anordnung verabreichen
- Ohrverband anlegen
  - » Beide Ohren
  - » Rechtes Ohr
  - » Linkes Ohr
- Weitere Besonderheiten bestimmen
  - » Ohrenverband anlegen
  - » Sterilen Ohrverband anbringen

Auf unerwünschte Nebenwirkungen beobachten
- Pflegeintervention konkretisieren
  - » Mögliche bekannte Nebenwirkungen spezifisch beobachten
  - » Nebenwirkungen unspezifisch beobachten
- Mögliche spezifische Nebenwirkungen bestimmen
  - » Herzrhythmusstörungen
  - » Verwirrtheit
  - » Müdigkeit
  - » Ruhelosigkeit
  - » Schwindel
  - » Koordinationsstörungen
  - » Gehstörungen
  - » Paradoxe Reaktionen
  - » Motorische Störungen
  - » Übelkeit
  - » Mundtrockenheit
  - » Appetitlosigkeit
  - » Dehydratation
  - » Hypotonie
  - » Niereninsuffizienz
  - » Harnverhalt
  - » Sehstörungen
  - » Allergische Reaktionen
  - » Juckreiz

Angeordnete Zäpfchen verabreichen
- Applikationsort
  - » Rektale Applikation
  - » Vaginale Applikation
- Art der Unterstützungsleistung angeben
  - » Zur Selbstmedikation anleiten
  - » Bei der Verabreichung unterstützen
  - » Bei der Einnahme der richtigen Körperposition zur Verabreichung des Zäpfchens mit anschließender Applikation unterstützen

Medikamente lokal applizieren
- Angeordnetes Medikament
  - » Salbe verwenden
  - » Gel verwenden
  - » Tinktur verwenden
  - » Paste verwenden
- Art der Unterstützungsleistung angeben
  - » Therapeutikum lokal auftragen
  - » Mit dem Lokaltherapeutikum großflächig einreiben
  - » Lokaltherapeutikum einmassieren
  - » Anschließend Schutzverband anlegen

Transkutane Pflaster aufbringen
- Pflegeintervention konkretisieren
- Zeit angeben

Inhalation durchführen
- Pflegeintervention konkretisieren
  - » Mit Wasserdampf inhalieren
  - » Mit physiologischer Kochsalzlösung und Düsenvernebler inhalieren
  - » Mit Medikament laut Arztanordnung und Düsenvernebler inhalieren
- Art der Hilfestellung bestimmen
  - » Während der Inhalationsdauer unterstützen
  - » Zur Inhalation anleiten/dabei instruieren

Dosieraerosole laut Arztanordnung verabreichen
- Pflegeintervention konkretisieren
- Zeit angeben

Bei der Insulinverabreichung anleiten/unterstützen
- Pflegeintervention konkretisieren
- Art der Unterstützung
  - » Beaufsichtigen
  - » Durch Unterstützen helfen
  - » Teilweise übernehmen
  - » Vollständig übernehmen
  - » Zur selbstständigen Durchführung anleiten
- Anzuleitende Person(en) festlegen
  - » Betroffene Person
  - » Angehöriger/Bezugsperson
- Zeit angeben

Sonstige Pflegemaßnahmen durchführen
- Maßnahmen konkretisieren
- Zeit angeben

Literaturhinweise: 95, 125, 175, 176, 317

Der Patient hat aufgrund fehlender **Informationen über den Behandlungsverlauf** das **Risiko der ineffektiven Therapie**

Kennzeichen

- Äußert Gefühle wie Unsicherheit, Sorge und Verzweiflung
- Äußert Bedenken
- Fordert Informationen gezielt ein
- Äußert, ein Informationsdefizit zu haben

Ursachen

- Operativer Eingriff
- Ungewisser Krankheitsverlauf
- Fehlende Information/Anleitung, um handeln zu können

Ressourcen

- Kann Hilfe annehmen
- Ist an einer Problemlösung interessiert
- Ist zur Kontaktaufnahme bereit
- Stellt viele Fragen und möchte mehr Informationen
- Kann erhaltene Informationen umsetzen

Pflegeziele

- Fühlt sich sicher durch Informationen
- Alle wichtigen Informationen sind weitergeleitet
- Führt die Bewegungsmuster präoperativ richtig durch

Pflegeinterventionen

Informationsgespräch durchführen
- Gesprächsinhalt
- Gesprächsteilnehmer
  - » Angehöriger/Bezugsperson
  - » Betroffene Person
- Zeit angeben

Informationsmaterial aushändigen und Gesprächsbereitschaft signalisieren
- Pflegeintervention konkretisieren
- Zeit angeben

Postoperative Bewegungsmuster präoperativ einüben
- Pflegeintervention konkretisieren
- Zeit angeben

Sonstige Pflegemaßnahmen durchführen
- Maßnahmen konkretisieren
- Zeit angeben

Literaturhinweise: 510

Der Patient nimmt **unregelmäßig an den Therapieangeboten teil**, es besteht das **Risiko der unwirksamen Therapie**

Kennzeichen

- Reagiert auf gestellte Forderungen bezüglich Therapie und Behandlung mit Abwehrverhalten
- Zeigt wenig Bereitschaft, die Therapie zu unterstützen
- Hält sich nicht an die Vereinbarungen bezüglich Therapie und Behandlung
- Fehlt häufig zu vereinbarten Terminen
- Fehlende Einsicht bezüglich der Notwendigkeit einer Teilnahme
- Zeigt Verhaltensweisen, die darauf hinweisen, dass gesundheitsbezogene Ziele nicht erreicht werden können
- Berichtet über Schwierigkeiten, die Therapie-/Behandlungsvereinbarung in den Alltag zu integrieren

Ursachen

- Fehlende Motivation
- Fehlendes Krankheitsgefühl
- Eingeschränkte kognitive Fähigkeiten
- Wissensdefizit
- Vergisst die Termine immer wieder
- Fehlendes Interesse
- Fehlende finanzielle Ressourcen
- Fehlender sozialer Rückhalt
- Umweltbedingte Aspekte, die das Therapiemanagement behindern

Ressourcen

- Kann Aufforderungen folgen und hält sich an Vorgaben
- Kann die Zusammenhänge zwischen notwendiger Verhaltensänderung und Krankheit/Symptomen erklären
- Kognitive Fähigkeiten sind vorhanden
- Erkennt die Notwendigkeit der getroffenen Intervention und kooperiert mit dem therapeutischen Team

Pflegeziele

- Erfüllt die Rollenerwartungen
- Selbstwertgefühl ist gestärkt
- Setzt die vereinbarten Verhaltensänderungen um
- Teilnahme an den Therapieterminen ist sichergestellt
- Termin wird wahrgenommen
- Kennt Möglichkeiten, aktiv den Therapieerfolg zu unterstützen
- Hält sich an Absprachen und unterstützt aktiv die Therapie
- Selbstkontrolle ist verbessert

Pflegeinterventionen

Gewünschtes Verhalten positiv verstärken

- Maßnahmen konkretisieren
  - » Gewünschtes Verhalten durch Lob fördern
  - » Im therapeutischen Team Verhaltensweisen zur Stärkung des Selbstkonzepts vereinbaren
  - » Einüben, sich selbst zu belohnen

Teilnahme an den vereinbarten Therapien sicherstellen

- Maßnahmen konkretisieren
  - » Selbstständige Termineinhaltung überwachen und dokumentieren
  - » Zur Termineinhaltung auffordern
  - » Motivationsgespräch führen

Zu den Therapieangeboten hinbegleiten/wieder zurückbegleiten

- Maßnahmen konkretisieren
  - » Zum vereinbarten Termin innerhalb der Einrichtung bringen
  - » Zum vereinbarten Termin außerhalb der Einrichtung bringen
- Einrichtungsspezifische Aktivität wählen
- Zeitdauer angeben
- Anzahl erforderlicher Pflegepersonen angeben

Therapieziele gemeinsam vereinbaren und kontinuierlich reflektieren

- Maßnahmen konkretisieren
  - » Goal Attainment Scale einsetzen (= Zielerreichungsskala)
  - » Punkteplan einsetzen
- Zeit angeben

Sonstige Pflegemaßnahmen durchführen

- Maßnahmen konkretisieren
- Zeit angeben

Literaturhinweise: 47, 82, 83, 95, 101, 125, 173, 175, 176

Der Patient zeigt eine **beeinträchtigte Krankheitseinsicht**, es besteht das **Risiko des ineffektiven Therapieverlaufs**

Kennzeichen

- Äußert, dass Probleme durch andere verursacht sind
- Eigene Schwächen werden verleugnet
- Schuld wird auf andere projiziert
- Hat Schwierigkeiten, die Lebenssituation realistisch einzuschätzen
- Reagiert überempfindlich bei geäußerter Kritik
- Die Auseinandersetzung mit eigenen Defiziten ist erschwert möglich
- Äußert, sich nicht krank zu fühlen
- Äußert die Auffassung, grundlos in der Einrichtung zu sein
- Zeigt Verhaltensweisen, die darauf hinweisen, dass gesundheitsbezogene Ziele nicht erreicht werden können

Ursachen

- Suchterkrankung
- Manie
- Neurotische Störung
- Narzistische Persönlichkeitsstruktur
- Veränderte Körperwahrnehmung durch Essstörungen
- Persönlichkeitsstörung
- Verdrängt das Krankheitsgeschehen/den Krankheitsverlauf
- Umweltbedingte Aspekte, die das Therapiemanagement behindern

Ressourcen

- Vereinbarungen werden eingehalten
- Ist bei der Einhaltung von Vereinbarungen zuverlässig
- Zeigt Gesprächsbereitschaft

Pflegeziele

- Nimmt eigene Wünsche und Bedürfnisse wahr
- Steht zu Entscheidungen und übernimmt dafür die Verantwortung
- Verbalisiert Wünsche und Bedürfnisse deutlich und fordert sie ein
- Erkennt Zusammenhänge zwischen eigenem Verhalten und Pflegediagnose
- Entwickelt Lösungswege im Gespräch
- Behandlungs- und Therapiekonzept sind transparent und vom therapeutischen Team umgesetzt
- Aktive Beteiligung an der Behandlungsplanung ist sichergestellt
- Sicherheit ist gewährleistet

Pflegeinterventionen

Pflegefachgespräch führen

- Inhaltliche Ausrichtung des Gesprächs bestimmen
  - » Informationssammlung
  - » Pflege-, Betreuungs- und Behandlungsprozess
  - » Ursachenanalyse
  - » Strategien zur Krankheitsbewältigung
  - » Motivation/Aktivierung
  - » Alltagsbewältigung
  - » Förderung der Entscheidungsfindung
  - » Zukunftsperspektive
  - » Unterstützung der Orientierung
  - » Unterstützung des Realitätsbezugs
  - » Krisenintervention
  - » Aktuelle Bedürfnisse/Wünsche
  - » Instruktion/Anleitung
  - » Feed-back-Gespräch
  - » Sonstige Gesprächsinhalte
- Gesprächsteilnehmer
  - » Angehöriger/Bezugsperson
  - » Betroffene Person
- Zeitdauer des Gesprächs angeben

Fallbesprechung zur weiteren Behandlungs- und Therapieplanung durchführen

- Beteiligte Personen angeben
  - » Bewohner
  - » Pflegeperson
  - » Ärztlicher Dienst
  - » Psychologe
  - » Sozialarbeiter
  - » Sozialpädagoge
  - » Ergotherapeut
  - » Krankengymnast
  - » Logopäde
  - » Beschäftigungstherapeut
  - » Heilpädagoge
  - » Geistlicher Beistand
  - » Lehrer
  - » Erzieher
  - » Jugendamt
  - » Sonstige Personen
- Gesprächsinhalt
  - » Vereinbarte Therapieziele
  - » Vereinbarte Gesprächsinhalte für ein klientenzentriertes Pflegefachgespräch
- Zeitdauer angeben

Auf Gefahren-/Suchtstoffe untersuchen

- Pflegeintervention konkretisieren
- Zeit angeben

Sonstige Pflegemaßnahmen durchführen

- Maßnahmen konkretisieren
- Zeit angeben

Literaturhinweise: 51, 83, 95, 350

Der Patient ist in der **Fähigkeit, Kompetenzen** im Rahmen der Selbstpflegefähigkeit **zu erwerben, beeinträchtigt**, Risiko der unwirksamen Therapie

Kennzeichen

- Äußert Unsicherheit bei der Versorgung
- Äußert Unsicherheit
- Ist in der Aufnahme von Informationen beeinträchtigt
- Vergisst, geplante/verabredete Handlungen durchzuführen
- Beeinträchtigte Fingerfertigkeit, um Pflegeutensilien zu benutzen
- Funktionseinschränkung der Finger
- Beeinträchtigte Orientierung

Ursachen

- Hochgradige Einschränkung der Sehfähigkeit
- Schwerhörigkeit
- Fingerfertigkeit fehlt
- Reduzierte Fingerbeweglichkeit
- Aktivitätsintoleranz
- Beeinträchtigte Gedächtnisleistung
- Veränderter Denkprozess

Ressourcen

- Zeigt Motivation, die Übungen durchzuführen
- Zeigt Geduld und Ausdauer, neue Fähigkeiten zu erwerben

Pflegeziele

- Hat die erforderlichen Kompetenzen der Selbstpflege erworben und wendet diese sicher und zuverlässig an
- Fühlt sich sicher durch Informationen
- Alle wichtigen Informationen sind weitergeleitet
- Entwickelt Lösungswege im Gespräch
- Zeigt Interesse am Lernprozess und ist über die Lerninhalte informiert
- Erkennt die Zusammenhänge zwischen Symptomen und notwendigen Pflegeinterventionen
- Kann die Notwendigkeit von Pflegeinterventionen begründen und Zusammenhänge erklären
- Führt die erforderlichen Pflegeinterventionen fachlich richtig durch
- Ist über Risiken und mögliche Komplikationen informiert und kann diese Informationen auf die eigene Situation anwenden, hält Therapie- und Behandlungsvereinbarungen ein
- Selbstmanagement ist gesteigert

Pflegeinterventionen

Anleitung zum Kompetenzerwerb durchführen

- Pflegeintervention konkretisieren
- Schulungsthemen
  - » Wundmanagement
  - » Blutzuckermessung
  - » Insulinverabreichung
  - » Diabetisches Fußsyndrom
  - » Ernährungsgewohnheiten und präventive Maßnahmen
  - » Rezidivprophylaxe
  - » Kompensationstechniken/-strategien
  - » Schmerzmanagement
  - » Sorgfältige Hautpflege und -beobachtung
  - » Stomaversorgung
  - » Bewältigungsstrategien
- Anzuleitende Person(en) festlegen
  - » Betroffene Person
  - » Angehöriger/Bezugsperson
- Zeit angeben

Informationsgespräch durchführen

- Gesprächsinhalt
- Gesprächsteilnehmer
  - » Angehöriger/Bezugsperson
  - » Betroffene Person
- Zeit angeben

Kontakt zu Selbsthilfegruppen vermitteln

- Pflegeintervention konkretisieren
- Zeit angeben

Lerninhalte, -ziele und geeignete Lehr- und Anleitungsmethoden festlegen

- Maßnahmen konkretisieren
  - » Vereinbarte Lernziele dokumentieren
  - » Vereinbarte Lernmethoden dokumentieren und Zeitplanung vereinbaren
  - » Verantwortliche Bezugspflegeperson bestimmen

Systematische Schulung durchführen

- Schulungsthemen
  - » Diabetisches Fußsyndrom
  - » Stomaversorgung
  - » Wundmanagement
  - » Schmerzmanagement
  - » Diabetes mellitus
  - » Stillen
  - » Säuglingspflege (Infant handling)
  - » Ernährungsmanagement
  - » Gesundheitsförderung/Prävention
- Pflegeintervention konkretisieren
  - » Lerninhalte zum Krankheitsbild vermitteln
  - » Lerninhalte von Pflegestandards vermitteln
  - » In die Krankenbeobachtung einweisen
  - » Anleitung und Einweisung bei der Durchführung von Pflegemaßnahmen
  - » Maßnahmen der Gesundheitsförderung/Prävention vermitteln
  - » Rezidivprophylaxe
  - » Kompensationstechniken/-strategien
  - » Bewältigungsstrategien
  - » Auswahl und Umgang mit Hilfsmitteln
  - » Strategien zur Integration in den Alltag erarbeiten
- Zeitdauer der Anleitung/Schulung bestimmen

Sonstige Pflegemaßnahmen durchführen

- Maßnahmen konkretisieren
- Zeit angeben

Literaturhinweise: 51, 95, 175, 176

Der Patient hat aufgrund **fehlender Informationen/Fertigkeiten** im Umgang mit **Diabetes/ Hypo-/Hyperglykämie** ein **Risiko der unwirksamen Therapie**

Kennzeichen

- Kann Fragen bezüglich der Erkrankung und der Verhaltensmaßregeln nicht beantworten
- Kann keine Zusammenhänge bezüglich der Erkrankung und der Ernährung/Insulintherapie erklären
- Ermittelt die BZ-Werte falsch
- Kann die Dosierung nicht benennen
- Kann die Insulinverabreichung nicht selbstständig durchführen
- Äußert ein Wissensdefizit über die richtige Applikation einer Insulinverabreichung
- Macht Fehler beim Applizieren der Insulininjektion
- Zeigt Verhaltensweisen, die darauf hinweisen, dass gesundheitsbezogene Ziele nicht erreicht werden können
- Pflege-/Behandlungsvereinbarungen werden nicht eingehalten
- Berichtet über Schwierigkeiten, die Therapie-/Behandlungsvereinbarung in den Alltag zu integrieren

Ursachen

- Informationsmaterial, Anleitung und Informationsquellen reichen nicht aus
- Fehlender Zugang zu den entsprechenden Informationen
- Reduzierte Fingerbeweglichkeit
- Fingerfertigkeit fehlt
- Sehschwäche
- Eingeschränkte kognitive Fähigkeiten
- Unfähigkeit, die angebotene Information zu nutzen
- Wissensdefizit wird nicht erkannt
- Geringe Lernbereitschaft und Ausdauer
- Fehlendes Interesse

Ressourcen

- Zeigt Lernbereitschaft und ist interessiert
- Ist motiviert, neu zu lernen
- Zeigt Verhaltensweisen, die die Therapie unterstützen
- Kognitive Fähigkeiten, neu zu lernen, sind vorhanden
- Körperliche Fähigkeiten, die Insulinverabreichung durchzuführen, sind vorhanden
- Angehörige/Bezugspersonen sind bereit, die Spritzentechnik zu lernen
- Akzeptiert die Unterstützung
- Akzeptiert die Unterstützung von Angehörigen

Pflegeziele

- Selbstständigkeit ist gefördert
- Fühlt sich sicher durch Informationen
- Kennt die Behandlungsziele und ist zur Mitarbeit motiviert
- Ist über Verhaltensmaßnahmen informiert und setzt diese um
- Ist über ernährungsrelevante Aspekte informiert
- Blutzuckerspiegel ist ausgeglichen
- Genaue Bemessungsgrundlage für die Diabeteseinstellung ist sichergestellt
- Betreuende Personen sind informiert und unterstützen die Therapie
- Stellt die Nahrung entsprechend der Diabetesdiät selbstständig zusammen
- Termin wird wahrgenommen
- Ist über die Erkrankung informiert
- Kennt Möglichkeiten, aktiv den Therapieerfolg zu unterstützen
- Spezifische Fähigkeiten sind gefördert/entwickelt

Pflegeinterventionen

Insulintherapie durchführen

- Art der Insulintherapie
  - » Konventionelle Insulintherapie
  - » Intensivierte Insulintherapie
  - » Insulinpumpentherapie
- Pflegeintervention konkretisieren
  - » Bolusrate berechnen
  - » Blutzuckerbestimmung durchführen
  - » Insulin mit der Insulinspritze aufziehen
  - » Insulin mit der Insulinspritze verabreichen
  - » Insulin mit dem Pen verabreichen
  - » Insulinpumpe verwenden
- Unterstützungsgrad angeben
  - » Anleiten
  - » Teilweise übernehmen
  - » Vollständig übernehmen
  - » Beaufsichtigen

Beratungsgespräch führen

- Themenschwerpunkte angeben
  - » Umgang mit Krankheitserleben, Behandlung und Diabetes
  - » Individuelle Therapieziele
  - » Erkrankung
  - » Behandlung
  - » Maßnahmen zur Selbstkontrolle
  - » Akutkomplikationen
  - » Risikofaktoren
  - » Folgeerkrankungen
  - » Ernährung
  - » Bewegung
  - » Besondere Lebenssituationen
  - » Schwangerschaft
  - » Sozialrechtliche Aspekte
  - » Kontrolluntersuchungen
  - » Integration in den Alltag
- Teilnehmende Personen angeben
  - » Betroffene Person
  - » Angehöriger/Bezugsperson
  - » Lehrer/Erzieher
- Zeit angeben

Diabetestagebuch/ Diabetes-Pass führen

- Pflegeintervention konkretisieren
- Unterstützungsgrad angeben
  - » Beaufsichtigen
  - » Teilweise übernehmen
  - » Vollständig übernehmen
  - » Anleiten

Betreuende Personen durch Information unterstützen

- Pflegeintervention konkretisieren
  - » Informationsmaterialien zusammenstellen/aushändigen
  - » Relevante Werte zusammenstellen/aushändigen
- Zielgruppe festlegen
  - » Angehöriger/Bezugsperson
  - » Kindergarten
  - » Schule
  - » Sportverein

Ernährungsberatung organisieren
- Pflegeintervention konkretisieren
  - » Über die Termine informieren
  - » Teilnahme an der Schulung dokumentieren
  - » Terminplanung durchführen

Diabetesschulung organisieren
- Pflegeintervention konkretisieren
  - » Über die Termine informieren
  - » Teilnahme an der Schulung dokumentieren
  - » Terminplanung durchführen

Zum vereinbarten Termin bringen
- Maßnahmen konkretisieren
- Termineinhaltung sicherstellen
  - » Zum vereinbarten Termin innerhalb der Einrichtung bringen
  - » Zum vereinbarten Termin außerhalb der Einrichtung bringen
  - » An vereinbarte Termine erinnern
- Zeit angeben

Diabetesschulung durchführen
- Themenschwerpunkte angeben
  - » Umgang mit Krankheitserleben, Behandlung und Diabetes
  - » Individuelle Therapieziele
  - » Erkrankung
  - » Behandlung
  - » Maßnahmen zur Selbstkontrolle
  - » Akutkomplikationen
  - » Risikofaktoren
  - » Folgeerkrankungen
  - » Ernährung
  - » Bewegung
  - » Besondere Lebenssituationen
  - » Schwangerschaft
  - » Sozialrechtliche Aspekte
  - » Kontrolluntersuchungen
  - » Integration in den Alltag
- Teilnehmende Personen angeben
  - » Betroffene Person
  - » Angehöriger/Bezugsperson
  - » Lehrer/Erzieher
- Zeit angeben

Sonstige Pflegemaßnahmen durchführen
- Maßnahmen konkretisieren
- Zeit angeben

Literaturhinweise: 459, 696, 697, 698, 699, 700, 703, 704, 705, 706, 707

Der Patient **unterstützt** die vereinbarten **Ziele des Pflege-/Behandlungsprozesses nicht**, es besteht das **Risiko, gesundheitsbezogene Ziele nicht zu erreichen**

Kennzeichen

- Fehlende Motivation
- Pflege-/Behandlungsvereinbarungen werden nicht eingehalten
- Reagiert auf gestellte Forderungen bezüglich Therapie und Behandlung mit Abwehrverhalten
- Zeigt wenig Bereitschaft, die Therapie zu unterstützen
- Sieht keinen Sinn darin, etwas zu tun
- Hält sich nicht an die Vereinbarungen bezüglich Therapie und Behandlung
- Zeigt Verhaltensweisen/macht Äußerungen, die auf ein Wissensdefizit hinweisen
- Zeigt Abwehrverhalten bei pflegerischen Tätigkeiten
- Zeigt Verhaltensweisen, die darauf hinweisen, dass gesundheitsbezogene Ziele nicht erreicht werden können
- Berichtet über Schwierigkeiten, die Therapie-/Behandlungsvereinbarung in den Alltag zu integrieren

Ursachen

- Veränderter Denkprozess
- Schizophrene Psychose
- Demenz
- Psychiatrische Erkrankung
- Altersdepression
- Wochenbettdepression
- Apathisch-gehemmte Depression
- Endogene Depression
- Exogene Depression
- Fehlende Einsicht
- Wissensdefizit
- Umweltbedingte Aspekte, die das Therapiemanagement behindern
- Fehlende finanzielle Ressourcen
- Fehlender sozialer Rückhalt

Der Patient fühlt sich/ist durch das **Therapieangebot/-konzept überfordert**, es besteht das **Risiko, gesundheitsbezogene Ziele nicht zu erreichen**

Ressourcen

- Kann Vertrauen zum Pflegepersonal aufbauen
- Reagiert positiv auf therapeutische Gespräche

Pflegeziele

- Baut Vertrauen zum therapeutischen Team auf
- Widerstand ist abgebaut
- Erkennt eigene Anteile, die eine depressive Grundhaltung fördern
- Ursachen sind erkannt
- Therapie- und Aktivitätsangebote sind individuell abgestimmt
- Baut ein Vertrauensverhältnis zum Gesprächspartner auf
- Spricht die Bezugsperson bei Problemen selbstständig an
- Kennt Möglichkeiten, aktiv den Therapieerfolg zu unterstützen
- Hält sich an Absprachen und unterstützt aktiv die Therapie
- Selbstkontrolle ist verbessert

Pflegeinterventionen

Vertrauensbasis aufbauen
- Pflegeintervention konkretisieren
- Zeit angeben

Eigenverantwortlichkeit aufzeigen
- Pflegeintervention konkretisieren
- Zeit angeben

Klientenzentriertes Gespräch über Gründe und Ursachen der fehlenden Therapieunterstützung führen
- Gesprächsinhalt
- Zeit angeben
- Beteiligte Personen angeben
  - » Betroffene Person
  - » Angehöriger/Bezugsperson
  - » Betreuer
  - » Eltern
  - » Sonstige Personen
- Durchführende Person angeben
  - » Bezugspflegeperson
  - » Pflegeperson
  - » Spezialtherapeuten
  - » Physiotherapeuten

Fallbesprechung über den Pflege- und Behandlungsprozess führen
- Beteiligte Personen angeben
  - » Bewohner
  - » Pflegeperson
  - » Ärztlicher Dienst
  - » Psychologe
  - » Sozialarbeiter
  - » Sozialpädagoge
  - » Ergotherapeut
  - » Krankengymnast
  - » Logopäde
  - » Beschäftigungstherapeut
  - » Heilpädagoge
  - » Geistlicher Beistand
  - » Lehrer
  - » Erzieher
  - » Jugendamt
  - » Sonstige Personen
- Gesprächsinhalt
  - » Vereinbarte Therapieziele
  - » Vereinbarte Gesprächsinhalte für ein klientenzentriertes Pflegefachgespräch
- Zeitdauer angeben

Bezugsperson festlegen
- Pflegeintervention konkretisieren
- Zeit angeben

Therapieziele gemeinsam vereinbaren und kontinuierlich reflektieren
- Maßnahmen konkretisieren
  - » Goal Attainment Scale einsetzen (= Zielerreichungsskala)
  - » Punkteplan einsetzen
- Zeit angeben

Sonstige Pflegemaßnahmen durchführen
- Maßnahmen konkretisieren
- Zeit angeben

Literaturhinweise: 47, 82, 83, 95, 101, 125, 173, 175, 176

Kennzeichen

- Aggressives Verhalten
- Reagiert auf gestellte Forderungen bezüglich Therapie und Behandlung mit Abwehrverhalten
- Zeigt wenig Bereitschaft, die Therapie zu unterstützen
- Wirkt in Belastungssituationen ratlos
- Konzentration/Aufmerksamkeit ist reduziert
- Äußert Angstgefühle vor bestimmten Situationen
- Zieht sich vom sozialen Geschehen zurück
- Berichtet über Schwierigkeiten, die Therapie-/Behandlungsvereinbarung in den Alltag zu integrieren

Ursachen

- Fehlende kognitive Fähigkeiten
- Eingeschränkte kognitive Fähigkeiten
- Korsakow-Syndrom
- Morbus Alzheimer
- Depressionen
- Eingeschränkte körperliche Belastungsfähigkeit
- Belastungsintoleranz
- Erschöpfung

Ressourcen

- Kann die körperliche Belastbarkeit einschätzen und fordert rechtzeitig Unterstützung an
- Erkennt die Notwendigkeit der getroffenen Intervention und kooperiert mit dem therapeutischen Team

Pflegeziele

- Nimmt eine Überforderung selbst wahr und kann dies äußern
- Einer Überforderung ist vorgebeugt
- Therapie- und Aktivitätsangebote sind individuell abgestimmt
- Therapie ist sichergestellt

Pflegeinterventionen

Aktivitäten an das individuelle Leistungsniveau anpassen
- Maßnahmen konkretisieren
  - » Arbeitsschritte verkleinern
  - » Aktivitätenplanung auf die Ressourcen zuschneiden
  - » Pausen vorsehen und einhalten
  - » Durch Wiederholungen Sicherheit fördern und Überforderung abbauen
  - » Ressourcen aktivieren

Auf Anzeichen von Überforderung in Verbindung mit den Anforderungen beobachten
- Pflegeintervention konkretisieren
- Zeit angeben

Fallbesprechung über den Pflege- und Behandlungsprozess führen
- Beteiligte Personen angeben
  - » Bewohner
  - » Pflegeperson
  - » Ärztlicher Dienst
  - » Psychologe
  - » Sozialarbeiter
  - » Sozialpädagoge
  - » Ergotherapeut
  - » Krankengymnast
  - » Logopäde
  - » Beschäftigungstherapeut
  - » Heilpädagoge
  - » Geistlicher Beistand
  - » Lehrer
  - » Erzieher
  - » Jugendamt
  - » Sonstige Personen
- Gesprächsinhalt
  - » Vereinbarte Therapieziele
  - » Vereinbarte Gesprächsinhalte für ein klientenzentriertes Pflegefachgespräch
- Zeitdauer angeben

Therapieangebot/-konzept anpassen
- Maßnahmen konkretisieren
  - » Verlegung in den stationären Bereich veranlassen
  - » Verlegung in den geschlossenen stationären Bereich veranlassen

Sonstige Pflegemaßnahmen durchführen
- Maßnahmen konkretisieren
- Zeit angeben

Literaturhinweise: 47, 82, 83, 95, 101, 125, 173, 175, 176

Der Patient zeigt ein **gesundheitsschädigendes Verhalten**, es besteht das **Risiko, gesundheitsbezogene Ziele nicht zu erreichen**

Kennzeichen

- Veränderter Gesundheitszustand wird nicht angenommen, Anpassung an die Lebenssituation fehlt
- Äußert, die Zusammenhänge zwischen Lebensführung und gesundheitsrelevanten Aspekten nicht zu kennen
- Hält sich nicht an die Vereinbarungen bezüglich Therapie und Behandlung
- Äußert Unverständnis über die geforderten Verhaltensmaßnahmen
- Reagiert auf gestellte Forderungen bezüglich Therapie und Behandlung mit Abwehrverhalten
- Zeigt Verhaltensweisen, die darauf hinweisen, dass gesundheitsbezogene Ziele nicht erreicht werden können
- Berichtet über Schwierigkeiten, die Therapie-/Behandlungsvereinbarung in den Alltag zu integrieren
- Nimmt sich vor, das bisherige Gesundheitsverhalten zu verändern
- Gesundheitsbezogenes Verhalten ist in der Vorgeschichte beeinträchtigt gewesen

Ursachen

- Fehlender Zugang zu den entsprechenden Informationen
- Informationen werden falsch interpretiert
- Desinteresse an den Lerninhalten
- Plötzlich veränderte Anforderungen
- Nicht bewältigter Trauerprozess
- Sinnkrise

Ressourcen

- Kognitive Fähigkeiten, neu zu lernen, sind vorhanden
- Ist motiviert, neu zu lernen
- Angehörige zeigen Bereitschaft, neu zu lernen
- Lernangebote werden angenommen
- Akzeptiert die Unterstützung
- Akzeptiert die Unterstützung von Angehörigen

Pflegeziele

- Leitet notwendige Veränderungen in der Lebensführung ein
- Notwendige Veränderungen in der Lebensführung werden eingeleitet
- Unterstützt den Behandlungsplan
- Finanzielle Belange sowie die weitere Versorgung sind geregelt
- Entwickelt Lösungswege im Gespräch
- Ist über die Pflegemaßnahmen informiert und zur Mitarbeit motiviert
- Steht zu Entscheidungen und übernimmt dafür die Verantwortung
- Kennt die Konsequenzen verschiedener Handlungsalternativen und kann sich entscheiden

Pflegeinterventionen

Beratungsgespräch führen und gesundheitsrelevante Zusammenhänge erklären
- Gesprächsinhalt
- Gesprächsteilnehmer
  - » Angehöriger/Bezugsperson
  - » Betroffene Person
- Zeit angeben

Informationsgespräch über die Versorgungsmöglichkeiten führen
- Pflegeintervention konkretisieren
  - » Häusliche Pflege
  - » Tageszentrum
  - » Fahrtendienst
  - » Besuchsdienst
  - » Schmerzambulanz
  - » Aktivitätsangebote für Senioren
- Zeit angeben

Klientenzentriertes Gespräch zur Ursachenanalyse und Problemlösung durchführen
- Gesprächsinhalt
- Zeit angeben
- Beteiligte Personen angeben
  - » Betroffene Person
  - » Angehöriger/Bezugsperson
  - » Betreuer
  - » Eltern
  - » Sonstige Personen
- Durchführende Person angeben
  - » Bezugspflegeperson
  - » Pflegeperson
  - » Spezialtherapeuten
  - » Physiotherapeuten

Pflegefachgespräch führen
- Themenschwerpunkt des Gesprächs angeben
  - » Pflege-, Betreuungs- und Behandlungsprozess
  - » Alltagsbewältigung
  - » Instruktion/Anleitung
  - » Motivation/Aktivierung
  - » Strategien zur Krankheitsbewältigung
  - » Förderung der Entscheidungsfindung
  - » Überleitung/Entlassung
  - » Sonstige Gesprächsinhalte
- Gesprächsteilnehmer
  - » Betroffener
  - » Angehöriger/Bezugsperson
- Zeitdauer des Gesprächs angeben

Sonstige Pflegemaßnahmen durchführen
- Maßnahmen konkretisieren
- Zeit angeben

Literaturhinweise: 95, 125, 173, 319, 321, 333

Der Patient äußert/hat einen **Bedarf an Anleitung beim Säuglingshandling**

Kennzeichen

- Äußert Unsicherheit bei der Versorgung des Neugeborenen/Säuglings
- Unsicherheiten bei der Versorgung des Neugeborenen/Säuglings können beobachtet werden

Ursachen

- Erstgebärende
- Körperliche Einschränkung

Ressourcen

- Angehöriger/Bezugsperson ist motiviert, die Pflegemaßnahme zu unterstützen, und zeigt entsprechendes Verhalten
- Angehöriger/Bezugsperson kann das Kind unter Aufsicht selbstständig baden
- Angehöriger/Bezugsperson möchte das Kind selbstständig versorgen
- Angehöriger/Bezugsperson traut sich die Versorgung des Neugeborenen zu
- Angehöriger/Bezugsperson äußert den Wunsch, die Nähe zum Kind zu fördern

Pflegeziele

- Angehöriger/Bezugsperson führt das Säuglingsbad selbstständig durch
- Angehöriger/Bezugsperson kann die Babymassage durchführen

Pflegeinterventionen

Angehörigen/Bezugsperson beim Säuglingshandling anleiten/unterstützen
- Maßnahmen konkretisieren
  - » Handgriffe beim Hochheben, Hinlegen usw.
  - » Wickeltechnik
  - » Säuglingsbad
  - » Lagern des Säuglings
- Zeit angeben

Angehörigen/Bezugsperson zur Babymassage anleiten
- Pflegeintervention konkretisieren
- Dauer der durchgeführten Intervention:

Sonstige Pflegemaßnahmen durchführen
- Maßnahmen konkretisieren
- Zeit angeben

Literaturhinweise: 95, 161, 175, 176

Der Patient ist **suizidgefährdet**

Kennzeichen

- Äußert Suizidgedanken
- Suizidpläne werden gefunden
- Missglückter Suizidversuch
- Verschenkt lieb gewonnene Dinge
- Medikamente werden gesammelt
- Plötzlicher positiver Stimmungswechsel
- Äußert den Wunsch zu sterben, um allem Leid/Unglück ein Ende zu setzen
- Beschreibt das Gefühl der Einsamkeit/Verlassenheit
- Verändern/Erstellen eines Testaments
- Sammeln/Beschaffen von gefährlichen Gegenständen (Rasierklinge/Seil/Waffe)
- Äußert den Wunsch nach Ruhe, Pause, Unterbrechung im Leben

Ursachen

- Depressive Verstimmung
- Zwangsvorstellungen
- Manische Stimmung
- Schizophrene Psychose
- Krebsdiagnose
- Erkrankung mit schweren Beeinträchtigungen
- Verlust des Partners
- Schwere soziale Krise
- Lebenskrise
- Isolation und Einsamkeit
- Wirtschaftliche Krise
- Verlust und/oder Trennung von wichtigen Bezugspersonen
- Lebenssituationen, die durch Hoffnungslosigkeit gekennzeichnet sind
- Chronische Krankheit
- Abhängigkeit (Alkohol/Drogen)
- Krise in der pubertären Lebensphase
- Chronische Schmerzzustände
- Unverarbeitete Missbrauchs-/Vergewaltigungserlebnisse
- Fehlende Unterstützung aus dem sozialen Umfeld/von Angehörigen/Bezugspersonen
- Fehlende lebenspositive Werthaltungen
- Belastende Lebensereignisse
- Psychische Erkrankung

Ressourcen

- Kann über die Suizidgedanken sprechen
- Akzeptiert die Unterstützung
- Akzeptiert die Unterstützung von Angehörigen

Pflegeziele

- Suizidale Absichten sind eingeschätzt, Vorbeugemaßnahmen eingeleitet
- Gibt das Versprechen, sich für einen bestimmten Zeitraum nichts anzutun
- Spricht mit Angehörigen über die Suizidgedanken
- Beschäftigt sich mit Schwierigkeitsbewältigung und Zukunftsperspektiven
- Vertrauensvolle therapeutische Beziehung ist aufgebaut
- Sicherheit ist gewährleistet
- Fühlt sich angenommen und entwickelt Vertrauen
- Behandlungs- und Therapiekonzept sind transparent und vom therapeutischen Team umgesetzt
- Aktive Beteiligung an der Behandlungsplanung ist sichergestellt
- Ist in den Tagesablauf aktiv integriert
- Ist aktiviert und beteiligt sich an den Milieuprozessen
- Nimmt positive Ereignisse bzw. Dinge wahr und kann darüber berichten
- Benennt positive Aspekte von Ereignissen und Erlebnissen
- Soziale Kompetenzen sind gefördert
- Spricht Konflikte/Empfindungen in der Gruppe an
- Adäquate Konfliktlösungsstrategien sind entwickelt

Pflegeinterventionen

Assessment bezüglich des Suizidrisikos durchführen

- Maßnahmen konkretisieren
  - » Pierce Suicidal Intent Scale (Suizidabsichtsskala)
- Zeit angeben

Gespräch über die momentane Situation führen und Suizidgefährdung einschätzen

- Gesprächsinhalt
- Zeit angeben
- Beteiligte Personen angeben
  - » Betroffene Person
  - » Angehöriger/Bezugsperson
  - » Betreuer
  - » Eltern
  - » Sonstige Personen
- Durchführende Person angeben
  - » Bezugspflegeperson
  - » Pflegeperson
  - » Spezialtherapeuten
  - » Physiotherapeuten

Abmachung treffen, dass bei Suizidgedanken Kontakt zum therapeutischen Team aufgenommen wird

- Gesprächsinhalt
- Zeit angeben
- Beteiligte Personen angeben
  - » Betroffene Person
  - » Angehöriger/Bezugsperson
  - » Betreuer
  - » Eltern
  - » Sonstige Personen
- Durchführende Person angeben
  - » Bezugspflegeperson
  - » Pflegeperson
  - » Spezialtherapeuten
  - » Physiotherapeuten

Familie/Bezugspersonen in die Behandlung integrieren

- Netzwerke bestimmen, die aufgebaut/gefördert werden können
  - » Netzwerk Familie

  - Netzwerk Freundeskreis
  - Netzwerk Arbeitsfeld
  - Netzwerk Glaubensgemeinschaft
  - Netzwerk Freizeitaktivität/Hobby
  - Selbsthilfegruppe
  - Sonstige Netzwerke
- Zeitdauer der Intervention bestimmen
- Gesprächspartner bestimmen
  - Angehöriger/Bezugsperson
  - Betreuer
  - Freunde
  - Arbeitgeber
  - Arbeitskollegen
  - Ämter
  - Kirchenvertreter
  - Nachbarn
  - Sonstige Personen

Gesprächstherapie über mögliche Suizidgedanken mit Arzt/Psychologen vermitteln
- Beteiligte Personen angeben
  - Bewohner
  - Pflegeperson
  - Ärztlicher Dienst
  - Psychologe
  - Sozialarbeiter
  - Sozialpädagoge
  - Ergotherapeut
  - Krankengymnast
  - Logopäde
  - Beschäftigungstherapeut
  - Heilpädagoge
  - Geistlicher Beistand
  - Lehrer
  - Erzieher
  - Jugendamt
  - Sonstige Personen
- Gesprächsinhalt
  - Vereinbarte Therapieziele
  - Vereinbarte Gesprächsinhalte für ein klientenzentriertes Pflegefachgespräch
- Zeitdauer angeben

Im Gespräch Vertrauensbasis mit der Bezugspflegeperson herstellen
- Bezugsperson festlegen
- Pflegeintervention konkretisieren
  - Tages-/Wochenplan erstellen
  - Aktivitätenplan erstellen
  - Tages- und Wochenpläne besprechen
  - Durchgeführte Aktivitäten besprechen
  - Lebenspraktische Inhalte besprechen
- Fest verbindlichen Tagesplan vereinbaren
  - Mit Kontrollmöglichkeit
  - Ohne Kontrollmöglichkeit
  - In Eigenverantwortung
  - In Verantwortung der Bezugsperson
  - Tagesaktivitäten auswerten und reflektieren
- Dauer bestimmen

Suizidprophylaxe durch kontinuierliche Beobachtung und Präsenz durchführen
- Pflegeintervention konkretisieren
  - Aktivitäten des Betroffenen beobachten
  - Bei Toilettengängen begleiten
  - Aufenthalt im Zimmer begleiten
  - Baden/Duschen beobachten
  - In das Beobachtungszimmer verlegen
  - Zimmer des Betroffenen verschließen
  - Fixierungsmaßnahmen lt. Arztanordnung durchführen
- Dauer der Präsenz bestimmen

Für eine sichere Umgebung sorgen
- Pflegeintervention konkretisieren
  - Auf eine geschlossene Abteilung verlegen
  - In das Überwachungszimmer verlegen
  - Gefährliche Gegenstände entfernen
  - Zimmer des Betroffenen verschließen
  - Bäder verschließen

Verhalten auf versteckte Hinweise einer Suizidabsicht beobachten
- Pflegeintervention konkretisieren
- Zeit angeben

Direkt auf suizidale Absichten ansprechen
- Gesprächsinhalt
- Zeit angeben
- Beteiligte Personen angeben
  - Betroffene Person
  - Angehöriger/Bezugsperson
  - Betreuer
  - Eltern
  - Sonstige Personen
- Durchführende Person angeben
  - Bezugspflegeperson
  - Pflegeperson
  - Spezialtherapeuten
  - Physiotherapeuten

Bezugsperson zum Aufbau einer therapeutischen Beziehung festlegen
- Bezugsperson festlegen
- Pflegeintervention konkretisieren
  - Tages-/Wochenplan erstellen
  - Aktivitätenplan erstellen
  - Tages- und Wochenpläne besprechen
  - Durchgeführte Aktivitäten besprechen
  - Lebenspraktische Inhalte besprechen
- Fest verbindlichen Tagesplan vereinbaren
  - Mit Kontrollmöglichkeit
  - Ohne Kontrollmöglichkeit
  - In Eigenverantwortung
  - In Verantwortung der Bezugsperson
  - Tagesaktivitäten auswerten und reflektieren
- Dauer bestimmen

Fallbesprechung zur weiteren Behandlungs- und Therapieplanung durchführen
- Beteiligte Personen angeben
  - Bewohner
  - Pflegeperson
  - Ärztlicher Dienst
  - Psychologe
  - Sozialarbeiter
  - Sozialpädagoge
  - Ergotherapeut
  - Krankengymnast
  - Logopäde
  - Beschäftigungstherapeut
  - Heilpädagoge
  - Geistlicher Beistand
  - Lehrer
  - Erzieher
  - Jugendamt
  - Sonstige Personen
- Gesprächsinhalt
  - Vereinbarte Therapieziele
  - Vereinbarte Gesprächsinhalte für ein klientenzentriertes Pflegefachgespräch
- Zeitdauer angeben

In ein Isolierzimmer mit kontinuierlicher Überwachung verlegen
- Pflegeintervention konkretisieren
- Zeit angeben

Milieutherapeutische Aktivitäten im Wohn-/Stationsbereich durchführen
- Stationsaktivität angeben
  - Gemeinsam aktuelle Zeitungen/Magazine lesen
  - Kinoabend im Wohn-/Stationsbereich durchführen
  - Spielnachmittag besuchen
  - Mahlzeiten gemeinsam einnehmen
  - Tanznachmittag besuchen
  - Kirchenbesuch durchführen
  - Spazieren gehen
  - Singstunde besuchen
  - An Festaktivitäten teilnehmen
  - Am Sonntagsfrühstück teilnehmen
  - Aktivitäten im Zusammenhang, den Gemeinschaftsraum zu gestalten
  - Zur Milieugestaltung malen/basteln
- Einrichtungsspezifische Aktivität wählen
- Zeitdauer der Aktivitäten bestimmen

Positiven Tagesrückblick in der Gruppe durchführen
- Pflegeintervention konkretisieren
- Zeitdauer des Gruppengesprächs bestimmen

Gesprächstherapeutische Gruppenaktivität durchführen
- Therapiegruppe angeben
  - An Stationsgesprächsrunde/-meeting/-forum teilnehmen
  - An Gesprächskreis über tagesaktuelle Themen teilnehmen
  - Wochenendgruppe besuchen
  - Konfliktgruppe besuchen
  - Morgenrunde besuchen
  - Kritikgruppe besuchen
- Einrichtungsspezifische Aktivität wählen

- Zeitdauer der Gruppenangebote bestimmen

Sonstige Pflegemaßnahmen durchführen
- Maßnahmen konkretisieren
- Zeit angeben

Literaturhinweise: 47, 82, 95, 125, 173, 175, 176, 374, 915, 916, 917, 918, 919, 920

Der Patient akzeptiert die **freiheitsentziehenden Maßnahmen bei Unterbringungsbescheid** nicht, es besteht **Fluchtgefahr**

Kennzeichen

- Äußert Fluchtgedanken
- Bekannte Fluchtversuche

Ursachen

- Unterbringung nach § 126a StPO
- Unterbringung nach § 453 C StPO
- Unterbringung nach § 63 StGB
- Unterbringung nach § 81StPO
- Unterbringung nach § 64 StGB
- Familiengesetz nach § 1631
- PsychKG

Ressourcen

- Ist zur Kontaktaufnahme bereit
- Kann $sein Verhalten in Gesprächen reflektieren

Pflegeziele

- Akzeptiert die konsequente Handhabung der Aufsicht
- Entwickelt eigene Lösungswege
- Erkennt die Notwendigkeit der Verhaltensänderung
- Nimmt soziale Situationen differenzierter wahr
- Fühlt sich angenommen und entwickelt Vertrauen
- Ist in den Tagesablauf aktiv integriert
- Ein menschenwürdiges, an die persönliche Lebensgeschichte angepasstes Leben ist ermöglicht
- Ist aktiviert und beteiligt sich an den Milieuprozessen
- Entwickelt Verhaltensweisen, die das Leben in der Gemeinschaft fördern
- Erfüllt die Rollenerwartungen
- Selbstwertgefühl ist gestärkt
- Setzt die vereinbarten Verhaltensänderungen um
- Behandlungs- und Therapiekonzept sind transparent und vom therapeutischen Team umgesetzt
- Aktive Beteiligung an der Behandlungsplanung ist sichergestellt
- Therapie ist sichergestellt
- Kann Bedürfnisse realisieren
- Nimmt positive Ereignisse bzw. Dinge wahr und kann darüber berichten
- Benennt positive Aspekte von Ereignissen und Erlebnissen
- Soziale Kompetenzen sind gefördert
- Spricht Konflikte/Empfindungen in der Gruppe an
- Adäquate Konfliktlösungsstrategien sind entwickelt

Pflegeinterventionen

Sicherheitsmaßnahmen durchführen
- Maßnahmen konkretisieren
  - » Zimmerkontrolle durchführen
  - » Gitterkontrolle durchführen
  - » Sichtkontrolle durchführen
  - » Betreten des Raumes nur mit zwei männlichen Personen
  - » Sichernde Person beim Betreten des Raumes an der Tür positionieren

Gefährliche Gegenstände einziehen
- Maßnahmen konkretisieren
  - » Besteck durch Plastikbesteck austauschen
  - » Rasierklingen entfernen
  - » Scheren/Nagelfeilen entfernen
  - » Feuerzeug/Streichhölzer entfernen

Personenkontrolle auf nicht genehmigte Gegenstände durchführen
- Maßnahmen konkretisieren
- Zeit angeben

Maßnahmen entsprechend der Lockerungs-

stufe durchführen
- Maßnahmen konkretisieren
- Lockerungsstufe des Hofgangs angeben
  - » Hofgang im gesicherten Hof mit Isolierung von Mitpatienten unter ständiger Sichtkontrolle
  - » Hofgang im gesicherten Hof in Personalbegleitung
  - » Hofgang im gesicherten Hof

Sichernde Personalbegleitung beim Ausgang/Ausführen durchführen
- Maßnahmen konkretisieren
  - » Personenbegleitung durch zwei männliche Begleitpersonen durchführen
  - » Personenbegleitung durch zwei Begleitpersonen durchführen
  - » Personenbegleitung durch eine männliche Begleitperson durchführen
  - » Personenbegleitung mit einer Begleitperson durchführen
- Zeit angeben

Ausgang entsprechend der Lockerungsstufe gewährleisten
- Pflegeintervention konkretisieren
- Zeit angeben

Besucherregeln beachten und Kontrollen durchführen
- Pflegeintervention konkretisieren
- Zeit angeben

Im klientenzentrierten Gespräch bestehende Schwierigkeiten analysieren und Problemlösungen entwickeln
- Gesprächsinhalt
- Zeit angeben
- Beteiligte Personen angeben
  - » Betroffene Person
  - » Angehöriger/Bezugsperson
  - » Betreuer
  - » Eltern
  - » Sonstige Personen
- Durchführende Person angeben
  - » Bezugspflegeperson
  - » Pflegeperson
  - » Spezialtherapeuten
  - » Physiotherapeuten

Bezugsperson und Gesprächsinhalte festlegen
- Bezugsperson festlegen
- Pflegeintervention konkretisieren
  - » Tages-/Wochenplan erstellen
  - » Aktivitätenplan erstellen
  - » Tages- und Wochenpläne besprechen
  - » Durchgeführte Aktivitäten besprechen
  - » Lebenspraktische Inhalte besprechen
- Fest verbindlichen Tagesplan vereinbaren
  - » Mit Kontrollmöglichkeit
  - » Ohne Kontrollmöglichkeit
  - » In Eigenverantwortung
  - » In Verantwortung der Bezugsperson
  - » Tagesaktivitäten auswerten und reflektieren
- Dauer bestimmen

Milieutherapeutische Aktivitäten im Wohn-/Stationsbereich durchführen
- Stationsaktivität angeben
  - » Gemeinsam aktuelle Zeitungen/Magazine lesen
  - » Kinoabend im Wohn-/Stationsbereich durchführen
  - » Spielnachmittag besuchen
  - » Mahlzeiten gemeinsam einnehmen
  - » Tanznachmittag besuchen
  - » Kirchenbesuch durchführen
  - » Spazieren gehen
  - » Singstunde besuchen
  - » An Festaktivitäten teilnehmen
  - » Am Sonntagsfrühstück teilnehmen
  - » Aktivitäten im Zusammenhang, den Gemeinschaftsraum zu gestalten
  - » Zur Milieugestaltung malen/basteln
- Einrichtungsspezifische Aktivität wählen
- Zeitdauer der Aktivitäten bestimmen

Gewünschtes Verhalten positiv verstärken
- Maßnahmen konkretisieren
  - » Gewünschtes Verhalten durch Lob fördern
  - » Im therapeutischen Team Verhaltensweisen zur Stärkung des Selbstkonzepts vereinbaren
  - » Einüben, sich selbst zu belohnen

Fallbesprechung zur weiteren Behandlungs- und Therapieplanung durchführen
- Beteiligte Personen angeben
  - » Bewohner
  - » Pflegeperson
  - » Ärztlicher Dienst
  - » Psychologe
  - » Sozialarbeiter
  - » Sozialpädagoge
  - » Ergotherapeut
  - » Krankengymnast
  - » Logopäde
  - » Beschäftigungstherapeut
  - » Heilpädagoge
  - » Geistlicher Beistand
  - » Lehrer
  - » Erzieher
  - » Jugendamt
  - » Sonstige Personen
- Gesprächsinhalt
  - » Vereinbarte Therapieziele
  - » Vereinbarte Gesprächsinhalte für ein klientenzentriertes Pflegefachgespräch
- Zeitdauer angeben

Therapiebesuche entsprechend der Lockerungsstufe ermöglichen
- Maßnahmen konkretisieren
  - » Mit Begleitperson
  - » Ohne Begleitperson
- Zeit angeben

Raucherpausen ermöglichen
- Maßnahmen konkretisieren
  - » Mit Begleitperson
  - » Ohne Begleitperson
- Zeit angeben

Positiven Tagesrückblick in der Gruppe durchführen
- Pflegeintervention konkretisieren
- Zeitdauer des Gruppengesprächs bestimmen

Gesprächstherapeutische Gruppenaktivität durchführen
- Therapiegruppe angeben
  - » An Stationsgesprächsrunde/-meeting/-forum teilnehmen
  - » An Gesprächskreis über tagesaktuelle Themen teilnehmen
  - » Wochenendgruppe besuchen
  - » Konfliktgruppe besuchen
  - » Morgenrunde besuchen
  - » Kritikgruppe besuchen
- Einrichtungsspezifische Aktivität wählen
- Zeitdauer der Gruppenangebote bestimmen

Sonstige Pflegemaßnahmen durchführen
- Maßnahmen konkretisieren
- Zeit angeben

Literaturhinweise: 510

Der Patient ist **antriebsgemindert**, es besteht das **Risiko eines Selbstfürsorgedefizits**

Kennzeichen

- Fehlen von spontanen Handlungsintentionen (Antriebsminderung/-mangel)
- Verminderung ursprünglich vorhandenen Antriebs (Antriebsverarmung)
- Unfähig, intendierte Handlungen auszuführen (Antriebshemmung)
- Beschreibt einen quälenden Verlust von Energie und Tatkraft
- Beschreibt unüberwindbare Probleme bei den Tagesverrichtungen
- Wirkt lustlos und ist schwer zu Aktivitäten zu motivieren
- Zieht sich zurück
- Verbringt viel Zeit im Bett
- Zeigt kaum Interesse
- Ist schwer zu einer Aktivität/Aufgabe zu motivieren
- Vernachlässigt die Körperpflege
- Vernachlässigt die Nahrungs- und Flüssigkeitszufuhr
- Ist schnell überfordert
- Reduziertes Selbstwertgefühl
- Beeinträchtigte psychische Energie
- Fehlende Motivation

Ursachen

- Depressive Störung
- Schizophrene Psychose
- Essstörung
- Organisch bedingte Psychose
- Demenz
- Morbus Parkinson
- Suchterkrankung
- Postpartale Depression
- Geistige Behinderung
- Minderbegabung
- Schilddrüsenunterfunktion
- Autismus

Ressourcen

- Lässt sich durch Aufforderung zu Bewegungsabläufen motivieren

Pflegeziele

- Gezielte Therapie/Behandlung kann eingeleitet werden
- Geht einer sinnvollen Beschäftigung nach
- Erlangt Selbstvertrauen in seine Fähigkeiten
- Fühlt sich angenommen und entwickelt Vertrauen
- Ist aktiviert und beteiligt sich an den Milieuprozessen
- Entwickelt Verhaltensweisen, die das Leben in der Gemeinschaft fördern
- Setzt die vereinbarten Verhaltensänderungen um
- Kennt Möglichkeiten, aktiv den Therapieerfolg zu unterstützen
- Hält sich an Absprachen und unterstützt aktiv die Therapie
- Selbstkontrolle ist verbessert
- Körperwahrnehmung ist aktiviert und stimuliert
- Ist körperlich fit
- Selbstvertrauen in die Leistungsfähigkeit des eigenen Körpers ist gestärkt
- Körperliche Fitness ist gefördert
- Fühlt sich angenommen und akzeptiert
- Äußert, einen Lebenssinn/-inhalt für sich zu sehen
- Erkennt/erfährt den Zusammenhang zwischen Aktivität und Stimmung
- Kennt die Behandlungsziele und ist zur Mitarbeit motiviert
- Therapie- und Aktivitätsangebote sind individuell abgestimmt
- Aktive Beteiligung an der Behandlungsplanung ist sichergestellt
- Führt lebenspraktische Tätigkeiten selbstständig und zuverlässig durch
- Individuelle kognitive/motorische Fähigkeiten sind erhalten und gefördert
- Nimmt am sozialen Leben teil und fühlt sich integriert
- Baut soziale Kontakte auf und pflegt diese
- Zeigt Interesse und Spaß an den Freizeitaktivitäten
- Nimmt an Freizeitaktivitäten teil
- Unterschiedliche Sinne sind durch Reize zur Förderung von Orientierung und Wahrnehmung stimuliert
- Religionsausübung ist unterstützt
- Selbstwertgefühl ist gestärkt
- Übernimmt die Verantwortung bei der Versorgung des Tieres
- Kognitive Fähigkeiten sind gefördert
- Beweglichkeit und Muskelkraft bleiben erhalten
- Beweglichkeit und Muskelkraft werden kontinuierlich gesteigert
- Nimmt Gefühle wahr und artikuliert diese adäquat
- Selbstvertrauen in eigene Kompetenzen/Fähigkeiten ist gefördert
- Ein positives Selbstkonzept ist gefördert
- Erkennt und integriert in angemessener Weise die Veränderungen in seinem/ ihrem Selbstkonzept
- Soziale Kompetenzen sind gefördert
- Spricht Konflikte/Empfindungen in der Gruppe an
- Adäquate Konfliktlösungsstrategien sind entwickelt
- Die Grundarbeitsfähigkeiten (wie Pünktlichkeit, Ausdauer, Sorgfalt, Handlungsplanung usw.) sind entwickelt
- Nimmt positive Ereignisse bzw. Dinge wahr und kann darüber berichten
- Benennt positive Aspekte von Ereignissen und Erlebnissen

Pflegeinterventionen

Ursachen für die Antriebsminderung abklären

- Gesprächsinhalt
- Gesprächsteilnehmer
  - » Angehöriger/Bezugsperson
  - » Betroffene Person

- Zeit angeben

Tagesstrukturierende Maßnahmen in individueller Einzeltherapie durchführen
- Einzeltraining konkretisieren
  - » Aus der Tageszeitung vorlesen und aktuelle Themen diskutieren
  - » Mahlzeiten kochen
  - » Einkaufen gehen
  - » Küchendienst übernehmen
  - » Zimmer reinigen
  - » Tisch für die Mahlzeiten decken/abdecken
  - » Blumen-/Pflanzenpflege durchführen
  - » Wäsche versorgen
- Einrichtungsspezifische Aktivität wählen
- Art der Unterstützungsleistung angeben
  - » Beim Durchführen anleiten
  - » Beim Durchführen beaufsichtigen
  - » Durchgeführte Tätigkeiten im Pflegefachgespräch reflektieren
  - » Gemeinsam partnerschaftlich durchführen
- Zeitdauer der Einzelförderung bestimmen

Überforderung vermeiden
- Pflegeintervention konkretisieren
- Zeit angeben

Tagesstrukturierende Maßnahmen in der Gruppe durchführen
- Gruppentraining konkretisieren
  - » Gemeinsam Mahlzeiten kochen und einnehmen
  - » Gemeinsam einkaufen
  - » An der Kosmetikgruppe teilnehmen
  - » Feste planen, vorbereiten und durchführen
  - » An der Hauswirtschaftsgruppe teilnehmen
- Einrichtungsspezifische Aktivität wählen
- Art der Unterstützungsleistung angeben
  - » Auffordern, den Termin des Gruppenangebots einzuhalten
  - » Zur Teilnahme an den Aktivitäten motivieren
  - » Bei den Gruppenaktivitäten unterstützen
  - » Nach der Aktivität Reflexionsgespräch führen
- Zeitdauer der Gruppentherapie bestimmen

Bezugsperson und Gesprächsinhalte festlegen
- Bezugsperson festlegen
- Pflegeintervention konkretisieren
  - » Tages-/Wochenplan erstellen
  - » Aktivitätenplan erstellen
  - » Tages- und Wochenpläne besprechen
  - » Durchgeführte Aktivitäten besprechen
  - » Lebenspraktische Inhalte besprechen
- Fest verbindlichen Tagesplan vereinbaren
  - » Mit Kontrollmöglichkeit
  - » Ohne Kontrollmöglichkeit
  - » In Eigenverantwortung
  - » In Verantwortung der Bezugsperson
  - » Tagesaktivitäten auswerten und reflektieren
- Dauer bestimmen

Milieutherapeutische Aktivitäten im Wohn-/Stationsbereich durchführen
- Stationsaktivität angeben
  - » Gemeinsam aktuelle Zeitungen/Magazine lesen
  - » Kinoabend im Wohn-/Stationsbereich durchführen
  - » Spielnachmittag besuchen
  - » Mahlzeiten gemeinsam einnehmen
  - » Tanznachmittag besuchen
  - » Kirchenbesuch durchführen
  - » Spazieren gehen
  - » Singstunde besuchen
  - » An Festaktivitäten teilnehmen
  - » Am Sonntagsfrühstück teilnehmen
  - » Aktivitäten im Zusammenhang, den Gemeinschaftsraum zu gestalten
  - » Zur Milieugestaltung malen/basteln
- Einrichtungsspezifische Aktivität wählen
- Zeitdauer der Aktivitäten bestimmen

Systematischen positiven Aktivitätsaufbau fördern
- Maßnahmen konkretisieren
  - » Verhaltenstherapeutisches Erklärungsmodell darstellen und eine Therapievereinbarung treffen
  - » Positive Aktivitäten des Betroffenen herausfinden
  - » Positive Aktivitäten planen
  - » Reflexionsgespräch über die durchgeführten positiven Aktivitäten und Einschätzung der Stimmung
- Zeit angeben

Gewünschtes Verhalten positiv verstärken
- Maßnahmen konkretisieren
  - » Gewünschtes Verhalten durch Lob fördern
  - » Im therapeutischen Team Verhaltensweisen zur Stärkung des Selbstkonzepts vereinbaren
  - » Einüben, sich selbst zu belohnen

Therapieziele gemeinsam vereinbaren und kontinuierlich reflektieren
- Maßnahmen konkretisieren
  - » Goal Attainment Scale einsetzen (= Zielerreichungsskala)
  - » Punkteplan einsetzen
- Zeit angeben

Körperbezogene Therapieangebote/Aktivitäten durchführen
- Maßnahmen konkretisieren
  - » Morgengymnastik durchführen
  - » Fitnesstraining durchführen
  - » Schwimmen gehen
  - » Bewegungsbad durchführen
  - » Wasserjogging durchführen
  - » Konzentrative Körperarbeit leisten
  - » Körpertherapie durchführen
  - » Sport in Form von Spielen machen
  - » An der Seniorengymnastik teilnehmen
  - » Konzentrative Bewegungstherapie durchführen
  - » Tanztherapie durchführen
- Einrichtungsspezifische Aktivität wählen
- Zeit angeben

Aktivierungstherapie in der Gruppe durchführen
- Pflegeintervention konkretisieren
  - » Gemeinsam Mahlzeiten kochen und einnehmen
  - » An Festaktivitäten teilnehmen
  - » Beschäftigungstherapie durchführen
  - » Gemeinsam alte Lieder singen
  - » Am Gesprächskreis im Erinnerungsraum teilnehmen
  - » Aus der Tageszeitung vorlesen und aktuelle Themen diskutieren
  - » Märchen-/Literaturgruppe besuchen
  - » Tanznachmittag besuchen
  - » Kognitive Aktivitäten planen und durchführen
  - » Alltagsbezogene Aktivitäten planen und durchführen
  - » Kulturelle Aktivitäten durchführen
  - » Musisch-gesellige Aktivitäten durchführen
  - » Künstlerische Aktivitäten durchführen
  - » Kreative Aktivitäten durchführen
- Einrichtungsspezifische Aktivität wählen
- Zeitdauer der Gruppenangebote bestimmen

Systematischen positiven Aktivitätsaufbau fördern
- Maßnahmen konkretisieren
  - » Verhaltenstherapeutisches Erklärungsmodell darstellen und eine Therapievereinbarung treffen
  - » Positive Aktivitäten des Betroffenen herausfinden
  - » Positive Aktivitäten planen
  - » Reflexionsgespräch über die durchgeführten positiven Aktivitäten und Einschätzung der Stimmung
- Zeit angeben

Fallbesprechung über die Tagesstrukturierung und die verhaltenstherapeutische Vorgehensweise führen
- Beteiligte Personen angeben
  - » Bewohner
  - » Pflegeperson
  - » Ärztlicher Dienst
  - » Psychologe
  - » Sozialarbeiter
  - » Sozialpädagoge
  - » Ergotherapeut
  - » Krankengymnast
  - » Logopäde
  - » Beschäftigungstherapeut
  - » Heilpädagoge

» Geistlicher Beistand
» Lehrer
» Erzieher
» Jugendamt
» Sonstige Personen
- Gesprächsinhalt
  » Vereinbarte Therapieziele
  » Vereinbarte Gesprächsinhalte für ein klientenzentriertes Pflegefachgespräch
- Zeitdauer angeben

Sonstige lebenspraktische Angebote durchführen
- Einrichtungsspezifische Aktivität wählen

Kreative Beschäftigungsangebote durchführen
- Einrichtungsspezifische Aktivität wählen

Soziales Angebot innerhalb der Einrichtung anbieten
- Einrichtungsspezifische Aktivität wählen

Soziales Angebot außerhalb der Einrichtung anbieten
- Einrichtungsspezifische Aktivität wählen

Spiele-Angebote durchführen
- Einrichtungsspezifische Aktivität wählen

Sonstige Angebote zur Förderung der Wahrnehmung durchführen
- Maßnahmen konkretisieren
  » Übungen zur Förderung der visuellen Wahrnehmung durchführen
  » Übungen zur Förderung der taktilen Wahrnehmung durchführen
  » Übungen zur Förderung der vestibulären Wahrnehmung durchführen
  » Übungen zur Förderung der auditiven Wahrnehmung durchführen
- Einrichtungsspezifische Aktivität wählen
- Zeit angeben

Religiöse Angebote durchführen
- Einrichtungsspezifische Aktivität wählen

Tiergestützte Aktivierung durchführen
- Maßnahmen konkretisieren
  » Individuelle tiergestützte Therapieangebote durchführen
  » Tiergestützte Therapie in der Gruppe
  » Versorgung des Tieres übernehmen
- Einrichtungsspezifische Aktivität wählen
- Zeit angeben

Kognitive Beschäftigungsangebote durchführen
- Einrichtungsspezifische Aktivität wählen

Sonstige Bewegungsaktivitäten durchführen
- Einrichtungsspezifische Aktivität wählen

Selbstkonzept/-bild/-wert und soziale Kompetenzen in Einzeltherapie fördern
- Einzeltherapeutisches Angebot angeben
  » Selbstsicherheitstraining durchführen
  » Genusstherapie durchführen
  » Verhaltenstherapie durchführen
  » Assertiveness-Training-Programm (ATP) durchführen
  » Integriertes Psychologisches Therapieprogramm (IPT) durchführen
  » Positiven Tagesrückblick durchführen
  » Musiktherapie durchführen
  » Gestalttherapie durchführen
  » Maltherapie durchführen
  » Kognitives Einzeltraining durchführen
  » Rollenspiele durchführen
  » Erinnerungstherapie durchführen
  » Achtsamkeitstraining durchführen
  » Anti-Phobie/Angst-Training durchführen
- Einrichtungsspezifische Aktivität wählen
- Zeitdauer der Einzelförderung bestimmen

Selbstkonzept/-bild/-wert und soziale Kompetenzen in Gruppentherapie fördern
- Gruppentherapeutisches Angebot angeben
  » Selbstsicherheitstraining durchführen
  » Genusstherapie durchführen
  » Verhaltenstherapie durchführen
  » Assertiveness-Training-Programm (ATP) durchführen
  » Integriertes Psychologisches Therapieprogramm (IPT) durchführen
  » Kognitive Therapiegruppe besuchen
  » Musiktherapie durchführen
  » Gestalttherapie durchführen
  » Maltherapie durchführen
  » Märchen-/Literaturgruppe besuchen
  » Rollenspiele durchführen
  » Interaktionsspiele zur Persönlichkeitsentwicklung durchführen
  » Am Gesprächskreis im Erinnerungsraum teilnehmen
  » Achtsamkeitstraining durchführen
  » Anti-Phobie/Angst-Training durchführen
- Einrichtungsspezifische Aktivität wählen
- Zeitdauer der Gruppentherapie bestimmen

Gesprächstherapeutische Gruppenaktivität durchführen
- Therapiegruppe angeben
  » An Stationsgesprächsrunde/-meeting/-forum teilnehmen
  » An Gesprächskreis über tagesaktuelle Themen teilnehmen
  » Wochenendgruppe besuchen
  » Konfliktgruppe besuchen
  » Morgenrunde besuchen
  » Kritikgruppe besuchen
- Einrichtungsspezifische Aktivität wählen
- Zeitdauer der Gruppenangebote bestimmen

Beschäftigungstherapie (BT) durchführen
- Maßnahmen konkretisieren
  » Malen
  » Werken
  » Töpfern
  » Collagen gestalten
  » Batiken
  » Seidenmalerei betreiben
  » Weben
  » Holzarbeiten anfertigen
  » Flechtarbeiten anfertigen
- Einrichtungsspezifische Aktivität wählen
- Art und Weise der Unterstützung bestimmen
  » Einleitend motivieren und aktivieren
  » Kontinuierlich motivieren und anleiten
  » Bei der Durchführung unterstützen
- Zeitdauer der Einzelförderung bestimmen

Positiven Tagesrückblick in der Gruppe durchführen
- Pflegeintervention konkretisieren
- Zeitdauer des Gruppengesprächs bestimmen

Sonstige Pflegemaßnahmen durchführen
- Maßnahmen konkretisieren
- Zeit angeben

Literaturhinweise: 82, 83, 95, 101, 173, 175, 176, 374, 892, 893, 920

Der Patient hat aufgrund von **psychotischem Erleben einen beeinträchtigten Realitätsbezug**, es besteht das **Risiko des Selbstfürsorgedefizits**

Kennzeichen

- Wahnideen
- Beziehungswahn
- Eifersuchtswahn
- Beeinträchtigungswahn
- Kleinheitswahn
- Größenwahn
- Versündigungswahn
- Verarmungswahn
- Hört Stimmen
- Zeigt wenig Vertrauen zum Team
- Auffälliges Verhalten
- Antriebsarmut
- Rückzugstendenzen
- Verfolgungswahn
- Religiöser Wahn

Ursachen

- Endogene Psychose
- Schizophrene Psychose
- Zyklothymie
- Organisch bedingte Psychose
- Hirntumor
- Epilepsie
- Schädel-Hirn-Trauma
- Postoperatives Durchgangssyndrom
- Hormonstörung
- Alkoholabhängigkeit
- Flüssigkeitsdefizit/Dehydratation/ Exsikkose

Ressourcen

- Lässt sich ablenken
- Akzeptiert die Bezugsperson
- Akzeptiert die Unterstützung
- Akzeptiert die Unterstützung von Angehörigen
- Kann Vertrauen zum Pflegepersonal aufbauen
- Versteht das Therapiekonzept und ist bereit, sich aktiv zu beteiligen
- Zeigt Verhaltensweisen, die die Therapie unterstützen
- Gesundheits-/Krankheitskonzept ist vorhanden
- Berichtet offen über das psychotische Erleben

Pflegeziele

- Kann sich am Tagesablauf orientieren
- Baut ein Vertrauensverhältnis zum Gesprächspartner auf
- Spricht die Bezugsperson bei Problemen selbstständig an
- Selbstständigkeit ist gefördert
- Vorhandene Kompetenzen in der selbstständigen Lebensführung erhalten
- Kompetenzen der selbstständigen Lebensführung fördern
- Ist in den Tagesablauf aktiv integriert
- Ein menschenwürdiges, an die persönliche Lebensgeschichte angepasstes Leben ist ermöglicht
- Ist aktiviert und beteiligt sich an den Milieuprozessen
- Entwickelt Verhaltensweisen, die das Leben in der Gemeinschaft fördern
- Lernt Fähigkeiten und Fertigkeiten, die bei der Gestaltung des Lebens hilfreich sind
- Vorhandene Ressourcen sind aktiviert und gefördert
- Ist zur Person, örtlich und zeitlich orientiert
- Findet einen Weg aus der psychotischen Welt in den Alltag
- Kann psychotische Welt und Realität unterscheiden
- Frühwarnzeichen für einen erneuten psychotischen Schub sind erarbeitet
- Ist sozial integriert
- Übernimmt Mitverantwortung in der Gruppe
- Soziales Lernen ist unterstützt
- Integriert sich in das Gruppengeschehen
- Kennt die Spielregeln in sozialen Gemeinschaften
- Nimmt Gefühle wahr und artikuliert diese adäquat
- Selbstvertrauen in eigene Kompetenzen/ Fähigkeiten ist gefördert
- Ein positives Selbstkonzept ist gefördert
- Erkennt und integriert in angemessener Weise die Veränderungen in seinem/ ihrem Selbstkonzept
- Verdient sich den Lebensunterhalt selbstständig und ist auf die Arbeitssituation vorbereitet
- Die Grundarbeitsfähigkeiten (wie Pünktlichkeit, Ausdauer, Sorgfalt, Handlungsplanung usw.) sind entwickelt
- Fühlt sich angenommen und akzeptiert
- Geht einer sinnvollen Beschäftigung nach
- Äußert, einen Lebenssinn/-inhalt für sich zu sehen
- Körperwahrnehmung ist aktiviert und stimuliert
- Ist körperlich fit
- Selbstvertrauen in die Leistungsfähigkeit des eigenen Körpers ist gestärkt
- Körperliche Fitness ist gefördert
- Selbstwertgefühl ist gestärkt
- Übernimmt die Verantwortung bei der Versorgung des Tieres
- Zeigt Interesse und Spaß an den Freizeitaktivitäten
- Nimmt an Freizeitaktivitäten teil
- Soziale Kompetenzen sind gefördert
- Spricht Konflikte/Empfindungen in der Gruppe an
- Adäquate Konfliktlösungsstrategien sind entwickelt
- Nimmt positive Ereignisse bzw. Dinge wahr und kann darüber berichten
- Benennt positive Aspekte von Ereignissen und Erlebnissen

Pflegeinterventionen

Realitätsbezug im Alltag fördern

- Maßnahmen konkretisieren
  - » Wahnthemen und Zwangshandlungen nicht versuchen auszureden und keine

Diskussion entstehen lassen
- » Akzeptierende Grundhaltung gegenüber den Wahnideen zeigen
- » Eigene Realität gegenüberstellen
- » Lebenspraktische Tätigkeiten durchführen
- » "Harmlose" Gesprächsthemen anbieten

Tages- und Wochenplan gemeinsam erarbeiten und Vereinbarungen bezüglich der Aktivitäten treffen
- Bezugsperson festlegen
- Pflegeintervention konkretisieren
  - » Tages-/Wochenplan erstellen
  - » Aktivitätenplan erstellen
  - » Tages- und Wochenpläne besprechen
  - » Durchgeführte Aktivitäten besprechen
  - » Lebenspraktische Inhalte besprechen
- Fest verbindlichen Tagesplan vereinbaren
  - » Mit Kontrollmöglichkeit
  - » Ohne Kontrollmöglichkeit
  - » In Eigenverantwortung
  - » In Verantwortung der Bezugsperson
  - » Tagesaktivitäten auswerten und reflektieren
- Dauer bestimmen

Bezugsperson festlegen
- Pflegeintervention konkretisieren
- Zeit angeben

Lebenspraktisches Einzeltraining durchführen
- Einzeltraining konkretisieren
  - » Aus der Tageszeitung vorlesen und aktuelle Themen diskutieren
  - » Mahlzeiten kochen
  - » Einkaufen gehen
  - » Küchendienst übernehmen
  - » Zimmer reinigen
  - » Tisch für die Mahlzeiten decken/abdecken
  - » Blumen-/Pflanzenpflege durchführen
  - » Wäsche versorgen
- Einrichtungsspezifische Aktivität wählen
- Art der Unterstützungsleistung angeben
  - » Beim Durchführen anleiten
  - » Beim Durchführen beaufsichtigen
  - » Durchgeführte Tätigkeiten im Pflegefachgespräch reflektieren
  - » Gemeinsam partnerschaftlich durchführen
- Zeitdauer der Einzelförderung bestimmen

Lebenspraktisches Gruppentraining durchführen
- Gruppentraining konkretisieren
  - » Gemeinsam Mahlzeiten kochen und einnehmen
  - » Gemeinsam einkaufen
  - » An der Kosmetikgruppe teilnehmen
  - » Feste planen, vorbereiten und durchführen
  - » An der Hauswirtschaftsgruppe teilnehmen
- Einrichtungsspezifische Aktivität wählen
- Art der Unterstützungsleistung angeben
  - » Auffordern, den Termin des Gruppenangebots einzuhalten
  - » Zur Teilnahme an den Aktivitäten motivieren
  - » Bei den Gruppenaktivitäten unterstützen
  - » Nach der Aktivität Reflexionsgespräch führen
- Zeitdauer der Gruppentherapie bestimmen

Milieutherapeutische Aktivitäten im Wohn-/Stationsbereich durchführen
- Stationsaktivität angeben
  - » Gemeinsam aktuelle Zeitungen/Magazine lesen
  - » Kinoabend im Wohn-/Stationsbereich durchführen
  - » Spielnachmittag besuchen
  - » Mahlzeiten gemeinsam einnehmen
  - » Tanznachmittag besuchen
  - » Kirchenbesuch durchführen
  - » Spazieren gehen
  - » Singstunde besuchen
  - » An Festaktivitäten teilnehmen
  - » Am Sonntagsfrühstück teilnehmen
  - » Aktivitäten im Zusammenhang, den Gemeinschaftsraum zu gestalten
  - » Zur Milieugestaltung malen/basteln
- Einrichtungsspezifische Aktivität wählen
- Zeitdauer der Aktivitäten bestimmen

Realitätsbezogene Beschäftigungstherapie als Einzeltherapie durchführen
- Maßnahmen konkretisieren
- Einrichtungsspezifische Aktivität wählen
- Zeitdauer der Einzeltherapie bestimmen

Realitätsbezogene Beschäftigungstherapie in der Gruppe durchführen
- Pflegeintervention konkretisieren
- Einrichtungsspezifische Aktivität wählen
- Zeit angeben

Realitätsorientiertes Einzel-Training (ROT) durchführen
- Pflegeintervention konkretisieren
  - » Einzeltherapie zur Erfassung der Person anbieten
  - » Einzeltherapie zum Neulernen von Zeitstrukturen anbieten
  - » Einzeltherapie zur Erfassung örtlicher Gegebenheiten anbieten
  - » Einzeltherapie zu situativen Gegebenheiten anbieten
  - » Gemeinsame Betrachtung von Bildern und Fotoalben
  - » Spaziergänge über den Wohn-/Stationsbereich in Verbindung mit einem Gespräch über Orientierungspunkte
- Zeitdauer der Einzeltherapie bestimmen

Realitätsorientiertes Training (ROT) in der Gruppe durchführen
- Pflegeintervention konkretisieren
  - » An einem Gesprächskreis über Gegenstände aus vergangenen Zeiten teilnehmen
  - » Gemeinsam aktuelle Zeitungen/Magazine lesen
  - » Gemeinsam jahreszeitliche Gestaltung der Wohnbereiche durchführen
  - » Gemeinsam backen
  - » Festtagsgestaltung gemeinsam durchführen
- Einrichtungsspezifische Aktivität wählen
- Zeitdauer der Gruppenaktivität bestimmen

Therapeutisches Einzelgespräch führen
- Inhaltliche Ausrichtung des Gesprächs bestimmen
  - » Informationssammlung
  - » Pflege-, Betreuungs- und Behandlungsprozess
  - » Ursachenanalyse
  - » Strategien zur Krankheitsbewältigung
  - » Motivation/Aktivierung
  - » Alltagsbewältigung
  - » Förderung der Entscheidungsfindung
  - » Zukunftsperspektive
  - » Unterstützung der Orientierung
  - » Unterstützung des Realitätsbezugs
  - » Krisenintervention
  - » Aktuelle Bedürfnisse/Wünsche
  - » Instruktion/Anleitung
  - » Feed-back-Gespräch
  - » Sonstige Gesprächsinhalte
- Gesprächsteilnehmer
  - » Angehöriger/Bezugsperson
  - » Betroffene Person
- Zeitdauer des Gesprächs angeben

Gesellschaftliche/soziale Aktivitäten fördern
- Stationsaktivität angeben
  - » Gemeinsam aktuelle Zeitungen/Magazine lesen
  - » Kinoabend im Wohn-/Stationsbereich durchführen
  - » Spielnachmittag besuchen
  - » Mahlzeiten gemeinsam einnehmen
  - » Tanznachmittag besuchen
  - » Kirchenbesuch durchführen
  - » Spazieren gehen
  - » Singstunde besuchen
  - » An Festaktivitäten teilnehmen
  - » Am Sonntagsfrühstück teilnehmen
  - » Aktivitäten im Zusammenhang, den Gemeinschaftsraum zu gestalten
  - » Zur Milieugestaltung malen/basteln
- Einrichtungsspezifische Aktivität wählen
- Zeitdauer der Aktivitäten bestimmen

Selbstkonzept/-bild/-wert und soziale Kompetenzen in Einzeltherapie fördern
- Einzeltherapeutisches Angebot angeben
  - » Selbstsicherheitstraining durchführen
  - » Genusstherapie durchführen
  - » Verhaltenstherapie durchführen

   - Assertiveness-Training-Programm (ATP) durchführen
   - Integriertes Psychologisches Therapieprogramm (IPT) durchführen
   - Positiven Tagesrückblick durchführen
   - Musiktherapie durchführen
   - Gestalttherapie durchführen
   - Maltherapie durchführen
   - Kognitives Einzeltraining durchführen
   - Rollenspiele durchführen
   - Erinnerungstherapie durchführen
   - Achtsamkeitstraining durchführen
   - Anti-Phobie/Angst-Training durchführen
- Einrichtungsspezifische Aktivität wählen
- Zeitdauer der Einzelförderung bestimmen

Selbstkonzept/-bild/-wert und soziale Kompetenzen in Gruppentherapie fördern
- Gruppentherapeutisches Angebot angeben
   - Selbstsicherheitstraining durchführen
   - Genusstherapie durchführen
   - Verhaltenstherapie durchführen
   - Assertiveness-Training-Programm (ATP) durchführen
   - Integriertes Psychologisches Therapieprogramm (IPT) durchführen
   - Kognitive Therapiegruppe besuchen
   - Musiktherapie durchführen
   - Gestalttherapie durchführen
   - Maltherapie durchführen
   - Märchen-/Literaturgruppe besuchen
   - Rollenspiele durchführen
   - Interaktionsspiele zur Persönlichkeitsentwicklung durchführen
   - Am Gesprächskreis im Erinnerungsraum teilnehmen
   - Achtsamkeitstraining durchführen
   - Anti-Phobie/Angst-Training durchführen
- Einrichtungsspezifische Aktivität wählen
- Zeitdauer der Gruppentherapie bestimmen

Zur Arbeitstherapie (AT) hinführen/abholen
- Maßnahmen konkretisieren
   - Zum vereinbarten Termin innerhalb der Einrichtung bringen
   - Zum vereinbarten Termin außerhalb der Einrichtung bringen
- Zeitdauer des Transports bestimmen
- Anzahl erforderlicher Pflegepersonen angeben

Aktivierungstherapie in der Gruppe durchführen
- Pflegeintervention konkretisieren
   - Gemeinsam Mahlzeiten kochen und einnehmen
   - An Festaktivitäten teilnehmen
   - Beschäftigungstherapie durchführen
   - Gemeinsam alte Lieder singen
   - Am Gesprächskreis im Erinnerungsraum teilnehmen
   - Aus der Tageszeitung vorlesen und aktuelle Themen diskutieren
   - Märchen-/Literaturgruppe besuchen
   - Tanznachmittag besuchen
   - Kognitive Aktivitäten planen und durchführen
   - Alltagsbezogene Aktivitäten planen und durchführen
   - Kulturelle Aktivitäten durchführen
   - Musisch-gesellige Aktivitäten durchführen
   - Künstlerische Aktivitäten durchführen
   - Kreative Aktivitäten durchführen
- Einrichtungsspezifische Aktivität wählen
- Zeitdauer der Gruppenangebote bestimmen

Körperbezogene Therapieangebote/Aktivitäten durchführen
- Maßnahmen konkretisieren
   - Morgengymnastik durchführen
   - Fitnesstraining durchführen
   - Schwimmen gehen
   - Bewegungsbad durchführen
   - Wasserjogging durchführen
   - Konzentrative Körperarbeit leisten
   - Körpertherapie durchführen
   - Sport in Form von Spielen machen
   - An der Seniorengymnastik teilnehmen
   - Konzentrative Bewegungstherapie durchführen
   - Tanztherapie durchführen
- Einrichtungsspezifische Aktivität wählen
- Zeit angeben

Tiergestützte Aktivierung durchführen
- Maßnahmen konkretisieren
   - Individuelle tiergestützte Therapieangebote durchführen
   - Tiergestützte Therapie in der Gruppe
   - Versorgung des Tieres übernehmen
- Einrichtungsspezifische Aktivität wählen
- Zeit angeben

Spiele-Angebote durchführen
- Einrichtungsspezifische Aktivität wählen

Gesprächstherapeutische Gruppenaktivität durchführen
- Therapiegruppe angeben
   - An Stationsgesprächsrunde/-meeting/-forum teilnehmen
   - An Gesprächskreis über tagesaktuelle Themen teilnehmen
   - Wochenendgruppe besuchen
   - Konfliktgruppe besuchen
   - Morgenrunde besuchen
   - Kritikgruppe besuchen
- Einrichtungsspezifische Aktivität wählen
- Zeitdauer der Gruppenangebote bestimmen

Positiven Tagesrückblick in der Gruppe durchführen
- Pflegeintervention konkretisieren
- Zeitdauer des Gruppengesprächs bestimmen

Sonstige Pflegemaßnahmen durchführen
- Maßnahmen konkretisieren
- Zeit angeben

Literaturhinweise: 71, 82, 83, 95, 101, 125, 127, 173, 175, 176, 374, 920, 921, 922, 923, 924, 925, 926, 927, 928, 929

Der Patient ist in der **Strukturierung des Tagesablaufs beeinträchtigt**, es besteht das **Risiko eines Selbstfürsorgedefizits**

Kennzeichen

- Steht morgens nicht selbstständig auf
- Verschläft die Mahlzeiten
- Zieht sich ins Zimmer zurück
- Veränderter Schlaf-Wach-Rhythmus
- Hält Termine nicht ein
- Zeigt kaum Anteilnahme an der Umgebung
- Zeigt kein Interesse

Ursachen

- Depressive Störung
- Endogene Depression
- Psychiatrische Störung
- Psychiatrische Erkrankung
- Exogene Depression
- Ist in der "eigenen Welt" verhaftet
- Antriebslosigkeit
- Fehlendes Interesse
- Geistige Behinderung
- Körperliche Behinderung
- Entwicklungsbedingt

Ressourcen

- Ist an der selbstständigen Versorgung interessiert
- Zeigt Verhaltensweisen, die die Therapie unterstützen
- Nimmt therapeutische Anregungen an
- Hält die Therapievereinbarungen ein
- Die tägliche Lebensgestaltung ist trotz der Einschränkungen weitestgehend möglich
- Äußert, Spaß an den Gruppenangeboten zu haben
- Akzeptiert die Unterstützung
- Akzeptiert die Unterstützung von Angehörigen

Pflegeziele

- Ursachen sind analysiert und gezielte Pflegeinterventionen eingeleitet
- Kennt die Behandlungsziele und ist zur Mitarbeit motiviert
- Therapie- und Aktivitätsangebote sind individuell abgestimmt
- Ist aktiviert und beteiligt sich an den Milieuprozessen
- Entwickelt Verhaltensweisen, die das Leben in der Gemeinschaft fördern
- Teilnahme an den Therapieterminen ist sichergestellt
- Ist sozial integriert
- Übernimmt Mitverantwortung in der Gruppe
- Soziales Lernen ist unterstützt
- Integriert sich in das Gruppengeschehen
- Kennt die Spielregeln in sozialen Gemeinschaften
- Tagesablauf ist geregelt
- Geplante Aktivitäten werden eingehalten
- Übernimmt Eigenverantwortung in der Tagesgestaltung
- Gestaltet die persönliche Tagesstruktur sinnvoll
- Kennt Möglichkeiten, aktiv den Therapieerfolg zu unterstützen
- Hält sich an Absprachen und unterstützt aktiv die Therapie
- Selbstkontrolle ist verbessert
- Fühlt sich angenommen und akzeptiert
- Äußert, einen Lebenssinn/-inhalt für sich zu sehen
- Geht einer sinnvollen Beschäftigung nach
- Ist in den Tagesablauf aktiv integriert
- Körperwahrnehmung ist aktiviert und stimuliert
- Ist körperlich fit
- Selbstvertrauen in die Leistungsfähigkeit des eigenen Körpers ist gestärkt
- Körperliche Fitness ist gefördert
- Individuelle kognitive/motorische Fähigkeiten sind erhalten und gefördert
- Kognitive Fähigkeiten sind gefördert
- Zeigt Interesse und Spaß an den Freizeitaktivitäten
- Nimmt an Freizeitaktivitäten teil
- Religionsausübung ist unterstützt
- Soziale Kompetenzen sind gefördert
- Spricht Konflikte/Empfindungen in der Gruppe an
- Adäquate Konfliktlösungsstrategien sind entwickelt
- Nimmt positive Ereignisse bzw. Dinge wahr und kann darüber berichten
- Benennt positive Aspekte von Ereignissen und Erlebnissen

Pflegeinterventionen

Ursachen analysieren und entsprechende Pflegeinterventionen einleiten
- Pflegeintervention konkretisieren
- Zeit angeben

Fallbesprechung über die Tagesstrukturierung und die verhaltenstherapeutische Vorgehensweise führen
- Beteiligte Personen angeben
  - » Bewohner
  - » Pflegeperson
  - » Ärztlicher Dienst
  - » Psychologe
  - » Sozialarbeiter
  - » Sozialpädagoge
  - » Ergotherapeut
  - » Krankengymnast
  - » Logopäde
  - » Beschäftigungstherapeut
  - » Heilpädagoge
  - » Geistlicher Beistand
  - » Lehrer
  - » Erzieher
  - » Jugendamt
  - » Sonstige Personen
- Gesprächsinhalt
  - » Vereinbarte Therapieziele
  - » Vereinbarte Gesprächsinhalte für ein klientenzentriertes Pflegefachgespräch
- Zeitdauer angeben

Milieutherapeutische Aktivitäten im Wohn-/Stationsbereich durchführen

- Stationsaktivität angeben
  - » Gemeinsam aktuelle Zeitungen/Magazine lesen
  - » Kinoabend im Wohn-/Stationsbereich durchführen
  - » Spielnachmittag besuchen
  - » Mahlzeiten gemeinsam einnehmen
  - » Tanznachmittag besuchen
  - » Kirchenbesuch durchführen
  - » Spazieren gehen
  - » Singstunde besuchen
  - » An Festaktivitäten teilnehmen
  - » Am Sonntagsfrühstück teilnehmen
  - » Aktivitäten im Zusammenhang, den Gemeinschaftsraum zu gestalten
  - » Zur Milieugestaltung malen/basteln
- Einrichtungsspezifische Aktivität wählen
- Zeitdauer der Aktivitäten bestimmen

Teilnahme an den vereinbarten Therapien sicherstellen
- Maßnahmen konkretisieren
  - » Selbstständige Termineinhaltung überwachen und dokumentieren
  - » Zur Termineinhaltung auffordern
  - » Motivationsgespräch führen

Gesellschaftliche/soziale Aktivitäten fördern
- Stationsaktivität angeben
  - » Gemeinsam aktuelle Zeitungen/Magazine lesen
  - » Kinoabend im Wohn-/Stationsbereich durchführen
  - » Spielnachmittag besuchen
  - » Mahlzeiten gemeinsam einnehmen
  - » Tanznachmittag besuchen
  - » Kirchenbesuch durchführen
  - » Spazieren gehen
  - » Singstunde besuchen
  - » An Festaktivitäten teilnehmen
  - » Am Sonntagsfrühstück teilnehmen
  - » Aktivitäten im Zusammenhang, den Gemeinschaftsraum zu gestalten
  - » Zur Milieugestaltung malen/basteln
- Einrichtungsspezifische Aktivität wählen
- Zeitdauer der Aktivitäten bestimmen

Tages-/Aktivitätenplan verwenden
- Bezugsperson festlegen
- Pflegeintervention konkretisieren
  - » Tages-/Wochenplan erstellen
  - » Aktivitätenplan erstellen
  - » Tages- und Wochenpläne besprechen
  - » Durchgeführte Aktivitäten besprechen
  - » Lebenspraktische Inhalte besprechen
- Fest verbindlichen Tagesplan vereinbaren
  - » Mit Kontrollmöglichkeit
  - » Ohne Kontrollmöglichkeit
  - » In Eigenverantwortung
  - » In Verantwortung der Bezugsperson
  - » Tagesaktivitäten auswerten und reflektieren
- Dauer bestimmen

Klientenzentriertes Gespräch zur Tagesstrukturierung führen
- Gesprächsinhalt
- Zeit angeben
- Beteiligte Personen angeben
  - » Betroffene Person
  - » Angehöriger/Bezugsperson
  - » Betreuer
  - » Eltern
  - » Sonstige Personen
- Durchführende Person angeben
  - » Bezugspflegeperson
  - » Pflegeperson
  - » Spezialtherapeuten
  - » Physiotherapeuten

Therapieziele gemeinsam vereinbaren und kontinuierlich reflektieren
- Maßnahmen konkretisieren
  - » Goal Attainment Scale einsetzen (= Zielerreichungsskala)
  - » Punkteplan einsetzen
- Zeit angeben

Aktivierungstherapie in der Gruppe durchführen
- Pflegeintervention konkretisieren
  - » Gemeinsam Mahlzeiten kochen und einnehmen
  - » An Festaktivitäten teilnehmen
  - » Beschäftigungstherapie durchführen
  - » Gemeinsam alte Lieder singen
  - » Am Gesprächskreis im Erinnerungsraum teilnehmen
  - » Aus der Tageszeitung vorlesen und aktuelle Themen diskutieren
  - » Märchen-/Literaturgruppe besuchen
  - » Tanznachmittag besuchen
  - » Kognitive Aktivitäten planen und durchführen
  - » Alltagsbezogene Aktivitäten planen und durchführen
  - » Kulturelle Aktivitäten durchführen
  - » Musisch-gesellige Aktivitäten durchführen
  - » Künstlerische Aktivitäten durchführen
  - » Kreative Aktivitäten durchführen
- Einrichtungsspezifische Aktivität wählen
- Zeitdauer der Gruppenangebote bestimmen

Tagesstrukturierende Maßnahmen in individueller Einzeltherapie durchführen
- Einzeltraining konkretisieren
  - » Aus der Tageszeitung vorlesen und aktuelle Themen diskutieren
  - » Mahlzeiten kochen
  - » Einkaufen gehen
  - » Küchendienst übernehmen
  - » Zimmer reinigen
  - » Tisch für die Mahlzeiten decken/abdecken
  - » Blumen-/Pflanzenpflege durchführen
  - » Wäsche versorgen
- Einrichtungsspezifische Aktivität wählen
- Art der Unterstützungsleistung angeben
  - » Beim Durchführen anleiten
  - » Beim Durchführen beaufsichtigen
  - » Durchgeführte Tätigkeiten im Pflegefachgespräch reflektieren
  - » Gemeinsam partnerschaftlich durchführen
- Zeitdauer der Einzelförderung bestimmen

Tagesstrukturierende Maßnahmen in der Gruppe durchführen
- Gruppentraining konkretisieren
  - » Gemeinsam Mahlzeiten kochen und einnehmen
  - » Gemeinsam einkaufen
  - » An der Kosmetikgruppe teilnehmen
  - » Feste planen, vorbereiten und durchführen
  - » An der Hauswirtschaftsgruppe teilnehmen
- Einrichtungsspezifische Aktivität wählen
- Art der Unterstützungsleistung angeben
  - » Auffordern, den Termin des Gruppenangebots einzuhalten
  - » Zur Teilnahme an den Aktivitäten motivieren
  - » Bei den Gruppenaktivitäten unterstützen
  - » Nach der Aktivität Reflexionsgespräch führen
- Zeitdauer der Gruppentherapie bestimmen

Körperbezogene Therapieangebote/Aktivitäten durchführen
- Maßnahmen konkretisieren
  - » Morgengymnastik durchführen
  - » Fitnesstraining durchführen
  - » Schwimmen gehen
  - » Bewegungsbad durchführen
  - » Wasserjogging durchführen
  - » Konzentrative Körperarbeit leisten
  - » Körpertherapie durchführen
  - » Sport in Form von Spielen machen
  - » An der Seniorengymnastik teilnehmen
  - » Konzentrative Bewegungstherapie durchführen
  - » Tanztherapie durchführen
- Einrichtungsspezifische Aktivität wählen
- Zeit angeben

Kreative Beschäftigungsangebote durchführen
- Einrichtungsspezifische Aktivität wählen

Kreative Beschäftigungsangebote durchführen
- Einrichtungsspezifische Aktivität wählen

Kognitive Beschäftigungsangebote durchführen
- Einrichtungsspezifische Aktivität wählen

Spiele-Angebote durchführen
- Einrichtungsspezifische Aktivität wählen

Religiöse Angebote durchführen
- Einrichtungsspezifische Aktivität wählen

Gesprächstherapeutische Gruppenaktivität durchführen
- Therapiegruppe angeben
  - » An Stationsgesprächsrunde/-meeting/-forum teilnehmen
  - » An Gesprächskreis über tagesaktuelle Themen teilnehmen
  - » Wochenendgruppe besuchen
  - » Konfliktgruppe besuchen
  - » Morgenrunde besuchen
  - » Kritikgruppe besuchen
- Einrichtungsspezifische Aktivität wählen
- Zeitdauer der Gruppenangebote bestimmen

Positiven Tagesrückblick in der Gruppe durchführen
- Pflegeintervention konkretisieren
- Zeitdauer des Gruppengesprächs bestimmen

Sonstige Pflegemaßnahmen durchführen
- Maßnahmen konkretisieren
- Zeit angeben

Literaturhinweise: 47, 82, 83, 95, 101, 125, 173, 175, 176

Der Patient hat aufgrund eines **gesteigerten Schlafbedürfnisses** das **Risiko eines Selbstfürsorgedefizits**

Kennzeichen

- Fühlt sich chronisch müde und matt
- Beschreibt eine eingeschränkte Leistungsfähigkeit
- Beschreibt eine lähmende Müdigkeit trotz ausreichendem Schlaf
- Gähnt häufig
- Hält sich gern im Bett auf
- Schläft tagsüber häufig ein
- Verstärkte Einschlafneigung tagsüber
- Schläft bei der Nahrungsverabreichung immer wieder ein

Ursachen

- Schilddrüsenfunktionsstörung
- Operativer Eingriff
- Rekonvaleszenzphase
- Lang anhaltende körperliche Belastung
- Stillen eines Säuglings
- Depressionen
- Nebenwirkungen von Medikamenten
- Schlafapnoe-Syndrom
- CRF (Cancer Related Fatigue)
- CFS (Chronic Fatigue Syndrome)

Ressourcen

- Zeigt Verhaltensweisen, die die Therapie unterstützen

Pflegeziele

- Krankhafte Veränderungen sind frühzeitig erkannt
- Ist in den Tagesablauf aktiv integriert
- Geht einer sinnvollen Beschäftigung nach
- Schlafstörungen sind erfasst und dokumentiert
- Physiologischer Tag-/Nachtrhythmus
- Findet einen Weg, persönliche Probleme aufzuarbeiten
- Individuelle kognitive/motorische Fähigkeiten sind erhalten und gefördert
- Fühlt sich angenommen und akzeptiert
- Äußert, einen Lebenssinn/-inhalt für sich zu sehen
- Körperwahrnehmung ist aktiviert und stimuliert
- Ist körperlich fit
- Selbstvertrauen in die Leistungsfähigkeit des eigenen Körpers ist gestärkt
- Körperliche Fitness ist gefördert
- Nimmt am sozialen Leben teil und fühlt sich integriert
- Baut soziale Kontakte auf und pflegt diese
- Soziale Kompetenzen sind gefördert
- Spricht Konflikte/Empfindungen in der Gruppe an
- Adäquate Konfliktlösungsstrategien sind entwickelt

Pflegeinterventionen

Schlafverhalten/-dauer beobachten
- Pflegeintervention konkretisieren
- Zeit angeben

Tagesstrukturierende Maßnahmen in der Gruppe durchführen
- Gruppentraining konkretisieren
  - » Gemeinsam Mahlzeiten kochen und einnehmen
  - » Gemeinsam einkaufen
  - » An der Kosmetikgruppe teilnehmen
  - » Feste planen, vorbereiten und durchführen
  - » An der Hauswirtschaftsgruppe teilnehmen
- Einrichtungsspezifische Aktivität wählen
- Art der Unterstützungsleistung angeben
  - » Auffordern, den Termin des Gruppenangebots einzuhalten
  - » Zur Teilnahme an den Aktivitäten motivieren
  - » Bei den Gruppenaktivitäten unterstützen
  - » Nach der Aktivität Reflexionsgespräch führen

- Zeitdauer der Gruppentherapie bestimmen

Tagesstrukturierende Maßnahmen in individueller Einzeltherapie durchführen
- Einzeltraining konkretisieren
  - » Aus der Tageszeitung vorlesen und aktuelle Themen diskutieren
  - » Mahlzeiten kochen
  - » Einkaufen gehen
  - » Küchendienst übernehmen
  - » Zimmer reinigen
  - » Tisch für die Mahlzeiten decken/abdecken
  - » Blumen-/Pflanzenpflege durchführen
  - » Wäsche versorgen
- Einrichtungsspezifische Aktivität wählen
- Art der Unterstützungsleistung angeben
  - » Beim Durchführen anleiten
  - » Beim Durchführen beaufsichtigen
  - » Durchgeführte Tätigkeiten im Pflegefachgespräch reflektieren
  - » Gemeinsam partnerschaftlich durchführen
- Zeitdauer der Einzelförderung bestimmen

Schlafmuster überwachen und physiologische und psychologische Umstände dokumentieren
- Pflegeintervention konkretisieren
- Zeit angeben

Schlaf-/Wachzeiten und die individuelle Tagesstrukturierung vereinbaren und ausprobieren
- Bezugsperson festlegen
- Pflegeintervention konkretisieren
  - » Tages-/Wochenplan erstellen
  - » Aktivitätenplan erstellen
  - » Tages- und Wochenpläne besprechen
  - » Durchgeführte Aktivitäten besprechen
  - » Lebenspraktische Inhalte besprechen
- Fest verbindlichen Tagesplan vereinbaren
  - » Mit Kontrollmöglichkeit
  - » Ohne Kontrollmöglichkeit
  - » In Eigenverantwortung
  - » In Verantwortung der Bezugsperson
  - » Tagesaktivitäten auswerten und reflektieren
- Dauer bestimmen

Eventuelle seelische und emotionale Probleme durch klientenzentriertes Gespräch aufarbeiten
- Inhaltliche Ausrichtung des Gesprächs bestimmen
  - » Sonstige Gesprächsinhalte
  - » Krisenintervention
  - » Strategien zur Krankheitsbewältigung
  - » Ursachenanalyse
  - » Förderung der Entscheidungsfindung
- Zeitdauer des Gesprächs angeben

Kreative Beschäftigungsangebote durchführen
- Einrichtungsspezifische Aktivität wählen

Aktivierungstherapie in der Gruppe durchführen
- Pflegeintervention konkretisieren
  - » Gemeinsam Mahlzeiten kochen und einnehmen
  - » An Festaktivitäten teilnehmen
  - » Beschäftigungstherapie durchführen
  - » Gemeinsam alte Lieder singen
  - » Am Gesprächskreis im Erinnerungsraum teilnehmen
  - » Aus der Tageszeitung vorlesen und aktuelle Themen diskutieren
  - » Märchen-/Literaturgruppe besuchen
  - » Tanznachmittag besuchen
  - » Kognitive Aktivitäten planen und durchführen
  - » Alltagsbezogene Aktivitäten planen und durchführen
  - » Kulturelle Aktivitäten durchführen
  - » Musisch-gesellige Aktivitäten durchführen
  - » Künstlerische Aktivitäten durchführen
  - » Kreative Aktivitäten durchführen
- Einrichtungsspezifische Aktivität wählen
- Zeitdauer der Gruppenangebote bestimmen

Körperbezogene Therapieangebote/Aktivitäten durchführen
- Maßnahmen konkretisieren
  - » Morgengymnastik durchführen
  - » Fitnesstraining durchführen
  - » Schwimmen gehen
  - » Bewegungsbad durchführen
  - » Wasserjogging durchführen
  - » Konzentrative Körperarbeit leisten
  - » Körpertherapie durchführen
  - » Sport in Form von Spielen machen
  - » An der Seniorengymnastik teilnehmen
  - » Konzentrative Bewegungstherapie durchführen
  - » Tanztherapie durchführen
- Einrichtungsspezifische Aktivität wählen
- Zeit angeben

Soziales Angebot innerhalb der Einrichtung anbieten
- Einrichtungsspezifische Aktivität wählen

Soziales Angebot außerhalb der Einrichtung anbieten
- Einrichtungsspezifische Aktivität wählen

Gesprächstherapeutische Gruppenaktivität durchführen
- Therapiegruppe angeben
  - » An Stationsgesprächsrunde/-meeting/-forum teilnehmen
  - » An Gesprächskreis über tagesaktuelle Themen teilnehmen
  - » Wochenendgruppe besuchen
  - » Konfliktgruppe besuchen
  - » Morgenrunde besuchen
  - » Kritikgruppe besuchen
- Einrichtungsspezifische Aktivität wählen
- Zeitdauer der Gruppenangebote bestimmen

Sonstige Pflegemaßnahmen durchführen
- Maßnahmen konkretisieren
- Zeit angeben

Literaturhinweise: 95, 125, 126, 164, 175, 176, 247, 248, 1033, 1034

Der Patient **verhält sich passiv** bei den Aktivitäten des täglichen Lebens, es besteht das **Risiko eines Selbstfürsorgedefizits**

Kennzeichen

- Berichtet über einen Lebensstil, der durch ein geringes Aktivitätsniveau gekennzeichnet ist
- Äußert, keine Kraft mehr zu haben
- Äußert, die Tätigkeiten nicht durchführen zu können
- Sieht keinen Sinn darin, etwas zu tun
- Beschreibt die Unfähigkeit, etwas zu tun
- Rückzugstendenzen
- Zieht sich ins Zimmer zurück
- Zieht sich vom sozialen Geschehen zurück
- Hält sich gern im Bett auf
- Äußert geringe Motivation/geringes Interesse zu/an gesundheitsförderndem Verhalten
- Wählt sich gezielt Freizeitaktivitäten aus, die eine passive Konsumhaltung unterstützen (z. B. Fernsehen)
- Bringt sich nicht aktiv in die Freizeitgestaltung ein
- Eingeschränkte Entscheidungsfähigkeit
- Vermeidet körperlich anstrengende Aktivitäten

Ursachen

- Reduziertes Bewusstsein/Wissen bezüglich der Zusammenhänge von körperlicher Aktivität und Gesundheit
- Beeinträchtigtes Interesse/beeinträchtigte Motivation
- Beeinträchtigte Motivation/Anleitung zur Ausführung körperlicher Bewegung
- Unsichere Persönlichkeit
- Rückzug in sich selbst
- Sinnkrise durch Krankheit
- Nicht bewältigter Trauerprozess
- Schizophrene Psychose
- Depressionen
- Reduzierte finanzielle Mittel, um Freizeit aktiv zu gestalten

Ressourcen

- Kann über die Schwierigkeiten der veränderten Lebensgestaltung und deren Auswirkungen auf soziale Aktivitäten sprechen
- Erfährt Rückhalt in der sozialen Umgebung
- Hat im sozialen Umfeld Unterstützung bei der Trauerarbeit
- Akzeptiert die Unterstützung
- Akzeptiert die Unterstützung von Angehörigen

Pflegeziele

- Ist zur aktiven Mitarbeit motiviert
- Selbstverantwortlichkeit und Autonomie sind unterstützt
- Nimmt an den vereinbarten Aktivitäten teil
- Führt geeignete Aktivitäten durch, die den Gesundheitszustand verbessern können
- Erkennt die Notwendigkeit der Durchführung von Aktivitäten und den Zusammenhang zwischen Stimmungslage und Aktivität
- Behandlungs- und Therapiekonzept sind transparent und vom therapeutischen Team umgesetzt
- Aktive Beteiligung an der Behandlungsplanung ist sichergestellt
- Kennt Möglichkeiten, aktiv den Therapieerfolg zu unterstützen
- Hält sich an Absprachen und unterstützt aktiv die Therapie
- Selbstkontrolle ist verbessert
- Ist in den Tagesablauf aktiv integriert
- Ist aktiviert und beteiligt sich an den Milieuprozessen
- Entwickelt Verhaltensweisen, die das Leben in der Gemeinschaft fördern
- Fühlt sich angenommen und akzeptiert
- Geht einer sinnvollen Beschäftigung nach
- Äußert, einen Lebenssinn/-inhalt für sich zu sehen
- Körperwahrnehmung ist aktiviert und stimuliert
- Ist körperlich fit
- Selbstvertrauen in die Leistungsfähigkeit des eigenen Körpers ist gestärkt
- Körperliche Fitness ist gefördert
- Vorhandene Kompetenzen in der selbstständigen Lebensführung erhalten
- Kompetenzen der selbstständigen Lebensführung fördern
- Selbstwertgefühl ist gestärkt
- Selbstständigkeit ist gefördert
- Individuelle kognitive/motorische Fähigkeiten sind erhalten und gefördert
- Nimmt am sozialen Leben teil und fühlt sich integriert
- Baut soziale Kontakte auf und pflegt diese
- Zeigt Interesse und Spaß an den Freizeitaktivitäten
- Nimmt an Freizeitaktivitäten teil
- Nimmt Gefühle wahr und artikuliert diese adäquat
- Selbstvertrauen in eigene Kompetenzen/Fähigkeiten ist gefördert
- Ein positives Selbstkonzept ist gefördert
- Erkennt und integriert in angemessener Weise die Veränderungen in seinem/ ihrem Selbstkonzept
- Soziale Kompetenzen sind gefördert
- Spricht Konflikte/Empfindungen in der Gruppe an
- Adäquate Konfliktlösungsstrategien sind entwickelt
- Nimmt positive Ereignisse bzw. Dinge wahr und kann darüber berichten
- Benennt positive Aspekte von Ereignissen und Erlebnissen

Pflegeinterventionen

Aktivierende Sprechweise wählen

- Pflegeintervention konkretisieren
- Zeit angeben

Eigenverantwortlichkeit und Autonomie im Gespräch fördern

- Maßnahmen konkretisieren
  » Handlungsalternativen aufzeigen und so

Entscheidungskraft gezielt fördern
  - » Keine Entscheidungen für den Patienten treffen
- Alltagsweltliche Entscheidungen fördern
  - » Menükomponenten beim Essen auswählen lassen
  - » Kleidungsstücke, die am Tag getragen werden, auswählen und zusammenstellen lassen
  - » Bei Freizeitbeschäftigungen mehrere Alternativen aufzeigen

Zur Durchführung von Aktivitäten motivieren
- Maßnahmen konkretisieren
  - » Malen
  - » Werken
  - » Töpfern
  - » Collagen gestalten
  - » Batiken
  - » Seidenmalerei betreiben
  - » Weben
  - » Holzarbeiten anfertigen
  - » Flechtarbeiten anfertigen
- Einrichtungsspezifische Aktivität wählen
- Art und Weise der Unterstützung bestimmen
  - » Einleitend motivieren und aktivieren
  - » Kontinuierlich motivieren und anleiten
  - » Bei der Durchführung unterstützen
- Zeitdauer der Einzelförderung bestimmen

Aktivitätenprogramm im Rahmen der kognitiven Therapie durchführen
- Therapieangebot konkretisieren
  - » Hirnleistungstraining durchführen
  - » Gedächtnistraining durchführen
  - » Konzentrationstraining durchführen
  - » Themenzentrierte Gespräche führen
- Einrichtungsspezifische Aktivität wählen
- Dauer der Therapie angeben

Reflexionsgespräch nach der Aktivität durchführen
- Bezugsperson festlegen
- Pflegeintervention konkretisieren
  - » Tages-/Wochenplan erstellen
  - » Aktivitätenplan erstellen
  - » Tages- und Wochenpläne besprechen
  - » Durchgeführte Aktivitäten besprechen
  - » Lebenspraktische Inhalte besprechen
- Fest verbindlichen Tagesplan vereinbaren
  - » Mit Kontrollmöglichkeit
  - » Ohne Kontrollmöglichkeit
  - » In Eigenverantwortung
  - » In Verantwortung der Bezugsperson
  - » Tagesaktivitäten auswerten und reflektieren
- Dauer bestimmen

Fallbesprechung zur weiteren Behandlungs- und Therapieplanung durchführen
- Beteiligte Personen angeben
  - » Bewohner
  - » Pflegeperson
  - » Ärztlicher Dienst
  - » Psychologe
  - » Sozialarbeiter
  - » Sozialpädagoge
  - » Ergotherapeut
  - » Krankengymnast
  - » Logopäde
  - » Beschäftigungstherapeut
  - » Heilpädagoge
  - » Geistlicher Beistand
  - » Lehrer
  - » Erzieher
  - » Jugendamt
  - » Sonstige Personen
- Gesprächsinhalt
  - » Vereinbarte Therapieziele
  - » Vereinbarte Gesprächsinhalte für ein klientenzentriertes Pflegefachgespräch
- Zeitdauer angeben

Therapieziele gemeinsam vereinbaren und kontinuierlich reflektieren
- Maßnahmen konkretisieren
  - » Goal Attainment Scale einsetzen (= Zielerreichungsskala)
  - » Punkteplan einsetzen
- Zeit angeben

Milieutherapeutische Aktivitäten im Wohn-/Stationsbereich durchführen
- Stationsaktivität angeben
  - » Gemeinsam aktuelle Zeitungen/Magazine lesen
  - » Kinoabend im Wohn-/Stationsbereich durchführen
  - » Spielnachmittag besuchen
  - » Mahlzeiten gemeinsam einnehmen
  - » Tanznachmittag besuchen
  - » Kirchenbesuch durchführen
  - » Spazieren gehen
  - » Singstunde besuchen
  - » An Festaktivitäten teilnehmen
  - » Am Sonntagsfrühstück teilnehmen
  - » Aktivitäten im Zusammenhang, den Gemeinschaftsraum zu gestalten
  - » Zur Milieugestaltung malen/basteln
- Einrichtungsspezifische Aktivität wählen
- Zeitdauer der Aktivitäten bestimmen

Aktivierungstherapie in der Gruppe durchführen
- Pflegeintervention konkretisieren
  - » Gemeinsam Mahlzeiten kochen und einnehmen
  - » An Festaktivitäten teilnehmen
  - » Beschäftigungstherapie durchführen
  - » Gemeinsam alte Lieder singen
  - » Am Gesprächskreis im Erinnerungsraum teilnehmen
  - » Aus der Tageszeitung vorlesen und aktuelle Themen diskutieren
  - » Märchen-/Literaturgruppe besuchen
  - » Tanznachmittag besuchen
  - » Kognitive Aktivitäten planen und durchführen
  - » Alltagsbezogene Aktivitäten planen und durchführen
  - » Kulturelle Aktivitäten durchführen
  - » Musisch-gesellige Aktivitäten durchführen
  - » Künstlerische Aktivitäten durchführen
  - » Kreative Aktivitäten durchführen
- Einrichtungsspezifische Aktivität wählen
- Zeitdauer der Gruppenangebote bestimmen

Körperbezogene Therapieangebote/Aktivitäten durchführen
- Maßnahmen konkretisieren
  - » Morgengymnastik durchführen
  - » Fitnesstraining durchführen
  - » Schwimmen gehen
  - » Bewegungsbad durchführen
  - » Wasserjogging durchführen
  - » Konzentrative Körperarbeit leisten
  - » Körpertherapie durchführen
  - » Sport in Form von Spielen machen
  - » An der Seniorengymnastik teilnehmen
  - » Konzentrative Bewegungstherapie durchführen
  - » Tanztherapie durchführen
- Einrichtungsspezifische Aktivität wählen
- Zeit angeben

Lebenspraktisches Gruppentraining durchführen
- Gruppentraining konkretisieren
  - » Gemeinsam Mahlzeiten kochen und einnehmen
  - » Gemeinsam einkaufen
  - » An der Kosmetikgruppe teilnehmen
  - » Feste planen, vorbereiten und durchführen
  - » An der Hauswirtschaftsgruppe teilnehmen
- Einrichtungsspezifische Aktivität wählen
- Art der Unterstützungsleistung angeben
  - » Auffordern, den Termin des Gruppenangebots einzuhalten
  - » Zur Teilnahme an den Aktivitäten motivieren
  - » Bei den Gruppenaktivitäten unterstützen
  - » Nach der Aktivität Reflexionsgespräch führen
- Zeitdauer der Gruppentherapie bestimmen

Lebenspraktisches Einzeltraining durchführen
- Einzeltraining konkretisieren
  - » Aus der Tageszeitung vorlesen und aktuelle Themen diskutieren
  - » Mahlzeiten kochen
  - » Einkaufen gehen
  - » Küchendienst übernehmen
  - » Zimmer reinigen
  - » Tisch für die Mahlzeiten decken/abdecken
  - » Blumen-/Pflanzenpflege durchführen
  - » Wäsche versorgen
- Einrichtungsspezifische Aktivität wählen
- Art der Unterstützungsleistung angeben
  - » Beim Durchführen anleiten

  » Beim Durchführen beaufsichtigen
  » Durchgeführte Tätigkeiten im Pflegefachgespräch reflektieren
  » Gemeinsam partnerschaftlich durchführen
- Zeitdauer der Einzelförderung bestimmen

Kreative Beschäftigungsangebote durchführen
- Einrichtungsspezifische Aktivität wählen

Soziales Angebot außerhalb der Einrichtung anbieten
- Einrichtungsspezifische Aktivität wählen

Soziales Angebot innerhalb der Einrichtung anbieten
- Einrichtungsspezifische Aktivität wählen

Spiele-Angebote durchführen
- Einrichtungsspezifische Aktivität wählen

Selbstkonzept/-bild/-wert und soziale Kompetenzen in Einzeltherapie fördern
- Einzeltherapeutisches Angebot angeben
  » Selbstsicherheitstraining durchführen
  » Genusstherapie durchführen
  » Verhaltenstherapie durchführen
  » Assertiveness-Training-Programm (ATP) durchführen
  » Integriertes Psychologisches Therapieprogramm (IPT) durchführen
  » Positiven Tagesrückblick durchführen
  » Musiktherapie durchführen
  » Gestalttherapie durchführen
  » Maltherapie durchführen
  » Kognitives Einzeltraining durchführen
  » Rollenspiele durchführen
  » Erinnerungstherapie durchführen
  » Achtsamkeitstraining durchführen
  » Anti-Phobie/Angst-Training durchführen
- Einrichtungsspezifische Aktivität wählen
- Zeitdauer der Einzelförderung bestimmen

Selbstkonzept/-bild/-wert und soziale Kompetenzen in Gruppentherapie fördern
- Gruppentherapeutisches Angebot angeben
  » Selbstsicherheitstraining durchführen
  » Genusstherapie durchführen
  » Verhaltenstherapie durchführen
  » Assertiveness-Training-Programm (ATP) durchführen
  » Integriertes Psychologisches Therapieprogramm (IPT) durchführen
  » Kognitive Therapiegruppe besuchen
  » Musiktherapie durchführen
  » Gestalttherapie durchführen
  » Maltherapie durchführen
  » Märchen-/Literaturgruppe besuchen
  » Rollenspiele durchführen
  » Interaktionsspiele zur Persönlichkeitsentwicklung durchführen
  » Am Gesprächskreis im Erinnerungsraum teilnehmen
  » Achtsamkeitstraining durchführen
  » Anti-Phobie/Angst-Training durchführen
- Einrichtungsspezifische Aktivität wählen
- Zeitdauer der Gruppentherapie bestimmen

Gesprächstherapeutische Gruppenaktivität durchführen
- Therapiegruppe angeben
  » An Stationsgesprächsrunde/-meeting/-forum teilnehmen
  » An Gesprächskreis über tagesaktuelle Themen teilnehmen
  » Wochenendgruppe besuchen
  » Konfliktgruppe besuchen
  » Morgenrunde besuchen
  » Kritikgruppe besuchen
- Einrichtungsspezifische Aktivität wählen
- Zeitdauer der Gruppenangebote bestimmen

Positiven Tagesrückblick in der Gruppe durchführen
- Pflegeintervention konkretisieren
- Zeitdauer des Gruppengesprächs bestimmen

Sonstige Pflegemaßnahmen durchführen
- Maßnahmen konkretisieren
- Zeit angeben

Literaturhinweise: 47, 95, 125, 175, 176

Der Patient ist in der **Lebensgestaltung beeinträchtigt**, es besteht das **Risiko eines Selbstfürsorgedefizits**

Kennzeichen

- Führt lebensnotwendige Aktivitäten nicht/nicht regelmäßig durch
- Selbstfürsorgefähigkeit Erholungsaktivität ist eingeschränkt
- Selbstfürsorgefähigkeit Freizeitaktivität ist eingeschränkt
- Tägliche Lebensgestaltung ist eingeschränkt
- Ist in der Selbstfürsorge eingeschränkt
- Kann die Wohngestaltung nicht durchführen
- Arbeits- und Freizeitgestaltung sind unstrukturiert
- Vernachlässigt sein Umfeld

Ursachen

- Psychische Ursache
- Psychische Erkrankung
- Desorientierung
- Körperliche Einschränkung
- Geistige Behinderung
- Verzögerte postoperative Erholungsphase

Ressourcen

- Vereinbarungen werden eingehalten
- Ist motiviert, die Pflegemaßnahme zu unterstützen und zeigt entsprechende Verhaltensweisen
- Erkennt die Notwendigkeit der getroffenen Intervention und kooperiert mit dem therapeutischen Team
- Akzeptiert die Unterstützung
- Akzeptiert die Unterstützung von Angehörigen
- Kann die Maßnahme nach Anleitung selbstständig durchführen
- Erfährt Rückhalt in der sozialen Umgebung

Pflegeziele

- Entwickelt eigene Lösungswege
- Erkennt die Notwendigkeit der Verhaltensänderung
- Tagesablauf ist geregelt
- Geplante Aktivitäten werden eingehalten
- Soziale Kompetenzen sind gefördert
- Nimmt Gefühle wahr und artikuliert diese adäquat
- Gefestigte Tagesstruktur ist aufgebaut
- Ist körperlich fit
- Therapie- und Aktivitätsangebote sind individuell abgestimmt
- Spricht Konflikte/Empfindungen in der Gruppe an
- Adäquate Konfliktlösungsstrategien sind entwickelt
- Kennt Möglichkeiten, aktiv den Therapieerfolg zu unterstützen
- Hält sich an Absprachen und unterstützt aktiv die Therapie
- Selbstkontrolle ist verbessert
- Selbstständigkeit ist gefördert
- Vorhandene Kompetenzen in der selbstständigen Lebensführung erhalten
- Kompetenzen der selbstständigen Lebensführung fördern
- Selbstwertgefühl ist gestärkt
- Ist in den Tagesablauf aktiv integriert
- Ein menschenwürdiges, an die persönliche Lebensgeschichte angepasstes Leben ist ermöglicht
- Ist aktiviert und beteiligt sich an den Milieuprozessen
- Entwickelt Verhaltensweisen, die das Leben in der Gemeinschaft fördern
- Individuelle kognitive/motorische Fähigkeiten sind erhalten und gefördert
- Fühlt sich angenommen und akzeptiert
- Geht einer sinnvollen Beschäftigung nach
- Äußert, einen Lebenssinn/-inhalt für sich zu sehen
- Nimmt am sozialen Leben teil und fühlt sich integriert
- Baut soziale Kontakte auf und pflegt diese
- Zeigt Interesse und Spaß an den Freizeitaktivitäten
- Nimmt an Freizeitaktivitäten teil
- Religionsausübung ist unterstützt
- Nimmt positive Ereignisse bzw. Dinge wahr und kann darüber berichten
- Benennt positive Aspekte von Ereignissen und Erlebnissen
- Lebensexistenz ist gesichert
- Wohnsituation ist geklärt

Pflegeinterventionen

Verhaltensweisen beobachten und dokumentieren

- Beobachtungskriterien bestimmen
  - » Sozialverhalten
  - » Sozialkontakte
  - » Belastbarkeit
  - » Strukturierung des Tages
  - » Ordnung bzw. Organisation des Lebens
  - » Körperliche/geistige Beeinträchtigung
  - » Coping-Fähigkeiten
  - » Freizeitgestaltung
  - » Arbeitsbereich
- Ergebnisse dokumentieren
  - » Verhaltenstagebuch verwenden
  - » Verhaltenskurve verwenden
  - » Zeitabschnittsbogen verwenden
  - » Zeitdauerprotokoll verwenden
  - » Häufigkeitsbogen verwenden
  - » Zusammenfassenden Bericht über die Beobachtungen verfassen

Klientenzentriertes Gespräch über die empfundene Langeweile, deren Bedeutung und mögliche Lösungswege führen

- Gesprächsinhalt
- Zeit angeben
- Beteiligte Personen angeben
  - » Betroffene Person
  - » Angehöriger/Bezugsperson
  - » Betreuer
  - » Eltern
  - » Sonstige Personen
- Durchführende Person angeben
  - » Bezugspflegeperson
  - » Pflegeperson
  - » Spezialtherapeuten
  - » Physiotherapeuten

Im klientenzentrierten Gespräch bestehende Schwierigkeiten analysieren und Problemlösungen entwickeln

- Gesprächsinhalt
- Zeit angeben
- Beteiligte Personen angeben
  - » Betroffene Person
  - » Angehöriger/Bezugsperson
  - » Betreuer
  - » Eltern
  - » Sonstige Personen
- Durchführende Person angeben
  - » Bezugspflegeperson
  - » Pflegeperson
  - » Spezialtherapeuten
  - » Physiotherapeuten

Unterstützungsgespräch zur Alltagsbewältigung führen

- Pflegeintervention konkretisieren
  - » Zum Aufstehen auffordern
  - » Auffordern, die Nachtruhe einzuhalten
  - » Zur Medikamenteneinnahme motivieren
  - » Tagesablauf besprechen
  - » An Vereinbarungen erinnern
- Zeitdauer des Alltagsbewältigungsgesprächs bestimmen

Selbstkonzept/-bild und soziale Kompetenzen in Gruppentherapie fördern

- Gruppentherapeutisches Angebot angeben
  - » Selbstsicherheitstraining durchführen
  - » Genusstherapie durchführen
  - » Verhaltenstherapie durchführen
  - » Assertiveness-Training-Programm (ATP) durchführen
  - » Integriertes Psychologisches Therapieprogramm (IPT) durchführen
  - » Kognitive Therapiegruppe besuchen
  - » Musiktherapie durchführen
  - » Gestalttherapie durchführen
  - » Maltherapie durchführen
  - » Märchen-/Literaturgruppe besuchen
  - » Rollenspiele durchführen
  - » Interaktionsspiele zur Persönlichkeitsentwicklung durchführen
  - » Am Gesprächskreis im Erinnerungsraum teilnehmen
  - » Achtsamkeitstraining durchführen
  - » Anti-Phobie/Angst-Training durchführen
- Einrichtungsspezifische Aktivität wählen
- Zeitdauer der Gruppentherapie bestimmen

Selbstkonzept/-bild/-wert und soziale Kompetenzen in Einzeltherapie fördern

- Einzeltherapeutisches Angebot angeben
  - » Selbstsicherheitstraining durchführen
  - » Genusstherapie durchführen
  - » Verhaltenstherapie durchführen
  - » Assertiveness-Training-Programm (ATP) durchführen
  - » Integriertes Psychologisches Therapieprogramm (IPT) durchführen
  - » Positiven Tagesrückblick durchführen
  - » Musiktherapie durchführen
  - » Gestalttherapie durchführen
  - » Maltherapie durchführen
  - » Kognitives Einzeltraining durchführen
  - » Rollenspiele durchführen
  - » Erinnerungstherapie durchführen
  - » Achtsamkeitstraining durchführen
  - » Anti-Phobie/Angst-Training durchführen
- Einrichtungsspezifische Aktivität wählen
- Zeitdauer der Einzelförderung bestimmen

Freizeit mit Spielen in der Gruppe gestalten

- Maßnahmen konkretisieren
  - » Volleyball spielen
  - » Tischtennis spielen
  - » Handball spielen
  - » Fußball spielen
  - » Federball spielen
  - » Tennis spielen
- Einrichtungsspezifische Aktivität wählen
- Gesellschaftsspiele spielen
  - » Mensch ärgere Dich nicht
  - » Monopoly
  - » Mikado
  - » Domino
  - » Kartenspiele
- Einrichtungsspezifische Aktivität wählen

- Unter Beteiligung von Pflegepersonen aktivieren

Bewegungsfördernde/sportliche Aktivitäten durchführen
- Maßnahmen konkretisieren
  - » Morgengymnastik durchführen
  - » Fitnesstraining durchführen
  - » Schwimmen gehen
  - » Bewegungsbad durchführen
  - » Wasserjogging durchführen
  - » Konzentrative Körperarbeit leisten
  - » Körpertherapie durchführen
  - » Sport in Form von Spielen machen
  - » An der Seniorengymnastik teilnehmen
  - » Konzentrative Bewegungstherapie durchführen
  - » Tanztherapie durchführen
- Einrichtungsspezifische Aktivität wählen
- Zeit angeben

Fallbesprechung über den Pflege- und Behandlungsprozess führen
- Beteiligte Personen angeben
  - » Bewohner
  - » Pflegeperson
  - » Ärztlicher Dienst
  - » Psychologe
  - » Sozialarbeiter
  - » Sozialpädagoge
  - » Ergotherapeut
  - » Krankengymnast
  - » Logopäde
  - » Beschäftigungstherapeut
  - » Heilpädagoge
  - » Geistlicher Beistand
  - » Lehrer
  - » Erzieher
  - » Jugendamt
  - » Sonstige Personen
- Gesprächsinhalt
  - » Vereinbarte Therapieziele
  - » Vereinbarte Gesprächsinhalte für ein klientenzentriertes Pflegefachgespräch
- Zeitdauer angeben

Gesprächstherapeutische Gruppenaktivität durchführen
- Therapiegruppe angeben
  - » An Stationsgesprächsrunde/-meeting/-forum teilnehmen
  - » An Gesprächskreis über tagesaktuelle Themen teilnehmen
  - » Wochenendgruppe besuchen
  - » Konfliktgruppe besuchen
  - » Morgenrunde besuchen
  - » Kritikgruppe besuchen
- Einrichtungsspezifische Aktivität wählen
- Zeitdauer der Gruppenangebote bestimmen

Therapieziele gemeinsam vereinbaren und kontinuierlich reflektieren
- Maßnahmen konkretisieren
  - » Goal Attainment Scale einsetzen (= Zielerreichungsskala)
  - » Punkteplan einsetzen
- Zeit angeben

Lebenspraktisches Einzeltraining durchführen
- Einzeltraining konkretisieren
  - » Aus der Tageszeitung vorlesen und aktuelle Themen diskutieren
  - » Mahlzeiten kochen
  - » Einkaufen gehen
  - » Küchendienst übernehmen
  - » Zimmer reinigen
  - » Tisch für die Mahlzeiten decken/abdecken
  - » Blumen-/Pflanzenpflege durchführen
  - » Wäsche versorgen
- Einrichtungsspezifische Aktivität wählen
- Art der Unterstützungsleistung angeben
  - » Beim Durchführen anleiten
  - » Beim Durchführen beaufsichtigen
  - » Durchgeführte Tätigkeiten im Pflegefachgespräch reflektieren
  - » Gemeinsam partnerschaftlich durchführen
- Zeitdauer der Einzelförderung bestimmen

Lebenspraktisches Gruppentraining durchführen
- Gruppentraining konkretisieren
  - » Gemeinsam Mahlzeiten kochen und einnehmen
  - » Gemeinsam einkaufen
  - » An der Kosmetikgruppe teilnehmen
  - » Feste planen, vorbereiten und durchführen
  - » An der Hauswirtschaftsgruppe teilnehmen
- Einrichtungsspezifische Aktivität wählen
- Art der Unterstützungsleistung angeben
  - » Auffordern, den Termin des Gruppenangebots einzuhalten
  - » Zur Teilnahme an den Aktivitäten motivieren
  - » Bei den Gruppenaktivitäten unterstützen
  - » Nach der Aktivität Reflexionsgespräch führen
- Zeitdauer der Gruppentherapie bestimmen

Milieutherapeutische Aktivitäten im Wohn-/Stationsbereich durchführen
- Stationsaktivität angeben
  - » Gemeinsam aktuelle Zeitungen/Magazine lesen
  - » Kinoabend im Wohn-/Stationsbereich durchführen
  - » Spielnachmittag besuchen
  - » Mahlzeiten gemeinsam einnehmen
  - » Tanznachmittag besuchen
  - » Kirchenbesuch durchführen
  - » Spazieren gehen
  - » Singstunde besuchen
  - » An Festaktivitäten teilnehmen
  - » Am Sonntagsfrühstück teilnehmen
  - » Aktivitäten im Zusammenhang, den Gemeinschaftsraum zu gestalten
  - » Zur Milieugestaltung malen/basteln
- Einrichtungsspezifische Aktivität wählen
- Zeitdauer der Aktivitäten bestimmen

Kreative Beschäftigungsangebote durchführen
- Einrichtungsspezifische Aktivität wählen

Aktivierungstherapie in der Gruppe durchführen
- Pflegeintervention konkretisieren
  - » Gemeinsam Mahlzeiten kochen und einnehmen
  - » An Festaktivitäten teilnehmen
  - » Beschäftigungstherapie durchführen
  - » Gemeinsam alte Lieder singen
  - » Am Gesprächskreis im Erinnerungsraum teilnehmen
  - » Aus der Tageszeitung vorlesen und aktuelle Themen diskutieren
  - » Märchen-/Literaturgruppe besuchen
  - » Tanznachmittag besuchen
  - » Kognitive Aktivitäten planen und durchführen
  - » Alltagsbezogene Aktivitäten planen und durchführen
  - » Kulturelle Aktivitäten durchführen
  - » Musisch-gesellige Aktivitäten durchführen
  - » Künstlerische Aktivitäten durchführen
  - » Kreative Aktivitäten durchführen
- Einrichtungsspezifische Aktivität wählen
- Zeitdauer der Gruppenangebote bestimmen

Soziales Angebot innerhalb der Einrichtung anbieten
- Einrichtungsspezifische Aktivität wählen

Soziales Angebot außerhalb der Einrichtung anbieten
- Einrichtungsspezifische Aktivität wählen

Spiele-Angebote durchführen
- Einrichtungsspezifische Aktivität wählen

Religiöse Angebote durchführen
- Einrichtungsspezifische Aktivität wählen

Positiven Tagesrückblick in der Gruppe durchführen
- Pflegeintervention konkretisieren
- Zeitdauer des Gruppengesprächs bestimmen

Wohnsituation nach dem Klinikaufenthalt klären
- Pflegeintervention konkretisieren
- Zeit angeben

Bei der Aufnahme in eine betreute Wohngruppe unterstützen
- Pflegeintervention konkretisieren
- Zeit angeben

Sonstige Pflegemaßnahmen durchführen

- Maßnahmen konkretisieren
- Zeit angeben

Literaturhinweise: 47, 79, 95, 101, 125, 173, 175, 176

Der Patient ist aufgrund eines **beeinträchtigten Sehvermögens** in der **Selbstfürsorge** eingeschränkt

Kennzeichen

- Stößt überall an
- Äußert, nicht sehen zu können
- Sieht einen nicht an, wenn man das Zimmer betritt bzw. spricht
- Geht mit nach vorn ausgestreckten Armen

Ursachen

- Diabetes-Spätfolgen
- Altersbedingte Sehschwäche
- Augenerkrankung
- Beeinträchtigung des zentralen Nervensystems
- Grauer Star (Katarakt)

Ressourcen

- Körperliche Fähigkeit, sich frei zu bewegen, ist vorhanden
- Zeigt Bereitschaft, sich mit Anleitung in der neuen Umgebung zu orientieren
- Akzeptiert die Unterstützung
- Akzeptiert die Unterstützung von Angehörigen

Pflegeziele

- Findet die täglichen Gebrauchsgegenstände selbstständig
- Kann die täglichen Gebrauchsgegenstände benutzen
- Verletzungen sind vermieden
- Fühlt sich angenommen und hat keine Ängste
- Selbstständigkeit ist gefördert
- Fühlt sich sicher durch Informationen
- Kann sich auf die folgenden Pflegemaßnahmen einstellen
- Fühlt sich sicher und kann sich orientieren
- Kann sich in der Lebensumgebung orientieren und findet sich zurecht
- Äußert Gefühl der Sicherheit

Pflegeinterventionen

Sich beim Betreten des Zimmers vorstellen und über weitere Aktivitäten informieren
- Pflegeintervention konkretisieren
- Zeit angeben

Feste Plätze für Gegenstände vereinbaren
- Pflegeintervention konkretisieren
- Zeit angeben

Klingel in Griffnähe platzieren
- Pflegeintervention konkretisieren
- Zeit angeben

Zum Zurechtfinden in der neuen Umgebung anleiten
- Pflegeintervention konkretisieren
  - » Gemeinsam Orientierungsprogramm erarbeiten und durchführen
  - » Rundgang durch den Lebensraum machen und die Zimmer benennen lassen
  - » Orientierungspunkte besprechen
  - » Selbstständig zum Zimmer finden lassen
  - » Orientierungsprogramm auf weitere Umgebung ausdehnen (Garten, Park usw.)
  - » Kompensatorische Fähigkeiten fördern
- Anzuleitende Person(en) festlegen
  - » Betroffene Person
  - » Angehöriger/Bezugsperson
- Zeitdauer des Gesprächs angeben

Informationsschriften und Aufklärungsinformationen vorlesen
- Pflegeintervention konkretisieren
- Zeit angeben

Sehhilfen einsetzen
  - » Sehhilfe säubern
  - » Sehhilfe bereitlegen
  - » Zum Einsatz der Sehhilfe motivieren

  - » Sehfähigkeit mit Sehhilfe überprüfen
- Art der Sehhilfe
  - » Brille
  - » Lupe
  - » Kontaktlinsen
  - » Monokulare Sehhilfe

Pflegemaßnahmen gezielt ankündigen und beschreiben
- Pflegeintervention konkretisieren
- Zeit angeben

Umfeld zur besseren Orientierung gestalten
- Pflegeintervention konkretisieren
  - » Blindenleitsysteme einsetzen
  - » Markante Türschilder nutzen
  - » Nachtbeleuchtung sicherstellen
  - » Hinweistafeln einsetzen
  - » Vibrierende Informationssysteme einsetzen
  - » Akustische Informationssysteme einsetzen

Bei Pflegemaßnahmen Körperkontakt halten
- Pflegeintervention konkretisieren
- Zeit angeben

Sonstige Pflegemaßnahmen durchführen
- Maßnahmen konkretisieren
- Zeit angeben

Literaturhinweise: 95, 125, 127, 175, 176

Der Patient ist aufgrund von **Blindheit** in der **Selbstfürsorge beeinträchtigt**

Kennzeichen

- Sieht einen nicht an, wenn man das Zimmer betritt bzw. spricht
- Äußert, nicht sehen zu können
- Stößt überall an
- Geht mit nach vorn ausgestreckten Armen

Ursachen

- Traumatischer Unfall
- Angeborene Beeinträchtigung
- Folge einer Erkrankung am Auge

Ressourcen

- Zeigt Bereitschaft, sich mit Anleitung in der neuen Umgebung zu orientieren
- Akzeptiert die Unterstützung
- Akzeptiert die Unterstützung von Angehörigen

Pflegeziele

- Selbstständigkeit ist gefördert
- Findet die täglichen Gebrauchsgegenstände selbstständig
- Kann die täglichen Gebrauchsgegenstände benutzen
- Verletzungen sind vermieden
- Fühlt sich angenommen und hat keine Ängste
- Nimmt die Mahlzeiten selbstständig ein
- Findet sich bei der Nahrungsaufnahme zurecht
- Fühlt sich sicher durch Informationen

Pflegeinterventionen

Sich beim Betreten des Zimmers vorstellen und über weitere Aktivitäten informieren
- Pflegeintervention konkretisieren
- Zeit angeben

Zum Zurechtfinden in der neuen Umgebung anleiten
- Pflegeintervention konkretisieren
  - » Gemeinsam Orientierungsprogramm erarbeiten und durchführen
  - » Rundgang durch den Lebensraum machen und die Zimmer benennen lassen
  - » Orientierungspunkte besprechen
  - » Selbstständig zum Zimmer finden lassen
  - » Orientierungsprogramm auf weitere Umgebung ausdehnen (Garten, Park usw.)
  - » Kompensatorische Fähigkeiten fördern
- Anzuleitende Person(en) festlegen
  - » Betroffene Person
  - » Angehöriger/Bezugsperson
- Zeitdauer des Gesprächs angeben

Feste Plätze für Gegenstände vereinbaren
- Pflegeintervention konkretisieren
- Zeit angeben

Klingel in Griffnähe platzieren
- Pflegeintervention konkretisieren
- Zeit angeben

Berichten, wie die Speisen auf dem Teller/dem Tablett angerichtet sind
- Pflegeintervention konkretisieren
- Zeit angeben

Informationsschriften und Aufklärungsinformationen vorlesen
- Pflegeintervention konkretisieren
- Zeit angeben

Sonstige Pflegemaßnahmen durchführen
- Maßnahmen konkretisieren
- Zeit angeben

Literaturhinweise: 95, 125, 175, 176

Der Patient **vernachlässigt** aufgrund einer **Ideenflut und Überaktivität** die **Aktivitäten des täglichen Lebens**

Kennzeichen

- Führt lebensnotwendige Aktivitäten nicht/ nicht regelmäßig durch
- Tägliche Lebensgestaltung ist eingeschränkt
- Vernachlässigt die Nahrungs- und Flüssigkeitszufuhr
- Arbeits- und Freizeitgestaltung sind unstrukturiert
- Die Fähigkeit, das äußere Erscheinungsbild in einem gepflegten Zustand zu halten, ist reduziert
- Vollendet Handlungen nicht
- Lässt sich leicht ablenken
- Berichtet von einer inneren Getriebenheit
- Führt rastlos Aktivitäten durch
- Unbegründete, gehobene heitere Stimmung
- Hemmungsloses Verhalten
- Hat ständig neue Ideen (Ideenflucht)
- Weitschweifigkeit beim Reden
- Vermindertes Schlafbedürfnis
- Gesteigerter Antrieb

Ursachen

- Endogene Psychose
- Organisch bedingte Psychose
- Suchterkrankung
- Manie
- Geistige Behinderung
- Aufmerksamkeitssyndrom (ADS)
- Bipolare Störung

Ressourcen

- Kann Hilfe annehmen
- Äußert Einsicht in die Pflegemaßnahme
- Führt unter Anleitung die Körperpflege gründlich durch
- Zeigt Verhaltensweisen, die die Therapie unterstützen
- Zeigt Freude an Konzentrationsspielen

Pflegeziele

- Körperhygiene ist gewährleistet
- Ausreichende Ernährung und ausgeglichener Flüssigkeitshaushalt sind gewährleistet
- Nimmt sich Zeit für regelmäßige Toilettengänge
- Therapie- und Aktivitätsangebote sind individuell abgestimmt
- Kommt zur Ruhe
- Manische Symptomatik ist reduziert
- Soziale, kognitive und emotionale Entwicklung ist unterstützt
- Motivation und Selbstvertrauen sind unterstützt
- Setzt Entspannungstechniken gezielt ein
- Ein menschenwürdiges, an die persönliche Lebensgeschichte angepasstes Leben ist ermöglicht
- Ist aktiviert und beteiligt sich an den Milieuprozessen
- Entwickelt Verhaltensweisen, die das Leben in der Gemeinschaft fördern
- Ist körperlich fit
- Erfüllt die Rollenerwartungen
- Selbstwertgefühl ist gestärkt
- Setzt die vereinbarten Verhaltensänderungen um
- Die Grundarbeitsfähigkeiten (wie Pünktlichkeit, Ausdauer, Sorgfalt, Handlungsplanung usw.) sind entwickelt
- Nimmt Gefühle wahr und artikuliert diese adäquat
- Selbstvertrauen in eigene Kompetenzen/ Fähigkeiten ist gefördert
- Ein positives Selbstkonzept ist gefördert
- Erkennt und integriert in angemessener Weise die Veränderungen in seinem/ ihrem Selbstkonzept
- Soziale Kompetenzen sind gefördert
- Spricht Konflikte/Empfindungen in der Gruppe an
- Adäquate Konfliktlösungsstrategien sind entwickelt
- Nimmt am sozialen Leben teil und fühlt sich integriert
- Baut soziale Kontakte auf und pflegt diese
- Geht einer sinnvollen Beschäftigung nach
- Ist in den Tagesablauf aktiv integriert

Pflegeinterventionen

Körperpflege kontrollieren und bei Bedarf auffordern, diese durchzuführen

- Pflegeintervention konkretisieren
- Zeit angeben

Nahrungsaufnahme kontrollieren/sicherstellen

- Pflegeintervention konkretisieren
  - » Eingenommene Nahrung auf einem Ernährungsprotokoll dokumentieren
  - » Auffälligkeiten und Probleme dokumentieren
  - » Nahrungseinnahme beaufsichtigen
  - » Nahrungsaufnahme beobachten
  - » Nahrungsvorlieben und Abneigungen beobachten

Ausscheidungen kontrollieren und eine regelmäßige Blasen- und Darmentleerung sicherstellen

- Pflegeintervention konkretisieren
  - » Auffordern, zur Toilette zu gehen
  - » Ausscheidungsgewohnheiten beobachten
  - » Toilettenzeiten vereinbaren

Fallbesprechung über den Pflege- und Behandlungsprozess führen

- Beteiligte Personen angeben
  - » Bewohner
  - » Pflegeperson
  - » Ärztlicher Dienst
  - » Psychologe
  - » Sozialarbeiter
  - » Sozialpädagoge
  - » Ergotherapeut
  - » Krankengymnast
  - » Logopäde
  - » Beschäftigungstherapeut
  - » Heilpädagoge
  - » Geistlicher Beistand

   - » Lehrer
   - » Erzieher
   - » Jugendamt
   - » Sonstige Personen
- Gesprächsinhalt
   - » Vereinbarte Therapieziele
   - » Vereinbarte Gesprächsinhalte für ein klientenzentriertes Pflegefachgespräch
- Zeitdauer angeben

Hyperaktivität mit einer "Auszeit" unterbrechen
- Pflegeintervention konkretisieren
- Zeit angeben

Pädagogisch-therapeutische Maßnahme durchführen
- Pflegeintervention konkretisieren
- Zeit angeben

Entspannungstechniken einsetzen und den Patienten anleiten, sich zu entspannen
- Entspannungstechniken
   - » Entspannungsübung "Körperreise" durchführen
   - » Progressive Muskelentspannung trainieren
   - » Musik-Entspannungstherapie durchführen
   - » Funktionelle atemrhythmisierende Entspannungsmethode anwenden
   - » Autogenes Training durchführen
- Einrichtungsspezifische Aktivität wählen
- Zeit angeben

Milieutherapeutische Aktivitäten im Wohn-/Stationsbereich durchführen
- Stationsaktivität angeben
   - » Gemeinsam aktuelle Zeitungen/Magazine lesen
   - » Kinoabend im Wohn-/Stationsbereich durchführen
   - » Spielnachmittag besuchen
   - » Mahlzeiten gemeinsam einnehmen
   - » Tanznachmittag besuchen
   - » Kirchenbesuch durchführen
   - » Spazieren gehen
   - » Singstunde besuchen
   - » An Festaktivitäten teilnehmen
   - » Am Sonntagsfrühstück teilnehmen
   - » Aktivitäten im Zusammenhang, den Gemeinschaftsraum zu gestalten
   - » Zur Milieugestaltung malen/basteln
- Einrichtungsspezifische Aktivität wählen
- Zeitdauer der Aktivitäten bestimmen

Bewegungsfördernde/sportliche Aktivitäten durchführen
- Maßnahmen konkretisieren
   - » Morgengymnastik durchführen
   - » Fitnesstraining durchführen
   - » Schwimmen gehen
   - » Bewegungsbad durchführen
   - » Wasserjogging durchführen
   - » Konzentrative Körperarbeit leisten
   - » Körpertherapie durchführen
   - » Sport in Form von Spielen machen
   - » An der Seniorengymnastik teilnehmen
   - » Konzentrative Bewegungstherapie durchführen
   - » Tanztherapie durchführen
- Einrichtungsspezifische Aktivität wählen
- Zeit angeben

Gewünschtes Verhalten positiv verstärken
- Maßnahmen konkretisieren
   - » Gewünschtes Verhalten durch Lob fördern
   - » Im therapeutischen Team Verhaltensweisen zur Stärkung des Selbstkonzepts vereinbaren
   - » Einüben, sich selbst zu belohnen

Beschäftigungstherapie (BT) durchführen
- Maßnahmen konkretisieren
   - » Malen
   - » Werken
   - » Töpfern
   - » Collagen gestalten
   - » Batiken
   - » Seidenmalerei betreiben
   - » Weben
   - » Holzarbeiten anfertigen
   - » Flechtarbeiten anfertigen
- Einrichtungsspezifische Aktivität wählen
- Art und Weise der Unterstützung bestimmen
   - » Einleitend motivieren und aktivieren
   - » Kontinuierlich motivieren und anleiten
   - » Bei der Durchführung unterstützen
- Zeitdauer der Einzelförderung bestimmen

Selbstkonzept/-bild/-wert und soziale Kompetenzen in Einzeltherapie fördern
- Einzeltherapeutisches Angebot angeben
   - » Selbstsicherheitstraining durchführen
   - » Genusstherapie durchführen
   - » Verhaltenstherapie durchführen
   - » Assertiveness-Training-Programm (ATP) durchführen
   - » Integriertes Psychologisches Therapieprogramm (IPT) durchführen
   - » Positiven Tagesrückblick durchführen
   - » Musiktherapie durchführen
   - » Gestalttherapie durchführen
   - » Maltherapie durchführen
   - » Kognitives Einzeltraining durchführen
   - » Rollenspiele durchführen
   - » Erinnerungstherapie durchführen
   - » Achtsamkeitstraining durchführen
   - » Anti-Phobie/Angst-Training durchführen
- Einrichtungsspezifische Aktivität wählen
- Zeitdauer der Einzelförderung bestimmen

Selbstkonzept/-bild/-wert und soziale Kompetenzen in Gruppentherapie fördern
- Gruppentherapeutisches Angebot angeben
   - » Selbstsicherheitstraining durchführen
   - » Genusstherapie durchführen
   - » Verhaltenstherapie durchführen
   - » Assertiveness-Training-Programm (ATP) durchführen
   - » Integriertes Psychologisches Therapieprogramm (IPT) durchführen
   - » Kognitive Therapiegruppe besuchen
   - » Musiktherapie durchführen
   - » Gestalttherapie durchführen
   - » Maltherapie durchführen
   - » Märchen-/Literaturgruppe besuchen
   - » Rollenspiele durchführen
   - » Interaktionsspiele zur Persönlichkeitsentwicklung durchführen
   - » Am Gesprächskreis im Erinnerungsraum teilnehmen
   - » Achtsamkeitstraining durchführen
   - » Anti-Phobie/Angst-Training durchführen
- Einrichtungsspezifische Aktivität wählen
- Zeitdauer der Gruppentherapie bestimmen

Gesprächstherapeutische Gruppenaktivität durchführen
- Therapiegruppe angeben
   - » An Stationsgesprächsrunde/-meeting/-forum teilnehmen
   - » An Gesprächskreis über tagesaktuelle Themen teilnehmen
   - » Wochenendgruppe besuchen
   - » Konfliktgruppe besuchen
   - » Morgenrunde besuchen
   - » Kritikgruppe besuchen
- Einrichtungsspezifische Aktivität wählen
- Zeitdauer der Gruppenangebote bestimmen

Soziales Angebot innerhalb der Einrichtung anbieten
- Einrichtungsspezifische Aktivität wählen

Soziales Angebot außerhalb der Einrichtung anbieten
- Einrichtungsspezifische Aktivität wählen

Tagesstrukturierende Maßnahmen in individueller Einzeltherapie durchführen
- Einzeltraining konkretisieren
   - » Aus der Tageszeitung vorlesen und aktuelle Themen diskutieren
   - » Mahlzeiten kochen
   - » Einkaufen gehen
   - » Küchendienst übernehmen
   - » Zimmer reinigen
   - » Tisch für die Mahlzeiten decken/abdecken
   - » Blumen-/Pflanzenpflege durchführen
   - » Wäsche versorgen
- Einrichtungsspezifische Aktivität wählen
- Art der Unterstützungsleistung angeben
   - » Beim Durchführen anleiten
   - » Beim Durchführen beaufsichtigen
   - » Durchgeführte Tätigkeiten im Pflegefachgespräch reflektieren
   - » Gemeinsam partnerschaftlich durchführen
- Zeitdauer der Einzelförderung bestimmen

Tagesstrukturierende Maßnahmen in der Gruppe durchführen

- Gruppentraining konkretisieren
  - » Gemeinsam Mahlzeiten kochen und einnehmen
  - » Gemeinsam einkaufen
  - » An der Kosmetikgruppe teilnehmen
  - » Feste planen, vorbereiten und durchführen
  - » An der Hauswirtschaftsgruppe teilnehmen
- Einrichtungsspezifische Aktivität wählen
- Art der Unterstützungsleistung angeben
  - » Auffordern, den Termin des Gruppenangebots einzuhalten
  - » Zur Teilnahme an den Aktivitäten motivieren
  - » Bei den Gruppenaktivitäten unterstützen
  - » Nach der Aktivität Reflexionsgespräch führen
- Zeitdauer der Gruppentherapie bestimmen

Sonstige Pflegemaßnahmen durchführen

- Maßnahmen konkretisieren
- Zeit angeben

Literaturhinweise: 47, 82, 83, 95, 101, 125, 173, 175, 176, 662, 691, 692, 693, 694

Der Patient ist aufgrund einer **beeinträchtigten Informationsverarbeitung** in der **Selbstfürsorge eingeschränkt**

Kennzeichen

- Aufgenommene Informationen/Wahrnehmungen können nicht/nur schwer selektiert werden
- Erlebt Gefühlsäußerungen als bedrohlich
- Kann Double-Bind-Aussagen nicht einordnen
- Erhaltene Informationen werden unmittelbar nach Wiedergabe vergessen
- Ist in der Aufnahme von Informationen beeinträchtigt
- Kann relevante Informationen von irrelevanten Informationen nicht selektieren
- Schwierigkeiten im Entschlüsseln von verbalen Botschaften
- Unfähigkeit, neue Informationen im Gedächtnis zu behalten
- Kann erhaltene Informationen nicht auf die eigene Situation übertragen
- Fehlende Motivation, sich mit den Informationen auseinander zu setzen
- Neue Informationen werden wieder vergessen
- Reduzierte Aufmerksamkeitsspanne

Ausprägung der beeinträchtigten Informationsverarbeitung

- Stufe 1: Selbstständige positive Beeinflussung der veränderten Informationsverarbeitung
- Stufe 2: Geringe Beeinträchtigung
- Stufe 3: Erhebliche Beeinträchtigung
- Stufe 4: Schwere Beeinträchtigung
- Stufe 5: Verlust der Fähigkeit, Informationen adäquat zu verarbeiten

Ursachen

- Hebephrenie
- Schizophrene Psychose
- Psychose
- Psychotische Störung
- Denkinkohärenz/Denkzerfahrenheit
- Eingeschränkte kognitive Fähigkeiten
- Demenzielle Veränderung
- Geistige Behinderung

Ressourcen

- Kann einfachen Aufforderungen folgen

Pflegeziele

- Fühlt sich angenommen und akzeptiert
- Kann Vertrauen aufbauen
- Erkennt und akzeptiert die therapeutische Distanz
- Kann Informationen aufnehmen und verarbeiten
- Erkennt Double-Bind-Aussagen und benennt sie
- Fühlt sich angenommen und entwickelt Vertrauen
- Kann Gefühle zum Ausdruck bringen
- Stress beladene Situationen und Überforderung sind vermieden
- Einer Reizüberflutung ist vorgebeugt
- Alltagskompetenzen sind sichergestellt
- Nimmt eigene Wünsche und Bedürfnisse wahr
- Steht zu Entscheidungen und übernimmt dafür die Verantwortung
- Behandlungs- und Therapiekonzept sind transparent und vom therapeutischen Team umgesetzt
- Aktive Beteiligung an der Behandlungsplanung ist sichergestellt
- Ist in den Tagesablauf aktiv integriert
- Ein menschenwürdiges, an die persönliche Lebensgeschichte angepasstes Leben ist ermöglicht
- Ist aktiviert und beteiligt sich an den Milieuprozessen
- Entwickelt Verhaltensweisen, die das Leben in der Gemeinschaft fördern
- Selbstständigkeit ist gefördert
- Vorhandene Kompetenzen in der selbstständigen Lebensführung erhalten

- Kompetenzen der selbstständigen Lebensführung fördern
- Selbstwertgefühl ist gestärkt

Pflegeinterventionen

Akzeptierende, wertschätzende Grundhaltung einnehmen
- Pflegeintervention konkretisieren
- Zeit angeben

Therapeutische Beziehung und Distanz klar definieren
- Pflegeintervention konkretisieren
- Zeit angeben

Einfache, konkrete Gesprächsinhalte, kurze Sätze und klare Sprache bei den Pflegegesprächen verwenden
- Pflegeintervention konkretisieren
- Zeit angeben

Klar und kongruent kommunizieren
- Pflegeintervention konkretisieren
- Zeit angeben

Gefühlsäußerungen unterstützen
- Pflegeintervention konkretisieren
- Zeit angeben

Dosiert kritische Bemerkungen anbringen
- Pflegeintervention konkretisieren
- Zeit angeben

Dosiert mit Gefühlsäußerungen konfrontieren
- Pflegeintervention konkretisieren
- Zeit angeben

Pflegefachgespräche zur Alltagsbewältigung führen
- Pflegeintervention konkretisieren
  - » Zum Aufstehen auffordern
  - » Auffordern, die Nachtruhe einzuhalten
  - » Zur Medikamenteneinnahme motivieren
  - » Tagesablauf besprechen
  - » An Vereinbarungen erinnern
- Zeitdauer des Alltagsbewältigungsgesprächs bestimmen

Pflegefachgespräch führen
- Inhaltliche Ausrichtung des Gesprächs bestimmen
  - » Informationssammlung
  - » Pflege-, Betreuungs- und Behandlungsprozess
  - » Ursachenanalyse
  - » Strategien zur Krankheitsbewältigung
  - » Motivation/Aktivierung
  - » Alltagsbewältigung
  - » Förderung der Entscheidungsfindung
  - » Zukunftsperspektive
  - » Unterstützung der Orientierung
  - » Unterstützung des Realitätsbezugs
  - » Krisenintervention
  - » Aktuelle Bedürfnisse/Wünsche
  - » Instruktion/Anleitung
  - » Feed-back-Gespräch
  - » Sonstige Gesprächsinhalte
- Gesprächsteilnehmer
  - » Angehöriger/Bezugsperson
  - » Betroffene Person
- Zeitdauer des Gesprächs angeben

Fallbesprechung zur weiteren Behandlungs- und Therapieplanung durchführen
- Beteiligte Personen angeben
  - » Bewohner
  - » Pflegeperson
  - » Ärztlicher Dienst
  - » Psychologe
  - » Sozialarbeiter
  - » Sozialpädagoge
  - » Ergotherapeut
  - » Krankengymnast
  - » Logopäde
  - » Beschäftigungstherapeut
  - » Heilpädagoge
  - » Geistlicher Beistand
  - » Lehrer
  - » Erzieher
  - » Jugendamt
  - » Sonstige Personen
- Gesprächsinhalt
  - » Vereinbarte Therapieziele
  - » Vereinbarte Gesprächsinhalte für ein klientenzentriertes Pflegefachgespräch
- Zeitdauer angeben

Milieutherapeutische Aktivitäten im Wohn-/Stationsbereich durchführen
- Stationsaktivität angeben
  - » Gemeinsam aktuelle Zeitungen/Magazine lesen
  - » Kinoabend im Wohn-/Stationsbereich durchführen
  - » Spielnachmittag besuchen
  - » Mahlzeiten gemeinsam einnehmen
  - » Tanznachmittag besuchen
  - » Kirchenbesuch durchführen
  - » Spazieren gehen
  - » Singstunde besuchen
  - » An Festaktivitäten teilnehmen
  - » Am Sonntagsfrühstück teilnehmen
  - » Aktivitäten im Zusammenhang, den Gemeinschaftsraum zu gestalten
  - » Zur Milieugestaltung malen/basteln
- Einrichtungsspezifische Aktivität wählen
- Zeitdauer der Aktivitäten bestimmen

AOT (Alltagsorientierte Therapie) durchführen
- Maßnahmen konkretisieren
- Zeit angeben

Lebenspraktisches Einzeltraining durchführen
- Einzeltraining konkretisieren
  - » Aus der Tageszeitung vorlesen und aktuelle Themen diskutieren
  - » Mahlzeiten kochen
  - » Einkaufen gehen
  - » Küchendienst übernehmen
  - » Zimmer reinigen
  - » Tisch für die Mahlzeiten decken/abdecken
  - » Blumen-/Pflanzenpflege durchführen
  - » Wäsche versorgen
- Einrichtungsspezifische Aktivität wählen
- Art der Unterstützungsleistung angeben
  - » Beim Durchführen anleiten
  - » Beim Durchführen beaufsichtigen
  - » Durchgeführte Tätigkeiten im Pflegefachgespräch reflektieren
  - » Gemeinsam partnerschaftlich durchführen
- Zeitdauer der Einzelförderung bestimmen

Lebenspraktisches Gruppentraining durchführen
- Gruppentraining konkretisieren
  - » Gemeinsam Mahlzeiten kochen und einnehmen
  - » Gemeinsam einkaufen
  - » An der Kosmetikgruppe teilnehmen
  - » Feste planen, vorbereiten und durchführen
  - » An der Hauswirtschaftsgruppe teilnehmen
- Einrichtungsspezifische Aktivität wählen
- Art der Unterstützungsleistung angeben
  - » Auffordern, den Termin des Gruppenangebots einzuhalten
  - » Zur Teilnahme an den Aktivitäten motivieren
  - » Bei den Gruppenaktivitäten unterstützen
  - » Nach der Aktivität Reflexionsgespräch führen
- Zeitdauer der Gruppentherapie bestimmen

Sonstige Pflegemaßnahmen durchführen
- Maßnahmen konkretisieren
- Zeit angeben

Literaturhinweise: 47, 82, 83, 95, 101, 125, 173, 175, 176, 318, 374, 374, 893, 920, 921, 922, 923

Der Patient ist aufgrund von **Merk-/Gedächtnisstörungen** in der **Tages-/Lebensgestaltung beeinträchtigt**

Kennzeichen

- Erhaltene Informationen werden unmittelbar nach Wiedergabe vergessen
- Kann sich neue Eindrücke nicht über einen Zeitraum von 10 Min. hinaus merken
- Hat Erinnerungslücken bei Ereignissen, die länger zurückliegen
- Für einen umschriebenen Zeitraum fehlt die Erinnerung (Amnesie)
- Gedächtnisprobleme beschränken sich auf Formen und Muster
- Gedächtnisprobleme beschränken sich auf Gesprochenes
- Kann sich nicht (mehr) konzentrieren
- Es besteht eine Auffassungsstörung, Inhalte können nicht interpretiert werden
- Äußert, dass die Erinnerungslücken als Handikap/Einschränkung empfunden werden
- Füllt Erinnerungslücken mit eigenen Phantasien aus (Konfabulation)
- Kann sich an durchgeführte Handlungen nicht mehr erinnern
- Vergisst, geplante/verabredete Handlungen durchzuführen

Ursachen

- Degenerativer Prozess des Gehirns
- Thalamusinfarkt
- Enzephalitis
- Neurochirurgischer Eingriff
- Intoxikation
- Kurzzeitige Anoxie/Hypoxie
- Chronische Herzerkrankungen
- Störung im Elektrolythaushalt
- Eisen-Kupfer-Stoffwechselstörung
- Eisenmangel

Im Zusammenhang mit Krankheitsbildern-Demenz
- Morbus Alzheimer
- Schädel-Hirn-Trauma
- Tumor im Gehirn
- Schlaganfall
- Übermäßiger Alkoholkonsum
- Drogen-, Medikamentenmissbrauch

Ressourcen

- Kann Hilfe annehmen
- Akzeptiert die Unterstützung
- Akzeptiert die Unterstützung von Angehörigen
- Ist motiviert, Hilfsmittel einzusetzen
- Die tägliche Lebensgestaltung ist trotz der Einschränkungen weitestgehend möglich
- Äußert, Spaß an den Gruppenangeboten zu haben

Pflegeziele

- Kann sich am Tagesablauf orientieren
- Kennt vorbeugende Maßnahmen
- Fehlende Erlebnisse und Ereignisse sind rekonstruiert
- Kann die Bedeutung der Erinnerungslücke interpretieren und eine Erklärung dafür formulieren
- Speichern und Konsolidieren von neuen Informationen ist unterstützt
- Sichere Orientierung im Raum ist gefördert
- Selbstständigkeit ist gefördert
- Setzt Kompensationsmechanismen selbstständig ein
- Ist zur Person, örtlich und zeitlich orientiert
- Vorhandene Ressourcen sind aktiviert und gefördert
- Mentale Fähigkeiten sind gezielt gefördert
- Individuelle kognitive/motorische Fähigkeiten sind erhalten und gefördert
- Findet sich in der Umgebung zurecht
- Therapie- und Aktivitätsangebote sind individuell abgestimmt
- Ist sozial integriert
- Übernimmt Mitverantwortung in der Gruppe
- Soziales Lernen ist unterstützt
- Integriert sich in das Gruppengeschehen
- Kennt die Spielregeln in sozialen Gemeinschaften

Pflegeinterventionen

Tages- und Wochenplanung gemeinsam erarbeiten
- Pflegeintervention konkretisieren
  - » Zeitstrukturen und Tagesablauf gemeinsam im Gespräch vereinbaren
  - » Tagesplanung für den Patienten erstellen
  - » Tagesplanung mit dem Patienten erstellen
  - » An Aktivitäten erinnern
- Rituale angeben
  - » Tätigkeiten ritualisieren
  - » Festgelegter Tagesablauf

Informationsangebote überschaubar und strukturiert gestalten
- Pflegeintervention konkretisieren
- Zeit angeben

Fehlende Geschehnisse/Erinnerungen im therapeutischen Gespräch rekonstruieren
- Gesprächsinhalt
- Zeit angeben

Errorless Learning von Alltagshandlungen nach der Methode von Baddeley/Wilson durchführen
- Maßnahmen konkretisieren
- Zeit angeben

AOT (Alltagsorientierte Therapie) durchführen
- Maßnahmen konkretisieren
- Zeit angeben

Kompensationsmechanismen entwickeln
- Gespräch zur Entwicklung von Kompensationsmechanismen führen
- Zeit angeben

Beim Erlernen von Kompensationsmechanismen anleiten und fördern
- Pflegeintervention konkretisieren

- Anzuleitende Person(en) festlegen
  - » Betroffene Person
  - » Angehöriger/Bezugsperson
- Zeit angeben

Realitätsorientiertes Einzel-Training (ROT) durchführen

- Pflegeintervention konkretisieren
  - » Einzeltherapie zur Erfassung der Person anbieten
  - » Einzeltherapie zum Neulernen von Zeitstrukturen anbieten
  - » Einzeltherapie zur Erfassung örtlicher Gegebenheiten anbieten
  - » Einzeltherapie zu situativen Gegebenheiten anbieten
  - » Gemeinsame Betrachtung von Bildern und Fotoalben
  - » Spaziergänge über den Wohn-/Stationsbereich in Verbindung mit einem Gespräch über Orientierungspunkte
- Zeitdauer der Einzeltherapie bestimmen

Realitätsorientiertes Training (ROT) in der Gruppe durchführen

- Pflegeintervention konkretisieren
  - » An einem Gesprächskreis über Gegenstände aus vergangenen Zeiten teilnehmen
  - » Gemeinsam aktuelle Zeitungen/Magazine lesen
  - » Gemeinsam jahreszeitliche Gestaltung der Wohnbereiche durchführen
  - » Gemeinsam backen
  - » Festtagsgestaltung gemeinsam durchführen
- Einrichtungsspezifische Aktivität wählen
- Zeitdauer der Gruppenaktivität bestimmen

Mentales Funktionstraining als Einzeltherapie anbieten

- Therapieangebot konkretisieren
  - » Hirnleistungstraining durchführen
  - » Gedächtnistraining durchführen
  - » Konzentrationstraining durchführen
  - » Themenzentrierte Gespräche führen
- Einrichtungsspezifische Aktivität wählen
- Dauer der Therapie angeben

Kognitive Trainingsmethoden in der Gruppe anbieten

- Therapie konkretisieren
  - » Gedächtnistraining durchführen
  - » Themenzentrierte Gespräche führen
  - » Hirnleistungstraining durchführen
  - » Konzentrationstraining durchführen
- Einrichtungsspezifische Aktivität wählen
- Zeitdauer der Gruppentherapie bestimmen
- Anzahl der beteiligten Personen bestimmen

Orientierungs- und Erinnerungshilfen anbieten

- Orientierungshilfen geben
  - » Farblinien auf dem Boden anbringen
  - » Türschilder anbringen
  - » Große Uhr gut sichtbar aufhängen
  - » Kalender mit Tages- und Jahreszahlen in großer Schrift aufhängen und täglich aktualisieren
  - » Für Nachtbeleuchtung sorgen
- Erinnerungshilfen einsetzen
  - » Erinnerungssignale festlegen
  - » Elektronische Notizbücher einsetzen
  - » Hinweistafeln einsetzen
  - » Markante Türschilder nutzen

Tages- und Nachtkleidung trennen

  - » Zwischen Tages-/Nachtkleidung unterscheiden
  - » Kleidungsstücke selbst auswählen lassen
  - » Kleidungsstücke mit Hilfe auswählen lassen
- Nachtbekleidung wählen
  - » Schlafanzug
  - » Geschlossener Body
  - » Unterwäsche
  - » Nachthemd
- Tageskleidung wählen
  - » Jogginganzug
  - » Hemd/Bluse
  - » Rock
  - » Hose
  - » Kleid
  - » Strumpfhose
  - » Socken
- Art der Unterstützungsleistung angeben
  - » Beaufsichtigen
  - » Durch Unterstützen helfen
  - » Teilweise übernehmen
  - » Vollständig übernehmen
  - » Aktivieren/anleiten
- Reihenfolge ritualisieren

Pflege- und Behandlungsprozess im interdisziplinären Team festlegen

- Beteiligte Personen angeben
  - » Bewohner
  - » Pflegeperson
  - » Ärztlicher Dienst
  - » Psychologe
  - » Sozialarbeiter
  - » Sozialpädagoge
  - » Ergotherapeut
  - » Krankengymnast
  - » Logopäde
  - » Beschäftigungstherapeut
  - » Heilpädagoge
  - » Geistlicher Beistand
  - » Lehrer
  - » Erzieher
  - » Jugendamt
  - » Sonstige Personen
- Gesprächsinhalt
  - » Vereinbarte Therapieziele
  - » Vereinbarte Gesprächsinhalte für ein klientenzentriertes Pflegefachgespräch
- Zeitdauer angeben

Gesellschaftliche/soziale Aktivitäten fördern

- Stationsaktivität angeben
  - » Gemeinsam aktuelle Zeitungen/Magazine lesen
  - » Kinoabend im Wohn-/Stationsbereich durchführen
  - » Spielnachmittag besuchen
  - » Mahlzeiten gemeinsam einnehmen
  - » Tanznachmittag besuchen
  - » Kirchenbesuch durchführen
  - » Spazieren gehen
  - » Singstunde besuchen
  - » An Festaktivitäten teilnehmen
  - » Am Sonntagsfrühstück teilnehmen
  - » Aktivitäten im Zusammenhang, den Gemeinschaftsraum zu gestalten
  - » Zur Milieugestaltung malen/basteln
- Einrichtungsspezifische Aktivität wählen
- Zeitdauer der Aktivitäten bestimmen

Sonstige Pflegemaßnahmen durchführen

- Maßnahmen konkretisieren
- Zeit angeben

Literaturhinweise: 71, 95, 102, 117, 125, 127, 173, 175, 176

Der Patient ist aufgrund einer **Denkstörung** in der **Tages-/Lebensgestaltung beeinträchtigt**

Kennzeichen

- Formale DenkstörungDenkverlangsamung
- Umständliches Denken
- Verhaftet bei einem Thema/eingeengtes Denken
- Wiederholung gleicher Denkinhalte (Perservation)
- Denkhemmung, berichtet über gebremstes Denken
- Ideenflüchtiges Denken, Denken ist sprunghaft, flüchtig
- Gedankenentzug, berichtet vom dem Gefühl, die Gedanken werden von außen entzogen
- Inkohärentes, zerfahrenes Denken, Gedanken sind für Außenstehende unverständlich
- Wortneubildungen (Neologismen)

Inhaltliche Denkstörung

- Wahnideen
- Beeinträchtigungswahn
- Beziehungswahn
- Eifersuchtswahn
- Größenwahn
- Verarmungswahn
- Kleinheitswahn
- Verfolgungswahn
- Versündigungswahn
- Krankheitswahn
- Vergiftungswahn
- Schuldwahn

Sonstige Kennzeichen

- Reaktionen, die der Situation nicht angemessen sind
- Äußert unrealistische Vorstellungen und/oder Zusammenhänge
- Kognitiv-sprachliche Funktionsveränderung
- Veränderte Urteilsfähigkeit
- Eingeschränkte Entscheidungsfähigkeit
- Veränderung in der Wissensanwendung
- Lässt sich leicht ablenken
- Das Rechnen betreffende Veränderungen

Ursachen

- Demenz
- Morbus Alzheimer
- Oligophrenie
- Schlafentzug
- Flüssigkeitsdefizit/Dehydratation/ Exsikkose
- Schädel-Hirn-Trauma
- Alkoholkonsum
- Suchterkrankung
- Medikamentenmissbrauch
- Psychische Störung
- Depressive Störung
- Angstzustände
- Organisch bedingte Psychose
- Endogene Psychose
- Schizophrenie
- Manie

Ressourcen

- Kann eingeübte Rituale von Alltagstätigkeiten selbstständig durchführen
- Die tägliche Lebensgestaltung ist trotz der Einschränkungen weitestgehend möglich
- Findet sich trotz der Orientierungsstörung in der Einrichtung zurecht
- Nimmt Orientierungshilfen an
- Akzeptiert die Bezugsperson
- Kann Gefühle und Sorgen mit der Bezugsperson besprechen
- Akzeptiert die Unterstützung
- Akzeptiert die Unterstützung von Angehörigen

Pflegeziele

- Ursachen sind erkannt
- Ausmaß der kognitiven Einschränkung ist eingeschätzt
- Entwickelt ein positives Selbstwertgefühl
- Ist in den Tagesablauf aktiv integriert
- Ist aktiviert und beteiligt sich an den Milieuprozessen
- Entwickelt Verhaltensweisen, die das Leben in der Gemeinschaft fördern
- Kann psychotische Welt und Realität unterscheiden
- Eigenständige Lebensgestaltung ist ermöglicht
- Tagesablauf ist geregelt
- Geplante Aktivitäten werden eingehalten
- Ist zur Person, örtlich und zeitlich orientiert
- Vorhandene Ressourcen sind aktiviert und gefördert
- Kennt vorbeugende Maßnahmen
- Selbstvertrauen in eigene Kompetenzen/Fähigkeiten ist gefördert
- Ein positives Selbstkonzept ist gefördert
- Erkennt und integriert in angemessener Weise die Veränderungen in seinem/ ihrem Selbstkonzept
- Nimmt Gefühle wahr und artikuliert diese adäquat
- Baut ein Vertrauensverhältnis zum Gesprächspartner auf
- Spricht die Bezugsperson bei Problemen selbstständig an
- Übernimmt Mitverantwortung in der Gruppe
- Soziales Lernen ist unterstützt
- Integriert sich in das Gruppengeschehen
- Kennt die Spielregeln in sozialen Gemeinschaften
- Soziale Kompetenzen sind gefördert
- Spricht Konflikte/Empfindungen in der Gruppe an
- Adäquate Konfliktlösungsstrategien sind entwickelt
- Selbstständigkeit ist gefördert
- Vorhandene Kompetenzen in der selbstständigen Lebensführung erhalten
- Kompetenzen der selbstständigen Lebensführung fördern
- Selbstwertgefühl ist gestärkt
- Erlangt Selbstvertrauen in seine Fähigkeiten
- Körperwahrnehmung ist aktiviert und stimuliert
- Ist körperlich fit
- Selbstvertrauen in die Leistungsfähigkeit des eigenen Körpers ist gestärkt
- Körperliche Fitness ist gefördert
- Kennt Möglichkeiten, aktiv den Therapieer-

folg zu unterstützen
- Hält sich an Absprachen und unterstützt aktiv die Therapie
- Selbstkontrolle ist verbessert
- Erfüllt die Rollenerwartungen
- Setzt die vereinbarten Verhaltensänderungen um
- Therapie- und Aktivitätsangebote sind individuell abgestimmt

Pflegeinterventionen

Ursachen für die kognitiven Veränderungen abklären/beurteilen
- Maßnahmen konkretisieren
  - » Flüssigkeitshaushalt einschätzen
  - » Ernährungszustand beurteilen
  - » Medikamenten- und Suchtmittelkonsum/-wirkung einschätzen
  - » Laborwerte bezüglich metabolischer Alkalose, Ammoniakspiegel usw. überprüfen
- Auf Hirndruckzeichen beobachten
  - » Pupillenreaktion kontrollieren
  - » Blutdruck messen
  - » Puls messen
- Neurologische Veränderungen einschätzen
  - » Kornealreflex überprüfen
  - » Husten- und Würgereflex kontrollieren
  - » Motorik, Sensorik und Durchblutung überprüfen

Ausmaß der Beeinträchtigungen im Denken ermitteln und dokumentieren
- Maßnahmen konkretisieren
  - » Tests durchführen
  - » Gespräche führen
  - » Verhalten beobachten
- Kognitive Fähigkeiten beobachten
  - » Orientierungsfähigkeit: örtlich, zeitlich und zur eigenen Person beobachten
  - » Konzentrationsspanne/Ablenkbarkeit beobachten
  - » Veränderungen im Verhalten beobachten und dokumentieren
  - » Veränderungen in der Sprache beobachten
  - » Biografiedaten sammeln und bezüglich Veränderungsprozessen analysieren

Selbstwertgefühl und Selbstachtung durch einheitliche Verhaltensweisen im therapeutischen Team fördern
- Maßnahmen konkretisieren
  - » Gewünschtes Verhalten durch Lob fördern
  - » Im therapeutischen Team Verhaltensweisen zur Stärkung des Selbstkonzepts vereinbaren
  - » Einüben, sich selbst zu belohnen

Milieutherapeutische Aktivitäten im Wohn-/Stationsbereich durchführen
- Stationsaktivität angeben
  - » Gemeinsam aktuelle Zeitungen/Magazine lesen
  - » Kinoabend im Wohn-/Stationsbereich durchführen
  - » Spielnachmittag besuchen
  - » Mahlzeiten gemeinsam einnehmen
  - » Tanznachmittag besuchen
  - » Kirchenbesuch durchführen
  - » Spazieren gehen
  - » Singstunde besuchen
  - » An Festaktivitäten teilnehmen
  - » Am Sonntagsfrühstück teilnehmen
  - » Aktivitäten im Zusammenhang, den Gemeinschaftsraum zu gestalten
  - » Zur Milieugestaltung malen/basteln
- Einrichtungsspezifische Aktivität wählen
- Zeitdauer der Aktivitäten bestimmen

Realitätsbezug im Alltag fördern
- Maßnahmen konkretisieren
  - » Wahnthemen und Zwangshandlungen nicht versuchen auszureden und keine Diskussion entstehen lassen
  - » Akzeptierende Grundhaltung gegenüber den Wahnideen zeigen
  - » Eigene Realität gegenüberstellen
  - » Lebenspraktische Tätigkeiten durchführen
  - » "Harmlose" Gesprächsthemen anbieten

Tages-/Wochenplan erarbeiten und die Einhaltung reflektieren
- Bezugsperson festlegen
- Pflegeintervention konkretisieren
  - » Tages-/Wochenplan erstellen
  - » Aktivitätenplan erstellen
  - » Tages- und Wochenpläne besprechen
  - » Durchgeführte Aktivitäten besprechen
  - » Lebenspraktische Inhalte besprechen
- Fest verbindlichen Tagesplan vereinbaren
  - » Mit Kontrollmöglichkeit
  - » Ohne Kontrollmöglichkeit
  - » In Eigenverantwortung
  - » In Verantwortung der Bezugsperson
  - » Tagesaktivitäten auswerten und reflektieren
- Dauer bestimmen

Realitätsorientiertes Einzel-Training (ROT) durchführen
- Pflegeintervention konkretisieren
  - » Einzeltherapie zur Erfassung der Person anbieten
  - » Einzeltherapie zum Neulernen von Zeitstrukturen anbieten
  - » Einzeltherapie zur Erfassung örtlicher Gegebenheiten anbieten
  - » Einzeltherapie zu situativen Gegebenheiten anbieten
  - » Gemeinsame Betrachtung von Bildern und Fotoalben
  - » Spaziergänge über den Wohn-/Stationsbereich in Verbindung mit einem Gespräch über Orientierungspunkte
- Zeitdauer der Einzeltherapie bestimmen

Realitätsorientiertes Training (ROT) in der Gruppe durchführen
- Pflegeintervention konkretisieren
  - » An einem Gesprächskreis über Gegenstände aus vergangenen Zeiten teilnehmen
  - » Gemeinsam aktuelle Zeitungen/Magazine lesen
  - » Gemeinsam jahreszeitliche Gestaltung der Wohnbereiche durchführen
  - » Gemeinsam backen
  - » Festtagsgestaltung gemeinsam durchführen
- Einrichtungsspezifische Aktivität wählen
- Zeitdauer der Gruppenaktivität bestimmen

Informationsangebote überschaubar und strukturiert gestalten
- Pflegeintervention konkretisieren
- Zeit angeben

Selbstkonzept/-bild/-wert und soziale Kompetenzen in Gruppentherapie fördern
- Gruppentherapeutisches Angebot angeben
  - » Selbstsicherheitstraining durchführen
  - » Genusstherapie durchführen
  - » Verhaltenstherapie durchführen
  - » Assertiveness-Training-Programm (ATP) durchführen
  - » Integriertes Psychologisches Therapieprogramm (IPT) durchführen
  - » Kognitive Therapiegruppe besuchen
  - » Musiktherapie durchführen
  - » Gestalttherapie durchführen
  - » Maltherapie durchführen
  - » Märchen-/Literaturgruppe besuchen
  - » Rollenspiele durchführen
  - » Interaktionsspiele zur Persönlichkeitsentwicklung durchführen
  - » Am Gesprächskreis im Erinnerungsraum teilnehmen
  - » Achtsamkeitstraining durchführen
  - » Anti-Phobie/Angst-Training durchführen
- Einrichtungsspezifische Aktivität wählen
- Zeitdauer der Gruppentherapie bestimmen

Selbstkonzept/-bild/-wert und soziale Kompetenzen in Einzeltherapie fördern
- Einzeltherapeutisches Angebot angeben
  - » Selbstsicherheitstraining durchführen
  - » Genusstherapie durchführen
  - » Verhaltenstherapie durchführen
  - » Assertiveness-Training-Programm (ATP) durchführen
  - » Integriertes Psychologisches Therapieprogramm (IPT) durchführen
  - » Positiven Tagesrückblick durchführen
  - » Musiktherapie durchführen
  - » Gestalttherapie durchführen
  - » Maltherapie durchführen

   - Kognitives Einzeltraining durchführen
   - Rollenspiele durchführen
   - Erinnerungstherapie durchführen
   - Achtsamkeitstraining durchführen
   - Anti-Phobie/Angst-Training durchführen
- Einrichtungsspezifische Aktivität wählen
- Zeitdauer der Einzelförderung bestimmen

Bezugsperson festlegen
- Pflegeintervention konkretisieren
- Zeit angeben

Gesellschaftliche/soziale Aktivitäten fördern
- Stationsaktivität angeben
   - Gemeinsam aktuelle Zeitungen/Magazine lesen
   - Kinoabend im Wohn-/Stationsbereich durchführen
   - Spielnachmittag besuchen
   - Mahlzeiten gemeinsam einnehmen
   - Tanznachmittag besuchen
   - Kirchenbesuch durchführen
   - Spazieren gehen
   - Singstunde besuchen
   - An Festaktivitäten teilnehmen
   - Am Sonntagsfrühstück teilnehmen
   - Aktivitäten im Zusammenhang, den Gemeinschaftsraum zu gestalten
   - Zur Milieugestaltung malen/basteln
- Einrichtungsspezifische Aktivität wählen
- Zeitdauer der Aktivitäten bestimmen

Gesprächstherapeutische Gruppenaktivität durchführen
- Therapiegruppe angeben
   - An Stationsgesprächsrunde/-meeting/-forum teilnehmen
   - An Gesprächskreis über tagesaktuelle Themen teilnehmen
   - Wochenendgruppe besuchen
   - Konfliktgruppe besuchen
   - Morgenrunde besuchen
   - Kritikgruppe besuchen
- Einrichtungsspezifische Aktivität wählen
- Zeitdauer der Gruppenangebote bestimmen

Lebenspraktisches Einzeltraining durchführen
- Einzeltraining konkretisieren
   - Aus der Tageszeitung vorlesen und aktuelle Themen diskutieren
   - Mahlzeiten kochen
   - Einkaufen gehen
   - Küchendienst übernehmen
   - Zimmer reinigen
   - Tisch für die Mahlzeiten decken/abdecken
   - Blumen-/Pflanzenpflege durchführen
   - Wäsche versorgen
- Einrichtungsspezifische Aktivität wählen
- Art der Unterstützungsleistung angeben
   - Beim Durchführen anleiten
   - Beim Durchführen beaufsichtigen
   - Durchgeführte Tätigkeiten im Pflegefachgespräch reflektieren
   - Gemeinsam partnerschaftlich durchführen
- Zeitdauer der Einzelförderung bestimmen

Lebenspraktisches Gruppentraining durchführen
- Gruppentraining konkretisieren
   - Gemeinsam Mahlzeiten kochen und einnehmen
   - Gemeinsam einkaufen
   - An der Kosmetikgruppe teilnehmen
   - Feste planen, vorbereiten und durchführen
   - An der Hauswirtschaftsgruppe teilnehmen
- Einrichtungsspezifische Aktivität wählen
- Art der Unterstützungsleistung angeben
   - Auffordern, den Termin des Gruppenangebots einzuhalten
   - Zur Teilnahme an den Aktivitäten motivieren
   - Bei den Gruppenaktivitäten unterstützen
   - Nach der Aktivität Reflexionsgespräch führen
- Zeitdauer der Gruppentherapie bestimmen

Überforderung vermeiden
- Pflegeintervention konkretisieren
- Zeit angeben

Bewegungsfördernde/sportliche Aktivitäten durchführen
- Maßnahmen konkretisieren
   - Morgengymnastik durchführen
   - Fitnesstraining durchführen
   - Schwimmen gehen
   - Bewegungsbad durchführen
   - Wasserjogging durchführen
   - Konzentrative Körperarbeit leisten
   - Körpertherapie durchführen
   - Sport in Form von Spielen machen
   - An der Seniorengymnastik teilnehmen
   - Konzentrative Bewegungstherapie durchführen
   - Tanztherapie durchführen
- Einrichtungsspezifische Aktivität wählen
- Zeit angeben

Körperbezogene Therapieangebote/Aktivitäten durchführen
- Maßnahmen konkretisieren
   - Morgengymnastik durchführen
   - Fitnesstraining durchführen
   - Schwimmen gehen
   - Bewegungsbad durchführen
   - Wasserjogging durchführen
   - Konzentrative Körperarbeit leisten
   - Körpertherapie durchführen
   - Sport in Form von Spielen machen
   - An der Seniorengymnastik teilnehmen
   - Konzentrative Bewegungstherapie durchführen
   - Tanztherapie durchführen
- Einrichtungsspezifische Aktivität wählen
- Zeit angeben

Therapieziele gemeinsam vereinbaren und kontinuierlich reflektieren
- Maßnahmen konkretisieren
   - Goal Attainment Scale einsetzen (= Zielerreichungsskala)
   - Punkteplan einsetzen
- Zeit angeben

Gewünschtes Verhalten positiv verstärken
- Maßnahmen konkretisieren
   - Gewünschtes Verhalten durch Lob fördern
   - Im therapeutischen Team Verhaltensweisen zur Stärkung des Selbstkonzepts vereinbaren
   - Einüben, sich selbst zu belohnen

Fallbesprechung über den Pflege- und Behandlungsprozess führen
- Beteiligte Personen angeben
   - Bewohner
   - Pflegeperson
   - Ärztlicher Dienst
   - Psychologe
   - Sozialarbeiter
   - Sozialpädagoge
   - Ergotherapeut
   - Krankengymnast
   - Logopäde
   - Beschäftigungstherapeut
   - Heilpädagoge
   - Geistlicher Beistand
   - Lehrer
   - Erzieher
   - Jugendamt
   - Sonstige Personen
- Gesprächsinhalt
   - Vereinbarte Therapieziele
   - Vereinbarte Gesprächsinhalte für ein klientenzentriertes Pflegefachgespräch
- Zeitdauer angeben

Sonstige Pflegemaßnahmen durchführen
- Maßnahmen konkretisieren
- Zeit angeben

Literaturhinweise: 71, 82, 83, 95, 101, 125, 173, 175, 176, 264, 353

Der Patient ist aufgrund einer **Ich-Störung** in der **selbstständigen Tages-/Lebensgestaltung eingeschränkt**

Kennzeichen

- Zeigt nicht nachvollziehbares Verhalten
- Fühlt sich für Taten und Worte nicht verantwortlich
- Erlebt die Umwelt als fremd und unwirklich
- Erlebt sich selbst als fremd
- Beschreibt eine Gedankenausbreitung
- Beschreibt einen Gedankenentzug
- Beschreibt Gedankeneingebung
- Fühlt sich fremdgesteuert

Ursachen

- Schizophrene Psychose
- Neurose

Ressourcen

- Versteht das Therapiekonzept und ist bereit, sich aktiv zu beteiligen
- Zeigt Verhaltensweisen, die die Therapie unterstützen
- Erkennt die Notwendigkeit der getroffenen Intervention und kooperiert mit dem therapeutischen Team
- Akzeptiert die Unterstützung
- Akzeptiert die Unterstützung von Angehörigen

Pflegeziele

- Öffnet sich für therapeutische Gespräche
- Distanziert sich von Teilen der Ich-Störung
- Selbstständigkeit ist gefördert
- Übernimmt Mitverantwortung in der Gruppe
- Soziales Lernen ist unterstützt
- Integriert sich in das Gruppengeschehen
- Kennt die Spielregeln in sozialen Gemeinschaften
- Ist in den Tagesablauf aktiv integriert
- Ein menschenwürdiges, an die persönliche Lebensgeschichte angepasstes Leben ist ermöglicht
- Ist aktiviert und beteiligt sich an den Milieuprozessen
- Entwickelt Verhaltensweisen, die das Leben in der Gemeinschaft fördern
- Nimmt Gefühle wahr und artikuliert diese adäquat
- Ein positives Selbstkonzept ist gefördert
- Erkennt und integriert in angemessener Weise die Veränderungen in seinem/ ihrem Selbstkonzept
- Behandlungs- und Therapiekonzept sind transparent und vom therapeutischen Team umgesetzt
- Aktive Beteiligung an der Behandlungsplanung ist sichergestellt
- Gefestigte Tagesstruktur ist aufgebaut
- Selbstvertrauen in eigene Kompetenzen/ Fähigkeiten ist gefördert
- Körperliche Geschicklichkeit ist gefördert
- Zugang zu den eigenen Empfindungen ist unterstützt

Pflegeinterventionen

Art und Ausmaß der Ich-Störung gezielt beobachten und dokumentieren
- Pflegeintervention konkretisieren
- Zeit angeben

Realitätsbezogenen Umgang mit dem Patienten fördern
- Maßnahmen konkretisieren
  - » Wahnthemen und Zwangshandlungen nicht versuchen auszureden und keine Diskussion entstehen lassen
  - » Akzeptierende Grundhaltung gegenüber den Wahnideen zeigen
  - » Eigene Realität gegenüberstellen
  - » Lebenspraktische Tätigkeiten durchführen
  - » "Harmlose" Gesprächsthemen anbieten

Lebenspraktisches Einzeltraining durchführen
- Einzeltraining konkretisieren
  - » Aus der Tageszeitung vorlesen und aktuelle Themen diskutieren
  - » Mahlzeiten kochen
  - » Einkaufen gehen
  - » Küchendienst übernehmen
  - » Zimmer reinigen
  - » Tisch für die Mahlzeiten decken/abdecken
  - » Blumen-/Pflanzenpflege durchführen
  - » Wäsche versorgen
- Einrichtungsspezifische Aktivität wählen
- Art der Unterstützungsleistung angeben
  - » Beim Durchführen anleiten
  - » Beim Durchführen beaufsichtigen
  - » Durchgeführte Tätigkeiten im Pflegefachgespräch reflektieren
  - » Gemeinsam partnerschaftlich durchführen
- Zeitdauer der Einzelförderung bestimmen

Gesellschaftliche/soziale Aktivitäten fördern
- Stationsaktivität angeben
  - » Gemeinsam aktuelle Zeitungen/Magazine lesen
  - » Kinoabend im Wohn-/Stationsbereich durchführen
  - » Spielnachmittag besuchen
  - » Mahlzeiten gemeinsam einnehmen
  - » Tanznachmittag besuchen
  - » Kirchenbesuch durchführen
  - » Spazieren gehen
  - » Singstunde besuchen
  - » An Festaktivitäten teilnehmen
  - » Am Sonntagsfrühstück teilnehmen
  - » Aktivitäten im Zusammenhang, den Gemeinschaftsraum zu gestalten
  - » Zur Milieugestaltung malen/basteln
- Einrichtungsspezifische Aktivität wählen
- Zeitdauer der Aktivitäten bestimmen

Milieutherapeutische Aktivitäten im Wohn-/ Stationsbereich durchführen
- Stationsaktivität angeben
  - » Gemeinsam aktuelle Zeitungen/Magazine lesen
  - » Kinoabend im Wohn-/Stationsbereich

durchführen
  - » Spielnachmittag besuchen
  - » Mahlzeiten gemeinsam einnehmen
  - » Tanznachmittag besuchen
  - » Kirchenbesuch durchführen
  - » Spazieren gehen
  - » Singstunde besuchen
  - » An Festaktivitäten teilnehmen
  - » Am Sonntagsfrühstück teilnehmen
  - » Aktivitäten im Zusammenhang, den Gemeinschaftsraum zu gestalten
  - » Zur Milieugestaltung malen/basteln
- Einrichtungsspezifische Aktivität wählen
- Zeitdauer der Aktivitäten bestimmen

Selbstkonzept/-bild/-wert und soziale Kompetenzen in Einzeltherapie fördern
- Einzeltherapeutisches Angebot angeben
  - » Selbstsicherheitstraining durchführen
  - » Genusstherapie durchführen
  - » Verhaltenstherapie durchführen
  - » Assertiveness-Training-Programm (ATP) durchführen
  - » Integriertes Psychologisches Therapieprogramm (IPT) durchführen
  - » Positiven Tagesrückblick durchführen
  - » Musiktherapie durchführen
  - » Gestalttherapie durchführen
  - » Maltherapie durchführen
  - » Kognitives Einzeltraining durchführen
  - » Rollenspiele durchführen
  - » Erinnerungstherapie durchführen
  - » Achtsamkeitstraining durchführen
  - » Anti-Phobie/Angst-Training durchführen
- Einrichtungsspezifische Aktivität wählen
- Zeitdauer der Einzelförderung bestimmen

Selbstkonzept/-bild/-wert und soziale Kompetenzen in Gruppentherapie fördern
- Gruppentherapeutisches Angebot angeben
  - » Selbstsicherheitstraining durchführen
  - » Genusstherapie durchführen
  - » Verhaltenstherapie durchführen
  - » Assertiveness-Training-Programm (ATP) durchführen
  - » Integriertes Psychologisches Therapieprogramm (IPT) durchführen
  - » Kognitive Therapiegruppe besuchen
  - » Musiktherapie durchführen
  - » Gestalttherapie durchführen
  - » Maltherapie durchführen
  - » Märchen-/Literaturgruppe besuchen
  - » Rollenspiele durchführen
  - » Interaktionsspiele zur Persönlichkeitsentwicklung durchführen
  - » Am Gesprächskreis im Erinnerungsraum teilnehmen
  - » Achtsamkeitstraining durchführen
  - » Anti-Phobie/Angst-Training durchführen
- Einrichtungsspezifische Aktivität wählen
- Zeitdauer der Gruppentherapie bestimmen

Fallbesprechung zur weiteren Behandlungs- und Therapieplanung durchführen
- Beteiligte Personen angeben
  - » Bewohner
  - » Pflegeperson
  - » Ärztlicher Dienst
  - » Psychologe
  - » Sozialarbeiter
  - » Sozialpädagoge
  - » Ergotherapeut
  - » Krankengymnast
  - » Logopäde
  - » Beschäftigungstherapeut
  - » Heilpädagoge
  - » Geistlicher Beistand
  - » Lehrer
  - » Erzieher
  - » Jugendamt
  - » Sonstige Personen
- Gesprächsinhalt
  - » Vereinbarte Therapieziele
  - » Vereinbarte Gesprächsinhalte für ein klientenzentriertes Pflegefachgespräch
- Zeitdauer angeben

Beschäftigungstherapie als Einzelförderung durchführen
- Maßnahmen konkretisieren
  - » Malen
  - » Werken
  - » Töpfern
  - » Collagen gestalten
  - » Batiken
  - » Seidenmalerei betreiben
  - » Weben
  - » Holzarbeiten anfertigen
  - » Flechtarbeiten anfertigen
- Einrichtungsspezifische Aktivität wählen
- Art und Weise der Unterstützung bestimmen
  - » Einleitend motivieren und aktivieren
  - » Kontinuierlich motivieren und anleiten
  - » Bei der Durchführung unterstützen
- Zeitdauer der Einzelförderung bestimmen

Beschäftigungstherapie in der Gruppe durchführen
- Maßnahmen konkretisieren
  - » Malen
  - » Werken
  - » Töpfern
  - » Collagen gestalten
  - » Batiken
  - » Seidenmalerei betreiben
  - » Weben
  - » Holzarbeiten anfertigen
  - » Flechtarbeiten anfertigen
- Einrichtungsspezifische Aktivität wählen
- Zeitdauer der Gruppentherapie bestimmen

Sonstige Pflegemaßnahmen durchführen
- Maßnahmen konkretisieren
- Zeit angeben

Literaturhinweise: 71, 82, 83, 95, 101, 125, 127, 173, 175, 176

Der Patient hat aufgrund **ständig wiederkehrender Gedanken, die nicht durch Logik/Vernunft abgestellt werden können** (Zwangsgedanken), eine **beeinträchtigte Tages-/Lebensgestaltung**

Kennzeichen

- Äußert Zwangsgedanken/-ideen
- Beschreibt einen Grübelzwang
- Berichtet von Ängsten, wenn Zwangsphänomene unterbunden werden
- Veränderte Urteilsfähigkeit
- Führt Zwangshandlungen durch

Ursachen

- Psychose
- Endogene Psychose
- Organisch bedingte Psychose
- Schwere soziale Krise

Ressourcen

- Akzeptiert die Bezugsperson
- Lässt sich ablenken
- Akzeptiert die Unterstützung
- Akzeptiert die Unterstützung von Angehörigen
- Kann Gefühle und Sorgen mit der Bezugsperson besprechen
- Kennt Aktivitäten, die $ihn auf andere Gedanken bringen
- Zeigt Verhaltensweisen, die die Therapie unterstützen
- Kann die vereinbarte Therapie selbstständig durchführen

Pflegeziele

- Teilt Zwangsgedanken mit und akzeptiert diese als einen Teil der Person
- Kann die Zwangsgedanken durch Aktivitäten zurückdrängen
- Spricht Konflikte/Empfindungen in der Gruppe an
- Adäquate Konfliktlösungsstrategien sind entwickelt
- Selbstständigkeit ist gefördert
- Vorhandene Kompetenzen in der selbstständigen Lebensführung erhalten
- Kompetenzen der selbstständigen Lebensführung fördern
- Selbstwertgefühl ist gestärkt
- Gefestigte Tagesstruktur ist aufgebaut
- Selbstvertrauen in eigene Kompetenzen/Fähigkeiten ist gefördert
- Körperliche Geschicklichkeit ist gefördert
- Zugang zu den eigenen Empfindungen ist unterstützt
- Äußert, dass sich die Zwangsgedanken bei den Aktivitäten reduzieren
- Baut ein Vertrauensverhältnis zum Gesprächspartner auf
- Spricht die Bezugsperson bei Problemen selbstständig an
- Soziale Kompetenzen sind gefördert
- Nimmt Gefühle wahr und artikuliert diese adäquat
- Ist sozial integriert
- Übernimmt Mitverantwortung in der Gruppe
- Soziales Lernen ist unterstützt
- Integriert sich in das Gruppengeschehen
- Kennt die Spielregeln in sozialen Gemeinschaften
- Körperwahrnehmung ist aktiviert und stimuliert
- Ist körperlich fit
- Selbstvertrauen in die Leistungsfähigkeit des eigenen Körpers ist gestärkt
- Körperliche Fitness ist gefördert

Pflegeinterventionen

Klientenzentriertes Gespräch über Zwangsgedanken und deren Bedeutung für die Lebensgestaltung führen

- Bezugsperson festlegen
- Pflegeintervention konkretisieren
  - » Tages-/Wochenplan erstellen
  - » Aktivitätenplan erstellen
  - » Tages- und Wochenpläne besprechen
  - » Durchgeführte Aktivitäten besprechen
  - » Lebenspraktische Inhalte besprechen
- Fest verbindlichen Tagesplan vereinbaren
  - » Mit Kontrollmöglichkeit
  - » Ohne Kontrollmöglichkeit
  - » In Eigenverantwortung
  - » In Verantwortung der Bezugsperson
  - » Tagesaktivitäten auswerten und reflektieren
- Dauer bestimmen

Gesprächstherapeutische Gruppenaktivität durchführen

- Therapiegruppe angeben
  - » An Stationsgesprächsrunde/-meeting/-forum teilnehmen
  - » An Gesprächskreis über tagesaktuelle Themen teilnehmen
  - » Wochenendgruppe besuchen
  - » Konfliktgruppe besuchen
  - » Morgenrunde besuchen
  - » Kritikgruppe besuchen
- Einrichtungsspezifische Aktivität wählen
- Zeitdauer der Gruppenangebote bestimmen

Lebenspraktisches Einzeltraining durchführen

- Einzeltraining konkretisieren
  - » Aus der Tageszeitung vorlesen und aktuelle Themen diskutieren
  - » Mahlzeiten kochen
  - » Einkaufen gehen
  - » Küchendienst übernehmen
  - » Zimmer reinigen
  - » Tisch für die Mahlzeiten decken/abdecken
  - » Blumen-/Pflanzenpflege durchführen
  - » Wäsche versorgen
- Einrichtungsspezifische Aktivität wählen
- Art der Unterstützungsleistung angeben
  - » Beim Durchführen anleiten
  - » Beim Durchführen beaufsichtigen
  - » Durchgeführte Tätigkeiten im Pflegefachgespräch reflektieren
  - » Gemeinsam partnerschaftlich durchführen
- Zeitdauer der Einzelförderung bestimmen

Lebenspraktisches Gruppentraining durchführen

- Gruppentraining konkretisieren
  - » Gemeinsam Mahlzeiten kochen und einnehmen
  - » Gemeinsam einkaufen
  - » An der Kosmetikgruppe teilnehmen
  - » Feste planen, vorbereiten und durchführen
  - » An der Hauswirtschaftsgruppe teilnehmen
- Einrichtungsspezifische Aktivität wählen
- Art der Unterstützungsleistung angeben
  - » Auffordern, den Termin des Gruppenangebots einzuhalten
  - » Zur Teilnahme an den Aktivitäten motivieren
  - » Bei den Gruppenaktivitäten unterstützen
  - » Nach der Aktivität Reflexionsgespräch führen
- Zeitdauer der Gruppentherapie bestimmen

Beschäftigungstherapie als Einzelförderung durchführen

- Maßnahmen konkretisieren
  - » Malen
  - » Werken
  - » Töpfern
  - » Collagen gestalten
  - » Batiken
  - » Seidenmalerei betreiben
  - » Weben
  - » Holzarbeiten anfertigen
  - » Flechtarbeiten anfertigen
- Einrichtungsspezifische Aktivität wählen
- Art und Weise der Unterstützung bestimmen
  - » Einleitend motivieren und aktivieren
  - » Kontinuierlich motivieren und anleiten
  - » Bei der Durchführung unterstützen
- Zeitdauer der Einzelförderung bestimmen

Beschäftigungstherapie in der Gruppe durchführen

- Maßnahmen konkretisieren
  - » Malen
  - » Werken
  - » Töpfern
  - » Collagen gestalten
  - » Batiken
  - » Seidenmalerei betreiben
  - » Weben
  - » Holzarbeiten anfertigen
  - » Flechtarbeiten anfertigen
- Einrichtungsspezifische Aktivität wählen
- Zeitdauer der Gruppentherapie bestimmen

Gedankenstopp einüben

- Pflegeintervention konkretisieren
- Zeit angeben

Bezugsperson festlegen

- Pflegeintervention konkretisieren
- Zeit angeben

Selbstkonzept/-bild und soziale Kompetenzen in Gruppentherapie fördern

- Gruppentherapeutisches Angebot angeben
  - » Selbstsicherheitstraining durchführen
  - » Genusstherapie durchführen
  - » Verhaltenstherapie durchführen
  - » Assertiveness-Training-Programm (ATP) durchführen
  - » Integriertes Psychologisches Therapieprogramm (IPT) durchführen
  - » Kognitive Therapiegruppe besuchen
  - » Musiktherapie durchführen
  - » Gestalttherapie durchführen
  - » Maltherapie durchführen
  - » Märchen-/Literaturgruppe besuchen
  - » Rollenspiele durchführen
  - » Interaktionsspiele zur Persönlichkeitsentwicklung durchführen
  - » Am Gesprächskreis im Erinnerungsraum teilnehmen
  - » Achtsamkeitstraining durchführen
  - » Anti-Phobie/Angst-Training durchführen
- Einrichtungsspezifische Aktivität wählen
- Zeitdauer der Gruppentherapie bestimmen

Selbstkonzept/-bild/-wert und soziale Kompetenzen in Einzeltherapie fördern

- Einzeltherapeutisches Angebot angeben
  - » Selbstsicherheitstraining durchführen
  - » Genusstherapie durchführen
  - » Verhaltenstherapie durchführen
  - » Assertiveness-Training-Programm (ATP) durchführen
  - » Integriertes Psychologisches Therapieprogramm (IPT) durchführen
  - » Positiven Tagesrückblick durchführen
  - » Musiktherapie durchführen
  - » Gestalttherapie durchführen
  - » Maltherapie durchführen
  - » Kognitives Einzeltraining durchführen
  - » Rollenspiele durchführen
  - » Erinnerungstherapie durchführen
  - » Achtsamkeitstraining durchführen
  - » Anti-Phobie/Angst-Training durchführen
- Einrichtungsspezifische Aktivität wählen
- Zeitdauer der Einzelförderung bestimmen

Gesellschaftliche/soziale Aktivitäten fördern

- Stationsaktivität angeben
  - » Gemeinsam aktuelle Zeitungen/Magazine lesen
  - » Kinoabend im Wohn-/Stationsbereich durchführen
  - » Spielnachmittag besuchen
  - » Mahlzeiten gemeinsam einnehmen
  - » Tanznachmittag besuchen
  - » Kirchenbesuch durchführen
  - » Spazieren gehen
  - » Singstunde besuchen
  - » An Festaktivitäten teilnehmen
  - » Am Sonntagsfrühstück teilnehmen
  - » Aktivitäten im Zusammenhang, den Gemeinschaftsraum zu gestalten
  - » Zur Milieugestaltung malen/basteln
- Einrichtungsspezifische Aktivität wählen
- Zeitdauer der Aktivitäten bestimmen

Körperbezogene Therapieangebote/Aktivitäten durchführen

- Maßnahmen konkretisieren
  - » Morgengymnastik durchführen
  - » Fitnesstraining durchführen
  - » Schwimmen gehen
  - » Bewegungsbad durchführen
  - » Wasserjogging durchführen
  - » Konzentrative Körperarbeit leisten
  - » Körpertherapie durchführen
  - » Sport in Form von Spielen machen
  - » An der Seniorengymnastik teilnehmen
  - » Konzentrative Bewegungstherapie durchführen
  - » Tanztherapie durchführen
- Einrichtungsspezifische Aktivität wählen
- Zeit angeben

Sonstige Pflegemaßnahmen durchführen

- Maßnahmen konkretisieren
- Zeit angeben

Literaturhinweise: 16, 27, 71, 82, 83, 95, 101, 125, 173, 175, 176, 215

Der Patient hat aufgrund von **wiederkehrenden Handlungen, die nicht durch Logik oder Vernunft abgestellt werden können** (Zwangshandlungen), eine **beeinträchtigte Tages-/Lebensgestaltung**

Kennzeichen

- Zeigt Zwangshandlungen mit selbstschädigender Wirkung
- Führt sich ständig wiederholende Handlungen durch, die an sich abgelehnt werden
- Zeigt einen Waschzwang
- Zwangshandlungen nehmen so viel Raum ein, dass Alltagsanforderungen nicht mehr realisiert werden können
- Zwangshandlungen sind stereotyp

Ursachen

- Neurose
- Ritualisierte Zwangshandlungen

Ressourcen

- Kann Strategien einsetzen/sich ablenken, um Zwangshandlungen hinauszuzögern
- Erklärt sich bereit, Zwangshandlungen stufenweise zu reduzieren
- Akzeptiert die Unterstützung
- Akzeptiert die Unterstützung von Angehörigen

Pflegeziele

- Behandlungs- und Therapiekonzept sind transparent und vom therapeutischen Team umgesetzt
- Gefestigte Tagesstruktur ist aufgebaut
- Selbstvertrauen in eigene Kompetenzen/ Fähigkeiten ist gefördert
- Körperliche Geschicklichkeit ist gefördert
- Zugang zu den eigenen Empfindungen ist unterstützt
- Ein positives Selbstkonzept ist gefördert
- Erkennt und integriert in angemessener Weise die Veränderungen in seinem/ ihrem Selbstkonzept
- Lernt Fähigkeiten und Fertigkeiten, die bei der Gestaltung des Lebens hilfreich sind
- Reduziert drängende Zwangshandlungen, ohne negative Gefühle zu haben
- Kann sich am Tagesablauf orientieren
- Teilt Zwangsgedanken mit und akzeptiert diese als einen Teil der Person
- Zusammenhänge zwischen Ereignissen und Zwangshandlungen können analysiert werden
- Kennt Möglichkeiten, aktiv den Therapieerfolg zu unterstützen
- Hält sich an Absprachen und unterstützt aktiv die Therapie
- Selbstkontrolle ist verbessert

Pflegeinterventionen

Zwangshandlungen beobachten und dokumentieren
- Pflegeintervention konkretisieren
- Zeit angeben

Art und Umfang der Zwangshandlungen dokumentieren und diese im Rahmen eines Therapieprogramms reduzieren
- Pflegeintervention konkretisieren
- Zeit angeben

Teamabsprache über den Umgang mit den Zwangshandlungen des Patienten treffen
- Beteiligte Personen angeben
  - » Bewohner
  - » Pflegeperson
  - » Ärztlicher Dienst
  - » Psychologe
  - » Sozialarbeiter
  - » Sozialpädagoge
  - » Ergotherapeut
  - » Krankengymnast
  - » Logopäde
  - » Beschäftigungstherapeut
  - » Heilpädagoge
  - » Geistlicher Beistand
  - » Lehrer
  - » Erzieher
  - » Jugendamt
  - » Sonstige Personen
- Gesprächsinhalt
  - » Vereinbarte Therapieziele
  - » Vereinbarte Gesprächsinhalte für ein klientenzentriertes Pflegefachgespräch
- Zeitdauer angeben

Beschäftigungstherapie als Einzelförderung durchführen
- Maßnahmen konkretisieren
  - » Malen
  - » Werken
  - » Töpfern
  - » Collagen gestalten
  - » Batiken
  - » Seidenmalerei betreiben
  - » Weben
  - » Holzarbeiten anfertigen
  - » Flechtarbeiten anfertigen
- Einrichtungsspezifische Aktivität wählen
- Art und Weise der Unterstützung bestimmen
  - » Einleitend motivieren und aktivieren
  - » Kontinuierlich motivieren und anleiten
  - » Bei der Durchführung unterstützen
- Zeitdauer der Einzelförderung bestimmen

Beschäftigungstherapie in der Gruppe durchführen
- Maßnahmen konkretisieren
  - » Malen
  - » Werken
  - » Töpfern
  - » Collagen gestalten
  - » Batiken
  - » Seidenmalerei betreiben
  - » Weben
  - » Holzarbeiten anfertigen
  - » Flechtarbeiten anfertigen
- Einrichtungsspezifische Aktivität wählen
- Zeitdauer der Gruppentherapie bestimmen

Selbstkonzept/-bild/-wert und soziale Kompetenzen in Gruppentherapie fördern
- Gruppentherapeutisches Angebot angeben

  - » Selbstsicherheitstraining durchführen
  - » Genusstherapie durchführen
  - » Verhaltenstherapie durchführen
  - » Assertiveness-Training-Programm (ATP) durchführen
  - » Integriertes Psychologisches Therapieprogramm (IPT) durchführen
  - » Kognitive Therapiegruppe besuchen
  - » Musiktherapie durchführen
  - » Gestalttherapie durchführen
  - » Maltherapie durchführen
  - » Märchen-/Literaturgruppe besuchen
  - » Rollenspiele durchführen
  - » Interaktionsspiele zur Persönlichkeitsentwicklung durchführen
  - » Am Gesprächskreis im Erinnerungsraum teilnehmen
  - » Achtsamkeitstraining durchführen
  - » Anti-Phobie/Angst-Training durchführen
- Einrichtungsspezifische Aktivität wählen
- Zeitdauer der Gruppentherapie bestimmen

Lebenspraktisches Training durchführen, dabei Zwangshandlungen nicht beachten und Konzentration auf die Aktivität richten
- Einzeltraining konkretisieren
  - » Aus der Tageszeitung vorlesen und aktuelle Themen diskutieren
  - » Mahlzeiten kochen
  - » Einkaufen gehen
  - » Küchendienst übernehmen
  - » Zimmer reinigen
  - » Tisch für die Mahlzeiten decken/abdecken
  - » Blumen-/Pflanzenpflege durchführen
  - » Wäsche versorgen
- Einrichtungsspezifische Aktivität wählen
- Art der Unterstützungsleistung angeben
  - » Beim Durchführen anleiten
  - » Beim Durchführen beaufsichtigen
  - » Durchgeführte Tätigkeiten im Pflegefachgespräch reflektieren
  - » Gemeinsam partnerschaftlich durchführen
- Zeitdauer der Einzelförderung bestimmen

Tages- und Wochenplan gemeinsam erarbeiten und Vereinbarungen bezüglich der Aktivitäten treffen
- Bezugsperson festlegen
- Pflegeintervention konkretisieren
  - » Tages-/Wochenplan erstellen
  - » Aktivitätenplan erstellen
  - » Tages- und Wochenpläne besprechen
  - » Durchgeführte Aktivitäten besprechen
  - » Lebenspraktische Inhalte besprechen
- Fest verbindlichen Tagesplan vereinbaren
  - » Mit Kontrollmöglichkeit
  - » Ohne Kontrollmöglichkeit
  - » In Eigenverantwortung
  - » In Verantwortung der Bezugsperson
  - » Tagesaktivitäten auswerten und reflektieren
- Dauer bestimmen

Klientenzentriertes Gespräch über Zwangshandlungen und Problemlösungen führen
- Gesprächsinhalt
- Zeit angeben
- Beteiligte Personen angeben
  - » Betroffene Person
  - » Angehöriger/Bezugsperson
  - » Betreuer
  - » Eltern
  - » Sonstige Personen
- Durchführende Person angeben
  - » Bezugspflegeperson
  - » Pflegeperson
  - » Spezialtherapeuten
  - » Physiotherapeuten

Therapieziele gemeinsam vereinbaren und kontinuierlich reflektieren
- Maßnahmen konkretisieren
  - » Goal Attainment Scale einsetzen (= Zielerreichungsskala)
  - » Punkteplan einsetzen
- Zeit angeben

Sonstige Pflegemaßnahmen durchführen
- Maßnahmen konkretisieren
- Zeit angeben

Literaturhinweise: 47, 82, 83, 95, 173, 175, 176

Der Patient ist aufgrund eines **reduzierten Selbstwertgefühls** in der **Lebensgestaltung beeinträchtigt**

Kennzeichen

- Traut sich Aktivitäten nicht zu
- Fehlender Blickkontakt
- Sucht nach Bestätigung im Umfeld
- Kann sich nicht selbst loben
- Wirkt unsicher und unentschlossen
- Passt sich an und steht nicht zur eigenen Meinung
- Macht selbstentwertende Äußerungen
- Äußert negative Gedanken
- Wertet Erfolge als zufällig/als glücklichen Umstand
- Wertet Misserfolg als persönliches Versagen
- Äußert Schuldgefühle

Ursachen

- Chronische körperliche Erkrankung
- Chronische psychische Erkrankung
- Negativ beeinflussendes soziales Umfeld
- Verlust und/oder Trennung von wichtigen Bezugspersonen
- Häufung von Misserfolgen
- Psychische Störung
- Psychotische Störung
- Depressionen
- Alkoholkonsum
- Drogenkonsum
- Identitätsprobleme
- Missbrauchserfahrungen

Ressourcen

- Zeigt Verhaltensweisen, die die Therapie unterstützen
- Reagiert positiv auf therapeutische Gespräche
- Auf Nachfrage werden Wünsche und Bedürfnisse mitgeteilt
- Akzeptiert die Unterstützung
- Akzeptiert die Unterstützung von Angehörigen

Pflegeziele

- Fühlt sich angenommen und akzeptiert
- Benennt positive Aspekte von Ereignissen und Erlebnissen
- Entwickelt ein positives Selbstwertgefühl
- Nimmt positive Ereignisse bzw. Dinge wahr und kann darüber berichten
- Erkennt, dass der persönliche Blick selektiv auf Negatives gerichtet ist
- Ist in den Tagesablauf aktiv integriert
- Ein menschenwürdiges, an die persönliche Lebensgeschichte angepasstes Leben ist ermöglicht
- Ist aktiviert und beteiligt sich an den Milieuprozessen
- Entwickelt Verhaltensweisen, die das Leben in der Gemeinschaft fördern
- Soziale Kompetenzen sind gefördert
- Nimmt Gefühle wahr und artikuliert diese adäquat
- Wut, Ärger und Aggression werden in adäquater Weise wahrgenommen und ausgelebt
- Kann sich ausdrücken und Wünsche/Bedürfnisse adäquat äußern
- Verhält sich angemessen in sozialen Lebenssituationen
- Therapie- und Aktivitätsangebote sind individuell abgestimmt
- Kennt Möglichkeiten, aktiv den Therapieerfolg zu unterstützen
- Hält sich an Absprachen und unterstützt aktiv die Therapie
- Selbstkontrolle ist verbessert
- Ist sozial integriert
- Übernimmt Mitverantwortung in der Gruppe
- Soziales Lernen ist unterstützt
- Integriert sich in das Gruppengeschehen
- Kennt die Spielregeln in sozialen Gemeinschaften

Pflegeinterventionen

Akzeptierende, wertschätzende und wertungsfreie Grundhaltung gegenüber dem Patienten zeigen
- Pflegeintervention konkretisieren
- Zeit angeben

Positiven Tagesrückblick in der Gruppe durchführen
- Pflegeintervention konkretisieren
- Zeitdauer des Gruppengesprächs bestimmen

Im klientenzentrierten Gespräch einen positiven Tagesrückblick durchführen
- Gesprächsinhalt
- Zeit angeben
- Beteiligte Personen angeben
  - » Betroffene Person
  - » Angehöriger/Bezugsperson
  - » Betreuer
  - » Eltern
  - » Sonstige Personen
- Durchführende Person angeben
  - » Bezugspflegeperson
  - » Pflegeperson
  - » Spezialtherapeuten
  - » Physiotherapeuten

Klientenzentriertes Gespräch zum Aufbau des Selbstwertgefühls führen
- Gesprächsinhalt
- Zeit angeben
- Beteiligte Personen angeben
  - » Betroffene Person
  - » Angehöriger/Bezugsperson
  - » Betreuer
  - » Eltern
  - » Sonstige Personen
- Durchführende Person angeben
  - » Bezugspflegeperson
  - » Pflegeperson
  - » Spezialtherapeuten
  - » Physiotherapeuten

Milieutherapeutische Aktivitäten im Wohn-/Stationsbereich durchführen
- Stationsaktivität angeben
  - » Gemeinsam aktuelle Zeitungen/Magazine lesen
  - » Kinoabend im Wohn-/Stationsbereich durchführen
  - » Spielnachmittag besuchen
  - » Mahlzeiten gemeinsam einnehmen
  - » Tanznachmittag besuchen
  - » Kirchenbesuch durchführen
  - » Spazieren gehen
  - » Singstunde besuchen
  - » An Festaktivitäten teilnehmen
  - » Am Sonntagsfrühstück teilnehmen
  - » Aktivitäten im Zusammenhang, den Gemeinschaftsraum zu gestalten
  - » Zur Milieugestaltung malen/basteln
- Einrichtungsspezifische Aktivität wählen
- Zeitdauer der Aktivitäten bestimmen

Selbstkonzept/-bild und soziale Kompetenzen in Gruppentherapie fördern
- Gruppentherapeutisches Angebot angeben
  - » Selbstsicherheitstraining durchführen
  - » Genusstherapie durchführen
  - » Verhaltenstherapie durchführen
  - » Assertiveness-Training-Programm (ATP) durchführen
  - » Integriertes Psychologisches Therapieprogramm (IPT) durchführen
  - » Kognitive Therapiegruppe besuchen
  - » Musiktherapie durchführen
  - » Gestalttherapie durchführen
  - » Maltherapie durchführen
  - » Märchen-/Literaturgruppe besuchen
  - » Rollenspiele durchführen
  - » Interaktionsspiele zur Persönlichkeitsentwicklung durchführen
  - » Am Gesprächskreis im Erinnerungsraum teilnehmen
  - » Achtsamkeitstraining durchführen
  - » Anti-Phobie/Angst-Training durchführen
- Einrichtungsspezifische Aktivität wählen
- Zeitdauer der Gruppentherapie bestimmen

Selbstkonzept/-bild/-wert und soziale Kompetenzen in Einzeltherapie fördern
- Einzeltherapeutisches Angebot angeben
  - » Selbstsicherheitstraining durchführen
  - » Genusstherapie durchführen
  - » Verhaltenstherapie durchführen
  - » Assertiveness-Training-Programm (ATP) durchführen
  - » Integriertes Psychologisches Therapieprogramm (IPT) durchführen
  - » Positiven Tagesrückblick durchführen
  - » Musiktherapie durchführen
  - » Gestalttherapie durchführen
  - » Maltherapie durchführen
  - » Kognitives Einzeltraining durchführen
  - » Rollenspiele durchführen
  - » Erinnerungstherapie durchführen
  - » Achtsamkeitstraining durchführen
  - » Anti-Phobie/Angst-Training durchführen
- Einrichtungsspezifische Aktivität wählen
- Zeitdauer der Einzelförderung bestimmen

Selbstsicherheitstraining in Form von Rollenspielen durchführen
- Selbstsicherheitstraining konkretisieren
- Teilnehmende Personen angeben
- Zeitdauer der Gruppenangebote bestimmen

Fallbesprechung über den Pflege- und Behandlungsprozess führen
- Beteiligte Personen angeben
  - » Bewohner
  - » Pflegeperson
  - » Ärztlicher Dienst
  - » Psychologe
  - » Sozialarbeiter
  - » Sozialpädagoge
  - » Ergotherapeut
  - » Krankengymnast
  - » Logopäde
  - » Beschäftigungstherapeut
  - » Heilpädagoge
  - » Geistlicher Beistand
  - » Lehrer
  - » Erzieher
  - » Jugendamt
  - » Sonstige Personen
- Gesprächsinhalt
  - » Vereinbarte Therapieziele
  - » Vereinbarte Gesprächsinhalte für ein klientenzentriertes Pflegefachgespräch
- Zeitdauer angeben

Therapieziele gemeinsam vereinbaren und kontinuierlich reflektieren
- Maßnahmen konkretisieren
  - » Goal Attainment Scale einsetzen (= Zielerreichungsskala)
  - » Punkteplan einsetzen
- Zeit angeben

Gesellschaftliche/soziale Aktivitäten fördern
- Stationsaktivität angeben
  - » Gemeinsam aktuelle Zeitungen/Magazine lesen
  - » Kinoabend im Wohn-/Stationsbereich durchführen
  - » Spielnachmittag besuchen
  - » Mahlzeiten gemeinsam einnehmen
  - » Tanznachmittag besuchen
  - » Kirchenbesuch durchführen
  - » Spazieren gehen
  - » Singstunde besuchen
  - » An Festaktivitäten teilnehmen
  - » Am Sonntagsfrühstück teilnehmen
  - » Aktivitäten im Zusammenhang, den Gemeinschaftsraum zu gestalten
  - » Zur Milieugestaltung malen/basteln
- Einrichtungsspezifische Aktivität wählen
- Zeitdauer der Aktivitäten bestimmen

Sonstige Pflegemaßnahmen durchführen
- Maßnahmen konkretisieren
- Zeit angeben

Literaturhinweise: 24, 27, 51, 79, 82, 86, 101, 182, 921, 922, 923

Der Patient zeigt eine **Bewegungsarmut/-losigkeit** (Hypo-/Akinese) und ist in der **selbstständigen Tages-/Lebensgestaltung eingeschränkt**

Kennzeichen

- Berichtet über einen Lebensstil, der durch ein geringes Aktivitätsniveau gekennzeichnet ist
- Zeigt wenig/keine Eigeninitiative und/oder Energie
- Sperrung, die sich bis zum Stupor steigern kann
- Liegt anscheinend teilnahmslos und äußerst gespannt im Bett
- Erhöhter Widerstand bei passiver Bewegung
- Verharrt in einer fremdbestimmten, auffälligen, unbequemen Körperhaltung

Ursachen

- Beeinträchtigtes Interesse/beeinträchtigte Motivation
- Psychische Erkrankung
- Schizophrenie, katatone Form
- Depressionen

Ressourcen

- Akzeptiert die Unterstützung
- Akzeptiert die Unterstützung von Angehörigen
- Lässt sich durch Aufforderung zu Bewegungsabläufen motivieren
- Toleriert die therapeutische/pflegerische Intervention

Pflegeziele

- Sicherheit ist gewährleistet
- Körperlichen Schäden ist vorgebeugt
- Spricht die Bereitschaft aus, sich an den Aktivitäten zu beteiligen und ist motiviert, Verantwortung bei der Planung und Gestaltung zu übernehmen
- Den Erregungszustand erhöhende Faktoren sind vermieden

Pflegeinterventionen

Genaue Beobachtung auf Veränderungen durchführen/Ergebnisse dokumentieren
- Pflegeintervention konkretisieren
  - » Wegen der Gefahr der perniziösen Katatonie Temperatur kontrollieren
  - » Auf Zeichen von Gespanntheit beobachten
  - » Auf beginnende Erregungszeichen achten

Unterstützung bei den Aktivitäten des täglichen Lebens abhängig von den Ressourcen und Fähigkeiten des Patienten vereinbaren und planen
- Gesprächsinhalt
- Zeit angeben
- Beteiligte Personen angeben
  - » Betroffene Person
  - » Angehöriger/Bezugsperson
  - » Betreuer
  - » Eltern
  - » Sonstige Personen
- Durchführende Person angeben
  - » Bezugspflegeperson
  - » Pflegeperson
  - » Spezialtherapeuten
  - » Physiotherapeuten

Reizüberflutung vermeiden und für Ruhe sorgen
- Maßnahmen konkretisieren
  - » Für gedämpftes Licht sorgen
  - » Lärm reduzieren
  - » Unruhe auf der Station/im Zimmer vermeiden
  - » Aktivitäten kanalisieren

Sonstige Pflegemaßnahmen durchführen
- Maßnahmen konkretisieren
- Zeit angeben

Literaturhinweise: 82, 83, 95, 101, 173, 175, 176

Der Patient ist aufgrund einer **Orientierungsstörung** in der **selbstständigen Tages-/Lebensgestaltung beeinträchtigt**

Kennzeichen

- Kann das Jahr, den Monat oder die Tageszeit nicht entsprechend benennen
- Kann keine Angaben zur Person machen
- Kennt bekannte Personen nicht mehr
- Kann den eigenen Aufenthaltsort nicht benennen
- Zeitverzögerte Reaktion auf Ansprache
- Anweisungen können nicht durchgeführt werden
- Findet das Zimmer/den Weg nicht
- Ruft nach Personen aus der Vergangenheit (Mutter/Vater usw.)
- Die Fähigkeit, sich über einen längeren Zeitraum auf eine bestimmte Aufgabenstellung zu konzentrieren, ist eingeschränkt
- Kann sich nicht (mehr) konzentrieren
- Kann eigene Empfindungen/Bedürfnisse nicht adäquat berichten/einfordern
- Kann Gegenstände/Abstände im Raum nicht adäquat einschätzen

Desorientierung bezogen auf
- Beeinträchtigte zeitliche Orientierung
- Beeinträchtigte örtliche Orientierung
- Beeinträchtigte situative Orientierung
- Beeinträchtigte Orientierung zur eigenen Person
- Beeinträchtigte räumliche Orientierung

Ursachen

- Morbus Alzheimer
- Chorea Huntington
- Demenz
- Depressionen
- Alkoholabhängigkeit
- Flüssigkeitsdefizit/Dehydratation/ Exsikkose
- Degenerativer Prozess des Gehirns
- Chemikalienintoleranz
- Postoperatives Durchgangssyndrom
- Medikamentenmissbrauch
- Drogenmissbrauch
- Schlafmangel
- Geistige Behinderung
- Organische Hirnerkrankung
- Delir
- Psychiatrische Erkrankung
- Schizophrenie
- Korsakow-Syndrom
- Bewusstseinsveränderung
- Neurologisches Trauma

Ressourcen

- Kann eingeübte Rituale von Alltagstätigkeiten selbstständig durchführen
- Akzeptiert die Unterstützung bei der Tagesgestaltung
- Akzeptiert die Unterstützung
- Akzeptiert die Unterstützung von Angehörigen
- Nimmt Orientierungshilfen an

Pflegeziele

- Beeinträchtigungen der Orientierung sind eingeschätzt
- Gestaltet die persönliche Tagesstruktur sinnvoll
- Findet sich in der Einrichtung zurecht, hat größtmögliche Selbstständigkeit
- Findet sich in der Umgebung zurecht
- Kann zentrale Wegstrecken zur Alltagsbewältigung selbstständig gehen
- Entwickelt Strategien zur Orientierung
- Ist zur Person, örtlich und zeitlich orientiert
- Vorhandene Ressourcen sind aktiviert und gefördert
- Individuelle kognitive/motorische Fähigkeiten sind erhalten und gefördert
- Selbstständigkeit ist gefördert
- Vorhandene Kompetenzen in der selbstständigen Lebensführung erhalten
- Kompetenzen der selbstständigen Lebensführung fördern
- Selbstwertgefühl ist gestärkt
- Kennt die Verwandten/ nahestehenden Personen und den biographischen Bezug
- Biographische Besonderheiten sind bekannt und finden in der Versorgung Beachtung
- Genaue Kenntnis über die Biographie unterstützt das Verständnis über Verhaltensweisen
- Kann die Tageszeit richtig einschätzen
- Kann sich am Tagesablauf orientieren
- Sichere Orientierung im Raum ist gefördert
- Ist in den Tagesablauf aktiv integriert
- Ein menschenwürdiges, an die persönliche Lebensgeschichte angepasstes Leben ist ermöglicht
- Ist aktiviert und beteiligt sich an den Milieuprozessen
- Entwickelt Verhaltensweisen, die das Leben in der Gemeinschaft fördern

Pflegeinterventionen

Assessment zur Einschätzung der Orientierungsstörung durchführen
- Pflegeintervention konkretisieren
- Zeit angeben

Beständigkeit im täglichen Ablauf (Ritualisierung) gewährleisten
- Pflegeintervention konkretisieren
  - » Zeitstrukturen und Tagesablauf gemeinsam im Gespräch vereinbaren
  - » Tagesplanung für den Patienten erstellen
  - » Tagesplanung mit dem Patienten erstellen
  - » An Aktivitäten erinnern
- Rituale angeben
  - » Tätigkeiten ritualisieren
  - » Festgelegter Tagesablauf

Orientierungsfördernde Umgebungsgestaltung realisieren
- Maßnahmen konkretisieren
  - » Farblinien auf dem Boden anbringen
  - » Markante Türschilder nutzen
  - » Große Uhr gut sichtbar aufhängen
  - » Kalender mit Tages- und Jahreszahlen in großer Schrift aufhängen und täglich

aktualisieren
  - » Nachtbeleuchtung sicherstellen
  - » Einprägsame Referenzpunkte zur Orientierung schaffen
- Zeit angeben

Kontinuierlich Orientierungshilfen anbieten
- Maßnahmen konkretisieren
  - » Zeitliche Orientierungshilfen geben
  - » Örtliche Orientierungshilfen geben
  - » Persönliche Orientierungshilfen geben
- Konkretisierung des Orientierungstrainings
- Zeit angeben

Orientierungstraining durchführen
- Maßnahmen konkretisieren
  - » Räumliches Orientierungstraining durchführen
  - » Orientierungspunkte besprechen
  - » Orientierungsprogramm auf weitere Umgebung ausdehnen (Garten, Park usw.)
  - » Orientierungshilfen mit Fotos zusammenstellen
  - » Gemeinsam Orientierungsprogramm erarbeiten und durchführen
  - » Vermitteln von Gedächtnis-/Orientierungsstrategien
  - » Rück-/Vorschau über die täglichen Tagesereignisse geben
  - » Nachrichten hören/Zeitung lesen mit anschließendem Reflexionsgespräch
  - » Orientierungstraining nach den Prinzipien des Errorless learning durchführen
- Zeit angeben

Realitätsorientiertes Einzel-Training (ROT) durchführen
- Pflegeintervention konkretisieren
  - » Einzeltherapie zur Erfassung der Person anbieten
  - » Einzeltherapie zum Neulernen von Zeitstrukturen anbieten
  - » Einzeltherapie zur Erfassung örtlicher Gegebenheiten anbieten
  - » Einzeltherapie zu situativen Gegebenheiten anbieten
  - » Gemeinsame Betrachtung von Bildern und Fotoalben
  - » Spaziergänge über den Wohn-/Stationsbereich in Verbindung mit einem Gespräch über Orientierungspunkte
- Zeitdauer der Einzeltherapie bestimmen

Realitätsorientiertes Training (ROT) in der Gruppe durchführen
- Pflegeintervention konkretisieren
  - » An einem Gesprächskreis über Gegenstände aus vergangenen Zeiten teilnehmen
  - » Gemeinsam aktuelle Zeitungen/Magazine lesen
  - » Gemeinsam jahreszeitliche Gestaltung der Wohnbereiche durchführen
  - » Gemeinsam backen
  - » Festtagsgestaltung gemeinsam durchführen
- Einrichtungsspezifische Aktivität wählen
- Zeitdauer der Gruppenaktivität bestimmen

Tages- und Nachtkleidung trennen
  - » Zwischen Tages-/Nachtkleidung unterscheiden
  - » Kleidungsstücke selbst auswählen lassen
  - » Kleidungsstücke mit Hilfe auswählen lassen
- Nachtbekleidung wählen
  - » Schlafanzug
  - » Geschlossener Body
  - » Unterwäsche
  - » Nachthemd
- Tageskleidung wählen
  - » Jogginganzug
  - » Hemd/Bluse
  - » Rock
  - » Hose
  - » Kleid
  - » Strumpfhose
  - » Socken
- Art der Unterstützungsleistung angeben
  - » Beaufsichtigen
  - » Durch Unterstützen helfen
  - » Teilweise übernehmen
  - » Vollständig übernehmen
  - » Aktivieren/anleiten
- Reihenfolge ritualisieren

Kognitive Trainingsmethoden in der Gruppe anbieten
- Therapie konkretisieren
  - » Gedächtnistraining durchführen
  - » Themenzentrierte Gespräche führen
  - » Hirnleistungstraining durchführen
  - » Konzentrationstraining durchführen
- Einrichtungsspezifische Aktivität wählen
- Zeitdauer der Gruppentherapie bestimmen
- Anzahl der beteiligten Personen bestimmen

Lebenspraktisches Einzeltraining durchführen
- Einzeltraining konkretisieren
  - » Aus der Tageszeitung vorlesen und aktuelle Themen diskutieren
  - » Mahlzeiten kochen
  - » Einkaufen gehen
  - » Küchendienst übernehmen
  - » Zimmer reinigen
  - » Tisch für die Mahlzeiten decken/abdecken
  - » Blumen-/Pflanzenpflege durchführen
  - » Wäsche versorgen
- Einrichtungsspezifische Aktivität wählen
- Art der Unterstützungsleistung angeben
  - » Beim Durchführen anleiten
  - » Beim Durchführen beaufsichtigen
  - » Durchgeführte Tätigkeiten im Pflegefachgespräch reflektieren
  - » Gemeinsam partnerschaftlich durchführen
- Zeitdauer der Einzelförderung bestimmen

Lebenspraktisches Gruppentraining durchführen
- Gruppentraining konkretisieren
  - » Gemeinsam Mahlzeiten kochen und einnehmen
  - » Gemeinsam einkaufen
  - » An der Kosmetikgruppe teilnehmen
  - » Feste planen, vorbereiten und durchführen
  - » An der Hauswirtschaftsgruppe teilnehmen
- Einrichtungsspezifische Aktivität wählen
- Art der Unterstützungsleistung angeben
  - » Auffordern, den Termin des Gruppenangebots einzuhalten
  - » Zur Teilnahme an den Aktivitäten motivieren
  - » Bei den Gruppenaktivitäten unterstützen
  - » Nach der Aktivität Reflexionsgespräch führen
- Zeitdauer der Gruppentherapie bestimmen

Biografische Hintergründe im Gespräch erfragen/erarbeiten
- Gesprächsinhalt
- Zeit angeben
- Beteiligte Personen angeben
  - » Betroffene Person
  - » Angehöriger/Bezugsperson
  - » Betreuer
  - » Eltern
  - » Sonstige Personen
- Durchführende Person angeben
  - » Bezugspflegeperson
  - » Pflegeperson
  - » Spezialtherapeuten
  - » Physiotherapeuten

Große Uhr aufstellen
- Pflegeintervention konkretisieren
- Zeit angeben

Tages- und Wochenplanung gemeinsam erarbeiten
- Pflegeintervention konkretisieren
  - » Zeitstrukturen und Tagesablauf gemeinsam im Gespräch vereinbaren
  - » Tagesplanung für den Patienten erstellen
  - » Tagesplanung mit dem Patienten erstellen
  - » An Aktivitäten erinnern
- Rituale angeben
  - » Tätigkeiten ritualisieren
  - » Festgelegter Tagesablauf

AOT (Alltagsorientierte Therapie) durchführen
- Maßnahmen konkretisieren
- Zeit angeben

Milieutherapeutische Aktivitäten im Wohn-/Stationsbereich durchführen
- Stationsaktivität angeben
  - » Gemeinsam aktuelle Zeitungen/Magazine lesen
  - » Kinoabend im Wohn-/Stationsbereich

durchführen
  - » Spielnachmittag besuchen
  - » Mahlzeiten gemeinsam einnehmen
  - » Tanznachmittag besuchen
  - » Kirchenbesuch durchführen
  - » Spazieren gehen
  - » Singstunde besuchen
  - » An Festaktivitäten teilnehmen
  - » Am Sonntagsfrühstück teilnehmen
  - » Aktivitäten im Zusammenhang, den Gemeinschaftsraum zu gestalten
  - » Zur Milieugestaltung malen/basteln
- Einrichtungsspezifische Aktivität wählen
- Zeitdauer der Aktivitäten bestimmen

Sonstige Pflegemaßnahmen durchführen
- Maßnahmen konkretisieren
- Zeit angeben

Literaturhinweise: 71, 82, 83, 95, 96, 101, 102, 117, 125, 127, 173, 175, 176, 353, 356, 693, 694, 695, 914

Der Patient ist aufgrund **altersbedingter Abbauprozesse** in der selbstständigen **Lebens-/Tagesgestaltung eingeschränkt**

Kennzeichen

- Beeinträchtigte Ausdauer
- Fehlende Ausdauer
- Kurzatmigkeit bei Bewegung
- Zeigt wenig/keine Eigeninitiative und/oder Energie
- Bewegungsabläufe sind verlangsamt
- Bewegungseinschränkung im Bereich der Aktivitäten des täglichen Lebens
- Geminderter aktiver Bewegungsradius einzelner Gelenke
- Beeinträchtigte Synchronisierung motorischer Einheiten
- Reduzierte Bewegungskontrolle
- Beeinträchtigtes Greifen von Alltagsgegenständen
- Kann Gegenstände nicht greifen
- Beeinträchtigte Bewegungsvorstellung
- Verhaltensauffälligkeiten
- Zeigt Vermeidungshaltung
- Zeigt Vermeidungsreaktion, indem Bewegungen im Bett umgangen werden
- Beeinträchtigtes Auffassungsvermögen
- Alltägliche Handlungsabläufe sind nicht präsent
- Desorganisiertheit der Handlungsabläufe
- Beeinträchtigte Aufmerksamkeit
- Steife, vorsichtige Bewegungen

Ursachen

Kognitive/psychische Veränderungen
- Beeinträchtigte Bewegungskoordination
- Probleme in der Informationsverarbeitung
- Beeinträchtigte Gedächtnisleistung
- Verlangsamte Reaktion auf Reize

Körperliche Ursachen
- Körperliche Schwäche
- Reduzierte Fingerbeweglichkeit
- Fingerfertigkeit fehlt
- Chronische körperliche Erkrankung
- Körperliche Einschränkung
- Schwere körperliche Beeinträchtigung
- Beeinträchtigte Kraft zur Eigenbewegung
- Fehlende Kraft zur Eigenbewegung

Sinne betreffende Ursachen
- Sehschwäche
- Sehbehinderung
- Altersbedingte Veränderungen
- Beeinträchtigte Hörfähigkeit
- Beeinträchtigte taktile Wahrnehmung

Ressourcen

- Kann Hilfe annehmen
- Akzeptiert die Unterstützung
- Akzeptiert die Unterstützung von Angehörigen
- Kann die körperliche Belastbarkeit einschätzen und fordert rechtzeitig Unterstützung an

Pflegeziele

- Führt Tätigkeiten gern durch
- Fühlt sich angenommen und akzeptiert
- Entwickelt ein positives Selbstwertgefühl
- Selbstständigkeit ist gefördert
- Vorhandene Kompetenzen in der selbstständigen Lebensführung erhalten
- Kompetenzen der selbstständigen Lebensführung fördern
- Ist sozial integriert
- Übernimmt Mitverantwortung in der Gruppe
- Integriert sich in das Gruppengeschehen
- Kennt die Spielregeln in sozialen Gemeinschaften
- Selbstwertgefühl ist gestärkt
- Übernimmt die Verantwortung bei der Versorgung des Tieres
- Körperwahrnehmung ist aktiviert und stimuliert
- Ist körperlich fit
- Selbstvertrauen in die Leistungsfähigkeit des eigenen Körpers ist gestärkt

- Körperliche Fitness ist gefördert
- Selbstvertrauen in eigene Kompetenzen/ Fähigkeiten ist gefördert
- Körperliche Geschicklichkeit ist gefördert
- Zugang zu den eigenen Empfindungen ist unterstützt
- Nimmt eine Überforderung selbst wahr und kann dies äußern
- Geht einer sinnvollen Beschäftigung nach
- Fühlt sich integriert
- Beschäftigung ist altersgerecht
- Beschäftigung ist situationsangepasst
- Äußert Wohlbefinden
- Religionsausübung ist unterstützt

Pflegeinterventionen

Bisherige Lebensgewohnheiten berücksichtigen
- Pflegeintervention konkretisieren
- Zeit angeben

Motivationsverstärker einsetzen
- Pflegeintervention konkretisieren
- Zeit angeben

Bei der Planung/Gestaltung des Tages durch Einzelangebote unterstützen
- Einzeltraining konkretisieren
  - Aus der Tageszeitung vorlesen und aktuelle Themen diskutieren
  - Mahlzeiten kochen
  - Einkaufen gehen
  - Küchendienst übernehmen
  - Zimmer reinigen
  - Tisch für die Mahlzeiten decken/abdecken
  - Blumen-/Pflanzenpflege durchführen
  - Wäsche versorgen
- Einrichtungsspezifische Aktivität wählen
- Art der Unterstützungsleistung angeben
  - Beim Durchführen anleiten
  - Beim Durchführen beaufsichtigen
  - Durchgeführte Tätigkeiten im Pflegefachgespräch reflektieren
  - Gemeinsam partnerschaftlich durchführen
- Zeitdauer der Einzelförderung bestimmen

Selbstwertgefühl und Selbstachtung durch einheitliche Verhaltensweisen im therapeutischen Team fördern
- Maßnahmen konkretisieren
  - Gewünschtes Verhalten durch Lob fördern
  - Im therapeutischen Team Verhaltensweisen zur Stärkung des Selbstkonzepts vereinbaren
  - Einüben, sich selbst zu belohnen

Öffentlichkeitsorientierte, soziale Aktivitäten durchführen
- Maßnahmen konkretisieren
  - Ausflugsfahrten organisieren und durchführen
  - Konzertbesuche organisieren und durchführen
  - Besichtigungsfahrten organisieren und durchführen
  - Urlaub organisieren und durchführen
- Zeit angeben

Lebenspraktisches Einzeltraining durchführen
- Einzeltraining konkretisieren
  - Aus der Tageszeitung vorlesen und aktuelle Themen diskutieren
  - Mahlzeiten kochen
  - Einkaufen gehen
  - Küchendienst übernehmen
  - Zimmer reinigen
  - Tisch für die Mahlzeiten decken/abdecken
  - Blumen-/Pflanzenpflege durchführen
  - Wäsche versorgen
- Einrichtungsspezifische Aktivität wählen
- Art der Unterstützungsleistung angeben
  - Beim Durchführen anleiten
  - Beim Durchführen beaufsichtigen
  - Durchgeführte Tätigkeiten im Pflegefachgespräch reflektieren
  - Gemeinsam partnerschaftlich durchführen
- Zeitdauer der Einzelförderung bestimmen

Lebenspraktisches Gruppentraining durchführen
- Gruppentraining konkretisieren
  - Gemeinsam Mahlzeiten kochen und einnehmen
  - Gemeinsam einkaufen
  - An der Kosmetikgruppe teilnehmen
  - Feste planen, vorbereiten und durchführen
  - An der Hauswirtschaftsgruppe teilnehmen
- Einrichtungsspezifische Aktivität wählen
- Art der Unterstützungsleistung angeben
  - Auffordern, den Termin des Gruppenangebots einzuhalten
  - Zur Teilnahme an den Aktivitäten motivieren
  - Bei den Gruppenaktivitäten unterstützen
  - Nach der Aktivität Reflexionsgespräch führen
- Zeitdauer der Gruppentherapie bestimmen

Gesellschaftliche/soziale Aktivitäten fördern
- Stationsaktivität angeben
  - Gemeinsam aktuelle Zeitungen/Magazine lesen
  - Kinoabend im Wohn-/Stationsbereich durchführen
  - Spielnachmittag besuchen
  - Mahlzeiten gemeinsam einnehmen
  - Tanznachmittag besuchen
  - Kirchenbesuch durchführen
  - Spazieren gehen
  - Singstunde besuchen
  - An Festaktivitäten teilnehmen
  - Am Sonntagsfrühstück teilnehmen
  - Aktivitäten im Zusammenhang, den Gemeinschaftsraum zu gestalten
  - Zur Milieugestaltung malen/basteln
- Einrichtungsspezifische Aktivität wählen
- Zeitdauer der Aktivitäten bestimmen

Freizeit mit Spielen in der Gruppe gestalten
- Maßnahmen konkretisieren
  - Volleyball spielen
  - Tischtennis spielen
  - Handball spielen
  - Fußball spielen
  - Federball spielen
  - Tennis spielen
- Einrichtungsspezifische Aktivität wählen
- Gesellschaftsspiele spielen
  - Mensch ärgere Dich nicht
  - Monopoly
  - Mikado
  - Domino
  - Kartenspiele
- Einrichtungsspezifische Aktivität wählen
- Unter Beteiligung von Pflegepersonen aktivieren

Bewegungsfördernde/sportliche Aktivitäten durchführen
- Maßnahmen konkretisieren
  - Morgengymnastik durchführen
  - Fitnesstraining durchführen
  - Schwimmen gehen
  - Bewegungsbad durchführen
  - Wasserjogging durchführen
  - Konzentrative Körperarbeit leisten
  - Körpertherapie durchführen
  - Sport in Form von Spielen machen
  - An der Seniorengymnastik teilnehmen
  - Konzentrative Bewegungstherapie durchführen
  - Tanztherapie durchführen
- Einrichtungsspezifische Aktivität wählen
- Zeit angeben

Tiergestützte Aktivierung durchführen
- Maßnahmen konkretisieren
  - Individuelle tiergestützte Therapieangebote durchführen
  - Tiergestützte Therapie in der Gruppe
  - Versorgung des Tieres übernehmen
- Einrichtungsspezifische Aktivität wählen
- Zeit angeben

Körperbezogene Therapieangebote/Aktivitäten durchführen
- Maßnahmen konkretisieren
  - Morgengymnastik durchführen
  - Fitnesstraining durchführen
  - Schwimmen gehen
  - Bewegungsbad durchführen
  - Wasserjogging durchführen
  - Konzentrative Körperarbeit leisten

- » Körpertherapie durchführen
- » Sport in Form von Spielen machen
- » An der Seniorengymnastik teilnehmen
- » Konzentrative Bewegungstherapie durchführen
- » Tanztherapie durchführen
- Einrichtungsspezifische Aktivität wählen
- Zeit angeben

Beschäftigungstherapie in der Gruppe durchführen
- Maßnahmen konkretisieren
  - » Malen
  - » Werken
  - » Töpfern
  - » Collagen gestalten
  - » Batiken
  - » Seidenmalerei betreiben
  - » Weben
  - » Holzarbeiten anfertigen
  - » Flechtarbeiten anfertigen
- Einrichtungsspezifische Aktivität wählen
- Zeitdauer der Gruppentherapie bestimmen

Beschäftigungstherapie als Einzelförderung durchführen
- Maßnahmen konkretisieren
  - » Malen
  - » Werken
  - » Töpfern
  - » Collagen gestalten
  - » Batiken
  - » Seidenmalerei betreiben
  - » Weben
  - » Holzarbeiten anfertigen
  - » Flechtarbeiten anfertigen
- Einrichtungsspezifische Aktivität wählen
- Art und Weise der Unterstützung bestimmen
  - » Einleitend motivieren und aktivieren
  - » Kontinuierlich motivieren und anleiten
  - » Bei der Durchführung unterstützen
- Zeitdauer der Einzelförderung bestimmen

Fallbesprechungen durchführen
- Zielsetzungen der Fallbesprechung bestimmen
  - » Pflegeprozess im Pflegeteam reflektieren
  - » Therapeutische Verhaltensstrategie im Pflegeteam festlegen
  - » Sonstige fallbezogene Inhalte besprechen
- Auslöser für eine Fallbesprechung bestimmen
  - » Turnusgemäß Fallbesprechung durchführen
  - » Außergewöhnliche Fragestellungen/Akutsituationen besprechen
- Zeitdauer angeben
- Anzahl der beteiligten Pflegepersonen bestimmen
  - » Pflegeperson

10-Minuten-Aktivierung durchführen
- Maßnahmen konkretisieren
  - » Individuelle 10-Minuten-Aktivierung durchführen
  - » 10-Minuten-Aktivierung in der Gruppe durchführen
- Themen für 10-Minuten-Aktivierungen
- Zeit angeben

Aktivitäten an das individuelle Leistungsniveau anpassen
- Maßnahmen konkretisieren
  - » Arbeitsschritte verkleinern
  - » Aktivitätenplanung auf die Ressourcen zuschneiden
  - » Pausen vorsehen und einhalten
  - » Durch Wiederholungen Sicherheit fördern und Überforderung abbauen
  - » Ressourcen aktivieren

Freizeitaktivitäten unterstützen
- Maßnahmen konkretisieren
  - » Fernsehprogramm anbieten
  - » Gameboy-Spiel ermöglichen
  - » Literatur zum Lesen anbieten
  - » Legosteine zum Bauen anbieten
  - » Puzzles anbieten
  - » Zu Spielen mit anderen Kindern anleiten/unterstützen
  - » Stifte zum Malen von Bildern anbieten
  - » Zum Basteln anleiten
  - » Hörgeschichten anbieten
  - » Bobby-Car fahren anbieten
  - » Dreiradfahren anbieten
- Einrichtungsspezifische Aktivität wählen
- Zeit angeben

Freizeitaktivitäten individuell auswählen
- Freizeitaktivität angeben
  - » Sportliche Aktivitäten durchführen
  - » Kulturelle Aktivitäten durchführen
  - » Gesellschaftliche Aktivitäten durchführen
  - » Kreative Aktivitäten durchführen
  - » Künstlerische Aktivitäten durchführen
  - » Tiergestützte Angebote
- Art der Unterstützungsleistung angeben
  - » Positive Aktivitäten gezielt planen
  - » Aktivitäten vereinbaren
  - » Nach der Aktivität Reflexionsgespräch führen
  - » Stimmungslage nach der Aktivität reflektieren
  - » Gespräche und Planung mit der Bezugspflegeperson durchführen
  - » Zur Teilnahme auffordern/motivieren
  - » Tägliche Anzahl der zu planenden Aktivitäten bestimmen
- Dauer des Gesprächs bestimmen

Teilnahme am Gottesdienst ermöglichen
- Maßnahmen konkretisieren
  - » Termine für die angeordneten Therapien koordinieren
  - » An vereinbarte Termine erinnern
  - » Transport zu Terminen organisieren
- Einrichtungsspezifische Aktivität wählen

Sonstige Pflegemaßnahmen durchführen
- Maßnahmen konkretisieren
- Zeit angeben

Literaturhinweise: 95, 125, 175, 176, 264, 930, 931, 932

Der Patient ist aufgrund einer **Behinderung** in der selbstständigen **Tages-/Lebensgestaltung eingeschränkt**

Kennzeichen

- Reduzierte Beweglichkeit der Gelenke
- Verletzung/Behinderung
- Empfindet Hilflosigkeit gegenüber dem Körper
- Fortbewegung ist ohne Hilfsmittel/Hilfspersonen nicht möglich
- Kann nicht allein gehen
- Bewegungsabläufe sind verlangsamt
- Beeinträchtigte Bewegungskoordination
- Bestimmte Bewegungsabläufe führen zu spastischen Haltungsmustern
- Fehlende kognitive Fähigkeiten

Ursachen

- Erworbene Beeinträchtigung
- Angeborene Beeinträchtigung
- Down-Syndrom
- Geistige Behinderung
- Traumatischer Unfall
- Traumatische Verletzung
- Lähmung aufgrund von Querschnitt
- Sauerstoffunterversorgung bei der Geburt

Ressourcen

- Kann Hilfe annehmen
- Akzeptiert die Unterstützung
- Akzeptiert die Unterstützung von Angehörigen
- Kann die körperliche Belastbarkeit einschätzen und fordert rechtzeitig Unterstützung an
- Ist motiviert, Hilfsmittel zur Steigerung der Mobilität einzusetzen
- Entwickelt kreative Möglichkeiten, die Bewegungseinschränkung zu kompensieren

Pflegeziele

- Selbstverantwortlichkeit und Autonomie sind unterstützt
- Gleicht Defizite aus und ist aktiviert
- Akzeptiert die Behinderung
- Entwickelt eine Zukunftsperspektive mit den Einschränkungen der Behinderung
- Fühlt sich angenommen und akzeptiert
- Ist sozial integriert
- Ist in den Tagesablauf aktiv integriert
- Ein menschenwürdiges, an die persönliche Lebensgeschichte angepasstes Leben ist ermöglicht
- Ist aktiviert und beteiligt sich an den Milieuprozessen
- Entwickelt Verhaltensweisen, die das Leben in der Gemeinschaft fördern
- Wohlbefinden und Entspannung sind unterstützt
- Spannungen und Ängste sind reduziert
- Sinneswahrnehmungen sind durch unterschiedliche Reize stimuliert
- Interesse ist geweckt
- Erinnerungen sind hervorgerufen
- Soziale Kompetenzen sind gefördert
- Kognitive Fähigkeiten sind gefördert
- Kann sich am Tagesablauf orientieren
- Erlernt neue Fähigkeiten/Fertigkeiten, um vorhandene körperliche Defizite/Einschränkungen zu kompensieren
- Geht einer sinnvollen Beschäftigung nach
- Äußert, einen Lebenssinn/-inhalt für sich zu sehen
- Gefestigte Tagesstruktur ist aufgebaut
- Selbstvertrauen in eigene Kompetenzen/Fähigkeiten ist gefördert
- Körperliche Geschicklichkeit ist gefördert
- Zugang zu den eigenen Empfindungen ist unterstützt
- Sichere Orientierung im Raum ist gefördert
- Selbstwertgefühl ist gestärkt
- Übernimmt die Verantwortung bei der Versorgung des Tieres
- Ist körperlich fit
- Fühlt sich integriert
- Verdient sich den Lebensunterhalt selbstständig und ist auf die Arbeitssituation vorbereitet
- Die Grundarbeitsfähigkeiten (wie Pünktlichkeit, Ausdauer, Sorgfalt, Handlungsplanung usw.) sind entwickelt
- Religionsausübung ist unterstützt

Pflegeinterventionen

Bei der Fortführung bisheriger Lebensgewohnheiten unterstützen

- Pflegeintervention konkretisieren
- Zeit angeben

Eigenverantwortlichkeit und Autonomie im Gespräch fördern

- Maßnahmen konkretisieren
  - » Handlungsalternativen aufzeigen und so Entscheidungskraft gezielt fördern
  - » Keine Entscheidungen für den Patienten treffen
- Alltagsweltliche Entscheidungen fördern
  - » Menükomponenten beim Essen auswählen lassen
  - » Kleidungsstücke, die am Tag getragen werden, auswählen und zusammenstellen lassen
  - » Bei Freizeitbeschäftigungen mehrere Alternativen aufzeigen

Aktivierende Pflegeangebote machen

- Pflegeintervention konkretisieren
- Zeit angeben

Ressourcen und Fähigkeiten durch gezielte Angebote fördern

- Maßnahmen konkretisieren
  - » Selbstsicherheitstraining durchführen
  - » Entspannungstraining durchführen
  - » Genusstherapie durchführen
  - » Konzentrative Bewegungstherapie durchführen
  - » Verhaltenstherapie durchführen
  - » Assertiveness-Training-Programm (ATP) durchführen
  - » Kognitive Therapiegruppe besuchen
  - » Märchen-/Literaturgruppe besuchen
  - » Wahrnehmungstraining durchführen
- Zeitdauer der Einzelförderung bestimmen

Klientenzentriertes Gespräch zur Neuorientierung und Verarbeitung der veränderten Lebenssituation durchführen

- Gesprächsinhalt
- Zeit angeben
- Beteiligte Personen angeben
  - » Betroffene Person
  - » Angehöriger/Bezugsperson
  - » Betreuer
  - » Eltern
  - » Sonstige Personen
- Durchführende Person angeben
  - » Bezugspflegeperson
  - » Pflegeperson
  - » Spezialtherapeuten
  - » Physiotherapeuten

Gespräch zur rehabilitativen Eingliederung und Förderung sozialer Kontakte führen

- Netzwerke bestimmen, die aufgebaut/gefördert werden können
  - » Netzwerk Familie
  - » Netzwerk Freundeskreis
  - » Netzwerk Arbeitsfeld
  - » Netzwerk Glaubensgemeinschaft
  - » Netzwerk Freizeitaktivität/Hobby
  - » Selbsthilfegruppe
  - » Sonstige Netzwerke
- Zeitdauer der Intervention bestimmen
- Gesprächspartner bestimmen
  - » Angehöriger/Bezugsperson
  - » Betreuer
  - » Freunde
  - » Arbeitgeber
  - » Arbeitskollegen
  - » Ämter
  - » Kirchenvertreter
  - » Nachbarn
  - » Sonstige Personen

Milieutherapeutische Aktivitäten im Wohn-/Stationsbereich durchführen

- Stationsaktivität angeben
  - » Gemeinsam aktuelle Zeitungen/Magazine lesen

  - » Kinoabend im Wohn-/Stationsbereich durchführen
  - » Spielnachmittag besuchen
  - » Mahlzeiten gemeinsam einnehmen
  - » Tanznachmittag besuchen
  - » Kirchenbesuch durchführen
  - » Spazieren gehen
  - » Singstunde besuchen
  - » An Festaktivitäten teilnehmen
  - » Am Sonntagsfrühstück teilnehmen
  - » Aktivitäten im Zusammenhang, den Gemeinschaftsraum zu gestalten
  - » Zur Milieugestaltung malen/basteln
- Einrichtungsspezifische Aktivität wählen
- Zeitdauer der Aktivitäten bestimmen

Snoezelen-Angebote durchführen
- Angebotene Reize konkretisieren
  - » Spezielle Lichtverhältnisse/-effekte einsetzen
  - » Klang- und Tonelemente einsetzen
  - » Musik einsetzen
  - » Aromatherapie einsetzen
- Snoezelen-Angebot konkretisieren
  - » Ruhe- und Entspannungsangebot
- Kombinationen mit Snoezelen-Angeboten
  - » Snoezelen mit Tieren
  - » Snoezelen und Wahrnehmungsförderung
  - » Snoezelen und Gedächtnistraining
  - » Snoezelen und Aufmerksamkeits- und Konzentrationstraining
- Zeit angeben

Spiele und Aktivitäten einsetzen, um Kompetenzen des Patienten zu fördern
- Maßnahmen konkretisieren
  - » Volleyball spielen
  - » Tischtennis spielen
  - » Handball spielen
  - » Fußball spielen
  - » Federball spielen
  - » Tennis spielen
- Einrichtungsspezifische Aktivität wählen
- Gesellschaftsspiele spielen
  - » Mensch ärgere Dich nicht
  - » Monopoly
  - » Mikado
  - » Domino
  - » Kartenspiele
- Einrichtungsspezifische Aktivität wählen
- Unter Beteiligung von Pflegepersonen aktivieren

Tages- und Wochenplan gemeinsam erarbeiten und Vereinbarungen bezüglich der Aktivitäten treffen
- Bezugsperson festlegen
- Pflegeintervention konkretisieren
  - » Tages-/Wochenplan erstellen
  - » Aktivitätenplan erstellen
  - » Tages- und Wochenpläne besprechen
  - » Durchgeführte Aktivitäten besprechen
  - » Lebenspraktische Inhalte besprechen
- Fest verbindlichen Tagesplan vereinbaren
  - » Mit Kontrollmöglichkeit
  - » Ohne Kontrollmöglichkeit
  - » In Eigenverantwortung
  - » In Verantwortung der Bezugsperson
  - » Tagesaktivitäten auswerten und reflektieren
- Dauer bestimmen

Einsatz von Hilfsmitteln ermöglichen
- Pflegeintervention konkretisieren
- Zeit angeben

Rehabilitative Maßnahmen einleiten
- Pflegeintervention konkretisieren
- Zeit angeben

Sozialarbeiter/in einschalten
- Pflegeintervention konkretisieren
- Zeit angeben

Aktivierungstherapie in der Gruppe durchführen
- Pflegeintervention konkretisieren
  - » Gemeinsam Mahlzeiten kochen und einnehmen
  - » An Festaktivitäten teilnehmen
  - » Beschäftigungstherapie durchführen
  - » Gemeinsam alte Lieder singen
  - » Am Gesprächskreis im Erinnerungsraum teilnehmen
  - » Aus der Tageszeitung vorlesen und aktuelle Themen diskutieren
  - » Märchen-/Literaturgruppe besuchen
  - » Tanznachmittag besuchen
  - » Kognitive Aktivitäten planen und durch führen
  - » Alltagsbezogene Aktivitäten planen und durchführen
  - » Kulturelle Aktivitäten durchführen
  - » Musisch-gesellige Aktivitäten durchführen
  - » Künstlerische Aktivitäten durchführen
  - » Kreative Aktivitäten durchführen
- Einrichtungsspezifische Aktivität wählen
- Zeitdauer der Gruppenangebote bestimmen

Beschäftigungstherapie als Einzelförderung durchführen
- Maßnahmen konkretisieren
  - » Malen
  - » Werken
  - » Töpfern
  - » Collagen gestalten
  - » Batiken
  - » Seidenmalerei betreiben
  - » Weben
  - » Holzarbeiten anfertigen
  - » Flechtarbeiten anfertigen
- Einrichtungsspezifische Aktivität wählen
- Art und Weise der Unterstützung bestimmen
  - » Einleitend motivieren und aktivieren
  - » Kontinuierlich motivieren und anleiten
  - » Bei der Durchführung unterstützen
- Zeitdauer der Einzelförderung bestimmen

Beschäftigungstherapie in der Gruppe durchführen
- Maßnahmen konkretisieren
  - » Malen
  - » Werken
  - » Töpfern
  - » Collagen gestalten
  - » Batiken
  - » Seidenmalerei betreiben
  - » Weben
  - » Holzarbeiten anfertigen
  - » Flechtarbeiten anfertigen
- Einrichtungsspezifische Aktivität wählen
- Zeitdauer der Gruppentherapie bestimmen

AOT (Alltagsorientierte Therapie) durchführen
- Maßnahmen konkretisieren
- Zeit angeben

Tiergestützte Aktivierung durchführen
- Maßnahmen konkretisieren
  - » Individuelle tiergestützte Therapieangebote durchführen
  - » Tiergestützte Therapie in der Gruppe
  - » Versorgung des Tieres übernehmen
- Einrichtungsspezifische Aktivität wählen
- Zeit angeben

Bewegungsfördernde/sportliche Aktivitäten durchführen
- Maßnahmen konkretisieren
  - » Morgengymnastik durchführen
  - » Fitnesstraining durchführen
  - » Schwimmen gehen
  - » Bewegungsbad durchführen
  - » Wasserjogging durchführen
  - » Konzentrative Körperarbeit leisten
  - » Körpertherapie durchführen
  - » Sport in Form von Spielen machen
  - » An der Seniorengymnastik teilnehmen
  - » Konzentrative Bewegungstherapie durchführen
  - » Tanztherapie durchführen
- Einrichtungsspezifische Aktivität wählen
- Zeit angeben

Freizeitaktivitäten individuell auswählen
- Freizeitaktivität angeben
  - » Sportliche Aktivitäten durchführen
  - » Kulturelle Aktivitäten durchführen
  - » Gesellschaftliche Aktivitäten durchführen
  - » Kreative Aktivitäten durchführen
  - » Künstlerische Aktivitäten durchführen
  - » Tiergestützte Angebote
- Art der Unterstützungsleistung angeben
  - » Positive Aktivitäten gezielt planen
  - » Aktivitäten vereinbaren
  - » Nach der Aktivität Reflexionsgespräch führen
  - » Stimmungslage nach der Aktivität reflektieren

  - » Gespräche und Planung mit der Bezugspflegeperson durchführen
  - » Zur Teilnahme auffordern/motivieren
  - » Tägliche Anzahl der zu planenden Aktivitäten bestimmen
- Dauer des Gesprächs bestimmen

Zur Arbeitstherapie (AT) hinführen/abholen
- Maßnahmen konkretisieren
  - » Zum vereinbarten Termin innerhalb der Einrichtung bringen
  - » Zum vereinbarten Termin außerhalb der Einrichtung bringen
- Zeitdauer des Transports bestimmen
- Anzahl erforderlicher Pflegepersonen angeben

Teilnahme am Gottesdienst ermöglichen
- Maßnahmen konkretisieren
  - » Termine für die angeordneten Therapien koordinieren
  - » An vereinbarte Termine erinnern
  - » Transport zu Terminen organisieren
- Einrichtungsspezifische Aktivität wählen

Sonstige Pflegemaßnahmen durchführen
- Maßnahmen konkretisieren
- Zeit angeben

Literaturhinweise: 95, 125, 175, 176, 356, 691, 692, 693, 694, 695, 933

Der Patient ist aufgrund einer **Doppelorientierung an realer und psychotischer Welt** in der **selbstständigen Tages-/Lebensgestaltung beeinträchtigt**

Kennzeichen

- Rückzugstendenzen
- Fehlende soziale Integration
- Psychisch auffälliges Verhalten
- "Negative Symptome" wie Sprachverarmung, Leistungsknick, Apathie usw.
- Affektive Erregung/Spannung
- Depersonalisation
- Beschreibt einen Gedankenentzug
- Beschreibt Gedankeneingebung
- Beschreibt das Gefühl der Willensbeeinflussung
- Beschreibt leibliche Beeinflussung
- Derealisation
- Extremes Anpassungsverhalten
- Kann sich nicht abgrenzen (gegenüber Umwelt/Personen)

Ursachen

- Psychotische Veränderung
- Schizophrene Psychose
- Hebephrenie
- Belastende Lebensereignisse
- Störung des Ich-Erlebens

Ressourcen

- Vereinbarungen werden eingehalten
- Kann die Maßnahme nach Anleitung selbstständig durchführen
- Ist motiviert, die Pflegemaßnahme zu unterstützen und zeigt entsprechende Verhaltensweisen
- Akzeptiert die Unterstützung
- Akzeptiert die Unterstützung von Angehörigen
- Erfährt Rückhalt in der sozialen Umgebung
- Erkennt die Notwendigkeit der getroffenen Intervention und kooperiert mit dem therapeutischen Team

Pflegeziele

- Psychotisches Verhalten ist reduziert
- Selbstständigkeit ist gefördert
- Ist in den Tagesablauf aktiv integriert
- Ist aktiviert und beteiligt sich an den Milieuprozessen
- Entwickelt Verhaltensweisen, die das Leben in der Gemeinschaft fördern
- Vorhandene Kompetenzen in der selbstständigen Lebensführung erhalten
- Kompetenzen der selbstständigen Lebensführung fördern
- Selbstwertgefühl ist gestärkt
- Nimmt an Freizeitaktivitäten teil
- Ist sozial integriert
- Übernimmt Mitverantwortung in der Gruppe
- Soziales Lernen ist unterstützt
- Integriert sich in das Gruppengeschehen
- Kennt die Spielregeln in sozialen Gemeinschaften
- Gefestigte Tagesstruktur ist aufgebaut
- Selbstvertrauen in eigene Kompetenzen/Fähigkeiten ist gefördert
- Körperliche Geschicklichkeit ist gefördert
- Zugang zu den eigenen Empfindungen ist unterstützt
- Termin wird wahrgenommen
- Findet einen Weg aus der psychotischen Welt in den Alltag
- Verdient sich den Lebensunterhalt selbstständig und ist auf die Arbeitssituation vorbereitet
- Die Grundarbeitsfähigkeiten (wie Pünktlichkeit, Ausdauer, Sorgfalt, Handlungsplanung usw.) sind entwickelt
- Lebensexistenz ist gesichert
- Therapie- und Aktivitätsangebote sind individuell abgestimmt

Pflegeinterventionen

Wahnthemen, Zwangshandlungen und psychotisches Erleben des Patienten nicht verstärken und bestätigen

- Pflegeintervention konkretisieren
- Zeit angeben

Klima schaffen, das psychotisches Erleben reduziert
- Pflegeintervention konkretisieren
  - » Für akustisch und optisch ruhige Atmosphäre sorgen
  - » Wahnthemen und Zwangshandlungen nicht versuchen auszureden und keine Diskussion entstehen lassen
  - » Vorsichtig und bewusst mit dem Gefühlsausdruck umgehen

Nicht psychotisches Verhalten positiv verstärken
- Maßnahmen konkretisieren
  - » Gewünschtes Verhalten durch Lob fördern
  - » Im therapeutischen Team Verhaltensweisen zur Stärkung des Selbstkonzepts vereinbaren
  - » Einüben, sich selbst zu belohnen

Lebenspraktisches Einzeltraining durchführen
- Einzeltraining konkretisieren
  - » Aus der Tageszeitung vorlesen und aktuelle Themen diskutieren
  - » Mahlzeiten kochen
  - » Einkaufen gehen
  - » Küchendienst übernehmen
  - » Zimmer reinigen
  - » Tisch für die Mahlzeiten decken/abdecken
  - » Blumen-/Pflanzenpflege durchführen
  - » Wäsche versorgen
- Einrichtungsspezifische Aktivität wählen
- Art der Unterstützungsleistung angeben
  - » Beim Durchführen anleiten
  - » Beim Durchführen beaufsichtigen
  - » Durchgeführte Tätigkeiten im Pflegefachgespräch reflektieren
  - » Gemeinsam partnerschaftlich durchführen
- Zeitdauer der Einzelförderung bestimmen

Milieutherapeutische Aktivitäten im Wohn-/Stationsbereich durchführen
- Stationsaktivität angeben
  - » Gemeinsam aktuelle Zeitungen/Magazine lesen
  - » Kinoabend im Wohn-/Stationsbereich durchführen
  - » Spielnachmittag besuchen
  - » Mahlzeiten gemeinsam einnehmen
  - » Tanznachmittag besuchen
  - » Kirchenbesuch durchführen
  - » Spazieren gehen
  - » Singstunde besuchen
  - » An Festaktivitäten teilnehmen
  - » Am Sonntagsfrühstück teilnehmen
  - » Aktivitäten im Zusammenhang, den Gemeinschaftsraum zu gestalten
  - » Zur Milieugestaltung malen/basteln
- Einrichtungsspezifische Aktivität wählen
- Zeitdauer der Aktivitäten bestimmen

Lebenspraktisches Gruppentraining durchführen
- Gruppentraining konkretisieren
  - » Gemeinsam Mahlzeiten kochen und einnehmen
  - » Gemeinsam einkaufen
  - » An der Kosmetikgruppe teilnehmen
  - » Feste planen, vorbereiten und durchführen
  - » An der Hauswirtschaftsgruppe teilnehmen
- Einrichtungsspezifische Aktivität wählen
- Art der Unterstützungsleistung angeben
  - » Auffordern, den Termin des Gruppenangebots einzuhalten
  - » Zur Teilnahme an den Aktivitäten motivieren
  - » Bei den Gruppenaktivitäten unterstützen
  - » Nach der Aktivität Reflexionsgespräch führen
- Zeitdauer der Gruppentherapie bestimmen

Freizeitaktivitäten besprechen und planen
- Bezugsperson festlegen
- Pflegeintervention konkretisieren
  - » Tages-/Wochenplan erstellen
  - » Aktivitätenplan erstellen
  - » Tages- und Wochenpläne besprechen
  - » Durchgeführte Aktivitäten besprechen
  - » Lebenspraktische Inhalte besprechen
- Fest verbindlichen Tagesplan vereinbaren
  - » Mit Kontrollmöglichkeit
  - » Ohne Kontrollmöglichkeit
  - » In Eigenverantwortung
  - » In Verantwortung der Bezugsperson
  - » Tagesaktivitäten auswerten und reflektieren
- Dauer bestimmen

Freizeit mit Spielen in der Gruppe gestalten
- Maßnahmen konkretisieren
  - » Volleyball spielen
  - » Tischtennis spielen
  - » Handball spielen
  - » Fußball spielen
  - » Federball spielen
  - » Tennis spielen
- Einrichtungsspezifische Aktivität wählen
- Gesellschaftsspiele spielen
  - » Mensch ärgere Dich nicht
  - » Monopoly
  - » Mikado
  - » Domino
  - » Kartenspiele
- Einrichtungsspezifische Aktivität wählen
- Unter Beteiligung von Pflegepersonen aktivieren

Gesellschaftliche/soziale Aktivitäten fördern
- Stationsaktivität angeben
  - » Gemeinsam aktuelle Zeitungen/Magazine lesen
  - » Kinoabend im Wohn-/Stationsbereich durchführen
  - » Spielnachmittag besuchen
  - » Mahlzeiten gemeinsam einnehmen
  - » Tanznachmittag besuchen
  - » Kirchenbesuch durchführen
  - » Spazieren gehen
  - » Singstunde besuchen
  - » An Festaktivitäten teilnehmen
  - » Am Sonntagsfrühstück teilnehmen
  - » Aktivitäten im Zusammenhang, den Gemeinschaftsraum zu gestalten
  - » Zur Milieugestaltung malen/basteln
- Einrichtungsspezifische Aktivität wählen
- Zeitdauer der Aktivitäten bestimmen

Beschäftigungstherapie in der Gruppe durchführen
- Maßnahmen konkretisieren
  - » Malen
  - » Werken
  - » Töpfern
  - » Collagen gestalten
  - » Batiken
  - » Seidenmalerei betreiben
  - » Weben
  - » Holzarbeiten anfertigen
  - » Flechtarbeiten anfertigen
- Einrichtungsspezifische Aktivität wählen
- Zeitdauer der Gruppentherapie bestimmen

Beschäftigungstherapie als Einzelförderung durchführen
- Maßnahmen konkretisieren
  - » Malen
  - » Werken
  - » Töpfern
  - » Collagen gestalten
  - » Batiken
  - » Seidenmalerei betreiben
  - » Weben
  - » Holzarbeiten anfertigen
  - » Flechtarbeiten anfertigen
- Einrichtungsspezifische Aktivität wählen
- Art und Weise der Unterstützung bestimmen
  - » Einleitend motivieren und aktivieren
  - » Kontinuierlich motivieren und anleiten
  - » Bei der Durchführung unterstützen
- Zeitdauer der Einzelförderung bestimmen

Zur Arbeitstherapie motivieren
- Pflegeintervention konkretisieren
- Zeit angeben

Zur Arbeitstherapie (AT) hinführen/abholen
- Maßnahmen konkretisieren
  - » Zum vereinbarten Termin innerhalb der Einrichtung bringen
  - » Zum vereinbarten Termin außerhalb der Einrichtung bringen
- Zeitdauer des Transports bestimmen
- Anzahl erforderlicher Pflegepersonen angeben

Wohnsituation nach dem Klinikaufenthalt klären

- Pflegeintervention konkretisieren
- Zeit angeben

Fallbesprechung über den Pflege- und Behandlungsprozess führen
- Beteiligte Personen angeben
  - » Bewohner
  - » Pflegeperson
  - » Ärztlicher Dienst
  - » Psychologe
  - » Sozialarbeiter
  - » Sozialpädagoge
  - » Ergotherapeut
  - » Krankengymnast
  - » Logopäde
  - » Beschäftigungstherapeut
  - » Heilpädagoge
  - » Geistlicher Beistand
  - » Lehrer
  - » Erzieher
  - » Jugendamt
  - » Sonstige Personen
- Gesprächsinhalt
  - » Vereinbarte Therapieziele
  - » Vereinbarte Gesprächsinhalte für ein klientenzentriertes Pflegefachgespräch
- Zeitdauer angeben

Sonstige Pflegemaßnahmen durchführen
- Maßnahmen konkretisieren
- Zeit angeben

Literaturhinweise: 47, 82, 83, 95, 101, 125, 173, 175, 176, 335

Der Patient ist aufgrund eines **Enterostomas** (künstlicher Darmausgang) in der **Lebensgestaltung eingeschränkt**

Kennzeichen

- Negative Selbstbewertung aufgrund der Stomaanlage
- Äußert ein Gefühl der Hilflosigkeit
- Äußerungen über Schamgefühl
- Negative Selbstbewertung, mit der veränderten Lebenssituation umzugehen
- Kann keine Entscheidungen in Bezug auf das Stoma treffen
- Zieht sich vom sozialen Geschehen zurück
- Rückzugstendenzen

Ursachen

- Schamgefühl und Angst
- Scham, auf Hilfe angewiesen zu sein
- Ileostoma
- Kolostoma

Ressourcen

- Ist an der selbstständigen Versorgung interessiert
- Akzeptiert die Unterstützung
- Akzeptiert die Unterstützung von Angehörigen
- Kann über die Schwierigkeiten der veränderten Lebensgestaltung und deren Auswirkungen auf soziale Aktivitäten sprechen
- Zeigt Bereitschaft, neue Versorgungsmöglichkeiten zu erlernen

Pflegeziele

- Entwickelt ein positives Selbstwertgefühl
- Kennt Hilfsmittel und Verhaltensregeln, die die Lebensqualität erhalten
- Stuhlausscheidungsintervall von 24 Stunden wird erreicht
- Mind. 24 Stunden keine Stuhlausscheidung
- Oro-anale Transitzeit beträgt 39 +/- 5 Stunden
- Sicheres Beherrschen der Darmentleerung
- Weitere Komplikationen sind vermieden

Pflegeinterventionen

Pflegefachgespräche führen
- Inhaltliche Ausrichtung des Gesprächs bestimmen
  - » Alltagsbewältigung
  - » Strategien zur Krankheitsbewältigung
  - » Pflege-, Betreuungs- und Behandlungsprozess
  - » Zukunftsperspektive
  - » Instruktion/Anleitung
  - » Sonstige Gesprächsinhalte
- Zeitdauer des Gesprächs angeben

Abklären, ob die Irrigation im vorliegenden Fall eine geeignete Technik zur Verbesserung der Lebensqualität ist
- Gesprächsinhalt
- Zeit angeben
- Beteiligte Personen angeben
  - » Betroffene Person
  - » Angehöriger/Bezugsperson
  - » Betreuer
  - » Eltern
  - » Sonstige Personen
- Durchführende Person angeben
  - » Bezugspflegeperson
  - » Pflegeperson
  - » Spezialtherapeuten
  - » Physiotherapeuten

Kontakte zu örtlichen Selbsthilfegruppen vermitteln
- Pflegeintervention konkretisieren
- Zeit angeben

Irrigation durchführen
- Pflegeintervention konkretisieren
  - » Transanale Irrigation
  - » Peristeen Anal Irrigation

- » Irrigation durch ein Appendikostoma nach Malone
  - » Irrigation durch eine Stomaanlage
- Art der Unterstützung
  - » Beaufsichtigen
  - » Durch Unterstützen helfen
  - » Teilweise übernehmen
  - » Vollständig übernehmen
  - » Zur selbstständigen Durchführung anleiten
- Anzuleitende Person(en) festlegen
  - » Betroffene Person
  - » Angehöriger/Bezugsperson
- Zeit angeben

Stomatherapeuten vermitteln
- Pflegeintervention konkretisieren
- Zeit angeben

Sonstige Pflegemaßnahmen durchführen
- Maßnahmen konkretisieren
- Zeit angeben

Literaturhinweise: 64, 95, 103, 124, 139, 140, 151, 175, 176, 178, 840

Der Patient ist infolge eines **demenziellen Syndroms** in der **Tages-/ Lebensgestaltung beeinträchtigt**

Kennzeichen

- Eingeschränkte Entscheidungsfähigkeit
- Kann keine Alltagsentscheidungen treffen
- Allgemeine Verlangsamung und Schwerfälligkeit
- Angehörige/Bezugspersonen berichten über eine Persönlichkeitsveränderung
- Beeinträchtigte Lebens- und Alltagskompetenz
- Unsachgemäßer Gebrauch von Gegenständen
- Merkfähigkeitsstörung
- Gedächtnisstörung
- Unfähigkeit, neue Informationen im Gedächtnis zu behalten
- Beeinträchtigte Orientierung
- Topographische Orientierungsstörung (Verlaufen in vertrauter Umgebung)
- Beeinträchtigte Aufmerksamkeit
- Denken ist beeinträchtigt
- Beeinträchtigtes Lesen
- Beeinträchtigtes Sprechen
- Denken und Handeln sind verlangsamt
- Beeinträchtigte praktische Fähigkeiten
- Beeinträchtigtes Rechnen
- Stimmungsschwankungen
- Rückzugstendenzen
- Antriebsarmut
- Beeinträchtigtes Sozialverhalten in der Altersgruppe
- Fehlendes Sozialverhalten
- Erhöhte Reizbarkeit
- Motorische Unruhezustände
- Akustische Lautäußerungen (Schreien, Rufen, Klagen)
- Reduzierte Wachheit
- Distanzlosigkeit
- Störung der sequentiellen Anordnung komplexer Handlungsfolgen (Ideatorische Apraxie)
- Störung der sequenziellen Anordnung von Einzelbewegungen zu Bewegungsfolgen (Ideomotorische Apraxie)
- Störung im Zusammenspiel der Beine (Gangapraxie)
- Störung des Objekterkennens (Objektagnosie)

Ursachen

Diagnostizierte Demenzform
- Demenz
- Vaskuläre Demenz
- Senile Demenz
- Multi-Infarkt-Demenz
- Creutzfeldt-Jakob-Krankheit
- Morbus Alzheimer
- Demenz bei Parkinson-Krankheit

Ressourcen

- Kognitive Fähigkeiten sind vorhanden
- Vorhandene Alltagskompetenzen

Pflegeziele

- Die angebotenen Aktivitäten entsprechen den kognitiven und körperlichen Fähigkeiten
- Subjektives Wohlbefinden ist eingeschätzt
- Optimierung der Lebensbedingungen/Lebensqualität ist nachweisbar
- Ein menschenwürdiges, an die persönliche Lebensgeschichte angepasstes Leben ist ermöglicht
- Ist aktiviert und beteiligt sich an den Milieuprozessen
- Entwickelt Verhaltensweisen, die das Leben in der Gemeinschaft fördern
- Kennt die Verwandten/ nahestehenden Personen und den biographischen Bezug
- Biographische Besonderheiten sind bekannt und finden in der Versorgung Beachtung
- Genaue Kenntnis über die Biographie unterstützt das Verständnis über Verhaltensweisen
- Ist in den Tagesablauf aktiv integriert
- Selbstständigkeit ist gefördert
- Vorhandene Kompetenzen in der selbstständigen Lebensführung erhalten
- Kompetenzen der selbstständigen Lebensführung fördern

- Spannungen und Ängste sind reduziert
- Interesse ist geweckt
- Sinneswahrnehmungen sind durch unterschiedliche Reize stimuliert
- Ist zur Person, örtlich und zeitlich orientiert
- Findet sich in der Umgebung zurecht
- Fühlt sich angenommen und verstanden
- Erinnerung gelebter Beziehungen ist gefördert
- Erinnerungen sind hervorgerufen
- Vorhandene Ressourcen sind aktiviert und gefördert
- Selbstwertgefühl ist gestärkt
- Übernimmt die Verantwortung bei der Versorgung des Tieres
- Wohlbefinden und Entspannung sind unterstützt
- Geruchssinn ist angeregt
- Körperwahrnehmung ist aktiviert und stimuliert
- Selbstvertrauen in die Leistungsfähigkeit des eigenen Körpers ist gestärkt
- Körperliche Fitness ist gefördert
- Fühlt sich integriert
- Religionsausübung ist unterstützt
- Erinnerungen an lebensgeschichtliche (positive) Ereignisse sind gefördert
- Das Selbstwissen ist so lange wie möglich erhalten
- Eine positive Bilanzierung des eigenen Lebensverlaufs ist erreicht

Pflegeinterventionen

Assessment zur Einschätzung der kognitiven Fähigkeiten durchführen
- Maßnahmen konkretisieren
  - » Mini Mental Status Test (MMST)
  - » Test zur Früherkennung der Demenz mit Depressionsabgrenzung - TFDD
  - » Demenz Detection Test - DemTect
  - » Clock Completion Test (CC)
- Zeit angeben

Ermittlung/Erfassung der Lebensqualität durchführen
- Maßnahmen konkretisieren
  - » Dementia Care Mapping (DCM)
  - » Heidelberger Instrument zur Erfassung der Lebensqualität Demenzkranker in stationären Pflegeeinrichtungen (H.I.L.D.E.)
  - » Selbsteinschätzung der Lebensqualität
- Zeit angeben

Milieutherapeutische Aktivitäten im Wohn-/Stationsbereich durchführen
- Stationsaktivität angeben
  - » Gemeinsam aktuelle Zeitungen/Magazine lesen
  - » Kinoabend im Wohn-/Stationsbereich durchführen
  - » Spielnachmittag besuchen
  - » Mahlzeiten gemeinsam einnehmen
  - » Tanznachmittag besuchen
  - » Kirchenbesuch durchführen
  - » Spazieren gehen
  - » Singstunde besuchen
  - » An Festaktivitäten teilnehmen
  - » Am Sonntagsfrühstück teilnehmen
  - » Aktivitäten im Zusammenhang, den Gemeinschaftsraum zu gestalten
  - » Zur Milieugestaltung malen/basteln
- Einrichtungsspezifische Aktivität wählen
- Zeitdauer der Aktivitäten bestimmen

Biografische Hintergründe im Gespräch erfragen/erarbeiten
- Gesprächsinhalt
- Zeit angeben
- Beteiligte Personen angeben
  - » Betroffene Person
  - » Angehöriger/Bezugsperson
  - » Betreuer
  - » Eltern
  - » Sonstige Personen
- Durchführende Person angeben
  - » Bezugspflegeperson
  - » Pflegeperson
  - » Spezialtherapeuten
  - » Physiotherapeuten

Tagesstrukturierende Maßnahmen in der Gruppe durchführen
- Gruppentraining konkretisieren
  - » Gemeinsam Mahlzeiten kochen und einnehmen
  - » Gemeinsam einkaufen
  - » An der Kosmetikgruppe teilnehmen
  - » Feste planen, vorbereiten und durchführen
  - » An der Hauswirtschaftsgruppe teilnehmen
- Einrichtungsspezifische Aktivität wählen
- Art der Unterstützungsleistung angeben
  - » Auffordern, den Termin des Gruppenangebots einzuhalten
  - » Zur Teilnahme an den Aktivitäten motivieren
  - » Bei den Gruppenaktivitäten unterstützen
  - » Nach der Aktivität Reflexionsgespräch führen
- Zeitdauer der Gruppentherapie bestimmen

Lebenspraktisches Einzeltraining durchführen
- Einzeltraining konkretisieren
  - » Aus der Tageszeitung vorlesen und aktuelle Themen diskutieren
  - » Mahlzeiten kochen
  - » Einkaufen gehen
  - » Küchendienst übernehmen
  - » Zimmer reinigen
  - » Tisch für die Mahlzeiten decken/abdecken
  - » Blumen-/Pflanzenpflege durchführen
  - » Wäsche versorgen
- Einrichtungsspezifische Aktivität wählen
- Art der Unterstützungsleistung angeben
  - » Beim Durchführen anleiten
  - » Beim Durchführen beaufsichtigen
  - » Durchgeführte Tätigkeiten im Pflegefachgespräch reflektieren
  - » Gemeinsam partnerschaftlich durchführen
- Zeitdauer der Einzelförderung bestimmen

Lebenspraktisches Gruppentraining durchführen
- Gruppentraining konkretisieren
  - » Gemeinsam Mahlzeiten kochen und einnehmen
  - » Gemeinsam einkaufen
  - » An der Kosmetikgruppe teilnehmen
  - » Feste planen, vorbereiten und durchführen
  - » An der Hauswirtschaftsgruppe teilnehmen
- Einrichtungsspezifische Aktivität wählen
- Art der Unterstützungsleistung angeben
  - » Auffordern, den Termin des Gruppenangebots einzuhalten
  - » Zur Teilnahme an den Aktivitäten motivieren
  - » Bei den Gruppenaktivitäten unterstützen
  - » Nach der Aktivität Reflexionsgespräch führen
- Zeitdauer der Gruppentherapie bestimmen

Snoezelen-Angebote durchführen
- Angebotene Reize konkretisieren
  - » Spezielle Lichtverhältnisse/-effekte einsetzen
  - » Klang- und Tonelemente einsetzen
  - » Musik einsetzen
  - » Aromatherapie einsetzen
- Snoezelen-Angebot konkretisieren
  - » Ruhe- und Entspannungsangebot
- Kombinationen mit Snoezelen-Angeboten
  - » Snoezelen mit Tieren
  - » Snoezelen und Wahrnehmungsförderung
  - » Snoezelen und Gedächtnistraining
  - » Snoezelen und Aufmerksamkeits- und Konzentrationstraining
- Zeit angeben

Basal stimulierende Angebote durchführen
- » Somatische, vestibuläre Stimulation durchführen
- » Vibratorische Stimulation durchführen
- » Orale Stimulation durchführen
- » Auditive Stimulation durchführen
- » Visuelle Stimulation durchführen
- » Taktil-haptische Stimulation durchführen
- Zeit angeben

Realitätsorientiertes Einzel-Training (ROT) durchführen
- Pflegeintervention konkretisieren
  - » Einzeltherapie zur Erfassung der Person anbieten
  - » Einzeltherapie zum Neulernen von Zeitstrukturen anbieten

- » Einzeltherapie zur Erfassung örtlicher Gegebenheiten anbieten
- » Einzeltherapie zu situativen Gegebenheiten anbieten
- » Gemeinsame Betrachtung von Bildern und Fotoalben
- » Spaziergänge über den Wohn-/Stationsbereich in Verbindung mit einem Gespräch über Orientierungspunkte
- Zeitdauer der Einzeltherapie bestimmen

Realitätsorientiertes Training (ROT) in der Gruppe durchführen
- Pflegeintervention konkretisieren
  - » An einem Gesprächskreis über Gegenstände aus vergangenen Zeiten teilnehmen
  - » Gemeinsam aktuelle Zeitungen/Magazine lesen
  - » Gemeinsam jahreszeitliche Gestaltung der Wohnbereiche durchführen
  - » Gemeinsam backen
  - » Festtagsgestaltung gemeinsam durchführen
- Einrichtungsspezifische Aktivität wählen
- Zeitdauer der Gruppenaktivität bestimmen

Orientierungs- und Erinnerungshilfen anbieten
- Orientierungshilfen geben
  - » Farblinien auf dem Boden anbringen
  - » Türschilder anbringen
  - » Große Uhr gut sichtbar aufhängen
  - » Kalender mit Tages- und Jahreszahlen in großer Schrift aufhängen und täglich aktualisieren
  - » Für Nachtbeleuchtung sorgen
- Erinnerungshilfen einsetzen
  - » Erinnerungssignale festlegen
  - » Elektronische Notizbücher einsetzen
  - » Hinweistafeln einsetzen
  - » Markante Türschilder nutzen

Gespräch mit integrativ-validierendem Ansatz führen
- Maßnahmen konkretisieren
  - » Gefühlsäußerungen akzeptieren
  - » Botschaften auf allen drei Ebenen der Kommunikation (verbal, nonverbal, paraverbal) klar und deutlich formulieren
  - » Individuelle Angebote bei häufig auftretenden Gefühlsäußerungen durchführen
  - » Ähnlich personenbezogene verbale Angebote bei wiederkehrenden Aktivitäten durchführen
- Zeitdauer des Gesprächs bestimmen

Aktivitätsorientierte Erinnerungspflege durchführen
- Maßnahmen konkretisieren
  - » Zimmer biographiebezogen gemeinsam einrichten
  - » Erinnerungsalbum erstellen/ansehen
  - » Vertraute Gegenstände betrachten/befühlen
  - » Zeitgeschichtliche Texte/Geschichten lesen und besprechen
  - » An bekannte Lieder/Melodien erinnern und singen
  - » Reime und Redewendungen austauschen
  - » Erinnerungspflege in Gruppen durchführen
  - » Am Gesprächskreis im Erinnerungsraum teilnehmen
- Einrichtungsspezifische Aktivität wählen
- Zeit angeben

10-Minuten-Aktivierung durchführen
- Maßnahmen konkretisieren
  - » Individuelle 10-Minuten-Aktivierung durchführen
  - » 10-Minuten-Aktivierung in der Gruppe durchführen
- Themen für 10-Minuten-Aktivierungen
- Zeit angeben

Alltagsbegleitende Aktivitäten durchführen
- Maßnahmen konkretisieren
  - » Individuelles Aktivierungsangebot nach § 87b
  - » Aktivierungsangebot nach § 87b in der Gruppe
- Themen für die Aktivierung nach § 87b

Tiergestützte Aktivierung durchführen
- Maßnahmen konkretisieren
  - » Individuelle tiergestützte Therapieangebote durchführen
  - » Tiergestützte Therapie in der Gruppe
  - » Versorgung des Tieres übernehmen
- Einrichtungsspezifische Aktivität wählen
- Zeit angeben

Aromatherapie durchführen
- Duftöl auswählen
- Aromatherapie: Anwendungsart festlegen
  - » Duftlampe
  - » Dampfbad
  - » Räuchern
  - » Duftstein
  - » Massage-Öl
  - » Tee

Körperbezogene Therapieangebote/Aktivitäten durchführen
- Maßnahmen konkretisieren
  - » Morgengymnastik durchführen
  - » Fitnesstraining durchführen
  - » Schwimmen gehen
  - » Bewegungsbad durchführen
  - » Wasserjogging durchführen
  - » Konzentrative Körperarbeit leisten
  - » Körpertherapie durchführen
  - » Sport in Form von Spielen machen
  - » An der Seniorengymnastik teilnehmen
  - » Konzentrative Bewegungstherapie durchführen
  - » Tanztherapie durchführen
- Einrichtungsspezifische Aktivität wählen
- Zeit angeben

Freizeitaktivitäten individuell auswählen
- Freizeitaktivität angeben
  - » Sportliche Aktivitäten durchführen
  - » Kulturelle Aktivitäten durchführen
  - » Gesellschaftliche Aktivitäten durchführen
  - » Kreative Aktivitäten durchführen
  - » Künstlerische Aktivitäten durchführen
  - » Tiergestützte Angebote
- Art der Unterstützungsleistung angeben
  - » Positive Aktivitäten gezielt planen
  - » Aktivitäten vereinbaren
  - » Nach der Aktivität Reflexionsgespräch führen
  - » Stimmungslage nach der Aktivität reflektieren
  - » Gespräche und Planung mit der Bezugspflegeperson durchführen
  - » Zur Teilnahme auffordern/motivieren
  - » Tägliche Anzahl der zu planenden Aktivitäten bestimmen
- Dauer des Gesprächs bestimmen

Teilnahme am Gottesdienst ermöglichen
- Maßnahmen konkretisieren
  - » Termine für die angeordneten Therapien koordinieren
  - » An vereinbarte Termine erinnern
  - » Transport zu Terminen organisieren
- Einrichtungsspezifische Aktivität wählen

Selbsterhaltungstherapie (SET) durchführen
  - » Kontinuität bewahren durch individuelle Tagesstrukturierung
  - » Kontinuität bewahren durch Unterlassen von Umgebungsveränderungen
  - » Kontinuität bewahren durch strikte Einhaltung der Bezugspflege
  - » Bewahrung der Identität fördern
  - » Persönliche erinnernde Gespräche führen
  - » Maßnahmen zur Bewahrung des selbstnahen Wissens
  - » Schaffen eines externen Gedächtnisses
  - » Systematische Aktualisierung des Selbstwissens
- Zeit angeben

Reminiszenz-Therapie durchführen
- Zeit angeben

Fallbesprechungen durchführen
- Zielsetzungen der Fallbesprechung bestimmen
  - » Pflegeprozess im Pflegeteam reflektieren
  - » Therapeutische Verhaltensstrategie im Pflegeteam festlegen
  - » Sonstige fallbezogene Inhalte besprechen
- Auslöser für eine Fallbesprechung bestimmen

  - » Turnusgemäß Fallbesprechung durchführen
  - » Außergewöhnliche Fragestellungen/Akutsituationen besprechen
- Zeitdauer angeben
- Anzahl der beteiligten Pflegepersonen bestimmen
  - » Pflegeperson

Sonstige Pflegemaßnahmen durchführen
- Maßnahmen konkretisieren
- Zeit angeben

Literaturhinweise: 102, 411, 419, 691, 692, 693, 891, 894, 895, 896, 897, 898, 899, 900, 901, 902, 903, 904, 905, 906, 907, 908, 909, 910, 911, 912, 913, 934, 935, 936, 937, 938, 939, 940, 941, 1007, 1008, 1009, 1010, 1011

Der Patient ist aufgrund von **Atemnot** in der **körperlichen Leistungsfähigkeit eingeschränkt**

Kennzeichen

- Ruhedyspnoe
- Orthopnoe
- Belastungsdyspnoe Grad I
- Belastungsdyspnoe Grad II
- Belastungsdyspnoe Grad III
- Einsatz der Atemhilfsmuskulatur
- Erhöhte Herzfrequenz
- Verminderung der arteriellen Sauerstoffsättigung
- Zyanosezeichen
- Unphysiologische Atemgeräusche
- Äußert Gefühle wie Unsicherheit, Sorge und Verzweiflung
- Unruhezustände

Ursachen

- Asthma bronchiale
- Chronisch obstruktive Lungenerkrankung
- Bekannte kardiologische Grunderkrankung
- Bekannte pulmonale Grunderkrankung
- Erschöpfung der Atemmuskulatur
- Akute Lungenerkrankung
- Gleichgewicht zwischen Ventilation und Perfusion ist beeinträchtigt
- Psychische Störung
- Stoffwechselstörung
- Adipositas

Ressourcen

- Kann Hilfe annehmen
- Kann die körperliche Belastbarkeit einschätzen und fordert rechtzeitig Unterstützung an
- Akzeptiert die Unterstützung
- Akzeptiert die Unterstützung von Angehörigen
- Kennt die körperlichen Ressourcen und teilt sich die Kräfte ein
- Zeigt Verhaltensweisen, die die Therapie unterstützen
- Äußert, wenn eine Pause notwendig ist
- Ist motiviert, die Leistungsfähigkeit zu trainieren

Pflegeziele

- Eine Verschlechterung des Krankheitsbilds ist frühzeitig erkannt
- Hat eine freie und erleichterte Atmung
- Lungen werden gleichmäßig und physiologisch belüftet, Atelektasen sind vorgebeugt
- Einer Infektion ist vorgebeugt bzw. sie ist rechtzeitig erkannt
- Kann eigene Fähigkeiten und Belastbarkeit einschätzen
- Körperlicher Überforderung ist vorgebeugt
- Erstickungsangst ist reduziert
- Sauerstoffversorgung ist gewährleistet
- Sauerstofftherapie ist erfolgreich durchgeführt
- Sauerstoffsättigung ist verbessert
- Fühlt sich ernst genommen
- Dyspnoe ist erfasst und eingeschätzt
- Sichere Sauerstofftherapie ist gewährleistet
- Atemwege sind frei
- Selbstapplikation von Medikamenten ist effektiv und fachgerecht
- Kann die Atemsituation selbstständig einschätzen und die Asthmatherapie entsprechend unterstützen
- Herz-Kreislauf-System ist während/nach der durchgeführten (Pflege-)Aktivität stabil, Vitalparameter verändern sich im physiologischen Normbereich

Pflegeinterventionen

Fähigkeiten und Aktivitätstoleranz gemeinsam analysieren
- Pflegeintervention konkretisieren
- Zeit angeben

Atemqualität prüfen und auf Zeichen von

Sauerstoffmangel beobachten
- Pflegeintervention konkretisieren
  - » Atemfrequenz und Atemqualität beobachten
  - » Peak-Flow-Messung durchführen
  - » Blutgasanalyse (BGA) durchführen
  - » Auf Zyanosezeichen beobachten
  - » Sauerstoffverabreichung kontrollieren

Atemerleichternde/ventilationsfördernde Lagerung durchführen
- Pflegeintervention konkretisieren
  - » Sitzposition im Bett mit Unterstützung der Arme durch Lagerungskissen schaffen
  - » Reitersitz ermöglichen
  - » Kutschersitz
  - » V-Lagerung durchführen
  - » A-Lagerung durchführen
  - » T-Lagerung durchführen
  - » I-Lagerung durchführen
  - » Oberkörperhochlagerung durchführen

Hygienemaßnahmen im Zusammenhang mit der Sauerstoffverabreichung durchführen
- Hygienemaßnahmen im Zusammenhang mit der Sauerstoffverabreichung durchführen

Ruhepausen festlegen und für Einhaltung sorgen
- Pflegeintervention konkretisieren
- Zeit angeben

In Abhängigkeit von der Herz-/Kreislaufsituation stufenweise mobilisieren
- Art der Mobilisation bestimmen
  - » Zum Sitzen mobilisieren
  - » Standtraining durchführen
  - » Standtraining und wenige Schritte gehen
  - » Gehtraining durchführen (Wegstrecke <10 Meter)
  - » Gehtraining durchführen (Wegstrecke >10 Meter)
- Ort der Mobilisation
  - » Bett
  - » Sessel/Lehnstuhl
  - » Sitzsack
  - » Rollstuhl
  - » Hängematte
- Maßnahmen konkretisieren
  - » Techniken der Kinästhetik einsetzen
  - » Nach dem Bobath-Konzept mobilisieren
  - » Faszilitationstechnik einsetzen
  - » Inhibitationstechniken einsetzen
  - » Spastik im Rahmen der Mobilisation lösen
  - » Hubfreie/-arme Mobilisation durchführen
- Erschwerte Bedingungen feststellen
  - » Zu- und Ableitungssysteme
  - » Kreislaufinstabilität
  - » Abwehrhaltung
  - » Lähmung
  - » Kontraktur
  - » Spasmus
- Art der Unterstützungsleistung angeben
  - » Beaufsichtigen
  - » Teilweise übernehmen
  - » Vollständig übernehmen
  - » Zur Durchführung anleiten
- Anzahl Pflegepersonen angeben
- Zeit angeben

Sauerstoff nach Arztanordnung verabreichen
- Pflegeintervention konkretisieren
  - » Sauerstoff in der Akutphase verabreichen und Wirkung kontrollieren
  - » Kontinuierlich Sauerstoff verabreichen
  - » Intermittierend Sauerstoff verabreichen
- Sauerstoff verabreichen mit
  - » Sauerstoffsonde
  - » Sauerstoffbrille
  - » Sauerstoffmaske
- Sauerstoffkonzentration angeben
- Pflege bei Sauerstofftherapie durchführen
  - » Nasen- und Sondenpflege durchführen
  - » Schlauchsystem aseptisch aufbereiten

Auf Wirkung und Nebenwirkung der Sauerstoffgabe achten
- Pflegeintervention konkretisieren
- Zeit angeben

Intensität der Dyspnoe mithilfe einer Einschätzungsskala ermitteln
- Pflegeintervention konkretisieren
- Zeit angeben

Sauerstoffvorrat in der Flasche berechnen und bei Bedarf Sauerstoffflasche wechseln
- Pflegeintervention konkretisieren
- Zeit angeben

Bei der Benutzung der zu inhalierenden Medikation (Dosieraerosole) unterstützen
- Pflegeintervention konkretisieren
- Zeit angeben

Zum fachgerechten Einsatz von Dosieraerosol anleiten/diesen einüben
- Pflegeintervention konkretisieren
- Art der Unterstützung
  - » Beaufsichtigen
  - » Durch Unterstützen helfen
  - » Teilweise übernehmen
  - » Vollständig übernehmen
  - » Zur selbstständigen Durchführung anleiten
- Anzuleitende Person(en) festlegen
  - » Betroffene Person
  - » Angehöriger/Bezugsperson
- Zeit angeben

Vitalzeichenkontrolle durchführen
- Überwachungsmonitor benutzen
  - » Überwachungsmonitor benutzen
  - » Pulsfrequenz/-qualität messen
  - » Blutdruckwert messen
  - » Atemfrequenz/-qualität messen
  - » Körpertemperatur messen
  - » Sauerstoffsättigung mit Oximeter überprüfen
- Vitalzeichenwerte manuell messen
  - » Pulsfrequenz/-qualität messen
  - » Blutdruckwert messen
  - » Atemfrequenz/-qualität messen
  - » Körpertemperatur messen
- Ort der Messung angeben
  - » Am rechten Arm messen
  - » Am linken Arm messen
  - » Am Finger messen
  - » Am Zeh messen
  - » Besonderheiten bei der Messung bestimmen

Sonstige Pflegemaßnahmen durchführen
- Maßnahmen konkretisieren
- Zeit angeben

Literaturhinweise: 79, 93, 95, 100, 113, 125, 126, 127, 175, 176, 298, 328

Der Patient kann sich nur **schwer auf eine Aktivität konzentrieren/lässt sich leicht ablenken** und ist dadurch in der **Durchführung von Aktivitäten beeinträchtigt**

Kennzeichen

- Vollendet Handlungen nicht
- Lässt sich leicht ablenken
- Führt Aktivitäten nur oberflächlich aus
- Die Fähigkeit, aus einer Vielzahl von ankommenden Reizen jene auszuwählen, die zur Bewältigung der Aufgabe beitragen, ist beeinträchtigt

Ursachen

- Depressionen
- Psychotische Störung
- Demenzielle Veränderung
- Manie
- Entwicklungsbedingt

Ressourcen

- Zeigt Freude an Konzentrationsspielen
- Zeigt Verhaltensweisen, die die Therapie unterstützen
- Kann Aufforderungen folgen und hält sich an Vorgaben

Pflegeziele

- Beendet begonnene Tätigkeiten/Arbeiten, bevor Neues geplant wird
- Konzentriert sich auf die jeweilige Aktivität und führt diese durch
- Therapie- und Aktivitätsangebote sind individuell abgestimmt

Pflegeinterventionen

Aktivitäten kanalisieren
- Maßnahmen konkretisieren
  - » Anhalten, begonnene Aufgaben zu beenden
  - » Aufmerksamkeit bei Therapieangeboten und Aktivitäten immer wieder bündeln
  - » Aktivitäten auswählen, die beruhigend und reizarm sind
  - » Tages-/Wochenplan erstellen

Zur Ausdauer anhalten/angefangene Tätigkeiten beenden lassen
- Pflegeintervention konkretisieren
- Zeit angeben

Reizarme Aktivitäten und Tätigkeiten auswählen
- Pflegeintervention konkretisieren
- Zeit angeben

Fallbesprechung über den Pflege- und Behandlungsprozess führen
- Beteiligte Personen angeben
  - » Bewohner
  - » Pflegeperson
  - » Ärztlicher Dienst
  - » Psychologe
  - » Sozialarbeiter
  - » Sozialpädagoge
  - » Ergotherapeut
  - » Krankengymnast
  - » Logopäde
  - » Beschäftigungstherapeut
  - » Heilpädagoge
  - » Geistlicher Beistand
  - » Lehrer
  - » Erzieher
  - » Jugendamt
  - » Sonstige Personen
- Gesprächsinhalt
  - » Vereinbarte Therapieziele
  - » Vereinbarte Gesprächsinhalte für ein klientenzentriertes Pflegefachgespräch
- Zeitdauer angeben

Sonstige Pflegemaßnahmen durchführen
- Maßnahmen konkretisieren
- Zeit angeben

Literaturhinweise: 47, 82, 83, 95, 101, 125, 173, 175, 176

Der Patient ist aufgrund von **Angst/Unsicherheit** in der **Durchführung lebenspraktischer Tätigkeiten eingeschränkt**

Kennzeichen

- Traut sich nicht zu telefonieren
- Geht nicht allein zu Behörden und auf Ämter
- Hat Angst vor Geschäften
- Hat Angst vor dem Straßenverkehr
- Traut sich nicht, das Klinikgelände zu verlassen
- Äußert Ängste
- Konzentration/Aufmerksamkeit ist reduziert
- Konzentrations-/ Wahrnehmungsschwierigkeiten bezüglich äußerer Reize
- Denken ist beeinträchtigt
- Berichtet über eine Denkblockade
- Zeigt ein unangemessenes Problemlösungsverhalten
- Zeigt fehlende und/oder unzureichende Problem- und Zielerfassung
- Äußert, dass Probleme durch andere verursacht sind
- Äußert Misstrauen gegenüber den Mitmenschen
- Beschreibt eine eingeschränkte Leistungsfähigkeit

Ursachen

- Phobie
- Depressionen
- Körperliche Einschränkung
- Hochgradige Einschränkung der Sehfähigkeit

Ressourcen

- Zeigt Verhaltensweisen, die die Therapie unterstützen
- Kann Vertrauen zum Pflegepersonal aufbauen
- Versteht das Therapiekonzept und ist bereit, sich aktiv zu beteiligen
- Akzeptiert die Unterstützung
- Akzeptiert die Unterstützung von Angehörigen

Pflegeziele

- Führt lebenspraktische Tätigkeiten selbstständig und zuverlässig durch
- Äußert, keine Angst zu haben
- Führt Tätigkeiten des täglichen Lebens aus
- Selbstständigkeit ist gefördert
- Therapie- und Aktivitätsangebote sind individuell abgestimmt
- Kennt Möglichkeiten, aktiv den Therapieerfolg zu unterstützen
- Hält sich an Absprachen und unterstützt aktiv die Therapie
- Selbstkontrolle ist verbessert

Pflegeinterventionen

Lebenspraktisches Einzeltraining durchführen

- Einzeltraining konkretisieren
  - » Aus der Tageszeitung vorlesen und aktuelle Themen diskutieren
  - » Mahlzeiten kochen
  - » Einkaufen gehen
  - » Küchendienst übernehmen
  - » Zimmer reinigen
  - » Tisch für die Mahlzeiten decken/abdecken
  - » Blumen-/Pflanzenpflege durchführen
  - » Wäsche versorgen
- Einrichtungsspezifische Aktivität wählen
- Art der Unterstützungsleistung angeben
  - » Beim Durchführen anleiten
  - » Beim Durchführen beaufsichtigen
  - » Durchgeführte Tätigkeiten im Pflegefachgespräch reflektieren
  - » Gemeinsam partnerschaftlich durchführen
- Zeitdauer der Einzelförderung bestimmen

Lebenspraktisches Gruppentraining durchführen

- Gruppentraining konkretisieren
  - » Gemeinsam Mahlzeiten kochen und einnehmen
  - » Gemeinsam einkaufen
  - » An der Kosmetikgruppe teilnehmen
  - » Feste planen, vorbereiten und durchführen
  - » An der Hauswirtschaftsgruppe teilnehmen
- Einrichtungsspezifische Aktivität wählen
- Art der Unterstützungsleistung angeben
  - » Auffordern, den Termin des Gruppenangebots einzuhalten
  - » Zur Teilnahme an den Aktivitäten motivieren
  - » Bei den Gruppenaktivitäten unterstützen
  - » Nach der Aktivität Reflexionsgespräch führen
- Zeitdauer der Gruppentherapie bestimmen

Fallbesprechung über den Pflege- und Behandlungsprozess führen

- Beteiligte Personen angeben
  - » Bewohner
  - » Pflegeperson
  - » Ärztlicher Dienst
  - » Psychologe
  - » Sozialarbeiter
  - » Sozialpädagoge
  - » Ergotherapeut
  - » Krankengymnast
  - » Logopäde
  - » Beschäftigungstherapeut
  - » Heilpädagoge
  - » Geistlicher Beistand
  - » Lehrer
  - » Erzieher
  - » Jugendamt
  - » Sonstige Personen
- Gesprächsinhalt
  - » Vereinbarte Therapieziele
  - » Vereinbarte Gesprächsinhalte für ein klientenzentriertes Pflegefachgespräch
- Zeitdauer angeben

Therapieziele gemeinsam vereinbaren und kontinuierlich reflektieren

- Maßnahmen konkretisieren
  - » Goal Attainment Scale einsetzen (= Zielerreichungsskala)
  - » Punkteplan einsetzen
- Zeit angeben

Sonstige Pflegemaßnahmen durchführen

- Maßnahmen konkretisieren

- Zeit angeben

Literaturhinweise: 82, 83, 95, 101, 125, 175, 176

Der Patient ist aufgrund einer **beeinträchtigten Feinmotorik** in der **Nutzung der Gebrauchsgegenstände** des täglichen Lebens **eingeschränkt**

Kennzeichen

- Rhythmisches Zittern
- Unwillkürliches Zittern
- Abwechselnde Kontraktion gegensätzlicher Muskelgruppen
- Grobschlägiger Tremor
- Mittelschlägiger Tremor
- Feinschlägiger Tremor
- Verschüttet Getränke beim Halten der Trinkgefäße
- Intentionstremor
- Ruhetremor
- Pillendrehertremor
- Ständiges Kopfnicken
- Gegenstände werden fallen gelassen

Ursachen

- Seniler Tremor
- Multiple Sklerose
- Morbus Parkinson
- Kleinhirnerkrankung
- Neurologische Störung
- Entwicklungsbedingt

Ressourcen

- Kann Hilfsmittel gezielt einsetzen
- Akzeptiert die körperliche Einschränkung
- Akzeptiert die Unterstützung
- Akzeptiert die Unterstützung von Angehörigen
- Führt aktiv die Bewegungsübungen durch
- Ist bereit, das Greifen mit beiden Händen umzusetzen

Pflegeziele

- Beherrscht feinmotorische Übungen
- Erlernt neue Fähigkeiten/Fertigkeiten, um vorhandene körperliche Defizite/Einschränkungen zu kompensieren
- Körperwahrnehmung ist aktiviert und stimuliert
- Eigenaktivität ist gefördert
- Schmerzen sind reduziert

Pflegeinterventionen

Ergotherapeutische Behandlung abklären und koordinieren
- Maßnahmen konkretisieren
- Termineinhaltung sicherstellen
  - » Zum vereinbarten Termin innerhalb der Einrichtung bringen
  - » Zum vereinbarten Termin außerhalb der Einrichtung bringen
  - » An vereinbarte Termine erinnern
- Zeit angeben

Hilfsmittel zur Unterstützung bei den Aktivitäten des täglichen Lebens organisieren
- Hilfsmittel zur Unterstützung bei den ATL organisieren

Bewegungsunterstützung im Sinne der Kinästhetik durchführen
- Pflegeintervention konkretisieren
- Zeit angeben

Sonstige Pflegemaßnahmen durchführen
- Maßnahmen konkretisieren
- Zeit angeben

Literaturhinweise: 510

Der Patient ist aufgrund einer **reduzierten Leistungsfähigkeit** in den **Aktivitäten des täglichen Lebens eingeschränkt**

Kennzeichen

- Ermüdungserscheinungen
- Beschreibt belastungsabhängige Schwäche
- Äußerungen über Leistungsschwäche
- Offenbart Hilfsbedürftigkeit
- Äußert ein Gefühl der Hilflosigkeit
- Fortbewegung ist ohne Hilfsmittel/Hilfspersonen nicht möglich
- Traut sich Aktivitäten nicht zu
- Messbar reduziertes Leistungsniveau im Vergleich zu früheren Messwerten

Ursachen

- Schmerzzustände
- Eingeschränkte kognitive Fähigkeiten
- Schwere körperliche Beeinträchtigung
- Beweglichkeit ist eingeschränkt
- Eingeschränkte körperliche Belastungsfähigkeit
- Psychische Erkrankung
- Psychiatrische Erkrankung
- Adipositas

Ressourcen

- Kann Hilfe annehmen
- Akzeptiert die Unterstützung
- Akzeptiert die Unterstützung von Angehörigen
- Kann die körperliche Belastbarkeit einschätzen und fordert rechtzeitig Unterstützung an

Pflegeziele

- Erleben von Misserfolgen ist vermieden
- Therapie- und Aktivitätsangebote sind individuell abgestimmt
- Konzentrationsleistung ist gefördert
- Körperliche Leistungsfähigkeit ist gesteigert
- Erkennt und akzeptiert den Trainingserfolg
- Herz-Kreislauf-Aktivität ist angeregt
- Körperliche Leistungsfähigkeit ist gesteigert
- Selbstständigkeit ist gefördert
- Vorhandene Kompetenzen in der selbstständigen Lebensführung erhalten
- Kompetenzen der selbstständigen Lebensführung fördern
- Selbstwertgefühl ist gestärkt
- Ist körperlich fit
- Selbstvertrauen in die Leistungsfähigkeit des eigenen Körpers ist gestärkt
- Körperliche Fitness ist gefördert

Pflegeinterventionen

Aufgaben auf das Leistungsniveau zuschneiden

- Maßnahmen konkretisieren
  - » Arbeitsschritte verkleinern
  - » Aktivitätenplanung auf die Ressourcen zuschneiden
  - » Pausen vorsehen und einhalten
  - » Durch Wiederholungen Sicherheit fördern und Überforderung abbauen
  - » Ressourcen aktivieren

Fallbesprechung über den Pflege- und Behandlungsprozess führen

- Beteiligte Personen angeben
  - » Bewohner
  - » Pflegeperson
  - » Ärztlicher Dienst
  - » Psychologe
  - » Sozialarbeiter
  - » Sozialpädagoge
  - » Ergotherapeut
  - » Krankengymnast
  - » Logopäde
  - » Beschäftigungstherapeut
  - » Heilpädagoge
  - » Geistlicher Beistand
  - » Lehrer
  - » Erzieher
  - » Jugendamt
  - » Sonstige Personen
- Gesprächsinhalt
  - » Vereinbarte Therapieziele
  - » Vereinbarte Gesprächsinhalte für ein klientenzentriertes Pflegefachgespräch
- Zeitdauer angeben

Trainingsprogramm zur Steigerung des Leistungsniveaus vereinbaren

- Maßnahmen konkretisieren
  - » Trainingsprogramm zur Steigerung der Körperfitness absolvieren
  - » Trainingsprogramm zur Steigerung der kognitiven Fähigkeiten absolvieren
  - » Trainingsprogramm zur Erhöhung der Ausdauer absolvieren
  - » Trainingsprogramm zur Steigerung der Konzentration absolvieren
- Zeit angeben

Im klientenzentrierten Gespräch die Trainingserfolge zur Steigerung des Leistungsniveaus reflektieren

- Gesprächsinhalt
- Zeit angeben
- Beteiligte Personen angeben
  - » Betroffene Person
  - » Angehöriger/Bezugsperson
  - » Betreuer
  - » Eltern
  - » Sonstige Personen
- Durchführende Person angeben
  - » Bezugspflegeperson
  - » Pflegeperson
  - » Spezialtherapeuten
  - » Physiotherapeuten

An einrichtungsspezifischen bewegungsfördernden körperlichen Aktivitäten teilnehmen

- Maßnahmen konkretisieren
- Einrichtungsspezifische Aktivität wählen
- Zeitdauer der Gruppentherapie bestimmen

Lebenspraktisches Einzeltraining durchführen

- Einzeltraining konkretisieren
  - » Aus der Tageszeitung vorlesen und aktuelle Themen diskutieren

- » Mahlzeiten kochen
- » Einkaufen gehen
- » Küchendienst übernehmen
- » Zimmer reinigen
- » Tisch für die Mahlzeiten decken/abdecken
- » Blumen-/Pflanzenpflege durchführen
- » Wäsche versorgen
- Einrichtungsspezifische Aktivität wählen
- Art der Unterstützungsleistung angeben
  - » Beim Durchführen anleiten
  - » Beim Durchführen beaufsichtigen
  - » Durchgeführte Tätigkeiten im Pflegefachgespräch reflektieren
  - » Gemeinsam partnerschaftlich durchführen
- Zeitdauer der Einzelförderung bestimmen

Lebenspraktisches Gruppentraining durchführen

- Gruppentraining konkretisieren
  - » Gemeinsam Mahlzeiten kochen und einnehmen
  - » Gemeinsam einkaufen
  - » An der Kosmetikgruppe teilnehmen
  - » Feste planen, vorbereiten und durchführen
  - » An der Hauswirtschaftsgruppe teilnehmen
- Einrichtungsspezifische Aktivität wählen
- Art der Unterstützungsleistung angeben
  - » Auffordern, den Termin des Gruppenangebots einzuhalten
  - » Zur Teilnahme an den Aktivitäten motivieren
  - » Bei den Gruppenaktivitäten unterstützen
  - » Nach der Aktivität Reflexionsgespräch führen
- Zeitdauer der Gruppentherapie bestimmen

Körperbezogene Therapieangebote/Aktivitäten durchführen

- Maßnahmen konkretisieren
  - » Morgengymnastik durchführen
  - » Fitnesstraining durchführen
  - » Schwimmen gehen
  - » Bewegungsbad durchführen
  - » Wasserjogging durchführen
  - » Konzentrative Körperarbeit leisten
  - » Körpertherapie durchführen
  - » Sport in Form von Spielen machen
  - » An der Seniorengymnastik teilnehmen
  - » Konzentrative Bewegungstherapie durchführen
  - » Tanztherapie durchführen
- Einrichtungsspezifische Aktivität wählen
- Zeit angeben

Sonstige Pflegemaßnahmen durchführen

- Maßnahmen konkretisieren
- Zeit angeben

Literaturhinweise: 47, 82, 83, 95, 101, 125, 173, 175, 176

Der Patient zeigt eine **ziellose/unwillkürliche motorische Aktivität**, ist in der **Durchführung von Aktivitäten des täglichen Lebens beeinträchtigt**

Kennzeichen

- Rhythmisches Zittern
- Unwillkürliches Zittern
- Abwechselnde Kontraktion gegensätzlicher Muskelgruppen
- Grobschlägiger Tremor
- Mittelschlägiger Tremor
- Feinschlägiger Tremor
- Intentionstremor
- Ruhetremor
- Pillendrehertremor
- Ständiges Kopfnicken
- Bewegungsstereotypie
- Katatone Erscheinungsform mit Hyperkinese
- Motorische Unruhezustände
- Sinn- und zweckloser Bewegungsdrang
- Fremd- und/oder autoaggressive Handlungen

Ursachen

- Multiple Sklerose
- Morbus Parkinson
- Seniler Tremor
- Neurologische Störung
- Psychische Erkrankung
- Chorea Huntington

Ressourcen

- Lässt sich in den Aktivitäten steuern
- Lässt sich unterbrechen
- Nimmt Anregungen zur Beschäftigung an
- Führt Bewegungen nach Anweisung/Anleitung durch
- Reagiert positiv auf die therapeutische Körperwaschung
- Akzeptiert die Unterstützung
- Akzeptiert die Unterstützung von Angehörigen

Pflegeziele

- Erlernt neue Fähigkeiten/Fertigkeiten, um vorhandene körperliche Defizite/Einschränkungen zu kompensieren
- Ausreichende Ruhephasen werden eingehalten
- Kann nachts schlafen
- Zeigt Verhaltensweisen, die auf Ermüdung hinweisen
- Ziellose, ungerichtete motorische Aktivität nimmt ab
- Aktivität ist vermehrt zielgerichtet

Pflegeinterventionen

Durch gezieltes Führen der Extremitäten bei den Verrichtungen des täglichen Lebens unterstützen
- Pflegeintervention konkretisieren
- Zeit angeben

Für Pausen und Ruhephasen sorgen
- Pflegeintervention konkretisieren
- Zeit angeben

Durch körperliche Aktivität für eine natürliche Ermüdung sorgen
- Pflegeintervention konkretisieren
- Zeit angeben

Beruhigend wirkende Pflegeinterventionen einleiten
- Pflegeintervention konkretisieren
  - » Beruhigende Gespräche führen
  - » Durch Berührungen zum Stillhalten auffordern

Sonstige Pflegemaßnahmen durchführen
- Maßnahmen konkretisieren
- Zeit angeben

Literaturhinweise: 82, 83, 95, 101, 102, 173, 175, 176, 878

Der Patient ist in der selbstständigen **Freizeitgestaltung beeinträchtigt**

Kennzeichen

- Äußert ein Gefühl der Langeweile
- Äußert, nicht zu wissen, wie Zeit sinnvoll verbracht werden kann
- Zeigt Verhaltensweisen/macht Äußerungen, die auf ein Wissensdefizit hinweisen
- Sieht keinen Sinn darin, etwas zu tun
- Kann für sich keine (Lebens-)Perspektiven formulieren
- Nimmt Angebote nicht wahr
- Nimmt Freizeitangebote so, wie diese gerade stattfinden, wahr

Ursachen

- Bewegungseinschränkung
- Depressionen
- Fehlende kognitive Fähigkeiten
- Psychiatrische Erkrankung
- Entwicklungsbedingt

Ressourcen

- Zeigt/äußert starkes Interesse mitzuarbeiten
- Lässt sich durch Aufforderungen zu Aktivitäten motivieren

Pflegeziele

- Beteiligt sich an angebotenen Aktivitäten
- Ist körperlich fit
- Gefestigte Tagesstruktur ist aufgebaut
- Nimmt an Freizeitaktivitäten teil
- Führt eigenverantwortlich Aktivitäten durch und reflektiert sie konstruktiv
- Selbstvertrauen in eigene Kompetenzen/Fähigkeiten ist gefördert
- Ein positives Selbstkonzept ist gefördert
- Erkennt und integriert in angemessener Weise die Veränderungen in seinem/ ihrem Selbstkonzept
- Nimmt Gefühle wahr und artikuliert diese adäquat
- Vorhandene Kompetenzen in der selbstständigen Lebensführung erhalten
- Kompetenzen der selbstständigen Lebensführung fördern
- Selbstwertgefühl ist gestärkt
- Selbstständigkeit ist gefördert
- Ist sozial integriert
- Übernimmt Mitverantwortung in der Gruppe
- Soziales Lernen ist unterstützt
- Integriert sich in das Gruppengeschehen
- Kennt die Spielregeln in sozialen Gemeinschaften
- Kann eigene Fähigkeiten und Belastbarkeit einschätzen
- Mobilität und soziale Kontakte sind erhalten
- Körperliche Aktivität ist erhöht
- Entwickelt Freude an der Bewegung in der Natur
- Kennt Möglichkeiten, aktiv den Therapieerfolg zu unterstützen
- Hält sich an Absprachen und unterstützt aktiv die Therapie
- Selbstkontrolle ist verbessert
- Lässt sich auf Freizeitaktivitäten ein
- Freizeit ist aktiv gestaltet
- Fühlt sich integriert

Pflegeinterventionen

Klientenzentriertes Gespräch über Freizeitaktivitäten durchführen
- Gesprächsinhalt
- Zeit angeben
- Beteiligte Personen angeben
  - » Betroffene Person
  - » Angehöriger/Bezugsperson
  - » Betreuer
  - » Eltern
  - » Sonstige Personen
- Durchführende Person angeben
  - » Bezugspflegeperson
  - » Pflegeperson

- » Spezialtherapeuten
- » Physiotherapeuten

Bewegungsfördernde/sportliche Aktivitäten durchführen
- Maßnahmen konkretisieren
  - » Morgengymnastik durchführen
  - » Fitnesstraining durchführen
  - » Schwimmen gehen
  - » Bewegungsbad durchführen
  - » Wasserjogging durchführen
  - » Konzentrative Körperarbeit leisten
  - » Körpertherapie durchführen
  - » Sport in Form von Spielen machen
  - » An der Seniorengymnastik teilnehmen
  - » Konzentrative Bewegungstherapie durchführen
  - » Tanztherapie durchführen
- Einrichtungsspezifische Aktivität wählen
- Zeit angeben

Freizeit mit Spielen in der Gruppe gestalten
- Maßnahmen konkretisieren
  - » Volleyball spielen
  - » Tischtennis spielen
  - » Handball spielen
  - » Fußball spielen
  - » Federball spielen
  - » Tennis spielen
- Einrichtungsspezifische Aktivität wählen
- Gesellschaftsspiele spielen
  - » Mensch ärgere Dich nicht
  - » Monopoly
  - » Mikado
  - » Domino
  - » Kartenspiele
- Einrichtungsspezifische Aktivität wählen
- Unter Beteiligung von Pflegepersonen aktivieren

Freizeitaktivitäten besprechen und planen
- Bezugsperson festlegen
- Pflegeintervention konkretisieren
  - » Tages-/Wochenplan erstellen
  - » Aktivitätenplan erstellen
  - » Tages- und Wochenpläne besprechen
  - » Durchgeführte Aktivitäten besprechen
  - » Lebenspraktische Inhalte besprechen
- Fest verbindlichen Tagesplan vereinbaren
  - » Mit Kontrollmöglichkeit
  - » Ohne Kontrollmöglichkeit
  - » In Eigenverantwortung
  - » In Verantwortung der Bezugsperson
  - » Tagesaktivitäten auswerten und reflektieren
- Dauer bestimmen

Aktivitäten selbstständig mit anschließendem Reflexionsgespräch durchführen
- Gesprächsinhalt
- Zeit angeben
- Beteiligte Personen angeben
  - » Betroffene Person
  - » Angehöriger/Bezugsperson
  - » Betreuer
  - » Eltern
  - » Sonstige Personen
- Durchführende Person angeben
  - » Bezugspflegeperson
  - » Pflegeperson
  - » Spezialtherapeuten
  - » Physiotherapeuten

Selbstkonzept/-bild/-wert und soziale Kompetenzen in Gruppentherapie fördern
- Gruppentherapeutisches Angebot angeben
  - » Selbstsicherheitstraining durchführen
  - » Genusstherapie durchführen
  - » Verhaltenstherapie durchführen
  - » Assertiveness-Training-Programm (ATP) durchführen
  - » Integriertes Psychologisches Therapieprogramm (IPT) durchführen
  - » Kognitive Therapiegruppe besuchen
  - » Musiktherapie durchführen
  - » Gestalttherapie durchführen
  - » Maltherapie durchführen
  - » Märchen-/Literaturgruppe besuchen
  - » Rollenspiele durchführen
  - » Interaktionsspiele zur Persönlichkeitsentwicklung durchführen
  - » Am Gesprächskreis im Erinnerungsraum teilnehmen
  - » Achtsamkeitstraining durchführen
  - » Anti-Phobie/Angst-Training durchführen
- Einrichtungsspezifische Aktivität wählen
- Zeitdauer der Gruppentherapie bestimmen

Selbstkonzept/-bild/-wert und soziale Kompetenzen in Einzeltherapie fördern
- Einzeltherapeutisches Angebot angeben
  - » Selbstsicherheitstraining durchführen
  - » Genusstherapie durchführen
  - » Verhaltenstherapie durchführen
  - » Assertiveness-Training-Programm (ATP) durchführen
  - » Integriertes Psychologisches Therapieprogramm (IPT) durchführen
  - » Positiven Tagesrückblick durchführen
  - » Musiktherapie durchführen
  - » Gestalttherapie durchführen
  - » Maltherapie durchführen
  - » Kognitives Einzeltraining durchführen
  - » Rollenspiele durchführen
  - » Erinnerungstherapie durchführen
  - » Achtsamkeitstraining durchführen
  - » Anti-Phobie/Angst-Training durchführen
- Einrichtungsspezifische Aktivität wählen
- Zeitdauer der Einzelförderung bestimmen

Lebenspraktisches Gruppentraining durchführen
- Gruppentraining konkretisieren
  - » Gemeinsam Mahlzeiten kochen und einnehmen
  - » Gemeinsam einkaufen
  - » An der Kosmetikgruppe teilnehmen
  - » Feste planen, vorbereiten und durchführen
  - » An der Hauswirtschaftsgruppe teilnehmen
- Einrichtungsspezifische Aktivität wählen
- Art der Unterstützungsleistung angeben
  - » Auffordern, den Termin des Gruppenangebots einzuhalten
  - » Zur Teilnahme an den Aktivitäten motivieren
  - » Bei den Gruppenaktivitäten unterstützen
  - » Nach der Aktivität Reflexionsgespräch führen
- Zeitdauer der Gruppentherapie bestimmen

Lebenspraktisches Einzeltraining durchführen
- Einzeltraining konkretisieren
  - » Aus der Tageszeitung vorlesen und aktuelle Themen diskutieren
  - » Mahlzeiten kochen
  - » Einkaufen gehen
  - » Küchendienst übernehmen
  - » Zimmer reinigen
  - » Tisch für die Mahlzeiten decken/abdecken
  - » Blumen-/Pflanzenpflege durchführen
  - » Wäsche versorgen
- Einrichtungsspezifische Aktivität wählen
- Art der Unterstützungsleistung angeben
  - » Beim Durchführen anleiten
  - » Beim Durchführen beaufsichtigen
  - » Durchgeführte Tätigkeiten im Pflegefachgespräch reflektieren
  - » Gemeinsam partnerschaftlich durchführen
- Zeitdauer der Einzelförderung bestimmen

Gesellschaftliche/soziale Aktivitäten fördern
- Stationsaktivität angeben
  - » Gemeinsam aktuelle Zeitungen/Magazine lesen
  - » Kinoabend im Wohn-/Stationsbereich durchführen
  - » Spielnachmittag besuchen
  - » Mahlzeiten gemeinsam einnehmen
  - » Tanznachmittag besuchen
  - » Kirchenbesuch durchführen
  - » Spazieren gehen
  - » Singstunde besuchen
  - » An Festaktivitäten teilnehmen
  - » Am Sonntagsfrühstück teilnehmen
  - » Aktivitäten im Zusammenhang, den Gemeinschaftsraum zu gestalten
  - » Zur Milieugestaltung malen/basteln
- Einrichtungsspezifische Aktivität wählen
- Zeitdauer der Aktivitäten bestimmen

In eine Gruppe integrieren, die regelmäßig spazieren geht
- Pflegeintervention konkretisieren
  - » Zu Spaziergängen auffordern
  - » Mit dem Patienten spazieren gehen
  - » Spaziergänge mit Angehörigen organisieren

- Gruppenspaziergang
  - » In der Gruppe mit dem Patienten spazieren gehen
- Zeit angeben

Therapieziele gemeinsam vereinbaren und kontinuierlich reflektieren
- Maßnahmen konkretisieren
  - » Goal Attainment Scale einsetzen (= Zielerreichungsskala)
  - » Punkteplan einsetzen
- Zeit angeben

In der Freizeitgestaltung unterstützen
- Pflegeintervention konkretisieren
- Zeit angeben

Freizeitaktivitäten individuell auswählen
- Freizeitaktivität angeben
  - » Sportliche Aktivitäten durchführen
  - » Kulturelle Aktivitäten durchführen
  - » Gesellschaftliche Aktivitäten durchführen
  - » Kreative Aktivitäten durchführen
  - » Künstlerische Aktivitäten durchführen
  - » Tiergestützte Angebote
- Art der Unterstützungsleistung angeben
  - » Positive Aktivitäten gezielt planen
  - » Aktivitäten vereinbaren
  - » Nach der Aktivität Reflexionsgespräch führen
  - » Stimmungslage nach der Aktivität reflektieren
  - » Gespräche und Planung mit der Bezugspflegeperson durchführen
  - » Zur Teilnahme auffordern/motivieren
  - » Tägliche Anzahl der zu planenden Aktivitäten bestimmen
- Dauer des Gesprächs bestimmen

Sonstige Pflegemaßnahmen durchführen
- Maßnahmen konkretisieren
- Zeit angeben

Literaturhinweise: 95, 101, 125, 175, 176

Der Patient empfindet die eigene **Freizeitgestaltung** als **unbefriedigend**

Kennzeichen

- Äußert Unzufriedenheit mit der Freizeitgestaltung
- Freizeitgestaltung ist nicht interessengesteuert, sondern dem Zufall überlassen
- Nimmt Freizeitangebote so, wie diese gerade stattfinden, wahr

Ursachen

- Fehlendes Interesse
- Psychiatrische Erkrankung
- Eingeschränkte Zeit, die zur Freizeitgestaltung genutzt werden kann
- Fehlende Ideen, welche Freizeitaktivitäten zur eigenen Zufriedenheit führen könnten
- Kann sich auf die Freizeitaktivitäten nicht konzentrieren, aufgrund von Belastungssituationen

Ressourcen

- Findet Freude an ruhigeren Aktivitäten
- Lässt sich durch Aufforderungen zu Aktivitäten motivieren
- Erkennt den Zusammenhang zwischen der Unzufriedenheit und dem eigenen Freizeitverhalten

Pflegeziele

- Nimmt das Freizeitverhalten bewusster wahr
- Kennt Ursachen für die Isolation und Handlungsweisen, um diese zu durchbrechen
- Freizeitgestaltung ist bereits während des Klinikaufenthalts strukturiert
- Nimmt Kontakt zu Freunden/Angehörigen auf
- Kann eigene Fähigkeiten und Belastbarkeit einschätzen
- Mobilität und soziale Kontakte sind erhalten
- Körperliche Aktivität ist erhöht
- Entwickelt Freude an der Bewegung in der Natur
- Kennt Möglichkeiten, aktiv den Therapieerfolg zu unterstützen
- Hält sich an Absprachen und unterstützt aktiv die Therapie
- Selbstkontrolle ist verbessert
- Fühlt sich integriert

Pflegeinterventionen

Freizeitverhalten beobachten
- Pflegeintervention konkretisieren
- Zeit angeben

Freizeitaktivitäten-Tagebuch führen und Verhalten/Erfahrungen gemeinsam reflektieren
- Gesprächsinhalt
- Zeit angeben
- Beteiligte Personen angeben
  - » Betroffene Person
  - » Angehöriger/Bezugsperson
  - » Betreuer
  - » Eltern
  - » Sonstige Personen
- Durchführende Person angeben
  - » Bezugspflegeperson
  - » Pflegeperson
  - » Spezialtherapeuten
  - » Physiotherapeuten

Feste Freizeitaktivitäten in der Woche planen
- Maßnahmen konkretisieren
  - » Monatsplan aufstellen
  - » Tages-/Wochenplan erstellen
- Zeit angeben

Bei der Kontaktaufnahme mit Angehörigen, Freunden oder Bekannten unterstützen
- Netzwerke bestimmen, die aufgebaut/gefördert werden können
  - » Netzwerk Familie
  - » Netzwerk Freundeskreis
  - » Netzwerk Arbeitsfeld

- » Netzwerk Glaubensgemeinschaft
- » Netzwerk Freizeitaktivität/Hobby
- » Selbsthilfegruppe
- » Sonstige Netzwerke
- Zeitdauer der Intervention bestimmen
- Gesprächspartner bestimmen
  - » Angehöriger/Bezugsperson
  - » Betreuer
  - » Freunde
  - » Arbeitgeber
  - » Arbeitskollegen
  - » Ämter
  - » Kirchenvertreter
  - » Nachbarn
  - » Sonstige Personen

In eine Gruppe integrieren, die regelmäßig spazieren geht
- Pflegeintervention konkretisieren
  - » Zu Spaziergängen auffordern
  - » Mit dem Patienten spazieren gehen
  - » Spaziergänge mit Angehörigen organisieren
- Gruppenspaziergang
  - » In der Gruppe mit dem Patienten spazieren gehen
- Zeit angeben

Therapieziele gemeinsam vereinbaren und kontinuierlich reflektieren
- Maßnahmen konkretisieren
  - » Goal Attainment Scale einsetzen (= Zielerreichungsskala)
  - » Punkteplan einsetzen
- Zeit angeben

Freizeitaktivitäten individuell auswählen
- Freizeitaktivität angeben
  - » Sportliche Aktivitäten durchführen
  - » Kulturelle Aktivitäten durchführen
  - » Gesellschaftliche Aktivitäten durchführen
  - » Kreative Aktivitäten durchführen
  - » Künstlerische Aktivitäten durchführen
  - » Tiergestützte Angebote
- Art der Unterstützungsleistung angeben
  - » Positive Aktivitäten gezielt planen
  - » Aktivitäten vereinbaren
  - » Nach der Aktivität Reflexionsgespräch führen
  - » Stimmungslage nach der Aktivität reflektieren
  - » Gespräche und Planung mit der Bezugspflegeperson durchführen
  - » Zur Teilnahme auffordern/motivieren
  - » Tägliche Anzahl der zu planenden Aktivitäten bestimmen
- Dauer des Gesprächs bestimmen

Sonstige Pflegemaßnahmen durchführen
- Maßnahmen konkretisieren
- Zeit angeben

Literaturhinweise: 95, 101, 125, 175, 176, 317

Der Patient hat aufgrund eines **passiven Freizeitverhaltens/einer Konsumhaltung** eine **unbefriedigende Freizeitgestaltung**

Kennzeichen

- Berichtet über einen Lebensstil, der durch ein geringes Aktivitätsniveau gekennzeichnet ist
- Wählt sich gezielt Freizeitaktivitäten aus, die eine passive Konsumhaltung unterstützen (z. B. Fernsehen)
- Bringt sich nicht aktiv in die Freizeitgestaltung ein
- Äußert Unzufriedenheit mit der Freizeitgestaltung

Ursachen

- Reduziertes Bewusstsein/Wissen bezüglich der Zusammenhänge von körperlicher Aktivität und Gesundheit
- Beeinträchtigte Motivation/Anleitung zur Ausführung körperlicher Bewegung
- Beeinträchtigtes Interesse/beeinträchtigte Motivation
- Fantasielosigkeit
- Psychische Erkrankung
- Ablenkungs- und Entspannungsversuche vom Alltag/von der Lebenssituation
- Reduzierte finanzielle Mittel, um Freizeit aktiv zu gestalten

Ressourcen

- Lässt sich durch Aufforderungen zu Aktivitäten motivieren

Pflegeziele

- Reflektiert das eigene Freizeitverhalten und erkennt dessen Ursachen
- Freizeit ist aktiv gestaltet
- Kann eigene Fähigkeiten und Belastbarkeit einschätzen
- Mobilität und soziale Kontakte sind erhalten

- Körperliche Aktivität ist erhöht
- Entwickelt Freude an der Bewegung in der Natur
- Kennt Möglichkeiten, aktiv den Therapieerfolg zu unterstützen
- Hält sich an Absprachen und unterstützt aktiv die Therapie
- Selbstkontrolle ist verbessert
- Fühlt sich integriert

Pflegeinterventionen

Freizeitverhalten beobachten, analysieren und dokumentieren
- Pflegeintervention konkretisieren
- Zeit angeben

Klientenzentriertes Gespräch über Freizeitverhalten und -gestaltung führen
- Gesprächsinhalt
- Zeit angeben
- Beteiligte Personen angeben
  - » Betroffene Person
  - » Angehöriger/Bezugsperson
  - » Betreuer
  - » Eltern
  - » Sonstige Personen
- Durchführende Person angeben
  - » Bezugspflegeperson
  - » Pflegeperson
  - » Spezialtherapeuten
  - » Physiotherapeuten

Gespräch über Freizeitgestaltung und -planung führen
- Bezugsperson festlegen
- Pflegeintervention konkretisieren
  - » Tages-/Wochenplan erstellen
  - » Aktivitätenplan erstellen
  - » Tages- und Wochenpläne besprechen
  - » Durchgeführte Aktivitäten besprechen
  - » Lebenspraktische Inhalte besprechen
- Fest verbindlichen Tagesplan vereinbaren
  - » Mit Kontrollmöglichkeit
  - » Ohne Kontrollmöglichkeit
  - » In Eigenverantwortung
  - » In Verantwortung der Bezugsperson
  - » Tagesaktivitäten auswerten und reflektieren
- Dauer bestimmen

In eine Gruppe integrieren, die regelmäßig spazieren geht
- Pflegeintervention konkretisieren
  - » Zu Spaziergängen auffordern
  - » Mit dem Patienten spazieren gehen
  - » Spaziergänge mit Angehörigen organisieren
- Gruppenspaziergang
  - » In der Gruppe mit dem Patienten spazieren gehen
- Zeit angeben

Therapieziele gemeinsam vereinbaren und kontinuierlich reflektieren
- Maßnahmen konkretisieren
  - » Goal Attainment Scale einsetzen (= Zielerreichungsskala)
  - » Punkteplan einsetzen
- Zeit angeben

Freizeitaktivitäten individuell auswählen
- Freizeitaktivität angeben
  - » Sportliche Aktivitäten durchführen
  - » Kulturelle Aktivitäten durchführen
  - » Gesellschaftliche Aktivitäten durchführen
  - » Kreative Aktivitäten durchführen
  - » Künstlerische Aktivitäten durchführen
  - » Tiergestützte Angebote
- Art der Unterstützungsleistung angeben
  - » Positive Aktivitäten gezielt planen
  - » Aktivitäten vereinbaren
  - » Nach der Aktivität Reflexionsgespräch führen
  - » Stimmungslage nach der Aktivität reflektieren
  - » Gespräche und Planung mit der Bezugspflegeperson durchführen
  - » Zur Teilnahme auffordern/motivieren
  - » Tägliche Anzahl der zu planenden Aktivitäten bestimmen
- Dauer des Gesprächs bestimmen

Sonstige Pflegemaßnahmen durchführen
- Maßnahmen konkretisieren
- Zeit angeben

Literaturhinweise: 95, 101, 125, 175, 176, 177

Der Patient zeigt **Verhaltensweisen, die die Durchführung von Freizeitaktivitäten erschweren**, es besteht das **Risiko einer unbefriedigten Freizeitgestaltung**

Kennzeichen

- Reagiert gereizt
- Zeigt aggressives Verhalten
- Redet ununterbrochen und lässt andere nicht zu Wort kommen
- Zeigt teilweise rücksichtsloses Verhalten gegenüber Mitmenschen
- Aggressives Verhalten
- Unruhezustände
- Konzentrationsschwäche
- Drängt sich in den Mittelpunkt
- Hektische Geschäftigkeit
- Ständig wechselnde Interessen
- Ideenflucht
- Raucht ununterbrochen

Ursachen

- Suchterkrankung
- Schizophrene Psychose
- Neurose
- Psychische Erkrankung
- Geistige Behinderung

Ressourcen

- Lässt sich durch Aufforderungen zu Aktivitäten motivieren
- Akzeptiert die Unterstützung
- Akzeptiert die Unterstützung von Angehörigen

Pflegeziele

- Fühlt sich integriert
- Kann sich auf die Freizeitaktivität konzentrieren, wird nicht zusätzlich abgelenkt
- Zusätzliche äußere Belastungen sind reduziert, Ängste und Unruhezustände werden abgebaut
- Ist ruhig und kann sich konzentrieren
- Akzeptiert die therapeutische Distanz
- Denkt über das persönliche Verhalten und dessen Wirkung auf Mitmenschen nach
- Fehlverhalten ist reduziert
- Kennt Möglichkeiten, aktiv den Therapieerfolg zu unterstützen
- Hält sich an Absprachen und unterstützt aktiv die Therapie
- Selbstkontrolle ist verbessert
- Behandlungs- und Therapiekonzept sind transparent und vom therapeutischen Team umgesetzt
- Aktive Beteiligung an der Behandlungsplanung ist sichergestellt
- Kann eigene Fähigkeiten und Belastbarkeit einschätzen
- Mobilität und soziale Kontakte sind erhalten
- Körperliche Aktivität ist erhöht
- Entwickelt Freude an der Bewegung in der Natur
- Reflektiert eigenes Verhalten und kann dieses in Zukunft ändern

Pflegeinterventionen

Freizeitaktivitäten individuell auswählen
- Freizeitaktivität angeben
  - » Sportliche Aktivitäten durchführen
  - » Kulturelle Aktivitäten durchführen
  - » Gesellschaftliche Aktivitäten durchführen
  - » Kreative Aktivitäten durchführen
  - » Künstlerische Aktivitäten durchführen
  - » Tiergestützte Angebote
- Art der Unterstützungsleistung angeben
  - » Positive Aktivitäten gezielt planen
  - » Aktivitäten vereinbaren
  - » Nach der Aktivität Reflexionsgespräch führen
  - » Stimmungslage nach der Aktivität reflektieren
  - » Gespräche und Planung mit der Bezugspflegeperson durchführen
  - » Zur Teilnahme auffordern/motivieren
  - » Tägliche Anzahl der zu planenden Aktivitäten bestimmen
- Dauer des Gesprächs bestimmen

Aktivitäten mit niedrigem Reizpotenzial auswählen und gemeinsam vereinbaren
- Maßnahmen konkretisieren
  - » Monatsplan aufstellen
  - » Tages-/Wochenplan erstellen
- Zeit angeben

Aktivitäten mit niedriger Konzentrationsleistung und geringem Leistungsdruck anbieten
- Pflegeintervention konkretisieren
- Zeit angeben

Möglichkeit zum Ausleben der Unruhezustände geben
- Pflegeintervention konkretisieren
- Zeit angeben

Gewünschtes Verhalten positiv verstärken
- Maßnahmen konkretisieren
  - » Gewünschtes Verhalten durch Lob fördern
  - » Im therapeutischen Team Verhaltensweisen zur Stärkung des Selbstkonzepts vereinbaren
  - » Einüben, sich selbst zu belohnen

Therapeutische Distanz wahren
- Pflegeintervention konkretisieren
- Zeit angeben

Im klientenzentrierten Gespräch die Verhaltensweise und ihre Wirkungen spiegeln sowie Lösungsansätze entwickeln
- Gesprächsinhalt
- Zeit angeben
- Beteiligte Personen angeben
  - » Betroffene Person
  - » Angehöriger/Bezugsperson
  - » Betreuer
  - » Eltern
  - » Sonstige Personen
- Durchführende Person angeben
  - » Bezugspflegeperson
  - » Pflegeperson
  - » Spezialtherapeuten
  - » Physiotherapeuten

Im therapeutischen Team vereinbarte Konsequenzen bei auftretendem Fehlverhalten umsetzen
- Pflegeintervention konkretisieren
- Zeit angeben

Therapieziele gemeinsam vereinbaren und kontinuierlich reflektieren
- Maßnahmen konkretisieren
  - » Goal Attainment Scale einsetzen (= Zielerreichungsskala)
  - » Punkteplan einsetzen
- Zeit angeben

Fallbesprechung zur weiteren Behandlungs- und Therapieplanung durchführen
- Beteiligte Personen angeben
  - » Bewohner
  - » Pflegeperson
  - » Ärztlicher Dienst
  - » Psychologe
  - » Sozialarbeiter
  - » Sozialpädagoge
  - » Ergotherapeut
  - » Krankengymnast
  - » Logopäde
  - » Beschäftigungstherapeut
  - » Heilpädagoge
  - » Geistlicher Beistand
  - » Lehrer
  - » Erzieher
  - » Jugendamt
  - » Sonstige Personen
- Gesprächsinhalt
  - » Vereinbarte Therapieziele
  - » Vereinbarte Gesprächsinhalte für ein klientenzentriertes Pflegefachgespräch
- Zeitdauer angeben

In eine Gruppe integrieren, die regelmäßig spazieren geht
- Pflegeintervention konkretisieren
  - » Zu Spaziergängen auffordern
  - » Mit dem Patienten spazieren gehen
  - » Spaziergänge mit Angehörigen organisieren

- Gruppenspaziergang
  - » In der Gruppe mit dem Patienten spazieren gehen
- Zeit angeben

Verhaltensweisen im Gespräch reflektieren
- Pflegeintervention konkretisieren
- Zeit angeben

Sonstige Pflegemaßnahmen durchführen
- Maßnahmen konkretisieren
- Zeit angeben

Literaturhinweise: 95, 101, 125, 175, 176

Der Patient kann **Einkäufe/Erledigungen** nicht selbstständig durchführen, es besteht ein **Selbstfürsorgedefizit**

Kennzeichen

- Fehlende körperliche Fähigkeiten
- Fehlende kognitive Fähigkeiten
- Kann die Wohnung nicht selbstständig verlassen/wieder aufsuchen

Ursachen

- Bewegungseinschränkung
- Aktivitätsintoleranz
- Schlaganfall mit Hemiplegie
- Morbus Alzheimer
- Psychische Erkrankung
- Multiple Sklerose
- Demenz
- Geistige Behinderung
- Körperliche Beeinträchtigung

Ressourcen

- Akzeptiert die Unterstützung
- Akzeptiert die Unterstützung von Angehörigen

Pflegeziele

- Gebrauchsgegenstände und Lebensmittelvorräte sind besorgt
- Zeigt Interesse bei der Aufstellung der Einkaufsliste
- Ist mit den notwendigen Medikamenten versorgt
- Postkontakt zu Angehörigen/Behörden ist sichergestellt
- Notwendige Besorgungen sind durchgeführt
- Bedürfnisse sind erfüllt
- Teilnahme an Veranstaltungen und Erledigung von Besorgungen sind sichergestellt
- Wichtige Belange sind erledigt
- Beschwerden sind dem Arzt korrekt mitgeteilt
- Aktive Beteiligung an der Behandlungsplanung ist sichergestellt
- Soziale Belange sind geregelt, dem sozialen Ruin ist vorgebeugt
- Nimmt am sozialen Leben teil und fühlt sich integriert

Pflegeinterventionen

Einkaufsliste erstellen und Einkauf erledigen
- Maßnahmen konkretisieren
- Zeitdauer angeben

Besorgungen in der Apotheke erledigen
- Maßnahmen konkretisieren
- Zeitdauer angeben

Besorgungen auf dem Postamt erledigen
- Maßnahmen konkretisieren
- Zeitdauer angeben

Sonstige Besorgungen für den Patienten durchführen
- Maßnahmen konkretisieren
- Zeitdauer angeben

Beim Verlassen und Wiederaufsuchen der Wohnung Hilfestellung leisten
- Maßnahmen konkretisieren
- Zeitdauer angeben

Fahrdienst anmelden
- Pflegeintervention konkretisieren
- Zeit angeben

Bei Behördengängen begleiten
- Maßnahmen konkretisieren
- Anzahl der Pflegepersonen eintragen
- Zeitdauer angeben

Zum Arzttermin begleiten
- Maßnahmen konkretisieren
- Anzahl der Pflegepersonen eintragen
- Zeitdauer angeben

Außerhalb der Wohnung begleiten
- Maßnahmen konkretisieren
  - » Gemeinsam einkaufen
- Anzahl der Pflegepersonen eintragen
- Zeitdauer angeben

Fahrten mit dem Patienten durchführen
- Maßnahmen konkretisieren
- Anzahl der Pflegepersonen eintragen
- Zeitdauer angeben

Sonstige Pflegemaßnahmen durchführen
- Maßnahmen konkretisieren
- Zeit angeben

Literaturhinweise: 95, 125, 127, 175, 176

Der Patient kann den **häuslichen Bereich** nicht selbstständig **sauber halten/beheizen**, es besteht ein **Selbstfürsorgedefizit**

Kennzeichen

- Mülleimer sind nicht geleert
- Gebrauchsgegenstände liegen herum
- Schlechte Raumluft
- Sichtbare Hygienemängel in Bädern
- Angehörige berichten über beeinträchtigte Fähigkeiten der selbstständigen Haushaltsführung
- Unangenehme Gerüche in der Wohnung
- Unangemessene Temperierung der Wohnung
- Verschmutzter Küchenbereich, und/oder herumliegende alte Essensreste
- Beeinträchtigtes Hygieneverständnis

Ursachen

- Körperliche Einschränkung
- Eingeschränkte kognitive Fähigkeiten
- Multiple Sklerose
- Morbus Parkinson
- Morbus Alzheimer
- Schlaganfall mit Hemiplegie
- Geistige Behinderung
- Angeborene körperliche Behinderung
- Paraplegie
- Fehlende Unterstützung aus dem sozialen Umfeld/von Angehörigen/Bezugspersonen
- Plötzlich veränderte Anforderungen
- Wegfall bisher genutzter Ressourcen zur Unterstützung der Haushaltsführung

Ressourcen

- Akzeptiert die Unterstützung
- Akzeptiert die Unterstützung von Angehörigen

Pflegeziele

- Hygiene im häuslichen Bereich ist sichergestellt
- Saubere Bettwäsche ist sichergestellt
- Angenehmes Raumklima ist sichergestellt

Pflegeinterventionen

Wohnung routinemäßig reinigen
- Maßnahmen konkretisieren
- Zeitdauer angeben

Wohnung aufräumen
- Maßnahmen konkretisieren
- Zeitdauer angeben

Grundreinigung der Wohnung durchführen
- Maßnahmen konkretisieren
- Zeitdauer angeben

Bett machen/beziehen
- Pflegeintervention konkretisieren
  - » Betttuch glatt ziehen, Bettzeug aufschütteln
  - » Durchzug wechseln
  - » Einwegkrankenunterlage auswechseln
  - » Gummidurchzug auswechseln
  - » Kopfkissen frisch beziehen
  - » Bettdecke frisch beziehen
  - » Betttuch wechseln
  - » Bett komplett frisch beziehen
- Anzuleitende Person(en) festlegen
  - » Betroffene Person
  - » Angehöriger/Bezugsperson

Wohnung beheizen
- Maßnahmen konkretisieren
- Zeitdauer angeben

Sonstige Pflegemaßnahmen durchführen
- Maßnahmen konkretisieren
- Zeit angeben

Literaturhinweise: 95, 125, 127, 175, 176

Der Patient ist in der **selbstständigen Haushaltsführung eingeschränkt**, es besteht ein **Selbstfürsorgedefizit**

Kennzeichen

- Kann nicht für ein sauberes Zimmer sorgen
- Führt lebensnotwendige Aktivitäten nicht/nicht regelmäßig durch
- Trägt Wäschestücke sehr lange
- Trägt verschmutzte Wäsche
- Wäsche wird nicht adäquat versorgt
- Verdorbene Lebensmittel befinden sich im Zimmer
- Äußert, dass er das Bett nicht machen kann
- Kann das Bett nicht selbstständig richten
- Die Fähigkeit, selbstständig hauswirtschaftliche Tätigkeiten zu initiieren, ist beeinträchtigt
- Die Fähigkeit, selbstständig hauswirtschaftliche Tätigkeiten durchzuführen, ist beeinträchtigt
- In der Wohnung sind Ungeziefer/Nagetiere
- Berichtet über Schwierigkeiten, den Haushalt zu führen/sauber zu halten

Ursachen

- Demenz
- Geistige Behinderung
- Psychische Erkrankung
- Körperliche Fähigkeiten sind eingeschränkt
- Eingeschränkte körperliche Belastungsfähigkeit
- Fehlende finanzielle Ressourcen
- Fehlende Organisation/Verantwortung der Hausbewohner
- Plötzlich veränderte Anforderungen
- Fehlende Unterstützung aus dem sozialen Umfeld/von Angehörigen/Bezugspersonen
- Wegfall bisher genutzter Ressourcen zur Unterstützung der Haushaltsführung
- Körperliche Beeinträchtigung

Ressourcen

- Kann Hilfe annehmen
- Akzeptiert die Unterstützung von Angehörigen
- Akzeptiert die Unterstützung

Pflegeziele

- Selbstständigkeit ist gefördert
- Führt die zugeteilten Stationsaufgaben selbstständig durch
- Lernt, die Aufgaben des täglichen Lebens in einer angemessenen Zeit durchzuführen
- Reinigt das Zimmer selbstständig und hält es in Ordnung
- Führt Tätigkeiten des täglichen Lebens aus
- Erstellt einen Einkaufszettel entsprechend dem Speiseplan
- Bereitet einfache Mahlzeiten selbstständig zu
- Legt bei der Auswahl der Mahlzeiten Wert auf eine ausgeglichene Ernährung
- Hygiene ist gewährleistet, einer Keimverschleppung ist vorgebeugt
- Wäscht, bügelt und sortiert die eigene Wäsche
- Führt kleine Reparaturen bei Wäschestücken selbst durch
- Hält Ordnung bei den Wäschestücken im Schrank und sortiert nach sauberer und schmutziger Wäsche
- Äußert Wohlbefinden

Pflegeinterventionen

Lebenspraktisches Einzeltraining durchführen

- Einzeltraining konkretisieren
  - » Aus der Tageszeitung vorlesen und aktuelle Themen diskutieren
  - » Mahlzeiten kochen
  - » Einkaufen gehen
  - » Küchendienst übernehmen
  - » Zimmer reinigen
  - » Tisch für die Mahlzeiten decken/abdecken
  - » Blumen-/Pflanzenpflege durchführen
  - » Wäsche versorgen
- Einrichtungsspezifische Aktivität wählen
- Art der Unterstützungsleistung angeben
  - » Beim Durchführen anleiten
  - » Beim Durchführen beaufsichtigen
  - » Durchgeführte Tätigkeiten im Pflegefachgespräch reflektieren
  - » Gemeinsam partnerschaftlich durchführen
- Zeitdauer der Einzelförderung bestimmen

Lebenspraktisches Gruppentraining durchführen

- Gruppentraining konkretisieren
  - » Gemeinsam Mahlzeiten kochen und einnehmen
  - » Gemeinsam einkaufen
  - » An der Kosmetikgruppe teilnehmen
  - » Feste planen, vorbereiten und durchführen
  - » An der Hauswirtschaftsgruppe teilnehmen
- Einrichtungsspezifische Aktivität wählen
- Art der Unterstützungsleistung angeben
  - » Auffordern, den Termin des Gruppenangebots einzuhalten
  - » Zur Teilnahme an den Aktivitäten motivieren
  - » Bei den Gruppenaktivitäten unterstützen
  - » Nach der Aktivität Reflexionsgespräch führen
- Zeitdauer der Gruppentherapie bestimmen

Bei den täglichen Aufgaben anleiten

- Pflegeintervention konkretisieren
- Art der Unterstützung
  - » Beaufsichtigen
  - » Durch Unterstützen helfen
  - » Teilweise übernehmen
  - » Vollständig übernehmen
  - » Zur selbstständigen Durchführung anleiten
- Anzuleitende Person(en) festlegen
  - » Betroffene Person
  - » Angehöriger/Bezugsperson
- Zeit angeben

Kontrollieren, ob die täglichen Aufgaben durchgeführt wurden

- Pflegeintervention konkretisieren
- Zeit angeben

Auf Einhaltung eines Zeitplans achten (ritualisieren)
- Pflegeintervention konkretisieren
- Zeit angeben

Bei der Wohnraumpflege unterstützen
- Maßnahmen konkretisieren
  - » Sanitärbereich reinigen
  - » Nachtkästchen und Regale abwischen
  - » Innenraum von Kästen/Schränken reinigen
  - » Abfall entsorgen
  - » Fußboden saugen
  - » Fußboden wischen
  - » Fußboden kehren
  - » Staub wischen
  - » Blumen-/Pflanzenpflege durchführen
  - » Gegenstände aufräumen
  - » Geschirr reinigen
  - » Kochstelle/Mikrowelle reinigen
  - » Kühlschrank reinigen
  - » Kühlschrank kontrollieren
- Art der Unterstützungsleistung angeben
  - » Zur Zimmerreinigung motivieren
  - » Anleiten und fördern
  - » Tätigkeiten teilweise übernehmen
  - » Tätigkeiten voll übernehmen
  - » Durchgeführte Tätigkeiten kontrollieren
- Zeitdauer der Einzelförderung bestimmen

Hauswirtschaftstraining/Wäscheversorgung in Einzelförderung durchführen
- Maßnahmen konkretisieren
  - » Wäsche sortieren
  - » Wäsche waschen (Maschine)
  - » Handwäsche durchführen
  - » Wäsche in die Reinigung bringen/von dort abholen
  - » Wäsche zum Trocknen aufhängen/wieder abnehmen
  - » Wäsche im Wäschetrockner trocknen
  - » Wäsche ausbessern (lassen)
  - » Wäsche bügeln
  - » Wäsche in den Schrank räumen
  - » Für den Wäschedienst vorbereiten
- Art der Unterstützungsleistung angeben
  - » Zur selbstständigen Wäscheversorgung anleiten/dabei unterstützen
  - » Selbstständig durchgeführte Wäscheversorgung im Gespräch reflektieren
  - » Wäsche gemeinsam partnerschaftlich versorgen
- Anzuleitende Person(en) festlegen
  - » Betroffene Person
  - » Angehöriger/Bezugsperson
- Dauer bestimmen

Hauswirtschaftstraining durchführen: Einkäufe erledigen und Mahlzeiten zubereiten
- Maßnahmen konkretisieren
  - » Gemeinsam Mahlzeiten kochen und einnehmen
  - » Gemeinsam einkaufen
  - » Küchendienst übernehmen
  - » Tisch für die Mahlzeiten decken/abdecken
  - » Feste planen, vorbereiten und durchführen
- Einrichtungsspezifische Aktivität wählen
- Art der Unterstützungsleistung angeben
  - » Auffordern, den Termin des Gruppenangebots einzuhalten
  - » Beaufsichtigen u. ggf. eingreifen
  - » Zur Teilnahme an den Aktivitäten motivieren
  - » Bei der Durchführung anleiten
  - » Durchgeführte Tätigkeiten reflektieren
  - » Interventionen zum Beziehungsaufbau gemeinsam partnerschaftlich durchführen
- Zeitdauer der Einzelförderung/Gruppentherapie bestimmen

Anleiten, das Bett zu machen bzw. es frisch zu beziehen
- Pflegeintervention konkretisieren
  - » Betttuch glatt ziehen, Bettzeug aufschütteln
  - » Durchzug wechseln
  - » Einwegkrankenunterlage auswechseln
  - » Gummidurchzug auswechseln
  - » Kopfkissen frisch beziehen
  - » Bettdecke frisch beziehen
  - » Betttuch wechseln
  - » Bett komplett frisch beziehen
- Anzuleitende Person(en) festlegen
  - » Betroffene Person
  - » Angehöriger/Bezugsperson

Gruppentraining zur Wäscheversorgung durchführen
- Maßnahmen konkretisieren
  - » Wäsche sortieren
  - » Wäsche waschen (Maschine)
  - » Handwäsche durchführen
  - » Wäsche in die Reinigung bringen/von dort abholen
  - » Wäsche zum Trocknen aufhängen/wieder abnehmen
  - » Wäsche im Wäschetrockner trocknen
  - » Wäsche ausbessern (lassen)
  - » Wäsche bügeln
  - » Wäsche in den Schrank räumen
- Einrichtungsspezifische Aktivität wählen
- Art der Unterstützungsleistung angeben
  - » Zur selbstständigen Wäscheversorgung anleiten/dabei unterstützen
  - » Selbstständig durchgeführte Wäscheversorgung im Gespräch reflektieren
  - » Wäsche gemeinsam partnerschaftlich versorgen
- Dauer bestimmen

Bett herrichten und bei Bedarf frisch beziehen
- Umfang des Bettenrichtens bestimmen
  - » Laken straffen, Kissen und Bettdecke auflockern
  - » Leintuch wechseln
  - » Bettschutz einbetten/wechseln
  - » Bettwäsche teilweise wechseln
  - » Bettwäsche komplett wechseln
- Den Aufwand bestimmende Faktoren feststellen
  - » Bettgitter sind angebracht
  - » Wird mit dem Hebelifter bewegt
  - » Fixationshilfen sind eingesetzt
- Anzahl der beteiligten Pflegepersonen bestimmen

Sonstige Pflegemaßnahmen durchführen
- Maßnahmen konkretisieren
- Zeit angeben

Literaturhinweise: 95, 125, 175, 176

Der Patient kann nicht selbstständig **für saubere Wäsche sorgen**, es besteht ein **Selbstfürsorgedefizit**

Kennzeichen

- Trägt Wäschestücke sehr lange
- Schmutzwäsche liegt in der Wohnung
- Kleidungsstücke sind verschmutzt
- Zeigt kein Interesse an der Kleidung
- Trägt Kleidungsstücke, die defekt sind/nicht zusammenpassen

Ursachen

- Körperliche Fähigkeiten sind eingeschränkt
- Eingeschränkte kognitive Fähigkeiten
- Demenz
- Orientierungsstörung
- Bewegungseinschränkung
- Körperliche Beeinträchtigung
- Geistige Behinderung

Ressourcen

- Akzeptiert die Unterstützung
- Akzeptiert die Unterstützung von Angehörigen
- Kann Hilfe annehmen

Pflegeziele

- Wäsche ist ordnungsgemäß versorgt
- Saubere Wäsche ist im Kleiderschrank
- Wäscheversorgung ist sichergestellt
- Versorgt die persönliche Wäsche selbstständig
- Saubere und intakte Kleidung ist vorhanden

Pflegeinterventionen

Bei der Wäscheversorgung anleiten/unterstützen

- Maßnahmen konkretisieren
  - » Wäsche sortieren
  - » Wäsche waschen (Maschine)
  - » Handwäsche durchführen
  - » Wäsche in die Reinigung bringen/von dort abholen
  - » Wäsche zum Trocknen aufhängen/wieder abnehmen
  - » Wäsche im Wäschetrockner trocknen
  - » Wäsche ausbessern (lassen)
  - » Wäsche bügeln
  - » Wäsche in den Schrank räumen
  - » Für den Wäschedienst vorbereiten
- Art der Unterstützungsleistung angeben
  - » Zur selbstständigen Wäscheversorgung anleiten/dabei unterstützen
  - » Selbstständig durchgeführte Wäscheversorgung im Gespräch reflektieren
  - » Wäsche gemeinsam partnerschaftlich versorgen
- Anzuleitende Person(en) festlegen
  - » Betroffene Person
  - » Angehöriger/Bezugsperson
- Dauer bestimmen

Wäscheversorgung übernehmen

- Pflegeintervention konkretisieren
- Zeitdauer angeben

Wäsche zur Reinigung bringen und abholen

- Maßnahmen konkretisieren
- Zeitdauer angeben

Vorbildfunktion bei der Kleidung im Pflegeteam übernehmen

- Pflegeintervention konkretisieren
- Zeit angeben

Hauswirtschaftstraining zur Versorgung der Wäsche durchführen

- Maßnahmen konkretisieren
  - » Wäsche sortieren
  - » Wäsche waschen (Maschine)
  - » Handwäsche durchführen
  - » Wäsche in die Reinigung bringen/von dort abholen
  - » Wäsche zum Trocknen aufhängen/wieder abnehmen
  - » Wäsche im Wäschetrockner trocknen
  - » Wäsche ausbessern (lassen)
  - » Wäsche bügeln
  - » Wäsche in den Schrank räumen
  - » Für den Wäschedienst vorbereiten
- Art der Unterstützungsleistung angeben
  - » Zur selbstständigen Wäscheversorgung anleiten/dabei unterstützen
  - » Selbstständig durchgeführte Wäscheversorgung im Gespräch reflektieren
  - » Wäsche gemeinsam partnerschaftlich versorgen
- Anzuleitende Person(en) festlegen
  - » Betroffene Person
  - » Angehöriger/Bezugsperson
- Dauer bestimmen

Sonstige Pflegemaßnahmen durchführen

- Maßnahmen konkretisieren
- Zeit angeben

Literaturhinweise: 95, 125, 127, 175, 176

Der Patient kann die **Nahrung im häuslichen Bereich nicht selbstständig zubereiten**, es besteht ein **Selbstfürsorgedefizit**

Kennzeichen

- Kann Nahrungsmittelverpackungen nicht öffnen
- Fehlende oder eingeschränkte Fähigkeit, Nahrung zuzubereiten
- Kann keine Nahrungsprodukte schneiden/putzen/kochen
- Äußert, nicht kochen zu können oder zu wollen
- Reduzierter Ernährungszustand
- Fehlende kognitive Fähigkeiten

Ursachen

- Eingeschränkte körperliche Belastungsfähigkeit
- Belastungs-/Ruhedyspnoe
- Schmerzzustände
- Bewegungseinschränkung
- Lähmung (nicht näher bezeichnet)
- Unsicheres/ungerichtetes Bewegungsmuster
- Apraxie
- Angstzustände
- Depressive Verstimmung
- Hypotone Kreislaufveränderung
- Demenz
- Desorientierung
- Gesichtsfeldeinschränkung
- Sehschwäche
- Der Wille zu kochen ist nicht vorhanden
- Die Fähigkeit zu kochen wurde nicht erlernt
- Die Anforderung, kochen zu können, war bisher nicht gestellt
- Körperliche Beeinträchtigung
- Geistige Behinderung

Ressourcen

- Kann Wünsche zur Speisenvorbereitung äußern
- Kann leichte Arbeiten bei der Nahrungszubereitung übernehmen
- Zeigt Interesse an den Mahlzeitenvorbereitungen
- Akzeptiert die Unterstützung
- Akzeptiert die Unterstützung von Angehörigen

Pflegeziele

- Äußert Zufriedenheit über die Nahrungsangebote
- Physiologische Ernährung ist sichergestellt
- Versorgt sich zwischen den Hauptmahlzeiten selbstständig
- Selbstständigkeit ist gefördert
- Handgeschicklichkeit und Interesse am sozialen Leben sind angeregt
- Selbstbewusstsein ist gestärkt
- Bedarfsgerechte Energie- und Nährstoffzufuhr
- Physiologische und gesunde Ernährung ist gewährleistet

Pflegeinterventionen

Einfache Mahlzeiten zubereiten (Frühstück/Abendbrot vor-/nachbereiten)
- Pflegeintervention konkretisieren
- Zeit angeben

Essen auf Rädern vor- und nachbereiten (einfache Mahlzeit zubereiten)
- Pflegeintervention konkretisieren
- Zeit angeben

Zwischenmahlzeit bereitstellen
- Pflegeintervention konkretisieren
- Zeit angeben

In der häuslichen Umgebung eine warme Mahlzeit kochen
- Pflegeintervention konkretisieren
- Zeit angeben

Bei der Vorbereitung/Zubereitung der Mahlzeiten einbeziehen
- Maßnahmen konkretisieren
  - » Hilfestellung bei einfachen Verrichtungen einfordern
  - » Auswahl der Speisen überlassen
  - » Anregungen bei der Zubereitung der Speisen übernehmen
  - » Tisch decken lassen

Mahlzeitenzubereitung: Kalte Mahlzeiten vor- und zubereiten
- Maßnahmen konkretisieren
- Zeitdauer angeben

Sonstige Pflegemaßnahmen durchführen
- Maßnahmen konkretisieren
- Zeit angeben

Literaturhinweise: 36, 51, 95, 125, 127, 175, 176, 195

Der Angehörige/die Bezugsperson **kann die Dependenzpflege nicht** selbstständig **durchführen**

Kennzeichen

Kennzeichen des Angehörigen/der Bezugsperson

- Hat ein Informationsdefizit
- Anzeichen der Überlastung
- Erschöpfungszustände
- Anzeichen der Überforderung
- Äußert ein Gefühl der Hilflosigkeit
- Äußert Schuldgefühle
- Verunsicherung
- Beschreibt Symptome einer depressiven Verstimmung
- Verletztes Selbstwertgefühl
- Zeigt Gefühle wie Zorn, Wut, Bitterkeit
- Nimmt Termine nicht wahr
- Nimmt an Anleitungssituationen nicht teil
- Unregelmäßige Besuche
- Verminderte Dependenzpflegetätigkeiten
- Anzeichen der Vernachlässigung/Ungepflegtheit

Kennzeichen der betroffenen Person

- Anzeichen der Vernachlässigung/Ungepflegtheit
- Anzeichen von Beziehungs-/Interaktionsproblemen
- Verhaltensauffälligkeiten
- Schlafstörungen
- Exzessives Schreien des Kindes
- Trink- und Fütterprobleme des Kindes

Ursachen

- Informationsdefizit
- Fehlende Information/Anleitung, um handeln zu können
- Fehlende praktische Fähigkeiten
- Eingeschränkter Gesundheitszustand
- Lang anhaltende körperliche Belastung
- Anhaltende psychische Belastung
- Fehlende kognitive Fähigkeiten
- Mangelnde psychosoziale Reife
- Mangelnde emotionale Stabilität
- Fehlendes Selbstwertgefühl
- Fehlendes Vertrauen gegenüber den Therapeuten/Pflegepersonen
- Beeinträchtigte Compliance
- Soziokulturelle Faktoren
- Fehlende finanzielle Ressourcen
- Hemmendes Zeitmanagement
- Mangelnde Fähigkeit zu organisieren
- Nicht förderliche Lebensumstände/Lebensführung
- Fehlendes Interesse
- Beeinträchtigte Beziehung zwischen Betroffenem und Angehörigen/Bezugspersonen
- Mangelnde Unterstützung aus dem sozialen Umfeld
- Fehlende Ausstattung/Hilfsmittel

Ressourcen

- Angehörige/Bezugspersonen zeigen Bereitschaft, neu zu lernen
- Angehörige/Bezugspersonen unterstützen die Anpassung an die veränderten Lebensprozesse
- Angehörige/Bezugspersonen verhalten sich kooperativ
- Angehörige/Bezugspersonen sind motiviert, die Dependenzpflege auf einer konstanten täglichen Grundlage auszuüben
- Angehörige/Bezugspersonen haben Erfahrungen im Bereich der Dependenzpflege
- Angehörige/Bezugspersonen haben Fähigkeiten im Bereich der Dependenzpflege entwickelt

Pflegeziele

- Fühlt sich sicher durch Informationen
- Kennt die Konsequenzen verschiedener Handlungsalternativen und kann sich entscheiden
- Kann Selbstpflegeerfordernisse erkennen
- Kann die Angemessenheit der Selbstpflegekompetenz des Betroffenen überprüfen
- Selbstpflegefähigkeit des Betroffenen ist gesteigert
- Beziehung zwischen Betroffenem und Angehörigen/Bezugspersonen ist von Vertrauen geprägt
- Stärkung und Förderung der Dependenzpflegekompetenz
- Kann vereinzelt Hilfestellungen übernehmen
- Kann Dependenzpflege vollständig übernehmen
- Kontinuität der Dependenzpflege ist gewährleistet
- Kann körperliche Betreuung übernehmen
- Kann psychosoziale Betreuung übernehmen
- Kann die Entwicklung des Kindes fördern
- Kann primäre Erziehung übernehmen
- Nimmt eine Überforderung selbst wahr und kann dies äußern
- Stress beladene Situationen und Überforderung sind vermieden
- Empfindet Entlastung durch Erfahrungsaustausch

Pflegeinterventionen

Pflegefachgespräch führen

- Themenschwerpunkte angeben
  - » Atmung
  - » Ausscheidung
  - » Bewegung
  - » Diabetesmanagement
  - » Entspannungstechniken
  - » Ernährung
  - » Infektionsrisiko/Keimverschleppung
  - » Körperpflege
  - » Krankenbeobachtung
  - » Medikamentenverabreichung
  - » Mobilisation
  - » Nahrungsaufnahme
  - » Pflegehilfsmittel
  - » Pflegetechniken
  - » Positionswechsel
  - » Schlafprobleme
  - » Schmerzmanagement

- » Sondenernährung
- » Stomaversorgung
- » Transfer
- » Vorbeugende Gesundheitspflege
- » Wärmeregulation
- » Wundbehandlung
- Teilnehmende Personen angeben
  - » Angehöriger/Bezugsperson
  - » Betroffene Person
  - » Sonstige Personen
- Zeit angeben

Angehörigen/Bezugsperson anleiten
- Themenschwerpunkte angeben
  - » Atmung
  - » Ausscheidung
  - » Bewegung
  - » Diabetesmanagement
  - » Entspannungstechniken
  - » Ernährung
  - » Infektionsrisiko/Keimverschleppung
  - » Körperpflege
  - » Krankenbeobachtung
  - » Medikamentenverabreichung
  - » Mobilisation
  - » Nahrungsaufnahme
  - » Pflegehilfsmittel
  - » Positionswechsel
  - » Schlafprobleme
  - » Schmerzmanagement
  - » Sondenernährung
  - » Stomaversorgung
  - » Vorbeugende Gesundheitspflege
  - » Transfer
  - » Wärmeregulation
  - » Wundbehandlung
- Anleitung konkretisieren
  - » Intervention demonstrieren
  - » Bei der Intervention unterstützen
  - » Intervention erklären
  - » Durchführung der Intervention beaufsichtigen
  - » Ermutigung/Motivation
- Anzuleitende Person(en) festlegen
  - » Angehöriger/Bezugsperson
  - » Mitarbeiter des ambulanten Pflegedienstes
- Zeit angeben

Bei der systematischen Integration der Dependenzpflege in den Alltag unterstützen
- Pflegeintervention konkretisieren
  - » Ausstattung/Hilfsmittel organisieren
  - » Umfeldgestaltung
  - » Beratungsgespräch durchführen
- Gesprächsteilnehmer
  - » Angehöriger/Bezugsperson
  - » Betroffene Person
- Zeit angeben

Aufbau und Erhalt eines unterstützenden sozialen Umfelds für den Angehörigen/die Bezugsperson fördern
- Pflegeintervention konkretisieren
  - » Pflegerische Unterstützungssysteme organisieren
  - » Sozialen Dienst organisieren
  - » Kontakt zu Selbsthilfegruppen herstellen
  - » Kontakt zu anderen Betroffenen herstellen
  - » Beratungsgespräch durchführen
- Gesprächsteilnehmer
  - » Angehöriger/Bezugsperson
  - » Betroffene Person
  - » Sonstige Personen
- Zeit angeben

Sonstige Pflegemaßnahmen durchführen
- Maßnahmen konkretisieren
- Zeit angeben

Literaturhinweise: 589, 663, 664, 665, 666, 667, 668, 669, 670, 671, 672, 673, 675

Der Angehörige/die Bezugsperson hat das **Risiko, die Dependenzpflege** des Betroffenen **nicht selbstständig durchführen zu können**

Kennzeichen

- Hat ein Informationsdefizit
- Äußert, ein Wissensdefizit zu haben
- Anzeichen der Überlastung
- Anzeichen der Überforderung
- Verunsicherung
- Nimmt Termine nicht wahr
- Nimmt an Anleitungssituationen nicht teil
- Unregelmäßige Besuche
- Verminderte Dependenzpflegetätigkeiten
- Anzeichen der Vernachlässigung/Ungepflegtheit

Ursachen

- Veränderte Lebensumstände
- Veränderter Behandlungsprozess
- Informationsdefizit
- Noch nicht erworbene Fähigkeiten
- Fehlende Ausstattung/Hilfsmittel
- Eingeschränkter Gesundheitszustand
- Lang anhaltende körperliche Belastung
- Anhaltende psychische Belastung
- Mangelnde Unterstützung aus dem sozialen Umfeld
- Mangelnde psychosoziale Reife
- Mangelnde emotionale Stabilität
- Fehlendes Selbstwertgefühl
- Angst
- Beeinträchtigte Beziehung zwischen Betroffenem und Angehörigen/Bezugspersonen
- Fehlendes Vertrauen gegenüber den Therapeuten/Pflegepersonen
- Beeinträchtigte Compliance
- Fehlendes Interesse
- Nicht förderliche Lebensumstände/Lebensführung
- Soziokulturelle Faktoren
- Fehlende finanzielle Ressourcen
- Hemmendes Zeitmanagement
- Mangelnde Fähigkeit zu organisieren

Ressourcen

- Angehörige/Bezugspersonen zeigen Bereitschaft, neu zu lernen
- Angehörige/Bezugspersonen unterstützen die Anpassung an die veränderten Lebensprozesse
- Angehörige/Bezugspersonen verhalten sich kooperativ
- Angehörige/Bezugspersonen sind motiviert, die Dependenzpflege auf einer konstanten täglichen Grundlage auszuüben
- Angehörige/Bezugspersonen haben Erfahrungen im Bereich der Dependenzpflege
- Angehörige/Bezugspersonen haben Fähigkeiten im Bereich der Dependenzpflege entwickelt

Pflegeziele

- Selbstpflegeerfordernisse des Betroffenen sind erkannt und eingeschätzt
- Risiko des Dependenzpflegedefizits ist erkannt
- Fühlt sich sicher durch Informationen
- Kennt die Konsequenzen verschiedener Handlungsalternativen und kann sich entscheiden
- Kann Selbstpflegeerfordernisse erkennen
- Kann die Angemessenheit der Selbstpflegekompetenz des Betroffenen überprüfen
- Selbstpflegefähigkeit des Betroffenen ist gesteigert
- Beziehung zwischen Betroffenem und Angehörigen/Bezugspersonen ist von Vertrauen geprägt
- Stärkung und Förderung der Dependenzpflegekompetenz
- Kann vereinzelt Hilfestellungen übernehmen
- Kann Dependenzpflege vollständig übernehmen
- Kontinuität der Dependenzpflege ist gewährleistet
- Kann körperliche Betreuung übernehmen
- Kann psychosoziale Betreuung übernehmen
- Kann die Entwicklung des Kindes fördern
- Kann primäre Erziehung übernehmen
- Nimmt eine Überforderung selbst wahr und kann dies äußern
- Stress beladene Situationen und Überforderung sind vermieden
- Empfindet Entlastung durch Erfahrungsaustausch

Pflegeinterventionen

Risiko zur Entwicklung eines Dependenzpflegedefizits ermitteln

- Gesprächsinhalt konkretisieren
  - » Selbstpflegeerfordernisse des Betroffenen
  - » Selbstpflegekompetenz des Betroffenen
  - » Bedarf an Dependenzpflege
  - » Möglichkeiten/Ressourcen der Angehörigen/Bezugsperson zur Ausübung der Dependenzpflege
  - » Dependenzpflegekompetenz von Angehörigen/Bezugspersonen
  - » Unterstützungsbedarf durch Pflegesysteme
  - » Bedarf an Ausstattung/Hilfsmitteln
- Zeit angeben

Pflegefachgespräch führen

- Themenschwerpunkte angeben
  - » Atmung
  - » Ausscheidung
  - » Bewegung
  - » Diabetesmanagement
  - » Entspannungstechniken
  - » Ernährung
  - » Infektionsrisiko/Keimverschleppung
  - » Körperpflege
  - » Krankenbeobachtung
  - » Medikamentenverabreichung
  - » Mobilisation
  - » Nahrungsaufnahme
  - » Pflegehilfsmittel
  - » Pflegetechniken
  - » Positionswechsel
  - » Schlafprobleme
  - » Schmerzmanagement
  - » Sondenernährung
  - » Stomaversorgung
  - » Transfer
  - » Vorbeugende Gesundheitspflege
  - » Wärmeregulation
  - » Wundbehandlung
- Teilnehmende Personen angeben
  - » Angehöriger/Bezugsperson
  - » Betroffene Person
  - » Sonstige Personen
- Zeit angeben

Angehörigen/Bezugsperson anleiten

- Themenschwerpunkte angeben
  - » Atmung
  - » Ausscheidung
  - » Bewegung
  - » Diabetesmanagement
  - » Entspannungstechniken
  - » Ernährung
  - » Infektionsrisiko/Keimverschleppung
  - » Körperpflege
  - » Krankenbeobachtung
  - » Medikamentenverabreichung
  - » Mobilisation
  - » Nahrungsaufnahme
  - » Pflegehilfsmittel
  - » Positionswechsel
  - » Schlafprobleme
  - » Schmerzmanagement
  - » Sondenernährung
  - » Stomaversorgung
  - » Vorbeugende Gesundheitspflege
  - » Transfer
  - » Wärmeregulation
  - » Wundbehandlung
- Anleitung konkretisieren
  - » Intervention demonstrieren
  - » Bei der Intervention unterstützen
  - » Intervention erklären
  - » Durchführung der Intervention beaufsichtigen
  - » Ermutigung/Motivation
- Anzuleitende Person(en) festlegen
  - » Angehöriger/Bezugsperson
  - » Mitarbeiter des ambulanten Pflegedienstes
- Zeit angeben

Bei der systematischen Integration der Dependenzpflege in den Alltag unterstützen

- Pflegeintervention konkretisieren
  - » Ausstattung/Hilfsmittel organisieren
  - » Umfeldgestaltung
  - » Beratungsgespräch durchführen
- Gesprächsteilnehmer
  - » Angehöriger/Bezugsperson
  - » Betroffene Person
- Zeit angeben

Aufbau und Erhalt eines unterstützenden sozialen Umfelds für den Angehörigen/die Bezugsperson fördern

- Pflegeintervention konkretisieren
  - » Pflegerische Unterstützungssysteme organisieren
  - » Sozialen Dienst organisieren
  - » Kontakt zu Selbsthilfegruppen herstellen
  - » Kontakt zu anderen Betroffenen herstellen
  - » Beratungsgespräch durchführen
- Gesprächsteilnehmer
  - » Angehöriger/Bezugsperson
  - » Betroffene Person
  - » Sonstige Personen
- Zeit angeben

Sonstige Pflegemaßnahmen durchführen

- Maßnahmen konkretisieren
- Zeit angeben

Literaturhinweise: 611, 663, 664, 665, 666, 667, 668, 669, 670, 671, 672, 673, 674, 675, 676, 677, 678, 679

Inhaltsverzeichnis

ENP - Praxis » Persönliche Entwicklung

Der Patient ist aufgrund von **Konzentrationsschwierigkeiten** in der **kognitiven Leistungsfähigkeit beeinträchtigt**

Kennzeichen

- Die Fähigkeit, aus einer Vielzahl von ankommenden Reizen jene auszuwählen, die zur Bewältigung der Aufgabe beitragen, ist beeinträchtigt
- Die Fähigkeit, mehrere Tätigkeiten gleichzeitig zu tun, ist eingeschränkt
- Die Fähigkeit, sich über einen längeren Zeitraum auf eine bestimmte Aufgabenstellung zu konzentrieren, ist eingeschränkt
- Zeigt eine reduzierte Daueraufmerksamkeit
- Die Aufmerksamkeit ist geteilt

Ursachen

- Überforderung
- Reizüberflutung aus der Umgebung
- Angst
- Konflikte, Stress
- Hypotonie (niedriger Blutdruck)
- Altersbedingte Ursachen

Krankheitsbedingte Ursachen
- Depressionen
- Psychotische Störung
- Chronischer Alkoholismus
- Aufmerksamkeitssyndrom (ADS)
- Demenzielle Veränderung

Ressourcen

- Zeigt Verhaltensweisen, die die Therapie unterstützen
- Zeigt Freude an Konzentrationsspielen

Pflegeziele

- Konzentrationsleistung ist gefördert
- Misserfolgen ist vorgebeugt
- Konzentrationsfähigkeit ist gesteigert
- Kann sich auf Tätigkeiten konzentrieren
- Kann Gesprächen folgen
- Kann sich auf eine definierte Aufgabe über einen längeren Zeitraum konzentrieren
- Ist sozial integriert
- Übernimmt Mitverantwortung in der Gruppe
- Soziales Lernen ist unterstützt
- Integriert sich in das Gruppengeschehen
- Kennt die Spielregeln in sozialen Gemeinschaften
- Kognitive Fähigkeiten sind gefördert

Pflegeinterventionen

Aktivitäten mit geringer Konzentrationsleistung auswählen
- Pflegeintervention konkretisieren
- Zeit angeben

Schwierigkeitsgrad der Aktivitäten und die Anforderungen an die Konzentrationsleistung langsam steigern
- Pflegeintervention konkretisieren
- Zeit angeben

Mentales Funktionstraining in Phasen stabiler psychischer Verfassung durchführen
- Therapieangebot konkretisieren
  - Hirnleistungstraining durchführen
  - Gedächtnistraining durchführen
  - Konzentrationstraining durchführen
  - Themenzentrierte Gespräche führen
- Einrichtungsspezifische Aktivität wählen
- Dauer der Therapie angeben

Kurze Gesprächsdauer entsprechend der Konzentrationsfähigkeit einhalten
- Gesprächsinhalt
- Zeit angeben
- Beteiligte Personen angeben
  - Betroffene Person
  - Angehöriger/Bezugsperson
  - Betreuer
  - Eltern
  - Sonstige Personen
- Durchführende Person angeben
  - Bezugspflegeperson
  - Pflegeperson
  - Spezialtherapeuten
  - Physiotherapeuten

Für eine therapiebegünstigende Umgebung sorgen und Störquellen vorher ausschalten
- Pflegeintervention konkretisieren
- Zeit angeben

Gesellschaftliche/soziale Aktivitäten fördern
- Stationsaktivität angeben
  - Gemeinsam aktuelle Zeitungen/Magazine lesen
  - Kinoabend im Wohn-/Stationsbereich durchführen
  - Spielnachmittag besuchen
  - Mahlzeiten gemeinsam einnehmen
  - Tanznachmittag besuchen
  - Kirchenbesuch durchführen
  - Spazieren gehen
  - Singstunde besuchen
  - An Festaktivitäten teilnehmen
  - Am Sonntagsfrühstück teilnehmen
  - Aktivitäten im Zusammenhang, den Gemeinschaftsraum zu gestalten
  - Zur Milieugestaltung malen/basteln
- Einrichtungsspezifische Aktivität wählen
- Zeitdauer der Aktivitäten bestimmen

Kognitive Beschäftigungsangebote durchführen
- Einrichtungsspezifische Aktivität wählen

Sonstige Pflegemaßnahmen durchführen
- Maßnahmen konkretisieren
- Zeit angeben

Literaturhinweise: 79, 82, 95, 101, 125, 127, 164, 173, 175, 176

Der Patient neigt im Gespräch dazu, die **Verantwortung für Entscheidungen zu vermeiden/ zu verleugnen**, es besteht eine **beeinträchtigte Entscheidungsfähigkeit**

Kennzeichen

- Offenbart Hilfsbedürftigkeit
- Äußert direkte oder indirekte Hilfsappelle
- Schuld wird auf andere projiziert
- Äußert, dass Probleme durch andere verursacht sind
- Kann sich schwer entscheiden
- Fühlt sich für Taten und Worte nicht verantwortlich
- Ist unschlüssig, sich zwischen mehreren Möglichkeiten zu entscheiden
- Entscheidungen werden aufgeschoben
- Äußert Ängste bezüglich der Konsequenzen bei einer Entscheidung

Ursachen

- Bestehender Entscheidungskonflikt
- Fehlende Selbstverantwortung
- Unsichere Persönlichkeit
- Angst vor Verantwortung
- Unklare Wertvorstellung/Überzeugung
- Fehlende Unterstützung des sozialen Umfelds, um eigene Entscheidungen treffen zu können
- Fehlende positive Erfahrung, Entscheidungen zu treffen

Ressourcen

- Reagiert positiv auf therapeutische Gespräche
- Versteht das Therapiekonzept und ist bereit, sich aktiv zu beteiligen

Pflegeziele

- Entscheidet sich ohne Beeinflussung durch das therapeutische Team
- Selbstverantwortlichkeit und Autonomie sind unterstützt
- Kann durch eine geeignete Kommunikationsform Bedürfnisse, Wünsche und Gefühle äußern
- Nimmt eigene Wünsche und Bedürfnisse wahr
- Steht zu Entscheidungen und übernimmt dafür die Verantwortung
- Verbalisiert Wünsche und Bedürfnisse deutlich und fordert sie ein
- Erkennt Zusammenhänge zwischen eigenem Verhalten und Pflegediagnose
- Erhält Feed-back aus der Gruppe
- Ist sozial integriert
- Entwickelt Lösungswege im Gespräch

Pflegeinterventionen

Im Gespräch den Patienten in die aktive Rolle zurückführen
- Pflegeintervention konkretisieren
- Zeit angeben

Eigenverantwortlichkeit und Autonomie im Gespräch fördern
- Maßnahmen konkretisieren
  - » Handlungsalternativen aufzeigen und so Entscheidungskraft gezielt fördern
  - » Keine Entscheidungen für den Patienten treffen
- Alltagsweltliche Entscheidungen fördern
  - » Menükomponenten beim Essen auswählen lassen
  - » Kleidungsstücke, die am Tag getragen werden, auswählen und zusammenstellen lassen
  - » Bei Freizeitbeschäftigungen mehrere Alternativen aufzeigen

Anhalten, Gefühle, Wünsche und Bedürfnisse offen zu äußern
- Pflegeintervention konkretisieren
- Zeit angeben

Selbstwertgefühl stärken
- Maßnahmen konkretisieren
  - » Gewünschtes Verhalten durch Lob fördern
  - » Im therapeutischen Team Verhaltensweisen zur Stärkung des Selbstkonzepts vereinbaren
  - » Einüben, sich selbst zu belohnen

Pflegefachgespräch führen
- Inhaltliche Ausrichtung des Gesprächs bestimmen
  - » Informationssammlung
  - » Pflege-, Betreuungs- und Behandlungsprozess
  - » Ursachenanalyse
  - » Strategien zur Krankheitsbewältigung
  - » Motivation/Aktivierung
  - » Alltagsbewältigung
  - » Förderung der Entscheidungsfindung
  - » Zukunftsperspektive
  - » Unterstützung der Orientierung
  - » Unterstützung des Realitätsbezugs
  - » Krisenintervention
  - » Aktuelle Bedürfnisse/Wünsche
  - » Instruktion/Anleitung
  - » Feed-back-Gespräch
  - » Sonstige Gesprächsinhalte
- Gesprächsteilnehmer
  - » Angehöriger/Bezugsperson
  - » Betroffene Person
- Zeitdauer des Gesprächs angeben

Feed-back im Gruppengespräch ermöglichen
- Gruppentherapie konkretisieren
- Zeitdauer des Gruppengesprächs bestimmen

Klärendes, schlichtendes Gespräch führen
- Gesprächsinhalt
- Teilnehmende Personen angeben
  - » Eltern
  - » Angehöriger/Bezugsperson
  - » Sonstige Personen
- Zeitdauer der Gruppenangebote bestimmen

Klientenzentriertes Gespräch zur Ursachenanalyse und Problemlösung durchführen
- Gesprächsinhalt

- Zeit angeben
- Beteiligte Personen angeben
  - » Betroffene Person
  - » Angehöriger/Bezugsperson
  - » Betreuer
  - » Eltern
  - » Sonstige Personen
- Durchführende Person angeben
  - » Bezugspflegeperson
  - » Pflegeperson
  - » Spezialtherapeuten
  - » Physiotherapeuten

Sonstige Pflegemaßnahmen durchführen
- Maßnahmen konkretisieren
- Zeit angeben

Literaturhinweise: 82, 83, 95, 101, 125, 173, 175, 176

Der Patient ist aufgrund einer **sehr engen Bindung zu Angehörigen/Bezugspersonen** in der eigenen **Entscheidungsfähigkeit eingeschränkt**

Kennzeichen

- Angehörige übernehmen Entscheidungen für den Betroffenen
- Angehörige führen das Gespräch für den Betroffenen
- Angehörige übernehmen Tätigkeiten für den Betroffenen, die dieser/diese selbstständig durchführen könnte
- Äußert Ängste bezüglich der Konsequenzen bei einer Entscheidung
- Entscheidungen werden aufgeschoben
- Ist unschlüssig, sich zwischen mehreren Möglichkeiten zu entscheiden

Ursachen

- Beeinträchtigte Fähigkeit, Entscheidungen selbstständig zu treffen
- Reduziertes Selbstvertrauen
- Kompensationsmechanismen der Angehörigen/Bezugspersonen
- Fehlende Unterstützung des sozialen Umfelds, um eigene Entscheidungen treffen zu können
- Fehlende positive Erfahrung, Entscheidungen zu treffen
- Entwicklungsbedingt

Ressourcen

- Angehörige sind zur Kontaktaufnahme bereit
- Angehörige zeigen Bereitschaft, neu zu lernen

Pflegeziele

- Entwickelt eigene Lösungswege
- Erkennt die Notwendigkeit der Verhaltensänderung
- Nimmt soziale Situationen differenzierter wahr
- Angehörige/Bezugspersonen entwickeln Verständnis für die Situation des Betroffenen

Pflegeinterventionen

Im klientenzentrierten Gespräch bestehende Schwierigkeiten analysieren und Problemlösungen entwickeln
- Gesprächsinhalt
- Zeit angeben
- Beteiligte Personen angeben
  - » Betroffene Person
  - » Angehöriger/Bezugsperson
  - » Betreuer
  - » Eltern
  - » Sonstige Personen
- Durchführende Person angeben
  - » Bezugspflegeperson
  - » Pflegeperson
  - » Spezialtherapeuten
  - » Physiotherapeuten

Klientenzentriertes Gespräch führen
- Inhaltliche Ausrichtung des Gesprächs bestimmen
  - » Informationssammlung
  - » Pflege-, Betreuungs- und Behandlungsprozess
  - » Ursachenanalyse
  - » Strategien zur Krankheitsbewältigung
  - » Motivation/Aktivierung
  - » Alltagsbewältigung
  - » Förderung der Entscheidungsfindung
  - » Zukunftsperspektive
  - » Unterstützung der Orientierung
  - » Unterstützung des Realitätsbezugs
  - » Krisenintervention
  - » Aktuelle Bedürfnisse/Wünsche
  - » Instruktion/Anleitung
  - » Feed-back-Gespräch
  - » Sonstige Gesprächsinhalte
- Gesprächsteilnehmer
  - » Angehöriger/Bezugsperson
  - » Betroffene Person
- Zeitdauer des Gesprächs angeben

Sonstige Pflegemaßnahmen durchführen
- Maßnahmen konkretisieren
- Zeit angeben

Literaturhinweise: 510

Der Patient ist aufgrund einer **engen Bindung** an die Eltern in der **altersgerechten Entwicklung gehemmt**

Kennzeichen

- Orientiert sich bei der Lebensplanung an den Bedürfnissen/Wünschen der Eltern
- Lebt trotz des fortgeschrittenen Lebensalters bei den Eltern in der Wohnung
- Eltern übernehmen Verantwortung
- Eltern übernehmen Entscheidungen
- Unternimmt nichts ohne Eltern
- Beschreibt eine "Überbehütung"

Ursachen

- Psychiatrische Störung
- Eltern/Elternteile können nicht loslassen, fühlen sich verantwortlich
- Missbrauch des Kindes
- Alleinerziehende Eltern

Ressourcen

- Versteht das Therapiekonzept und ist bereit, sich aktiv zu beteiligen
- Zeigt Verhaltensweisen, die die Therapie unterstützen

Pflegeziele

- Eltern-Kind-Beziehung ist eingeschätzt
- Distanz zu den Eltern hat sich vergrößert
- Behandlungs- und Therapiekonzept sind transparent und vom therapeutischen Team umgesetzt
- Aktive Beteiligung an der Behandlungsplanung ist sichergestellt
- Nimmt eigene Wünsche und Bedürfnisse wahr
- Steht zu Entscheidungen und übernimmt dafür die Verantwortung
- Verbalisiert Wünsche und Bedürfnisse deutlich und fordert sie ein
- Erkennt Zusammenhänge zwischen eigenem Verhalten und Pflegediagnose
- Entwickelt Lösungswege im Gespräch
- Beziehungsaufbau zu Gleichaltrigen

Pflegeinterventionen

Kontakt und Beziehungsverhältnis beobachten
- Pflegeintervention konkretisieren

Besuchszeiten der Eltern verringern
- Pflegeintervention konkretisieren

Telefongespräche reduzieren
- Pflegeintervention konkretisieren

Fallbesprechung zur weiteren Behandlungs- und Therapieplanung durchführen
- Beteiligte Personen angeben
  - » Bewohner
  - » Pflegeperson
  - » Ärztlicher Dienst
  - » Psychologe
  - » Sozialarbeiter
  - » Sozialpädagoge
  - » Ergotherapeut
  - » Krankengymnast
  - » Logopäde
  - » Beschäftigungstherapeut
  - » Heilpädagoge
  - » Geistlicher Beistand
  - » Lehrer
  - » Erzieher
  - » Jugendamt
  - » Sonstige Personen
- Gesprächsinhalt
  - » Vereinbarte Therapieziele
  - » Vereinbarte Gesprächsinhalte für ein klientenzentriertes Pflegefachgespräch
- Zeitdauer angeben

Pflegefachgespräch führen
- Inhaltliche Ausrichtung des Gesprächs bestimmen

- » Informationssammlung
  - » Pflege-, Betreuungs- und Behandlungsprozess
  - » Ursachenanalyse
  - » Strategien zur Krankheitsbewältigung
  - » Motivation/Aktivierung
  - » Alltagsbewältigung
  - » Förderung der Entscheidungsfindung
  - » Zukunftsperspektive
  - » Unterstützung der Orientierung
  - » Unterstützung des Realitätsbezugs
  - » Krisenintervention
  - » Aktuelle Bedürfnisse/Wünsche
  - » Instruktion/Anleitung
  - » Feed-back-Gespräch
  - » Sonstige Gesprächsinhalte
- Gesprächsteilnehmer
  - » Angehöriger/Bezugsperson
  - » Betroffene Person
- Zeitdauer des Gesprächs angeben

Kontakt zu Personen gleichen Alters ermöglichen
- Pflegeintervention konkretisieren
- Zeit angeben

Sonstige Pflegemaßnahmen durchführen
- Maßnahmen konkretisieren
- Zeit angeben

Literaturhinweise: 95, 125, 175, 176, 317, 1130, 1131, 1132, 1136, 1139, 1140

Der Patient hat aufgrund einer **beeinträchtigten Entwicklung der Wahrnehmungssysteme** eine **nicht altersentsprechende Entwicklung von Fähigkeiten/Fertigkeiten**

Kennzeichen

- Zeigt Angst vor der Lageveränderung
- Zeigt Angst vor neuen Situationen
- Hyperaktivität
- Aufmerksamkeitsdefizitsyndrom
- Zeigt autoaggressives Verhalten
- Auffälliges Verhalten
- Auffälligkeiten bei der Grobmotorik
- Auffälligkeiten bei der Feinmotorik
- Es zeigt sich eine nicht der Altersnorm entsprechende Sprachentwicklung
- Altersentsprechende Aktivitäten der Selbstversorgung werden nicht durchgeführt
- Beeinträchtigtes Sozialverhalten in der Altersgruppe

Ursachen

- Frühgeborene Kinder
- Angeborene geistige Behinderung
- Angeborene körperliche Behinderung
- Erworbene geistige Beeinträchtigung
- Entwicklungshemmendes Verhalten der Eltern gegenüber dem Kind
- Entwicklungshemmendes soziales Umfeld
- Hochgradige Einschränkung der Sehfähigkeit
- Beeinträchtigte Hörfähigkeit

Ressourcen

- Angehöriger/Bezugsperson ist motiviert, die Pflegemaßnahme zu unterstützen, und zeigt entsprechendes Verhalten
- Angehöriger/Bezugsperson kann die Hintergründe für die Intervention erklären
- Angehöriger/Bezugsperson möchte das Kind selbstständig versorgen
- Angehöriger/Bezugsperson äußert den Wunsch, die Nähe zum Kind zu fördern
- Hat Unterstützung durch die Eltern
- Hat eine intakte sichere Bindung zu einer Bezugsperson
- Häufige Anwesenheit der Bezugspersonen
- Kann sich auf das Therapeutische Team einlassen
- Zeigt soziales Verhalten
- Verhält sich kooperativ
- Ist anpassungsfähig

Pflegeziele

- Entwicklungsniveau ist eingeschätzt
- Spricht über Probleme und findet Lösungswege
- Wird durch Stimulation der verschiedenen Wahrnehmungsbereiche gefördert
- Wohlbefinden und Entspannung sind unterstützt
- Spannungen und Ängste sind reduziert
- Sinneswahrnehmungen sind durch unterschiedliche Reize stimuliert
- Interesse ist geweckt
- Erinnerungen sind hervorgerufen
- Unterschiedliche Sinne sind durch Reize zur Förderung von Orientierung und Wahrnehmung stimuliert
- Erhält Spürinformationen über eigene Körpergrenzen
- Orientierung über sich selbst und Umgebung ist gefördert
- Kontakt zu Eltern/Bezugsperson ist unterstützt
- Ständige Anwesenheit der Bezugsperson
- Eltern können sich aktiv in die Pflege einbringen
- Ist angstfrei und fühlt sich sicher
- Eine vertrauensvolle Eltern-Kind-Beziehung ist unterstützt
- Einer Entwicklungsstörung ist vorgebeugt
- Beziehungsaufbau zu Gleichaltrigen
- Nimmt eigene Wünsche und Bedürfnisse wahr
- Steht zu Entscheidungen und übernimmt dafür die Verantwortung
- Verbalisiert Wünsche und Bedürfnisse deutlich und fordert sie ein
- Erkennt Zusammenhänge zwischen eigenem

Verhalten und Pflegediagnose
- Entwickelt Lösungswege im Gespräch
- Behandlungs- und Therapiekonzept sind transparent und vom therapeutischen Team umgesetzt
- Aktive Beteiligung an der Behandlungsplanung ist sichergestellt
- Erhält einen Termin
- Einer verzögerten Entwicklung ist vorgebeugt
- Kann die Hausaufgaben selbstständig erledigen

Pflegeinterventionen

Entwicklungsniveau beobachten und einschätzen
- Pflegeintervention konkretisieren
  - » Motorik
  - » Wahrnehmung
  - » Kognitive Entwicklung
  - » Sprachentwicklung
  - » Soziale Entwicklung
  - » Emotionale Entwicklung

Entwicklungshemmendes Verhalten analysieren und Problemlösungen entwickeln
- Gesprächsinhalt
- Zeit angeben
- Beteiligte Personen angeben
  - » Betroffene Person
  - » Angehöriger/Bezugsperson
  - » Betreuer
  - » Eltern
  - » Sonstige Personen
- Durchführende Person angeben
  - » Bezugspflegeperson
  - » Pflegeperson
  - » Spezialtherapeuten
  - » Physiotherapeuten

Angebote zur Stimulation durchführen
- Akustische Stimulation durchführen
  - » Akustische Stimulation mit der Mutterstimme durchführen
  - » Akustische Stimulation mit vertrauten Stimmen aus der Familie durchführen
  - » Vertraute Musik abspielen
  - » Herztöne der Mutter vorspielen
- Olfaktorische Stimulation durchführen
  - » Stimulation mit vertrautem Geruch durchführen
  - » Stilleinlage der Mutter in den Inkubator legen
- Taktile Stimulation durchführen
  - » Streicheln des Kindes
  - » Massage des Kindes
  - » Beruhigende Ausstreichungen durchführen
- Visuelle Angebote einsetzen
  - » Bunte Tücher aufhängen
  - » Mobile aufhängen
  - » Bilder aufstellen
- Zeit angeben

Snoezelen-Angebote durchführen
- Angebotene Reize konkretisieren
  - » Spezielle Lichtverhältnisse/-effekte einsetzen
  - » Klang- und Tonelemente einsetzen
  - » Musik einsetzen
  - » Aromatherapie einsetzen
- Snoezelen-Angebot konkretisieren
  - » Ruhe- und Entspannungsangebot
- Kombinationen mit Snoezelen-Angeboten
  - » Snoezelen mit Tieren
  - » Snoezelen und Wahrnehmungsförderung
  - » Snoezelen und Gedächtnistraining
  - » Snoezelen und Aufmerksamkeits- und Konzentrationstraining
- Zeit angeben

Sonstige Angebote zur Förderung der Wahrnehmung durchführen
- Maßnahmen konkretisieren
  - » Übungen zur Förderung der visuellen Wahrnehmung durchführen
  - » Übungen zur Förderung der taktilen Wahrnehmung durchführen
  - » Übungen zur Förderung der vestibulären Wahrnehmung durchführen
  - » Übungen zur Förderung der auditiven Wahrnehmung durchführen
- Einrichtungsspezifische Aktivität wählen
- Zeit angeben

Körperumfassende Lagerung durchführen
- Körperumfassende Positionierung (Nestlagerung)
  - » "Nestlagerung" in Rückenlage
  - » "Nestlagerung" in Seitenlage rechts
  - » "Nestlagerung" in Seitenlage links
  - » Offene "Nestlagerung" durchführen
  - » Geschlossene "Nestlagerung" durchführen
- Embryonallagerung
  - » Embryonallagerung rechts
  - » Embryonallagerung links
- Sonstiges
  - » Königsstuhllagerung durchführen
  - » Nussschalenlagerung durchführen
- Zeit angeben
- Anzahl Pflegepersonen angeben

Eltern-Kind-Beziehung unterstützen
- Pflegeintervention konkretisieren
  - » Durchführung der Körperpflege des Kindes ermöglichen
  - » An Aktivitäten mit dem Kind beteiligen
  - » Übernachtung der Eltern/Bezugsperson im Zimmer des Kindes ermöglichen
  - » Übernachtung der Eltern/Bezugsperson in der Einrichtung ermöglichen
  - » Telefonische Kontaktaufnahme ermöglichen

Körperliche Nähe zwischen Bezugsperson/Angehörigen und Betroffenen ermöglichen
- Pflegeintervention konkretisieren
- Zeit angeben

Kontakt zu Personen gleichen Alters ermöglichen
- Pflegeintervention konkretisieren
- Zeit angeben

Pflegefachgespräch führen
- Inhaltliche Ausrichtung des Gesprächs bestimmen
  - » Informationssammlung
  - » Pflege-, Betreuungs- und Behandlungsprozess
  - » Ursachenanalyse
  - » Strategien zur Krankheitsbewältigung
  - » Motivation/Aktivierung
  - » Alltagsbewältigung
  - » Förderung der Entscheidungsfindung
  - » Zukunftsperspektive
  - » Unterstützung der Orientierung
  - » Unterstützung des Realitätsbezugs
  - » Krisenintervention
  - » Aktuelle Bedürfnisse/Wünsche
  - » Instruktion/Anleitung
  - » Feed-back-Gespräch
  - » Sonstige Gesprächsinhalte
- Gesprächsteilnehmer
  - » Angehöriger/Bezugsperson
  - » Betroffene Person
- Zeitdauer des Gesprächs angeben

Fallbesprechung zur weiteren Behandlungs- und Therapieplanung durchführen
- Beteiligte Personen angeben
  - » Bewohner
  - » Pflegeperson
  - » Ärztlicher Dienst
  - » Psychologe
  - » Sozialarbeiter
  - » Sozialpädagoge
  - » Ergotherapeut
  - » Krankengymnast
  - » Logopäde
  - » Beschäftigungstherapeut
  - » Heilpädagoge
  - » Geistlicher Beistand
  - » Lehrer
  - » Erzieher
  - » Jugendamt
  - » Sonstige Personen
- Gesprächsinhalt
  - » Vereinbarte Therapieziele
  - » Vereinbarte Gesprächsinhalte für ein klientenzentriertes Pflegefachgespräch
- Zeitdauer angeben

Termine mit der Heilpädagogik koordinieren

Termine mit der Logopädie koordinieren
- Pflegeintervention konkretisieren
- Zeit angeben

Termine mit der Ergotherapie koordinieren
- Pflegeintervention konkretisieren
- Zeit angeben

Bei den Hausaufgaben betreuen
- Pflegeintervention konkretisieren
- Zeit angeben

Sonstige Pflegemaßnahmen durchführen
- Maßnahmen konkretisieren
- Zeit angeben

Literaturhinweise: 29, 135, 412, 510, 691, 692, 693, 694, 897, 898, 900, 1076, 1131, 1132, 1140

Der Patient hat eine **verzögerte Entwicklung**

Kennzeichen

- Fortbewegung ist nicht altersentsprechend
- Fähigkeit der Nahrungsaufnahme ist nicht altersentsprechend
- Wahrnehmung der Urin-/ Stuhlausscheidung ist nicht altersentsprechend
- Kontrolle der Urin-/Stuhlausscheidung ist nicht altersentsprechend
- Fertigkeit zur Körperpflege ist nicht altersentsprechend
- Unfähigkeit, altersgerechte Handlungen der Selbstkontrolle durchzuführen
- Grobmotorische Fertigkeit ist nicht altersentsprechend
- Feinmotorische Fertigkeit ist nicht altersentsprechend
- Körpergröße liegt im Altersvergleich unter dem Normwert
- Geschlechtliche Entwicklung ist nicht altersentsprechend
- Sprachliche Fertigkeit ist nicht altersentsprechend
- Kognitive Fähigkeit ist nicht altersentsprechend
- Sozialverhalten ist nicht altersentsprechend
- Führt Selbststimulation (z. B. Hin- und Herschaukeln) durch
- Äußert emotionale Probleme
- Wirkt teilnahmslos und reagiert nicht auf Ansprache
- Zeigt kaum Anteilnahme an der Umgebung
- Wirkt verängstigt
- Wirkt unkonzentriert
- Wirkt verschüchtert
- Vermeidet Auseinandersetzungen
- Beschäftigt sich nicht alleine
- Schlafstörungen

Ursachen

Krankheitsbedingte Ursachen
- Infektion
- Hirnblutung
- Unfallereignis
- Chronische Krankheit
- Körperliche Beeinträchtigung
- Genetische Störung
- Endokrine Störung
- Lernbehinderung
- Trauma
- Psychische Störung

Sonstige Ursachen
- Beeinträchtigte elterliche Fürsorge
- Ungünstiges Erziehungsverhalten
- Wechselnde Bezugspersonen
- Drogenkonsum der Mutter
- Alkoholkonsum der Mutter
- Alkoholkonsum
- Drogenkonsum
- Umgebungsbezogene Beeinträchtigung

Ressourcen

Eigene Ressourcen
- Akzeptiert die Unterstützung bei der Körperpflege durch das Pflegepersonal
- Kann sich auf das Therapeutische Team einlassen
- Zeigt soziales Verhalten
- Verhält sich kooperativ
- Zeigt Empathiefähigkeit
- Denkt positiv
- Ist selbstständig
- Ist anpassungsfähig
- Kann mit Stresssituationen umgehen
- Zeigt Problemlösungsverhalten
- Verfügt über Bewältigungsstrategien
- Zeigt individuelle Entschlusskraft
- Kann Situationen kognitiv verarbeiten
- Zeigt Gesundheitsverhalten
- Zeigt Selbstbeherrschung
- Zeigt Wertschätzung sich selbst gegenüber
- Hat Selbstvertrauen
- Zeigt einen hohen Grad der moralischen Entwicklung

Ressourcen im Umfeld
- Hat eine warmherzige, positive Beziehung zu den Eltern
- Hat Unterstützung durch die Eltern
- Hat eine intakte sichere Bindung zu einer Bezugsperson
- Häufige Anwesenheit der Bezugspersonen
- Hat im sozialen Umfeld Unterstützung
- Hat Freundschaften zu Gleichaltrigen

Pflegeziele

- Entwicklungsniveau ist eingeschätzt
- Spricht über Probleme und findet Lösungswege
- Kontakt zu Eltern/Bezugsperson ist unterstützt
- Ständige Anwesenheit der Bezugsperson
- Eltern können sich aktiv in die Pflege einbringen
- Ist angstfrei und fühlt sich sicher
- Eine vertrauensvolle Eltern-Kind-Beziehung ist unterstützt
- Einer Entwicklungsstörung ist vorgebeugt
- Gesunde Entwicklung ist gefördert
- Soziale Kompetenzen sind erworben
- Selbstverantwortlichkeit und Autonomie sind unterstützt
- Alltagskompetenzen sind erhöht
- Kann durch eine geeignete Kommunikationsform Bedürfnisse, Wünsche und Gefühle äußern
- Kann eigene Ideen entwickeln
- Kann selbstständig Probleme lösen
- Kann sich selbstständig beschäftigen
- Kann Entscheidungen treffen
- Vertrauensvolle therapeutische Beziehung ist aufgebaut
- Emotionalen Problemen ist vorgebeugt
- Entwicklungsproblemen ist vorgebeugt
- Wohlbefinden und Entspannung sind unterstützt
- Spannungen und Ängste sind reduziert
- Sinneswahrnehmungen sind durch unterschiedliche Reize stimuliert
- Interesse ist geweckt
- Erinnerungen sind hervorgerufen
- Wird durch Stimulation der verschiedenen Wahrnehmungsbereiche gefördert
- Körperliche Leistungsfähigkeit ist gesteigert
- Kind hat eine anregende Beschäftigung
- Ist abgelenkt
- Fühlt sich wohl
- Beziehungsaufbau zu Gleichaltrigen
- Nimmt eigene Wünsche und Bedürfnisse wahr
- Steht zu Entscheidungen und übernimmt dafür die Verantwortung
- Verbalisiert Wünsche und Bedürfnisse deutlich und fordert sie ein
- Erkennt Zusammenhänge zwischen eigenem Verhalten und Pflegediagnose
- Entwickelt Lösungswege im Gespräch
- Behandlungs- und Therapiekonzept sind transparent und vom therapeutischen Team umgesetzt
- Aktive Beteiligung an der Behandlungsplanung ist sichergestellt
- Erhält einen Termin
- Kann über Probleme sprechen
- Einer verzögerten Entwicklung ist vorgebeugt
- Kann die Hausaufgaben selbstständig erledigen
- Hat Lerninhalte erworben

Pflegeinterventionen

Entwicklungsniveau beobachten und einschätzen
- Pflegeintervention konkretisieren
  - » Motorik
  - » Wahrnehmung
  - » Kognitive Entwicklung
  - » Sprachentwicklung
  - » Soziale Entwicklung
  - » Emotionale Entwicklung

Entwicklungshemmendes Verhalten analysieren und Problemlösungen entwickeln
- Gesprächsinhalt
- Zeit angeben
- Beteiligte Personen angeben
  - » Betroffene Person
  - » Angehöriger/Bezugsperson
  - » Betreuer
  - » Eltern
  - » Sonstige Personen
- Durchführende Person angeben
  - » Bezugspflegeperson
  - » Pflegeperson
  - » Spezialtherapeuten
  - » Physiotherapeuten

Eltern-Kind-Beziehung unterstützen
- Pflegeintervention konkretisieren
  - » Durchführung der Körperpflege des Kindes ermöglichen
  - » An Aktivitäten mit dem Kind beteiligen
  - » Übernachtung der Eltern/Bezugsperson im Zimmer des Kindes ermöglichen
  - » Übernachtung der Eltern/Bezugsperson in der Einrichtung ermöglichen
  - » Telefonische Kontaktaufnahme ermöglichen

Körperliche Nähe zwischen Bezugsperson/Angehörigen und Betroffenen ermöglichen
- Pflegeintervention konkretisieren
- Zeit angeben

Beim Erlernen entwicklungsbezogener Aufgaben unterstützen
- Pflegeintervention konkretisieren
  - » Beim Laufen unterstützen
  - » Bei der Nahrungsaufnahme unterstützen
  - » Beim An- und Ausziehen unterstützen
  - » Bei der Kontrolle der Ausscheidungen unterstützen
  - » Geschicklichkeit bei der Durchführung von Alltagsbewegungen trainieren
  - » Unterstützen, Bedürfnisse/Wünsche adäquat zu äußern
  - » Beim Erlernen von Umgangsformen unterstützen
  - » Beim Erlernen von Sozialverhalten unterstützen
- Zeit angeben

Kontakte entwicklungsfördernd gestalten
- Pflegeintervention konkretisieren
- Zeit angeben

Umgebung entwicklungsfördernd gestalten
- Pflegeintervention konkretisieren
  - » Umgebung interessant und fördernd gestalten
  - » Umgebung sicher gestalten
  - » Vertraute Reize setzen
- Zeit angeben

Snoezelen-Angebote durchführen
- Angebotene Reize konkretisieren
  - » Spezielle Lichtverhältnisse/-effekte einsetzen
  - » Klang- und Tonelemente einsetzen
  - » Musik einsetzen
  - » Aromatherapie einsetzen
- Snoezelen-Angebot konkretisieren
  - » Ruhe- und Entspannungsangebot
- Kombinationen mit Snoezelen-Angeboten
  - » Snoezelen mit Tieren
  - » Snoezelen und Wahrnehmungsförderung
  - » Snoezelen und Gedächtnistraining
  - » Snoezelen und Aufmerksamkeits- und Konzentrationstraining
- Zeit angeben

Angebote zur Stimulation durchführen
- Akustische Stimulation durchführen
  - » Akustische Stimulation mit der Mutterstimme durchführen
  - » Akustische Stimulation mit vertrauten Stimmen aus der Familie durchführen
  - » Vertraute Musik abspielen
  - » Herztöne der Mutter vorspielen
- Olfaktorische Stimulation durchführen
  - » Stimulation mit vertrautem Geruch durchführen
  - » Stilleinlage der Mutter in den Inkubator legen
- Taktile Stimulation durchführen
  - » Streicheln des Kindes
  - » Massage des Kindes

- » Beruhigende Ausstreichungen durchführen
- Visuelle Angebote einsetzen
  - » Bunte Tücher aufhängen
  - » Mobile aufhängen
  - » Bilder aufstellen
- Zeit angeben

Körperliches Bewegungsprogramm entwickeln/durchführen
- Vereinbartes Aktivierungsprogramm angeben
  - » Beim Aufstehen/zu Bett gehen unterstützen
  - » Aktivierungsprogramm in Absprache mit den Beteiligten aufstellen
  - » An den Bettrand setzen
  - » Standtraining und wenige Schritte gehen
  - » Kurze Strecken in Begleitung gehen
  - » Größere Strecken in Begleitung gehen
  - » Treppen steigen
- Unterstützungsleistung bestimmen
  - » Unterstützen
  - » Teilweise übernehmen
  - » Beaufsichtigen
  - » Vollständig übernehmen
  - » Anleiten

Zur Freizeitgestaltung anleiten
- Pflegeintervention konkretisieren
  - » Medienumgang
  - » Spielen
  - » Sportliche Aktivitäten
- Zeit angeben

Kontakt zu Personen gleichen Alters ermöglichen
- Pflegeintervention konkretisieren
- Zeit angeben

Pflegefachgespräch führen
- Inhaltliche Ausrichtung des Gesprächs bestimmen
  - » Informationssammlung
  - » Pflege-, Betreuungs- und Behandlungsprozess
  - » Ursachenanalyse
  - » Strategien zur Krankheitsbewältigung
  - » Motivation/Aktivierung
  - » Alltagsbewältigung
  - » Förderung der Entscheidungsfindung
  - » Zukunftsperspektive
  - » Unterstützung der Orientierung
  - » Unterstützung des Realitätsbezugs
  - » Krisenintervention
  - » Aktuelle Bedürfnisse/Wünsche
  - » Instruktion/Anleitung
  - » Feed-back-Gespräch
  - » Sonstige Gesprächsinhalte
- Gesprächsteilnehmer
  - » Angehöriger/Bezugsperson
  - » Betroffene Person
- Zeitdauer des Gesprächs angeben

Fallbesprechung zur weiteren Behandlungs- und Therapieplanung durchführen
- Beteiligte Personen angeben
  - » Bewohner
  - » Pflegeperson
  - » Ärztlicher Dienst
  - » Psychologe
  - » Sozialarbeiter
  - » Sozialpädagoge
  - » Ergotherapeut
  - » Krankengymnast
  - » Logopäde
  - » Beschäftigungstherapeut
  - » Heilpädagoge
  - » Geistlicher Beistand
  - » Lehrer
  - » Erzieher
  - » Jugendamt
  - » Sonstige Personen
- Gesprächsinhalt
  - » Vereinbarte Therapieziele
  - » Vereinbarte Gesprächsinhalte für ein klientenzentriertes Pflegefachgespräch
- Zeitdauer angeben

Termine mit der Heilpädagogik koordinieren

Termine mit der Logopädie koordinieren
- Pflegeintervention konkretisieren
- Zeit angeben

Psychologen/in einschalten
- Pflegeintervention konkretisieren
- Zeit angeben

Bei den Hausaufgaben betreuen
- Pflegeintervention konkretisieren
- Zeit angeben

Begleitung in die Schule
- Pflegeintervention konkretisieren
- Zeit angeben

Sonstige Pflegemaßnahmen durchführen
- Maßnahmen konkretisieren
- Zeit angeben

Literaturhinweise: 1130, 1131, 1132, 1133, 1134, 1135, 1136, 1137, 1138, 1139, 1140, 1141

Der Patient hat aufgrund einer **Trennung von Eltern/Bezugspersonen** ein **Risiko einer verzögerten Entwicklung**

Kennzeichen

- Weinen
- Jammern
- Äußert sich durch anhaltendes Schreien
- Lässt sich nicht beruhigen
- Lässt sich nicht ablenken
- Wirkt unsicher und unentschlossen
- Wirkt zurückgezogen/verschlossen
- Zeigt depressives Verhalten
- Zeigt ängstliches Verhalten
- Auffälliges Verhalten (z. B. Ruhelosigkeit, Stöhnen, Schreien, Wachsamkeit, Reizbarkeit, Seufzen)
- Zeigt selbstberuhigendes Verhalten (Daumen lutschen, mit den Haaren spielen)
- Enkopresis (Einkoten)
- Enuresis nocturna (nächtliches Einnässen)
- Regression in frühere Verhaltensmuster

Ursachen

- Trennung von Eltern/Bezugsperson aufgrund von richterlichem Beschluss
- Trennung von Eltern/Bezugsperson aufgrund einer medizinischen Indikation des Bewohners
- Verlust und/oder Trennung von wichtigen Bezugspersonen

Ressourcen

- Hat eine warmherzige, positive Beziehung zu den Eltern
- Hat eine intakte sichere Bindung zu einer Bezugsperson
- Hat im sozialen Umfeld Unterstützung
- Hat Freundschaften zu Gleichaltrigen
- Akzeptiert die Unterstützung bei der Körperpflege durch das Pflegepersonal
- Kann Vertrauen zum Pflegepersonal aufbauen
- Angehöriger/Bezugsperson äußert den Wunsch, die Nähe zum Kind zu fördern

Pflegeziele

- Eltern-Kind-Beziehung ist eingeschätzt
- Entwicklungsrelevante Aspekte sind eingeschätzt
- Kontakt zu Eltern/Bezugsperson ist unterstützt
- Ist angstfrei und fühlt sich sicher
- Beziehungsaufbau zu Gleichaltrigen
- Freizeitgestaltung ist unterstützt
- Grübelt nicht über die Krankheit nach
- Ist abgelenkt
- Behandlungs- und Therapiekonzept sind transparent und vom therapeutischen Team umgesetzt
- Aktive Beteiligung an der Behandlungsplanung ist sichergestellt
- Nimmt eigene Wünsche und Bedürfnisse wahr
- Steht zu Entscheidungen und übernimmt dafür die Verantwortung
- Verbalisiert Wünsche und Bedürfnisse deutlich und fordert sie ein
- Erkennt Zusammenhänge zwischen eigenem Verhalten und Pflegediagnose
- Entwickelt Lösungswege im Gespräch
- Einer verzögerten Entwicklung ist vorgebeugt
- Kann die Hausaufgaben selbstständig erledigen
- Versorgungssituation ist gesichert
- Kann über Probleme sprechen

Pflegeinterventionen

Systematische Beobachtung des Kindes
- Pflegeintervention konkretisieren
  - Emotionale Entwicklung
  - Soziale Entwicklung
  - Kognitive Entwicklung
  - Entwicklungsstadium
  - Aspekte der Eltern-Kind-Beziehung
  - Verständnis von Gesundheit und Krankheit
  - Kommunikationsformen
  - Sozialverhalten

Eltern-Kind-Beziehung in der Trennungsphase unterstützen
- Pflegeintervention konkretisieren
  - Telefonische Kontaktaufnahme ermöglichen
  - Bilder von Bezugspersonen aufstellen/anbringen
  - Gemeinsame Betrachtung von Bildern und Fotoalben
- Zeit angeben

Kontakt zu Personen gleichen Alters ermöglichen
- Pflegeintervention konkretisieren
- Zeit angeben

Aktivitäten mit ehrenamtlichen Mitarbeitern organisieren
- Pflegeintervention konkretisieren
- Zeit angeben

Besucherdienst organisieren
- Pflegeintervention konkretisieren
- Zeit angeben

Fallbesprechung zur weiteren Behandlungs- und Therapieplanung durchführen
- Beteiligte Personen angeben
  - Bewohner
  - Pflegeperson
  - Ärztlicher Dienst
  - Psychologe
  - Sozialarbeiter
  - Sozialpädagoge
  - Ergotherapeut
  - Krankengymnast
  - Logopäde
  - Beschäftigungstherapeut
  - Heilpädagoge
  - Geistlicher Beistand
  - Lehrer
  - Erzieher
  - Jugendamt
  - Sonstige Personen
- Gesprächsinhalt
  - Vereinbarte Therapieziele
  - Vereinbarte Gesprächsinhalte für ein klientenzentriertes Pflegefachgespräch
- Zeitdauer angeben

Pflegefachgespräch führen
- Inhaltliche Ausrichtung des Gesprächs bestimmen
  - Informationssammlung
  - Pflege-, Betreuungs- und Behandlungsprozess
  - Ursachenanalyse
  - Strategien zur Krankheitsbewältigung
  - Motivation/Aktivierung
  - Alltagsbewältigung
  - Förderung der Entscheidungsfindung
  - Zukunftsperspektive
  - Unterstützung der Orientierung
  - Unterstützung des Realitätsbezugs
  - Krisenintervention
  - Aktuelle Bedürfnisse/Wünsche
  - Instruktion/Anleitung
  - Feed-back-Gespräch
  - Sonstige Gesprächsinhalte
- Gesprächsteilnehmer
  - Angehöriger/Bezugsperson
  - Betroffene Person
- Zeitdauer des Gesprächs angeben

Bei den Hausaufgaben betreuen
- Pflegeintervention konkretisieren
- Zeit angeben

Sozialen Dienst organisieren
- Pflegeintervention konkretisieren
- Zeit angeben

Psychologen/in einschalten
- Pflegeintervention konkretisieren
- Zeit angeben

Sonstige Pflegemaßnahmen durchführen
- Maßnahmen konkretisieren
- Zeit angeben

Literaturhinweise: 68, 175, 176, 317, 334, 1130, 1133, 1135, 1136, 1137, 1138, 1140, 1150

Der Patient hat aufgrund einer **Frühgeburt** das **Risiko einer verzögerten Entwicklung**

Kennzeichen

Kennzeichen von Körperfunktionen
- Bewegungsmuster/Aktivierungszustand ist noch nicht koordiniert
- Schlaf-Wach-Rhythmus ist beeinträchtigt
- Reduzierte Reflexantwort beim Saugen
- Unfähigkeit, Saugen, Schlucken oder Atmen zu koordinieren
- Angestrengte Atmung
- Tachypnoe
- Beeinträchtigte Atemfunktion
- Beeinträchtigte Wärmeregulation
- Beeinträchtigte Regulation der Vitalfunktionen

Äußere Kennzeichen des Frühgeborenen
- Unterdurchschnittliche Körpermaße
- Blassrot bis dunkelrot gefärbte Haut
- Bläuliche Verfärbung an Füßen/Händen
- Lanugobehaarung
- Unvollständige Finger-, Zehennägel

Ursachen

- Beeinträchtigter Beziehungsaufbau zu den Eltern
- Beeinträchtigte visuelle, taktile, auditive Stimulation durch das Umfeld
- Beeinträchtigte elterliche Fürsorge
- Erhöhte Stressfaktoren durch Umgebungsreize wie Licht und Lärm
- Erhöhte Stressfaktoren durch pflegerische/ medizinische Interventionen
- Bewegungseinschränkung
- Schmerzen bei pflegerischen/ medizinischen Interventionen
- Schmerzen im Zusammenhang mit einer Grunderkrankung

Ressourcen

- Vitalwerte sind innerhalb der Norm
- Atmung ist regelmäßig
- Muskeltonus ist physiologisch
- Führt Saug und Suchbewegungen durch
- Führt Klammer- und Greifbewegungen durch
- Wirkt wach
- Wirkt aufmerksam
- Angehöriger/Bezugsperson hat beruhigenden Einfluss
- Angehöriger/Bezugsperson äußert den Wunsch, die Nähe zum Kind zu fördern
- Angehöriger/Bezugsperson möchte das Kind selbstständig versorgen
- Angehöriger/Bezugsperson traut sich die Versorgung des Neugeborenen zu
- Angehöriger/Bezugsperson ist motiviert, die Pflegemaßnahme zu unterstützen, und zeigt entsprechendes Verhalten
- Angehöriger/Bezugsperson kann das Kind unter Aufsicht selbstständig baden
- Angehöriger/Bezugsperson ist als Bezugs- und Betreuungsperson in der Einrichtung aufgenommen

Pflegeziele

- Pathophysiologische Zustandsveränderungen sind sofort erkannt
- Körpertemperatur liegt im Normbereich
- Langzeitfolgen und Verhaltensstörungen frühgeborener Kinder sind vermieden
- Erfährt eine Geborgenheit vermittelnde Begrenzung
- Stressempfinden ist reduziert
- Fühlt sich beruhigt
- Wohlbefinden ist gesteigert
- Schmerzen sind reduziert
- Lichtreiz ist reduziert
- Sekundärerkrankungen/ Langzeitfolgen sind vermieden
- Stressauslösende Faktoren sind reduziert
- Kann das Verhalten des Frühgeborenen einschätzen
- Fühlt sich im Umgang mit dem Frühgeborenen sicher
- Kann Verantwortung und Betreuung des Frühgeborenen übernehmen
- Stressempfinden der Eltern ist reduziert
- Hautkontakt, Wärme und Herztöne des Angehörigen/der Bezugsperson unterstützen das Wohlbefinden
- Interaktion ist unterstützt
- Bonding kann nachgeholt werden
- Eine vertrauensvolle Eltern-Kind-Beziehung ist unterstützt
- Einer Entwicklungsstörung ist vorgebeugt
- Wird durch Stimulation der verschiedenen Wahrnehmungsbereiche gefördert
- Nimmt eigene Wünsche und Bedürfnisse wahr
- Steht zu Entscheidungen und übernimmt dafür die Verantwortung
- Verbalisiert Wünsche und Bedürfnisse deutlich und fordert sie ein
- Erkennt Zusammenhänge zwischen eigenem Verhalten und Pflegediagnose
- Entwickelt Lösungswege im Gespräch
- Behandlungs- und Therapiekonzept sind transparent und vom therapeutischen Team umgesetzt
- Aktive Beteiligung an der Behandlungsplanung ist sichergestellt

Pflegeinterventionen

Systematische Beobachtung des Frühgeborenen
- Pflegeintervention konkretisieren
  - » Mimik und Gestik
  - » Motorik
  - » Atmung
  - » Hautfarbe
  - » Wachheit und Aufmerksamkeit
  - » Vitalwerte

Im Inkubator/in der Isolette versorgen
- Pflegeintervention konkretisieren
  - » Säugling im Inkubator/in der Isolette waschen
  - » Inkubatortemperatur mit der Hauttempe-

ratur abgleichen

Für eine behagliche Begrenzung sorgen
- Pflegeintervention konkretisieren
  - » Nestchenlagerung durchführen
  - » Aufhängen einer kleinen Hängematte im Inkubator

Stress auslösende Faktoren reduzieren
- Pflegeintervention konkretisieren
- Reduktion von Lichtreizen und Lärm
  - » Für gedämpftes Licht sorgen
  - » Inkubator mit einem Tuch abdecken
  - » Augen mit Augenpatches abdecken
  - » Lärm reduzieren
- Sonstige Interventionen
  - » Einwickeln des Neugeborenen (Swaddling)
  - » Sanfte Massage an Rücken, Beinen oder Fersen
  - » Halten in Froschstellung (Facilitated Tucking)
  - » Nicht nutrives Saugen
- Zeit angeben

Eltern/Bezugspersonen zum Umgang mit dem Frühgeborenen anleiten
- Anzuleitende Person(en) festlegen
  - » Mutter
  - » Vater
  - » Angehöriger/Bezugsperson
- Pflegeintervention konkretisieren
  - » Zur systematischen Beobachtung des Frühgeborenen anleiten
  - » Zur Beruhigung und emotionalen Unterstützung des Frühgeborenen anleiten
  - » Zur Reduktion von stressauslösenden Faktoren anleiten
  - » Zur Durchführung der Nahrungsverabreichung anleiten
  - » Zur Durchführung der täglichen Pflege anleiten
- Zeit angeben

Neugeborenes auf die Brust des Angehörigen/der Bezugsperson legen (Känguruhing)
- Pflegeintervention konkretisieren
- Zeit angeben

Körperliche Nähe zwischen Bezugsperson/ Angehörigen und Betroffenen ermöglichen
- Pflegeintervention konkretisieren
- Zeit angeben

Angebote zur Stimulation durchführen
- Akustische Stimulation durchführen
  - » Akustische Stimulation mit der Mutterstimme durchführen
  - » Akustische Stimulation mit vertrauten Stimmen aus der Familie durchführen
  - » Vertraute Musik abspielen
  - » Herztöne der Mutter vorspielen
- Olfaktorische Stimulation durchführen
  - » Stimulation mit vertrautem Geruch durchführen
  - » Stilleinlage der Mutter in den Inkubator legen
- Taktile Stimulation durchführen
  - » Streicheln des Kindes
  - » Massage des Kindes
  - » Beruhigende Ausstreichungen durchführen
- Visuelle Angebote einsetzen
  - » Bunte Tücher aufhängen
  - » Mobile aufhängen
  - » Bilder aufstellen
- Zeit angeben

Pflegefachgespräch führen
- Inhaltliche Ausrichtung des Gesprächs bestimmen
  - » Informationssammlung
  - » Pflege-, Betreuungs- und Behandlungsprozess
  - » Ursachenanalyse
  - » Strategien zur Krankheitsbewältigung
  - » Motivation/Aktivierung
  - » Alltagsbewältigung
  - » Förderung der Entscheidungsfindung
  - » Zukunftsperspektive
  - » Unterstützung der Orientierung
  - » Unterstützung des Realitätsbezugs
  - » Kriseninterventionen
  - » Aktuelle Bedürfnisse/Wünsche
  - » Instruktion/Anleitung
  - » Feed-back-Gespräch
  - » Sonstige Gesprächsinhalte
- Gesprächsteilnehmer
  - » Angehöriger/Bezugsperson
  - » Betroffene Person
- Zeitdauer des Gesprächs angeben

Fallbesprechung zur weiteren Behandlungs- und Therapieplanung durchführen
- Beteiligte Personen angeben
  - » Bewohner
  - » Pflegeperson
  - » Ärztlicher Dienst
  - » Psychologe
  - » Sozialarbeiter
  - » Sozialpädagoge
  - » Ergotherapeut
  - » Krankengymnast
  - » Logopäde
  - » Beschäftigungstherapeut
  - » Heilpädagoge
  - » Geistlicher Beistand
  - » Lehrer
  - » Erzieher
  - » Jugendamt
  - » Sonstige Personen
- Gesprächsinhalt
  - » Vereinbarte Therapieziele
  - » Vereinbarte Gesprächsinhalte für ein klientenzentriertes Pflegefachgespräch
- Zeitdauer angeben

Ambulante Pflege organisieren

Sonstige Pflegemaßnahmen durchführen
- Maßnahmen konkretisieren
- Zeit angeben

Literaturhinweise: 510, 1142, 1143, 1144, 1145, 1146, 1147, 1148

Der Patient hat das **Risiko einer verzögerten Entwicklung**

Kennzeichen

Kennzeichen der aktuellen Entwicklungsphase

- Erlebniswelt konzentriert sich auf gegenwärtige und erfahrbare Situationen
- Interpretiert Krankheit/ Krankheitszusammenhänge falsch
- Interpretiert Durchführung von Interventionen falsch
- Zeigt undifferenzierte Vorstellung von Lokalisation/ Funktion von Organen
- Wirkt bei der Erklärung von unterschiedlichen Behandlungen überfordert
- Kann Verletzungen/Behandlung des Körpers nur schwer mit Heilung in Verbindung bringen
- Beschreibt Ursachen der Krankheit als Verunreinigung/Übertragung
- Äußert Kastrations-/Amputations- oder Todesangst
- Hat eine Vorstellung von Lokalisation und Funktion von Organen
- Kann sich die Erkrankung vorstellen
- Kann sich Zusammenhänge von Körper und Psyche vorstellen
- Kann unterschiedliche Behandlungen gegeneinander abwägen
- Übernimmt Verantwortung für unterschiedliche Erfordernisse
- Äußert Angst vor Verlust von Selbstständigkeit/ dauerhafter Beeinträchtigung
- Äußert Angst vor dem Tod

Ursachen

Krankheitsbedingte Ursachen

- Akute Krankheit
- Chronische Krankheit
- Kritische Zustandsveränderung
- Unfallereignis
- Körperliche Einschränkung
- Körperliche Behinderung
- Schmerzen

Krankheits- und umgebungsbedingte Ursachen

- Umgebungsveränderung
- Notwendige Isolierung
- Veränderung des Tagesablaufs
- Fremde/unangenehme Reize
- Eingeschränkter Körperkontakt
- Eingeschränktes Verständnis der Krankheit/ Situation
- Verlust der Autonomie alltäglicher Verrichtungen
- Kann Bewegungsdrang nicht folgen
- Spielerische Betätigung ist stark eingeschränkt
- Gewohnheiten können nicht beibehalten werden
- Unmöglichkeit Kindergarten/Schule zu besuchen
- Eingeschränkter Kontakt zu Gleichaltrigen

Bezugspersonen und familiäres Umfeld

- Fehlen einer warmherzigen, positiven Eltern-Kind-Beziehung
- Unsichere Bindung
- Wechselnde Bezugspersonen
- Ungünstiges Erziehungsverhalten
- Mangelnde Feinfühligkeit der Bezugspersonen
- Ungünstiges Verhalten gegenüber dem therapeutischen Team
- Negative familiäre Einflüsse
- Negativer Einfluss von Gleichaltrigen
- Krankheit eines Elternteils
- Sozioökonomische Aspekte
- Fehlendes soziales Netz
- Traumatisches Trennungserlebnis

Sonstige Ursachen

- Belastende Vorerfahrungen im Bereich Körperpflege
- Belastende Vorerfahrungen im Bereich dignostische/ therapeutische Interventionen/ therapeutisches Team
- Belastende Vorerfahrungen im Bereich Körperlichkeit
- Eingeschränkte Möglichkeit der Eltern, das Kind zu besuchen
- Belastende Lebensereignisse
- Leistungsdruck in der Schule
- Geringes Selbstwertgefühl

Ressourcen

Eigene Ressourcen

- Akzeptiert die Unterstützung bei der Körperpflege durch das Pflegepersonal
- Kann sich auf das Therapeutische Team einlassen
- Zeigt soziales Verhalten
- Verhält sich kooperativ
- Zeigt Empathiefähigkeit
- Denkt positiv
- Ist selbstständig
- Ist anpassungsfähig
- Kann mit Stresssituationen umgehen
- Zeigt Problemlösungsverhalten
- Verfügt über Bewältigungsstrategien
- Zeigt individuelle Entschlusskraft
- Kann Situationen kognitiv verarbeiten
- Zeigt Gesundheitsverhalten
- Zeigt Selbstbeherrschung
- Zeigt Wertschätzung sich selbst gegenüber
- Hat Selbstvertrauen
- Zeigt einen hohen Grad der moralischen Entwicklung

Ressourcen im Umfeld

- Hat eine warmherzige, positive Beziehung zu den Eltern
- Hat Unterstützung durch die Eltern
- Hat eine intakte sichere Bindung zu einer Bezugsperson
- Häufige Anwesenheit der Bezugspersonen
- Hat im sozialen Umfeld Unterstützung
- Hat Freundschaften zu Gleichaltrigen

Pflegeziele

- Eltern-Kind-Beziehung ist eingeschätzt
- Entwicklungsrelevante Aspekte sind einge-

schätzt
- Kontakt zu Eltern/Bezugsperson ist unterstützt
- Ständige Anwesenheit der Bezugsperson
- Eltern können sich aktiv in die Pflege einbringen
- Ist angstfrei und fühlt sich sicher
- Eine vertrauensvolle Eltern-Kind-Beziehung ist unterstützt
- Einer Entwicklungsstörung ist vorgebeugt
- Gesunde Entwicklung ist gefördert
- Soziale Kompetenzen sind erworben
- Selbstverantwortlichkeit und Autonomie sind unterstützt
- Alltagskompetenzen sind erhöht
- Kann durch eine geeignete Kommunikationsform Bedürfnisse, Wünsche und Gefühle äußern
- Kann eigene Ideen entwickeln
- Kann selbstständig Probleme lösen
- Kann sich selbstständig beschäftigen
- Kann Entscheidungen treffen
- Vertrauensvolle therapeutische Beziehung ist aufgebaut
- Emotionalen Problemen ist vorgebeugt
- Entwicklungsproblemen ist vorgebeugt
- Wird durch Stimulation der verschiedenen Wahrnehmungsbereiche gefördert
- Kind hat eine anregende Beschäftigung
- Ist abgelenkt
- Fühlt sich wohl
- Beziehungsaufbau zu Gleichaltrigen
- Fühlt sich unterstützt
- Versteht und akzeptiert die Durchführung pflegerischer und therapeutischer Interventionen
- Nimmt die Lebenssituation an und akzeptiert diese
- Kann Krankheit/neue Situation verarbeiten
- Einer verzögerten Entwicklung ist vorgebeugt
- Kann die Entwicklung des Kindes fördern
- Nimmt eigene Wünsche und Bedürfnisse wahr
- Steht zu Entscheidungen und übernimmt dafür die Verantwortung
- Verbalisiert Wünsche und Bedürfnisse deutlich und fordert sie ein
- Erkennt Zusammenhänge zwischen eigenem Verhalten und Pflegediagnose
- Entwickelt Lösungswege im Gespräch
- Behandlungs- und Therapiekonzept sind transparent und vom therapeutischen Team umgesetzt
- Aktive Beteiligung an der Behandlungsplanung ist sichergestellt
- Kann die Hausaufgaben selbstständig erledigen
- Hat Lerninhalte erworben

Pflegeinterventionen

Systematische Beobachtung des Kindes
- Pflegeintervention konkretisieren
  - » Emotionale Entwicklung
  - » Soziale Entwicklung
  - » Kognitive Entwicklung
  - » Entwicklungsstadium
  - » Aspekte der Eltern-Kind-Beziehung
  - » Verständnis von Gesundheit und Krankheit
  - » Kommunikationsformen
  - » Sozialverhalten

Eltern-Kind-Beziehung unterstützen
- Pflegeintervention konkretisieren
  - » Durchführung der Körperpflege des Kindes ermöglichen
  - » An Aktivitäten mit dem Kind beteiligen
  - » Übernachtung der Eltern/Bezugsperson im Zimmer des Kindes ermöglichen
  - » Übernachtung der Eltern/Bezugsperson in der Einrichtung ermöglichen
  - » Telefonische Kontaktaufnahme ermöglichen

Körperliche Nähe zwischen Bezugsperson/Angehörigen und Betroffenen ermöglichen
- Pflegeintervention konkretisieren
- Zeit angeben

Beim Erlernen entwicklungsbezogener Aufgaben unterstützen
- Pflegeintervention konkretisieren
  - » Beim Laufen unterstützen
  - » Bei der Nahrungsaufnahme unterstützen
  - » Beim An- und Ausziehen unterstützen
  - » Bei der Kontrolle der Ausscheidungen unterstützen
  - » Geschicklichkeit bei der Durchführung von Alltagsbewegungen trainieren
  - » Unterstützen, Bedürfnisse/Wünsche adäquat zu äußern
  - » Beim Erlernen von Umgangsformen unterstützen
  - » Beim Erlernen von Sozialverhalten unterstützen
- Zeit angeben

Kontakte entwicklungsfördernd gestalten
- Pflegeintervention konkretisieren
- Zeit angeben

Angebote zur Stimulation durchführen
- Akustische Stimulation durchführen
  - » Akustische Stimulation mit der Mutterstimme durchführen
  - » Akustische Stimulation mit vertrauten Stimmen aus der Familie durchführen
  - » Vertraute Musik abspielen
  - » Herztöne der Mutter vorspielen
- Olfaktorische Stimulation durchführen
  - » Stimulation mit vertrautem Geruch durchführen
  - » Stilleinlage der Mutter in den Inkubator legen
- Taktile Stimulation durchführen
  - » Streicheln des Kindes
  - » Massage des Kindes
  - » Beruhigende Ausstreichungen durchführen
- Visuelle Angebote einsetzen
  - » Bunte Tücher aufhängen
  - » Mobile aufhängen
  - » Bilder aufstellen
- Zeit angeben

Umgebung entwicklungsfördernd gestalten
- Pflegeintervention konkretisieren
  - » Umgebung interessant und fördernd gestalten
  - » Umgebung sicher gestalten
  - » Vertraute Reize setzen
- Zeit angeben

Zur Freizeitgestaltung anleiten
- Pflegeintervention konkretisieren
  - » Medienumgang
  - » Spielen
  - » Sportliche Aktivitäten
- Zeit angeben

Kontakt zu Personen gleichen Alters ermöglichen
- Pflegeintervention konkretisieren
- Zeit angeben

Beratungsgespräch zu entwicklungsrelevanten Aspekten führen
- Gesprächsinhalte konkretisieren
  - » Hilfestellung zur Stressbewältigung
  - » Stärkung des Selbstvertrauens
  - » Realistische Selbsteinschätzung
  - » Zulassen negativer Emotionen
  - » Gesundheitserziehung
  - » Bewältigungsstrategien
  - » Erklärung krankheits- und krankenhausspezifischer Ereignisse
  - » Aspekte der Eltern-Kind-Beziehung
  - » Kommunikationsformen des Kindes
  - » Unterstützung der Kommunikationsfähigkeit
  - » Abstimmen des eigenen kommunikativen Verhaltens
  - » Selbstwahrnehmung und Entwicklung der Persönlichkeit
- Gesprächsteilnehmer
  - » Angehöriger/Bezugsperson
  - » Betroffene Person
- Zeit angeben

Pflegefachgespräch führen
- Inhaltliche Ausrichtung des Gesprächs bestimmen
  - » Informationssammlung
  - » Pflege-, Betreuungs- und Behandlungsprozess
  - » Ursachenanalyse

  - » Strategien zur Krankheitsbewältigung
  - » Motivation/Aktivierung
  - » Alltagsbewältigung
  - » Förderung der Entscheidungsfindung
  - » Zukunftsperspektive
  - » Unterstützung der Orientierung
  - » Unterstützung des Realitätsbezugs
  - » Krisenintervention
  - » Aktuelle Bedürfnisse/Wünsche
  - » Instruktion/Anleitung
  - » Feed-back-Gespräch
  - » Sonstige Gesprächsinhalte
- Gesprächsteilnehmer
  - » Angehöriger/Bezugsperson
  - » Betroffene Person
- Zeitdauer des Gesprächs angeben

Fallbesprechung zur weiteren Behandlungs- und Therapieplanung durchführen
- Beteiligte Personen angeben
  - » Bewohner
  - » Pflegeperson
  - » Ärztlicher Dienst
  - » Psychologe
  - » Sozialarbeiter
  - » Sozialpädagoge
  - » Ergotherapeut
  - » Krankengymnast
  - » Logopäde
  - » Beschäftigungstherapeut
  - » Heilpädagoge
  - » Geistlicher Beistand
  - » Lehrer
  - » Erzieher
  - » Jugendamt
  - » Sonstige Personen
- Gesprächsinhalt
  - » Vereinbarte Therapieziele
  - » Vereinbarte Gesprächsinhalte für ein klientenzentriertes Pflegefachgespräch
- Zeitdauer angeben

Bei den Hausaufgaben betreuen
- Pflegeintervention konkretisieren
- Zeit angeben

Begleitung in die Schule
- Pflegeintervention konkretisieren
- Zeit angeben

Sonstige Pflegemaßnahmen durchführen
- Maßnahmen konkretisieren
- Zeit angeben

Literaturhinweise: 1130, 1131, 1132, 1133, 1134, 1135, 1136, 1137, 1138, 1139, 1140, 1141

Angehörige/Bezugspersonen gestalten die **Erziehung nicht entwicklungsfördernd**, es besteht das **Risiko der verzögerten Entwicklung**

Kennzeichen

- Ignoriert erwünschtes Verhalten
- Lebt unerwünschtes Verhalten vor
- Belohnt unabsichtlich erwünschtes Verhalten
- Reagiert mit Eskalation/wütendem Verhalten
- Gibt einer Eskalation des Kindes nach
- Vermittelt negative emotionale Botschaften
- Verwendet negative Kommunikationsmuster
- Gibt ungünstige Anweisungen
- Gebraucht ungünstige Konsequenzen
- Erziehungsverhalten ist inkonsistent
- Verwendet hartes, rigides oder bestrafendes Erziehungsverhalten
- Gestaltet Erziehungsverhalten ungünstig
- Abläufe und Aktivitäten in der Familie sind für das Kind nicht vorhersehbar
- Gestaltet Medien-/ Technologiekonsumverhalten ungünstig

Ursachen

Ursachen des Betroffenen
- Geistige Behinderung
- Körperliche Behinderung
- Seelische Beeinträchtigung
- Entwicklungsstörung
- Lebhaftes Temperament
- Starke Unruhe
- Hohe Emotionalität
- Überforderung

Ursachen im Zusammenhang mit Bezugsperson/Umfeld
- Unsichere Bindung
- Fehlen einer warmherzigen, positiven Eltern-Kind-Beziehung
- Stress der Bezugsperson
- Psychosoziale Belastung der Bezugsperson
- Starke Verunsicherung/Sorge der Bezugsperson
- Depressivität der Bezugsperson
- Psychische Erkrankung der Bezugsperson
- Behinderung der Bezugsperson

- Delinquenz der Bezugsperson
- Abhängigkeitserkrankung der Bezugsperson
- Ungünstige Überzeugungen/ Einstellungen der Bezugsperson
- Probleme der Eltern/Bezugspersonen mit der Behinderung
- Ehekonflikte
- Aggressivität der Eltern
- Gewalt in der Familie
- Negative familiäre Einflüsse
- Sozioökonomische Aspekte
- Fehlendes soziales Netz
- Außerfamiliäre Einflüsse
- Ablehnung durch Personen des sozialen Umfelds
- Kritische Lebensereignisse

Ressourcen

- Positive Eltern-Kind-Beziehung
- Setzt Strategien ein, um eine gute Beziehung zum Kind zu enwickeln
- Kennt Prinzipien der positiven Erziehung
- Kann Fähigkeiten des Kindes fördern
- Setzt Strategien ein, um dem Kind neue Fertigkeiten und Verhaltensweisen zu vermitteln
- Kann Faktoren erkennen, die das kindliche Verhalten beeinflussen
- Kann risikoreiche Erziehungssituationen erkennen
- Setzt sich Ziele zur Änderung des eigenen Verhaltens/des kindlichen Verhaltens
- Setzt Strategien ein, um ein angemessenes Verhalten des Kindes zu fördern
- Kann klare und ruhige Anweisungen geben
- Kann auf Problemverhalten logische Konsequenzen folgen lassen
- Kann sich Informationen zu Erziehungsfragen besorgen
- Kann sich Unterstützung von anderen Personen holen
- Soziales Unterstützungsnetz ist vorhanden

Pflegeziele

- Kann Familienregeln aufstellen und besprechen
- Kann klare und ruhige Anweisungen geben
- Setzt Strategien im Umgang mit Problemverhalten erfolgreich ein
- Kann auf Problemverhalten logische Konsequenzen folgen lassen
- Kommunikationsfähigkeit und Austausch über Erziehungsfragen sind verbessert
- Ungünstiges Erziehungsverhalte n ist reduziert
- Kann Erziehungsprobleme selbstständig lösen
- Kann bisher erreichte Veränderungen aufrechterhalten
- Akzeptiert die Behinderung
- Akzeptiert die Entwicklungsstörung
- Kompetenzen im Umgang mit Behinderungen sind gestärkt
- Selbstvertrauen ist gestärkt
- Stressempfinden ist reduziert
- Liebevolle und fördernde Beziehung zum Kind ist aufgebaut
- Beziehungs- und Erziehungskompetenz ist gestärkt
- Kennt die Prinzipien der positiven Erziehung
- Kann Faktoren erkennen, die das kindliche Verhalten beeinflussen
- Kann die Entwicklung des Kindes fördern
- Kann risikoreiche Erziehungssituationen erkennen
- Erziehungskompetenz ist gestärkt
- Kann einen Ablaufplan erstellen und einsetzen
- Kann einen Aktivitätenplan erstellen und einsetzten
- Kann einen Belohnungsplan erstellen und einsetzen
- Fragen sind geklärt
- Kann Erziehungsprobleme selbstständig lösen
- Alle wichtigen Informationen sind weitergeleitet

Pflegeinterventionen

Gespräch zur positiven Erziehung mit Eltern/Bezugspersonen durchführen

- Gesprächsinhalt konkretisieren
  - » Bedeutung einer positiven Erziehung
  - » Beeinflussende Faktoren auf das kindliche Verhalten
  - » Förderung einer guten Eltern-Kind-Beziehung
  - » Förderung von angemessenem Verhalten des Kindes
  - » Dem Kind neue Fertigkeiten und Verhaltensweisen vermitteln
  - » Mit Problemverhalten des Kindes umgehen
  - » Erziehungsroutine entwickeln
  - » Unterstützungssysteme ausbauen
- Teilnehmende Personen angeben
  - » Vater
  - » Mutter
  - » Bezugsperson
- Zeit angeben

Gruppensitzungen durchführen

- Gesprächsinhalt konkretisieren
  - » Bedeutung einer positiven Erziehung
  - » Beeinflussende Faktoren auf das kindliche Verhalten
  - » Förderung einer guten Eltern-Kind-Beziehung
  - » Förderung von angemessenem Verhalten des Kindes
  - » Dem Kind neue Fertigkeiten und Verhaltensweisen vermitteln
  - » Mit Problemverhalten des Kindes umgehen
  - » Erziehungsroutine entwickeln
  - » Unterstützungssysteme ausbauen
- Teilnehmende Personen angeben
  - » Vater
  - » Mutter
  - » Bezugsperson
- Zeit angeben

Eltern/Bezugspersonen im Umgang mit Erziehungsstrategien anleiten

- Maßnahmen konkretisieren
  - » Üben von 1-2 positiven Erziehungsstrategien
  - » Beobachten von 1-2 Verhaltensweisen des Kindes
  - » Erstellen und Einsetzen eines Ablaufplans
  - » Erstellen und Einsetzen eines Aktivitätenplans
  - » Erstellen und Einsetzen eines Belohnungsplans
- Zeit angeben

Telefonsitzung zur Erziehungssituation durchführen

- Gesprächsinhalt konkretisieren
  - » Aktuelle Situation besprechen
  - » Aufgetretene Probleme besprechen
  - » Aktivitätenplan besprechen
- Gesprächspartner bestimmen
  - » Vater
  - » Mutter
  - » Bezugsperson
- Zeit angeben

Informationsmaterial aushändigen und Gesprächsbereitschaft signalisieren

- Pflegeintervention konkretisieren
- Zeit angeben

Sonstige Pflegemaßnahmen durchführen

- Maßnahmen konkretisieren
- Zeit angeben

Literaturhinweise: 1130, 1131, 1132, 1133, 1134, 1161

Der Patient hat eine **beeinträchtigte Zukunftsperspektive**

Kennzeichen

- Äußert Sorge über die Zukunft
- Äußert den Verlust des Glaubens bzw. der Bedeutung für das Leben
- Äußert Hoffnungslosigkeit
- Äußert ein Gefühl der Hilflosigkeit
- Kann für sich keine (Lebens-)Perspektiven formulieren
- Äußert starke Gefühle der Sinnlosigkeit
- Veränderte/beeinträchtigte Einstellung zum Leben und zur Zukunft
- Äußert gesundheitsbezogene Zukunftssorgen
- Fragt nach dem Sinn des Lebens
- Zeigt Zorn gegenüber der Lebenssituation
- Äußert Gefühle wie Unsicherheit, Sorge und Verzweiflung
- Schlafstörungen
- Äußert, an Appetitlosigkeit zu leiden
- Zeigt Passivität
- Teilnahmslosigkeit
- Fehlende Initiative
- Aktive Abwehrreaktionen
- Zieht sich vom sozialen Geschehen zurück
- Wirkt teilnahmslos und reagiert nicht auf Ansprache

Ursachen

- Sinnkrise durch Krankheit
- Stellt Glaubensgrundsätze infrage
- Stellt Wertvorstellungen infrage
- Familiäre Unstimmigkeiten
- Wirtschaftliche Situation der Lebensgemeinschaft
- Ungewisser Krankheitsverlauf
- Depressionen
- Trennung/Scheidung vom Lebenspartner
- Lang anhaltende Belastungen
- Isolation und Einsamkeit
- Traumaerlebnis
- Soziales Umfeld

Ressourcen

- Kann Gefühle und Sorgen mit der Bezugsperson besprechen
- Zeigt Offenheit gegenüber neuen Wegen

Pflegeziele

- Spricht mit der Bezugspflegeperson über Zukunftsperspektiven
- Erkennt eigene Ressourcen und Möglichkeiten und entwickelt Handlungsstrategien/Verhaltensweisen, um diese zu aktivieren
- Spricht über Glaubensfragen/Wertvorstellungen
- Äußert konkrete Perspektiven für die weitere Zukunft
- Erkennt, dass Mitmenschen ähnliche Probleme und Sorgen haben, und ist motiviert, mit Betroffenen über Bewältigungsstrategien zu sprechen
- Sozialkontakte und Gruppenverhalten sind gefördert
- Kann soziale Kontakte aufbauen
- Ist sozial integriert
- Gefestigte Tagesstruktur ist aufgebaut
- Selbstvertrauen in eigene Kompetenzen/Fähigkeiten ist gefördert
- Körperliche Geschicklichkeit ist gefördert
- Zugang zu den eigenen Empfindungen ist unterstützt
- Termin wird wahrgenommen
- Selbstwertgefühl ist gestärkt
- Übernimmt die Verantwortung bei der Versorgung des Tieres

Pflegeinterventionen

Gesprächsbereitschaft signalisieren und Gespräch führen

- Gesprächsinhalt
  - » Situation analysieren und individuelle Bedürfnisse herausfinden
  - » Ressourcen aufzeigen und positive Eigenaktivitäten fördern
  - » Wünsche bezüglich der Kontaktherstellung zu Geistlichen/Selbsthilfegruppen herausfinden
  - » Vereinbarungen bezüglich der gewünschten Unterstützung beim Aufbau sozialer Kontakte treffen
  - » Gespräch über die Zukunftsplanung führen
- Zeitdauer des Gesprächs bestimmen

Aufbau einer konstruktiven therapeutischen Beziehung zur Bezugspflegeperson fördern

- Bezugsperson festlegen
- Pflegeintervention konkretisieren
  - » Tages-/Wochenplan erstellen
  - » Aktivitätenplan erstellen
  - » Tages- und Wochenpläne besprechen
  - » Durchgeführte Aktivitäten besprechen
  - » Lebenspraktische Inhalte besprechen
- Fest verbindlichen Tagesplan vereinbaren
  - » Mit Kontrollmöglichkeit
  - » Ohne Kontrollmöglichkeit
  - » In Eigenverantwortung
  - » In Verantwortung der Bezugsperson
  - » Tagesaktivitäten auswerten und reflektieren
- Dauer bestimmen

Ressourcen fördern und positive Eigenaktivitäten unterstützen

- Pflegeintervention konkretisieren
- Zeit angeben

Kontakte zu Seelsorgern herstellen

- Pflegeintervention konkretisieren
  - » An die Termine für Gottesdienste erinnern
  - » Kontakt zur Seelsorge herstellen
  - » Hol- und Bringdienste zur Teilnahme an Veranstaltungen der Glaubensgemeinschaft organisieren

Kontakte zu Selbsthilfegruppen vermitteln

- Pflegeintervention konkretisieren
- Zeit angeben

Soziale Kontakte fördern
- Netzwerke bestimmen, die aufgebaut/gefördert werden können
  - » Netzwerk Familie
  - » Netzwerk Freundeskreis
  - » Netzwerk Arbeitsfeld
  - » Netzwerk Glaubensgemeinschaft
  - » Netzwerk Freizeitaktivität/Hobby
  - » Selbsthilfegruppe
  - » Sonstige Netzwerke
- Zeitdauer der Intervention bestimmen
- Gesprächspartner bestimmen
  - » Angehöriger/Bezugsperson
  - » Betreuer
  - » Freunde
  - » Arbeitgeber
  - » Arbeitskollegen
  - » Ämter
  - » Kirchenvertreter
  - » Nachbarn
  - » Sonstige Personen

Freizeitgestaltung und Beschäftigungsaktivitäten planen
- Freizeitaktivität angeben
  - » Sportliche Aktivitäten durchführen
  - » Kulturelle Aktivitäten durchführen
  - » Gesellschaftliche Aktivitäten durchführen
  - » Kreative Aktivitäten durchführen
  - » Künstlerische Aktivitäten durchführen
  - » Tiergestützte Angebote
- Art der Unterstützungsleistung angeben
  - » Positive Aktivitäten gezielt planen
  - » Aktivitäten vereinbaren
  - » Nach der Aktivität Reflexionsgespräch führen
  - » Stimmungslage nach der Aktivität reflektieren
  - » Gespräche und Planung mit der Bezugspflegeperson durchführen
  - » Zur Teilnahme auffordern/motivieren
  - » Tägliche Anzahl der zu planenden Aktivitäten bestimmen
- Dauer des Gesprächs bestimmen

Beschäftigungstherapie in der Gruppe durchführen
- Maßnahmen konkretisieren
  - » Malen
  - » Werken
  - » Töpfern
  - » Collagen gestalten
  - » Batiken
  - » Seidenmalerei betreiben
  - » Weben
  - » Holzarbeiten anfertigen
  - » Flechtarbeiten anfertigen
- Einrichtungsspezifische Aktivität wählen
- Zeitdauer der Gruppentherapie bestimmen

Beschäftigungstherapie als Einzelförderung durchführen
- Maßnahmen konkretisieren
  - » Malen
  - » Werken
  - » Töpfern
  - » Collagen gestalten
  - » Batiken
  - » Seidenmalerei betreiben
  - » Weben
  - » Holzarbeiten anfertigen
  - » Flechtarbeiten anfertigen
- Einrichtungsspezifische Aktivität wählen
- Art und Weise der Unterstützung bestimmen
  - » Einleitend motivieren und aktivieren
  - » Kontinuierlich motivieren und anleiten
  - » Bei der Durchführung unterstützen
- Zeitdauer der Einzelförderung bestimmen

Teilnahme an Gottesdiensten und kirchlichen Veranstaltungen ermöglichen
- Maßnahmen konkretisieren
  - » Zum vereinbarten Termin innerhalb der Einrichtung bringen
  - » Zum vereinbarten Termin außerhalb der Einrichtung bringen
- Einrichtungsspezifische Aktivität wählen
- Zeitdauer angeben
- Anzahl erforderlicher Pflegepersonen angeben

Tiergestützte Aktivierung durchführen
- Maßnahmen konkretisieren
  - » Individuelle tiergestützte Therapieangebote durchführen
  - » Tiergestützte Therapie in der Gruppe
  - » Versorgung des Tieres übernehmen
- Einrichtungsspezifische Aktivität wählen
- Zeit angeben

Sonstige Pflegemaßnahmen durchführen
- Maßnahmen konkretisieren
- Zeit angeben

Literaturhinweise: 47, 82, 83, 95, 125, 175, 176, 942, 943, 944

Der Patient kann **bisherige Gewohnheiten** bei der **Speisenauswahl** organisationsbedingt nicht einhalten

Kennzeichen

- Isst Speisen, die von außerhalb beschafft/mitgebracht werden
- Äußert eine Abneigung gegen Speisen
- Angebotene Speisen bleiben unberührt

Ursachen

- Geregelter Tagesablauf in der Einrichtung
- Während des Fastenmonats Ramadan ist eine Nahrungsaufnahme von Sonnenaufgang bis Sonnenuntergang nicht erlaubt
- Bestimmte Speisen werden als "unrein" bezeichnet und dürfen nicht verzehrt werden
- Durch den Kulturraum geprägte Lebensgewohnheiten der Nahrungszufuhr

Ressourcen

- Akzeptiert die Einschränkungen bezüglich des Nahrungsangebots
- Angehörige bringen besondere Nahrungsmittel mit in die Einrichtung

Pflegeziele

- Physiologische und gesunde Ernährung ist gewährleistet
- Äußert Zufriedenheit über die Nahrungsangebote
- Bedarfsgerechte Energie- und Nährstoffzufuhr
- Art, Zubereitung und Darreichung der Nahrung entsprechen den Bedürfnissen
- Umgebungssituation der Nahrungsaufnahme entspricht den Bedürfnissen
- Erreicht einen höheren Grad an Selbstständigkeit bei der Nahrungsaufnahme
- Essenszeiten sind dem Bedürfnis individuell angepasst
- Wünsche und Gewohnheiten bei der Nahrungsaufnahme sind berücksichtigt
- Kulturspezifische Gewohnheiten sind berücksichtigt

Pflegeinterventionen

Nahrungszufuhr sicherstellen

- Pflegeintervention konkretisieren
  - » Menüauswahl abfragen
  - » Essen in das Zimmer bringen und abräumen
  - » Transfer vom Zimmer in den Speisesaal sicherstellen
- Kostform auswählen
  - » Vollkost
  - » Leichte Kost
  - » Vegetarische Kost
  - » Koschere Kost
  - » Schweinefleischfreie Kost
  - » Kost ohne Fisch
  - » Wunschkost

Bei der Nahrungsaufnahme (Hauptmahlzeit) unterstützen

- Lagerung/Sitzposition bestimmen
  - » Lagerung zur Nahrungsaufnahme durchführen
  - » Therapeutischen Langsitz durchführen
  - » Beim Transfer in den Lehn-/Rollstuhl/Reha buggy unterstützen, zum Tisch fahren
  - » Zur Nahrungsaufnahme zum Tisch führen
  - » In den Speisesaal fahren/begleiten
  - » Kind zum Füttern auf den Schoß setzen
  - » Nahrungsaufnahme im Hochstuhl
- Ort der Mahlzeiteneinnahme
  - » Essenstablett ins Zimmer bringen
  - » Essenstablett in den Speisesaal bringen
  - » Essen am Tisch ermöglichen
  - » Essen im Bett ermöglichen
- Art der Unterstützungsleistung angeben
  - » Essen mundgerecht vorbereiten
  - » Nahrungs-/Flüssigkeitszufuhr beaufsichtigen
  - » Verabreichung teilweise übernehmen
  - » Nahrung/Flüssigkeit verabreichen
  - » Zur selbstständigen Nahrungsaufnahme anleiten
- Besonderheiten der Nahrungsvorbereitung
  - » Bei Mahlzeiten und Getränken Verzehrtemperatur herstellen
  - » Kontrastreiche Präsentation der Speisen
  - » Energieanreicherung der Mahlzeiten
  - » Mundgerechte Nahrungsvorbereitung gemeinsam durchführen
  - » Ermutigung/Motivation zur Nahrungsaufnahme

Bei der Nahrungsaufnahme (Zwischenmahlzeit) unterstützen

- Lagerung/Sitzposition bestimmen
  - » Lagerung zur Nahrungsaufnahme durchführen
  - » Therapeutischen Langsitz durchführen
  - » Beim Transfer in den Lehn-/Rollstuhl/Reha buggy unterstützen, zum Tisch fahren
  - » Zur Nahrungsaufnahme zum Tisch führen
  - » In den Speisesaal fahren/begleiten
  - » Kind zum Füttern auf den Schoß setzen
  - » Nahrungsaufnahme im Hochstuhl
- Ort der Mahlzeiteneinnahme
  - » Essenstablett ins Zimmer bringen
  - » Essenstablett in den Speisesaal bringen
  - » Essen am Tisch ermöglichen
  - » Essen im Bett ermöglichen
- Art der Unterstützungsleistung angeben
  - » Essen mundgerecht vorbereiten
  - » Nahrungs-/Flüssigkeitszufuhr beaufsichtigen
  - » Verabreichung teilweise übernehmen
  - » Nahrung/Flüssigkeit verabreichen
  - » Zur selbstständigen Nahrungsaufnahme anleiten
- Besonderheiten der Nahrungsvorbereitung
  - » Bei Mahlzeiten und Getränken Verzehrtemperatur herstellen
  - » Kontrastreiche Präsentation der Speisen
  - » Energieanreicherung der Mahlzeiten
  - » Mundgerechte Nahrungsvorbereitung gemeinsam durchführen
  - » Ermutigung/Motivation zur Nahrungsaufnahme

Individuelle Gewohnheiten bei der Nahrungszufuhr, -aufnahme berücksichtigen und ermöglichen
- Pflegeintervention konkretisieren
- Zeit angeben

Speisenversorgung durch Angehörige ermöglichen
- Pflegeintervention konkretisieren
- Zeit angeben

Sonstige Pflegemaßnahmen durchführen
- Maßnahmen konkretisieren
- Zeit angeben

Literaturhinweise: 36, 125, 378

Der Patient hat aufgrund eines **Enterostomas** einen **unkontrollierten Abgang von Darmgasen** und empfindet dies als **Beeinträchtigung der Lebensqualität**

Kennzeichen

- Zieht sich vom sozialen Geschehen zurück
- Äußerungen über Schamgefühl
- Äußert das Problem, unangenehme Geräusche und Blähungen in Gesellschaft nicht kontrollieren zu können

Ursachen

- Blähende Nahrungsmittel
- Fehlende Kontrolle durch die Stomaanlage

Ressourcen

- Kann die Maßnahme nach Anleitung selbstständig durchführen
- Stellt Fragen bezüglich der Versorgung des Stomas
- Ist bereit, die Ernährung umzustellen
- Ist motiviert, die Pflegemaßnahme zu unterstützen und zeigt entsprechende Verhaltensweisen

Pflegeziele

- Geruchsentwicklung ist vermieden
- Leitet notwendige Veränderungen in der Lebensführung ein
- Notwendige Veränderungen in der Lebensführung werden eingeleitet
- Unterstützt den Behandlungsplan

Pflegeinterventionen

Versorgungssystem mit Aktivkohlefilter verwenden
- Pflegeintervention konkretisieren
- Zeit angeben

Aktivkohlefilter zum Aufkleben auf das Versorgungssystem verwenden
- Pflegeintervention konkretisieren
- Zeit angeben

Anleiten, den Aktivkohlefilter zu verwenden
- Pflegeintervention konkretisieren
- Art der Unterstützung
  - » Beaufsichtigen
  - » Durch Unterstützen helfen
  - » Teilweise übernehmen
  - » Vollständig übernehmen
  - » Zur selbstständigen Durchführung anleiten
- Anzuleitende Person(en) festlegen
  - » Betroffene Person
  - » Angehöriger/Bezugsperson
- Zeit angeben

Diätberatung organisieren
- Pflegeintervention konkretisieren
- Zeit angeben

Beratungsgespräch führen und gesundheitsrelevante Zusammenhänge erklären
- Gesprächsinhalt
- Gesprächsteilnehmer
  - » Angehöriger/Bezugsperson
  - » Betroffene Person
- Zeit angeben

Sonstige Pflegemaßnahmen durchführen
- Maßnahmen konkretisieren
- Zeit angeben

Literaturhinweise: 64, 95, 124, 140, 151, 175, 176

Die Patientin ist aufgrund **klimakterischer Symptome** in der **Lebensqualität beeinträchtigt**

Kennzeichen

- Erschöpfungszustände
- Hitzewallungen
- Herzklopfen
- Reizbarkeit
- Depressive Verstimmung
- Kolpitiden

Ursachen

- Altersbedingte Veränderungen

Ressourcen

- Akzeptiert die körperlichen Veränderungen

Pflegeziele

- Akzeptiert die Lebenssituation und kann sich mit ihr arrangieren
- Wissensdefizit über Ursachen und Maßnahmen ist aufgehoben

Pflegeinterventionen

Klientenzentriertes Gespräch über klimakterische Krisensituation und Bewältigungsstrategien führen
- Gesprächsinhalt
- Zeit angeben
- Beteiligte Personen angeben
  - » Betroffene Person
  - » Angehöriger/Bezugsperson
  - » Betreuer
  - » Eltern
  - » Sonstige Personen
- Durchführende Person angeben
  - » Bezugspflegeperson
  - » Pflegeperson
  - » Spezialtherapeuten
  - » Physiotherapeuten

Sonstige Pflegemaßnahmen durchführen
- Maßnahmen konkretisieren
- Zeit angeben

Literaturhinweise: 68, 95, 125, 175, 176

Der Patient ist aufgrund einer **ekzematösen Hauterkrankung** in der **Lebensqualität beeinträchtigt**

Kennzeichen

- Schubförmiger Verlauf
- Nässende Effloreszenzen
- Krustenbildung
- Bläschenbildung
- Starke Rötung der Haut
- Verhornung und Rhagaden
- Juckreiz

Ursachen

- Neurodermitis
- Steht unter starker Anspannung/Stress
- Klima
- Allergenkontakt
- Hautirritation
- Psoriasis vulgaris, genetisch bedingt
- Psoriasis vulgaris, exogene Auslöser

Ressourcen

- Kennt krankheits- bzw. symptomauslösende Faktoren und kann diese vermeiden
- Verwendet Pflegeprodukte, die gut vertragen werden
- Äußert Einsicht in die Pflegemaßnahme
- Ist motiviert, die Pflegemaßnahme zu unterstützen und zeigt entsprechende Verhaltensweisen

Pflegeziele

- Kennt krankheitsbeeinflussende Faktoren
- Kann einer Verschlechterung gezielt vorbeugen
- Schmerzen und unangenehmen Berührungen ist vorgebeugt
- Beschwerden sind gelindert
- Unterstützt die Therapie aktiv
- Unterstützt die Therapie
- Therapie ist sichergestellt

Pflegeinterventionen

Pflegefachgespräch über Ursachen der Hauterkrankung und über Verhaltensregeln führen
- Gesprächsinhalt
- Zeit angeben

Bei der Hautpflege behutsam vorgehen
- Pflegeintervention konkretisieren
- Zeit angeben

Lokaltherapeutika laut Arztanordnung auftragen
- Maßnahmen konkretisieren
  - » Präparat auftragen
  - » Verband anlegen zum Abdecken des behandelten Hautareals
  - » Okklusiv-Verband lt. Arztanordnung anlegen
  - » Feuchten Umschlag anlegen
- Größe der betroffenen Haut/Wunde angeben
  - » Hautdefekt < 5 cm Durchmesser
  - » Hautdefekt > 5 cm Durchmesser
  - » Hautdefekt > 9 % Körperoberfläche
  - » Hautdefekt > 18 % Körperoberfläche
- Medizinisches Bad
  - » Voll-/Teilbad mit Zusätzen durchführen
- Anzahl Pflegepersonen angeben

Jahreszeitenabhängig geeignete Kleidung auswählen
- Maßnahmen konkretisieren
  - » Atmungsaktive Stoffe
  - » Baumwollkleidung
  - » Seide

Bei der PUVA-Therapie (Psorale UVA-Therapie) unterstützen und anleiten
- Pflegeintervention konkretisieren
- Art der Unterstützung
  - » Beaufsichtigen
  - » Durch Unterstützen helfen
  - » Teilweise übernehmen
  - » Vollständig übernehmen
  - » Zur selbstständigen Durchführung anleiten
- Anzuleitende Person(en) festlegen
  - » Betroffene Person
  - » Angehöriger/Bezugsperson
- Zeit angeben

Bei PUVA-Bad-Photochemotherapie unterstützen
- Pflegeintervention konkretisieren
- Zeit angeben

Bei der SUP-Therapie (Selektive Ultraviolette Phototherapie) unterstützen
- Pflegeintervention konkretisieren
- Zeit angeben

Homöopathische Therapie lt. Anordnung (Psoriasis) unterstützen
- Kennzeichen bestimmen und Mittel auswählen
  - » Trockene, blasse, kalte Haut: Arsenicum album
  - » Große, abblätternde Schuppen: Arsenicum Jodatum
  - » Lokalisation Kopf, Hals, Gesicht: Berberis aquifolium
  - » Abschuppung ist kleieartig, Kopfschweiß: Calcium carbonicum
  - » Herde kreisförmig an Extremitäten und Rumpf, massive Abschuppung u. Juckreiz: Hydrocotyle asiatica
  - » Derbe Abschuppung/klebriges Nässen: Graphites
  - » Lokalisation: Streckseite der Gelenke, Kratzen verschlechtert den Juckreiz: Manganum
  - » Bei feuchtkaltem Wetter: Generalisierte, rote Schwellung um die Herde: Rhus toxicodendron
  - » Derbe, raue, rasch eiternde Flächen: Silicea
  - » Konstitution bei nasskaltem Wetter im Frühjahr: Sulfur
- Potenz angeben
  - » D 6
  - » D 12

Homöopathische Therapie (Neurodermitis) unterstützen
- Kennzeichen bestimmen und Mittel auswählen
  - » Koordinationsschwierigkeiten bei Anforderung, Selbstüberforderung, sehr aktiver Typ, morgens gedämpft, Abendloch, bei Anspannung verstärkter Juckreiz: Agaricus muscarius
  - » Nahrungsunverträglichkeit von Milch und Eiweiß, fröhliche Grundstimmung: Calcium silicatum
  - » Konstitutionsmittel: Calcium carbonicum
  - » Zusätzlich spastische Bronchitis und Blähungen im Schlaf: Phosphor
  - » Kratzt aus Gewohnheit, bis es blutet, introvertiert, unbändiger Hunger: Psorinum
  - » Empfindlich, zornig, wütend, wirft Sachen um sich, Vorliebe für Milch, verstärkte Symptome in der gewohnten Umgebung: Staphisagria
- Potenz angeben
  - » D 6
  - » D 12

Bei der Hydrotherapie unterstützen
- Pflegeintervention konkretisieren
  - » Seifenbäder zum Lösen der Schuppen vorbereiten
  - » Kleiebäder gegen den Juckreiz vorbereiten
  - » Bäder vorbereiten
  - » In die physikalische Therapie bringen

Einnahme von Fischölkapseln ermöglichen
- Pflegeintervention konkretisieren
- Zeit angeben

Therapie mit Roterle in Form von Umschlägen/Tees unterstützen
- Pflegeintervention konkretisieren
- Zeit angeben

Sonstige Pflegemaßnahmen durchführen
- Maßnahmen konkretisieren
- Zeit angeben

Literaturhinweise: 95, 125, 127, 175, 176

Der Patient kann den **bevorstehenden Tod nicht annehmen**

Kennzeichen

- Leugnet die Tatsache des nahe bevorstehenden Todes
- Zeigt Gefühle wie Zorn, Groll, Wut, Neid und Bitterkeit
- Verhandelt mit sich, um einen Aufschub zu erlangen
- Zeigt depressives Verhalten
- Äußert das Gefühl der Machtlosigkeit
- Beschreibt eine tiefe Traurigkeit darüber, Abschied nehmen zu müssen

Ursachen

- Ungelöste Konflikte über Lebensziele und/oder mit Mitmenschen
- Konflikte mit Angehörigen/Bezugspersonen

Ressourcen

- Empfindet es als angenehm, die engen Angehörigen um sich zu haben
- Akzeptiert die Unterstützung
- Akzeptiert die Unterstützung von Angehörigen

Pflegeziele

- Fühlt sich angenommen und hat keine Ängste
- Äußert Bedürfnisse im Zusammenhang mit dem Abschied
- Schaut auf das Leben zurück und findet inneren Frieden
- Ist in der Sterbephase nicht allein

Pflegeinterventionen

Gefühlsäußerungen und individuelle Bedürfnisse beobachten
- Pflegeintervention konkretisieren
- Zeit angeben

Lebensrückschau durch klientenzentriertes Gespräch ermöglichen
- Gesprächsinhalt
- Zeit angeben
- Beteiligte Personen angeben
  - » Betroffene Person
  - » Angehöriger/Bezugsperson
  - » Betreuer
  - » Eltern
  - » Sonstige Personen
- Durchführende Person angeben
  - » Bezugspflegeperson
  - » Pflegeperson
  - » Spezialtherapeuten
  - » Physiotherapeuten

Durch Anwesenheit in der Sterbephase begleiten
- Pflegeintervention konkretisieren
  - » Gespräch mit der Bezugspflegeperson durchführen
- Zeit angeben

Sonstige Pflegemaßnahmen durchführen
- Maßnahmen konkretisieren
- Zeit angeben

Literaturhinweise: 47, 95, 125, 127, 175, 176, 235, 236, 237, 348, 349

Der Patient zeigt in der Kommunikation ein **selbstabwertendes Verhalten**, die **Selbstachtung ist beeinträchtigt**

Kennzeichen

- Lacht über sich selbst, macht sich bewusst selbst lächerlich
- Spricht geringschätzig von sich selbst

Ursachen

- Fehlende Selbstachtung
- Fehlendes Selbstwertgefühl
- Misserfolgsgeprägte Sozialisation

Ressourcen

- Reagiert positiv auf therapeutische Gespräche

Pflegeziele

- Entwickelt ein positives Selbstwertgefühl
- Entwickelt Achtung vor sich selbst
- Behandlungs- und Therapiekonzept sind transparent und vom therapeutischen Team umgesetzt
- Aktive Beteiligung an der Behandlungsplanung ist sichergestellt

Pflegeinterventionen

Beobachtete Selbsthass-Tendenzen dokumentieren
- Pflegeintervention konkretisieren
- Zeit angeben

Im klientenzentrierten Gespräch Problemlösungen entwickeln
- Gesprächsinhalt
- Zeit angeben
- Beteiligte Personen angeben
  - » Betroffene Person
  - » Angehöriger/Bezugsperson
  - » Betreuer
  - » Eltern
  - » Sonstige Personen
- Durchführende Person angeben
  - » Bezugspflegeperson
  - » Pflegeperson
  - » Spezialtherapeuten
  - » Physiotherapeuten

Selbstachtung und Selbstwertgefühl stärken
- Maßnahmen konkretisieren
  - » Gewünschtes Verhalten durch Lob fördern
  - » Im therapeutischen Team Verhaltensweisen zur Stärkung des Selbstkonzepts vereinbaren
  - » Einüben, sich selbst zu belohnen

Fallbesprechung zur weiteren Behandlungs- und Therapieplanung durchführen
- Beteiligte Personen angeben
  - » Bewohner
  - » Pflegeperson
  - » Ärztlicher Dienst
  - » Psychologe
  - » Sozialarbeiter
  - » Sozialpädagoge
  - » Ergotherapeut
  - » Krankengymnast
  - » Logopäde
  - » Beschäftigungstherapeut
  - » Heilpädagoge
  - » Geistlicher Beistand
  - » Lehrer
  - » Erzieher
  - » Jugendamt
  - » Sonstige Personen
- Gesprächsinhalt
  - » Vereinbarte Therapieziele
  - » Vereinbarte Gesprächsinhalte für ein klientenzentriertes Pflegefachgespräch
- Zeitdauer angeben

Sonstige Pflegemaßnahmen durchführen
- Maßnahmen konkretisieren
- Zeit angeben

Literaturhinweise: 47, 82, 83, 95, 101, 125, 173, 175, 176, 312

Der Patient hat ein **Informationsdefizit/fehlende Fähigkeiten** im Umgang mit der Inkontinenz

Kennzeichen

- Äußert Unsicherheit bei der Versorgung
- Setzt Inkontinenzhilfen inadäquat ein
- Beeinträchtigte Fingerfertigkeit, um Pflegeutensilien zu benutzen

Ursachen

- Fehlender Zugang zu den entsprechenden Informationen
- Unfähigkeit, die angebotene Information zu nutzen
- Scham, auf Hilfe angewiesen zu sein
- Geistige Behinderung
- Demenz
- Kognitive Einschränkung
- Entwicklungsbedingt

Ressourcen

- Stellt viele Fragen und möchte mehr Informationen
- Zeigt Bereitschaft, neue Versorgungsmöglichkeiten zu erlernen
- Kann Hilfsmittel gezielt einsetzen
- Kann erhaltene Informationen umsetzen
- Hat Vorinformationen
- Kann Hilfe annehmen
- Angehörige/Bezugspersonen unterstützen den Betroffenen

Pflegeziele

- Entwickelt ein positives Selbstwertgefühl
- Fühlt sich angenommen und verstanden
- Nimmt am sozialen Leben teil und fühlt sich integriert
- Unterstützt den Behandlungsprozess
- Ist über die Pflegemaßnahmen informiert und zur Mitarbeit motiviert
- Steht zu Entscheidungen und übernimmt dafür die Verantwortung
- Entwickelt Lösungswege im Gespräch
- Kennt die Konsequenzen verschiedener Handlungsalternativen und kann sich entscheiden
- Kann geeignete Hilfsmittel für die eigenen Bedürfnisse auswählen
- Kann das Miktionsprotokoll adäquat einsetzen
- Kann die erhaltenen Informationen über die Umgebungsgestaltung adäquat auf die eigene häusliche Situation übertragen
- Führt die Maßnahme korrekt durch und kann diese in den Alltag integrieren

Pflegeinterventionen

Selbsthilfegruppen vermitteln
- Pflegeintervention konkretisieren
- Zeit angeben

Pflegefachgespräch führen
- Themenschwerpunkt des Gesprächs angeben
  - » Pflege-, Betreuungs- und Behandlungsprozess
  - » Alltagsbewältigung
  - » Instruktion/Anleitung
  - » Motivation/Aktivierung
  - » Strategien zur Krankheitsbewältigung
  - » Förderung der Entscheidungsfindung
  - » Überleitung/Entlassung
  - » Sonstige Gesprächsinhalte
- Gesprächsteilnehmer
  - » Betroffener
  - » Angehöriger/Bezugsperson
- Zeitdauer des Gesprächs angeben

Beratungsgespräch durchführen
  - » Pathologie der Inkontinenzform
  - » Umgang mit dem Miktionsprotokoll
  - » Bewertung von Selbstbeobachtungen/Symptomen
  - » Unterschiedliche Inkontinenzhilfsmittel
  - » Verhaltensempfehlungen zum Inkontinenzmanagement
  - » Verschiedene Behandlungsstrategien
  - » Umfeldgestaltung
- Teilnehmende Personen angeben
  - » Betroffene Person
  - » Bezugsperson
- Dauer bestimmen

Anleitung, Pflegeinterventionen sachgerecht durchzuführen
- Pflegeintervention konkretisieren
- Anzuleitende Person(en) festlegen
  - » Betroffene Person
  - » Angehöriger/Bezugsperson
- Zeit angeben

Beratung zu einem spezifischen Themenfeld durchführen
- Beratung
  - » Diabetisches Fußsyndrom
  - » Stomaberatung
  - » Diabetesberatung
  - » Wundberatung
  - » Stillberatung
  - » Diätberatung
  - » Säuglingspflege (Infant handling)
  - » Entlassungsplanung
  - » Schmerzmanagement
  - » Gesundheitsförderung/Prävention
  - » Sonstige Beratungsinhalte
- Gesprächsteilnehmer
  - » Betroffene Person
  - » Angehöriger/Bezugsperson
- Zeitdauer des Gesprächs angeben

Sonstige Pflegemaßnahmen durchführen
- Maßnahmen konkretisieren
- Zeit angeben

Literaturhinweise: 175, 176, 279, 510

Der Patient erhält ein **Enterostoma** (künstlicher Darmausgang), es besteht ein **Informationsbedarf**

Kennzeichen

- Äußert Unsicherheit
- Äußert Unsicherheit bezüglich der pflegerischen Versorgung
- Beschreibt das Gefühl der fehlenden Zukunftsperspektiven
- Berichtet über Ängste

Ursachen

- Fehlende Information und Aufklärung

Ressourcen

- Stellt viele Fragen zu der bevorstehenden OP
- Stellt viele Fragen und möchte mehr Informationen
- Stellt Fragen bezüglich der Versorgung des Stomas
- Ist an den verschiedenen Versorgungsmöglichkeiten interessiert

Pflegeziele

- Psychische Verfassung ist prä- und postoperativ stabil
- Fühlt sich sicher durch Informationen
- Alle wichtigen Informationen sind weitergeleitet
- Komplikationslose postoperative Versorgung des Stomas ist sichergestellt
- Ist über Versorgungssysteme aufgeklärt
- Fühlt sich angenommen und verstanden
- Stomaanlage wird angenommen
- Weitere Komplikationen sind vermieden

Pflegeinterventionen

Beratungsgespräch über Versorgungssysteme, Selbsthilfegruppen und die geplante Operation führen
- Themenschwerpunkt des Gesprächs angeben
  - » Pflege-, Betreuungs- und Behandlungsprozess
  - » Alltagsbewältigung
  - » Instruktion/Anleitung
  - » Motivation/Aktivierung
  - » Strategien zur Krankheitsbewältigung
  - » Förderung der Entscheidungsfindung
  - » Überleitung/Entlassung
  - » Sonstige Gesprächsinhalte
- Gesprächsteilnehmer
  - » Betroffener
  - » Angehöriger/Bezugsperson
- Zeitdauer des Gesprächs angeben

Informationsgespräch durchführen
- Gesprächsinhalt
- Gesprächsteilnehmer
  - » Angehöriger/Bezugsperson
  - » Betroffene Person
- Zeit angeben

Geeignetes Versorgungssystem für das Stoma auswählen
- Stomaversorgungssystem auswählen
  - » Geschlossener Beutel ohne integrierten Hautschutz
  - » Geschlossener Beutel mit integriertem Hautschutz
  - » Ausstreifbeutel einteilig mit integriertem Hautschutz
  - » Basisplatte mit Rasterring und Beutel zum Aufdrücken
  - » Basisplatte ohne Rasterring und Beutel zum Aufkleben
  - » Basisplatte mit Rasterring und Ausstreifbeutel
  - » Postoperatives Versorgungssystem mit sterilem, transparentem Ausstreifbeutel
  - » Stomakappe
  - » Minibeutel zum Aufkleben

Präoperativ zur Stomapflege anleiten
- Pflegeintervention konkretisieren
- Art der Unterstützung
  - » Beaufsichtigen
  - » Durch Unterstützen helfen
  - » Teilweise übernehmen
  - » Vollständig übernehmen
  - » Zur selbstständigen Durchführung anleiten
- Anzuleitende Person(en) festlegen
  - » Betroffene Person
  - » Angehöriger/Bezugsperson
- Zeit angeben

Günstigen Stomaausgang für eine spätere Versorgung ermitteln und anzeichnen
- Durchführende Person angeben
  - » Durch die Stomatherapeutin
  - » Durch weitergebildete Pflegeperson
- Pflegeintervention konkretisieren

Selbsthilfegruppen vermitteln
- Pflegeintervention konkretisieren
- Zeit angeben

Stomatherapeuten vermitteln
- Pflegeintervention konkretisieren
- Zeit angeben

Sonstige Pflegemaßnahmen durchführen
- Maßnahmen konkretisieren
- Zeit angeben

Literaturhinweise: 64, 95, 124, 140, 151, 175, 176

Der Patient hat ein **Enterostoma** (künstlicher Darmausgang), **es fehlen Informationen/Fähigkeiten**, um die Irrigation selbstständig durchzuführen

Kennzeichen

- Äußert, ein Wissensdefizit über die Irrigation zu haben
- Führt die Irrigation unsicher durch
- Stellt viele Fragen
- Beeinträchtigte Fingerfertigkeit, um Pflegeutensilien zu benutzen

Ursachen

- Schamgefühl und Angst
- Fehlende Information und Aufklärung
- Unsichere Persönlichkeit
- Entwicklungsbedingt
- Geistige Behinderung
- Demenz
- Kognitive Einschränkung

Ressourcen

- Akzeptiert die Unterstützung
- Akzeptiert die Unterstützung von Angehörigen
- Ist motiviert, die Pflegemaßnahme zu unterstützen und zeigt entsprechende Verhaltensweisen
- Zeigt Interesse daran, die Techniken der Irrigation zu erlernen

Pflegeziele

- Führt die Irrigation des Darms selbstständig und fachlich korrekt durch
- Fühlt sich sicher durch Informationen
- Alle wichtigen Informationen sind weitergeleitet
- Kann die Irrigation des Darms selbstständig durchführen
- Weitere Komplikationen sind vermieden
- Führt die Maßnahme korrekt durch und kann diese in den Alltag integrieren

Pflegeinterventionen

Zur Durchführung der Darmirrigation anleiten
- Pflegeintervention konkretisieren
- Anzuleitende Person(en) festlegen
  - » Betroffene Person
  - » Angehöriger/Bezugsperson
- Zeit angeben

Informationsgespräch durchführen
- Gesprächsinhalt
- Gesprächsteilnehmer
  - » Angehöriger/Bezugsperson
  - » Betroffene Person
- Zeit angeben

Stoma mit einer Stomakappe versorgen
- Pflegeintervention konkretisieren
- Zeit angeben

Stomatherapeuten vermitteln
- Pflegeintervention konkretisieren
- Zeit angeben

Anleitung, Pflegeinterventionen sachgerecht durchzuführen
- Pflegeintervention konkretisieren
- Anzuleitende Person(en) festlegen
  - » Betroffene Person
  - » Angehöriger/Bezugsperson
- Zeit angeben

Sonstige Pflegemaßnahmen durchführen
- Maßnahmen konkretisieren
- Zeit angeben

Literaturhinweise: 64, 95, 124, 140, 151, 175, 176

Der Patient kennt die **Wirkungsweise und Gefahren von Diuretika** nicht, **es fehlen Informationen**

Kennzeichen

- Kann Wirkungsweise und Gefahren nicht benennen
- Geht sorglos mit der Medikamenteneinnahme um

Ursachen

- Fehlende Information und Aufklärung
- Fehlendes Interesse an Informationen
- Eingeschränkte kognitive Fähigkeiten
- Neu verordnetes Behandlungsprogramm
- Demenz
- Fehlende Selbstverantwortung

Ressourcen

- Meldet sich bei Anzeichen von Komplikationen
- Kann Veränderungen bezüglich des Gesundheitszustands erkennen und einschätzen
- Zeigt Verhaltensweisen, die die Therapie unterstützen
- Akzeptiert die Unterstützung

Pflegeziele

- Kennt die Wirkung von Diuretika und kann diese erklären
- Kann die Gefahren und Beobachtungskriterien benennen und weiß, wann der Arzt oder die Pflegeperson zu informieren ist

Pflegeinterventionen

Informationsgespräche über Diuretikawirkung und Gefahren führen

- Gesprächsinhalt
- Zeit angeben
- Beteiligte Personen angeben
  - » Betroffene Person
  - » Angehöriger/Bezugsperson
  - » Betreuer
  - » Eltern
  - » Sonstige Personen
- Durchführende Person angeben
  - » Bezugspflegeperson
  - » Pflegeperson
  - » Spezialtherapeuten
  - » Physiotherapeuten

Zur Selbstbeobachtung und zum Erkennen von Gefahren anleiten

- Pflegeintervention konkretisieren
- Anzuleitende Person(en) festlegen
  - » Betroffene Person
  - » Angehöriger/Bezugsperson
- Zeit angeben

Sonstige Pflegemaßnahmen durchführen

- Maßnahmen konkretisieren
- Zeit angeben

Literaturhinweise: 125, 126, 151, 175, 176

Der Patient wird **operiert** und kennt die **speziellen postoperativen Bewegungsmuster** nicht, **es fehlen Informationen und Fertigkeiten**

Kennzeichen

- Beschreibt Schmerzen beim Bewegen
- Verordnete Bewegungseinschränkung
- Störungen/Einschränkungen im Bewegungsablauf

Ursachen

- Wissensdefizit
- Fehlende Information und Aufklärung
- Postoperativer Wundschmerz

Ressourcen

- Erkennt die Notwendigkeit der Bewegungsübungen
- Hält sich an das postoperativ notwendige Bewegungsverhalten
- Kognitive Fähigkeiten unterstützen die Bewegungsübungen
- Zeigt/äußert starkes Interesse mitzuarbeiten
- Darf aus medizinischer Sicht mobilisiert werden
- Akzeptiert die Unterstützung
- Akzeptiert die Unterstützung von Angehörigen

Pflegeziele

- Bewegungsverhalten ist bekannt und umgesetzt
- Fühlt sich sicher durch Informationen
- Alle wichtigen Informationen sind weitergeleitet
- Führt die Bewegungsmuster präoperativ richtig durch
- Kennt vorbeugende Maßnahmen
- Führt die Maßnahme korrekt durch und kann diese in den Alltag integrieren

Der Patient wird **operiert**, es **fehlen Informationen zur prä-/postoperativen Phase**

Kennzeichen

- Fordert Informationen gezielt ein
- Äußert, ein Informationsdefizit zu haben
- Kennt die postoperative Planung nicht
- Berichtet über Ängste
- Weinen
- Einschlafstörung
- Durchschlafstörung

Ursachen

- Notfalloperation
- Fehlender Zugang zu den entsprechenden Informationen
- Kurzfristige Aufnahme
- Spricht eine andere Landessprache (Sprachhindernisse)

Ressourcen

- Hält sich an die Nahrungskarenz
- Akzeptiert die Notwendigkeit der Diät (bestimmte Einschränkungen)
- Akzeptiert die Unterstützung

Pflegeziele

- Ist über die präoperative Nahrungskarenz informiert und hält diese ein
- Intraoperativen und postoperativen Komplikationen ist vorgebeugt
- Flüssigkeits- und Nährstoffzufuhr sind ausgeglichen
- Kennt vorbeugende Maßnahmen
- Führt die Bewegungsmuster präoperativ richtig durch
- Bewegungsverhalten ist bekannt und umgesetzt
- Patient ist über den Ablauf am Operationstag informiert und fühlt sich sicher

Pflegeinterventionen

Präoperativ zum Gehen mit Gehstöcken anleiten/dieses einüben

- Pflegeintervention konkretisieren
  - » Nach Arztanordnung teilbelasten
- Anzuleitende Person(en) festlegen
  - » Betroffene Person
  - » Angehöriger/Bezugsperson
- Durchführende Person angeben
  - » Pflegeperson
  - » Krankengymnast

Informationsgespräch durchführen

- Gesprächsinhalt
- Gesprächsteilnehmer
  - » Angehöriger/Bezugsperson
  - » Betroffene Person
- Zeit angeben

Postoperative Bewegungsmuster präoperativ einüben

- Pflegeintervention konkretisieren
- Zeit angeben

Präoperative Beratung zum postoperativen Schmerzmanagement

- Gesprächsinhalt
  - » Informationen über OP-Planung und postoperative Phase
  - » Informationen zu postoperativ auftretenden Schmerzzuständen
  - » Verhaltensempfehlungen zur Schmerzlinderung
- Zeit angeben

Anleitung, Pflegeinterventionen sachgerecht durchzuführen

- Pflegeintervention konkretisieren
- Anzuleitende Person(en) festlegen
  - » Betroffene Person
  - » Angehöriger/Bezugsperson
- Zeit angeben

Sonstige Pflegemaßnahmen durchführen

- Maßnahmen konkretisieren
- Zeit angeben

Literaturhinweise: 51, 121, 125, 140, 151, 175, 176

Pflegeinterventionen

Über Nahrungskarenz/präoperative Kostvorbereitung informieren und Einhaltung beobachten
- Pflegeintervention konkretisieren
- Zeit angeben

Angeordnete Kostform bereitstellen
- Am Abend vor der OP beachten
  - » Leichte Kost
  - » Klare Suppe
  - » Ab 22.00 Uhr absolute Flüssigkeits- und Nahrungskarenz bis zur OP
- Kostaufbau nach Arztanordnung gestalten
- Parenterale Ernährung laut Arztanordnung sicherstellen

Präoperative Beratung zum postoperativen Schmerzmanagement
- Gesprächsinhalt
  - » Informationen über OP-Planung und postoperative Phase
  - » Informationen zu postoperativ auftretenden Schmerzzuständen
  - » Verhaltensempfehlungen zur Schmerzlinderung
- Zeit angeben

Postoperative Bewegungsmuster präoperativ einüben
- Pflegeintervention konkretisieren
- Zeit angeben

Präoperativ zum Gehen mit Gehstöcken anleiten/dieses einüben
- Pflegeintervention konkretisieren
  - » Nach Arztanordnung teilbelasten
- Anzuleitende Person(en) festlegen
  - » Betroffene Person
  - » Angehöriger/Bezugsperson
- Durchführende Person angeben
  - » Pflegeperson
  - » Krankengymnast

Aufklärungsgespräch über die prä- und postoperative Phase mit deren Abläufen führen
- Pflegeintervention konkretisieren
- Zeit angeben

Sonstige Pflegemaßnahmen durchführen
- Maßnahmen konkretisieren
- Zeit angeben

Literaturhinweise: 51, 84, 89, 95, 126, 175, 176

Der Patient kennt **unterstützende Versorgungsmöglichkeiten** nicht, **es fehlen Informationen**

Kennzeichen

- Fordert Informationen gezielt ein
- Kümmert sich nicht um die Versorgung
- Äußert, ein Informationsdefizit zu haben

Ursachen

- Fehlender Zugang zu den entsprechenden Informationen
- Aktuelle Gesetzesänderungen sind nicht bekannt
- Plötzlich veränderte Anforderungen
- Unfähigkeit, die angebotene Information zu nutzen
- Spricht eine andere Landessprache (Sprachhindernisse)

Ressourcen

- Kann Hilfe annehmen
- Kognitive Fähigkeiten, neu zu lernen, sind vorhanden
- Ist motiviert, neu zu lernen
- Ist an den verschiedenen Versorgungsmöglichkeiten interessiert
- Akzeptiert die Unterstützung
- Akzeptiert die Unterstützung von Angehörigen

Pflegeziele

- Finanzielle Belange sowie die weitere Versorgung sind geregelt
- Hat eine Zukunftsperspektive entwickelt
- Versorgungssituation ist gesichert

Pflegeinterventionen

Informationsgespräch über die Versorgungsmöglichkeiten führen
- Pflegeintervention konkretisieren
  - » Häusliche Pflege
  - » Tageszentrum
  - » Fahrtendienst
  - » Besuchsdienst
  - » Schmerzambulanz
  - » Aktivitätsangebote für Senioren
- Zeit angeben

Mitteilungen an die Pflegekasse im Auftrag erstellen und die Belange des Patienten regeln
- Pflegeintervention konkretisieren
- Zeit angeben

Informationsgespräch mit den Angehörigen über die Versorgungsmöglichkeiten führen
- Gesprächsinhalt
- Gesprächsteilnehmer
  - » Angehöriger/Bezugsperson
  - » Betroffene Person
- Zeit angeben

Sonstige Pflegemaßnahmen durchführen
- Maßnahmen konkretisieren
- Zeit angeben

Literaturhinweise: 51, 95, 319, 320, 321, 333

Der Patient ist in der **Selbstpflegefähigkeit beeinträchtigt, es fehlen Informationen/Fertigkeiten**

Kennzeichen

- Äußert Unsicherheit bezüglich der pflegerischen Versorgung
- Angehörige äußern Unsicherheit bezüglich der pflegerischen Versorgung
- Defizitäre Versorgung kann festgestellt werden
- Kann die Pflegeintervention nicht selbstständig durchführen
- Beeinträchtigte Fingerfertigkeit, um Pflegeutensilien zu benutzen

Ursachen

- Fehlende kognitive Fähigkeiten
- Eingeschränkte kognitive Fähigkeiten
- Fehlender Zugang zu den entsprechenden Informationen
- Informationen werden falsch interpretiert
- Desinteresse an den Lerninhalten
- Plötzlich veränderte Anforderungen
- Entwicklungsbedingt

Ressourcen

- Kognitive Fähigkeiten sind vorhanden
- Ist motiviert, neu zu lernen
- Angehörige zeigen Bereitschaft, neu zu lernen
- Lernangebote werden angenommen
- Kennt die verschiedenen Konsequenzen von Handlungsalternativen
- Akzeptiert die Unterstützung
- Akzeptiert die Unterstützung von Angehörigen

Pflegeziele

- Lernpotenzial des Patienten ist richtig eingeschätzt
- Lerninhalte sind erfolgreich vermittelt
- Erkennt die Zusammenhänge zwischen Symptomen und notwendigen Pflegeinterventionen
- Kann die Notwendigkeit von Pflegeinterventionen begründen und Zusammenhänge erklären
- Führt die erforderlichen Pflegeinterventionen fachlich richtig durch
- Ist über Risiken und mögliche Komplikationen informiert und kann diese Informationen auf die eigene Situation anwenden, hält Therapie- und Behandlungsvereinbarungen ein
- Selbstmanagement ist gesteigert
- Optimale Prothesenanpassung ist unterstützt
- Führt die Maßnahme korrekt durch und kann diese in den Alltag integrieren
- Zeigt Interesse am Lernprozess und ist über die Lerninhalte informiert
- Fühlt sich sicher durch Informationen
- Kennt die Konsequenzen verschiedener Handlungsalternativen und kann sich entscheiden
- Kann Selbstpflegeerfordernisse erkennen
- Kann die Angemessenheit der Selbstpflegekompetenz des Betroffenen überprüfen
- Selbstpflegefähigkeit des Betroffenen ist gesteigert
- Beziehung zwischen Betroffenem und Angehörigen/Bezugspersonen ist von Vertrauen geprägt

Pflegeinterventionen

Lernbedarf und Lernbereitschaft systematisch ermitteln und dokumentieren
- Pflegeintervention konkretisieren
- Zeit angeben

Systematische Schulung durchführen
- Schulungsthemen
  - » Diabetisches Fußsyndrom
  - » Stomaversorgung
  - » Wundmanagement
  - » Schmerzmanagement

- » Diabetes mellitus
- » Stillen
- » Säuglingspflege (Infant handling)
- » Ernährungsmanagement
- » Gesundheitsförderung/Prävention
- Pflegeintervention konkretisieren
  - » Lerninhalte zum Krankheitsbild vermitteln
  - » Lerninhalte von Pflegestandards vermitteln
  - » In die Krankenbeobachtung einweisen
  - » Anleitung und Einweisung bei der Durchführung von Pflegemaßnahmen
  - » Maßnahmen der Gesundheitsförderung/Prävention vermitteln
  - » Rezidivprophylaxe
  - » Kompensationstechniken/-strategien
  - » Bewältigungsstrategien
  - » Auswahl und Umgang mit Hilfsmitteln
  - » Strategien zur Integration in den Alltag erarbeiten
- Zeitdauer der Anleitung/Schulung bestimmen

Ausführliches Beratungsgespräch durchführen
- Gesprächsinhalt konkretisieren
  - » Möglichkeiten der Prothesenversorgung
  - » Anpassung der Prothese an den Aktivitäts- und Mobilisationsgrad des Betroffenen
  - » Kompressionstherapie postoperativ
  - » Interimsprothese
  - » Fördernde Aspekte in der Gewöhnungsphase besprechen
- Zeit angeben

Anleitung, Pflegeinterventionen sachgerecht durchzuführen
- Pflegeintervention konkretisieren
- Anzuleitende Person(en) festlegen
  - » Betroffene Person
  - » Angehöriger/Bezugsperson
- Zeit angeben

Lerninhalte, -ziele und geeignete Lehr- und Anleitungsmethoden festlegen
- Maßnahmen konkretisieren
  - » Vereinbarte Lernziele dokumentieren
  - » Vereinbarte Lernmethoden dokumentieren und Zeitplanung vereinbaren
  - » Verantwortliche Bezugspflegeperson bestimmen

Pflegefachgespräch führen
- Themenschwerpunkte angeben
  - » Atmung
  - » Ausscheidung
  - » Bewegung
  - » Diabetesmanagement
  - » Entspannungstechniken
  - » Ernährung
  - » Infektionsrisiko/Keimverschleppung
  - » Körperpflege
  - » Krankenbeobachtung
  - » Medikamentenverabreichung
  - » Mobilisation
  - » Nahrungsaufnahme
  - » Pflegehilfsmittel
  - » Pflegetechniken
  - » Positionswechsel
  - » Schlafprobleme
  - » Schmerzmanagement
  - » Sondenernährung
  - » Stomaversorgung
  - » Transfer
  - » Vorbeugende Gesundheitspflege
  - » Wärmeregulation
  - » Wundbehandlung
- Teilnehmende Personen angeben
  - » Angehöriger/Bezugsperson
  - » Betroffene Person
  - » Sonstige Personen
- Zeit angeben

Sonstige Pflegemaßnahmen durchführen
- Maßnahmen konkretisieren
- Zeit angeben

Literaturhinweise: 51, 79, 95, 125, 173, 319, 320, 321, 333

Die pflegende Bezugsperson hat **fehlende Informationen/Fertigkeiten**, die Pflege des Betroffenen zu übernehmen

Kennzeichen

- Fordert Informationen gezielt ein
- Äußert, ein Informationsdefizit zu haben
- Zeigt Verhaltensweisen/macht Äußerungen, die auf ein Wissensdefizit hinweisen
- Wundverband kann nicht adäquat durchgeführt werden

Ursachen

- Informationsdefizit
- Noch nicht erworbene Fähigkeiten

Ressourcen

- Angehörige zeigen Bereitschaft, neu zu lernen

Pflegeziele

- Die pflegende Bezugsperson fühlt sich bei der Unterstützung des Betroffenen sicher

Pflegeinterventionen

Pflegende Bezugspersonen/Angehörige zur Durchführung der Pflegemaßnahme anleiten
- Pflegeintervention konkretisieren
- Schulungsthemen
  - » Wundmanagement
  - » Blutzuckermessung
  - » Insulinverabreichung
  - » Diabetisches Fußsyndrom
  - » Ernährungsgewohnheiten und präventive Maßnahmen
  - » Rezidivprophylaxe
  - » Kompensationstechniken/-strategien

- » Schmerzmanagement
  - » Sorgfältige Hautpflege und -beobachtung
  - » Stomaversorgung
  - » Bewältigungsstrategien
- Anzuleitende Person(en) festlegen
  - » Betroffene Person
  - » Angehöriger/Bezugsperson
- Zeit angeben

Pflegende Bezugspersonen/Angehörige über die individuelle Durchführung der Pflegemaßnahme beraten
- Pflegeintervention konkretisieren
- Schulungsthemen
  - » Wundmanagement
  - » Blutzuckermessung
  - » Insulinverabreichung
  - » Diabetisches Fußsyndrom
  - » Ernährungsgewohnheiten und präventive Maßnahmen
  - » Rezidivprophylaxe
  - » Kompensationstechniken/-strategien
  - » Schmerzmanagement
  - » Sorgfältige Hautpflege und -beobachtung
  - » Stomaversorgung
  - » Bewältigungsstrategien
- Anzuleitende Person(en) festlegen
  - » Betroffene Person
  - » Angehöriger/Bezugsperson
- Zeit angeben

Sonstige Pflegemaßnahmen durchführen
- Maßnahmen konkretisieren
- Zeit angeben

Literaturhinweise: 510

Der Patient kann **Umgebungsreize nicht adäquat wahrnehmen/verarbeiten**, es besteht das **Risiko von Fehlinterpretationen**

Kennzeichen

- Beeinträchtigung der Vigilanz nach Einschätzung der Glasgow-Koma-Skala
- Fehlende Reaktion auf Schmerzreize
- Reagiert nicht auf Ansprache/Zuruf
- Tiefschlaf, Reaktion nur auf Schmerzreize in Form von Abwehrreaktion (Sopor)

Ursachen

- Schädel-Hirn-Trauma
- Neurologische Hirnschädigung
- Vergiftung
- Apallisches Syndrom
- Stoffwechselbedingtes Koma
- Künstliches Koma
- Demenz
- Entwicklungsbedingt

Ressourcen

- Toleriert die therapeutische/pflegerische Intervention
- Akzeptiert die Unterstützung
- Akzeptiert die Unterstützung von Angehörigen

Pflegeziele

- Sicherheit ist gewährleistet
- Therapie ist sichergestellt
- Erkennt die Begrüßung und stellt sich auf die Versorgung ein
- Neuronale Verknüpfung ist unterstützt
- Vitalzeichenwerte bleiben während der Versorgung konstant
- Fühlt sich angenommen und hat keine Ängste

Pflegeinterventionen

Informationen beim Betreten des Zimmers geben
- Pflegeintervention konkretisieren
- Zeit angeben

Umgebungsfaktoren sicher gestalten
- Maßnahmen konkretisieren
  - » Gefährdende Gegenstände außer Reichweite platzieren
  - » Therapeutische Geräte und Materialien außer Reichweite platzieren
  - » Umwickeln von Konnektionsstelle/Rollenklemme des Infusionssystems

Begrüßungsritual im Team vereinbaren und durchführen
- Pflegeintervention konkretisieren
- Zeit angeben

Informationen zu jeder Pflegetätigkeit geben
- Pflegeintervention konkretisieren
- Zeit angeben

Klare taktile und verbale Informationen geben
- Pflegeintervention konkretisieren
- Zeit angeben

Sonstige Pflegemaßnahmen durchführen
- Maßnahmen konkretisieren
- Zeit angeben

Literaturhinweise: 29, 95, 101, 125, 135, 175, 176

Der Patient ist in der **Fähigkeit, Informationen aufzunehmen** und zu verarbeiten, **beeinträchtigt**

Kennzeichen

- Neue Informationen werden wieder vergessen
- Beeinträchtigte Fähigkeit, eine effektive Kommunikation aufzubauen
- Beeinträchtigte Fähigkeit, Sinnzusammenhänge zu erkennen
- Konzentrations-/ Wahrnehmungsschwierigkeiten bezüglich äußerer Reize
- Konzentration/Aufmerksamkeit ist reduziert
- Informationsweitergabe führt zur Überforderung
- Fehlende Motivation, sich mit den Informationen auseinander zu setzen

Ausprägung der beeinträchtigten Informationsverarbeitung

- Stufe 1: Selbstständige positive Beeinflussung der veränderten Informationsverarbeitung
- Stufe 2: Geringe Beeinträchtigung
- Stufe 3: Erhebliche Beeinträchtigung
- Stufe 4: Schwere Beeinträchtigung
- Stufe 5: Verlust der Fähigkeit, Informationen adäquat zu verarbeiten

Ursachen

- Geistige Behinderung
- Geistige Beeinträchtigung
- Schwere Demenz
- Morbus Alzheimer
- Entwicklungsbedingt

Ressourcen

- Toleriert die therapeutische/pflegerische Intervention
- Akzeptiert die Unterstützung
- Akzeptiert die Unterstützung von Angehörigen

Pflegeziele

- Leitet notwendige Veränderungen in der Lebensführung ein
- Notwendige Veränderungen in der Lebensführung werden eingeleitet
- Unterstützt den Behandlungsplan
- Führt die Maßnahme korrekt durch und kann diese in den Alltag integrieren

Pflegeinterventionen

Beratungsgespräch führen und gesundheitsrelevante Zusammenhänge erklären

- Gesprächsinhalt
- Gesprächsteilnehmer
  - » Angehöriger/Bezugsperson
  - » Betroffene Person
- Zeit angeben

Anleitung, Pflegeinterventionen sachgerecht durchzuführen

- Pflegeintervention konkretisieren
- Anzuleitende Person(en) festlegen
  - » Betroffene Person
  - » Angehöriger/Bezugsperson
- Zeit angeben

Sonstige Pflegemaßnahmen durchführen

- Maßnahmen konkretisieren
- Zeit angeben

Literaturhinweise: 95, 101, 125, 175, 176

Inhaltsverzeichnis

Der Patient hat ein **übersteigertes Selbstwertgefühl/-vertrauen**, es besteht das **Risiko der sozialen Ausgrenzung**

Kennzeichen

- Zeigt Verhaltensweisen der Selbstüberschätzung
- Zeigt gegenüber Gesprächspartnern Imponiergehabe
- Unterbricht Gesprächspartner häufig
- Lässt Gesprächspartner nicht zu Wort kommen
- Provoziert oder beleidigt Gesprächspartner
- Fehlende soziale Integration
- Äußert, sich bewundert zu fühlen
- Äußert, den Mitmenschen gegenüber überlegen zu sein
- Reagiert überempfindlich bei geäußerter Kritik
- Schuld wird auf andere projiziert
- Eigene Schwächen werden verleugnet
- Macht sich über Mitmenschen lustig
- Die Wahrnehmung der eigenen Realität weicht von der Wahnehmung der Mitmenschen ab

Ursachen

- Manie
- Verändertes Selbstkonzept
- Wahrnehmungsstörung
- Narzistische Persönlichkeitsstruktur

Ressourcen

- Kann $sein Verhalten in Gesprächen reflektieren
- Familienmitglieder beteiligen sich konstruktiv am Therapieplan
- Gefestigte Familienstrukturen sind vorhanden

Pflegeziele

- Fühlt sich angenommen und akzeptiert
- Verletzt Mitmenschen nicht
- Selbstüberschätzung ist nicht gefördert
- Erhält Feed-back über Selbst- und Fremdwahrnehmung
- Therapie- und Aktivitätsangebote sind individuel! abgestimmt
- Erhält Feed-back aus der Gruppe
- Kennt Möglichkeiten, aktiv den Therapieerfolg zu unterstützen
- Hält sich an Absprachen und unterstützt aktiv die Therapie
- Selbstkontrolle ist verbessert
- Ist in den Tagesablauf aktiv integriert
- Ist aktiviert und beteiligt sich an den Milieuprozessen
- Entwickelt Verhaltensweisen, die das Leben in der Gemeinschaft fördern
- Nimmt Gefühle wahr und artikuliert diese adäquat
- Ein positives Selbstkonzept ist gefördert
- Erkennt und integriert in angemessener Weise die Veränderungen in seinem/ ihrem Selbstkonzept
- Fühlt sich integriert

Pflegeinterventionen

Im klientenzentrierten Gespräch aufzeigen, welche Gefühle bei anderen durch das Verhalten ausgelöst werden
- Gesprächsinhalt
- Zeit angeben
- Beteiligte Personen angeben
  - » Betroffene Person
  - » Angehöriger/Bezugsperson
  - » Betreuer
  - » Eltern
  - » Sonstige Personen
- Durchführende Person angeben
  - » Bezugspflegeperson
  - » Pflegeperson
  - » Spezialtherapeuten
  - » Physiotherapeuten

Sich dem Patienten gegenüber euphoriehemmend verhalten
- Pflegeintervention konkretisieren
- Zeit angeben

Fallbesprechung über den Pflege- und Behandlungsprozess führen
- Beteiligte Personen angeben
  - » Bewohner
  - » Pflegeperson
  - » Ärztlicher Dienst
  - » Psychologe
  - » Sozialarbeiter
  - » Sozialpädagoge
  - » Ergotherapeut
  - » Krankengymnast
  - » Logopäde
  - » Beschäftigungstherapeut
  - » Heilpädagoge
  - » Geistlicher Beistand
  - » Lehrer
  - » Erzieher
  - » Jugendamt
  - » Sonstige Personen
- Gesprächsinhalt
  - » Vereinbarte Therapieziele
  - » Vereinbarte Gesprächsinhalte für ein klientenzentriertes Pflegefachgespräch
- Zeitdauer angeben

Feed-back im Gruppengespräch ermöglichen
- Gruppentherapie konkretisieren
- Zeitdauer des Gruppengesprächs bestimmen

Therapieziele gemeinsam vereinbaren und kontinuierlich reflektieren
- Maßnahmen konkretisieren
  - » Goal Attainment Scale einsetzen (= Zielerreichungsskala)
  - » Punkteplan einsetzen
- Zeit angeben

Milieutherapeutische Aktivitäten im Wohn-/Stationsbereich durchführen
- Stationsaktivität angeben
  - » Gemeinsam aktuelle Zeitungen/Magazine

lesen
  » Kinoabend im Wohn-/Stationsbereich durchführen
  » Spielnachmittag besuchen
  » Mahlzeiten gemeinsam einnehmen
  » Tanznachmittag besuchen
  » Kirchenbesuch durchführen
  » Spazieren gehen
  » Singstunde besuchen
  » An Festaktivitäten teilnehmen
  » Am Sonntagsfrühstück teilnehmen
  » Aktivitäten im Zusammenhang, den Gemeinschaftsraum zu gestalten
  » Zur Milieugestaltung malen/basteln
- Einrichtungsspezifische Aktivität wählen
- Zeitdauer der Aktivitäten bestimmen

Selbstkonzept/-bild/-wert und soziale Kompetenzen in Einzeltherapie fördern
- Einzeltherapeutisches Angebot angeben
  » Selbstsicherheitstraining durchführen
  » Genusstherapie durchführen
  » Verhaltenstherapie durchführen
  » Assertiveness-Training-Programm (ATP) durchführen
  » Integriertes Psychologisches Therapieprogramm (IPT) durchführen
  » Positiven Tagesrückblick durchführen
  » Musiktherapie durchführen
  » Gestalttherapie durchführen
  » Maltherapie durchführen
  » Kognitives Einzeltraining durchführen
  » Rollenspiele durchführen
  » Erinnerungstherapie durchführen
  » Achtsamkeitstraining durchführen
  » Anti-Phobie/Angst-Training durchführen
- Einrichtungsspezifische Aktivität wählen
- Zeitdauer der Einzelförderung bestimmen

Selbstkonzept/-bild/-wert und soziale Kompetenzen in Gruppentherapie fördern
- Gruppentherapeutisches Angebot angeben
  » Selbstsicherheitstraining durchführen
  » Genusstherapie durchführen
  » Verhaltenstherapie durchführen
  » Assertiveness-Training-Programm (ATP) durchführen
  » Integriertes Psychologisches Therapieprogramm (IPT) durchführen
  » Kognitive Therapiegruppe besuchen
  » Musiktherapie durchführen
  » Gestalttherapie durchführen
  » Maltherapie durchführen
  » Märchen-/Literaturgruppe besuchen
  » Rollenspiele durchführen
  » Interaktionsspiele zur Persönlichkeitsentwicklung durchführen
  » Am Gesprächskreis im Erinnerungsraum teilnehmen
  » Achtsamkeitstraining durchführen
  » Anti-Phobie/Angst-Training durchführen
- Einrichtungsspezifische Aktivität wählen
- Zeitdauer der Gruppentherapie bestimmen

Freizeitaktivitäten individuell auswählen
- Freizeitaktivität angeben
  » Sportliche Aktivitäten durchführen
  » Kulturelle Aktivitäten durchführen
  » Gesellschaftliche Aktivitäten durchführen
  » Kreative Aktivitäten durchführen
  » Künstlerische Aktivitäten durchführen
  » Tiergestützte Angebote
- Art der Unterstützungsleistung angeben
  » Positive Aktivitäten gezielt planen
  » Aktivitäten vereinbaren
  » Nach der Aktivität Reflexionsgespräch führen
  » Stimmungslage nach der Aktivität reflektieren
  » Gespräche und Planung mit der Bezugspflegeperson durchführen
  » Zur Teilnahme auffordern/motivieren
  » Tägliche Anzahl der zu planenden Aktivitäten bestimmen
- Dauer des Gesprächs bestimmen

Sonstige Pflegemaßnahmen durchführen
- Maßnahmen konkretisieren
- Zeit angeben

Literaturhinweise: 47, 82, 83, 95, 101, 125, 173, 175, 176

Der Patient zeigt **sexuell distanzloses und enthemmtes Verhalten**, es besteht das **Risiko der sozialen Ausgrenzung**

Kennzeichen

- Macht sexuell anzügliche Bemerkungen
- Geht unangemessen vertraulich mit "fremden" Menschen um
- Zeigt sexuell enthemmtes Verhalten
- Zeigt sexuelles Fehlverhalten mit grenzüberschreitenden Handlungen
- Zeigt ein bedrängendes Sexualverhalten
- Führt sexuelle Berührungen durch
- Akzeptiert/genießt sexuelle Berührungen
- Befriedigt sich vor anderen

Ursachen

- Manie
- Beeinträchtigte kognitive/soziale Fähigkeiten
- Demenz
- Geistige Behinderung

Ressourcen

- Vereinbarungen werden eingehalten

Pflegeziele

- Hält die Stationsregeln ein
- Kann die Folgen für sich selbst und andere abschätzen und handelt entsprechend
- Akzeptiert die Grenzen der Mitmenschen
- Akzeptiert Hinweise des therapeutischen Teams und ist bereit, das Verhalten zu ändern
- Ist sozial integriert
- Kann sexuelle Bedürfnisse/Bedürfnisse nach Intimität ausleben
- Behandlungs- und Therapiekonzept sind transparent und vom therapeutischen Team umgesetzt
- Aktive Beteiligung an der Behandlungsplanung ist sichergestellt
- Ist in den Tagesablauf aktiv integriert

- Entwickelt Verhaltensweisen, die das Leben in der Gemeinschaft fördern

Pflegeinterventionen

Klare Abgrenzung gegenüber sexuellen Übergriffen zeigen
- Pflegeintervention konkretisieren
- Zeit angeben

Sexuelle Handlungen auf Station vermeiden
- Pflegeintervention konkretisieren
- Zeit angeben

Beratungsgespräch über Verhütungsmöglichkeiten führen
- Gesprächsinhalt
- Zeit angeben

Einem Missbrauch vorbeugende Maßnahmen einleiten
- Pflegeintervention konkretisieren
- Zeit angeben

Für angemessene Kleidung sorgen
- Maßnahmen konkretisieren
  - » Auffordern, sich dem Anlass entsprechend zu kleiden
  - » Beim Auswählen der Kleidung unterstützen
  - » Beim Anziehen beaufsichtigen

Klärendes, schlichtendes Gespräch führen
- Gesprächsinhalt
- Teilnehmende Personen angeben
  - » Eltern
  - » Angehöriger/Bezugsperson
  - » Sonstige Personen
- Zeitdauer der Gruppenangebote bestimmen

Rückzugsmöglichkeiten zum Austausch von Intimitäten ermöglichen
- Pflegeintervention konkretisieren
- Zeit angeben

Fallbesprechung zur weiteren Behandlungs- und Therapieplanung durchführen
- Beteiligte Personen angeben
  - » Bewohner
  - » Pflegeperson
  - » Ärztlicher Dienst
  - » Psychologe
  - » Sozialarbeiter
  - » Sozialpädagoge
  - » Ergotherapeut
  - » Krankengymnast
  - » Logopäde
  - » Beschäftigungstherapeut
  - » Heilpädagoge
  - » Geistlicher Beistand
  - » Lehrer
  - » Erzieher
  - » Jugendamt
  - » Sonstige Personen
- Gesprächsinhalt
  - » Vereinbarte Therapieziele
  - » Vereinbarte Gesprächsinhalte für ein klientenzentriertes Pflegefachgespräch
- Zeitdauer angeben

Milieutherapeutische Aktivitäten im Wohn-/Stationsbereich durchführen
- Stationsaktivität angeben
  - » Gemeinsam aktuelle Zeitungen/Magazine lesen
  - » Kinoabend im Wohn-/Stationsbereich durchführen
  - » Spielnachmittag besuchen
  - » Mahlzeiten gemeinsam einnehmen
  - » Tanznachmittag besuchen
  - » Kirchenbesuch durchführen
  - » Spazieren gehen
  - » Singstunde besuchen
  - » An Festaktivitäten teilnehmen
  - » Am Sonntagsfrühstück teilnehmen
  - » Aktivitäten im Zusammenhang, den Gemeinschaftsraum zu gestalten
  - » Zur Milieugestaltung malen/basteln
- Einrichtungsspezifische Aktivität wählen
- Zeitdauer der Aktivitäten bestimmen

Sonstige Pflegemaßnahmen durchführen
- Maßnahmen konkretisieren
- Zeit angeben

Literaturhinweise: 95, 102, 125, 173, 175, 176

Der Patient hat aufgrund **fehlender Tischmanieren** ein **Risiko der sozialen Ausgrenzung**

Kennzeichen

- Schlürft, rülpst beim Essen und Trinken
- Schmatzt beim Essen
- Beugt sich mit dem Oberkörper über den Teller
- Isst mit den Fingern
- Wirft mit dem Essen herum
- Sitzt immer allein am Tisch

Ursachen

- Fehlende Vorbilder
- Fehlgeschlagene Erziehung
- Destruktive Haltung
- Durch den Kulturraum geprägte Lebensgewohnheiten der Nahrungszufuhr

Ressourcen

- Familienmitglieder beteiligen sich konstruktiv am Therapieplan
- Gefestigte Familienstrukturen sind vorhanden

Pflegeziele

- Hält die Tischsitten ein
- Konzentriert sich bei der Nahrungsaufnahme auf seine Speisen und bleibt sitzen
- Entwickelt Verhaltensweisen, die das Leben in der Gemeinschaft fördern
- Hält die vereinbarten Regeln ein
- Behandlungs- und Therapiekonzept sind transparent und vom therapeutischen Team umgesetzt
- Aktive Beteiligung an der Behandlungsplanung ist sichergestellt

Pflegeinterventionen

Regeln für die Nahrungseinnahme festlegen und auf Einhaltung achten
- Gesprächsinhalt
- Zeit angeben
- Beteiligte Personen angeben
  - » Betroffene Person
  - » Angehöriger/Bezugsperson
  - » Betreuer
  - » Eltern
  - » Sonstige Personen
- Durchführende Person angeben
  - » Bezugspflegeperson
  - » Pflegeperson
  - » Spezialtherapeuten
  - » Physiotherapeuten

Essensportion wird vorbereitet und bereitgestellt
- Pflegeintervention konkretisieren
- Zeit angeben

Milieutherapeutische Aktivitäten im Wohn-/Stationsbereich durchführen
- Stationsaktivität angeben
  - » Gemeinsam aktuelle Zeitungen/Magazine lesen
  - » Kinoabend im Wohn-/Stationsbereich durchführen
  - » Spielnachmittag besuchen
  - » Mahlzeiten gemeinsam einnehmen
  - » Tanznachmittag besuchen
  - » Kirchenbesuch durchführen
  - » Spazieren gehen
  - » Singstunde besuchen
  - » An Festaktivitäten teilnehmen
  - » Am Sonntagsfrühstück teilnehmen
  - » Aktivitäten im Zusammenhang, den Gemeinschaftsraum zu gestalten
  - » Zur Milieugestaltung malen/basteln
- Einrichtungsspezifische Aktivität wählen
- Zeitdauer der Aktivitäten bestimmen

Bei Regelverstößen vereinbarte Sanktion durchführen
- Pflegeintervention konkretisieren
- Zeit angeben

Fallbesprechung zur weiteren Behandlungs- und Therapieplanung durchführen
- Beteiligte Personen angeben
  - » Bewohner
  - » Pflegeperson
  - » Ärztlicher Dienst
  - » Psychologe
  - » Sozialarbeiter
  - » Sozialpädagoge
  - » Ergotherapeut
  - » Krankengymnast
  - » Logopäde
  - » Beschäftigungstherapeut
  - » Heilpädagoge
  - » Geistlicher Beistand
  - » Lehrer
  - » Erzieher
  - » Jugendamt
  - » Sonstige Personen
- Gesprächsinhalt
  - » Vereinbarte Therapieziele
  - » Vereinbarte Gesprächsinhalte für ein klientenzentriertes Pflegefachgespräch
- Zeitdauer angeben

Sonstige Pflegemaßnahmen durchführen
- Maßnahmen konkretisieren
- Zeit angeben

Literaturhinweise: 373, 375

Der Patient hat aufgrund von **Verhaltensweisen**, die gegen gültige soziale Normen der Gesellschaft verstoßen, das **Risiko der sozialen Ausgrenzung**

Kennzeichen

- Reagiert mit Wutanfällen
- Zeigt aggressives Verhalten
- Reagiert ablehnend
- Zeigt aufsässiges, oppositionelles Verhalten
- Streitet mit Mitmenschen
- Verweigert Dinge/Handlungen/Aktivitäten
- Hält Regeln/Grenzen nicht ein
- Zeigt provozierendes Verhalten
- Ignoriert den Gegenüber
- Zeigt destruktives Verhalten
- Zeigt abwertendes Verhalten
- Zeigt unangemessenes Kontaktverhalten
- Egozentrismus
- Gefühlskälte
- Mangel an Empathie
- Defizitäre Gewissensbildung
- Schlagen/Hauen/Treten
- Beißen
- Lügt
- Suchtmittelmissbrauch
- Benutzt Fäkalienausdrücke
- Schwänzt die Schule
- Schlechte Schulnoten
- Läuft weg
- Grausamkeiten gegenüber anderen Menschen oder Tieren
- Geht grob mit Spielsachen/Gegenständen um
- Straftaten

Ursachen

- Geistige Behinderung
- Körperliche Behinderung
- Körperliche Beeinträchtigung
- Chronische Krankheit
- Kognitive Beeinträchtigung
- Minderbegabung
- Über-/Unterforderung
- Eingeschränktes moralisches Verständnis
- Misserfolgsgeprägte Sozialisation
- Misshandlung
- Missbrauchserfahrungen
- Traumatisches Erlebnis
- Belastende Lebensereignisse
- Mobbing-Erfahrung
- Negative familiäre Einflüsse
- Schwierige Beziehung zu Geschwistern
- Fehlendes soziales Netz
- Soziale Isolation
- Sozioökonomische Aspekte
- Soziokulturelle Faktoren
- Suchterkrankung
- Substanzmissbrauch
- Aufmerksamkeitsdefizit-/Hyperaktivitätsstörung (ADHS)

Ressourcen

- Verhält sich kooperativ
- Reagiert auf Anweisungen
- Hält sich an vereinbarte Regeln
- Kann mit anderen Kindern spielen
- Zeigt einen hohen Grad der moralischen Entwicklung
- Kann sich auf das therapeutische Team einlassen
- Kann mit Einschränkungen/Krankheit/Behinderung umgehen
- Hat eine intakte sichere Bindung zu einer Bezugsperson
- Gefestigte Familienstrukturen sind vorhanden
- Angehörige/Bezugspersonen verhalten sich kooperativ
- Familienmitglieder beteiligen sich konstruktiv am Therapieplan
- Bezugspersonen verhalten sich pädagogisch sinnvoll

Pflegeziele

- Entwickelt eigene Lösungswege
- Erkennt die Notwendigkeit der Verhaltensänderung
- Nimmt soziale Situationen differenzierter wahr
- Kennt Möglichkeiten, aktiv den Therapieerfolg zu unterstützen
- Hält sich an Absprachen und unterstützt aktiv die Therapie
- Selbstkontrolle ist verbessert
- Normgemäßes Verhalten wird belohnt
- Tagesablauf ist geregelt
- Geplante Aktivitäten werden eingehalten
- Übernimmt Eigenverantwortung in der Tagesgestaltung
- Hält die vereinbarten Regeln ein
- Kennt die Spielregeln und Grenzen der Station
- Erfüllt die Rollenerwartungen
- Selbstwertgefühl ist gestärkt
- Setzt die vereinbarten Verhaltensänderungen um
- Kann Regeln und Grenzen akzeptieren
- Verhaltensauffälligkeiten sind reduziert
- Zeigt normgemäßes Verhalten
- Kann die Gefühle/Emotionen kontrollieren
- Selbstkontrolle ist verbessert
- Nimmt die Möglichkeiten zum Spannungsabbau an
- Kann mit eigenen Gefühlen umgehen
- Lernt, Wut und Aggression adäquat abzubauen
- Soziale Kompetenzen sind gefördert
- Nimmt Gefühle wahr und artikuliert diese adäquat
- Erhält Feed-back aus der Gruppe
- Nimmt eigene Wünsche und Bedürfnisse wahr
- Steht zu Entscheidungen und übernimmt dafür die Verantwortung
- Verbalisiert Wünsche und Bedürfnisse deutlich und fordert sie ein
- Erkennt Zusammenhänge zwischen eigenem Verhalten und Pflegediagnose
- Entwickelt Lösungswege im Gespräch
- Kann sich an die Rollenerwartung am Arbeitsplatz anpassen
- Kann sich an die Rollenerwartungen in der Schule anpassen
- Entwickelt Freundschaften
- Eltern lernen, das Verhalten des Kindes in der

häuslichen Umgebung zu steuern
- Gesunde Entwicklung ist gefördert
- Soziale Kompetenzen sind erworben
- Selbstverantwortlichkeit und Autonomie sind unterstützt
- Alltagskompetenzen sind erhöht
- Kann durch eine geeignete Kommunikationsform Bedürfnisse, Wünsche und Gefühle äußern
- Kann eigene Ideen entwickeln
- Kann selbstständig Probleme lösen
- Kann sich selbstständig beschäftigen
- Kann Entscheidungen treffen
- Kind hat eine anregende Beschäftigung
- Ist abgelenkt
- Fühlt sich wohl
- Ist sozial integriert
- Übernimmt Mitverantwortung in der Gruppe
- Soziales Lernen ist unterstützt
- Integriert sich in das Gruppengeschehen
- Kennt die Spielregeln in sozialen Gemeinschaften
- Kann über Probleme sprechen

Pflegeinterventionen

Verhaltensweisen beobachten und dokumentieren
- Beobachtungskriterien bestimmen
  - » Sozialverhalten
  - » Sozialkontakte
  - » Belastbarkeit
  - » Strukturierung des Tages
  - » Ordnung bzw. Organisation des Lebens
  - » Körperliche/geistige Beeinträchtigung
  - » Coping-Fähigkeiten
  - » Freizeitgestaltung
  - » Arbeitsbereich
- Ergebnisse dokumentieren
  - » Verhaltenstagebuch verwenden
  - » Verhaltenskurve verwenden
  - » Zeitabschnittsbogen verwenden
  - » Zeitdauerprotokoll verwenden
  - » Häufigkeitsbogen verwenden
  - » Zusammenfassenden Bericht über die Beobachtungen verfassen

Im klientenzentrierten Gespräch bestehende Schwierigkeiten analysieren und Problemlösungen entwickeln
- Gesprächsinhalt
- Zeit angeben
- Beteiligte Personen angeben
  - » Betroffene Person
  - » Angehöriger/Bezugsperson
  - » Betreuer
  - » Eltern
  - » Sonstige Personen
- Durchführende Person angeben
  - » Bezugspflegeperson
  - » Pflegeperson
  - » Spezialtherapeuten
  - » Physiotherapeuten

Therapieziele gemeinsam vereinbaren und kontinuierlich reflektieren
- Maßnahmen konkretisieren
  - » Goal Attainment Scale einsetzen (= Zielerreichungsskala)
  - » Punkteplan einsetzen
- Zeit angeben

Problemlösungstraining mit Zielerreichungsbewertung durchführen
- Therapie konkretisieren
- Zeit angeben
- Beteiligte Personen angeben

Belohnungssystem mit Punkteplan durchführen
- Pflegeintervention konkretisieren
- Zeit angeben

Tages-/Aktivitätenplan verwenden
- Bezugsperson festlegen
- Pflegeintervention konkretisieren
  - » Tages-/Wochenplan erstellen
  - » Aktivitätenplan erstellen
  - » Tages- und Wochenpläne besprechen
  - » Durchgeführte Aktivitäten besprechen
  - » Lebenspraktische Inhalte besprechen
- Fest verbindlichen Tagesplan vereinbaren
  - » Mit Kontrollmöglichkeit
  - » Ohne Kontrollmöglichkeit
  - » In Eigenverantwortung
  - » In Verantwortung der Bezugsperson
  - » Tagesaktivitäten auswerten und reflektieren
- Dauer bestimmen

Klare Regeln aufstellen und gemeinsam vereinbaren
- Gesprächsinhalt
- Zeit angeben
- Beteiligte Personen angeben
  - » Betroffene Person
  - » Angehöriger/Bezugsperson
  - » Betreuer
  - » Eltern
  - » Sonstige Personen
- Durchführende Person angeben
  - » Bezugspflegeperson
  - » Pflegeperson
  - » Spezialtherapeuten
  - » Physiotherapeuten

Regelplan täglich auswerten, bei Regelverstößen Konsequenzen vereinbaren und realisieren
- Gesprächsinhalt
- Zeit angeben

Für die genaue Einhaltung der Vereinbarungen sorgen
- Pflegeintervention konkretisieren
- Zeit angeben

Gewünschtes Verhalten positiv verstärken
- Maßnahmen konkretisieren
  - » Gewünschtes Verhalten durch Lob fördern
  - » Im therapeutischen Team Verhaltensweisen zur Stärkung des Selbstkonzepts vereinbaren
  - » Einüben, sich selbst zu belohnen

Unerwünschtes Verhalten reduzieren
- Pflegeintervention konkretisieren
  - » Erwünschtes Verhalten klar formulieren
  - » Logische Konsequenzen einsetzen
  - » Durch "Stoppen" unerwünschtes Verhalten verhindern
  - » Stille Zeit durchführen
  - » Nach Überprüfung der Nowendigkeit und Indikation eine kurze Auszeit durchführen
- Zeit angeben

Stressbewältigungsstrategien und emotionsregulierende Verhaltensweisen entwickeln
- Gesprächsinhalt
- Zeit angeben
- Beteiligte Personen angeben
  - » Betroffene Person
  - » Angehöriger/Bezugsperson
  - » Betreuer
  - » Eltern
  - » Sonstige Personen
- Durchführende Person angeben
  - » Bezugspflegeperson
  - » Pflegeperson
  - » Spezialtherapeuten
  - » Physiotherapeuten

Möglichkeiten zum Spannungsabbau anbieten
- Maßnahmen konkretisieren
  - » Angebote zum Aufräumen/Putzen machen
  - » Angebot zum Joggen/zur sportlichen Aktivität machen
  - » Malen zum Spannungsabbau einsetzen
  - » Eins-zu-Eins-Betreuung durchführen
- Zeit angeben

Möglichkeiten zum Aggressionsabbau identifizieren und anbieten
- Gesprächsinhalt
- Zeit angeben
- Beteiligte Personen angeben
  - » Betroffene Person
  - » Angehöriger/Bezugsperson
  - » Betreuer
  - » Eltern
  - » Sonstige Personen
- Durchführende Person angeben
  - » Bezugspflegeperson

- » Pflegeperson
- » Spezialtherapeuten
- » Physiotherapeuten

Selbstkonzept/-bild und soziale Kompetenzen in Gruppentherapie fördern

- Gruppentherapeutisches Angebot angeben
  - » Selbstsicherheitstraining durchführen
  - » Genusstherapie durchführen
  - » Verhaltenstherapie durchführen
  - » Assertiveness-Training-Programm (ATP) durchführen
  - » Integriertes Psychologisches Therapieprogramm (IPT) durchführen
  - » Kognitive Therapiegruppe besuchen
  - » Musiktherapie durchführen
  - » Gestalttherapie durchführen
  - » Maltherapie durchführen
  - » Märchen-/Literaturgruppe besuchen
  - » Rollenspiele durchführen
  - » Interaktionsspiele zur Persönlichkeitsentwicklung durchführen
  - » Am Gesprächskreis im Erinnerungsraum teilnehmen
  - » Achtsamkeitstraining durchführen
  - » Anti-Phobie/Angst-Training durchführen
- Einrichtungsspezifische Aktivität wählen
- Zeitdauer der Gruppentherapie bestimmen

Selbstkonzept/-bild/-wert und soziale Kompetenzen in Einzeltherapie fördern

- Einzeltherapeutisches Angebot angeben
  - » Selbstsicherheitstraining durchführen
  - » Genusstherapie durchführen
  - » Verhaltenstherapie durchführen
  - » Assertiveness-Training-Programm (ATP) durchführen
  - » Integriertes Psychologisches Therapieprogramm (IPT) durchführen
  - » Positiven Tagesrückblick durchführen
  - » Musiktherapie durchführen
  - » Gestalttherapie durchführen
  - » Maltherapie durchführen
  - » Kognitives Einzeltraining durchführen
  - » Rollenspiele durchführen
  - » Erinnerungstherapie durchführen
  - » Achtsamkeitstraining durchführen
  - » Anti-Phobie/Angst-Training durchführen
- Einrichtungsspezifische Aktivität wählen
- Zeitdauer der Einzelförderung bestimmen

Feed-back im Gruppengespräch ermöglichen

- Gruppentherapie konkretisieren
- Zeitdauer des Gruppengesprächs bestimmen

Pflegefachgespräch führen

- Inhaltliche Ausrichtung des Gesprächs bestimmen
  - » Informationssammlung
  - » Pflege-, Betreuungs- und Behandlungsprozess
  - » Ursachenanalyse
  - » Strategien zur Krankheitsbewältigung
  - » Motivation/Aktivierung
  - » Alltagsbewältigung
  - » Förderung der Entscheidungsfindung
  - » Zukunftsperspektive
  - » Unterstützung der Orientierung
  - » Unterstützung des Realitätsbezugs
  - » Krisenintervention
  - » Aktuelle Bedürfnisse/Wünsche
  - » Instruktion/Anleitung
  - » Feed-back-Gespräch
  - » Sonstige Gesprächsinhalte
- Gesprächsteilnehmer
  - » Angehöriger/Bezugsperson
  - » Betroffene Person
- Zeitdauer des Gesprächs angeben

Im pflegetherapeutischen Gespräch Rollenerwartungen definieren und Lösungswege zur Rollenerfüllung entwickeln

- Gesprächsinhalt
- Zeit angeben
- Beteiligte Personen angeben
  - » Betroffene Person
  - » Angehöriger/Bezugsperson
  - » Betreuer
  - » Eltern
  - » Sonstige Personen
- Durchführende Person angeben
  - » Bezugspflegeperson
  - » Pflegeperson
  - » Spezialtherapeuten
  - » Physiotherapeuten

Elterntraining durchführen

- Elterntraining konkretisieren
  - » Zeitmanagement und Tagesstrukturierung
  - » Regeln setzen
  - » Beobachten und beschreiben lernen
  - » Handlungsspielräume entwickeln
- Zeit angeben

Beim Erlernen entwicklungsbezogener Aufgaben unterstützen

- Pflegeintervention konkretisieren
  - » Beim Laufen unterstützen
  - » Bei der Nahrungsaufnahme unterstützen
  - » Beim An- und Ausziehen unterstützen
  - » Bei der Kontrolle der Ausscheidungen unterstützen
  - » Geschicklichkeit bei der Durchführung von Alltagsbewegungen trainieren
  - » Unterstützen, Bedürfnisse/Wünsche adäquat zu äußern
  - » Beim Erlernen von Umgangsformen unterstützen
  - » Beim Erlernen von Sozialverhalten unterstützen
- Zeit angeben

Umgebung entwicklungsfördernd gestalten

- Pflegeintervention konkretisieren
  - » Umgebung interessant und fördernd gestalten
  - » Umgebung sicher gestalten
  - » Vertraute Reize setzen
- Zeit angeben

Zur Freizeitgestaltung anleiten

- Pflegeintervention konkretisieren
  - » Medienumgang
  - » Spielen
  - » Sportliche Aktivitäten
- Zeit angeben

Gesellschaftliche/soziale Aktivitäten fördern

- Stationsaktivität angeben
  - » Gemeinsam aktuelle Zeitungen/Magazine lesen
  - » Kinoabend im Wohn-/Stationsbereich durchführen
  - » Spielnachmittag besuchen
  - » Mahlzeiten gemeinsam einnehmen
  - » Tanznachmittag besuchen
  - » Kirchenbesuch durchführen
  - » Spazieren gehen
  - » Singstunde besuchen
  - » An Festaktivitäten teilnehmen
  - » Am Sonntagsfrühstück teilnehmen
  - » Aktivitäten im Zusammenhang, den Gemeinschaftsraum zu gestalten
  - » Zur Milieugestaltung malen/basteln
- Einrichtungsspezifische Aktivität wählen
- Zeitdauer der Aktivitäten bestimmen

Psychologen/in einschalten

- Pflegeintervention konkretisieren
- Zeit angeben

Sonstige Pflegemaßnahmen durchführen

- Maßnahmen konkretisieren
- Zeit angeben

Literaturhinweise: 86, 365, 370, 374, 376, 1130, 1131, 1132, 1133, 1134, 1139, 1159, 1160, 1161

Der Patient hat aufgrund einer **beeinträchtigten Eltern-Kind-Beziehung** ein **verändertes Sozialverhalten**, das gegen die Prinzipien der Norm verstößt, es besteht ein **Risiko der sozialen Ausgrenzung**

Kennzeichen

- Neigt zu aggressiven Handlungen gegenüber den Eltern
- Zeigt autoaggressives Verhalten
- Negative Äußerungen über die Eltern
- Beschimpft die Eltern
- Mangelnde Eltern-Kind-Interaktion
- Fehlender Austausch von Zärtlichkeiten zwischen Eltern und Kind (altersentsprechend)
- Zeigt aufsässiges, oppositionelles Verhalten gegenüber den Eltern

Ursachen

- Fehlen einer warmherzigen, positiven Eltern-Kind-Beziehung
- Unsichere Bindung
- Hohe Anzahl an Bezugspersonen
- Wechselnde Bezugspersonen
- Ungenügende Grenzsetzung
- Fehlende(s) Lob und Anerkennung
- Inkonsequente Erziehung
- Ungünstiges Erziehungsverhalten
- Vernachlässigung durch die Eltern
- Aggressivität der Eltern
- Gewalt in der Familie
- Kriminalität der Eltern
- Trennung von Eltern/Bezugspersonen
- Ehekonflikte
- Psychiatrisch erkrankte Eltern
- Suchtmittelmissbrauch der Eltern
- Drogenabusus der Eltern/eines Elternteils
- Missbrauch des Kindes
- Misshandlung
- Negativer Einfluss von Gleichaltrigen

Ressourcen

- Familienmitglieder beteiligen sich konstruktiv am Therapieplan
- Gefestigte Familienstrukturen sind vorhanden

Pflegeziele

- Entwickelt eigene Lösungswege
- Erkennt die Notwendigkeit der Verhaltensänderung
- Nimmt soziale Situationen differenzierter wahr
- Kennt Möglichkeiten, aktiv den Therapieerfolg zu unterstützen
- Hält sich an Absprachen und unterstützt aktiv die Therapie
- Selbstkontrolle ist verbessert
- Normgemäßes Verhalten wird belohnt
- Tagesablauf ist geregelt
- Geplante Aktivitäten werden eingehalten
- Übernimmt Eigenverantwortung in der Tagesgestaltung
- Zeigt normgemäßes Verhalten
- Kann die Gefühle/Emotionen kontrollieren
- Selbstkontrolle ist verbessert
- Kennt die Spielregeln und Grenzen der Station
- Erfüllt die Rollenerwartungen
- Selbstwertgefühl ist gestärkt
- Setzt die vereinbarten Verhaltensänderungen um
- Hält die vereinbarten Regeln ein
- Ist sozial integriert
- Übernimmt Mitverantwortung in der Gruppe
- Soziales Lernen ist unterstützt
- Integriert sich in das Gruppengeschehen
- Kennt die Spielregeln in sozialen Gemeinschaften
- Eltern lernen, das Verhalten des Kindes in Alltagssituationen zu steuern
- Eltern verbalisieren positive Gefühle gegenüber ihrem Kind
- Eine vertrauensvolle Eltern-Kind-Beziehung ist unterstützt
- Das Kind verbalisiert positive Gefühle gegenüber den Eltern
- Behandlungs- und Therapiekonzept sind transparent und vom therapeutischen Team umgesetzt
- Aktive Beteiligung an der Behandlungsplanung ist sichergestellt

Pflegeinterventionen

Verhaltensweisen beobachten und dokumentieren

- Beobachtungskriterien bestimmen
  - » Sozialverhalten
  - » Sozialkontakte
  - » Belastbarkeit
  - » Strukturierung des Tages
  - » Ordnung bzw. Organisation des Lebens
  - » Körperliche/geistige Beeinträchtigung
  - » Coping-Fähigkeiten
  - » Freizeitgestaltung
  - » Arbeitsbereich
- Ergebnisse dokumentieren
  - » Verhaltenstagebuch verwenden
  - » Verhaltenskurve verwenden
  - » Zeitabschnittsbogen verwenden
  - » Zeitdauerprotokoll verwenden
  - » Häufigkeitsbogen verwenden
  - » Zusammenfassenden Bericht über die Beobachtungen verfassen

Im klientenzentrierten Gespräch bestehende Schwierigkeiten analysieren und Problemlösungen entwickeln

- Gesprächsinhalt
- Zeit angeben
- Beteiligte Personen angeben
  - » Betroffene Person
  - » Angehöriger/Bezugsperson
  - » Betreuer
  - » Eltern
  - » Sonstige Personen
- Durchführende Person angeben
  - » Bezugspflegeperson
  - » Pflegeperson
  - » Spezialtherapeuten
  - » Physiotherapeuten

Problemlösungstraining mit Zielerreichungsbewertung durchführen

- Therapie konkretisieren
- Zeit angeben
- Beteiligte Personen angeben

Therapieziele gemeinsam vereinbaren und

kontinuierlich reflektieren
- Maßnahmen konkretisieren
  - » Goal Attainment Scale einsetzen (= Zielerreichungsskala)
  - » Punkteplan einsetzen
- Zeit angeben

Klare Regeln aufstellen und gemeinsam vereinbaren
- Gesprächsinhalt
- Zeit angeben
- Beteiligte Personen angeben
  - » Betroffene Person
  - » Angehöriger/Bezugsperson
  - » Betreuer
  - » Eltern
  - » Sonstige Personen
- Durchführende Person angeben
  - » Bezugspflegeperson
  - » Pflegeperson
  - » Spezialtherapeuten
  - » Physiotherapeuten

Belohnungssystem mit Punkteplan durchführen
- Pflegeintervention konkretisieren
- Zeit angeben

Tages-/Aktivitätenplan verwenden
- Bezugsperson festlegen
- Pflegeintervention konkretisieren
  - » Tages-/Wochenplan erstellen
  - » Aktivitätenplan erstellen
  - » Tages- und Wochenpläne besprechen
  - » Durchgeführte Aktivitäten besprechen
  - » Lebenspraktische Inhalte besprechen
- Fest verbindlichen Tagesplan vereinbaren
  - » Mit Kontrollmöglichkeit
  - » Ohne Kontrollmöglichkeit
  - » In Eigenverantwortung
  - » In Verantwortung der Bezugsperson
  - » Tagesaktivitäten auswerten und reflektieren
- Dauer bestimmen

Stressbewältigungsstrategien und emotionsregulierende Verhaltensweisen entwickeln
- Gesprächsinhalt
- Zeit angeben
- Beteiligte Personen angeben
  - » Betroffene Person
  - » Angehöriger/Bezugsperson
  - » Betreuer
  - » Eltern
  - » Sonstige Personen
- Durchführende Person angeben
  - » Bezugspflegeperson
  - » Pflegeperson
  - » Spezialtherapeuten
  - » Physiotherapeuten

Für die genaue Einhaltung der Vereinbarungen sorgen
- Pflegeintervention konkretisieren
- Zeit angeben

Gewünschtes Verhalten positiv verstärken
- Maßnahmen konkretisieren
  - » Gewünschtes Verhalten durch Lob fördern
  - » Im therapeutischen Team Verhaltensweisen zur Stärkung des Selbstkonzepts vereinbaren
  - » Einüben, sich selbst zu belohnen

Regelplan täglich auswerten, bei Regelverstößen Konsequenzen vereinbaren und realisieren
- Gesprächsinhalt
- Zeit angeben

Gesellschaftliche/soziale Aktivitäten fördern
- Stationsaktivität angeben
  - » Gemeinsam aktuelle Zeitungen/Magazine lesen
  - » Kinoabend im Wohn-/Stationsbereich durchführen
  - » Spielnachmittag besuchen
  - » Mahlzeiten gemeinsam einnehmen
  - » Tanznachmittag besuchen
  - » Kirchenbesuch durchführen
  - » Spazieren gehen
  - » Singstunde besuchen
  - » An Festaktivitäten teilnehmen
  - » Am Sonntagsfrühstück teilnehmen
  - » Aktivitäten im Zusammenhang, den Gemeinschaftsraum zu gestalten
  - » Zur Milieugestaltung malen/basteln
- Einrichtungsspezifische Aktivität wählen
- Zeitdauer der Aktivitäten bestimmen

Elterntraining inhaltlich festlegen/durchführen
- Therapie konkretisieren
  - » Zielgerichtete Anleitung der Eltern
  - » Zielgerichtete Anleitung des Kindes
- Inhalte des Elterntrainings festlegen
  - » Alltagssituationen, die konfliktbelastet sind, analysieren
  - » Kommunikationsmuster der Eltern-Kind-Beziehung analysieren
  - » Definition der Verhaltensprobleme des Kindes in der Familie
  - » Kommunikationsregeln erarbeiten und umsetzen
  - » Entwickeln von alternativen Verhaltensweisen im Umgang mit dem Kind
  - » Behandlungsziele und Behandlungsplanung entwickeln
  - » Fokussierung der Aufmerksamkeit auf positive Erlebnisse mit dem Kind
  - » Aufbau positiver Interaktionssequenzen
- Zeit angeben

Fallbesprechung zur weiteren Behandlungs- und Therapieplanung durchführen
- Beteiligte Personen angeben
  - » Bewohner
  - » Pflegeperson
  - » Ärztlicher Dienst
  - » Psychologe
  - » Sozialarbeiter
  - » Sozialpädagoge
  - » Ergotherapeut
  - » Krankengymnast
  - » Logopäde
  - » Beschäftigungstherapeut
  - » Heilpädagoge
  - » Geistlicher Beistand
  - » Lehrer
  - » Erzieher
  - » Jugendamt
  - » Sonstige Personen
- Gesprächsinhalt
  - » Vereinbarte Therapieziele
  - » Vereinbarte Gesprächsinhalte für ein klientenzentriertes Pflegefachgespräch
- Zeitdauer angeben

Sonstige Pflegemaßnahmen durchführen
- Maßnahmen konkretisieren
- Zeit angeben

Literaturhinweise: 370, 373, 374, 375, 1130, 1131, 1132, 1134, 1160

Der Patient zeigt **Verhaltensweisen**, die nicht der Norm entsprechen, um **eigene Interessen durchzusetzen**, es besteht das **Risiko der sozialen Ausgrenzung**

Kennzeichen

- Aggressives Verhalten
- Wutanfälle
- Schreianfälle
- Tobsuchtsanfälle
- Petzen
- Gewalttätigkeit
- Einschüchterung
- Passive Umweltreaktion (Schmollen, Beleidigtsein)
- Korrumpierendes Verhalten
- Piesacken

Ursachen

- Erfahrungslernen
- Fördernde Eltern-Kind-Interaktionsmuster
- Fehlende Möglichkeiten, auf adäquate Weise Interessen durchzusetzen

Ressourcen

- Familienmitglieder beteiligen sich konstruktiv am Therapieplan
- Gefestigte Familienstrukturen sind vorhanden

Pflegeziele

- Wendet andere Möglichkeiten der Interessensdurchsetzung an
- Kennt alternative Verhaltensweisen, um eigene Wünsche/Interessen durchzusetzen
- Lernt, mit der "Nichterfüllung" von Wünschen/Interessen adäquat umzugehen
- Behandlungs- und Therapiekonzept sind transparent und vom therapeutischen Team umgesetzt
- Aktive Beteiligung an der Behandlungsplanung ist sichergestellt
- Entwickelt eigene Lösungswege
- Erkennt die Notwendigkeit der Verhaltensänderung
- Nimmt soziale Situationen differenzierter wahr
- Zeigt normgemäßes Verhalten
- Kann die Gefühle/Emotionen kontrollieren
- Selbstkontrolle ist verbessert
- Erfüllt die Rollenerwartungen
- Selbstwertgefühl ist gestärkt
- Setzt die vereinbarten Verhaltensänderungen um
- Kennt Möglichkeiten, aktiv den Therapieerfolg zu unterstützen
- Hält sich an Absprachen und unterstützt aktiv die Therapie
- Selbstkontrolle ist verbessert
- Einer Selbstgefährdung ist vorgebeugt
- Einer Fremdgefährdung ist vorgebeugt
- Ist in den Tagesablauf aktiv integriert
- Ist aktiviert und beteiligt sich an den Milieuprozessen
- Entwickelt Verhaltensweisen, die das Leben in der Gemeinschaft fördern

Pflegeinterventionen

Bei aggressivem Verhalten werden keine Wünsche/Interessen des Betroffenen erfüllt
- Pflegeintervention konkretisieren
- Zeit angeben

Im Gespräch werden die Voraussetzungen für die Erfüllung von Wünschen vereinbart und festgelegt
- Gesprächsinhalt
- Zeit angeben
- Beteiligte Personen angeben
  - » Betroffene Person
  - » Angehöriger/Bezugsperson
  - » Betreuer
  - » Eltern
  - » Sonstige Personen
- Durchführende Person angeben
  - » Bezugspflegeperson
  - » Pflegeperson
  - » Spezialtherapeuten
  - » Physiotherapeuten

Verzichtstraining durchführen
- Gesprächsinhalt
- Zeit angeben
- Beteiligte Personen angeben
  - » Betroffene Person
  - » Angehöriger/Bezugsperson
  - » Betreuer
  - » Eltern
  - » Sonstige Personen
- Durchführende Person angeben
  - » Bezugspflegeperson
  - » Pflegeperson
  - » Spezialtherapeuten
  - » Physiotherapeuten

Verhaltensweisen beobachten und dokumentieren
- Beobachtungskriterien bestimmen
  - » Sozialverhalten
  - » Sozialkontakte
  - » Belastbarkeit
  - » Strukturierung des Tages
  - » Ordnung bzw. Organisation des Lebens
  - » Körperliche/geistige Beeinträchtigung
  - » Coping-Fähigkeiten
  - » Freizeitgestaltung
  - » Arbeitsbereich
- Ergebnisse dokumentieren
  - » Verhaltenstagebuch verwenden
  - » Verhaltenskurve verwenden
  - » Zeitabschnittsbogen verwenden
  - » Zeitdauerprotokoll verwenden
  - » Häufigkeitsbogen verwenden
  - » Zusammenfassenden Bericht über die Beobachtungen verfassen

Fallbesprechung zur weiteren Behandlungs- und Therapieplanung durchführen
- Beteiligte Personen angeben
  - » Bewohner
  - » Pflegeperson
  - » Ärztlicher Dienst
  - » Psychologe

- » Sozialarbeiter
- » Sozialpädagoge
- » Ergotherapeut
- » Krankengymnast
- » Logopäde
- » Beschäftigungstherapeut
- » Heilpädagoge
- » Geistlicher Beistand
- » Lehrer
- » Erzieher
- » Jugendamt
- » Sonstige Personen
- Gesprächsinhalt
  - » Vereinbarte Therapieziele
  - » Vereinbarte Gesprächsinhalte für ein klientenzentriertes Pflegefachgespräch
- Zeitdauer angeben

Im klientenzentrierten Gespräch bestehende Schwierigkeiten analysieren und Problemlösungen entwickeln
- Gesprächsinhalt
- Zeit angeben
- Beteiligte Personen angeben
  - » Betroffene Person
  - » Angehöriger/Bezugsperson
  - » Betreuer
  - » Eltern
  - » Sonstige Personen
- Durchführende Person angeben
  - » Bezugspflegeperson
  - » Pflegeperson
  - » Spezialtherapeuten
  - » Physiotherapeuten

Stressbewältigungsstrategien und emotionsregulierende Verhaltensweisen entwickeln
- Gesprächsinhalt
- Zeit angeben
- Beteiligte Personen angeben
  - » Betroffene Person
  - » Angehöriger/Bezugsperson
  - » Betreuer
  - » Eltern
  - » Sonstige Personen
- Durchführende Person angeben
  - » Bezugspflegeperson
  - » Pflegeperson
  - » Spezialtherapeuten
  - » Physiotherapeuten

Gewünschtes Verhalten positiv verstärken
- Maßnahmen konkretisieren
  - » Gewünschtes Verhalten durch Lob fördern
  - » Im therapeutischen Team Verhaltensweisen zur Stärkung des Selbstkonzepts vereinbaren
  - » Einüben, sich selbst zu belohnen

Therapieziele gemeinsam vereinbaren und kontinuierlich reflektieren
- Maßnahmen konkretisieren
  - » Goal Attainment Scale einsetzen (= Zielerreichungsskala)
  - » Punkteplan einsetzen
- Zeit angeben

Kurzfristig im Krisenzimmer unterbringen bis das Risiko der Selbst-/Fremdgefährdung vorbei ist
- Pflegeintervention konkretisieren
- Zeit angeben

Im Einzelzimmer unterbringen
- Pflegeintervention konkretisieren
- Zeit angeben

Milieutherapeutische Aktivitäten im Wohn-/Stationsbereich durchführen
- Stationsaktivität angeben
  - » Gemeinsam aktuelle Zeitungen/Magazine lesen
  - » Kinoabend im Wohn-/Stationsbereich durchführen
  - » Spielnachmittag besuchen
  - » Mahlzeiten gemeinsam einnehmen
  - » Tanznachmittag besuchen
  - » Kirchenbesuch durchführen
  - » Spazieren gehen
  - » Singstunde besuchen
  - » An Festaktivitäten teilnehmen
  - » Am Sonntagsfrühstück teilnehmen
  - » Aktivitäten im Zusammenhang, den Gemeinschaftsraum zu gestalten
  - » Zur Milieugestaltung malen/basteln
- Einrichtungsspezifische Aktivität wählen
- Zeitdauer der Aktivitäten bestimmen

Sonstige Pflegemaßnahmen durchführen
- Maßnahmen konkretisieren
- Zeit angeben

Literaturhinweise: 370, 372, 373, 374, 375

Der Patient zeigt **Verhaltensweisen in der Gruppe**, die nicht der Norm entsprechen, aufgrund einer **Abhängigkeit von äußerer Aufmerksamkeit und Anerkennung**, es besteht das **Risiko der sozialen Ausgrenzung**

Kennzeichen

- Neigt dazu, Geschichten zu dramatisieren
- Erzählt Lügengeschichten
- Drängt sich mit Verhaltensweisen in den Mittelpunkt
- Spielt den Klassenkasper
- Tics (Zwinkern, Blinzeln, Schulterzucken, Grimassen schneiden usw.)

Ursachen

- Fehlendes Selbstwertgefühl
- Geringes Selbstwertgefühl
- Identitätsprobleme

Ressourcen

- Familienmitglieder beteiligen sich konstruktiv am Therapieplan
- Gefestigte Familienstrukturen sind vorhanden

Pflegeziele

- Sicherstellen einer kontinuierlichen Aufmerksamkeit durch das therapeutische Team
- Fühlt sich angenommen und entwickelt Vertrauen
- Entwickelt eigene Lösungswege
- Erkennt die Notwendigkeit der Verhaltensänderung
- Nimmt soziale Situationen differenzierter wahr
- Behandlungs- und Therapiekonzept sind transparent und vom therapeutischen Team umgesetzt
- Aktive Beteiligung an der Behandlungsplanung ist sichergestellt
- Erfüllt die Rollenerwartungen
- Selbstwertgefühl ist gestärkt
- Setzt die vereinbarten Verhaltensänderungen um
- Erhält Feed-back aus der Gruppe
- Nimmt Gefühle wahr und artikuliert diese adäquat
- Soziale Kompetenzen sind gefördert
- Kennt Möglichkeiten, aktiv den Therapieerfolg zu unterstützen
- Hält sich an Absprachen und unterstützt aktiv die Therapie
- Selbstkontrolle ist verbessert
- Ist in den Tagesablauf aktiv integriert
- Ein menschenwürdiges, an die persönliche Lebensgeschichte angepasstes Leben ist ermöglicht
- Ist aktiviert und beteiligt sich an den Milieuprozessen
- Entwickelt Verhaltensweisen, die das Leben in der Gemeinschaft fördern

Pflegeinterventionen

Verhaltensweisen beobachten und dokumentieren

- Beobachtungskriterien bestimmen
  - » Sozialverhalten
  - » Sozialkontakte
  - » Belastbarkeit
  - » Strukturierung des Tages
  - » Ordnung bzw. Organisation des Lebens
  - » Körperliche/geistige Beeinträchtigung
  - » Coping-Fähigkeiten
  - » Freizeitgestaltung
  - » Arbeitsbereich
- Ergebnisse dokumentieren
  - » Verhaltenstagebuch verwenden
  - » Verhaltenskurve verwenden
  - » Zeitabschnittsbogen verwenden
  - » Zeitdauerprotokoll verwenden
  - » Häufigkeitsbogen verwenden
  - » Zusammenfassenden Bericht über die Beobachtungen verfassen

Regelmäßige Einzeltermingespräche vereinbaren und durchführen

- Gesprächsinhalt
- Zeit angeben
- Beteiligte Personen angeben
  - » Betroffene Person
  - » Angehöriger/Bezugsperson
  - » Betreuer
  - » Eltern
  - » Sonstige Personen
- Durchführende Person angeben
  - » Bezugspflegeperson
  - » Pflegeperson
  - » Spezialtherapeuten
  - » Physiotherapeuten

Bezugsperson und Gesprächsinhalte festlegen

- Bezugsperson festlegen
- Pflegeintervention konkretisieren
  - » Tages-/Wochenplan erstellen
  - » Aktivitätenplan erstellen
  - » Tages- und Wochenpläne besprechen
  - » Durchgeführte Aktivitäten besprechen
  - » Lebenspraktische Inhalte besprechen
- Fest verbindlichen Tagesplan vereinbaren
  - » Mit Kontrollmöglichkeit
  - » Ohne Kontrollmöglichkeit
  - » In Eigenverantwortung
  - » In Verantwortung der Bezugsperson
  - » Tagesaktivitäten auswerten und reflektieren
- Dauer bestimmen

Im klientenzentrierten Gespräch bestehende Schwierigkeiten analysieren und Problemlösungen entwickeln

- Gesprächsinhalt
- Zeit angeben
- Beteiligte Personen angeben
  - » Betroffene Person
  - » Angehöriger/Bezugsperson
  - » Betreuer
  - » Eltern
  - » Sonstige Personen
- Durchführende Person angeben
  - » Bezugspflegeperson
  - » Pflegeperson
  - » Spezialtherapeuten
  - » Physiotherapeuten

Fallbesprechung zur weiteren Behandlungs- und Therapieplanung durchführen

- Beteiligte Personen angeben
  - » Bewohner
  - » Pflegeperson
  - » Ärztlicher Dienst
  - » Psychologe
  - » Sozialarbeiter
  - » Sozialpädagoge
  - » Ergotherapeut
  - » Krankengymnast
  - » Logopäde
  - » Beschäftigungstherapeut
  - » Heilpädagoge
  - » Geistlicher Beistand
  - » Lehrer
  - » Erzieher
  - » Jugendamt
  - » Sonstige Personen
- Gesprächsinhalt
  - » Vereinbarte Therapieziele
  - » Vereinbarte Gesprächsinhalte für ein klientenzentriertes Pflegefachgespräch
- Zeitdauer angeben

Gewünschtes Verhalten positiv verstärken

- Maßnahmen konkretisieren
  - » Gewünschtes Verhalten durch Lob fördern
  - » Im therapeutischen Team Verhaltensweisen zur Stärkung des Selbstkonzepts vereinbaren
  - » Einüben, sich selbst zu belohnen

Feed-back im Gruppengespräch ermöglichen

- Gruppentherapie konkretisieren
- Zeitdauer des Gruppengesprächs bestimmen

Selbstkonzept/-bild/-wert und soziale Kompetenzen in Einzeltherapie fördern

- Einzeltherapeutisches Angebot angeben
  - » Selbstsicherheitstraining durchführen
  - » Genusstherapie durchführen
  - » Verhaltenstherapie durchführen
  - » Assertiveness-Training-Programm (ATP)

durchführen
  - Integriertes Psychologisches Therapieprogramm (IPT) durchführen
  - Positiven Tagesrückblick durchführen
  - Musiktherapie durchführen
  - Gestalttherapie durchführen
  - Maltherapie durchführen
  - Kognitives Einzeltraining durchführen
  - Rollenspiele durchführen
  - Erinnerungstherapie durchführen
  - Achtsamkeitstraining durchführen
  - Anti-Phobie/Angst-Training durchführen
- Einrichtungsspezifische Aktivität wählen
- Zeitdauer der Einzelförderung bestimmen

Selbstkonzept/-bild und soziale Kompetenzen in Gruppentherapie fördern
- Gruppentherapeutisches Angebot angeben
  - Selbstsicherheitstraining durchführen
  - Genusstherapie durchführen
  - Verhaltenstherapie durchführen
  - Assertiveness-Training-Programm (ATP) durchführen
  - Integriertes Psychologisches Therapieprogramm (IPT) durchführen
  - Kognitive Therapiegruppe besuchen
  - Musiktherapie durchführen
  - Gestalttherapie durchführen
  - Maltherapie durchführen
  - Märchen-/Literaturgruppe besuchen
  - Rollenspiele durchführen
  - Interaktionsspiele zur Persönlichkeitsentwicklung durchführen
  - Am Gesprächskreis im Erinnerungsraum teilnehmen
  - Achtsamkeitstraining durchführen
  - Anti-Phobie/Angst-Training durchführen
- Einrichtungsspezifische Aktivität wählen
- Zeitdauer der Gruppentherapie bestimmen

Therapieziele gemeinsam vereinbaren und kontinuierlich reflektieren
- Maßnahmen konkretisieren
  - Goal Attainment Scale einsetzen (= Zielerreichungsskala)
  - Punkteplan einsetzen
- Zeit angeben

Milieutherapeutische Aktivitäten im Wohn-/Stationsbereich durchführen
- Stationsaktivität angeben
  - Gemeinsam aktuelle Zeitungen/Magazine lesen
  - Kinoabend im Wohn-/Stationsbereich durchführen
  - Spielnachmittag besuchen
  - Mahlzeiten gemeinsam einnehmen
  - Tanznachmittag besuchen
  - Kirchenbesuch durchführen
  - Spazieren gehen
  - Singstunde besuchen
  - An Festaktivitäten teilnehmen
  - Am Sonntagsfrühstück teilnehmen
  - Aktivitäten im Zusammenhang, den Gemeinschaftsraum zu gestalten
  - Zur Milieugestaltung malen/basteln
- Einrichtungsspezifische Aktivität wählen
- Zeitdauer der Aktivitäten bestimmen

Sonstige Pflegemaßnahmen durchführen
- Maßnahmen konkretisieren
- Zeit angeben

Literaturhinweise: 510

Der Patient **zieht sich vom sozialen Geschehen zurück**, es besteht das **Risiko der sozialen Isolation**

Kennzeichen

- Geht kaum auf andere zu
- Meidet Kontakte
- Zieht sich ins Zimmer zurück
- Fehlende soziale Integration
- Spricht kaum von eigenen Problemen
- Äußert Unbehagen in sozialen Situationen
- Berichtet über fehlendes Zugehörigkeitsgefühl
- Berichtet über das Gefühl, abgelehnt zu werden
- Wirkt unsicher und unentschlossen
- Wirkt bei Sozialkontakten unsicher

Ursachen

- Psychische Erkrankung
- Scham, auf Hilfe angewiesen zu sein
- Scham bei Inkontinenz
- Soziokulturelle Unterschiede
- Schwerhörigkeit
- Eingeschränkte körperliche Belastungsfähigkeit
- Scham bei Anus Praeter
- Unfähigkeit, soziale Beziehungen einzugehen

Ressourcen

- Kann Hilfe annehmen
- Akzeptiert die Unterstützung
- Akzeptiert die Unterstützung von Angehörigen
- Zeigt Verhaltensweisen, die die Therapie unterstützen
- Kann Vertrauen zum Pflegepersonal aufbauen

Pflegeziele

- Entwickelt eigene Lösungswege

- Erkennt die Notwendigkeit der Verhaltensänderung
- Nimmt soziale Situationen differenzierter wahr
- Erkennt eine einheitliche Zielsetzung im therapeutischen Team und akzeptiert diese
- Nimmt Kontakt zu Freunden/Angehörigen auf
- Baut soziale Kontakte auf und pflegt diese
- Angehörige/Bezugspersonen entwickeln Verständnis für die Situation des Betroffenen
- Übernimmt Verantwortung bei der Gestaltung des Stationslebens
- Tagesablauf ist geregelt
- Sozialkontakte und Gruppenverhalten sind gefördert
- Nimmt an Freizeitaktivitäten teil
- Geplante Aktivitäten werden eingehalten
- Ist in den Tagesablauf aktiv integriert
- Ist aktiviert und beteiligt sich an den Milieuprozessen
- Entwickelt Verhaltensweisen, die das Leben in der Gemeinschaft fördern
- Spricht Konflikte/Empfindungen in der Gruppe an
- Adäquate Konfliktlösungsstrategien sind entwickelt
- Nimmt Gefühle wahr und artikuliert diese adäquat
- Soziale Kompetenzen sind gefördert
- Entwickelt ein positives Selbstwertgefühl
- Kann eigene Fähigkeiten und Belastbarkeit einschätzen
- Mobilität und soziale Kontakte sind erhalten
- Körperliche Aktivität ist erhöht
- Entwickelt Freude an der Bewegung in der Natur
- Geht einer sinnvollen Beschäftigung nach
- Äußert, einen Lebenssinn/-inhalt für sich zu sehen
- Fühlt sich angenommen und akzeptiert
- Kennt Möglichkeiten, aktiv den Therapieerfolg zu unterstützen
- Hält sich an Absprachen und unterstützt aktiv die Therapie
- Selbstkontrolle ist verbessert

Pflegeinterventionen

Im klientenzentrierten Gespräch bestehende Schwierigkeiten analysieren und Problemlösungen entwickeln
- Gesprächsinhalt
- Zeit angeben
- Beteiligte Personen angeben
  - » Betroffene Person
  - » Angehöriger/Bezugsperson
  - » Betreuer
  - » Eltern
  - » Sonstige Personen
- Durchführende Person angeben
  - » Bezugspflegeperson
  - » Pflegeperson
  - » Spezialtherapeuten
  - » Physiotherapeuten

Rückzugstendenzen nur zulassen, soweit sie nützlich sind
- Maßnahmen konkretisieren
  - » Feste Rückzugszeiten ins Zimmer vereinbaren
  - » Zimmer des Betroffenen verschließen
  - » Zu Gruppenaktivitäten holen und motivieren

Den Aufbau eines stützenden sozialen Umfelds fördern
- Netzwerke bestimmen, die aufgebaut/gefördert werden können
  - » Netzwerk Familie
  - » Netzwerk Freundeskreis
  - » Netzwerk Arbeitsfeld
  - » Netzwerk Glaubensgemeinschaft
  - » Netzwerk Freizeitaktivität/Hobby
  - » Selbsthilfegruppe
  - » Sonstige Netzwerke
- Zeitdauer der Intervention bestimmen
- Gesprächspartner bestimmen
  - » Angehöriger/Bezugsperson
  - » Betreuer
  - » Freunde
  - » Arbeitgeber
  - » Arbeitskollegen
  - » Ämter
  - » Kirchenvertreter
  - » Nachbarn
  - » Sonstige Personen

Klientenzentriertes Gespräch führen
- Inhaltliche Ausrichtung des Gesprächs bestimmen
  - » Informationssammlung
  - » Pflege-, Betreuungs- und Behandlungsprozess
  - » Ursachenanalyse
  - » Strategien zur Krankheitsbewältigung
  - » Motivation/Aktivierung
  - » Alltagsbewältigung
  - » Förderung der Entscheidungsfindung
  - » Zukunftsperspektive
  - » Unterstützung der Orientierung
  - » Unterstützung des Realitätsbezugs
  - » Krisenintervention
  - » Aktuelle Bedürfnisse/Wünsche
  - » Instruktion/Anleitung
  - » Feed-back-Gespräch
  - » Sonstige Gesprächsinhalte
- Gesprächsteilnehmer
  - » Angehöriger/Bezugsperson
  - » Betroffene Person
- Zeitdauer des Gesprächs angeben

Aktiv in den Stationsablauf einbeziehen
- Stationsaktivität angeben
  - » Gemeinsam aktuelle Zeitungen/Magazine lesen
  - » Kinoabend im Wohn-/Stationsbereich durchführen
  - » Spielnachmittag besuchen
  - » Mahlzeiten gemeinsam einnehmen
  - » Tanznachmittag besuchen
  - » Kirchenbesuch durchführen
  - » Spazieren gehen
  - » Singstunde besuchen
  - » An Festaktivitäten teilnehmen
  - » Am Sonntagsfrühstück teilnehmen
  - » Aktivitäten im Zusammenhang, den Gemeinschaftsraum zu gestalten
  - » Zur Milieugestaltung malen/basteln
- Einrichtungsspezifische Aktivität wählen
- Zeitdauer der Aktivitäten bestimmen

Fest verbindlichen Tages-/Wochenplan erstellen
- Bezugsperson festlegen
- Pflegeintervention konkretisieren
  - » Tages-/Wochenplan erstellen
  - » Aktivitätenplan erstellen
  - » Tages- und Wochenpläne besprechen
  - » Durchgeführte Aktivitäten besprechen
  - » Lebenspraktische Inhalte besprechen
- Fest verbindlichen Tagesplan vereinbaren
  - » Mit Kontrollmöglichkeit
  - » Ohne Kontrollmöglichkeit
  - » In Eigenverantwortung
  - » In Verantwortung der Bezugsperson
  - » Tagesaktivitäten auswerten und reflektieren
- Dauer bestimmen

Milieutherapeutische Aktivitäten im Wohn-/Stationsbereich durchführen
- Stationsaktivität angeben
  - » Gemeinsam aktuelle Zeitungen/Magazine lesen
  - » Kinoabend im Wohn-/Stationsbereich durchführen
  - » Spielnachmittag besuchen
  - » Mahlzeiten gemeinsam einnehmen
  - » Tanznachmittag besuchen
  - » Kirchenbesuch durchführen
  - » Spazieren gehen
  - » Singstunde besuchen
  - » An Festaktivitäten teilnehmen
  - » Am Sonntagsfrühstück teilnehmen
  - » Aktivitäten im Zusammenhang, den Gemeinschaftsraum zu gestalten
  - » Zur Milieugestaltung malen/basteln
- Einrichtungsspezifische Aktivität wählen
- Zeitdauer der Aktivitäten bestimmen

Gesprächstherapeutische Gruppenaktivität durchführen
- Therapiegruppe angeben
  - » An Stationsgesprächsrunde/-meeting/-forum teilnehmen
  - » An Gesprächskreis über tagesaktuelle Themen teilnehmen
  - » Wochenendgruppe besuchen

  - » Konfliktgruppe besuchen
  - » Morgenrunde besuchen
  - » Kritikgruppe besuchen
- Einrichtungsspezifische Aktivität wählen
- Zeitdauer der Gruppenangebote bestimmen

Selbstkonzept/-bild/-wert und soziale Kompetenzen in Einzeltherapie fördern

- Einzeltherapeutisches Angebot angeben
  - » Selbstsicherheitstraining durchführen
  - » Genusstherapie durchführen
  - » Verhaltenstherapie durchführen
  - » Assertiveness-Training-Programm (ATP) durchführen
  - » Integriertes Psychologisches Therapieprogramm (IPT) durchführen
  - » Positiven Tagesrückblick durchführen
  - » Musiktherapie durchführen
  - » Gestalttherapie durchführen
  - » Maltherapie durchführen
  - » Kognitives Einzeltraining durchführen
  - » Rollenspiele durchführen
  - » Erinnerungstherapie durchführen
  - » Achtsamkeitstraining durchführen
  - » Anti-Phobie/Angst-Training durchführen
- Einrichtungsspezifische Aktivität wählen
- Zeitdauer der Einzelförderung bestimmen

Selbstkonzept/-bild und soziale Kompetenzen in Gruppentherapie fördern

- Gruppentherapeutisches Angebot angeben
  - » Selbstsicherheitstraining durchführen
  - » Genusstherapie durchführen
  - » Verhaltenstherapie durchführen
  - » Assertiveness-Training-Programm (ATP) durchführen
  - » Integriertes Psychologisches Therapieprogramm (IPT) durchführen
  - » Kognitive Therapiegruppe besuchen
  - » Musiktherapie durchführen
  - » Gestalttherapie durchführen
  - » Maltherapie durchführen
  - » Märchen-/Literaturgruppe besuchen
  - » Rollenspiele durchführen
  - » Interaktionsspiele zur Persönlichkeitsentwicklung durchführen
  - » Am Gesprächskreis im Erinnerungsraum teilnehmen
  - » Achtsamkeitstraining durchführen
  - » Anti-Phobie/Angst-Training durchführen
- Einrichtungsspezifische Aktivität wählen
- Zeitdauer der Gruppentherapie bestimmen

Selbstwertgefühl und Selbstachtung durch einheitliche Verhaltensweisen im therapeutischen Team fördern

- Maßnahmen konkretisieren
  - » Gewünschtes Verhalten durch Lob fördern
  - » Im therapeutischen Team Verhaltensweisen zur Stärkung des Selbstkonzepts vereinbaren
  - » Einüben, sich selbst zu belohnen

In eine Gruppe integrieren, die regelmäßig spazieren geht

- Pflegeintervention konkretisieren
  - » Zu Spaziergängen auffordern
  - » Mit dem Patienten spazieren gehen
  - » Spaziergänge mit Angehörigen organisieren
- Gruppenspaziergang
  - » In der Gruppe mit dem Patienten spazieren gehen
- Zeit angeben

Aktivierungstherapie in der Gruppe durchführen

- Pflegeintervention konkretisieren
  - » Gemeinsam Mahlzeiten kochen und einnehmen
  - » An Festaktivitäten teilnehmen
  - » Beschäftigungstherapie durchführen
  - » Gemeinsam alte Lieder singen
  - » Am Gesprächskreis im Erinnerungsraum teilnehmen
  - » Aus der Tageszeitung vorlesen und aktuelle Themen diskutieren
  - » Märchen-/Literaturgruppe besuchen
  - » Tanznachmittag besuchen
  - » Kognitive Aktivitäten planen und durchführen
  - » Alltagsbezogene Aktivitäten planen und durchführen
  - » Kulturelle Aktivitäten durchführen
  - » Musisch-gesellige Aktivitäten durchführen
  - » Künstlerische Aktivitäten durchführen
  - » Kreative Aktivitäten durchführen
- Einrichtungsspezifische Aktivität wählen
- Zeitdauer der Gruppenangebote bestimmen

Bei der Planung/Gestaltung des Tages durch Einzelangebote unterstützen

- Einzeltraining konkretisieren
  - » Aus der Tageszeitung vorlesen und aktuelle Themen diskutieren
  - » Mahlzeiten kochen
  - » Einkaufen gehen
  - » Küchendienst übernehmen
  - » Zimmer reinigen
  - » Tisch für die Mahlzeiten decken/abdecken
  - » Blumen-/Pflanzenpflege durchführen
  - » Wäsche versorgen
- Einrichtungsspezifische Aktivität wählen
- Art der Unterstützungsleistung angeben
  - » Beim Durchführen anleiten
  - » Beim Durchführen beaufsichtigen
  - » Durchgeführte Tätigkeiten im Pflegefachgespräch reflektieren
  - » Gemeinsam partnerschaftlich durchführen
- Zeitdauer der Einzelförderung bestimmen

Therapieziele gemeinsam vereinbaren und kontinuierlich reflektieren

- Maßnahmen konkretisieren
  - » Goal Attainment Scale einsetzen (= Zielerreichungsskala)
  - » Punkteplan einsetzen
- Zeit angeben

Sonstige Pflegemaßnahmen durchführen

- Maßnahmen konkretisieren
- Zeit angeben

Literaturhinweise: 47, 82, 83, 95, 101, 125, 173, 175, 176, 374

Der Patient hat aufgrund eines **veränderten Schlaf-Wach-Zyklus** das **Risiko der sozialen Isolation**

Kennzeichen

- Frühes Erwachen
- Häufige Nickerchen und Schlafphasen während des Tages
- Nächtliche Aktivitätsphasen
- Erhöhte Reizbarkeit
- Stimmungsschwankungen

Ursachen

- Bewegungsmangel tagsüber
- Aktivitätsmangel tagsüber
- Beschäftigungsdefizit
- Rückzugsverhalten

Ressourcen

- Akzeptiert die vereinbarten Ruhephasen und hält sich daran
- Zeigt Verhaltensweisen, die die Therapie unterstützen

Pflegeziele

- Kennt die Ursachen der Schlafstörung und kann sie abbauen
- Schläft mindestens sechs Stunden ohne Unterbrechung
- Kann innerhalb von 30 Minuten nach dem Zubettgehen einschlafen
- Schlaf-Wach-Rhythmus ist wieder reguliert
- Physiologischer Tag-/Nachtrhythmus
- Findet einen Weg, persönliche Probleme aufzuarbeiten

Pflegeinterventionen

Tagsüber Ruhezeiten vermeiden

- Pflegeintervention konkretisieren
- Zeit angeben

Gespräch über mögliche Ursachen der Schlafstörung führen

- Pflegeintervention konkretisieren
- Zeit angeben
- Durchführende Person angeben
  - » Bezugspflegeperson
  - » Pflegeperson
  - » Spezialtherapeuten

Umgebungsstimuli zur Regulierung des Tag-/Nachtrhythmus planen und durchführen

- Pflegeintervention konkretisieren
- Zeit angeben

Schlaf-/Wachzeiten und die individuelle Tagesstrukturierung vereinbaren und ausprobieren

- Bezugsperson festlegen
- Pflegeintervention konkretisieren
  - » Tages-/Wochenplan erstellen
  - » Aktivitätenplan erstellen
  - » Tages- und Wochenpläne besprechen
  - » Durchgeführte Aktivitäten besprechen
  - » Lebenspraktische Inhalte besprechen
- Fest verbindlichen Tagesplan vereinbaren
  - » Mit Kontrollmöglichkeit
  - » Ohne Kontrollmöglichkeit
  - » In Eigenverantwortung
  - » In Verantwortung der Bezugsperson
  - » Tagesaktivitäten auswerten und reflektieren
- Dauer bestimmen

Eventuelle seelische und emotionale Probleme durch klientenzentriertes Gespräch aufarbeiten

- Inhaltliche Ausrichtung des Gesprächs bestimmen
  - » Sonstige Gesprächsinhalte
  - » Krisenintervention
  - » Strategien zur Krankheitsbewältigung
  - » Ursachenanalyse
  - » Förderung der Entscheidungsfindung
- Zeitdauer des Gesprächs angeben

Sonstige Pflegemaßnahmen durchführen

- Maßnahmen konkretisieren
- Zeit angeben

Literaturhinweise: 51, 88, 95, 119, 123, 125, 126, 135, 159, 164, 175, 176

Der Patient hat einen **erniedrigenden/entwertenden Kommunikationsstil**, es besteht das **Risiko der sozialen Isolation**

Kennzeichen

- Beschuldigt häufig andere
- Provoziert oder beleidigt Gesprächspartner
- Verletzt und setzt Mitmenschen herab
- Äußert sich gegenüber Mitmenschen wertend und macht diese lächerlich
- Nimmt selektiv Fehler bei den Mitmenschen wahr

Ursachen

- Fehlendes Selbstwertgefühl
- Psychische Erkrankung
- Neurotische Störung
- Zur eigenen Aufwertung

Ressourcen

- Reagiert positiv auf therapeutische Gespräche
- Lässt sich ablenken

Pflegeziele

- Erhält Feed-back aus der Gruppe
- Überprüft den eigenen Kommunikationsstil
- Kommuniziert, ohne Mitmenschen zu verletzen
- Ist sozial integriert
- Nimmt eigene Wünsche und Bedürfnisse wahr
- Steht zu Entscheidungen und übernimmt dafür die Verantwortung
- Verbalisiert Wünsche und Bedürfnisse deutlich und fordert sie ein
- Erkennt Zusammenhänge zwischen eigenem Verhalten und Pflegediagnose
- Entwickelt Lösungswege im Gespräch

Pflegeinterventionen

Feed-back im Gruppengespräch ermöglichen
- Gruppentherapie konkretisieren
- Zeitdauer des Gruppengesprächs bestimmen

Selektive Reflexion im Alltagsgespräch durchführen, auffälliges Gesprächsverhalten dokumentieren
- Gesprächsinhalt
- Zeit angeben
- Beteiligte Personen angeben
  - » Betroffene Person
  - » Angehöriger/Bezugsperson
  - » Betreuer
  - » Eltern
  - » Sonstige Personen
- Durchführende Person angeben
  - » Bezugspflegeperson
  - » Pflegeperson
  - » Spezialtherapeuten
  - » Physiotherapeuten

Klärendes, schlichtendes Gespräch führen
- Gesprächsinhalt
- Teilnehmende Personen angeben
  - » Eltern
  - » Angehöriger/Bezugsperson
  - » Sonstige Personen
- Zeitdauer der Gruppenangebote bestimmen

Pflegefachgespräch führen
- Inhaltliche Ausrichtung des Gesprächs bestimmen
  - » Informationssammlung
  - » Pflege-, Betreuungs- und Behandlungsprozess
  - » Ursachenanalyse
  - » Strategien zur Krankheitsbewältigung
  - » Motivation/Aktivierung
  - » Alltagsbewältigung
  - » Förderung der Entscheidungsfindung
  - » Zukunftsperspektive
  - » Unterstützung der Orientierung
  - » Unterstützung des Realitätsbezugs
  - » Krisenintervention
  - » Aktuelle Bedürfnisse/Wünsche
  - » Instruktion/Anleitung
  - » Feed-back-Gespräch
  - » Sonstige Gesprächsinhalte
- Gesprächsteilnehmer
  - » Angehöriger/Bezugsperson
  - » Betroffene Person
- Zeitdauer des Gesprächs angeben

Sonstige Pflegemaßnahmen durchführen
- Maßnahmen konkretisieren
- Zeit angeben

Literaturhinweise: 47, 95, 125, 175, 176, 310, 312, 313, 315

Der Patient kann **Geld nicht einteilen**, es besteht das **Risiko des finanziellen/sozialen Ruins**

Kennzeichen

- Bezahlt für Mitmenschen mit und ist großzügig
- Gibt Geld impulsiv aus

Ursachen

- Kaufsucht
- Manie
- Entwicklungsbedingt

Ressourcen

- Vereinbarungen werden eingehalten
- Zeigt Verhaltensweisen, die die Therapie unterstützen
- Akzeptiert die Unterstützung durch eine Schuldenberatung
- Akzeptiert die Unterstützung
- Akzeptiert die Unterstützung von Angehörigen

Pflegeziele

- Soziale Belange sind geregelt, dem sozialen Ruin ist vorgebeugt
- Kommt mit dem Taschengeld aus und kann es sich einteilen
- Kann mit den zur Verfügung stehenden Geldmitteln haushalten und verantwortungsvoll umgehen
- Führt das Ausgabenbuch gewissenhaft
- Akzeptiert das Ausgabenbuch als geeignete Möglichkeit, um einen Überblick über die Finanzlage zu erhalten

Pflegeinterventionen

Regelung für die Taschengeldverwaltung festlegen
- Pflegeintervention konkretisieren
- Zeit angeben

Taschengeld verwalten und ausgeben
- Pflegeintervention konkretisieren
- Zeit angeben

Größere Geldausgaben mit dem Patienten besprechen
- Pflegeintervention konkretisieren
- Zeit angeben

Im klientenzentrierten Gespräch eine Anschaffungsliste erstellen und Ausgaben vereinbaren
- Gesprächsinhalt
- Zeit angeben
- Beteiligte Personen angeben
  - » Betroffene Person
  - » Angehöriger/Bezugsperson
  - » Betreuer
  - » Eltern
  - » Sonstige Personen
- Durchführende Person angeben
  - » Bezugspflegeperson
  - » Pflegeperson
  - » Spezialtherapeuten
  - » Physiotherapeuten

Klientenzentriertes Reflexionsgespräch über die Einträge im Ausgabenbuch führen
- Gesprächsinhalt
- Zeit angeben
- Beteiligte Personen angeben
  - » Betroffene Person
  - » Angehöriger/Bezugsperson
  - » Betreuer
  - » Eltern
  - » Sonstige Personen
- Durchführende Person angeben
  - » Bezugspflegeperson
  - » Pflegeperson
  - » Spezialtherapeuten
  - » Physiotherapeuten

Sonstige Pflegemaßnahmen durchführen
- Maßnahmen konkretisieren
- Zeit angeben

Literaturhinweise: 82, 83, 95, 101, 125, 175, 176, 177

Der Patient hat **Schulden**, es besteht das **Risiko des sozialen/ finanziellen Ruins**

Kennzeichen

- Hat Schulden, Konten sind überzogen
- Berichtet über persönliche Schuldensituation
- Rechnungen stehen offen
- Wohnungsverlust
- Ist über die eigene Schuldensituation nicht informiert

Ursachen

- Arbeitslosigkeit
- Manie
- Psychische Erkrankung
- Trennung/Scheidung vom Lebenspartner
- Unerfahrenheit gegenüber Kredit- und Konsumangeboten
- Dauerhaftes Niedrigeinkommen
- Missverhältnis Kredithöhe-Einkommen
- Geburt eines Kindes
- Suchterkrankung
- Chronische Krankheit/Arbeitsunfähigkeit
- Die Fähigkeit, mit dem zur Verfügung stehenden Geld zu haushalten, ist eingeschränkt

Ressourcen

- Zeigt Offenheit gegenüber neuen Wegen
- Akzeptiert die Unterstützung durch eine Schuldenberatung
- Akzeptiert die Unterstützung
- Akzeptiert die Unterstützung von Angehörigen

Pflegeziele

- Persönliche Finanzlage ist geregelt
- Soziale Belange sind geregelt, dem sozialen Ruin ist vorgebeugt

Pflegeinterventionen

Sozialarbeiter/in einschalten und Termine für die Schuldenberatung vereinbaren
- Pflegeintervention konkretisieren
- Zeit angeben

Amtsgänge/Termine bezüglich der Schuldenregelungen gemeinsam durchführen
- Maßnahmen konkretisieren
- Zeit angeben

Geschäftsunfähigkeit mit dem Betreuer bewirken (laut Arztanordnung)
- Pflegeintervention konkretisieren
- Zeit angeben

Sonstige Pflegemaßnahmen durchführen
- Maßnahmen konkretisieren
- Zeit angeben

Literaturhinweise: 82, 83, 95, 101, 125, 175, 176, 177

Der Patient kann den gelernten **Beruf nicht mehr ausüben**, es besteht das **Risiko der beruflichen Ausgliederung**

Kennzeichen

- Traut sich nicht zu telefonieren
- Kann sich nicht (mehr) konzentrieren
- Fehlende Ausdauer
- Fehlendes Sozialverhalten
- Ist verlangsamt
- Fehlende körperliche Fähigkeiten
- Körperliche Einschränkung aufgrund von Schmerzen

Ursachen

- Schizophrene Psychose
- Psychose
- Suchterkrankung
- Körperliche Fähigkeiten sind eingeschränkt
- Eingeschränkte kognitive Fähigkeiten
- Schädel-Hirn-Trauma
- Depressionen

Ressourcen

- Angehörige zeigen Bereitschaft, neu zu lernen
- Ist bereit, die Defizite zu kompensieren und neu zu lernen
- Ist motiviert, neu zu lernen
- Ist motiviert, ohne psychotrope Suchtmittel zu leben

Pflegeziele

- Konzentriert sich auf die jeweilige Aktivität und führt diese durch
- Kann sich auf Tätigkeiten konzentrieren
- Kann die geforderten beruflichen Leistungen erbringen
- Berufliche Integration ist sichergestellt
- Gefestigte Tagesstruktur ist aufgebaut
- Selbstvertrauen in eigene Kompetenzen/ Fähigkeiten ist gefördert
- Körperliche Geschicklichkeit ist gefördert
- Zugang zu den eigenen Empfindungen ist unterstützt
- Therapie- und Aktivitätsangebote sind individuell abgestimmt
- Kennt Möglichkeiten, aktiv den Therapieerfolg zu unterstützen
- Hält sich an Absprachen und unterstützt aktiv die Therapie
- Selbstkontrolle ist verbessert
- Findet einen Weg aus der psychotischen Welt in den Alltag
- Verdient sich den Lebensunterhalt selbstständig und ist auf die Arbeitssituation vorbereitet
- Die Grundarbeitsfähigkeiten (wie Pünktlichkeit, Ausdauer, Sorgfalt, Handlungsplanung usw.) sind entwickelt

Pflegeinterventionen

Beschäftigungs- und Arbeitstherapie nach dem Lern-, Übungs- und Leistungsprinzip individuell auswählen

- Pflegeintervention konkretisieren
- Zeit angeben

Trainingsprogramm zur Leistungssteigerung vereinbaren und durchführen

- Maßnahmen konkretisieren
  - » Trainingsprogramm zur Steigerung der Körperfitness absolvieren
  - » Trainingsprogramm zur Steigerung der kognitiven Fähigkeiten absolvieren
  - » Trainingsprogramm zur Erhöhung der Ausdauer absolvieren
  - » Trainingsprogramm zur Steigerung der Konzentration absolvieren
- Zeit angeben

Sozialarbeiter zur Unterstützung der beruflichen Integration einschalten

- Pflegeintervention konkretisieren
- Zeit angeben

Beschäftigungstherapie als Einzelförderung durchführen

- Maßnahmen konkretisieren
  - » Malen
  - » Werken
  - » Töpfern
  - » Collagen gestalten
  - » Batiken
  - » Seidenmalerei betreiben
  - » Weben
  - » Holzarbeiten anfertigen
  - » Flechtarbeiten anfertigen
- Einrichtungsspezifische Aktivität wählen
- Art und Weise der Unterstützung bestimmen
  - » Einleitend motivieren und aktivieren
  - » Kontinuierlich motivieren und anleiten
  - » Bei der Durchführung unterstützen
- Zeitdauer der Einzelförderung bestimmen

Beschäftigungstherapie in der Gruppe durchführen

- Maßnahmen konkretisieren
  - » Malen
  - » Werken
  - » Töpfern
  - » Collagen gestalten
  - » Batiken
  - » Seidenmalerei betreiben
  - » Weben
  - » Holzarbeiten anfertigen
  - » Flechtarbeiten anfertigen
- Einrichtungsspezifische Aktivität wählen
- Zeitdauer der Gruppentherapie bestimmen

Fallbesprechung über den Pflege- und Behandlungsprozess führen

- Beteiligte Personen angeben
  - » Bewohner
  - » Pflegeperson
  - » Ärztlicher Dienst
  - » Psychologe
  - » Sozialarbeiter
  - » Sozialpädagoge
  - » Ergotherapeut
  - » Krankengymnast
  - » Logopäde
  - » Beschäftigungstherapeut
  - » Heilpädagoge
  - » Geistlicher Beistand
  - » Lehrer
  - » Erzieher
  - » Jugendamt
  - » Sonstige Personen
- Gesprächsinhalt
  - » Vereinbarte Therapieziele
  - » Vereinbarte Gesprächsinhalte für ein klientenzentriertes Pflegefachgespräch
- Zeitdauer angeben

Therapieziele gemeinsam vereinbaren und kontinuierlich reflektieren

- Maßnahmen konkretisieren
  - » Goal Attainment Scale einsetzen (= Zielerreichungsskala)
  - » Punkteplan einsetzen
- Zeit angeben

Zur Arbeitstherapie (AT) hinführen/abholen

- Maßnahmen konkretisieren
  - » Zum vereinbarten Termin innerhalb der Einrichtung bringen
  - » Zum vereinbarten Termin außerhalb der Einrichtung bringen
- Zeitdauer des Transports bestimmen
- Anzahl erforderlicher Pflegepersonen angeben

Sonstige Pflegemaßnahmen durchführen

- Maßnahmen konkretisieren
- Zeit angeben

Literaturhinweise: 95, 125, 175, 176

Der Patient fühlt sich **zu gleichgeschlechtlichen Menschen hingezogen**, leidet unter der von der Norm abweichenden sexuellen Neigung

Kennzeichen

- Berichtet darüber, die sexuelle Neigung nicht äußern zu können
- Hat Angst vor sozialer Ausgrenzung, wenn die sexuelle Neigung bekannt wird
- Fühlt sich vom sozialen Umfeld ausgegrenzt/nicht akzeptiert

Ursachen

- Lesbische Neigung
- Homosexualität

Ressourcen

- Kann Gefühle und Sorgen mit der Bezugsperson besprechen
- Kann mit dem Sexualpartner darüber sprechen

Pflegeziele

- Fühlt sich akzeptiert
- Nimmt Gefühle wahr und lässt sie zu
- Akzeptiert die "Andersartigkeit" und richtet das Leben danach aus
- Behandlungs- und Therapiekonzept sind transparent und vom therapeutischen Team umgesetzt
- Aktive Beteiligung an der Behandlungsplanung ist sichergestellt
- Nimmt eigene Wünsche und Bedürfnisse wahr
- Steht zu Entscheidungen und übernimmt dafür die Verantwortung
- Verbalisiert Wünsche und Bedürfnisse deutlich und fordert sie ein
- Erkennt Zusammenhänge zwischen eigenem Verhalten und Pflegediagnose
- Entwickelt Lösungswege im Gespräch
- Akzeptiert die "Andersartigkeit" und findet in anderen Betroffenen Gesprächspartner

Pflegeinterventionen

Akzeptierende Grundhaltung durch Wertschätzung und wertfreien Umgang vermitteln
- Pflegeintervention konkretisieren
- Zeit angeben

Klare Stellungnahme zu eigenen Gefühlen fördern
- Pflegeintervention konkretisieren
- Zeit angeben

Fallbesprechung zur weiteren Behandlungs- und Therapieplanung durchführen
- Beteiligte Personen angeben
  - Bewohner
  - Pflegeperson
  - Ärztlicher Dienst
  - Psychologe
  - Sozialarbeiter
  - Sozialpädagoge
  - Ergotherapeut
  - Krankengymnast
  - Logopäde
  - Beschäftigungstherapeut
  - Heilpädagoge
  - Geistlicher Beistand
  - Lehrer
  - Erzieher
  - Jugendamt
  - Sonstige Personen
- Gesprächsinhalt
  - Vereinbarte Therapieziele
  - Vereinbarte Gesprächsinhalte für ein klientenzentriertes Pflegefachgespräch
- Zeitdauer angeben

Pflegefachgespräch führen
- Inhaltliche Ausrichtung des Gesprächs bestimmen
  - Informationssammlung
  - Pflege-, Betreuungs- und Behandlungsprozess
  - Ursachenanalyse
  - Strategien zur Krankheitsbewältigung
  - Motivation/Aktivierung
  - Alltagsbewältigung
  - Förderung der Entscheidungsfindung
  - Zukunftsperspektive
  - Unterstützung der Orientierung
  - Unterstützung des Realitätsbezugs
  - Krisenintervention
  - Aktuelle Bedürfnisse/Wünsche
  - Instruktion/Anleitung
  - Feed-back-Gespräch
  - Sonstige Gesprächsinhalte
- Gesprächsteilnehmer
  - Angehöriger/Bezugsperson
  - Betroffene Person
- Zeitdauer des Gesprächs angeben

Kontaktadressen vermitteln
- Pflegeintervention konkretisieren
- Zeit angeben

Sonstige Pflegemaßnahmen durchführen
- Maßnahmen konkretisieren
- Zeit angeben

Literaturhinweise: 95, 125, 175, 176

Der Patient kann sich **nicht mit seiner gesellschaftlich definierten Rolle identifizieren**, es besteht ein **Rollenkonflikt**

Kennzeichen

- Äußert Unzufriedenheit mit sich als Frau/Mann
- Berichtet darüber, vermuteten Rollenerwartungen nicht gerecht zu werden
- Beschreibt Erwartungen der Bezugsgruppe, die nicht erfüllt werden
- Ist negativen Sanktionen der Bezugsgruppe ausgesetzt, da Rollenerwartungen dieser nicht erfüllt werden
- Fühlt sich aufgrund der Rollenerwartungen der Bezugsgruppe zu sozialem Handeln genötigt
- Beschreibt unterschiedliche und sich widersprechende Erwartungen, die an die eingenommene Rolle gestellt werden (Rollenkonflikt)
- Beeinträchtigte Bewältigungsstrategien, um mit dem erlebten Rollenkonflikt umzugehen
- Berichtet über ein anderes Rollenverständnis als das der Bezugsgruppe
- Die Rollenerwartungen lösen Gefühle wie Machtlosigkeit und/oder Angst und/oder Depression aus

Ursachen

- Soziokulturelle Faktoren
- Familiendynamische Faktoren
- Rollenerwartungen von Familienmitgliedern, die sich widersprechen (z. B. Opfer/Täter)
- Sich widersprechende Rollenerwartungen zwischen zwei/mehreren Rollen des Rolleninhabers
- Veränderte Rollen im sozialen Gefüge
- Fehlende/beeinträchtigte Auseinandersetzung mit den Rollenerwartungen der Bezugsgruppe

Ressourcen

- Kann über Sorgen und Ängste sprechen

Pflegeziele

- Äußert Zufriedenheit über die gefundene Identität
- Entwickelt Lösungswege im Gespräch

Pflegeinterventionen

Rollenverhalten beobachten
- Pflegeintervention konkretisieren
- Zeit angeben

Klientenzentriertes Gespräch über Rollenverhalten/-konflikte und Lösungsmöglichkeiten führen
- Gesprächsinhalt
- Zeit angeben
- Beteiligte Personen angeben
  - » Betroffene Person
  - » Angehöriger/Bezugsperson
  - » Betreuer
  - » Eltern
  - » Sonstige Personen
- Durchführende Person angeben
  - » Bezugspflegeperson
  - » Pflegeperson
  - » Spezialtherapeuten
  - » Physiotherapeuten

Kontakt zu Selbsthilfegruppen vermitteln
- Pflegeintervention konkretisieren
- Zeit angeben

Sonstige Pflegemaßnahmen durchführen
- Maßnahmen konkretisieren
- Zeit angeben

Literaturhinweise: 95, 125, 175, 176

Der Patient ist in der **Ausübung des Glaubens/Gebets eingeschränkt**, damit verbunden sind Schuldgefühle, Ängste und Sorgen

Kennzeichen

- Berichtet von Einschränkungen in der Religionsausübung und den damit verbundenen Sorgen
- Berichtet von der Vorstellung, dass die Krankheit eine Strafe ist
- Beschreibt Ängste vor dämonischen Mächten
- Berichtet von der Vorstellung der Verhexung
- Berichtet über Ängste/Sorgen durch die Nichtausübung vorgeschriebener Rituale der Glaubensgemeinschaft
- Macht sich Sorgen darüber, die Ernährungsvorschriften nicht einhalten zu können
- Äußert den Wunsch, an den Aktivitäten der Glaubensgemeinschaft teilnehmen zu können

Ursachen

- Organisationsbedingte Einschränkungen
- Schwere körperliche Beeinträchtigung
- Schmerzzustände
- Hemmendes soziales Umfeld
- Beeinträchtigte/fehlende Integration in eine Glaubensgemeinschaft
- Isolation und Einsamkeit
- Teilnahme an einem Treffen der Glaubensgemeinschaft ist aufgrund fehlender Transportmöglichkeiten/-fähigkeiten nicht möglich
- Ängste im Zusammenhang mit dem Glauben

Ressourcen

- Der Glaube hilft bei der Krankheitsbewältigung
- Angehörige unterstützen die Ausübung des Glaubens
- Kann über Schuldgefühle, Ängste und Sorgen sprechen

Pflegeziele

- Entwickelt eigene Lösungswege
- Erkennt die Notwendigkeit der Verhaltensänderung
- Nimmt soziale Situationen differenzierter wahr
- Bedürfnisse und Wünsche werden beachtet
- Fühlt sich angenommen und hat keine Ängste
- Religionsausübung ist unterstützt
- Religiöse Riten können durchgeführt werden
- Gebete können durchgeführt werden

Pflegeinterventionen

Im klientenzentrierten Gespräch bestehende Schwierigkeiten analysieren und Problemlösungen entwickeln
- Gesprächsinhalt
- Zeit angeben
- Beteiligte Personen angeben
  - » Betroffene Person
  - » Angehöriger/Bezugsperson
  - » Betreuer
  - » Eltern
  - » Sonstige Personen
- Durchführende Person angeben
  - » Bezugspflegeperson
  - » Pflegeperson
  - » Spezialtherapeuten
  - » Physiotherapeuten

Assessment bezüglich der religiösen Wünsche und Bedürfnisse durchführen
- Gesprächsinhalt
- Zeitdauer angeben

Gegenstände, die im Sinne eines Abwehrzaubers gegen dämonische Mächte eingesetzt werden, im Zimmer belassen
- Pflegeintervention konkretisieren
- Zeit angeben

Teilnahme am Gottesdienst ermöglichen
- Maßnahmen konkretisieren
  - » Termine für die angeordneten Therapien koordinieren
  - » An vereinbarte Termine erinnern
  - » Transport zu Terminen organisieren
- Einrichtungsspezifische Aktivität wählen

Termin mit dem geistlichen Glaubensvertreter organisieren
- Pflegeintervention konkretisieren
- Zeit angeben

Bei der Kontaktaufnahme zur religiösen Bezugsperson unterstützen
- Pflegeintervention konkretisieren
- Zeit angeben

Rituelle Waschungen vor dem Gebet ermöglichen
- Pflegeintervention konkretisieren
- Zeit angeben

Gebetsraum zur Verfügung stellen
- Pflegeintervention konkretisieren
- Zeit angeben

Sonstige Pflegemaßnahmen durchführen
- Maßnahmen konkretisieren
- Zeit angeben

Literaturhinweise: 377

Der Patient hat **keine finanziellen Möglichkeiten**, die Dinge des täglichen Lebens zu kaufen, es besteht ein **Selbstversorgungsdefizit**

Kennzeichen

- Hat wenig finanzielle Mittel
- Ist einfach gekleidet
- Lebensnotwendige Dinge sind im Haushalt nicht vorhanden

Ursachen

- Chronische Krankheit/Arbeitsunfähigkeit
- Arbeitslosigkeit
- Nichtinanspruchnahme von Sozialleistungen
- Erdrückende Schuldensituation
- Fehlende Unterstützung aus dem sozialen Umfeld/von Angehörigen/Bezugspersonen
- Geistige Behinderung

Ressourcen

- Hat keine hohen Ansprüche
- Akzeptiert die Unterstützung von Angehörigen
- Akzeptiert die Unterstützung

Pflegeziele

- Persönliche Finanzlage ist geregelt
- Verdient sich das Taschengeld
- Hat Taschengeld für private Dinge zur Verfügung

Pflegeinterventionen

Sozialarbeiter/in einschalten und Termine für die Schuldenberatung vereinbaren
- Pflegeintervention konkretisieren
- Zeit angeben

Angehörige bitten, Taschengeld zu ermöglichen
- Pflegeintervention konkretisieren
- Zeit angeben

Arbeitstherapie ermöglichen
- Maßnahmen konkretisieren
  - » Monatsplan aufstellen
  - » Tages-/Wochenplan erstellen
- Zeit angeben

Kleiderkassen nutzen, um kostengünstig Bekleidung zu besorgen
- Pflegeintervention konkretisieren
- Zeit angeben

Sozialarbeiter/Angehörige einschalten, um Sozialhilfe zu beantragen
- Pflegeintervention konkretisieren
- Zeit angeben

Beim Einkaufen von Kleidungsstücken/Gebrauchsartikeln unterstützen
- Zeitdauer des Transports bestimmen
- Anzahl erforderlicher Pflegepersonen angeben

Sommer- und Winterschlussverkauf nutzen
- Pflegeintervention konkretisieren
- Zeit angeben

Sonstige Pflegemaßnahmen durchführen
- Maßnahmen konkretisieren
- Zeit angeben

Literaturhinweise: 82, 83, 95, 101, 125, 175, 176, 177

ENP-Praxis » Gesundheitsrisiken (unspezifisch)

Der Patient hat aufgrund eines **Venenkatheters** /einer **Infusionstherapie** das **Risiko von Komplikationen**

Kennzeichen

Art des Katheters
- Venenverweilkanüle
- ZVK, V. jugularis interna
- ZVK, V. jugularis externa
- ZVK, V. subclavia
- ZVK, V. femoralis
- ZVK, V. basilica
- Zentraler Venenkatheter
- Port (implantierter zentraler Venenkatheter)
- Butterfly-Kanüle

Art der Infusion
- Intravenöse Infusion
- Zentralvenöse Infusion
- Subkutane Infusion
- Intraossäre Infusion

Ursachen

- Immunabwehrschwäche
- Umfeldbedingt erhöhtes Infektionsrisiko
- Intermittierende Infusionstherapie
- Hypertone Infusionslösungen
- Unruhezustände
- Bewusstseinsveränderung
- Wissensdefizit über Verhaltensregeln
- Inadäquates Hygieneempfinden
- Fehlendes Verständnis für spezielle Verhaltensweisen und prophylaktische Maßnahmen
- Pflege- und Behandlungsvereinbarungen werden nicht eingehalten
- Eingeschränkte Kooperation
- Manipulationen am Katheter/System
- Manipulation an der Einlaufregulierung

Ressourcen

- Erkennt die Notwendigkeit der getroffenen Intervention und kooperiert mit dem therapeutischen Team
- Unterstützt die Therapie
- Besitzt die Fähigkeit der Selbstbeobachtung von kritischen körperlichen Veränderungen
- Beobachtet Veränderungen am System und meldet sich
- Meldet sich bei Anzeichen von Komplikationen
- Kann sich bei selbst beobachteten Veränderungen melden
- Toleriert den Verbandwechsel

Pflegeziele

- Einer Kathetersepsis/Infektion der Einstichstelle ist vorgebeugt
- Einer Manipulation und zusätzlichen Reizung der Gefäße durch die Venenverweilkanüle ist vorgebeugt
- Ausreichende Ernährung und ausgeglichener Flüssigkeitshaushalt sind gewährleistet
- Komplikationen sind vorgebeugt
- Herz-Kreislauf-System ist während/nach der durchgeführten (Pflege-)Aktivität stabil, Vitalparameter verändern sich im physiologischen Normbereich
- Infektionszeichen werden frühzeitig erkannt
- Paravenöser Infusionsfluss ist vermieden
- Flüssigkeits- und Elektrolythaushalt sind ausgeglichen
- Wassereinlagerungen sind erkannt und dokumentiert
- Überschreitungen der Grenzwerte werden frühzeitig erkannt
- Diskonnektion ist rechtzeitig erkannt
- Kathetersystem ist frei durchgängig
- Einer Keimverschleppung ist vorgebeugt
- Therapie ist sichergestellt
- Selbstständigkeit ist gefördert
- Infusionstherapie lt. Arztanordnung ist sichergestellt

Pflegeinterventionen

Einstichstelle verbinden
- Pflegeintervention konkretisieren
- Verbandmaterial angeben
- Zeitdauer angeben

ZVD-Messung durchführen
- Pflegeintervention konkretisieren
- Zeit angeben

Katheter sicher fixieren
- Pflegeintervention konkretisieren
  - » Zügelpflaster anbringen
  - » Hand schienen/lagern
  - » Arm schienen/lagern
  - » Katheter und zuleitende Infusionsschläuche mit Pflaster fixieren
  - » Katheter und zuleitende Infusionsschläuche mit einer Mullbinde fixieren
  - » Infusionsschläuche mit Klemmen an der Kleidung sichern

Infusionstherapie vorbereiten und infundieren
- Infusionen ohne Zusätze vorbereiten und infundieren
  - » 1 Infusion
  - » 2 Infusionen
  - » 3 Infusionen
  - » 4 Infusionen
  - » 5 und mehr Infusionen
- Infusionen mit Zusätzen vorbereiten und infundieren
  - » 1 Infusion mit Zusatz
  - » 2 Infusionen mit Zusatz
  - » 3 Infusionen mit Zusatz
  - » 4 Infusionen mit Zusatz
  - » 5 und mehr Infusionen mit Zusatz
- Zytostaselösungen herstellen/vorbereiten
  - » Zytostase herstellen/vorbereiten
- Hygienemaßnahmen
  - » Zwei- und Dreiwegehähne auswechseln
  - » Hahnenbank austauschen
  - » Filter wechseln
  - » Infusionssystem wechseln
  - » Besonderheiten bestimmen
- Applikationsart bestimmen
  - » Über Infusomat verabreichen

- » Über Perfusor verabreichen
- » Über Tropfenzähler verabreichen
- Tropfgeschwindigkeit einstellen

Infusionstherapie überwachen und den Patienten beobachten
- Pflegeintervention konkretisieren
- Zeit angeben

Vitalzeichenkontrolle durchführen
- Überwachungsmonitor benutzen
  - » Überwachungsmonitor benutzen
  - » Pulsfrequenz/-qualität messen
  - » Blutdruckwert messen
  - » Atemfrequenz/-qualität messen
  - » Körpertemperatur messen
  - » Sauerstoffsättigung mit Oximeter überprüfen
- Vitalzeichenwerte manuell messen
  - » Pulsfrequenz/-qualität messen
  - » Blutdruckwert messen
  - » Atemfrequenz/-qualität messen
  - » Körpertemperatur messen
- Ort der Messung angeben
  - » Am rechten Arm messen
  - » Am linken Arm messen
  - » Am Finger messen
  - » Am Zeh messen
  - » Besonderheiten bei der Messung bestimmen

Einstichstelle und deren Umgebung beobachten
- Pflegeintervention konkretisieren
  - » Inspektion
  - » Palpation (bei Gazeverband)

Ein- und Ausfuhr bilanzieren
- Pflegeintervention konkretisieren
  - » Einfuhr kontrollieren
  - » Ausfuhr kontrollieren
  - » Flüssigkeitsbilanzierung durchführen
  - » Stundenurinkontrolle durchführen
- Erfassungszeitraum bestimmen/sonstige Angaben
  - » Blase am Ende des Erfassungszeitraums entleeren lassen
  - » Einfuhr berechnen
  - » Ausfuhr berechnen
  - » Ergebnisse in die Dokumentation eintragen
  - » Erfassungszeitraum bestimmen

ZVD-Messung durchführen
- Pflegeintervention konkretisieren
- Zeit angeben

Ödeme beobachten und Ergebnis dokumentieren
- Assessment: Umfangmessungen
  - » Zur Ermittlung und Verlaufsbeurteilung von Ödemen Umfang messen
  - » Zur Ermittlung und Verlaufsbeurteilung von akuten Schwellungen Umfang messen
- Umfangsmessung durchführen
  - » Rechter Arm
  - » Linker Arm
  - » Handgelenk rechts
  - » Handgelenk links
  - » Rechtes Bein
  - » Linkes Bein
  - » Sprunggelenk links
  - » Sprunggelenk rechts
  - » Bauchumfang messen
- Methode der Umfangsmessung
  - » Konventionelle Umfangmessung
  - » Figure-of-Eight-Methode

Gewichtskontrollen durchführen
- Gewichtskontrollen durchführen
  - » Mit einer Stehwaage
  - » Mit einer Sitzwaage
- Körpergewicht kontrollieren
  - » Morgens vor dem Frühstück
  - » In Unterwäsche/ohne Schuhe
  - » Nach der Blasenentleerung

Monitoring mit eng eingestellten Alarmgrenzen durchführen
- Pflegeintervention konkretisieren
- Zeit angeben

Thrombosierungsprophylaxe des venösen Zugangs durchführen
- Pflegeintervention konkretisieren
  - » Venenverweilkatheter mit Mandrin beim Abstöpseln der Infusion verwenden
  - » Bei liegendem ZVK sicherstellen, dass das Infusionsprogramm 24 Stunden läuft
  - » Nach der Infusionstherapie ZVK mit NaCl 0,9 % spülen
  - » Mit NaCl 0,9 % spülen
  - » Heparinblock nach Anordnung setzen, bei erneutem Anhängen einer Infusion Heparinblock durch Aspirieren entfernen

Punktion des Ports unter aseptischen Bedingungen durchführen
- Pflegeintervention konkretisieren
- Zeit angeben

Manipulationen am Infusionssystem verhindern
- Pflegeintervention konkretisieren
  - » Umwickeln von Konnektionsstelle/Rollenklemme des Infusionssystems
  - » Infusionsflasche außer Reichweite bringen

Pflegefachgespräch zum Umgang mit dem venösen Katheter/Infusionssystem führen
- Gesprächsinhalt konkretisieren
  - » Umgang mit Infusionsständer
  - » Umgang mit Infusionssystem
  - » Therapie
  - » Nebenwirkungen/Komplikationen
  - » Symptommanagement/Verhalten bei Symptomen

Periphere Venenverweilkanüle legen
- Pflegeintervention konkretisieren
  - » Periphervenösen Zugang legen
  - » Periphervenösen Zugang bei schlechten Venenverhältnissen legen
  - » Beim Legen eines periphervenösen Zugangs assistieren
- Vorbereitendes Gespräch
  - » Überzeugungsarbeit durch Gespräche vor der Venenpunktion leisten
- Anzahl Pflegepersonen angeben

Legen eines zentralen Venenkatheters vorbereiten/bei der Durchführung assistieren
- Pflegeintervention konkretisieren
- Zeit angeben

Sonstige Pflegemaßnahmen durchführen
- Maßnahmen konkretisieren
- Zeit angeben

Literaturhinweise: 41, 51, 63, 95, 100, 125, 126, 175, 176, 277, 821, 822, 823, 824, 825, 826, 832, 833, 834, 835, 836, 837, 838, 839, 986, 987

Der Patient hat aufgrund einer **liegenden Trachealkanüle/eines Tubus** das **Risiko einer Komplikation** (Fehllage, Drucknekrose, Tracheomalazie und Lumenverlegung)

Kennzeichen

- Trachealkanüle
- Trachealkanüle mit Innenkanüle
- Orotrachealer Tubus
- Nasotrachealer Tubus
- Geblockter Cuff

Ursachen

- Manipulationen am Tubus/an der Trachealkanüle
- Tracheotomie/Tubus entblockt
- Toleriert den Tubus nicht
- Toleriert die Trachealkanüle nicht
- Zu hoher Cuffdruck
- Bronchialsekret kann nicht abgehustet werden

Ressourcen

- Physiologische Schleimhautverhältnisse
- Verhält sich entsprechend der Anleitung und Anweisung
- Toleriert die Intubation
- Angehörige zeigen Bereitschaft, neu zu lernen

Pflegeziele

- Trachealkanüle/Tubus liegt fachgerecht
- Atemwege sind frei
- Korrekte Kanülenlage/Tubuslage ist sichergestellt
- Lungen werden gleichmäßig und physiologisch belüftet, Atelektasen sind vorgebeugt
- Fehllage des Tubus ist erkannt
- Angeordneter Cuff-Druck ist kontinuierlich sichergestellt
- Einer Tracheomalazie bzw. Druckstellen ist vorgebeugt
- Sprechen ist ermöglicht
- Sicherheit ist gewährleistet
- Lumen ist frei

Pflegeinterventionen

Kanüle/Tubus auf Lageveränderungen beobachten
- Pflegeintervention konkretisieren
- Zeit angeben

Bronchialsekret absaugen
- Pflegeintervention konkretisieren
- Zeit angeben

Tubus bzw. Trachealkanüle fixieren und regelmäßig kontrollieren/erneuern
- Pflegeintervention konkretisieren
  - » Orotrachealen Tubus fixieren
  - » Nasotrachealen Tubus mit Pflasterstreifen auf dem Nasenrücken fixieren
  - » Nasotrachealen Tubus beim Kind/Neugeborenen auf Nasenrücken und Wangen fixieren
  - » Zum Schutz beim Pflasterwechsel der Fixierung dünnen Hydrokolloidverband unterkleben
  - » Trachealkanüle mit Halteband fixieren

Lunge nach Manipulationen am Tubus/an der Trachealkanüle auskultieren
- Pflegeintervention konkretisieren
- Zeit angeben

Cuffdruckkontrollen durchführen, Cuffdruck nach Anordnung einstellen
- Pflegeintervention konkretisieren
  - » Cuffdruck mithilfe eines Manometers kontrollieren
  - » Angeordneten Cuffdruck kontrollieren
  - » Kehlkopf auskultieren, um festzustellen, ob der Cuff die Trachea dicht abschließt
  - » Die in den Cuff eingespritzte Luftmenge dokumentieren

Cuff laut Arztanweisung entblocken, bei nicht beatmeten Patienten
- Pflegeintervention konkretisieren
- Zeit angeben

Cuff laut Arztanordnung entblocken, bei Nutzung des Sprechventils
- Pflegeintervention konkretisieren
- Zeit angeben

Beim Tubuswechsel assistieren
- Pflegeintervention konkretisieren
- Zeit angeben

Trachealkanülenwechsel durchführen
- Pflegeintervention konkretisieren
- Anzahl der Pflegepersonen eintragen

Beim Trachealkanülenwechsel assistieren
- Pflegeintervention konkretisieren

Innenkanüle säubern
- Pflegeintervention konkretisieren
  - » Mit Kanülenbürste reinigen
  - » In Reinigungsbad einlegen
  - » Im Vaporisator aufbereiten

Sonstige Pflegemaßnahmen durchführen
- Maßnahmen konkretisieren
- Zeit angeben

Literaturhinweise: 79, 93, 95, 100, 113, 125, 126, 127, 167, 255, 257, 328

Der Patient wird **beatmet**, es besteht das **Risiko von Komplikationen**

Kennzeichen

- Verschlechterung der Blutgaswerte
- Angestiegene Blutdruckwerte
- Angestiegene Pulsfrequenz
- Schocksymptomatik
- Beeinträchtigte Koordination von Spontanatmung und Beatmungsgerät
- Unphysiologische Atemgeräusche
- Zyanosezeichen
- Einsatz der Atemhilfsmuskulatur
- Blässe der Haut
- Unruhezustände
- Verminderte auskultatorische Atemgeräusche
- Schweißausbruch
- Einseitige Strömungsgeräusche in der Lunge
- Erschöpfungszustände
- Bewusstseinseintrübung
- Erhöhung von PCO2
- Verringerter CO2-Partialdruck
- Abfall des arteriellen O2-Partialdrucks (Hypoxämie)

Ursachen

- Ineffektive Spontanatmung
- Fehlende Spontanatmung
- Medikamenteneinwirkung
- Medikamentöse Relaxation
- Zerebrale Hypoxie
- Erhöhter Hirndruck
- Neurogene Störung
- Neurologische Unreife
- Spasmus
- Trauma
- Rippenserienfraktur
- Pneumothorax
- Hämatothorax
- Pneumonie
- Aspiration
- Lungenembolie
- Lungenfibrose
- Apnoe
- Metabolischer Faktor
- Eingeleitete Entwöhnungsphase vom Respirator
- Dekanülierung
- Diskonnektion des Beatmungssystems
- Verlegung der Trachealkanüle
- Unzureichende Lungenreife
- Atemnotsyndrom I
- Atemnotsyndrom II
- Atemnotsyndrom III
- Muskeldystrophie

Ressourcen

- Toleriert die Beatmung
- Stabile Herz-Kreislauf-Situation
- Stabile Blutgase
- Kann Beatmungssystem selbstständig konnektieren
- Kann Phasen der Diskonnektion mit Spontanatmung überbrücken
- Kann kurzfristig Eigenatmung einsetzen
- Kann phasenweise ohne Respirator spontan atmen
- Triggert die Beatmung
- Übernimmt Eigenanteil der Beatmung
- Zeigt aktive Bewegung trotz Beatmungsgerät
- Kann Bronchialsekret selbstständig abhusten

Pflegeziele

- Einstellungen sind kontinuierlich dokumentiert
- Lungenschäden sind vorgebeugt
- Atmung ist optimal unterstützt
- Komplikationen sind vorgebeugt
- Optimale Beatmungstherapie ist erreicht
- Vorgegebene Werte werden eingehalten
- Weiterer Lungenschädigung ist vorgebeugt
- Beatmungsluft kommt am Bestimmungsort an
- Tracheomalazie und Drucknekrosen ist vorgebeugt
- Ausreichende Spontanatmung setzt wieder ein
- Eigenanteil der Atmung ist gesteigert
- Atemwege sind frei
- Einer Infektion ist vorgebeugt bzw. sie ist rechtzeitig erkannt
- Belüftungsgeräusche sind beidseitig vorhanden
- Selbstreinigungsfunktion der Lunge ist eingeschätzt
- Atemluft ist gereinigt, angefeuchtet und erwärmt
- Herz-Kreislauf-Aktivität ist angeregt
- Einer Kontraktur ist vorgebeugt
- Sicherheit ist gewährleistet
- Beatmung ist sichergestellt

Pflegeinterventionen

Beatmungsparameter laut Anordnung einstellen und überwachen

» Dokumentation im Beatmungsprotokoll

- Beatmungsparameter angeben
  - » Inspiratorische Sauerstoffkonzentration
  - » Atemzugvolumen
  - » Atemminutenvolumen
  - » Flowmuster
  - » Atemzeitverhältnis
  - » PEEP
  - » Sonstiges
- Beatmungsgerät bestimmen
  - » Stationäres Gerät
  - » Mobiles Gerät

Vor dem Einsatz des Beatmungsgeräts dessen Funktion überprüfen

- Angeordnete Beatmungsform angeben
  - » CMV (Controlled Mandatory "Mechanical" Ventilation)
  - » SCMV (Synchronized Controlled Mechanical Ventilation)
  - » IRV (Inversed Ratio Ventilation)
  - » PCV (Pressure-Controlled Ventilation)
  - » PCIRV (Pressure-Controlled Inversed Ratio Ventilation)
  - » PLV (Pressure-Limited Ventilation)

» BIPAP (Biphasic Positive Airway Pressure)
» PRVC (Pressure-Regulated Volume Control)
» IMV (Intermittent Mandatory Ventilation)
» SIMV (Synchronized Intermittent Mandatory Ventilation)
» ASB (Assisted Spontaneous Breathing)
» IPPV (Intermittent Positive Pressure Ventilation)
» CPPV (Continuous Positive Pressure Ventilation)

Beatmungstherapie überwachen
- Beatmungstherapie dokumentieren
  » Beatmungsprotokoll führen
- Überwachungsparameter angeben
  » Atemfrequenz
  » Beatmungszyklus
  » Kontrollvariable
  » Phasenvariable
  » Triggervariable
  » Begrenzungsvariable
  » Zyklusvariable
  » Grundlinienvariable
  » Tidalvolumen (Inspirations-/Expirationsvolumen)
  » Inspiratorische Sauerstoffkonzentration
  » Beatmungsdruck
  » Spitzen- und Plateaudruck/Mitteldruck
  » Flowmuster
  » Minutenventilation

Cuffdruck/Manschettendruck der Trachealkanüle/des Tubus kontrollieren und Ergebnisse dokumentieren
- Pflegeintervention konkretisieren
  » Cuffdruck mithilfe eines Manometers kontrollieren
  » Angeordneten Cuffdruck kontrollieren
  » Kehlkopf auskultieren, um festzustellen, ob der Cuff die Trachea dicht abschließt
  » Die in den Cuff eingespritzte Luftmenge dokumentieren

Entwöhnungsphase vom Respirator nach Arztanordnung einleiten und durchführen
- Pflegeintervention konkretisieren
  » Diskontinuierlich vom Respirator entwöhnen
  » Kontinuierlich vom Respirator entwöhnen
  » Geplante Dauer der Spontanatmung:

Tubusdurchgängigkeit/Durchgängigkeit der Trachealkanüle kontrollieren und sicherstellen
- Pflegeintervention konkretisieren
  » Auf Tubusverlegung durch Sekretansammlung oder Abknickung kontrollieren
  » Auf Trachealkanülenverlegung durch Sekretansammlung oder Abknickung kontrollieren

Bronchialsekret absaugen
- Pflegeintervention konkretisieren
- Zeit angeben

Infektionsprophylaxe der Anfeuchtsysteme der Beatmungsluft durchführen
- Pflegeintervention konkretisieren
  » Aquaflasche wechseln
  » Wasserbehälter/-system wechseln
  » Beatmungsschläuche wechseln
  » Routineanfeuchtungen mit Aqua dest. durchführen

Lungenflügel auf Belüftungsgeräusche auskultieren
- Pflegeintervention konkretisieren
- Zeit angeben

Atemgaskonditionierung bei Beatmung mit Intubation/Tracheotomie durchführen
- Pflegeintervention konkretisieren
  » Wärme-/Feuchtigkeitsaustauscher
  » Durchströmungsanfeuchter
  » Durchlaufverdunster
  » Dochtverdampfer
- Einstellungen regulieren
  » Relative Luftfeuchtigkeit von 80-100 %
  » Atemgastemperatur 32-36 °C
- Überwachen
  » Einstellungen beobachten
  » Atemgastemperatur beobachten
  » Wasservorrat beobachten

Beim Tubuswechsel assistieren
- Pflegeintervention konkretisieren
- Zeit angeben

Mobilisation unter Beatmung durchführen
- Pflegeintervention konkretisieren
  » In speziellen Mobilisationslehnstuhl mobilisieren
  » In Aufrichtstuhl mobilisieren
  » In Stehbett transferieren
  » Mit Stehbrett mobilisieren
- Anzahl der Pflegepersonen eintragen

Trachealkanülenwechsel durchführen
- Pflegeintervention konkretisieren
- Anzahl der Pflegepersonen eintragen

Beim Trachealkanülenwechsel assistieren
- Pflegeintervention konkretisieren

Beatmungssystem kontrollieren
- Pflegeintervention konkretisieren
- Zeit angeben

Sonstige Pflegemaßnahmen durchführen
- Maßnahmen konkretisieren
- Zeit angeben

Literaturhinweise: 16, 55, 79, 93, 95, 100, 113, 125, 126, 127, 148, 167, 175, 176, 261, 328, 1012

Der Patient hat aufgrund eines **Hämodialyseverfahrens** das **Risiko von Komplikationen**

Kennzeichen

- Pflege-/Behandlungsvereinbarungen werden nicht eingehalten
- Zeigt Verhaltensweisen, die darauf hinweisen, dass die Gefahren nicht ausreichend beachtet werden
- Äußert ein Wissensdefizit über entsprechende Prophylaxemaßnahmen

Ursachen

- Chronische Niereninsuffizienz
- Niereninsuffizienz

Ressourcen

- Meldet sich bei Anzeichen von Komplikationen
- Kennt das Hämodialyseverfahren und toleriert die Therapie
- Unterstützung der Therapie in den freien Intervallen
- Zeigt Verhaltensweisen, die die Therapie unterstützen
- Kann Veränderungen bezüglich des Gesundheitszustands erkennen und einschätzen

Pflegeziele

- Lückenlose Dokumentation des Dialyseprozesses ist sichergestellt
- Blutdruckabfall ist rechtzeitig erkannt
- Komplikationen sind vorgebeugt
- Komplikationen sind frühzeitig erkannt und abgewendet
- Shuntanlage ist intakt
- Drückt Verständnis gegenüber dem Gesundheitszustand aus
- Komplikationen sind reduziert
- Findet die Schmerzsituation bei der Punktion erträglich
- Äußert sich positiv bezüglich der Lagerung
- Einer Infektion ist vorgebeugt bzw. sie ist rechtzeitig erkannt

Pflegeinterventionen

Dialysebehandlung überwachen und auf dem Dialyseprotokoll dokumentieren
- Pflegeintervention konkretisieren
- Zeit angeben

Blutdruck- und Kreislaufkontrollen während der Hämodialyse durchführen
- Überwachungsmonitor benutzen
  - » Überwachungsmonitor benutzen
  - » Pulsfrequenz/-qualität messen
  - » Blutdruckwert messen
  - » Atemfrequenz/-qualität messen
  - » Körpertemperatur messen
  - » Sauerstoffsättigung mit Oximeter überprüfen
- Vitalzeichenwerte manuell messen
  - » Pulsfrequenz/-qualität messen
  - » Blutdruckwert messen
  - » Atemfrequenz/-qualität messen
  - » Körpertemperatur messen
- Ort der Messung angeben
  - » Am rechten Arm messen
  - » Am linken Arm messen
  - » Am Finger messen
  - » Am Zeh messen
  - » Besonderheiten bei der Messung bestimmen

Apparative Störungen während der Dialysebehandlung beheben
- Pflegeintervention konkretisieren
- Zeit angeben

Sofortmaßnahmen bei akuten Komplikationen während der Hämodialyse einleiten und durchführen
- Pflegeintervention konkretisieren
- Zeit angeben

Blutdruckkontrollen nach der Hämodialyse durchführen
- Überwachungsmonitor benutzen
  - » Überwachungsmonitor benutzen
  - » Pulsfrequenz/-qualität messen
  - » Blutdruckwert messen
  - » Atemfrequenz/-qualität messen
  - » Körpertemperatur messen
  - » Sauerstoffsättigung mit Oximeter überprüfen
- Vitalzeichenwerte manuell messen
  - » Pulsfrequenz/-qualität messen
  - » Blutdruckwert messen
  - » Atemfrequenz/-qualität messen
  - » Körpertemperatur messen
- Ort der Messung angeben
  - » Am rechten Arm messen
  - » Am linken Arm messen
  - » Am Finger messen
  - » Am Zeh messen
  - » Besonderheiten bei der Messung bestimmen

Shuntpflege durchführen
- Pflegeintervention konkretisieren
  - » Kompression der Punktionsstelle durch Pflegeperson mit Kontrolle des Kompressionsdrucks durchführen
  - » Technik der Kompression der Punktionsstelle unter Beachtung des Kompressionsdrucks vermitteln
  - » Verband mit sterilen Kompressen und elastischer Binde in Kornährentechnik anlegen
  - » Verband am Folgetag abnehmen
  - » Haut der Shuntstelle pflegen mit
- Verbandmaterialien festlegen

Pflegeinterventionen bei auftretenden Komplikationen nach der Hämodialyse nach Arztanordnung einleiten und durchführen
- Pflegeintervention konkretisieren
- Zeit angeben

Arm lagern und Shuntpunktion durchführen, anschließend Punktionsnadeln fixieren
- Pflegeintervention konkretisieren
- Zeit angeben

Dialysegerät entsprechend den Herstellerangaben reinigen und wieder aufbereiten
- Pflegeintervention konkretisieren
- Zeit angeben

Sonstige Pflegemaßnahmen durchführen
- Maßnahmen konkretisieren
- Zeit angeben

Literaturhinweise: 40, 134, 151, 175, 176

Der Patient hat aufgrund eines **liegenden Nierenbeckenkatheters** (Nephrostomiekatheter) das **Risiko von Komplikationen**

Kennzeichen

- Katheter liegt mit der Spitze im Nierenbecken und wird in Nierenhöhe ausgeleitet, links
- Katheter liegt mit der Spitze im Nierenbecken und wird in Nierenhöhe ausgeleitet, rechts

Ursachen

- Postoperativ zur Sicherstellung der Harnableitung
- Bei Abflussstörungen
- Immunabwehrschwäche
- Umfeldbedingt erhöhtes Infektionsrisiko
- Fehlendes Verständnis für spezielle Verhaltensweisen und prophylaktische Maßnahmen

Ressourcen

- Kennt die Schutz- und Hygienemaßnahmen und hält sie ein
- Toleriert den Verbandwechsel
- Ist motiviert, die Pflegemaßnahme zu unterstützen und zeigt entsprechende Verhaltensweisen

Pflegeziele

- Urinausscheidung ist eingeschätzt, Komplikationen werden erkannt
- Einstichstelle ist reizlos und nicht infiziert
- Ungehinderter Harnabgang
- Beginnende Infektion ist sofort erkannt
- Einer Infektion/Keimverschleppung ist vorgebeugt

Pflegeinterventionen

Urinausscheidung beobachten
- Pflegeintervention konkretisieren
- Zeit angeben

Verbandwechsel durchführen und Punktionsstelle reinigen
- Pflegeintervention konkretisieren
  - » Haut der Einstichstelle desinfizieren
  - » Wischrichtung bei der Desinfektion von außen nach innen wählen
  - » Wischrichtung bei der Reinigung/ Desinfektion von innen nach außen wählen
- Verbandmaterialien auswählen
- Zeitdauer angeben

Durchgängigkeit des harnableitenden Systems kontrollieren/sicherstellen
- Pflegeintervention konkretisieren
- Zeit angeben

Einstichstelle auf Infektionszeichen kontrollieren und Ergebnisse dokumentieren
- Pflegeintervention konkretisieren
- Zeit angeben

Temperatur kontrollieren
- Messmethode auswählen
  - » Messort rektal
  - » Messort sublingual
  - » Messort axillar
  - » Messort Ohr
  - » Kontaktlose Stirntemperaturmessung mit Infrarottechnologie
- Dokumentationsort der Messwerte bestimmen
  - » In der Fieberkurve dokumentieren
  - » Messwerte in den Pflegeplan eintragen
  - » Messwerte in das Überwachungsprotokoll eintragen
- Thermometer wieder aufbereiten
  - » Schutzhüllen entsorgen, Schmutz abwischen und in Desinfektionslösung nach Plan einlegen
  - » Trocken gelagertes, im Zimmer verbleibendes Thermometer alle drei Tage desinfizieren

Infektionsprophylaxe durchführen
- Pflegeintervention konkretisieren
  - » Geschlossenes Urinableitungssystem verwenden
  - » Urinbeutel wechseln/entleeren
  - » Urinablassventil nach dem Entleeren desinfizieren
  - » Urin beobachten

Sonstige Pflegemaßnahmen durchführen
- Maßnahmen konkretisieren
- Zeit angeben

Literaturhinweise: 125, 151

Der Patient hat aufgrund einer liegenden **Thoraxdrainage** das **Risiko von Komplikationen** (Pneumothorax/Infektion/reduzierter Gasaustausch/mangelnde Ausdehnung der Lungensegmente)

Kennzeichen

- Äußert Unsicherheit im Umgang mit den Drainagen/Sonden
- Äußert ein Wissensdefizit über entsprechende Prophylaxemaßnahmen

Ursachen

- Fehlendes Verständnis für spezielle Verhaltensweisen und prophylaktische Maßnahmen
- Wissensdefizit über Verhaltensregeln
- Desorientierung

Ressourcen

- Meldet sich bei Anzeichen von Komplikationen
- Zeigt Verhaltensweisen, die die Therapie unterstützen
- Beobachtet Veränderungen am System und meldet sich

Pflegeziele

- Komplikationen sind frühzeitig erkannt und abgewendet
- Ausdehnung der Lungensegmente ist sichergestellt
- Einer Infektion ist vorgebeugt bzw. sie ist rechtzeitig erkannt
- Komplikationen sind vorgebeugt
- Eintrittsstelle der Thoraxdrainage ist reizlos
- Einer aufsteigenden Infektion ist vorgebeugt
- Funktionsfähigkeit des Drainagesystems ist sichergestellt
- Angeordneter Unterdruck im Thoraxdrainagesystem ist konstant
- Fördermenge der Thoraxdrainage ist im Normbereich
- Einem Sekretstau ist vorgebeugt und freier Abfluss ist gewährleistet
- Therapie ist sichergestellt

Pflegeinterventionen

Atmung beobachten und Ergebnisse dokumentieren

- Pflegeintervention konkretisieren
  - » Atemfrequenz und Atemqualität beobachten
  - » Peak-Flow-Messung durchführen
  - » Blutgasanalyse (BGA) durchführen
  - » Auf Zyanosezeichen beobachten
  - » Sauerstoffverabreichung kontrollieren

Temperaturkontrolle durchführen

- Messmethode auswählen
  - » Messort rektal
  - » Messort sublingual
  - » Messort axillar
  - » Messort Ohr
  - » Kontaktlose Stirntemperaturmessung mit Infrarottechnologie
- Dokumentationsort der Messwerte bestimmen
  - » In der Fieberkurve dokumentieren
  - » Messwerte in den Pflegeplan eintragen
  - » Messwerte in das Überwachungsprotokoll eintragen
- Thermometer wieder aufbereiten
  - » Schutzhüllen entsorgen, Schmutz abwischen und in Desinfektionslösung nach Plan einlegen
  - » Trocken gelagertes, im Zimmer verbleibendes Thermometer alle drei Tage desinfizieren

Einstichstelle täglich auf Rötung und Infektionszeichen inspizieren

- Pflegeintervention konkretisieren
- Zeit angeben

Verband an der Einstichstelle der Thoraxdrainage wechseln

- Wunde Reinigung/Desinfektion angeben
- Pflegeintervention konkretisieren

Geschlossenes Thoraxdrainagesystem kontinuierlich auf Funktionalität und Sogeinstellung überprüfen

- Pflegeintervention konkretisieren
- Zeit angeben

Bei Manipulationen System mit zwei Klemmen abklemmen

- Pflegeintervention konkretisieren
- Zeit angeben

Gefördertes Sekret beobachten und Ergebnisse dokumentieren

- Anzahl der Drainagen
  - » Drainage 1
  - » Drainage 2
  - » Drainage 3
  - » Drainage 4
- Dokumentationsort der Messwerte bestimmen
  - » Im Pflegeplan dokumentieren
  - » Im Wundprotokoll dokumentieren

Ableitende Schläuche regelmäßig durchkneten ("melken")

- Pflegeintervention konkretisieren
  - » Sog-/Vakuumkontrolle durchführen
  - » Auffangbehälter unter Körperniveau anbringen
  - » Drainageschlauch "melken"
  - » Einem Abknicken/Durchhängen des Schlauchsystems vorbeugen
  - » Auf Abflussbehinderung kontrollieren (Sonden/Drainagen ohne Sog)
  - » Sonde/Drainage unter Berücksichtigung der erforderlichen Hygienemaßnahmen spülen
- Auf Nachblutung beobachten
  - » Sekretfördermenge beobachten und Ergebnisse dokumentieren

Thoraxdrainage aufbauen/wechseln

- Pflegeintervention konkretisieren
- Zeit angeben

Sonstige Pflegemaßnahmen durchführen
- Maßnahmen konkretisieren
- Zeit angeben

Literaturhinweise: 50, 95, 113, 125, 126, 140, 151, 152, 175, 176

Der Patient hat aufgrund eines **liegenden, rückenmarksnahen Katheters** das **Risiko von Komplikationen** (Diskonnektion/Meningitis/Infektion/Katheterokklusion)

Kennzeichen

- Epiduralkatheter
- Periduralkatheter

Ursachen

- Immunabwehrschwäche
- Umfeldbedingt erhöhtes Infektionsrisiko
- Wissensdefizit über Verhaltensregeln
- Fehlendes Verständnis für spezielle Verhaltensweisen und prophylaktische Maßnahmen
- Inadäquates Hygieneempfinden

Ressourcen

- Meldet sich bei Anzeichen von Komplikationen
- Hält die Therapievereinbarungen ein
- Toleriert den Verbandwechsel

Pflegeziele

- Einstichstelle ist reizlos und nicht infiziert
- Einer Infektion/Keimverschleppung ist vorgebeugt
- Einer Keimverschleppung ist vorgebeugt
- Komplikationen sind frühzeitig erkannt und abgewendet
- Ist schmerzfrei und entspannt
- Durchgängigkeit des Systems ist sichergestellt
- Komplikationen sind vorgebeugt
- PCA-System funktioniert zuverlässig

Pflegeinterventionen

Einstichstelle auf Entzündungszeichen beobachten
- Pflegeintervention konkretisieren
- Zeit angeben

Verbandwechsel der Einstichstelle durchführen
- Angaben zum verwendeten Material machen
- Besonderheiten beachten
  - » Katheter auf dem Rücken des Patienten mit Fixomull wellenförmig fixieren
  - » Proximales Ende des PDA-Katheters (Peridural-Anästhesie-Katheter) zur Vermeidung von Verwechslungen deutlich markieren
- Zeitdauer angeben

Aseptisch mit dem Kathetersystem umgehen und Infektionsprophylaxe durchführen
- Pflegeintervention konkretisieren
  - » Filter des rückenmarksnahen Kathetersystems wechseln
  - » Leitungen des Spritzenpumpensystems unter aseptischen Bedingungen wechseln

Schmerzen in Verbindung mit den verabreichten Medikamenten beobachten, Ergebnis dokumentieren
- Pflegeintervention konkretisieren
- Zeit angeben

Nach Bolusinjektion das System mit 3-5 ml NaCl 0,9%ig füllen
- Pflegeintervention konkretisieren
- Zeit angeben

Vitalzeichen und Atemqualität beobachten
- Überwachungsmonitor benutzen
  - » Überwachungsmonitor benutzen
  - » Pulsfrequenz/-qualität messen
  - » Blutdruckwert messen
  - » Atemfrequenz/-qualität messen
  - » Körpertemperatur messen
  - » Sauerstoffsättigung mit Oximeter überprüfen
- Vitalzeichenwerte manuell messen
  - » Pulsfrequenz/-qualität messen
  - » Blutdruckwert messen

  - » Atemfrequenz/-qualität messen
  - » Körpertemperatur messen
- Ort der Messung angeben
  - » Am rechten Arm messen
  - » Am linken Arm messen
  - » Am Finger messen
  - » Am Zeh messen
  - » Besonderheiten bei der Messung bestimmen

PCA-Kassetten (PCA: Patient-Controlled Analgesia)/Spritzen wechseln
- Pflegeintervention konkretisieren
- Zeit angeben

Sonstige Pflegemaßnahmen durchführen
- Maßnahmen konkretisieren
- Zeit angeben

Literaturhinweise: 17, 59, 95, 113, 125, 151, 166, 175, 176, 277

Der Patient hat aufgrund einer **Lumbalpunktion** das **Risiko von Komplikationen**

Kennzeichen

- Pflege-/Behandlungsvereinbarungen werden nicht eingehalten
- Zeigt Verhaltensweisen, die darauf hinweisen, dass die Gefahren nicht ausreichend beachtet werden
- Äußert ein Wissensdefizit über entsprechende Prophylaxemaßnahmen

Ursachen

- Spinalanästhesie
- Liquorpunktion
- Liquordruckmessung
- Test nach Queckenstedt

Ressourcen

- Erkennt die Notwendigkeit der getroffenen Intervention und kooperiert mit dem therapeutischen Team
- Verhält sich entsprechend der Anleitung und Anweisung
- Besitzt die Fähigkeit der Selbstbeobachtung von kritischen körperlichen Veränderungen
- Meldet sich bei Anzeichen von Komplikationen

Pflegeziele

- Komplikationen sind vorgebeugt
- Komplikationen sind frühzeitig erkannt und abgewendet
- Flüssigkeitsdefizit im Liquorraum ist aufgefüllt
- Infusionstherapie lt. Arztanordnung ist sichergestellt
- Komplikationen sind reduziert

Pflegeinterventionen

Allgemeinzustand beobachten (Ohrensausen, Kopfschmerzen, Brechreiz)
- Überwachungsmonitor benutzen
  - » Überwachungsmonitor benutzen
  - » Pulsfrequenz/-qualität messen
  - » Blutdruckwert messen
  - » Atemfrequenz/-qualität messen
  - » Körpertemperatur messen
  - » Sauerstoffsättigung mit Oximeter überprüfen
- Vitalzeichenwerte manuell messen
  - » Pulsfrequenz/-qualität messen
  - » Blutdruckwert messen
  - » Atemfrequenz/-qualität messen
  - » Körpertemperatur messen
- Ort der Messung angeben
  - » Am rechten Arm messen
  - » Am linken Arm messen
  - » Am Finger messen
  - » Am Zeh messen
  - » Besonderheiten bei der Messung bestimmen

Niveaukontrolle der Spinalanästhesie durchführen
- Pflegeintervention konkretisieren
- Zeit angeben

Vermehrte Flüssigkeitszufuhr nach Arztanordnung durchführen
- Pflegeintervention konkretisieren
  - » Flüssigkeit verabreichen
  - » Flüssigkeit vorbereiten und in Reichweite platzieren
  - » Flüssigkeitszufuhr beobachten
- Sonstige Hinweise
  - » Mithilfe des Trinkfahrplans kontrollieren
  - » Flüssigkeitszufuhr auf einem Bilanzbogen dokumentieren
  - » Zieleinfuhr ermitteln/festlegen (lt. Arztanordnung)
  - » Trinkfahrplan aktualisieren
  - » Trinkmenge zusammenzählen und dokumentieren

Infusionstherapie laut Arztanordnung vorbereiten und Infusionen anhängen
- Infusionen ohne Zusätze vorbereiten und infundieren
  - » 1 Infusion
  - » 2 Infusionen
  - » 3 Infusionen
  - » 4 Infusionen
  - » 5 und mehr Infusionen
- Infusionen mit Zusätzen vorbereiten und infundieren
  - » 1 Infusion mit Zusatz
  - » 2 Infusionen mit Zusatz
  - » 3 Infusionen mit Zusatz
  - » 4 Infusionen mit Zusatz
  - » 5 und mehr Infusionen mit Zusatz
- Zytostaselösungen herstellen/vorbereiten
  - » Zytostase herstellen/vorbereiten
- Hygienemaßnahmen
  - » Zwei- und Dreiwegehähne auswechseln
  - » Hahnenbank austauschen
  - » Filter wechseln
  - » Infusionssystem wechseln
  - » Besonderheiten bestimmen
- Applikationsart bestimmen
  - » Über Infusomat verabreichen
  - » Über Perfusor verabreichen
  - » Über Tropfenzähler verabreichen
- Tropfgeschwindigkeit einstellen

Urinausscheidung beobachten, auf das erste Wasserlassen achten (muss nach 6 Stunden erfolgen)
- Pflegeintervention konkretisieren
- Zeit angeben

Bettruhe nach Arztanordnung einhalten
- Pflegeintervention konkretisieren
  - » Absolute Bettruhe einhalten
  - » Gelockerte Bettruhe einhalten

Sonstige Pflegemaßnahmen durchführen
- Maßnahmen konkretisieren
- Zeit angeben

Literaturhinweise: 60, 95, 125, 140, 151, 175, 176, 714

Der Patient hat aufgrund einer **Arteriografie** das **Risiko von Komplikationen**

Kennzeichen
- Angelegter Druckverband

Ursachen
- Verwirrtheitszustand
- Wissensdefizit über Verhaltensregeln
- Kontrastmittelunverträglichkeit

Ressourcen
- Akzeptiert die angeordnete Bettruhe
- Meldet sich, wenn $er zur Toilette muss
- Benutzt Urinflasche/Steckbecken selbstständig
- Verhält sich entsprechend der Anleitung und Anweisung
- Erkennt die Notwendigkeit der getroffenen Intervention und kooperiert mit dem therapeutischen Team

Pflegeziele
- Nachblutung ist reduziert
- Komplikationen sind vorgebeugt
- Komplikationen sind reduziert

Pflegeinterventionen

Sandsack auf die Punktionsstelle legen
- Pflegeintervention konkretisieren
- Zeit angeben

Einstichstelle auf Nachblutung kontrollieren
- Pflegeintervention konkretisieren
- Zeit angeben

Vitalzeichen kontrollieren und auf Schock-

reaktion beobachten
- Überwachungsmonitor benutzen
  - » Überwachungsmonitor benutzen
  - » Pulsfrequenz/-qualität messen
  - » Blutdruckwert messen
  - » Atemfrequenz/-qualität messen
  - » Körpertemperatur messen
  - » Sauerstoffsättigung mit Oximeter überprüfen
- Vitalzeichenwerte manuell messen
  - » Pulsfrequenz/-qualität messen
  - » Blutdruckwert messen
  - » Atemfrequenz/-qualität messen
  - » Körpertemperatur messen
- Ort der Messung angeben
  - » Am rechten Arm messen
  - » Am linken Arm messen
  - » Am Finger messen
  - » Am Zeh messen
  - » Besonderheiten bei der Messung bestimmen

Bettruhe nach Arztanordnung einhalten
- Pflegeintervention konkretisieren
  - » Absolute Bettruhe einhalten
  - » Gelockerte Bettruhe einhalten

Sonstige Pflegemaßnahmen durchführen
- Maßnahmen konkretisieren
- Zeit angeben

Literaturhinweise: 95, 125, 140, 175, 176

Der Patient hat aufgrund einer **Ösophagusvarizenblutung** bei liegender **Kompressionssonde** das **Risiko von Komplikationen**

Kennzeichen

- Pflege-/Behandlungsvereinbarungen werden nicht eingehalten
- Zeigt Verhaltensweisen, die darauf hinweisen, dass die Gefahren nicht ausreichend beachtet werden
- Äußert ein Wissensdefizit über entsprechende Prophylaxemaßnahmen

Ursachen

- Ösophagusvarizen
- Lebertumor
- Leberzirrhose

Ressourcen

- Erkennt die Notwendigkeit der getroffenen Intervention und kooperiert mit dem therapeutischen Team
- Hält sich an die Verhaltensmaßregeln zur Blutungsprophylaxe

Pflegeziele

- Druck der Sonde ist konstant entsprechend der Arztanordnung
- Ösophagusschleimhaut ist druckentlastet
- Blutung kommt zum Stillstand
- Kompressionssonde liegt korrekt
- Intaktes Hautmilieu an der Nase
- Einer Aspiration ist vorgebeugt
- Herz-Kreislauf-System ist während/nach der durchgeführten (Pflege-)Aktivität stabil, Vitalparameter verändern sich im physiologischen Normbereich

Pflegeinterventionen

Druck der Kompressionssonde mit Manometer kontrollieren
- Pflegeintervention konkretisieren
  - » Viertelstündliche Druckkontrolle durchführen
  - » Halbstündliche Druckkontrolle durchführen
  - » Nach Arztanordnung durchführen
- Kompressionsdruck einstellen
  - » 35-45 mmHg
  - » Lt. Arztanordnung

Druck der Kompressionssonde laut Arztanordnung absenken
- Intervall zur Druckabsenkung angeben
  - » 4 Stunden
  - » 6 Stunden
- Angaben über die Druckabsenkung
  - » 0 mmHg
  - » Lt. Arztanordnung

Extension kontrollieren und Zug für 10 Min. entfernen
- Pflegeintervention konkretisieren
- Zeit angeben

Sonde mit kaltem Wasser nach Arztanordnung spülen
- Pflegeintervention konkretisieren
- Zeit angeben

Lage der Sonde anhand der Markierung kontrollieren
- Pflegeintervention konkretisieren
- Zeit angeben

Fixationsstellen der Pflasterstreifen zum Befestigen der Sonde wechseln
- Pflegeintervention konkretisieren
- Zeit angeben

Nasenpflege durchführen
- Pflegeintervention konkretisieren
  - » Nase mit Tupfern reinigen
  - » Nase mit Watteträgern reinigen
  - » Nase mit Watte reinigen
  - » Nasenspülung mit NaCl durchführen

- Materialien zur Nasenpflege wählen

Speichel oberhalb des Ballons absaugen
- Pflegeintervention konkretisieren
  - » Absaugvorgang mit Einmalkatheter unter sterilen Kautelen durchführen
  - » Geschlossenes Absaugsystem einsetzen
- Anzahl der benötigten Pflegepersonen bestimmen

Vitalzeichenkontrolle durchführen
- Überwachungsmonitor benutzen
  - » Überwachungsmonitor benutzen
  - » Pulsfrequenz/-qualität messen
  - » Blutdruckwert messen
  - » Atemfrequenz/-qualität messen
  - » Körpertemperatur messen
  - » Sauerstoffsättigung mit Oximeter überprüfen
- Vitalzeichenwerte manuell messen
  - » Pulsfrequenz/-qualität messen
  - » Blutdruckwert messen
  - » Atemfrequenz/-qualität messen
  - » Körpertemperatur messen
- Ort der Messung angeben
  - » Am rechten Arm messen
  - » Am linken Arm messen
  - » Am Finger messen
  - » Am Zeh messen
  - » Besonderheiten bei der Messung bestimmen

Sonstige Pflegemaßnahmen durchführen
- Maßnahmen konkretisieren
- Zeit angeben

Literaturhinweise: 95, 113, 125, 126, 175, 176

Der Patient hat aufgrund einer **Entlastungssonde** das **Risiko von Komplikationen**

Kennzeichen
- Gastroduodenalsonde
- Magensonde
- Sengstaken-Blakemore-Sonde
- Linton-Nachlas-Sonde
- Dünndarmsonde
- PH-Messsonde

Ursachen
- Wissensdefizit über Verhaltensregeln
- Umfeldbedingt erhöhtes Infektionsrisiko

Ressourcen
- Ist sicher im Umgang mit der Drainage/Sonde
- Hält die Therapievereinbarungen ein
- Ist motiviert, die Pflegemaßnahme zu unterstützen und zeigt entsprechende Verhaltensweisen

Pflegeziele
- Komplikationen sind vorgebeugt
- Veränderungen werden frühzeitig erkannt und dokumentiert
- Herz-Kreislauf-System ist während/nach der durchgeführten (Pflege-)Aktivität stabil, Vitalparameter verändern sich im physiologischen Normbereich
- Einem Sekretstau ist vorgebeugt und freier Abfluss ist gewährleistet
- Zu-/Ableitungssystem ist sicher fixiert
- Durchgängigkeit des Systems ist sichergestellt

Pflegeinterventionen

Abgeleitetes Sekret/Fördermenge kontrollieren und dokumentieren
- Beobachtungsparameter angeben
  - » Menge
  - » Aussehen
  - » Konsistenz
  - » Farbe
  - » Beimengungen
  - » Geruch

Herz-Kreislauf-Situation beobachten, erfassen und dokumentieren
- Überwachungsmonitor benutzen
  - » Überwachungsmonitor benutzen
  - » Pulsfrequenz/-qualität messen
  - » Blutdruckwert messen
  - » Atemfrequenz/-qualität messen
  - » Körpertemperatur messen
  - » Sauerstoffsättigung mit Oximeter überprüfen
- Vitalzeichenwerte manuell messen
  - » Pulsfrequenz/-qualität messen
  - » Blutdruckwert messen
  - » Atemfrequenz/-qualität messen
  - » Körpertemperatur messen
- Ort der Messung angeben
  - » Am rechten Arm messen
  - » Am linken Arm messen
  - » Am Finger messen
  - » Am Zeh messen
  - » Besonderheiten bei der Messung bestimmen

Freien Sekretabfluss sicherstellen
- Pflegeintervention konkretisieren
  - » Auffangbehälter unter Körperniveau anbringen
  - » Auffangbehälter auf Körperniveau anbringen
  - » Auf Abflussbehinderung kontrollieren (Sonden/Drainagen ohne Sog)
  - » Abknicken und Durchhängen des Schlauchsystems vorbeugen

Zügelpflaster zur sicheren Fixierung anbringen
- Pflegeintervention konkretisieren

- Zeit angeben

Sonde/Drainagen anspülen
- Pflegeintervention konkretisieren
- Zeit angeben

Sonstige Pflegemaßnahmen durchführen
- Maßnahmen konkretisieren
- Zeit angeben

Literaturhinweise: 51, 86, 95, 113, 123, 125, 126, 157, 165, 175, 176

Der Patient muss **alkoholische Speisen und Getränke strikt vermeiden**, es besteht das **Risiko von Komplikationen**

Kennzeichen

- Pflege-/Behandlungsvereinbarungen werden nicht eingehalten
- Zeigt Verhaltensweisen, die darauf hinweisen, dass die Gefahren nicht ausreichend beachtet werden
- Äußert ein Wissensdefizit über entsprechende Prophylaxemaßnahmen

Ursachen

- Chronische Lebererkrankung
- Leberzirrhose
- Pankreatitis
- Gicht (Arthropathia urica)
- Gastroenteraler Infekt
- Alkoholabhängigkeit
- Kindliche Entwicklungsphase

Ressourcen

- Ist bereit, die Ernährung umzustellen
- Akzeptiert die Notwendigkeit der Diät (bestimmte Einschränkungen)
- Ist motiviert, die Pflegemaßnahme zu unterstützen und zeigt entsprechende Verhaltensweisen
- Kann die Zusammenhänge zwischen der notwendigen Diät und Krankheit/Symptomen erklären

Pflegeziele

- Komplikationen sind vorgebeugt
- Erleidet keinen Schaden

Pflegeinterventionen

Über die nachteilige Wirkung von alkoholischen Speisen und Getränken aufklären
- Pflegeintervention konkretisieren
- Zeit angeben

Keine homöopathischen Tinkturen und/oder Tropfen verwenden
- Pflegeintervention konkretisieren

Alkoholische Süßspeisen, Kuchen und/oder Naschereien wie z.B. Bonbons oder Pralinen strikt vermeiden
- Pflegeintervention konkretisieren

Sonstige Pflegemaßnahmen durchführen
- Maßnahmen konkretisieren
- Zeit angeben

Literaturhinweise: 84, 89, 95, 125, 126, 175, 176

Der Patient hat eine **Fraktur/-behandlung**, es besteht das **Risiko von Komplikationen**

Kennzeichen

- Olekranon-Extension
- Crutchfield-Extension
- Trochanter-Extension
- Suprakondyläre Femur-Extension
- Kalkaneus-Extension
- Tibiakopf-Extension
- Pflege-/Behandlungsvereinbarungen werden nicht eingehalten
- Äußert ein Wissensdefizit über entsprechende Prophylaxemaßnahmen
- Zeigt Verhaltensweisen, die darauf hinweisen, dass die Gefahren nicht ausreichend beachtet werden

Ursachen

- Falsche Lagerung der betroffenen Extremität auf der Schiene
- Mangelnde Polsterung der Lagerungsschiene
- Unwirksame Zugwirkung
- Gewichte hängen nicht frei schwebend
- Achsenverschiebung durch Lagerungsveränderung
- Wissensdefizit über Verhaltensregeln
- Falsche Lagerung
- Verrutschen der Extensionsrolle
- Rucksack-/Tornisterverband
- Desault-Verband
- Gipsverband
- Extensionsbehandlung
- Gilchrist-Verband
- Briefträgerverband (30°-Abduktionsstellung des Schultergelenks)
- Brace-Verband (nach Sarmiento)

Ressourcen

- Meldet sich bei Anzeichen von Komplikationen
- Erkennt die Notwendigkeit der getroffenen Intervention und kooperiert mit dem therapeutischen Team
- Überprüft die korrekte Lagerung und meldet sich bei Abweichungen
- Führt Bewegungen nach Anweisung/Anleitung durch
- Akzeptiert die körperliche Einschränkung
- Akzeptiert die Unterstützung
- Akzeptiert die Unterstützung von Angehörigen

Pflegeziele

- Kennt den Bewegungsfreiraum
- Unterstützt die Ruhigstellung der Fraktur
- Effektive Zugwirkung ist sichergestellt
- Stabile Lage im Bett ist gewährleistet
- Dislokation ist vermieden
- Therapie ist sichergestellt
- Zugwirkung ist konstant und achsengerecht
- Komplikationen sind vorgebeugt
- Heilungsprozess ist optimal unterstützt
- Stabilisierung/Fixierung ist gewährleistet
- Ruhigstellung ist sichergestellt
- Entlastung ist sichergestellt
- Fehlstellung ist korrigiert
- Unterstützende Funktionsübernahme ist gewährleistet
- Definierte Muskelgruppe ist gekräftigt

Pflegeinterventionen

Über Bewegungsverhalten aufklären

- Gesprächsinhalt
- Zeit angeben
- Beteiligte Personen angeben
  - » Betroffene Person
  - » Angehöriger/Bezugsperson
  - » Betreuer
  - » Eltern
  - » Sonstige Personen
- Durchführende Person angeben
  - » Bezugspflegeperson
  - » Pflegeperson
  - » Spezialtherapeuten
  - » Physiotherapeuten

Extensionsführung kontrollieren

- Pflegeintervention konkretisieren
- Zeit angeben

Fußteil des Betts leicht erhöhen

- Pflegeintervention konkretisieren
- Zeit angeben

Zuggewicht kontrollieren und Ergebnis dokumentieren

- Achsengerechte Zugwirkung der Extension kontrollieren

Fußende ca. 20-30 cm erhöhen

- Pflegeintervention konkretisieren
- Zeit angeben

Extremität nach ärztlicher Anordnung fachgerecht lagern

- Pflegeintervention konkretisieren
  - » Bei Extension nach Anordnung fachgerecht lagern
  - » Betroffenes Bein in Extension auf der Lagerungsschiene mit 30-45° Kniebeugung hochlagern
  - » Bein in Achsenstellung lagern
  - » Seitlich polstern/fixieren, um Achsenlagerung zu sichern
  - » Bein in der Extension in flacher Schaumstoffschiene flach lagern
  - » Fußstütze auf der gesunden Seite anbringen
- Lagerung der oberen Extremität
  - » Rechter Arm
  - » Linker Arm
  - » Betroffene Extremität hochlagern
  - » Lagerungskissen zur Abstützung des betroffenen Armes anbieten
  - » Schienenlagerung durchführen
  - » Schienenverband anlegen

Angeordnete Extension auf- und abbauen

- Pflegeintervention konkretisieren
- Zeit angeben

Achsengerechte Zugwirkung kontrollieren
- Pflegeintervention konkretisieren
- Zeit angeben

Gewichtsreduktion laut Arztanordnung durchführen
- Pflegeintervention konkretisieren
- Zeit angeben

Spezial-Verband anlegen/wechseln
- Pflegeintervention konkretisieren
  - » Gilchristverband
  - » Desaultverband
  - » Rucksackverband
  - » Zinkleimverband
  - » Tape-Verband

Beim An-/Ablegen der Orthese unterstützen
- Art der Orthese
  - » Handgelenk-Orthese
  - » Ellenbogen-Orthese
  - » Ober- und Unterarm-Orthese
  - » Unterarm-Orthese
  - » Knie-Orthese
  - » Fußgelenk-Orthese
  - » Schulter-Orthese
  - » Rumpf-Orthese
  - » LWS-Orthese
  - » Hüft-Bein-Orthese
  - » Becken-Orthese
- Unterstützungsgrad angeben
  - » Teilweise übernehmen
  - » Vollständig übernehmen
  - » Anleiten
- Zeit angeben

Sonstige Pflegemaßnahmen durchführen
- Maßnahmen konkretisieren
- Zeit angeben

Literaturhinweise: 95, 125, 140, 151, 175, 176

Der Patient hat aufgrund eines **arteriellen Zugangs** das **Risiko von Komplikationen**

Kennzeichen

- Arterieller Zugang A. radialis
- Arterieller Zugang der A. femoralis

Ursachen

- Unruhezustände
- Immunabwehrschwäche

Ressourcen

- Beobachtet Veränderungen am System und meldet sich

Pflegeziele

- Überschreitungen der Grenzwerte werden frühzeitig erkannt
- Diskonnektion ist rechtzeitig erkannt
- Infektionszeichen werden frühzeitig erkannt
- Paravenöser Infusionsfluss ist vermieden
- Komplikationen sind vorgebeugt
- Veränderungen werden frühzeitig erkannt und dokumentiert
- Vermeidung von versehentlichen Injektionen

Pflegeinterventionen

Monitoring mit eng eingestellten Alarmgrenzen durchführen
- Pflegeintervention konkretisieren
- Zeit angeben

Einstichstelle und deren Umgebung beobachten
- Pflegeintervention konkretisieren
  - » Inspektion
  - » Palpation (bei Gazeverband)

Sterile Wundversorgung der Einstichstelle durchführen
- Pflegeintervention konkretisieren
- Zeit angeben

Temperatur kontrollieren
- Messmethode auswählen
  - » Messort rektal
  - » Messort sublingual
  - » Messort axillar
  - » Messort Ohr
  - » Kontaktlose Stirntemperaturmessung mit Infrarottechnologie
- Dokumentationsort der Messwerte bestimmen
  - » In der Fieberkurve dokumentieren
  - » Messwerte in den Pflegeplan eintragen
  - » Messwerte in das Überwachungsprotokoll eintragen
- Thermometer wieder aufbereiten
  - » Schutzhüllen entsorgen, Schmutz abwischen und in Desinfektionslösung nach Plan einlegen
  - » Trocken gelagertes, im Zimmer verbleibendes Thermometer alle drei Tage desinfizieren

Art des Katheters deutlich kennzeichnen
- Pflegeintervention konkretisieren
- Zeit angeben

Sonstige Pflegemaßnahmen durchführen
- Maßnahmen konkretisieren
- Zeit angeben

Literaturhinweise: 510, 821, 826, 832, 833, 834, 835, 838, 839, 986

Der Patient hat aufgrund einer **liegenden Hirndrucksonde** (ICP: Intracranial Pressure Monitoring) das **Risiko einer Infektion/von Komplikationen**

Kennzeichen

- System zur epiduralen Druckmessung
- System zur subduralen Druckmessung mittels Schraube
- Ventrikuläre Druckmessung durch Ventrikeldrainage

Ursachen

- Postoperativ nach neurochirurgischem Eingriff
- Erhöhter Hirndruck
- Schädel-Hirn-Trauma
- Hirntumor
- Umfeldbedingt erhöhtes Infektionsrisiko

Ressourcen

- Meldet sich bei Anzeichen von Komplikationen
- Hält die Therapievereinbarungen ein
- Toleriert den Verbandwechsel

Pflegeziele

- Einer Infektion ist vorgebeugt bzw. sie ist rechtzeitig erkannt
- Einer Keimverschleppung ist vorgebeugt
- Einer Infektion/Keimverschleppung ist vorgebeugt
- Komplikationen sind frühzeitig erkannt und abgewendet

Pflegeinterventionen

Temperatur kontrollieren
- Messmethode auswählen
  - » Messort rektal
  - » Messort sublingual
  - » Messort axillar
  - » Messort Ohr
  - » Kontaktlose Stirntemperaturmessung mit Infrarottechnologie
- Dokumentationsort der Messwerte bestimmen
  - » In der Fieberkurve dokumentieren
  - » Messwerte in den Pflegeplan eintragen
  - » Messwerte in das Überwachungsprotokoll eintragen
- Thermometer wieder aufbereiten
  - » Schutzhüllen entsorgen, Schmutz abwischen und in Desinfektionslösung nach Plan einlegen
  - » Trocken gelagertes, im Zimmer verbleibendes Thermometer alle drei Tage desinfizieren

Filter, Beutel und Messsystem der Ventrikeldrainage unter aseptischen Bedingungen wechseln
- Pflegeintervention konkretisieren
- Zeit angeben

Hirndrucksonde und ermittelte Hirndruckwerte überwachen
- Pflegeintervention konkretisieren
- Zeit angeben

Verband der Einstichstelle des ICP-Messsystems wechseln und täglich auf Entzündungszeichen beobachten
- Pflegeintervention konkretisieren
- Verbandmaterial angeben
- Zeitdauer angeben

Neurologische Parameter überwachen
- Pflegeintervention konkretisieren
  - » Pupillenreaktion kontrollieren
  - » Blutdruck messen
  - » Puls messen
  - » Pulsqualität (Druckpuls) einschätzen
- Neurologische Veränderungen einschätzen
  - » Kornealreflex überprüfen
  - » Husten- und Würgereflex kontrollieren
  - » Motorik, Sensorik und Durchblutung überprüfen
  - » Auf Anzeichen von intrakranieller Druckerhöhung achten (Übelkeit, Erbrechen, Kopfschmerz usw.)
- Ergebnisse dokumentieren
  - » Ergebnisse auf dem Überwachungsprotokoll dokumentieren

Sonstige Pflegemaßnahmen durchführen
- Maßnahmen konkretisieren
- Zeit angeben

Literaturhinweise: 95, 113, 125, 175, 176, 183, 184, 277, 292

Der Patient **darf** bei der Defäkation **nicht pressen**, es besteht das **Risiko von Komplikationen**

Kennzeichen

- Pflege-/Behandlungsvereinbarungen werden nicht eingehalten
- Zeigt Verhaltensweisen, die darauf hinweisen, dass die Gefahren nicht ausreichend beachtet werden
- Äußert ein Wissensdefizit über entsprechende Prophylaxemaßnahmen

Ursachen

- Zustand nach Herzinfarkt
- Operativer Eingriff am Herzen
- Angeordnete Hirndruckprophylaxe
- Abdomineller Eingriff
- Postoperativ bei Eingriff im Analbereich

Ressourcen

- Kann die Zusammenhänge zwischen notwendiger Verhaltensänderung und Krankheit/Symptomen erklären
- Zeigt Verhaltensweisen, die die Therapie unterstützen
- Hält sich an den Trinkfahrplan
- Die Angehörigen verabreichen die Flüssigkeit nach Trinkfahrplan

Pflegeziele

- Bedarfsgerechte Flüssigkeitszufuhr ist sichergestellt
- Stuhlentleerung ist ohne zu pressen möglich

Pflegeinterventionen

Ausscheidung beobachten und dokumentieren

- Pflegeintervention konkretisieren
- Zeit angeben

Bei der Defäkation/Stuhlausscheidung unterstützen

- Pflegeintervention konkretisieren
  - » Kleidung vor und nach der Ausscheidung richten
  - » Steckbecken verwenden
  - » Urinflasche verwenden
  - » Urinbeutel wechseln/entleeren
  - » Stomabeutel wechseln/entleeren
  - » Händewaschen ermöglichen
- Inkontinenzhilfen einsetzen
  - » Inkontinenzhosen wechseln nach Wasserlassen
  - » Inkontinenzhosen wechseln nach Stuhlgang
  - » Kleine Vorlage mit Netzhose wechseln
  - » Große Vorlagen verwenden
- Art der Unterstützungsleistung angeben
  - » Beaufsichtigen
  - » Durch Unterstützen helfen
  - » Teilweise übernehmen
  - » Vollständig übernehmen
  - » Zum Einsatz von Inkontinenzhilfen anleiten
- Anzahl erforderlicher Pflegepersonen angeben

Einlauf laut Arztanordnung durchführen

- Pflegeintervention konkretisieren
- Zeit angeben

Klistier laut Arztanordnung durchführen

- Pflegeintervention konkretisieren
- Zeit angeben

Flüssigkeitszufuhr festlegen und für Einhaltung sorgen

- Pflegeintervention konkretisieren
  - » Angeordnete Flüssigkeitsmenge in 24 h
- Flüssigkeitszufuhr managen
  - » Flüssigkeitszufuhr mithilfe eines Trinkfahrplans dokumentieren
  - » Flüssigkeitszufuhr mithilfe eines Einfuhrprotokolls dokumentieren
  - » Trinkfahrplan erstellen/aktualisieren
  - » 24-h-Flüssigkeitszufuhr berechnen/dokumentieren
  - » Zu selbstständiger Dokumentation der Trinkmenge anleiten/anhalten

Quellmittel verabreichen

- Quellmittel
  - » Weizenkleie
  - » Leinsamen
  - » Flohsamen (Plantago ovata)

Milchsäurehaltige Nahrungsmittel anbieten

- Milchsäurehaltige Nahrungsmittel angeben
  - » Buttermilch
  - » Jogurt
  - » Sauermilch

Kolonmassage durchführen

- Pflegeintervention konkretisieren
- Zeit angeben

Sonstige Pflegemaßnahmen durchführen

- Maßnahmen konkretisieren
- Zeit angeben

Literaturhinweise: 51, 64, 84, 95, 124, 140, 151, 170, 175, 176

Der Patient hat ein **Entzugssyndrom**, es besteht das **Risiko von Komplikationen**

Kennzeichen

- Tachykardie
- Fieber
- Hypertonie
- Erbrechen
- Schwitzen
- Tremor (Muskelzittern)
- Unruhezustände
- Reizbarkeit
- Desorientierung
- Halluzinationen
- Prädelirante Symptomatik
- Krampfanfälle
- Bewusstseinsstörung
- Äußert Ängste

Ursachen

- Alkoholentzug
- Drogenentzug
- Tablettenentzug
- Nikotinentzug
- Medikamentenentzug
- Postpartales Entzugssyndrom

Ressourcen

- Kann Hilfe annehmen
- Äußert Einsicht in die Pflegemaßnahme
- Ist zuverlässig bezüglich der Einnahme der Medikation
- Toleriert die Fixierungsmaßnahme
- Akzeptiert die Unterstützung
- Akzeptiert die Unterstützung von Angehörigen

Pflegeziele

- Flüssigkeits- und Elektrolythaushalt sind ausgeglichen
- Komplikationen sind vorgebeugt
- Bewusstseinslage ist eingeschätzt
- Einer Selbstgefährdung ist vorgebeugt
- Baut Vertrauen zum therapeutischen Team auf
- Ursachen sind erkannt
- Einer Fremdgefährdung ist vorgebeugt
- Die Einnahme von Suchtstoffen ist erkannt
- Entwickelt eine drogenfreie Zukunftsperspektive
- Kann über das Verlangen nach Suchtstoffen sprechen
- Komplikationen sind frühzeitig erkannt und abgewendet

Pflegeinterventionen

Vitalzeichen regelmäßig kontrollieren

- Überwachungsmonitor benutzen
  - » Überwachungsmonitor benutzen
  - » Pulsfrequenz/-qualität messen
  - » Blutdruckwert messen
  - » Atemfrequenz/-qualität messen
  - » Körpertemperatur messen
  - » Sauerstoffsättigung mit Oximeter überprüfen
- Vitalzeichenwerte manuell messen
  - » Pulsfrequenz/-qualität messen
  - » Blutdruckwert messen
  - » Atemfrequenz/-qualität messen
  - » Körpertemperatur messen
- Ort der Messung angeben
  - » Am rechten Arm messen
  - » Am linken Arm messen
  - » Am Finger messen
  - » Am Zeh messen
  - » Besonderheiten bei der Messung bestimmen

Flüssigkeitsbilanzierung durchführen

- Pflegeintervention konkretisieren
  - » Einfuhr kontrollieren
  - » Ausfuhr kontrollieren
  - » Flüssigkeitsbilanzierung durchführen
  - » Stundenurinkontrolle durchführen
- Erfassungszeitraum bestimmen/sonstige Angaben
  - » Blase am Ende des Erfassungszeitraums entleeren lassen
  - » Einfuhr berechnen
  - » Ausfuhr berechnen
  - » Ergebnisse in die Dokumentation eintragen
  - » Erfassungszeitraum bestimmen

Bewusstseinsveränderungen beobachten

- Pflegeintervention konkretisieren
  - » Zeitliche, örtliche und personale Orientierung einschätzen
  - » Reaktion auf Schmerzreize einschätzen
  - » Reflexe überprüfen
  - » Vigilanz mithilfe der Glasgow-Komaskala einschätzen
  - » Qualitative Bewusstseinsveränderungen beobachten und dokumentieren

Fixierung nach Arztanordnung durchführen

- Maßnahmen konkretisieren
  - » Bettgitter beidseitig anbringen
  - » Bettgitter rechts anbringen
  - » Bettgitter links anbringen
  - » Bauchgurt benutzen
  - » Bett an die Wand stellen
  - » Hände fixieren
  - » Rechte Hand fixieren
  - » Linke Hand fixieren
  - » Beine fixieren
  - » Therapietisch einsetzen
- Rechtsgrundlage der Fixierungsmaßnahme feststellen
  - » Fixierung ist durch richterlichen Bescheid genehmigt
  - » Freiwilligkeitserklärung bezüglich der freiheitsentziehenden Maßnahme liegt vor
  - » Unterbringung nach PsychKG/UBG

Klientenzentriertes Gespräch über die Suchtproblematik und den Entzug führen

- Inhaltliche Ausrichtung des Gesprächs bestimmen
  - » Informationssammlung
  - » Pflege-, Betreuungs- und Behandlungs-

prozess
  - Ursachenanalyse
  - Strategien zur Krankheitsbewältigung
  - Motivation/Aktivierung
  - Alltagsbewältigung
  - Förderung der Entscheidungsfindung
  - Zukunftsperspektive
  - Unterstützung der Orientierung
  - Unterstützung des Realitätsbezugs
  - Krisenintervention
  - Aktuelle Bedürfnisse/Wünsche
  - Instruktion/Anleitung
  - Feed-back-Gespräch
  - Sonstige Gesprächsinhalte
- Gesprächsteilnehmer
  - Angehöriger/Bezugsperson
  - Betroffene Person
- Zeitdauer des Gesprächs angeben

Für eine sichere Umgebung sorgen und gefährliche Gegenstände entfernen
- Für eine sichere Umgebung sorgen
  - Stolperfallen herausfinden und entfernen
  - Lichtverhältnisse verbessern
  - Gefährliche Gegenstände entfernen
  - Gefährliche Hindernisse aus dem Weg räumen
- Maßnahmen zur Förderung der Sicherheit
  - Brille überprüfen und anbieten
  - Hörgerät anbieten
  - Anti-Rutsch-Socken anziehen
  - Gehhilfen anbieten und die Benutzung einüben

Kontrollen bezüglich der Einnahme von Suchtstoffen/Substanzen durchführen
- Maßnahmen konkretisieren
  - Alkohol-Blastest durchführen
  - Urinprobe zur Untersuchung gewinnen
  - Blutentnahme zur Blutuntersuchung auf Suchtstoffe durchführen

Bewusstseinszustand und Wirkungsweise der Medikation beobachten
- Pflegeintervention konkretisieren
  - Vitalzeichenkontrolle durchführen, auf dem Überwachungsprotokoll dokumentieren
- Bewusstseinskontrolle durchführen
  - Auf qualitative Veränderungen beobachten
  - Auf quantitative Veränderungen beobachten

Sonstige Pflegemaßnahmen durchführen
- Maßnahmen konkretisieren
- Zeit angeben

Literaturhinweise: 71, 82, 83, 95, 101, 102, 125, 127, 173, 175, 176

Der Patient hat aufgrund einer **stumpfen Verletzung an den Extremitäten** das **Risiko von Komplikationen**

Kennzeichen

- Schwellung
- Bläuliche Verfärbung
- Äußert Schmerzen
- Überwärmung im umschriebenen Bereich

Ursachen

- Mechanische Gewalteinwirkung

Ressourcen

- Kennt Verhaltensweisen, die schmerzlindernd wirken
- Zeigt Verhaltensweisen, die die Therapie unterstützen
- Unterstützt die Schmerztherapie
- Äußert Schmerzzustände und kann diese beschreiben

Pflegeziele

- Die Schmerzlinderung ist durch die physikalische Therapie unterstützt
- Schwellungen sind verhindert bzw. gehen zurück

Pflegeinterventionen

Kälteanwendung durchführen
- Pflegeintervention konkretisieren
  - Eisbeutel auflegen
  - Kühlelement auflegen
  - Kalte Kompresse/Auflage anwenden

Betroffene Extremität hochlagern
- Pflegeintervention konkretisieren
  - Hochlagern

  - » Ruhig lagern
  - » Hoch und ruhig lagern
- Hochzulagernde Extremität angeben
  - » Rechtes Bein
  - » Linkes Bein
  - » Rechter Arm
  - » Linker Arm
- Dabei verwenden
  - » Lagerungskissen
  - » Lagerungsschiene
- Dauer angeben
  - » Kontinuierlich
  - » Zeitweise
- Bei Beckengips/Oberschenkelgips hochlagern
  - » Fußende des Betts leicht erhöhen

Sonstige Pflegemaßnahmen durchführen
- Maßnahmen konkretisieren
- Zeit angeben

Literaturhinweise: 95, 125, 140, 151, 158, 175, 176

Der Patient hat aufgrund einer **Varikosis** das **Risiko von Komplikationen**

Kennzeichen

- Schwere, gestaute Beine
- Juckreiz
- Erhöhte Berührungsempfindlichkeit
- Besenreiser
- Positiver Hustentest
- Schmerzhafter Venenstrang
- Oberflächlich sichtbare Varizen

Ursachen

- Veranlagung zur Bindegewebs- und Venenschwäche
- Übergewicht
- Überwiegend stehende Tätigkeit
- Bewegungsmangel
- Venöse Gefäßerkrankung
- Schwangerschaft

Ressourcen

- Toleriert Antithrombose-/Kompressionsstrümpfe
- Toleriert den Kompressionsverband
- Kann die Maßnahme nach Anleitung selbstständig durchführen
- Erkennt die Notwendigkeit der getroffenen Intervention und kooperiert mit dem therapeutischen Team
- Hält die Therapievereinbarungen ein

Pflegeziele

- Venöses System in den Beinen ist entstaut
- Führt die Anwendung selbstständig durch
- Beschwerden sind gelindert
- Einer Ansammlung von entzündungsbedingten Gewebsflüssigkeiten ist vorgebeugt
- Entzündliche Prozesse bilden sich zurück
- Die Schmerzlinderung ist durch die physikalische Therapie unterstützt
- Kontinuität von Behandlung und Therapie ist sichergestellt
- Ist über Verhaltensmaßregeln informiert und unterstützt die Therapie
- Adäquate systemische Gewebedurchblutung ist sichergestellt
- Kompression entspricht den therapeutischen Anforderungen

Pflegeinterventionen

Zu kaltem Knieguss nach Kneipp anleiten/diesen durchführen
- Pflegeintervention konkretisieren
- Art der Unterstützung
  - » Beaufsichtigen
  - » Durch Unterstützen helfen
  - » Teilweise übernehmen
  - » Vollständig übernehmen
  - » Zur selbstständigen Durchführung anleiten
- Anzuleitende Person(en) festlegen
  - » Betroffene Person
  - » Angehöriger/Bezugsperson
- Zeit angeben

Heilerde-Auflagen anwenden
- Pflegeintervention konkretisieren
- Zeit angeben

Quarkauflage (Topfenauflage) anwenden
- Pflegeintervention konkretisieren
- Zeit angeben

Zu den vereinbarten therapeutischen Interventionen bringen
- Maßnahmen konkretisieren
  - » Zum vereinbarten Termin innerhalb der Einrichtung bringen
  - » Zum vereinbarten Termin außerhalb der Einrichtung bringen
- Einrichtungsspezifische Aktivität wählen
- Zeitdauer angeben
- Anzahl erforderlicher Pflegepersonen angeben

Beratungsgespräch über die Veränderung der Lebensweise zur Unterstützung der Therapie führen
- Pflegeintervention konkretisieren
- Zeit angeben

Kompressionsstrümpfe/-strumpfhose anziehen
- Pflegeintervention konkretisieren
  - » Kompressionsstrümpfe ausmessen und anpassen
  - » Kompressionsstrumpf Größe/Firma
- Beim Anlegen der Kompressionsstrümpfe/-strumpfhose unterstützen
  - » Beim An- und Ausziehen unterstützen
  - » An- und Ausziehen übernehmen
  - » Beim An- und Ausziehen anleiten
  - » Kompressionsstrümpfe/-strumpfhose wechseln, Häufigkeit angeben
- Spezielle Pflege beim Tragen von Stützstrumpfhosen durchführen
  - » Fußbad durchführen
  - » Hautpflege vor dem Anziehen der Kompressionsstrümpfe durchführen

Sonstige Pflegemaßnahmen durchführen
- Maßnahmen konkretisieren
- Zeit angeben

Literaturhinweise: 95, 119, 141, 145, 151, 158, 163, 175, 176, 324

Der Patient hat aufgrund eines **Hitzschlags** das **Risiko von Komplikationen**

Kennzeichen

- Schwindelgefühl
- Beschreibt starkes Durstgefühl
- Trockene Schleimhäute
- Starke Rötung der Haut
- Äußert Kopfschmerzen
- Äußert Übelkeitsgefühl
- Verwirrung
- Konvulsion
- Quantitative Bewusstseinsveränderung
- Krampfanfälle

Ursachen

- Ungeschützte Sonneneinstrahlung
- Wärmestau bei hoher Umgebungstemperatur
- Hohe Luftfeuchtigkeit
- Beeinträchtigte Schweißsekretion/Hypohidrosis
- Anhidrosis
- Wärmestau durch unangemessene Kleidung
- Körperliche Überanstrengung bei feuchtwarmer Umgebungsluft

Ressourcen

- Verhält sich entsprechend der Anleitung und Anweisung
- Akzeptiert die Körpertemperaturmessungen
- Erkennt die Notwendigkeit der getroffenen Intervention und kooperiert mit dem therapeutischen Team
- Ist ansprechbar
- Akzeptiert die Unterstützung
- Akzeptiert die Unterstützung von Angehörigen

Pflegeziele

- Komplikationen sind vorgebeugt
- Körpertemperatur liegt im Normbereich

Pflegeinterventionen

Vitalzeichen überwachen
- Überwachungsmonitor benutzen
  - » Überwachungsmonitor benutzen
  - » Pulsfrequenz/-qualität messen
  - » Blutdruckwert messen
  - » Atemfrequenz/-qualität messen
  - » Körpertemperatur messen
  - » Sauerstoffsättigung mit Oximeter überprüfen
- Vitalzeichenwerte manuell messen
  - » Pulsfrequenz/-qualität messen
  - » Blutdruckwert messen
  - » Atemfrequenz/-qualität messen
  - » Körpertemperatur messen
- Ort der Messung angeben
  - » Am rechten Arm messen
  - » Am linken Arm messen
  - » Am Finger messen
  - » Am Zeh messen
  - » Besonderheiten bei der Messung bestimmen

Kälteanwendungen durchführen
- Pflegeintervention konkretisieren
  - » Eisbeutel auflegen
  - » Kühlelement auflegen
  - » Kalte Kompresse/Auflage anwenden

Sonstige Pflegemaßnahmen durchführen
- Maßnahmen konkretisieren
- Zeit angeben

Literaturhinweise: 95, 125, 126, 175, 176

Der Patient hat aufgrund von **Durchblutungsstörungen einer/mehrerer Extremität(en)** das **Risiko von Komplikationen**

Kennzeichen

- Ulcus cruris
- Kalte Extremität
- Zyanosezeichen
- Braungelbe Hyperpigmentierung
- Sensibilitätsstörung
- Beschreibt Missempfindungen
- Pergamentartige Haut
- Reduzierter/fehlender Haarwuchs
- Rillenbildung in den Nägeln
- Mykotische Nagelveränderung
- Äußert Schmerzen
- Schwere, gestaute Beine
- Erhöhte Berührungsempfindlichkeit
- Wadenkrämpfe
- Farbveränderung der Haut
- Veränderte Strömungsgeräusche
- Veränderter Blutdruck an den Extremitäten
- Beeinträchtigte Sensibilität
- Ödembildung

Ursachen

- Venös bedingte Zirkulationsstörung
- Arteriell bedingte Durchblutungsstörung

Ursachen Durchblutungsstörungen
- Übergewicht
- Starkes Rauchen
- Bewegungsmangel
- Hypertonie
- Diabetes mellitus

Ressourcen

- Kann die Maßnahme nach Anleitung selbstständig durchführen
- Kennt durchblutungsfördernde Lagerungen und kann diese durchführen
- Hält die Therapievereinbarungen ein

Pflegeziele

- Veränderungen sind frühzeitig erkannt
- Periphere Durchblutungssituation ist eingeschätzt
- Kennt Möglichkeiten, aktiv den Therapieerfolg zu unterstützen
- Physiologisches Hautmilieu ist hergestellt
- Geschmeidige, intakte Haut
- Therapie ist sichergestellt
- Zunehmende Schwellung/Umfangsveränderung der Extremität ist erkannt
- Periphere Durchblutungssituation ist angeregt

Pflegeinterventionen

Durchblutungssituation der betroffenen Extremität einschätzen
- Pflegeintervention konkretisieren
  - » Pulsqualität der betroffenen Extremität überprüfen
  - » Auf Anzeichen von Schwellung, Rötung und Entzündung beobachten
  - » Subjektive Empfindungen beobachten
  - » Leistungsfähigkeit und Schmerzempfinden einschätzen

Im klientenzentrierten Gespräch über Möglichkeiten, Methoden zum selbstständigen Gefäßtraining informieren und motivieren
- Gesprächsinhalt
- Zeit angeben
- Beteiligte Personen angeben
  - » Betroffene Person
  - » Angehöriger/Bezugsperson
  - » Betreuer
  - » Eltern
  - » Sonstige Personen
- Durchführende Person angeben
  - » Bezugspflegeperson
  - » Pflegeperson
  - » Spezialtherapeuten
  - » Physiotherapeuten

Hautpflege mit W/Ö-Präparaten durchführen
- Pflegeintervention konkretisieren
- Hautpflegeprodukt angeben

Angeordnete hydrotherapeutische Interventionen sicherstellen
- Maßnahmen konkretisieren
  - » Zum vereinbarten Termin innerhalb der Einrichtung bringen
  - » Zum vereinbarten Termin außerhalb der Einrichtung bringen
- Einrichtungsspezifische Aktivität wählen
- Zeitdauer angeben
- Anzahl erforderlicher Pflegepersonen angeben

Umfang der betroffenen Extremität zur Einschätzung von Ödemen und Veränderungen messen
- Assessment: Umfangsmessungen
  - » Zur Ermittlung und Verlaufsbeurteilung von Ödemen Umfang messen
  - » Zur Ermittlung und Verlaufsbeurteilung von akuten Schwellungen Umfang messen
- Umfangsmessung durchführen
  - » Rechter Arm
  - » Linker Arm
  - » Handgelenk rechts
  - » Handgelenk links
  - » Rechtes Bein
  - » Linkes Bein
  - » Sprunggelenk links
  - » Sprunggelenk rechts
  - » Bauchumfang messen
- Methode der Umfangsmessung
  - » Konventionelle Umfangmessung
  - » Figure-of-Eight-Methode

Hydrotherapeutische Interventionen durchführen
- Pflegeintervention konkretisieren
  - » Wechselwasseranwendungen durchführen
  - » Wechselfußbad durchführen
  - » Wechselarmbad durchführen
  - » Wechselduschen durchführen
  - » Wechselbäder durchführen

- Anwendung lokalisieren
  - » Rechter Arm
  - » Linker Arm
  - » Rechtes Bein
  - » Linkes Bein
  - » Arme
  - » Beine
  - » Ganzkörper
- Art der Unterstützungsleistung angeben
  - » Intervention beaufsichtigen
  - » Zur Intervention anleiten
  - » Bei der Intervention unterstützen

Sonstige Pflegemaßnahmen durchführen
- Maßnahmen konkretisieren
- Zeit angeben

Literaturhinweise: 95, 125, 126, 175, 176, 230

Die Patientin hat aufgrund einer **Schwangerschaftsgestose** das **Risiko von Komplikationen**

Kennzeichen

- Hyperemesis
- Ödembildung
- Hypertonie
- Proteinurie

Ursachen

- HELLP-Syndrom
- Schwangerschaftsinduzierte Hypertonie
- Eklampsie
- Präeklampsie

Ressourcen

- Akzeptiert die angeordnete Bettruhe
- Hält die Therapievereinbarungen ein
- Erkennt die Notwendigkeit der getroffenen Intervention und kooperiert mit dem therapeutischen Team
- Kennt durchblutungsfördernde Lagerungen und kann diese durchführen
- Besitzt die Fähigkeit der Selbstbeobachtung von kritischen körperlichen Veränderungen

Pflegeziele

- Hochdruckkrisen sind erkannt
- Wassereinlagerungen sind ausgeschwemmt
- Komplikationen sind frühzeitig erkannt und abgewendet
- Weitere Flüssigkeitsansammlungen sind sofort registriert
- Ödemen ist vorgebeugt
- Komplikationen sind reduziert

Pflegeinterventionen

Vitalzeichenkontrolle durchführen
- Überwachungsmonitor benutzen
  - » Überwachungsmonitor benutzen
  - » Pulsfrequenz/-qualität messen
  - » Blutdruckwert messen
  - » Atemfrequenz/-qualität messen
  - » Körpertemperatur messen
  - » Sauerstoffsättigung mit Oximeter überprüfen
- Vitalzeichenwerte manuell messen
  - » Pulsfrequenz/-qualität messen
  - » Blutdruckwert messen
  - » Atemfrequenz/-qualität messen
  - » Körpertemperatur messen
- Ort der Messung angeben
  - » Am rechten Arm messen
  - » Am linken Arm messen
  - » Am Finger messen
  - » Am Zeh messen
  - » Besonderheiten bei der Messung bestimmen

Ödemprophylaxe-Kost bestellen
- Pflegeintervention konkretisieren
- Zeit angeben

Flüssigkeitsbilanzierung durchführen und Flüssigkeitszufuhr anhand der Bilanzierung laut Arztanordnung festlegen
- Pflegeintervention konkretisieren
  - » ZVD-Messung durchführen
  - » Flüssigkeitsbilanzierung durchführen
  - » Stundenurinkontrolle durchführen
  - » Ausfuhr berechnen
  - » Einfuhr berechnen
  - » Bilanzprotokoll erstellen
- Flüssigkeitszufuhr lt. Arztanordnung festlegen
  - » Positiv-Bilanz
  - » Negativ-Bilanz
  - » Ausgeglichene Bilanz
- Erfassungszeitraum bestimmen/sonstige Angaben
  - » Blase am Ende des Erfassungszeitraums entleeren lassen
  - » Ergebnisse in die Dokumentation eintragen

   » Erfassungszeitraum bestimmen

Täglich Körpergewicht kontrollieren
- Gewicht kontrollieren
   » Gewicht mit Sitzwaage kontrollieren (pflegerisch erforderlich)
   » Gewicht mit Stehwaage kontrollieren
   » Gewicht mit Sitzwaage kontrollieren

Haut auf Ödeme beobachten
- Assessment: Umfangmessungen
   » Zur Ermittlung und Verlaufsbeurteilung von Ödemen Umfang messen
   » Zur Ermittlung und Verlaufsbeurteilung von akuten Schwellungen Umfang messen
- Umfangsmessung durchführen
   » Rechter Arm
   » Linker Arm
   » Handgelenk rechts
   » Handgelenk links
   » Rechtes Bein
   » Linkes Bein
   » Sprunggelenk links
   » Sprunggelenk rechts
   » Bauchumfang messen
- Methode der Umfangsmessung
   » Konventionelle Umfangmessung
   » Figure-of-Eight-Methode

Betroffene Extremitäten hochlagern
- Hochzulagernde Extremität angeben
   » Rechtes Bein
   » Linkes Bein
   » Rechter Arm
   » Linker Arm
- Hilfsmittel einsetzen
   » Lagerungskissen
   » Beinhochlagerungsschiene 45° für zwei Beine
   » Beinhochlagerungsschiene 45° für ein Bein
   » Venenkissen
   » Fußende des Betts leicht erhöhen
   » Armkeil
   » Sonstige Hilfsmittel

Bettruhe nach Arztanordnung einhalten
- Pflegeintervention konkretisieren
   » Absolute Bettruhe einhalten
   » Gelockerte Bettruhe einhalten

Sonstige Pflegemaßnahmen durchführen
- Maßnahmen konkretisieren
- Zeit angeben

Literaturhinweise: 68, 95, 125, 161, 175, 176

Der Patient hat aufgrund einer **Beckenfraktur** das **Risiko von Komplikationen** bei der Bewegung

Kennzeichen

- Beschreibt Schmerzen beim Bewegen
- Vermeidet Bewegung
- Verordnete Bewegungseinschränkung
- Druckschmerzen
- Hämatome über der Fraktur

Ursachen

- Beckenschaufelfraktur
- Beckenrandfraktur, hintere Beckenringfraktur
- Vordere Beckenringfraktur
- Azetabulumfraktur
- Iliosakralfugensprengung
- Steißbeinfraktur

Ressourcen

- Unterstützt die Schmerztherapie
- Kognitive Fähigkeiten unterstützen die Bewegungsübungen
- Darf aus medizinischer Sicht mobilisiert werden
- Zeigt/äußert starkes Interesse mitzuarbeiten
- Ist motiviert, Hilfsmittel zur Steigerung der Mobilität einzusetzen
- Führt Bewegungen nach Anweisung/Anleitung durch
- Akzeptiert die Unterstützung
- Akzeptiert die Unterstützung von Angehörigen

Pflegeziele

- Herz-Kreislauf-System ist während/nach der durchgeführten (Pflege-)Aktivität stabil, Vitalparameter verändern sich im physiologischen Normbereich
- Stufenweise Aktivierung ist umgesetzt
- Schmerzen sind reduziert

- Bewegt sich schmerzfrei
- Funktion der betroffenen Gelenke ist erhalten
- Stabilisierung/Fixierung ist gewährleistet
- Ruhigstellung ist sichergestellt
- Entlastung ist sichergestellt
- Fehlstellung ist korrigiert
- Unterstützende Funktionsübernahme ist gewährleistet
- Definierte Muskelgruppe ist gekräftigt
- Komplikationen sind vorgebeugt
- Hält sich an Absprachen und unterstützt aktiv die Therapie

Pflegeinterventionen

Laut Arztanordnung mobilisieren
- Mobilisation durchführen
  - » Durch Krankengymnasten
- Art der Mobilisation bestimmen
  - » Bewegungsübungen im Bett durchführen
  - » Zum Sitzen an den Bettrand mobilisieren
  - » Im Rollstuhl/Lehnstuhl mobilisieren
  - » Transfer zum Stehen/Standtraining durchführen
  - » Gehtraining durchführen (Wegstrecke <10 Meter)
  - » Mit Gehhilfen gehen
- Art der Unterstützungsleistung angeben
  - » Beaufsichtigen
  - » Teilweise übernehmen
  - » Anleiten
  - » Vollständig übernehmen
- Hilfsmittel einsetzen
  - » Rollator
  - » Unterarmgehstützen
  - » Rollstuhl

Schmerztherapie laut Arztanordnung durchführen
- Angeordnete Schmerztherapie
  - » Schmerzmedikation über Spritzenpumpe lt. Arzt verabreichen
  - » Schmerzmedikation lt. Therapieplan über s. c. Injektion verabreichen
  - » Schmerzmedikation lt. Therapieplan über i. m. Injektion verabreichen
  - » Orale Schmerzmedikation lt. Therapieplan verabreichen
  - » Schmerztherapie mit Zäpfchen lt. Therapieplan durchführen
  - » Schmerzpflaster lt. Arztanordnung anbringen
  - » Schmerzmedikation lt. Therapieplan über i. v. Injektion verabreichen
- Bedarfsmedikation lt. Arzt verabreichen
  - » Schmerzen, bei denen die Bedarfsmedikation verabreicht werden darf, beschreiben

Bewegungsübungen durchführen, wie durch Arzt und Krankengymnast verordnet
- Bewegungsübungen festlegen
  - » Passive Bewegungsübungen der großen Gelenke durchführen
  - » Bewegungsübungen durch Krankengymnasten durchführen
- Bewegungsübungen der Gelenke durchführen
  - » Hüftgelenk(e)
  - » Handgelenk(e)
  - » Fingergelenke
  - » Sprunggelenk(e)
  - » Kniegelenk(e)
  - » Schultergelenk(e)
  - » Ellenbogengelenk(e)

Beim An-/Ablegen der Orthese unterstützen
- Art der Orthese
  - » Handgelenk-Orthese
  - » Ellenbogen-Orthese
  - » Ober- und Unterarm-Orthese
  - » Unterarm-Orthese
  - » Knie-Orthese
  - » Fußgelenk-Orthese
  - » Schulter-Orthese
  - » Rumpf-Orthese
  - » LWS-Orthese
  - » Hüft-Bein-Orthese
  - » Becken-Orthese
- Unterstützungsgrad angeben
  - » Teilweise übernehmen
  - » Vollständig übernehmen
  - » Anleiten
- Zeit angeben

Auf Anzeichen für innere Blutungen (Hämaturie) beobachten
- Überwachungsmonitor benutzen
  - » Überwachungsmonitor benutzen
  - » Pulsfrequenz/-qualität messen
  - » Blutdruckwert messen
  - » Atemfrequenz/-qualität messen
  - » Körpertemperatur messen
  - » Sauerstoffsättigung mit Oximeter überprüfen
- Vitalzeichenwerte manuell messen
  - » Pulsfrequenz/-qualität messen
  - » Blutdruckwert messen
  - » Atemfrequenz/-qualität messen
  - » Körpertemperatur messen
- Ort der Messung angeben
  - » Am rechten Arm messen
  - » Am linken Arm messen
  - » Am Finger messen
  - » Am Zeh messen
  - » Besonderheiten bei der Messung bestimmen

Informationsgespräch über erlaubte Bewegungsmöglichkeiten führen
- Gesprächsinhalt
- Zeit angeben

Sonstige Pflegemaßnahmen durchführen
- Maßnahmen konkretisieren
- Zeit angeben

Literaturhinweise: 51, 121, 125, 126, 140, 151, 175, 176

Der Patient hat das Risiko eines **Hirndruckanstiegs** (bei bereits erhöhten oder normalen Ausgangswerten) und damit verbundener **Komplikationen**

Kennzeichen

- Liquordruck liegt zwischen 5-15 mmHg (Normalwert in Ruhe)
- Liquordruck liegt über 15 mmHg (Druckerhöhung) in Ruhe
- Pathologische Hirndruckwellen in ruhender Position
- Äußert, zunehmende Kopfschmerzen zu haben
- Übelkeit und Erbrechen
- Schwindelgefühl
- Beschreibt Sehstörungen
- Unruhezustände
- Bewusstseinseintrübung
- Druckpuls
- Streckkrämpfe
- Weite, lichtstarre Pupillen

Ursachen

- Schädel-Hirn-Trauma
- Hirntumor
- Hirnödem durch operativen Eingriff
- Hirnödem infolge von entzündlichen Prozessen
- Hirnödem infolge eines ischämischen Insults
- Chronische Hirndrucksteigerung
- Schädelfraktur
- Hirnblutung
- Akuter Hydrozephalus
- Drucksteigerung durch Tetrazykline

Ressourcen

- Kennt Vorbeugungsmaßnahmen und unterstützt diese aktiv
- Toleriert die therapeutische/pflegerische Intervention
- Meldet sich bei Anzeichen von Komplikationen

Pflegeziele

- Einer Hirndrucksteigerung und Langzeitschädigung ist vorgebeugt
- Negativbilanzierung unterstützt die Therapie
- Hält sich an Absprachen und unterstützt aktiv die Therapie
- Veränderungen der Vigilanz sind eingeschätzt und dokumentiert
- Krankhafte Veränderungen sind frühzeitig erkannt
- Schädliche Reize sind reduziert/vermieden

Pflegeinterventionen

Vitalzeichenkontrolle durchführen
- Überwachungsmonitor benutzen
  - » Überwachungsmonitor benutzen
  - » Pulsfrequenz/-qualität messen
  - » Blutdruckwert messen
  - » Atemfrequenz/-qualität messen
  - » Körpertemperatur messen
  - » Sauerstoffsättigung mit Oximeter überprüfen
- Vitalzeichenwerte manuell messen
  - » Pulsfrequenz/-qualität messen
  - » Blutdruckwert messen
  - » Atemfrequenz/-qualität messen
  - » Körpertemperatur messen
- Ort der Messung angeben
  - » Am rechten Arm messen
  - » Am linken Arm messen
  - » Am Finger messen
  - » Am Zeh messen
  - » Besonderheiten bei der Messung bestimmen

Bewusstseinslage beobachten und Ergebnisse dokumentieren
- Pflegeintervention konkretisieren
- Zeit angeben

Negativbilanzierung laut Arzt durchführen
- Pflegeintervention konkretisieren
  - » ZVD-Messung durchführen
  - » Flüssigkeitsbilanzierung durchführen
  - » Stundenurinkontrolle durchführen
  - » Ausfuhr berechnen
  - » Einfuhr berechnen
  - » Bilanzprotokoll erstellen
- Flüssigkeitszufuhr lt. Arztanordnung festlegen
  - » Positiv-Bilanz
  - » Negativ-Bilanz
  - » Ausgeglichene Bilanz
- Erfassungszeitraum bestimmen/sonstige Angaben
  - » Blase am Ende des Erfassungszeitraums entleeren lassen
  - » Ergebnisse in die Dokumentation eintragen
  - » Erfassungszeitraum bestimmen

Hirndruckprophylaxe durchführen
- Pflegeintervention konkretisieren
  - » Oberkörper 30° hochlagern
  - » Kopf gerade lagern
  - » Absolute Bettruhe einhalten
  - » Gelockerte Bettruhe einhalten

Vigilanz mithilfe der Glasgow-Komaskala einschätzen
- Pflegeintervention konkretisieren
- Zeit angeben

Hirndrucksymptomatik und neurologische Veränderungen beobachten
- Pflegeintervention konkretisieren
  - » Pupillenreaktion kontrollieren
  - » Blutdruck messen
  - » Puls messen
  - » Pulsqualität (Druckpuls) einschätzen
- Neurologische Veränderungen einschätzen
  - » Kornealreflex überprüfen
  - » Husten- und Würgereflex kontrollieren
  - » Motorik, Sensorik und Durchblutung überprüfen
  - » Auf Anzeichen von intrakranieller Druckerhöhung achten (Übelkeit, Erbrechen, Kopfschmerz usw.)
- Ergebnisse dokumentieren
  - » Ergebnisse auf dem Überwachungsproto-

koll dokumentieren

Auslösende Reize identifizieren und ausschalten/reduzieren
- Pflegeintervention konkretisieren
- Zeit angeben

Sonstige Pflegemaßnahmen durchführen
- Maßnahmen konkretisieren
- Zeit angeben

Literaturhinweise: 95, 113, 123, 125, 140, 175, 176

Der Patient darf das betroffene **Bein nicht belasten**, es besteht das **Risiko von Komplikationen**

Kennzeichen

- Operationswunde am rechten Bein
- Operationswunde am linken Bein
- Gipsverband am rechten Bein
- Gipsverband am linken Bein
- Gibt Hinweise zu der Anordnung
- Anordnung über Entlastung des rechten Beins
- Anordnung über Entlastung des linken Beins

Ursachen

- Operativer Eingriff am Bein
- Anordnung des Arztes
- Instabile Osteosynthese
- Bandruptur im Sprunggelenk
- Trümmerfrakturen der Beine
- Fixateur externe

Ressourcen

- Hält sich an das postoperativ notwendige Bewegungsverhalten
- Kognitive Fähigkeiten unterstützen die Bewegungsübungen
- Zeigt/äußert starkes Interesse mitzuarbeiten
- Hat eine übungsstabile Versorgung erhalten
- Kann Unterarmgehstützen effektiv einsetzen
- Akzeptiert die Unterstützung
- Akzeptiert die Unterstützung von Angehörigen

Pflegeziele

- Ist über die Wichtigkeit der Arztanordnung und deren Einhaltung informiert und hält sich daran
- Sicherer Transfer ist gewährleistet
- Eigenaktivität ist gefördert
- Ist über die geplanten Bewegungsabläufe informiert
- Sicherheit ist gewährleistet
- Bewegungsverhalten ist bekannt und umgesetzt
- Heilungsprozess ist optimal unterstützt

Pflegeinterventionen

Informationsgespräch über die Notwendigkeit der Entlastung/Teilbelastung führen
- Gesprächsinhalt
- Zeit angeben
- Beteiligte Personen angeben
  - » Betroffene Person
  - » Angehöriger/Bezugsperson
  - » Betreuer
  - » Eltern
  - » Sonstige Personen
- Durchführende Person angeben
  - » Bezugspflegeperson
  - » Pflegeperson
  - » Spezialtherapeuten
  - » Physiotherapeuten

Beim Transfer unterstützen
  - » Transfer vom Bett zu Rollstuhl unterstützen
  - » Transfer vom Rollstuhl ins Bett unterstützen
  - » Transfer in das Auto und zurück unterstützen
- Art der Unterstützung beim Transfer bestimmen
  - » Patientenlifter benutzen
  - » Drehscheibe einsetzen
  - » Rutschbrett einsetzen
  - » Transfer mit Stecklaken unterstützen
  - » Gehgürtel einsetzen
  - » Mit Bewegungsunterstützung durch Pflegeperson aufstehen; Bewegung wird durch Zug und Druck auf Körperteile aktiv unterstützt/gehalten
  - » Transfer über den Stand durch Schultergriff, Blockieren der Knie und Gewichtsverlagerung der Pflegeperson unterstützen
  - » Mit Bewegungsunterstützung durch

Pflegeperson umsetzen; Bewegung wird durch Zug und Druck auf Körperteile aktiv unterstützt/gehalten; der Patient wird gedreht und abgesetzt
- Anzahl der Pflegepersonen eintragen

Gehstöcke auf Funktionsfähigkeit, Sicherheit und richtige Einstellung inspizieren
- Pflegeintervention konkretisieren
- Zeit angeben

Zwei-Punkt-Gang ohne Belastung mit Unterarmgehstützen einüben
- Pflegeintervention konkretisieren
- Zeit angeben

Bei der Mobilisation unterstützen
  » Im Mobilisationsplan dokumentieren
- Pflegeintervention konkretisieren
  » Mobilisation im Bett
  » Mobilisation auf der Bettkante
  » Beim Gehen unterstützen
- Art der Unterstützung
  » Anleiten
  » Teilweise übernehmen
  » Vollständig übernehmen
  » Beaufsichtigen
- Hilfsmittel einsetzen
  » Achselstütze
  » Deltarad
  » Eulenburg-Gehwagen
  » Gehbock
  » Gehwagen
  » Gehwagen mit Achselstützen
  » Unterarmgehstützen
  » Rollator
  » Vier-Punkt-Gehstützen

Sonstige Pflegemaßnahmen durchführen
- Maßnahmen konkretisieren
- Zeit angeben

Literaturhinweise: 95, 121, 125, 140, 151

Der Patient darf das betroffene **Bein nur teilbelasten**, es besteht das **Risiko von Komplikationen**

Kennzeichen

- Operationswunde am rechten Bein
- Operationswunde am linken Bein
- Gipsverband am rechten Bein
- Gipsverband am linken Bein
- Gibt Hinweise zu der Anordnung
- Anordnung über Teilbelastung des rechten Beins
- Anordnung über Teilbelastung des linken Beins

Ursachen

- Operativer Eingriff am Bein
- Anordnung des Arztes
- Übungsstabile Osteosynthese

Ressourcen

- Kognitive Fähigkeiten unterstützen die Bewegungsübungen
- Darf aus medizinischer Sicht mobilisiert werden
- Verhält sich entsprechend der Anleitung und Anweisung
- Kann Unterarmgehstützen effektiv einsetzen
- Zeigt/äußert starkes Interesse mitzuarbeiten
- Hält sich an das postoperativ notwendige Bewegungsverhalten
- Akzeptiert die Unterstützung
- Akzeptiert die Unterstützung von Angehörigen

Pflegeziele

- Ist über die Wichtigkeit der Arztanordnung und deren Einhaltung informiert und hält sich daran
- Kennt das Bewegungsverhalten und die Belastbarkeit des operierten Beins
- Sichere Mobilisation und Fortbewegung sind gewährleistet
- Bewegungsverhalten ist bekannt und umgesetzt
- Hält die Anordnungen zur Belastung exakt ein
- Entlastet das betroffene Bein korrekt

Pflegeinterventionen

Informationsgespräch über die Notwendigkeit der Teilbelastung führen
- Pflegeintervention konkretisieren
- Zeit angeben

Postoperativ bei der Mobilisation anleiten und unterstützen
- Beim Aufstehen unterstützen
  » Spiralförmig aufstehen
  » Zu selbstständigem Aufstehen anleiten
- Gehübungen durchführen
  » Gehübungen mit Hilfsmitteln durchführen
  » Mit Hilfe gehen
  » Ohne Belastung des betroffenen Beins gehen
  » Mit Teilbelastung des betroffenen Beins gehen
  » Beinprothese vor den Gehübungen anlegen
- Erschwerte Bedingungen feststellen
  » Zu- und Ableitungssysteme
  » Kreislaufinstabilität
  » Abwehrhaltung
  » Lähmung
  » Kontraktur
  » Spasmus
- Anzuleitende Person(en) festlegen
  » Betroffene Person
  » Angehöriger/Bezugsperson

Drei-Punkt-Gang mit Unterarmgehstützen und angeordneter Teilbelastung einüben
- Pflegeintervention konkretisieren
  » Nach Arztanordnung teilbelasten
- Anzuleitende Person(en) festlegen

- » Betroffene Person
- » Angehöriger/Bezugsperson
- Durchführende Person angeben
  - » Pflegeperson
  - » Krankengymnast

Gangbild beobachten und Teilbelastung kontrollieren
- Pflegeintervention konkretisieren
- Zeit angeben

Drei-Punkt-Gang mit Unterarmgehstützen und Fußsohlenkontakt einüben
- Pflegeintervention konkretisieren
  - » Nach Arztanordnung teilbelasten
- Anzuleitende Person(en) festlegen
  - » Betroffene Person
  - » Angehöriger/Bezugsperson
- Durchführende Person angeben
  - » Pflegeperson
  - » Krankengymnast

Sonstige Pflegemaßnahmen durchführen
- Maßnahmen konkretisieren
- Zeit angeben

Literaturhinweise: 95, 121, 125, 140, 151

Der Patient hat aufgrund eines **operativen Eingriffs** das **Risiko von Komplikationen**

Kennzeichen

- Pflege-/Behandlungsvereinbarungen werden nicht eingehalten
- Zeigt Verhaltensweisen, die darauf hinweisen, dass die Gefahren nicht ausreichend beachtet werden
- Äußert ein Wissensdefizit über entsprechende Prophylaxemaßnahmen

Ursachen

- Vollnarkose
- Spinalanästhesie
- Periduralanästhesie
- Instabile Osteosynthese
- Art des operativen Eingriffs erhöht die Gefahr der Komplikationen
- Zusätzliche Erkrankungen
- Gefäßoperation venös
- Postoperativer Gefäßverschluss
- Auftretende Schwellung

Ressourcen

- Verhält sich entsprechend der Anleitung und Anweisung
- Erkennt die Notwendigkeit der getroffenen Intervention und kooperiert mit dem therapeutischen Team
- Meldet sich bei Anzeichen von Komplikationen

Pflegeziele

- Urinausscheidung ist eingeschätzt, Komplikationen werden erkannt
- Komplikationen sind frühzeitig erkannt und abgewendet
- Nachblutung und Volumenmangel sind rechtzeitig erkannt
- Schmerzen sind reduziert
- Kennt negative Auswirkungen bei Fehlbelastung
- Hält die Anordnungen zur Belastung exakt ein
- Permanente Kompression ist gewährleistet
- Hält sich an Absprachen und unterstützt aktiv die Therapie
- Komplikationen sind vorgebeugt
- Wundheilung ist unterstützt

Pflegeinterventionen

Urinausscheidung beobachten
- Pflegeintervention konkretisieren
- Zeit angeben

Vitalzeichenkontrolle durchführen
- Überwachungsmonitor benutzen
  - » Überwachungsmonitor benutzen
  - » Pulsfrequenz/-qualität messen
  - » Blutdruckwert messen
  - » Atemfrequenz/-qualität messen
  - » Körpertemperatur messen
  - » Sauerstoffsättigung mit Oximeter überprüfen
- Vitalzeichenwerte manuell messen
  - » Pulsfrequenz/-qualität messen
  - » Blutdruckwert messen
  - » Atemfrequenz/-qualität messen
  - » Körpertemperatur messen
- Ort der Messung angeben
  - » Am rechten Arm messen
  - » Am linken Arm messen
  - » Am Finger messen
  - » Am Zeh messen
  - » Besonderheiten bei der Messung bestimmen

Spezielle Lagerung nach Arztanordnung durchführen
- Lagerungsart bestimmen
  - » Oberkörper 30° hochlagern
  - » Oberkörperhochlagerung (ca. 70 Grad) durchführen

  - » Hochlagerung mit Schiene durchführen
  - » Hochlagerung mit Lagerungskissen durchführen
  - » Flach lagern
  - » Leichte Tieflage einhalten
  - » Abknicken und Druckerhöhung auf Gefäße vermeiden
- Zu lagernde Extremität bestimmen
  - » Betroffene Extremität
  - » Obere Extremitäten
  - » Untere Extremitäten

Verbandkontrollen durchführen
- Pflegeintervention konkretisieren
- Zeit angeben

Sonden und Drainagen auf Fördermenge beobachten
- Anzahl der Drainagen
  - » Drainage 1
  - » Drainage 2
  - » Drainage 3
  - » Drainage 4
- Dokumentationsort der Messwerte bestimmen
  - » Im Pflegeplan dokumentieren
  - » Im Wundprotokoll dokumentieren

Allgemeinbefinden beobachten (Schmerzzustand, Intensität und Lokalität)
- Pflegeintervention konkretisieren
- Zeit angeben

Zur Belastung/Teilbelastung der betroffenen Extremität nach Arztanordnung anleiten
- Pflegeintervention konkretisieren
- Art der Unterstützung
  - » Beaufsichtigen
  - » Durch Unterstützen helfen
  - » Teilweise übernehmen
  - » Vollständig übernehmen
  - » Zur selbstständigen Durchführung anleiten
- Anzuleitende Person(en) festlegen
  - » Betroffene Person
  - » Angehöriger/Bezugsperson
- Zeit angeben

Kompressionsverband anlegen
- Pflegeintervention konkretisieren
- Zeit angeben

Informationsgespräch über erlaubte Bewegungsmöglichkeiten führen
- Gesprächsinhalt
- Zeit angeben

Durchblutungssituation kontrollieren und dokumentieren
- Beobachtungsparameter angeben
  - » Durchblutung
  - » Sensibilität
  - » Motorik
  - » Pulse
  - » Schwellung

Spezielle Lagerung nach Arztanordnung durchführen
- Lagerungsart bestimmen
  - » Oberkörper 30° hochlagern
  - » Oberkörperhochlagerung (ca. 70 Grad) durchführen
  - » Hochlagerung mit Schiene durchführen
  - » Hochlagerung mit Lagerungskissen durchführen
  - » Flach lagern
  - » Leichte Tieflage einhalten
  - » Abknicken und Druckerhöhung auf Gefäße vermeiden
- Zu lagernde Extremität bestimmen
  - » Betroffene Extremität
  - » Obere Extremitäten
  - » Untere Extremitäten

Sonstige Pflegemaßnahmen durchführen
- Maßnahmen konkretisieren
- Zeit angeben

Literaturhinweise: 51, 121, 125, 126, 140, 151, 175, 176

Der Patient hat aufgrund eines **operativen Eingriffs an der Lunge** das **Risiko von Nachblutung, Pleuraerguss, Pneumothorax und Atelektasenbildung**

Kennzeichen

- Erschwerte Atmung
- Atmet oberflächlich
- Schmerzen beim Husten
- Äußert Angst vor den Schmerzen beim Abhusten

Ursachen

- Keilresektion
- Segmentresektion
- Lobektomie
- Pneumektomie
- Manschettenresektion
- Dekortikation

Ressourcen

- Kann der Aufforderung zu Atemübungen folgen
- Toleriert die atemunterstützende Lagerung
- Führt die Atemübungen nach Aufforderung und Anleitung selbstständig durch
- Äußert Einsicht in die Pflegemaßnahme

Pflegeziele

- Nachblutung und Volumenmangel sind rechtzeitig erkannt
- Veränderungen der Blutgaswerte und des Säure-Basen-Haushalts sind sofort erkannt
- Atemfunktion ist erhalten
- Kann eigene Fähigkeiten und Belastbarkeit einschätzen
- Ist zur aktiven Mitarbeit motiviert
- Lungen werden gleichmäßig und physiologisch belüftet, Atelektasen sind vorgebeugt
- Herz-Kreislauf-Aktivität ist angeregt

Pflegeinterventionen

Thoraxdrainage auf Nachblutung und Funktionsfähigkeit beobachten
- Pflegeintervention konkretisieren
  - » Sog-/Vakuumkontrolle durchführen
  - » Auffangbehälter unter Körperniveau anbringen
  - » Drainageschlauch "melken"
  - » Einem Abknicken/Durchhängen des Schlauchsystems vorbeugen
  - » Auf Abflussbehinderung kontrollieren (Sonden/Drainagen ohne Sog)
  - » Sonde/Drainage unter Berücksichtigung der erforderlichen Hygienemaßnahmen spülen
- Auf Nachblutung beobachten
  - » Sekretfördermenge beobachten und Ergebnisse dokumentieren

Blutgasanalyse durchführen und Ergebnisse an den Arzt weiterleiten
- Pflegeintervention konkretisieren
- Zeit angeben

Postoperative Lagerung nach Eingriff an der Lunge durchführen
- Pflegeintervention konkretisieren
  - » Pneumektomie: Lagerung zwischen Rückenlage und Lagerung auf der operierten Seite wechseln
  - » Lobektomie/Segmentresektion: Auf der gesunden Seite/in Rückenlage lagern
  - » Nach dem Wachwerden Kopfende halbstündlich etwas hochstellen

Atemübungen durchführen
- Pflegeintervention konkretisieren
  - » Kontaktatmen - Basaltexte durchführen
  - » Flankenatmung intensivieren
  - » Therapeutische Nasenenge durchführen
  - » Auf "fff" vertieft ausatmen
  - » Zwerchfellatmung üben
  - » Atemübungen mit dem Atemtherapeuten durchführen

Atemübungen mit dem Atemtrainer durchführen
- Pflegeintervention konkretisieren
- Zeit angeben

Frühmobilisation durchführen
- Art der Mobilisation bestimmen
  - » Zum Sitzen mobilisieren
  - » Standtraining durchführen
  - » Standtraining und wenige Schritte gehen
  - » Gehtraining durchführen (Wegstrecke <10 Meter)
  - » Gehtraining durchführen (Wegstrecke >10 Meter)
- Ort der Mobilisation
  - » Bett
  - » Sessel/Lehnstuhl
  - » Sitzsack
  - » Rollstuhl
  - » Hängematte
- Maßnahmen konkretisieren
  - » Techniken der Kinästhetik einsetzen
  - » Nach dem Bobath-Konzept mobilisieren
  - » Faszilitationstechnik einsetzen
  - » Inhibitationstechniken einsetzen
  - » Spastik im Rahmen der Mobilisation lösen
  - » Hubfreie/-arme Mobilisation durchführen
- Erschwerte Bedingungen feststellen
  - » Zu- und Ableitungssysteme
  - » Kreislaufinstabilität
  - » Abwehrhaltung
  - » Lähmung
  - » Kontraktur
  - » Spasmus
- Art der Unterstützungsleistung angeben
  - » Beaufsichtigen
  - » Teilweise übernehmen
  - » Vollständig übernehmen
  - » Zur Durchführung anleiten
- Anzahl Pflegepersonen angeben
- Zeit angeben

Sonstige Pflegemaßnahmen durchführen
- Maßnahmen konkretisieren
- Zeit angeben

Literaturhinweise: 95, 125, 140, 151, 175, 176

Der Patient hat aufgrund einer **Tonsillektomie** das **Risiko von Komplikationen**

Kennzeichen

- Äußert Schmerzen/Unbehagen im Mund-/Rachenbereich beim Essen und Trinken

Ursachen

- Operativer Eingriff im Nasen-/Rachenraum

Ressourcen

- Akzeptiert die Notwendigkeit der Diät (bestimmte Einschränkungen)
- Toleriert die therapeutische/pflegerische Intervention
- Kann die vereinbarte Therapie selbstständig durchführen

Pflegeziele

- Nachblutung und Volumenmangel sind rechtzeitig erkannt
- Fühlt sich sicher durch Informationen
- Alle wichtigen Informationen sind weitergeleitet
- Schlucken ist schmerzfrei
- Primäre Wundheilung ist gewährleistet
- Nachblutung ist rechtzeitig erkannt
- Heilungsprozess ist optimal unterstützt
- Nachblutung ist reduziert

Pflegeinterventionen

Wundinspektion mit Taschenlampe durchführen
- Pflegeintervention konkretisieren
- Zeit angeben

Informationsgespräch durchführen

- Gesprächsinhalt
- Gesprächsteilnehmer
  - » Angehöriger/Bezugsperson
  - » Betroffene Person
- Zeit angeben

Kälteanwendungen von außen durchführen
- Pflegeintervention konkretisieren
  - » Eisbeutel auflegen
  - » Kühlelement auflegen
  - » Kalte Kompresse/Auflage anwenden
  - » Quarkauflage (Topfenauflage) anwenden
  - » Alkoholumschläge anwenden

Kostform anpassen
- Kostform bestimmen
  - » Flüssige Kost anbieten
  - » Breiige Kost anbieten
  - » Weiche Kost anbieten
  - » Pürierte Kost
  - » Passierte Kost
  - » Lauwarme oder kalte Kost
  - » Säurearme und milde Kost

Fruchtsäuren, heiße Nahrung und scharfe Gewürze vermeiden
- Pflegeintervention konkretisieren
- Zeit angeben

Nachblutung kontrollieren
- Pflegeintervention konkretisieren
- Zeit angeben

Speiseeis verabreichen
- Pflegeintervention konkretisieren
- Zeit angeben

Bei der Einschränkung der Bewegungsaktivität unterstützen
- Art der Unterstützung
  - » Anleiten
  - » Aufklären
  - » Beaufsichtigen

Sonstige Pflegemaßnahmen durchführen
- Maßnahmen konkretisieren
- Zeit angeben

Literaturhinweise: 95, 125, 140, 151, 175, 176

Der Patient hat aufgrund der **Prämedikation** das **Risiko von Komplikationen**

Kennzeichen

- Pflege-/Behandlungsvereinbarungen werden nicht eingehalten
- Zeigt Verhaltensweisen, die darauf hinweisen, dass die Gefahren nicht ausreichend beachtet werden
- Äußert ein Wissensdefizit über entsprechende Prophylaxemaßnahmen

Ursachen

- Kreislaufstörung
- Hat ein Wissensdefizit über die Prämedikation
- Steht trotz verabreichter Prämedikation auf

Ressourcen

- Ist zuverlässig bezüglich der Einnahme der Medikation
- Ist bei der Einhaltung von Vereinbarungen zuverlässig
- Kann Hilfe annehmen
- Meldet sich, wenn $er zur Toilette muss

Pflegeziele

- Ist über Verhaltensmaßnahmen informiert und setzt diese um
- Wirkung und Nebenwirkung sind bekannt
- Korrekte Einnahme der Prämedikation ist sichergestellt
- Komplikationen sind frühzeitig erkannt und abgewendet

Pflegeinterventionen

Informationsgespräch über Wirkung der

Prämedikation führen und Instruktionen über das Verhalten nach der Einnahme geben
- Pflegeintervention konkretisieren
- Zeit angeben

Angeordnete Prämedikation verabreichen und dokumentieren
- Pflegeintervention konkretisieren
  - » Orale Prämedikation mit einem Schluck Wasser anreichen
  - » Prämedikation s. c. verabreichen
  - » Prämedikation i. m. verabreichen
  - » Prämedikation über Ernährungssonde verabreichen

Bewusstseinszustand und Wirkungsweise der Medikation beobachten
- Pflegeintervention konkretisieren
  - » Vitalzeichenkontrolle durchführen, auf dem Überwachungsprotokoll dokumentieren
- Bewusstseinskontrolle durchführen
  - » Auf qualitative Veränderungen beobachten
  - » Auf quantitative Veränderungen beobachten

Sonstige Pflegemaßnahmen durchführen
- Maßnahmen konkretisieren
- Zeit angeben

Literaturhinweise: 95, 121, 125, 140, 151, 175, 176

Der Patient hat aufgrund einer **Wunddrainage** das **Risiko von Komplikationen**

Kennzeichen

- Streifen-/Dochtdrainage
- Wellgummidrain
- Silikonkurzdrainage
- Silikonkapillardrain (easy flow)
- Redondrainage ohne Sog
- Redondrainage mit Sog
- Spüldrainage
- Saug-Spül-Drainage
- T-Drainage
- Penrose-Drain
- Thoraxdrainage
- Robinson-Drainage
- Gummilasche

Ursachen

- Anastomosen
- Infizierte Wundhöhlen
- Abszess
- Fehlendes Verständnis für spezielle Verhaltensweisen und prophylaktische Maßnahmen
- Umfeldbedingt erhöhtes Infektionsrisiko
- Pneumothorax
- Postoperativ indiziert
- Hämatothorax

Ressourcen

- Beobachtet Veränderungen am System und meldet sich
- Meldet sich bei Anzeichen von Komplikationen
- Kennt die Schutz- und Hygienemaßnahmen und hält sie ein
- Ist sicher im Umgang mit der Drainage/Sonde
- Toleriert den Verbandwechsel
- Unterstützt die Wundbehandlung

Pflegeziele

- Krankhafte Veränderungen sind frühzeitig erkannt
- Nachblutung und Volumenmangel sind rechtzeitig erkannt
- Funktionsfähigkeit des Drainagesystems ist sichergestellt
- Einstichstelle ist reizlos und nicht infiziert
- Einem Sekretstau ist vorgebeugt und freier Abfluss ist gewährleistet
- Einer aufsteigenden Infektion ist vorgebeugt
- Einer Keimverschleppung ist vorgebeugt
- Primäre Wundheilung ist gewährleistet
- Wundheilungsförderliches Milieu ist hergestellt
- Sicherheit ist gewährleistet
- Zu-/Ableitungssystem ist sicher fixiert
- Durchgängigkeit des Systems ist sichergestellt

Pflegeinterventionen

Auf Infektionszeichen beobachten und Ergebnisse dokumentieren
- Pflegeintervention konkretisieren
- Zeit angeben

Abgeleitetes Sekret kontrollieren, Fördermenge dokumentieren und beobachten
- Beobachtungsparameter angeben
  - » Menge
  - » Aussehen
  - » Konsistenz
  - » Farbe
  - » Beimengungen
  - » Geruch

Verband an der Austrittsstelle regelmäßig wechseln, dabei Regeln der Asepsis beachten
- Versorgungstechnik lt. Arzt angeben
  - » Stomahesivplatte mit Beutel verwenden
  - » Wundsekret in Kompressenlagen ableiten
  - » Schlitzkompressen um die Drainagenein-

trittsstelle verwenden
- Verbandmaterialien auswählen
- Wundreinigung angeben
  - » Wunde nach Arztanordnung reinigen
  - » NaCl 0,9 % verwenden
  - » Ringer-Lösung verwenden
  - » PVP-Jodlösung verwenden
  - » Hautdesinfektionsmittel auf Ethanolbasis verwenden

Drainage unterhalb der Punktionsstelle platzieren
- Pflegeintervention konkretisieren
- Zeit angeben

Beim Verbandwechsel assistieren
- Maßnahmen konkretisieren
  - » Einfachen Verbandwechsel (10 Min.) durchführen
  - » Verbandwechsel mit Wundreinigung durchführen
  - » Verbandwechsel mit Wundspülung durchführen
  - » Verbandwechsel mit speziellen Auflagen durchführen (10 Min.)
  - » Folienverband mit Vakuum anlegen
  - » Folienverband mit Vakuum >9 % der Körperfläche anlegen
  - » Spezielle Wundbehandlung bei Verbrennungen durchführen
  - » Spezielle Wundbehandlung bei Verbrennungen betroffener Körperoberflächen >9 % durchführen
  - » Spezielle Wundbehandlung bei Verbrennungen betroffener Körperoberflächen >18 % durchführen

Abfluss des Wundsekrets durch das Ableitungssystem gewährleisten
- Pflegeintervention konkretisieren
  - » Sog-/Vakuumkontrolle durchführen
  - » Auffangbehälter unter Körperniveau anbringen
  - » Drainageschlauch "melken"
  - » Einem Abknicken/Durchhängen des Schlauchsystems vorbeugen
  - » Auf Abflussbehinderung kontrollieren
(Sonden/Drainagen ohne Sog)
  - » Sonde/Drainage unter Berücksichtigung der erforderlichen Hygienemaßnahmen spülen
- Auf Nachblutung beobachten
  - » Sekretfördermenge beobachten und Ergebnisse dokumentieren

Drainagesystem laut Arztanordnung wechseln
- Pflegeintervention konkretisieren
  - » Bei mehreren Drainagen diese nummerieren
  - » Fördermenge der abgeleiteten Sekrete beobachten und dokumentieren
  - » Drainage-/Sekretbeutel entleeren
  - » Drainagebeutel unsteril wechseln
  - » Drainagebeutel steril wechseln
  - » Redondrainage wechseln
  - » Adhäsivbeutel, in den das Sekret abgeleitet wird, unter sterilen Kautelen wechseln

Wundverband/Wundreinigung nach ärztlicher Anordnung durchführen
- Wundauflage auswählen
  - » Sterile Kompresse
  - » Sterile Saugkompresse
  - » Ringergetränkte Kompresse
  - » Hydrogelverband
  - » Hydrokolloidverband
  - » Hydropolymer
  - » Polyurethanschaum
  - » Metallinisierte Wundauflage
  - » Aktivkohle-Kompresse
  - » Silber-Aktivkohle-Kompresse
  - » Transparente Wundabdeckung
  - » Folienverband
  - » Folienverband mit Vakuumversiegelung
  - » Salbenkompresse ohne Wirkstoff
  - » Alginat-Kompresse
- Wunde reinigen mit
  - » Ringer-Lösung
  - » Kochsalzlösung 0,9%ig
  - » Wasserstoffperoxid-Lösung 1%ig
  - » Wasserstoffperoxid-Lösung 2%ig
  - » Wasserstoffperoxid-Lösung 3%ig
- Verbandstoff auswählen
  - » Elastische Binde
  - » Schlauchmull
  - » Klebevlies/-mull
- Anzahl Pflegepersonen angeben

Drainagen ziehen bzw. kürzen
- Art der Intervention bestimmen
  - » Drainage nach Arztanordnung kürzen
  - » Drainage nach Arztanordnung ziehen
  - » Redon-Drainage
  - » Easy-Flow-Drainage
  - » Penrose-Drainage
  - » Platten-Drainage
  - » Gummilasche
  - » Shirley-Wunddrainage

Drainagen kontrollieren und beobachten
- Drainageart angeben
  - » T-Drainage
  - » Bauch-Zieldrainagen
  - » Robinson-Drainage
  - » Bülau-Drainage
  - » Monaldi-Drainage
  - » Schlürf-Drainage
  - » Saug-Spül-Drainage
- Überwachungsart bestimmen
  - » Sogkontrolle durchführen
  - » Fördermenge der abgeleiteten Sekrete beobachten und dokumentieren
  - » Sekretauffangbehälter wechseln
  - » Sterile Vorgehensweise beim Wechsel beachten
- Zur gleichen Zeit mehrere Drainagen kontrollieren/versorgen
  - » Zwei Drainagen
  - » Drei Drainagen
  - » Mehr als drei Drainagen

Geschlossenes Ableitungssystem verwenden
- Pflegeintervention konkretisieren
- Zeit angeben

Zügelpflaster zur sicheren Fixierung anbringen
- Pflegeintervention konkretisieren
- Zeit angeben

Sonde/Drainagen anspülen
- Pflegeintervention konkretisieren
- Zeit angeben

Sonstige Pflegemaßnahmen durchführen
- Maßnahmen konkretisieren
- Zeit angeben

Literaturhinweise: 16, 100, 125, 140, 151, 175, 252, 269, 270, 271, 272

Der Patient hat aufgrund einer **Zahnfleischveränderung** ein **Risiko von Komplikationen**

Kennzeichen

- Zahnfleischbluten beim Zähneputzen
- Zahnfleischbluten beim Biss in einen Apfel
- Äußert Schmerzen
- Entzündungserscheinungen

Ursachen

- Parodontitis
- Zahnfleischentzündung (Gingivitis)
- Veränderte Mundschleimhaut
- Mangelnde Mund-/Zahnhygiene
- Ernährungsfehler

Ressourcen

- Kennt Maßnahmen, um die Blutung zu stillen
- Kennt Vorbeugungsmaßnahmen und unterstützt diese aktiv

Pflegeziele

- Zahnfleisch ist intakt

Pflegeinterventionen

Schonende Technik beim Zähneputzen mit weicher Zahnbürste vermitteln
- Pflegeintervention konkretisieren
- Zeit angeben

Geeignete Zahnbürste auswählen
- Pflegeintervention konkretisieren
- Zeit angeben

Gründliche Reinigung der Zahnbürste nach jeder Benutzung durchführen
- Pflegeintervention konkretisieren
- Zeit angeben

Geeignete Zahnpasta auswählen
- Pflegeintervention konkretisieren
- Zeit angeben

Sonstige Pflegemaßnahmen durchführen
- Maßnahmen konkretisieren
- Zeit angeben

Literaturhinweise: 95, 125, 127, 175, 176

Der Patient **erbricht/leidet an Übelkeit**, es besteht das **Risiko von Komplikationen**

Kennzeichen

- Blässe der Haut
- Schweißausbruch
- Unwillkürliches Zusammenziehen von Bauchmuskulatur und Zwerchfell
- Starker Würgereiz mit Krämpfen
- Magen-/Darminhalt wird nach oben und aus dem Mund befördert
- Erbrechen im Schwall
- Erbrechen von angedauten, säuerlich riechenden Nahrungsresten
- Erbrechen von grünlich-galliger Flüssigkeit
- Äußert vor dem Erbrechen Übelkeit
- Erbrechen ohne Übelkeit
- Erbrechen von Blut
- Erbrechen von Kot
- Verstärkter Speichelfluss
- Äußert eine Abneigung gegen Speisen

Ursachen

- Reizung des Brechzentrums über das vegetative Nervensystem
- Gastritis
- Pylorusstenose
- Überdehnung des Magens
- Störung des Gleichgewichtsorgans
- Direkte Reizung des Brechzentrums
- Meningitis
- Migräne
- Gehirnerschütterung
- Digitaliseinnahme
- Zytostasetherapie
- Psychologischer Hintergrund
- Schwangerschaftsbedingtes Erbrechen
- Infektion
- Malaria
- Postoperative Magen-Darm-Atonie
- Magen-Darm-Atonie
- Akute Pankreatitis
- Tumore im Bauchraum
- Magen-Entleerungsstörung
- Unverträglichkeit der Sondennahrung

Ressourcen

- Ist bei Bewusstsein und kann sich bei Übelkeit melden
- Erkennt die Vorboten und meldet sich zuverlässig
- Kann die Mundspülung/Mundpflege selbstständig durchführen
- Ist motiviert, die Pflegemaßnahme zu unterstützen und zeigt entsprechende Verhaltensweisen
- Akzeptiert die Unterstützung
- Akzeptiert die Unterstützung von Angehörigen

Pflegeziele

- Ursachen sind erkannt
- Komplikationen sind vorgebeugt
- Flüssigkeits- und Elektrolythaushalt sind ausgeglichen
- Fühlt sich gut betreut, Therapie ist optimal unterstützt
- Einer Aspiration ist vorgebeugt
- Nahrungs- und Flüssigkeitszufuhr entsprechen dem individuellen Bedarf
- Empfindet nach der (Pflege-)Aktivität ein aktuelles physisches Wohlbefinden

Pflegeinterventionen

Situation beobachten und erfassen
- Pflegeintervention konkretisieren
- Zeit angeben

Ursachen ermitteln und Beobachtungen dokumentieren
- Pflegeintervention konkretisieren
- Zeit angeben

Beim Brechvorgang unterstützen
- Pflegeintervention konkretisieren
  - » Beim Brechvorgang unterstützen
  - » Zellstoff und Nierenschale bereitstellen und regelmäßig erneuern
  - » Kopf beim Brechvorgang stützen, Nierenschale halten
  - » Anschließend Mundpflege ermöglichen

Bei Bedarf Wäsche und Bettwäsche wechseln
- Pflegeintervention konkretisieren
  - » Beim Kleidungswechsel unterstützen
  - » Bettwäsche wechseln

Erhöhten Flüssigkeitsbedarf in Rücksprache mit dem Arzt ausgleichen
- Pflegeintervention konkretisieren
  - » Zieleinfuhr mit dem Arzt vereinbaren
  - » Zieleinfuhr ermitteln (30 ml x kg Körpergewicht)
  - » Trinkfahrplan erstellen und aktualisieren
  - » Flüssigkeit nach Trinkfahrplan zuführen
  - » Flüssigkeit nach Flüssigkeitsbilanz des Vortags verabreichen
- Unterstützung bei der Flüssigkeitszufuhr
  - » Getränke bereitstellen
  - » Flüssigkeit mit Teelöffel zuführen
  - » Flüssigkeit mit Esslöffel zuführen
  - » Flüssigkeit mit Trinkhalm zuführen
  - » Flüssigkeit mit Schnabelbecher zuführen
  - » Flüssigkeit mit Tasse/Glas zuführen
- Art der Unterstützungsleistung angeben
  - » Beaufsichtigen
  - » Unterstützen
  - » Teilweise übernehmen
  - » Vollständig übernehmen
  - » Zur selbstständigen Flüssigkeitszufuhr anleiten

Elektrolytverlust ausgleichen
- Pflegeintervention konkretisieren
  - » Bouillon anbieten/verabreichen
  - » Mineralwasser anbieten
  - » Gemüsesäfte anbieten

Flüssigkeitsverlust nach Arztanordnung korrigieren
- Infusionen ohne Zusätze vorbereiten und infundieren

  » 1 Infusion
  » 2 Infusionen
  » 3 Infusionen
  » 4 Infusionen
  » 5 und mehr Infusionen
- Infusionen mit Zusätzen vorbereiten und infundieren
  » 1 Infusion mit Zusatz
  » 2 Infusionen mit Zusatz
  » 3 Infusionen mit Zusatz
  » 4 Infusionen mit Zusatz
  » 5 und mehr Infusionen mit Zusatz
- Zytostaselösungen herstellen/vorbereiten
  » Zytostase herstellen/vorbereiten
- Hygienemaßnahmen
  » Zwei- und Dreiwegehähne auswechseln
  » Hahnenbank austauschen
  » Filter wechseln
  » Infusionssystem wechseln
  » Besonderheiten bestimmen
- Applikationsart bestimmen
  » Über Infusomat verabreichen
  » Über Perfusor verabreichen
  » Über Tropfenzähler verabreichen
- Tropfgeschwindigkeit einstellen

Entlastungssonde/Magensonde nach Arztanordnung legen
- Art der Sonde angeben
  » Gastrointestinalsonde
  » Duodenalsonde
  » Jejunalsonde
  » Miller-Abbott-Sonde
  » Dennis-Sonde
  » Eudel-Sonde
- Erschwernisfaktoren beim Legen der Sonde beachten
  » Fehlende Kooperation beim Legen der Sonde
  » Schluckstörung
  » Anatomische Hindernisse/Anomalien
  » Sonstige Erschwernisfaktoren
- Anzahl der Pflegepersonen eintragen

Aspirationsprophylaxe durchführen
- Pflegeintervention konkretisieren
  » Oberkörper hochlagern, um einer Aspiration vorzubeugen (bei Ansprechbarkeit)
  » Stabile Seitenlagerung bei starker Schläfrigkeit zur Aspirationsprophylaxe sicherstellen
  » Absaugbereitschaft herstellen
  » Intubationsmaterialien griffbereit vorhalten
  » Kontinuierliche Überwachung sicherstellen
  » Entlastungsmagensonde legen lt. Anordnung

Anpassung der Kostform durchführen
- Pflegeintervention konkretisieren
- Zeit angeben

Sonstige lindernde Pflegemaßnahmen
- Pflegeintervention konkretisieren
- Zeit angeben

Sonstige Pflegemaßnahmen durchführen
- Maßnahmen konkretisieren
- Zeit angeben

Literaturhinweise: 84, 89, 95, 140, 151, 175, 176, 218

Der Patient hat aufgrund eines **akut entzündlichen Prozesses** das **Risiko von Komplikationen**

Kennzeichen

- Rötung
- Schwellung
- Überwärmung im umschriebenen Bereich
- Äußert Schmerzen
- Funktionsstörung

Ursachen

- Akuter Infekt
- Allergenkontakt
- Fremdkörper
- Gewebezerstörung durch chirurgischen Eingriff
- Entzündung der Gefäße
- Entzündliche Herzerkrankung
- Entzündung, durch äußere Reize verursacht (Kälte)
- Brustdrüsenentzündung
- Sehnenscheidenentzündung
- Insektenstiche
- Akne
- Entzündliche Gelenkerkrankung
- Oberflächliche Venenentzündung

Ressourcen

- Erkennt die Notwendigkeit der getroffenen Intervention und kooperiert mit dem therapeutischen Team
- Ist motiviert, die Pflegemaßnahme zu unterstützen und zeigt entsprechende Verhaltensweisen

Pflegeziele

- Kontraindikationen sind ausgeschlossen
- Einer Ansammlung von entzündungsbedingten Gewebsflüssigkeiten ist vorgebeugt
- Die Schmerzlinderung ist durch die physikali-

sche Therapie unterstützt
- Entzündliche Prozesse bilden sich zurück
- Einer Keimverschleppung ist vorgebeugt
- Die Entzündungsaktivität ist gemindert

Pflegeinterventionen

Kontraindikationen abklären
- Pflegeintervention konkretisieren
- Zeit angeben

Quarkauflage (Topfenauflage) anwenden
- Pflegeintervention konkretisieren
- Zeit angeben

Alkoholumschläge durchführen
- Pflegeintervention konkretisieren
- Zeit angeben

Betroffene Extremität ruhig stellen
- Hochzulagernde Extremität angeben
  - » Rechtes Bein
  - » Linkes Bein
  - » Rechter Arm
  - » Linker Arm
- Hilfsmittel einsetzen
  - » Lagerungskissen
  - » Beinhochlagerungsschiene 45° für zwei Beine
  - » Beinhochlagerungsschiene 45° für ein Bein
  - » Venenkissen
  - » Fußende des Betts leicht erhöhen
  - » Armkeil
  - » Sonstige Hilfsmittel

Desinfizierende Umschläge anwenden
- Pflegeintervention konkretisieren
- Zeit angeben

Sonstige Pflegemaßnahmen durchführen
- Maßnahmen konkretisieren
- Zeit angeben

Literaturhinweise: 51, 95, 113, 125, 127, 175, 176

Der Patient hat aufgrund eines **erhöhten Bilirubinspiegels** das **Risiko von Komplikationen**

Kennzeichen

- Gelbfärbung der Schleimhäute
- Gelb-orange Hautfarbe
- Sklerenikterus
- Bierbrauner Urin
- Farbveränderung des Stuhls
- Äußert Juckreiz auf der Haut
- Erhöhtes Serumbilirubin
- Bauchschmerzen
- Müdigkeit
- Gewichtsabnahme
- Erbrechen
- Äußert Übelkeitsgefühl

Ursachen

Gelbsucht/Ikterus
- Hämolytische Anämie
- Hepatitis
- Leberzirrhose
- Toxische Schädigung
- Medikamenteneinwirkung
- Verschlussikterus
- Infektion

Neugeborene
- Neugeborenenikterus
- Auffälliger Gewichtsverlust (>7-8 % des Geburtsgewichts)
- Unreifes Neugeborenes
- Alter des Neugeborenen 1.-7. Tag
- Verzögerte Passage des Mekoniums
- Rhesus-Inkompatibilität
- Unreife der Gallenwege/Leberfunktion
- Unreife des Gastrointestinaltraktes
- Neugeborenes asiatischer Herkunft
- Neugeborenes einer diabetischen Mutter
- Dehydration des Neugeborenen

Ressourcen

- Erkennt die Vorboten und meldet sich zuverlässig
- Ist motiviert, die Pflegemaßnahme zu unterstützen und zeigt entsprechende Verhaltensweisen

Pflegeziele

- Komplikationen sind frühzeitig erkannt und abgewendet
- Atmung ist physiologisch
- Normale Bilirubinserumwerte sind erreicht
- Physiologisches Hautmilieu ist hergestellt
- Der Säugling nimmt zu und gedeiht
- Das Geburtsgewicht ist nach 2-3 Wochen nach der Entbindung wieder erreicht

Pflegeinterventionen

Vitalzeichenkontrollen durchführen
- Überwachungsmonitor benutzen
  - » Überwachungsmonitor benutzen
  - » Pulsfrequenz/-qualität messen
  - » Blutdruckwert messen
  - » Atemfrequenz/-qualität messen
  - » Körpertemperatur messen
  - » Sauerstoffsättigung mit Oximeter überprüfen
- Vitalzeichenwerte manuell messen
  - » Pulsfrequenz/-qualität messen
  - » Blutdruckwert messen
  - » Atemfrequenz/-qualität messen
  - » Körpertemperatur messen
- Ort der Messung angeben
  - » Am rechten Arm messen
  - » Am linken Arm messen
  - » Am Finger messen
  - » Am Zeh messen
  - » Besonderheiten bei der Messung bestimmen

Fototherapie bei dem Neugeborenen durchführen

- Pflegeintervention konkretisieren
- Zeit angeben

Für ausreichende Flüssigkeitszufuhr sorgen
- Pflegeintervention konkretisieren
  - » Angeordnete Flüssigkeitsmenge in 24 h
- Flüssigkeitszufuhr managen
  - » Flüssigkeitszufuhr mithilfe eines Trinkfahrplans dokumentieren
  - » Flüssigkeitszufuhr mithilfe eines Einfuhrprotokolls dokumentieren
  - » Trinkfahrplan erstellen/aktualisieren
  - » 24-h-Flüssigkeitszufuhr berechnen/dokumentieren
  - » Zu selbstständiger Dokumentation der Trinkmenge anleiten/anhalten

Systematische Einschätzung der Nahrungszufuhr des Säuglings
- Pflegeintervention konkretisieren
  - » Säugling vor und nach dem Stillen wiegen und Trinkmenge ermitteln
  - » Indikation einer Zufütterung prüfen und bei Bedarf festlegen
  - » Mutter anleiten, die Stillprobe durchzuführen und einzuschätzen

Sonstige Pflegemaßnahmen durchführen
- Maßnahmen konkretisieren
- Zeit angeben

Literaturhinweise: 95, 125, 175, 176

Der Patient hat aufgrund von **Aszites** das **Risiko von Komplikationen**

Kennzeichen

- Gewichtszunahme
- Kachexie
- Abdominale Schwellung
- Ödembildung
- Oligurie: Harnausscheidung zwischen 100 und 500 ml täglich
- Blähungen

Ursachen

- Leberzirrhose
- Krebserkrankung
- Entzündung im Bauchraum
- Herzinsuffizienz
- Parasiten

Ressourcen

- Erkennt die Notwendigkeit der getroffenen Intervention und kooperiert mit dem therapeutischen Team
- Hält die Therapievereinbarungen ein

Pflegeziele

- Zunahme der Aszitesbildung ist erkannt
- Wassereinlagerungen sind erkannt und dokumentiert
- Flüssigkeitsbilanz ist ausgeglichen
- Therapie ist unterstützt
- Komplikationen sind frühzeitig erkannt und abgewendet

Pflegeinterventionen

Körpergewicht kontrollieren
- Gewicht kontrollieren
  - » Gewicht mit Sitzwaage kontrollieren (pflegerisch erforderlich)
  - » Gewicht mit Stehwaage kontrollieren
  - » Gewicht mit Sitzwaage kontrollieren

Bauchumfang messen und dokumentieren
- Pflegeintervention konkretisieren

Beinumfang messen und dokumentieren
- Assessment: Umfangmessungen
  - » Zur Ermittlung und Verlaufsbeurteilung von Ödemen Umfang messen
  - » Zur Ermittlung und Verlaufsbeurteilung von akuten Schwellungen Umfang messen
- Umfangsmessung durchführen
  - » Rechter Arm
  - » Linker Arm
  - » Handgelenk rechts
  - » Handgelenk links
  - » Rechtes Bein
  - » Linkes Bein
  - » Sprunggelenk links
  - » Sprunggelenk rechts
  - » Bauchumfang messen
- Methode der Umfangsmessung
  - » Konventionelle Umfangmessung
  - » Figure-of-Eight-Methode

Flüssigkeitsbilanzierung durchführen
- Pflegeintervention konkretisieren
  - » ZVD-Messung durchführen
  - » Flüssigkeitsbilanzierung durchführen
  - » Stundenurinkontrolle durchführen
  - » Ausfuhr berechnen
  - » Einfuhr berechnen
  - » Bilanzprotokoll erstellen
- Flüssigkeitszufuhr lt. Arztanordnung festlegen
  - » Positiv-Bilanz
  - » Negativ-Bilanz
  - » Ausgeglichene Bilanz
- Erfassungszeitraum bestimmen/sonstige Angaben
  - » Blase am Ende des Erfassungszeitraums entleeren lassen
  - » Ergebnisse in die Dokumentation eintragen

» Erfassungszeitraum bestimmen

Bei der Aszitespunktion durch den Arzt assistieren
- Pflegeintervention konkretisieren
- Zeit angeben

Verband/Einstichstelle kontrollieren
- Pflegeintervention konkretisieren
- Zeit angeben

Sonstige Pflegemaßnahmen durchführen
- Maßnahmen konkretisieren
- Zeit angeben

Literaturhinweise: 95, 125, 126, 175, 176

Der Patient hat **Nasenbluten** (Epistaxis), es besteht das **Risiko von Komplikationen**

Kennzeichen

- Schocksymptomatik
- Blut läuft aus der Nase
- Erbricht frisches Blut

Ursachen

- Verletzung der Schleimhäute durch mechanische Reize
- Fieber (Hyperthermie)
- Blutgerinnungsstörung
- Tumor
- Hypertonie
- Operativer Eingriff im Nasen-/Rachenraum

Ressourcen

- Bewahrt Ruhe beim Nasenbluten
- Kennt Maßnahmen, um die Blutung zu stillen
- Ist bei Bewusstsein und kann sich beim Auftreten von Nasenbluten melden
- Hält sich an die Verhaltensmaßregeln zur Blutungsprophylaxe

Pflegeziele

- Blutung kommt zum Stillstand
- Nasenblutung ist gestoppt/ihr wird vorgebeugt
- Komplikationen sind vorgebeugt
- Komplikationen sind frühzeitig erkannt und abgewendet
- Setzt Entspannungstechniken gezielt ein
- Fühlt sich beruhigt
- Ist über Verhaltensmaßregeln informiert und unterstützt die Therapie

Pflegeinterventionen

Bei Nasenbluten Körperhaltung einnehmen lassen, bei der das Blut aus der Nase laufen kann
- Pflegeintervention konkretisieren
  - » Sitzend, nach vorn gebeugt
  - » Auf der Seite liegend, Kopfteil leicht hochgestellt
  - » Nierenschale und Bettschutz bereitstellen

Bei Blutungen im unteren Nasenbereich Kompression durchführen
- Pflegeintervention konkretisieren
- Zeit angeben

Eiskrawatte in den Nacken legen und Blutung beobachten
- Pflegeintervention konkretisieren
- Zeit angeben

Beim Legen einer Nasentamponade unterstützen
- Pflegeintervention konkretisieren
- Zeit angeben

Nach Arztanordnung Nasentamponade legen
- Pflegeintervention konkretisieren
- Zeit angeben

Kreislaufsituation einschätzen
- Pflegeintervention konkretisieren
  - » Blutdruck messen
  - » Puls messen
  - » Blutverlust einschätzen

Postoperativ auf Nachblutung überwachen
- Pflegeintervention konkretisieren
- Zeit angeben

Beruhigende Pflegeintervention durchführen
- Pflegeintervention konkretisieren
  - » Beruhigendes Gespräch führen
  - » Berührung bewusst einsetzen

Über Verhaltensregeln informieren, die einer Nachblutung vorbeugen

- Pflegeintervention konkretisieren
- Zeit angeben

Sonstige Pflegemaßnahmen durchführen
- Maßnahmen konkretisieren
- Zeit angeben

Literaturhinweise: 95, 125, 127, 175, 176, 661

Der Patient hat aufgrund einer **allergisch bedingten Hautveränderung** das **Risiko von Komplikationen**

Kennzeichen

- Rötung
- Schwellung
- Bläschenbildung
- Juckreiz
- Gesichtsschwellung von Augenlidern und Mund
- Äußert Atemnot (beteiligte Atemwege)
- Quaddelbildung
- Hautreizung
- Entzündungserscheinungen
- Trockene, schuppende Haut mit grobem Hautrelief
- Schwellung der Haut
- Beschreibt das Gefühl der chronischen Müdigkeit
- Äußert Unwohlsein
- Aufbrechen der Haut mit kleineren Blutungen

Ursachen

- Allergenkontakt
- Intoleranzreaktion
- Latex
- Reinigungsmittel
- Waschsubstanzen
- Pflegeprodukte
- Farbstoffe von Textilien
- Nickel
- Gummi
- Zement
- Mehl
- Gräser
- Haselnuss
- Früchte
- Sonstige Allergene

Ressourcen

- Kennt krankheits- bzw. symptomauslösende Faktoren und kann diese vermeiden
- Äußert Einsicht in die Pflegemaßnahme
- Ist motiviert, die Pflegemaßnahme zu unterstützen und zeigt entsprechende Verhaltensweisen

Pflegeziele

- Auslösende Faktoren sind erkannt und reduziert
- Komplikationen sind frühzeitig erkannt und abgewendet
- Beschwerden sind gelindert
- Hautreaktionen bilden sich zurück
- Fühlt sich gut betreut, Therapie ist optimal unterstützt

Pflegeinterventionen

Gespräch über allergieauslösende Faktoren und Allergenkarenz führen
- Gesprächsinhalt
- Zeit angeben

Vitalzeichenkontrolle durchführen
- Überwachungsmonitor benutzen
  - » Überwachungsmonitor benutzen
  - » Pulsfrequenz/-qualität messen
  - » Blutdruckwert messen
  - » Atemfrequenz/-qualität messen
  - » Körpertemperatur messen
  - » Sauerstoffsättigung mit Oximeter überprüfen
- Vitalzeichenwerte manuell messen
  - » Pulsfrequenz/-qualität messen
  - » Blutdruckwert messen
  - » Atemfrequenz/-qualität messen
  - » Körpertemperatur messen
- Ort der Messung angeben
  - » Am rechten Arm messen
  - » Am linken Arm messen
  - » Am Finger messen
  - » Am Zeh messen
  - » Besonderheiten bei der Messung bestim-

men

Intubationsbesteck und Notfallmedikamente bereitstellen
- Pflegeintervention konkretisieren
- Zeit angeben

Infusionstherapie laut ärztlicher Anordnung durchführen bzw. unterstützen
- Infusionen ohne Zusätze vorbereiten und infundieren
  - » 1 Infusion
  - » 2 Infusionen
  - » 3 Infusionen
  - » 4 Infusionen
  - » 5 und mehr Infusionen
- Infusionen mit Zusätzen vorbereiten und infundieren
  - » 1 Infusion mit Zusatz
  - » 2 Infusionen mit Zusatz
  - » 3 Infusionen mit Zusatz
  - » 4 Infusionen mit Zusatz
  - » 5 und mehr Infusionen mit Zusatz
- Zytostaselösungen herstellen/vorbereiten
  - » Zytostase herstellen/vorbereiten
- Hygienemaßnahmen
  - » Zwei- und Dreiwegehähne auswechseln
  - » Hahnenbank austauschen
  - » Filter wechseln
  - » Infusionssystem wechseln
  - » Besonderheiten bestimmen
- Applikationsart bestimmen
  - » Über Infusomat verabreichen
  - » Über Perfusor verabreichen
  - » Über Tropfenzähler verabreichen
- Tropfgeschwindigkeit einstellen

Injektionen laut ärztlicher Anordnung vorbereiten/verabreichen
- Pflegeintervention konkretisieren
  - » Subkutane Injektionen (s. c.)
  - » Intramuskuläre Injektionen (i. m.)
  - » Intravenöse Injektionen (i. v.)
  - » I. v. Injektionen lt. Arztanordnung über liegenden Zugang (Intensivstation) verabreichen

Lokaltherapeutika laut ärztlicher Anordnung anwenden/auftragen
- Maßnahmen konkretisieren
  - » Präparat auftragen
  - » Verband anlegen zum Abdecken des behandelten Hautareals
  - » Okklusiv-Verband lt. Arztanordnung anlegen
  - » Feuchten Umschlag anlegen
- Größe der betroffenen Haut/Wunde angeben
  - » Hautdefekt < 5 cm Durchmesser
  - » Hautdefekt > 5 cm Durchmesser
  - » Hautdefekt > 9 % Körperoberfläche
  - » Hautdefekt > 18 % Körperoberfläche
- Medizinisches Bad
  - » Voll-/Teilbad mit Zusätzen durchführen
- Anzahl Pflegepersonen angeben

Sonstige Pflegemaßnahmen durchführen
- Maßnahmen konkretisieren
- Zeit angeben

Literaturhinweise: 95, 125, 127, 175, 176, 988

Der Patient hat aufgrund einer **Harnabflussbehinderung** ein **Risiko von Komplikationen**

Kennzeichen

- Oligurie: Harnausscheidung zwischen 100 und 500 ml täglich
- Anurie: Harnausscheidung weniger als 100 ml pro Tag
- Äußert Schmerzen im Unterbauch
- Wasserlassen ist nicht möglich
- Verzögertes Wasserlassen
- Berichtet über erschwertes Wasserlassen

Ursachen

- Harnabflussbehinderung
- Prostatavergrößerung
- Prostataoperation
- Tumor der Harnröhre
- Striktur der Harnröhre
- Tumor in der Blase nahe der Harnröhre
- Blasensteine
- Abgehende Nierensteine

Ressourcen

- Hält sich an den Trinkfahrplan
- Die Angehörigen verabreichen die Flüssigkeit nach Trinkfahrplan
- Äußert Einsicht in die Pflegemaßnahme
- Zeigt Verhaltensweisen, die die Therapie unterstützen
- Kann Veränderungen bezüglich des Gesundheitszustands erkennen und einschätzen

Pflegeziele

- Komplikationen sind frühzeitig erkannt und abgewendet

Pflegeinterventionen

Flüssigkeitsbilanzierung durchführen
- Pflegeintervention konkretisieren
  - » Einfuhr kontrollieren
  - » Ausfuhr kontrollieren
  - » Flüssigkeitsbilanzierung durchführen
  - » Stundenurinkontrolle durchführen
- Erfassungszeitraum bestimmen/sonstige Angaben
  - » Blase am Ende des Erfassungszeitraums entleeren lassen
  - » Einfuhr berechnen
  - » Ausfuhr berechnen
  - » Ergebnisse in die Dokumentation eintragen
  - » Erfassungszeitraum bestimmen

Urin im Hinblick auf Menge, Farbe, Aussehen und spezifisches Gewicht beobachten und Ergebnis dokumentieren
- Pflegeintervention konkretisieren
- Zeit angeben

Sonstige Pflegemaßnahmen durchführen
- Maßnahmen konkretisieren
- Zeit angeben

Literaturhinweise: 40, 125, 126, 134, 151, 175, 176

Der Patient hat aufgrund eines **erhöhten** (extrazellulären/intravasalen) **Flüssigkeitsvolumens** das **Risiko von Komplikationen**

Kennzeichen

- Ödembildung lokal
- Ödembildung generalisiert
- Anasarka
- Aszites
- Kurzatmigkeit, Dyspnoe, Orthopnoe
- Rasselgeräusche beim Atmen
- Starke Gewichtszunahme
- Oligurie: Harnausscheidung zwischen 100 und 500 ml täglich
- Positive Bilanz
- Erhöhter ZVD (Zentralvenendruck)
- Bluthochdruck
- Jugularvenenstauung
- Verminderter Hämatokrit
- Unruhe und/oder Angst
- Bewusstseinsveränderung

Ursachen

- Herzinsuffizienz
- Vermindertes Plasmaeiweiß
- Niereninsuffizienz
- Übermäßige Aufnahme von Natrium
- Entzündung
- Venöse Gefäßerkrankung
- Zu hohe Einfuhr
- Überinfundierung

Ressourcen

- Toleriert die therapeutische/pflegerische Intervention
- Erkennt die Notwendigkeit der getroffenen Intervention und kooperiert mit dem therapeutischen Team
- Akzeptiert die Notwendigkeit der Diät (bestimmte Einschränkungen)

Pflegeziele

- Akzeptiert die Pflegeintervention
- Kann sich selbst gut einschätzen
- Flüssigkeits- und Elektrolythaushalt sind ausgeglichen
- Flüssigkeitshaushalt ist eingeschätzt
- Flüssigkeitszufuhr lt. Arztanordnung ist eingehalten
- Weitere Komplikationen sind vermieden
- Elektrolytwerte liegen im Normbereich
- Serumeiweiß ist ausgeglichen
- Wassereinlagerungen sind erkannt und dokumentiert
- Erstickungsangst ist reduziert
- Hat eine freie und erleichterte Atmung
- Lungen werden gleichmäßig und physiologisch belüftet, Atelektasen sind vorgebeugt
- Permanente Kompression ist gewährleistet
- Ödeme werden zurückgebildet

Pflegeinterventionen

Gewichtskontrolle durchführen
- Gewicht kontrollieren
  - » Gewicht mit Sitzwaage kontrollieren (pflegerisch erforderlich)
  - » Gewicht mit Stehwaage kontrollieren
  - » Gewicht mit Sitzwaage kontrollieren

Informationsgespräch bezüglich pflegetherapeutischer Interventionen durchführen
- Gesprächsinhalt
- Zeit angeben
- Beteiligte Personen angeben
  - » Betroffene Person
  - » Angehöriger/Bezugsperson
  - » Betreuer
  - » Eltern
  - » Sonstige Personen
- Durchführende Person angeben
  - » Bezugspflegeperson
  - » Pflegeperson
  - » Spezialtherapeuten
  - » Physiotherapeuten

Flüssigkeitsbilanzierung durchführen

- Pflegeintervention konkretisieren
  - » ZVD-Messung durchführen
  - » Flüssigkeitsbilanzierung durchführen
  - » Stundenurinkontrolle durchführen
  - » Ausfuhr berechnen
  - » Einfuhr berechnen
  - » Bilanzprotokoll erstellen
- Flüssigkeitszufuhr lt. Arztanordnung festlegen
  - » Positiv-Bilanz
  - » Negativ-Bilanz
  - » Ausgeglichene Bilanz
- Erfassungszeitraum bestimmen/sonstige Angaben
  - » Blase am Ende des Erfassungszeitraums entleeren lassen
  - » Ergebnisse in die Dokumentation eintragen
  - » Erfassungszeitraum bestimmen

Flüssigkeitsbedarf festlegen, Flüssigkeitszufuhr unterstützen
- Pflegeintervention konkretisieren
  - » Zieleinfuhr mit dem Arzt vereinbaren
  - » Zieleinfuhr ermitteln (30 ml x kg Körpergewicht)
  - » Trinkfahrplan erstellen und aktualisieren
  - » Flüssigkeit nach Trinkfahrplan zuführen
  - » Flüssigkeit nach Flüssigkeitsbilanz des Vortags verabreichen
- Unterstützung bei der Flüssigkeitszufuhr
  - » Getränke bereitstellen
  - » Flüssigkeit mit Teelöffel zuführen
  - » Flüssigkeit mit Esslöffel zuführen
  - » Flüssigkeit mit Trinkhalm zuführen
  - » Flüssigkeit mit Schnabelbecher zuführen
  - » Flüssigkeit mit Tasse/Glas zuführen
- Art der Unterstützungsleistung angeben
  - » Beaufsichtigen
  - » Unterstützen
  - » Teilweise übernehmen
  - » Vollständig übernehmen
  - » Zur selbstständigen Flüssigkeitszufuhr anleiten

Vitalzeichenkontrolle mithilfe eines Überwachungsprotokolls durchführen
- Überwachungsmonitor benutzen
  - » Überwachungsmonitor benutzen
  - » Pulsfrequenz/-qualität messen
  - » Blutdruckwert messen
  - » Atemfrequenz/-qualität messen
  - » Körpertemperatur messen
  - » Sauerstoffsättigung mit Oximeter überprüfen
- Vitalzeichenwerte manuell messen
  - » Pulsfrequenz/-qualität messen
  - » Blutdruckwert messen
  - » Atemfrequenz/-qualität messen
  - » Körpertemperatur messen
- Ort der Messung angeben
  - » Am rechten Arm messen
  - » Am linken Arm messen
  - » Am Finger messen
  - » Am Zeh messen
  - » Besonderheiten bei der Messung bestimmen

Diät laut Anordnung bestellen
- Pflegeintervention konkretisieren
- Zeit angeben

Ödembildung durch Umfangmessung von Extremitäten/Bauch beobachten und dokumentieren
- Assessment: Umfangmessungen
  - » Zur Ermittlung und Verlaufsbeurteilung von Ödemen Umfang messen
  - » Zur Ermittlung und Verlaufsbeurteilung von akuten Schwellungen Umfang messen
- Umfangsmessung durchführen
  - » Rechter Arm
  - » Linker Arm
  - » Handgelenk rechts
  - » Handgelenk links
  - » Rechtes Bein
  - » Linkes Bein
  - » Sprunggelenk links
  - » Sprunggelenk rechts
  - » Bauchumfang messen
- Methode der Umfangsmessung
  - » Konventionelle Umfangmessung
  - » Figure-of-Eight-Methode

Atemerleichternde/ventilationsfördernde Lagerung durchführen
- Pflegeintervention konkretisieren
  - » Sitzposition im Bett mit Unterstützung der Arme durch Lagerungskissen schaffen
  - » Reitersitz ermöglichen
  - » Kutschersitz
  - » V-Lagerung durchführen
  - » A-Lagerung durchführen
  - » T-Lagerung durchführen
  - » I-Lagerung durchführen
  - » Oberkörperhochlagerung durchführen

Kompressionsverband anlegen
- Pflegeintervention konkretisieren
- Zeit angeben

Extremitäten/betroffene Körperteile hochlagern
- Pflegeintervention konkretisieren
  - » Betroffene Extremität hochlagern
  - » Hodenbank einlegen
- Hochzulagernde Extremität angeben
  - » Linkes Bein
  - » Rechtes Bein
  - » Linker Arm
  - » Rechter Arm
  - » Hoden

Sonstige Pflegemaßnahmen durchführen
- Maßnahmen konkretisieren
- Zeit angeben

Literaturhinweise: 51, 84, 89, 95, 113, 127, 175, 176

Der Patient hat aufgrund einer **erhöhten Urinmenge** (Polyurie) das **Risiko von Komplikationen**

Kennzeichen

- Urinausscheidung > 3000 ml
- Heller, fast wasserfarbener Urin
- Glukose im Urin
- Eiweiß im Urin
- Beschreibt starkes Durstgefühl

Ursachen

- Diuretikagabe
- Diabetes mellitus bei erhöhtem Blutzuckerspiegel
- Diabetes insipidus
- Nephrotisches Syndrom
- Nierenversagen

Ressourcen

- Zeigt Verhaltensweisen, die die Therapie unterstützen
- Kann Veränderungen bezüglich des Gesundheitszustands erkennen und einschätzen

Pflegeziele

- Eine Kaliumveränderung wird frühzeitig erkannt
- Komplikationen sind frühzeitig erkannt und abgewendet
- Flüssigkeits- und Elektrolythaushalt sind ausgeglichen
- Flüssigkeitsbilanz ist ausgeglichen

Pflegeinterventionen

Auf Anzeichen einer Dehydratation beobachten

- Pflegeintervention konkretisieren
- Zeit angeben

Flüssigkeitsbilanzierung durchführen

- Pflegeintervention konkretisieren
  - » ZVD-Messung durchführen
  - » Flüssigkeitsbilanzierung durchführen
  - » Stundenurinkontrolle durchführen
  - » Ausfuhr berechnen
  - » Einfuhr berechnen
  - » Bilanzprotokoll erstellen
- Flüssigkeitszufuhr lt. Arztanordnung festlegen
  - » Positiv-Bilanz
  - » Negativ-Bilanz
  - » Ausgeglichene Bilanz
- Erfassungszeitraum bestimmen/sonstige Angaben
  - » Blase am Ende des Erfassungszeitraums entleeren lassen
  - » Ergebnisse in die Dokumentation eintragen
  - » Erfassungszeitraum bestimmen

Infusionstherapie laut Arztanordnung durchführen

- Infusionen ohne Zusätze vorbereiten und infundieren
  - » 1 Infusion
  - » 2 Infusionen
  - » 3 Infusionen
  - » 4 Infusionen
  - » 5 und mehr Infusionen
- Infusionen mit Zusätzen vorbereiten und infundieren
  - » 1 Infusion mit Zusatz
  - » 2 Infusionen mit Zusatz
  - » 3 Infusionen mit Zusatz
  - » 4 Infusionen mit Zusatz
  - » 5 und mehr Infusionen mit Zusatz
- Zytostaselösungen herstellen/vorbereiten
  - » Zytostase herstellen/vorbereiten
- Hygienemaßnahmen
  - » Zwei- und Dreiwegehähne auswechseln
  - » Hahnenbank austauschen
  - » Filter wechseln
  - » Infusionssystem wechseln
  - » Besonderheiten bestimmen
- Applikationsart bestimmen
  - » Über Infusomat verabreichen
  - » Über Perfusor verabreichen
  - » Über Tropfenzähler verabreichen
- Tropfgeschwindigkeit einstellen

Vitalzeichenkontrolle durchführen

- Überwachungsmonitor benutzen
  - » Überwachungsmonitor benutzen
  - » Pulsfrequenz/-qualität messen
  - » Blutdruckwert messen
  - » Atemfrequenz/-qualität messen
  - » Körpertemperatur messen
  - » Sauerstoffsättigung mit Oximeter überprüfen
- Vitalzeichenwerte manuell messen
  - » Pulsfrequenz/-qualität messen
  - » Blutdruckwert messen
  - » Atemfrequenz/-qualität messen
  - » Körpertemperatur messen
- Ort der Messung angeben
  - » Am rechten Arm messen
  - » Am linken Arm messen
  - » Am Finger messen
  - » Am Zeh messen
  - » Besonderheiten bei der Messung bestimmen

Urin auf Glukose und Eiweiß mit Sticks untersuchen

- Pflegeintervention konkretisieren
- Zeit angeben

Kaliumreiche und natriumreiche Kost bestellen

- Pflegeintervention konkretisieren
- Zeit angeben

Flüssigkeitszufuhr der Ausscheidung anpassen

- Pflegeintervention konkretisieren
- Zeit angeben

Flüssigkeit anreichen/verabreichen

- Darreichungsform bestimmen
  - » Flüssigkeit mit Schnabelbecher zuführen
  - » Flüssigkeit mit Tasse/Glas zuführen
  - » Flüssigkeit mit Trinkhalm zuführen
  - » Flüssigkeit mit Teelöffel zuführen
  - » Flüssigkeit mit Esslöffel zuführen
- Zeitpunkt des Flüssigkeitsangebots regeln
  - » Nach Trinkfahrplan
  - » Nach stationsüblichen Angebotszeiten
- Art der Unterstützungsleistung angeben
  - » Getränke bereitstellen
  - » Zur Flüssigkeitsverabreichung in Sitzposition bringen/anleiten, diese einzunehmen
  - » Flüssigkeitszufuhr beaufsichtigen
  - » Flüssigkeitszufuhr teilweise übernehmen
  - » Flüssigkeit schluckweise verabreichen/vollständig übernehmen
  - » Hand mit dem Trinkgefäß führen/zum selbstständigen Trinken anleiten

Sonstige Pflegemaßnahmen durchführen

- Maßnahmen konkretisieren
- Zeit angeben

Literaturhinweise: 125, 126, 151, 175, 176

Der Patient hat aufgrund einer **arteriellen Durchblutungsstörung im Bein** das **Risiko von Komplikationen**

Kennzeichen

- Kann maximal 100-150 Meter gehen und bleibt dann wegen Schmerzen in den Beinen stehen
- Äußert Schmerzen beim Gehen, die in Ruhesituationen nachlassen
- Blässe der Haut
- Äußert Kältegefühl in den Extremitäten
- Beschreibt belastungsabhängige Schwäche
- Beeinträchtigte Sensibilität
- Gefühlsstörung
- Wundheilungsstörung
- Pergamentartige Haut
- Haarlosigkeit an den minderdurchbluteten Extremitäten
- Nekrose
- Veränderte Strömungsgeräusche
- Schwacher Puls der betroffenen Extremität
- Farbveränderung der Haut
- Ödembildung lokal
- Blutdruckveränderungen an den Extremitäten

Ursachen

- Reduzierte Gewebedurchblutung
- Gefäßerkrankung
- Nikotinabusus
- Hypertonie
- Diabetes mellitus
- Übergewicht

Ressourcen

- Kennt Vorbeugungsmaßnahmen und unterstützt diese aktiv
- Kennt durchblutungsfördernde Lagerungen und kann diese durchführen
- Zeigt Verhaltensweisen, die die Therapie unterstützen
- Hält die Therapievereinbarungen ein

Pflegeziele

- Veränderungen sind frühzeitig erkannt
- Periphere Durchblutungssituation ist eingeschätzt
- Durchblutung der Beine ist gefördert
- Kennt die schmerzfreie Wegstrecke und orientiert daran das Gehtraining
- Kollateralen von Blutgefäßen sind gebildet
- Schmerzen sind reduziert

Pflegeinterventionen

Durchblutungssituation der betroffenen Extremität einschätzen
- Pflegeintervention konkretisieren
  - » Pulsqualität der betroffenen Extremität überprüfen
  - » Auf Anzeichen von Schwellung, Rötung und Entzündung beobachten
  - » Subjektive Empfindungen beobachten
  - » Leistungsfähigkeit und Schmerzempfinden einschätzen

Beintieflagerung durchführen
- Pflegeintervention konkretisieren
- Zeit angeben

Betroffenen Fuß weich lagern
- Pflegeintervention konkretisieren
- Zeit angeben

Abhängig von der Belastungsfähigkeit zum Gehtraining anleiten
- Pflegeintervention konkretisieren
  - » Gespräch über die positiven Auswirkungen des Gehtrainings führen
  - » Gehtraining beaufsichtigen
  - » Beim Gehtraining unterstützen
- Anzuleitende Person(en) festlegen
  - » Betroffene Person
  - » Angehöriger/Bezugsperson

Bettbogen einsetzen
- Pflegeintervention konkretisieren
- Zeit angeben

Sonstige Pflegemaßnahmen durchführen
- Maßnahmen konkretisieren
- Zeit angeben

Literaturhinweise: 51, 79, 121, 125, 140, 151, 175, 176

Der Patient hat aufgrund einer **Instabilität des Bewegungsapparats** das **Risiko von Komplikationen bei Bewegungen**

Kennzeichen

- Beschreibt Rückenschmerzen
- Beschreibt Schmerzen beim Bewegen

Ursachen

- Osteoporose
- Veränderung der Knochenstruktur
- Wirbelfraktur
- Glasknochen

Ressourcen

- Führt Bewegungen nach Anweisung/Anleitung durch
- Zeigt Bereitschaft, knochenschonende Bewegungstechniken zu lernen
- Akzeptiert die Unterstützung
- Akzeptiert die Unterstützung von Angehörigen
- Entwickelt kreative Möglichkeiten, die Bewegungseinschränkung zu kompensieren

Pflegeziele

- Bewegt sich frei und selbstbestimmt
- Komplikationen sind vorgebeugt
- Fraktur ist vermieden

Pflegeinterventionen

Stützenden/stabilisierenden Verband nach Anordnung anlegen
- Pflegeintervention konkretisieren
  - » Orthese anlegen
  - » Korsett anlegen
  - » Fingerschiene anlegen
  - » Schienenverband anlegen
  - » Überbrückungsmieder anlegen
  - » Halbelastisches Mieder anlegen

Belastungsreduzierende, schonende Bewegungstechniken einsetzen
- Pflegeintervention konkretisieren
  - » Zum Drehen en bloc auf die Seite anleiten
  - » Zum Aufstehen durch Ablegen des Oberkörpergewichts über den Arm anleiten
  - » Zum rückenschonenden Aufstehen durch Abstützen der Hände an der Bettkante anleiten

Belastungsreduzierende Bewegungstechniken einsetzen
- Pflegeintervention konkretisieren
  - » Besonders vorsichtig lagern
  - » Mobilisation ohne Zug und Druck

Sonstige Pflegemaßnahmen durchführen
- Maßnahmen konkretisieren
- Zeit angeben

Literaturhinweise: 125, 126, 127, 151, 173, 175, 176

Der Patient hat aufgrund von **Hämorrhoiden** das **Risiko von Komplikationen**

Kennzeichen

- Äußert Schmerzen im Analbereich, unter anderem beim Stuhlgang
- Äußert Analjucken (Pruritus ani)
- Hellrote Blutauflagerungen beim Stuhlgang
- Sichtbare Hämorrhoidalknoten

Ursachen

- Pressen beim Stuhlgang
- Entbindung
- Schwangerschaft
- Chronische Obstipation
- Sitzende Tätigkeit

Ressourcen

- Kann sich bei selbst beobachteten Veränderungen melden
- Äußert Einsicht in die Pflegemaßnahme
- Kann die vereinbarte Therapie selbstständig durchführen
- Hält die Therapievereinbarungen ein

Pflegeziele

- Schmerzen sind reduziert
- Einer Entzündung im Analbereich ist vorgebeugt
- Komplikationen sind vorgebeugt

Pflegeinterventionen

Spezielle Intimhygiene unterstützen bzw. durchführen
- Pflegeintervention konkretisieren
  - » Intimwaschung durchführen
  - » Mit Pflegeschaum Haut reinigen
  - » Feuchttücher zur Hautreinigung anwenden
  - » Alte aufgetragene Hautschutzcreme mit Öl und weichem Tuch entfernen
  - » Reinigungsprodukte mit saurem ph-Wert verwenden
  - » Reibung beim Reinigen und Abtrocknen vermeiden

Lokale Maßnahmen nach Anordnung durchführen
- Pflegeintervention konkretisieren
  - » Sitzbäder mit entzündungshemmenden Zusätzen durchführen
  - » Kühle Umschläge auflegen
  - » Salbenauflagen lt. Arztanordnung einsetzen
  - » Zäpfchen verabreichen

Auf Entzündungszeichen, Blutungen und Veränderungen der Hämorrhoiden beobachten
- Pflegeintervention konkretisieren
- Zeit angeben

Sonstige Pflegemaßnahmen durchführen
- Maßnahmen konkretisieren
- Zeit angeben

Literaturhinweise: 95, 121, 140, 151

Der Patient verharrt in einer **Zwangshaltung** (Stupor), es besteht das **Risiko von Komplikationen**

Kennzeichen

- Nimmt unsinnige und bizarre Haltungen ein und verbleibt in diesen
- Wirkt teilnahmslos und reagiert nicht auf Ansprache
- Erhöhter Widerstand bei passiver Bewegung
- Zeigt Haltungsstereotypie

Ursachen

- Neurologische Störung
- Reaktion auf Schmerzsituation
- Schizophrene Psychose

Ressourcen

- Nimmt die vorbereiteten Medikamente zuverlässig ein

Pflegeziele

- Schmerztherapie ist optimiert
- Den Erregungszustand erhöhende Faktoren sind vermieden
- Sicherheit ist gewährleistet
- Körperlichen Schäden ist vorgebeugt

Pflegeinterventionen

Schmerztherapie verbessern

- Angeordnete Schmerztherapie
  - » Schmerzmedikation über Spritzenpumpe lt. Arzt verabreichen
  - » Schmerzmedikation lt. Therapieplan über s. c. Injektion verabreichen
  - » Schmerzmedikation lt. Therapieplan über i. m. Injektion verabreichen
  - » Orale Schmerzmedikation lt. Therapieplan verabreichen
  - » Schmerztherapie mit Zäpfchen lt. Therapieplan durchführen
  - » Schmerzpflaster lt. Arztanordnung anbringen
  - » Schmerzmedikation lt. Therapieplan über i. v. Injektion verabreichen
- Bedarfsmedikation lt. Arzt verabreichen
  - » Schmerzen, bei denen die Bedarfsmedikation verabreicht werden darf, beschreiben

Reizüberflutung vermeiden und für Ruhe sorgen

- Maßnahmen konkretisieren
  - » Für gedämpftes Licht sorgen
  - » Lärm reduzieren
  - » Unruhe auf der Station/im Zimmer vermeiden
  - » Aktivitäten kanalisieren

Genaue Beobachtung auf Veränderungen durchführen/Ergebnisse dokumentieren

- Pflegeintervention konkretisieren
  - » Wegen der Gefahr der perniziösen Katatonie Temperatur kontrollieren
  - » Auf Zeichen von Gespanntheit beobachten
  - » Auf beginnende Erregungszeichen achten

Sonstige Pflegemaßnahmen durchführen

- Maßnahmen konkretisieren
- Zeit angeben

Literaturhinweise: 82, 83, 95, 101, 173, 175, 176

Der Patient hat aufgrund einer **Schwellung** das **Risiko von Komplikationen**

Kennzeichen

- Veränderung des Umfangs einer Extremität
- Massenzunahme im umschriebenen Bereich
- Überwärmung im umschriebenen Bereich
- Äußert lokales Spannungsgefühl
- Schwellung des betroffenen Gelenks
- Schmerzlose, nicht gerötete Schwellung
- Rötung

Ursachen

- Venöse Gefäßerkrankung
- Entzündliche Gelenkerkrankung
- Entzündung
- Operativer Eingriff
- Reaktion auf einen Insektenstich
- Prellung
- Hydrops
- Neoplasie

Ressourcen

- Erkennt die Notwendigkeit der getroffenen Intervention und kooperiert mit dem therapeutischen Team
- Kennt durchblutungsfördernde Lagerungen und kann diese durchführen
- Kann die vereinbarte Therapie selbstständig durchführen

Pflegeziele

- Schwellungen sind verhindert bzw. gehen zurück
- Schmerzen sind reduziert

Pflegeinterventionen

Kälteanwendungen durchführen
- Pflegeintervention konkretisieren
  - » Eisbeutel auflegen
  - » Kühlelement auflegen
  - » Kalte Kompresse/Auflage anwenden
  - » Quarkauflage (Topfenauflage) anwenden
  - » Alkoholumschläge anwenden

Betroffene Extremität hochlagern
- Pflegeintervention konkretisieren
  - » Hochlagern
  - » Ruhig lagern
  - » Hoch und ruhig lagern
- Hochzulagernde Extremität angeben
  - » Rechtes Bein
  - » Linkes Bein
  - » Rechter Arm
  - » Linker Arm
- Dabei verwenden
  - » Lagerungskissen
  - » Lagerungsschiene
- Dauer angeben
  - » Kontinuierlich
  - » Zeitweise
- Bei Beckengips/Oberschenkelgips hochlagern
  - » Fußende des Betts leicht erhöhen

Betroffene Extremität ruhig lagern
- Pflegeintervention konkretisieren
  - » Lagerungskissen verwenden
  - » Schienenlagerung durchführen
  - » Ruhig stellenden Stützverband einsetzen

Sonstige Pflegemaßnahmen durchführen
- Maßnahmen konkretisieren
- Zeit angeben

Literaturhinweise: 95, 121, 125, 126, 151, 175, 176

Der Patient hat **Vergiftungserscheinungen**, es besteht ein erhöhtes **Risiko der Gesundheitsschädigung** und/oder Eintreten einer Notfallsituation

Kennzeichen

- Erbrechen ohne Übelkeit
- Übelkeit und Erbrechen
- Bewusstseinsstörung
- Bewusstseineintrübung
- Koma (tiefe Bewusstlosigkeit)
- Parästhesien
- Dyskinesie
- Atemdepression
- Bradypnoe
- Kussmaul-Atmung
- Bradypnoe
- Bradykardie
- Tachykardie
- Arrhythmien
- Hypertonie
- Hypotonie
- Schwitzen
- Ikterus
- Halluzinationen
- Unruhezustände
- Verwirrung
- Mydriasis
- Berichtet über Ängste
- Selbstständiges Handeln ist beeinträchtigt/nicht möglich

Ursachen

- Einnahme von Medikamenten in einer falschen Dosierung
- Medikamentenmissbrauch
- Substanzmissbrauch
- Atropin
- Alkohol
- Kokain
- Opiate
- Barbiturate
- Amphetamine
- Halluzinationen
- Cannabis
- Schnüffelstoffe
- Industriechemikalien
- Reinigungsmittel
- Pflanzengifte
- Nikotin (oral)
- Verunreinigte/verdorbene Lebensmittel

Ressourcen

- Äußert den Wunsch, von den Suchtstoffen loszukommen
- Knüpft neue Kontakte im sozialen Umfeld, die nicht aus der Suchtszene kommen
- Akzeptiert die Unterstützung
- Akzeptiert die Unterstützung von Angehörigen
- Erkennt die Notwendigkeit der getroffenen Intervention und kooperiert mit dem therapeutischen Team

Pflegeziele

- Ist zur Person, örtlich und zeitlich orientiert
- Veränderungen der Vigilanz sind eingeschätzt und dokumentiert
- Komplikationen sind vorgebeugt
- Bewusstseinslage ist eingeschätzt
- Krankhafte Veränderungen sind frühzeitig erkannt
- Einer Selbstgefährdung ist vorgebeugt
- Einer Fremdgefährdung ist vorgebeugt
- Komplikationen sind frühzeitig erkannt und abgewendet
- Atmung ist physiologisch
- Eine Verschlechterung des Krankheitsbilds ist frühzeitig erkannt
- Veränderungen sind frühzeitig erkannt
- Sauerstoffgehalt im Blutkreislauf ist überwacht und liegt im Normbereich (Arterielle BGA) pO_2: 70-110 mmHG (altersabhängig), O_2-Sättigung 95-99%
- Einer Aspiration ist vorgebeugt
- Therapie- und Aktivitätsangebote sind individuell abgestimmt
- Die Einnahme von Suchtstoffen ist erkannt
- Entwickelt eine drogenfreie Zukunftspers-

pektive
- Kann über das Verlangen nach Suchtstoffen sprechen
- Suchtstoffe gelangen nicht auf die Station

Pflegeinterventionen

Realitätsorientierung unterstützen
- Pflegeintervention konkretisieren
- Zeit angeben

Vigilanz mithilfe der Glasgow-Komaskala einschätzen
- Pflegeintervention konkretisieren
- Zeit angeben

Bewusstsein mithilfe eines Überwachungsprotokolls beobachten
- Pflegeintervention konkretisieren
  - » Vitalzeichenkontrolle durchführen, auf dem Überwachungsprotokoll dokumentieren
- Bewusstseinskontrolle durchführen
  - » Auf qualitative Veränderungen beobachten
  - » Auf quantitative Veränderungen beobachten

Bewusstseinsveränderungen beobachten
- Pflegeintervention konkretisieren
  - » Zeitliche, örtliche und personale Orientierung einschätzen
  - » Reaktion auf Schmerzreize einschätzen
  - » Reflexe überprüfen
  - » Vigilanz mithilfe der Glasgow-Komaskala einschätzen
  - » Qualitative Bewusstseinsveränderungen beobachten und dokumentieren

Auf Amnesie (Gedächtnislücken) beobachten und Situation einschätzen bezüglich Dauer, retrograd, anterograd usw.
- Pflegeintervention konkretisieren
- Zeit angeben

Für eine sichere Umgebung sorgen und gefährliche Gegenstände entfernen
- Für eine sichere Umgebung sorgen
  - » Stolperfallen herausfinden und entfernen
  - » Lichtverhältnisse verbessern
  - » Gefährliche Gegenstände entfernen
  - » Gefährliche Hindernisse aus dem Weg räumen
- Maßnahmen zur Förderung der Sicherheit
  - » Brille überprüfen und anbieten
  - » Hörgerät anbieten
  - » Anti-Rutsch-Socken anziehen
  - » Gehhilfen anbieten und die Benutzung einüben

Vitalzeichenkontrollen durchführen
- Überwachungsmonitor benutzen
  - » Überwachungsmonitor benutzen
  - » Pulsfrequenz/-qualität messen
  - » Blutdruckwert messen
  - » Atemfrequenz/-qualität messen
  - » Körpertemperatur messen
  - » Sauerstoffsättigung mit Oximeter überprüfen
- Vitalzeichenwerte manuell messen
  - » Pulsfrequenz/-qualität messen
  - » Blutdruckwert messen
  - » Atemfrequenz/-qualität messen
  - » Körpertemperatur messen
- Ort der Messung angeben
  - » Am rechten Arm messen
  - » Am linken Arm messen
  - » Am Finger messen
  - » Am Zeh messen
  - » Besonderheiten bei der Messung bestimmen

Atemqualität prüfen und auf Zeichen von Sauerstoffmangel beobachten
- Pflegeintervention konkretisieren
  - » Atemfrequenz und Atemqualität beobachten
  - » Peak-Flow-Messung durchführen
  - » Blutgasanalyse (BGA) durchführen
  - » Auf Zyanosezeichen beobachten
  - » Sauerstoffverabreichung kontrollieren

Blutgasanalyse durchführen
- Pflegeintervention konkretisieren
- Zeit angeben

Aspirationsprophylaxe durchführen
- Pflegeintervention konkretisieren
  - » Oberkörper hochlagern, um einer Aspiration vorzubeugen (bei Ansprechbarkeit)
  - » Stabile Seitenlagerung bei starker Schläfrigkeit zur Aspirationsprophylaxe sicherstellen
  - » Absaugbereitschaft herstellen
  - » Intubationsmaterialien griffbereit vorhalten
  - » Kontinuierliche Überwachung sicherstellen
  - » Entlastungsmagensonde legen lt. Anordnung

Fallbesprechung über den Pflege- und Behandlungsprozess führen
- Beteiligte Personen angeben
  - » Bewohner
  - » Pflegeperson
  - » Ärztlicher Dienst
  - » Psychologe
  - » Sozialarbeiter
  - » Sozialpädagoge
  - » Ergotherapeut
  - » Krankengymnast
  - » Logopäde
  - » Beschäftigungstherapeut
  - » Heilpädagoge
  - » Geistlicher Beistand
  - » Lehrer
  - » Erzieher
  - » Jugendamt
  - » Sonstige Personen
- Gesprächsinhalt
  - » Vereinbarte Therapieziele
  - » Vereinbarte Gesprächsinhalte für ein klientenzentriertes Pflegefachgespräch
- Zeitdauer angeben

Kontrollen bezüglich der Einnahme von Suchtstoffen/Substanzen durchführen
- Maßnahmen konkretisieren
  - » Alkohol-Blastest durchführen
  - » Urinprobe zur Untersuchung gewinnen
  - » Blutentnahme zur Blutuntersuchung auf Suchtstoffe durchführen

Personenkontrolle durchführen
- Pflegeintervention konkretisieren
- Zeit angeben

Sonstige Pflegemaßnahmen durchführen
- Maßnahmen konkretisieren
- Zeit angeben

Literaturhinweise: 510

Der Patient hat eine **Nierenfunktionsstörung/ein Nierenversagen**, es besteht das **Risiko von Komplikationen**

Kennzeichen

Schweregradeinteilung
- Milde Nierenfunktionseinschränkung
- Nierenkrankheit mit moderater Nierenfunktionseinschränkung
- Nierenkrankheit mit schwerer Nierenfunktionseinschränkung
- Chronisches Nierenversagen
- Akutes Nierenversagen

Glomeruläre Filtrationsrate (GFR)
- 90 und größer mL/min/1.73 m^2
- 60-89 mL/min/1.73 m^2
- 30-59 mL/min/1.73 m^2
- 15-29 mL/min/1.73 m^2
- 14 und kleiner mL/min/1.73 m^2

Sonstige Kennzeichen
- Schäumen des Urins
- Blutbeimengungen im Urin
- Ödembildung
- Schmerzen in der Nierengegend
- Eingeschränkte Leistungsfähigkeit
- Konzentrationsschwäche
- Äußert, an Appetitlosigkeit zu leiden
- Äußert Übelkeitsgefühl
- Erbrechen
- Atemnot (Dyspnoe)
- Hautveränderungen
- Krampfanfälle

Ursachen

- Medikamentenmissbrauch
- Autoimmunreaktion
- Traumatischer Unfall
- Infektion
- Sepsis
- Diabetes mellitus Typ I
- Diabetes mellitus Typ II
- Gestörte Glucoseverwertung
- Metabolisches Syndrom
- Fettstoffwechselstörung
- Übergewicht
- Hypertonie
- Systemerkrankung mit Nierenbeteiligung
- Chronische Entzündung
- Infektion der Niere
- Verengung der ableitenden Harnwege
- Nierenerkrankung
- Zystenniere
- Nephrosklerose
- Glomerulonephritis
- Interstitielle Nephritis
- Nierentransplantation

Ressourcen

- Akzeptiert die körperlichen Veränderungen
- Zeigt Verhaltensweisen, die die Therapie unterstützen
- Akzeptiert die Notwendigkeit der Diät (bestimmte Einschränkungen)
- Angehörige/Bezugspersonen unterstützen den Behandlungsplan
- Angehörige/Bezugspersonen unterstützen die Anpassung an die veränderten Lebensprozesse

Pflegeziele

- Genaue Bemessungsgrundlage für die Einschätzung des Ernährungszustands ist sichergestellt
- Nierenversagen ist rechtzeitig erkannt
- Komplikationen sind frühzeitig erkannt und abgewendet
- Krankhafte Veränderungen sind frühzeitig erkannt
- Hautturgor ist eingeschätzt
- Wassereinlagerungen sind erkannt und dokumentiert
- Korrekte Medikamenteneinnahme ist gewährleistet
- Untersuchungsmaterial ist korrekt gewonnen und weitergeleitet
- Nimmt nicht an Körpergewicht zu
- Nimmt in dialysefreien Intervallen nicht mehr als 1 kg täglich an Körpergewicht zu
- Schnellem Anstieg harnpflichtiger Substanzen ist vorgebeugt
- Veränderungen sind frühzeitig erkannt
- Komplikationen sind vorgebeugt
- Dialyse verläuft komplikationslos
- Harnpflichtige Substanzen sind ausgeschieden
- Unabhängigkeit des Patienten ist unterstützt
- Ist sicher im Umgang mit der Peritonealdialyse
- Kennt Gefahren sowie Möglichkeiten, diesen vorzubeugen
- Lebensqualität ist gesteigert
- Stressempfinden ist reduziert
- Angstempfinden ist reduziert
- Kann Gesundheitsprobleme frühzeitig erkennen
- Kann adäquat auf Einschränkungen und Komplikationen reagieren
- Selbstapplikation von Medikamenten ist effektiv und fachgerecht
- Selbstmanagement ist gesteigert
- Vertrauensvolle therapeutische Beziehung ist aufgebaut
- Prävention von Sekundärerkrankungen

Pflegeinterventionen

Gewichtskontrollen durchführen
- Gewichtskontrollen durchführen
  - » Mit einer Stehwaage
  - » Mit einer Sitzwaage
- Körpergewicht kontrollieren
  - » Morgens vor dem Frühstück
  - » In Unterwäsche/ohne Schuhe
  - » Nach der Blasenentleerung

Körpergröße ermitteln
- Pflegeintervention konkretisieren
- Zeit angeben

Vitalzeichenkontrolle und Kontrolle des

Bewusstseinszustands durchführen
- Überwachungsmonitor benutzen
  - » Überwachungsmonitor benutzen
  - » Pulsfrequenz/-qualität messen
  - » Blutdruckwert messen
  - » Atemfrequenz/-qualität messen
  - » Körpertemperatur messen
  - » Sauerstoffsättigung mit Oximeter überprüfen
- Vitalzeichenwerte manuell messen
  - » Pulsfrequenz/-qualität messen
  - » Blutdruckwert messen
  - » Atemfrequenz/-qualität messen
  - » Körpertemperatur messen
- Ort der Messung angeben
  - » Am rechten Arm messen
  - » Am linken Arm messen
  - » Am Finger messen
  - » Am Zeh messen
  - » Besonderheiten bei der Messung bestimmen

Urin im Hinblick auf Menge, Farbe, Aussehen und spezifisches Gewicht beobachten und Ergebnis dokumentieren
- Pflegeintervention konkretisieren
- Zeit angeben

Auf Infektionszeichen beobachten und Ergebnisse dokumentieren
- Pflegeintervention konkretisieren
- Zeit angeben

Hautturgor beobachten
- Pflegeintervention konkretisieren
- Zeit angeben

Körper auf Zunahme von Ödemen beobachten
- Assessment: Umfangmessungen
  - » Zur Ermittlung und Verlaufsbeurteilung von Ödemen Umfang messen
  - » Zur Ermittlung und Verlaufsbeurteilung von akuten Schwellungen Umfang messen
- Umfangsmessung durchführen
  - » Rechter Arm
  - » Linker Arm
  - » Handgelenk rechts
  - » Handgelenk links
  - » Rechtes Bein
  - » Linkes Bein
  - » Sprunggelenk links
  - » Sprunggelenk rechts
  - » Bauchumfang messen
- Methode der Umfangsmessung
  - » Konventionelle Umfangmessung
  - » Figure-of-Eight-Methode

Oberkörperhochlagerung (20°) durchführen
- Pflegeintervention konkretisieren
- Zeit angeben

Flüssigkeitsbilanzierung durchführen
- Pflegeintervention konkretisieren
  - » Einfuhr kontrollieren
  - » Ausfuhr kontrollieren
  - » Flüssigkeitsbilanzierung durchführen
  - » Stundenurinkontrolle durchführen
- Erfassungszeitraum bestimmen/sonstige Angaben
  - » Blase am Ende des Erfassungszeitraums entleeren lassen
  - » Einfuhr berechnen
  - » Ausfuhr berechnen
  - » Ergebnisse in die Dokumentation eintragen
  - » Erfassungszeitraum bestimmen

ZVD-Messung durchführen
- Pflegeintervention konkretisieren
- Zeit angeben

Sicherstellung und Unterstützung bei der Medikamenteneinnahme
- Pflegeintervention konkretisieren
- Zeit angeben

Bei den angeordneten Laboruntersuchungen unterstützen
- Pflegeintervention konkretisieren
  - » Streifenschnelltest durchführen
  - » Spezifisches Gewicht des Urins ermitteln
  - » Urinkultur anlegen
  - » Bei der Mittelstrahl-Uringewinnung zur Laboruntersuchung unterstützen
  - » Bei der Einmalkatheter-Uringewinnung zur Laboruntersuchung unterstützen
  - » 24-Stunden-Sammelurin durchführen
  - » Urinprobe aus der Latexmembran der Urinableitung entnehmen

Flüssigkeitszufuhr an den Flüssigkeitsverlust laut Arztanordnung anpassen
- Pflegeintervention konkretisieren
- Zeit angeben

Natriumarme, eiweißarme und kaliumarme Diät nach Arztanordnung bestellen
- Pflegeintervention konkretisieren
- Zeit angeben

Urin auf Eiweißkonzentration/Blutzellen untersuchen
- Pflegeintervention konkretisieren
- Zeit angeben

Impfung laut Arztanordnung durchführen
- Pflegeintervention konkretisieren
  - » Impfstatus kontrollieren
  - » Impfung vorbereiten
  - » Impfung verabreichen
- Art der Impfung
  - » Diphtheria-pertussis-tetanus
  - » Haemophilus influenzae B
  - » Hepatitis A
  - » Hepatitis B
  - » Pneumovax
  - » Inactivated polio
  - » Influenza Typ A und B
  - » Meningococcus
  - » Typhoid Vi

Transport zur Hämodialyse organisieren
- Pflegeintervention konkretisieren
- Zeit angeben

Peritonealdialyse durchführen
- Pflegeintervention konkretisieren
  - » CAPD (kontinuierliche, ambulante Peritonealdialyse)
  - » CCPD (kontinuierliche, zyklische Peritonealdialyse)
  - » NIPD (nächtliche, intermittierende Peritonealdialyse)
  - » NTPD (nächtliche Tidal-Peritonealdialyse)
- Art der Unterstützungsleistung angeben
  - » Dialysat in der Mikrowelle anwärmen
  - » Materialien zur Peritonealdialyse herrichten
  - » Peritonealdialyse anschließen
  - » Peritonealdialyse abhängen und Dialysat entsorgen
  - » Flüssigkeitsbilanzierung durchführen

Den Patienten und/oder Angehörige im Umgang mit CAPD (continuous ambulatory peritoneal dialysis)/CCPD (continuous cyclic peritoneal dialysis) anleiten und schulen
- Pflegeintervention konkretisieren
- Art der Unterstützung
  - » Beaufsichtigen
  - » Durch Unterstützen helfen
  - » Teilweise übernehmen
  - » Vollständig übernehmen
  - » Zur selbstständigen Durchführung anleiten
- Anzuleitende Person(en) festlegen
  - » Betroffene Person
  - » Angehöriger/Bezugsperson
- Zeit angeben

Beratungsgespräch bei eingeschränkter Nierenfunktion/nach Nierentransplantation durchführen
- Themenschwerpunkte angeben
  - » Krankheit und Behandlung
  - » Maßnahmen zur Erzeugung einer Homöostase im Flüssigkeitshaushalt
  - » Ernährungsmanagement
  - » Verhaltensregeln im Umgang mit dem neuen Organ
  - » Selbstbeobachtung von Körperfunktionen
  - » Symptommanagement/Verhalten bei Symptomen
  - » Gesundheitsförderliche-/Präventivmaßnahmen
  - » Umgang mit Medikamenten
  - » Bewegung

   » Sexualität und Fruchtbarkeit
   » Strategien zur Integration in den Alltag erarbeiten
   » Strategien zur Krankheitsbewältigung
   » Nachbehandlung
   » Finanzielle Hilfen

Zu Maßnahmen bei eingeschränkter Nierenfunktion anleiten
- Pflegeintervention konkretisieren
   » Umgang mit Medikamenten
   » Integration in den Alltag
   » Umgang mit Einschränkungen im Ess- und Trinkverhalten
   » Ein- und Ausfuhrkontrolle
   » Kontinenztraining

Bei der Veränderung von nierenschädigenden Lebensgewohnheiten unterstützen
- Pflegeintervention konkretisieren
   » Regelmäßige körperliche Betätigung
   » Gewichtsreduktion bei Übergewicht
   » Reduktion des Kochsalzkonsums
   » Moderate Einschränkung der Eiweißzufuhr
   » Steuerung der Säureausscheidung
   » Gesund und vollwertig ernähren
   » Nierenschädigende Substanzen meiden
   » Alkoholgenuss reduzieren
   » Nikotinverzicht
   » Sonnenschutz anwenden

Sonstige Pflegemaßnahmen durchführen
- Maßnahmen konkretisieren
- Zeit angeben

Literaturhinweise: 1099, 1100, 1101, 1102, 1103, 1104, 1105, 1106, 1107, 1108, 1109, 1110, 1111, 1112, 1113, 1114

Der Patient hat aufgrund einer **reduzierten Körperwahrnehmung** das **Risiko von Komplikationen**

Kennzeichen

- Beschreibt die betroffene Körperhälfte als Fremdkörper
- Vermeidungsreaktion gegenüber der Wahrnehmung des eigenen Körpers
- Äußerungen hinsichtlich einer veränderten Wahrnehmung des Körperbildes
- Missachtet Reize, die von der betroffenen Körperseite ausgehen
- Ist gegenüber betroffenen Körperteilen unvorsichtig, es besteht Verletzungsgefahr

Ursachen

- Sensibilitätsstörung
- Verändertes Körperschema
- Neglect
- Quantitative Bewusstseinsveränderung
- Bewusstlosigkeit
- Hemiplegie
- Hemiparese
- Paraparese
- Paraplegie
- Tetraparese
- Tetraplegie
- Sonstige Lähmungen
- Wachkoma

Ressourcen

- Reagiert positiv auf die therapeutische Körperwaschung
- Toleriert die therapeutische/pflegerische Intervention
- Erkennt die Notwendigkeit der getroffenen Intervention und kooperiert mit dem therapeutischen Team
- Akzeptiert die Unterstützung
- Akzeptiert die Unterstützung von Angehörigen

Pflegeziele

- Verletzungen sind vermieden
- Äußert Gefühl der Sicherheit
- Körperwahrnehmung ist aktiviert und stimuliert
- Unterschiedliche Sinne sind durch Reize zur Förderung von Orientierung und Wahrnehmung stimuliert
- Ist bei Bewusstsein und nimmt (Umgebungs-)Reize wahr
- Sinneswahrnehmungen sind durch unterschiedliche Reize stimuliert
- Risiko der Entwicklung eines sekundären Hypertonus ist reduziert
- Erhält Spürinformationen über eigene Körpergrenzen
- Orientierung über sich selbst und Umgebung ist gefördert

Pflegeinterventionen

Durch individuelle Beobachtung und Begleitung vor Verletzungen schützen
- Pflegeintervention konkretisieren
- Zeit angeben

Basal stimulierend belebende Körperwaschung durchführen
- Pflegeintervention konkretisieren
   » Kühles Waschwasser verwenden (30-37 °C)
   » Gegen die Haarwuchsrichtung waschen
   » Raue Waschhandschuhe/Handtücher verwenden
   » Intimwaschung während der belebenden Körperwaschung durchführen
- Besonderheiten beachten
- Belebenden Waschzusatz wählen/zubereiten
   » Rosmarinaufguss/-tee
   » Majoran - ätherisches Öl

Kleidungsstücke auswählen und anziehen, die die Wahrnehmung von Körpergrenzen unterstützen
   » Zwischen Tages-/Nachtkleidung unter-

scheiden
  - » Kleidungsstücke selbst auswählen lassen
  - » Kleidungsstücke mit Hilfe auswählen lassen
- Nachtbekleidung wählen
  - » Schlafanzug
  - » Geschlossener Body
  - » Unterwäsche
  - » Nachthemd
- Tageskleidung wählen
  - » Jogginganzug
  - » Hemd/Bluse
  - » Rock
  - » Hose
  - » Kleid
  - » Strumpfhose
  - » Socken
- Art der Unterstützungsleistung angeben
  - » Beaufsichtigen
  - » Durch Unterstützen helfen
  - » Teilweise übernehmen
  - » Vollständig übernehmen
  - » Aktivieren/anleiten
- Reihenfolge ritualisieren

Anregende Waschwasserzusätze verwenden
- Waschwasserzusätze angeben
  - » Rosmarin-Bademilch verwenden

Basal stimulierende Angebote durchführen
  - » Somatische, vestibuläre Stimulation durchführen
  - » Vibratorische Stimulation durchführen
  - » Orale Stimulation durchführen
  - » Auditive Stimulation durchführen
  - » Visuelle Stimulation durchführen
  - » Taktil-haptische Stimulation durchführen
- Zeit angeben

Lagerung in Neutralstellung (LiN) durchführen
- Lagerungsart bestimmen
  - » 30°-Lagerung rechts in Neutralstellung
  - » 30°-Lagerung links in Neutralstellung
  - » 90°-Lagerung re. in Neutralstellung
  - » 90°-Lagerung li. in Neutralstellung
  - » 135°-Lagerung re. in Neutralstellung
  - » 135°-Lagerung li. in Neutralstellung
  - » Rückenlagerung in Neutralstellung
  - » Sitzen im Bett in Neutralstellung
- Besonderheiten beachten
- Zeit angeben
- Anzahl Pflegepersonen angeben

Körperumfassende Lagerung durchführen
- Körperumfassende Positionierung (Nestlagerung)
  - » "Nestlagerung" in Rückenlage
  - » "Nestlagerung" in Seitenlage rechts
  - » "Nestlagerung" in Seitenlage links
  - » Offene "Nestlagerung" durchführen
  - » Geschlossene "Nestlagerung" durchführen
- Embryonallagerung
  - » Embryonallagerung rechts
  - » Embryonallagerung links
- Sonstiges
  - » Königsstuhllagerung durchführen
  - » Nussschalenlagerung durchführen
- Zeit angeben
- Anzahl Pflegepersonen angeben

Sonstige Pflegemaßnahmen durchführen
- Maßnahmen konkretisieren
- Zeit angeben

Literaturhinweise: 29, 135, 386

Der Patient hat aufgrund einer **quantitativen Bewusstseinsstörung** das **Risiko von Komplikationen**

Kennzeichen

- Beeinträchtigung der Vigilanz nach Einschätzung der Glasgow-Koma-Skala
- Unnatürliche Benommenheit
- Krankhafte Schläfrigkeit (Somnolenz)
- Tiefschlaf, Reaktion nur auf Schmerzreize in Form von Abwehrreaktion (Sopor)
- Präkoma (leichte Bewusstlosigkeit)
- Koma (tiefe Bewusstlosigkeit)
- Gestörte Wachheit
- Denken und Handeln sind verlangsamt
- Zeitverzögerte Reaktion auf Ansprache
- Antriebsarmut
- Fehlende physiologische Reaktion

Ursachen

- Akute Vergiftung
- Stoffwechselentgleisung
- Schädel-Hirn-Trauma
- Zerebrale Durchblutungsstörungen
- Hirnblutung
- Gehirnentzündung
- Hirntumor
- Schock

Ressourcen

- Toleriert die therapeutische/pflegerische Intervention
- Ist ansprechbar
- Äußert Einsicht in die Pflegemaßnahme

Pflegeziele

- Einer Hirndrucksteigerung und Langzeitschädigung ist vorgebeugt
- Krankhafte Veränderungen sind frühzeitig erkannt
- Pathologische Pupillenreaktion ist sofort

erkannt
- Veränderungen der Vigilanz sind eingeschätzt und dokumentiert
- Komplikationen sind vorgebeugt
- Bewusstseinslage ist eingeschätzt
- Sinneswahrnehmungen sind durch unterschiedliche Reize stimuliert
- Risiko der Entwicklung eines sekundären Hypertonus ist reduziert
- Erhält Spürinformationen über eigene Körpergrenzen
- Orientierung über sich selbst und Umgebung ist gefördert

Pflegeinterventionen

Bewusstsein mithilfe eines Überwachungsprotokolls beobachten
- Pflegeintervention konkretisieren
  - » Vitalzeichenkontrolle durchführen, auf dem Überwachungsprotokoll dokumentieren
- Bewusstseinskontrolle durchführen
  - » Auf qualitative Veränderungen beobachten
  - » Auf quantitative Veränderungen beobachten

Auf Amnesie (Gedächtnislücken) beobachten und Situation einschätzen bezüglich Dauer, retrograd, anterograd usw.
- Pflegeintervention konkretisieren
- Zeit angeben

Hirndrucksymptomatik und neurologische Veränderungen beobachten
- Pflegeintervention konkretisieren
  - » Pupillenreaktion kontrollieren
  - » Blutdruck messen
  - » Puls messen
  - » Pulsqualität (Druckpuls) einschätzen
- Neurologische Veränderungen einschätzen
  - » Kornealreflex überprüfen
  - » Husten- und Würgereflex kontrollieren
  - » Motorik, Sensorik und Durchblutung überprüfen
  - » Auf Anzeichen von intrakranieller Druckerhöhung achten (Übelkeit, Erbrechen, Kopfschmerz usw.)
- Ergebnisse dokumentieren
  - » Ergebnisse auf dem Überwachungsprotokoll dokumentieren

Pupillenreaktionskontrollen durchführen und Ergebnisse dokumentieren
- Pflegeintervention konkretisieren
- Zeit angeben

Vigilanz mithilfe der Glasgow-Komaskala einschätzen
- Pflegeintervention konkretisieren
- Zeit angeben

Bewusstseinsveränderungen beobachten
- Pflegeintervention konkretisieren
  - » Zeitliche, örtliche und personale Orientierung einschätzen
  - » Reaktion auf Schmerzreize einschätzen
  - » Reflexe überprüfen
  - » Vigilanz mithilfe der Glasgow-Komaskala einschätzen
  - » Qualitative Bewusstseinsveränderungen beobachten und dokumentieren

Basal stimulierende Angebote durchführen
  - » Somatische, vestibuläre Stimulation durchführen
  - » Vibratorische Stimulation durchführen
  - » Orale Stimulation durchführen
  - » Auditive Stimulation durchführen
  - » Visuelle Stimulation durchführen
  - » Taktil-haptische Stimulation durchführen
- Zeit angeben

Lagerung in Neutralstellung (LiN) durchführen
- Lagerungsart bestimmen
  - » 30°-Lagerung rechts in Neutralstellung
  - » 30°-Lagerung links in Neutralstellung
  - » 90°-Lagerung re. in Neutralstellung
  - » 90°-Lagerung li. in Neutralstellung
  - » 135°-Lagerung re. in Neutralstellung
  - » 135°-Lagerung li. in Neutralstellung
  - » Rückenlagerung in Neutralstellung
  - » Sitzen im Bett in Neutralstellung
- Besonderheiten beachten
- Zeit angeben
- Anzahl Pflegepersonen angeben

Körperumfassende Lagerung durchführen
- Körperumfassende Positionierung (Nestlagerung)
  - » "Nestlagerung" in Rückenlage
  - » "Nestlagerung" in Seitenlage rechts
  - » "Nestlagerung" in Seitenlage links
  - » Offene "Nestlagerung" durchführen
  - » Geschlossene "Nestlagerung" durchführen
- Embryonallagerung
  - » Embryonallagerung rechts
  - » Embryonallagerung links
- Sonstiges
  - » Königsstuhllagerung durchführen
  - » Nussschalenlagerung durchführen
- Zeit angeben
- Anzahl Pflegepersonen angeben

Sonstige Pflegemaßnahmen durchführen
- Maßnahmen konkretisieren
- Zeit angeben

Literaturhinweise: 73, 95, 113, 125, 173, 175, 176

Der Patient hat eine **stoffwechselbedingte Dehydratation**, es besteht das **Risiko von Komplikationen**

Kennzeichen

- Äußerungen über Leistungsschwäche
- Urinausscheidung ist erhöht
- Plötzlicher Gewichtsverlust
- Reduzierter Hautturgor
- Reduzierte Venenfüllung
- Hypotonus
- Tachykardie
- Äußert Durstgefühl
- Trockene Haut/Schleimhäute
- Schwacher Puls
- Erhöhte Körpertemperatur
- Bewusstseinsveränderung
- Hyponatriämie und/oder Natriurese
- Erhöhter Hämatokrit
- Stehende Hautfalte
- Marmorierte Haut
- Kühle Extremitäten
- Unruhezustände
- Schrilles Schreien des Kindes
- Krämpfe
- Beschleunigte und vertiefte Atmung
- Eingefallene Fontanelle
- Teilnahmslosigkeit
- Eingefallene Augen
- Kopfschmerzen

Ursachen

- Nebennierenerkrankung
- Erholungsphase nach akutem Nierenversagen
- Diabetes mellitus
- Diabetes insipidus
- Hypertone Dehydratation (ohne Veränderung des Natriumspiegels)
- Hypotone Dehydratation (einhergehend mit Veränderungen des Natriumspiegels)
- Erbrechen
- Inadäquates ADH-Syndrom

Ressourcen

- Erkennt die Notwendigkeit der getroffenen Intervention und kooperiert mit dem therapeutischen Team

Pflegeziele

- Alle wichtigen Informationen sind weitergeleitet
- Flüssigkeitshaushalt ist eingeschätzt
- Unterstützt die Therapie
- Ursachen sind erkannt
- Bedarfsgerechte Flüssigkeitszufuhr ist sichergestellt
- Verlauf der Dehydratation ist eingeschätzt
- Flüssigkeitsbilanz ist ausgeglichen
- Verletzungen sind vermieden
- Äußert Gefühl der Sicherheit
- Komplikationen sind frühzeitig erkannt und abgewendet

Pflegeinterventionen

Arzt über den veränderten Flüssigkeitshaushalt informieren
- Pflegeintervention konkretisieren
- Zeit angeben

Gewichtskontrolle durchführen
- Gewicht kontrollieren
  - » Gewicht mit Sitzwaage kontrollieren (pflegerisch erforderlich)
  - » Gewicht mit Stehwaage kontrollieren
  - » Gewicht mit Sitzwaage kontrollieren

Vitalzeichenkontrolle durchführen
- Überwachungsmonitor benutzen
  - » Überwachungsmonitor benutzen
  - » Pulsfrequenz/-qualität messen
  - » Blutdruckwert messen
  - » Atemfrequenz/-qualität messen
  - » Körpertemperatur messen
  - » Sauerstoffsättigung mit Oximeter überprüfen
- Vitalzeichenwerte manuell messen
  - » Pulsfrequenz/-qualität messen
  - » Blutdruckwert messen
  - » Atemfrequenz/-qualität messen
  - » Körpertemperatur messen
- Ort der Messung angeben
  - » Am rechten Arm messen
  - » Am linken Arm messen
  - » Am Finger messen
  - » Am Zeh messen
  - » Besonderheiten bei der Messung bestimmen

Flüssigkeitsverlust nach Anordnung korrigieren
- Infusionen ohne Zusätze vorbereiten und infundieren
  - » 1 Infusion
  - » 2 Infusionen
  - » 3 Infusionen
  - » 4 Infusionen
  - » 5 und mehr Infusionen
- Infusionen mit Zusätzen vorbereiten und infundieren
  - » 1 Infusion mit Zusatz
  - » 2 Infusionen mit Zusatz
  - » 3 Infusionen mit Zusatz
  - » 4 Infusionen mit Zusatz
  - » 5 und mehr Infusionen mit Zusatz
- Zytostaselösungen herstellen/vorbereiten
  - » Zytostase herstellen/vorbereiten
- Hygienemaßnahmen
  - » Zwei- und Dreiwegehähne auswechseln
  - » Hahnenbank austauschen
  - » Filter wechseln
  - » Infusionssystem wechseln
  - » Besonderheiten bestimmen
- Applikationsart bestimmen
  - » Über Infusomat verabreichen
  - » Über Perfusor verabreichen
  - » Über Tropfenzähler verabreichen
- Tropfgeschwindigkeit einstellen

Flüssigkeitsbilanzierung durchführen
- Pflegeintervention konkretisieren
  - » ZVD-Messung durchführen
  - » Flüssigkeitsbilanzierung durchführen
  - » Stundenurinkontrolle durchführen
  - » Ausfuhr berechnen
  - » Einfuhr berechnen
  - » Bilanzprotokoll erstellen
- Flüssigkeitszufuhr lt. Arztanordnung festlegen
  - » Positiv-Bilanz
  - » Negativ-Bilanz
  - » Ausgeglichene Bilanz
- Erfassungszeitraum bestimmen/sonstige Angaben
  - » Blase am Ende des Erfassungszeitraums entleeren lassen
  - » Ergebnisse in die Dokumentation eintragen
  - » Erfassungszeitraum bestimmen

Flüssigkeit anbieten/verabreichen
- Darreichungsform bestimmen
  - » Flüssigkeit mit Schnabelbecher zuführen
  - » Flüssigkeit mit Tasse/Glas zuführen
  - » Flüssigkeit mit Trinkhalm zuführen
  - » Flüssigkeit mit Teelöffel zuführen
  - » Flüssigkeit mit Esslöffel zuführen
- Zeitpunkt des Flüssigkeitsangebots regeln
  - » Nach Trinkfahrplan
  - » Nach stationsüblichen Angebotszeiten
- Art der Unterstützungsleistung angeben
  - » Getränke bereitstellen
  - » Zur Flüssigkeitsverabreichung in Sitzposition bringen/anleiten, diese einzunehmen
  - » Flüssigkeitszufuhr beaufsichtigen
  - » Flüssigkeitszufuhr teilweise übernehmen
  - » Flüssigkeit schluckweise verabreichen/vollständig übernehmen
  - » Hand mit dem Trinkgefäß führen/zum selbstständigen Trinken anleiten

ZVD-Messung durchführen
- Pflegeintervention konkretisieren
- Zeit angeben

Sicherheitsmaßnahmen bei Desorientierung durchführen
- Pflegeintervention konkretisieren
- Zeit angeben

Anzeichen der Dehydration einschätzen und dokumentieren
- Pflegeintervention konkretisieren
- Zeit angeben

Sonstige Pflegemaßnahmen durchführen
- Maßnahmen konkretisieren
- Zeit angeben

Literaturhinweise: 51, 84, 89, 95, 113, 126, 175, 176

Der Patient hat aufgrund des **Verlusts von Körperflüssigkeit/mangelnder Substitution von Flüssigkeit** eine **Dehydratation**, es besteht das **Risiko von Komplikationen**

Kennzeichen

- Oligurie: Harnausscheidung zwischen 100 und 500 ml täglich
- Reduzierter Hautturgor
- Konzentrierter Urin
- Reduzierte Venenfüllung
- Hypotonus
- Tachykardie
- Äußert Durstgefühl
- Trockene Haut/Schleimhäute
- Schwacher Puls
- Erhöhte Körpertemperatur
- Bewusstseinsveränderung
- Versunkene, weiche Augäpfel
- Eingefallene Fontanelle
- Plötzlicher Gewichtsverlust
- Erhöhter Hämatokrit
- Stehende Hautfalte
- Marmorierte Haut
- Kühle Extremitäten
- Unruhezustände
- Schrilles Schreien des Kindes
- Krämpfe
- Beschleunigte und vertiefte Atmung
- Teilnahmslosigkeit
- Eingefallene Augen
- Kopfschmerzen

Ursachen

- Blutungen
- Diarrhö
- Starkes Schwitzen (Hyperhidrosis)
- Verbrennungswunde
- Hyperosmotische Röntgenkontrastmittel
- Erbrechen
- Altersbedingt vermindertes Durstgefühl
- Erkrankung des ZNS, die das Durstgefühl beeinträchtigt
- Fieber (Hyperthermie)
- Laxanzienmissbrauch
- Gastroenteritis

Ressourcen

- Erkennt die Notwendigkeit der getroffenen Intervention und kooperiert mit dem therapeutischen Team

Pflegeziele

- Kommunikation und Informationsweitergabe sind sichergestellt
- Komplikationen sind frühzeitig erkannt und abgewendet
- Fühlt sich gut betreut, Therapie ist optimal unterstützt
- Flüssigkeitshaushalt ist eingeschätzt
- Flüssigkeitsdefizit ist sofort erkannt
- Einem Flüssigkeitsdefizit ist vorgebeugt
- Flüssigkeitsbilanz ist ausgeglichen
- Flüssigkeits- und Elektrolythaushalt sind ausgeglichen
- Verletzungen sind vermieden
- Äußert Gefühl der Sicherheit
- Verlauf der Dehydratation ist eingeschätzt

Pflegeinterventionen

Arzt über den veränderten Flüssigkeitshaushalt informieren
- Pflegeintervention konkretisieren
- Zeit angeben

Anzeichen der Dehydration einschätzen und dokumentieren
- Pflegeintervention konkretisieren
- Zeit angeben

Flüssigkeitsbilanzierung durchführen
- Pflegeintervention konkretisieren
  » ZVD-Messung durchführen
  » Flüssigkeitsbilanzierung durchführen
  » Stundenurinkontrolle durchführen
  » Ausfuhr berechnen
  » Einfuhr berechnen

  - » Bilanzprotokoll erstellen
- Flüssigkeitszufuhr lt. Arztanordnung festlegen
  - » Positiv-Bilanz
  - » Negativ-Bilanz
  - » Ausgeglichene Bilanz
- Erfassungszeitraum bestimmen/sonstige Angaben
  - » Blase am Ende des Erfassungszeitraums entleeren lassen
  - » Ergebnisse in die Dokumentation eintragen
  - » Erfassungszeitraum bestimmen

Vitalzeichenkontrolle durchführen
- Überwachungsmonitor benutzen
  - » Überwachungsmonitor benutzen
  - » Pulsfrequenz/-qualität messen
  - » Blutdruckwert messen
  - » Atemfrequenz/-qualität messen
  - » Körpertemperatur messen
  - » Sauerstoffsättigung mit Oximeter überprüfen
- Vitalzeichenwerte manuell messen
  - » Pulsfrequenz/-qualität messen
  - » Blutdruckwert messen
  - » Atemfrequenz/-qualität messen
  - » Körpertemperatur messen
- Ort der Messung angeben
  - » Am rechten Arm messen
  - » Am linken Arm messen
  - » Am Finger messen
  - » Am Zeh messen
  - » Besonderheiten bei der Messung bestimmen

Flüssigkeitsverlust über Infusionstherapie nach Anordnung ausgleichen
- Infusionen ohne Zusätze vorbereiten und infundieren
  - » 1 Infusion
  - » 2 Infusionen
  - » 3 Infusionen
  - » 4 Infusionen
  - » 5 und mehr Infusionen
- Infusionen mit Zusätzen vorbereiten und infundieren
  - » 1 Infusion mit Zusatz
  - » 2 Infusionen mit Zusatz
  - » 3 Infusionen mit Zusatz
  - » 4 Infusionen mit Zusatz
  - » 5 und mehr Infusionen mit Zusatz
- Zytostaselösungen herstellen/vorbereiten
  - » Zytostase herstellen/vorbereiten
- Hygienemaßnahmen
  - » Zwei- und Dreiwegehähne auswechseln
  - » Hahnenbank austauschen
  - » Filter wechseln
  - » Infusionssystem wechseln
  - » Besonderheiten bestimmen
- Applikationsart bestimmen
  - » Über Infusomat verabreichen
  - » Über Perfusor verabreichen
  - » Über Tropfenzähler verabreichen
- Tropfgeschwindigkeit einstellen

Gewichtskontrolle durchführen
- Gewicht kontrollieren
  - » Gewicht mit Sitzwaage kontrollieren (pflegerisch erforderlich)
  - » Gewicht mit Stehwaage kontrollieren
  - » Gewicht mit Sitzwaage kontrollieren

Flüssigkeitszufuhr unterstützen
- Pflegeintervention konkretisieren
  - » Getränke bereitstellen
  - » Getränk anreichen
  - » Hand mit dem Trinkgefäß führen/zum selbstständigen Trinken anleiten
  - » Flüssigkeit mit Tasse/Glas zuführen
  - » Flüssigkeit mit Teelöffel zuführen
  - » Flüssigkeit mit Esslöffel zuführen
  - » Flüssigkeit mit Trinkhalm zuführen
  - » Flüssigkeit mit Schnabelbecher zuführen
  - » Flüssigkeit mit der Pipette zuführen
- Art der Unterstützungsleistung angeben
  - » Beaufsichtigen
  - » Unterstützen
  - » Teilweise übernehmen
  - » Vollständig übernehmen
  - » Zur selbstständigen Flüssigkeitszufuhr anleiten

Flüssigkeit anreichen/verabreichen
- Darreichungsform bestimmen
  - » Flüssigkeit mit Schnabelbecher zuführen
  - » Flüssigkeit mit Tasse/Glas zuführen
  - » Flüssigkeit mit Trinkhalm zuführen
  - » Flüssigkeit mit Teelöffel zuführen
  - » Flüssigkeit mit Esslöffel zuführen
- Zeitpunkt des Flüssigkeitsangebots regeln
  - » Nach Trinkfahrplan
  - » Nach stationsüblichen Angebotszeiten
- Art der Unterstützungsleistung angeben
  - » Getränke bereitstellen
  - » Zur Flüssigkeitsverabreichung in Sitzposition bringen/anleiten, diese einzunehmen
  - » Flüssigkeitszufuhr beaufsichtigen
  - » Flüssigkeitszufuhr teilweise übernehmen
  - » Flüssigkeit schluckweise verabreichen/vollständig übernehmen
  - » Hand mit dem Trinkgefäß führen/zum selbstständigen Trinken anleiten

ZVD-Messung durchführen
- Pflegeintervention konkretisieren
- Zeit angeben

Sicherheitsmaßnahmen bei Desorientierung durchführen
- Pflegeintervention konkretisieren
- Zeit angeben

Kontrolle der Dehydrationszeichen durchführen
- Pflegeintervention konkretisieren
- Zeit angeben

Sonstige Pflegemaßnahmen durchführen
- Maßnahmen konkretisieren
- Zeit angeben

Literaturhinweise: 51, 84, 89, 95, 113, 127, 711

Der Patient hat eine **Hypothermie**, es besteht das **Risiko von Komplikationen**

Kennzeichen

- Körpertemperatur liegt unter dem Normalwert von 36,3 °C
- Frösteln
- Äußert Kältegefühl
- Blässe der Haut
- Kühle Haut
- Minderdurchblutete, zyanotische Extremitäten
- Kältezittern
- Gänsehaut (Piloerektion)
- Reduzierte Reflexe
- Bewusstseinsstörung
- Verlangsamter Puls
- Tachykardie
- Müdigkeit, möchte schlafen
- Zunehmende Muskelstarre/Steifigkeit
- Marmorierte Haut

Ursachen

- Bewusstlosigkeit
- Einnahme von Tranquilizern
- Mangelernährung
- Verminderter Stoffwechsel
- Vasodilatation bei Alkoholkonsum
- Künstlich erzeugte Hypothermie
- Auskühlung durch Umgebung
- Zentral bedingte Dysregulation
- Frühgeburt
- Säugling/Neugeborenes
- Unterkühlung durch unangemessene Kleidung
- Hypothermie aufgrund eines Eiseinbruchs
- Hypothermie aufgrund eines Lawinenunglücks
- Ertrinkungsunfall

Ressourcen

- Akzeptiert die Körpertemperaturmessungen
- Ist motiviert, die Pflegemaßnahme zu unterstützen und zeigt entsprechende Verhaltensweisen
- Erkennt die Notwendigkeit der getroffenen Intervention und kooperiert mit dem therapeutischen Team
- Verhält sich entsprechend der Anleitung und Anweisung
- Akzeptiert die angeordnete Bettruhe
- Ist ansprechbar

Pflegeziele

- Einer Infektion ist vorgebeugt bzw. sie ist rechtzeitig erkannt
- Herz-Kreislauf-Situation ist kontinuierlich eingeschätzt
- Zusätzliche körperliche Belastung ist reduziert
- Einem Kreislaufkollaps ist vorgebeugt
- Einem weiteren Absinken der Körpertemperatur ist vorgebeugt
- Bergungstod ist verhindert
- Körpertemperatur liegt im Normbereich

Pflegeinterventionen

Temperaturkontrollen durchführen

- Messmethode auswählen
  - » Messort rektal
  - » Messort sublingual
  - » Messort axillar
  - » Messort Ohr
  - » Kontaktlose Stirntemperaturmessung mit Infrarottechnologie
- Dokumentationsort der Messwerte bestimmen
  - » In der Fieberkurve dokumentieren
  - » Messwerte in den Pflegeplan eintragen
  - » Messwerte in das Überwachungsprotokoll eintragen
- Thermometer wieder aufbereiten
  - » Schutzhüllen entsorgen, Schmutz abwischen und in Desinfektionslösung nach Plan einlegen
  - » Trocken gelagertes, im Zimmer verbleibendes Thermometer alle drei Tage desinfizieren

Vitalzeichenkontrolle durchführen

- Überwachungsmonitor benutzen
  - » Überwachungsmonitor benutzen
  - » Pulsfrequenz/-qualität messen
  - » Blutdruckwert messen
  - » Atemfrequenz/-qualität messen
  - » Körpertemperatur messen
  - » Sauerstoffsättigung mit Oximeter überprüfen
- Vitalzeichenwerte manuell messen
  - » Pulsfrequenz/-qualität messen
  - » Blutdruckwert messen
  - » Atemfrequenz/-qualität messen
  - » Körpertemperatur messen
- Ort der Messung angeben
  - » Am rechten Arm messen
  - » Am linken Arm messen
  - » Am Finger messen
  - » Am Zeh messen
  - » Besonderheiten bei der Messung bestimmen

Für Bettruhe und Ruhe sorgen

- Pflegeintervention konkretisieren
- Zeit angeben

Langsame Wiedererwärmung mit einem Temperaturanstieg von 0,5 °C pro Stunde einleiten

- Pflegeintervention konkretisieren
- Zeit angeben

Zudecken und vor weiterer Auskühlung schützen

- Pflegeintervention konkretisieren
- Zeit angeben

Langsame, aktive Erwärmung von innen einleiten

- Pflegeintervention konkretisieren
- Zeit angeben

Wärme zuführende Maßnahmen ergreifen
- Pflegeintervention konkretisieren
  - » Zusätzliche Decken benutzen
  - » Wärmflasche auflegen
  - » Heizkissen benutzen
  - » Heiße Getränke anbieten
  - » Zimmertemperatur erhöhen
  - » Auf Wärmematte lagern
  - » Wärmelampe einsetzen
  - » Heizstrahler einsetzen
  - » Inkubator verwenden
  - » Wärmebett verwenden

Bewegung bei Unterkühlung vermeiden
- Pflegeintervention konkretisieren
- Zeit angeben

In das Wärmebettchen legen
- Pflegeintervention konkretisieren
- Zeit angeben

Im Inkubator/in der Isolette versorgen
- Pflegeintervention konkretisieren
  - » Säugling im Inkubator/in der Isolette waschen
  - » Inkubatortemperatur mit der Hauttemperatur abgleichen

Sonstige Pflegemaßnahmen durchführen
- Maßnahmen konkretisieren
- Zeit angeben

Literaturhinweise: 51, 80, 87, 95, 113, 125, 126, 140, 175, 176, 389

Der Patient hat eine **Hyperthermie**, es besteht das **Risiko von Komplikationen**

Kennzeichen

- Subfebrile Temperaturen ab 37,5 °C
- Leichtes Fieber ab 38,1 °C
- Mäßiges Fieber ab 38,6 °C
- Hohes Fieber ab 39,1 °C
- Sehr hohes Fieber ab 40,0 °C
- Kontinuierliches Fieber
- Remittierendes Fieber
- Intermittierendes Fieber
- Anzeichen körperlicher Schwäche
- Äußert Hitzegefühl
- Äußert Kopfschmerzen
- Verwirrung
- Gliederschmerzen
- Schläfrigkeit
- Gerötete Hautstellen
- Überwärmte Haut
- Erhöhte Atemfrequenz
- Tachykardie
- Fieberkrämpfe
- Schüttelfrost

Ursachen

- Infektion
- Resorptionsfieber nach operativem Eingriff
- Tumor
- Erhöhte Stoffwechselrate
- Flüssigkeitsdefizit/Dehydratation/ Exsikkose
- Unfähigkeit zu schwitzen
- Zentral bedingte Dysregulation
- Rheumatische Arthritis
- Maligne Hyperthermie infolge einer Narkosekomplikation

Ressourcen

- Akzeptiert die Körpertemperaturmessungen
- Kann die körperliche Belastbarkeit einschätzen und fordert rechtzeitig Unterstützung an
- Erkennt die Notwendigkeit der getroffenen Intervention und kooperiert mit dem therapeutischen Team
- Akzeptiert die angeordnete Bettruhe
- Akzeptiert die Unterstützung
- Akzeptiert die Unterstützung von Angehörigen
- Ist zuverlässig bezüglich der Einnahme der Medikation

Pflegeziele

- Äußert Wohlbefinden
- Herz-Kreislauf-Situation ist kontinuierlich eingeschätzt
- Einer Infektion ist vorgebeugt bzw. sie ist rechtzeitig erkannt
- Nahrungs- und Flüssigkeitszufuhr entsprechen dem individuellen Bedarf
- Zusätzliche körperliche Belastung ist reduziert
- Körperwärme wird durch Wärmestrahlung abgegeben
- Wärme ist zur Reduzierung der Körpertemperatur entzogen
- Organismus ist während der Phase des Temperaturanstiegs unterstützt
- Körpertemperatur liegt im Normbereich
- Fieberprozess und Schwitzen sind unterstützt

Pflegeinterventionen

Bei Bedarf Wäsche und Bettwäsche wechseln
- Pflegeintervention konkretisieren
- Zeit angeben

Vitalzeichenkontrolle durchführen
- Überwachungsmonitor benutzen
  - » Überwachungsmonitor benutzen
  - » Pulsfrequenz/-qualität messen
  - » Blutdruckwert messen
  - » Atemfrequenz/-qualität messen
  - » Körpertemperatur messen
  - » Sauerstoffsättigung mit Oximeter über-

prüfen
- Vitalzeichenwerte manuell messen
  - » Pulsfrequenz/-qualität messen
  - » Blutdruckwert messen
  - » Atemfrequenz/-qualität messen
  - » Körpertemperatur messen
- Ort der Messung angeben
  - » Am rechten Arm messen
  - » Am linken Arm messen
  - » Am Finger messen
  - » Am Zeh messen
  - » Besonderheiten bei der Messung bestimmen

Temperaturkontrollen durchführen
- Messmethode auswählen
  - » Messort rektal
  - » Messort sublingual
  - » Messort axillar
  - » Messort Ohr
  - » Kontaktlose Stirntemperaturmessung mit Infrarottechnologie
- Dokumentationsort der Messwerte bestimmen
  - » In der Fieberkurve dokumentieren
  - » Messwerte in den Pflegeplan eintragen
  - » Messwerte in das Überwachungsprotokoll eintragen
- Thermometer wieder aufbereiten
  - » Schutzhüllen entsorgen, Schmutz abwischen und in Desinfektionslösung nach Plan einlegen
  - » Trocken gelagertes, im Zimmer verbleibendes Thermometer alle drei Tage desinfizieren

Anpassung der Kostform durchführen
- Pflegeintervention konkretisieren
- Zeit angeben

Für Bettruhe und Ruhe sorgen
- Pflegeintervention konkretisieren
- Zeit angeben

Raumtemperatur reduzieren
- Pflegeintervention konkretisieren
- Zeit angeben

Leicht zudecken, Zug vermeiden
- Pflegeintervention konkretisieren
- Zeit angeben

Kälteanwendungen durchführen
- Kälteanwendung durchführen
  - » Kühle Getränke anbieten
  - » Wadenwickel einsetzen
  - » Kühle Waschung vornehmen
- Notfallmaßnahmen bei hohen Temperaturen ergreifen
  - » Eisbeutel in die Leisten legen
  - » Kühlelemente in die Leisten legen
  - » Kühlmatte einsetzen

Während des Fieberanstiegs (Schüttelfrost) Wärme von außen zuführen
- Wärmeanwendung
  - » Zusätzliche Bettdecke benutzen
  - » Wärmflasche auflegen
  - » Thermoelemente verwenden
  - » Rotlicht einsetzen
- Zeitpunkt der Wärmezufuhr bestimmen
  - » Während des Fieberanstiegs Wärme zuführen
  - » Kontinuierlich Wärme zuführen

Antipyretika/fiebersenkende Medikamente laut Arztanordnung verabreichen
- Pflegeintervention konkretisieren
  - » Zäpfchen verabreichen
  - » Tabletten verabreichen
  - » Brausetabletten vorbereiten und verabreichen
  - » Tropfen/Saft verabreichen
- Art der Unterstützungsleistung angeben
  - » Medikamente selbstständig einnehmen lassen
  - » Medikamentenverabreichung übernehmen
  - » Einnahmeverweigerung überwinden
  - » Medikamente mörsern

Schweißtreibende Tees während des Fieberanstiegs verabreichen
- Schweißtreibende Tees
  - » Lindenblütentee
  - » Holunderblütentee

Sonstige Pflegemaßnahmen durchführen
- Maßnahmen konkretisieren
- Zeit angeben

Literaturhinweise: 51, 80, 87, 95, 113, 125, 126, 140, 175, 176

Der Patient hat ein **niedriges Aktivitätsniveau, Risiko von Gesundheitsschäden**

Kennzeichen

- Inaktiv, keine körperliche Aktivität, die über die Basisaktivität hinausgeht
- Geringfügig körperlich aktiv, 1 körperliche Aktivität, die über die Basisaktivitäten hinausgehen
- Mittleres körperliches Aktivitätsniveau, 150 - 300 Min. Bewegung pro Woche bei mittlerer Intensität
- Hohes körperliches Aktivitätsniveau, 300 Min. Bewegung pro Woche bei mittlerer Intensität

Ursachen

- Immobilität
- Körperliche Schwäche
- Bettlägerigkeit

Ressourcen

- Ist motiviert, Hilfsmittel zur Steigerung der Aktivität einzusetzen
- Akzeptiert die Unterstützung
- Akzeptiert die Unterstützung von Angehörigen
- Erkennt die Notwendigkeit der getroffenen Intervention und kooperiert mit dem therapeutischen Team
- Angehörige/Bezugspersonen unterstützen den Pflegeprozess

Pflegeziele

- Individuelles Aktivitätsniveau ist beschrieben
- Herz-Kreislauf-Aktivität ist angeregt
- Körperliche Leistungsfähigkeit ist gesteigert
- Körperliche Aktivität/Bewegung von 150 Min. mittlerer Intensität pro Woche wird erreicht
- Körperliche Aktivität/Bewegung von 75 Min. höherer Intensität pro Woche wird erreicht
- Körperliche Aktivität/Bewegung von 150 Min. höherer Intensität pro Woche wird erreicht
- Körperliche Aktivität/Bewegung von 300 Min. mittlerer Intensität pro Woche wird erreicht

Pflegeinterventionen

Analyse des aktuellen Aktivitätsniveaus und gemeinsame Zielfestlegung

- Pflegeintervention konkretisieren
- Zeit angeben

An einrichtungsspezifischen bewegungsfördernden körperlichen Aktivitäten teilnehmen

- Maßnahmen konkretisieren
- Einrichtungsspezifische Aktivität wählen
- Zeitdauer der Gruppentherapie bestimmen

Sonstige Pflegemaßnahmen durchführen

- Maßnahmen konkretisieren
- Zeit angeben

Literaturhinweise: 878

Inhaltsverzeichnis

Der Patient hat eine **sexuell übertragbare Infektion/Krankheit**, es besteht **Ansteckungsgefahr** für den Sexualpartner

Kennzeichen

- Vorliegende Laborbefunde, die eine Infektion bestätigen
- Symptome der jeweiligen Krankheitsbilder sind vorhanden

Ursachen

- Bakterielle Vaginose
- Candidiasis
- Chlamydien-Infektion
- Feigwarzen (Condylomata acuminata)
- Filzlausbefall
- Granuloma inguinale
- Hepatitis B
- Hepatitis C
- Herpes genitalis
- HIV-Infektion/AIDS
- HPV-Infektion (Humane Papiloma-Viren)
- Krätzemilbenbefall
- Lymphogranuloma venereum
- Molluscum contagiosum
- Reiter-Syndrom
- Syphilis (Lues venerea)
- Trichomonaden-Infektion
- Tripper (Gonorrhoe)
- Ulcus molle (Weicher Schanker)
- Urogenitale Mykoplasmeninfektion
- Würmer/Darmparasiten
- Zytomegalie

Ressourcen

- Kann erhaltene Informationen umsetzen
- Stellt viele Fragen und möchte mehr Informationen
- Kann Verhütungsmittel sicher anwenden
- Übernimmt Verantwortung gegenüber dem Sexualpartner und beugt einer Ansteckungsgefahr vor
- Sexualpartner ist über die Infektion/Erkrankung informiert
- Hat im sozialen Umfeld Unterstützung

Pflegeziele

- Ist über Infektionsrisiken und Nichtrisiken informiert
- Kann neue Lebensperspektiven entwickeln
- Kennt Möglichkeiten, eine Infektion zu verhindern
- Ist zu Schutzverhalten in sexuellen Risikosituationen motiviert
- Ist sich der Verantwortung gegenüber dem Sexualpartner bewusst
- Angehörige sind mit Einverständnis der betroffenen Person aufgeklärt
- Einer Infektion/Keimverschleppung ist vorgebeugt
- Kann Verhütungsmittel sicher anwenden
- Gesetzliche Auflagen sind erfüllt

Pflegeinterventionen

Im Pflegeteam die Schutzmaßnahmen zur Vermeidung einer Kontaktinfektion festlegen
- Pflegeintervention konkretisieren
- Zeit angeben

Beratungsgespräch zu sexuell übertragbaren Infektionen/Krankheiten führen
- Gesprächsinhalt konkretisieren
  - » Krankheitsbild
  - » Behandlung
  - » Risikowahrnehmung, -feedback
  - » Sexuell übertragbare Krankheiten
  - » Sexualverhalten
  - » Verhütungsmittel
  - » Safer Sex
  - » Verhalten bei "Verhütungspanne"
  - » Selbstmanagement
  - » Anale Gesundheit
  - » Einbeziehung des Partners
  - » Psychosoziale Aspekte
  - » Beratungsstellen
- Gesprächsteilnehmer
  - » Betroffene Person
  - » Pflegeperson
  - » Angehöriger/Bezugsperson
  - » Sexualpartner
  - » Sozialpädagoge
  - » Arzt
  - » Psychologe
- Zeit angeben

Zum sicheren Umgang mit Hilfsmitteln zum Safer Sex anleiten
- Art des Verhütungsmittels
  - » Kondom für Männer
  - » Frauenkondom
  - » Dental Dams

Meldepflichtige Infektionskrankheiten an das Gesundheitsamt melden
- Pflegeintervention konkretisieren
- Zeit angeben

Sonstige Pflegemaßnahmen durchführen
- Maßnahmen konkretisieren
- Zeit angeben

Literaturhinweise: 68, 95, 125, 175, 176, 746, 747, 748, 749, 750, 751, 752, 753, 754, 755, 756, 757, 758, 759, 760, 761, 763, 764, 765, 766

Der Patient hat eine **Infektionskrankheit**, es besteht das **Risiko einer Ansteckung für das Umfeld**

Kennzeichen

- Symptome der jeweiligen Krankheitsbilder sind vorhanden
- Vorliegende Laborbefunde, die eine Infektion bestätigen

Ursachen

Infektionskrankheit Lokalisation Leber
- Hepatitis A
- Hepatitis B
- Hepatitis C
- Hepatitis E
- Gelbfieber

Infektionskrankheit Lokalisation Mundhöhle
- Streptokokken-Angina (u. a. Scharlach)
- Diphtherie
- Mumps

Infektionskrankheit Lokalisation Magen/Darm
- Enteritis
- Norovirus-Infektion
- Clostridium difficile
- EHEC-Erkrankung (Enterohämorrhagische Escherichia coli)
- Campylobacter-Infektion
- Salmonellen
- Paratyphus
- Kryptosporidiose
- Rotavirus-Infektion
- Giardiasis-Infektion
- Shigellose (Bakterienruhr)
- Typhus
- Yersinien-Infektion

Infektionskrankheit Lokalisation Atemweg/Lunge
- Influenza
- RSV (Respiratory Syncytial Virus)
- Tuberkulose
- Q-Fieber
- Keuchhusten

Infektionskrankheit Lokalisation Haut
- Masern
- Ansteckende Borkenflechte
- Windpocken
- Röteln

Infektionskrankheit Lokalisation Zentralnervensystem
- Bakterielle Meningitis
- Herpes-zoster-Infektion
- Herpes-simplex-Infektion
- Tetanus

Sonstige Infektionskrankheiten
- HIV-Infektion/AIDS
- Staphylokokkeninfektion
- Hämorrhagisches Fieber
- Adenovirus-Infektion
- Kopfläuse

Ressourcen

- Kennt die Schutz- und Hygienemaßnahmen und hält sie ein
- Bezugspersonen kennen die Hygienemaßnahmen und führen diese selbstständig durch
- Akzeptiert die Isolierungsmaßnahme
- Besitzt die Fähigkeit der Selbstbeobachtung von kritischen körperlichen Veränderungen
- Äußert Einsicht in die Pflegemaßnahme
- Erkennt Veränderungen der Körpertemperatur und meldet sich
- Akzeptiert die Körpertemperaturmessungen

Pflegeziele

- Ist über die Schutzmaßnahme aufgeklärt und akzeptiert sie
- Unterstützt die Therapie aktiv
- Ansteckungsgefahr für Pflegende und Besucher ist reduziert
- Erregerzahl ist minimiert
- Erregerzahl ist reduziert
- Untersuchungsmaterial ist korrekt gewonnen und weitergeleitet
- Keimbesiedelung ist reduziert
- Isolierung wird eingehalten
- Gesetzliche Auflagen sind erfüllt
- Verbreitung der Infektion ist minimiert
- Risiko der Erregerverschleppung ist minimiert
- Abweichungen von der normalen Körpertemperatur sind erfasst
- Einer Keimverschleppung ist vorgebeugt
- Besucher sind über Schutzmaßnahmen aufgeklärt und halten diese ein

Pflegeinterventionen

Informationsgespräch über Ansteckungsgefahr und Schutzmaßnahmen führen
- Gesprächsinhalt konkretisieren
  - » Übertragungswege
  - » Erforderliche Schutzmaßnahmen
  - » Notwendige Hygienemaßnahmen
  - » Umgang mit Kontaktpersonen
  - » Verhaltensrichtlinien
- Gesprächspartner bestimmen
  - » Betroffene Person
  - » Angehöriger/Bezugsperson
- Zeit angeben

Hygienische Händedesinfektion durchführen
- Pflegeintervention konkretisieren
- Zeit angeben

Einmalhandschuhe vor direktem Patientenkontakt/Kontakt mit potenziell infektiösem Material anziehen
- Pflegeintervention konkretisieren
- Zeit angeben

Mund-Nasen-Schutz anlegen

- Pflegeintervention konkretisieren
  - » Beim Betreten des Zimmers
  - » Bei Aerosolfreisetzung
  - » Bei Verbandwechseln
  - » Bei sehr nahem Patientenkontakt
- Auswahl des Atemschutzes
  - » Mund-Nasen-Schutz tragen
  - » Partikelfiltrierende Atemschutzmaske tragen

Schutzkittel anziehen
- Pflegeintervention konkretisieren
- Zeit angeben

Schutzhaube anziehen
- Pflegeintervention konkretisieren
- Zeit angeben

Überschuhe anziehen
- Pflegeintervention konkretisieren
- Zeit angeben

Schutzbrillle/Augenschild anlegen
- Pflegeintervention konkretisieren
- Zeit angeben

Haut/Schleimhaut desinfizieren/sanieren
- Pflegeintervention konkretisieren
  - » Desinfektion durchführen
  - » Therapeutikum lokal auftragen
  - » Bad durchführen
  - » Waschung durchführen
  - » Nasses Auskämmen
- Körperregion bestimmen
  - » Ganzer Körper
  - » Haare/Kopfhaut
  - » Mund-Rachen-Raum
  - » Nasenschleimhaut
  - » Nabel
  - » Äußerer Gehörgang
  - » Wunde

Wäsche und Bettwäsche wechseln
- Pflegeintervention konkretisieren
- Zeit angeben

Abstrich durchführen
- Körperregion bestimmen
  - » Nase
  - » Rachen
  - » Tracheostoma
  - » Leiste
  - » Perianal
  - » Vagina
  - » Wunde

Untersuchungsmaterial gewinnen
  - » Stuhlgang
  - » Sputum
  - » Erbrochenes
  - » Blut
  - » Haare/Haarstümpfe

Patientenkontaktflächen/persönliche Utensilien desinfizieren
- Maßnahmen konkretisieren
  - » Nach Hygieneplan
- Persönliche Gebrauchsgegenstände
  - » Sehhilfe
  - » Hörgerät
  - » Zahnbürste
  - » Zahnprothese
  - » Deodorant
  - » Wiederverwendbare Pflegeutensilien
- Patientennahe Kontaktflächen
  - » Tisch
  - » Nachttisch
  - » Telefon
  - » Haltegriffe, Türklinken, Handläufe
  - » Nacht-/Duschstuhl

Auf die Einhaltung der Isolation achten
- Pflegeintervention konkretisieren
  - » Beobachtung und Dokumentation der Compliance im Umgang mit Hygienevorschriften
  - » Isolierungsmaßnahme kontinuierlich überwachen
  - » Notwendigkeit der Isolierungsmaßnahme erklären
  - » Durchführung der Isolierungsmaßnahme erklären
  - » In das Isolierungszimmer begleiten
- Hinweise zur Umsetzung der Isolierung
  - » Patient darf das Zimmer nicht alleine verlassen
  - » Schutzmaßnahmen beim Patient -Transport durchführen
  - » Besuch nach Einweisung in die Hygienerichtlinien ist möglich
  - » Besuch mit Schutzkleidung ist möglich
  - » Patient kann das Zimmer mit Nasen-Mund-Schutz/Schutzkittel verlassen
  - » Patient darf den Klinikgarten besuchen
- Zeit angeben

Materialien fachgerecht und sicher aufbereiten und entsorgen
- Maßnahmen konkretisieren
  - » Instrumente in geschlossenem Behälter zur Sterilisation bringen
  - » Behälter nach Beladung vor dem Transport Wischdesinfektion durchführen
  - » Wäschesäcke, bereits Zimmer bestücken und verschließen
  - » Wäsche als infektiös kennzeichnen
  - » Wäsche zur Wäschedesinfektion bringen
  - » Wäschesack zusätzlich in einen flüssigkeitsdichten Sack vor dem Transport stecken
  - » Abfall in speziellen Sammel-/Transportbehältnissen/Säcken entsorgen
  - » Einmalgeschirr entsorgen
  - » Geschirr mit speziellem Waschprogramm desinfizieren

Meldepflichtige Infektionskrankheiten an das Gesundheitsamt melden
- Pflegeintervention konkretisieren
- Zeit angeben

Vor Verlassen des Isolationsraums die infektiöse Person beim Anziehen der Schutzkleidung unterstützen
- Schutzkleidung festlegen
  - » Mund-Nasen-Schutz ohne Ventil
  - » Atemschutzmaske
  - » Handschuhe
  - » Schutzkittel
  - » Feuchtigkeitsundurchlässige Wundabdeckung
  - » Sonstiges
- Unterstützungsgrad angeben
  - » Anleiten
  - » Vollständig übernehmen
  - » Teilweise übernehmen
  - » Beaufsichtigen

Desinfektionsmaßnahmen/ Schlussdesinfektion durchführen/organisieren
- Maßnahmen konkretisieren
  - » Schlussdesinfektion laut Hygieneplan durchführen
  - » Schlussdesinfektion organisieren
  - » Nach diagnostischen/therapeutischen Maßnahmen außerhalb des Isolationszimmers umfassende Desinfektion aller Gegenstände/des Raums lt. Hygienestandard
- Zeit angeben

Ausscheidungen desinfizieren
- Maßnahmen konkretisieren
- Desinfektion von:
  - » Stuhlgang
  - » Urin
  - » Erbrochenes
  - » Wundsekret
  - » Sonstiges

Körpertemperaturkontrollen durchführen
- Messort festlegen
  - » Messort Ohr
  - » Messort axillar
  - » Messort rektal
  - » Messort sublingual
  - » Messort vaginal
- Messmethode auswählen
  - » Fieberthermometer
  - » Rektale Temperatursonde
  - » Hauttemperatursonde
  - » Digitales Ohrthermometer
  - » Kontaktfreies Infrarot-Oberflächenthermometer
- Thermometer wieder aufbereiten
  - » Messgerät tägl. laut Hygienestandard desinfizieren/aufbereiten

Unterbringung im Isolierzimmer organisieren

- Maßnahmen konkretisieren
  - » In ein Einzelzimmer verlegen und Isolierung einrichten
  - » Verlegung in ein Mehrbettzimmer (Kohortenisolierung)
  - » Strikte Isolation auf dafür vorgesehenen Isoliereinheiten
- Zeit angeben

Informationsschild für Besucher an der Zimmertür anbringen
- Maßnahmen konkretisieren
  - » Besucher über die Schutzmaßnahmen informieren
  - » Besucher in das Isolierzimmer begleiten und in die Schutzmaßnahmen einweisen

Sonstige Pflegemaßnahmen durchführen
- Maßnahmen konkretisieren
- Zeit angeben

Literaturhinweise: 95, 125, 175, 176, 307, 715, 716, 717, 718, 721, 722, 723, 724, 725, 726, 727, 728, 729, 730, 731, 732, 733, 734, 735, 736, 737, 738, 739, 740, 741, 742, 743, 744, 745, 767, 768, 769, 781, 875

Der Patient hat eine Besiedelung/Infektion mit **multiresistenten Erregern (MRE)**, es besteht das **Risiko der Keimübertragung**

Kennzeichen

- Vorliegende Laborbefunde, die den Erreger und auch die Resistenzen nachweisen

Ursachen

- Erreger mit Resistenzen lt. ICD-10Staphylococcus aureus (MRSA)
- Oxacillin-resistenter Staphylococcus aureus (ORSA)
- Streptococcus pneumoniae
- Enterococcus faecalis
- Enterococcus faecium
- Vancomycin-resistente Enterokokken (VRE)
- Glykopeptid-resistente Enterokokken (GRE)
- Extended Spectrum ß-Lactamase (ESBL) produzierende Erreger
- Escherichia
- Klebsiella
- Serratia marcescens
- Proteus-Bakterium
- Enterobacter
- Citrobacter
- Pseudomonas aeruginosa
- Burkholderia
- Stenotrophomonas
- Mycobacterium tuberculosis
- Multi-Drug Resistant Tuberculosis [MDR-TB]
- Atypische Mykobakterien
- Nocardia
- Candida mit Resistenz
- Herpesviren
- Humanes Immundefizienz-Virus
- Acinetobacter baumannii
- Stenotrophomonas maltophilia

Ressourcen

- Kennt die Schutz- und Hygienemaßnahmen und hält sie ein
- Bezugspersonen kennen die Hygienemaßnahmen und führen diese selbstständig durch
- Akzeptiert die Isolierungsmaßnahme
- Besitzt die Fähigkeit der Selbstbeobachtung von kritischen körperlichen Veränderungen
- Erkennt Veränderungen der Körpertemperatur und meldet sich
- Äußert Einsicht in die Pflegemaßnahme

Pflegeziele

- Ist über die Schutzmaßnahme aufgeklärt und akzeptiert sie
- Unterstützt die Therapie aktiv
- Erregerzahl ist reduziert
- Untersuchungsmaterial ist korrekt gewonnen und weitergeleitet
- Negativer Befund beim Abstrich
- Ansteckungsgefahr für Pflegende und Besucher ist reduziert
- Isolierung wird eingehalten
- Keimbesiedelung ist reduziert
- Abweichungen von der normalen Körpertemperatur sind erfasst
- Einer Infektion/Keimverschleppung ist vorgebeugt
- Besucher sind über Schutzmaßnahmen aufgeklärt und halten diese ein
- Einer Keimverschleppung ist vorgebeugt

Pflegeinterventionen

Informationsgespräch über Ansteckungsgefahr und Schutzmaßnahmen führen
- Gesprächsinhalt konkretisieren
  - » Übertragungswege
  - » Erforderliche Schutzmaßnahmen
  - » Notwendige Hygienemaßnahmen
  - » Umgang mit Kontaktpersonen
  - » Verhaltensrichtlinien
- Gesprächspartner bestimmen
  - » Betroffene Person
  - » Angehöriger/Bezugsperson
- Zeit angeben

Hygienische Händedesinfektion durchführen
- Pflegeintervention konkretisieren
- Zeit angeben

Einmalhandschuhe vor direktem Patientenkontakt/Kontakt mit potenziell infektiösem Material anziehen
- Pflegeintervention konkretisieren
- Zeit angeben

Mund-Nasen-Schutz anlegen
- Pflegeintervention konkretisieren
  - » Beim Betreten des Zimmers
  - » Bei Aerosolfreisetzung
  - » Bei Verbandwechseln
  - » Bei sehr nahem Patientenkontakt
- Auswahl des Atemschutzes
  - » Mund-Nasen-Schutz tragen
  - » Partikelfiltrierende Atemschutzmaske tragen

Schutzkittel anziehen
- Pflegeintervention konkretisieren
- Zeit angeben

Schutzhaube anziehen
- Pflegeintervention konkretisieren
- Zeit angeben

Wäsche und Bettwäsche wechseln
- Pflegeintervention konkretisieren
- Zeit angeben

Abstrich durchführen
- Körperregion bestimmen
  - » Nase
  - » Rachen
  - » Tracheostoma
  - » Leiste
  - » Perianal
  - » Vagina
  - » Wunde

Untersuchungsmaterial gewinnen
  - » Stuhlgang
  - » Sputum
  - » Erbrochenes
  - » Blut
  - » Haare/Haarstümpfe

Maßnahmen zur Sanierung durchführen
- Pflegeintervention konkretisieren
  - » Desinfektion durchführen
  - » Therapeutikum lokal auftragen
  - » Bad durchführen
  - » Waschung durchführen
  - » Nasses Auskämmen
- Körperregion bestimmen
  - » Ganzer Körper
  - » Haare/Kopfhaut
  - » Mund-Rachen-Raum
  - » Nasenschleimhaut
  - » Nabel
  - » Äußerer Gehörgang
  - » Wunde

Auf die Einhaltung der Isolation achten
- Pflegeintervention konkretisieren
  - » Beobachtung und Dokumentation der Compliance im Umgang mit Hygienevorschriften
  - » Isolierungsmaßnahme kontinuierlich überwachen
  - » Notwendigkeit der Isolierungsmaßnahme erklären
  - » Durchführung der Isolierungsmaßnahme erklären
  - » In das Isolierungszimmer begleiten
- Hinweise zur Umsetzung der Isolierung
  - » Patient darf das Zimmer nicht alleine verlassen
  - » Schutzmaßnahmen beim Patient -Transport durchführen
  - » Besuch nach Einweisung in die Hygienerichtlinien ist möglich
  - » Besuch mit Schutzkleidung ist möglich
  - » Patient kann das Zimmer mit Nasen-Mund-Schutz/Schutzkittel verlassen
  - » Patient darf den Klinikgarten besuchen
- Zeit angeben

Patientenkontaktflächen/persönliche Utensilien desinfizieren
- Maßnahmen konkretisieren
  - » Nach Hygieneplan
- Persönliche Gebrauchsgegenstände
  - » Sehhilfe
  - » Hörgerät
  - » Zahnbürste
  - » Zahnprothese
  - » Deodorant
  - » Wiederverwendbare Pflegeutensilien
- Patientennahe Kontaktflächen
  - » Tisch
  - » Nachttisch
  - » Telefon
  - » Haltegriffe, Türklinken, Handläufe
  - » Nacht-/Duschstuhl

Körpertemperaturkontrollen durchführen
- Messort festlegen
  - » Messort Ohr
  - » Messort axillar
  - » Messort rektal
  - » Messort sublingual
  - » Messort vaginal
- Messmethode auswählen
  - » Fieberthermometer
  - » Rektale Temperatursonde
  - » Hauttemperatursonde
  - » Digitales Ohrthermometer
  - » Kontaktfreies Infrarot-Oberflächenthermometer
- Thermometer wieder aufbereiten
  - » Messgerät tägl. laut Hygienestandard desinfizieren/aufbereiten

Transport/Verlassen des Isolationszimmers vorbereiten
- Maßnahmen konkretisieren
  - » Krankenbett vor dem Verlassen des Zimmers frisch beziehen
  - » In sauberes Bett umlagern
  - » Transportliege/-stuhl benutzen und nach der Benutzung entsprechend den Vorgaben desinfizieren/aufbereiten
  - » Antiseptische Körperwaschung vor dem Transport durchführen
  - » Verbandwechsel vor dem Transport durchführen
  - » Begleitpersonal trägt frischen Schutzkittel, Handschuhe für die Dauer des Transports
  - » Begleitpersonal Nasen-Mund-Schutz anlegen
  - » Patient Nasen-Mund-Schutz anlegen
- Zeitdauer des Transports bestimmen

Desinfektionsmaßnahmen/ Schlussdesinfektion durchführen/organisieren
- Maßnahmen konkretisieren
  - » Schlussdesinfektion laut Hygieneplan durchführen
  - » Schlussdesinfektion organisieren
  - » Nach diagnostischen/therapeutischen Maßnahmen außerhalb des Isolationszimmers umfassende Desinfektion aller Gegenstände/des Raums lt. Hygienestandard
- Zeit angeben

Unterbringung im Isolierzimmer organisieren
- Maßnahmen konkretisieren
  - » In ein Einzelzimmer verlegen und Isolierung einrichten
  - » Verlegung in ein Mehrbettzimmer (Kohortenisolierung)
  - » Strikte Isolation auf dafür vorgesehenen Isoliereinheiten
- Zeit angeben

Surveillance nosokomialer Infektionen/Erreger mit Resistenzen durchführen
- Maßnahmen konkretisieren
  - » Hygienebeauftragte(n) der Einrichtung informieren
  - » Erfassung der nosokomialen Infektionen und Resistenzen lt. § 23 Infektionsschutzgesetz
  - » Hygienebesprechung vor Ort durchführen
- Zeit angeben

Informationsschild für Besucher an der Zimmertür anbringen
- Maßnahmen konkretisieren
  - » Besucher über die Schutzmaßnahmen informieren
  - » Besucher in das Isolierzimmer begleiten

und in die Schutzmaßnahmen einweisen

Organisation/Durchführung von Untersuchungen im Isolierzimmer
- Maßnahmen konkretisieren
- Zeit angeben

Sonstige Pflegemaßnahmen durchführen
- Maßnahmen konkretisieren
- Zeit angeben

Literaturhinweise: 721, 736, 737, 744, 872, 873, 874, 876

Inhaltsverzeichnis

- Altenbockum, C. von; Donhauser-Gruber, U.; Gruber, A.; Herrmann, B.; Honekamp, B.; Mathies, B.; Mathies, H.; Mayerhofer, K.; Platz, E.; Übler, I.; Weigert, J.Z.: Rheumatologisches Lehrbuch für die Krankenpflege. Recom, Basel/Eberswalde, 1995.
- Arntz, Reiner; Heribert Picht; Felix Mayer: Einführung in die Terminologiearbeit. 5. Aufl., Hildesheim u. a.: Georg Olms Verlag AG, 2004.
- Bäckström, A., Norberg, A. & Norberg, B.: Feeling difficulties in long-stay patients at nursing homes. Caregiver turnover and caregivers' assissments of duration and difficulty of assisted feeding and amount of food received by the patient. Int. J. Nurs. Stud. 1 (24), 1987, 69-76.
- Bakken, Suzanne; Margaret S. Cashen; Eneida A. Mendonca; Ann O'Brien; Joan Zieniewicz: Representing Nursing Activities within a Concept-oriented Terminological System: Evaluation of a Type Definition. In: JAMIA, Journal of the American Medical Informatics Association Jg. 7, 1/2000 (Jan/Feb), S. 81-90.
- Baltzer, Martina: Pilotprojekt LEP Nursing 3/ENP. In: Abschlussbericht, Download http://download.recom-verlag.de/pdf/Abschlussbericht%20Projekt%20ENP_LEP3.pdf 2006.
- Barocka, A.: Die Wohnung als Müllhalde. Fortschr.Med. 45 2004, 36-39.
- Bartholomeyczik, Sabine; Jörg Haasenritter; Pia Wieteck: Instrumente zur Abbildung des Pflegeaufwands in der DRG-Systematik Literaturanalyse. In: eingereicht PR-Internet Jg. 12, 2009, S. 669-687.
- Berger, Simon: Validierungsstudien zu NANDA-Pflegediagnosen: Methodologische Anforderungen, Studienübersicht und kritische Bewertung. Bachelor-Arbeit, Private Universität Witten/Herdecke gGmbH, Fakultät für Medizin, Institut für Pflegewissenschaften, Witten, Februar 2005.
- Berger, Simon: Kriteriumsvalidität von ENP. Abbildung von individuell formulierten Pflegeprozessplanungen mit ENP. In: Pflegewissenschaft Jg. 10, 2008.
- Berger, Simon: Kriteriumsvalidität von ENP Abbildung von individuell formulierten Pflegeprozessplanungen mit der standardisierten Pflegefachsprache ENP. Kassel: Rrecom Verlag, 2010.
- Berger, Simon; Frank Schütze: Automatisierte Nebendiagnosengenerierung zur Elrössicherung im Krankenhaus. In: Posterpräsentation 2006.
- Biedermann, M.: Essen als Basale Stimulation. Vincentz Verlag, Hannover, 2003.
- Birch & Coggins: No-Rinse, One-Step Bed Bath: The Effects on the Occurence of Skin Tears in a Long-Term Care Setting. Ostomy/Wound management, 2003, 1:64-67.
- Borker, S.: Nahrungsverweigerung in der Pflege. Verlag Hans Huber, Bern, 2002.
- Brobst, Ruth A.; Arlene M. Clarke Coughlin; Diane Cunningham; Joyce Martin Feldman; Robert G. Hess Jr.; Joan E. Mason; Lois A. Fenner McBride; Renne Perkins; Carol A. Romano; Judith J. Warren; Wendy Wright: Der Pflegeprozess in der Praxis. Bern: Verlag Hans Huber, 1997.
- Burkhart, Lisa; Debra Konicek; Sue Moorhead; Ida Androwich: Mapping Parish Nurse Documentation Into the Nursing Interventions Classifications. In: CIN: Computers, Informatics, Nursing Jg. 23, 4/2005 (July-August), S. 220-229.
- Carpenito, L. J. (1993) Nursing Diagnosis - Application to clinical Practice, Philadelphia, Lippincott Company.
- Carr, J. H.; R. B. Shepherd; L. Ada: Spasticity: Research Findings and Implications for Intervention. In: Physiotherapy Jg. 81, 8/1995 (August), S. 421-429.
- Carruth, Ann K., Ricks, Debra, Pullen, Pat: (1995): Bag baths: an alternative to the bed bath. In: Nursing Management 9/26 (9): 75-6, 78.
- Coyle Rieg, Linda: Information retrieval of self-care and dependent-care agent using net-wellness, consumer health information network, Dissertation der Universität of Cincinati, 2000, http://etd.ohiolink.edu/send-pdf.cgi/Rieg Linda Coyle.pdf?ucin971876045
- Crawley, H.: Essen und Trinken bei Demenz. Kuratorium Deutscher Altershilfe, Köln, 2005.
- Dawson, M.; Pilgrim, A.; Moonsawmy, C.; Moreland, J.: An Evaluation of Two Bathing Products in a Chronic Care Setting. Geriatric Nursing, 2001, 2: 91.
- Day, M. R. & Patricia, L.-W.: Self-Neglect 2: Nursing Assessment and Management. Nursing Times 25 (104), 2008, 28-29.
- Dennis, Connie M.: Dorothea Orem. Selbstpflege- und Selbstpflegedefizit-Theorie. 1. Aufl., Bern: Verlag Hans Huber, 2001.
- Deutsche Alzheimer Gesellschaft e.V.: Empfehlungen zum Umgang mit Ernährungsstörungen bei Demenz. Online im Internet: www.deutsche-alzheimer.de in der Version: 2005

- Deutsche Expertengruppe Demenzbetreuung e.V.: Die Ernährung Demenzkranker in stationären Einrichtungen. Praktische Erfahrungen und Empfehlungen aus der Milieutherapie. Selbstverlag Deutsche Expertengruppe Demenzbetreuung.
- Deutsche Gesellschaft für Ernährung e.V.: Zusammenhang zwischen Demenz und mit Ernährung in Verbindung stehenden Faktoren und Störungen. 2005. Online im Internet: http://www.dge.de/modules.php?name=News&file=article&sid=517.
- Dick, C.: Self-Neglect: Diogenes Syndrome and Dementia. The Kansas Nurse 9 (81), 2006, 12-13.
- DNQP, 2008 Deutsches Netzwerk für Qualitätssicherung in der Pflege: Expertenstandard: Pflege von Menschen mit chronischen Wunden, Sonderdruck 2008. (Hrsg.: Hochschule Osnabrück)
- Dunn, J. C.; Thiru-Chelvam, B.; Beck, C.H.M.: Interdisciplinary Care. Bathing: Pleasure or Pain? Journal of Gerontological Nursing, 2002, 11: 6-13.
- Etzel, B. S. (Ed.) (2000) Pflegediagnosen und die Internationale Klassifikation Pflegerischer Praxis (ICPN Beta-Version). Entwicklung in der Diskussion, Stuttgart, Berlin, Köln, W. Kohlhammer Druckerei GmbH + Co.
- Gärtner, Regina: Von der Pflegeprozessdokumentation zur Leistungstransparenz? Überprüfung der mit ENP verbundenen LEP Nursing 3 Zeitwerte in einer orthopädischen Klinik. Diplom- und Prüfungsarbeit für die staatl. Abschlussprüfung, Katholische Stiftungsfachhochschule, Pflegemanagement, München, 12. November 2006.
- Gärtner, Regina: Von der Pflegeprozessdokumentation zur Leistungstransparenz? Überprüfung der mit ENP verbundenen LEP Nursing 3 (beta) Zeitwerte in einer orthopädischen Klinik. In: PrInterNet/Pflegewissenschaft Jg. 10, 06/2008 (Juni), S. 368-373.
- Gerling, Anne; Constanze Giese; Christel Häse; Friedlich Heubel; et al.: Lebt der Mensch vom Brot allein?: Arbeitsgemeinschaft für Pflege und Ethik in der Akademie für Ethik in der Medizin, 2007. Download: http://www.nahrungsverweigerung.de/scripts/sub/interessantes/Lebt%20der%20Mensch%20vom%20Brot%20allein.htm.
- Gibbons, S., Lauder, W. & Ludwick, R.: Self-Neglect: A Proposed New NANDA Diagnosis. International Journal of Nursing Terminologies and Classifications 1 (17), 2006, 10-18.
- Gordon, Marjory: Handbuch Pflegediagnosen. Das Buch zur Praxis. 3. Auflage, München, Jena: Urban& Fischer, 2001.
- Gordon, Marjory; Sabine Bartholomeyczik: Pflegediagnosen. Theoretische Grundlagen., München, Jena: Urban & Fischer Verlag, 2001.
- Haag, Serge: Effizienzoptimierung der stationären Pflege. RECOM Verlag, 2009.
- Hahn Winslow, E.; Lane, L.D.; Gaffney, F.A.: Oxygen Uptake and Cardiovascular Responses in Control Adult and Acute Myocardial Infarction Patients during Bathing. Nursing Research, 1985, 3: 164-169.
- Hardenacke, Daniela: Die Validität dreier ENP-Pflegediagnosen am Beispiel der Mangelernährung. In: PrInterNet Jg. 10, 10/2007 (Oktober), S. 530-538.
- Helmbold, Anke: Weiterentwicklung von ENP durch die Literaturanalyse der Waschendiagnosen (Übersicht). Bad Emstal: RECOM Pflege Competence Centrum, 2006.
- Helmbold, Anke: Literaturanalyse zur Körperwaschung - Ein Schritt im Validierungsprozess der ENP-Pflegediagnosen. In: Pflegewissenschaft Jg. 02, 2010a, S. 100-107.
- Helmbold, Anke: Weiterentwicklung von ENP im Bereich Mangelernährung auf Grundlage einer Validierungsstudie und einer Literaturstudie. In: Pflegewissenschaft Jg. 5, 2010b, S. 292-299.
- Helmbold, Anke; Berger Simon: A Literature Analysis on Personal Hygiene, Carried out as Part of the ENP® Nursing Diagnoses In: International Journal of Nursing Terminologies and Classifications Jg. eingereicht zur Veröffentlichung, 2008.
- Helmbold, Anke: European Nursing care Pathways, in: Wieteck, Pia: Praxisleitlinie Altenpflege. Planen, Formulieren, Dokumentieren mit ENP-Praxisleitlinien. Kassel: Recom GmbH&CoKG, 2012.
- Holoch, E.: Die Theorie der Dependenzpflege - ein konzeptueller Rahmen für die Einschätzung, Stärkung und Förderung der elterlichen Kompetenz. In: Pflege 23, 2010, 25-36.
- Hügli, Anton; Poul Lübcke (Hg.): Philosophie-Lexikon. 4. Aufl., Reinbek bei Hamburg: Rowohlt Taschenbuch Verlag GmbH, 2001.
- Huneke, M. J. (2000) Berufspolitische Relevanz von Begriffsbildung in der Pflege. IN Etzel, B. S. (Ed.) Pflegediagnosen und die Internationale Klassifikation Pflegerischer Praxis (ICNP-Beta-Version). Stuttgart, Berlin, Köln, Kohlhammer GmbH.
- Kellnhauser, E.; Schewior-Popp, S.; Sitzmann, F.; Geißner, U.; Gümmer, M.; Ullrich, L.

(Hrsg.): Thiemes Pflege. Georg Thieme Verlag, Stuttgart, New York, 2004.

- Kolb, C.: Nahrungsverweigerung bei Demenzkranken. PEG-Sonde – ja oder nein? Mabuse-Verlag, Frankfurt am Main, 2003.
- Konrad, Horst: Pneumonieprophylaxe bei Krankenhauspatienten. Analyse von Daten der Pflegeklassifikation ENP® in elektronischen Patientenakten. Bad Emstal: RECOM GmbH & Co. KG, 2009.
- Kossaibati, Salwa; Anne Berthou: Konzeption und Pilotierung der Einführung von ENP an den Spitälern und Kliniken des Kantons St. Gallen -Schlussbericht-: Institut de santé et d`economie (ISE), 2006.
- Kotsch, L.; Hitzler, R. (2011): "Selbstbestimmung" im Kontext von Hilfe- und Pflegebedürftigkeit. Zum Begriff einer Fiktion. In: Pflegewissenschaft 02/2011, S. 69-78.
- Langhammer, B. & Stanghelle, J. K.: Bobath or Motor Relearning Programme? A comparison of two different approaches of physiotherapy in stroke rehabilitation: a randomized controlled study. Clinical Rehabilitation, 2000, 4: 361-370.
- Lauder, W., Anderson, I. & Barclay, A.: A framework for good practice in interagency intervention with cases of self-neglect. Journal of Psychiatric and Mental Health Nursing (12), 2005, 192-198.
- Lauder, W., Ludwick, R., Zellner, R. & Winchel, J.: Factors influencing nurses‘ judgements about selfneglect cases. Jounal of Psychiatric and Mental Health Nursing (13), 2006, 279-287.
- Menebröcker, C.: Ernährung von hochbetagten und dementen Patienten: Bundeskongress Kompetenz in Ernährung. Lebensqualität durch Ernährung verbessern, in Wolfsburg, 2006.
- MDS Medizinischer Dienst der Spitzenverbände der Krankenkassen e. V.: Grundsatzstellungnahme Pflegeprozess und Dokumentation. 2005. <www.vdd.de/...MDS.../MDS_Grundsatzstellungnahme_Pflegeprozess_und_Dokumentation_2005.pdf >, Download: 31.07.2009.
- Mittelstraß, Jürgen (Hg.): Enzyklopädie Philosophie und Wissenschaftstheorie Band 4: Sp-Z. Stuttgart, Weimar: Verlag J.B. Metzler, 1996.
- Möller, K.: Analyse der Organisationsbedingungen zur Einführung der Pflegetheorie von Dorothea Orem am Beispiel des Marienkrankenhauses Hamburg. Diplomarbeit der Hochschule für angewandte Wissenschaften Hamburg, 2006, http://opus.haw-hamburg.de/volltexte/2006/81/pdf/sp_d.pf.06.506.1.pdf, Download am 3.9.2010.
- Norberg, A., Bäckström, A., Athlin, E. & Norberg, B.: Food refusal amongst nursing home patients as conceptualized by nurses‘ aids and enrolled nurses: an interview study. Journal of Advanced nursing (13), 1988, 478-483.
- Opel, Britta: Die Entwicklung von ENP-Pflegediagnosen durch eine Begriffsanalyse nach Walker/Avant. In: Wieteck, Pia (Hg.): ENP - European Nursing care Pathways. Standardisierte Pflegefachsprache zur Abbildung von pflegerischen Behandlungspfaden Bad Emstal: RECOM Verlag, 2004, S. 37-50.
- Orem, D.: Nursing: Concepts of Practice. 6 Aufl., St. Louis et. al.: Mosby, 2001.
- Österreichischer Gesundheits- und Krankenpflegeverband (ÖGKV): Entscheidungshilfe zur Auswahl von Klassifikationssystemen, Wien: 2010, http://www.oegkv.at/publikationen/entscheidungshilfe-fuer-klassifikationssysteme.html
- Download: 19.10.2012
- Parker, Laurence; Margaret Lunney: Moving Beyond Content Validation of Nursing Diagnoses. In: Rantz, Marilyn J.; Priscilla LeMone (Hg.): Classification of Nursing Diagnoses: Proceedings of the Thirteenth Conference. Glendale: Cinahl Information Systems, 1999, S. 522-532.
- Pavlou, M. P. & Lachs, M. S.: Could Self-Neglect in Older Adults Be a Geriatric Syndrome? The American Geriatrics Society 5 (54), 2006, 831-842.
- Rosenkranz, G.: Ernährungstherapie bei Demenz. Journal für Ernährungsmedizin 4 (4), 2002, 13.
- Rückert, W., Arnold, R., Bauer-Söllner, B., Ding-Greiner, C., Kolb, C., Lärm, M., Mybes, U., Schreier, M. & Vanorek, R.: Ernährung bei Demenz. Verlag Hans Huber, Bern, 2007.
- Schmid, Bernd: Homogenitätsprüfung des Pflegeaufwandes in der DRG-Fallgruppe, Erklärungsansatz zur Kostenhomogenität von DRG-Fallgruppen durch Pflegediagnosen/Pflegeaufwand. In: PrInterNet Jg. 9, 9/2007 (September), S. 532-541.
- Schmidt, D. & Zimmer, M. (Hrsg.).: Pflege Konkret: Chirurgie, Orthopädie, Urologie - Lehrbuch und Atlas für Pflegende. Urban & Fischer Verlag, München, Jena, 2000.
- Schmitt, Anne: Kriteriumsvaliditätsprüfung von ENP auf einer neonatologischen Inten-

sivstation. In: eingereicht PR-Internet Jg. 12, 4/2010, S. 224-232.

- Schütze, Frank: Interdisziplinäre Zusammenarbeit bei der Erlössicherung. Diplom- und Prüfungsarbeit für die staatl. Abschlussprüfung, Katholische Stiftungsfachhochschule Abt. München Fachbereich Pflegemanagement, München, 14. Oktober 2006.
- Seitz, B.: Optimierung der Ernährung und Flüssigkeitsversorgung in stationären Pflegeeinrichtungen in Rheinland-Pfalz. PrInterNet (7/8), 2007, 473-480.
- Seneviratne, C.; M. Reimer: Neurodevelopmental treatment stroke rehabilitation: a critique and extension for neuroscience nursing practice. In: L' Axon. Canadian Association of Neuroscience Nurses Jg. 26, 2/2004 (December), S. 13-20.
- Sheppard, C. M. & Brenner, P.S.: The Effects of Bathing and Skin Care Practices on Skin Quality and Satisfaction With. Journal of Gerontological Nursing, 2000, 10: 36-45.
- Sloane, P.D.; Hoeffer, B.; Mitchell, M.; McKenzie, D.A.; Barrick, A.L.; Rader, J.; Stewart, B.J.; Talerico, A.L.; Rasin, J.H.; Zink, R.C.; Koch, G.G.: Effect of person-centered showering and the towel bath on bathing-associated aggression, agitation, and discomfort in nursing home residents with dementia: a randomized, controlled trial. Journal of American Geriatrics Society, 2004, 11: 1795-1804.
- social invest consult SIC – Gesellschaft für Forschung, B., Organisationsentwicklung und Sozialmanagement mbH,: Ratgeber für die richtige Ernährung bei Demenz. Appetit wecken, Essen und Trinken genießen. Ernst Reinhardt GmbH & Co KG, Verlag, München, 2007.
- Schwerdt, R.: Probleme der Ernährung älterer Menschen mit Demenz. Aktueller Forschungsund Entwicklungsbedarf. Pflege & Gesellschaft (2), 2005, 75-82.
- Stender, Kirsten: "Wege entstehen dadurch, dass man sie geht". Erfahrungsbericht zur Einführung von ENP in der Fachklinik für Orthopädie Stenum. Ganderkesee: Fachklinik für Orthopädie Stenum, 2005.
- Stender, Kirsten: Mit einer Sprache sprechen. Auf dem Weg zur elektronischen Patientenakte - Erfahrungsbericht. In: Pflegezeitschrift Jg. 59, 9/2006, S. 582-584.
- Tully, M. W. & Matrakas, K. L.: The Eating Behavior Scale. A simple method of assessing functional ability in patients with alzheimer's disease. Journal of Gerontological Nursing 7 (23), 2008, 9-15.
- van Maanen, H. (2002) Die Entwicklung einer Pflegefachsprache aus einer pflegewissenschaftlichen Perspektive: Das Warum und Wozu. Pflege, 15 (4), S. 198–207.
- Wagener, R., Berkemeyer, C., Hock, G., Schneider, A., Winterberg, C. & Ulmer, E.-M.: Essen und Trinken bei Menschen mit Alzheimer-Demenz. Pflege (11), 1998, 89-85.
- Wieteck, Pia: Interventionsstudie zur Qualitätsentwicklung der Pflegedokumentation mit Hilfe eines EDV-gestützen Pflegeplanungsprogrammes in einer stationären Einrichtung. Diplomarbeit, Evangelische Fachhochschule Darmstadt, Pflege- und Gesundheitswissenschaft, Darmstadt, 2001.
- Wieteck, Pia: European Nursing care Pathways (ENP®). Pflegerische Behandlungspfade auf der Basis von praxisnahen Theorien entwickeln. In: PR-Internet Jg. 5, 11/2003 (November), S. 84-94.
- Wieteck, Pia (Hg.): ENP® - European Nursing care Pathways. Standardisierte Pflegefachsprache zur Abbildung von pflegerischen Behandlungspfaden. 1. Auflage, Bad Emstal: RECOM Verlag, 2004a.
- Wieteck, Pia: Ergebnisse einer quantitativen Datenauswertung mittels ENP in deutschen und österreichischen Einrichtungen ENP European Nursing care Pathways. In: PrInterNet 9/2004b, S. 486-494.
- Wieteck, Pia: Sekundäranalyse auf inhaltliche Vollständigkeit der ENP®. In: Wieteck, Pia (Hg.): ENP® - European Nursing care Pathways Standardisierte Pflegefachsprache zur Abbildung von pflegerischen Behandlungspfaden Leistungstransparenz und Qualitätssteuerung im Gesundheitswesen. Bad Emstal: RECOM Verlag, 2004c, S. 1157-1169.
- Wieteck, Pia: Content Validity of ENP® Nursing Diagnoses through Cross Mapping of ICNP® Focus Terms, Download: http://www.icn.ch/id73final.pdf. In: Final Report 2006a (March), S. 1-71.
- Wieteck, Pia: ENP®-ICNP®-Crossmapping. In: PrInterNet Jg. 08, 02/2006b (Februar), S. 109-118.
- Wieteck, Pia: ENP Research & Development wissenschaftliche Hintergründe European Nursing care Pathways. In: Download Mai 2011: Download.recom-verlag.de/pdf/ENP_wissenschaftliche_Hintergruende_Web_2007_de.pdf
- 2007a.
- Wieteck, Pia: Übereinstimmung von Interventionsdokumentationen mit tatsächlich durchgeführten pflegerischen Leistungen. In: PrInterNet Jg. 9, 2/2007b (Februar), S.

113-120.

- Wieteck, Pia: Validitätsprüfung ausgewählter Bestandteile der ENP® (European Nursing care Pathways). ENP® - ein Instrument zur prozessorientierten, fallbezogenen und handlungsbegründenden Pflegeprozessdokumentation. Dissertation, Universität Witten/Herdecke, Institut für Pflegewissenschaft, Fakultät für Medizin, Witten, 2007c.
- Wieteck, Pia: Furthering the development of standardized nursing terminology through an ENP®-ICNP® cross-mapping. In: International Nursing Review Jg. 55, 3/2008 (29. August), S. 296-304.
- Wieteck, Pia: Transfer der Expertenstandards in die Pflegepraxis. Ausblicke bezüglich des Nutzens einer elektronischen Patientenakte mit ENP. In: Pflegewissenschaft Jg. 11, 04/2009 (April), S. 227-239.
- Wojnar, J.: Ernährung in der häuslichen Pflege Demenzkranker. Berlin, 2007.

Literaturverzeichnis

- 16 Arbeitsgemeinschaft der Wissenschaftlichen Medizinischen Fachgesellschaft: Leitlinien Schmerztherapie: Behandlung akuter perioperativer posttraumatischer Schmerzen, <http://www.uni-duesseldorf.de/WWW/AWMF/ll/divs-001.htm>, 08.02.2003.
- 17 Arbeitsgemeinschaft der Wissenschaftlichen Medizinischen Fachgesellschaft: Leitlinien Schmerztherapie: Medikamentöse Schmerztherapie, <http://www.uni-duessedorf.de/WWW/AWMF/ll/divs-001.htm>, 08.02.2003.
- 18 Arbeitsgemeinschaft der Wissenschaftlichen Medizinischen Fachgesellschaft: Leitlinien Schmerztherapie: Standardisierung invasiver neuromodulativer Verfahren, <http://www.uni-duessedorf.de/WWW/AWMF/ll/divs-001.htm>, 08.02.2003.
- 24 Barz, H.: Praktische Psychiatrie. Ein Lehrbuch für psychiatrisches Pflegepersonal. Bern, Stuttgart, Toronto: Hans Huber, 1991.
- 27 Bauer, R.; R. Jehl: Humanistische Pflege in Theorie und Praxis, Stuttgart: Schattauer, 2000.
- 29 Bienstein, C.; A. Fröhlich: Basale Stimulation in der Pflege. Pflegerische Möglichkeiten zur Förderung von wahrnehmungsbeeinträchtigten Menschen. Düsseldorf: Verlag selbstbestimmtes Leben, 1991.
- 36 Borker, S.: Essen reichen in der Pflege. Eine empirische Studie. Berlin, Wiesbaden: Ullstein Mosby, 1996.
- 37 Bosch, S.: Bettgitter - ein geeignetes Hilfsmittel zur Sturzprophylaxe. In: Die Schwester Der Pfleger 41 (Jg.), Heft 9/2002.
- 39 Bräutigam, K. et al.: Dekubitusprävention: Theorie und Praxis. In: Pflege 16 (Jg.), Heft 2/2003, S. 75-82.
- 40 Breuch, G. (Hg.) : Fachpflege Nephrologie und Dialyse. München, Jena: Urban & Fischer, 2003.
- 41 Butschek, H.; S. Regen: Die ZVD-Messung in der Krankenpflege. Bad Emstal: RECOM, 1994.
- 44 Citron, I.: Kinästhetisch handeln in der Pflege. Entdecken - Verstehen - Erleben. Stuttgart, New York: Georg Thieme, 1998.
- 45 Cullum, N. et al.: Beds, mattresses and cushions in the prevention and treatment of pressure sores. Oxford: The Cochrane Library, Heft 3/1999.
- 46 Cullum, N. et al.: Preventing and treating pressure sores. Effectiveness Bulletin, Quality in Health Care 4 (Jg.), Heft 4/1995, S. 289-297.
- 47 Dahmer, H.; J. Dahmer: Gesprächsführung. Eine praktische Anleitung. Stuttgart, New York: Georg Thieme, 1989.
- 49 Deutsches Netzwerk für Qualitätssicherung in der Pflege (Hg.) : Expertenstandard Dekubitusprophylaxe in der Pflege. Eigendruck: Osnabrück, 2000.
- 50 Diller, C.: Indikationen zur Thoraxdrainage und pflegerische Versorgung. In: Medizin & Praxis 13 (Jg.) (Burweg-Bossel), Heft 1/1997, S. 31-35.
- 51 Doenges, M. E.; M. Moorhouse; A. C. Geissler-Murr: Pflegediagnosen und Maßnahmen. Deutschsprachige Ausgabe hg. von C. Abderhalden und R. Ricka. Bern, Toronto, Seattle: Hans Huber, 2002.
- 52 Dost, P.: Nasenbluten - Ein häufiger Notfall. In: Heilberufe 45 (Jg.) (Berlin), Heft 10/1993, S. 486-487.
- 54 Ellrott, T.; V. Pudel: Adipositastherapie. Stuttgart, New York: Georg Thieme, 1998.
- 55 Erker, U.; F. Dauer: Beatmung. Pflegerischer Umgang mit ARDS-Patienten. 1. Teil: Pathophysiologie, Therapie und Pflege der Patienten bei Bauchlagerung. In: Die Schwester Der Pfleger 40 (Jg.), Heft 10/2001, S. 868-872.
- 56 Evers, G. C. M.; M. Claes; W. Sermeus: Häufigkeit von Mundpflege bei Krebspatienten in belgischen Krankenhäusern. Häufigkeiten, pflegerische Interventionen und Indikationen. In: Pflege 15 (Jg.), Heft 4/2002, S. 163-167.
- 57 Ewers, A.: Angewandte Thromboseprophylaxe in der Pflegepraxis. In: Die Schwester Der Pfleger 41 (Jg.), Heft 5/2002, S. 376-382.
- 58 Feuchtinger, J.: Wissenschaftliche Überprüfung einer Messskala zur Einschätzung der Thrombosegefährdung. In: Pflege 14 (Jg.), Heft 1/2001, S. 47-57.
- 59 Fieseler, H.-G.; Sinner, G.; Petermann, C.: Schmerztherapie mit mechanischen PCA-Pumpen. In: Die Schwester Der Pfleger 36 (Jg.), Heft 1/1997, S. 51-54.
- 60 Fritz, K. W.; Seidlitz, P.: Die Spinalanästhesie zur ambulanten Arthroskopie - Die Sicht des Patienten: Ergebnisse einer Patientenbefragung. In: Der Anästhesist - Zeitschrift für Anästhesie - Intensivmedizin - Noftfall- und Katastrophenmedizin - Schmerztherapie 46 (Jg.), Heft 5/1997, Berlin, Heidelberg: Springer, S. 430-433.
- 62 Fröhlich, D.: Pflegepraxis des Bobath-Konzeptes - Die Integration in die Aktivitäten des täglichen Lebens. Heidelberg: Altera Edition Hüthig Verlag, 1999.
- 63 Gabka, J.: Injektions- und Infusionstechnik. Praxis, Komplikationen und forensische

Konsequenzen. Berlin, New York: Walter de Gruyter, 1988.

- 64 Gabriel, L.: Störung des Körperselbst nach Anlage eines intestinalen Stomas. 1. Teil: Die Bedeutung der Stomaanlage im Erleben des Patienten. In: Die Schwester Der Pfleger 40 (Jg.), Heft 12/2001, S. 1019-1022.
- 66 Garms-Homolová, V.; R. Gilgen: RAI 2.0 - Resident Assessment Instrument, Beurteilung, Dokumentation und Pflegeplanung in der Langzeitpflege und geriatrischen Rehabilitation. Bern et al.: Hans Huber, 2000.
- 68 Goerke, K.; U. Bazlen: Pflege Konkret. Gynäkologie, Geburtshilfe, Lehrbuch und Atlas für Pflegende und Hebammen. Stuttgart.: Gustav Fischer, 1998.
- 69 &ampGottschalck, T.; T. Dassen: Welche Mittel werden zur Behandlung von Mundproblemen in der Literatur beschreiben? - Eine Analyse von deutsch- und englischsprachigen Veröffentlichungen zwischen 1990 und 2001. In: Pflege 15 (Jg.), Heft 3/2002, S. 137-145.
- 70 Gottschalck, T.; T. Dassen; S. Zimmer: Untersuchung einiger häufig gebrauchter Mittel, Instrumente und Methoden zur Mundpflege hinsichtlich einer evidenz-basierten Anwendung. In: Pflege 16 (Jg.), Heft 2/2003, S. 91-102.
- 71 Habermann, C.; F. Kloster (Hg.): Ergotherapie im Arbeitsfeld Neurologie. Stuttgart, New York: Georg Thieme, 2002.
- 72 Halek, M.; H. Mayer: Die prädiktive Validität der originalen und erweiterten Norton-Skala in der Altenpflege. In: Pflege 15 (Jg.), Heft 6/2002, S. 309-317.
- 73 Hamann, G. F.; R. Gärtner: Komata aus internistischer und neurologischer Sicht. In: Der Internist 42 (Jg.) (Berlin, Heidelberg: Springer), Heft 07/2001, S. 956-965.
- 74 Hasseler, M.: Stationäre Wochenpflege: Evaluation "ganzheitlicher" und "herkömmlicher" Betreuungsformen in der postpartalen Phase. In: Pflege 15 (Jg.), Heft 5/2002, S. 170-180.
- 75 Hatch, F.; L. Maietta: Kinästhetik - Gesundheitsentwicklung und menschliche Funktionen. Wiesbaden: Ullstein Medical, 1999.
- 77 Hendrich, A. et al.: Hospital Falls: Development of a Predictive Model for Clinical Practice. Applied Nursing Research 8 (Jg.), Heft 3/1995, S. 129-139.
- 79 Hinz, M. et al. (Hg.) : ICNP®. Internationale Klassifikation für die Pflegepraxis. Göttingen, Toronto, Seattle: Hans Huber, 2003.
- 80 Hoehl, M.; P. Kullick (Hg.): Kinderkrankenpflege und Gesundheitsförderung. 2. Aufl., Stuttgart, New York: Georg Thieme, 2002.
- 82 Holnburger, M.: Pflegestandards - Psychiatrie. Wiesbaden: Ullstein Medical, 1998.
- 83 Holnburger, Martin.: (2004) Pflegestandards in der Psychiatrie. 3. Auflage, Urban & Fischer Verlag, Elsvevier GmbH München
- 84 Holtmeier, H. J.: Ernährung und Diät: Biochemie, Physiologie, Pathophysiologie. Ernährungstherapie in Klinik und Praxis. Landsberg: Ecomed, 2002.
- 85 Huber, G.: Aspekte einer guten Patientenlagerung. In: Die Schwester Der Pfleger 39 (Jg.), Heft 3/2000, S. 236-239.
- 86 Johnson, M. et al.: Nursing Diagnoses, Outcomes, and Interventions. NANDA, NOC and NIC Linkages, St. Louis et. al.: Mosby, 2001.
- 87 Johnson, S. E.: Alteration in Temperature Regulation, Hypothermia. In: Carroll-Johnson, R. M.: Classification of Nursing Diagnoses. Proceedings of the Eighth Conference. Philadelphia et al.: J. B. Lippincott Company, 1988, S. 378-380.
- 88 Jonas, I.; C. Sowinski: Damit die Nacht nicht zum Alptraum wird - Wege zum gesunden Schlaf. In: Pro Alter 33 (Jg.), S. 65-68.
- 89 Kaathoven, N. v. et al.: Die Ernährung Gesunder und Kranker für Berufe im Gesundheitswesen. Bocholt: Eicanos, 1995.
- 90 Kalde, S.; N. Kolbing; M. Vogt (Hg.) : Enterale Ernährung. 3. Aufl., München, Jena: Urban & Fischer, 2002.
- 91 Kammerlander, G.: Lokaltherapeutische Standards für chronische Hautwunden. 2. Aufl., Wien, New York: Springer, 2001.
- 93 Kasper, M.; D. Kraut: Atmung und Atemtherapie. Ein Praxishandbuch für Pflegende. Bern et al.: Hans Huber, 2000.
- 94 van Keeken, P.; M. Kaemingk: Neurorehabilitation von Schlaganfallpatienten. Das NDT-Konzept. Bern: Hans Huber, 2001.
- 95 Kellnhauser, E. et al.: Thiemes Pflege. 10. Aufl., Stuttgart: Georg Thieme, 2004.
- 96 Kellinghausen, H.: Soziales Kompetenztraining. In: Bauer, R.; R. Jehl (Hg.): Humanistische Pflege in Theorie und Praxis. Stuttgart: Schattauer, 2000, S. 55-67.
- 97 Löser, C.; M. Keymling (Hg.): Praxis der enteralen Ernährung. Indikationen - Technik - Nachsorge. Stuttgart: Georg Thieme, 2001.

- 99 King, R. C.; S. P. Hinds (Hg.): Lebensqualität. Pflege- und Patientenperspektiven. Theorie - Forschung - Praxis. Bern et al.: Hans Huber, 2001.
- 100 Kirschnick, O.: Pflegetechniken von A-Z: Schritt für Schritt in Wort und Bild. Stuttgart: Georg Thieme, 2001.
- 101 Kistner, W.: Der Pflegeprozeß in der Psychiatrie. Beziehungsgestaltung und Problemlösung in der psychiatrischen Pflege. Stuttgart: Gustav Fischer, 1997.
- 102 Kitwood, Tom.: Demenz. Der personenzentrierte Ansatz im Umgang mit verwirrten Menschen. Bern: Hans Huber, 2002.
- 103 Klußmann, R.: Psychosomatische Aspekte kolektomierter Patienten. In: Fortschrittliche Medizin, Heft 8/1979, S. 318-320.
- 104 Knorrek, U.: Probleme bei der Sondenernährung. Diarrhöe - notwendiges oder vermeidbares Übel? In: Die Schwester Der Pfleger 40 (Jg.), 1/2001, S. 46-49.
- 105 Köhlen, C.; J. Beier; G. Danzer: Ein Stückchen normales Leben. Eine qualitative Studie über die Gesundheitspflege bei chronisch kranken Kindern in der häuslichen Pflege. In: Pflege 12 (Jg.), Heft 5/1999, S. 209-314.
- 106 Kolbig, N.: Pflegeprobleme rund um die Ernährungssonde. In: Die Schwester Der Pfleger 38 (Jg.), Heft 12/1999, S. 994-998.
- 107 Korecic, J.: Pflegestandards Altenpflege. 3. Aufl., New York: Springer, 2003.
- 108 Krause, M.; B. Uhlmann : Rhythmische Einreibungen. In: Sitzmann, F. (Hg.): Pflegehandbuch Herdecke. 3. Aufl., Berlin, Heidelberg: Springer, 1998.
- 109 Kretz, F.-J.; S. Reichenberger: Medikamentöse Therapie. Arzneimittellehre für Pflegeberufe. Stuttgart, New York: Georg Thieme, 1999.
- 111 Kutschke, A.: Serie Prophylaxen, Kontrakturen, die richtige Prophylaxe schützt vor Schmerzen und irreversiblen Versteifungen. In: Pflegen ambulant 11 (Jg.), Heft 4/2000, S. 47-49.
- 113 Larsen, R.: Anästhesie und Intensivmedizin für Schwestern und Pfleger. 5. Aufl., Berlin: Springer, 1999.
- 114 Leischker, A. H.: Die unterschätzte Gefahr. Todesfälle durch Einklemmung von Patienten zwischen Bettgitter und Luftkissenmatratze. In: Die Schwester Der Pfleger 42 (Jg.), Heft 1/2003, S. 57.
- 115 Leistner, U. et al.: Alternative zur herkömmlichen PEG: der Button. In: Die Schwester Der Pfleger 39 (Jg.), Heft 11/2000, S. 930-934.
- 117 Linck, W.: Alltag mit Dementen: Pflegekräfte und ihre Klienten in der ambulanten Pflege. Hannover: Schlütersche Verlag, 2002.
- 118 Linke, M.: Notfallsituation durch Blutungen im HNO-Bereich. In: Heilberufe 42 (Jg.), Heft 5/1990, S. 163-165.
- 119 Lohmann, M.: Therapiehandbuch Naturheilkunde. Medizinische Grundlagen, Diagnose, Therapie. 2. Aufl., München, Jena: Urban & Fischer, 2000.
- 120 Mattern, A.; P. Dekeyser; P. Lierz: Einführung und Etablierung eines Akut-Schmerz-Dienstes. In: Die Schwester Der Pfleger 40 (Jg.), Heft 2/2001, S.128-132.
- 121 Maxion-Bergemann, S. et al.: Pflege in der Chirurgie. Lehrbuch für Krankenpflegeberufe. Stuttgart, Berlin, Köln: Kohlhammer, 1998.
- 123 McCloskey, J.; G. M. Bulechek: Nursing Interventions Classifications. 3rd ed., St. Louis: Mosby, 2000.
- 124 Meister, B.: Stomaversorgung bei möglichen Komplikationen. Eine Herausforderung für alle Beteiligten. In: Die Schwester Der Pfleger 39 (Jg.), Heft 4/2000, S. 340-344.
- 125 Menche, N.; U. Bazlen; T. Kommerell: Pflege Heute. Lehrbuch und Atlas für Pflegeberufe. 2. Aufl., München, Jena: Urban & Fischer, 2001.
- 126 Menche, N.; K. Tilmann: Pflege Konkret. Innere Medizin. Lehrbuch und Atlas für Pflegende. München, Jena: Urban & Fischer, 2001.
- 127 Michalke, C. et al.: Altenpflege Konkret. Pflegetheorie und - Praxis. München, Jena: Urban & Fischer, 2001.
- 133 Norton, C.: Praxishandbuch - Pflege bei Inkontinenz. München, Jena: Urban & Fischer, 1999.
- 134 Nowack, R.; R. Birck; T. Weinreich (Hg.): Dialyse und Nephrologie für Pflegeberufe. Berlin, Heidelberg, New York: Springer, 2003.
- 135 Nydahl, P.; G. Bartoszek: Basale Stimulation: neue Wege in der Intensivpflege. Berlin Wiesbaden: Ullstein Mosby GmbH & Co. KG, 1997.
- 137 Osterbrink, J.; G. Schröder; J. McDonough: Dekubitusprophylaxe, Mikrobewegungen sind die Indikatoren, Eine neue Form der Prophylaxe. In: Pflegen ambulant 13 (Jg.), Heft 5/2002, S. 11-17
- 139 Ott, W.: Stomaträger leben keinesfalls in einer heilen Welt. In: ILCO Praxis 18,

1991, S. 5-7.

- 140 Paetz, B.; B. Benzinger-König: Chirurgie für Pflegeberufe. Stuttgart, New York: Georg Thieme, 2000.
- 141 Pairan, S.: Naturheilkunde und TCM im Akutkrankenhaus. In: Die Schwester Der Pfleger 40 (Jg.), Heft 11/2001, S. 956-962.
- 143 Pretto, M. et al.: Optimierung der postoperativen Schmerztherapie auf chirurgischen Akutstationen. In: Pflege 14 (Jg.), Heft 4/2001, S. 239-245.
- 144 Rave-Schwank, M; C. Winter-von Lersner: Psychiatrische Pflege. Ein Lehrbuch für die Pflegepraxis. Stuttgart, Jena, Ulm: Gustav Fischer, 1997.
- 145 Reich, U.: Quarkauflagen. In: Pflege aktuell (Jg.), Heft /1995, S. 23
- 147 Rulf, U.: Kinderkrankenpflege. Integrative Wochenbettpflege. Ganzheitliche Betreuung von Mutter und Kind und positive Auswirkungen auf die Stillbegleitung. In: Die Schwester Der Pfleger 40 (Jg.), Heft 10/2001, S. 833-835.
- 148 Schäfer, S. et al.: Überwachung und Pflege des beatmeten Patienten. Stuttgart: Gustav Fischer, 1997.
- 149 Schalch, F.: Schluckstörungen und Gesichtslähmung. Therapeutische Hilfen. München, Jena: Urban & Fischer, 1999.
- 151 Schmidt, D.; M. Zimmer: Pflege Konkret. Chirurgie, Orthopädie, Urologie, Pflege und Krankheitslehre. München, Jena: Urban & Fischer, 2000.
- 152 Schnabel, M.: Thoraxsaugdrainage - (k)ein Buch mit 7 Siegeln?! In: Heilberufe 50 (Jg.), Heft 12/1998, S. 24-26.
- 153 Schröder, G.; J. Osterbrink; H. Mayer: Dekubitusprophylaxe. Microstimulation - Neues Anti-Dekubitus-System fördert Wahrnehmung und Mobilität. In: Die Schwester Der Pfleger 41 (Jg.), Heft 12/2002, S. 1014-16.
- 154 Schubert, R.; B. Macher: PEG-Anlagen bei schwerst-mehrfach behinderten Kindern und Jugendlichen. In: Die Schwester Der Pfleger 41 (Jg.), Heft 3/2002, S. 222-226.
- 155 van Seggelen, P. H.: Parkinson. Professionelle Pflege und Therapie. Göttingen, Toronto, Seattle: Hans Huber, 2001.
- 156 Huhn, S.: Stolperfalle Alter. Sturzrisikofaktoren älterer Menschen und Möglichkeiten der Prävention. In: Die Schwester Der Pfleger 41 (Jg.), Heft 9/2002.
- 157 Sitzmann, F.: Mit wachen Sinnen wahrnehmen und beobachten. Teil 2: Beobachtung von gesunden und veränderten Lebensprozessen des Menschen. Baunatal: RECOM, 1996.
- 158 Sonn, A.: Pflegethema: Wickel und Auflagen. Stuttgart, New York: Georg Thieme, 1998.
- 159 Sonn, A.: Was man trinkt, so schläft man. Kräutertee gegen Schlafprobleme. In: Forum Sozialstation 26 (Jg.), Heft 114/2002, S. 46-47.
- 161 Stadelmann, I.: Die Hebammen-Sprechstunde, 6. Aufl., Ermengerst: Eigenverlag, 1997.
- 163 Thüler, M.: Wohltuende Wickel. 8. Aufl., Selbstverlag, 1998.
- 164 Townsend, M. C.: Pflegediagnosen und Maßnahmen für die psychiatrische Pflege: Handbuch zur Pflegeplanerstellung. Göttingen, Toronto, Seattle: Hans Huber, 2000.
- 165 Tucker, S. M. (Hg.): Pflegestandards in der Kardiologie. (Aus dem Amerikanischen von Elisabeth Brock) Bern: Hans Huber, 2000.
- 166 Ullrich, L.: Zu- und ableitende Systeme. Stuttgart, New York: Georg Thieme, 2000.
- 167 Ullrich, L.; A. Lamers-Abdella: Checkliste Intensivpflege. Stuttgart, New York: Georg Thieme, 1996.
- 170 van der Bruggen, H.: Defäkation. Grundlagen - Störungen - Interventionen. Wiesbaden: Ullstein Medical, 1998.
- 171 van der Weide, M.: Inkontinenz. Pflegediagnosen und Pflegeinterventionen. Bern: Hans Huber, 2001.
- 172 van Keeken, P.; M. Kaemingk (Hg.): Neurorehabilitation von Schlaganfallpatienten. Das NDT-Konzept. Bern: Hans Huber, 2001.
- 173 Vieten, M.; A. Schramm (Hg.): Pflege Konkret. Neurologie, Psychiatrie, Pflege und Krankheitslehre. Lehrbuch und Atlas. München, Jena: Urban & Fischer, 2001.
- 174 Wieteck, P.: Folien zur Visualisierung von Pflegetechniken, Teil 1. Baunatal: Baunataler Verlag & Software GmbH, 1995.
- 175 Wieteck, P.; H.-J. Velleuer: Handbuch zur Pflegeplanung, 2. überarb. Aufl., Baunatal: RECOM, 1996.
- 176 Wieteck, P.; H.-J. Velleuer: Pflegeprobleme formulieren - Pflegemaßnahmen planen. Leitfaden zur Dokumentation pflegerischer Interventionen. Bad Emstal: RECOM, 2001.
- 177 Winkler, B.: Pflege von Suchtkranken. Sucht aus medizinischer Sicht. In: Die Schwes-

ter Der Pflеger 38 (Jg.), Heft 5/1999, S. 362-367.

- 178 Wirsching, M. et al.: Psychosoziale Rehabilitation von Anus-praeter-Trägern. Ein Vergleich von Krebs- und Colitis-ulcerosa-Patienten. In: Med. Psychol., Heft 3/1977, S. 119-128.
- 179 Wirth-Kreuzig; Frauenknecht: Das Pflegebett - Auswirkungen auf die Atmung. In: Krankenpflege 46 (Jg.), Heft n.n./1992, S. 79-82.
- 181 Zehnder-Helbing, S.: Intimpflege. Eberswalde: RECOM, 1996.
- 182 Roth, D.; P. Rehm: Therapiemanual zur Selbstkontrolltherapie der Depression in Gruppen. In: S. K. D. Sulz (Hg.): Verständnis und Therapie der Depression. München: Ernst Reinhardt, 1985, S.165-202.
- 183 Colber, M.; M. Dirkes: Postoperative Therapie und Pflege nach Hirntumoroperationen, Skript eines Vortrages anlässlich einer stationsinternen Fortbildung. Internet (06.2003) <http://www.uke.uni-hamburg.de/kliniken/kinderklinik/kernklinik/kinderintensiv/v_hirntumor.htm>, 1999.
- 184 Wucherpfennig, J.: (2002) Externe Ventrikeldrainage am Beispiel des HanniSet®. Anatomische Grundlagen und praktischer Leitfaden für den Umgang mit Patienten mit externer Ventrikeldrainage, Internet (06.2003) <http://www.anint.de/content/operativ/evd/evd.html>
- 187 Kretz, F.-J.; S. Reichenberger: Medikamentöse Therapie, Stuttgart, New York: Georg Thieme, 1999.
- 189 Großkopf, V.; H. Klein: Krankenpflege und Recht. 2. vollständig überarb. u. aktualis. Auflage, Balingen: Spitta, 2002.
- 191 Margulies, A. et al. (Hg.): Onkologische Krankenpflege, Berlin, Heidelberg, New York: Springer, 1994.
- 195 Bartolome, G. et al.: Schluckstörungen: Diagnostik und Rehabilitation. 2. Aufl., Stuttgart : Urban & Fischer, 1999.
- 197 Kühl, G. et al.: Klinikleitfaden Kinderkrankenpflege. Lübeck Gustav Fischer Verlag, 1998.
- 206 Sitzmann, F.: Veränderung des Ernährungszustandes. In: Kellnhauser, E. et al.: Thiemes Pflege. 9. Aufl., Stuttgart, New York: Georg Thieme, 2000.
- 212 Pschyrembel, W.; J. W. Dudenhausen: Praktische Geburtshilfe mit geburtshilflichen Operationen. Berlin, New York: Walter de Gruyter, 1994.
- 215 Rake, T.; A. Lanzenberger: Pflegetherapeutische Gruppen in der Psychiatrie. Planen - durchführen - dokumentieren - bewerten. Stuttgart: Wissenschaftliche Verlagsgesellschaft, 2001.
- 216 Ullrich de Muynck, R.; R. Ullrich: Das Assertiveness-Training-Programm ATP: Einüben von Selbstvertrauen und sozialer Kompetenz. Teil III Selbstsicheres Verhalten - differenzierende Anwendung im Freundeskreis, am Arbeitsplatz, in der Familie. München: J. Pfeiffer, 1976.
- 217 Dr. Loimer: Beckenbodengymnastik gegen Blasenschwäche, http://www.gyn-online.at/Beckenbodengymnastik.shtml. 26.02.2003.
- 218 Hawthorn, J.: Übelkeit und Erbrechen: Grundlagen - Ursachen - Interventionen. Wiesbaden: Ullstein Medical, 1998.
- 221 Roales-Welsch, S. et al.: Studie zur Qualitätssicherung in der Prophylaxe und Therapie des Dekubitus durch Auflagedruckmessung bei Probanden auf verschiedenen Weichlagerungs- und Wechseldrucksystemen. In: Pflege 13 (Jg.), Heft 5/2000, S. 297-305.
- 223 McCaffery, M.; A. Beebe; J. Latham: Schmerz. Ein Handbuch für die Pflegepraxis. Berlin, Wiesbaden: Ullstein Mosby, 1997.
- 224 Schwendimann, R.: Sturzprävention im Akutspital - Eine Literaturübersicht. In: Pflege 13 (Jg.), Heft 3/2000, S. 169-179.
- 230 Bachmann, R. M.; G. M. Schleinkofer: Die Kneipp-Wassertherapie. Die richtige Anwendung von Güssen, Waschungen, Wickeln, Packungen, Dämpfen und Bädern in der Kur und zu Hause. Stuttgart: Georg Thieme, 1992.
- 232 Schmid, B.; C. Hartmeier; C. Bannert: Arzneimittellehre für Krankenpflegeberufe. Stuttgart: Wissenschaftliche Verlagsgesellschaft, 2003.
- 234 McKeighen, R .J.; P. A. Mehmert; C. A. Dickel: Bathing/hygiene self-care deficit: Defining characteristics and related factors across age groups and diagosis-related groups in an acute care setting. In: Nursing diagnosis. Vol. 2 (4) ,1990 Oct-Dec, S. 155-161.
- 235 Mittag, O.: Sterbende begleiten. Ratschläge und praktische Hilfen. Stuttgart: Trias Thieme Hippokrates Enke, 1994.
- 236 Rest, F.: Sterbebeistand, Sterbebegleitung, Sterbegeleit. Handbuch für Pflegekräfte, Ärzte, Seelsorger, Hospizhelfer, stationäre und ambulante Begleiter. 4. überarb. Aufl.,

Stuttgart, Berlin, Köln: Kohlhammer, 1998.

- 237 Farran, C. J.; K. Herth, K. A.; J. M. Popovich: Hoffnung und Hoffnungslosigkeit. Konzepte für Pflegeforschung und -praxis. Wiesbaden: Ullstein Medical, 1999.
- 238 Busch, U.: Gewalt und Biographie - mögliche Zusammenhänge und Aspekte pflegerischen Umgangs. In: Pflege 10 (Jg.), Heft 6/1997, S. 319-326.
- 239 Hantikainen, V. et al.: Störendes Verhalten älterer HeimbewohnerInnen und die Anwendung von Pflegemethoden. In: Pflege 11 (Jg.), Heft 2/1998, S. 78-88.
- 243 Hellige, B.: Leben mit einer chronisch progredienten Verlaufsform der Multiplen Sklerose - ein Balanceakt. In: Pflege 15 (Jg.), Heft 6/2002, S. 284-292.
- 244 Ganglberger, E.: Pflege in der neurologischen Frührehabilitation. Folienpräsentation, Landesnervenklinik Wagner-Jauregg, Linz, http://www.oegkv.at/3-2/bildu/bun/bt/3253/ganglberger.pdf, 14.12.2003.
- 245 Phillips, J.: Dekubitus und Dekubitusprophylaxe. Verstehen - verhindern - verändern. Bern et al.: Hans Huber, 2001.
- 247 Berger, M. (Hg.): Handbuch des normalen und gestörten Schlafs. Berlin, Heidelberg, New York: Springer, 1992.
- 248 Meier-Ewert, K.; H. Schulz (Hg.): Schlaf und Schlafstörung. Berlin, Heidelberg, New York: Springer, 1998.
- 249 Michaelis, M.: Prävention von Wirbelsäulenerkrankungen durch technische Hebehilfsmittel - eine Interventionsstudie in der Altenpflege. Fachbereich Sicherheitstechnik der Bergischen Universität - Gesamthochschule Wuppertal. Dissertation, 1999.
- 250 Seemann, R. : Wenn der Atem stinkt. 2. Diagnostik und Therapie. Internet: http://www.zm-online.de/m5a.htm?/zm/6_00/pages2/zmed1.htm (03.01.2004).
- 251 Schwindling, R.: Effektive Mundpflege auf der Intensivstation. Erfahrungen mit einem Zungenreiniger. In: Die Schwester Der Pfleger 42 (Jg.), Heft 12/2003, S. 972-973.
- 252 K ramer, A.; G. Müller; Y. Winkler: Entfernung von Endotoxinen kann Wundheilung fördern. In-vitro-Untersuchung zu Actisorb Silver 220. In: Die Schwester Der Pfleger 42 (Jg.), Heft 12/2003, S. 974-975.
- 254 Schröder, G.; E. Kiederle: Dekubitus-Abheilung in drei Wochen. In: Die Schwester Der Pfleger 40 (Jg.), Heft 3/2001, S. 2002-2004.
- 255 Keim, M.: Intubation und Tracheotomie. Cuffinduzierte Trachealschäden 2. Teil. In: Die Schwester Der Pfleger 40 (Jg.), Heft 3/2001, S. 252-255.
- 256 Haake, I.: Hautpflege bei Patienten mit Bestrahlung - am Beispiel des gleichnamigen Standards des Universitätsklinikums Freiburg. In: Die Schwester Der Pfleger 40 (Jg.), Heft 2/2001, S. 115-121.
- 257 Keim, M.: Cuffinduzierte Trachealschäden 1. Teil. In: Die Schwester Der Pfleger 40 (Jg.), Heft 2/2001, S. 156-161.
- 258 Hähnle, C.; L. Schilling; S. Fritz.: Toilettentraining beim älteren Patienten im Akutkrankenhaus. Möglichkeiten und Grenzen. In: Die Schwester Der Pfleger 40 (Jg.), Heft 12/2001, S. 1010-1015.
- 259 Welker, W.: Risikoskala Dekubitusgefährdung für querschnittsgelähmte Patienten. In: Die Schwester Der Pfleger 40 (Jg.), 12/2001, S. 1044-1049.
- 260 Eberding, U.; A. Baune: Augenpflege - eine nicht zu unterschätzende Tätigkeit auf der Intensivstation. In: Die Schwester Der Pfleger 40 (Jg.), Heft 12/2001, S. 1058-1064.
- 261 Erker, U.; F. Dauer: Beratung. Pflegerischer Umgang mit ARDS-Patienten 2. Teil: Pflege der Patienten in Bauchlage und kinetischer Therapie. In: Die Schwester Der Pfleger 40 (Jg.), Heft 11/2001, S. 950-955.
- 262 Pütz, K.; S.-D. Müller: Klinische Ernährungsregimes bei mangelernährten Senioren. In: Die Schwester Der Pfleger 40 (Jg.), Heft 10/2001, S. 826-832.
- 263 Mamerow, R.: Krankheitsbewältigung bei chronisch obstrukiver Bronchitis 1. Teil: Pflege heißt auch, Patienten zur Übernahme von Eigenverantwortung zu motivieren. In: Die Schwester Der Pfleger 40 (Jg.), Heft 10/2001, S. 820- 824.
- 264 Gehrs, M.: Gerontopsychiatrie. Leitlinien zum Umgang mit desorientierten Patienten - Entwicklung und Einführung von Leitlinien des Arbeitskreises Behandlung und Pflege dementiell erkrankter Menschen. In: Die Schwester Der Pfleger 40 (Jg.), Heft 9/2001, S. 722-729.
- 265 Arck, D. et al.: Rehabilitative Pflege. Die Therapie des Fazio-oralen Traktes - F.O.T.T. - Schlucktherapie in der Westerwaldklinik Waldbreitbach. In: Die Schwester Der Pfleger 40 (Jg.), Heft 8/2001, S. 650-655 und Teil 2, Heft 9/2001, S. 746-752.
- 269 Lippert, H.: Wundatlas. Wunde, Wundbehandlung und Wundheilung. Heidelberg: J. A. Barth, 2001.
- 270 Blank, I.: Wundversorgung und Verbandwechsel. Berlin, Köln, Stuttgart: Kohlham-

mer, 2001.

- 271 Assenheimer, B. et al. (Hg.): Handlungsleitlinien für die ambulante Behandlung chronischer Wunden und Verbrennungen. Berlin, Wien: Blackwell Wissenschafts-Verlag, 2001.
- 272 Stadler, R. et al.: Therapie chronischer Wunden. Wissenschaftliche Untersuchung bestätigt die Wirksamkeit der Wundauflage. In: Die Schwester Der Pfleger 42 (Jg.), Heft 7/2003, S. 555-559.
- 273 Lottko, B.; I. Maier: Modifizierte Pflegemethode zur Thromboseprophylaxe. Ergebnisse eines Qualitätssicherungsprojektes am Universitätsklinikum Essen. In: Die Schwester Der Pfleger 42 (Jg.), Heft 7/2003, S. 506-511.
- 274 Halfens, R. J.; G. J. Bours; C. M. Bronner: The impact of assessing the prevalence of pressure ulcers on the willingness of health care institutions to plan and implement actvities to reduce the prevalence. Journal of Advanced Nursing 36 (Vol.), Heft 5/2001: S. 617-625.
- 275 Mertens, E.; A. Tannen; T. Dassen: Dekubitusrisiko und Dekubitusprävalenz. Studie an mehr als 50 Einrichtungen der Gesundheitsversorgung. In: Die Schwester Der Pfleger 42 (Jg.), Heft 7/2003, S. 526-531.
- 277 Robert Koch-Institut (RKI): Empfehlung Infektionsprävention bei Infusionstherapie. Empfehlung der Kommission für Krankenhaushygiene und Infektionsprävention beim Robert Koch-Institut (RKI). In: Die Schwester Der Pfleger 42 (Jg.), Heft 7/2003, S. 532-537.
- 278 Scholz, T.: Mundpflege bei immunsupprimierten Patienten mit Zytostatikatherapie. In: Die Schwester Der Pfleger 42 (Jg.), Heft 8/2003, S. 592-594.
- 279 Schwartz, F.: Inkontinenz-Assessment. Professionelle Beratung in der Inkontinenz-Sprechstunde am Beispiel der Harzerkliniken Goslar. In: Die Schwester Der Pfleger 42 (Jg.), Heft 8/2003, S. 588-590.
- 281 Osterbrink, J.: Schmerzmanagement - Aufgabe der Pflege? In: Die Schwester Der Pfleger 42 (Jg.), Heft 9/2003, S. 656-661.
- 283 Eschenlohr, S.: Aphasie - Wenn die Sprache verloren geht - Hilfe, Begleitung und Unterstützung bei Aphasie. In: Die Schwester Der Pfleger 42 (Jg.), Heft 5/2003, S. 358-361.
- 284 Fischer, W.: Morbus Parkinson. Diagnose und Therapie, Karlsruhe: G. Braun, 1995.
- 285 Goldenberg, G.: Aphasie. In: Neuropsychologie. Grundlagen - Klinik - Rehabilitation. Stuttgart: Gustav Fischer, 1998.
- 286 Meyer, G.; A. Warnke: Externe Hüftprotektoren. Wirksame Prävention hüftgelenksnaher Frakturen. Ergebnisse einer randomisiert-kontrollierten Studie in Hamburger Alten- und Pflegeheimen. In: Die Schwester Der Pfleger 42 (Jg.), Heft 4/2003, S. 270-275.
- 287 Franke, U.: Arbeitsbuch Aphasie. 5. Aufl., Stuttgart, New York: Urban & Fischer, 2002.
- 292 Kappstein, I.: Nosokomiale Infektionen. Prävention, Labor-Diagnostik, Antimikrobielle Therapie. München et al.: W. Zuckschwerdt, 2002.
- 294 Müller, D.: Wundmanagement. Moderne Wundversorung mit Feuchttherapien. Schnellere Heilungverläufe steigern die Lebensqualität und senken die Gesamtkosten. In: Die Schwester Der Pfleger 41 (Jg.), Heft 12/2002, S. 994-1001.
- 295 Podermann, K. H.; A. R. J. Girbes: Central venous catheter use. Part 2: infectious complications. In: Intensive Care Med 28 (Jg.), 2002, S. 18-28.
- 296 Heinze, C.; T. Dassen: Sturzprävention im Pflegeheim. In: Die Schwester Der Pfleger 41 (Jg.), Heft 10/2002, S. 810-814.
- 297 Schwendimann, R.: Stürze im Krankenhaus - Wege zur Prävention. In: Die Schwester Der Pfleger 41 (Jg.), Heft 10/2002, S. 816-821.
- 298 Löffler, M.: Der akute Asthmaanfall, 2. Teil: Die Sicht der Pflegekraft. In: Die Schwester Der Pfleger 41 (Jg.), Heft 9/2002, S.736-740.
- 299 Hering, K.: Kondom-Urinale - eine sinnvolle Alternative zum transurethralen Blasenverweilkatheter. In: Die Schwester Der Pfleger 41 (Jg.), Heft 7/2002, S. 544-546.
- 300 Kriesten, U.; H.-P. Wolf: Übungshandbuch zur Pflegeplanung - Anhand von Fallbeispielen - Band 1: Internistischer Pflegebereich, Psychiatrischer Pflegebereich, Neurologischer Pflegebereich. Hagen: Brigitte Kunz, 2000.
- 301 Frank, M.: Prävention des diabetischen Fußes. Internet: http://www.antibiotikamonitor.at/12_01/12_01_11.htm (05.01.2004).
- 302 Schaefer, D.: Der diabetische Fuß - State of the Art - Orthopädie Übersichtsartikel. Bern: Hans Huber, Praxis 88 (Jg.), Heft 27+28/1999, S. 1196-1199.
- 304 A Med-Word AG: Lymphödem, Berlin, Internet: http://www.m-ww.de/krankheiten/

innere_krankheiten/lymphoedem.html (06.01.2004).

- 305 Arbeitsgemeinschaft der Wissenschaftlichen Medizinischen Fachgesellschaft: Leitlinie: Behandlung des Lymphödems. AWMF-Leitlinien-Register, Nr. 036/004, Entwicklungsstufe 1, Internet: http://leitlinien.net (1998).
- 306 Möllenhoff, H.: Hygiene für Pflegeberufe. München, Jena: Urban & Fischer, 2002.
- 307 Pestel, E.: Hygienemaßnahmen bei infektiösen Erkrankungen. Berlin, Wiesbaden: Ullstein Mosby, 1995.
- 310 Rogers, C. R. et al.: Die klientenzentrierte Gesprächspsychotherapie. Frankfurt: Fischer, 2003.
- 312 Weinberger, S.: Klientenzentrierte Gesprächsführung. Weinheim, Basel, Berlin: Beltz, 1998.
- 313 Neuberger, O.: Miteinander arbeiten - miteinander reden! Vom Gespräch in unserer Arbeitswelt. Bayerisches Staatsministerium für Arbeit und Sozialordnung (Hg.). München: 1990.
- 314 Bongartz, R.: Kommunikationstherapie mit Aphasikern und Angehörigen. In: Springer, L.; D. Schey-Ern (Hg.). Stuttgart, New York: Georg Thieme, 1998.
- 315 Backs, S.; R. Lenz: Kommunikation und Pflege. Eine Untersuchung von Aufnahmegesprächen in der Pflegepraxis. Wiesbaden: Ullstein Medical, 1998.
- 316 Peplau, H.: Interpersonale Beziehungen in der Pflege. Ein konzeptueller Bezugsrahmen für die psychodynamische Pflege. Basel, Eberswalde: RECOM, 1995.
- 317 Needham, I.: Pflegeplanung in der Psychiatrie. Basel: RECOM, 1996.
- 318 Vetter, B.: Psychiatrie. Ein systematisches Lehrbuch für Heil-, Sozial- und Pfegeberufe. Ulm et al.: Gustav Fischer, 1998.
- 319 Müller-Mund, G.; D. Schäffer: Patientenschulung in der Pflege. In: von Reibnitz, C. et. al (Hg.): Der mündige Patient. Konzepte zur Patientenberatung und Konsumentensouveränität im Gesundheitswesen. Weinheim, München: Juventa, 2001, S. 236-240.
- 320 Siedhoff, C.: Das Patienten-Informations-Zentrum in Lippstadt. In: von Reibnitz, C. et al.: Der mündige Patient. Konzepte zur Patientenberatung und Konsumentensouveränität im Gesundheitswesen. Weinheim, München: Juventa, 2001.
- 321 Hurrelmann, K.: Wie lässt sich die Rolle der Patienten stärken? In: von Reibnitz, C. et al. (Hg.): Der mündige Patient. Konzepte zur Patientenberatung und Konsumentensouveränität im Gesundheitswesen. Weinheim, München: Juventa, 2001, S. 35-48.
- 322 Altenbockum, C. v. et al.: Rheumatologisches Lehrbuch für die Krankenpflege. Basel, Eberswalde: RECOM, 1995.
- 323 Ascher, S. et al.: Thromboseprophylaxe - was wird in der Praxis gemacht? Praxisbericht im Rahmen des Evidence Based Nursing Projects Thromboseprophylaxe. Institut für Pflegewissenschaft der Universität Witten/Herdecke, 1998.
- 324 Augustin, M.; V. Schmiedel: Praxisleitfaden Naturheilkunde. Methoden, Diagnostik, Therapieverfahren in Synopsen. Das kompakte Nachschlagewerk für die Arzt- und Naturheilpraxis. 3. vollständig überarb. Auflage, Ulm et. al.: Gustav Fischer, 1998.
- 325 Balzer, K., G. Schnell: Stürze älterer Menschen im Pflegeheim: Häufigkeit, Umstände, Folgen und Risikofaktoren. In: Pflegezeitschrift 54 (Jg.), Heft 2/2001.
- 326 Bassoe Gjelsvik, B. E.: Form und Funktion. Neurologie, Bobath-Konzept, Physiotherapie. Stuttgart: Georg Thieme, 2002.
- 327 Bienstein, C. et al.: Dekubitus. Die Herausforderung für Pflegende. Stuttgart, New York: Georg Thieme, 1997.
- 328 Bienstein, C.; G. Klein; G. Schröder: Atmen. Die Kunst der pflegerischen Unterstützung der Atmung. Stuttgart: Georg Thieme, 2000.
- 329 Bisovsky, S.; G. Scharf: (2002) Kaffee - Anregung oder Aufregung? <http://www.univie.ac.at/dieuniversitaet/2002/science/10000900.htm>, 02.02.2003, 19.16
- 330 Boes, C.: Die Reliabilität und Validität der Braden Skala zur Einschätzung des Druckgeschwürrisikos. In: Pflege 13 (Jg.), Heft 6/2000, S. 397-402.
- 332 Brandstätter, M.: Parenterale Ernährung. Indikationen - Techniken - Organisation. München, Jena: Urban & Fischer, 2002.
- 333 Schrems, B.: Der Prozess des Diagnostizierens in der Pflege. Wien: Facultas, 2003.
- 334 Tucker, S. M. (Hg.): Pflegestandards in der Gynäkologie und Geburtshilfe. Bern et al.: Hans Huber, 1996.
- 335 Dörner, K.; U. Plog: Irren ist menschlich. Lehrbuch der Psychiatrie/Psychotherapie. Bonn: Psychiatrie-Verlag, 1985.
- 336 Dassen, T. (Hg.): Stürze und Sturzprävention. Assessment - Prävention - Management. 1. Aufl., Bern et al.: Hans Huber, 2000.
- 337 Reike, H. (Hg.): Das diabetische Fuß-Syndrom. Eine praxisorientierte Einführung.

4. Aufl., Gräfelfing: SMVerlagsgesellschaft, 1996.

- 339 Kübler-Ross: Leben bis wir Abschied nehmen. 4. Aufl., Gütersloh: Gütersloher Verlags-Haus, 1998.
- 340 Juchli, L.: Pflegen, Begleiten, Leben. Kranke und Behinderte daheim. Ein ABC für alle Betroffenen. 3. Aufl., Basel: RECOM, 1992.
- 341 Georg, J.; A. Abt-Zegelin (Hg.): Körperbild und Körperbildstörung. Wiesbaden: Ullstein Medical, 1999.
- 343 Krupitschka, M.: Modifikation des Selbstkonzepts und Selbstwertgefühls von Kindern mit Störungen im Lern-, Leistungs- und sozioemotionalen Bereich. In: Lukesch, H.; W. Nöldner; H. Peetz (Hg.): Beratungsaufgaben in der Schule. München: Reinhardt, 1989.
- 344 Markus, H.; E. Wurf: The dynamic self-concept: A social psychological perspective. Annual Review of Psychology 38 (Vol.), 1987.
- 345 Mummendey, H. D.: Methoden und Probleme der Messung von Selbstkonzepten. In: Filipp, H. S. (Hg.): Selbstkonzept-Forschung. Stuttgart: Klett-Cotta, 1979, S. 171-189.
- 346 Deusinger, I.: Die Frankfurter Selbstkonzeptskalen (FSKN). Göttingen, Toronto, Zürich: Hogrefe Verlag, 1986.
- 347 Nürnberg, T. H. (Hg.): Interdisziplinäre Physiotherapie und Rehabilitation, Band 1. In: Störig, E. (Hg.): Rheuma-Orthopädie. Erlangen: perimed-Fachbuch-Verlagsgesellschaft, 1983.
- 348 Cook, B.; S. G. Phillips: Verlust und Trauer: Bedeutung - Umgang - Bewältigung. Berlin, Wiesbaden: Ullstein Mosby, 1995.
- 349 Lugton, J.: Kommunikation mit Sterbenden und ihren Angehörigen. Berlin, Wiesbaden: Ullstein Mosby, 1995.
- 350 Fitzgerald Miller, J.: Coping fördern - Machtlosigkeit überwinden. Hilfen zur Bewältigung chronischen Krankseins. Bern: Hans Huber, 2003.
- 351 Sparshott, M.: Früh- und Neugeborene pflegen. Bern: Hans Huber, 2000.
- 352 Bruijns, S.; M. Buskop-Kobussen (Hg.): Pflegediagnosen und -interventionen in der Kinderkrankenpflege. München, Jena: Urban & Fischer, 1999.
- 353 Scharb, B.: Spezielle valildierende Pflege. 2. Aufl., Wien, New York: Springer, 2001.
- 354 Svetlana L.; D. Schibli: Fingerfood. Eine alte Essenstradition für Demente neu entdeckt. In: Pflegemagazin 2 (Jg.), Heft 5/2001, S. 4-7.
- 355 Plenter, C.; B. Uhlmann: Förderung der Trauerarbeit für Angehörige durch Aufbahrung und Verabschiedung von Verstorbenen - ein Ziel professioneller Pflege? Vorstellung einer Evaluationsstrudie (1) zur Ermittlung der Auswirkungen von pflegerischer Aufbahrungsarbeit im Gemeinschaftskrankenhaus Herdecke. In: Pflege & Gesellschaft 5 (Jg.), Heft 3/2000, S. 82-88.
- 356 Falk, J.: Pflegeverständnis auf dem Prüfstand - Snoezeln. Ein Konzept für Demenzkranke? In: Pflegemagazin 4 (Jg.), Heft 2/2003, S. 48-52.
- 357 Schutt, K.: Der goße Falken Babykurs: Pflege, Ernährung, Entwicklung, Erziehung. Niedernhausen: Falken, 1994.
- 360 Schoppmann, S.: Dann habe ich ihr einfach meine Arme hingehalten. Selbstverletzendes Verhalten aus der Perspektive der Betroffenen. Bern et al.: Hans-Huber, 2003.
- 361 Schiemann, D. (Hg.): Expertenstandard Schmerzmanagement in der Pflege, herausgegeben vom Deutschen Netzwerk für Qualitätsentwicklung in der Pflege. Osnabrück: Selbstverlag, 2004.
- 363 Clos, R.; Sobetzko, H.-M.: 2003 Ein Bericht der CFS/ME Arbeitsgruppe; Bericht einer unabhängigen Arbeitsgruppe an den Chief Medical Officer des Britischen Gesundheitsministeriums Januar 2002, deutsche Übersetzung, Internet: www.cfs-portal.de, download 2005 Sept.
- 364 DGSM, Deutsche Gesellschaft für Schlafforschung und Schlafmedizin: 2004 Nov. Leitlinie: Nicht erholsamer Schlaf, Internet: http://leitlinien.net/, download 2005 Sept.
- 365 Johnson, M.; Maas, Meridean L.; Moorhead, S. (Hrsg.): Deutschsprachige Übersetzung von Büscher, Andreas; Tackenberg, Peter, 2005, Pflegeergebnisklassifikation NOC, Verlag Hans Huber, Hogrefe AG, Bern
- 366 ME/CFS Society (SA) Inc South Australian Department of Human Services Adelaide Western Division of General Practice University of Adelaide Department of General Practice: 2004 National Library of Australia Cataloguing, Internet: http://sacfs.asn.au/medical/pdf/guidelines.pdf download 2005 Sept.
- 367 Silkens-Graab, M. ; 2005 Narkolepsie, Deutsche Narkolepsie Gesellschaft e.B. Webseite der Regionalgruppe "DNG Aachen & Umgebung" Internet: http://www.dng-ac.

privat.t-online.de/index.htm

- 368 Menche, N. ; (Hg) 2004, Pflege Heute - Lehrbuch für Pflegeberufe. München, Urban&Fischer S. 772
- 370 Herpert-Dahlmann, B. : Störungen des Sozialverhaltens, Dissozialität und Deliquenz IN: Remschmidt Helmut (Hg.) Kinder und Jugendpsychiatrie, eine praktische Einführung 2002 Nachdruck der 3. Auflage, S. 307-314
- 371 Paci, Matteo : Physiotherapy based on Bobath concept for adults with post-stroke hemiplegia: a review of effectiveness studies. In: Journal of rehabilitation medicine Jg. 35, 1/2003, S. 2-7.
- 372 Schulte-Körne, G. : Belastungs- und Anpassungsstörungen. In: Remschmidt, Helmut (Hg.): Kinder- und Jugendpsychiatrie, eine praktische Einführung. Stuttgart: Thieme Verlag, 2002, S. 260-265.
- 373 Goodman, R.; S. Scott; A. Rothenberger : Kinderpsychiatrie kompakt. Darmstadt: Steinkopff Verlag, 2000 .
- 374 Sauter, D.; C. Abderhalden; I. Needham; S. Wolff (Hg.): Lehrbuch Psychiatrische Pflege. Bern: Hans Huber Verlag, 2004.
- 375 Remschmidt, H. (Hg.): Kinder- und Jugendpsychiatrie, eine praktische Einführung. Stuttgart: Thieme Verlag, 2002, S. 260-265 .
- 376 Hax-Schoppenhorst, T. ; F. Schmidt-Quernheim : Professionelle forensische Psychiatrie - Das Arbeitsbuch für Pflege- und Sozialberufe. Bern: Hans Huber Verlag, 2003.
- 377 Zielke-Nadkarni, A. : Krankheits- Gesundheits- und Pflegeverständnis türkischer Migrantinnen, eine empirische Studie. In: Pflege Jg. 12, 1999 S. 283-288.
- 378 Haas, N.; M. Schnetzer; M. Frey; C. Tanner; H. Kyburz : Muslime im Spital, Basel, Projektarbeit des Kurses 100 - Qiucara, download 17.01.2006 <http://lernundenter.com/links/pflege/kultur.htm> 2003.
- 379 Tüsün, Semsi: Wenn türkische Frauen pflegen. In: Schnepp, Wilfiried (Hg.): Angehörige pflegen. Bern: Hans Huber Verlag, 2002, S. 90-111.
- 381 Rommelspacher, B.: Transkulturelle Beratung in der Pflege. In: Pflege&Gesellschaft Jg. 10, 4/2005 S. 182-189.
- 382 Bischofberger, I.; B. Obrist van Eeuwijk : Zugang gewinnen - Rekrutierungsphase als Herausforderung. In: Pflege Jg. 18, 2005 S. 219-225.
- 383 Voigt, G.; H. Praez-Johnsen : Interkulturelle Kommunikation im Krankenhaus - Zur Verständigung zwischen Pflegenden und MigrantenpatientInnen am Beispiel von Angehörigen. In: Pflege&Gesellschaft Jg. 6, 2/2001 S. 45-50 .
- 384 Borde, T. : Patientinnenorientierung im Kontext der soziokulturellen Vielfalt im Krankenhaus. Vergleich der Erfahrungen und Wahrnehmungen deutscher und türkischsprachiger Patientinnen sowie des Klinikpersonals zur Versorgungssituation in der Gynäkologie. Technische Universität Berlin Fakultät VIII-Wirtschaft und Management, Zur Erlangung des akademischen Grades Doktor der Gesundheitswissenschaften/ Public Health 2002.
- 385 Friedmann, M.-L.; C. Köhlen: Familien- und umweltbezogene Pflege. Bern: Hans Huber Verlag, 2003.
- 386 Georg, Jürgen (Hg.): NANDA Pflegediagnosen Definition und Klassifikation 2005-2006. Bern Hans Huber Verlag, 2005
- 387 B. M., Schlosser; Anders A. M.; Bauer T. T. : Nosokomiale Infektionen. In: Intensivmedizin Jg. 3, August/2005 S. 225-237.
- 388 Bick, D.; MacArthur, C.; Knowles, H.; Winter, H.: (2004) Evidenzbasierte Wochenbettbetreuung und -pflege Praxishandbuch für Hebammen und Pflegende, Hans Huber Verlag, Göttingen, Bern, Toronto, Seattle
- 389 Menzel-Severing, J.; R. Hering; S. Schroeder : Schnelle Wiedererwärmung verbessert die Prognose; Präklinisches Notfallmanagement der Unterkühlung. In: Notfallmedizin Jg. 29, 12/2003 S.
- 390 Nationale Stillkommission Deutschland unter Leitung Przyrembel, Hildegard : Stillen und Muttermilchernährung, Grundlagen, Erfahrungen und Empfehlungen. In: Nationale Stillkommission Deutschlands am BgVV, im Auftrag der BZgA (Bundeszentrale für gesundheitliche Aufklärung) Jg. Juli/2001 S .
- 391 Gottschalk, T.; T. Dassen; S. Zimmer: Untersuchung einiger häufig gebrauchter Mittel, Instrumente und Methoden zur Mundpflege hinsichtlich einer evidenzbasierten Anwendung. In: Pflege Jg. 16, 2/2003, S. 91-102.
- 392 Yazicioglu, K.; S. Gündüz; A. Özgül; R. Alaca; O. Arpacioglu : Nursing care in spinal cord injuries in Turkey. In: Spinal Cord Jg. 39, 2001, S. 47-50.
- 393 Carr, J. H.; R. B. Shepherd; L. Ada : Spasticity: Research Findings and Implications

for Intervention. In: Physiotherapy Jg. 81, 8/1995 (August), S. 421-429.

- 394 Schemm, R. L.; L. N. Gitlin : How occupational therapists teach older patients to use bathing and dressing devices in rehabilitation. In: American journal of occupational therapy Jg. 52, 4/1998 (April 1998), S. 276-282.
- 395 Morris, Neil : The effects of lavender (Lavendula angustifolium) baths on psychological well-being: two exploratory randomised control trials. In: Complementary Therapies in Medicine Jg. 10, 4/2002 (December), S. 223-228.
- 396 Seneviratne, C.; M. Reimer : Neurodevelopmental treatment stroke rehabilitation: a critique and extension for neuroscience nursing practice. In: L' Axon. Canadian Association of Neuroscience Nurses Jg. 26, 2/2004 (December), S. 13-20.
- 397 Wielandt, T.; K. McKenna; L. Tooth; J. Strong : Post Discharge Use of Bathing Equipment Prescribed by Occupational Therapists: What Lessons to be Learned? In: Physical & Occupational Therapy in Geriatri Rehabilitation Jg. 19, 3/2001, S. 47-63.
- 402 Wielandt, T.; J. Strong : Compliance with Prescribed Adaptive Equipment: A Literatur Review. In: British Journal of Occupational Therapy Jg. 63, 2/2000 (February), S. 65-75.
- 404 Dawson, M.; A. Pilgrim; C. Moonsawmy; J. Moreland : An Evaluation of Two Bathing Products in a Chronic Care Setting. In: Geriatric Nursing Jg. 22, 2/2001, S. 91.
- 405 Langhammer, B.; J. K. Stanghelle : Bobath or Motor Relearning Programme? A comparison of two different approaches of physiotherapy in stroke rehabilitation: a randomized controlled study. In: Clinical Rehabilitation Jg. 14, 4/2000, S. 361-370.
- 406 Naik; et al : Bathing Disability in Community-Living Older Persons. Common, Consequential and Complex. In: Journal of the American Geriatrics Society Jg. 52, 11/2004, S. 1805-1810.
- 407 Hahn Winslow, E.; et al : Oxygen Uptake and Cardiovascular Responses in Control Adult and Acute Myocardial Infarction Patients during Bathing. In: Nursing Research Jg. 34, 3/1985, S. 164-169.
- 408 Muraki, T.; K. Kujime; Y. Kohbu; T. Kaneko; Y. Taketomi; Y. Ueba : Effect of Respiratory and Cardiometabolic Responses to Tub Bathing on Elderly with Cerebral Palsy: A Preliminary Investigation. In: Physical & Occupational Therapy in Geriatrics Jg. 11, 2/1993, S. 39-56.
- 411 Buchholz, Thomas; Schürenberg, Ansgar: (2005): Lebensbegleitung alter Menschen. Basale Stimulation in der Pflege alter Menschen. 2. Aufl., Bern: Verlag Hans Huber
- 412 Buchholz, T.; A. Gebel-Schürenberg; P. Nydahl; A. Schürenberg (Hg.): Begegnungen. Basale Stimulation in der Pflege. Bern u. a. : Verlag Hans Huber, 2001.
- 414 Christen, Lisanne; Judith Scheidegger; Georgette Grossenbacher; Stephan Christen; Ruth Oehninger : Erfahrungen und Resultate von standardisierten Beobachtungen konventioneller und kinästhetischer Pflege auf einer radioonkologischen Abteilung. In: Pflege Jg. 18, 1/2005, S. 25-37.
- 415 Hektor, L. M.; T. A. Touhy : The History of the Bath: From Art to Task? In: Journal of Gerontological Nursing Jg. 23, 5/1997 (May), S. 7-15.
- 416 Alzheimer's Association (2006) Personal Care http://www.alz.org/professionals_and_researchers_tips_on_personal_care.asp>
- 417 FCA, Family Caregiver Alliance : Caregiver's Guide to Understanding Dementia Behaviors. 2004. <http://www.caregiver.org/caregiver/jsp/content_node.jsp?nodeid=391>. Stand:
- 418 AHCPR, Agency for Health Care Policy and Research; Maria Reyes; Barry Goldstein : Maintaining Healthy Skin - Part 1. <http://depts.washington.edu/rehab/sci/pamp_skin01.html>. Stand:
- 419 Thorgrimsen, L.; A. Spector; A. Wiles; M. Orrell : Aromatherapy for dementia. 2003. <http://www.cochrane.org/reviews/en/ab003150.html>. Stand: May 15. 2003
- 420 Sloane : Effect of person-centered showering and the towel bath on bathing-associated aggression, agitation, and discomfort in nursing home residents with dementia: a randomized, controlled trial. In: Journal of the American Geriatrics Society Jg. 52, 11/2004 (November), S. 1795-1804.
- 421 Wolf, Z. R. : Nursing Students' Experience Bathing Patients for the First Time. In: Nurse Educator Jg. 22, 2/1997 (Mar.-Apr.), S. 41-46.
- 422 Dunn, J. C.; B. Thiru-Chelvam; C. H. M. Beck : Interdisciplinary Care. Bathing: Pleasure or Pain? In: Journal of Gerontological Nursing Jg. 28, 11/2002 (November), S. 6-13 (29 ref).
- 423 Käppeli, S. (Hg.): Pflegekonzepte - Phänomene im Erleben von Krankheit und Umfeld 2. 2. Nachdruck, Bern, Göttingen: Verlag Hans Huber, 2002.

- 431 Waters, K.; D. Allsopp; I. Davidson; A. Dennis : Sources of support for older people after discharge from hospital: 10 years on. In: Journal of Advanced Nursing Jg. 33, 5/2001, S. 575-582.
- 432 Naik : Underutilization of enviroment adaptations for bathing in community-living older persons. In: Journal of the American Geriatrics Society Jg. 53, 9/2005 (September), S. 1497-1503.
- 433 Wilms, H.-U.; S. G. Riedel-Heller; A. Busse; M. C. Angermeyer : Hilfe- und Pflegebedürftigkeit im Alter in den neuen Bundesländern: Ergebnisse aus der Leibziger Langzeitstudie in der Altenbevölkerung. In: Zeitschrift für Gerontologie und Geriatrie Jg. 34, 5/2001, S. 348-355.
- 434 Wolf, Z. R. : The Bath. A Nursing Ritual. In: Journal of Holistic Nursing Jg. 11, 2/1993 (June), S. 135-148.
- 435 Sheppard, C. M.; P. S. Brenner : The Effects of Bathing and Skin Care Practices on Skin Quality and Satisfaction With. In: Journal of Gerontological Nursing Jg. 26, 10/2000 (October), S. 36-45.
- 436 Birch, S.; T. Coggins : No-Rinse, One-Step Bed Bath: The Effects on the Occurence of Skin Tears in a Long-Term Care Setting. In: Ostomy/Wound Management Jg. 49, 1/2003 (January), S. 64-67.
- 437 Mayo Foundation for Medical Education and Research : Skin care. Top 5 habits for healthy skin 2005. <http://www.mayoclinic.com/health/skin-care/SN00003>. Stand: Dec. 1. 2005
- 438 Mayo Foundation for Medical Education and Research : Dry skin. 2006. <http://www.mayoclinic.com/health/dry-skin/DS00560>. Stand: Nov. 30. 2006
- 439 Cerovac, S.; A. H.N. Roberts : Burns sustained by hot bath and shower water. In: Burns Jg. 26, 3/2000, S. 251-259.
- 440 Porter, J.; F. James : Part 1: To Bath or Not to Bath? A Joint Initiative to Resolve the Probleme of Increasing Demand for Bath Assessments. In: British Journal of Occupational Therapy Jg. 54, 3/1991 (March), S. 92-94.
- 441 Porter, J.; F. James : Part 2: To Bath or Not to Bath? A Joint Initiative to Resolve the Problem of Increasing Demand for Bath Assessments. In: British Journal of Occupational Therapy Jg. 54, 4/1991 (April), S. 135-138.
- 442 Myaligic Encephalopathy (ME)/ Chronic Fatigue Syndrome (CFS), Management Guidelines for General Practiioners: A guideline for the diagnosis and management of ME/CFS in the community or primary care setting, South Australia, Department of Human Services. Metropolitan Division (2004)
- 443 Luke, Carolyn: Outcomes of the Bobath concept on upper limb recovery following stroke. In: Clinical rehabilitation Jg. 18, 8/2005 S. 888-898
- 445 Stickler, D.J.; Zimakoff, J.: (1994) Complications of urinar tract infections associated with devices used for longe-term bladder management. The journal of hospital infektion 28 (3), S. 177-194
- 446 Madersbacher, H.: (1999) Konservative Therapie der neurogenen Blasendysfunktion. Der Urologe 38 (1), S. 24-29
- 447 Madersbacher, H.; Wyndaele, J.J.; Igawa, Y.; Chancellor, M.; Chartier-Kastler, E.; Kovinda, A.: (2002) Conservative management in neuropathic urinary incontinence. In: Abrams, P.; Cardozo, L.; Khoury, S.; Wein, A. Incontinence. 2nd International Consultation on Incontinence Paris, Juli 1-3. 2nd Edition 2002. Helath Publication Ltd., Plymouth, UK, S. 699-754.
- 448 Schersach, P.: (2004) Der intermittierende Selbstkatheterismus - "safety first": Eine Übersicht über Produkte und deren Anwendungsmöglichkeiten. Journal für Urologie und Urogynäkologie 11 (3), S. 18-20
- 449 Burgdörfer, H.; Heider, H.; Madersbacher, H.; Kutzenberger, J.; Palmtag, H.; Pannek, J.; Sauerwein, D.; Stöhrer, M.: (2007) Manual Neuro-Urologie und Querschnittlähmung, Leitlinien zur urologischen Betreuung Querschnittgelähmter, 4. überarbeitete Auflage aus dem Arbeitskreis Urologischer Rehabilitation Querschnittgelähmter, download 06.06.08 http://www.dmgp.at/downloads/leitlinien_urologie.pdf
- 451 Generao, S.E.; Dell'era, J.P.; Stone, A.R. et al.: (2004) Spinal cord jnjury in children: long-term urodynamic and urological outcomes, JUrol 172 (3) S. 1094
- 452 Morton, S.C; Shekell, P.C.; Adams, J.L. et al.: (2002) Antimicrobial prophylaxis for urinary tract infection in persons with spinal cord dysfunction, Arch Phys Med Rehabil 83 (1), S. 129
- 453 Gray, M.; Krissovich, M.: (2003) Does fluid intake influence the risk for urinary incontinence, urinary tract infection and bladder cancer? Journal Wound Ostmomy Con-

tinence Nurs ., Vol. 30 (3), S. 126-131.
- 454 Fourcroy, J.L.: (2001) Overactive bladder: a practical overview of diagnosis and treatment, Adv Nurse Practit 9 (3), S. 59
- 455 Mattiasson, A.; Blaakaer J.; Hoye, K. et al: (2003) Tolterodine Scandinavian Study Group, Simplified bladder training augments the effectiveness of tolterodine in patients with an overactive bladder, BJU Int 91 (1), S. 54-60
- 456 Beckman, N.J.: (1995) An Overview of Urinary Incontinence in Adults: Assessments and Behavioral Interventions, Clinical Nurse Specialist 9 (5), S. 241-274
- 457 Shamliyan, T.A.; Kane, R.L, Wyman, J.; Wilt, T.J.: (2008) Systematic Review: Randomized, controlled trials of nonsurgical treatments for urinary incontinence in Women, Annals of Internal Medicine 148 (6), S. 459-473
- 458 Wyman, J.F.: (2003) Treatment of Urinary Incontinence in Men and Older Women, The evidence shows the efficacy of a variety of techniques, AJN March 2003, Supplements download 06.06.2008 http://www.nursingcenter.com
- 459 Heidler, H.: (2004) Spezielle Ursachen bei Harninkontinenz beim Mann J. Urol. Urogynäkologie 11 (1), S. 17-18
- 460 Arbeitsgemeinschaft der Wissenschaftlichen Medizinischen Fachgesellschaften: Leitlinien der Deutschen Gesellschaft für Urologie: Urologische Diagnostik bei Blasenfunktionsstörungen der Frau. Download am 05.05.2008 http://www.uni-duesseldorf.de/awmf/II/043-038.htm
- 461 Deutsches Netzwerk für Qualitätsentwicklung in der Pflege (DNQP) (Hg.) (2006) Expertenstandard Förderung der Harnkontinenz in der Pflege, Fachhochschule Osnabrück
- 462 Finter, F., Petschl, S., Küfer, R., Simon, J., Volkmer, B. G.: Terminologie der Blasenfunktionsstörungen und Kodierung im ICD-10-GM-Katalog. Der Urologe, Vol. 47 (9), 2008.
- 463 Abrams, P., Cardozo, L., Fall, M., Griffiths, D., Rosier, P., Ulmsten, U., van Kerrebroeck, P., Victor, A., Wein, A.: The Standardisation of Terminology of Lower Urinary Tract Function: Report from the Standardisation Sub-committee of the International Continence Society. Neurourology and Urodynamics, Vol. 21 (2), 2002, S. 167-178.
- 464 Arbeitsgemeinschaft der Wissenschaftlichen Medizinischen Fachgesellschaften (AWMF): Leitlinien der Deutschen Gesellschaft für Geriatrie (2008) Harninkontinenz. Download am 01.06.2008: http://www.uni-duesseldorf.de/awmf/II/084-001.htm
- 465 Ostaszkiewicz, J., Johnston, L., Roe, B.: Timed voiding for management of urinary incontinence in adults. The Cochrane Database of Systematic Reviews, Issue 1, 2004, Art.-No.: CD002802. DOI: 10.1002/14651858.CD002802.pub2.
- 466 Primus, G., Heidler, H. et al.: Leitlinien Blasenfunktionsstörungen, Arbeitskreis Blasenfunktionsstörungen, Journal für Urologie Urogynäkologie, Sonderheft 4, S. 19-44, 2003
- 467 Elkeles, B., Tellmann, K., Hattrup, V., Sohn, R.: Kontinenzmanagement in der Geriatrischen Rehabilitation, Abschlussbericht des Projektes im Rahmen der Förderung durch das Bundesministerium für Gesundheit im Projekt Verbesserung der Situation Pflegebedürftiger . 2008 Förderzeitraum: 01.07.2002 - 30.06.2005. Download am 07.06.2008 http://www.geriatrie-telgte.de/fileadmin/bilder/maria_frieden/publikationen/BGM_Kontinenz_Abschlu_bericht3_060130.pdf
- 468 Van Hoecke, E.; Baeyens, D.; Vanden Bossche, H.; Hoebeke, P.; Vande Walle, J.: (2007) Early Detection of Psychological Problems in a Population of Children With Enuresis: Construction and Validation of the Short Screening Instrument for Psychological Problems in Enuresis, Journal of Urology Vol. 178 (6), December, S. 2611-2615.
- 469 Baeyens, D.; Roeyers, H.; Demeyers, I.; Verte, S.; Hoebeke, P.; Walle, J.V.: (2005) Attention-deficit/hyperactivity disorder (ADHD) as a risk factor for persistent nocturnal enuresis in children: A two-year follow-up study, Acta Paediatrica Vol. 94 (11), S. 1619-1625.
- 470 Corey, L.; Schnall, J.: (2005) What is the best treatment for nocturnal enuresis in children? Journal of Family Practice, Vol. 54 (20), S. 905-906.
- 471 Butler, R.J.; Robinson, J.C.; Holland, P.; Doherty-Williams, D.: (2004) An Exploration of Outcome Criteria in Nocturnal Enuresis Treatment: The Way Forward Scandinavian Journal of Urology & Nephrology, Vol. 38 (3), S. 196-206.
- 472 Van Kampen, M.; Bogaert, G.; Akinwuntan, E.A.; Claessen, L.; Van Poppel, H.; Weerdt, W.: (2004) Long-Term Efficacy and Predictive Factors of Full Spectrum Therapy of Nocturnal Enuresis, Journal of Urology, Vol. 171 (6, Part 2 of 2), S. 2599-2602.
- 473 Janda, V.: Manuelle Muskelfunktionsdiagnostik. Ullstein Mosby, Berlin 1994

- 474 Presber, W., de Néve, W. (Hrsg.): (2003) Ergotherapie Grundlagen und Techniken, Urban und Fischer Verlag
- 475 Devine E. C., Bevsek S. A., Brubakken K., Johnson B. P., Ryan P., Sliefert M. K., Rodgers B.: AHCPR clinical practice guideline on surgical pain management: adaption and outcomes ,. Research in Nursing and Health 22/1999, S. 119-130.
- 476 AHCPR Agency for Health Care Policy and Research, Public Health Service, US Department of Health and Human Service, Rockville MD. Pub. No. 92-0032. (1992) Acute Pain Management Guideline Panel. Clinical Practice Guideline for Acute Pain Management. Operative or Medical Procedures and Trauma.
- 477 Gordon, D. B., Dahl, J. L., Miaskowski, C., McCarberg, B., Todd, K.H., Paice, J. A., Lipman, A. G., Bookbinder, M., Sanders, S. H., Turk, D. C., Carr, D. B.: American Pain Society Recommendations for Improving the Quality of Acute and Cancer Pain Management : American Pain Society Quality of Care Task Force. [Review] Archives of Internal Medicine, 165 (14): S. 1574-1580, July 25, 2005.
- 478 American Pain Society Quality of Care Committee: Quality improvement guidelines for the treatment of acute pain and cancer pain. Journal of the American Medical Association 1995, 274 (23), S. 1874-1880.
- 479 Marvin, J. A.: Pain Assessment Versus Measurement . Journal of Burn Care and Rehabilitation, 1995 May-June, 16 (3 part 2), Suppl. S. 348-357.
- 480 Nemeth, K. A., Graham, I. D., Harrison, M. B.: The Measurement of Leg Ulcer Pain: Identification and Appraisal of Pain Assessment Tools . Advances in Skin and Wound Care, 2003, Vol. 16 (5), S. 260-267.
- 481 Beurskens, A. J., de Vet, H. C., Koeke, A. J., van der Heijden, G. J., Knipschild, P. G.: Measuring the Functional Status of Patients With Low Back Pain . Assessment of the Quality of Four Disease-Specific Questionaires. SPINE 1995, 20 (9), S. 1017-1028.
- 482 NINR National Institutes of Nursing Research. The Nature of Pain: A Conceptual Perspective. A Report of the NINR Priority Expert Panel on Symptom Management: Acute Pain. US Departments of Health and Human Services, US Public Health Service National Institutes of Health, Bethesda, MD. 1994.
- 483 Tong, D., Chung, F.: Postoperative pain control in ambulatory surgery ,.Surgical Clinics of North America 1999, 79 (2), S. 401-429.
- 484 Lin, L.-Y., Wang, R.-H.: Abdominal surgery, pain and anxiety: preoperative nursing intervention. Journal of Advanced Nursing. 2005, 51 (3), S. 252-260.
- 485 Price, D. D., Bush, F. M., Long, S., Harkins, S.W.: A comparison of pain measurement characteristics of mechanical visual analogue and simple numerical rating scales .. PAIN 1994, Nr. 6, S. 217-226.
- 486 Aun, C., Lam, Y. M., Collett, B.: Evaluation of the Use of Visual Analogue Scale in Chinese Patients. 1986 PAIN, 25, S. 215-221.
- 487 Yang, H.-J., Yeh, M.-L., Chen, H.-H., Tsou, M.-Y.: Using a patient-controlled analgesia multimedia intervention for improving analgesia quality . Journal of Clinical Nursing. 2007, 16 (11), S. 2039-2046.
- 488 Pasero, C.: Epidural Analgesia for Postoperative Pain. Excellent analgesia and improved patient outcomes after major surgery. American Journal of Nursing. 2003, 103 (10), S. 62-64.
- 489 Pasero, C., et al. Basic mechanisms underlying the causes and effects of pain . In McCaffery M., Pasero C.: Pain: clinical manual, 2nd edition. St. Louis, Mosby 1999, S. 15-34.
- 490 Schumann, R. et al.: A comparison of multimodal perioperative analgesia to epidural pain management after gastric bypass surgery. Anesth. Analg. 2003, Vol. 96 (2), S. 469-474.
- 491 McCaffery M., Pasero C. : Pain. Clinical manual, 2nd edition. St. Louis, Mosby 1999.
- 492 Halbert, J., Crotty, M., Cameron, I. D.: Evidence for the Optimal Management of Acute and Chronic Phantom Pain: A Systematic Review . Clinical Journal of Pain 2002, Vol. 18 (2), S. 84-92.
- 493 Millet, A. V., Dirbas, F. M.: Clinical Management of Breast Pain: A Review . Obstretical and Gynecological Survey 2002, Vol. 57 (7), S. 451-461.
- 494 Denk, D.-M., Bigenzahn, W.: Dysphagie: Aktuelle Aspekte in Diagnostik und Therapie. Acta Chirurgica Austriaca 2001, Vol. 33 (5), S. 241-246.
- 495 Hildenbrand, T., Hagemeyer, J., Weber, R.: Odynophagie und Haut-Schleimhaut-Veränderungen . HNO 2007, Vol. 55 (11), S. 876-879.
- 496 Grundig, H., Hosemann, W.: Leitsymptom: postinfektiöse Odynophagie . HNO

2005, Vol. 53 (4), S. 354-356.

- 497 Murali, M. R., Mackool, B. T., Muse, V. V., Zembowicz, A., Ferry, J. A.: A 60-Year-Old Man with Fever, Odynophagia, Weight Loss, and Rash. The New England Journal of Medicine 2007, Vol. 357 (7), S. 692-701.
- 498 McDonnell, F., Walsh, D.: Treatment of odynophagia and dysphagia in advanced cancer with sublingual glyceryl trinitrate . Palliat. Medicine 1999, 13 (3), S. 251-252.
- 499 Hungin, A. P. S., Raghunath A. S., Wiklund, I.: Beyond heartburn: a systematic review of the extra-oesophageal spectrum of reflux-induced disease. Family Practice 2005, Vol. 22 (6), S. 591-603.
- 500 Sharara, A. I., Aoun, E., Abdul-Baki, H., Mounzer, R., Sidani, Shafik, ElHajj, I.: A Randomized Double-Blind Placebo-Controlled Trial of Rifaximin in Patients with Abdominal Bloating and Flatulence . American Journal of Gastroenterology 2006, Vol. 101 (2), S. 326-333.
- 502 Bradshaw, C.: Exercise-related lower leg pain: vascular . Medicine & Science in Sports & Exercise 2000, Vol. 32 (2), S. 34-36.
- 503 Deutsches Netzwerk für Qualitätsentwicklung in der Pflege (DNQP) (Hg.) Expertenstandard Sturzprophylaxe in der Pflege, Fachhochschule Osnabrück, 2005.
- 504 Suzuki M., Omori M., Hatakeyama M., Yamada, S., Matsushita K., Iijiman S.: (2006) Predicting revovery of upper-body drssing ability after stroke, Archives of Physical Medicine & Rehabilitation 87 (11)
- 505 Hardenacke, Daniela: (2007) Die Validität dreier ENP-Pflegediagnosen am Beispiel der Mangelernährung - Eine empirische Untersuchung, Master-Arbeit an der Universität Witte/Herdecke, Fakultät für Medizin Institut für Pflegewissenschaft
- 506 Schreier, M.M., Bartholomeyczik S.: (2004) Mangelernährung bei alten und pflegebedürftigen Menschen Ursachen und Prävention aus pflegerischer Perspektive Review/ Literaturanlyse, Schlütersche Verlagsgesellschaft, Hannover
- 509 Gottschalck Th., Dassen T., Zimmer S.: (2004) Empfehlungen üfr eine Evidenzbasierte Mundpflege bei Patienten in Gesundheits- und Pflegeeinrichtungen, Pflege 17, S. 78-91
- 510 Kellnhauser, E. et al.: Thiemes Pflege. 10. Aufl., Stuttgart, New York: Georg Thieme, 2004.
- 511 Ali, Parveen Azam: Managing under-nutrition in a nursing home setting. In Nursing older people, Jg. 19, 3/2007 (April), S. 33-36.
- 513 AWMF; Arbeitsgemeinschaft der Wissenschaftlichen Medizinischen Fachgesellschaften: Leitlinien der Deutschen Gesellschaft für Kinder- und Jugendpsychiatrie und -psychotherapie. Essstörungen (F50). 2003. Download: http://www.uni-duesseldorf.de/awmf/ll/028-011.htm
- 514 Bäckström, Ake; Astrid Norberg; Bo Norberg: Feeding diffikulties in long-stay patients at nursing homes. Caregiver turnover and caregivers' assissments of duration and difficulty of assisted feeding and amount of food received by the patient. In: Int. J. Nurs. Sud., Jg. 24, 1/1987, S. 69-76.
- 515 Barocka, Arnd: Die Wohnung als Müllhalde. In: Fortschr. Med. 45/2004, S. 36-39.
- 517 Bartholomeyczik, Sabine; Maria Magdalena Schreier; Dorothee Volkert; Jon Chim Bai: Qualitätsniveau II. Orale Nahrungs- und Flüssigkeitsversorgung von Menschen in Einrichtungen der Pflege und Betreuung. Heidelberg, München, Landsberg, Berlin: Economica 2008.
- 518 Biedermann, Markus: Essen als Basale Stimulation. Hannover: Vincentz Verlag, 2003.
- 519 Borker, Siegfried: Nahrungsverweigerung in der Pflege. Bern: Verlag Hans Huber, 2002.
- 522 Cartwright, Andrea: Improving nutritional support for adults in primary and secondary care. In: Nursing Standard, Jg. 22, 3/2007 (September 26), S. 47-55.
- 525 Crawley, Helen: Essen und Trinken bei Demenz. Köln: Kuratorium Deutsche Altershilfe, 2005.
- 526 Day, Mary Rose; Leahy-Warren Patricia: Self-Neglect 2: Nursing Assessment and Management. In: Nursing Times, Jg. 104, 25/2008, S. 28-29.
- 527 de Silva, C.: Wie wird das Thema "Mangelernährung bei alternden Menschen" in der deutschsprachigen Literatur aufgearbeitet und dargestellt?. In: Pflege forscht. Download: http://www.pflege-forscht.de/me_dtartikel.html
- 530 Deutsche Alzheimer Gesellschaft e. V.: Empfehlungen zum Umgang mit Ernährungsstörungen bei Demenz. 2005. Download: www.deutsche-alzheimer.de
- 531 Deutsche Alzheimer Gesellschaft e. V.: Ernährung in der häuslichen Pflege Demenz-

kranker. Berlin 2007. Download: www.deutsche-alzheimer.de

- 532 Deutsche Expertengruppe Demenzbetreuung e. V.: Die Ernährung Demenzkranker in stationären Einrichtungen. Praktische Erfahrungen und Empfehlungen aus der Milleu-therapie. Rieseby: Selbstverlag Deutsche Expertengruppe Demenzbetreuung e. V., 2005.
- 533 Deutsche Gesellschaft für Ernährung e. V.: Geschichte der "10 Regeln der DGE". 2000. Download: http://www.dge.de
- 534 Deutsche Gesellschaft für Ernährung e. V.: Vollwertig essen und trinken nach den 10 Regeln der DGE. Download: http://www.dge.de
- 535 Deutsche Gesellschaft für Ernährung e. V.: Zusammenhang zwischen Demenz und mit Ernährung in Verbindung stehenden Faktoren und Störungen. Download: http://www.dge.de
- 537 Deutsche Gesellschaft für Ernährung e. V., DGE: Ernährung rüstiger Senioren insgesamt gut aber teilweise einseitig. 2001 . Download: http://www.dge.de
- 538 Deutsche Gesellschaft für Ernährung e. V., DGE: Flüssigkeitsmangel im Sommer - vor allem für Senioren eine Gefahr. 2003 . Download: http://www.dge.de
- 540 Deutsche Gesellschaft für Ernährung e. V.: Ernährungsaspekte in Senioreneinrichtungen. 2004 . Download: http://www.dge.de
- 541 Deutsche Gesellschaft für Ernährung e. V.: Fragen und Antworten zur "Seniorenernährung". 2004 . Download: http://www.dge.de
- 542 Deutsche Gesellschaft für Ernährung e. V.: Alternde Gesellschaft stellt Zahnmedizin vor erhebliche Herausforderungen. 2005 . Download: http://www.dge.de
- 545 Deutsche Seniorenliga e. V.: Mangelernährung im Alter. Download: http://www.deutsche-seniorenliga.de
- 546 Deutsches Ernährungsberatungs- und Informationsnetz: Ernährung im Alter - Ernährungstipps. 1999-2008. Download:http://www.ernaehrung.de/tipps/
- 547 Deutsches Ernährungsberatungs- und Informationsnetz: Ernährung im Alter - Praktische Tipps. 1999-2008. Download:http://www.ernaehrung.de/tipps/
- 548 DGESS, Deutsche Gesellschaft für Essstörungen: Weltweite Charta Essstörungen. Download: http://www.dgess.de
- 549 Dick, Caren: Self-Neglect: Diogenes Syndrome and Dementia. In: The Kansan Nurse, Jg. 81, 9/2006, S. 12-13.
- 554 Gerling, Anne; Constanze Giese; Christel Häse; Friedlich Heubel; et al.: Lebt der Mensch vom Brot allein?: Arbeitsgemeinschaft für Pflege und Ethik in der Akademie für Ethik in der Medizin, 2007. Download: http://www.nahrungsverweigerung.de/scripts/sub/interessantes/Lebt%20der%20Mensch%20vom%20Brot%20allein.htm
- 555 Gibbons, Susanne; William Lauder; Ruth Ludwick: Self-Neglect: A Proposed New NANDA Diagnosis. In: International Journal of Nursing Terminologies and Classifications, Jg. 17, 1/2006, S. 10-18.
- 559 Gust, Jochen: Ernährung und Demenz. 2004 Download: www.CareLounge.de am 10.12.2007
- 562 Kolb, Christian: Nahrungsverweigerung bei Demenzkranken. PEG-Sonde - ja oder nein? Frankfurt am Main, Mabuse Verlag, 2003.
- 564 Krause-Fabricius, Gisela: Ernährung von schwerkranken und onkologischen Patienten. Vortrag auf Bundeskongress für Ernährung, Lebensqualität durch Ernährung verbessern. 2006.
- 566 Lauder, W; I. Anderson; A. Barclay: A framework for good practice in interagency intervention with cases of self-neglect. In: Journal of Psychiatric and Mental Health Nursing, Jg. 12, 2005, S. 192-198.
- 567 Lauder, W.; R. Ludwick; R. Zellner; J. Winchel: Factors influencing nurses' judgements about self-neglect cases. In: Journal of Psychiatric and Mental Health Nursing, Jg. 13, 2006, S. 279-287.
- 568 Leischker, A. H.; R. Wirth; E. W. Busch; B. Schlegel; K. Hahn; J. Kondrup: Leitlinie - Enterale Ernährung bei Patienten mit Schlaganfall. In: Aktuel Ernaehr Med, Jg. 32, 2007, S. 332-348.
- 570 Magersucht-Online.de: Hinweise für den Umgang mit Personen, von denen Sie annehmen, dass sie unter einer Essstörung leiden. 1999-2007. Download: http://www.magersucht-online.de/angehoerige/index.htm
- 573 Medizinischer Dienst der Spitzenverbände der Krankenkassen e. V. (MDS): Grundsatzstellungnahme Ernährung und Flüssigkeitsversorgung älterer Menschen, Abschlussbericht Projektgruppe P 39. 2003. Download: http://www.vdak.de/vertragspartner/Pflegeversicherung/mds-stellungnahmen/030707_grundsatzstellungnahme.pdf
- 574 Menebröcker, Claudia: Ernährung von hochbetagten und dementen Patienten. 2006,

Vortrag auf Bundeskongress Kompetenz für Ernährung, Lebensqualität durch Ernährung verbessern. Download: http://www.aqed.de/abstracts/Lebensqualitaet-verbessern-Menebroeker.pdf

- 576 Nationale Pflegeassessmentgruppe Deutschland: Positionspapier der Nationalen Pflegeassessmentgruppe Deutschland, 2005.
- 577 Norberg, Astrid; Ake Bäckström; Elsy Athlin; Bo Norberg: Food refusal amongst nursing home patients as conceptualized by nurses' aids and enrolled nurses: an interview study. In: Journal of Advanced Nursing, Jg. 13, 1988, S. 478-483.
- 579 Pavlou, Maria P.; Mark S. Lachs: Could Self-Neglect in Older Adults be a Geriatric Syndrome? In: The American Geriatics Society, Jg. 54, 5/2006, S.831-842.
- 581 Pirlich, Matthias; et al.: Prävalenz der Mangelernährung bei internistischen Klinikpatienten: Einfluss der Grunderkrankung. In: Digestive Diseases, Jg. 21, S. 245-251, 2003.
- 582 Pirlich, Matthias, et al.: Soziale Risikofaktoren für eine Mangelernährung im Krankenhaus. In: Nutrition, Jg. 21, 2005, S. 295-300.
- 583 Pirlich, Matthias, et al.: Deutsche Studie zur Mangelernährung im Krankenhaus. In: Clinical Nutrition, Jg. 25, 4/2006, S. 563-572.
- 584 Pirlich, Matthias; A. Schwenk; M. J. Müller: DGEM-Leitlinie Enterale Ernährung: Ernährungsstatus. In: Aktuel Ernaehr Med, Jg. 28, Supplement 1, 2003, S. 10-25.
- 588 Rosenkranz, G.: Ernährungstherapie bei Demenz. In: Journal für Ernährungsmedizin, Jg. 4, 4/2002.
- 589 Rückert, Willi; Radka Arnold; Brigitte Bauer-Söllner; Christina Ding-Greiner; Christian Kolb; Mechthild Lärm; Ursula Mybes; Magda Schreier, Renate Vanorek: Ernährung bei Demenz. Bern: Verlag Hans Huber, 2007.
- 593 Schreier, Maria Magdalena: Erfassung der Ernährungssituation bei alten Menschen in stationären Pflegeeinrichtungen. In: PR-Internet, Jg. 9, 1/2007, S. 14-20.
- 594 Schreier, Maria Magdalena: Positionspapier der Nationalen Pflegeassessmentgruppe zur Grundsatzstellungnahme, Ernährung und Flüssigkeitsversorgung älterer Menschen. Witten: Abschlussbericht Projektgruppe P 39, des Medizinischen Dienstes der Spitzenverbände der Krankenkassen, Juli 2003. Veröffentlichung 2005.
- 598 Schwerdt, Ruth: Probleme der Ernährung älterer Menschen mit Demenz. Aktueller Forschungs- und Entwicklungsbedarf. In: Pflege und Gesellschaft, Jg. 2, 2005.
- 599 Seitz, Brigitte: Optimierung der Ernährung und Flüssigkeitsversorgung in stationären Pflegeeinrichtungen in Rheinland-Pfalz. In: PR-Internet, Jg. 9, 7/8 2007, S. 473-480.
- 601 SIC social invest consult - Gesellschaft für Forschung und Beratung, Organisationsentwicklung und Sozialmanagement mbH: Ratgeber für die richtige Ernährung bei Demenz. Appetit wecken, Essen und Trinken genießen. München: Verlag Ernst Reinhardt GmbH & Co KG, 2007.
- 602 Tully Mary W.; Katherine L. Matrakas: The Eating Behavior Scale. A simple method of assessing functional ability in patients with alzheimer's disease. In: Journal of Gerontological Nursing, Jg. 23, 7/2008, S. 9-15.
- 603 Volkert, D.: Malnutrition. In: Nikolaus, T. (Hg.): Klinische Geriatrie. Berlin: Springer Verlag, 2000, S. 338-350.
- 604 Volkert, Dorothee: Untersuchungen zur Ernährungssituation geriatrischer Patienten. Formen, Häufigkeiten und mögliche Ursachen der Mangelernährung. Dissertation (unveröffentlicht). Universität Hohenheim, 1990.
- 605 Volkert, Dorothee: Leitlinie Enterale Ernährung der DGEM und DGG. Ernährungszustand, Energie- und Substratstoffwechsel im Alter. In: Aktuel Ernähr Med, Jg. 29, 2004, S. 190-197.
- 606 Wagener, Rita; Cordula Berkemeyer, Gudrun Hock; Andrea Schneider; Christiane Winterberg; Eva-Maria Ulmer: Essen und Trinken bei Menschen mit Alzheimer-Demenz. In: Pflege, Jg. 11, 1998, S. 89-95 .
- 609 Wojnar, Jan: Ernährung in der häuslichen Pflege Demenzkranker. Berlin: Deutsche Alzheimer Gesellschaft e. V., 2007.
- 611 Clarke, Heather F., Bradley, Chris, Whytock, Sandra, Handfield, Shannon, van der Wal, Rena, Gundry, Sharon: (2005) Pressure ulcers: implementation of evidence-based nursing practice, J Adv Nurs, 46 (6) 578-590
- 612 Arbeitsgemeinschaft der Wissenschaftlichen Medizinischen Fachgesellschaft: Leitlinien Schmerztherapie: Behandlung akuter perioperativer posttraumatischer Schmerzen, <http://www.uni-duessedorf.de/WWW/AWMF/ll/divs-001.htm>, 08.02.2003.
- 613 Kerkhoff G.: (1999) Neglekt. In: Götze R, Höfer B. (Hrsg.) Alltagsoriente Therapie bei Patienten mit erworbener Hirnschädigung, Stuttgart: Thieme Verlag
- 614 Habermann, Carola, Kolster Friederike (Hrsg.): (2002) Ergotherapie im Arbeitsfeld

Neurologie, Stuttgart, New York Thieme Verlag

- 615 Pierce S.M., Buxbau L.J: (2002) Treatments of unilateral neglect, Phy Ther 83(8) S. 732
- 616 Ackley, B.J: (2004) Unilateral Neglect In: Ackley Betty J.; Gail b. Ladwig (Hrsg) 2004, Nursing Diagnois Handbook, A Guide to Planinig Care, S. 831-834
- 617 Kalbach L.R.: (1991) Unilateral neglect: mechanisms and nursing care, J Neurosic Nurs 23, S. 125
- 618 Jepson, R., Despain, K. et al.: (2008) Unilateral Neglect: Assessment in Nursing Practice Journal of neuroscience Nursing 40(3) 142-149
- 619 Emick-Herring, B.: (2004) Impaired transfer ability In: Ackley, B.J.; Ladwig, G.B. (2004) Nursing Diagnosis Handbook A guide to Planning Care, S. 1249-1255
- 620 Johnson, P.A.: (1992) Applying nursing diagnosis and nursing process to activities of daly living and mobility. Geriatric Nurses 13(1), S. 25-27
- 621 Emick-Herring, Brenda: (2004) Impaired bed Mobility IN: Ackley B.J, Ladwig, G.B, 2004, Nursing Diagnosis Handbook A Guide to Planning Care, S. 795-807
- 622 Bühlmann, J., Käppeli S.: (1997) Vom Bett auf den Tisch - der Transfer der Patientinnen und Patienten vom Spitalbett auf den OP-Tisch, Pflege 10, s. 258-261
- 623 Schmelzle, C. et al.: (2004) Gestern noch richtig - heute ein Pflegefehler? Das Bobath-Konzept heute. Pflegezeitschrift 4, 233-236
- 625 Balz C.: Dermatologische Klinik mit Poliklinik Universitätsklinikum Erlagnen Alternde Haut, Patienteninformation, download: http://search.babylon.com/?q=d%C3%BCnne%20verletzliche%20Haut%20Durchblutungsst%C3%B6rung&start=10 (2009)
- 626 Howle, J.M. (2002) Neuro-developmental Treatment Approach: Theoretical Foundation & Principles Osseum Enterteinment
- 627 Anker, S.D., John, M., Pedersen, P.U., Raguso, C., Cicoira, M., Dardai, E., et al. (2006): ESPEN-Leitlinien Enterale Ernährung: Kardiologie und Pulmonologie. Clin Nutr, 25(2), 311-318.
- 628 Arens, J., Bodoky, G., Bozzetti, F., Fearon, K., Muscaritoli, M., Selga, G., et al. (2006): ESPEN-Leitlinien Enterale Ernährung in der nichtchirurgischen Onkologie. Clin Nurt, 25(2), 245-259.
- 629 Dissemond, J. (2006) Moderne Wundauflagen für die Therapie chronischer Wunden, Der Hausarzt, Springer Berlin/Heidelberg, Voume 57, Number 10, S. 881-887
- 630 DNQP Deutsches Netzwerk für Qualitätsentwicklung in der Pflege, Sonderdruck Expertenstandard Pflege von Menschen mit chronischen Wunden, Osnabrück März 2008
- 631 Von zur Mühlen, M. und Keller, Chr. (Hrsg.) 2010 Pflege konkret Chirurgie Orthopädie Urologie Lehrbuch für Pflegeberufe Urban Fischer Verlag München, S. 33-63
- 632 European Pressure Ulcer Advisory Panel and National Pressure Ulcer Advisory Panel Treatment of pressure ulcers: Quick Reference Guide. Wahington DC: National Pressure Ulcer Advisory Panel, 2009
- 633 Nationale Versorgungsleitlinie Typ 2 Diabetes - Prävention- und Behandlungsstrategien für Frühkomplikationen Langfassung, Version 2.2, März 2007, http://www.diabetes.versorgungsleitlinien.de
- 634 More, Z., Cowmann, S. (2006): Wound cleansing for pressure ulcers. (Review). Cochrane Libray (4)
- 635 De Laat, E., Scholte op Reimer, W., van Achterber, T.: (2005) Pressure ulcers: diagnostic and interventions aimed at wound-related complaints: a review of the literature. Jornal of Clinical Nursing (14): 464-472)
- 636 Deutsche Gesellschaft für Phlebologie (DGP): 1994/2004): Diagnostik und Therapie des Ulcus curis venosum. DGP. http://www.phlebology.de/--ulcus-curis-venosum.html, 2007)
- 637 Van Hecke, A., Grypdonck, M.; Defloor, T. (2007) Interventions to enhance patient compliance with leg ulcer treatment: a review of the literature. Jornal of Clinical Nursing
- 638 Panfild, E., Linde, E. (2007): Valide und reliable Methoden zur Wundbeschreibung von Dekuitus und Ulcus curis - Ene systematische Literaturüäbersicht Pflege 20 (4): 225-247
- 639 Bacher, A., Trautinger, F.: (2008) Differentialdiagnostik des Ulcus cruris, Facharzt, Jan. 2008, S. 4-8
- 640 Cetin, C., Baumgartner, I.: (2004) Die periphere arterielle Vershclusskrankheit (PAVK), Schweiz Med Forum 4: 216-223
- 641 Mayer-Becker, Imke N., Gert Antes und Jens C. Türp: "Über Sinn und Unsinn der Zahnfleischmassage - ein vergessener "evidenzbasierter" Disput aus dem Jahre 1948".

Deutsche Zahnärztliche Zeitschrift, Vol. 63 (4), 2008, S. 230 f.

- 642 Becker, Imke Nina Sybille: "Führt die Verwendung eines Interdentalstimulators zusätzlich zu Zahnbürsten, Zahnpasta und Zahnseide zu einer Verringerung vorhandener Plaque? Systematische Literaturübersicht und kontrolliert klinische Studie." Dissertationsschrift, Medizinische Fakultät der Albert-Ludwigs-Universität Freiburg im Breisgau, 2004.
- 643 AWMF Leitlinien der Deutschen Gesellschaft für Neurologie 2008: AWMF online letzte Überarbeitung am 10/2008, Insomnie
- 644 DGSM Deutsche Gesellschaft für Schlafforschung und Schlafmedizin 2009: Nicht erholsame Schlaf/Schlafstörung S3-Leitlinie In: Somnologie, Springer Verlag Jg. 13, S. 4-160
- 645 Ernst E., Canter P.H. (2003): The Alexander texhnique: a systematic review of controlled clinical trials. Forsch Komlementarmend Klass Natuheild. Dec, 10 (6) 325-329
- 646 Petermann Vaitl (Hrsg.) (2004): Entspannungsverfahren das Praxishandbuch Beltz Verlag, 3. Auflage
- 647 Hermann, C., Kim, M., Blanchard, E.B. (1995): Behavioral and prophylactic pharmacological intervention studies of pediatric migraine: An explotatory metaanalysis, Pain, 60, 239-256
- 648 Sharpley, C. F., Rogers, H.J. (1984): A meta-analysis of frontalis EMG levels with biofieedback and alternative procedures. Biofieedback and Self-Regulation, 9, 385-393
- 649 Stetter, F., Kupper, S. (2002): Autogenic training: A meta-analysis of clinical outcomes studies. Applied Psychophysiology and Biofeedback, 27 (1), 45-98
- 650 Beckmann, Marlies (2000): Die Pflege von Schlaganfallbetroffenen, Nach dem Konzept der Aktivitas Pflege, Schlütersche Verlag Hannover
- 651 Brüne, L. (1994): Reflektorische Atemtherapie. Thieme Stuttgart
- 652 Lothar, Urbas: (1996) Pflege eines Menschen mit Hemiplegie nach dem Bobath-Konzept, Thieme Verlag 2. Auflage Stuttgart New York
- 655 Arbeitsgemeinschaft der Wissenschaftlichen Medizinischen Fachgesellschaften: Leitlinie der Deutschen Gesellschaft für Kinder- und Jugendpsychiatrie und -psychotherapie (2007): Enuresis und funktionelle Harninkontinenz. Download am 2.8.2010 http://www.uni-duesseldorf.de/WWW/AWMF/II/028-026.htm
- 656 Hayder, D.; Schnepp, W.: Umgang mit Harninkontinenz - Ergebnisse einer qualitativen Studie mit Betroffenen und pflegenden Angehörigen. Pflege, 23, 3/2010, 154-162.
- 657 Moderne Altenpflege: Medikamente und Sondenapplikation, http://www.moderealtenpflege.de/Medikamente/Medikament_u_Sonde/Medikamente_und_Sondenapplikation Stand: Sep.2010
- 658 Wagner, Rita: Ernährungstherapie. Arzneimittel-Information. Medikamentenagabe über Sonde, 5. Aufl., Bad Homburg: Fesenius Kabi, 2008
- 659 Warlich, R.; F. Dörje; M. Brüngel: Blaue Reihe. Medikamentenapplikation bei Sondennahrung, Aktualisierte Neuaufl., Erlangen: Pfrimmer nutricia, 2007.
- 660 Wydra, G. :Assessmentverfahren in der Bewegungstherapie. In: Krankengymnastik - Zeitschrift für Physiotherapeuten 57, 2006, 942-951.
- 661 American Academy of Otolaryngology-Head and Neck Surgery: Nosebleeds, http://www.entnet.org/HealthInformation/Nosebleeds.cfm, Download: 20.10.2010
- 662 Bildungsdirektion Kanton Zürich Volksschulamt: Angebote für Schülerinnen und Schüler mit besonderen pädagogischen Bedürfnissen. 1. Aufl., Zürich: Bildungsdirektion Kanton Zürich, 2007.
- 663 Coyle Rieg, Linda : Information retrieval of self-care and dependent-care agent using netwellness, consumer health information network, Dissertation der Universität of Cincinati, 2000, http://etd.ohiolink.edu/send-pdf.cgi/Rieg Linda Coyle.pdf?ucin971876045
- 664 Dennis, Connie M. : Dorothea Orem. Selbstpflege- und Selbstpflegedefizit-Theorie. 1. Aufl., Bern: Verlag Hans Huber, 2001.
- 665 Grunau, Anne: Der pflegerische Beitrag zur Identifizierungvon Risikofaktoren für Kindesmisshandlung und -vernachlässigung. In: Pflege 23, 2010, 15-24.
- 666 Holoch, Elisabeth : Systematische Förderung der elterlichen Kompetenz im Umgang mit Erkrankungen ihrer Kinder - ein (v)erkannter Auftrag der Kinderkrankenpflege? In: PR-Internet 10/2002, 170-176.
- 667 Holoch, E. : Die Theorie der Dependenzpflege - ein konzeptueller Rahmen für die Einschätzung, Stärkung und Förderung der elterlichen Kompetenz. In: Pflege 23, 2010, 25-36.
- 668 Mischo-Kelling, M & Wittneben, K. : Pflegebildung und Pflegetheorie. München, Wien, Baltimore: Urban & Schwarzenberg, 1995.

- 669 Möller, K. : Analyse der Organisationsbedingungen zur Einführung der Pflegetheorie von Dorothea Orem am Beispiel des Marienkrankenhauses Hamburg. Diplomarbeit der Hochschule für angewandte Wissenschaften Hamburg, 2006, http://opus.haw-hamburg.de/volltexte/2006/81/pdf/sp_d.pf.06.506.1.pdf, Download am 3.9.2010.
- 670 Orem, D.: Nursing: Concepts of Practice. 6 Aufl., St. Louis et. al.: Mosby, 2001.
- 671 Taylor, S:; Renpenning, K.; Geden, E.; Neuman, B.; Hart, A.: A Theory of Dependent-Care: A Corollary Theory to Orem's Theory of Self-Care. In: Nursing Science Quarterly 14, 1/2001, 39-47.
- 672 Kendall, S.; Bloomfield, L : Developing and validating a tool to measure parenting self-efficacy. In: Journal of Advanced Nursing 51, 2/2005, 174-181.
- 673 de Montigny, F; Lacharite, C : Perceived parental efficacy: concept analysis. Journal of Advanced Nursing 49, 4/2005, 387-396.
- 674 Moore, J.B.; Gaffney, K.F. : Development of an instrument to measure mothers' performance of self-care activities for children. In: Advances in Nursing Science, 12, 1/1998, 76-83.
- 675 Gaffney, K.F.; Moore, J.B .: Testing Orem's theory of self-care deficit: Dependent care agency performance for children. Nursing Science Quarterly 9, 4/1996, 160-164.
- 676 Arnold, D.S.; O'Leary, S.G.; Wolff, L.S.; Acker, M.M. : The Parenting Scale: A Measure of Dysfunctional Parenting in Discipline Situations. In: Psychological Assessment, 5, 2/1993, 137-144.
- 677 Schnepp, W. : Familiale Sorge in der Gruppe der rußlanddeutschen Spätaussiedler - Funktion und Gestaltung. Bern: Verlag Hans Huber, 2002.
- 678 Metzing, S.: Die Familie zusammenhalten. In: Die Schwester/der Pfleger 6/2007.
- 679 Schnepp, W.; Budroni, H. : Die Entdeckung der Angehörigen. In: Die Schwester/der Pfleger 3/2010.
- 680 American Sids Insitute : Reducing the risk of SIDS, http://www.sids.org/index.htm, Stand 10/2010, Download am 19.10.2010
- 681 Jorch, H.; Schleimer, B. : Die optimale Schlafumgebung für Ihr Baby. 11. Aufl., Münster: GEPS - NRW e.V., 2006.
- 682 Sprott. J.T. : Cot Death - Cause and Prevention Experiences in New Zealand 1995-2004. In: Journal of Nutritional & Enviromental Medicine 14, 3/2004, 221-232.
- 683 Kapuste, H.; Sprott, T.J.; Barry, A.; Richardson et al. In: Zeitschrift für Umweltmedizin 10, 1/2002, 18-22.
- 684 Richardson, B., A. : Cot Death Today. In: Journal of Nutritional & Environmental Medicine 14, 3/2004, 219-220.
- 686 Steinwidder, G. : Die Bewegungsunterstützung nach Kinästhetik. In: Östereichische Pflegezeitschrift 5/2008, 10-14.
- 687 Von Ribbeck, J.: Erste Hilfe für Kinder, http://www.erste-hilfe-fuer-kinder.de/erste-hilfe/ersticken.html, Download: 22.10. 2010.
- 688 Deutsche Gesellschaft für Sozialpädiatrie und Jugendmedizin e.V.: Leitlinie Unfallprävention, http://www.dgspj.de/index.php?option=com_content&view=artikel&id=59&Itemid=104, Stand 2008, Download: 22.10.2010.
- 689 Arbeitsgemeinshaft der Wissenschaftlichen Medizinischen Fachgesellschaften : Hilfsmittel und Pflegehilfsmittel, http://www.uni-duesseldorf.de/AWMF/II/030-127.htm, Stand: 10/2008, Download: 25.10.2010.
- 690 Schauer, Katharina : Auflagen in der Pflege - Erfahrungen und Fallbeispiele, Fachbereichsareit: Schule GuK Barmherzige Schwestern Ried/Innkreis, http//www.wickel.biz/wickeldersanfteweg.htp#3.1., 2002, Download: 29.10.2010.
- 691 Deutsche Snoezelen Stiftung : Eine Einführung in das Konzept, http://www.snoezelen-stiftung.de/, Download: 9.11.2010.
- 692 International Snoezelen Association : Snoezelen, http://www.isna.de/index3.html, Stand: 18.2.2010, Download: 9.11.2010.
- 693 Mertens, K.; Verheul, A. : Berichte vom 6. Internationalen Snoezelen Symposium der ISNA in Neuwied, 2008, http://www.isna.de/index3.html, Download: 9.11.2010.
- 694 Mertens,K.; Nouh, A. A. : Bericht zum 3. Internationalen Snoezelen Symposium vom 29.9.2005 bis 1.10.2005 an der Humboldt-Universität zu Berlin, Insitut für Rehabilitationswissenschaften, http://www2.hu-berlin.de/kbp/symposium2005.html, Download: 9.11.2010.
- 695 Spottke, A; Deuschl, G. : Alzheimer-Demenz leitliniengerecht behandeln. In: ÄP Neurologie Psychiatrie 09/2010, 22-26.
- 696 Tremmel, Stefanie : Intensivierte konventionelle Insulintherapie bei Jugendlichen mit Typ 1 Diabetes: Langzeitverlauf der metabolischen Kontrolle, Zufriedenheit mit der

Therapie und psychosoziale Anpassung. München: Dissertation an der Medizinischen Fakultät der Ludwig-Maximilian-Universität zu Münschen, 2008.

- 697 Haslbeck, M.; Luft, D.; Neundörfer, B; Stracke, H. Ziegler, D. : Diagnostik, Therapie und Verlaufskontrolle der Neuropathie bei Diabetes mellitus Typ 1 und Typ 2. Scherbaum, W.A.; Kiess, W. (Hrsg.): Evidenzbasierte Leitlinie der Deutschen Diabetes-Gesellschaft (DDG), http://www.deutsche-diabetes-gesellschaft.de/leitlinien/EBL_Neuropathie_Update_2004.pdf, 2004, Download: 10.11.2010.
- 698 Martin, S.; Dreyer, M.; Kiess, W.; Lüdecke, H.-J.; Müller, U.A.; Schatz, H.; Waldhäusl, W : Therapie des Diabetes mellitus Typ 1. Scherbaum, W.A.; Haak, T. (Hrsg.): Evidenzbasierte Leitlinie der Deutschen Diabetes-Gesellschaft (DDG), http://www.deutsche-diabetes-gesellschaft.de/leitlinien/EBL_Dm:Typ1_Update2007.pdf, 2007, Download 2010.
- 699 Matthaei, S.; Bierwirth, R; Fritsche et al .: Medikamentöse antihyperglykämische Therapie des Diabetes mellitus Typ 2. In: Diabetologie und Stoffwechsel 4, 2009, 32-64.
- 700 Herpertz, S.; Petrak, F.; Albus, C. et al .: Psychosoziales und Diabetes mellitus: Evidenzbasierte Diabetes-Leitlinie DDG. In: Diabetes und Stoffwechsel, Band 12, Supplement 2, 2003.
- 701 Hauner, H.; Buchholz, G.; Jamann, A. : Prävention und Therapie der Adipositas: Deutsche Adipositas-Gesellschaft, Deutsche Diabetes-Gesellschaft, Deutsche Gesellschaft für Ernährung, Deutsche Gesellschaft für Ernährungsmedizin (Hrsg.): Evidenzbasierte Leitlinie, http://deutsche-diabetes-gesellschaft.de/leitlinien/EBL_Adipositas_Update_2007.pdf, 2007, Download: 11.11.2010.
- 702 Morbach, S.; Müller, E.; Reike, H. et al. : Diagnostik, Therapie, Verlaufskontrolle und Prävention des diabetischen Fußsyndroms: Evidenzbasierte Leitlinie der Deutschen Diabetes-Gesellschaft (DDG), http//www.deutsche-diabetes-gesellschaft.de/leitlinien/EBL_Fusssyndrom_Update_2008.pdf, 2008, Download: 11.11.2010.
- 703 Holterhus, P.M.; Beyer, P.; Bürger-Büsing, J. et al. : Diagnostik, Therapie und Verlaufskontrolle des Diabetes mellitus im Kindes- und Jugendalter Haak, T; Kellerer, M (Hrsg.): Evidenzbasierte Diabetes-Leitlinie DDG, http://deutsche-diabetes-gesellschaft.de/leitlinien/EBL_Kindesalter_2009.pdf, 2009, Download: 11.11.2010.
- 704 Hader, C.; Beischer, W.; Braun, A. et al. : Diagnostik, Therapie und Verlaufskontrolle des Diabetes mellitus im Alter. Scherbaum, W.A.; Kiess, W. (Hrsg.): Evidenzbasierte Diabetes-leitlinie DDG: Diabetes und Stoffwechsel, Band 13, Supplement 2, 2004.
- 705 Halle, M.; Kemmer, F.-W.; Sturmvoll, M. et al. : Körperliche Aktivität und Diabetes mellitus. Scherbaum, W.A.; Haak, T. (Hrsg.): Evidenzbasierte Praxisleitlinie der Deutschen Diabetes-Gesellschaft (DDG), http://www.deutsche-diabetes-gesellschaft.de/leitlinien/EBLBewegung_2008.pdf, 2008, Download: 11.11.2010.
- 706 Kleinwechter, H.; Bührer, C.; Hösli et al. : DDG Praxis-Leitlinie: Diabetes und Schwangerschaft. In: Diabetologie und Stoffwechsel 5/2010, 176-182.
- 707 Kerner, W.; Brückel, J.; Böhm, B.O. : Definitionen, Klassifikationen und Diagnostik des Diabetes mellitus. Scherbaum, W.A.; Kiess, W. (Hrsg.): Evidenzbasierte Leitlinie der Deutschen Diabetes-Gesellschaft (DDG). http://www.deutsche-diabetes-gesellschaft.de/leitlinien/EBL_Klassifikation_Update_2004.pdf, 2004, Download: 20.11.2010.
- 708 Toeller, M. : Evidenz-basierte Ernährungsempfehlung zur Behandlung und Prävention des Diabetes mellitus. In: Diabetes und Stoffwechsel 14/2005, 75-94. Leitlinie der Arbeitsgemeinschaft der Wissenschaftlichen Medizinischen Fachgesellschaften (AWMF): http://www.uni-duesseldorf.de/awmf/II/057-001.pdf, Stand 2010, Download: 22.11.2010.
- 709 Kemmer, F.W.; Halle, M.; Sturmvoll, M. : DDG Praxis-Leitlinie: Diabetes, Sport und Bewegung. In: Diabetologie und Stoffwechsel 5/2010, 172-175.
- 710 Deutsche Gesellschaft für Ernährung e.V.: Prävention von Austrocknungszuständen im Alter. In DGEInfo 8/2005, http://www.dge.de/modules.php?name=News&file=article&sid=518, Download: 11.1.2011.
- 711 Deutsche Gesellschaft für Ernährung e.V.: Geeignete Getränke für Kinder. In: DGEInfo 9/2006, http://www.dge.de/modules.php?name=News&file=article&sid=783, Download: 11.1.2011.
- 712 Bayrisches Staatsministerium für Umwelt, Gesundheit und Verbraucherschutz: Wasser als Lebensmittel; Getränke, 2000, http://www.grundschulernaehrung.bayern.de/pdf/b5.pdf#page=7, Download: 11.1.2011.
- 713 Gillespie, L.D.; Robertson, M.C.; Gillespie, W.J. et al.: Interventions for preventing falls in older people living in the community. The Cochrane Database of Systematic Reviews, Issue 2, 2009, Art. No.: CD007146. DOI: 10.1002/14651858.CD007146.pub2.

- 714 Arbeitsgemeinschaft der Wissenschaftlichen Medizinischen Fachgesellschaften (AWMF): Diagnostik und Therapie des Liquorunterdruck-Syndroms, http://www.awmf.org/uploads/tx_szleitlinien/030-113.pdf, Stand 2008, Download: 12.1.2011.
- 715 Spirig, R: Zu PartnerInnen werden: Die Bedeutung von Caring für Menschen mit HIV und AIDS. In: Pflege 4/1999, S. 230-237.
- 716 Spirig, R.; Bischofberger, I.: Familien, die mit HIV und Aids leben - eine Literaturübersicht. In: Pflege 5/2000, S. 306-314.
- 717 Spirig, R: HIV/AIDS-Familienpflege in der Schweiz im Kontext des Schweigens, In: Pflege 6/2001, S. 377-385.
- 718 Spirig, R; Nicca, D. et al.: Entwicklung und Etablierung einer erweiterten und vertieften HIV/AIDS-Pflegepraxis. In: Pflege 6/2002, S. 293-299.
- 721 Arbeitsgemeinschaft der Wissenschaftlichen Medizinischen Fachgesellschaft: Maßnahmen beim Auftreten multiresistenter Erreger (MRE), 6/2009, 1-7.
- 722 Arbeitsgemeinschaft der Wissenschaftlichen Medizinischen Fachgesellschaft: Postexpositionelle Prophylaxe der HIV-Infektion, 9/2007, (Dtsch Med. Wochenschr 2009; 134, 16-33; EUR J MedRes. 2008, 13, 539-54).
- 723 Arbeitsgemeinschaft der Wissenschaftlichen Medizinischen Fachgesellschaft: Leitlinie zur Hygiene in Klinik und Praxis: Hygienemaßnahmen bei Gastroenteritis-Ausbrüchen durch Noro-Viren, 8/2005, 1-3.
- 724 Arbeitsgemeinschaft der Wissenschaftlichen Medizinischen Fachgesellschaft: Leitlinie zur Hygiene in Klinik und Praxis: Hygienemaßnahmen bei Vorkommen von Clostidium difficile, 8/2006, 1-6.
- 725 Arbeitsgemeinschaft der Wissenschaftlichen Medizinischen Fachgesellschaft: Prävention blutübertragbarer Virusinfektionen, 2002, 1-6 (Dtsch Med. Wochenschr 2009; 134, 1633; EUR J Med Res. 2008, 13, 539-54).
- 726 Arbeitsgemeinschaft der Wissenschaftlichen Medizinischen Fachgesellschaft: Händedesinfektion und Händehygiene 6/2008, 1-13 (HygMed 2008; 33[7/8], 300-313).
- 727 Arbeitsgemeinschaft der Wissenschaftlichen Medizinischen Fachgesellschaft: Hygienische Anforderungen an Hausreinigung und Flächendesinfektionen, 6/2004, letzte Überprüfung 6/2010 (HygMed 2010; 35[7/8], 261ff.).
- 728 Arbeitsgemeinschaft der Wissenschaftlichen Medizinischen Fachgesellschaft: Atemschutz bei aerogen übertragbaren Infektionen, 2/2004, letzte Überprüfung 6/2009, 1-4.
- 729 Arbeitsgemeinschaft der Wissenschaftlichen Medizinischen Fachgesellschaft : Hygieneanforderungen bei Infektionen mit aerogenen Erregern. Schweres Akutes Respiratorisches Syndrom (SARS), 3/2004, letzte Überprüfung 6/2009, 1-4.
- 730 Arbeitsgemeinschaft der Wissenschaftlichen Medizinischen Fachgesellschaft: Infektionsverhütung bei Verdacht auf und bei diagnostizierter Tuberkulose (TB), 2006, Überarbeitung 2009, 1-5.
- 731 Arbeitsgemeinschaft der Wissenschaftlichen Medizinischen Fachgesellschaft: Hygieneanforderungen bei Infektionen mit aerogenen Erregern. Aviäre Influenza (Vogelgrippe, Hühnerpest, Geflügelpest) beim Menschen, 5/06, letzte Überprüfung 6/2009, 1-6.
- 732 Arbeitsgemeinschaft der Wissenschaftlichen Medizinischen Fachgesellschaft: Hygienemaßnahmen bei Vorkommen von Clostridium difficile, 8/2006, letzte Überarbeitung 6/2010, 1-6.
- 733 Arbeitsgemeinschaft der Wissenschaftlichen Medizinischen Fachgesellschaft: Prophylaxe, Diagnostik und Therapie der Hepatitis-C-Virus (HCV)-Infektion, 2009, Aktualisierung 9/2009, 46-90.
- 734 World Health Organisation (WHO): WHO guidelines for the global surveillance of servere acute respiratory syndrom (SARS), 2004, 1-38, http://www.who.int/csr/resources/publications/WHO_CDS_CSR_ARO_2004_1/en/index.html, Download: 1.2.2011.
- 735 Robert Koch-Institut (RKI): Anforderungen der Krankenhaushygiene und des Arbeitsschutzes an die Hygienebekleidung und persönliche Schutzausrüstung, 2007, 1-2, http://www.rki.de, Download: 1.2.2011.
- 736 Robert Koch-Institut (RKI): Empfehlungen zur Prävention und Kontrolle von Methicillinresistenten Staphylococcus aurus-Stämmen (MRSA) in Krankenhäusern und anderen medizinischen Einrichtungen: Bundesgesundheitsbl-Gesundheitsforsch-Gesundheitsschutz, 1999, 42, 954-958, http://www.rki.de, Download: 1.2.2011.
- 737 Robert Koch-Institut (RKI): Epidemiologisches Bulletin. Gibt es Bedenken gegen den Besuch von lediglich kolinisierten MRSA-Trägern in Kindergemeinschaftseinrichtungen?, Januar 2011, Download: 7. April 2011, http://www.rki.de/cln_116/nn_2030884/DE/Content/Infekt/EpidBull/Archiv/2011/02__11,templateId=raw,property=publicationFile.pdf/02_11.pdf

- 738 Robert Koch-Institut (RKI): Empfehlungen des Robert Koch-Instituts zu Prävention und Kontrollmaßnahmen bei Bewohnern mit Verdacht auf bzw. nachgewiesener Influenza in Heimen, 2006, aktualisiert 2010, 1-3, http://www.rki.de, Download: 1.2.2011.
- 739 Robert Koch-Institut (RKI): Epidemiologisches Bulletin. Zur Priorisierung von Infektionskrankheiten, 2008, 10, 40, http://www.rki.de, Download: 1.2.2011.
- 740 Robert Koch-Institut (RKI): Herleitung von risikominimierenden, hier infektionspräventiven Maßnahmen in der Praxis. Bedeutung der Standardhygiene und ggf. ergänzende Maßnahmen zum Schutz von Patienten und Personal vor nosokomialen Infektionen, 2009, 1-5, http://www.rki.de, Download: 1.2.2011.
- 741 Robert Koch-Institut (RKI): Hinweise für Ärzte, Leitungen von Gemeinschaftseinrichtungen und Gesundheitsämter zur Wiederzulassung in Schulen und sonstigen Gemeinschaftseinrichtungen, Bundesärzteblatt 44, 2001, 830-843, aktualisierte Fasssung 2006, http://www.rki.de, Download: 1.2.2011.
- 742 Bundesministerium für Gesundheit: DART Deutsche Antibiotika-Resistenzstrategie, 2008, http://www.bmg.bund.de, Download: 1.2.2011.
- 743 Bund/Länder-Arbeitsgemeinschaft Abfall (LAGA): Vollzugshilfe zur Entsorgung von Abfällen aus Einrichtungen des Gesundheitswesens 2010, 1-42, http://www.rki.de, Download: 1.2.2011.
- 744 Deutsches Bundesministerium für Gesundheit: Schriftenreihe Health Technology Assessment (HTA) in der Bundesrepublik Deutschland. Medizinische Wirksamkeit und Kosten-Effektivität von Präventions- und Kontrollmaßnahmen gegen Methicillinresistente Staphylococcus aureus (MRSA)-Infektionen im Krankenhaus, 2010, Download: 7. April 2011, http://portal.dimdi.de/de/hta/hta_berichte/hta263_bericht_de.pdf
- 745 Deutsche Gesellschaft für Krankenhaushygiene: Umsetzung der MRSA-Empfehlungen der KRINKO von 1999 - Aktuelle Hinweise des Vorstandes der DGKH, 2009, 1-12, http://www.rki.de, Download: 1.2.2011.
- 746 Scott-Sheldon, L.A.J. et al .: Sexual Risk Reduction Interventions for Patients Attending Sexually Transmitted Disease Clinics in the United States: A Meta-Analytic Review, 1986 to Early 2009. In: Annals of Behavioral Medicine 40/2010, S. 191-204.
- 747 Rosa-Cunha, I. et al. : Addressing Anal Health in the HIVV Primary Care Setting: A Disappointing Reality. In AIDS Patient Care STDs 24, 9/2010, S. 533-538.
- 748 Wilson, Kevin et al. : Associations of Risk of Depression With Sexual Risk Taking Among Adolescent in Nova Scotia High Schools. In: The Canadian Journal of Psychiatry 55, 9/2010.
- 749 World Health Organisation (WHO) Regional Office for Europe und Bundeszentale für gesundheitliche Aufklärung (BZgA) : Standards for Sexuality Education in Europe, Nr. 60059500, 2010, S. 1-68, http: //www.bzga.de, Download: 15.2.2011.
- 750 Bundeszentale für gesundheitliche Aufklärung (BZgA) : AIDS und andere sexuell übertragbare Krankheiten. Materialien für berufliche Schulen, Auflage: 3.15.05.09, http: //www.bzga.de, Download: 15.2.2011.
- 751 Bundeszentale für gesundheitliche Aufklärung (BZgA) : Ach übrigens... Informationen über sexuell übertragbare Krankheiten, 2007, S. 1-60, http: //www.bzga.de, Download: 15.2.2011.
- 752 Bundeszentale für gesundheitliche Aufklärung (BZgA) : Sex ‚n' tipps. Körper und Gesundheit, Auflage: 2.300.06.10, http: //www.bzga.de, Download: 15.2.2011.
- 753 Bundeszentale für gesundheitliche Aufklärung (BZgA) : Safer Sex... sicher, Auflage: 13.80.07.10, http: //www.bzga.de, Download: 15.2.2011.
- 754 Arbeitsgemeinschaft der Wissenschaftlichen Medizinischen Fachgesellschaften (AWMF): Synopse der sexuell übertragbaren Erkrankungen (STDs) mit Primärsymptomen im männlichen Genitale, http://www.awmf.org, Stand: 11/2002, Download: 15.2.2011
- 755 Arbeitsgemeinschaft der Wissenschaftlichen Medizinischen Fachgesellschaften (AWMF): Anorektale Manifestationen sexuell übertragbarer Erkrankungen, http://www.awmf.org, Stand: 12/2010, Download: 15.2.2011
- 756 Arbeitsgemeinschaft der Wissenschaftlichen Medizinischen Fachgesellschaften (AWMF): Condylomata acuminata und andere HPV-assoziierte Krankheitsbilder von Genitale, Anus und Harnröhre, http://www.awmf.org, Stand: 2000, letzte Überprüfung: 2006, Download: 15.2.2011
- 757 Arbeitsgemeinschaft der Wissenschaftlichen Medizinischen Fachgesellschaften (AWMF): Prophylaxe, Diagnosik und Therapie der Hepatitis C-Virus (HCV)-Infektion, http://www.awmf.org, Stand: 2004, letzte Überarbeitung: 2009, Download: 15.2.2011
- 758 Federal Centre for Health Education: Public Awareness of AIDS in the Federal Repu-

blic of Germany (Kurzbericht), 2009, http: //www.bzga.de, Download: 15.2.2011.

- 759 European Centre For Disease Prevention And Control (ecdc): HIV/AIDS surveillance in Europe, 2009, S. 1-104, http://ecdc.europe.eu, Download: 15.2.2011.
- 760 De Knecht-Van Eekelen, M.: Aging with HIV/AIDS in the Netherlands, 2010, S. 1-32, http://www.aidsactioneurope.org, Download: 15.2.2011.
- 761 Centers for Disease Control and Prevention (CDC): Sexually Transmitted Diseases Treatment Guidelines, In: Morbidity and Mortality Weekly Report, 2010, Dec. 17/59, RR-12, http://www.cdc.gov, Download: 15.2.2011.
- 763 Robert Koch-Institut (RKI): Epidemiologisches Bulletin. Zur Prävention sexuell übertragbarer Infektionen, 2010, S. 351-354, http://www.stiftung-gssg.de, Download: 15.2.2011.
- 764 Von Unger, H.: Verhalten und Verhältnisse beeinflussen Strukturelle HIV-Prävention mit MigrantInnen. In: Pro familia magazin 04/2010, S. 9-10.
- 765 Langanke, H.: Viren, Bakterien & Co. In: Pro familia magazin 04/2010, S. 17-18.
- 766 Langer, P.C.: Den aktuellen Herausforderungen präventiv gerecht werden. Sieben Thesen zur strukturellen Prävention. In: Pro familia magazin 04/2010, S. 11-15.
- 767 Siegel, J.D. et al., and the Healthcare Infection Control Practice Advisory Committee: 2007 Guidelines for Isolation Precautions: Preventing Transmission of Infectious Agents in Heathcare Settings, http://www.cdc.gov/ncidod/dhqp/pdf/isolation2007.pdf, Download: 16.2.2011.
- 768 Landers, T. et al.: Terms used for isolation practices by nurses at an academic medical center. In: Journal of Advanced Nursing 66, 10/2010, S. 2309-2319.
- 769 Abad, C. et al.: Adverse effects of isolation in hospitalised patients: a systematic review. In: Journal of Hospital Infection 76, 2/2010.
- 770 Claus-Werner Wallesch, Andreas Unterberg, Volker Dietz (Hrsg): Neurotraumatologie, Thieme Verlag 2005
- 771 Guido A. Zäch, Hans Georg Koch (Hrsg.): Paraplegie - Ganzheitliche Rehabilitation, Karger Verlag, Basel et al. 2006
- 772 Krassioukov, Andrei; Warburton, Darren E.; Teasell, Robert; Eng, Janice J: (2009) A systematic review of the management of autonomic dysreflexia after spinal cord injury, Archives of physical medicine and rehabilitation Band 90, Heft 4, Seiten 682-695
- 773 Dakhil-Jerew, Fras; Brook, Susan; Derry Fadel: (2008) Autonomic dysreflexia triggered by breastfeeding in a tetraplegic mother, Jornal of rehabilitation medicine: official journal of the UEMS European Board of Physical and Rehabilitation Medcine, Band 40, Heft 9, Seiten 780-782
- 774 Pan S.L.; Wang Y.H; Lin H.L; Chang C.W; Wu T.Y.; Hsieh E.T.: (2005) Intracerebral hemorrhage secondary to autonomic dysreflexia in a young person with incomplete C8 tetraplegia: A case report. In: Arch Phys Med Rehabil Mar; 86 (3), Seiten 591-593
- 775 Popa C, Popa F, Grigorean VT, Onose G, Sandu AM, Popescu M, Burnei G, Strambu V, Sinescu C. (2010) Vascular dysfunctions following spinal cord injury. In: J Med Life Jul-Sept; 3(3) Seiten 275-285
- 776 Haas, Ute: (2005) Das Darmmanagement von Patienten mit Querschnittlähmung, Verlag Hans Huber, Bern, Göttingen, Toronto, Seattle
- 777 Dunn, Kathleen L.: (2004) Identification and Management of Autonomic Dysreflexia in the Emergency Department, In: Topics in Emergency Medicine July/August/September Volume 26 Issue 3, p 254-259
- 778 Ackley, B.J: (2004) Autonomic dysreflexia In: Ackley Betty J.; Gail B. Ladwig (Hrsg.) 2004, Nursing Diagnosis Handbook, A Guide to Planning Care, S. 212-216
- 779 Krassioukov A., Warburton D.E, Teasell R., et al.: (2009) A systematic review of the management of autonomic dysreflexia after spinal cord injury. Arch Phys Med Rehabil. Apr 2009; 90(4), S. 682-695
- 780 Essat Z.: (2003) Management of autonomic dysreflexia In: Nurs Stand 2003 Apr 23-29; 17 (32):42-44
- 781 Bundesministerium der Justiz : Gesetz zur Verhütung und Bekämpfung von Infektionskrankheiten beim Menschen (Infektionsschutzgesetzt - IfSG), 2000, letzte Änderung: 2009, http://bundesrecht.juris.de/bundesrecht/ifsg/gesamt.pdf, Download: 1.3.2011
- 782 International Diabetes Federation: International Curriculum for Diabetes Health Professional Education 2008, 1-116, http://wwwidf.org/webdata/docs/Curriculum Hinal%20041108 EN.pdf, Download: 2.12.2010.
- 783 World Health Organisation (WHO): Laboratory and monitoring of diabetes mellitus. WHO Geneva 2002, http://whqlibdoc.who.int/hq/2002/9241590483.pdf, Download: 3.12.2010.

- 784 Rodbard, H.W. et al.: American Association Of Endocrinologists: Medical Guidelines For Clinical Practice For The Management Of Diabetes Mellitus. In: Endocrine Practice 13, 1/2007, S. 1-66.
- 785 American Association of Diabetes Education (AADE): Guidelines for the Practice of Diabetes Self-Management Education and Training (DSME/T). In: The Diabetes Educator November 1, 35, 1/2009, S. 85-107.
- 786 National Center For Cronic Disease Prevention and Health Promotion (CDC): Diabetes Successes and Opportunities for population-based prevention and control: At a Glance, http://www.cdc.gov/chronicdisease/resources/publications/aag/pdf/2010/diabetes aag.pdf, 2010, Download: 7.12.2010.
- 787 Gabriely, I; Shammon, H.: Awakening from Sleep and Hypoglycemia in Typ 1 Diabetes Mellitus, http://www.plosmedicine.org/article/info/10.1371/journal.pmed.0040099, 2007, Download: 7.12.2010.
- 789 Tschöpe, D. et al.: Diagnostik und Therapie von Herzerkrankungen bei Diabetes mellitus. Mai 2006. Scherbaum, W.A.; Kerner (Hrsg.): Evidenzbasierte Leitlinie der Deutschen Diabetes-Gesellschaft (DDG), http://www.deutsche.diabetes-gesellschaft.de/leitlinien/EBL_Herz_Update_2006.pdf, Stand: 2006, Download: 7.12, 2010.
- 790 Hanas, R.; John, G.: 2010 Consensus Statement on the Worldwide Standardization of the Hemoglobin A 1c Measurement. In: Pediatric Diabetes, 11/2010, S. 209-211.
- 791 Swift, P.G.F.: ISPAD clinical Practice Consensus Guidelines 2009 Compendium: diabetes education in children and adolescents. In: Pediatric Diabetes 10, 12/2009, S. 51-57.
- 792 Craig ME, Hattersley A, Donaghue KC: ISPAD Clinical Practice Consensus Guiedelines 2009 Compendium: Definition, epidemiology and classification of diabetes in children and adolescents. In: Pediatric Diabetes 2009, 10, 12, 3-12.
- 793 Clarke W, Jones T, Rewers A et al.: ISPAD Clinical Practice Censensus Guidelines 2009 Compendium: Assessment and management of hypoglykämia in children and adolescent with diabetes. In: Pediatrie Diabetes 2009, 10, 12, 134-145.
- 794 Canadian Diabetes Association: Standards of Care for Students with Typ 1 Diabetes in School 2008, http://www.diabetes.ca/files/StandardsofCare.pdf, Download: 13.12.2010.
- 795 Ludwig S, Cement M, Dunbar P et al.: Organization of Diabetes Care. In: Canadian Journal of Diabetes, 32, 1, 2008, 20-24.
- 796 Renders CM, Valk GD, Griffin SJ et al.: Interventions to Imrove the Management of Diabetes in Primary Care, Outpatient, and Community Settings. A systematic review. In: Diabetes Care, 24, 10, 2001, 1821-1833.
- 797 Furusawa, Kazunari; Sugiyama, Hiroyuki; Ideda, Atsushi; Tokuhiro, Akihiro; Koyoshi, Hiroko; Takahashi, Masanori; Tajima, Fumihiro: (2007) Autonomic Dysreflexia during a Bowel Program in Patients with Cervical Spinal Cord Injury, Acta Medica Okayamy, 61(4) 221-227
- 798 Haas, U.; Geng, V.; Evers, G.; Knecht, H.: (2005) Bowel management in patients with spinal cord injury - a multicentre study of the German speaking society of paraplegia (DMGP); International Spinal Cord Society, 43 Pages 724-730
- 799 Ekland, Maric B.; Krassioukov, Andrei V.; McBride, Kate E.; Elliott, Stacy L.: (2008) Incidence of Autonomic Dysreflexia and Silent Autonomic Dysreflexia in Men with spinal cord injury undergoing sperm retrieval: Implications for clinical practice; J Spinal Cord Med, Vol 31, Pages 33-39
- 800 Spinal Cord Injury Centres of the United Kingdom and Ireland (Hrsg.): (2009) Guidelines for Management of Neurogenic Bowel Dysfunction after Spinal Cord Injury Produced by Spinal Cord Injury Centres of the United Kindom and Ireland, initiated by Multidisciplinary Association of Spinal Cord Injury Professionals supported by an educational grant from Coloplast Ltd. April 2009; Download März 2011 http://www.rcn.org.uk/__data/assets/pdf_file/0019/253036/CV453N_full_doc.pdf
- 801 London, F.: (2003). Informieren, Schulen, Beraten. Praxishandbuch zur pflegebezogenen Patientenedukation. Bern: Verlag Hans Huber.
- 802 Alexander, M.S; Biering-Sorensen, F.; Bodner, D.; Brackett, M.L.; Cardenas, D.; Charlifue, S.; Creasey, G.; Dietz, V.; Ditunno, J.; Donovan, W.; Elliott, S.L.; Estores, I.; Graves D.E.; Green, B.; Gousse, A.; Jackson, A.B.; Kennelly, M.; Karlsson, A.K.; Krassioukov, A.; Krogh, K.; Linsenmeyer, T.; Marino, R.; Mathias, C.J.; Perkash, I.; Sheel, A.W.; Schilero, G.; Schurch, B.; Sonksen, J.; Stiens, S.; Wecht, J.; Wuermser, L.A.; Wyndaele, J.J.: (2009) International standards to document remaining autonomic function after spinal cord injury IN: Spinal Cord Jg. 47 (1) S. 36-43
- 803 Anderson, KD; Borisoff, JF; Johnson, RD; Stiens, SA; Elliott, SL: (2007) The impact

of spinal cord injury on sexual function: concerns of the general population. In: Spinal Cord Jg. 45(5) S. 328-337

- 804 Lombardi, G.; Popolo, Del G.; Macciarella, A.; Mencarini, M.; Celso, M.: (2010) Sexual rehabilitation in women with spinal cord injury: a critical review of the literature IN: Spinal Cord Jg. 48 (12), S. 842-849
- 805 Colleen, F.; McGillivray, M.D.; Hitzig, Sander L.; Craven, Cathy B.; Tonack, Mark I.; Krassioukov, Andrei: (2008) Evaluation knowledge of autonomic dysreflexia among individuals with spinal cord injury and their families In: Spinal Cord Jg. 32(1) S. 54-62
- 806 Perrouin-Verbe, B.; Labat, J.J; Richard, I.; Mauduyt de la Greve, I.; Buzelin, J.M.; Mathe, J.F.: (1995) Clean intermittent catheterisation from the acute period in spinal cord injury patients. Long term evaluation of urethral and genital tolerance.IN: Paraplegia Jg. 33(11) S. 619-624
- 807 Felleiter, Peter; Reinbott, Stefan; Michel, Franz; Baumberger, Michael: (2004) Das traumatische Querschnittssyndrom IN: Schweiz Med Forum 2004(4) S. 1166-1172
- 808 Qaseem, Amir; Snow, Vincenza; Fitterman, Nick; Hornbake, Rodney; Lawrence, Valerie A.; Smetana, Gerald W.; Weiss, Kevin; Owens, Douglas K.: (2006) Risk Assessment for and Strategies to reduce perioperative pulmonary Complications for Patients undergoing noncardiothoracic surgery: A gudiline form the Amaerican College of Physicans; IN: Anals for Intrnal Medicine Jrg. 144, S. 575-580
- 809 Sin, Don D.: (2008) Postoperative pulmonary complications: what every general practitioner ought to know IN: BC Medical Journal Jrg. 50 (3) S. 152-154
- 810 Schewior-Popp, Susanne; Sitzmann, Franz; Ullrich, Lothar (Hrsg.): (2009) Thiemes Pflege das Lehrbuch für Pflegende in Ausbildung, 11. vollständig überarbeitete und erweiterte Auflage, Georg Thieme Verlag, Stuttgart, New York
- 811 Shamliyan, Tatyana; Wyman, Jean; Bliss, Donna Z.; Kane, Robert L.; Wilt, Timothy J.: (2007) Prevention of Fecal and Urinary Incontinence in Adults Evidence Report/ Technology Assessment No. 161 (Prepared by the Minnesota Evidence-based Practice Center under Contract No. 290-02-0009.) AHRQ Publication No. 08-E003 Rockville, Download April 2011; http://ahrqpubs.ahrq.gov/OA_HTML/ibeCCtpItmDspRte.jsp?a=b&item=34970
- 812 Nicole Menche und Lektroat Pflege (Hrsg): (2007) Pflege Heute. Lehrbuch für Pflegeberufe, 4. vollständige überarbeitete Auflage, Urban und Fischer Verlag München, Jena
- 813 Lynne, Bartlett; Nowak, Madeleine; Ho, Yik-Hong: (2009) Impact of fecal incontinence on quality of life, IN: Word J Gastroenterol Jhrg. 15(26), S. 3276-3282
- 814 Vitton, Véronique; Damon, Henri; Roman, Sabine; Nancy, Stéphane; Flourié, Bernard; Mion, Francois: (2009) Transcutaneous Posterior Tibial Nerve Stimulation for Fecal Incontinence in Inflammatory Bowel Disease Patients: A Therapeutic Option? In: Inflamm Bowel Dis Jhrg. 15 (3) S. 402-405
- 815 Hay-Smith J, Mørkved S, Fairbrother KA, Herbison GP.: Pelvic floor muscle training for prevention and treatment of urinary and faecal incontinence in antenatal and postnatal women. Cochrane Database of Systematic Reviews 2008, Issue 4. Art. No.: CD007471. DOI: 10.1002/14651858.CD007471, publisched in Issure 1 2009
- 816 Rudolph, Wiliam; Gadandiuk, Susan: (2002) A Practical Guide to the Diagnosis and Management of Fecal Incontinence In: Mayo Clin Proc Jhrg. 77 (3) 271-275
- 817 Rao, Satish S.C.: (2004) Diagnosis and Management of Fecal Incontinence IN: American Journal of Gastroenterology Jhrg. 99 (8) S. 1585-1604
- 818 Brazzelli, M; Griffiths, PV.: (2006) Behavioural and cognitive interventions with or without other treatments for the management of faecal incontinence in children. Cochrane Database of Systematic Reviews 2006, Issue 2. Art. No.: CD002240. DOI: 10.1002/14651858.CD002240.pub3
- 819 Norton, CC; Cody JD; Hosker G.: (2006) Biofeedback and/or sphincter exercises for the treatment of faecal incontinence in adults.Cochrane Database of Systematic Reviews 2006, Issue 3. Art. No.: CD002111. DOI: 10.1002/14651858.CD002111.pub2.
- 820 Fader, M.; Cottenden, A.M.; Getliffe, K.: (2008) Absorbent products for moderate-heavy urinary and/or faecal incontinence in women and men. Cochrane Database of Systematic reviews 2008, Issue 4. Art. No.: CD007408. DOI: 10.1002/14651858.CD007408.
- 821 Arbeitsgemeinschaft der Wissenschaftlichen Medizinischen Fachgesellschaften (AWMF): Hygienemaßnahmen bei intravasaler Medikamentenapplikation, in: Hygiene in Klinik und Praxis, 3, 2004, S. 101ff.
- 822 Bernhard, M; Gräsner J.T.; Gries A; Fischer, M; Böttiger, BW; Helm, M: DGA Info: Die intraossäre Infusion in der Notfallmedizin. In: Anästh Intensivmedizin 51, 2010, S.

615-620.

- 823 Koletzko B, Jauch KW, Krohn K, Verwied-Jorky: Leitlinie Parenterale Ernährung der Deutschen Gesellschaft für Ernährungsmedizin e.V., aktuelle Ernährungsmedizin (DGEM), 32, 1, 2007, S. 1-133.
- 824 Stiftung Patientensicherheit: Quick-Alert Nr. 15 Dosierungsfehler trotz Infusionspumpen und Infusionsspritzenpumpen, 2010, S. 1-3, http://www.patientensicherheit.ch/de/publikationen/Quick-Alerts.html, Download: 23.3.2011.
- 825 Stiftung Patientensicherheit: Quick-Alert Nr.13 Gefahren bei Elektrolytinfusionen (speziell mit KCL-Zusätzen, 2010, S. 1-3, http://www.patientensicherheit.ch/de/publikationen/Quick-Alerts.html, Download: 23.3.2011.
- 826 Reinhard K, Brunkhorst FM, Bone H-G: Prävention, Diagnose, Therapie und Nachsorge der Sepsis. 1. Revision der S-2k Leitlinie der Deutschen Sepsis-Gesellschaft e.V. (DGS) und der Deutschen Interdisziplinären Vereinigung für Intensiv- und Notfallmedizin (DIVI), 2010, 1-78, http://www.divi-org.de/fileadmin/pdfs/Leitlinien/Sepsis_Leitlinie_20104.pdf, Download: 23.3.2011.
- 827 Krassioukov, A.; Eng, J.J.; Glaxton, G.; Sakakibara, B.M.; Shum, S.: (2010) Review: Neurogenic bowel management after spinal cord inury: a systematic review of the evedence IN: Spinal Cord 48 718-733
- 828 Landero-Orozco, M.A.; De León-Gómez, J.M: (2009) Malone antegrade continence enema in children with urinary and intestinal neurogenic disease IN: Rev Nex Urol Jhrg. 69 (6) 268-272
- 829 Hegeholz, Dietmar: (2006) Anale Irrigation bei Kindern. Behandlung der neurogen bedingten Darmfunktionsstörungen im Rahmen eines ganzheitlichen Rehabilitationsprozesses IN: MagSi Jhrg. 42 (12), S. 3-10
- 830 Cazemier, Marcel; Felt-Bersma, Richelle J.F; Mulder, Chris J.J.: (2007) Anal plugs and retrograde colonic irrigation are helpful in fecal incontinence or constipation IN: World J Gasteroenterol Jhrg. 14(22), S. 3101-3105
- 831 Deutekom, M.; Dobbenl, A.C.: (2010) Plugs for containing faecal incontinence (Review) Cochrane Database of Systematic Reviews 2005 Issue 3. Art. No.: CD005086. DOI: 10.1002/14651858.CD005086.pub2. Last assessed as up-to-date: 11 August 2009.
- 832 Ministry of Health (MOH): Nursing Clinical Practice Guidelines. Prevention of Central Venous Device-Related Infection in Children, 1, 2008, http://www.hpp.moh.gov.sg/HPP/MungoBlobs/962/920/CVC%20CPG%20final%20%28Feb%202008%29.pdf, Download: 24.3.2011.
- 833 Registered Nurses' Association of Ontario (RNAO): Care and Maintenance to Reduce Vascular Access Complications, http://www.rnao.org/Page.asp?PageID=924&ContentID=796, Download: 24.3.2011.
- 834 Registered Nurses' Association of Ontario (RNAO): Assessment and Device Selection for Vascular Access, http://www.rnao.org/Page.asp?PageID=924&ContentID=718, Download: 24.3.2011.
- 835 Meyer, Jeannette: A Broad-Spectrum Look at Catheter-Related Bloodstream Infection. In: Journal of Infusion Nursing 32, 2, 2009, S. 80-86.
- 836 Bays, Cathy L; Hermann, Carla P: An Evidence-Based Practice Primer for Infusion Nurses. In Journal of Infusion Nursing, 33, 4, 2010, S. 220-225.
- 837 Kirmse, Jane: The Nurse's Role in Administration of Intravenous Immunoglobulin Therapy. In: Home Health Nurse, 27, 2, 2009, S. 104-111.
- 838 Robert Koch-Institut (RKI): Prävention Gefäßkatheterassoziierter Infektionen. Empfehlungen der Kommission für Krankenhaushygiene und Infektionsprävention beim Robert Koch-Institut (RKI). In: Bundesgesundheitsbl - Gesundheitsforsch - Gesundheitsschutz 2002, 45, S. 907-924.
- 839 Deutsche Gesellschaft für Phlebologie (DGP): Leitlinie zur Diagnostik und Therapie der Thrombophlebitis superficialis, 2007, http://www.phlebology.de/Deutsche-Gesellschaft-fur-Phlebologie/leitlinie-leitlinie-zur-diagnostik-und-therapie-der-thrombophlebitis-superficialis.html, Download: 24.3.2011.
- 840 Karadag, Ayise; Mentex, Bülent B.; Ayaz, Sultan: (2005) Colostomy irrigation: results of 25 cases with particular reference to quality of life In: Jornal of Clinical Nursing 14, S. 479-485
- 841 Herm, F.; Jordan, E.; Pfennig, P.-M.; Arnold, C.-R.: (1995) Zur Wirkung der Kolonmassage bei chronischer Obstipation IN: Phys Rehab Kur Med Jhg. 5(5) 177-179
- 842 Läma, S K. ; Lindholm, L.; Engstro, M B. & JACOBSSON C. (2010) Abdominal massage for people with constipation: a cost utility analysis. Journal of Advanced Nursing 66(8), 1719-1729.

- 843 Beeckman, D.; Schoonhoven, L.; Verhaeghe, S., Heyneman, A.; Defloor, T.: (2009) Prevention and treatment of incontinence-associated dermatitis: literature review. IN: Journal of Advanced Nursing 65(6), 1141–1154.
- 844 Jukic-Puntigam, Margareta; Steininger, Alfred; Kendlbacher, Elisabeth; Haselwanter-Schneider, Andrea; Müller, Gerhard: Risikoerfassungs- und Klassifizierungsinstrumente für Inkontinenz Assoziierte Dermatitis (IAD): Eine Literaturübersicht, Pflegewissenschaft 2010 (10). Online im Internet, Download: 26.03.2011; http:/www.printernet.info/detail.asp?id=1043
- 845 Haslinger-Baumann, Elisabeth; Jukic-Puntigam, Margareta; Steininger, Alfred; Burns, Evelin: Theorie-Praxistransfer am Beispiel einer evidence-basierten Praxisleitlinie zum Thema Hautpflege bei Harn- und/oder Stuhlinkontinenz für Spitäler und Langzeitpflegeeinrichtungen IN: Pflegewissenschaft 2011 (3). Online im Internet: http:/www.printernet.info/detail.asp?id=1079 vom 26.03.2011
- 846 Zehrer, C.L,; Newman, D.K.; Grove, G.L.; Lutz, J.B.: (2005) Assessment of diaper-clogging potential of petrolatum moisture barriers. IN Ostomy Wound Mange Jhr. 51 (12), S. 54-58
- 847 Bliss, Donna Z.; Zehrer, Cindy; Savik, Kay; Smith, Graham; Hedblom, Edwin: (2007) An Economic Evaluation of Four Skin Damage Prevention Regimens in Nursing Home Residents With Incontinence: Economics of Skin Damage Prevention IN: Journal of Wound, Ostomy & Continence Nursing Jhg. 34 (2) S. 143-152
- 848 Langemo, Diane; Hanson, Darlene; Hunter, Susan; Thompson, Patricia; OH, In Eui: (2011) Incontinence and Incontinence-Associated Dermatitis, In Advances in Skin & Wound Care Jhrg. 24 (3), S. 126-140
- 849 Holloway, S.; Jones, V.: (2005) The importance of skin care and assessment. IN: British Journal of Nursing, Jhrg. 14 (22), S. 1172-1176
- 850 Gray, M.: (2004) Preventing and managing perineal dermatitis: a shared goal for wound and continence care IN: J. Wound Ostomy Continence Nurs Jhrg. 31(1) S. 2-9
- 851 Gray, Mikel; Bliss, Donna Z.; Doughty, Dorothy B.; Ermer-Seltun, JoAnn; Kennedy-Evans, Karen L.; Palmer, Mary H.: (2007) Incontinence-associated Dermatitis A Consensus IN: J Wound Ostomy Continence Nurs Jhrg. 34(1), S. 45-54
- 852 Brazzelli, M.; Shirran, E.; Vale, L.: (2002) Absorbent Products for Containing Urinary and/or Fecal Incontinence in Adults IN: Journal of Wound, Ostomy & Continence Nursing, Jhrg. 29(1), S. 45-54
- 853 Fader, M.; Clarke-O´Neill, S.; Cook,D.; Dean, G.; Brooks, R.; Cottenden, A.; Malone-Lee, J.: (2003) Management of night-time urinary incontinence in residential setting for older people: an investigation into the effects of different pad changing regimes on skin health IN: Journal of Clinical Nursing, Jhrg. 12(3), S. 374-386
- 854 Ayas, S.; Leblebici, B.; Sözay, S.; Bayramoglu, M.; Niron, E.A.: (2006) The effect of abdominal massage on bowel function in patients with spinal cord injury. IN: AM J Phys Med Rehabil Jhrg. 85(12), S. 951-955
- 855 Lämas, Kristina; Lindholm, Lars; Stenlund, Hans; Engström, Birgitta; Jacobsson, Catrine: (2009) Effects of abdominal massage in management of constipation - a randomized controlled trial. IN: International Journal of Nursing Studies, Jhrg.46(6), S. 759-769
- 856 Lämas, Kristina; Lindholm, Lars; Engström, Birgitta; Jacobsson, Catrine: (2010) Abdominal massage for people with constipation: a cost utility analysis IN Journal of advanced nursing Jhrg. 66(8), S. 1719-1729
- 857 Emannuel, A.: (2010) Review of the efficacy and safety of transanal irrigation for neurogenic bowel dysfunktion IN: Spinal Cord Jhrg. 48, S. 664-673
- 858 Geile, Dorothea; Osterholzer, Georg; Rosenberg, Robert: (2004) Diagnostik und konservative Therapie der Stuhlinkontinenz IN: Wien Med Wochenschr Jhrg. 154 (3-4), S. 76-83
- 859 Emmanuel, A.: (2010) Review of the efficacy and safety of transanal irrigation for neurogenic bowel dysfunction IN: Spinal Cord, Jhrg. 48 (Feb.) 664-673
- 860 Bliss, Donna Zimmaro; Fischer, Faan Lucy Rose; Savik, Kay: (2005) Managing fecal incontinence self-care practices of older adults IN: Journal of Gerontological Nursing Jhrg. 31(7), S. 35-44
- 861 Brown, D.: (1994) Diapers and unerpads, Part 1: Skin integrity outcomes. IN: Ostomy/Wound Management Jhrg. 40, S. 20-26
- 862 Leiby D.; Shanahan N. (1994) Clinical study: assessing the performance and skin environments of two reusable underpads. Ostomy/Wound Management 40, 30-37.
- 863 Hampton S.: (1998) Film subjects win the day. Nursing Times 94, 80– 82

- 864 Clever, K.; Smith, G.; Bowser, C.; Monroe, K. (2002) Evaluating the efficacy of a uniquely delivered skin protectant and its effect on the formation of sacral/buttock pressure ulcers. Ostomy/Wound Management 48, 60-67
- 865 Campbell, K.; Woodbury, M.; Whittle, H.; Labate, T.; Hoskin, A. (2000) A clinical evaluation of 3M no sting barrier film. Ostomy/ Wound Management 46, 24-30
- 866 Burch, Jennie; Collins, Brigitte: (2010) Using biofeedback to treat constipation, faecal incontinence and other bowel disorders; IN: Nursing Times Jhrg. 106 (37), S. 18-21
- 868 Consortium for Spinal Cord Medicine, Paralyzed Veterans of Amerika (Hrsg.): (1998) Neurogenic Bowel Management in Adults with Spinal Cord Injury, Administrative and financial support provided by Paralyzed Veterans of America download März 2011 http://www.pva.org/site/apps/ka/ec/category.asp?c=ajIRK9NJLcJ2E&b=6423003&en=bdIxFFMmFfLELFNmH8JxEFMoFcLLK0OwHiLIJJPsFlLPKSPuHmLXE
- 869 Zäch, Guido A.; Koch, Hans Georg (Hrsg.): (2006) Parapelgie Ganzheitliche Rehabilitation, Karger Verlag, Basel, Freiburg, Paris, London, New York, Bangalore, Bangkok, Singapore, Tokyo, Sydney
- 870 Norton, CC.; Cordy, JD; Hosker, G.: (2009) Biofeedback and/or sphincter exercises for the treatment of faecal incontinence in adults (Review); Cochrane Database of Systematic Review 2006, Issue 3. Art. No.: CD002111. DOI: 10.1002/14651858.CD002111.pub2
- 871 Rothaug, O.; Kaltwasser, A.; Dubb, R.; Müller-Wolff, T.; Steinfeld, E.H.; Wagner, S.: (2009) Kontinuierliches Stuhldrainagesystem im intensivtherapeutischen Bereich IN: Intensivmedizin und Notfallmedizin Jhrg. 47 (6), S. 452-462
- 872 Sächsisches Staatsministerium für Soziales und Verbraucherschutz (Hsg.), Freistaat Sachsen: (2010) Multiresistente Erreger Informationsbroschüre, Bezug: Sächsisches Staatsministerium für Soziales und Verbraucherschutz, Referat 23, Albertstraße 10, 01097 Dresden, Download April 2011: http://www.lua.sachsen.de/hm/infektionsschutz/Docs/Brosch%C3%BCre_MRSA_SMS_Sachsen.pdf
- 873 Geffers, Christine; Gastmeier, Petra: (2011) Nosokomiale Infektionen und multiresistene Erreger in Deutschland, Epidemiologische Daten aus dem Krankenhaus-Infektions-Surveillance-System IN: Deutsches Ärzteblatt Jhrg. 108 (6), S. 87-93
- 874 Rober Koch-Institut (RKI): Surveillance nosokomialer Infektionen sowie die Erfassung von Erregern mit speziellen Resistenzen und Multiresistenzen IN: Bundesgesunheitsbl- Gesundheitsforschung - Gesundheitsschutz 2000, 43:887-890 Springer Verlag, 2000
- 875 Kampf, Günter, Löffler, Harald; Gastmeier, Petra: (2009) Hand Hygiene for the Preventio of Nosocomial Infetions, Review Article IN: Deutsches Ärzteblatt International Jhrg. 206(40), S. 649-655
- 876 Robert Koch-Institut: (2009) Personelle und organisatorische Voraussetzung zur Prävention nosokomialer Infektionen, Empfehlung der Kommission für Krankenhaushygiene und Infektionspräfention IN: Bundesgesundheitsbl- Gesundheitsforsch- Gesundheitsschutz, Jhrg. 52, DOI 10.1007/s00103-009-0929-y, S. 951-962
- 877 Rober Koch-Institut: (2010) Anforderungen an die Hygiene bei der medizinischen Versorgung von immunsupprimierten Patienten, Empfehlung der Kommission für Krankenhaushygiene und Infektionsprävention beim RobertKoch-Institut (RKI) IN: Bundesgesundheitsblat 2010, Jhrg. 53, S. 357-388 DOI 10.1007/s00103-010-1028-9 Online publiziert 20. März 2010, Springer Verlag
- 878 Titze, S., Ring-Dimitriou, S., Schober, P.H., Halbwachs, C., Samitz, G., Miko, H.C., Lercher, P., Stein, K.V., Gäbler, C., Bauer, R., Gollner, E., Windhaber, J., Bachl, N., Dorner, T.E. & Arbeitsgruppe Körperliche Aktivität/Bewegung/Sport der Österreichischen Gesellschaft für Public Health: (2010). Bundesministerium für Gesundheit, Gesundheit Österreich GmbH, Geschäftsbereich Fonds Gesundes Österreich (Hrsg.). Österreichische Empfehlungen für gesundheitswirksame Bewegung. Wien: Eigenverlag.
- 879 Gottschalck, Thomas: (2007) Mundhygiene und spezielle Mundpflege Huber Verlag Bern
- 880 European Pressure Ulcer Advisory Panel and National Pressure Ulcer Advisory Panel : Prevention and Treatment of pressure ulcers: quick reference guide. Washington DC: National Pressure Ulcer Advisory Panel, 2009; Deutsche Übersetzung: Leitlinie Dedubitus Prävention. Eine Kurzanleitung, http://www.epuap.org/guidelines/QRG_Prevention_in_German.pdf, Download: 11.4.2011.
- 882 Deutsches Netzwerk für Qualitätssicherung in der Pflege (Hrsg.) : Expertenstandard Dekubitusprophylaxe in der Pflege. 1. Aktualisierung 2010 einschließlich Kommentierung und Literaturstudie, Fachhochschule Osnabrück, 2010.

- 883 Heuss, Ludwig, T., Degen, Lukas: (2004) Chronische Obstipation, IN: Schweiz Med Forum, Jhrg. 2004, (4), S. 684-689
- 884 Herol, A.: (2006) Koloproktologische Klassifikation und Einteilung der Beckenbodenfunktionsstörungen, IN: Viszeralchierugie Jahrg. 41, S. 163-168 online download http://www.enddarm-zentrum.de/publikationen/Obstipation06-02.pdf
- 885 Woolery, M; Carroll, E; Fenn, E.; Wieland, H; Jarosinski, P.; Corey, B.; Wallen, G.R.: (2006) A constipation assessment scale for use in pediatric oncology, IN: J Pediatr. Oncol Nurs. Jhrg. 23 (3), S. 65-74
- 886 McMillan, S.C.; Williams, F.A.: (1989) Validity and reliability of the Constipation Assessment Scale, IN: Cancer Nurse Jhrg. 12 (3) S. 183-188
- 887 Slappendel, R.; Simpson, K.; Dubois, D.; Keininger, D.L.: (2006) Validation of the PAC-SYM questionnaire for opioid-induced constipation in patients with chronic low back pain, IN: Eur J Pain, Jhrg. 10 (3), S. 209-217
- 888 Glaudo, Susanne: (2007) Mirror therapy: dealing with pain; The Free Library Social Sciences Education Ergotherapie & Rehabilitation September 1, 2007
- 889 Dohle, C.; Nakaten, A.; Püllen, J.; Rietz, C.; Karbe, H.: (2004) Grundlagen und Anwendung des Spiegeltrainings. In: Minkwitz, K.; Scholz, E. (Hrsg.) Standardisierte Therapieverfahren und Grundlagen des Lernens in der Neurologie. Idstein: Schuz-Kirchner; 2005
- 890 Bischof, Kurt: (2006) Erfolgsbedingungen in der Betreuung Demenzerkrankter Eine Untersuchung zu kritischen Erfolgsfaktoren in stationären Pflegeeinrichtungen, Dissertation zur Erlangung des akademischen Grades eines Doktors der Philosophie, Fachbereich Sozialwesen der Universität Kassel, URN: urn:nbn:de:0002-2283
- 891 Frank, Wilhelm; Konta, Brigitte: (2005) Kognitives Training bei Demenzen und anderen Störungen mit kognitiven Defiziten, Deutsche Argentur für Health Technology Assessment des Deutschen Instituts für Medizinische Dokumentation und Information (DAHTA@DIMDI), http://portal.dimdi.de/de/hta/hta_berichte/hta123_bericht_de.pdf
- 892 Beck, Aaron T.; Rusch, John A.; Shaw, Brian F.; Emery, Gray: (1999) Kognitive Therapie der Depression, aus dem amerikanischen von Gisela Bronder und Brigitte Stein übersetzt, Belltz Taschenbuch, S. 160 ff
- 893 Rakel, Teresa; Lanzenberger, Auguste: (2001) Pflegetherapeutische Gruppen in der Psychiatrie planen - durchführen - dokumentieren - bewerten, Wissenschaftliche Verlagsgesellschaft mbH Stuttgart
- 894 Jellinger, K; Danielczyk, W; Fischer, P; Gabriel, E (1990): Clinicopathological analysis of dementia disorders of the elderly. J Neurol Sci 95:239-258
- 895 Rieckmann, Nina; Schwarzbach, Christoph; Nocon, Marc; Roll, Stephanie Vauth, Christoph; Willich, Stefan N.; Greiner, Wolfgang: (2009) Pflegerische Versorgungskonzepte für Personen mit Demenzerkrankungen; Bericht: Schriftenreihe Health Tecnology Assessment (HTA) in der Bundesrepublik Deutschland, download März 2011 portal.dimdi.de/de/hta/hta_berichte/hta215
- 896 Bowlby Sifton, Carol: (2011) Das Demenz-Buch Ein "Wegbegleiter" für Angehörige, Pflegende und Aktivierungstherapeuten, Aus dem Amerikanischen von Elisabeth Brock, Deutschsprachige Ausgabe herausgegeben von Detlef Rüsing, 2. überarbeitete Auflage, Hans Huber Verlag, Hogrefe AG, Bern
- 897 Falk, Juliane: (2003) Pflegeverständnis auf dem Prüfstand - Snoezelen ein Konzept für Demenzkranke? IN: Pflegemagazin 4. Jg. 2003 H.2
- 898 Mertens, Krista; Tag, Franziska; Buntrock, Martin: (2008) Snoezelen: Eintauchen in eine andere Welt Verlag modernes lernen Dortmund
- 899 Chung, J.C.; Lai, C.K.; Chung, P.M; French, H.P.: (2002) Snoezelen for dementia Cochrane Database Syst Rev 2002 (4):CD003152. DOI: 10.1002/14651858.CD003152
- 900 Nydahl, Peter; Bartoszek, Gabriele (Hrsg.): (2008) Basale Stimulation Neue Wege in der Pflege Schwerstkranker 5. Auflage Urban & Fischer ist ein Imprint der Elsevier GmbH, München
- 901 Klaus, Neumann; Weirauch, Wolfgang; Pflug, Christine: (1991) Biographiearbeit IN: Flensburg, Flensburger Hefte GmbH, Heft 31, S. 192, 2. Auflage Flensburg, Westholsteinische Verlagsdruckerei Boyens & Co. Heide
- 902 Steiner, Irene; Händel, Hans-Ulrich, Paul, Wilhelm (2001) Erinnern heißt leben, Anwendungsmöglichkeiten der Erinnerungspflege in Einrichtungen der Altenhilfe Eigenverlag
- 903 Schmidt-Hackenberg, Ute: (1996) Wahrnehmen und Motivieren Die 10-Minuten-Atkivierung für die Begleitung Hochbetagter, Vincentz Verlag, Hannover
- 904 Otterstedt, Carola (2003): Der heilende Prozess in der Interaktion zwischen Mensch

und Tier. In: In: Olbrich, Erhard/Otterstedt, Carola (Hrsg.)(2003): Menschen brauchen Tiere; Stuttgart: Kosmos; S. 58-68

- 905 Hegedusch, Eileen; Hegedusch, Lars: (2007) Tiergestützte Therapie bei Demenz, die gesundheitsförderliche Wirkung von Tieren auf demenziell erkrankte Menschen; Verlag Schlütersche Hannover
- 906 Greiffenhagen, Sylvia; Buck-Werner, Oliver N.: (2009) Tiere als Therapie neue Wege in der Erziehung und Heilung, Kynos Verlag Dr. Dieter Fleig gmBH, Nerdlen
- 907 Lind, Sven: (2003) Demenzkranke Menschen pflegen Grundlagen - Strategien - Konzepte, Hans Huber Verlag, Bern, Göttingen, Toronto, Seattle
- 908 Schnabel, Mirja: (2005) Umgang mit Demenzkranken, Entwicklung eines Lernfeldes auf Basis empirischer Daten aus der Berufspraxis der Pflege, Schlütersche Verlagsgesellschaft mbH & Co.KG. Hannover
- 909 Kruse, Andreas; Mike, Martin (Hrsg.): (2004) Enzyklopädie der Gerontologie, Hans Huber Verlag, Bern, Göttingen, Toronto, Seattle
- 910 Neal, M.; Briggs, M.: (2003) Validation therapy for dementia. Cochrane Database Systematic Review 2003 (3): CD001394
- 911 Spector, A.; Orrell, M.; Davies, S.; Woods, B.: (2000) Reality orientation for dementia, Cochrane Database Systematic Review 2000 (4): CD 001119
- 912 Thorgrimsen, L.; Spector, A; Wiles, A.; Orrell, M: (2003) Aroma therapy for dementia Cocrane Database Systematic Review 2003 (3): CD003150
- 913 Holt FE, Birks TPH, Thorgrimsen LM, Spector AE, Wiles A, Orrell M. Aroma therapy for dementia. Cochrane Database of Systematic Reviews 2003, Issue 3. Art. No.: CD003150. DOI: 10.1002/14651858.CD003150.
- 914 Götze, Renate; Höfer, Betina (Hrsg.): (1999) AOT - Alltagsorientierte Therapie bei Patienten mit erworbener Hirnschädigung: Eine aufgabe für das gesamte Reha-Team, Thieme Verlag, Stuttgart
- 915 Kubny-Lüke, Beate (Hrsg.): (2009) Ergotherapie im Arbeitsfeld der Psachiatrie 2. Auflage, Georg Thieme Verlag KG, Stuttgart
- 916 Rottraut, Ille; Huber, Helmuth P.; Zapotoczky, Hans-Georg: (2001) Aggressivität und suizidales Verhalten Eine clusteranalytische Studie an Suizidenten und klinisch unauffälligen Vergleichspersonen IN Psychiat Prax Jhrg. 28 (1) 24-28
- 917 Dedi´c, C.; Djurdievi´c, S.; Golubovi´c, B.: (2010) Psychological assessment of persons following suicide attempt by self-poisoning IN: Vojnosanit Pregl Jhrg. 67(2) 151-158
- 918 Sisask, M.; Kölves, K; Värnik, A.: (2009) Severity of attempted suicide as measured by the Pierce Suicidal Intent Scale In: Crisis Jhrg. 30(3), S. 136-143
- 919 Cochrane-Brink, K.A.; Lofchy, J.S.; Sakinofsky, I.: (2000) Clinical ratin scales in suicide risk assssment In: Gen Hosp.Psychiatry Jhrg. 22(6), S. 445-451
- 920 Möller, Hans-Jürgen; Laux, Gerd; Deister Arno: (2009) Psychiatrie und Psychotherapie 4. Auflage, Duale Reihe Georg Thieme Verlag KG, Stuttgart
- 921 Ullrich, R.; Muynck, R.: (2001) ATP. Einübung von Selbstvertrauen. Bedingungen und Formen sozialer Schwierigkeiten. Stuttgart: Klett-Cotta. ISBN: 3608896686
- 922 Ullrich, R.; Muynck, R. (2004). ATP- Einübung von Selbstvertrauen und kommunikative Problemlösung. Anwendung in Freundeskreis, Arbeit und Familie. Stuttgart: Klett-Cotta. ISBN: 360889666X.
- 923 Ullrich, R.; Muynck, R.: (2003). ATP. Einübung von Selbstvertrauen. Grundkurs. Stuttgart: Klett-Cotta. ISBN: 3608896678.
- 924 Fernández, Oscar Vallina; Giráldez, Serafin Lemons; Sáiz, Anna Garcia; Garcia, Aurora Otero; Sánchez, Marta Alonso; Gutierrez Pérez, Anna Maria: (1999) Integrated Psychological Treatment for schizophrenic Patients IN: Psychology in Spain, Jhrg. 3 (1), S. 25-26
- 925 Barrowclough, Christine; Haddock, Gillian; Wykes, Til; Beardmore, Ruth; Conrod, Patricia; Craig, Tom; Davies, Linda;Dunn, Graham; Eisner, Emily; Lewis, Shon; Moring, Jan; Steel, Craig; Tarrier, Nicholas: (2010) Integrated motivational interviewing and cognitive behavioural therapy for people with psychosis and comorbid substance misuse: randomised controlled trial, IN: BMJ Jhrg. 24 (11) BMJ 2010;341:c6325 doi:10.1136/bmj.c6325
- 926 Bird, V.; Premkumar, P.; Kendall, T.; Whittington, C.; Mitchell, J.; Kuipers, E: (2010) Early intervention services, cognitive–behavioural therapy and family intervention in early psychosis: systematic review, The British Journal of Psychiatry 197: 350-356. doi: 10.1192/bjp.bp.109.074526
- 927 Müller, Daniel R.; Roder, Volker: (2007) Integrated psychological therapy for schizo-

phrenia patiens IN: Expert Rev. Neurotherapeutics Jrhg. 7(1), S. 1-3

- 928 Müller, Daniel R.; Roder, Volker: (2010) Integrated Psychological Therapy and INtegrated Neurocognitive Therapy IN: Roder V, Medalia A (eds): Neurocognition and Social Cognition in Schizophrenia Patients. Basic Concepts and Treatment. Key Issues Ment Health. Basel, Karger, 2010, vol 177, pp 118-144
- 929 Roder, Volker; Mueller, Daniel R.; Mueser, Kim T.; Brenner, Hans D.: (2006) Integrated Psychological Therapy (IPT) for Schizophrenia: Is it Effektive? IN: Schizoprenia Bullertin vol. 32(1) S. 81-93
- 930 Brandenburg, Hermann (Hrsg.): (2004) Altern in der modernen Gesellschaft Interdisziplinäre Perspektiven für Pflege- und Sozialberufe, Schlütersche Verlagsgesellschaft mbHCo.KG, Hannover
- 931 Menker, Kerstin; Waterboer, Christina (Hrsg.): (2006) Altenpflege Konkret Pflegetheorie und -praxis, 2. Auflage Urban & Fischer Verlag, Elsevier GmbH, München
- 932 Mötzing, Gisela; Schwarz, Susanna (Hrsg.): (2010) Leitfaden Altenfpflege Urban & Fischer Verlag, Elsevier gmbH München
- 933 Irblich, Dieter; Stahl, Burkhard (Hrsg.): (2003) Menschen mit geistiger Behinderung, Hofgrefe-Verlag, Göttingen, Bern, Toronto, Seattle
- 934 Bartholomeycik, Sabine; Halek, Margareta: (2006) Die Effektivität von Validationstherapie bei herausforderndem Verhalten von Altenheimbewohnern - und Bewohnern mit Demenz - Eine Literaturanalyse nationaler und internationaler Forschungsarbeiten, IN: Tagungsband Wien, IBICURA, S. 212-213 download: www.ibicura.de/Tagungsband%20Wien.pdf
- 935 Berghoff, Ingrid: (1999) Förderpflege mit Dementen. Das Selbst- Erhaltungs- Therapie- Konzept (SET); Ullstein Medical Verlag, Wiesbaden
- 936 Romero, Barbara; Eder, G.: (1992) Selbst-Erhaltungs-Therapie (SET): Konzept einer neuropsychologischen Therapie bei Alzheimer Kranken. IN: Zeitschrift für Gerontopsychologie und Psychiatrie Jhrg. 5 (4) S. 267-282
- 937 Rüsseler, Jascha: (2009) Neuropsychologische Therapie: Grundlagen und Praxis der Behandlung kognitiver Störungen bei neurologischen Erkrankungen IN: Hasselhorn, Marcus; Heuer, Herbert; Rösler, Frank (Hrsg.) Kohlhammer Standards Psychologie, Kohlhammer Verlag ISBN: 3170201115
- 938 Nocon, M.; Roll, S.; Schwarzbach, C.; Vauth, C.; Greiner, W.; Willich, S.N.: (2010) Pflegerische Betreuungskonzepte bei Patienten mit Demenz Ein systematischer Review IN: Zeitschrift für Gerontologie und Geriatrie Jahrg. 43 (3), S. 183-189 DOI: 10.1007/s00391-010-0109-6
- 939 Woods, B.; Spector, A.; Jones, C.; Orrell, M.; Davies S.: (2005) Reminiscence therapy for dementia IN: Cochrane Database Syst Rev. Apr 18 (2):CD001120
- 940 Baines, S.; Saxby P.; Ehlert, K.: (1987) Reality orientation and reminiscence therapy. A controlled cross-over study of elderly confused people. IN: Br J Psychiatriy Jhrg. 151 (August) 222-231
- 941 Head, Donna Marie; Portnoy, Sara; Woods, Robert T.: (1990) The impact of reminiscence groups in two different settings IN: International Journal of Geriatric Psychiatry Jhrg 5(5), S. 295-302
- 942 Gurková, Elena; Ziková, Katarina; Cáp Juraj: (2011) Content Validiation of Hopelessness in Slovakia and Czech Republic IN: International Journal of Nursing Terminologies and Classifications Jhrg. 22 (1), S. 33-39
- 943 Rockenbauer, Sabrina: (2010) Tiergestützte Therapie mit Pferden bei Patienten mit emotionaler Instabilität Diplomarbeit, Universität Wien zur Erlanung des Magistra der Naturwissenschaften Download März 2011 othes.univie.ac.at/9529/1/2010-05-04_0401559.pdf
- 944 Vogel, Andrea: (2005) Lebensqualitätserhebung zur Bestimmung des Therapiebedarfs in der Brustkrebsnachsorge; Dissertation Universitätsklinikum Gießen und Marburg GmbH, Standort Marburg, Download März 2011 archiv.ub.uni-marburg.de/diss/z2007/0198/pdf/dav.pdf
- 945 Griffiths, A.N.: Makam, A.; Edwards, G.J.: (2006) Should we aktively screen for urinary and anal incontinence in the general gynecology outpatints setting? A prospective observational study, IN J Obsert Gynecol Jahrg. 26(5), S. 442-444
- 946 Dalton, Joanne: (1985) A descriptive Study: Defining caracteristics of the nursing Diagnosis cardiac output IN: Journal of Nursing Scholarship Jhrg. 17 (4), S. 113-117
- 947 Brandao, SM; Altino, DM; Silva Rde, C.; Lopes Jde, L: (2001) Defining characteristics of decreased cardiac output: a literature review. IN: Int Journal Nursing Terminol Classification Jhrg. 22(2), S.92-102

- 948 Martins, QC; Alit, G.; Rabelo, ER: (2010) Decreased cardiac output: clinical validation in patients with decompensated heart failure. IN: Int Journal Nursing Terminolo Classif, Jhrg. 21(4) 156-165
- 949 Goncalves Brandao, Sara Michelly; Altino, Denise Meira; de Cassia Gengo e Silva, Rita; de Lima Lopes, Juliana: (2011) Defining Characteristics of devreased Cardiac Output: A literature Review IN: International journal of Nursing Terminologies and Classifications Jhrg. 22(2), S. 92-102
- 950 De Souza, Vanessa; Salloum Zeitoun, Sandra; Bottura Leite de Barros, Alba Lucia: (2001) Decreased cardiac output: a systematic review of the defining characteristics IN: Acta Paul Enferm Jhrg. 24(1), S. 114-119
- 951 Zowislo, Andreas: Möglichkeiten des erweiterten hämodynamischen Monitoring, Vergleich von Pulmonalarterienkatheter und der PiCCO-Methode bei hämodynamisch instabilen Patienten IN Online-Journals http://www.zwai.net/pflege/Intensiv/Journal/Intensivmedizin/Erweitertes_haemodynamisches_Monitoring_-_PAK_vs_PiCCO/#4.2
- 952 Hunt, Sharon Ann; Abraham, William T.; Chin, Marschall H.; Feldman, Arthur M.; Francis, Gray S.; Ganiatis, Theodore G.; Jessup, Mariell; Konstam, Marvin A.; Mancini, Donna M.; Michl, Keith, Oates, John A., Rahko, Peter S.Silver, Marc A. Stevenson, Lynne Warner; Yancy, Clyde W.: (2005) ACC/AHA 2005 Guideline Update for the Diagnosis and Management of Chronic Heart Failure in the Adult A Report of the American College of Cardiology/American Heart Association Task Force on Practice Guidelines (Writing Committee to Update the 2001 Guidelines for the Evaluation and Management of Heart Failure), Developed in Collaboration With the American College of Chest Physicians and the International Society for Heart and Lung Transplantation Endorsed by the Heart Rhythm Society download März 2011 Http://circ.ahajournals.org/cgi/reprint/112/12/e154.pdf
- 953 Jessup, Mariell; Abraham, William T.; Feldman, Arthur M.; Casey, Donald E. Francis, Gray S.; Ganiatis, Theodore G.;Konstam, Marvin A.; Mancini, Donna M.; Rahko, Peter S.; Silver, Marc A.; Stevenson, Lynne Warner Yancy, Clyde W.: (2009) 2009 Focused Update: ACCF/AHA Guidlines for the Diagnosis and Managemtn of Heart Failure in Adults: A Report of the American College of Cardiogy Foundation/American Heart Association Task Force on Präctice Guidlines Developed in Calloboration With the International Society for Heart and Lunge Transplantation donload März 2010 http://content.onlinejacc.org/cgi/reprint/53/15/1343.pdf
- 954 DEGAM, Deutsche Gesellschaft für Allgemeinmedizin und Familienmedizin: (2006) Herzinsuffizienz, DEGAM Leitlinie Nr. 9 donload 2010 http://www.awmf.org/leitlinien/detail/ll/053-014.html
- 955 Crowther, Maryanne: (2010) Decresed Cardiac output IN: Ackley, Betty J.; Ladwig, Gail B. Nursing Diagnosis Handbook, An Evidence-Based Guide to Planing Care Interventions and rationales for Adult, Geriatrics, Mental Health, Pediatrics, Maternal/Cild Health, Multiculturak, and Client/Family Teaching and Discharge Planning, S. 197-208
- 956 DHL, Deutsche Hochdruckliga e.V. und Deutsche Hypertonie Gesellschaft: (2008) Leitlinie zur Behandlung der arteriellen Hypertonie, AWMF Registriert-Nr. 046/001, donload 2010 http://www.awmf.org/service-navigation/suche.html
- 957 Mancia G, De Backer G, Dominiczak A, Cifkova R, Fagard R, Germano G et al. (2007). 2007 Guidelines for the Management of Arterial Hypertension. J Hypertens 25:1105-1187
- 958 Hackam DG, Khan NA, Hemmelgarn BR, Rabkin SW, Touyz RM, Campbell NR, Padwal R, Campbell TS, Lindsay MP, Hill MD, Quinn RR, Mahon JL, Herman RJ, Schiffrin EL, Ruzicka M, Larochelle P, Feldman RD, Lebel M, Poirier L, Arnold JM, Moe GW, Howlett JG, Trudeau L, Bacon SL, Petrella RJ, Milot A, Stone JA, Drouin D, Boulanger JM, Sharma M, Hamet P, Fodor G, Dresser GK, Carruthers SG, Pylypchuk G, Burgess ED, Burns KD, Vallée M, Prasad GV, Gilbert RE, Leiter LA, Jones C, Ogilvie RI, Woo V, McFarlane PA, Hegele RA, Tobe SW: (2010) The 2010 Canadian Hypertension Education Program recommendations for the management of hypertension: part 2 - therapy. IN: Can J Cardiol, Jhrg. 26 (5) 249-258
- 959 Khan NA, Hemmelgarn B, Herman RJ, Rabkin SW, McAlister FA, Bell CM, Touyz RM, Padwal R, Leiter LA, Mahon JL, Hill MD, Larochelle P, Feldman RD, Schiffrin EL, Campbell NR, Arnold MO, Moe G, Campbell TS, Milot A, Stone JA, Jones C, Ogilvie RI, Hamet P, Fodor G, Carruthers G, Burns KD, Ruzicka M, dechamplain J, Pylypchuk G, Petrella R, Boulanger JM, Trudeau L, Hegele RA, Woo V, McFarlane P, Vallée M, Howlett J, Katzmarzyk P, Tobe S, Lewanczuk RZ; (2008) The 2008 Canadian Hypertension Education Program recommendations for the management of hypertension: part

2 - therapy, IN: Can J Cardio Jhrg. 24(6) 465-475

- 960 Abernethy A.P.; Uronis, H.E.; Wheeler, J.L.; Currow, D.C.: (2009) Management of dyspnea in patients with chronic obstructive pulmonary disease. IN: Wien Med Wochenschr. Jhrg 159 (23-24), S. 583-590
- 961 Seamark, David A.; Seamark, Clare J.; Halpin, David M.G.: (2007) Palliative care in chronic obstructive pulmonary disease: a review for clinicans, IN: Jorunal of the Royal Society of Medicine Jahrg. 100 (5), S. 225-233
- 962 Thomas, L.A.: (2009) Effective dyspnea management strategies identified by elders with end-stage chronic obstructive pulmonary disease. IN: Appl Nurs Res. Jahrg. 22(2) S. 79-85
- 963 John, G.; Bradley, M.D.; Kathy, A.; Davis, R.N: (2003) Orthostatic Hypotention IN: Physican Jahrg. 68(12), S. 2393-2399
- 964 Krassioukov, Andrei; Eng, Janice J.; Warburton, Darren E.; Teasell, Robert: (2009) A systematic Review of the Management of orthostatic hypotension after Spinal cord injury IN: Arch Phys Med Rehabil Jhrg. 90(5) S. 876-884
- 967 Bolanz, Hanjo, Oßwald, Petra, Ritsert, Hildegard (2007): Pflege in der Kardiologie/ Kardiochirurgie. Elsevier, Urban & Fischer Verlag
- 968 Haasenritter, Jörg (2005): Diplomarbeit. Pflegerische Assessmentinstrumente bei Herzinsuffizienz- Instrumente zur Selbspflege und Compliance bei Patienten mit Herzinsuffizienz. Fachhochschule Frankfurt am Main, Fachbereich Soziale Arbeit und Gesundheit.Frankfurt am Main
- 969 Galper, Benjamin Z.; Stant, Jennifer; Reilly, Mireya; Walter, Sondra; Collins, Michael; Sayan, Osman; Neuberg, Gerald; Miller, Leslie; Moses, Jeffery W.; Stone, Gregg W.; Giglio, James; Rabbani, LeRoy E: (2011) Updating the Ches Pain Algorithm Incorporationg new evidence on emerging antiplatelet agents IN: Critical Pathways in Cardiology Jhrg. 10(1), S. 9-16
- 970 Klemm, Sebastian (2007): Einfluss des Grades der Anstrengung auf die Gehstrecke im sechs-Minuten-Gehtest. Heruntergeladen am 03.05.2011 von http://geb.uni-giessen.de/geb/volltexte/2007/5085/pdf/KlemmSebastian-2007-11-02.pdf
- 971 Marshall, Shane, Ruedy, John (2007): Rufbereit im Nachtdienst. Elsevier, Urban & Fischer Verlag
- 972 Speksnijder, Herma T.; Mank, Arno P.; Van Achterberg, Theo: (2011) Nursing Diagnoses (NANDA-I in Hematology-Oncology: A Delphi-Study IN: International Jounal of Nursing Terminologies and Classifications Jhrg. 22 (2) S. 77-91
- 973 Kasper, DL., Braunwald, E., Hauser, S. et al: Harrison´s principles of internal medicine, ed16, New York, 2005, McGraw-Hill
- 974 Jessup, M.; Abraham, WT., Casey, DE et al: 2009 focused update: ACCF/AHA guidelines for the diagnosis and management of heart failure in adults: a report of the American College of Cardiology Foundation/ American Heart Task Force on Practice Guidelines: developed in collaboration with the International Society for Heart and Lung Transplantation, Circulation 11 (14): 1977-2016, 2009
- 975 Fauci, A., Braunwald, E., Kasper, DL et al: Harrison´s principles of internal medicine, ed 17, New York, 2008, McGraw-Hill
- 976 Amarigini SV, Lees TA: Elastic compression stockings for prevention of deep vein thrombosis, Cochrane Database Syst Rev (3): CD001484, 2005
- 977 Chung ML, Moser DK, Lennie TA et al: Gender differences in adherence to the sodium-restricted diet in patients with heart failure, J Card Fail 12 (8): 628-634
- 978 Hogan, E., Hornick, B., Bouchoux A., Communicating the message: clarifying the controversies about coffeine, Nutr Today 37 (1):28, 2002.
- 979 Rees K., Taylor RS, Singh S et al: Exercise based rehabilitation for heart failure, Chochrane Database Syst Rev (3):CD003331, 2004
- 980 Fuster V, Alexander RW, O´Rourke RA et al: Hurst´s the heart, ed 11 vol 2, New York, 2005, Mc Graw Hill
- 981 Yu DS, Lee DT, Woo J et al: Non-pharmacological interventions in older people with heart failure: effects of exercise training and relaxation therapy, Gerontology 53 (2): 74-81, 2007
- 982 Motohiro M, Yuasa F, Hattori T et al: Cardiovascular adaptions to exercise training after uncomplicated acute myocardial infarction, Am J Phys Med Rehabil 84 (9): 684-402, 2007
- 983 Thomas, K.A.: (1992)The emergenxe of body temperature biorhythm in preterm infants. IN: Nursing Reserche Jhrg. 40(2) S. 98-102
- 984 de Lauzon B.,Romon, M. et al (2004): The three-factor questionnaire-is able to di-

stinguish among different eating patterns in a general population. American Society for Nutritional Sciences

- 985 Framson C., Kristal AR, Schenk J. et al (2009): Development and validation of the mindful eating questionnaire. Journal Am Diet Assoc 109 (8): 1439-144
- 986 Aspects, M & Populations, M.: A Broad-spectrum Look at Catheter-Related Bloodstream Infection. In: Journal of Infusion Nursing 32, 2/2009, S. 80-86
- 987 Pschyrembel, W.: Klinisches Wörterbuch. Berlin, New York: Walter de Gruyter, 1986.
- 988 Hendry, C.; Farley, A.H.: (2001) Understanding allergies and their treatments IN: Nursing Standards, Jhrg. 15(35), S. 47-53
- 989 Mummendey, A.; Otten, S. : Aggressives Verhalten. In: Stroebe, W.; Jonas, K.; Hewstone, M. (Hrsg.): Sozialpsychologie. Eine Einführung. 4. Auflage. Heidelberg 2003. S. 353-380
- 990 Berkowitz, L.: (1994). Is something missing? Some observations prompted by the cognitive-neoassociationist view of anger and emotional aggression. In L. R. Huesmann (Ed.), Aggressive behaviour. Current perspectives (S. 35-57). New York: Plenum.
- 991 Petermann, Franz; Petermann, Ulrike: (1991) Training mit aggressiven Kindern. Einzeltraining, Kindergruppen, Elternberatung, Beltz Verlag Weinheim
- 992 Steiner, Jürgen: (2008) Sprachabbau bei beginnender Demenz: Bausteine für eine heilpädagogische-logopädische Diagnostik IN: Forum Logopädie Jhrg. 22 (6), S. 14-21
- 993 Wright ND, Groisman-Perelstein AE, Wylie-Rosett et al (2011): A lifestyle assessment and intervention tool for pediatric weight management: the HABITS questionnaire. Journal Hum Nutr Diet. 24 (1): 96-100
- 994 American Dental Association (ADA): Cleaning your teeth and gums, 2009, www.ada.org/public/topics/alpha.asp. Accessed July 1, 2009.
- 995 Slavin JL (2008): Position of the American Dietetic Association: health implications of dietry fiver. J Am Diet Assoc 108 (10): 1716-1731
- 996 Williams PG, Grafenauer SJ, O´Shea JE (2008): Cereals grains, legumes and weight management: a comprehensive review of scientific evidence, Nutr Rev 66 (4):171-182
- 997 Dudek, SG (2007): Nutrition essentials for nursing practice, 5th edition. Philadelphia: W.B. Saunders
- 998 Whitney, E.N., Cataldo, C.B. (1991): Understanding normal and clinical nutrition. 3rd edition. St. Paul, MN: West Publishing
- 999 Bowers, S. (1999): Nutrition support for malnourished, acutely ill adults. Medsurg Nursing 8 (3), 145-146
- 1000 Deutsche Gesellschaft für Ernährung e.v. (DGE). Ernährungsbericht 2008. Bonn
- 1001 Stein J, Jauch KW (2003): Praxishandbuch klinische Ernährung und Infusionstherapie. Springer Verlag
- 1002 Oliva Ap, Monteiro da Cruz Dde A (2003): Decreased cardiac output:validation with postoperative heart surgery patients, Dimens Crit Care Nurs 22 (1): 39-44
- 1007 Ettema, T.P; Hensen, E.; Lange, J.DE; Diöes, R.M; Mellenbergh, G.J.; Ribbe M.W.: (2007) Self report on quality of life in dementia with modified COOp/WONCA charts Aging Mental Health Jhrg. 11(6), S. 734-742
- 1008 Thorgrimsen, L., Selwood, A., Spector, A., Royan, L., de Madariaga, L.M,. Woods, R.T.; Orrell M.: (2003) Whose quality of life is it anyway? The validity and reliability of the Quality of Life-Alzheimer's Disease (QoL-AD) scale. Alzheimer Dis.Assoc.Disord Jhrg. 17(4), 201-208.
- 1009 Teruo Matsuia, Shutaro Nakaakia, Yoshie Murataa, Junko Satob, Yoshihiro Shinagawaa, Hiroshi Tatsumic, Toshiaki A. Furukawaa: (2006) Determinants of the Quality of Life in Alzheimer's Disease Patients as Assessed by the Japanese Version of the Quality of Life – Alzheimer's Disease Scale IN: Dementia and Geriatric Cognitive Disorders Jhrg. 21(3) S. 182-1991
- 1010 Schölzel-Dorenbos CJ, Ettema TP, Bos J, Boelens-van der Knoop E, Gerritsen DL, Hoogeveen F, de Lange J, Meihuizen L, Dröes RM.L: (2007) Evaluating the outcome of interventions on quality of life in dementia: selection of the appropriate scale. IN: Int Journal Geriatric Psychiatry Jhrg. 22 (6), S. 511-519
- 1011 MDS Medizinischer Dienst des Spitzenverbandes Bund der Krankenkassen e.V. (Hrsg.): (2009) Grundsatzstellungnahme Pflege und Betreuung von Menschen mit Demenz in stationären Einrichtungen, download: www.mds-ev.de
- 1012 Cook, D; Meade, M; Guyatt G. et al.: (2000) Criteria for Weaning from Mechanical Ventilation. Evidence Reports/Technology Assessments, No. 23
- 1013 Wallner SJ, Bahadoro B, Krejs GJ, Lahousent T, Steinberger I (2001): Adipositastherapie: Nahrung als Intervention. Journal für Ernährungsmedizin 3 (4). Ausgabe für

Österreich 11-16

- 1014 Arbeitsgemeinschaft Adipositas im Kinder- und Jugendalter (2009): Evidenzbasierte Leitlinien der AGA und der beteiligten medizinische-wissenschaftlichen Fachgesellschaften, Berufsverbände und weiterer Organisationen, Therapie der Adipositas im Kindes- und Jugendalter. Heruntergeladen am 13.5.2011 um 11:39 MEZ von http://www.adipositas-gesellschaft.de/daten/Leitlinie-AGA-S3-2009.pdf
- 1015 Oates RK (1973): Infant-Feeding Practices. Br Med Journal 2:762
- 1016 Wright CM, Cameron K, Tsiaka M, Parkinson KN (2011): Is baby-led weaning feasible? When do babies first reach out for and eat finger foods? Maternal and Child Nutrition, Volume 7, Issue 1, pages 27-33, 2011
- 1017 Cohen RJ, Brown KH, Dewey KG, Canahuati J, Landa Rivera L (1994): Effects of age of introduction of complementary foods on infant breast milk intake, total energy intake and growth: a randomised intervention study in Honduras. The Lancet, Volume 344, Issues 8918, pages 288-293. 1994
- 1018 Public Health Group, Victorian Deparment of Human Services Melbourne (2011): Introduction of solids. Heruntergeladen am 13.05.2011 von http://www.health.vic.gov.au/nutrition/downloads/tipsheets/solids.pdf
- 1019 Mensink GBM, Richter A, Vohmann C et al. (2007): EsKiMo Das Ernährungsmodil des Kinder- und Jugendsurveys (KiGGS). Ernährung (1) 2007, S 225-229. Springer Gesundheits- und Pharmazieverlag
- 1020 Krems C, Bauch A, Götz A et al. (2006): Methoden der Nationalen Verzehrsstudie II. Ernährungs- Umschau 53, Heft 2
- 1021 Deutsche Gesellschaft für Ernährung e.V. (DGE). Ernährungsbericht 2000. Frankfurt/Main, 2000
- 1022 Arbeitsgemeinschaft Ernährungsverhalten e.V. (AGEV): Auswirkungen des Ernährungsverhaltens auf die Gesundheitssituation von Erwachsenen. Heruntergeladen am 17.05.2011 von http://www.agev.net/wissenswertes/ev/auswirkungen/erwachsene.htm
- 1023 Kersting, M. (2001): Ernährung des gesunden Säuglings. Lebensmittel- und mahlzeitenbezogene Empfehlungen. Monatszeitschrift Kinderheilkunde, 149 (1) 4-10
- 1024 Breunig, U (2008): Metabolic Balance- Individueller Ernährungsplan zur Stoffwechsel- und Gewichtsregulierung. Natur und Heilen (6) 2008
- 1025 Bickley LS, Szilagyi P: Guide to physical examination, ed 10, Philadelphia, 2009, Lippincott
- 1026 Han J, Zhu Y, Li S et al: The language of medically unexplanined dyspnea, Chest 133 (4):961-968, 2008
- 1027 Clark AP, Guiliano K. Chen HM: Pulse oximetry revised, Clin Nurse Spec 20 (6) 268-272, 2006
- 1028 Fletscher, K: Immobility: Geriatric self-learning module, Medsurg Nurs 14 (1): 35, 2005
- 1029 Langer D, Hendriks E, Burtin C et al: A clinical practice guideline for physiotherapists treating patients with obstructive pulmonary disease based on a systematic review of available evidence, Clinc Rehabil 23 (5):445-462, 2009.
- 1030 Thomas, L: Effective dyspnea management strategies identified by elders with end-stage chronic obstructive pulmonary disease, Appl Nurs Res 22 (2):79-85, 2009
- 1031 Hans-Dieter Schneider: (1992) Ältere Menschen und ihre Sexualität unter besonderer Berücksihtigung der Situation im Krankenhaus und Altenheim IN: Deutshce Krankenpflege-Zeitschrift Jahrg. 45 (3), S. 166-169
- 1032 Lehto, Rebecca Helen; Stein, Karen, Farchaus: (2009) Death Anxiety: An Analysisis of Evolving Concepts IN: Research and Theory for Nursing Practice, Jhrg. 23 (1), S. 23-41
- 1033 Glaus, A., Müller, S .: Messung der Müdigkeit bei Krebskranken im Deutschen Sprachraum: Die Entwicklung des Fatigue Assessment Questionnaires; IN: Pflege 2001; 14: 161-170
- 1034 Glaus, A.; Frei, I.A.; et al. : Was Krebskranke von den Informationen über Fatigue halten: Eine Beurteilung durch Patienten in der Schweiz und in England; IN: Pflege 2002; 15: 187-194
- 1035 Masaracchia, Regina: Stillen bei Lippen-, Kiefer-, Gaumenspalte, http://www.urbia.de/magazin/baby/stillen-und-ernaehrung/stillen-bei-lippen-kiefer-gaumenspalte, Download: 17.2.2012
- 1036 Universitätsklinikum Freiburg: Lippen-Kiefer-Gaumenspalte, http://www.uniklinik-freiburg.de/mkg/modules/2pdf/create/mkg/live/aesthetischeChirurgie/lkg, Download: 17.2.2012

- 1037 Honigmann, Philipp (2005): Auswertung der Ergebnisse nach einseitiger Lippenspalten-Operation, Dissertation an der Medizinischen Fakultät der Universität Basel, http://edoc.unibas.ch/290/1/DissB_7257.pdf, Download: 17.2.2012
- 1038 Stillen bei Spalte.org: Stillen bei Spalte, http://www.stillenbeispalte.org/de/problematik/index.html, Download: 17.2.2012
- 1039 Arbeitsgemeinschaft freier Stillgruppen Bundesverband e.V. (2011): Richtig Stillen, http://www.afs-stillen.de/upload/faltblaetter/FB richtig stillen.PDF, Download: 17.2.2012
- 1040 Schwenzer-Zimmerer: Interview mit der international bekannten auf Spalten spezialisierten Stillberaterin Frau Regina Masaracchia, http://www.lkg-spalte.ch/images/stories/PDF/Schwenzer-Interview.pdf, Download: 17.2.2012
- 1041 Neumann, Sandra (2003): Sprachentwicklung Ihres Kindes, Vereinigung der Eltern von Spaltkindern, http://www.lkg-spalte.ch/index.php?option=com_content&view=article&id=72:sprachentwicklung-ihres-kindes&catid=12:fachartikel&Itemid=23, Download: 21.2.2012.
- 1042 AWMF (2010) : Leitlinie der Deutsche Gesellschaft für Phoniatrie und Pädaudiologie: Näseln, Gaumenspaltensprache, http://www.awmf.org/uploads/tx_szleitlinien/049-001_S1_Naeseln_-_Gaumenspaltensprache_03-2005_03-2010_in_ueberarbeitung_01.pdf, Download: 21.2.2012.
- 1043 AWMF (2010): Leitlinie der Deutschen Gesellschaft für Mund-, Kiefer- und Gesichtschirurgie. Einseitige Lippen-Kiefer-Gaumen-Spalten, http://www.awmf.org/uploads/tx_szleitlinien/007-038_S2k_Einseitige_Lippen-Kiefer-Gaumen-Spalten_07-2010_07-2015.pdf, Download: 21.2.2012.
- 1044 WHO (2011): International Collaboration Research in Craniofacial anomalies (IDCFA), http://www.who.int/genomics/anomalies/cfadabase/en/index.html, Download: 21.2.2012.
- 1045 Lippen-Kiefer-Gaumenspalten-Zentrum der Universität Erlangen: Elternratgeber Lippen-Kiefer-Gaumenspalte, http://www.uk-erlangen.de/e1768/e2284/e2291/inhalt6048/LGK.pdf, Download: 21.2.2012.
- 1046 Zentrum für LKG-Spalte der Universität Zürich (2011): ANP Cranio LKG-Projekt, http://www.kispi.uzh.ch/Kinderspital/Chirurgie/Chirurgie-1/LKG/PflegeteamANP/ANPProjekt.html, Download: 21.2.2012.
- 1047 Uniklinik Freiburg: Lippen-Kiefer-Gaumenspalten, http://www.uniklinik-freiburg.de/mkg/modules/2pdf/create/mkg/live/aesthetischeChirurgie/lkg, Download: 21.2.2012.
- 1048 Ullmann-Bremi, Andrea; Spirig, Rebecca; Gehring, Thomas M; Gobet, Rita (2004): Die Arbeit mit Familien von Kindern mit Lippen-Kiefer-Gaumenspalte: Erste Ergebnisse betreffend Evaluation eines Praxisprojektes aus dem Kinderspital Zürich, in: Pflege 2004, 17, S. 243-251.
- 1049 Sieber, Mirjam; Ullmann-Bremi, Andreas; Baenziger, Oskar; Spirig, Rebecca (2008): Trotz Akzeptanz bleibt die Herausforderung - Wie Mütter eines Neugeborenen mit der "Spalte" den Übergang vom Spital nach Hause erfahren, in Pflege: 2008, 21, S. 299-307.
- 1050 Gehring Britta: (2009) LiN (Lagerung in Neutralstellung) - Eine sinnvolle Alternative zur herkömmlichen Lagerung? Facharbeit im Rahmen der Weiterbldung Intensivpflege und Anästhesie Kurs 2008/20010 am cekib - Centrum für Kommunikation Information Bildung Klinikum Nürnberg download http://www.lin-arge.de/system/start_www.php?public=p4002&nav=n7 17.02.2012
- 1051 Pickenbrocke, Heidrun: (2005) Das Bobath-Konzept heute IV-8.7 IN: Meyer, G.; Lange, R.; Friesacher, H. (Hrsg.) Handbuch der Intensivpflege. Ein Lehr- und Arbeitsbuch für Mitarbeiter auf Intensivstation (Vol. 19 Erg. Lfg. 11/05), Ecomed Medizin Verlag
- 1052 Strobl, W.: (2003) Sitzen und Sitzbehelfsversorgung bei neuromuskulären Skoliosen download http://www.motio.org/de/publikationen-und-vortraege
- 1053 Schmidt, Heike; Hartnick, Angelika: Ein Bauchtuch verbessert die Rumpfstabilität IN: Die Schwester/der Pfleger 47 Jahrg. 05 2008 S. 32-33
- 1054 Wolpert, Harry: (2012) Lagerung in Neutralstellung - LiN IN: Schmidt, Ralf; Thiele, Heike, Leibig, Armin (Hrsg.) Pflege in der Rehabilitation Medizinische Rehabilitation und Pflegeintervention, Kohlhammer Verlag Seite 44-49
- 1055 Sailer, Michael: (2012) Kinaesthetics in der Pflege IN: Schmidt, Ralf; Thiele, Heike;Leibig Armin (Hersg.) Pflegein der Rehabilitation Medizinische Rehabilitation und Pflegeintervention, Seite 49-63
- 1056 Pickenbrock, Heidrun: (2003) Lagern Eine Übersicht über lang Bewährtes und neue Entwicklungen (Teil I) IN: Magazin Stoma und Inkontinenz, Jhrg. 32 (8) S. 31-33

- 1057 Pickenbrock, Heidrun: (2003) Lagerung in Neutralstellung Praktisches Vorgehen am Beispiel einer geriatrischen Patientin IN: Magazin Stoma und Inkontinenz Jahrg. 33 (12) S. 9-13
- 1058 Hartnick, Angela: (2006) Lagerung in Neutralstellung (LiN) Halt und Beweglichkeit für neurologische Patienten IN: Die Schwester der Pfleger Jahrg. 45 (9) S. 39-44
- 1059 Wolpert, Harry; Keller, Ina Ree: (2007) Lagerung in Neutralstellung - LiN IN: Intensivpflege Jahrg 15 S. 230-233
- 1060 Salcido, R: (2006) Patient turning shedules: why and how often? Adv Skin Wound Care 17 Jahrg (4 pt 1), S. 156 ff
- 1061 Emick-Herring, Brenda: (2001) Impaired bed Mobility IN: Ackley, Betty J., Landwig, Gail B. Nursing Diagnosisi Handbook an Evidence-Based Guide to Planing care, ninth edition, S. 542-548
- 1062 Becker, Heidrun: (2009) Entwurf einer Theorie des körper- und leibbezogenenen Lernens am Beispiel von Therapieansätzen aus der Ergotherapie und Physiotherapie, Dissertation zur Erlangung des akademischen Grades Dr. phil. im Fach Erziehungswissenschaft, Humbold-Universität in Berlin
- 1063 Herz, Verena: (2003) Pflege ohne Rückmeldung? - wie kann individuelle Pflege bei Patienten mit Schädelhirntrauma stattfinden? Facharbeit an der Schule für allgemeine Gesundheits- und Krankenpflege im Rudolfinerhaus, Billrothstr. 78 Wien, download http://www.rudolfinerhaus.at/fileadmin/media/5_Pflegebildung/Schule/FBA/herz_verena_03.pdf
- 1064 Affolter, F.; Wischofberger, W.; Fischer, L.; Hoffmann, W.; Linzmeier,S.; Ott-Schindele,R.; Peschke, V.; Stöhr, S.; Strathoff, S.; Trares, M.: (2009) Erfassung der Wirksamkeit gespürter Interaktionstherapie bei der Behandung erworbener Hirnschädigung IN: Neuro Rehabil 15. Jhrg. (1) 12-17
- 1065 Mahr, Esther; Todt, Andrea: (2001) Geführte Interaktionstherapie nach dem Affolter-Modell bei Shädigungen des ZNS IN: Fachzeitschrift für Beschfäftigungs- und Arbeitstherapie 24. Jahrg. (2) S. 79-80
- 1066 Becker, Heidrun: (2009) Entwurf einer Theorie des körper- und leibbezogenenen Lernens am Beispiel von Therapieansätzen aus der Ergotherapie und Physiotherapie, Dissertation zur Erlanung des akademischen Grades Dr. phil. im Fach Erziehungswissenschaft an der Humbold-Universität in Berlin
- 1067 Söll, Jürgen: (2007) Affolter-Modell in kleinen Schritten zum Ziel IN: Die Schwester der Pfleger 46 Jhrg. (6), S. 1-4
- 1068 Affolter, F.: (1985) The development of perceptual processes an problem-solving in normal, hearing impaired and language-disturbed children. IN: Martin D.S. (Hrsg.). Cognition, education and deafness. Directions for research and instruction. Waschington -DC: Gaullet College Press
- 1069 Affolter, Félicie: (1981) Perceptual processes as prerequistes for complex human behavior IN: Int Rehabil Med. 3. Jhrg. (1), S. 3-10
- 1070 Affolter, F.: (1990) Wahrnehmung, Wirklichkeit und Sprache. Villingen-Schwenningen: Neckar Verlag, 4 unveränderte Auflage
- 1071 Affolter, F.; Bischofberger, W.: (1998) Outcomes of two different intervention programms, nonverbal tactual interaction in daily activities and visual- auditory training procedures in two autistic children: A longitudinal study, Posterbbeitrag der XV Biennal ISSBED Meetings. Bern
- 1072 Hofer, Adrian: (2009) Das Affolter-Modell Entwicklungsmodell und gespürte Interaktionstherapie Richard Pflaum Verlag GmbH & Co.KG München, Bad Kissingen, Berlin, Düsseldorf, Heidelberg
- 1073 Haus, Karl-Michael: (2010) Neurophysiologische Behandlung bei Erwachsenen, 2. Auflage, Springer-Verlag GmbH, Berlin Heidelberg
- 1074 Perfetti, Carlo: (2008) Der hemiplegische Patient kognitiv-therapeutische Übungen 2. Auflage, Pflaumverlag Physiotherapie München
- 1075 Student, Johann-Christoph; Napiwotzky, Annedore: (2011) Palliative Care wahrnehmen - verstehen - schützen 2. Aufl. Thieme Verlag
- 1076 Bienstein, C.; Fröhlich, A.: (2010) Basale Stimulation in der Pflege - die Grundlagen. Hans Huber Verlag Bern
- 1077 Hojdeger, René; Faust, Anna Margarethe: (2004) Homunculus-Pflegetherapie taktil-haptisch und facio-oral, Springer Verlag Wien, New York
- 1078 Nydahl, Peter (Hrsg.): (2011) Wachkoma Betreuung, Pflege und Förderung eines Menschen im Wachkoma 3. Auflage, Urban und Fischer Verlag, München
- 1079 Todeschini, Alexandra; Weißensteiner, Marlene: (2009) Pflegekonzepte bei Men-

schen mit Körperwahrnehmungsstörungen, Fachbereichsarbeit zur Erlanung des Diploms für den gehobenen Dienst für Gesundheits- und Krankenpflege, an der Schule für Gesundheits- und Krankenpflege des Ausbildungszentrums West Innsbruck download März 2012 http://www.lin-arge.de/Pflegekonzepte%20bei%20Patienten%20mit%20 K%F6rperwahrnehmungsst%F6rungen.pdf

- 1080 Neubauer, Katharina Maria: (2009) Waschkoma - eine Einbahnstraße? Pflegetherapeutische Maßnahmen mit dem Schwerpunkt faci-oraler Gesichtstrakt, Facharbeit im Rahen der Diplomprüfung an der Schule für allgemeine Gesundheits- und Krankenpflege am Landeskrankenhaus - Universitätsklinikum Graz, download März 2012 http://www.wachkoma-graz.at/site/wp-content/uploads/wachkoma_eine_einbahnstrasse1.pdf
- 1081 Poier, Birgit: (2003) Neurorehabilitation Die Pflege als "Drehscheibe" in einem multiprofessionellen Handlungsfeld unter dem Motto "Hilfe zur Selbsthilfe", IN: Österreichische Pflegezeitschrift (3), S. 9 - 14
- 1082 Zufütterung von gesunden, gestillten Neugeborenen; Empfehlung der Nationalen Stillkommission vom 10. September 2001, www.bfr.bund.de/cm/207/zufuetterung_von_gesunden_gestillten_saeuglingen.pdf
- 1083 Alfred Dilch, Doris Teufel: (2010) Zufütterung bei gesunden, gestillten Neubeborenen IN: Päsiatirie & Pädologie (6) 2010, Springer Verlag, download: http://www.springermedizin.at/artikel/20445-zufuetterung-bei-gesunden-gestillten-neugeborenen?printit=1
- 1084 Dewey, K.G.: (2001) Maternal and fetal stress are associated with impaired lactogenesis in humans. IN: Journal of Nutrition, 131(11), S. 3012-15
- 1085 Hill, P.D.; Aldag, J.C.;Chatterton, R.T.; Zinaman, M.: (2005) Psychological distress and milk volume in lactating mothers. IN: Western Journal of Nursing Research, 27 (6), 676-693 und 694-700
- 1086 Keren R., Luan X., Friedman S., Saddlemire S., Canna A., Bhutani V.K.: (2008) A comparison of alternative risk-assessment strategies for predicting significant neonatal hyperbilirubinemia in term and near-term infants. IN: Pädiatrics 121 (1), S. 170-179
- 1087 Watson R.L.: (2009) Hyperbilirubinemia IN: Crit Care Nurs Clin North am. Jg. 21 (1) 97-120
- 1088 American Academy of Pediatrics: Management of Hyperbilirubinemia in the Newborn Infant 35 or More Weeks of Gestation. In: Pediatrics 2004, S. 114-297.
- 1089 Maisels M.J: (2009) Neonatal hyperbilirubinemia and kernicterus- not gone but somitimes forgotten. IN: Early Hum Dev. Jhg. 85 (11) 727-732
- 1090 Maisels M.J.: (2010) Screening and early postnatal management strategies to prevent hazardous hyperbilirubinemia in newborns of 35 or more weeks of gestation IN: Semin Fetal Neonatal Med. Jhg. 15(3) S. 129-135
- 1091 Lease M.; Whalen B.: (2010) Assessing jaundice in infants of 35-week gestation and greater IN: Corr Opin Pediatr Jhg. 22 (3), S. 352-365
- 1092 Seidman DS, Moise J, Ergaz Z, et al. (2000) A new blue light-emitting phototherapy device: a prospective randomized controlled study. J Pediatr 136:771-4.
- 1093 Maisels MJ, Kring EA, DeRidder J.: (2007) Randomized controlled trial of light-emitting diode photother-apy. J Perinatol J27:565-7
- 1094 Maisels MJ, Gifford K .:(1986) Normal serum bilirubin levels in the newborn and the effect of breast-feeding. Pediatrics 78:837-43
- 1095 AWMF (Arbeitsgemeinschaft der Wissenschaftlichen Medizinischen Fachgesellschaften) letzte Aktualisierung 2010: Leitlinie der Gesellschaft für Neonatologie und Pädiatrischer Intensivmedizin: download Dez. 2011 http://www.awmf.org/uploads/tx_szleitlinien/024-007l_S2k_Hyperbilirubinaemie_des_Neugeborenen.pdf
- 1096 Maisels MJ, Newman TB.: (1995) Kernicterus in otherwise healthy, breast-fed term newborns. Pediatrics.96 :730– 733
- 1097 Bertini G, Dani C, Trochin M, Rubaltelli F. Is breastfeeding really favoring early neonatal jaundice? Pediatrics.2001;107(3)
- 1098 Butler DA, MacMillan JP. Relationship of breast feeding and weight loss to jaundice in the newborn period: review of the literature and results of a study. Cleve Clin Q.1983;50 :263– 268
- 1099 Kidney Disease Outcomes Quality Initiative (KDOQI): Clinical Practice Guidelines for Chronic Kidney Disease: Evaluation, Classification, and Stratification. American Journal of Kidney Diseases, 2002 Feb;39 (2, Sup), http://www.kidney.org/professionals/kdoqi/guidelines_ckd/toc.htm, Download: 26.3.2012
- 1100 Hemmelgarn BR et al. : Relation Between Kidney Function, Proteinuria, and Adverse Outcomes. In: JAMA. Nr. Feb 3; 303(5), 2010, S. 423-429, http://jama.ama-assn.org/content/303/5/423.full, Download: 26.3.2012.

- 1101 Eckardt K-U, Berns J S, Rocco M V, Kasiske B L : Definition and Classification of CKD: The Debate Should Be About Patient Prognosis- A Position Statement From KDOQI and KDIGO. In: American Journal of Kidney Diseases: The Official Journal of the National Kidney Foundation. 53, Nr. 6, 2009-06, S. 915-920. http://www.ajkd.org/article/PIIS0272638609006052/fulltext, Download: 26.3.2012.
- 1102 Wenzel U O et. al : My Doctor Said I Should Drink a Lot! Recommendations for Fluid Intake in Patients with Chronic Kidney Disease. In: Clin J Am Soc Nephrol. Nr. 1, 2006, S. 344-346, http://cjasn.asnjournals.org/content/1/2/344.full, Download: 7.3.2012.
- 1103 Manjula Kurella Tamura, Virginia Wadley, et al. : Kidney function and cognitive impairment in US adults: the Reasons for Geographic and Racial Differences in Stroke (REGARDS) Study. In: American Journal of Kidney Diseases: The Official Journal of the National Kidney Foundation. 52, Nr. 2, 2008-08, S. 227-34., http://www.ajkd.org/article/S0272-6386%2808%2900877-9/fulltext#sec2, Download: 7.3.2012.
- 1104 Matthew T James, et al. : CKD and risk of hospitalization and death with pneumonia. In: American Journal of Kidney Diseases: The Official Journal of the National Kidney Foundation. 54, Nr. 1, 2009-07, S. 24-32., http://www.ajkd.org/article/S0272-6386%2809%2900635-0/fulltext, Download: 7.3.2012.
- 1105 Lawrence J Appel, et al. : Intensive blood-pressure control in hypertensive chronic kidney disease. In: The New England Journal of Medicine. 363, Nr. 10, 2010-09-02, S. 918-929., http://www.nejm.org/doi/full/10.1056/NEJMoa0910975, Download: 7.3.2012.
- 1106 Bruno Cianciaruso, et al .: Effect of a low- versus moderate-protein diet on progression of CKD: follow-up of a randomized controlled trial. In: American Journal of Kidney Diseases: The Official Journal of the National Kidney Foundation. 54, Nr. 6, 2009-12, S. 1052-1061., http://www.ajkd.org/article/S0272-6386%2809%2901078-6/fulltext, Download: 8.3.2012.
- 1107 Kidney Disease Outcomes Quality Initiative (KDOQI) : Clinical Practice Guidelines for Bone Metabolism and Disease, in: Chronic Kidney Disease American Journal of Kidney Diseases, 2003: 42 Supplement 3, http://www.kidney.org/professionals/KDOQI/guidelines_bone/index.htm, Download: 8.3.2012.
- 1108 Kidney Disease Outcomes Quality Initiative (KDOQI) : Clinical Practice Guidelines and Clinical Practice Recommendations for Anemia in Chronic Kidney Disease American Journal of Kidney Diseases, 2006: 47 Supplement S3, http://www.kidney.org/professionals/KDOQI/guidelines_anemia/index.htm, Download: 8.3.2012.
- 1109 Kidney Disease Outcomes Quality Initiative (KDOQI) : NKF KDOQI GUIDELINES: Clinical Practice Guidelines and Clinical Practice Recommendations, 2006 Updates, Hemodialysis Adequacy, Peritoneal Dialysis Adequacy, Vascular Access American Journal of Kidney Diseases, 2006: 48 Supplement S1, http://www.kidney.org/professionals/KDOQI/guideline_upHD_PD_VA/index.htm, Download: 9.3.2012.
- 1110 Kasiske B L, Zeier M G et al. : KDIGO clinical practice guideline for the care of kidney transplant recipients. In: American Journal of Transplantation: Official Journal of the American Society of Transplantation and the American Society of Transplant Surgeons. 9 Suppl 3, 2009-11, S. S1-155., http://www.kdigo.org/clinical_practice_guidelines/pdf/TxpGL_publVersion.pdf, Download: 9.3.2012.
- 1111 Gabriela Schmid-Mohler, Thomas Albiez, Petra Schäfer-Keller, Thomas Fehr, Beatrice Biotti, Rebecca Spirig : Patientenedukation während des stationären Aufenthalts nach Nierentransplantation, Pflege 2011; 24 (5): 317-328 .
- 1112 Dietmar Wiederhold, Gero Langer, Margarete Landenberger : „Was kann ich noch tun, was darf ich noch tun?“ Das ambivalente Erleben und der Schulungsbedarf von Patienten in der Frühphase nach einer Nierentransplantation, in Pflege 2009, 22, 329-339 .
- 1113 Michael Kleinknecht, Thomas J. Neuhaus, Thomas M. Gehring, Markus A. Landolt : Die Beziehung zum interdisziplinären Behandlungsteam aus Sicht nierentransplantierter Jugendlicher, in: Pflege, 2009, 22, 287-296.
- 1114 Michael Kleinknecht, Thomas J. Neuhaus, Thomas M. Gehring, Markus A. Landolt : Pflegebedürfnisse nierentransplantierter Jugendlicher: eine deskriptive Querschnittstudie in einem Schweizer Spital, in: Pflege 2009, 22, 172-182.
- 1115 Salter, M.: (1998) Körperbild und Körperbildstörung. Bern: Hans Huber Verlag
- 1116 Strauß, B., Richter-Appelt, H.: (1996) Fragebogen zur Beurteilungd es eigenen Körpers (FBeK) Göttingen: Hofrefe Verlag
- 1117 Moreno-Domínguez, S., Rodríguez-Ruiz, S., Fernández-Santaella, M. C., Jansen, A., & Tuschen-Caffier, B. (in press): (2011) Pure versus guided mirror exposure to

reduce body dissatisfaction: A preliminary study with university women. Body image. doi:10.1016/j.bodyim

- 1118 Landenberger, Margarete, Horn, Kathleen: (2009) Körperbild und Selbstwertgefühl von Patienten mit Gesichtsbeeinträchtigungen IN: Spezial-Soziologie face Jahrg. 3, S. 52-55, download: http://www.oemus.com/archiv/pub/sim/fa/2009/fa0309/fa0309_52_55_landenberger.pdf
- 1119 Stefan Brunhoeber, Melanie Brunhoeber: Kognitive Verhaltenstherapie bei körperdysmorpher Störung. Ein Therapiemanual [mit CD-ROM]. Hogrefe, Göttingen/Bern/Stockholm/Wien/Paris/Oxford/Prag/Toronto/Cambridge, MA/Amsterdam/Kopenhagen 2009
- 1120 Bender, Caroline: (2010/2011) Körperunzufriedenheit und körperbezogene Informationsverarbeitung bei Kindern, Dissertation der Wirtschafts- und Verhatlenswissenschaftlichen Faklutät der Albert-Lusdwigs-Universität Freiburg im Breisgau download http://www.freidok.uni-freiburg.de/volltexte/8402/pdf/KUZ_CB.pdf
- 1121 Vocks, Silja; Legenbauer, Tanja; Troje, Nikolaus; Schulte, Dietmar: (2006) Körperbildtherapie bei Essstörungen, Beeinflussung der perzeptiven, kognitiv-affektiven und behavioralen Körperbildkomponente IN: Zeitschrift für Klinische Psychologie und Psychotherapie 35 (4), 286-295
- 1122 Cash, T.F.; Deagle, E.A.: (1997) The nature and extent of body-image disturbances in anorexia nervosa and bulimia nervosa: A Meta-analysis. IN: International Journal of Eating Disorders, 22, S. 107-125
- 1123 Farrell, C.; Lee, M.; Safran, R.: (2005) Assesment of body size estimation: A review. IN: European Eating Dissorders Review, 13, 7-88
- 1124 Hilber, A.; Tuschen-Caffier, B: (2004) Body image intervents in a cognitive-behavioural therapy of binge eating disorder: A component analysis. IN: Behaviour Research and Therapy, 42, S. 1325-1339
- 1125 Günnewig, Michael: (2003) Pflegediagnose: Körperbildstörung nach schweren Brandverletzungen IN: Plexus 2. Ausgabe 2003 download http://www.pflegesoft.de/forum/index.php?action=dlattach;topic=5292.0;attach=3267
- 1126 Gail B. Ladwig: (2011) Disturbed Body image IN: Ackley, Betty, J.; Ladwig, Gail B.: 2011 Nursing Diagnosis Handbook, an evidence-Based Guide to Planning Care, Mosby Elsevier Verlag, Print in teh United States of America
- 1127 Lietzmann, Anja: (2003) Theorie der Scham. Eine anthropologische Perspektive auf ein menschliches Charakteristium, Dissertation zur Erlanung des akademischen Grades Doktor der Sozialwissenschaften in der Fakultät für Sozial- und Verhaltenswissenschaften der Eberhard-Karls-Universität Tübingen download:http://tobias-lib.uni-tuebingen.de/volltexte/2003/935/pdf/Anja_Lietzmann_-_Scham.pdf
- 1128 Heaton C.: (2012) Creating a protocol to reduce inpatient falls IN: Nurs Times, Jhrg. 108 (12), S. 16-18
- 1129 Champan, J.; Bachand, D.; Hyrkäs, K.: (2011) Testing the sensitivity, specificity and feasibility of four risk assessment tools in a clinical setting. IN: J Nurs Manage, Jhrg. 19 (1), S. 133-142
- 1130 Thomas Dirscherl, Kurt Hahlweg, Matthew R. Sanders und Yvonne von Wulfen: Triple P - ein Public Health Ansatz zur Förderung der seelischen Gesundheit von Kindern und Jugendlichen durch Stärkung der elterlichen Erziehungskompetenz Grundlagen, Struktur, Inhalte und Evaluation, 2007, <http://www.triplep.de/files/uebertriplep/literatur/uebersichtsartikel_v4.0.pdf>, Download: 25.2.2011
- 1131 Sanders Matthew R, Turner Karen MT, Markie-Dadds Carol, Mazzucchelli Trevor G, Studman Lisa J., Nicholls Wendy J: Stepping Stones Triple P Gruppenarbeitsbuch für Eltern von Kindern mit Behinderungen. Das Begleitbuch zum Elterngruppentraining, PAG Institut für Psychologie AG, Münster, 2004.
- 1132 Schaadt, A-K et al. (German Stepping Stones Study Group): Evaluation von Stepping Stones Triple P: Ergebnisse der Stepping Stones -SPZ-Multicenterstudie, Folienvortrag der Forschungstagung 2010 Maulbronn 19.06.2010, <http://www.kize.de/5-downloads/Vortrag-MaulbronnJuni2010_Hampel.pdf>, Download: 25.2.2011 Heeren, Jörg; Glasen, Doreen, 2007, Seminarunterlagen der Universität Bielefeld, http: //. Uni-bielefeld.de/paedagogik/Seminare/moeller02/07bindung2
- 1133 WHO : Prevention of Mental Disorders. Effective interventions and policy options. Summary Report, 2004, <http://www.who.int/mental_health/evidence/en/prevention_of_mental_disorders_sr.pdf>
- 1134 National Institute for Health and Clinical Excellence (NICE): Parent-training/education programmes in the management of children with conduct disorders, 2006, review

date: 2007, <http://www.nice.org.uk/nicemedia/pdf/TA102guidance.pdf>

- 1135 Karen Zweyer : Bindung im Kindergartenalter, in: Familienhandbuch des Staatsinstituts für Frühpädagogik (IFP), 2004, zuletzt geändert: 2011, <https://www.familienhandbuch.de/kindheitsforschung/fruhe-kindheit/bindung-im-kindergartenalter>, Download: 2.9.2011
- 1136 Gloger-Tippelt, Gabriele: Familienbeziehungen und Entwicklung, Antrittsvorlesung an der Heinrich-Heine-Universität, Düsseldorf, 1999: <http://www.phil-fak.uni-duesseldorf.de/epsycho/Antritt.htm>, Download: 2.9.2011
- 1137 Kloos, Hans-Dieter, in: BeKD e.V. (Hrsg.): Zielsetzungen und Kompetenzsicherung in der Kinderkrankenpflege, Das Druckhaus Neuss, 1998, S. 16-26.
- 1138 Tormann, Susanne : Pathos und Pathologie des „Normalen" Gesundheitsverhalten und Vergesellschaftung von Kindern und Jugendlichen, in: BeKD e.V. (Hrsg.): Zielsetzungen und Kompetenzsicherung in der Kinderkrankenpflege, Das Druckhaus Neuss, 1998, S. 28-41.
- 1139 Kohlberg, L. : Moralische Entwicklung und demokratische Erziehung, in: Lind, G; Raschert, J. (Hrsg.): Moralische Urteilsfähigkeit. Weinheim/Basel, 1987, S. 25-43.
- 1140 Holoch, E; Gehrke, U; Knigge-Demal, B; Zoller, E : Lehrbuch Kinderkrankenpflege. Die Förderung und Unterstützung selbstpflegebezogenen Handelns im Kindes- und Jugendalter, Verlag Hans Huber: Bern 1999, s. 184-191.
- 1141 G. Hundenborn, B. Knigge- Demal : Curriculare Rahmenkonzeption. Zum Begriff von Pflegesituationen und ihren Konstitutiven Merkmalen - Ausdifferenzierung von Berufssituationen und Generierung von Qualifikationen. In: Teil 5 des Zwischenberichts der Landeskomission zur Erstellung eines landeseinheitlichen Curriculums als empfehlende Ausbildungsrichtlinie für die Kranken- und Kinderkrankenpflegeausbildung, Auszug aus dem Original (S. 16-92) . Im Auftrag des Landes Nordrhein- Westfalens, vertreten durch das Ministerium für Arbeit, Gesundheit und Soziales. Düsseldorf 1996. Redaktionelle Überarbeitung: Im Auftrag des Landes Nordrhein- Westfalens, vertreten durch das Ministerium für Frauen, Jugend, Familie und Gesundheit. Düsseldorf 1998.
- 1142 Wassill, Tanja; Herbst, Stefanie; Bockelmann, Nina (2010): Entwicklungsfördernde Pflege. Stressreduktion durch Lärm- und Schmerzminimierung bei Frühgeborenen, Folienvortrag der Küstenländerweiterbildung Universitäre Bildungsakademie, <http://www.uke.de/zentrale-dienste/bildungszentrum/downloads/Entwicklungsfoerdernde_Pflege.pdf>, 28.6.2012
- 1143 Kalkhorst, Mandy (2000): Das Frühgeborene, Vortrag anlässlich einer internen Fortbildung der Kinderintensivstation des Uniklinikums Hamburg, <http://www.uke.de/kliniken/kinderklinik/downloads/klinik-kinder-jugendmedizin/v_fg.pdf>, 28.6.2012
- 1144 WHO, deutsche Übersetzung von Kewitz, Gabriele im Auftrag des Verband der Europäischen Still- und Laktationsberaterinnen (VELB) (2006): Kangaroo Mother Care. Anleitung für die Praxis, <http://whqlibdoc.who.int/publications/2003/9241590351_ger.pdf>, 28.6.2012
- 1145 Gesellschaft für Neonatologie und Pädiatrische Intensivmedizin (2004): Behandlung von extrem unreif Frühgeborenen. Frühgeburt an der Grenze der Lebensfähigkeit des Kindes, <http://www.gnpi.de/wir/stellung/extremfrueh.htm>, 28.6.2012
- 1146 Bergner, Kerstin (2009): Kleiner Zwerg - großer Schmerz. Individuelle pflegerische Möglichkeiten vor schmerzhaften und invasiven Eingriffen auf einer Neonatologie, schriftliche Abschlussarbeit, Bildungszentrum Landeskrankenhaus Salzburg, Universitätsklinikum der Paracelsus medizinischen Privatuniversität, <http://www.salk.at/DMS/2-20091102-160627.pdf>, 28.6.2012
- 1147 Schicho, Katrin (2009): Swaddling: Das Einwickeln/Fatschen von Neugeborenen und Säuglingen. Ein Überblick über mögliche Gründe und Methoden mit Beispielen aus der Zeitspanne von der Antike bis heute. Literaturarbeit am Institut für Pflegewissenschaft der Paracelsus Medizinische Privatuniversität, <http://www.schik-art.at/Literaturarbeit%20Katrin%20Schicho.pdf>, 28.6.2012
- 1148 Tesch, Barbara (2009): NIDCAP®/WEFIB und die Evaluierung des Implementierungsprozesses an den neonatologischen Stationen im Wiener AKH, Diplomarbeit an der Universität Wien, <http://othes.univie.ac.at/6302/1/2009-08-18_0408524.pdf>, 28.6.2012
- 1149 Asmussen, Maren: (2010) Praxisbuch Kinäesthetics, Erfahrungen zur individuellen Bewegungsuntersützung auf Basis der Kinästhetik, 2. Auflage, Urban & Fischer Verlag, München
- 1150 Marhold, Christina (2010): Kindliche Bewältigungsstrategien nach dem Krippeneintritt, Diplomarbeit an der Universität Wien, http://othes.univie.

ac.at/9862/1/2010-05-03_0300671.pdf, Download: 24.7.2012

- 1151 Nusser-Müller-Busch, Ricki (Hrsg.) (2007) Die Therapie des Facio-Oralen Trakts, F.O.T.T nach Kay Coombes, 2. Auflage, Springer Verlag, Heidelberg
- 1152 Nusser-Müller-Busch, Ricki (Hrsg.) (2011) Die Therapie des Facio-Oralen Trakts, F.O.T.T nach Kay Coombes, 3. Auflage, Springer Verlag, Heidelberg
- 1153 Schneider, Joachim Helmut: (2004) Motilitätsstörungen der Speiseröhre, ein Leitfaden der Diagnostik und Therapie; Thieme Verlag, Stuttgart
- 1154 Limbrock, Johannes G.: (2011) Ströungen der Mundmotorik bei Kindern mit infantiler Zerebralparese (ICP), IN: Journal für Neurologie Neruochirurgie und Psychiatrie Jhrg. 12 (4), S. 360-366 download: http://www.kup.at/kup/pdf/10305.pdf
- 1155 Dusick, Anna: (2003) Investigation and management of dysphagia IN: Semin Pediatr Neurol. Jahrg. 10 (4), S. 255-264
- 1156 Bartolome, Gudrun; Schröter-Morasch, Heidrun (Hrsg.): (2010) Schluckstörungen Diagnostik und Rehabilitation, 4. Auflage, Urban und Fischer Verlag München
- 1157 Langley, J.: (1996) Working with swallowing disorders, Bicester, Winslow Press
- 1158 Thompson, Gerorge A.; Iwata, Brain A; Poynter Holly: (1997) Operant Control of Pathological Tongue Thrust in Spastic Cerebral Palsy IN: Jorunal of Applied Behavior Analysis Jhr. 12 (3) S. 325-333
- 1159 OPS Version 2012 E Behandlung bei psychischen und psychosomatischen Störungen und Verhaltensstörungen bei Kindern und Jugendlichen (9-65...9-69) http://www.dimdi.de/static/de/klassi/ops/kodesuche/onlinefassungen/opshtml2012/block-9-65...9-69.htm, Download: 27.7.2012
- 1160 Hampel, Olaf Alexander; Hasmann, Sandra Elisabeth; Schaadt, Anna-Katharina; Holl, Reinhard; Petermann, Franz; Hasmann, Reiner Titel: Effekte des Stepping Stones Elterngruppentrainings für Familien mit behinderten Kindern. Quelle: In: Kindheit und Entwicklung <http://ZDB-OPAC.de/SET=6/TTL=1/CMD?ACT=SRCHA&IKT=8506&TRM=1142124-1&PRS=HOL&HOLDINGS_YEAR=2010>, Volume 19, Number 1, 2010, S. 36-46 (http://psycontent.metapress.com/content/v65868vg7452/?p=6f5379f83e7342f9a9def0509e67d6fd&pi=6)
- 1161 Paul Probst <http://www.v-r.de/de/autoren/8927365/> : Literatur-Review zur Validität des präventiven Elterntrainings Stepping Stones Triple P, in: Praxis der Kinderpsychologie und Kinderpsychiatrie2009/58,5 <http://www.v-r.de/de/Praxis-der-Kinderpsychologie-und-Kinderpsychiatrie-2009/t/1003459/>, S. 351-367 (http://www.v-r.de/de/Probst-Literatur-Review-zur-Validitaet-des-praeventiven-Elterntrainings-Stepping-Stones-Triple-P/t/2000002394/)
- 1162 Weber, Elena: (2006) Parkinsonmedikation und Mundtrockenheit - eine empirische Untersuchung der xerogenen Wirkmechanismen, ihrer Effekte und die Oralgesundheit und der Möglichkeit antixerogener Stimulation durch Kaupräparate; Inaugural Dissatation zur Erlanung des doctor medicinae dentium, Medizinische Faklutät der Westfälischen Wilhelms-Universität Münster, download http://miami.uni-muenster.de/servlets/DerivateServlet/Derivate-2981/diss_weber.pdf
- 1163 Castell JA; Castell DO; Schultz AR, Georgeson S: (1993) Effect of head position on the dynamics of the upper esophageal sphincter and pharynx IN: Dyshagia Jhrg. 8 (1), S. 1-6
- 1164 Fujiu, Masako; Logemann, JeriA.: (1996) Effect of a tongue-holding maneuver on posterior wall movement during deglutition. IN: AM J Speech Lang Pathology Jahrg. 5 (2) Seite 23-30
- 1165 Perlman, A.L.; Luschei, E.S.; DuMon, C.E.: (1989) Electrical activity from the superior pharyngeal constrictor during reflexive and nonreflexive tasks. IN: j Speech Hear Res Jhrg. 32 (4) Seite 749-754
- 1166 Raber-Durlacher, Judith E.; Brennan, Mike T.; Verdonck-de, Irma M.; Gibson, Rachel J.; Eilers, June G.; Waltimo, Tuomas; Bots, Casper P.; Michelet, Marisol;Sollecito, Thomas P.; Rouleau, Tanya S.; Sewnaik, Aniel; Bensadoun, Rene-Jaen; Fliedner, Monica C.; Silverman Jr, Sol; Spijkervet, Fred K.L.: (2012) Swallowing dysfunction in cancer patients IN: Support Care Cancer Jhrg. 20 (3) S. 433-443
- 1167 Hutches, K.A.; Alvares, C.P.; Barringer, D.A.; Kupferman, M.E.; Lapine, P.R.; Lewin, J.S.: (2012) Outcomes of elective total laryngectomy for laryngopharyngeal dysfunction in disease-free head and neck cancer survivors IN: Otolaryngol Head Neck Surg. Jhrg. 146 (4), S. 585-590
- 1168 Khinda, V.; grewal, N.: (1999) Relationship of tongue-thrust swallowing and anterior open bite with articulation disorders: a clinical study IN: J Indian Soc Pedod Prev Dent Jhrg. 17 (2) S. 33-39

- 1169 Schneider, S.A.; Aggarwal, A.; Bhatt, M.; Dupont, E.; Tisch, S.; Limousin, P.; Lee, P.; Quinn, N.;Bhatia, K.P.: (2006) Severe tongue protrusion dystonia: clinical syndromes and possible treatment. IN: Neurology. Jhrg. 67 (6) S. 940-943
- 1170 Cooper-Brown, L.; Copeland, S.; Dailey, S.; Downey, D.; Petersen M.C. Stimson, C.; Van Dyke, D.C.: (2008) Feeding and swallowing dysfunction in geetic sycdromes IN: Dev Disabil Res Rev. Jhrg. 14 (2), S. 147-157
- 1172 Thiel, Monika, M.; Ewerbeck, Caroline: (2010) Dysphagie Diagnostik und Therapie Ein Wegweiser für kompetentes Haneln, Springer Verlag, Berlin, Heidelberg
- 1175 Prosiegel, Mario; Weber Susanne: (2010) Dyspahgie Diagnsotik und Therapie Ein Wegweiser für kompetentes Handeln, Springer Verlag Berlin Heidelberg
- 1176 Gaziano JE: (2002) Evaluation and anagement oropharyngeal dysphagia in head and neck cancer. Cancer Control 9 (5): S. 400-409
- 1177 Mann et al: (2000) Swallowing disorders following acute stroke: prevalence anddiagnostic accuracy. Cerebrovasc Dis 10 (5) S. 380-386
- 1178 Kim Y, McCullough GH: (2007) Stage transitions duration in patients poststroke. Dysphagia22 S. 299-305
- 1179 Leder SB: (1999) Fiberoptic edoscopic evaluation of swallowing in patients with acute traumatic brain injury. Head Trauma Rehabil 14 (5) S. 448-453
- 1181 Mackay LE, et al. (1999) Swallowing disorders in severe brain injury: risk factors affecting return to oral intake. Arch Phys Mes Rehabil 80 S. 365-371
- 1182 Schurr MJ et al.: (1999) Formal swallowing evaluation ant therapy after traumatic brain injury improves dysphagia outcomes. J Trauma 46 S. 817-821
- 1183 Torrico et al.: (2000) Upper esophageal sphincter function during gastroesophageal reflux events revisited. Am J Physiol Gastrointest Liver Physiol 279S 262-267
- 1184 Power et al: (2007) Deglutitive laryngeal closure in stroke patients. J Neurol Neurosurg Psychiatry 78 S. 141-146
- 1185 Daniels SK and Foundas AL: (1997) The role of the insular cortex in dysphagia. Dysphagia 12 S. 146 - 156
- 1186 Riecker et al.: (2009) Dysphagia due to unilateral infarction in the vascular territory of the anterior insula. Dysphagia 24 S.114-118
- 1187 Pfeiffer RF: (2003) Gastrointestinal dysfunction in Parkinso´s disease. Lancet Neurol 2(2) S.107-116
- 1188 Prosiegel M, Jöbges M: (2008) Schluckstörungen bei Morbus Parkinson - klinische Anatomie und Physiologie, pharmakologische und chirurgische Interventionsmöglichkeiten. In: Nebel A, Deuschl G (hrsg) Dysarthrie und Dysphagie bei Morbus Parkinson. Thieme, Stuttgart, New York S. 108-120
- 1189 Leopold NA, Kagel MC (1997b) Dysphagia in progressive supranuclear palsy: radiologic features. Dysphagia 12 S.140-143
- 1192 Hiller, Mirko: (2008) Strukturierte Diagnostik und evidenzbasiertes Vorgehen bei Schluckstörungen IN: Forum Logopädie Jhrg. 4 (22) S. 6-11
- 1193 Martin RE, Neary ME, Diamant NE: (1997) Dysphagia following anterior cervical spine surgery Dysphagia 12 (1) S. 2-8
- 1194 Parker et al.: (2004) Awareness of dysphagia by patients following stroke predicts swallowing performance. Dysphagia 19 (1) S.28-35
- 1196 Schroeder et al.: (2006) Clinical and cognitive predictors of swallowing recovery in stroke. J Rehabil Res Dev 43(3): 301 - 310
- 1197 Gregory et al.: (1992) Tardive dyskenisia presenting as severe dysphagia Journal of Neurology Neurosurgery and Psychiatry 55 (12) S. 1203-1402
- 1199 Gastl R, Ludolph AC (2007) Amyothrophe Lateralsklerose Der Nervenarzt 78(12) S.1449-1457
- 1200 Sasaki et al.: (2006) Effects of altered consciouness on the protective glottic closure reflex Ann Otol Rhinol Laryngol 115 (10) S.759-763
- 1201 Logemann, Jerri et al.: (2008) Swallowing Disorders in the First Year After Radiation and Chemoradiation, Head Neck 30(2) S.148-158
- 1202 Smith CH: (2006) Oral and oropharyngeal perceptions of fluid viscosity across the age span Dysphagia 21 (4) S.209-217
- 1203 Hanning et al.: (2007) Motilitätsstörung des Ösophagus Der Radiologe 47 (2) S.123-136
- 1204 Logeman Jerri A.: (2008) Treatment of oral and pharyngeal dysphagia Phys Med Rehabil Clin N AM 19 (4) S. 803-816
- 1207 Welch, M.V. et al.: (1993) Changes in pharyngeal dimensions effected by chin tuck Archives of physical Medicine and Rehabilitation 74, S. 178-181

- 1209 Bülow,M. et al.: (2001) Videomanometric analysis of supragottic swallow, effortful swallow and chintick in patients with oropharyngeal dysfunction Dysphagia 13(3) S.190-195
- 1210 Logemann Jerri A.: (1999) Behavioral management for oropharyngeal dysphagia Folia Phoniatr Logop 51 (4-5) S.199-212
- 1211 Veis, S. et al.: (2000) Effects of three techniques on maximum post´erior movement of the tongue base Dysphagia 15(3) S.142-145
- 1212 Logemann Jerri et al. :(2012) Oropharyngeal dysphagia: pathophysioloy and diagnosis for the anniversary issue of Disease of the Esophagus Dis Esophagus 25(4) S.299-304
- 1213 Rood, M.S.: (1962) The use of sensory receptors to activate, facillitate and inhibit motor response, automatic and somatic in developmental sequence Study course VI Third international Congress World Confederation of Occupational Therapists Dubuque Iowa WM.C.Brown Book Company
- 1214 Stockmeyer, A.S. (1967): An interpretation of Rood to the treatment of neuromuscular dysfunction American Journal of Physical Miedicine and Rehabilitation 46 (1) S.900-961
- 1215 Knutson, E.: (1970) Topical cryotherapy in spysticity Scandinavian Journal of Rehabilitation Medicine 2 S. 159-163
- 1216 Garliner, D.: (1989) Myofunktionelle Therapie in der Praxis (2.Aufl.) Heidelberg, Hüthig
- 1217 Limbrock et al.: (1993) The Castillo-Morales approach to orofacial pathology in Down Syndrome International Journal Orofacial Myology 19 S.30-37
- 1218 Kontiokari, Tero et al. (2001) Randomised trial of cranberry-lingonberry juice and Lactobacillus GG dring for the prevention of urinary infections in women in British Medical Journal 2001 June 30; 322 (7302): 1571
- 1219 McMurdo et al.: (2005) Does ingestion of cranberry juice reduce symptomatic urinary tract infections in older people in hospital? A double-blind, placebo-controlled trial in Age and Ageing 2005, 34 (3) S. 256-261
- 1220 Jepson et al.: (2008) Cranberries for preventing urinary tract infections (Review) The Cochrane Collaboration 2008, Issue 1 published by John Whiley &Sons, Ltd.
- 1221 Faust, Volker: Psychiatrie Heute: Seelische Störungen erkennen, verstehen, verhindern, behandeln. PICA: Krankhafte Essgelüste, http://www.psychosoziale-gesundheit.net/pdf/pica_faust.pdf, Download: 17.9.2012
- 1222 Arbeitsgemeinschaft der Wissenschaftlichen Medizinischen Fachgesellschaften: (2004) Leitlinien der Deutschen Gesellschaft für Pneumologie Diagnostik und Therapie von Patienten mit akutem und chronischen Husten
- 1223 Simon M et al.: (2009) Screening-Verfahren zur Identifikation einer Dysphagie bei älteren Menschen - Ein systematischer Literaturüberblick IN: Pflege 22:193-206
- 1224 Arbeitsgemeinschaft der Wissenschaftlichen Medizinischen Fachgesellschaften (2004): Leitlinien der Deutschen Gesellschaft für Neurologie - Neurogene Dyshagien
- 1225 Arbeitsgemeinschaft der Wissenschaftlichen Medizinischen Fachgesellschaften: (2004) Leitlinien der Deutschen Gesellschaft für Phoniatrie und Pädaudiologie Dysphagie
- 1226 Offermann, Peter (Hrsg.): 2011 Körperpflege ohne Kampf: Personenorientierte Pflege von Menschen mit Demenz, Hans Huber Verlag
- 1227 Springer, Luise; Schrey-Dern, Dietlinde (Hrsg.): (2006) Sprachstörungen im Kindesalter Materialien zur Früherkennung und Beratung, 5. vollständige überarbeitet Auflage, Georg Thieme Verlag, Stuttgart, New York

Inhaltsverzeichnis

Änderungen von Version 2.4 auf 2.5 (2008/2009)

Neue aufgenommene Praxisleitlinien (n=14)

848 Der Bewohner/Patient/Klient hat aufgrund einer Essstörung eine Mangelernährung

849 Der Bewohner/Patient/Klient hat aufgrund einer kognitiven Beeinträchtigung eine Mangelernährung

851 Der Bewohner/Patient/Klient hat aufgrund einer kognitiven Beeinträchtigung das Risiko einer Mangelernährung

850 Der Bewohner/Patient/Klient hat das Risiko einer Mangelernährung

855 Der Bewohner/Patient/Klient hat aufgrund einer Sondenernährung ein beeinträchtigtes Wohlbefinden

852 Der Bewohner/Patient/Klient kann die Aufmerksamkeit nicht/nur mühsam auf die kontraläsionale (= vernachlässigte) Raum- oder Körperseite richten (=Neglect)

853 Der Bewohner/Patient/Klient ist in der Fähigkeit, Informationen aufzunehmen und zu verarbeiten, beeinträchtigt

856 Der Bewohner/Patient/Klient ist in der Fähigkeit Kompetenzen im Rahmen der Selbstpflegefähigkeit zu erwerben beeinträchtigt, Risiko der unwirksamen Therapie

857 Der Bewohner/Patient/Klient hat einen Dekubitus, es besteht eine erschwerte Wundheilung

858 Der Bewohner/Patient/Klient hat einen Ulcus cruris arteriosum, es besteht eine erschwerte Wundheilung

859 Der Bewohner/Patient/Klient hat einen Ulcus cruris venosum, es besteht eine erschwerte Wundheilung

861 Der Bewohner/Patient/Klient hat auf Grund einer chronischen Wunde ein beeinträchtigtes Wohlbefinden

858 Der Bewohner/Patient/Klient hat ein diabetisches Fußsyndrom (DFS), es besteht eine erschwerte Wundheilung

887 Der Bewohner/Patient/Klient hat aufgrund fehlender Informationen/ Fertigkeiten im Umgang mit Diabetes/Hypo- / Hyperglykämie ein Risiko der unwirksame Therapie

Inhaltlich umfassend bearbeitete Praxisleitlinien (n= 30)

555 Der Bewohner/Patient/Klient hat eine Mangelernährung

558 Der Bewohner/Patient/Klient lehnt die Nahrungsaufnahme ab (Nahrungsverweigerung), es besteht das Risiko der Mangelernährung

554 Der Bewohner/Patient/Klient zeigt eine Vernachlässigung der Nahrungszufuhr, es besteht das Risiko der Mangelernährung

134 Der Bewohner/Patient/Klient hat aufgrund eines erhöhten abdominalen Drucks einen unwillkürlichen Harnabgang (Belastungsinkontinenz)

135 Der Bewohner/Patient/Klient hat einen imperativen Harndrang verbunden mit einem unwillkürlichen Harnabgang (Dranginkontinenz)

137 Der Bewohner/Patient/Klient hat infolge der erreichten Blasenfüllung in regelmäßigen Zeitabständen einen unwillkürlichen Harnabgang (spontane Reflexentleerung)

138 Der Bewohner/Patient/Klient hat aufgrund einer chronischen Harnretention Harnträufeln/einen unwillkürlichen Harnabgang

574 Der Bewohner/Patient/Klient ist unfähig, bei intaktem Urogenitaltrakt einen unwillkürlichen Urinabgang zu vermeiden (funktionelle Urininkontinenz)

130 Der Bewohner/Patient/Klient ist harninkontinent (Mischinkontinenzform/ nicht kategorisierte Inkontinenzform) (Restkategorie)

845 Der Bewohner/Patient/Klient hat aufgrund einer extraurethralen Inkontinenz einen kontinuierlichen Harnabgang

012 Der Bewohner/Patient/Klient kann sich aufgrund einer Bewegungseinschränkung nicht selbstständig waschen

018 Der Bewohner/Patient/Klient kann sich aufgrund einer Hemiplegie/-parese nicht selbstständig waschen

007 Der Bewohner/Patient/Klient kann sich aufgrund eingeschränkter körperlicher Belastbarkeit nicht selbstständig waschen

027 Der Bewohner/Patient/Klient darf sich bei der Körperwaschung aufgrund einer verminderten Herzleistung nicht anstrengen, es besteht ein Selbstfürsorgedefizit bei der Körperwaschung

029 Der Bewohner/Patient/Klient kann aufgrund einer Bewegungseinschränkung die Gebrauchsgegenstände zur Körperwaschung nicht halten, es besteht ein Selbstfürsorgedefizit bei der Körperwaschung

022 Der Bewohner/Patient/Klient kann aufgrund von Desorientierung die Körperwaschung nicht selbstständig gestalten

011 Der Bewohner/Patient/Klient soll aufgrund einer Wirbelsäulenverletzung Bewegungen zwischen Becken und Rumpf vermeiden, es besteht ein Selbstfürsorgedefizit bei der Körperwaschung

013 Der Bewohner/Patient/Klient ist aufgrund einer quantitativen Bewusstseinseinschränkung bei der Körperwaschung voll abhängig

033 Der Bewohner/Patient/Klient führt die Körperwaschung nicht adäquat durch, es besteht ein Selbstfürsorgedefizit bei der Körperwaschung

016 Der Bewohner/Patient/Klient kann aufgrund einer Wunde im Intimbereich die Intimpflege nicht in gewohnter Weise durchführen

001 Der Bewohner/Patient/Klient ist aufgrund sonstiger Ursachen bei der Körperwaschung beeinträchtigt (Restkategorie)

676 Der Bewohner/Patient/Klient hat eine chronische Wunde, es besteht eine beeinträchtigte Wundheilung

339 Der Bewohner/Patient/Klient hat eine sekundär heilende Wunde, es besteht eine beeinträchtigte Wundheilung

331 Der Bewohner/Patient/Klient hat eine primär heilende Wunde, es besteht das Risiko einer beeinträchtigten Wundheilung

278 Der Bewohner/Patient/Klient hat aufgrund einer stumpfen Verletzung an den Extremitäten das Risiko von Komplikationen

092 Der Bewohner/Patient/Klient ist aufgrund von Sensibilitätsstörungen und Hypotonus auf einer Gesichtshälfte bei der Nahrungsaufnahme beeinträchtigt

094 Der Bewohner/Patient/Klient ist aufgrund eines eingeschränkten Mundschlusses bei der Nahrungsaufnahme beeinträchtigt, Nahrung fällt/läuft aus dem Mund

078 Der Bewohner/Patient/Klient ist in der selbstständigen Fingernagelpflege beeinträchtigt

827 Der Bewohner/Patient/Klient ist in der selbstständigen Fußpflege beeinträchtigt

069 Der Bewohner/Patient/Klient ist in der selbstständigen Haarpflege beeinträchtigt

Stillgelegte Praxisleitlinien (n=9)

Der Bewohner/Patient/Klient hat eine eitrig, belegte Wunde, Gefahr der Keimverschleppung

Der Bewohner/Patient/Klient hat ein erhöhtes Risiko der Hautschädigung durch den Einsatz von waschaktiven Substanzen

Der Bewohner/Patient/Klient hat ein erhöhtes Risiko, dass sich durch Keimverschleppung bei der Körperwaschung die Augen entzünden

Der Bewohner/Patient/Klient kann die Haare nicht selbstständig waschen

Der Bewohner/Patient/Klient hat lange Fußnägel und kann sie nicht selbstständig schneiden

Der Bewohner/Patient/Klient hat eine starke Hornhautbildung an den Füßen, kann diese nicht selbständig entfernen

Der Bewohner/Patient/Klient hat Schmutz unter den Fingernägeln und kann sie nicht selbstständig säubern

Der Bewohner/Patient/Klient ist aufgrund eines eingeschränkten Mundschlusses beim Trinken beeinträchtigt, Flüssigkeit läuft aus dem Mund

Der Bewohner/Patient/Klient ist beim Essen/Schlucken der Nahrung eingeschränkt, Speisen sammeln sich in der Wangentasche der betroffenen Seite

Genutzte Literaturquellen zur Untermauerung von ENP-Praxisleitlinien N= 520.

Änderungen von Version 2.5 auf 2.6 (2009-2011)

Neue ENP-Praxisleitlinien (n=24)

867 Der Bewohner/Patient/Klient hat eine beeinträchtigte Selbstreinigungsfunktion der Lunge (Restkategorie)

868 Der Bewohner/Patient/Klient ist in der selbstständigen Augenpflege beeinträchtigt (Restkategorie)

869 Der Bewohner/Patient/Klient hat aufgrund sonstiger Ursachen das Risiko einer Atelektasenbildung/Pneumonie (Restkategorie)

870 Der Bewohner/Patient/Klient ist beim Schlucken beeinträchtigt (Restkategorie)

872 Der Bewohner/Patient/Klient hat ein Risiko des Flüssigkeits-/Elektrolytdefizits (Restkategorie)

873 $wDie Bewohnerin hat das Risiko des beeinträchtigten Stillens (Restkategorie)

877 $wDie Bewohnerin ist beim Stillen beeinträchtigt (Restkategorie)

878 Der Bewohner/Patient/Klient hat ein inadäquates Ernährungsverhalten (Restkategorie)

879 Der Bewohner/Patient/Klient ist in der Urinausscheidung beeinträchtigt (Restkategorie)

880 Der Bewohner/Patient/Klient hat eine beeinträchtigte Darmentleerung (Restkategorie)

881 Der Bewohner/Patient/Klient hat sonstige Beeinträchtigungen bei der Stomaversorgung

886 Der Bewohner/Patient/Klient hat das Risiko eines plötzlichen Kindstods

892 Das Kind kotet bei einem Alter von über 4 Jahren ohne organische Ursachen ein (Enkopresis)

882 Der Angehörige/die Bezugsperson kann die Dependenzpflege nicht selbstständig durchführen

883 Der Angehörige/die Bezugsperson hat das Risiko, die Dependenzpflege des Betroffenen nicht selbstständig durchführen zu können

894 Der Bewohner/Patient/Klient hat eine Besiedelung/Infektion mit multiresistenten Erregern [MRE], es besteht das Risiko der Keimübertragung

889 Der Bewohner/Patient/Klient hat aufgrund einer autonomen Dysreflexie eine Bluthochdruckkrise

893 Der Bewohner/Patient/Klient hat aufgrund einer Querschnittlähmung das Risiko einer autonomen Dysreflexie

896 Der Bewohner/Patient/Klient ist infolge eines demenziellen Syndroms in der Tages-/ Lebensgestaltung beeinträchtigt

887 Der Bewohner/Patient/Klient hat aufgrund fehlender Informationen/ Fertigkeiten im Umgang mit Diabetes/Hypo-/Hyperglykämie ein Risiko der unwirksamen Therapie

891 Der Bewohner/Patient/Klient hat das Risiko einer verzögerten Entwicklung

897 Der Bewohner/Patient/Klient ist aufgrund einer Sprachstörung in der Kommunikation beeinträchtigt

898 Der Bewohner/Patient/Klient hat eine ausscheidungs-/inkontinenzassoziierte Dermatitis, es besteht eine erschwerte Wundheilung

895 Der Bewohner/Patient/Klient hat ein niedriges Aktivitätsniveau, Risiko von Gesundheitsschäden

Inhaltlich umfassend bearbeitete Praxisleitlinien (n= 30)

519 Der Bewohner/Patient/Klient hat eine sexuell übertragbare Infektion/Krankheit, es besteht Ansteckungsgefahr für den Sexualpartner

354 Der Bewohner/Patient/Klient hat das Risiko der Hyper-/Hypoglykämie

383 Der Bewohner/Patient/Klient hat eine Infektionskrankheit, es besteht das Risiko einer Ansteckung für das Umfeld

263 Der Bewohner/Patient/Klient hat aufgrund einer verminderten Herzleistung eine instabilen Herz-/Kreislauf-Situation

610 Der Bewohner/Patient/Klient hat aufgrund einer verminderten Herzleistung ein Risiko von Herz-Kreislauf-Komplikationen

261 Der Bewohner/Patient/Klient hat aufgrund hypertoner Kreislaufveränderungen das Risiko von Herz-/Kreislauf-Komplikationen

260 Der Bewohner/Patient/Klient hat aufgrund hypotoner Kreislaufveränderungen das Risiko von Herz-/Kreislauf-Komplikationen

696 Das Kind nässt bei einem Alter über 5 Jahren ohne organische Ursachen ein (Enuresis)

160 Der Bewohner/Patient/Klient hat ein Dekubitusrisiko (Anpassung an aktuellen Expertenstand)

103 Der Bewohner/Patient/Klient wird parenteral über Infusionstherapie ernährt, es besteht das Risiko von ernährungsbedingten Komplikationen

097 Der Bewohner/Patient/Klient wird enteral über Sonde ernährt, es besteht eine beeinträchtigte Nahrungsaufnahme

326 Der Bewohner/Patient/Klient hat aufgrund einer Infusionstherapie das Risiko der Über- oder Unterfundierung

651 Der Bewohner/Patient/Klient hat aufgrund eines Venenkatheters/einer Infusionstherapie das Risiko von Komplikationen

451 Der Bewohner/Patient/Klient ist aufgrund altersbedingter Abbauprozesse in der selbstständigen Lebens-/Tagesgestaltung eingeschränkt

535 Der Bewohner/Patient/Klient ist aufgrund einer Denkstörung in der Tages-/Lebensgestaltung beeinträchtigt

450 Der Bewohner/Patient/Klient ist aufgrund einer Orientierungsstörung in der selbstständigen Tages-/Lebensgestaltung beeinträchtigt

634 Der Bewohner/Patient/Klient ist aufgrund von Merk-/Gedächtnisstörungen in der Tages-/Lebensgestaltung beeinträchtigt

793 Der Bewohner/Patient/Klient hat aufgrund eines arteriellen Zugangs das Risiko von Komplikationen

627 Der Bewohner/Patient/Klient ist antriebsgemindert, es besteht das Risiko eines Selbstfürsorgedefizits

428 Der Bewohner/Patient/Klient hat aufgrund von psychotischem Erleben einen beeinträchtigten Realitätsbezug, es besteht das Risiko des Selbstfürsorgedefizits

429 Der Bewohner/Patient/Klient ist in der Strukturierung des Tagesablaufs beeinträchtigt, es besteht das Risiko eines Selbstfürsorgedefizits

426 Der Bewohner/Patient/Klient ist in der Lebensgestaltung beeinträchtigt, es besteht das Risiko eines Selbstfürsorgedefizits

313 Der Bewohner/Patient/Klient ist aufgrund einer Ich-Störung in der selbstständigen Tages-/Lebensgestaltung eingeschränkt

621 Der Bewohner/Patient/Klient hat aufgrund ständig wiederkehrender Gedanken, die nicht durch Logik/Vernunft abgestellt werden können (Zwangsgedanken), eine beeinträchtigte Tages-/Lebensgestaltung

425 Der Bewohner/Patient/Klient ist aufgrund einer Behinderung in der selbstständigen Tages-/Lebensgestaltung eingeschränkt

152 Der Bewohner/Patient/Klient ist aufgrund eines Enterostomas (künstlicher Darmausgang) in der Lebensgestaltung eingeschränkt

467 Der Bewohner/Patient/Klient ist in der selbstständigen Freizeitgestaltung beeinträchtigt

500 Der Bewohner/Patient/Klient zeigt wiederholt selbstverletzendes Verhalten, es besteht eine beeinträchtigte Problem-/Bewältigungsstrategie

684 Der Bewohner/Patient/Klient zeigt aufgrund mangelnden Zutrauens in die eigene Körperkraft ein Vermeidungsverhalten

131 Der Bewohner/Patient/Klient hat ein Risiko der ausscheidungs-/inkontinenz-assoziierten Dermatitis

Stillgelegte Praxisleitlinien (n=9)

188 Der Bewohner/Patient/Klient hat bei der Durchführung von Mobilisationsmaßnahmen das Risiko eines Kreislaufkollaps (geht in der Diagnose Hypotonie ID_260 auf)

325 Der Bewohner/Patient/Klient hat bei einem liegenden ZVK (Zentralen Venenkatheter) das Risiko der (Venen-/) Entzündung (geht in der Diagnose ID_651 auf)

324 Der Bewohner/Patient/Klient hat bei einer liegenden Venenverweilkanüle das Risiko der Venenentzündung Entzündung (geht in der Diagnose ID_651 auf)

326 Der Bewohner/Patient/Klient hat aufgrund einer Infusionstherapie das Risiko der Über- oder Unterfundierung (geht in ID_651 auf)

887 Der Bewohner/Patient/Klient hat aufgrund fehlender Informationen/ Fertigkeiten im Umgang mit Diabetes/Hypo-/ Hyperglykämie ein Risiko der unwirksamen Therapie

082 Der Bewohner/Patient/Klient hat eine Fixierung der Nasensonde, es besteht die Gefahr einer Hautirritation (geht in Diagnose ID_097 auf)

098 Der Bewohner/Patient/Klient hat aufgrund der Sonden Ernährung gastrointestinale Beschwerden (geht in Diagnose ID_097 auf)

106 Der Bewohner/Patient/Klient hat aufgrund von Diabetes Blutzuckerschwankungen, es besteht ein Risiko der Hyper- oder Hypoglykämie (geht in Diagnose ID_354 auf, diese wurde abstrahiert)

107 Der Bewohner/Patient/Klient hat aufgrund von fehlenden Informationen/Fähigkeiten im Umgang mit dem Diabetes das Risiko, gesundheitsbezogene Ziele nicht zu erreichen

Genutzte Literaturquellen zur Untermauerung von ENP-Praxisleitlinien N=1018.

Änderungen von Version 2.6 auf ENP-2013 (Mai 2011 bis August 2012)

Zwei zentrale Projekte mit Kliniken haben dazu geführt, dass ENP weiter bearbeitet wurde, zum einen die Abbildung im Bereich der „therapeutischen Pflege“ und zum anderen spezifische Inhalte und Aufgaben der Kinderkrankenpflege. Ebenso führten Validierungsarbeiten zu ENP zur Überarbeitung einiger Pfade.

Neue ENP-Praxisleitlinien (n=9)

900 Der Bewohner/Patient/Klient kann sich aufgrund einer sensorischen Integrationsstörung nicht selbstständig waschen

902 Der Bewohner/Patient/Klient zeigt motorische und/oder Verhaltensauffälligkeiten bei Anpassungsreaktionen bezogen auf die Umwelt, beeinträchtigte Wahrnehmung / sensorische Integrationsstörung

903 Der Bewohner/Patient/Klient zeigt keine Reaktion auf Reize, beeinträchtigtes Bewusstsein

901 Der Bewohner/Patient/Klient hat aufgrund einer Gaumenplatte das Risiko von Schleimhautirritationen/Druckstellen

905 Das Neugeborene hat das Risiko einer neonatalen Hyperbilirubinämie

1017 Der Bewohner/Patient/Klient hat eine verzögerte Entwicklung

1034 Angehörige/Bezugspersonen gestalten die Erziehung nicht entwicklungsfördernd, es besteht das Risiko der verzögerten Entwicklung

1032 Der Bewohner/Patient/Klient ist aufgrund eines beeinträchtigten Bolusformung/-kontrolle/-transport beim Schlucken beeinträchtigt

1033 Der Bewohner/Patient/Klient hat aufgrund fehlender/unzureichende Schutzreflexe das Risiko einer Aspiration

Inhaltlich umfassend bearbeitete Praxisleitlinien (n=32)

522 Die Bewohnerin/Patientin/Klientin hat eine beeinträchtigte Produktion von Muttermilch, Risiko der Unterernährung des Säuglings

184 Der Bewohner/Patient/Klient ist in der Fähigkeit, selbstständig zu sitzen, beeinträchtigt

712 Der Bewohner/Patient/Klient ist in der Fähigkeit, selbstständig einen Positionswechsel im Bett durchzuführen, beeinträchtigt

160 Der Bewohner/Patient/Klient hat ein Dekubitusrisiko

084 Der Bewohner/Patient/Klient ist in der Selbstständigkeit beim Essen/Trinken beeinträchtigt

842 Der Bewohner/Patient/Klient kann entwicklungsbedingt die Selbstfürsorge im Bereich der Ernährung nicht selbstständig erfüllen

849 Der Bewohner/Patient/Klient hat aufgrund einer kognitiven Beeinträchtigung eine Mangelernährung

555 Der Bewohner/Patient/Klient hat eine Mangelernährung

851 Der Bewohner/Patient/Klient hat aufgrund einer kognitiven Beeinträchtigung das Risiko einer Mangelernährung

608 Der Bewohner/Patient/Klient ist in der Transferfähigkeit beeinträchtigt

015 Der Bewohner/Patient/Klient hat aufgrund einer reduzierten Körperwahrnehmung das Risiko von Komplikationen

309 Der Bewohner/Patient/Klient hat aufgrund einer quantitativen Bewusstseinsstörung das Risiko von Komplikationen

411 Der Bewohner/Patient/Klient kann Umgebungsreize nicht adäquat wahrnehmen/verarbeiten, es besteht das Risiko von Fehlinterpretationen

840 Der Bewohner/Patient/Klient hat aufgrund einer beeinträchtigten Entwicklung der Wahrnehmungssysteme eine nicht altersentsprechende Entwicklung von Fähigkeiten/Fertigkeiten

537 Der Bewohner/Patient/Klient ist aufgrund einer Hemiplegie beim An-/Auskleiden beeinträchtigt

529 Der Bewohner/Patient/Klient ist aufgrund sonstiger Ursachen beim selbstständigen An-/Auskleiden beeinträchtigt

154 Der Bewohner/Patient/Klient hat ein Risiko des Nierenversagens

234 Der Bewohner/Patient/Klient hat aufgrund einer verminderten Belüftung der Lunge das Risiko einer Atelektase/Pneumonie

828 Der Bewohner/Patient/Klient hat ein Risiko der verminderten Belüftung der Lunge

359 Der Bewohner/Patient/Klient hat aufgrund eines erhöhten Bilirubinspiegels das Risiko von Komplikationen

814 Der Bewohner/Patient/Klient hat aufgrund von Verhaltensweisen, die gegen gültige soziale Normen der Gesellschaft verstoßen, das Risiko der sozialen Ausgrenzung

815 Der Bewohner/Patient/Klient hat aufgrund einer beeinträchtigten Eltern-Kind-Beziehung ein verändertes Sozialverhalten, das gegen die Prinzipien der Norm verstößt, es besteht ein Risiko der sozialen Ausgrenzung

748 Der Bewohner/Patient/Klient hat aufgrund einer Trennung von Eltern/Bezugspersonen ein Risiko einer verzögerten Entwicklung

838 Der Bewohner/Patient/Klient hat aufgrund einer Frühgeburt das Risiko einer verzögerten Entwicklung

891 Der Bewohner/Patient/Klient hat

das Risiko einer verzögerten Entwicklung

92 Der Bewohner/Patient/Klient ist aufgrund einer hypotonen Wangen-/ Lippen-/Mundmuskulatur bei der Nahrungsaufnahme beeinträchtigt

681 Der Bewohner/Patient/Klient ist aufgrund von Kauschwierigkeiten bei der Nahrungsaufnahme beeinträchtigt

87 Der Bewohner/Patient/Klient verschluckt sich häufig bei der Nahrungsaufnahme, Schlucken ist beeinträchtigt

90 Der Bewohner/Patient/Klient verschluckt sich bei Flüssigkeit, Schlucken ist beeinträchtigt

95 Der Bewohner/Patient/Klient ist aufgrund eines Zungenstoßes/-pressen beim Schlucken beeinträchtigt

96 Der Bewohner/Patient/Klient ist aufgrund der reduzierten/veränderten pharyngealen/ösophagealen Peristaltik beim Schlucken beeinträchtigt

870 Der Bewohner/Patient/Klient hat sonstige/multiple Ursachen für die Schluckstörung

Stillgelegte ENP-Praxisleitlinien (n=5)

811 Der Bewohner/Patient/Klient hat aufgrund eines veränderten Sozialverhaltens, das gegen die Prinzipien der gültigen sozialen Normen verstößt, das Risiko der sozialen Ausgrenzung

52 Der Bewohner/Patient/Klient hat einen beeinträchtigten Schluckreflex, es besteht das Risiko einer Aspiration bei der Mundpflege

88 Der Bewohner/Patient/Klient hat einen fehlenden Schluckreflex, es besteht das Risiko einer Aspiration

89 Der Bewohner/Patient/Klient hat einen fehlenden Husten-, Würge- und Schluckreflex, es besteht das Risiko einer Aspiration von Speichel

94 Der Bewohner/Patient/Klient ist aufgrund eines eingeschränkten Mundschlusses bei der Nahrungsaufnahme beeinträchtigt, Nahrung läuft aus dem Mund

Genutzte Literaturquellen zur Untermauerung von ENP-Praxisleitlinien N=1214.

Die Praxisleitlinien basieren derzeit auf 1.214 nationalen und internationalen Literaturquellen, darunter auch deutsche Regelwerke und Empfehlungen, wie die Expertenstandards, Richtlinien des MDS sowie gesetzliche Besonderheiten wie z. B. Aktivitäten nach §87b

Index

Anhand der hier aufgelisteten Stichwörter finden Sie zum entsprechenden Titel der jeweiligen ENP - Pflegediagnose.

C

D

E

F

G

Inhaltsverzeichnis

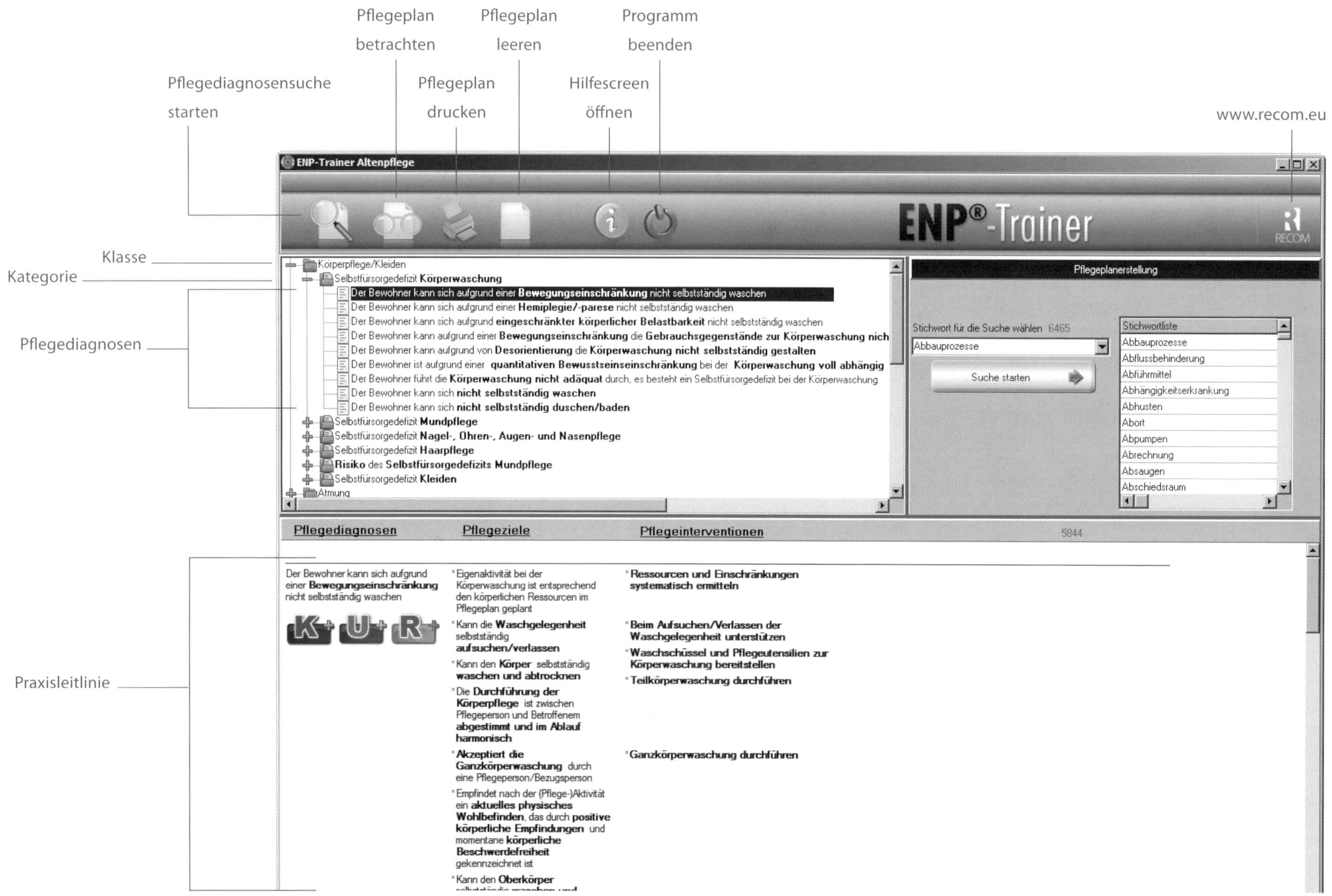

Abb. 11: Oberfläche des ENP-Trainers

Der ENP-Trainer Pflege

Systemanforderungen für die Installation des ENP-Trainers:

ab Microsoft® Windows® XP
Bildschirmauflösung: mind. 1280 x 720 ppi
Arbeitsspeicher: ab 256 MB
mind. 100 MB freier Festplattenspeicher

Installieren der Software

Zum Installieren des Programms benötigen Sie Administratorrechte auf Ihrem Computer. Legen Sie bitte die CD-ROM ein. Sofern bei Ihnen die AutoPlay-Funktion aktiviert ist, erscheint nach geringer Ladezeit auf Ihrem Bildschirm das ENP-Trainer Installationsprogramm. Sollte die AutoPlay-Funktion bei Ihrem Computer deaktiviert sein, können Sie das Installationsprogramm auch manuell von der CD-ROM starten, indem Sie auf der CD die Datei „Setup.exe" anwählen und per Doppelklick aufrufen. Folgen Sie den Schritten der Installation.

Nach der Installation starten Sie den ENP-Trainer aus Ihrem Startmenü. Es erscheint der Startbildschirm, per Mausklick auf den Button „Starten" beginnen Sie Ihre Übungssitzung. Über den Button „Hilfe" gelangen Sie zur Hilfedatei, die Sie ausführlich über das Arbeiten mit dem Programm informiert. Sie können die Hilfe ebenfalls innerhalb der Lernsoftware über den entsprechenden Button auf der Menüleiste jederzeit aufrufen.

Pflegeplanung mit dem „ENP-Trainer" erstellen

1. Sie erreichen die Pflegediagnosen, indem Sie das + auf der Ebene der Klassen und danach das + der Kategorien auswählen.
2. Wählen Sie Ihre beliebige Pflegediagnose aus.
3. Nach der Auswahl erscheint die Praxisleitlinie Ihrer Pflegediagnose.
4. In der Praxisleitlinie können Sie unterhalb des Bereichs Pflegediagnosen die Kennzeichen, Ursachen und Ressourcen in dieser Reihenfolge auswählen.
5. Mit der Auswahl der Kennzeichen erscheint das entsprechender Fenster, in dem Sie die Auswahl der zutreffenden Kennzeichen des Bewohners treffen können. (Abb. 12)
6. Entsprechend Ihrer Auswahl der Kennzeichen, wählen Sie nun die jeweiligen Ursachen und Ressourcen aus.
7. Abschließend erscheint mit der Auswahl des Textfelds im Bereich Pflegeinterventionen ein Fenster, in dem Sie Angaben, wie Uhrzeit usw. des Bewohners auswählen können. (Abb. 13)
8. Und genauso können Sie noch weitere Pflegediagnosen für Ihre Bewohner erstellen.
9. Nachdem Sie mit der Auswahl der Pflegediagnosen Ihrer Bewohner fertig sind, können Sie mit einem Klick auf einen Überblick über Ihren vollständigen Pflegeplan bekommen.
10. Damit Sie Ihren Pflegeplan ausdrucken können, wählen Sie das Symbol. Hierbei erscheint ein Fenster, in dem Sie Ihren Namen und das Erstelldatum des Pflegeplans eintragen können. (Abb. 14)

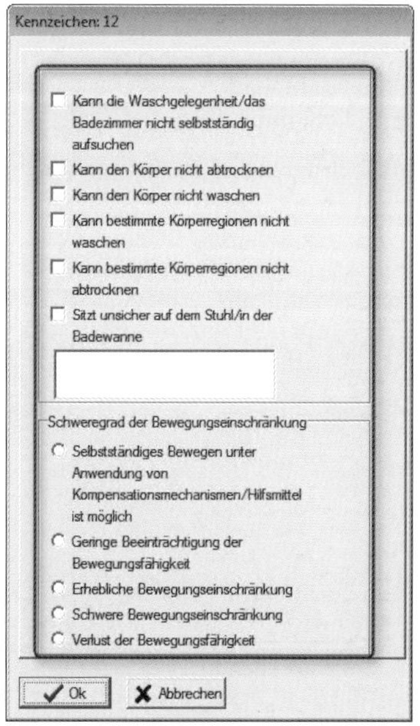

Abb. 12: Kennzeichen

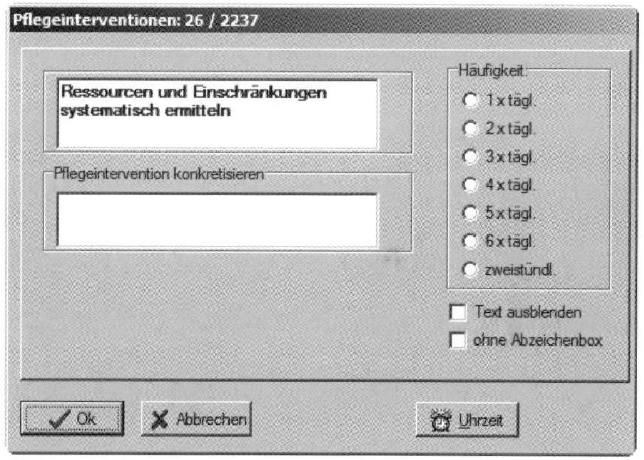

Abb. 13: Pflegeintervention

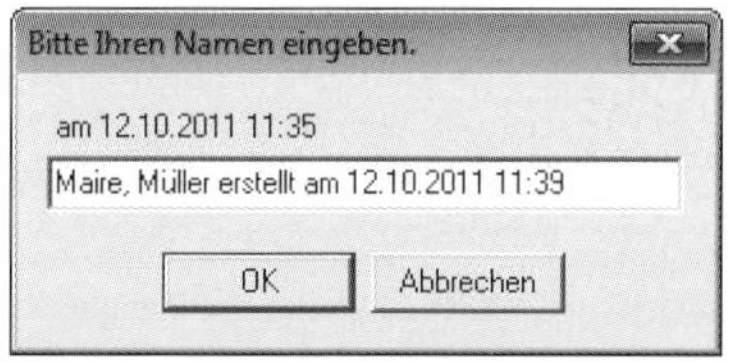

Abb. 14: Druckangaben

Sie finden auch das Diagnosenverzeichnis sowohl in der ENP-Struktur auf der CD.

Deinstallieren der Software
Zum Deinstallieren des Programms benötigen Sie Administratorrechte auf Ihrem Computer. Schließen Sie den ENP-Trainer:

Windows XP:
Öffnen Sie die Windows-Systemsteuerung und doppelklicken Sie auf „Software". Wählen Sie ENP-Trainer, klicken Sie auf „Ändern/Entfernen" und befolgen Sie die Anweisungen auf dem Bildschirm.

Windows 7:
Öffnen Sie die Windows-Systemsteuerung und klicken Sie auf „Programm deinstallieren". Wählen Sie ENP-Trainer, klicken Sie auf „Deinstallieren" und befolgen Sie die Anweisungen auf dem Bildschirm.

RECOM

RECOM GmbH & Co. KG
Gartenstraße 9
34125 Kassel

Internet www.recom.eu
E-Mail info@recom.eu

Telefon +49 (0)561 870897-0
Telefax +49 (0)561 870897-18